# KCR TEXTBOOK OF
# RHEUMATOLOGY

# 류마티스학

## 3rd Edition

대한류마티스학회

Rheumatology

# 류마티스학 3rd edition

첫째판 1쇄 발행 | 2014년  4월  14일
셋째판 1쇄 인쇄 | 2022년  4월  28일
셋째판 1쇄 발행 | 2022년  5월  18일

지 은 이   대한류마티스학회
발 행 인   장주연
출 판 기 획   김도성
책 임 편 집   이민지
편집디자인   조원배
표지디자인   김재욱
일 러 스 트   유학영
제 작 담 당   이순호
발 행 처   군자출판사(주)
　　　　　등록 제4-139호(1991. 6. 24)
　　　　　본사 (10881) **파주출판단지** 경기도 파주시 회동길 338(서패동 474-1)
　　　　　전화 (031) 943-1888      팩스 (031) 955-9545
　　　　　홈페이지 | www.koonja.co.kr

ISBN  979-11-5955-882-5

정가  160,000원

KCR TEXTBOOK OF
**RHEUMATOLOGY**

# 류마티스학

*3rd Edition*

# 류마티스학 3판  E-book

모바일, 테블릿, PC와 함께하는 군자출판사 E-book 시스템.
도서를 구매하시면 무료로 E-book을 이용하실 수 있습니다.

군자출판사 E-book을 이용해보세요.

1. www.koonja.co.kr 혹은 QR코드로 접속해주세요.
2. 회원가입 혹은 로그인을 합니다.
3. 마이페이지에 E-book을 클릭 후 도서 등록하기 버튼을 누릅니다.
4. 구매하신 도서의 표지를 선택하신 후 제공된 코드번호를 입력합니다.
5. 서재목록에서 등록된 도서를 선택하면 내용을 보실 수 있습니다.

**E-book 코드**

8V5L-858O-AMYR

● 류마티스학 3판의 E-book은 2022년 5월 18일부터 보실 수 있습니다.

# 편찬위원회 (가나다순)

## 편찬위원

### 편찬위원장
송정수     중앙의대 류마티스내과

### 책임편집위원

| | | | |
|---|---|---|---|
| 고은미 | 성균관의대 류마티스내과 | 유 빈 | 울산의대 류마티스내과 |
| 공현식 | 서울의대 정형외과 | 유대현 | 한양의대 류마티스내과 |
| 김진석 | 제주의대 류마티스내과 | 이신석 | 전남의대 류마티스내과 |
| 김현아 | 한림의대 류마티스내과 | 이은봉 | 서울의대 류마티스내과 |
| 박 원 | 인하의대 류마티스내과 | 이은영 | 서울의대 류마티스내과 |
| 박성환 | 가톨릭의대 류마티스내과 | 이지수 | 이화의대 류마티스내과 |
| 배상철 | 한양의대 류마티스내과 | 이충기 | 영남의대 류마티스내과 |
| 백한주 | 가천의대 류마티스내과 | 전재범 | 한양의대 류마티스내과 |
| 송영욱 | 서울의대 류마티스내과 | 정대철 | 가톨릭의대 소아청소년과 |
| 송정수 | 중앙의대 류마티스내과 | 차훈석 | 성균관의대 류마티스내과 |
| 심승철 | 충남의대 류마티스내과 | 최정윤 | 대구가톨릭의대 류마티스내과 |
| 양형인 | 경희의대 류마티스내과 | | |

### 부편집위원

| | | | |
|---|---|---|---|
| 고혁재 | 가톨릭의대 류마티스내과 | 김진현 | 충남의대 류마티스내과 |
| 곽승기 | 가톨릭의대 류마티스내과 | 김현숙 | 순천향의대 류마티스내과 |
| 구본산 | 인제의대 류마티스내과 | 김현아 | 아주의대 류마티스내과 |
| 김성수 | 울산의대 류마티스내과 | 김형진 | 성균관의대 류마티스내과 |
| 김성호 | 인제의대 류마티스내과 | 박성훈 | 대구가톨릭의대 류마티스내과 |
| 김영대 | 인제의대 소아청소년과 | 방소영 | 한양의대 류마티스내과 |

| 배기정 | 서울의대 정형외과 | 정승민 | 가톨릭의대 류마티스내과 |
| 성윤경 | 한양의대 류마티스내과 | 최성재 | 고려의대 류마티스내과 |
| 안중경 | 성균관의대 류마티스내과 | 최효진 | 가천의대 류마티스내과 |
| 유인설 | 충남의대 류마티스내과 | 하유정 | 서울의대 류마티스내과 |
| 이연아 | 경희의대 류마티스내과 | 허진욱 | 을지의대 류마티스내과 |
| 정경희 | 인하의대 류마티스내과 | | |

### 편찬실무위원회

**편찬실무간사**

| 김해림 | 건국의대 류마티스내과 |
| 정승민 | 가톨릭의대 류마티스내과 |

**편찬실무위원**

| 김용길 | 울산의대 류마티스내과 | 이은영 | 서울의대 류마티스내과 |
| 김현숙 | 순천향의대 류마티스내과 | 최찬범 | 한양의대 류마티스내과 |
| 안중경 | 성균관의대 류마티스내과 | 홍승재 | 경희의대 류마티스내과 |
| 이상원 | 연세의대 류마티스내과 | | |

# 집필진 (가나다순)

| | | | |
|---|---|---|---|
| 강귀영 | 가톨릭의대 류마티스내과 | 김지민 | 계명의대 류마티스내과 |
| 강성욱 | 충남의대 류마티스내과 | 김지형 | 서울의대 정형외과 |
| 강영모 | 경북의대 류마티스내과 | 김진석 | 제주의대 류마티스내과 |
| 강은하 | 서울의대 류마티스내과 | 김진현 | 충남의대 류마티스내과 |
| 강인수 | 예일의대 류마티스내과 | 김태환 | 한양의대 류마티스내과 |
| 강철인 | 성균관의대 감염내과 | 김해림 | 건국의대 류마티스내과 |
| 고은미 | 성균관의대 류마티스내과 | 김현숙 | 순천향의대 류마티스내과 |
| 고혁재 | 가톨릭의대 류마티스내과 | 김현아 | 아주의대 류마티스내과 |
| 공현식 | 서울의대 정형외과 | 김현아 | 한림의대 류마티스내과 |
| 곽승기 | 가톨릭의대 류마티스내과 | 김현옥 | 경상의대 류마티스내과 |
| 구본산 | 인제의대 류마티스내과 | 김형진 | 성균관의대 류마티스내과 |
| 권미혜 | 건양의대 류마티스내과 | 김호연 | 가톨릭의대 류마티스내과 |
| 권성렬 | 인하의대 류마티스내과 | 남언정 | 경북의대 류마티스내과 |
| 김건우 | 대구파티마병원 류마티스내과 | 류완희 | 전북의대 류마티스내과 |
| 김근태 | 고신의대 류마티스내과 | 문경호 | 인하의대 정형외과 |
| 김기조 | 가톨릭의대 류마티스내과 | 문기원 | 강원의대 류마티스내과 |
| 김남중 | 서울의대 감염내과 | 문수진 | 가톨릭의대 류마티스내과 |
| 김상현 | 계명의대 류마티스내과 | 민준기 | 가톨릭의대 류마티스내과 |
| 김성규 | 대구가톨릭의대 류마티스내과 | 박경수 | 가톨릭의대 류마티스내과 |
| 김성수 | 울산의대 류마티스내과 | 박민종 | 성균관의대 정형외과 |
| 김성헌 | 서울의대 소아청소년과 | 박민찬 | 연세의대 류마티스내과 |
| 김성호 | 인제의대 류마티스내과 | 박성환 | 가톨릭의대 류마티스내과 |
| 김영대 | 인제의대 소아청소년과 | 박성훈 | 대구가톨릭의대 류마티스내과 |
| 김용길 | 울산의대 류마티스내과 | 박소연 | 한양의대 류마티스내과 |
| 김윤성 | 조선의대 류마티스내과 | 박예수 | 한양의대 정형외과 |
| 김재훈 | 고려의대 류마티스내과 | 박용범 | 연세의대 류마티스내과 |

| | | | |
|---|---|---|---|
| 박용욱 | 전남의대 류마티스내과 | 오지선 | 서울아산병원 류마티스내과 |
| 박 원 | 인하의대 류마티스내과 | 유대현 | 한양의대 류마티스내과 |
| 박윤정 | 가톨릭의대 류마티스내과 | 유 빈 | 울산의대 류마티스내과 |
| 박진균 | 서울의대 류마티스내과 | 유인설 | 충남의대 류마티스내과 |
| 박희진 | 관동의대 류마티스내과 | 유종진 | 한림의대 류마티스내과 |
| 방소영 | 한양의대 류마티스내과 | 윤보영 | 인제의대 류마티스내과 |
| 백한주 | 가천의대 류마티스내과 | 윤종현 | 가톨릭의대 류마티스내과 |
| 서영일 | 한림의대 류마티스내과 | 이광훈 | 동국의대 류마티스내과 |
| 서창희 | 아주의대 류마티스내과 | 이명수 | 원광의대 류마티스내과 |
| 석경수 | 연세의대 정형외과 | 이상엽 | 동아의대 류마티스내과 |
| 성윤경 | 한양의대 류마티스내과 | 이상원 | 연세의대 류마티스내과 |
| 손경민 | 한림의대 류마티스내과 | 이상일 | 경상의대 류마티스내과 |
| 손창남 | 계명의대 류마티스내과 | 이상헌 | 건국의대 류마티스내과 |
| 송관규 | 고려의대 류마티스내과 | 이상훈 | 경희의대 류마티스내과 |
| 송 란 | 경희의대 류마티스내과 | 이성근 | 인제의대 류마티스내과 |
| 송석환 | 가톨릭의대 정형외과 | 이성원 | 동아의대 류마티스내과 |
| 송영욱 | 서울의대 류마티스내과 | 이수영 | 가톨릭의대 소아청소년과 |
| 송정수 | 중앙의대 류마티스내과 | 이승근 | 부산의대 류마티스내과 |
| 송정식 | 연세의대 류마티스내과 | 이신석 | 전남의대 류마티스내과 |
| 신기철 | 서울의대 류마티스내과 | 이연아 | 경희의대 류마티스내과 |
| 신동혁 | 을지의대 류마티스내과 | 이영호 | 고려의대 류마티스내과 |
| 심승철 | 충남의대 류마티스내과 | 이유선 | 성균관의대 류마티스내과 |
| 안종균 | 연세의대 소아청소년과 | 이윤종 | 서울의대 류마티스내과 |
| 안중경 | 성균관의대 류마티스내과 | 이은봉 | 서울의대 류마티스내과 |
| 양형인 | 경희의대 류마티스내과 | 이은영 | 서울의대 류마티스내과 |
| 오주한 | 서울의대 정형외과 | 이재준 | 성균관의대 류마티스내과 |

| | | | |
|---|---|---|---|
| 이주하 | 가톨릭의대 류마티스내과 | 정홍근 | 건국의대 정형외과 |
| 이주현 | 인제의대 류마티스내과 | 조미라 | 가톨릭의대 의생명과학교실 |
| 이지현 | 메리놀병원 류마티스내과 | 조수경 | 한양의대 류마티스내과 |
| 이찬희 | 국민건강보험 일산병원 류마티스내과 | 주지현 | 가톨릭의대 류마티스내과 |
| 이창근 | 울산의대 류마티스내과 | 지종대 | 고려의대 류마티스내과 |
| 이창훈 | 원광의대 류마티스내과 | 차훈석 | 성균관의대 류마티스내과 |
| 이창훈 | 한양의대 정형외과 | 천윤홍 | 경상의대 류마티스내과 |
| 이혜순 | 한양의대 류마티스내과 | 최상태 | 중앙의대 류마티스내과 |
| 이호승 | 울산의대 정형외과 | 최성재 | 고려의대 류마티스내과 |
| 이화정 | 대구가톨릭의대 류마티스내과 | 최인아 | 충북의대 류마티스내과 |
| 인 용 | 가톨릭의대 정형외과 | 최정윤 | 대구가톨릭의대 류마티스내과 |
| 임미경 | 을지의대 류마티스내과 | 최진정 | 차의대 류마티스내과 |
| 임미진 | 인하의대 류마티스내과 | 최찬범 | 한양의대 류마티스내과 |
| 임재영 | 서울의대 재활의학과 | 최효진 | 가천의대 류마티스내과 |
| 임정우 | 가톨릭의대 소아청소년과 | 하유정 | 서울의대 류마티스내과 |
| 전재범 | 한양의대 류마티스내과 | 한성훈 | 인제의대 류마티스내과 |
| 전찬홍 | 순천향의대 류마티스내과 | 한윤수 | 충북의대 소아청소년과 |
| 정경희 | 인하의대 류마티스내과 | 허진욱 | 을지의대 류마티스내과 |
| 정대철 | 가톨릭의대 소아청소년과 | 홍석찬 | 울산의대 류마티스내과 |
| 정상윤 | 차의대 류마티스내과 | 홍승재 | 경희의대 류마티스내과 |
| 정승민 | 가톨릭의대 류마티스내과 | 홍연식 | 가톨릭의대 류마티스내과 |
| 정원태 | 동아의대 류마티스내과 | 홍영훈 | 영남의대 류마티스내과 |
| 정진원 | 중앙의대 감염내과 | 황지원 | 성균관의대 류마티스내과 |
| 정청일 | 건양의대 류마티스내과 | | |

# 추천사

대한류마티스학회 공식 교과서인 류마티스학 제3판 개정판의 출간을 진심으로 축하드립니다.

대한류마티스학회는 류마티스 및 근골격질환의 치료 성적을 향상시키고 이를 통해 류마티스 질환 환자들의 삶의 질 개선에 꾸준한 노력을 기울여 왔다고 자부합니다. 이 목표를 달성하기 위해서 근거중심 의학에 입각하여 자료를 수집하고 정리하여 회원들에게 지속적 교육이 필요하다고 판단되어 우리 실정에 맞는 한글 교과서의 발간이 기획되었습니다.

2014년 류마티스학회에서 류마티스학 교과서 초판이 성공적으로 발간되었고, 4년 뒤인 2018년에 본인이 편찬위원장을 맡아 초판보다 도표, 그림을 좀 더 강화한 제2판 개정판을 발행한 것이 엊그제 같은데 다시 4년이 지나 더욱 내용이 보완된 제3판이 발간되어 감회가 새롭습니다. 류마티스학은 다른 학문에 비해서도 그 발전 속도가 빠르고, 진단기법 및 치료제 개발이 하루가 다르게 발전하고 있어 개정판의 요구가 적지 않았다고 봅니다. 류마티스학은 최근 10여 년간 생물학적 치료제를 비롯한 새로운 치료제가 가장 많이 소개된 학문으로 생각됩니다. 이를 통해 질환의 예후 경과, 치료 성적 등이 예전과는 비교할 수 없을 만큼 개선되었고, 이들 약제가 보편화되면서 발생되는 문제점 및 해결책에 대해서도 지속적으로 업데이트가 이루어지고 있습니다. 이런 이유로 지난 4년간 미국류마티스학회, 유럽류마티스학회에서도 지속적으로 류마티스 질환에 대한 업데이트 가이드라인을 발표하였고 이를 국내 실정에 맞게 정리한 개정된 교과서의 필요성이 있어 왔습니다.

류마티스학 교과서는 국내 유일의 류마티스학 전문 서적으로서 의과대학 학생부터 전공의, 전임의 및 류마티스학에 관심이 있는 관련 과 전문의에게 질환에 대한 개념이나 진단 및 치료 가이드라인을 제시하는 면에서 국내 의학 발전에 기여한 바도 크다고 생각합니다. 본 교과서의 특징으로는 국내 저명한 154명의 류마티스학 교수님들이 직접 참여하고 수십 번의 회의를 통해 내용의 실용성, 난이도, 시안성 등을 총체적으로 고려하여 완성된 최선을 다한 작품이라고 자부하고 싶습니다. 고령화 사회로 접어든 상황에서 근골격질환은 의료계에 중요한 관심사이며, 따라서 금번 류마티스학 교과서에서 전신성 류마티스 질환 외에 다양한 근골격질환에 대한 정확한 개념과 올바른 가이드라인을 제시함으로써 류마티스 및 근골격질환 환자에게도 혜택이 돌아갈 것으로 확신합니다.

특히 류마티스학을 이해하기 위해서는 기초면역학이 중요한 점을 고려하여 금번 개정판에서는 기초면역학 부분을 보강하였으며, 특별한 진료상황에 대한 내용에 중점을 두어 실질적 류마티스 진료에 좀 더 현실적인 접근을 하였습니다. 또한, 최근 4년간 발표된 국내외 연구자료, 가이드라인 등을 총괄적으로 정리하여 국내에서 진단 및 치료지침의 가장 중요한 참고문헌이 되고, 이를 바탕으로 심평원 등에서 급여기준을 설정하는 데 중요한 참고자료가 되는 만큼 그 의미는 더욱 크다고 할 수 있습니다.

교과서 발간을 위해 지난 1년여간 헌신적으로 힘써 주신 송정수 교과서 편찬위원장을 비롯한 편찬위원들께 진심으로 감사드리며 바쁘신 중에도 원고 집필에 정성을 기울여 주신 모든 저자들께도 감사드립니다. 본 교과서 집필 과정에서 편찬위원들과 밤낮없이 수고해 주신 군자출판사 관계자와 류마티스학회 김현정 실장과 류지은 간사에게도 그동안의 노고에 심심한 감사의 말씀을 전하면서 본 교과서가 국내 류마티스학 발전의 토대가 될 것이라 확신합니다.

2022년 5월
대한류마티스학회 회장 이 상 헌

# 추천사

류마티스학 교과서 3판의 출판을 진심으로 축하드립니다.

현대의학이 발전하면서 우리 모두는 점점 더 진보된 치료 방법을 통한 생명연장에 가장 관심을 갖게 되었는데, 이 중에 다양한 환경 및 질환의 세분화를 통해서 질환의 실체에 좀 더 접근하게 된 혁명적인 변화를 보여준 학문이 바로 류마티스학이라 생각됩니다. 2014년 학회 회원분들의 열정적인 지지로 처음 출판된 류마티스학 교과서는, 다양한 류마티스 질환을 체계적으로 정리하여, 이 분야에 관심이 있는 학생, 간호사 및 의사들의 좋은 지침서가 되어 왔으며, 진료 및 교육현장에서도 좋은 참고서로서의 역할을 해왔다고 자부합니다.

대한류마티스학회는 지난 2014년 100명이 넘는 저자의 공동집필로 류마티스학 교과서 초판을 발행하였으며, 2018년에는 제2판을, 그리고 올해 제3판을 발간하게 되었습니다. 이번 3판으로 개정된 류마티스학 교과서는, 기존에 만들어진 내용을 기반으로 국내 연구진의 새로운 연구자료와 빠르게 변화하는 글로벌 연구 업데이트를 포함해, 점점 더 새로운 지식과 기준을 만들어가는 명실상부한 국내 제일의 류마티스학 전공서라고 자부하고 있으며, 환자 진료에 많은 도움을 줄 것이라 확신하고 있습니다.

이번 교과서 3판을 준비한 송정수 교과서 편찬위원장님 및 김해림, 정승민 두 분 간사님의 적극적인 대처와 교과서 편찬위원님들의 그간의 노력에 특히 감사를 전합니다. 또한 변함없이 지지해 주고 참여해 주신 많은 집필진 분들에게 다시 한번 감사드리며, 특히 늘 음지에서 고생하는 학회 김현정 실장, 류지은 간사에게도 감사의 마음을 전합니다. 그리고 이 류마티스 교과서는 마지막을 완성해준 군자출판사 도움 없이는 불가능했던 대작임이라고 저는 확신합니다.

모든 분들께 진심으로 감사합니다.

2022년 5월

대한류마티스학회 이사장 김 태 환

# 발간사

2020년 초부터 시작된 COVID-19의 광풍이 현재까지도 전 세계를 휩쓸고 있는 와중에도 봄꽃은 여전히 활짝 피고, 인류의 과학과 의학은 끊임없이 발전하고 있습니다. 특히 류마티스학은 의과학 중에도 첨단을 달리는 학문으로 새로운 진단기술과 치료방법이 계속해서 개발되고 있습니다. 우리가 현실에 만족하여 공부와 연구를 게을리하고 안주하고 있다면 머지않아 학계와 업계에서 도태될 것입니다. 새로운 의학지식을 습득하여 우리 환자들에게 최선의 의료서비스를 제공하는 일은 이 세상 의사들의 숙명과 같습니다.

대한류마티스학회에서는 이 거룩한 숙명에 부응하기 위해 2014년 3월에 고은미 교수님을 위원장으로 모시고 류마티스학 교과서 초판을 출간하였고 이어서 매 4년마다 개정판을 내기로 한 계획에 따라 2018년 5월에 이상헌 교수님을 위원장으로 모시고 류마티스학 교과서 2판을 성공적으로 출간하여 대한민국의 의학발전에 일조를 했습니다. 각종 류마티스 질환의 진단기준과 치료방법이 해가 갈수록 진화함에 따라 류마티스학 교과서의 개선이 필요하게 되었습니다. 이에 따라 2020년 겨울에 류마티스학 교과서 편찬실무위원회가 구성되었고 부족한 제가 편찬위원장을 맡아 2021년도부터 작업을 시작하였습니다. 힘들고 어려운 일을 하는 동안 COVID-19으로 인해 대면회의를 한 번도 못하고, 변변한 식사조차 한번 하지 못하고, 모든 회의를 온라인 회의를 통해 진행하였습니다. 고생하신 편찬위원들께 합당한 보답을 해 드리지 못해 죄송한 마음뿐입니다. 지난 1년 반 동안 함께 수고하신 편찬실무위원들의 희생과 아낌없는 노력으로 이제 결실을 보게 되어 류마티스학 3판이 출판된다고 하니 감사한 마음과 보람찬 마음이 솟구칩니다.

이번 교과서 출간이 성공적으로 이루어지도록 많은 분들께서 도와주셨습니다. 물심 양면으로 아낌없는 지원을 해주신 대한류마티스학회 김태환 이사장님과 이상헌 회장님, 편찬실무위원회 간사로서 꼼꼼하게 원고를 모두 보시고, 고치시고, 정리해 주신 김해림 교수님과 정승민 교수님께 특별한 감사를 드립니다. 용어통일 위원회 활동으로 많은 작업을 덜어주신 이상원, 이은영 교수님, 편찬위원으로 맹활약 하시면서 갖은 고생을 많이 하신 김용길, 김현숙, 안중경, 최찬범, 홍승재 교수님께도 깊은 감사를 드립니다. 류마티스학 교과서 초판 출판에 참여해 주셨다가 이번에 다시 3차 편찬의 책임을 맡으신 군자출판사의 김도성 차장님과 이민지씨께도 감사드립니다. 그리고 편찬위원회 회의와 진행을 도와주신 대한류마티스학회의 김현정 실장님과 류지은씨께도 깊은 감사를 드립니다.

무엇보다도 이 책이 나오기까지는 각 책임편집자님과 저자 분들의 헌신적인 노력으로 결실을 맺을 수 있었다고 봅니다. 다시 한번 편찬작업에 참여해주신 모든 편찬위원과 집필자 여러분께 감사드립니다.

이번 개정된 류마티스학 3판 교과서가 의과대학 학생, 인턴, 내과전공의, 일반의, 내과전문의, 류마티스내과 전문의뿐만 아니라 류마티스학에 관심이 있는 일반인들에게도 도움이 되길 바라며 앞으로 4년 후에 더욱 개선되고 최신 지식이 탑재된 4판 교과서가 출간되기를 기원합니다. 감사합니다.

2022년 5월

편찬위원장 송 정 수

# 목차

류 마 티 스 학
RHEUMATOLOGY

류 마 티 스 학
**R** HEUMATOLOGY

류 마 티 스 학
RHEUMATOLOGY

류 마 티 스 학
RHEUMATOLOGY

# 류마티스 질환을 이해하기 위한 기본 지식

책임편집자 **최정윤**(대구가톨릭의대)
부편집자 **최성재**(고려의대)

# 1

# 류마티스 질환의 역사

가톨릭의대 **김호연**

## KEY POINTS 🔒

- 질병의 병인과 치료에 대한 근본적인 개념을 이해하는 근간은 의학 역사에서 비롯된다.
- 류마티스 질환이란 말은 질병의 근원을 설명하는 rheuma에서 유래된 것으로 관절염을 일으키는 원인 질환들을 총칭한다.
- 류마티스학은 류마티스 질환의 병인을 이해하고, 연구하고, 질병을 치료하는 학문을 통틀어 일컫는 말로 정의한다.

## 서론

의학의 발달로 우리 의료인들은 급속히 변화하는 지식과 새로운 정보에 묻혀 지내고 있다. 21세기 들어 면역학, 분자생물학 그리고 생화학의 발달과 함께 인간 유전체 지도가 완성되어 의료인과 의학을 연구하는 생명 과학자들은 매일 쏟아지는 정보의 홍수 속에 과거로 숨어버린 의학 지식을 반추할 수 있는 시간은 점점 더 줄어가고 있다.

우리나라 여러 의과대학도 의학 교육과정이 과거 주입식 교육에서 새로운 형태로 개편되면서, 대부분의 의과대학에서 의학의 역사는 정규 교육 과정에서 빠지고 있다. 교육 과정의 변화 외에도 의료인들의 전문화와 진료의 세분화 등의 여러 가지 이유로 의학 역사에 흥미가 있는 일부 역사학 전문가들을 제외한 대부분의 의료인들은 의학 역사에 대한 소중함을 깨닫지 못하고 있다. 심지어 의학을 가르치는 의과대학 교수들 마저도, 과거 의학의 역사를 잘못된 의술의 대명사로, 우스꽝스러운 의료 실수와 가벼운 이야깃거리로만 여겨 왔다. 이러한 의학 역사 인식은 인간의 질병과 고통의 본질을 올바로 이해하지 못하였기 때문이다. 오래전부터 내려오는 과거의 의학 자료들을 통해 변함없는 진실을 재발견하고, 현재와 미래 의학 발전에 과감히 반영하는 지혜를 가진 사람이 훌륭한 의료인이 될 수 있다는 사실을 알아야 할 것이다.

의학 역사에 대한 관심이 점점 줄어들고 있는 현실에서 우리는 일찍이 과거 의학 역사의 중요성을 아래와 같이 강조한 George Orwell의 말을 기억해 보자.

"Who controls the past controls the future: who controls the present controls the past".

의학 지식은 세월이 지나면서 사라지는 것이 아니라 새로운 지식의 발달과 함께 거듭 태어나고 있다. 현재의 의학은 과거의 잊혀진 지식에 의해 더욱 견고해지고, 새로운 진실로 거듭 채워지고 있다는 것이다. 만약 우리가 의학 역사의 존재를 부정한다면, 인간의 삶을 풍요롭게 영위하기 위한 의술의 본질을 부정하는 것임을 명심하여야 한다.

사람들은 현대의학이 직면하고 있는 문제점이 과거 의학의 문제와 다르다고들 말한다. 그러나, 비록 그 해답은 다르지만, 과거에 가졌던 의문과 상당히 비슷한 의문들이 아직도 해결되지 않고 있다. 예를 들면, 현재 교원성 질환의 치료로 사용하는 혈장교환술(plasmapheresis)의 유용성에 관한 논쟁은 1세기 전 사혈(blood-letting) 치료법과 개념적으로는 큰 차이가 없다. 최근 에이즈의 창궐도 과거의 매독 전염 때의 성적인 그리고 의학적인 문제들과 크게 다를 바 없다. 물론 그 내용과 병원체가 다르기는 하지만 인간이 가지고 있는 사회 의학적인 문제점은 과거나 현재나 크게 다를 바 없다. 어느 지도자가 언급하였듯이, 세월이 지나고 아무리 의학이 발달하여도 항상 의료인이 당면해서 계속 해결해야 하는 문제는 '끊임없는 질병과의 싸움'이라는 것이다. 급속히 변화하는 현대의학에는 아리스토텔레스의 독트린과 같이 항상 변하지 않는 여러 요인들이 굳게 자리 잡고 있다는 사실을 깨달아야 할 것이다.

질병의 병인과 치료에 대한 근본적인 개념을 이해하는 근간은 의학 역사에서 비롯된다고 해도 과언이 아니다. 의학 역사를 통해 과거의 현명함(wisdom of history)이 질병의 형태에 관한 결론을 내리는 데 변함없는 확고한 방식을 일깨워 준다. William Osler는 과거 의학의 중요성을 아래와 같이 표현하였다:

"The knowledge which is your privilege today to acquire so early has cost others. We are, all of us, debtors to our profession."

## 류마와 관절통(통풍)의 기원

근골격계 질환은 인간의 태생기부터 발생한 것으로 보고 있다. 인간의 근골격계 질환의 기록은 기원전 약 1500년경 이집트의 파피루스(Ebers Papyrus)에서 처음 발견된다. 파피루스에 의하면, 류마티스관절염(rheumatoid arthritis)으로 추측되는 arthritis deformans와 유사한 기록이 발견된다. 이집트 미이라 병리조직을 조사한 학자들은 이집트 시대에도 류마티스관절염이 있었다고 주장하고 있다. G. Elliot은 이집트인들에게 류마티스관절염이 만연하였다고 보고하였으나, 다른 연구자들은 이에 동의하지 않고, 류마티스관절염이 유럽에서 페스트가 만연한 후 생긴 현대의 질병(modern disease)이라고 믿고 있다.

인도 문헌에서 Charak Samhita(약 300-200 BC)는 관절의 통증과 부종 그리고 관절 기능 장애에 관한 기술을 하고 있다. 최근 Aceves-Avila 등에 의해 류마티스관절염은 오래된 인간의 질병으로 다시 기술하고 있다.

히포크라테스는 지금으로부터 약 2,400년 전(400 BC)에 'arthritis' 즉 관절염이라는 단어를 처음 기술하였다. 물론 그는 어떤 형태의 관절염인지는 언급하지 않았다. 당시 기록에 의하면, 모든 질병은 나쁜 액성 물질(noxious humor, rheuma)에 의해 발생한다고 믿었다. 류마티스 질환(rheumatic disorder)도 통증을 일으키는 액성 물질, 즉 류마(rheuma)에 의해 발생한다고 하였다. 류마가 머리에 있으면 두통이 일어나고 이것이 흘러내려(flowing down), 관절에 떨어져(drop) 자리를 잡으면(gutta), 질병으로 통풍(gout)이 발생한다고 믿어 왔다.

통증(통풍)의 역사는 일리아드에서 와인의 신 디오니소스가 전설의 여신 아프로디테의 유혹으로 탄생한 Podagra로 의인화되었다. 이 신화가 암시한 내용은 훗날 로마시대에 현실로 이어져 통풍의 창궐로 나타났다. 로마제국을 몰락시키는 원인이 되었다고도 하는 통풍은 이후에 로마인들의 음식과 와인을 납으로 만든 용기에 보관하는 습관 때문이었음을 알게 되었다. 오랫동안 납에 노출되면 여러 대사 장애를 일으키며, 특히 신장 기능의 이상을 발생시킬 수 있다. 그리고 이런 현상이 통풍 환자에서 더 뚜렷하게 나타난다고 한다. 이런 역사적 배경으로 통증(관절통)과 연관된 모든 질병을 통풍(gout)이라는 말로 표현하게 되었다.

BC 400년부터 류마가 흘러내려 통증(통풍)이 발생한다는 믿음은 16세기 이전까지 이어져 왔다. 류마티스란 말은 오래전부터 단순히 하나의 질병으로 전해 내려오는 것이 아니라, 통증을 일으키는 질병의 근원인 rheuma에서 유래된 것이다.

Claudius Galenus (130-210 AD)는 그의 저서에서 관절에서 발생하는 통증을 처음으로 rheumatismus라는 말로 기록하였다 (그림 1-1).

Guillaume de Baillou (1538-1616)가 그의 저서 "The Book on

그림 1-1. Claudius Galenus (130-210 AD)

Rheumatism and Back pain"에서 관절에 문제(관절통, arthralgia)가 있을 때 류마티즘(rheumatism)이란 말을 사용하였다.

류마티스 질환이란 관절염을 일으키는 원인 질환들을 총칭한다. 류마티스 질환의 개념이 정리되면서 Camroe (1940)에 의해 류마티스 의사(rheumatologist)라는 말을, Hollander (1949)에 의해 교과서에서 류마티스학(rheumatology)이라는 말을 처음 사용하였다. 류마티스학은 류마티스 질환의 병인을 이해하고, 연구하고, 질병을 치료하는 학문으로 정의하였다.

## 류마티스 질환의 탄생

류마티스 질환의 발생은 통풍이나 골관절염 소견이 보이는 고대 유골(ancient skeleton)들에서 어렵지 않게 발견된다. 19세기 전까지 오랜 세월 동안 통증에서 유래된 통풍(gout)과 질병을

그림 1-2. Alfred B. Garrod (1819-1907)

일으키는 류마(rheuma)를 비슷한 의미로 혼용되어 사용하기 전에 이미 많은 학자들에 의해 여러 종류의 류마티스 질환이 기록되어 있다.

19세기 들어 Garrod (1819-1907)에 의해 통풍과 류마티스 관절염은 서로 다른 질병이라는 사실이 밝혀졌다(그림 1-2). 그의 저서에서 류마티스관절염을 통풍이나 류마티스열(rheumatic fever)과는 다른 만성 관절 질환으로 기술하였다. 그리고 통풍 환자의 혈청에서 요산을 진단하는 법(thread test)을 소개하고, '통풍결절(tophi)'의 침착과 통풍 환자의 유전적인 소인을 기술하였다.

그러나 여전히 이 두 용어는 일반인들과 여러 의료인들 사이에서 혼용되어 왔다. 다른 여러 관절염과의 감별은 Garrod 이후 여러 학자들이 이 두 질병이 병인이나 발병 양상이 전혀 다른 병이고, 골관절염(osteoarthritis)과도 완연히 구분되는 질병이라는 사실을 밝히게 된다.

질병은 그 이름이 정해질 때 비로소 태어나는데, 류마티스 질환들은 19세기 이후부터 새롭게 태어나게 된다. 생화학, 면역학, 그리고 미생물학 등의 발달과 함께 류마티스 질환의 임상양상과 병리학적인 소견 및 질병의 원인이 되는 물질들이 알려지면서 류마티스 질환들을 정의하고 분류할 수 있게 되었다. 지금까지 약 100여 종류의 관절염 원인 질환들이 알려지고 있고 앞으로도 새로운 류마티스 질환이 밝혀질 것이다.

기록에 근거해서 관절염 원인 질병 중 먼저 알려진 순서대로 류마티스 질환을 나열하면, 통풍, 류마티스열, 류마티스관절염, 골관절염, 소아관절염(juvenile arthritis), 강직척추염 등이 있다. 이 류마티스 질환들은 비록 오래 전에 존재하고 있었지만 19세기 이후에 가서야 비로소 하나의 질병으로 정의되어 류마티스

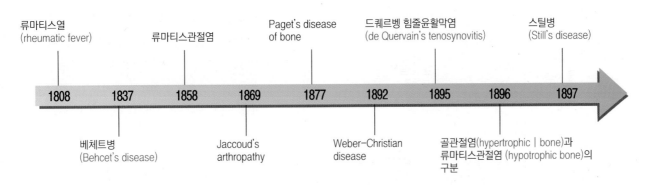

그림 1-3. 19세기 류마티스 분야의 중요 임상 연구

질환으로 분류되었다.

19세기경 류마티스학 발전에 중요한 밑거름이 된 임상 연구 결과를 요약하면 그림과 같다(그림 1-3).

## 1) 통풍

요산 결정체(urate crystal)으로 보이는 podagra (gouty tophi)가 이집트 미이라(2640 BC)에서 발견되어 현재 영국박물관(The British Museum)에 보관되어 있다.

히포크라테스는 통풍의 임상 기록을 'aphorisms of gout'에서 'unwalkable disease'로 비교적 자세히 기술하였다. 그는 podagra가 부자들에게 잘 생긴다고 하여 'arthritis of the rich'로 기록하였다.

라틴어 gutta(또는 drop)에서 유래된 gout란 말은 Randolphus of Bocking (1200 AD)에 의해 처음 사용되었다. 오래전부터 통풍은 앞서 기술한 액성 물질(humor)이 관절로 흘러내려 통증과 염증을 일으킨다고 알려져 왔고(그림 1-4), 잘 낫지 않는 심한 통증으로 사람들은 통풍을 'the disease of kings and the king of diseases'로 불러왔다.

로마시대부터 납 중독이 통풍의 원인으로 거론되어 왔고, 16세기 대영 제국 시절 포트 와인에서 납의 농도가 높은 스페인산 와인 수입이 정치적으로 크게 문제가 되기도 하였다.

오랜 세월이 흐른 후 1679년에 미생물학의 아버지인 Antonie van Leeuwenhoek가 자신이 발명한 현미경으로 요산 결정체(urate crystal)를 처음으로 관찰하였다.

Thomas Sydenham (1624-1689)은 본인이 통풍 환자로서 새

그림 1-4. 통풍

벽에 발가락의 심한 통증으로 잠에서 깨는 '통풍 발작의 임상양상'을 의학의 관찰(1683)에서 명확히 기술하였다.

통풍을 우리가 현재 알고 있는 질병으로서 믿게끔 된 것은 Alfred B. Garrod (1848)에 의해서이다. Garrod는 혈액에서 요산 수치의 증가가 통풍을 일으키는 원인이고, 이 요산 결정체가 통풍 발작을 일으킨다고 보고하였다(1854). 그리고 이러한 혈중 요산 수치 증가는 요산의 과도한 생산이나, 콩팥에서 요산 배설이 감소하여 일어나는 현상으로 설명하였다(1859). 통풍의 진단은 Hollander와 McCarty (1961)에 의해 환자의 관절 활액에서 요산 결정체를 현미경으로 확인하였다.

## 2) 류마티스관절염

이집트 미이라에서 류마티스관절염과 유사한 소견을 관찰할 수 있지만 일반 관절병증과의 감별이 어려워 고대 시절부터 류마티스관절염이 발생하였다는 근거를 찾을 수는 없었다. Thomas Sydenham (1624-1689)이 류마티스관절염과 비슷한, 관절 모양이 손상된, 만성 관절염(chronic arthritis)을 처음으로 기술하였고, 그 후 Londre' Beauvais (1880)도 비슷한 기록을 하였다. Peter Paul Rubens (1708-1778)는 자신이 류마티스관절염 환자로서 질병 진행 과정을 관절의 부종과 관절 기형으로 묘사하였다. 그 후 Renoir (1841-1919)가 지금의 류마티스관절염으로 진단하는 관절염을 그림으로 명확히 묘사하였다.

류마티스관절염에 대한 비교적 정확한 병인 기록은 C.B. Brodie (1783-1862)에 의해서 밝혀졌다. Brodie는 천천히 진행되는 관절염은 활막염(synovitis)이 발생하여 힘줄집(tendon sheath)과 윤활낭(bursa)으로 염증이 확산되고 연골과 뼈의 손상이 일어난다고 명확히 기술하였다. 특히 이 질병이 활막염에서 시작하여 연이어 연골 손상이 일어난다는 사실을 밝혔다.

Garrod (1858)가 처음으로 rheumatoid arthritis라는 용어를 사용하기 시작하였으나, 류마티스관절염이 골관절염과 통풍과는 완전히 다른 질병이라는 증거를 발견하는 데에는 더 많은 시간이 필요하게 된다. 얼마 후 Still (1897)과 Felty (1934)에 의해 류마티스관절염의 변형된 임상양상이 알려지게 되었다. 또한 Bannatyne (1896)이 방사선 동위원소를 이용한 X선 촬영으로 류마티스관절염 환자의 관절 뼈 모양이 골관절염과 달리 희미하게(흐리게) 나타난다는 현상(osteopenia)을 보고하였다. 이 발견으

로 류마티스관절염과 골관절염의 감별진단이 방사선학적 소견으로 가능하게 되었다.

## 3) 골관절염

골관절염은 고대 이집트 시절(Ancient Egypt) 무덤에서부터 관찰되는 아주 오래된 질병이다. Osteoarthritis라는 용어를 처음 사용하게 된 것은 Spender (1886)에 의해서이다. Garrod (1907)에 의해 이 질병이 다른 관절 질환과 구분되어 사용하게 되었다. 하지만 Garrod보다 훨씬 전에 Herbeden (1710-1802)이 원위지관절(distal interphalangeal joint)에 생긴 몽우리를 헤베르덴결절(Herbeden's nodes)로 명명하고, 통풍 결절과 구분하여 기술하였다. Bouchard (1884)는 근위지관절(proximal interphalangeal joint)에 발생한 몽우리를 처음 보고하였고, 이후 Garrod가 이 몽우리들이 관절 질환과 연관이 깊다는 사실을 밝혔다.

## 4) 류마티스열

19세기 초에 심장을 침범하는 질병에 대하여 Rheumatic fever라는 용어를 처음 사용하였다. Hippocrates가 류마티스열과 거의 같은 질병을 기술한 기록이 남아 있어 아마도 매우 오래전부터 밝혀진 질병으로 판단된다. Sydenham (1665)이 류마티스열은 그 전에 알려진 관절염과는 다른 형태의 관절염이라고 주장하였다. Sydenham은 무도증(chorea)의 임상증상을 자세히 기술(Sydenham's chorea)하여 널리 세상에 알렸다. 그러나 당시 Sydenham은 이 무도증 증상이 류마티스열에 의해 발생한다는 것을 알지 못하였다. 약 150여 년이 지난 다음에야 비로소 Bright (1831)와 See (1850)에 의해 Sydenham's chorea가 류마티스열과 연관이 있다는 사실이 밝혀졌다. 그 후 Money (1883)는 이 환자의 심장조직을 조사하여 myocardial granuloma를, Aschoff (1904)는 이 심장 조직의 병리학적인 변화를 더 자세하게 설명하고 자기 이름을 따서 Aschoff's body 라고 명명하였다. 곧이어 Swift (1928)에 의해 이 질병이 사슬알균감염(streptococcal infection)과 연관이 있음이 알려졌고, Collis와 Coburn (1931)에 의해 β-hemolytic streptococcus 감염이 류마티스열의 원인 병원체임이 알려지게 되었다. Todd는 항스트렙토리신(anti-streptolysin)을 발견하여 류마티스열을 진단하는 데 크게 기여하였다.

## 5) 척추관절병증

약 3,000년 전 이집트 미이라에서 강직척추염으로 보이는 유골이 발견된다. 그러나 유골의 변화만으로 골관절염에서 관찰되는 골극(osteophyte)에 의한 척추변화, 미만특발골격과골화증(diffuse idiopathic skeletal hyperostosis, DISH)에서 관찰되는 뼈의 변화, 그리고 당시 척추에 흔히 침범하는 불소증(fluorosis)과 같은 질병과 강직척추염에서 오는 척추변화를 감별하지는 못하였다. 1900년대 말까지 문헌상으로 이런 척추질환들을 확인하기 어려운 이유는 아마도 HLA-B27의 빈도가 낮고, 실제로 척추질환 환자가 적었기 때문으로 해석된다. 그러나 다른 여러 기록물에 의해 추측해 보면, 태고 시절부터 황제들, 왕들, 정치가들, 그리고 사회 지도자들 사이에 이 질병이 존재해 왔음이 추정된다. 르네상스의 위대한 작가이며 유럽 인본주의의 시효인 Erasmus (1802-1885)는 본인이 쓴 편지에서 척추관절염으로 겪는 자신의 고통을 잘 묘사하였다. 시인이며 소극 스타일 희극 작가인 Paul Scarron (1610-1660)는 홍채염이 합병된 척추관절염 환자로 자신의 고통을 묘비명에 남겼다.

척추관절병증이 하나의 질병으로 기술된 것은 Moll과 Wright (1974)에 의해서이다. 그 전까지는 이 질병을 류마티스관절염의 변형된 질병이거나 유사 질병으로만 여기다가 이들에 의해 건선이나 강직척추염과 유사 질환으로 새롭게 분류되었다.

## 6) 전신홍반루푸스

전신홍반루푸스(이하 루푸스)는 Cazenave (1831)에 의해 처음 기술되었다. 그리고 Kaposi (1872)가 피부질환과 전신 질환을 구분하여 기술하였다. Osler (1895)는 이 질환이 심장과 혈관에 병변 일으키는 전신 질환임을 조직학적으로 증명하였다.

# 새로운 류마티스 질환의 발견

미국류마티스학회가 국제기구로서 발족한 1932년을 계기로 전 세계 임상 연구자들과 여러 학자들이 앞다투어 류마티스 질환에 관한 새로운 발견과 연구 결과를 내놓았다(표 1-1).

## 류마티스 질환 진단 방법의 발전사

류마티스 질환의 진단법 개발은 우리 인류 의학 역사상 하나의 큰 실적으로 평가된다. 18세기까지 인간은 통풍이라는 질병

**표 1-1. 류마티스 질환의 발견과 주요 임상소견의 시기별 요약**

| 시기 | 새로운 류마티스 질환 |
|---|---|
| 1909년 | 골관절염과 류마티스관절염의 감별진단 |
| 1916년 | 라이터증후군(Reiter's syndrome, 반응관절염) |
| 1921년 | 티체증후군(Tietze's syndrome) |
| 1923년 | 리브먼-삭스심내막염(Libman-sachs endocarditis) |
| 1932년 | 류마티스 국제 기구(International Committee on Rheumatism)의 탄생, 이후 American Rheumatism Association으로 발족 함. 다시 American College of Rheumatology (ACR)로 명칭 변경 |
| 1933년 | 쇼그렌증후군(Sjogren's syndrome) |
| 1934년 | 펠티증후군(Felty's syndrome) |
| 1939년 | 척스트라우스증후군(Churg-Strauss syndrome, 지금은 eosinophilic granulomatosis with polyangiitis로 명명) |
| 1945년 | Cogan's syndrome, 타카야수동맥염(Takayasu's arteritis) |
| 1951년 | 카플란증후군(Caplan syndrome) |
| 1961년 | 가와사키병(Kawasaki disease) |
| 1963년 | 강직척추염(ankylosing spondylitis), 육아종증다발혈관염(Wegener's granulomatosis; 지금은 granulomatosis with polyangiitis로 명명) |
| 1964년 | Sweet's syndrome |
| 1968년 | 샤르코관절(Charcot's joint) |
| 1976년 | 라임병(Lyme disease) |
| 1986년 | 항인지질항체증후군(antiphospholipid syndrome; Hughes syndrome) |

으로 엄청난 고통과 새로운 역사를 만들어 왔다. 그리스 신화에서 시작되는 통풍이 로마의 멸망과 십자군 전쟁, 미국 남북 전쟁 그리고 와인의 무역 전쟁과 대영 제국의 지도자들에 이르기까지 인류의 문화에 엄청난 영향을 끼친 이 질병을 진단하는 데 결정적인 공헌을 한 사건이 있다. 첫째는 현미경을 발명한 Leeuwenhoek이다. 그는 이 현미경으로 통풍결절에서 요산 결정체를 발견하였다(1634). 그 후 Rose와 Waaler (1940)에 의해 그 유명한 류마티스인자(rheumatoid factor)가 IgM 면역글로블린 형태로 발견되었다.

류마티스학의 발전은 항원에 대한 항체측정법이 개발되면서 여러 류마티스 질환들의 진단에 크게 공헌하게 되었다. 이 중 항핵항체 검사(1958년)는 그동안 미궁에 빠져 있던 많은 교원성 질환들의 진단에 크게 기여하게 되었다. 형광이 붙은 항핵항체(antinuclear antibody, ANA)의 존재를 형광현미경으로 관찰함으로써 여러 자가항체 관련 류마티스 질환들의 감별진단에 큰 도움을 주게 되었다(그림 1-5).

## 류마티스 치료 약제 개발 역사

류마티스학은 인간의 질병을 치료하는 데 직접 혹은 간접적으로 가장 중요한 치료약제 개발에 크게 기여하여 왔다. 류마티스 환자 진료에 획기적인 변화를 초래한 가장 중요한 네 가지 약제의 개발 역사를 요약하면 다음과 같다.

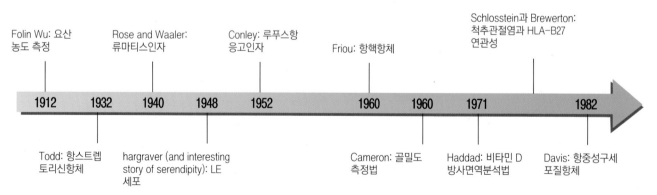

그림 1-5. 주요 류마티스 분야 검사의 개발 역사

그림 1-6 살라신 성분과 버드나무

그림 1-7. 콜히친과 naked lady

## 1) 비스테로이드소염제

가장 먼저 오랫동안 관절염 치료에 비스테로이드소염제로 사용되어 온 것은 살리신 성분이 들어 있는 버드나무 잎이다(그림 1-6).

Hippocrates와 Galen도 이 버드나무에서 추출한 가루나 잎을 관절염 환자를 비롯한 여러 환자의 통증 치료에 사용하여 왔다. 이 버드나무 잎에 있는 살리신 성분은 오랜 세월이 지난 후에 Gerhardt (1853)에 의해 acetyl salicylic acid (aspirin)로 합성이 가능하게 되었다. 진통 해열 효과가 뛰어난 아스피린은 현재 혈관 폐쇄 예방을 위한 항혈소판제로도 널리 사용되고 있지만, 장기간 사용으로 위장관 궤양이나 장 출혈, 신장 기능 장애에 의한 부종 등이 문제가 되고 있다. Vane (1971)은 이런 부작용을 일으키는 원인을 cyclooxygenase (COX) 효소에 의한 프로스타글란딘 (prostaglandin) 합성 억제로 설명하였다. 1960년대 글루코코르티코이드 호르몬의 발견 전후 여러 가지 NSAIDs들이 개발되었다. 그리고 1990년대 접어들면서 선택적으로 억제하는 차세대 비스테로이드소염제가 개발되었다. 현재 COX-2억제제 중 몇 가지는 전 세계적으로 널리 사용하고 있다.

## 2) 콜히친

콜히친은 Autumn crocus 혹은 Colchicum autumnale 나무 꽃에서 추출된 물질로, 예로부터 자연에서 독성이 강해 심한 설사나 구토를 일으키는 물질로 알려져 왔다. 이 나무는 잎이 다 떨어진 다음에 꽃이 핀다고 해서 naked lady로 불리기도 하며, 꽃은 가을에 비로소 활짝 핀다고 한다. 이미 6세기경 이 꽃에서 나온 추출물(colchicine)이 관절통과 통풍 치료제로 사용되어 왔다(그림 1-7).

콜히친을 통풍 치료에 처음 사용한 기록은 16세기 Byzantine Christian에 의해서이다. 그리고 약 300년이 지나 Garrod가 통풍의 치료에 콜히친을 사용한 기록이 있다. 최근 콜히친은 가족성 지중해열(familial mediterranean fever)이나 베체트병 같은 자가염증질환(autoinflammatory disease)의 치료에도 사용하고 있다.

## 3) 글루코코르티코이드

1931년 독일의 화학자 Adolf Butenandt와 Leopold Ruzicka에 의해 자연 생태계(동물과 식물 미생물)에 널리 존재하는 글루코코르티코이드 호르몬을 약제로 사용하게 되었다. 이 합성물의 발견으로 Butenandt와 Ruzicka는 1939년에 노벨상을 받았고, 코티손(cortisone) 합성을 성공한 미국 화학자 Edward Calvin Kendall도 1950년 노벨상을 받았다.

류마티스관절염 치료에 글루코코르티코이드의 사용은 또 다른 노벨상 수상자인 Showalter Hench (1948년)에 의해 실행되었다. 그 후 다른 여러 염증질환에도 널리 사용하게 되었다.

## 4) 항말라리아제제

인디언들은 민간요법으로 안데스 산맥에 있는 cinchona라고 불리는 나무 껍질을 약으로 사용하였다고 한다. 그림 1-8은 cinchona라고 불리는 나무의 껍질 사진과 화학식이다.

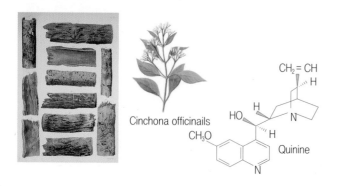

그림 1-8. Cinchona 나무와 Quinine

1640년대에 스페인의 페루 총독 부인이 말라리아에 걸린 후 이 나무 껍질로 치료받고 기적같이 병이 나았다고 한다. 이후 이 나무를 그 백작부인의 이름을 따서 싱코나(cinchona, 기나나무)라고 하고, 말라리아 치료제인 키니네는 이 기나나무에서 유래하였다.

1650년경, 라틴아메리카에서 페루의 인디언에게 말라리아 열병 치료법을 배워 기나피(기나나무의 껍질)는 유럽으로 전달되었다. 류마티스 질환에서는 Payne (1895)이 처음으로 이 키니네(quinine)를 전신홍반루푸스와 류마티스 질환에 사용하였다. 곧이어 Page (1951)가 quinacrine (mepacrine)이 루푸스에 효과가 있다고 보고하였다. 그 후 Baguall (1957)에 의해 chloroquine과 지금의 hydroxychloroquine (HCQ)이 그전의 quinine보다 효과가 좋고 부작용이 적다고 알려지면서 류마티스 질환에 널리 사용하게 되었다.

## 5) 금 제제

금 제제를 의약용으로 사용한 기록은 기원전 2000년경 이집트와 중국이었다. 오랜 세월이 지나 1927년경 Landre는 일찍이 류마티스열 치료에 금 제제를 사용하였고, Forestier (1925) 역시 류마티스관절염 치료에 금을 이용하였다. 당시 결핵 감염이 류마티스관절염의 원인이라고 믿었던 그는 결핵 치료의 일환으로써 금을 사용하였다고 한다. 놀랍게도 그 치료 효과가 뛰어나, 1980년대까지 류마티스관절염 치료에 가장 흔히 사용하는 치료 약제가 되었다. 1980년 후반부터 금 제제보다 안전하고 효과가 좋은 항류마티스약제(disease modifying antirheumatic drug, DMARD)인 글루코코르티코이드, 메토트렉세이트, 클로로카인/하이드록시클로로퀸, 레플루노마이드, 설파살라진, 미코페놀레이트, 생물학적제제 그리고 기타 면역억제제(아자싸이오프린, 사이클로스포린 등) 등이 쏟아져 나오면서 요즘은 거의 사용하지 않는 약제가 되었다.

## 6) 메토트렉세이트

1890년대 후반 류마티스 질환 치료에 가장 획기적인 약이 소개되었다. 이 약은 옛날부터 내려오던 약이 아니라, 1950년경, 인도의 생화학자인 Yellapragada Subbarao (1895-1949)에 의해 엽산길항체(folate antagonist)로 합성된 메토트렉세이트이다(그림 1-9). 이 생화학자는 암을 치료하기 위해 세포내 에너지원으로 작용하는 adenosine triphosphate 기능을 연구하는 과정에서 메토트렉세이트를 합성해냈다. 이 합성 물질은 dihydrofolate reductase (DHFR)를 억제함으로서 림프종이나 림프구백혈병에서 암

그림 1-9. Yellapragada Subbarao (1895-1949)

세포 증식과 세포사멸을 유도하는 기능이 있다.

그가 사망한 후 30여 년이 지나서야 이 약제가 류마티스관절염에 효과가 있다는 사실이 밝혀지고 이 메토트렉세이트의 독성을 줄이기 위해 엽산(folic acid)을 투여해야 한다는 사실이 밝혀졌다. 1990년부터 거의 모든 류마티스관절염 환자는 이 약제를 일차 투여 약제로 사용하게 되었고, 지금까지도 그 치료 효과는 단일 약제로는 가장 뛰어난 것으로 평가받고 있다. 더욱이 다른 약제와의 병용투여로 치료 효과가 상승하며, 특히 최근 새로 개발된 생물학적제제와의 병용투여로 놀라운 치료 효과를 보이고 있다.

최근 암치료제와 류마티스관절염 치료 약제뿐만 아니라 건선(psoriasis)이나 원인이 불분명한 혈관염 등 여러 자가면역질환에서 그 치료 효과를 인정받고 있다.

## 7) 생물학적제제

역사적으로 생물학적제제의 개발은 19세기 후반 Robert Koch로부터 시작되었다고 할 수 있다. 이 독일 과학자는 탄저균(anthrax), 광견병(rabies), 결핵 그리고 콜레라 같은 병원체를 분리하여 백신 개발을 연구하였다. 첫 시험관내 백신은 프랑스의 Louis Pasteur에 의해 개발된 chicken cholera vaccine이었다. 그 후 많은 세균학자와 과학자들이 앞다투어 새로운 백신과 항독소(anti-toxin)를 개발하게 되었다. Emil von Behring와 Shibasaburo Kitasato는 Robert Koch 연구실에서 디프테리아(diphtheria)와 파상풍(tetanus)에 대한 항독소를 만드는 데 성공하여 미생물 기반 생화학 백신 개발로 많은 사람들의 생명을 구해내는 데 큰 공헌을 하였다.

20세기 이후부터 생물학적제제는 병원체 감염치료에 대한 백신 개발뿐만 아니라, 질병 병인 중심 표적물질의 합성을 기반으로 한 신약 개발 분야에 가장 놀라운 변화를 일으켰다. 생물학적제제는 1900년대부터 급속히 발달하는 생화학과 면역학 발전에 기반을 두고 생명과학자들이 분자생물학의 첨단 기술을 도입해 만든 21세기 최고의 작품이라 해도 과언이 아니다. 이 생물학적제제들 중 가장 큰 변화를 일으킨 주역은 종양괴사인자(tumor necrosis factor, TNF)를 억제하는 항TNF제제이다. 종양괴사인자는 1975년경 항암작용으로 발견된 염증사이토카인이다. 항TNF제제는 1993년 Ravinder Maini와 Marc Feldmann에 의해

**표 1-2. 류마티스 치료제 개발의 역사**

| 시기 | 류마티스 치료제 |
|------|----------------|
| 1897년 | Aspirin 합성 |
| 1935년 | 류마티스관절염 치료로 금 제제 사용 |
| 1940년대 | 설파살라진(sulfasalazine) 개발 |
| 1949년 | 글루코코르티코이드 제제를 자가면역질환 치료에 사용 |
| 1950년대 | 페나실라민(penaciallmine) 사용 |
| 1956년 | 파라세티몰(paracetamol) 개발 |
| 1962년 | 이부프로펜(나프록센, 인도메타신, 디클로페낙) 개발 |
| 1988년 | 류마티스관절염 치료제로 메토트렉세이트 승인 |
| 1991년 | COX-2억제제 개발 |
| 1998년 | 세레콕시브(celecoxib) 개발 |
| 1998년 | 레플루노마이드(leflunomide) 개발 |
| 1998년 | 항TNF제제인 Infliximab과 etanercept FDA 승인 |
| 2000년 이후 FDA 승인 | Adalimumab(2002년), Abatacept(2005), Rituximab(2006년), Tocilizumab(2009년), Tofacitinib(2012년), Baricitinib(2017년), Upadacitinib(2019년) |

항류마티스약제로 뛰어난 효과가 있다고 밝혀졌다. 1999년 첫 항TNF제제가 시중에 출시된 후 지금까지 수십 여종의 새로운 생물학적제제가 합성되고 임상 연구에서 치료 효과가 입증되고 있다. 이런 생물학적제제들은 세포내 면역반응 성분이나 사이토카인 그리고 그 신호 전달 물질 등의 기능이 알려지면서 급속도로 개발되고 있다. 류마티스 치료제 개발의 역사를 요약하면 표 1-2와 같다.

## 한국의 류마티스학 발전사

우리나라 류마티스학은 미국이나 다른 선진국에 비해 그리고 국내 다른 의학 분야에 비해 늦게 도입되었다. 1981년대에 정형외과 교수들이 중심이 되어 재활의학과, 내분비내과 및 혈액내과 등의 여러 임상과 교수들이 함께 모여 대한류마티스학회(Korean Rheumatism Association)를 설립하였고, 류마티스 질환에 관한 임상 경험과 의학정보를 교류하는 정기 학술 모임을 가지게 되었다. 이 학회를 통한 류마티스학의 학술 활동으로 오늘의 우리나라 류마티스학을 발전시키는 발판이 되었다. 1985년에

내과의사가 해외(미국)에서 류마티스학 수련을 마치고 귀국하여 처음으로 류마티스 환자들의 진료를 시작하였다.

1985년부터가 류마티스학이 우리나라에 자리잡은 시기(태동기)이다. 류마티스 환자의 진료와 의과대학에서 류마티스학에 대한 학생강의를 시작하였다. 류마티스 분야 전문의사가 류마티스 환자 치료를 위한 진료를 시작하면서, 그동안 여러 진료과를 전전하면서 안정된 진료를 받지 못하던 류마티스 환자들에게 커다란 희망과 용기를 주었다. 민간 요법, 식품치료, 생약치료 그리고 진통제 등으로만 치료를 받던 류마티스관절염 환자에게 염증을 억제시키는 약제와 면역치료제(금 제제, 하이드록시클로로퀸, 설파살라진)를 정기적으로 병합 투여하면서 획기적인 치료효과를 경험하였다.

특히 1989년부터 우리나라에서 메토트렉세이트 경구약제의 도입으로 기존 약제보다 더 큰 효과를 얻게 되자, 타과 의료인들은 물론 류마티스 환자들도 류마티스 질환에 대해 인식이 크게 바뀌는 계기가 되었다. 곧이어 우리나라도 선진국과 발맞추어 메토트렉세이트와 다른 면역 치료제와의 병합투여로 주변 아시아 국가들보다 앞선 진료를 할 수 있었다. 우리나라가 류마티스학과 환자 진료를 다른 선진국에 비해 늦게 시작하였지만, 류마티스 환자 치료분야에서 이미 국제적인 흐름에 맞추어 발 빠르게 새로운 약제들을 임상에 적용하였다. 1992년에 대한내과학회에서 내과 분과 전문의 활성화 방안으로 우리나라에서는 처음으로 류마티스내과 분과 전문의 제도가 탄생하게 되었다. 류마티스학을 전공하고자 하는 의사는 내과전문의 자격증을 취득한 후 2년의 수련과정을 거쳐 류마티스 분과 전문의 자격을 취득하여, 집중적으로 류마티스 분야에 관한 진료, 연구, 교육을 할 수 있는 체계가 마련되었다.

1993년에 류마티스내과 분과전문의들을 중심으로 교원병 연구회를 발족하여, 우리나라에서는 처음으로 학술 활동을 시작하였다. 1997년 우리나라 류마티스내과 교수들을 중심으로 제1회 한일 류마티스학회(Korean Japan Combined Meeting of Rheumatology, KJCMR)를 개최함으로써 국내는 물론 국제적으로 류마티스학이 발전할 수 있는 계기를 마련하게 되었다. 그 후 이 모임은 2007년 중국과 홍콩 및 대만을 아우르는 East Asian Group

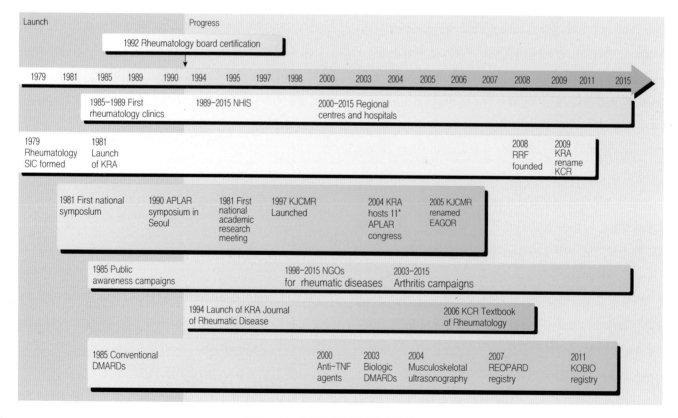

그림 1-10. 한국에서의 류마티스학 발전사

of Rheumatology (EAGOR) 모임으로 확대 개편되었다.

대한류마티스학회는 류마티스분과 전문의들과 창립 원로 교수들의 꾸준한 노력과 지원에 힘입어, 아시아태평양류마티스학회(Asia-Pacific League Association of Rheumatology, APLAR), 미국류마티스학회(American College of Rheumatology, ACR) 그리고 유럽류마티스학회(European league of Rheumatology, EU-LAR) 등에서 활발한 국제 학술 활동을 하여 왔다.

2008년에 류마티스 연구 재단 설립과 함께 대한류마티스학회는 Korean College of Rheumatology (KCR)라는 새로운 이름으로 지속적인 발전을 거듭하고 있다. 우리나라 류마티스학의 발전사는 다음 도표로 요약한다(그림 1-10).

## 참고문헌

1. Appelboom T. Art and History: a large research avenue for rheumatologists. Rheumatology 2004;43:803-5.
2. Benedeck TG. History of Rheumatic Diseases, In: J. H. Klippel, eds. Primer on the Rheumatic diseases. Atlanta, Arthritis Foundation. 1997;11:1-5.
3. Buchanan WW and Dequeker Jan. History of rheumatic diseases. Rheumatology. 3rd ed. Edinburgh: Mosby; 2003. pp. 1-8.
4. Kim HY, Song YW. The dynamic evolution of rheumatology in Korea. Nat Rev Rheumatology 2016;12:183-9.
5. Milestones in Rheumatology. New York: The Pathenon publishing Group Inc; 1999.
6. Watts R, Clunie G, Hall F, Marshall T. Methotrexate. Oxford Desk Reference Rheumatology. Oxford University Press; 2009.

# 2

# 근골격계의 해부학적 구조와 기능

**고려의대 최성재**

## 서론

근골격계의 중요 기능은 신체를 구조적으로 지탱하고 관절의 가동을 통한 신체 활동을 가능하게 하는 것이다. 근골격계는 관절, 뼈, 연골, 활막, 힘줄, 인대, 근육 및 주변 윤활낭으로 구성되어 있으며 이들의 유기적 협동을 통해 관절을 만들고 가동시킨다.

골격계는 전체 몸의 9%를 구성하고 몸무게의 17%가량을 차지하며 몸속 다른 기관과 같이 혈액 및 신경의 공급을 받는다.

## 관절

### 1) 관절의 분류

관절은 구조적으로 아래와 같이 나눌 수 있다(그림 2-1).

#### (1) 부동관절

부동관절(synarthrosis)은 두개골과 같은 봉합선이 있으며 얇은 섬유 조직으로 분리되어 있는 관절로 움직임이 없는 것이 특징이다.

#### (2) 가동관절

관절의 대부분을 차지하는 가동관절(diarthroses)은 활막을 가지고 있으며, 절구공이 형태(어깨 및 엉덩관절), 경첩 형태(손가락뼈사이관절, interphalangeal joint), 안장 형태(첫 번째 손목손허리관절, first carpometacarpal joint), 평면 형태(슬개대퇴관절, patellofemoral joint)의 관절이 있다. 가장 운동성이 좋고, 흔한 관절 형태이며 윤활관절(synovial joint)이라고도 부른다.

#### (3) 반관절

반관절(amphiarthrosis)은 인접 뼈가 유동적인 섬유연골(flexible fibrocartilage)로 연결되어 있어 제한된 움직임이 가능한 관절이다(예: 치골결합, 천장관절, 척추간 관절).

### 2) 관절의 구조

관절은 뼈, 연골, 활막, 인대 및 힘줄, 주변 근육으로 이루어져

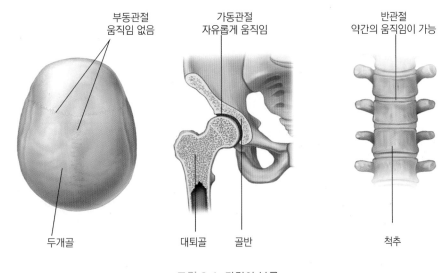

그림 2-1. 관절의 분류

있다. 윤활 관절의 경우 활막으로 덮여 있는 관절낭(joint capsule)으로 둘러싸여 있고, 일부 관절의 경우 섬유연골로 만들어진 반월판(fibrocartilaginous meniscus)을 가진 경우도 있다. 관절강(joint cavity) 내에는 활액(synovial fluid)을 포함한 공간이 있다(그림 2-2).

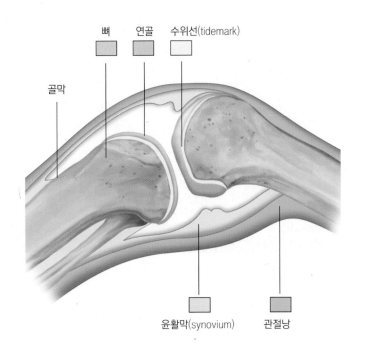

그림 2-2. 관절의 구조

### 3) 관절의 기능

관절이 가동되어 몸을 움직일 수 있게 한다. 즉, 가동을 위해서 연골면이 미끄러지듯 움직이고 관절과 주변뼈가 지렛대 역할을 한다. 주변 근육은 수축과 이완을 통해 근육의 길이를 변경시키며 관절의 가동에 기여한다. 힘줄은 뼈에 붙어 있는 근육으로 주변 근육의 수축과 이완 시 견고하게 근육의 안정성을 제공한다. 인대는 뼈에 붙는 연부조직의 특수한 형태로 흔히 관절강 내에서 더 강해지고 관절의 안정성에 기여한다.

## 뼈의 구조와 기능

### 1) 뼈의 형태학적 구조

뼈는 미네랄화된 연부 조직으로 형태학적으로 조밀한 피층(cortical)과 소주(trabecular) 모양의 해면층(cancellous)으로 나눌 수 있다. 피층 뼈는 골격(skeleton)의 80%가량을 차지하며 주로 장골(long bone)에 분포하고 해면층 뼈는 골수세포와 접촉하여 척추 몸체(vertebral body), 골반(pelvis), 대퇴골 근위부(proximal end of femur)에 분포하며 골다공증이나 골절에 취약하다.

### 2) 뼈의 세포학적 구조

뼈는 수산화인회석 결정(hydroxyapatite crystal)이 콜라겐 매트릭스 내에 침착되어 있으며 성장기의 매트릭스는 비교적 느슨하게 있다가 골 형성이 완성되면 밀도가 높고 촘촘한 구성으로 바뀌어 압박 하중에 견딜 수 있게 된다.

뼈를 구성하는 세포는 골세포(osteocyte), 골모세포(osteoblast), 파골세포(osteoclast)이다.

## 3) 뼈의 기능

뼈의 주요 기능은 관절을 지지하고 내부 장기를 보호하며 칼슘의 생성과 분해를 통한 칼슘 항상성 유지를 담당하는 것이다. 뼈는 골모세포의 뼈 생성과 파골세포의 뼈 흡수라는 상호 유기적 작용에 의해 지속적으로 생성과 소멸을 반복하는 재형성의 과정을 거치며 유지된다. 골모세포에 의한 뼈 생성은 주로 Wnt/LRP5 (low density lipoprotein receptor-related protein5)를 통해 촉진되며 이를 길항하는 sclerostin, dickkopf (DKK-1)에 의해 억제된다. 파골세포의 생성과 억제는 주로 receptor activator of nuclear factor kB (RANK)/RANK ligand (RANKL)/osteoprotegerin (OPG)의 상호 작용에 의해 매개된다. 즉, RANKL/ RANK의 발현이 증가하면 파골세포가 활성화되어 결과적으로 뼈 흡수가 촉진되고 OPG는 길항 작용을 통해 이를 억제한다(그림 2-3).

## 연골의 구조와 기능

### 1) 연골의 구조

관절연골은 대표적으로 연골세포(chondrocyte), 콜라겐(collagen), 프로테오글리칸(proteoglycan)으로 구성되어 있다. 그 외에 cartilage oligomeric matrix protein (COMP), cartilage intermediate layer protein (CILP) 등이 주요한 구성 단백질로 초기 골관절염에서 상승되어 있다. 연골은 비신경성 구조이므로 확산(diffusion)에 의해 영양 공급을 받고 이는 활액에 의해 매개된다.

### (1) 연골세포

연골세포는 관절연골의 유일한 세포로 연골 전체에 걸쳐 광범위하게 분포하고 다양한 효소 분비를 통해 관절연골의 생성과

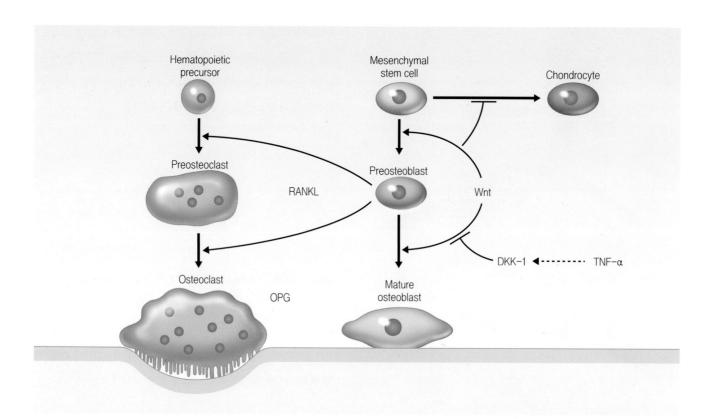

그림 2-3. **뼈의 기능 및 재형성** 조혈전구세포(hematopoietic precursor)로부터 전파골세포(preosteoclast), 파골세포로 분화되어 뼈흡수 기능을 하며 중간엽줄기세포(mesenchymal stem cell)로부터 전골모세포(preosteoblast), 골모세포(osteoblast)로 분화되며 뼈생성 기능을 한다.

분해를 조절하며 세포외기질의 합성과 재생산에 관여한다.

## (2) 세포외기질

연골의 세포외기질(extracellular matrix, ECM) 구성 성분을 보면 물이 약 70%를 차지하며 그 외 콜라겐과 프로테오글리칸(주로 aggrecan), 일부 비콜라겐성 단백질로 구성되어 있다.

### ① 콜라겐

전체 콜라겐 중 제2형 콜라겐이 90% 이상으로 가장 많고 소수의 제11, 9, 6형 등으로 구성된다. 세포외기질 내에 매우 촘촘한 세섬유화망을 이루어 견고하면서도 신장력이 있는 구조물을 만들어 프로테오글리칸을 붙잡고 있다. 이러한 콜라겐 군집에는 COMP, LRR 단백질(leucine rich protein; decorin, fibromodulin, lumican) 등이 관여한다.

### ② 프로테오글리칸

연골의 주요 프로테오글리칸은 aggrecan이라 불리는데 음성 전하를 띤 다당류 연쇄 구조(polysaccharide chain)로서 약 100개의 콘드로이틴 황산염(chondroitin sulfate glycosaminoglycan, GAG)에 케라틴 황산염(keratin sulfate glycosaminoglycan)이 결합된 거대 단백질 형태이며, 히알루론산과 결합하여 더 큰 군집을 이루게 된다. 분해는 aggrecanase에 의해 이루어진다.

### ③ 관련 효소 및 기타 요소

프로테오글리칸과 콜라겐 분해에 주된 역할을 하는 것으로 알려진 효소는 기질금속단백분해효소(matrix metalloproteinases, MMPs)로 collagenase, stromelysin, gelatinase, membrane형의 4가지로 분류한다. 기타 다른 단백분해효소로는 시스테인 단백분해효소(cysteine proteinase), 카셉신(cathepsin), 세린 단백분해효소

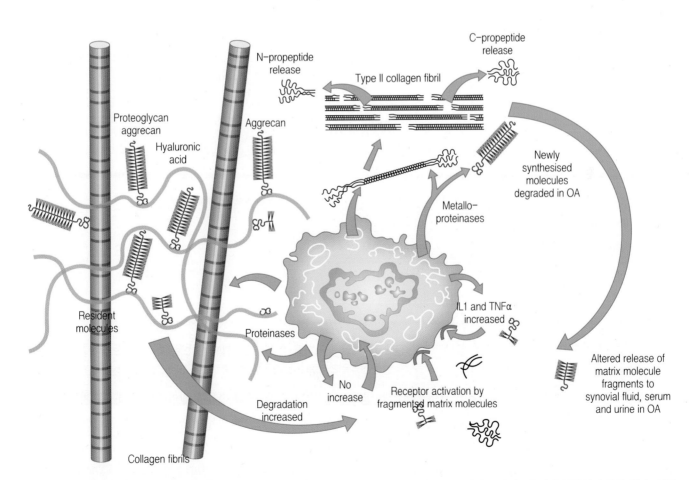

그림 2-4. **연골의 주요 구조와 기능** 2형 콜라겐 섬유가 뼈대를 이루며 aggrecan 등의 프로테오글리칸은 히알루론산과 결합하여 뭉쳐 있다. 연골세포는 다양한 단백분해효소(proteinase)를 분비하여 콜라겐, 프로테오글리칸을 분해하는데, IL-1, TNF-α 등의 사이토카인이 관여하여 세포외기질 분해를 촉진한다.

(serine proteinase), 아스파틱 단백분해효소(aspartic proteinase) 등이 있다. 이런 분해효소의 활성화는 정상적으로는 금속단백분해효소의 조직억제제(tissue inhibitor of metalloproteinase, TIMP)와 플라스민노겐 활성화 억제제-7(plasminogen activator inhibitor-7, PAI-7) 등에 의해 저지되어 있다(그림 2-4).

## 2) 연골의 기능

관절연골은 혈관과 신경이 없는 근골격계 구성물로, 신체 지탱 시 충격에 대한 흡수 역할과 관절 지탱에 기여한다. 관절연골은 관절의 기능에 중요한 역할을 하는데 신체에 가해지는 무게(load)를 흡수하고 분산시켜서 기저뼈에 무리가 덜 가도록 하며 관절 가동 시 마찰을 줄여서 관절 가동에 도움을 준다.

또한 섬유연골성 반월판은 무릎관절과 같이 마모 압력이 가해지는 관절에서 저항할 수 있게 해주는데, 측두하악관절(temporomandibular joint), 흉쇄골관절(sternoclavicular joint), 견봉쇄골관절(acromioclavicular joint)에도 존재한다.

# 활막의 구조와 기능

## 1) 활막의 구조

활막은 관절과 힘줄집(tendon sheath), 윤활낭(bursa)을 싸고 있는 얇은 막과 같은 조직이다. 정상 활막은 1-3개의 세포 층으로 이루어지며 대식세포(macrophage)와 섬유모세포(fibroblast)로 구성된 내막(intima)과, 약 5 mm 두께의 내막하(subintima) 조직(미세 혈관, 림프관, 잔여 섬유모세포, 콜라겐, 세포외기질, 지방, 신경 섬유)으로 나눌 수 있다. 활막은 외배엽(ectoderm)에서 기원한 조직으로 기저막(base membrane)이 존재하지 않는다. 미세 피브릴(microfibils)과 프로테오글리칸 군집으로 구성된 기질이며 활막세포(synovial cell)가 위치하고 있다.

내막에는 대식세포(A형)와 섬유모세포(B형)가 존재한다. 정상 활막 대식세포는 일차적으로 탐식 기능을 하고 비특이적 에스테라제(non-specific esterase, NSE) 반응과 CD163, CD68과 같은 표면 표지자에 강양성을 나타낸다. 정상 활막 섬유모세포는 히알루론산을 생성하여 활액의 점성을 증가시키며 CD55, CD44, vascular cell adhesion molecule (VCAM)-1, intercellular adhesion molecule (ICAM)-1, β1 integrin 등에 강양성 반응을 보인다. 기타 활막을 구성하는 세포로는 항원전달세포(antigen-presenting cell, APC; 예: dendritic cell), 비만세포(mast cell)가 있다. 내막 기질에는 제1형 콜라겐은 적고 대신 콜라겐 제3, 4, 5, 6형을 함유하고 있다. 이 외에 laminin, fibronectin, 콘드로이틴 황산염 프로테오글리칸이 존재한다. 내막에는 약간의 활액이 있는데 주로 히알루론산으로 점성을 유지하여 각각의 조직 구성끼리 유착되지 않도록 한다.

## 2) 활막의 기능

활막은 뼈와 접촉하는 관절연골 부위를 제외하고 모든 관절강 내를 감싸고 있으며 류마티스 질환에서의 대부분의 관절 염증은 이 활막 조직에서 일어나는 염증 반응(활막염, synovitis)이다. 따라서 활막 조직 연구는 염증관절염 형태로 나타나는 대부분의 류마티스 질환의 병리기전을 알아내는 데 매우 중요한 역할을 한다.

정상적인 활막은 전염증(promflammatory) 사이토카인이 낮고 약간의 항염증(antiinflammatory) 사이토카인을 포함한다. RANKL은 낮고 OPG는 높아서 낮은 RANKL-OPG 비를 유지하여 파골세포의 생성을 억제한다. 이러한 균형 유지는 정상, 비염증성 활막에서 항상성(homeostasis)을 유지하는 데 중요한 역할을 한다. 활막의 특징적인 기능은 윤활 역할, 활액의 양 및 성분의 조절, 연골세포에 영양공급이다.

# 근육

## 1) 근육의 구조

인간 몸의 약 40%가 근육으로 구성되어 있으며 심장근(cardiac muscle), 평활근(smooth muscle), 골격근(skeletal muscle)이 있다. 이 중 관절 가동에 관여하는 골격근은 횡문근(striated muscle)으로 콜라겐 섬유다발로 구성되어 궁극적으로 뼈에 부착되어 있다. 주요 구성 성분은 근육세포(myocyte)이며 근육속막(sarcolemma)으로 둘러싸여 있다. 그림 2-5와 같이, 골격근은 힘줄로 뼈에 부착된다. 근육 바깥은 결합조직인 근육바깥막(epimysium)으로 둘러싸이고, 안쪽으로 가면서 근육다발막(peri-

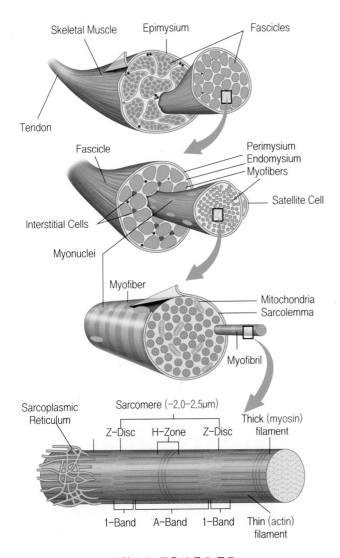

세유지에 역할을 한다. 특히, 어깨와 무릎 관절은 힘줄의 역할이 크다. 신체의 열생산도 근육의 기능 중에 하나인데 거의 85퍼센트의 체열 발생이 근육 수축으로 얻어진다.

📑 참고문헌

1. 대한류마티스학회. 류마티스학. 제2판. 범문에듀케이션; 2018.

2. Han Y, You X, Xing W, Zhang Z, Zou W. Paracrine and endocrine actions of bone-the functions of secretory proteins from osteoblasts, osteocytes, and osteoclasts. Bone Res 2018;6:16.

3. Hochberg MC, Gravallese EM, Silman AJ, Smolen JS, Weinblatt ME, Weisman MH. Rheumatology. 7th ed. Elsevier Health Sciences; 2018.

4. Jorgenson KW, Phillips SM, Hornberger TA. Identifying the Structural Adaptations that Drive the Mechanical Load-Induced Growth of Skeletal Muscle: A Scoping Review. Cells 2020;9:1658.

5. McInnes IB, O'Dell JR, Gabriel SE, Firestein GS, Budd RC. Firestein & Kelley's Textbook of Rheumatology. 11th ed. Philadelphia: Elsevier; 2020.

그림 2-5. 근육의 주요 구조

mysium)으로 둘러싸인 근다발(fascicle)이 된다. 근다발은 근육속막(sarcolemma)이 둘러싸는 근섬유(myofiber)의 집합이며, 근원섬유(myofibril)로 세분된다.

## 2) 근육의 기능

근섬유 내의 액틴-미오신(actin-myosin) 상호 작용 및 칼슘 분비에 의한 근육 수축과 이완을 통해 관절의 가동을 돕는다. 관절의 운동에 더하여, 근육의 수축은 다른 중요한 신체 기능을 수행하는데, 자세와 관절의 안정성 유지, 그리고 열 생산을 한다. 앉아 있거나 서있는 자세는 골격근 수축과 이완의 결과이다. 또한 연속적으로 근육의 미세 조정을 통하여 관절의 안정성을 유지하게 해준다. 대부분 골격근이 뼈에 붙는 부위인 힘줄은 이러한 자

# 3

# 면역체계의 개요

**가톨릭의대 조미라**

## 서론

외부로부터 체내에 세균이나 바이러스 같은 병원체가 침입하지 못하도록 방어하거나, 병원체가 침입하더라도 이를 인식하고 저항할 수 있는 능력을 '면역(immunity)'이라고 한다. 면역은 감염성 미생물(일반적으로 병원균이라 함, 세균, 바이러스, 곰팡이 등), 기생충뿐만 아니라, 외부 물질들과 손상된 세포 산물들과 같은 비감염성 물질들로부터 개체를 보호하는 생리적 기능을 의미한다. 이와 관련된 세포들과 조직, 전달물질들을 면역계(immune system)라고 하며, 유도된 반응들을 총칭하여 면역반응(immune response)이라고 한다.

침입으로부터 인체를 방어하는 면역계는 인체에 포함된 자기(self)와 그렇지 않은 비자기(non-self) 및 이물질을 구별할 수 있어야 한다. 항원은 면역계가 인식하여 면역반응을 일으킬 수 있도록 하는 물질이다. 항원이 질병을 유발할 수 있는 위험한 것으로 인지될 경우 인체의 면역반응을 일어나게 할 수 있다. 항원은 미생물, 세균, 바이러스, 곰팡이, 기생충이나 암세포와 같은 비정상 세포들로 세포의 내부와 외부 표면에 포함되어 있거나 꽃가루나 음식물 등 다양한 곳에서 여러 형태로 스스로 존재할 수 있다.

이러한 항원에 대한 방어는 초기 반응을 담당하는 선천면역(innate immunity)과 시간이 지나서 나타나는 적응면역(adaptive immunity)으로 구분할 수 있다. 면역계가 정상적으로 기능을 하지 않아 자기를 비자기로 잘못 판단하여 면역반응이 나타나게 되는 경우 질환이 발생한다. 즉 외부에서 들어온 항원이 아니라 자신의 세포와 조직에 존재하는 자가 항원에 대한 면역반응이 유발되는 것을 자가면역(autoimmunity)이라고 한다. 그 결과로 인해 조직 손상을 수반하는 난치성 질환이 발생되는데 이를 자가면역질환(autoimmune disease)이라고 부른다. 이외에도 인체가 침입 미생물에 대하여 적절한 면역반응을 수행하지 못하는 경우를 면역결핍 질환이라고 하고, 인체가 무해한 외부 항원에 대하여 과도하게 면역반응을 발생시켜 정상 조직을 손상시키는 경우를 알레르기 질환이라고 한다.

이번 장에서는 만성염증질환 및 자가면역질환의 병태 생리를 이해하기 위하여 주요 면역반응들에 초점을 맞추어 면역반응을 구성하는 세포들과 주요 물질들에 대하여 기술하고자 한다.

## 면역계를 구성하는 요소

면역계는 다음과 같은 구성요소를 가지고 면역반응을 유지하고 인체를 보호하는 역할을 수행할 수 있다. 항원과 항체가 면역계의 대표적인 요소로, 면역반응을 일으킬 수 있도록 면역계가 인식하는 물질을 항원이라고 하고, 항체(면역글로블린)는 백혈구(leukocytes) 중 형질세포(plasma cell)에서 생성이 되고 외부에서 침입한 항원에 대하여 강한 결합을 하여 침입한 물질에 대해서 공격 대상으로 표시를 하거나 직접 중화시킬 수 있는 기능을 가진 단백질이다. 인체는 매우 다양한 항체를 생성할 수 있다. 각 항체는 주어진 항원에 직접 결합할 수 있도록 각 항원에 특이성을 가진다. 항원에 부착된 항체를 면역복합체라고 한다. 선천 및 적응면역반응에 관여하는 세포들을 면역세포라고 하며, 포식세포(phagocytes), 수지상세포(dendritic cells), 림프구(lymphocytes), 자연살해세포[natural killer (NK) cell] 등이 있다. 대표적인 포식세포인 백혈구(leukocytes)는 골수에서 유래하며 혈류를 따라 전신을 순환하며 면역반응을 일으킨다.

백혈구는 T세포, B세포, NK세포와 같은 림프구 및 호중구(neutrophil), 호산구(eosinophil), 호염기구(basophil)와 같은 과립구 등의 형태로 존재하면서 면역반응이 필요할 때 각자 서로 다른 역할을 수행하여 인체를 침입자부터 지키는 고유의 역할을 수행하게 된다. 미성숙 수지상세포는 조직 속으로 들어가 병원체를 만나면 성숙 수지상세포로 변화한다.

단핵구(monocytes)는 백혈구로부터 발달하는 거대세포로 조직에 들어가면 대식세포(macrophage)로 분화하는데, 대식세포는 세균 및 외부 세포를 삼키고 T세포가 미생물 및 항원을 식별하는 데 도움을 주는 세포로서, 각기 다른 조직에서 특정 이름으로 명명된다. 림프구는 백혈구와 달리 항원수용체를 가지고 있으며 분화하는 위치에 따라(흉선 혹은 골수) T세포와 B세포로 나뉘어진다. 항원과 만나면 B세포는 항체를 생산하는 형질세포로 분화하고, T세포는 다양한 기능을 가지는 작동(effector) T세포로 분화한다.

선천면역은 자연 면역이라고도 하며 이전에 미생물이나 침입자를 접하지 않았어도 효과적으로 신체를 보호하는 기능을 발휘할 수 있다. 여기에는 식세포 작용을 할 수 있는 대식세포, 호중구, 단핵세포, 수지상세포 등이 있다. NK세포도 비정상세포나 바이러스 등이 감염된 세포를 인식해서 죽일 수 있다. 백혈구는 염증에 반응하는 물질(사이토카인, 케모카인 등)과 알레르기 반응에 관여하는 물질(히스타민 등)을 분비한다. 이러한 세포들은 외부 침입물질은 직접적으로 제거할 수 있다.

적응면역은 후천면역으로 백혈구 중 림프구(T세포와 B세포 등)가 외부 침입자를 만나서 공격하거나 제거할 수 있는 방법을 확인하여 기억할 수 있기 때문에, 다음에 같은 침입자에 대해서 효과적으로 제거할 수 있다. 이러한 적응면역은 새로운 침입자를 만나면 어느 정도 시간이 흐른 후에 면역반응이 생기는데 그러한 이유는 림프구가 적응하고 기억해야 하기 때문이다.

선천면역과 적응면역이 상호작용하여 서로 간에 직접적으로 또는 면역계의 다른 세포를 자극하거나 이동시키는 특정 면역분자를 유도시켜 영향을 주게 되는데 대표적으로 사이토카인, 케모카인, 항체와 보체 단백질 등이 있다. 염증반응은 이들 면역단백질들이 면역세포들을 특정 조직으로 이동시키기 때문에 발생하는 것으로 알려져 있다. 이들 세포들을 해당 조직으로 이동시키기 위해서 더 많은 혈액이 조직으로 들어가게 된다. 조직에 더 많은 혈액을 보내기 위해서 혈관이 확장되고 구멍이 많아져서 더 많은 물질과 면역세포가 혈관을 떠나 조직으로 이동하게 된다. 염증의 목적은 침입자를 막아 감염을 퍼지지 않도록 막는 것이다. 이후 면역계의 면역세포가 생산한 물질이 다시 이러한 염증반응을 억제하고 손상된 조직을 회복시키는 일을 한다. 염증은 면역반응으로 부종과 통증이 유발될 수 있지만 면역계가 정상적인 역할을 수행하고 있음을 나타낸다고 할 수 있다. 하지만 과도하고 만성적 염증은 정상적인 역할을 수행하지 못하고 해로운 질환을 유발시킬 수 있게 된다.

림프기관(lymphoid organ)은 일차와 이차기관으로 분류되고 일차는 골수와 흉선과 같이 림프구가 생성되는 일차 혹은 중앙 림프기관(primary or central lymphoid organ)을 말하고, 이차는 림프절(lymph node), 비장, 편도, 파이어스 패치(Peyer's patch), 충수돌기 등과 같이 미감작 림프구가 외부 항원에 노출되면서 적응면역이 시작되는 말초 림프기관(peripheral lymphoid organ)을 말한다.

간략하게 그 기능을 살펴보면, 골수는 모든 세포로 분화할 수 있는 조혈모세포를 가지고 있고, T세포(흉선에서 성숙)를 제외한 면역세포들의 분화가 일어나는 장소이다. 흉선은 적응면역에 매우 중요한 T세포가 증식하여 외부 항원을 인식하고 인체의 자체 항원에는 반응하지 않도록 교육한다.

　림프절은 캡슐로 둘러싸인 이차 림프기관이며 전신의 림프관을 따라 존재한다. 림프절은 림프관 망인 림프계로 연결되고, 림프계는 감염을 방어하는 역할로 미생물, 기타 외부물질, 죽은 세포나 손상된 세포 등을 림프절로 이동시켜 파괴한다. 림프계는 인체 내에서 림프를 전달한다. 림프는 모세혈관의 얇은 벽을 통해서 인체 조직에 스며드는 액체로 구성이 된다. 이 액체 중 일부는 다시 모세혈관으로 들어가고 일부는 림프관으로 들어가서 림프가 된다. 림프에는 산소와 단백질 등 조직에 필요한 영양분이 포함되어 있고, 많은 백혈구가 포함되어 있다.

　작은 림프관들은 큰 림프관으로 연결되고 최종적으로 흉관을 형성하는데, 흉관은 가장 큰 림프관이다. 흉관은 쇄골하정맥에 연결되어 림프를 혈류로 돌려보낸다.

　림프절은 항원에 의해 림프구가 활성화되는 장소이며 림프구는 자신에게 맞는 특이 항원을 만날 때까지 혈액과 말초 림프조직을 순환한다. 림프절에는 T세포, B세포, 수지상세포, 대식세포가 밀집된 망이 포함되어 있어 유해한 침입자인 미생물을 이 망에서 거른 후 B세포와 T세포가 직접 공격하여 제거한다. 비장은 혈액 중에 순환하는 면역세포들 또는 외부 단백질을 제거하는 역할을 한다.

## 참고문헌

1. Abbas AK, Lichtman AH, Pillai S. Cellular and molecular immunology. 10th ed. Philadelphia: Elsevier Saunders; 2021.
2. McInnes IB, O'Dell JR, Gabriel SE, Firestein GS, Budd RC. Firestein & Kelley's Textbook of Rheumatology. 11th ed. Philadelphia: Elsevier; 2020.
3. Hochberg MC, Gravallese EM, Silman AJ, Smolen JS, Weinblatt ME, Weisman MH. Rheumatology. 7th ed. Philadelphia: Elsevier; 2019.
4. J Parkin, B Cohen. An overview of the immune system. Lancet 2001;9270:1777-89.
5. Murphy K. Janeway's Immunobiology. 9th ed. New York: Garland Science; 2017.
6. Netea MG, Dominguez-Andres J, Barreiro L, Chavakis T, Divangahi M, Fuchs E, Joosten LA. Defining trained immunity and its role in health and disease. Nat Rev Immunol 2020;6:375-88.

# 4

# 선천면역

가톨릭의대 **박윤정**

## KEY POINTS 🔒

- 선천면역은 태어날 때부터 몸속에 가지고 있는 면역체계로서, 미생물 감염이나 종양과 같은 비정상적인 세포를 신속하게 처리하기 위해 발생하는 숙주의 방어기전이다.
- 적응면역에 비해 면역반응이 비특이적이고, 신속하게 일어나며, 병원체 관련 분자 패턴, 대식세포, 수지상세포, 호중구, 자연살생세포, 보체계 등에 의한 식작용, 세포독성 및 염증반응을 유발한다.

선천면역은 외부에서 침입한 미생물, 감염된 세포 혹은 종양과 같은 비정상적인 세포를 빠르게 처리하기 위한 숙주의 비특이적인 방어기전이다. 특정 미생물이나 비정상 세포의 특이항원을 인지하기보다는 포괄적인 방법으로 대상을 인지하여 수 분에서 수 시간 내에 나타나는 면역반응을 의미한다. 적응면역과 달리 기억 능력이 없어 동일한 면역원에 대한 학습 효과를 기대하기 어렵고, 면역 효과가 장기간 지속되지도 않는다. 하지만 선천면역은 연이어 나타나는 적응면역반응이 효과적으로 발생하는 데 중대한 기여를 한다.

인식하는데, 이러한 구조를 미생물-연관 분자패턴(microbe-associated molecular patterns, MAMPs)이라고 한다. 그람음성세균의 외막을 구성하는 지질다당질(lipopolysaccharide, LPS)과 거의 모든 세균에서 발견되는 펩티도글리칸(peptidoglycan) 등이 대표적인 세포벽 성분의 MAMPs이며, 메틸화되지 않은 CpG DNA나 이중가닥(double strand) RNA 등은 핵산 성분의 MAMPs로서 잘 알려져 있다. 이러한 구조들은 미생물에 따라 조금씩 차이는 있지만 기본 요소는 동일하므로, 선천면역계가 인지하는 MAMPs의 종류가 많지 않아도 광범위한 종류의 미생물을 인식하는 것이 가능하다.

한편, 조직 손상이나 세포의 괴사(necrosis)와 같은 숙주의 비정상적인 상황으로 인해 발생한 숙주 유래 생체분자들도 선천면역계에 의해 인지될 수 있다. 이것을 손상-연관 분자패턴(damage-associated molecular patterns, DAMPs)이라고 한다. 단백질 성분의 DAMPs로는 세포내에서 유래한 열 충격 단백질(heat-shock proteins)과 HMGB1 (high-mobility group box 1), 세포외기질에서 유래한 hyaluronan 조각 등이 알려져 있으며, 비단백질 성분의 DAMPs로는 세포 외 ATP, 요산 결정, DNA 등이 있다.

## 선천면역 인식패턴

포유동물의 세포는 미생물의 침입에 대응하기 위해 자신에게는 존재하지 않으면서 미생물만 특징적으로 가지고 있는 구조를

## 패턴인지수용체

MAMPs나 DAMPs와 같은 리간드(ligand)를 인지하는 숙주 세포의 수용체를 패턴인지수용체(pattern recognition receptors,

표 4-1. 선천면역의 주요 패턴인지수용체와 리간드

| 패턴인지수용체 | 리간드 | 리간드 원천 |
|---|---|---|
| Toll-유사수용체(Toll-like receptors, TLRs)<br>: TLR 1-TLR13 | 지질단백질, 비메틸화된 DNA,<br>이중가닥 RNA, 단일가닥 RNA,<br>내독소, DAMPs 등 | 세균, 기생충<br>바이러스,<br>숙주 |
| NOD-유사수용체(NOD-like receptors, NLRs)<br>: NOD1, NOD2, NLRP3, NLRC4 등 | DAMPs,<br>뮤라밀 디펩티드(muamyl dipeptide) 등 | 숙주, 세균 |
| C-타입 렉틴 수용체(C-type lectin receptors, CLRs)<br>: 만노스 수용체(mannose receptors, MRs),<br>덱틴(dectin)-1, -2, DC-SIGN 등 | 베타-글루칸, 만노스 등 | 균류(fungi) |
| RIG-I-유사 수용체(RIG-I-like receptors, RLRs)<br>: RIG-I, MDA5 등 | 이중가닥 RNA | RNA 바이러스 |

PRRs)라고 하며, 각 패턴인지수용체의 구조와 특이성은 발현하는 모든 세포에서 동일하다. 수용체의 종류에 따라 세포막에 결합한 형태로 세포의 표면, 엔도솜(endosome) 혹은 소포체와 같은 세포 내 특정 구획, 세포질 등에 존재하며, 이 수용체에 해당 리간드가 결합하면 세포내 신호전달체계가 활성화되면서 보체 연쇄반응, 사이토카인이나 케모카인의 생성과 활성화를 포함한 다양한 선천 면역반응이 유발되게 된다. 잘 알려진 패턴인지수용체의 종류와 작용 위치 그리고 특이 리간드는 다음과 같다(표 4-1).

## 보체계

많은 수의 혈장 단백질로 이루어져 있는 보체계는 일련의 단백질분해효소 반응에 의해 활성화되며, 항체의 기능을 도와 숙주 내로 들어온 미생물 혹은 항원을 제거하거나 침입한 세균을 표지하는 옵소닌화(opsonization)를 통해 다른 면역세포로 하여금 해당 미생물을 효과적으로 제거하도록 한다.

보체계를 통한 면역반응 활성화의 시작은 세 가지 방식이 알려져 있다. 고전경로(classical pathway)는 미생물 표면 항원에 결합된 항체를 인식할 수 있는 C1 단백질 복합체가 결합되면서 시작되며, 대체경로(alternative pathway)는 미생물 표면의 특정 구

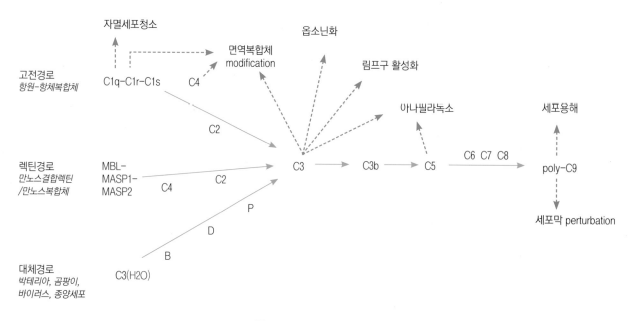

그림 4-1. 보체연쇄반응의 구성요소

조를 직접 인식하면서 활성화된다. 렉틴경로(lectin pathway)는 만노스-결합 렉틴(mannose-binding lectin, MBL)이라는 혈장 단백질이 미생물 표면의 만노스 구조에 결합되면서 반응이 시작된다. 활성화된 C3 전환효소(convertase)는 C3 보체 단백질을 C3a와 C3b 조각으로 분해한다. C3b는 옵소닌(opsonin)의 일종으로 세균의 세포막을 둘러싸 결합하는 옵소닌화에 사용되므로 보체 수용체를 가지는 포식세포에 의해 해당 세균이 쉽게 탐식되도록 돕는다. 탐식된 세균은 포식세포(phagocyte) 내부에서 제거될 뿐만 아니라 세균항원이 T세포와 B세포에 제시되면서 이에 대한 적응면역을 유발하는 역할을 하기도 한다. 뿐만 아니라 C3b는 C5 전환효소를 형성하여 C5를 C5a와 C5b로 분해하는 기능도 한다. 이러한 과정에서 만들어지는 C3a, C5a와 같은 작은 보체 조각은 화학유인물질(chemoattractant)로 작용하여 포식세포를 비롯한 다양한 면역세포를 염증 부위로 더욱 유인하여 국지성 염증을 증가시킨다. C5b는 C6-C9 보체 조각과 결합하여 세균의 세포막에 구멍을 내는 막공격복합체(membrane attack complex, MAC)를 형성하여 세균을 직접 죽이기도 한다(그림 4-1).

## 주요 선천면역 세포들

### 1) 포식세포

포식세포에는 대식세포(macrophage), 중성구(neutrophil), 수지상세포(dendritic cell, DC) 등이 있다. 포식세포는 미생물을 인식하는 여러 가지 패턴인지수용체와 항체, 보체, 렉틴과 같은 옵소닌과 결합이 가능한 수용체들을 세포 표면에 발현하고 있어 해당 미생물을 보다 효과적으로 탐식할 수 있다. 탐식된 미생물이나 입자들은 엔도솜 안에 존재하게 되는데 세포내에서 여러 유기물을 죽이거나 소화시킬 수 있는 효소를 포함하고 있는 리소좀(lysosome)과 합쳐지면서 해당 물질은 제거된다. 이러한 포식세포의 탐식 능력은 일상적으로 세포자멸사(apoptosis)가 일어나는 세포 혹은 감염 등의 이유로 손상된 조직 내 세포를 제거함으로써 건강한 세포의 발달과 유지 과정에서 중요한 역할을 한다.

### (1) 대식세포

대식세포는 각 조직에 정착하여 존재하는 주요한 포식세포로서, 조직에 염증이 발생하게 되면 IL-1과 TNF 등의 사이토카인을 생산하여 혈관내피세포 표면에 부착 분자(adhesion molecule)들의 발현을 증가시킴으로써, 백혈구들의 혈관 부착을 유발시킨다. 연이어 생성되는 케모카인들은 백혈구의 인테그린과 그 리간드의 결합을 더욱 강화시키고, 백혈구의 화학주성(chemotaxis)을 촉진한다. 이동하는 백혈구 중 단핵구는 조직으로 이동하면서 대식세포로 분화되어 조직 내 대식세포의 수는 더욱 증가하게 된다. 각 조직에서 거주하는 대식세포는 특정 이름으로 불리는데 중추신경계에서는 미세아교세포(microglial cell), 간에서는 쿠퍼세포(Kupffer cell), 폐에서는 폐포대식세포, 뼈에서는 파골세포 등으로 불린다.

### (2) 중성구

세포질 내에 과립이 존재하는 과립구 중의 하나로 다형핵세포(polymorphonuclear cells, PMNs)라고도 불리는 중성구는 혈액에 가장 많은(40-75%) 백혈구로서, 건강한 조직에는 거의 존재하지 않으나 이동성이 높아 염증 초기에 사이토카인에 반응하여 가장 빨리 모인다. 이동한 중성구는 다양한 염증매개물질을 분비하고 주변의 다른 세포들을 자극하여 염증 반응이 더욱 증폭된다. 다른 포식세포와 마찬가지로 탐식 작용을 통해 미생물을 제거할 뿐만 아니라, 염색질과 세린 단백질분해효소로 이루어진 섬유망인 중성구 세포외덫(neutrophil extracellular trap, NET)을 방출하여 미생물을 세포 밖에서 붙잡아 죽이기도 하는데 이는 미생물이 더 확산되지 않도록 하는 물리적 방어벽과 같은 역할을 하기도 한다.

### (3) 수지상세포

수지상세포는 선천면역과 적응면역을 매개하는 대표적인 항원제시세포(antigen-presenting cells, APCs)이다. 수지상세포가 포식작용 등을 통해 항원을 획득하게 되면 주조직적합복합체(major histocompatibility complex, MHC)와 함께 항원 펩티드를 세포 표면에 노출시킴으로써 이 항원에 특이적인 수용체를 가진 적응면역세포가 활성화된다. 수지상세포는 외부 환경과 접촉하거나 인체 내부 점막과 인접해 있는 조직에 존재하면서 직접 항원을 획득하기도 하며, 활성화되었을 때에는 림프절로 이동하여 T세포, B세포와 같이 상호작용하면서 항원 특이적인 적응면역 반응을 유발시킨다. 수지상세포의 종류로는 단핵구와 비슷한 골수성 수지상세포(myeloid DC, mDC)와 형질세포와 비슷해 보이는 형질세포양 수지상세포(plasmacytoid DC, pDC)가 있다. 또한 림프조직의 림프 여포에서 미세구조를 형성하고 있는 소포 수지상세포(follicular DC, FDC)는 배중심(germinal center)에서 B세포의 사멸을 막고 항원을 제시함으로써 B세포가 성숙되는데 핵심적인 역할을 한다.

## 2) 선천림프계세포

선천림프계세포(innate lymphoid cells, ILCs)는 일반림프전구체(common lymphoid progenitors, CLPs)로부터 분화한 세포 그룹으로 선천면역반응과 조직 재형성에 있어서 중요한 역할을 한다. 해당 세포들은 재조합활성유전자(recombination activating gene, RAG)에 의한 재배열된 항원 수용체를 가지고 있지 않으며,

골수세포나 수지상세포가 가지는 표지자를 발현하지 않고, 림프구 형태를 띤다는 특징을 가지고 있다. 이들 세포는 사이토카인과 전사인자의 발현에 따라 3가지의 그룹으로 분류된다(그림 4-2).

### (1) 그룹 1 선천림프계세포

T-bet 전사인자를 발현하고 IFN-γ와 TNF 사이토카인을 생산하여 $T_H1$ 세포와 유사한 특성을 보인다(그림 4-2).

① ILC1: 약한 세포독성을 가진 세포이고 주로 $T_H1$ 세포와 비슷한 특성을 갖는다. IFN-γ와 TNF 분비를 통해 수지상세포와 세포독성 T세포를 불러들이거나 골수유래억제세포(myeloid-derived suppressor cells; MDSCs)를 유도하여 항암 효과를 나타낸다. CD127$^{low}$CD103$^+$ 내상피 ILC1s과 CD127$^{high}$ ILC1s로 구성되어 있다.

② 자연살해세포(natural killer cell, NK cell): 말초혈액 림프구의 약 5-15% 정도로 존재하며, 간이나 골수에서 성숙하고 바이

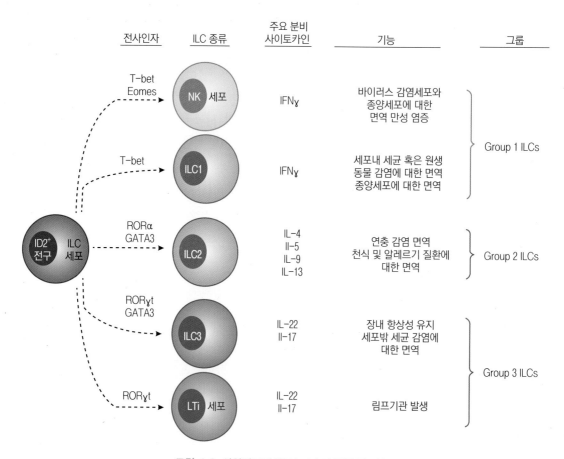

그림 4-2. 선천림프계세포(ILCs)의 종류 및 기능

러스에 감염된 세포나 종양세포를 공격한다. 세포 표면의 다양한 활성화 수용체 또는 활성억제수용체를 통해 표적세포를 인식하고 이로 인해 유도되는 종합적인 신호에 따라 그 활성이 조절된다. NK세포의 활성 조절에는 killer immunoglobulin receptors(KIRs)나 CD94-NKG2A 같은 활성 억제 수용체가 매우 중요한데, 이 활성 억제 수용체는 정상 세포 표면의 MHC class I을 인지하여 정상 세포를 보호하는 기능을 하며 활성화 수용체의 활성을 억제할 수 있다.

## (2) 그룹 2 선천림프계세포

RORα and GATA3 전사인자를 발현하고 IL-4, IL-5, IL-9, IL-13 사이토카인을 생산하여 $T_H2$ 세포와 비슷한 특성을 보인다. 알레르기성 폐염증의 발달이나 연충(helminth) 감염에 의해 야기되는 숙주의 방어 기전과 같은 $T_H2$ 반응이 요구되는 국지적인 면역반응에 있어 중요한 역할을 한다. 피부, 폐, 간, 장 등에 많이 존재한다(그림 4-2).

## (3) 그룹 3 선천림프계세포

RORγt 전사인자를 발현하고 IL-17A와 IL-22 사이토카인을 발현하여 $T_H17$ 세포와 비슷한 특성을 가지고 있다(그림 4-2).

① ILC3: IL-22를 분비하고 세포 표면에 자연살해세포 활성화 수용체를 발현하고 있다. 하지만 자연살해세포와는 다르게 세포독성 효과는 없고 IFN-γ와 TNF를 생산하지도 않는다. 장내 점막 조직에서 주로 발견되며, 분비하는 IL-22가 디펜신과 같은 항미생물 펩타이드의 생산을 촉진시키는 등 장내 면역계와 공생미생물 간의 균형을 유지하는 데 중요한 역할을 하는 것으로 알려져 있다.

② 림프조직유도세포(lymphoid tissue-inducer cells, LTi cell): 림프기관의 발생에 필수적인 세포이다. 기억 T세포가 유지되는 데에도 기여한다.

📖 참고문헌

1. Firestein, Gary S. Gabriel, Sherine E., McInnes, Iain B., eds, O'Dell, James R. et al. Kelley and Firestein's Textbook of Rheumatology. 10th ed. Philadelphia: Elsevier; 2017. pp. 254-61, 306-19.
2. Hochberg Marc, et al. Rheumatology. 7th ed. Philadelphia: Elsevier; 2019. pp. 63-9, 114-19.
3. J. Larry Jameson, Anthony S. Fauci, Dennis L. Kasper, Stephen L. Hauser, Dan L. Longo, Joseph Loscalzo, et al. Harrison's Principles of Internal Medicine. 20th ed. Chapter 342. McGraw-Hill Education; 2018.

# 5

# 적응면역

서울의대 **박진균**

## 적응면역과 선천면역

적응면역은 병원체 또는 외부 항원을 항원 특이적 수용체를 통해 인식 및 제거 후 그 과정을 기억하여 향후 동일한 병원체에 노출 시 신속하고 효율적인 면역반응을 가능하게 한다. 항원특이적 항원수용체의 다양성(immune repertoire), 면역기억(immune memory) 및 자가에 대한 면역관용(immune tolerance)이 적응면역의 특징이다. 병원체에 노출 후 효율적인 적응면역이 형성되기까지는 수일에서 수주의 시간이 소요되며 적응면역은 동일한 병원체에 반복 감염 시 면역기억을 바탕으로 첫 감염보다 신속하고 강력한 방어 대응을 가능하게 한다

선천면역과 적응면역은 각각 독립적인 면역반응을 기반으로 협력적인 면역체계를 구성하여 면역반응의 효율을 극대화한다. 병원체가 물리적 일차 장벽을 뚫고 인체에 침입하는 감염의 초기 단계에서는 선천면역의 대식세포 및 자연살해세포는 병원체를 직접 제거한다. 하지만 초기 단계에서 병원체 제거가 지연 또는 실패하면 활성화된 적응면역의 세포독성 T세포, 도움 T세포 및 B세포 등이 각종 염증사이토카인 분비 및 항체 생성을 통해 병원체을 제거한다. 즉, 적응면역은 선천면역을 피해가는 미생물 제거에 결정적인 역할을 한다. 예를 들어, 폐렴구균의 피막(capsule)은 선천면역세포의 포식 회피가 가능하여 폐렴 및 패혈증 등 중증 감염으로 진행할 수 있다. 이 때 적응면역의 B세포가 피막에 대한 항체를 생성하여 피막의 항포식 기능을 무력화하면 폐렴구균을 쉽게 제거할 수 있다. 항폐렴구균 항체 생성 전에 폐렴구균이 인체에서 번식할 경우 중증의 폐렴 또는 패혈증으로 진행하여 사망할 수 있다. 반면, 이전 폐렴구균의 감염 또는 폐렴구균 예방접종을 통해 이미 항체가 존재하면 폐렴구균을 침입 시점부터 신속히 제거하여 감염병 예방이 가능하다.

### 1) 면역 레퍼토리

병원체를 인식하는 가장 첫 단계는 자가항원(self antigen)과 비자가항원(non-self antigen)의 구별이다. 모든 병원체를 일일이 인식하는 것보다 "자가가 아님"을 확인하는 것이 간편하다. 이 과정에서 인체에서 발현되지 않은 단백질/분자 등을 이물질(foreign body) 비자가항원으로 인식하게 된다. 대식세포, 수지상세포, 자연살해세포와 같은 선천면역 세포는 다양한 패턴인지수용체(pattern recognition receptor, PRR)를 사용하여 미생물에서 보존된 pathogen-associated molecular pattern (PAMP)을 인식한다. 선천면역세포는 세균의 flagella 및 세포벽 등의 대표적인 PAMP를 톨유사수용체(toll-like receptor, TLR)를 사용하여 쉽게 인식한다. 반면 바이러스 같이 세포내에서 번식하는 바이러스는 인간과 유사한 단백질을 발현하여 PRR만으로 자가항원으로부터 구

별하기에 한계가 있다. 이 경우 바이러스의 특이적인 단백질의 서열 또는 3차 구조를 인식하는 방법이 요구된다. 적응면역의 T세포, B세포는 다양한 T, B세포 수용체로 이같은 항원을 인식한다.

## 2) 면역기억

한번 감염을 일으킨 병원체에는 다시 노출될 가능성이 높다. 면역기억의 목표는 반복적으로 노출되는 병원체에 대한 면역반응을 기억하여 재노출 시 신속하고 효율적인 면역반응을 유도하여 감염으로 인한 인체 손상을 최소화하는 것이다. 그래서 특정 병원균에 대한 적응면역이 한번 형성되면 동일한 감염병을 예방한다. 만약, 면역기억이 없다면 동일한 균이 노출될 때마다 매번 동일한 감염 반응이 진행할 것이고, 이때마다 감염으로 인한 손상이 인체에 축적된다. 사춘기에 시작하는 흉선 퇴행(thymus involution)으로 인한 T세포 레퍼토리의 다양성의 감소에도 불구하고 적응면역은 노인에서도 그 기능이 유지된다. 노인에서는 이전에 접하지 못한 병원체에 새롭게 노출될 가능성은 상대적으로 낮기 때문이다.

면역기억은 반복적인 노출로 유지되는데 장기간 동일한 항원에 재노출되지 않으면 면역기억이 서서히 사라질 수 있다. 소아예방접종으로 인하여 수두-대상포진 바이러스의 감염률이 저하되면 수두바이러스를 접촉할 기회가 감소하여 이로 인해 면역기억이 소실되면서 대상포진의 유병률 증가로 이어질 수 있다. 면역기억의 소실을 막기 위해서는 예방접종이 도움이 된다.

## 3) 면역관용

수만 가지의 항원 인식이 가능한 T, B세포의 수용체는 자가항원을 인식할 수 있고 이로 인해 자가면역반응이 발생할 수 있다. 골수 또는 흉선에서는 세포의 생성 단계에서부터 자가항원에 대한 반응이 강한 면역세포는 제거된다(negative selection). 하지만 자가항원을 아예 인식 못하는 세포 또한 제거되어 자가항원을 어느 정도 인식하는 면역세포만 살아남는다(positive selection).

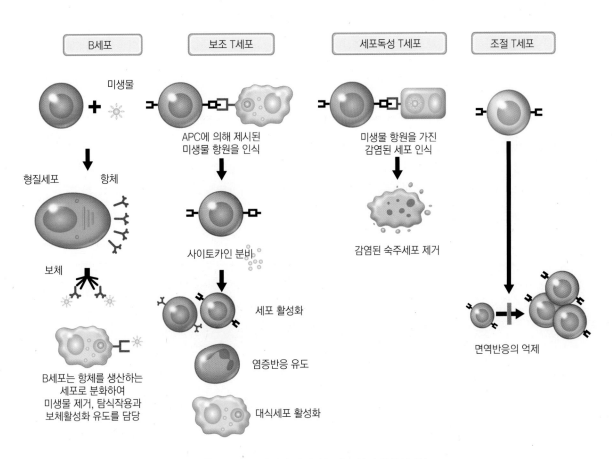

그림 5-1. 적응면역에 관여하는 림프구의 종류와 기능

즉, 적응면역세포는 자가면역성향을 가질 수 있고, 이러한 세포들 중 자가 친화력(self-affinity)이 강한 T세포는 조절 T세포로 분화하여 자가항원에 대한 면역관용을 조절한다. 면역관용기전에 문제가 발생하면 자가면역질환으로 이어진다.

## 적응면역계의 세포

적응면역은 B세포 매개의 체액면역(humoral immunity)과 T세포 매개의 세포면역(cellular immunity)으로 이루어져 있다. 체액면역은 B세포가 항원과의 상호작용을 통해 항체분비 형질세포로 증식 및 분화하여 생성한 항체에 의해 매개된다. 혈액이나 점막 분비물 안에 존재하는 항체는 세포 외 미생물 및 이들이 분비한 독소를 항원으로 인식하여 결합하고 이를 제거한다. 세포면역은 항원 특이적 T세포가 항원과의 상호작용을 통해 작동세포들(effector cells)로 증식, 분화하여 감염된 숙주세포 내 미생물을 제거하는 역할을 한다(그림 5-1). 세포독성 T세포를 제외하면, 도움 T세포, B세포는 병원체를 직접 제거하기에는 한계가 있다. 이들 세포는 선천면역을 활성화하여 병원체 제거를 증폭시킨다.

### 1) B세포

림프구는 외부 항원을 특이적으로 인식하고 반응하는 세포로서 항원을 인식하는 방식과 기능에 따라 여러 형태가 존재한다(그림 5-1). B세포는 골수에서 발생, 성숙하고 세포막에 항원 결합 수용체를 발현한다. 말초조직에서 미감작 B세포(naïve B cells, 항원을 만난 적 없는 B세포)가 세포막 항원결합 수용체를 통해 세포외 항원을 인식하게 되면 항체분비 형질세포(plasma cell) 또는 기억세포로 분화하여 체액면역을 담당한다. 항체는 체액면역을 위한 대표적인 효과 인자로서 세포 외 미생물과 결합하여 감염을 억제하고 대식세포가 미생물을 탐식, 파괴하는 과정을 촉진한다(그림 5-1).

### 2) T세포

T세포는 골수에서 생성되어 흉선으로 이동하여 성숙되며, 세포막에 T세포 수용체라는 항원결합 분자를 발현하여 항원을 인지하게 된다. 성숙한 T세포는 그 기능에 따라 도움T세포(T helper cells, $T_H$)와 세포독성T세포(cytotoxic T cells, $T_C$)로 구분된다. 도움T세포는 세포 표면에 CD4 수용체를 발현하며, 항원 자극에 반응하여 다양한 사이토카인을 분비한다. 분비된 사이토카인은 T세포 자신의 증식과 분화를 자극할 뿐 아니라 B세포와 대식세포의 활성화를 통해 미생물을 탐식하여 제거하는 면역반응을 증강시킨다. 세포독성T세포는 세포 표면에 CD8 수용체를 발현하며 바이러스에 감염된 세포, 종양세포와 같은 변형된 세포, 이식된 조직 내 세포 등을 제거하는 역할을 담당한다. 면역반응을 활성화하는 도움T세포나 세포독성T세포와는 달리 조절T세포(regulatory T cells, Treg)는 면역반응을 억제하는 기능을 수행하여 과도한 면역반응으로 인한 조직손상이나 자가면역반응을 줄여준다.

도움T세포의 종류로는 $T_H1$, $T_H2$, $T_H9$, $T_H17$, $T_{reg}$, $T_{FH}$ 등이 있으며 이들이 분비하는 사이토카인 종류와 노출된 주위 환경—예를 들어 사이토카인이나 외부 항원의 종류—에 따라 서로 다른 아형의 T세포로 분화하게 된다(표 5-1).

$T_H1$세포는 IFN-$\gamma$을 분비하여 병원체를 탐식하거나 감염된 대식세포 또는 세포독성 T세포를 활성화하는 역할을 한다. 또한

표 5-1. 보조T세포 아형과 기능

| 보조T세포 아형 | 분화 유도 사이토카인 | 분비하는 사이토카인 | 작용세포(target cells) |
|---|---|---|---|
| $T_H1$ | IL-12, IFN-$\gamma$ | IL-2, IFN-$\gamma$, TNF | 대식세포, 수지상세포, 세포독성 T세포 |
| $T_H2$ | IL-4 | IL-4, IL-5, IL-13 | B세포, 호산구 |
| $T_H9$ | IL-4, TGF-$\beta$ | IL-9 | 림프구, 조혈모세포, 상피세포, 비만세포, 평활근세포 |
| $T_H17$ | IL-6, TGF-$\beta$ | IL-17A/F, IL-21, IL-22 | 중성구 |
| $T_{reg}$ (regulatory T cells) | TGF-$\beta$ | TGF-$\beta$, IL-10 | 림프구, 항원제시세포 |
| $T_{FH}$ (follicular helper T cells) | IL-6, IL-21 | IL-21 | B세포 |

Fas 리간드와 CD40 리간드를 발현함으로써 세포의 사멸을 유도하거나, 항원과 결합한 B세포에 공동자극 신호를 제공하여 항체의 동형 전환(isotype switching)을 유도한하고 항체를 생산하도록 자극한다. $T_H2$세포 역시 미감작 B세포를 활성화하고 항체의 개별형 전환을 유도하는 기능을 가지고 있는데, 특히 기생충 감염에 대항하여 초기 역할을 담당하는 호산구를 활성화하고 B세포로부터 IgE형 항체를 생산하게 하여 알레르기 반응을 촉진시킨다. B세포와 호산구를 활성화하는 과정에서 $T_H2$세포로부터 생성되는 IL-4, IL-5, IL-13 등이 중요한 역할을 한다. $T_H9$ 림프구는 가장 최근에 밝혀진 작동T세포로서 TGF-β와 IL-4의 자극에 의해 분화하게 된다. $T_H9$ 세포는 비만세포의 성장 및 조직 내 축적을 증가시키고 조혈모세포의 활성을 조절한다. 또한 T세포의 성장 및 B세포에서 IgE형 항체로의 전환을 유도하는데 관여한다. $T_H9$세포는 케모카인 생산과 조절T세포 활성 조절을 통해 알레르기 질환 및 중추신경계 혹은 장을 침범하는 자가면역질환과 같은 만성 염증질환의 발병에도 관여한다. $T_H17$ 세포는 IL-17을 생산하는 비교적 최근에 알려진 세포로서, 미생물에 감염 시 케모카인을 분비하여 염증 부위로 중성구의 이동을 촉진 및 활성화를 유도한다. $T_H17$세포는 세포 외 미생물의 제거에 중요한 역할을 하지만 과도한 염증반응 및 조직 손상 유발로 다양한 자가면역질환 발생에도 영향을 미치는 것으로 알려져 있다. $T_{FH}$ 림프구는 림프절, 비장, 파이어 패치(Peyer's patch)와 같은 이차 림프기관 내에서 발견되는 항원에 감작된 도움T세포이다. $T_{FH}$ 림프구는 CD40 리간드의 발현과 함께 IL-21 및 IL-4 등의 분비를 통해 배중심의 형성과 유지에 관여한다. 배중심 내에서 $T_{FH}$ 세포는 소포B세포(follicular B cells)와의 상호작용을 통해 B세포가 항체 분비 형질세포와 기억 B세포로 분화되고 생존하는데 중요한 역할을 한다. 또한 $T_{FH}$ 세포는 배중심에서 잠재적으로 자가면역을 일으키는 자기반응성(autoreactive) B세포의 음성선택(negative selection)을 촉진시키는 것으로 생각된다.

## 3) 조절 T세포

앞서 언급한 도움 T세포는 미생물 등의 외부항원을 제거하기 위해 면역반응을 항진시키는 반면, 조절T세포는 과도한 염증 반응 및 조직 손상을 억제하고 면역 항상성을 유지하여 자가면역질환의 발생을 막는 역할을 한다. 조절T세포는 IL-2 수용체의 α 사슬(CD25)을 높게 발현하고 FoxP3라는 전사인자를 갖는 세포로서, 사람의 혈액에서 보조 T세포의 5-10% 정도를 차지하며 그 기능에 이상이 있으면 자가면역질환이 발생할 수 있다.

📖 참고문헌

1. Abul Abbas, Andrew Lichtman, Shiv Pillai. Cellular and Molecular Immunology. 9th ed. Philadelphia: Elsevier; 2016.
2. Alan Silman, Josef Smolen, Michael Weinblatt, Michael Weisman, Marc Hochberg, Ellen Gravallese. Rheumatology. 7th ed. Elsevier Health Sciences; 2018.

# 6

# T세포 매개면역

울산의대 **홍석찬**

## KEY POINTS 🔒

- T세포는 흉선에서 발달하며 유전자 재조합 및 흉선 선택의 과정에서 살아남은 경우 CD4+ 도움 혹은 CD8+ 세포독성T세포의 형태로 말초로 이동한다.
- T세포 반응은 항원 특이적으로 이루어지며 림프기관에서 항원 유도 신호 및 공동자극제 등에 의한 신호가 T세포의 충분한 활성화를 위해 필요하다.
- T세포는 표현형, 사이토카인 분비, 기능에 따라 CD4+ T세포, CD8+ T세포 및 여러 아형으로 나뉜다.

## 서론

면역반응의 유지, 항상성, 기억 등의 여러 면역체계의 특징들은 T세포에 의해 유지되고 조절된다. 즉, T세포는 감염증에 대한 면역반응을 제공할 뿐 아니라 종양 등 이상 반응에 대한 감시(surveillance), 조직 항상성(homeostasis) 등 많은 부분에서 역할을 하고 있다. 따라서 T세포는 매우 다양한 수용체를 구비, 생산할 수 있는 능력이 필요하나 다른 한편으로는 자기에 대한 반응성(self-reactive)을 가지는 T세포는 적절히 통제하고 제거되어야 하는 특징을 가진다. 이는 결국 T세포 반응이 여러 자가면역질환의 발생, 예방 등에 중요한 부분을 차지하는 것을 의미한다. T세포는 그 표현형과 역할에 따라 여러 서로 다른 아형으로 분류된다.

### 1) T세포의 발생

T세포는 골수에서 기원한 후 흉선으로 이동하여 발달, 선택 과정을 거쳐 성숙 T세포 형태로 말초로 유리된다. T세포는 발달 과정에서 두 가지 엄격한 장애물을 통과해야 한다. 첫째, T세포수용체(T cell receptor, TCR)의 두 사슬(chain)을 코딩하는 유전자를 성공적으로 재배열(rearrangement)해야 한다. 둘째, T세포는 자기 주조직적합복합체(major histocompatibility complex, MHC)/펩타이드(peptide)와 강하게 상호작용하는 T세포수용체를 지닌 T세포는 제거되는 흉선 선택 과정에서 생존해야 한다(negative selection). T세포수용체는 48-54kDa α 사슬과 37-42kDa β 사슬로 구성된 80-90kDa 이황결합(disulfide-linked) 이종이량체(heterodimer)이며 이들 αβ T세포가 전체 T세포의 대부분을 차지하며 γ 및 δ 사슬로 구성된 T세포수용체를 갖는 T세포(γδ T세포)는 전체 말초혈액 T세포의 약 2-3%를 차지하는 소수이다. T세포수용체는 MHC/펩타이드 복합체와 결합하기 위한 세포외 결합 주머니(pocket)를 가지고 있으며 짧은 세포막 꼬리(cytoplasmic tail)를 가지고 있어 자체로 신호전달을 할 수는 없다. 하지만 CD3 복합체의 다섯 개 불변사슬(invariant chain)과 연계되어 있으므로 세포내 신호전달 체계에 정보를 전달할 수 있다. T세포수용체를 부호화(encoding)하는 유전자자리(locus)의 구조는 기본적으로 B세포가 가지는 면역글로불린(immunoglobulin) 유전자와 비슷한 형태를 취하고 있다. 30,000개 이하의 유전체(genome) 내 $10^{15}$에 이르는 T세포수용체 특이성을 저장하기 위해 유전적 재조합(gene rearrangement)과 잘라이음(splicing) 등의 과정을 위한 체계가 갖추어져 있다. 발달 중인 T세포는 각 염색체에 두 개의 복사본을 가지고 있기 때문에 두 개의 T세포수용체 사슬 각각을 성공적으로 재배열할 기회가 두 번 있다. 성공

적인 재배열이 일어나게 되면 동일한 또는 다른 염색체에 대한 추가 β-사슬 재배열이 억제되는데, 이 과정을 대립유전자배제(맞섬유전자배제, allelic exclusion)라고 한다. 이를 통해 개별 단일 T세포에서 이중(dual) T세포수용체 발현이 일어나지 않도록 한다.

T세포의 발달은 흉선 상피세포에 의해 제공되는 미세환경 내에서 일어나며 가슴샘세포(thymocyte) 발달의 단계는 T세포수용체 유전자 및 CD4, CD8 발현 상태에 의해 정의된다. 즉, CD4⁻CD8⁻에서 CD4⁺CD8⁺ 그리고 이후 CD4⁺CD8⁻ 또는 CD4⁻CD8⁺ 발현의 순서로 발달 단계를 거치게 된다. T세포가 성공적으로 CD3 복합체와 함께 T세포수용체 재조합과 발현을 하게 되면 이후 T세포 발달의 주요 관문인 흉선 선택(thymic selection) 과정을 거치게 된다. 이는 양성선택(positive selectin) 그리고 음성선택(negative selection) 두 가지 과정으로 진행이 되며 흉선 상피세포(thymic epithelial cell)와 수지상세포(dendritic cell)에 의해 발현되는 자기 MHC/펩티드와의 상호작용 대해 반응하는 T세포수용체 신호전달의 세기(강도, strength)에 의해 결정된다. 즉, T세포수용체 신호가 너무 약한 경우 무시(neglect)하여 제거되고 너무 강한 경우 세포자멸사(apoptosis)에 의해 제거된다(negative selection). 반면 중간 정도의 강도인 경우 생존하게 된다(positive selection). 이 과정을 통해 자기 펩티드와 강하게 결합하는 자가

반응(autoreactive) T세포 즉, 잠재적인 위험도가 있는 T세포의 발달을 억제하는 효과를 갖는다. CD4⁺CD8⁺ 흉선세포 단계에서 성공적인 양성선택을 거치게 되면 표면 T세포수용체 발현이 증가하고 CD5, CD69와 같은 활성화 표지자, Bcl-2와 같은 생존인자의 발현 정도가 증가한다. Class I MHC를 인식하는 T세포수용체를 가지는 T세포의 경우 CD8 발현은 유지하나 CD4 발현은 저해되고, 반대로 class II를 인식하는 T세포수용체를 갖는 T세포의 경우 CD4의 발현은 유지하고 CD8 발현은 잃어버린다. 즉, CD4⁺CD8⁻ 혹은 CD4⁻CD8⁺ 림프구 단계로 발달하게 된다 (그림 6-1).

이러한 엄격한 T세포수용체 유전자 재조합 및 흉선 선택의 과정을 통해 살아남는 T세포는 전체 미성숙 흉선세포의 3% 미만을 차지한다. 즉 흉선세포가 발달 과정 중에 매우 많은 빈도로 사멸되는 것을 의미한다. 생존한 T세포는 CD4⁺ 도움T세포 혹은 CD8⁺ 세포독성T세포의 형태로 흉선 수질(medulla)에서 약 12-14일가량 거주한 이후 말초로 이동하게 된다.

## 2) T세포의 활성화

T세포 활성화 과정은 항원 특이적 미감작(naïve)T세포의 작은 집합으로부터 작동세포(effector cell) 및 장기거주 기억세포

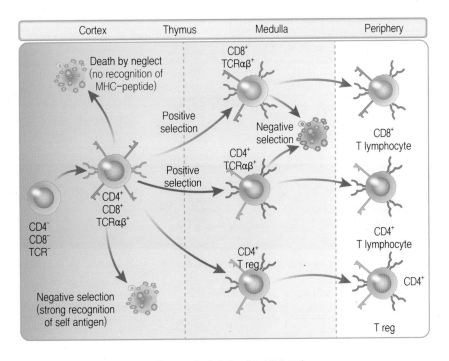

그림 6-1. 흉선에서 T세포 발달 모습

(memory cell)의 큰 집단을 생성하게 해 주는 일련의 과정을 일컫는다. 여기서 작동세포는 항원을 제거하기 위한 실제적인 기능을 가지고 동일한 항원 특이성(specificity)을 갖는 T세포를 말하며 기억세포는 향후 항원이 다시금 침입하였을 때 빠른 반응을 위한 장기거주 세포를 의미한다.

T세포 반응의 기본 모습은 적응면역반응의 하나로써 항원 특이적(antigen specific)인 특징을 가진다. 면역반응에서 T세포는 두 단계에서 동일한 항원에 대하여 항원 특이적으로 반응하게 되는데 첫 번째 단계는 반응을 시작하는(initiation) 단계이고 이후에는 작동(effector) 기능을 수행하는 단계이다. 항원은 미감작 림프구를 활성화하여 작동세포와 기억세포로 증식하고 분화하게 하는데 이를 시작단계로 이야기할 수 있으며 이후 작동T세포가 동일 항원에 노출되었을 때 활성화되어 항원의 기원(감염된 세포 또는 종양)을 제거하는 기능을 수행하는 과정을 작동 단계로 이야기할 수 있다.

미감작T세포 초기 활성화는 이차(말초) 림프기관(secondary lymphoid organ)에서 주로 일어나며 정상적으로 순환하던 미감작T세포는 성숙 수상돌기세포가 표현하는 항원과 반응하게 된다. T세포의 클론(clone)은 서로 다른 특이성을 가지며 흉선에서 생성되고 이렇게 생성된 미감작T세포는 이전 항원에 한 번도 반응하지 않은 상태로 안정상태에서 신체를 순환하던 중 항원을 만나 활성화되면서 기능적 활성을 획득하게 된다. 이러한 미감작T세포의 활성화는 림프선, 비장, 점막림프기관(mucosal lymphoid tissue)과 같은 독특하고 특별한 면역기관에서 일어나며 이곳에서 조직 말단 혹은 혈액에 존재하는 항원을 포획하여 표현해 주는 수상돌기세포와 만나 반응하게 된다(그림 6-2).

항원 인식(antigen recognition)과 함께 다른 다양한 활성화 자극이 T세포의 여러 생물학적 반응을 유도하게 되는데 대표적으로 사이토카인(cytokine) 분비 및 사이토카인 수용체 발현 증가, 항원 특이적 클론에서 세포 수의 증가로 이어지는 증식(clonal expansion), 작동세포 및 기억세포로의 분화 등이 있다. 세포의 활성화 과정은 수많은 표면 분자의 발현 변화와 관련이 있으며, 그중 일부는 T세포의 이동에 관여하고 다른 일부는 T세포 반응을 유도하고 조절하는 데 중요한 역할을 한다. 항원제시세포 (antigen-presenting cell, APC)는 항원을 표시할 뿐만 아니라 표면 분자를 발현하고 사이토카인 등을 분비함으로써 T세포 반응의 크기와 특성에 영향을 미친다. 따라서, T세포의 활성화와 반응에는 항원제시세포와의 상호작용이 매우 중요한 역할을 한다. 작동T세포는 림프 기관 또는 말초 비림프 조직의 항원을 인식하고 활성화되어 미생물 제거에 기여하는 기능을 수행하지만 질병 상

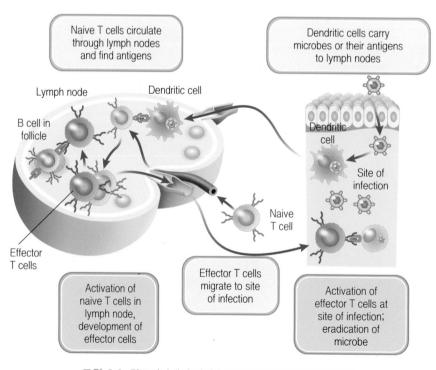

그림 6-2. 림프기관에서 미성숙T세포의 작동세포로의 활성화

태에서는 조직 손상을 유도할 수 있다. 조직 즉, 이동한 장소에서 작동T세포는 특히 항원을 다시 만나게 되고 해당 항원을 제거하는 방식으로 기능을 수행하게 된다. 작동T세포는 도움T세포(helper T cell)라고 하는 CD4⁺T세포와 세포독성T세포(cytotoxic T cell)라고 불리는 CD8⁺T세포로 나뉘게 된다.

## 3) T세포 활성화에서 공동자극의 역할

미성숙T세포의 증식과 분화에는 항원 유도 신호 이외에 공동자극제(costimulatory)라고 하는 항원제시세포가 제공하는 신호가 필요하다. 즉, 이러한 공동자극분자(co-stimulatory molecule)는 T세포의 활성화에 필요한 자극('signal 2')을 제공한다. T세포의 충분한 활성화를 위한 첫 번째 신호('signal 1')는 항원이고 두 번째 신호는 공동자극이 되며 이러한 공동자극이 없으면 항원과 마주치는 T세포가 반응하지 않거나 장기간 무반응 상태에 들어가거나 죽게 된다(그림 6-3).

T세포 활성화에서 가장 잘 알려진 공동자극 경로는 활성화된 항원제시세포 표면에 발현된 B7-1(CD80)과 B7-2(CD86), 그리고 이에 결합하는 T세포 표면 수용체 CD28이다. B7 분자는 수상돌기세포, 대식세포, B세포 등 항원제시세포에서 주로 발현이 되

나 안정상태에서는 거의 발현되지 않다가 톨유사수용체(Toll-like receptor, TLR) 자극 혹은 IFN-γ와 같은 활성화 자극에 의해 발현이 증가하게 된다. 이는 결국 적응면역반응의 활성화에서 선천면역이 중요한 역할을 하고 있음을 반증하는 것이다. 나아가 활성화된 CD4⁺T세포는 CD40-CD40리간드 신호를 통해 반대로 항원제시세포의 B7 단백의 발현을 증가시킬 수 있다. 반면 정상 조직의 활성화되지 않은, 안정화(resting) 상태의 항원제시세포는 자가 항원을 표지할 수 있으나 매우 미미한 정도의 공동자극분자를 발현하고 있으므로 이는 T세포를 활성화시키지 못하고 무반응 혹은 관용을 이끌어내게 된다. 이는 결과적으로 자가항원 특이적 T세포가 활성화되지 못하는 기작이라고 할 수 있다.

## 4) 클론확장

항원 인식에 의해 T세포는 분열(proliferation)하게 되는데 이는 항원 수용체, 공동자극(costimulator), 성장인자(growth factor) 등의 신호들에 의해 매개된다. 이러한 분화에 의해 일어나는 항원 특이적 클론의 확장(clonal expansion)은 소수의 미성숙 항원특이 림프구가 많은 수의 집단으로 확장하게 하며 결과적으로 항원을 제거하는데 기여한다. 항원 노출 이전 특정 항원에 특이

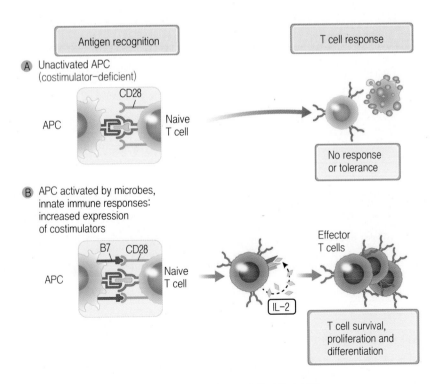

그림 6-3. T세포 활성화에 공동자극의 역할

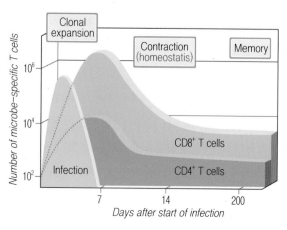

그림 6-4. T세포의 클론 확장

적인 미성숙T세포는 $1/(10^5-10^6$ 림프구)의 빈도로 관찰되는 반면, 항원 노출 이후에는 해당 항원 특이적 세포의 빈도가 CD8⁺ T세포의 1/3, CD4⁺ 세포의 1/100 빈도로 증가하여 각각 50,000배, 1,000배 증가를 가져온다. 급성 바이러스 모델에서 확인된 바에 따르면 이러한 항원 특이적 림프구 집단의 확장은 감염 1주 이후 발생하기 시작한다. 항원 노출에 의한 T세포 매개 면역반응은 또한 항원 특이적 기억T세포(memory T cell)를 만들게 되고 이는 체내에서 수년간 혹은 평생 동안 지속되어 유지되므로 장기간의 면역반응을 담당하게 된다 (그림 6-4). 이렇게 생성된 기억세포는 향후 항원에 재노출 되었을 때 미성숙T세포보다 훨씬 빠르고 강력한 반응을 담당하게 되며 마우스 실험 결과에 의하면 항원 노출 시 기억세포가 작동세포로 분화하여 기능을 수행하기 위해서는 1-3일의 기간이면 가능하다.

## 5) CD4⁺ T세포와 CD8⁺ T세포

αβ T세포는 MHC class I을 인식하는 CD8⁺ T세포와 MHC class II를 인식하는 CD4⁺ T세포로 구분되며 이들은 서로 다른 기능적 특성을 갖는다. Class I MHC는 자가단백 혹은 세포내 이종 단백(대개는 바이러스 감염 시) 기원의 펩티드를 표시하게 된다. 반면 class II MHC는 세포막 감염원 혹은 항원제시세포에 의해 포획되어 용해소체(lysosome) 복합체를 통해 유래된 세포외 혹은 세포막 단백질을 표현한다.

CD4⁺ T세포는 대식세포나 B세포가 섭취한 미생물의 항원을 인식하며 다양한 사이토카인을 분비하고 다른 면역 세포(대식세포 등)를 활성화할 수 있는 세포 표면 분자를 발현한다. B세포 분

화, 면역글로블린 생성 등에도 중요한 역할을 하며, CD4 분자가 class II MHC에 결합함으로써 class II를 발현하는 B세포, 대식세포, 수상돌기세포와 상호작용을 하게 된다. CD4⁺ T세포는 이러한 사이토카인 분비 성상과 표면 분자 발현 양상에 따라 다시 하위 여러 아집단으로 분류된다

CD8⁺ T세포는 세포독성T세포로 불리며 감염원에 의해 감염된 세포 자체 혹은 종양 세포를 직접적으로 죽이는 역할을 한다. IL-12, type I IFN이 세포독성T세포로 분화하는 것을 촉진시키며 IL-15는 기억 CD8⁺ T세포의 생존에 중요하다. 세포독성T세포가 세포를 파괴하는 방식에는 몇 가지가 있는데 대표적으로는 perforin, granzyme과 같은 세포용해 과립(cytolytic granule) 분비를 통해 표적 세포 내의 단백질을 분해시켜 파괴한다. 두 번째는 IFN-γ 분비를 통할 수 있으며 세 번째는 Fas리간드 발현을 통해 세포자멸사를 유도하는 방식을 취하기도 한다.

## 6) CD4⁺ T세포 아형

항원에 자극되면 CD4⁺ T세포가 분화하여 다양한 작동세포로 발전할 때 사이토카인 분비, 세포 표면 물질 등에 따라 다양한 서로 다른 아형의 CD4⁺ T세포로 나누어지게 된다(그림 6-5). $T_H1$세포는 IL-2, TNF, IFN-γ 등을 분비하고 대식세포를 활성화시키는 등 적응 면역에 기여하며 주로 세포내 미생물에 대한 방어기능을 수행한다. $T_H2$세포는 IL-4, IL-5, IL-13을 분비하고 대식세포, 호산구(eosinophil) 등을 활성화시키며, 연충기생충(helminthic parasite)에 대한 방어기전을 담당하고 알레르기 질환에서 중요한 역할을 한다. $T_H17$세포는 IL-17A, IL-17F, IL-22 등을 분비하며 중성구(neutrophil) 활성화, 세포외 세균(extracellular bacteria), 진균(fungus)에 대한 방어를 담당하며 자가면역질환에서 중요하게 작용할 것으로 여겨진다. $T_H1$세포의 분화에 중요한 전사인자는 T-bet으로서 IFN-γ에 의한 STAT1 활성화가 T-bet 발현을 유도하고 발현된 T-bet에 의해 다시 IFN-γ 분비가 일어나므로 일종의 양성 증강(positive amplification)을 형성하게 된다. $T_H2$세포의 경우 GATA-3가 주요한 전사인자로써 IL-4, STAT6 신호가 중요하며 GATA-3 전사인자의 발현이 IL-4 분비를 촉진함으로써 $T_H1$세포와 유사하게 양성되먹임(positive feedback)을 이루어 작동한다. $T_H17$세포는 세균, 진균 등에 반응하여 수상돌기세포, 대식세포가 IL-1, IL-6, IL-23 등을 분비하면 CD4⁺ T세

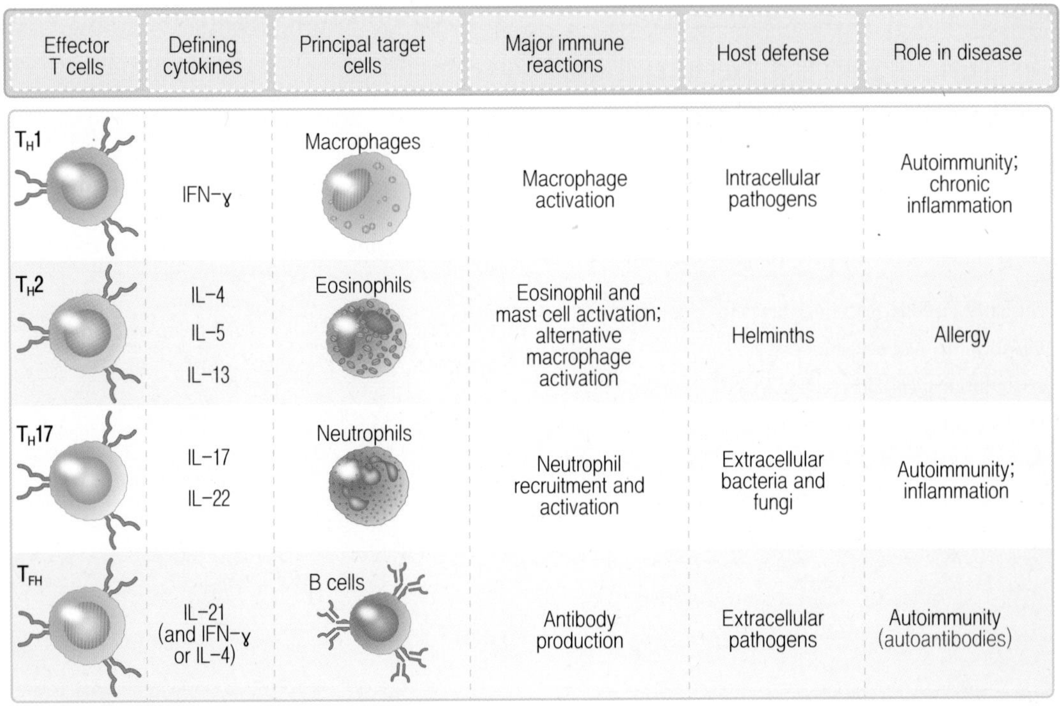

| Effector T cells | Defining cytokines | Principal target cells | Major immune reactions | Host defense | Role in disease |
|---|---|---|---|---|---|
| $T_H1$ | IFN-γ | Macrophages | Macrophage activation | Intracellular pathogens | Autoimmunity; chronic inflammation |
| $T_H2$ | IL-4 IL-5 IL-13 | Eosinophils | Eosinophil and mast cell activation; alternative macrophage activation | Helminths | Allergy |
| $T_H17$ | IL-17 IL-22 | Neutrophils | Neutrophil recruitment and activation | Extracellular bacteria and fungi | Autoimmunity; inflammation |
| $T_{FH}$ | IL-21 (and IFN-γ or IL-4) | B cells | Antibody production | Extracellular pathogens | Autoimmunity (autoantibodies) |

그림 6-5. CD4$^+$ T세포의 아형

포가 $T_H17$세포로 분화하게 한다. $T_H17$세포의 발달은 RORγt, STAT3와 같은 전사인자에 의존하며 IL-1, IL-6, TGF-β 등의 사이토카인이 이들 전사인자의 발현을 촉진시킨다. $T_H17$ 세포는 중성구를 유도함으로써 감염원에 대한 면역, 방어 반응을 가져온다. 하지만 적절하게 통제되지 못하는 $T_H17$세포 반응은 건선, 염증성 장질환, 류마티스관절염 등의 다양한 면역, 염증 질환의 병인에 기여하게 된다.

최근 활발히 연구되고 있는 새로운 CD4$^+$ T세포는 소포 도움 T세포(follicular helper $T_{FH}$ cell)이며 이 세포는 CXCR5를 발현하여 림프 소포(lymphoid follicle)로 이동하며 IL-21과 같은 사이토카인을 분비하여 종자중심(germinal center)의 형성과 유지에 기여한다. 종자중심 내에서 B세포와 상호작용을 하여 항체분비 형질세포(plasma cell)와 기억B세포로 분화하는데 중요한 역할을 하며 따라서 결과적으로 체액면역반응에 중요한 역할을 할 것으로 생각된다.

이외 최근 $T_H9$, $T_H22$ 등의 새로운 CD4$^+$ T세포 아형이 보고되고 있으며 이들은 각각 알레르기 질환, 상피세포 면역반응에 기여하는 것이 알려지고 있으나 정확한 기능에 대해서는 추가적인 연구가 필요하다.

## 7) 조절T세포

조절T세포(regulatory T cell, $T_{reg}$)는 1990년대 이후 밝혀지고 활발하게 연구된 CD4$^+$ T세포 아형으로 과도한 염증 반응 및 조직 손상을 억제하고 면역 항상성을 유지하여 자가면역질환의 발생을 막는 역할을 한다. 조절T세포는 IL-2 수용체의 α사슬 (CD25)을 높게 발현하고 FoxP3라는 전사인자를 갖는 것을 특징적인 표현형으로 가지며, 사람의 혈액에서 도움T세포의 5-10% 정도를 차지한다. 조절T세포는 흉선에서 자가항원 인식에 의해 유도되거나 말초 림프기관에서 생성되기도 하며 자가항원 반응 (self-reactive) 림프구의 활성화를 억제하는 기능을 한다. 따라서 조절T세포의 이상은 다양한 자가면역질환 혹은 항종양 면역반응 등에 중요한 역할을 할 것으로 생각된다.

## 8) T세포 반응의 감퇴

항원이 제거되면 T세포 반응은 감소한다. 이 수축 과정은 면역 체계의 평형 상태 또는 항상성 유지에 중요하다. 이는 주로 항원 활성화 작동 T세포의 대부분이 세포사멸에 의해 죽기 때문에 발생한다. 이에 대한 대표적인 기전은 항원이 제거됨에 따라 감염 및 기타 유형의 항원 노출과 관련하여 생성된 공동자극제(cosimulator), 사이토카인 및 항원에 의해 정상적으로 제공되는 생존 자극이 림프구에 더 이상 제공되지 않기 때문이다. 또한 항원 인식 기능에 의해 활성화된 억제 기전이 반응의 크기와 지속 시간을 제어한다.

## 참고문헌

1. Abbas AK, Lichtman AH, Pillai S. Cellular and Molecular Immunology. 10th ed. Philadelphia: Elsevier Saunders; 2021.

2. Buchholz VR, Schumacher TN, Busch DH. T Cell Fate at the Single-Cell Level. Annu Rev Immunol 2016;34:65-92.

3. Firestein GS, Koretzky G, O'dell JR, McInnes IB, Gabriel SE, Budd RP. T lymphocytes. Kelly's Textbook of Rheumatology. 11th ed. Philadelphia: Elsevier Saunders; 2021.

4. Kumar BV, Connors TJ, Farber DL. Human T Cell Development, Localization, and Functionthroughout Life. Immunity 2018;48:202-13.

5. Sallusto F. Heterogeneity of Human CD4(+) T Cells Against Microbes. Annu Rev Immunol 2016;34:317-34.

6. Taniuchi I. CD4 Helper and CD8 Cytotoxic T Cell Differentiation. Annu Rev Immunol 2018;36:579-601.

# 7

# 체액면역

성균관의대 **황지원**

- 체액면역은 항체에 의해 매개되는 적응면역의 한 부분으로서, B세포에서 최종 분화한 형질세포가 생산하는 항체가 체액에 흐르며 세포 밖 미생물과 독소에 반응하여 이를 중화 및 제거함으로써 숙주를 방어하는 기작이다.
- 미감작B세포 표면의 수용체에 항원이 인지되면서 체액면역반응이 시작된다. 비단백질 항원에 대한 체액면역반응은 미감작 B세포가 T세포 도움 없이 항체 생산을 자극할 수 있다(T비의존). 단백질 항원에 대한 체액면역반응은 B세포가 도움T세포와 상호작용을 통해 항체를 생산한다(T의존).
- 초기 T의존 체액면역반응은 소포 외 부위에서 동형전환이 거의 없이 단명형질세포가 항체를 낮은 수준으로 생성하지만 본격적인 T의존 체액면역반응은 배중심에서 일어나며 광범위한 동형전환과 친화력 성숙, 장수형질세포 생성 및 기억B세포 발달을 가져온다.
- 항체는 중사슬과 경사슬이 이루는 Y 모양 분자로 중사슬 종류에 따라 동형을 명명하며 항체의 작동 기전을 좌우한다. 항체는 (1) 미생물과 미생물 독소 중화, (2) 미생물 옵소닌화 및 포식세포의 Fc 수용체-의존성 포식작용 유도, (3) 보체계 활성화를 일으킨다. 이외 자연살해세포를 통한 항체의존 세포매개 세포독성 과정에 참여하기도 한다.

포는 증식과 분화를 거쳐 항체를 생산하는 형질세포(plasma cell, PC)로 발달하는데 클론 팽창(clonal expansion)을 통해 수천 개의 형질세포로 분화할 수 있다. 활성화된 B세포는 동형의 항체들을 생산하게 되며 이 과정을 중사슬 동형(혹은 클래스) 전환[heavy-chain isotype (or class) switching]이라고 한다. 항원 특이적인 항체의 친화력은 시간이 흐를수록 높아지며 이 과정을 친화력 성숙(affinity maturation)이라고 한다. 한 개의 B세포는 약 4천 개의 항체 생성 세포가 되어 하루 $10^{12}$개 이상의 항체를 생산한다. 이러한 방식은 빠르게 증식하는 미생물에 보조를 맞추기 위해 필요하다.

항원에 대한 첫 번째 노출로 일어나는 일차 항체반응은 보통 5-10일에 걸쳐 낮은 수준의 항체 생산을 이루며 항체 동형은 보통 면역글로불린(immunoglobulin, Ig) M으로 평균적으로 더 낮은 친화력과 가변성을 보인다. 이에 비해 반복 노출로 일어나는 이차 항체반응은 보통 1-3일이 걸리며 더 높은 반응 최고점을 보이는데 항체 생산량과 친화력에서 더 높은 수준을 나타내고 항체 동형은 상대적으로 IgG가 증가하지만 특정 상황에서 중사슬 동형 전환을 통해 IgA나 IgE를 생산한다.

## 체액면역반응의 단계

체액면역은 항체에 의해 매개되는 적응면역의 한 부분이다. 이 반응은 미감작B세포에 발현된 항원수용체에 항원이 결합함으로써 B세포를 활성화시키는 것으로 시작된다. 활성화된 B세

## 항원에 의한 B세포 자극

### 1) B세포수용체 복합체

항체는 세포막 부착형 혹은 분비형으로 존재할 수 있다(그림 7-1A). 미감작 상태의 성숙 B세포에 발현되는 세포막 부착형 항

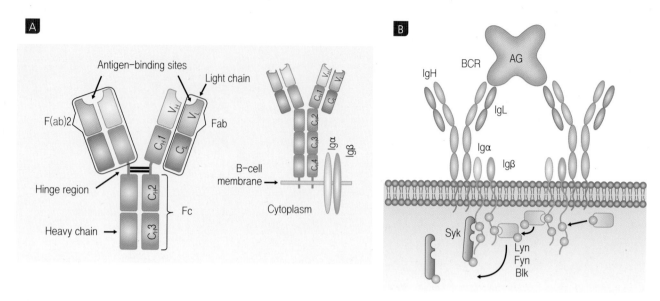

그림 7-1. **(A)** 항체와 B세포 수용체 구조 및 **(B)** B세포 수용체를 통한 세포내 신호전달 개시

체인 IgM(단량체 형태)와 IgD는 항원수용체로서 가공처리가 되지 않은 고유 항원을 인식한다. 이후 분비되는 항체는 이 항원수용체와 동일한 항원 특이성을 갖는다. 그러나 막 수용체로서 항체는 세포질 부위가 짧아 그 자체로는 B세포 활성화를 위한 신호전달을 개시하지 못하고, Igα (CD79a)와 Igβ (CD79b)라는 단백질과 B세포 수용체 복합체(B cell receptor complex, BCRs)를 형성해야 B세포 활성화를 개시할 수 있다(그림 7-1B). 한편 BCRs에 결합된 항원이 단백질인 경우 B세포는 이를 처리하여 주조직적합복합체(major histocompatibility complex, MHC)에 항원 펩티드를 붙여 세포표면에 표현함으로써 T세포에게 항원을 제시할 수 있다[항원제시세포(antigen-presenting cell, APC)로서 B세포의 역할].

## 2) 세포내 신호전달

적어도 두 개 이상의 항원수용체가 교차-결합(cross-link)을 이루어 항원을 인식하면 Igα(CD79a)와 Igβ(CD79b) 세포질 영역에 존재하는 immunoreceptor tyrosine-based activation motif (ITAM)의 타이로신 인산화를 시작으로 Lyn, Fyn, Syk, BTK, BLNK, PLCγ2 등 연속된 신호전달분자들이 활성화되고 최종적으로 B세포 증식과 분화에 관련된 단백질 유전자 발현을 유발하는 전사인자들의 활성화를 유도한다.

## 3) B세포 공동수용체

B세포 활성화에서도 T세포에서와 같이 항원 인식 외 이차 신호들인 공동자극분자(costimulatory molecule)가 있으며 이들은 B세포에 발현되는 BCR공동수용체(coreceptor)에 의해 인식된다. 내부 신호전달을 조절하는 방식에 따라 두 종류로 나눌 수 있다.

### (1) B세포 활성화 유도 신호를 전달하는 BCR 공동수용체

① CD21(혹은 CR2): 보체 3(complement 3, C3) 성분에 대한 수용체로서 C3 분해 산물인 C3d (혹은 iC3b 혹은 C3dg)에 반응할 수 있다.

② CD19: CD21, CD81(혹은 TAPA-1)과 복합체를 이루어 ITAM 타이로신 인산화를 통해 B세포 활성화를 강화한다.

### (2) B세포 활성화 억제 신호를 전달하는 BCR 공동수용체

① FCγRIIB: IgG Fc 부위에 대한 수용체로서 세포질 영역에 immunoreceptor tyrosine-based inhibitory motif (ITIM)을 가지고 있어서 이 부위의 타이로신이 인산화되면 BCR매개로 이루어지는 B세포 활성화에 억제 신호를 전달함으로써 B세포 반응을 종결한다. 충분한 양의 IgG 항체가 생산되면 이를 억제하는 음성 되먹임(negative feedback)으로 작용한다.

② CD22: B세포 표면에서 부착분자(adhesion molecule)로 작용하면서 ITIM기에 의해 BCR 신호전달을 억제하는 방향으로

조절한다.

③ CD72: ITIM기에 의해 B세포 활성화를 억제하도록 조절한다.

## 4) 선천면역 신호

B세포는 톨유사수용체(toll-like receptor, TLR)와 같은 패턴인지수용체(pattern recognition receptor, PRR)를 발현하며 이를 통해 선천면역 신호를 받아서 B세포 활성화를 부가적으로 자극한다. 특히 T세포의 도움이 없을 때 PRR에 의한 이차 신호가 없으면 B세포를 제거하는 대사 시계(metabolic clock)가 작동되는 것으로 보인다. BCR신호전달이 개시되고서 몇 시간 동안 B세포는 도움T세포의 CD40 리간드(CD40 ligand, CD40L) 또는 TLR ligand CpG와의 상호작용이 있어야 구제되는 것이 체내외 실험에

서 확인되었다. 이러한 활성화-유도 세포 사멸(activation-induced cell death)은 BCR 자극의 강도와 지속 시간에 비례하는 것으로 보이며, 낮은 용량의 항원으로 일시적인 자극만 있다면 미감작B세포 상태로 돌아갈 수도 있다.

## T의존 체액면역반응

단백질 항원에 대한 항체반응은 B세포와 T세포 간 상호작용이 필요하다. 이차 림프기관에서 APC로서 B세포 역할은 세포막 항원수용체인 항체를 통해 받아들인 동일한 항원의 펩티드를 T세포에 제시할 때 강화된다. 이 두 세포가 동일한 항원을 인식하면 각각의 세포는 서로를 상호 활성화시킨다. T세포에 의해 활성

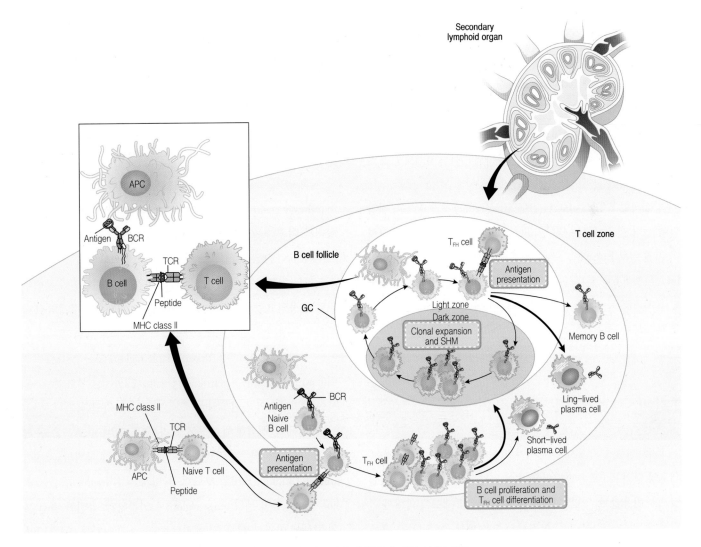

그림 7-2. 이차 림프기관 내 항원에 대한 B세포 반응

화된 B세포는 공동자극분자인 CD80과 CD86을 발현하는데 이들은 B세포가 APC로서 CD28을 통해 T세포를 활성화시키거나 CD152(혹은 cytotoxic T-lymphocyte antigen-4, CTLA-4)에 의해 T세포를 비활성화시키기 위해 필요하다. 한편 활성화된 T세포는 각종 사이토카인과 CD40L를 생산하는 작동 세포로 분화한다.

활성화된 두 세포는 케모카인 수용체 발현의 변화에 따라 서로를 향해 이동하여 서로를 더욱 활성화시킨다. CCR7 발현으로 T세포 구역에 인도되었던 T세포는 CCR7 발현이 감소, CXCR5 발현이 증가되고 활성화된 B세포는 정반대로 CXCR5 발현이 감소, CCR7 발현이 증가되어 소포 가장자리(parafollicular area)에서 서로 만나서 초기 항체반응을 일으킨다. 활성화된 T세포에 발현된 CD40L와 B세포에 발현된 CD40가 결합하면 B세포는 소포(primary follicle)로 이동해 증식하여 배중심(germinal center, GC)을 형성하는데, 이곳에서 B세포는 광범위한 중사슬 동형전환과 체세포 고돌연변이(somatic hypermutation)를 통한 친화력 성숙을 거치게 된다. AID(activation-induced deaminase)는 이 두 과정 모두에 매우 중요한 효소이다. 한편 CXCR5를 높은 수준으로 발현하는 T세포는 B세포가 풍부한 소포로 이동하는데 이들을 소포도움T(follicular helper T, $T_{FH}$)세포로 부르며 B세포 분열을 위한 다양한 사이토카인 신호를 제공한다.

증식하는 B세포는 GC의 암구역(dark zone)에 체류하고, 친화력이 가장 큰 B세포는 명구역(light zone)에서 선별된다. 친화력이 커진 일부 B세포는 다른 이차 림프기관이나 골수로 이동하여 IgG, IgA, IgE를 분비하는 장수형질세포(long-lived plasma cell) 및 휴지기로 들어가는 장수기억B세포(long-lived memory B cell)로 분화하게 된다(그림 7-2)

## T비의존 체액면역반응

다른 세포에 의해 항원 제시가 되어야만 반응을 시작하는 T세포와 달리 B세포는 항원이 BCR에 교차-결합하면 항원에 직접적으로 반응할 수 있다. 이러한 항원들, 특히 T세포에 의해서 인지될 수 없는 특성을 가진 항원들의 경우(예를 들어, DNA 혹은 다당류) T세포 도움 없이 B세포 반응을 유도할 수 있다. 비록 동

형 전환의 종류는 제한적이기는 하나 사이토카인 환경에 따라 B세포는 동형 전환도 할 수 있다. 항원 단독으로만 활성화된 B세포는 GC 반응에는 가담하지 않는다.

## 항체의 특성

적응면역에서 항원수용체가 특정 항원을 인지하여 세포내로 신호를 전달한다는 기본 원리는 비슷하지만 T세포의 항원수용체는 MHC에 부착된 펩티드만을 인지하는 반면, B세포의 항원수용체로도 작용하는 항체는 단백질, 탄수화물, 지질, 핵산 등 거대 분자의 모양이나 공간 구조를 인지할 뿐 아니라 작은 화학물질의 일부분도 인지할 수 있다.

혈장 또는 혈청 단백질은 전통적으로 용해도 특성에 따라 알부민과 글로불린으로 분리되며 전기영동(electrophoresis)을 통해 추가로 분리할 수 있는데 대부분의 항체는 감마글로불린(γ globulin)이라고 하는 세 번째로 빠르게 이동하는 글로불린 그룹에서 발견된다. 흔히 면역글로불린이라고 불리는 항체는 감마글로불린 분획이 면역이 부여된 부분임을 뜻하는 이름이며, 이들 셋 –항체, 감마글로불린, 면역글로불린– 은 동의어이다.

항체 분자는 4개의 폴리펩티드로 구성되며 2개의 동일한 중사슬[heavy chain, H]과 2개의 동일한 경사슬(light chain, L)이 Y 형태를 이룬다. 각 중사슬과 경사슬은 항원을 인지하는 가변부위[variable (V) region]와 보존된 부위인 불변부위[constant (C) region]로 이루어지는데 경사슬은 각 한 개의 가변부위와 불변부위로 구성되고 중사슬은 1개의 가변부위와 3개 혹은 4개의 불변부위로 구성된다(그림 7-1A). 가변부위 중 실제로 심한 변이를 보이는 서열을 고변이부위(hypervariable region) 또는 상보결정부위(complementarity-determining regions, CDRs)로 부르며, 각 중사슬과 경사슬의 가변부위는 세 개의 CDR을 가진다.

항체에 단백질분해효소를 처리한 후 얻어진 조각을 근거로 항원인지에 필수적인 항체 부위를 항원결합 부위(fragment, antigen-binding, Fab)로 부르며, 나머지 부위(fragment, crystal-line, Fc)와 경첩 부위(hinge region)로 연결된다. 유연한 경첩 부위 덕분에 항원결정부위인 에피토프(epitope) 인지를 위해서 Fab 부위가 독립적으로 움직일 수 있다. 에피토프와 만나는 항체 Fab

표 7-1. 항체의 물리적, 화학적, 생물학적 특성

|  | IgG | IgA | IgM | IgD | IgE |
|---|---|---|---|---|---|
| 평상시 분자형태 | 단량체 | 단량체, 이량체 | 오량체, 육량체 | 단량체 | 단량체 |
| 항체 결합가 | 2 | 2, 4 | 10, 12 | 2 | 2 |
| 아형 | G1, G2, G3, G4 | A1, A2 | 없음 | 없음 | 없음 |
| 분자식 | $\gamma 2L2$ | $(\alpha 2L2)n$ | $(\mu 2L2)5$ | $\delta 2L2$ | $\varepsilon 2L2$ |
| 분자량(kDa) | 150 | 160, 400 | 950, 1150 | 175 | 190 |
| 성인 평균 혈청 농도(mg/mL) | 9.5-12.5 | 1.5-2.6 | 0.7-1.7 | 0.04 | 0.0003 |
| 전체 혈청 항체 분획(%) | 78-85 | 7-15 | 5-10 | 0.3 | 0.019 |
| 합성 속도(mg/kg/day) | 33 | 65 | 7 | 0.4 | 0.013 |
| 반감기(일) | 23 | 6 | 5 | 3 | 2.5 |
| 생물학적 특성 | 태반 통과, 주요 2차 항체 | 분비성 항체 | 1차 항체 반응 | 성숙B세포마커 | 알레르기, 항-기생충 반응 |
| 작동 기능 | • 대식세포와 중성구 포식작용을 위한 항원의 옵소닌화<br>• 고전경로를 통한 보체계 활성화<br>• 자연살해세포에 의한 항체의존 세포매개세포독성 중개<br>• B세포 활성화 음성되먹임 기전 | • 위장관 및 호흡기 점막 면역<br>• 대체경로를 통한 보체계 활성화 | • 고전경로를 통한 보체계 활성화 |  | • 즉시과민반응에서 비만세포 탈과립화 |

부위 말단을 파라토프(paratope)라고 한다. 중사슬 말단은 B세포 수용체로 세포막에 고정되어 있거나 분비형으로 생성된다. 경사슬은 세포막에 직접 부착되어 있지 않다.

중사슬은 μ, δ, γ, ε, α 5가지 유형이 있고 이들은 불변부위에서 차이가 있다. 경사슬도 불변부위에 차이가 있는 κ, λ 두 종류가 있고 각 항체는 κ, λ 중 한 가지만 발현된다. 항체는 중사슬 종류에 따라 IgM, IgD, IgG, IgE, IgA로 명명하며 이들을 동형(isotype 또는 class)이라고 부른다. 중사슬 종류가 특정 항체의 작동 기전을 좌우한다(표 7-1).

## 항체의 작동기작

### 1) 미생물과 미생물 독소의 중화

항체의 주된 기능은 감염된 미생물과 미생물 독소를 중화하고 제거하는 것이다. 이를 통해 항체는 감염에 의해 숙주에게 발생 가능한 손상을 억제하고 중화할 수 있다. 형질세포에서 생산된 항체는 혈액으로 흘러 들어가 순환하며 항원이 위치한 곳으로 이동한다. 점막연관림프조직(mucosa-associated lymphoid tissue, MALT)에서 생산된 항체는 상피세포 장벽을 가로질러 점막 기관 내강으로 이동한다. 대부분의 혈액 내 중화항체는 IgG 동형이며, 점막 기관에서는 대개 IgA 동형이다. 실험실적으로 중화는 항체의 Fab 또는 F(ab)2 조각 모두에 의해 매개된다.

### 2) 항체 매개 옵소닌화와 포식작용

항체는 미생물 표면을 덮어서 포식작용(phagocytosis)을 촉진시킨다. 포식작용을 위해 미생물 표면이 덮이는 과정을 옵소닌화(opsonization)라고 하며, 표면을 덮어 포식작용을 강화하는 물질을 옵소닌(opsonin)이라고 부른다. 포식세포와 중성구 표면에는 IgG1과 IgG3의 Fc 부위에 대한 수용체(FcγRI; CD64)가 발현되어 있어 항체로 옵소닌화된 미생물을 인지하여 포식할 수 있다. 포식 이후에는 선천면역 기전에 의한 세포내 살해과정을 거친다. C3b에 의해서도 미생물의 옵소닌화가 가능하다.

### 3) 보체계 활성화

보체계는 선천면역반응의 일부분으로서 미생물에 의해 활성화될 수 있지만, 미생물에 붙은 항체에 의해서도 활성화될 수 있다. 인간 항체의 경우 보체-고정 능력(complement-fixing potential)은 일반적으로 IgM > IgG3 > IgG1 > IgG2 ≫ IgG4 순서이다. IgA는 대체경로를 활성화시킬 수 있는 반면 IgE는 드문 경우를 제외하고는 효과적으로 보체계를 활성화시키는 동형은 아니다. IgM은 다중결합 항원에 결합한 뒤 일어나는 '구조 변환 과정(stapling down)'을 거쳐 보체계를 활성화시킨다. IgG는 C1q가 최소 2개, 아마도 최대 6개까지 가까이 접근한 IgG에 결합할 수 있도록 함으로써 보체계를 활성화시킨다.

## 4) 항체-의존 세포-매개 세포독성

자연살해세포는 항체로 덮인 세포와 결합하여 이 세포를 파괴한다. 이 과정을 항체-의존 세포-매개 세포독성(antibody-dependent cell-mediated cytotoxicity, ADCC)이라고 부른다. 자연살해세포는 자연살해세포 활성화 수용체(FcγRIII, CD16)를 발현하는데 여기에 IgG Fc 부위가 부착하여 생성한 신호는 자연살해세포가 생성한 과립을 세포 밖으로 방출하게 함으로써 옵소닌화된 세포를 죽인다. 이 수용체는 세포 표면에 표현된 IgG 항체에 대해서 낮은 친화력을 보이지만 혈액 내 순환하는 단량체 IgG와는 결합하지 않는다.

## 참고문헌

1. Abbas AK, Lichtman AH, Pillai S. Cellular and Molecular Immunology. 10th ed. Philadelphia: Elsevier Saunders; 2021.
2. McInnes IB, O'Dell JR, Gabriel SE, Firestein GS, Budd RC. Firestein & Kelley's Textbook of Rheumatology. 11th ed. Philadelphia: Elsevier; 2021.
3. Hochberg MC, Gravallese EM, Silman AJ, Smolen JS, Weinblatt ME, Weisman MH. Rheumatology. 7th ed. Philadelphia: Elsevier; 2019.
4. J. Larry Jameson ASF, Dennis L. Kasper, Stephen L. Hauser, Dan L. Longo, Joseph Loscalzo. Harrison's Principles of Internal Medicine. 20th ed. McGraw-Hill Education; 2018.
5. Rich RR, Fleisher TA, Shearer WT, Schroeder HW, Frew AJ, Weyand CM. Clinical Immunology: Principles and Practice. 5th ed. Elsevier; 2019.
6. Holers VM. Complement and its receptors: new insights into human disease. Annu Rev Immunol 2014;32:433-59.
7. Kwak K, Akkaya M, Pierce SK. B cell signaling in context. Nat Immunol 2019;20:963-9.

# 8

# 사이토카인

차의대 **정상윤**

## KEY POINTS 🔒

- 사이토카인은 세포 간 신호전달 역할을 하는 저분자 단백질로, 주로 면역세포 간 또는 면역세포와 표적세포 간 신호전달을 통해 정보를 교환한다.
- 사이토카인은 골지체에서 합성되어 소포체를 통해 가용성 물질로 세포 밖으로 배출되고, 표적세포의 수용체에 결합하여 세포 내 신호전달 경로를 통해 기능이나 형태를 변화시킨다.
- 사이토카인의 종류에는 인터루킨, 종양괴사인자, 인터페론, 케모카인, 집락자극인자와 일부 성장인자가 포함되며, 세포의 이동, 성숙과 증식, 항상성유지 및 면역반응에 관여한다.
- TNF, IL-6 및 IL-17과 같은 사이토카인을 표적으로 하는 치료는 많은 류마티스 질환에서 염증과 조직손상을 억제하는 효과가 입증되었고, 더 많은 질병과 다양한 사이토카인을 대상으로 치료제 개발이 진행되고 있다.

## 정의

사이토카인(cytokine)이란 인체 내 핵을 가진 모든 세포에서 생산될 수 있는 저분자 단백질(20kDa 이하)로 세포간 신호전달을 통해 면역반응과 조혈작용을 조절하는 인자이다. 사이토카인의 어원은 고대 그리스어에서 유래하였는데, 세포를 뜻하는 cyto (cell)와 운동 또는 작동을 뜻하는 kinesis (movement)가 결합된 말로 세포를 작동시키는 물질이라는 의미가 담겨있다. 상피세포, 혈관내피세포, 섬유모세포 등에서도 사이토카인을 분비할 수 있지만 주로 대식세포, 단핵구, 림프구, 비만세포 등 면역세포에서 분비하여 면역세포 간 그리고 면역세포와 조직세포 간 정보를 교환하고 기능을 제어한다.

현재까지 약 41종의 인터루킨(interleukin, IL), 48종의 케모카인(chemokine), 세 그룹으로 나뉘는 인터페론(interferon, IFN), 종양괴사인자(tumor necrosis factor, TNF), 집락자극인자(colony-stimulating factor, CSF) 및 전환성장인자(transforming growth factor, TGF)-β와 같은 일부 성장인자가 사이토카인에 포함되어 있다. 이들은 세포 사이의 조절 단백인자라는 점과 세포내 신호전달 경로나 이에 관여하는 물질이 유사하거나 일부 공유한다는 점에서 호르몬이나 성장인자와 공통점을 가지고 있으나 독특한 특성으로 구분된다. 우선, 사이토카인의 생성은 세포내에서 철저히 조절되는 반면 성장인자들은 세포내에서 항상 관찰할 수 있다. 또한, 성장인자의 표적은 비조혈세포에 국한되어 있다. 사이토카인과 호르몬과의 구별은 쉽지 않으나 가장 큰 차이점은 호르몬의 경우 특정세포에서만 생산되는 반면, 사이토카인은 다양한 종류의 세포들이 동일한 사이토카인을 생성할 수 있다. 또한, 하나의 사이토카인이 서로 다른 종류의 표적세포에 각각 다른 작용을 할 수 있는 기능적 다양성(pleiotropy)과 다른 종류의 사이토카인들이 하나의 표적세포에 동일한 작용을 하는 중복성(redundancy)을 통해 호르몬과 구분된다. 예를 들어, 호르몬에 해당하는 인슐린은 췌장의 β세포에서만 분비되어 혈당조절에만 관여하나, 인터루킨이나 종양괴사인자와 같은 사이토카인은 면역세포 이외의 세포에서도 분비되어 염증반응이나 표적세포의 증식과 사멸 등 다양한 역할을 수행한다.

## 역사

인터페론은 바이러스에 감염된 세포에서 생성되어 항바이러스 효과를 나타내는 단백질로 1957년 Issacs와 Lindenmann에 의해 처음으로 언급되었다. 1965년 Wheelock 등은 활성화된 T세포가 바이러스 억제 단백물질을 생성한다고 발표하였고 이는 현재의 IFN-γ가 된다. 1966년 항원에 감작된 림프구에서 분비되는 물질이 대식세포의 이동을 억제한다는 Bloom과 Bennett의 연구로 대식세포이동 억제인자(macrophages migration inhibitory factor, MIF)가 확인되었다. 1969년 Dumonde 등은 림프구에서 분비되는 단백질을 설명하기 위해 '림포카인(lymphokine)'이라는 용어를 제안했으며, 나중에 배양된 대식세포와 단핵구에서 유래한 단백질을 '모노카인(monokine)'이라고 불렀다. 모노카인 중 가장 먼저 알려진 사이토카인은 TNF로 1975년 Bacillis Calmette-Guerin과 지다당질(lipopolysaccharide)에 감작된 동물의 혈청에는 세포독성 단백물질이 존재한다는 것이 첫 보고였고, 이후 시험관 내 실험에서 종양에 대한 직접적인 세포독성 작용이 확인되었다. 림포카인 중 T세포의 증식과 기능에 중추적인 역할을 하는 IL-2는 1976년 Morgan 등이 분열촉진제(mitogen)로 활성화된 단핵구에서 분비되는 물질이 골수유래 T세포를 끊임없이 증식시킨다고 보고하면서 이 물질을 T세포 성장인자로 명명하였다. 1974년 병리학자인 Cohen 등은 바이러스에 감염된 요막(allantoic membrane)과 신장세포에서 MIF 생성을 확인하였고, 이들의 생성이 면역세포에만 국한되지 않음을 보여줌으로써 '사이토카인'이라는 용어를 제안하였다. 이후 1979년 스위스에서 개최된 제2회 국제 림포카인 워크숍에서 사이토카인 명명 체계 확립을 위해 '인터루킨'이라는 용어가 채택되었다.

## 분류

사이토카인의 구조, 작용기전 및 역할에 관한 활발한 연구를 통하여 많은 사실들이 규명되고 지금도 새로운 사이토카인이 밝혀지고 있으나, 아직 통합된 분류시스템이 없어 연구자나 관련 문헌에 따라 다양하게 분류하고 있다. 첫째, 발견 순서에 따라 번호를 부여하여 현재 인터루킨은 IL-1에서 IL-41까지 분류되었다. 둘째, 기능에 따라 종양괴사인자, 성장인자, 케모카인 등으로 분류한다. 셋째, 염증반응의 시기, 특성 및 역할에 따라 초기 또는 후기, 선천성(innate) 또는 적응성(adaptive), 그리고 전염증성(pro-inflammatory) 또는 항염증성(anti-inflammatory)으로 분류한다. 넷째, 생산하는 세포에 따라 모노카인, 림포카인 등으로 분류한다. 마지막으로, 최근에는 분자를 공유하는 구조적 상동성(homology)에 의해 사이토카인 슈퍼패밀리(superfamily)로 그룹화하여 분류한다. 이들은 같은 수용체를 공유하기도 하나 반드시 기능적인 역할이 같지는 않다. 예로써 TNF/TNF수용체 슈퍼패밀리에는 면역조절을 담당하는 TNF와 림프독소(lymphotoxin), B세포와 T세포의 활성화를 매개하는 CD40L와 세포자멸사(apoptosis)를 촉진하는 FasL (CD95L)와 같은 세포성 리간드(ligand)가 포함되어 있다. 유사하게, IL-1/IL-1수용체 슈퍼패밀리에는 IL-1β, IL-1α, IL-18, IL-33 및 IL-36(α, β, γ) 등이 있고, IL-1RA, IL-36RA 및 IL-38과 같은 수용체 길항제와 생리적 기능과 숙주 방어를 담당하는 항염증성 사이토카인인 IL-37이 포함된다.

## 기능

사이토카인의 합성과정과 기능을 순서대로 간략히 요약하면 다음과 같다. 첫째, 다양한 자극과 세포 내 신호전달 경로를 통해 특정 사이토카인 유전자가 발현된다. 둘째, 세포 내 소기관인 골지체에서 합성되어 세포질에 있거나, 세포막에 결합된 상태로 유지되거나, 소포체를 통해 이동하여 가용성 물질로 세포 외로 배출된다. 셋째, 배출된 사이토카인은 표적세포의 막 또는 가용성 상태로 존재하는 수용체에 결합한다. 넷째, 사이토카인이 결합된 수용체로부터 신호전달이 시작되어 표적세포의 핵까지 전달된다. 다섯째, 표적세포의 핵으로부터 특정 유전자를 발현시켜 세포이동, 성숙과 증식, 항상성유지 및 면역반응을 유도한다. 이들 각각의 과정은 질병 치료제 개발의 단서를 제공해 주는데, 류마티스관절염(rheumatoid arthritis, RA) 치료제로써 개발된 TNF억제제, IL-6R억제제, JAK억제제 등이 대표적인 예라 할 수 있다.

사이토카인은 급성 및 만성 염증반응 과정을 조절하는 데에

표 8-1. 류마티스 질환과 연관된 주요 사이토카인의 종류, 수용체, 분비세포 및 기능

| 사이토카인 | 수용체 | 주요 분비세포 | 주요 기능 |
|---|---|---|---|
| **인터루킨(IL)** | | | |
| IL-1α, IL-1β | IL-1RI, IL-1RII | 단핵구, B세포, 섬유모세포 | 단핵구, 섬유모세포, 파골세포 활성화<br>내피세포 부착분자발현 자극 |
| IL-2 | IL-2Rα | T세포, 자연살해세포 | T세포 분화, 성숙, 활성화<br>자연살해세포, 단핵구 활성화 |
| IL-6 | IL-6R | 단핵구, B/T세포, 섬유모세포 | 단핵구, T/B세포의 증식 및 활성화 간세포의 급성반응단백<br>생성자극, 조혈촉진 |
| IL-8 (CXCL8) | IL-8R | 단핵구, 대식세포, 내피세포 | 과립구의 이동과 포식기능 활성화<br>혈관생성 촉진 |
| IL-12 | IL-12Rα/β | 대식세포, 수지상세포 | T/B세포 증식과 활성화<br>T세포 세포독성 강화 |
| IL-17 family | IL-17R | T세포, 섬유모세포 | 백혈구의 사이토카인, 케모카인 분비자극 섬유모세포의 사<br>이토카인, MMP 분비자극<br>파골세포로의 분화 촉진 |
| IL-18 | IL-18R | 수지상세포, 단핵구, 과립구, 내피세포 | 단핵구, 과립구, 자연살해세포 활성화<br>내피세포의 혈관생성 촉진 |
| IL-23 | IL-23R | 대식세포, 수지상세포 | $T_H17$세포 증식과 활성화로 IL-17분비 유도 |
| **종양괴사인자(TNF)** | | | |
| TNF (TNF-α) | TNF-RI/II | 단핵구, T/B세포, 과립구, 섬유모세포, 골모세포, 비만세포 | 단핵구, 과립구 활성화, 내피세포 부착분자 발현 자극, 섬유모세포 증식과 콜라겐합성 유도, 지방세포에서 유리지방산분비 자극 |
| Lymphotoxin α (TNF-β) | TNF-RI/II | 단핵구, 섬유모세포, T세포, 내피세포 | 말초 림프조직 성숙유도<br>그 외, TNF와 유사한 기능 |
| RANK ligand | RANK | 골모세포, T세포 | 파골세포로의 분화를 촉진시켜 골흡수 유도 |
| **인터페론(IFN)** | | | |
| Type I IFN (IFN-α/β) | IFNαβR | T/B세포, 자연살해세포, 대식세포, 섬유모세포 | 항 바이러스작용, MHC표현증가<br>대식세포 및 림프구 활성화 |
| Type II IFN (IFN-γ) | IFNγR | 자연살해세포, 수지상세포 대식세포, γδT/B세포 | 대식세포 활성화, 내피세포 부작분자 발현자극, MHCII표현증가, 골흡수 억제 |
| **집락자극인자(CSF)** | | | |
| GM-CSF | GM-CSFRα/β | T세포, 대식세포, 섬유모세포, 내피세포 | 단핵구, 과립구, 수지상세포 성숙 유도 |
| G-CSF | G-CSFR | 단핵구, 과립구, 섬유모세포, 내피세포 | 과립구의 성숙과 활성화 |
| **성장인자(GF)** | | | |
| TGF-β | Type I/II TGFβR | 단핵구, T세포, 섬유모세포, 혈소판 | 초기 대식세포, 과립구, 림프구 유인과 활성화 후 억제, 상처치유, 섬유화 유도 |
| BMP family (BMP2-15) | BMPRI/II | 상피세포, 골세포, 골모세포 | 연골, 골 및 기타조직 형성 유도 |
| **기타** | | | |
| MIF | 미상 | 대식세포, T세포, 섬유모세포 | 대식세포, T세포, 섬유모세포 증식 및 활성화 |
| HMGB1 | RAGE, dsDNA | 단핵구, 대식세포, 수지상세포 | 전시인자로 작용, 대식세포 활성화, 살균작용 |

NK, natural killer; CXCL, chemokine (C-X-C motif) ligand; RANK, receptor activator of nuclear factor-κB; MHC, major histocompatibility complex; BMP, bone morphogenetic protein; MIF, macrophage migration inhibitory factor; HMGB1, high mobility group box 1; RAGE, receptor for advanced glycation end-products.

중요한 역할을 수행한다. 호중구, 자연살해(natural killer, NK) 세포, 대식세포, 비만세포 및 호산구를 포함하여 선천성 면역반응에 관여하는 대부분의 세포가 조직 손상 후 몇 초 이내에 사이토카인을 생성하고 또한 이에 반응한다. 사이토카인은 백혈구를 활성화시켜 미생물 및 화학적 자극에 반응하게 하고, 이동하는 백혈구와 내피세포에 부착분자(adhesion molecule)의 발현을 증가시킴과 동시에 케모카인에 의한 세포유인을 통해 정확한 위치에 백혈구를 모이게 하며, 반응산소종(reactive oxygen species), 산화질소, 혈관활성아민(vasoactive amines) 및 신경펩타이드의 배출뿐만 아니라 키닌 및 아라키돈산 유도체인 프로스타글란딘(prostaglandin), 류코트리엔(leukotriene)을 분비시켜 통증과 염증반응을 증폭하고 사이토카인 배출을 조절한다. 특히, 전염증성 사이토카인으로 알려져 있는 IL-1, IL-6, TNF가 급성 염증반응을 유도하는 데 중요하다. IL-17A 또한 호중구의 동원과 활성화, 연골세포, 각질세포, 파골세포 및 섬유모세포유사 활막세포(fibroblast-like synoviocyte)의 활성화를 통해 조직 내 급성 및 만성 염증반응에 기여한다. 이를 분비하는 Type 17 T세포(CD4$^+$ 또는 CD8$^+$)는 IL-6와 TGF-β에 의해 생산되고, IL-1β와 IL-23에 의해 증식하며, IL-25 (IL-17E), IL-10, IFN-γ에 의해 억제되는 것으로 알려져 있다. IL-17A를 표적으로 하는 임상시험은 건선, 건선관절염, 척추관절염 등 다양한 류마티스 질환에서 성공함으로써 자가면역반응에서 그 중요성을 입증하였다. 그러나 류마티스 관절염에서의 IL-17A억제는 만족할 만한 효과를 보여주지 못하였는데 이는 질병자체의 복잡한 병태생리와 관계될 것으로 보이며, 아마도 IL-17A는 관절염으로 완성되기 전단계(pre-RA)에서 역할이 있을 것으로 추정된다. 질병의 만성 염증반응은 T세포의 자가항원이나 세포외기질(extracellular matrix)과의 상호작용, 인접한 대식세포나 조직세포와의 세포접촉을 통해 사이토카인의 자가분비 루프(autocrine loop)가 형성되며 지속된다. 이렇게 되면, 지속적으로 분비되는 사이토카인에 의해 항원인지 없이도 T세포는 계속 활성화 상태로 만성 염증을 유지할 수 있게 되는데, 류마티스 질환에서 항사이토카인 치료가 중요한 이유가 바로 여기에 있다.

사이토카인은 기능적 다양성을 통해 면역계 이외에 근육, 지방조직, 중추신경계, 간조직 등에서 정상적인 대사 경로에 영향을 주어 동반질환을 유발할 수 있는데, 이는 많은 류마티스 질환에서 심혈관질환, 신경계질환, 골다공증 등의 합병증을 보이는 원인이다. 즉, 관절이나 신장 등 원발조직에서 발생한 사이토카인과 이들의 수용체가 혈액내로 유입되어 다른 원격 조직에서 추가적인 질병을 야기할 수 있는 것이다. 따라서, 사이토카인을 표적으로 하는 치료는 동반질환의 발생을 예방할 수 있으며, 그 예로 TNF억제제를 투여받는 환자에서 심혈관계 합병증이 감소됨을 들 수 있다. 류마티스 질환의 발병기전에서 중요한 역할을 하는 주요 사이토카인과 그 수용체, 분비세포 및 기능을 표 8-1에 요약하였다.

## 사이토카인 폭풍

사이토카인 폭풍(cytokine storm 또는 hypercytokinemia)은 인체의 면역계가 과다 활성화되며 IL-1β, IL-6, TNF, IFN-γ 등의 사이토카인이 통제되지 않고 대량으로 방출되어 다발성 장기부전을 일으키고 사망까지 이르게 하는 상태이다. 사이토카인 폭풍은 주로 인플루엔자와 파라인플루엔자, 코로나, 에볼라, 엡스타인-바바이러스 거대세포바이러스와 같은 바이러스성 호흡기 감염에 의해 유발될 수 있으며, 비감염성 질환으로 이식편대숙주병, 가족성 림프조직구증가증 및 소아특발관절염, 성인형스틸병과 같은 류마티스 질환에서도 발생한다. 역사적으로 사이토카인 폭풍은 1918년 인플루엔자 대유행 기간 동안 수많은 건강한 젊은 성인의 사망을 유발하였고, 2003년 SARS 범유행기와 2007년 조류 인플루엔자(H5N1)로 인한 환자 사망과 연관이 있다. 2006년 영국 노스윅파크 병원의 한 연구에서 CD28을 표적으로 하는 단일클론 항체인 테라리주맙(theralizumab)을 투여받은 6명의 지원자 모두 고열, 전신염증반응, 다발성 장기부전으로 위독한 상태가 되었던 것도 사이토카인 폭풍으로 설명된다. COVID-19 (SARS-CoV-2) 환자 중 일부는 IL-6를 포함한 다량의 사이토카인이 방출되어 혈관내피세포의 기능을 손상시키고 증가된 혈관투과성으로 인해 체액이 폐포 내로 유입되는 폐부종과 호흡부전이 발생되는 급성호흡곤란증후군(acute respiratory distress syndrome)이 유발되어 사망에 이를 수 있다. 혈중 페리틴, C반응단백질, IL-6 양은 사이토카인 폭풍을 예측하는 인자로 이용할 수 있고, 덱사메타손과 같은 스테로이드의 조기치료는 염증과 폐손상을 감소시킬 수 있다.

## 결론

사이토카인은 인체의 면역반응과 조혈작용을 조절하는 등 항상성을 유지하는 데 반드시 필요한 단백질이다. 병적인 상태에서 합성 사이토카인과 항사이토카인제제를 이용하는 치료는 이미 활발히 이루어지고 있다. 특히, 사이토카인을 표적으로 하는 생물학적제제와 수용체 이하 신호전달을 차단하는 표적치료제는 류마티스 질환의 활성도가 관해에 도달할 정도로 효과적인 치료제로 입증되었다. 더 많은 연구를 통해 새로운 사이토카인와 수용체 및 이하 신호전달경로를 밝히게 되면 질병의 병태생리를 이해하고 더욱 효과적인 치료제를 개발하는 데에 도움이 될 수 있을 것이다.

## 참고문헌

1. 김희선. 사이토카인의 소개. 영남의대 학술지 2010;27:1-7.
2. 송정수. 류마티스관절염 치료에서 종양괴사인자억제제 사용에 대한 고찰. 대한류마티스학회지 2007;14:1-14.
3. Dinarello CA. Historical Review of Cytokines. Eur J Immunol 2007;37:S34-45.
4. Firestein GS, Budd RC, Gabriel SE, McInnes IB, O'Dell JR, Koretzky G. Firestein & Kelley's Textbook of Rheumatology. 11th ed. Philadelphia: Elsevier; 2021. pp. 455-66.
5. Hansel TT, Kropshofer H, Singer T, Mitchell JA, George AJ. The safety and side effects of monoclonal antibodies. Nat Rev Drug Discov 2010;9:325-38.
6. McInnes IB, Leung BP, Liew FY. Cell-cell interactions in synovitis: Interactions between T lymphocytes and synovial cells. Arthritis Res 2000;2:374-8.
7. Tisoncik JR, Korth MJ, Simmons CP, Farrar J, Martin TR, Katze MG. Into the Eye of the Cytokine Storm. Microbiol Mol Biol Rev 2012;76:16-32.
8. Weaver CT, Harrington LE, Mangan PR, Gavrieli M, Murphy KM. Th17: an effector CD4 T cell lineage with regulatory T cell ties. Immunity 2006;24:677-88.

# 9

# 면역관용과 자가면역

**경상의대 천윤홍**

## KEY POINTS 🔒

- 자가항원에 대해 면역반응이 일어나지 않도록 하는 면역학적 기작을 면역 관용이라고 하며, 크게 중추관용과 말초관용으로 나눌 수 있다.
- 자가면역질환에는 유전적 소인이 주로 관여하며, 주조직적합복합체 유전자는 자가면역질환에 대한 감수성을 조절하는 데 중요한 역할을 한다.
- 유전적 소인 외에도 환경적 소인, 국소적 조직손상이나 수용체에 대한 자가항체의 이상반응으로 자가면역질환이 발생할 수 있다.
- 자가면역반응은 제1형 즉시형 과민반응, 제2형 항체-매개 과민반응, 제3형 항원-항체 복합체 과민반응 및 제4형 지연형 과민반응으로 구분된다.

## 면역관용과 자가면역

면역계의 결정적인 기능중 하나는 자기(self)와 비자기(non-self)를 식별하는 것이다. 자가항원에 대해 면역반응을 일으키지 않도록 설계된 면역학적 기작을 면역관용(immunologic tolerance) 혹은 자기관용(self-tolerance)이라 한다. 면역관용은 크게 작용부위 및 다양한 기전에 따라 크게 1) 중추관용(central tolerance)과 2) 말초관용(peripheral tolerance)으로 나눌 수 있다. 자가항원과 반응할 수 있는 미성숙 림프구가 흉선과 같은 일차 림프기관에서 제거되는 것이 중추관용이며, 여기에서 제거되지 않고 성숙하여 말초로 나간 림프구가 자가항원과 접촉했을 때 일어나

는 면역관용이 말초관용이다. 면역관용은 유전적 감수성과 내재성 관용기전의 손상 및 붕괴 그리고 감염과 같은 환경적 노출에 의해 조절장애가 발생할 수 있고, 그 결과 외부 항원이 아니라 자신의 세포와 조직에 존재하는 항원에 대해 이상면역반응을 보일 수 있다. 이를 자가면역(autoimmunity)이라고 하며, 그 결과로 인해 조직 손상을 수반하는 질환을 자가면역질환(autoimmune disease)이라고 부른다.

### 1) 중추관용

자가항원과 반응할 수 있는 미성숙 림프구들이 흉선과 같은 중추림프기관에서 삭제되거나 비활성화 되는 것이 면역관용의 첫 번째 관문(checkpoint)이다. 신체의 각 기관은 조직 특이적 항원을 발현한다. 흉선에서는 자가면역조절자(autoimmune regulator, AIRE) 단백질의 조절하에 흉선 수질세포가 여러 기관의 조직-특이적 단백질을 발현한다. 여러 조직-특이적 자가항원에 강한 친화력을 보이는 자가반응성(autoreactive) T세포는 음성선택(negative selection)을 통해 삭제(deletion)된다. 소수의 T세포의 경우 흉선에서 삭제 대신 자가항원 특이적 조절T세포로 분화한다. 이를 자연 조절T세포(natural regulatory T cell, nT$_{reg}$) 이라 부르며, 말초조직에서 같은 항원에 의해 활성화될 때 다른 자가반응성 T세포들을 억제한다. nT$_{reg}$세포의 생성에 대한 명확한 기전은 밝혀지지 않았으나 항원의 친화도와 흉선내부의 사이토카인 환경이 분화에 영향을 줄 수 있는 요소로 거론되고 있다.

B세포의 경우에는 또 다른 과정을 통해 면역관용이 일어날 수 있다. 미성숙B세포는 골수에서 고농도의 자가항원을 인식하

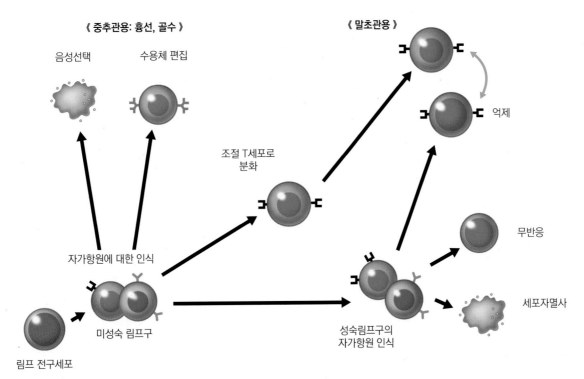

《 중추관용: 흉선, 골수 》 《 말초관용 》

그림 9-1. 중추 및 말초 관용

면 새로운 면역글로불린 경쇄가 발현하여 새로운 특이성을 갖게 되며 이를 수용체 편집(receptor editing)이라 한다. 자가반응성이 약한 림프구들은 중추림프기관에서 제거되지 않는데, 약한 자가반응성 세포들까지 삭제가 될 경우 면역 레퍼토리의 다양성에 큰 제한이 발생하여 병원체에 대한 면역반응의 손상을 초래하기 때문이다. 이를 보완하기 위해 말초관용이라는 조절기전이 존재하며 이를 통해 중추관용으로 제거되지 못한 자가반응성 림프구를 억제하여 이상 면역반응으로부터 인체를 보호할 수 있다(그림 9-1).

## 2) 말초관용

첫 번째 기능적 무반응성(anergy)은 공동자극분자 혹은 선천성 면역반응이 동반되지 않을 경우 발생한다. T세포의 활성화에는 항원제시세포의 MHC와 결합하는 TCR 자극인 시그널1과 공동자극분자인 B7-1/B7-2와 결합하는 CD28 자극인 시그널2가 필요하다. 공동자극분자인 B7-1/B7-2를 발현하고 있는 항원제시세포에 의해 제시된 항원은 정상적으로 T세포를 흥분시키지만 공동자극분자의 활성화 없이 TCR 자극인 시그널1 자극만 지속될 경우 T세포에 무반응성이 나타난다. 일반적으로 항원

제시세포의 공동자극분자의 발현은 미생물 감염에 의해 증가하게 되는데, 공동자극분자의 활성화가 일어나지 않은 상황에서는 자가항원에 반응하는 T세포가 자가항원을 만나더라도 이에 반응을 하지 않는다. 또한 선천면역반응이 동반되지 않을 경우 T세포에서 시그널2를 억제하는 CTLA-4 (cytotoxic T lymphocyte antigen-4)와 PD-1 (programmed cell death protein 1)과 같은 억제공동자극분자의 발현이 증가하여 무반응성을 유발한다.

두 번째, T$_{reg}$세포에 의한 말초관용이다. 말초조직에서는 염증 사이토카인의 부재와 TGF-β의 존재하에 유도 조절T세포(inducible Treg, iT$_{reg}$)가 발달한다. T$_{reg}$세포는 (1) 면역억제성 사이토카인인 TGF-β와 IL-10 분비, (2) IL-2 수용체 알파인 CD25의 발현을 증가하여 IL-2를 소비, (3) 억제공동자극분자인 CTLA-4의 발현함으로써 자가반응성 T세포 및 병원성 림프구를 억제한다.

세 번째, 세포사멸에 의한 클론결손도 말초 관용을 유도한다. 지속적으로 존재하는 항원에 의해 반복적으로 T세포에 자극이 주어질 경우 미토콘드리아를 통한 내인성 경로와 사멸수용체(death receptor)를 통한 외인성 경로를 통해 T세포는 죽게 되는데 이를 활성화-유도 세포사멸사(activation-induced cell death, AICD)라고 하며 이 과정을 통해 자가반응 림프구 클론이 제거

될수 있다(그림 9-1).

## 3) 자가면역의 병인

림프구의 면역관용이 유도되는 상술한 기전들에 이상이 생길 경우 자가면역과 자가면역질환이 발생할 수 있다. 유전적 소인에 의해 일차 림프기관의 림프구 성숙과정에서 음성선택이나 수용체 편집 과정에서 이상이 발생한 경우, $T_{reg}$세포의 수나 기능에 이상이 발생할 경우, 자가항원에 반응하는 림프구의 정상적인 세포사멸에 이상이 발생한 경우, 억제수용체의 기능이상이 발생한 경우, 항원제시세포의 비정상적인 활성화가 발생한 경우 등이 자가면역반응의 기전으로 생각된다.

환경적 소인에 의해 면역무시(immunological ignorance) 상태에 있던 림프구들이 활성화되어 자가면역질환의 병인에 기여할 수 있다. 자가항원에 대해서 상대적으로 낮은 친화력을 갖는 일부 림프구들은 흉선에서 제거되지 않고 말초로 나와도 자가항원에 대해서도 반응하지 않는 면역무시 상태로 살아갈 수 있다. 그러나 자가항원과 반응할 수 있는 잠재성을 가지고 있는 이 림프구들이 항원 자극이 충분하고 강력한 공동자극분자 신호를 얻게 되어 비정상적으로 활성화된다면 자가면역질환을 유발할 수 있다. 이러한 강력한 자극의 대표적인 예가 감염이다. 감염이 발생할 경우 공동자극분자 신호 및 항원자극 신호의 강화뿐만 아니라 선천면역의 활성화로 인한 염증사이토카인의 증가와 이로 인한 항원제시세포의 활성화, 보체경로의 활성화가 발생하여 균형을 유지하던 면역관용을 깨트릴수 있다.

국소적 조직 손상 또한 자가면역질환을 유발 혹은 악화시킬 수 있다. 자가면역질환은 초기에는 몇 개의 자가항원으로 질환이 시작되나, 자가항원이 지속적으로 존재하기 때문에 만성 경과를 거치며 지속적인 염증반응이 일어난다. 이로 인한 조직의 손상이 반복해서 일어나면 새로운 자가항원의 노출과 항원의 변화가 일어날 수 있고, 그 결과 새로 생겨난 항원에 대한 새로운 림프구의 활성화가 유발되면서 자가면역반응이 지속되게 되는데, 이를 에피토프 확산(epitope spreading)이라고 한다.

수용체에 대한 자가항체들이 수용체의 기능을 자극하거나 억제할 경우 자가면역질환을 일으킬 수 있다. 그레이브스병의 경우 자가항체가 갑상선 상피세포의 갑상선자극호르몬 수용체에 결합하여 갑상선자극호르몬 없이도 수용체를 지속적으로 자극

하여 갑상선기능항진을 가져온다. 중증근무력증의 경우 근육세포 신경접합부의 아세틸콜린수용체에 자가항체가 결합하여 점진적인 근력약화를 유발한다.

## 4) 자가면역의 유전적 감수성

자가면역질환들에는 강력한 유전적 소인이 관여한다. 대부분의 흔한 자가면역질환들은 여러 유전자가 복합적으로 작용하는 것으로 생각되지만 드물게 하나의 유전적 변이에 의해 일어나는 경우도 있다. 예를 들어 앞서 상술한 AIRE 유전자의 이상이 동반될 경우 중추관용의 부전으로 자가반응성 림프구가 말초로 이동하여 자가면역다선증후군(autoimmune polyglandular syndrome type-1, APS-1)이 발생하여 췌장을 포함한 내분비 조직의 파괴와 칸디다증과 같은 중증 진균감염을 초래한다. IPEX 증후군(immune dysregulation, polyendocrinopathy, enteropathy, X-linked syndrome)은 FOXP3 유전자의 이상으로 $T_{reg}$세포의 기능적 결함이 생겨 발생하며, ALPS 증후군(autoimmune lymphoproliferative syndrome)은 FAS 유전자에 결함이 생겨 활성화된 림프구의 세포사멸이 발생하지 않아 발생한다.

주조직적합복합체(major histocompatibility complex, MHC) 유전자는 자가면역질환에 대한 감수성을 조절하는 데에 중요한 역할을 한다. 자가면역질환을 가진 환자를 대상으로 인간백혈구항원(human leukocyte antigen, HLA) 아형을 조사했을 때 특정 HLA 대립유전자의 빈도가 정상인에 비해 높게 나타난다. 가장 연관성이 높은 경우가 강직척추염과 HLA-B27이며, 그 외에도 류마티스관절염에서 HLA-DR4, 제1형 당뇨병에서의 HLA-DQ2, 전신홍반루푸스의 HLA-DR3 등의 다양한 자가면역질환에서 특정 HLA 대립유전자와의 질병과의 연관성이 밝혀졌다. 자가면역질환은 대부분 그 감수성이 MHC class II 대립유전자들과 강력히 연관되어 있다. 이는 자가면역질환과 CD4 T세포와의 관련성을 강력하게 시사한다. 일부에서는 MHC class I 대립유전자나 TNF-α 또는 보체 대립유전자와 같이 class III 대립유전자들이 연관된 경우도 있다

유전학 연구기법이 발전하면서 과거 소수의 환자에서 제한된 수의 후보유전자를 찾아가던 방식에서 벗어나 수천 명을 대상으로 대규모의 genome-wide association studies (GWAS)로 진화하게 되었으며 그 결과 질환에 영향을 미치는 여러 유전적 변

이가 발견되었다. 지금까지 발견된 류마티스관절염이나 전신홍반루푸스와 연관되는 후보 유전자는 수십여 개 이상이며 여기에는 선천면역과 적응면역에 관여하는 유전자뿐 아니라 아직까지 면역학적인 기능이 알려지지 않은 유전자도 포함되어 있다. 전신홍반루푸스의 경우 항원제시(HLA-DR3), 림프구 수용체 신호전달(PTPN22, BANK1, BLK), 보조T세포 조절(OX40L, TNFSF4), 사이토카인 신호전달(STAT4), 인터페론과 TLR7/9 신호전달(IRF5, TNFAIP3, IRAK1, IRF7, TYK2), Fc 수용체 기능(FCGR2A), 호중구 기능(ITGAM), 보체(C1Q, C2, C4)와 연관된 유전자들과의 연관성이 알려져 있다. 또한 단일세포 시퀀싱 분석(single-cell sequencing)기술이 진보하여 한 조직내에서 존재하는 다양한 세포들을 동시에 분석 가능하여 개별세포의 계보, 종류, 질환, 변이들에 대해 정확한 정보를 제공할 수 있게 되었다. 이를 이용하여 발굴한 유전자의 검증 및 조직의 이질성 비교를 통해 바이오마커 및 치료타겟으로 활용 가능할 것으로 기대된다.

## 5) 자가면역에 의한 조직손상의 면역학적 기전

자가면역반응은 미생물에 대한 면역반응과 유사한 방식으로 자기 세포와 조직에 다양한 손상을 일으킬 수 있으며 그 기전에 따라 제1-4형 과민반응으로 구분한다.

제1형 과민반응은 IgE항체와 비만세포에 의해서 유발되는 즉시형 과민반응(immediate hypersensitivity)으로 알레르기성 질환 및 아나필락시스와 관련이 깊으며 자가면역질환에서 주도적인 역할은 하지 못한다.

제2형은 항체-매개 과민반응으로, 병적인 자가항체가 세포 표면이나 조직에 위치한 자가항원에 결합하여 표적 항원의 기능을 변화시키거나 세포의 손상을 일으키고 염증을 유발함으로써 질병을 일으킨다. 이때 자기 세포의 기능을 억제하거나 오히려 항진시킬 수도 있다. 대표적인 예가 앞서 상술한 그레이브스병과 중증근무력증이다. 자가항체에 의한 세포손상은 항체가 세포표면의 자가항원에 결합한 후 보체 활성화를 통해 세포용해를 일으키거나 포식 작용을 활성화하여 자기세포를 죽게 할 수 있다. 자가면역용혈빈혈이나 자가면역 혈소판감소자반증이 이에 해당한다. 한편 자가항원에 결합한 항체는 보체를 활성화하거나 Fc 수용체를 통해 포식세포를 자극할 수 있으며 그 결과 호중

구와 대식세포를 끌어들여 염증반응을 항진시킬 수 있고 이렇게 이동된 세포는 다시 여러 염증매개물질을 분비하여 염증을 더욱 증폭시킨다.

면역복합체의 비정상적인 침착에 의해 발생하는 이상면역반응이 제3형 과민반응이다. 항원-항체 복합체는 정상적인 면역반응 과정에서도 생길 수 있지만, 비정상적으로 많은 양이 생겨나거나 효과적으로 처리되지 못하면 조직에 침착하여 병을 일으킬 수 있다. 대표적인 예가 류마티스관절염에서 류마티스인자-IgG 복합체와 전신홍반루푸스에서 침착한 면역복합체가 보체와 Fc 수용체 매개성 염증을 일으켜 조직 손상을 유발하는것이다.

제4형 과민반응은 지연형 과민반응이라고도 하며 CD4 T세포와 CD8 T세포에 의해 매개된다. Tuberculin 반응이 전형적인 지연형 과민반응으로, 결핵균에서 얻은 펩티드와 탄수화물 혼합물인 투베르쿨린(tuberculin)을 피내주사하면 결핵균에 노출되었던 사람의 경우 24-72시간이 지나 국소적인 T세포 매개 염증반응이 일어난다. 지연형 과민반응의 조직손상은 활성화된 대식세포에서 분비되는 용해소체 효소, 반응산소대사 산물, 산화질소, 염증사이토카인 등에 의해 일어난다. 여러 장기-특이적 자가면역질환이 자기반응 T세포에 의한 지연형 과민반응에 의해 발생한다. 제1형 당뇨병에서는 췌장소도에 림프구와 대식세포의 침윤이 관찰되며 이 질환을 앓고 있는 동물모델의 T세포를 정상 동물에 주사할 경우 같은 질병을 일으킬 수 있다. 다발경화증은 $T_H17$과 $T_H1$이 자기 신경항원에 반응하여 발생하며 신경 주위에 대식세포가 활성화되고 신경조직이 손상되어 신경학적 이상소견이 유발된다.

## 6) 자가면역질환과 환경적 요인

다양한 환경적 요인이 자가면역질환의 발생에 영향을 미치는 것으로 알려졌다. 가장 대표적인 것은 감염으로, 자가면역질환을 유발 또는 악화시킬 수 있다. 상술한 기전 이외에 제시되는 기전의 하나가 '분자모방(molecular mimicry)'이다. 이는 미생물 항원과 구조적으로 유사한 자가항원이 교차반응이 생길 경우 숙주의 면역세포가 자가항원을 침입한 미생물로 착각하여 자가면역반응이 생긴다는 가설이다. 세포 또는 조직의 파괴로 격리된 자가항원이 방출되고 염증사이토카인이 방관자세포(bystander)의 활성화를 유발할 수도 있다. 다른 기전들로는 병원체에 의해 활

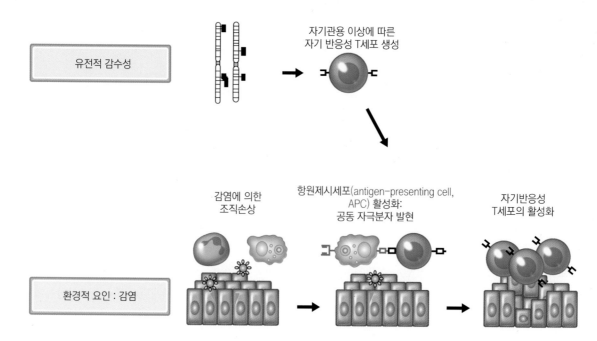

유전적 감수성

자기관용 이상에 따른
자기 반응성 T세포 생성

감염에 의한
조직손상

항원제시세포(antigen-presenting cell,
APC) 활성화:
공동 자극분자 발현

자기반응성
T세포의 활성화

환경적 요인 : 감염

**그림 9-2. 자가면역질환의 기전**

성화된 항원제시세포가 자기반응T세포를 활성화시키거나, 감염에 의한 염증 반응 결과 세포 내부에 숨어 있었던 자가항원이 노출되기도 하며, 환경적인 요인에 의해 질병과 연관된 사이토카인이 과다하게 생성되어 자가면역반응을 유발할 수도 있다(그림 9-2).

감염 이외에도 여러 환경적 요인이 자가면역질환에 영향을 줄 수 있다. 북반구에서 자가면역질환 발생률은 북쪽에서 남쪽으로 갈수록 감소하는데, 여러 역학 연구에 따르면 이 현상은 자외선 노출 및 비타민D 수준과 부분적인 상관관계가 있는것으로 보고되었다. 부정맥 약제인 프로케인아마이드(procainamide)와 항고혈압약제인 하이드랄라진은 자가항체를 생성하여 약물유발루푸스를 유발할 가능성이 있는 것으로 알려져 있다. 이외에도 사회경제적 지위와 식이를 비롯한 많은 요인들이 자가면역질환과 연관될 것으로 생각되고 있다.

nity and autoimmunity. Nat Immunol 2007;6:345-50.

4. Dennis Kasper, Anthony Fauci, Stephen Hauser, Dan Longo, J. Larry Jameson, Joseph Loscalzo. Harrison's Principles of Internal Medicine. 19th ed. McGraw-Hill; 2015.

5. Firestein GS, Budd RP, Gabriel SE, McInnes IB, O'dell JR. Autoimmunity. Kelly's textbook of rheumatology. 9th ed. Philadelphia: Elsevier Saunders; 2013.

6. Kaplan MH, Hufford MM, Olson MR. The Development and in vivo function of TH9 cells. Nat Rev Immunol 2015;15:295-307.

7. Murphy K, Weaver C, Mowat A, Berg L, Chaplin D. Janeway's Immunobiology. 9th ed. New York: Garland Science/Taylor & Francis Group; 2016.

8. Spits H, Artis D, Colonna M, Diefenbach A, Di Santo JP, Eberl G, et al. Innate lymphoid cells--a proposal for uniform nomenclature. Nat Rev Immunol 2013;13:145-9.

9. Vignali DA, Collison LW, Workman CJ. How regulatory T cells work. Nat Rev Immunol 2008;8:523-32.

10 Vinuesa CG, Linterman MA, Yu D, MacLennan IC. Follicular Helper T Cells. Annu Rev Immunol 2016;34:335-68.

참고문헌

1. 대한류마티스학회. 류마티스학. 제2판. 범문에듀케이션; 2018.

2. Abbas AK, Lichtman AH, Pillai S. Cellular and molecular immunology. 10th ed. Philadelphia: Elsevier Saunders, 2021.

3. Bettelli E, Oukka M, Kuchroo VK. TH17 cells in the circle of immu-

# 10

# 염증반응

전북의대 **류완희**

## KEY POINTS 🔒

- 염증은 미생물의 침입에 대한 방어, 혹은 상처의 치유 과정이나 조직손상 시 나타나는 신체의 일차적인 반응이다.
- 급성 또는 초기에 발생하는 염증은 모세혈관의 변화와 과립구 침윤 등을 특징으로 하고, 만성염증은 단핵구계 세포들이 주 역할을 담당한다.
- 염증에 관여하는 주요세포들로는 혈관내피세포, 과립구, 대식세포, 림프구, 혈소판 등이 있다.
- 혈장 단백질뿐만 아니라 염증세포, 신경조직과 혈관내피세포와 같은 조직세포에 의해 분비되는 많은 염증매개물질이 염증 과정에 참여한다.
- 염증세포 이외에도 지질매개체와 히스타민과 세로토닌과 같은 혈관 활동성 아민들도 염증반응에 관여한다.

## 서론

염증 과정은 생존의 가장 필수적인 요소로서 생물체의 항상성을 유지하고 외부감염으로부터 스스로를 보호하는 역할을 한다. 건강한 상태에서의 염증반응은 감염이나 외상 등 특정 손상에 대한 자기한정성의 치료 반응으로 손상이 치유되고 나면 염증 부위는 깨끗해지고 몸의 항상성은 회복된다. 그러나 경우에 따라서 염증반응이 비정상적, 또는 지나치게 과다하게 유발되거나, 급성 유발물질이 없어지고 난 이후에도 염증이 지속되는 경우가 있다. 예를 들면 자기항원을 비자기 항원으로 인식하거나, 면역복합체와 같은 면역계자극원(immune system stimulants)

을 효과적으로 제거하지 못할 경우 염증은 비정상적으로 과다하게 발생할 수 있다. 그동안 염증성 질환의 원인과 과정에 대해서 많은 연구가 진행되었고, 실제로 최근 몇 십 년에 걸쳐서 괄목할 만한 성과가 있었다. 이러한 결과로, 항종양괴사인자 항체[anti-tumor necrosis factor (TNF) antibody]나 인터루킨(interleukin, IL)-1, IL-6 등을 저해하는 약물 등 염증질환에 대한 표적치료가 실제 임상에서 사용되고 있다. 따라서, 류마티스 질환과 염증질환의 효과적인 치료방법을 발전시키기 위해서는 우리 몸의 정상적인 염증 과정에 대한 이해가 필수적이다. 이 장에서는 염증 시에 작용하는 주요세포들에 대해서 알아보고 염증반응 시 유발되는 염증매개물질들에 대해서 서술하기로 하겠다.

## 염증세포들

염증반응은 급성 혹은 만성의 형태로 진행된다. 주로 급성기에는 혈관의 변화나 중성구 침윤이 주로 발생하면서 시작되고, 만성염증 시에는 단핵구들이 염증반응을 유발하는 것으로 알려져 있다. 그러나 이러한 급성, 만성염증반응은 일부 예외적인 경우에는 임의적인 형태로 나타난다. 예를 들어 결핵 초기 염증반응 시에는 단핵구가 더 우세하게 나타나고 만성염증의 형태인 결절다발동맥염의 경우 백혈구가 지속적으로 나타나기도 한다. 또한, 통풍이나 거짓통풍에서는 조직 내의 대식세포가 초기 감시 신호를 통하여 급성염증을 유발하기도 한다.

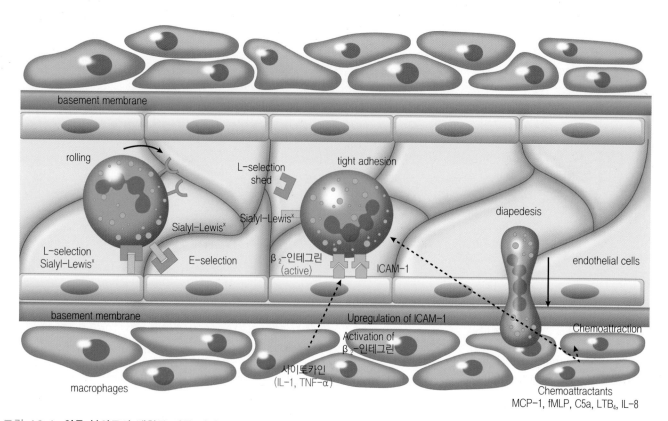

그림 10-1. **염증 부위로의 백혈구 이동 기전** 염증반응 시 백혈구와 혈관내피세포가 상호작용을 하며 회전(rolling), 포착(arrest)과 유착 (adhesion), 이주(transmigration) 단계를 거친다.
ICAM-1, intercellular adhesion molecule-1; MCP-1, monocyte chemotactic protein-1; FMLP, formyl methionyl leucyl phenolalanine; LBT4, leukotriene B4; IL-8, interleukin-1.

## 1) 혈관내피세포

혈관내피세포는 혈관과 림프관의 내측 면을 피복하고 있으며, 혈액과 조직의 경계부를 이루는 세포이다. 혈관 내에 순환하는 백혈구들은 타깃 조직에 도달하기 위해서 혈관을 빠져나가는 과정(누출과정, diapedesis) 및 목표 조직으로 이동하는 과정(화학주성, chemotaxis)을 거쳐야 한다. 이를 위해 혈관내피세포는 여러 종류의 부착분자(adhesion molecules)를 가지고 있으며 동시에 사이토카인들을 생산한다.

백혈구가 혈관내피세포와 반응하여 조직손상이 있는 곳까지 이동하기 위한 단계를 요약하면 회전(rolling), 포착(arrest)과 유착(adhesion), 이주(transmigration)이다(그림 10-1).

첫 번째 단계인 백혈구 회전단계는 부착분자인 셀렉틴(selectin)이 관여하는데, 혈관내피세포의 E-셀렉틴과 백혈구의 L-셀렉틴의 상호작용을 통해서 발생하게 된다. 염증 발생 부위에서는 IL-1β와 종양괴사인자(TNF-α)의 영향으로 혈관내피세포의 E-셀렉틴의 발현이 증가하여 백혈구와의 회전을 돕게 된다. 다음

단계인 포착단계와 유착단계에서는 백혈구를 혈관내피세포에 단단히 부착하기 위해서 인테그린(integrin)이라고 알려진 부착분자와 혈관내피세포의 리간드(예를 들면, ICAM-1과 VCAM-1)와의 결합이 이루어진다. 이러한 과정은 염증반응 중 발생하는 염증매개물질에 의해 혈관내피세포에서 세포부착분자 발현이 증가하고, 백혈구 표면에 존재하던 인테그린의 활성도가 증가하면서 시작된다. 이 인테그린 집합체(integrin family)의 결합은 혈관내피세포 사이를 백혈구가 빠져나갈 수 있도록 백혈구의 형태를 변화시키는 데에도 관여하는 것으로 알려져 있다. 마지막으로 혈관내피세포 사이로 백혈구가 누출되는 과정은 단핵구 화학주성 단백(monocyte chemotactic protein, MCP)-1, C5a, IL-8과 같은 염증매개물질의 영향을 받는다.

## 2) 과립구

과립구(granulocyte)는 골수에서 만들어져 성숙된 후, 말초혈액으로 나와 돌아다니다가 전신 조직 속으로 퍼져 자신의 기능

을 수행한 다음 사멸한다. 골수구(myelocyte) 단계부터 각 세포의 특이한 과립이 나타나 염색되는 성질에 따라 중성구(neutrophil), 호산구(eosinophil), 호염기구(basophil)로 분류할 수 있다.

## (1) 중성구

중성구는 외부 이물질에 대한 첫 번째 방어를 담당하는 세포로서 대부분의 급성 및 일부 만성염증 질환에서 주로 나타나는 세포이다. 혈액 내 백혈구 중 가장 많은 비율을 차지하며 급성 염증 시에는 80% 이상까지 증가하는 경향을 보인다.

중성구의 주요기능은 살균작용으로, 혈액을 순환하던 중성구는 화학주성인자(chemotactic factor)에 의하여 활성화되어 수용체가 표면에 발현되고 이를 통하여 혈관내피세포에 부착한 후 내피세포를 통과하여 염증 부위로 이동한다. 중성구는 염증 부위에서 옵소닌화(opsonization, 항체 또는 보체와 결합)된 세균을 CD16, CD32와 같은 면역글로불린(immunoglobulin, Ig-G)의 Fc 수용체, 또는 특정 보체 단백질에 대한 수용체를 통하여 탐식한다. 그 이후 탈과립이 일어나면서 살균작용을 가속화한다. 그뿐만 아니라 중성구는 혈액응고계를 활성화시키고, 시상하부(hypothalamus)에 작용하여 발열반응을 유발하기도 한다.

## (2) 호산구와 호염기구

호산구는 표면에 IgE와 히스타민(histamine)에 대한 수용체를 발현하고, 화학쏠림인자에 의하여 자극된다. 직접적으로 탐식작용을 하지는 않으나, 세포내의 과립을 통하여 주로 회충과 같은 보다 큰 기생충을 죽이는 데 중요한 작용을 하는 것으로 알려져 있다. 또한, 비만세포(mast cell)에 의한 과민성 반응과 비면역성 염증반응을 완화시켜서 조직 손상을 방어하는 기능도 가지고 있다. 호산구가 비정상적으로 활동할 경우 심각한 염증성 병변을 일으키는데, 예를 들면 천식, 호산구성폐렴, 호산구육아종증다발혈관염(eosinophilic gramulomatosis polyangiitis, EGPA) 등의 질환을 일으킬 수 있다. 호염기구는 과립구 중에서 가장 적은 수를 차지하며 호산구와 유사한 수명을 갖고 조직에서의 운명은 잘 알려져 있지 않다.

## (3) 비만세포

통상적으로 과립구로 분류되지는 않으나, 이들도 많은 과립

을 가지고 있다. 이들은 호산구와 호염기구보다는 긴 수명을 가지며 염증반응이나 재생과정 중에 국소 조직에서 분열, 증식한다. 호염기구와 함께 비만세포는 히스타민 등 염증매개체를 생산하여 과립 내에서 저장하고 있다가 세포막의 수용체에 결합된 IgE에 특이 항원이 결합하면 아나필락시스형 탈과립(anaphylactic degranulation)이 발생하여 즉각적인 과민반응을 유발한다. 또한 비특이적 급성 염증반응에도 관여한다. 최근 동물실험 결과를 보면 류마티스관절염의 병태생리에도 중요한 역할을 하는 것으로 알려져 있다.

## 3) 대식세포

단핵구(monocyte)가 혈액을 순환하다가 조직으로 이동하면 대식세포(macrophage)로 분화하게 된다. 이들은 조직 대식세포로 분화하여 긴 수명을 갖게 되는데 어떤 대식세포는 간의 쿠퍼세포(Kupffer cell), 피부의 랑게르한스세포(Langerhans's cell) 등과 같이 특별한 조직에 적당한 기능을 갖게 된다. 예를 들면 간에서 발견되는 특수화된 포식세포인 쿠퍼세포는 죽거나 손상된 적혈구, 그리고 다른 불필요한 물질들을 혈액 내에서 제거하는 역할을 하고, 폐포에 있는 대식세포는 미립자나 미생물이 없도록 공기주머니를 신선하게 지키는 일을 맡고 있기도 한다. 대부분의 염증반응에서 가장 초기 단계에 일어나는 일은 바로 각 조직에 있던 대식세포의 활성화이다.

활성화된 대식세포가 분비하는 사이토카인들은 앞에서 언급한 혈관내피세포의 흡착력에 영향을 주거나 혈관의 수축 정도 등에 영향을 준다. 대식세포의 표면에는 많은 수용체를 가지고 있어서, IFN-γ, 보체화합물, 각종 사이토카인(IL-1β, TNF-α, IL-6, IL-12, 기타 다른 염증매개물질들)에 의해 활성화된다. 이렇게 활성화된 대식세포는 단백분해효소, 염증사이토카인, 화학쏠림인자, 보체단백질 등 많은 종류의 염증 유발 물질을 분비한다. 또한 대식세포는 적응면역반응을 유발하는 항원제시세포(antigen presenting cell, APC)로서 역할도 수행하는데, 항원을 탐식하고 난 이후에 세포표면에 주조직적합복합체(major histocompatibility complex, MHC) 분자와 함께 항원 펩타이드를 제시하여 T세포가 항원을 쉽게 인식할 수 있도록 돕는다.

### 4) 림프구

혈액에서 발견되는 작은 세포로, 비-자기 물질에 대해 방어기능 역할을 하고 조직을 순환하여 림프로 돌아온다. 특히 림프구는 분화된 표면수용체를 통해서 개별 항원을 인지하는 능력, 동일한 특이성을 가진 많은 세포들로 분화하는 능력, 긴 수명 등의 특성을 갖추고 있어 이상적인 적응면역반응의 세포가 될 수 있다. 림프구는 중요한 두 개의 집단, 즉 T와 B세포로 나눈다. B세포는 면역글로불린이라고 불리는 단백질을 분비하여 면역학적 역할을 수행한다. 이러한 B세포는 특이 항원에 대한 수용체를 세포 표면에 가지고 있는데, B세포 표면에 존재하는 면역글로불린 분자들이 수용체의 역할을 담당한다. T세포는 혈액 내 림프구의 대부분을 차지하며 골수에서 형성돼 혈액 내로 들어간다. T세포 아형은 기능에 따라 서로 다른 세포표식 단백(clusters of differentiation, CD)을 갖는데, 예를 들면 도움T세포(helper T cell)는 대개 CD4을 나타내고 억제T세포(suppressor T cell)는 CD8을 나타낸다. 대부분 T세포는 자유항원(free antigen)을 인식하지 못하며, 다른 세포의 표면항원만을 인식한다.

### 5) 혈소판

혈소판은 작고, 핵이 없는 순환세포로 주로 지혈작용에 관여한다. 혈관이 손상될 경우 혈소판은 혈관내피세포와 빠르게 부착하여 혈소판 응집 및 혈전 형성을 유도한다. 혈소판은 탈과립화를 통해서 혈전 과정을 촉진하는데 특히 주위 혈관에 미리 형성된 인자를 α-과립이나 농축 과립으로부터 분비하여 혈전 과정을 돕는다. 혈소판 과립은 이러한 응고인자뿐만 아니라, 화학주성인자(RANTES, MCP-3, MIP-1α), 성장인자(PDGF와 TGF-β), 히스타민, 세로토닌과 같은 염증매개물질을 다수 포함하고 있다. 염증반응 시 혈소판은 활성화되어 과립 안에 가지고 있던 염증매개물질을 분비하거나, 혈관내피세포와 직접적으로 작용하여 염증에 참여하게 된다. 또한 활성화된 혈소판에서는 트롬복산(thromboxane) A2와 같은 아이코사노이드(eicosanoid)를 생산하기도 한다.

### 6) 그 밖의 혈액응고와 염증과의 관련성

염증은 여러 방법을 통해 혈액응고를 촉진한다. 조직인자(tissue factor)는 패혈증이나 죽상동맥경화증과 같은 염증상황에서 대식세포에 의해 분비되어 트롬빈(thrombin) 형성을 자극한다. 실제로 단클론항체를 이용해 이 조직인자를 저해하면 실험적 내독소혈증(endotoxemia)에서 혈액응고 활성도를 억제하는 것으로 알려져 있다. 또한 전신적인 염증 상황 시 안티트롬빈(antithrombin)과 단백질-C와 같은 인자의 영향으로 항응고과정이 억제되고 섬유소용해가 억제되기도 한다. 즉, 염증과 혈액응고 과정은 긴밀한 상호관계가 있으므로 혈액응고 과정에 대한 이해가 전신적 염증질환의 치료에 이용될 수 있다.

## 염증매개물질

무수히 많은 염증매개물질이 염증과정에 참여한다. 이러한 매개 물질은 앞에서 언급한 염증세포나, 혈장 단백질, 신경조직과 혈관내피세포와 같은 조직세포 등에 의해서 분비된다. 그 중에서 중요한 매개물질들에 대해서 알아보도록 하겠다.

### 1) 보체계

보체계(complement system)는 인체의 항원-항체 면역반응을 조절하는 체액물질로서 화학적 및 면역학적으로 다른 20여 종류의 혈청단백질로 구성되어 있다. 보체계는 하나의 반응산물이 효소 작용을 하여 다음 반응을 촉매하는 다단계반응(cascade)계를 형성하고 있다. 연속적으로 활성화된 보체요소들의 조합으로 활성화된 단위체가 만들어지면, 몇 가지 중요한 작용을 하게 된다. 첫 번째로 염증반응을 활성화하는 펩타이드를 방출하고, 두 번째로 강력한 부착-옵소닌 물질인 C3가 세포막에 부착하여 포식작용을 유도하며, 세 번째로는 생체 내의 세포 및 박테리아, 바이러스 등의 병원체에 대한 용해작용을 일으킨다. 이 모든 작용이 우리 몸의 방어에 중요한 역할을 하고 있으므로 몇몇 보체요소들의 결손이 생기면 심한 감염, 특히 세균감염에 쉽게 노출될 수 있다. 보체는 두 개의 다른 활성경로인 고전적 경로(classical pathway)와 대체 경로(alternative pathway)를 따라 활성화될 수 있다.

#### (1) 고전적 경로

고전적 경로의 시작은 IgM과 IgG의 일부가 항원에 부착될 때 C1q에 의해 인식되면서 시작되고, C1q는 C1r과 C1s와 결합해 최초의 esterase를 형성한다. 이후 일련의 보체활성 단계를 거치게 되면 결국에는 C5가 C5a와 C5b로 분리된다. C5a는 강력한 화학쏠림인자로 비만세포, 다형핵 백혈구, 평활근에 작용하여 염증반응을 촉진한다. C5가 활성화되면 탐식세포로 하여금 항체와 결합한 항원 또는 세균들을 잡아먹게 하는 화학물질을 만들어 내고 항원을 잡아들인 대식세포들은 항원을 죽이거나 파괴한다. 이후에는 C6, C7, C8, 그리고 C9가 연속적으로 활성화되어 복합체인 C5b6789를 형성하고 이는 세포막지질에 삽입되어 '막파괴복합체(membrane attack complex, MAC)'를 형성하여 세포막을 녹여 파괴시킨다.

### (2) 대체 경로

대체 경로는 고전적 경로 과정이나 백혈구의 단백효소 및 혈청 응혈인자들의 작용에 의해서 생성된 C3b 또는 C3와 물분자가 결합 반응한 hydrolyzed C3가 다른 세포나 인자(factor) B와 결합 반응하여 활성화된다. C3b와 결합한 factor B는 단백질 분해효소인 D에 의하여 Bb로 분해되고, C3bBb복합체는 C3 분해효소로 작용하여 C3b 생성을 증가시킨다. 대체 경로가 고전적 경로와 구분되는 뚜렷한 차이는 칼슘이온에 대한 의존도가 없고 C1, C2, C4 구성요소가 필요하지 않아 특이적 항원-항체 반응이 없다는 점이다. 지질다당류(lipopolysaccharide), 세균 생산물들, 화학물질들뿐만 아니라 면역글로불린도 이 과정에 참여하여 C3 전환을 개시할 수 있다. 이후 후속단계는 야기된 면역반응이 고전적 경로 혹은 대체 경로에 관계없이 동일한 활성화 과정을 밝는다.

### 2) 지질매개체

아라키돈산 유도체(arachidonic acid derivates)는 동물뿐 아니라 다수의 식물에 포함되어 있는 다 불포화지방산(polyunsaturated fatty acid, PUFA)의 산화물로서 많은 종류가 존재한다. 아라키돈산이 여러 경로에 의해 산화되면서 다양한 아라키돈산 유도체를 생성해 내는데, 어떤 종류로 생성되느냐는 세포의 종류, 세포의 성질, 세포자극 양상 등과 같은 다양한 인자에 의해 결정된다. 아라키돈산의 산화과정을 통해 생산되는 생화학적 지질매

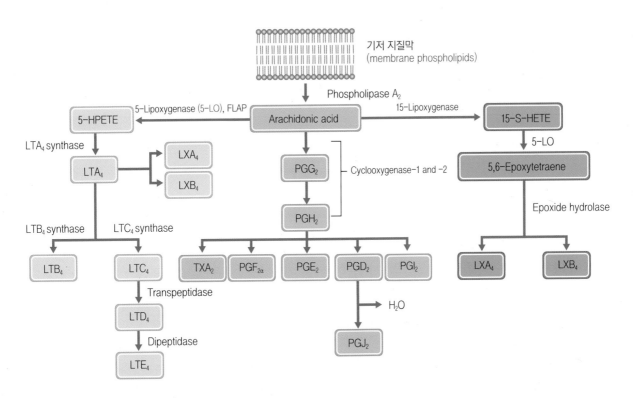

그림 10-2. **아라키돈산 대사에서 cyclooxygenase 경로와 lipoxygenase 경로** 아라키돈산은 세포막지질에서 phospholipase A2에 의해 생성된다. 세 가지 그룹—prostanoids, leukotrienes, lipoxins—이 아라키돈산으로부터 여러 효소들의 작용으로 생성된다.
PG, Prostaglandin; LX, lipoxins; 5-HPETE, 5-hydroxyeicoxapentaenoic acid; LT, Leukotrine; FLAP, 5-lipoxygenase-activating protein.

개체로 프로스타글랜딘(prostaglandins, PGs)과 류코트리엔(leukotrienes, LTs), 항염증 리폭신(lipoxins) 등이 이에 해당된다(그림 10-2).

프로스타글랜딘은 cyclooxygenase(COX)-1, cyclooxygenase(COX)-2에 의해 여러 종류가 생성되는데 그 중 가장 일반적이며 염증반응에 가장 중요한 역할을 하는 것은 PGE2이다. PGE2는 발열을 일으키고, 평활근을 수축시키며, T세포의 이동을 촉진하기도 하고, PGI2를 통해 급성 염증기에 혈관확장을 촉진하거나 혈관투과성을 증가시킨다. 실제로, 류마티스관절염 환자나 퇴행성관절염 환자의 관절액과 혈액 내에 PGE2의 생성이 증가하여 뼈의 손상 등을 야기한다는 보고도 한다.

트롬복산 A2 (thromboxane A2, TXA2)는 강력한 혈소판 활성제일 뿐만 아니라 혈관수축과 평활근 수축을 유발한다. 류코트리엔 B4 (leukotriene B4, LTB4)는 급성 염증 시에 가장 중요한 류코트리엔으로서 백혈구를 활성화시킬 뿐만 아니라 백혈구 수명도 증가시킨다. 또한 중성구나 대식세포의 가장 강력한 화학쏠림인자로 작용하며, 혈관내피세포와의 부착도 용이하게 한다. Lipoxins은 염증반응 시 세포와 세포 간의 결합과정에서 생성되는 것으로 알려져 있으며 염증세포의 증식을 막고 백혈구와 혈관내피세포의 결합을 방해하는 등의 항염증효과를 나타내는 것으로 알려져 있다.

### 3) 혈관아민

혈관아민(vasoactive amine)인 히스타민과 세로토닌 등 저분자량 아민은 중요한 염증 매개체로서, 여러 가지 수용체 아형에 작용하여 복잡한 생리적, 병리적 효과를 나타낸다. 대부분의 조직에 존재하는 히스타민은 비만세포나 호염기구 내의 과립 내에 결합 형으로 존재하다가 여러 자극들에 의해 비만세포 내의 히스타민 유리가 촉발되어 유리형 아민으로 주위 조직에 작용하게 된다. 히스타민은 수용체와 작용하여 즉각적인 과민반응 및 혈관 확장, 모세혈관 투과성 증가를 유도한다. 세로토닌은 혈액에서는 혈소판에 존재하며 혈관수축과 혈관투과성을 증가시킨다. 또한, 섬유모세포에 의한 콜라겐 합성을 증가시켜서 섬유화를 증가시키고, 신경전달물질로서의 역할도 수행한다.

## 염증과 관련된 신경계

신경계와 면역계는 긴밀한 관계를 이루고 있어서 염증반응 시 둘 사이에 끊임없는 소통이 이루어진다. 신경계는 말초에 염증이 발생하면 감각신경을 통해서 이를 인지하게 되고 즉각적으로 다양한 염증매개물질을 통해서 면역계에 참여하게 된다. 이 때 신경계는 신호전달 방법에 따라서 항염증 효과를 나타내기도 하고, 반대로 오히려 염증을 유발하기도 한다.

### 1) 자율신경계

미주신경의 부교감신경 가지와 교감신경 가지는 면역을 담당하는 비장, 임파선, 흉선, 골수 등과 같은 주요기관들과 시냅스를 이루고 있다. 이 끈끈한 둘 사이의 연결을 바탕으로 외부자극에 아주 빠르게 반응할 수 있다. 부교감신경은 외부자극이나 여러 원인에 의해서 염증이 발생하게 되면 염증매개물질이 분비되어 부교감신경이 활성화된다. 그 결과로 대식세포와 혈관내피세포에서 강한 항염증작용을 나타낸다고 알려진 아세틸콜린을 분비하게 된다. 실험실 연구에서 아세틸콜린은 대식세포에서 TNF-α, IL-1β, IL-18과 같은 염증반응에 주요한 사이토카인의 분비를 억제하고, 반대로 항염증반응에 작용하는 IL-10과 같은 사이토카인의 합성을 증가시키는 것으로 알려져 있다. 교감신경은 노르에피네프린을 분비하는데, 이는 대부분의 염증세포에 있는 α1-, α2-, β-수용체 등에 작용한다. 염증세포의 α수용체와 결합할 경우에는 대부분 항염증효과를 나타내지만 β수용체와 결합할 경우는 반응하는 염증세포에 따라 상반된 효과를 나타내기도 한다.

### 2) 말초신경계

말초신경계는 브라디키닌(bradykinin), 히스타민, 세로토닌 같은 유해자극에 반응하여 통증신호를 전달할 뿐 아니라 신경말단에서 염증매개물질을 분비한다. 신경펩타이드(neuropeptide)로 알려진 이 염증매개물질은 초기 염증반응 시에 혈관수축과 모세혈관의 투과성을 증가시키는 중요한 역할을 한다. 이러한 신경펩타이드의 영향으로 염증 부위의 부종, 열감, 발적 등의 초기 염증반응이 나타나게 된다. 뉴로키닌(neurokinin)으로 알려진 P물질(substance P)은 말초신경계와 중추신경계에 존재하면서 통증신호를 전달하는 역할을 하지만, 표적세포의 NK-1 수용체에 작용할 경우 세동맥에서 혈관을 확장시키고 혈관 투과성을 증가시켜 부종을 증가시키고 염증세포에 작용하여 여러 사이토카인과 화학쏠림인자의 분비를 촉진하는 등 염증반응을 촉진시킨다. 실제로 류마티스관절염, 염증장질환, 천식 등 염증질환에서 증가된 수치를 확인할 수 있다. 이 밖에도 염증 촉진과 염증 억제에 모두 작용하는 신경펩타이드 Y (neuropeptide Y), 항염증효과를 나타내는 사이토카인의 분비를 촉진하는 vasoactive intestinal peptide (VIP) 등이 있다.

## 3) 신경내분비계

시상하부-뇌하수체-부신의 축을 통해 두뇌에 연결되어 있는 호르몬 시스템인 내분비계의 조직은 몸의 환경변화에 대한 정보를 끊임없이 받으면서 호르몬 분비와 억제를 반복한다. 시상하부와 뇌하수체로부터 부신피질자극호르몬(ACTH) 자극에 의해 알도스테론(aldosterone), 하이드로코티손(hydrocortisone) 등과 같은 소금과 물의 균형과 단백질, 탄수화물의 대사를 조절하는 호르몬을 분비하는데, 이 하이드로코티손과 합성 유도체들은 강력한 항염증 효력을 나타낸다. 또한 교감신경에 의해 자극된 부

신수질에서는 노르아드레날린과 유사한 효과를 가지면서 보다 오래 지속되는 아드레날린(에피네프린)을 분비한다.

📑 **참고문헌**

1. Burg ND, Pillinger MH. The neutrophil: function and regulation in innate and humoral immunity. Clin Immunol 2001;99:7-17.
2. Geppert TD, Lipsky PE. Antigen presentation at the inflammatory site. Crit Rev Immunol 1989;9:313-362.
3. Hochberg MC, Silman AJ, Smolen JS, Weinblatt ME, Weisman MH, eds. Rheumatology. 6th ed. Mosby; 2015.
4. Klippel J, Stone JH, Crofford LS, White PH, eds. Primer on the Rheumatic Diseases. 12th ed. Arthritis Foundation; 2001.
5. Levi M, van der Poll T, Buller HR. Bidirectional relation between inflammation and coagulation. Circulation 2004;109:2698-2704.
6. Liu Y, Shaw SK, Ma S, Yang L, Luscinskas FW, Parkos CA. Regulation of leukocyte transmigration: cell surface interactions and signaling events. J Immunol 2004;172:7-13.
7. McMahon B, Godon C. Lipoxins: endogenous regulators of inflammation. Am J physiol Renal physiol 2004; 286:F189-F201.
8. Wardlaw AJ, Moqbel R, Kay AB. Eosinophils: biology and role in disease. Adv Immunol 1995;60:151-266.

# 11

# 류마티스 질환과 유전

한양의대 **이혜순**

## KEY POINTS 🔒

- 대부분의 류마티스 질환은 다수의 유전형질과 환경인자의 상호 작용에 의하여 생기는 다인자질환이다.
- 가족연구를 통한 상대적 위험도 및 유전율을 고려하면 류마티스 질환은 비교적 강한 유전적 영향을 받음을 알 수 있다.
- 유전학 연구의 궁극적 목표는 이를 이용한 질병의 진단과 예측, 발병기전 연구, 예후 예측, 약물효과 및 부작용 예측, 신약개발 등의 다양한 임상적 유용성에 있다.
- 유전적 다형성, 연쇄불균형 등의 중요한 유전학 기본적 지식을 이해해야 현대 유전학 연구의 이해가 가능하다.
- 인간 게놈 프로젝트, HapMap 프로젝트, 1,000/10,000 게놈 프로젝트 등으로 인간유전체 염기서열 및 변이정보가 확보되고 있다. 이들 정보를 최신 유전체 연구 기술과 접목하여 류마티스 질환을 비롯한 복합유전질환의 연관유전자 발굴 연구가 전 세계적으로 매우 활발하게 이루어지고 있다.
- 단일염기다형성을 이용한 전장 유전체 연관성을 통하여 수백 개의 류마티스 질환 연관유전자들이 발굴되었다.
- 다수의 연관유전자들이 다수의 자가면역질환과 공통적으로 연관되어 있으며 이는 자가면역질환들이 부분적으로 공통 병리기전을 갖고 있음을 시사한다.
- 인종별로 유전적 이질성이 존재하여 각 류마티스 질환의 감수성 유전인자들은 인종 간 공통적인 것과 차이를 보이는 것으로 구분된다.
- 주조직적합복합체는 다양한 자가면역질환에서 가장 강력한 유전자들이 분포하고 있는 영역으로서 매우 높은 유전적 다형성과 광범위한 연쇄불균형을 가지고 있는 특징적인 영역이다.

## 서론

21세기 들어 유전학 기술이 매우 빠르게 발전함에 따라 의학유전학(medical genomics)도 지속적으로 발전하고 있다. 의학유전학은 선천성 유전질환이나 멘델리안 유전질환에 국한되지 않으며 우리가 흔히 접하는 성인 질환, 즉 동맥경화증, 당뇨병, 알츠하이머병, 정신질환, 암 그리고 자가면역질환에서도 활발히 연구되고 있다. 이러한 연구들은 질병을 일으키는 유전적 소인을 밝힐 뿐만 아니라 그동안 알지 못했던 새로운 병인에 대한 가설 및 관련세포와 표적물질들을 제시하기도 한다. 또한 한 발 더 나아가서 새로운 치료제의 개발, 정밀의학, 예방의학 등에 활용하고자 하는 실용적인 유전학 연구들도 매우 활발히 이루어지고 있다. 류마티스 질환도 국내외 연구자들에 의하여 최근 20여 년간 새로운 연관유전자들이 많이 보고되었다. 아직까지 류마티스 질환의 진단과 치료에 유전학 연구성과를 적용한 예는 많지 않지만 머지않아 이들 결과를 진단, 예측, 치료제 선택, 선제적 치료(pre-emptive therapy) 등에 활용할 수 있는 날이 도래할 것이라고 예측된다.

본 장에서는 개별적인 질환에 대한 자세한 내용보다는 현재 시점에서의 전반적인 류마티스 질환 유전학 현황을 기술하려고 하며 이것을 이해하기 위한 기초적인 유전학 관련 개념에 대하여 소개하려고 한다.

## 유전적 소인과 류마티스 질환 발생과의 연관성

대부분의 류마티스 질환은 다수의 유전형질과 환경인자의 상호작용에 의하여 생기는 다인자질환이다. 그 중에서 류마티스관절염, 전신홍반루푸스, 강직척추염 등이 유전적 소인이 강한 질환으로 유전학 연구가 상대적으로 많이 이루어졌다. 또한 그 동안 유전적 소인보다는 환경적 요인이 중요한 인자로 알려졌던 골관절염, 통풍 등의 질환들도 최근 유전적 소인이 있음이 밝혀지고 있다.

### 1) 가족 및 쌍둥이 연구를 통한 유전적 위험도 추정

다수의 유전자가 질병 발생에 관여하는 다유전자적 질환에서 유전적 소인이 얼마나 질병에 영향을 주는지 알아보기 위하여 주로 가족 및 쌍둥이 연구가 이용된다. 즉 유전적으로 동일한 일란성 쌍둥이, 또는 유전적으로 50% 동일한 형제자매(sibling)(이란성 쌍둥이 포함)에서 같은 질환이 발생할 수 있는 확률이 얼마나 되는지를 조사하는 것이다. 이러한 가족 내의 발생 위험도를 일반인의 발생 위험도와 비교하여 숫자로 나타낸 것이 상대적인 위험도이며 λs 와 λmz를 구하는 식은 아래와 같다.

$\lambda s$ = Disease prevalence in siblings of affected individuals/Disease prevalence in general population

$\lambda_{mz}$ = Disease prevalence in monozygotic twins of affected individuals/Disease prevalence in general population

정확한 λs와 λmz를 구하기 위해서는 계산식에서의 분모와 분자, 즉 쌍둥이 또는 형제자매에서의 유병률과 일반인에서의 유병률이 정확해야 한다. 하지만 류마티스 질환의 경우 대단위 일반인을 대상으로 유병률을 구하기 위한 역학연구가 현실적으로 쉽지 않으며 류마티스 질환 간의 정확한 구분이 쉽지 않은 점 등으로 연구자마다 보고하는 숫자가 상이하다. 아직까지 한국인을 대상으로 한 자료는 없어 서양인 자료를 참고하면 대부분의 류마티스 질환들은 10-20 정도의 λs 이보다 훨씬 높은 λmz를 보이고 있어 유전적 소인이 질병 발생에 매우 중요한 요인임을 알수 있다(표 11-1).

강직척추염의 예를 들면, 강직척추염 환자의 형제자매는 병

#### 표 11-1. 자가면역질환 발생의 상대적인 위험도

| 질환 | $\lambda_s$ | $\lambda_{mz}$ |
|---|---|---|
| 제1형당뇨병 | 15 | 60 |
| 류마티스관절염 | 3-19 | 20-60 |
| 연소형 특발성 관절염 | 15-20 | 250 |
| 전신홍반루푸스 | 20-40 | 250 |
| 강직척추염 | 54 | 500 |

에 걸릴 확률이 일반인에 비하여 54배 높으며 만약 일란성 쌍둥이 중 한 명이 강직척추염이라면 다른 사람도 이 병에 걸릴 확률이 일반인에 비하여 500배 정도 높다는 것으로서 질병 발생에 강한 유전적 소인이 관여함을 알 수 있다.

### 2) 유전율

Heritability ($h^2$) = ($V_{DZ}$ − $V_{MZ}$)/$V_{DZ}$ 또는 $h^2$ = ($r_{MZ}$ = $r_{DZ}$)/(1−$r_{DZ}$)

V: 구성원 사이의 질환 발생의 표준편차의 제곱 즉 분산(variance)을 뜻함
r: 구성원 사이의 질환 발생의 상관계수
DZ, dizygotic; MZ, monozygotic

유전율(heritability, $h^2$)이란 환경적인 요인을 배제한 상태에서 유전자형의 변이로 인하여 형질변이(키, 몸무게 등) 또는 질환이 발생하는 비율을 의미한다. λmz과 λs는 유전적 변이를 공유하는 쌍둥이 또는 형제자매에서 그 질환이 얼마나 더 자주 발생하는지를 일반인과 비교한 것이다. 그러나 가족 간에는 환경적 인자도 공유하고 있으므로 정확한 유전적 영향을 반영하지 않는다는 단점이 있다. 따라서 이런 환경적 요인을 배제하기 위하여 일란성 쌍둥이와 이란성 쌍둥이 자료를 서로 비교하여 유전적 일치율이 높은 일란성 쌍둥이에서 질환이 얼마나 더 잘 발생하는지를 계산하여 유전율을 구할 수 있다.

류마티스관절염의 예를 들어서 설명하면, 류마티스관절염의 유전율은 대략 60% 정도로 알려져 있다. 이는 2000년 McGregor 등이 일란성 쌍둥이와 이란성 쌍둥이 자료를 비교하여 산출한 것으로서 지금까지 모든 류마티스관절염 유전학 논문에 인용되고 있는 수치이다. McGregor 등은 기존에 발표된 핀란드와 영국

의 쌍둥이 자료를 이용하여 유전율을 산출하였다. 일란성 쌍둥이에서 류마티스관절염의 발생일치율(concordance)은 12.3%(핀란드)와 15.4%(영국)이었으며 이란성 쌍둥이에서는 각각 3.5%와 3.6%이었다. 유전적으로 동일한 일란성 쌍둥이의 발생일치율이 15.4%라는 사실은 류마티스관절염의 유전율이 15.4%라는 것을 뜻하는 것은 아니다. 왜냐하면 이 수치는 일반적으로 유병률이 높을수록 유전적 소인과 상관없이도 높게 나올 수 있는 수치이므로 이란성 쌍둥이의 일치율과 비교를 해야 한다. 즉 위의 계산식처럼 일란성 쌍둥이와 이란성 쌍둥이 집단의 류마티스관절염 발생에 대한 분산을 비교하여 산출하게 되면 유전율이 15%가 아니라 약 60%가 된다. 결론적으로 류마티스관절염은 유전적 소인이 약 60% 정도 기여하여 발생하는 비교적 강한 유전적 기반을 갖는 질환임을 알 수 있다. 강직척추염의 경우는 이와 비슷한 방법으로 계산하게 되면 약 90% 정도로 류마티스관절염보다 훨씬 강한 유전적 영향을 받는 질환임을 알 수 있다. 최근에는 전장유전체 분석을 통하여 얻어진 유전체 정보를 분석하여 유전율을 구할 수 있으며 일반적으로 쌍둥이 연구를 통하여 얻은 값보다 낮게 측정되는 것으로 알려져 있다.

## 유전학 연구방법

류마티스 질환과 같은 복합유전질환의 원인 유전자를 찾기 위한 연구는 우선 어떠한 사람들을 대상으로 하느냐에 따라서 가계연구와 환자-대조군 연구로 나눌 수 있다. 과거에는 가계연구를 이용한 연쇄연구를 통하여 미지의 유전인자를 찾으려는 노력이 수행되었으나 현재는 이런 연구는 소규모 연구를 제외하고는 잘 이루어지지 않고 있다. 왜냐하면 류마티스 질환은 소아 유전질환과는 달리 환자의 가족을 모으기가 쉽지 않은 점 때문이기도 하고, 최근 개발된 유전체 연구 기술의 발달로 대단위 환자-대조군 연구가 더 용이해졌기 때문으로 해석된다.

### 1) 가계연구

2명 이상의 형제-자매가 해당 질병에 이환된 가계(affected siblings pair)를 이용하여 전체 염색체를 대상으로 미지의 질병관련 유전자가 위치하는 부위를 찾아가는 방법으로 전장유전체연

쇄 연구(genome-wide linkage study)가 있다. 과거에는 수백 개의 현미부수체(microsatellite) 표지자를 유전자 마커로 이용하였고 최근에는 수천 또는 수만 개의 단일염기다형성(single nucleotide polymorphism, SNP) 표지자를 이용하고 있다. 즉 병이 있는 형제-자매에서 높은 빈도로 공유하는 유전자 마커를 찾아서 이 마커와 연쇄되어 있는 질병관련 유전자 또는 좌위를 찾아가는 방법이다. 이 방법은 기존에 알려진 후보유전자와는 상관없이 새로운 질병관련 유전자가 위치하는 부위를 찾아낼 수 있다는 장점이 있지만 통계학적으로 의미 있는 영역을 찾아내기 위해서는 최소 수백 쌍의 가족을 수집해야 하는 어려운 방법이다. 이러한 연쇄연구를 이용하여 발굴된 유전자의 예로는 류마티스관절염의 후보유전자인 STAT4 가 있다.

전파불균형(transmission disequilibrium test, TDT) 연구는 환자와 부모를 포함하는 Trio 가계를 대상으로 하는 연구이다. 부모로부터 자녀에 유전된 대립유전자수를 유전되지 않은 대립유전자와 비교한다. 이때 연구에 사용된 유전자 마커가 질병관련 유전자와 연쇄불균형(linkage disequilibrium, LD) 상태에 있으면 마커 대립유전자가 환자에게 유전되는 빈도가 증가하게 되며 이를 이용하여 질병관련 유전자를 찾아내는 연구 방법이다.

### 2) 환자-대조군 연관연구

가족 연구의 한계로 인하여 일반 인구 집단을 대상으로 특정 질병에 걸린 환자군과 그렇지 않은 대조군을 모아서 그 질환과 연관되어 있는 유전자를 발굴하는 환자-대조군 연구가 널리 사용되고 있다. 여기에는 후보유전자 연구와 전장유전체 연관연구(genome-wide association study, GWAS)가 있다. 과거에는 후보유전자 연구가 주로 이루어졌으나 최근에는 유전체 분석기술의 발달로 류마티스 질환에서도 GWAS 연구가 매우 활발히 이루어졌으며 그 결과 각 류마티스 질환 별로 수십-수백 개의 연관유전자들이 발굴되었다.

### (1) 후보유전자 연관연구

후보유전자 연관연구는 이미 알려진 병태생리학적인 지식을 바탕으로 관련이 있을 것으로 생각되는 후보유전자를 선정하여 그 유전자의 대립유전자 또는 유전자형(genotype)의 빈도를 환자군과 대조군에서 비교 분석하는 연구이다. 예를 들어 TNF-α

가 류마티스관절염 발생에 매우 중요한 물질이므로 이것을 코딩하는 TNF유전자의 특정 대립유전자를 환자군과 대조군에서 비교 분석하는 것이다. 이미 다형성이 알려져 있는 microsatellite나 SNP를 유전자 마커로 이용하거나 시퀀싱(direct sequencing)하는 방법이 있다. 비교적 방법이 쉽고 경제적이며 통계학적 검정력이 높아 국내외에서 수많은 연구가 시행되었다. 그러나 결과들이 지속적으로 다른 연구에서 재현되지 않는다는 문제점이 지적되고 있으며 이에 대한 이유로는 인종 및 민족간의 유전적인 차이, 임상적 다양성, 적은 대상환자 및 대조군, 적절치 못한 대조군의 선정 등이 제시되고 있다. 최근에는 전장유전체 연구에서 발굴된 연관유전자만을 대상으로 독립적인 또 다른 환자-대조군에서도 재현되는지를 보기 위한 연구가 주로 이루어지고 있다. GWAS 연구가 본격적으로 이루어지기 전에 이러한 후보유전자 연구를 통하여 인간백혈구항원(human leukocyte antigen, HLA) 및 *PTPN22* 등의 유전자들이 류마티스관절염, 루푸스 등의 다양한 류마티스 질환과 연관됨이 밝혀졌으며 이는 이후 진행된 GWAS 연구에서도 검증되었다.

### (2) 전장유전체 연관연구

2005년 이후로 다양한 질환을 대상으로 한 전장유전체 연관연구(genome wide association study, GWAS) 연구가 전세계적으로 매우 활발히 진행되었다. 전체 염색체를 대상으로 이미 알려져 있는 SNP들을 환자-대조군에서 조사하는 것이다. 골라진 SNP들은 chip으로 제작되어 실험되는데, 전체 유전체에서 얼마나 띄엄띄엄 골랐는지 촘촘히 골랐는지에 따라서 chip에 심어진 SNP의 수가 달라진다. 여기서 유의해야 할 것은 GWAS로 발굴된 유전자가 해당 질환의 '원인 유전자'인지 하는 것이다. 유전자와 질환과의 인과 관계를 검증하기 위해서는 주변 영역을 좀 더 정밀하게 분석하여 가장 유력한 후보 SNP를 찾아야 하며(fine mapping), 실험실 또는 동물실험 등의 후속 기능적 연구가 필요하다. 따라서 이러한 검증을 거치기 전까지는 GWAS를 통하여 발굴된 것은 '원인 유전자'라기보다는 '연관유전자'라고 부르는 것이 더 바람직하다.

### (3) 차세대유전체서열분석

2000년에 들어서면서 인간 게놈 프로젝트나 HapMap 프로젝트와 같은 굵직굵직한 연구 프로젝트의 성공과 함께 유전체 분석기술은 정말 놀랄 만한 발전을 지속적으로 이루어 내고 있다. 그 중에서도 차세대유전체서열분석(next generation sequencing, NGS) 기술들이 개발되면서 게놈 분석의 또 한 번의 혁명적 시대가 열렸다고 말할 수 있겠다. 전통적인 방법이었던 Sanger 분석법에 비하여 NGS기술을 이용하면 분석 속도가 수만 배 이상 빨라지게 된 반면 분석 비용은 10,000배 이상 줄어들었으며, 앞으로 이러한 염기서열 분석 시간과 비용의 감소는 지속될 것이다.

NGS기술은 분석하는 유전체 영역에 따라 몇 가지로 나눌 수가 있다. 우선 전체 유전체 모든 영역을 시퀀싱하는 것이 전장게놈분석(whole genome sequencing)이며, 엑손만을 뽑아서(capture) 시퀀싱하는 것을 전장엑솜분석(whole exome sequencing)이라고 한다. 또한 특정 유전자만을 대상으로 엑솜 시퀀싱하는 것을 후보유전자엑솜분석(targeted gene resequencing)이라고 부른다. 이러한 NGS 기술은 GWAS에서 발굴할 수 없는 비교적 드문 SNP들(rare variants: 1% 미만의 빈도)을 발굴할 수 있을 것으로 기대할 수 있으나 이를 위해서는 매우 많은 수의 질환군-대조군이 필요한 것이 연구의 단점이다. 아직 가시적인 결과가 나오지는 않았지만 향후 NGS를 이용한 질환 유전체 연구가 다양한 류마티스 질환에서 이루어질 것을 기대해본다.

## 유전학의 중요한 개념과 중요한 프로젝트

### 1) DNA의 구조

인간 유전정보의 가장 기본은 DNA로서 모든 단백질의 합성을 지시하는 암호가 포함되어 있다. DNA는 퓨린[아데닌(adenine, A)과 구아닌(guanine, G)]과 피리미딘[시토신(cytosine, C)과 티민(thymine, T)] 염기가 쌍을 이루어 구성된 두 개의 사슬들이 함께 감겨 있는 이중나선(double helix) 구조를 띠게 된다. 대부분의 DNA는 염색체에 존재하나 소수에서는 사립체 유전체(mitochondrial genome) 내에 존재한다(그림 11-1).

### 2) 유전자

유전자는 전사(transcription)를 통하여 RNA를 만들어내는

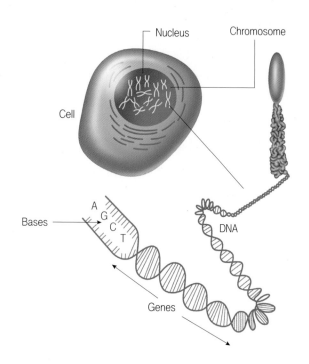

그림 11-1. 4개의 염기(A, G, C, T)로 이루어진 DNA, 이들의 기능적 단위인 유전자(gene)가 염색체(chromosome)를 구성하여 핵 내에 존재함을 보여주는 모식도

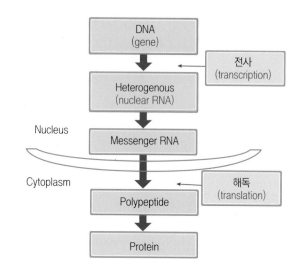

그림 11-2. Central dogma

DNA들의 기능적인 단위이다. '유전자(DNA)는 RNA를 만들고 RNA는 단백질을 만든다'는 것이 그 유명한 'central dogma'이다 (그림 11-2).

한 개의 유전자 안에서도 단백질 합성을 코딩하는 영역은 엑손(exon)이며 이는 전체 DNA의 약 3% 정도에 불과하다. 나머지

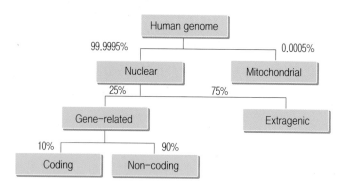

그림 11-3. Structural classes of human DNA

는 코딩하는 기능이 없는 인트론(intron)영역(엑손과 엑손 사이의 영역)과 유전자 외 영역 중에서 유전자 표현을 조절하는 부분으로 구성되어 있다(그림 11-3).

전체 DNA의 75%를 차지하는 유전자 외 영역 중에서 높은 반복성을 나타내는 부분에 microsatellite DNA나 minisatellite DNA가 포함되며 이는 사람에 따라 매우 다양한 반복되는 숫자를 보이므로 이를 이용하여 질병의 유전양상을 연구하거나 친자검사나 범죄과학수사에 이용되고 있다.

## 3) 유전적 다형성

유전적 다형성(genetic polymorphism)이란 유전자의 한 특정 부위(좌위, locus)에서 2개 이상의 다른 종류의 염기서열(이것을 대립유전자라고 함)이 존재하는 것을 말한다. SNP가 약 90% 정도로 가장 흔하고 이것 외에도 copy number variation (CNV), insertion-deletion (In-Del), microsatellite 다형성이 있다(표 11-2).

이들 유전적 다형성은 키, 몸무게 등 개개인의 모습에 영향을 줄 뿐만 아니라 당뇨병, 고혈압, 자가면역질환과 같은 질환의 감수성과도 관련된다. 또한 약물이나 물질 대사능력 등에도 영향을 주어 개인에 따른 약물의 반응성과 부작용이 다르게 나타난다. 현재 약 3,000만 개의 SNP가 존재하는 것으로 추정되며 이 숫자는 시퀀싱 연구로 새로운 변이들이 계속 발굴됨에 따라 증가하게 될 것이다.

## 4) 연쇄불균형과 일배체형

동일한 염색체상에 2개 이상의 유전자 변이(예: SNP1과 SNP2)가 존재하고 각 변이들이 2개 이상의 대립유전자를 가지

표 11-2. 인간 유전적 다형성의 종류

| 종류 | 정의 | 예 |
|---|---|---|
| 단일염기다형성(SNP) | 특정 부위의 한 염기가 사람에 따라 다른 종류를 가지고 있는 것을 말함. 예: 어떤 사람은 A(아데닌)를 가지고 있고, 어떤 사람은 C(시토신)를 가짐 | --GCAAGGTTA-- <br> --GCACGGTTA-- |
| copy number variation(CNV) | DNA의 일부분이 삭제되거나 복제(duplication)되어 사람마다 그 수가 다른 것을 뜻함. 반복되는 DNA의 크기는 대개 1,000 - 수백만 개임 | --AAG//TTA---------- <br> --AAG//TTA--AAG//TTA- |
| insertion-deletion (Indel) | DNA의 특정 염기가 삽입(insertion) 또는 삭제(deletion)되는 것을 말함 | --GCAA GGTTA-- <br> --GCAACGGTTA-- <br> --GCAAGGTTA-- <br> --GCAA GGTTA-- |
| microsatellite 다형성 | 반복적으로 배열되어 있는 일정한 길이의 염기서열의 반복수가 개인마다 매우 다양하게 존재하는것을 뜻함. 예: (CA)n, (TTA)n | |

고 있을 때 이론적으로 각 유전자 변이의 대립유전자 빈도는 서로 독립적일 것으로 생각되나 실제로 특정집단에서 기대치 이상으로 높은 빈도로 어울려서(비무작위적인 연관) 분포할 경우에 두 유전자 변이는 연쇄불균형(linkage disequilibrium, LD) 관계에 있다고 말한다. 이러한 LD관계에 있는 변이들은 각각 독립적으로 자손에게 전달되는 것이 아니라 이들이 포함된 영역이 동시에 자손에게 전달된다. 이 대립유전자들의 조합을 일배체형(haplotype)이라고 한다(표 11-3).

표에서 보듯이 두 좌위에 SNP1과 SNP2가 있고 각각의 대립유전자가 A/a와 B/b라고 가정한다면 만약 두 SNP가 서로 독립적으로 유전된다면(연쇄균형, linkage equilibrium) 4개의 가능한 haplotype 조합의 빈도는 25%로 동일할 것이다. 하지만 실제로 인구집단에서 AB haplotype의 빈도가 40%로 가장 높고 Ab haplotype이 10%로 가장 낮게 조사되었다면 SNP1의 A대립유전자는 SNP2의 B대립유전자와 LD관계에 있다고 말할 수 있다.

## 5) Tag SNP

LD관계에 있는 haplotype에서는 모든 SNP를 다 조사하지 않아도 특정 SNP만 알면 나머지 SNP를 추측할 수 있게 되는데, 이러한 대표적인 SNP를 그 haplotype의 tag SNP이라고 한다(그림 11-4). 그림 11-4에서 보는 것처럼 이미 알려져 있는 LD, haplotype, tag SNP 정보를 이용한다면 3개의 tag SNP만을 조사하여 나머지 17개의 SNP를 추정할 수 있게 된다. 이러한 기법을 'imputation'이라고 한다. LD, tag SNP, imputation 등은 GWAS 등의 질환 유전체 연구의 매우 중요한 개념이므로 이해가 필요하다.

표 11-3. 연쇄불균형(linkage disequilibrium)의 예시

| Haplotype 종류 | Haplotype 빈도 | |
|---|---|---|
| | Linkage equilibrium | Linkage disequilibrium |
| AB | 0.25 | 0.4 |
| Ab | 0.25 | 0.1 |
| aB | 0.25 | 0.2 |
| ab | 0.25 | 0.3 |

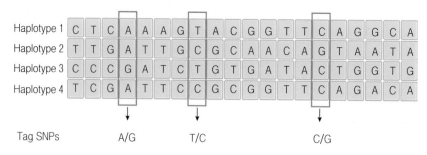

그림 11-4. 이미 알려져 있는 LD, haplotype, tag SNP를 이용하면 3개의 tag SNP만 조사하여 나머지 SNP들을 추정할 수 있음

## 6) 인간 게놈 프로젝트

인간 게놈 프로젝트(Human Genome Project)는 현대 유전체 연구에서 가장 중요한 역사적인 프로젝트로서 인간의 유전자를 해독하기 위하여 1990년에 야심차게 시작하여 2003년에 완성되었다(종료는 2006년). 이 거대 프로젝트를 통하여 인간의 유전자는 23,000-30,000개(이전에는 약 십만 개 정도로 추측되었음)로 생각보다 수가 적음을 알게 되었으며 총 30억 개 DNA의 완전한 서열이 완성되었다. 또한 유전체학의 눈부신 발전과 DNA 염기서열 분석기술이 가속적으로 발전하는 계기가 만들어졌다.

## 7) HapMap 프로젝트

인간 게놈 프로젝트의 성공적인 수행으로 인간 유전체 표준 서열을 알게 된 이후에 이를 이용한 체계적인 인간 유전체 변이 발굴이 가능해졌다. HapMap 프로젝트는 인간의 유전자 다형성, 주로 SNP의 분포를 파악하고 이를 이용한 일배체형 지도(haplotype map)를 조사하여 향후 질병관련 유전학 연구의 토대를 마련하고자 2002년 결성된 국제적 공동연구이다. 2005년에 Phase I 결과가 발표되었으며, 2007년 Phase II가 발표되었다. 백인, 중국인, 일본인, 아프리카인(나이지리아) 등이 포함되었으며 여기에서 얻은 연구결과를 토대로 유전학 관련된 과학기술이 매우 빠른 속도로 발전하게 된 매우 중요한 프로젝트이다. 이 연구를 통하여 약 300만 개의 SNP와 10,000여 개의 CNV에 대한 지도가 만들어졌으며 실제로 이를 이용한 GWAS 연구가 전 세계적으로 유행하게 된 기초를 제공하였다.

## 8) 1,000/10,000 게놈 프로젝트

1,000 (1K) 게놈 프로젝트는 약 1,000명의 개인별 유전체 서열을 NGS 기술로 분석하여 유전체 변이 지도를 만드는 국제 프로젝트이다. 이러한 대단위 데이터를 표준으로 하여 현재 많은 연구자들이 imputation 등의 유전학 연구를 수행하고 있다. 한국에서는 2020년 1,094명의 한국인 1,000 (1K) 게놈 프로젝트가 발표되었으며 최근 10,000 (10K) 게놈 프로젝트가 완료되어 한국인 유전체 연구의 reference panel로 유용한 자료를 제공할 것으로 기대된다.

## 류마티스 질환에서 유전학 연구의 필요성과 의의

지난 수십 년간 현대 의학은 질환 발생과 관련된 유전자를 밝히려는 노력을 지속적으로 하였다. 류마티스 질환도 이러한 노력의 결과로 HLA를 비롯한 수많은 연관유전자들을 발굴하였다. 이러한 유전자들을 이용하여 질병의 진단, 새로운 발병기전 제시, 치료타겟 발굴, 발병 및 예후 예측, 약제의 효과 및 부작용 예측, 그리고 맞춤치료 등에 유용하게 이용하고자 하는 것이 류마티스 질환 유전학 연구의 최종 목표가 될 것이다.

### 1) 진단

강직척추염을 비롯한 척추관절염 발생에 중요한 역할을 하는 것으로 알려진 HLA-B27은 임상적으로 진단에 매우 유용하게 사용되고 있다. 1973년 처음으로 강직척추염과의 연관성이 밝혀진 이후에 수많은 역학자료와 실험실 자료들을 통하여 HLA-B27이 발병기전 및 진단에 중요한 지표라는 것이 확립되었다. 이러한 연구결과를 바탕으로 최근 개정된 척추관절염 분류기준[Assessment of SpondyloArthritis international Society (ASAS) Classification Criteria for Axial Spondyloarthritis]에는 HLA-B27이 매우 중요한 위치를 차지한다. 따라서 45세 이하에서 만성적인 허리 통증을 호소하는 경우에는 HLA-B27 검사가 진단에 필수적이다. 또한 재발성 급성전방포도막염 환자에서 HLA-B27 양성인 경우의 약 80%에서 척추관절염과 연관된다는 보고도 있어 이런 경우에도 유용하게 사용될 수 있을 것이다.

## 2) 새로운 병리기전 제시

최근 유전학의 발전으로 HLA 유전자들이 위치하고 있는 주조직적합복합체(major histocompatibility complex, MHC) 영역 이외에도 다양한 non-MHC 영역 유전자들이 류마티스관절염, 전신홍반루푸스, 강직척추염 등의 질환에 영향을 주는 것으로 알려지고 있다. 이들 유전자들은 대부분 기존 병리기전에 포함된 것들도 있지만 그동안 간과되었거나 모르고 있었던 새로운 기전을 제시할 수 있는 것들도 있다. 따라서 유전학 연구는 관련 기전연구를 발전시키며 나아가서는 치료제의 개발로 이어지는 데 중요한 발판을 제공할 수 있다.

## 3) 치료타겟 발굴

GWAS를 통하여 발굴된 많은 연관유전자들 중에는 류마티스 질환의 중요한 치료타겟 물질과 관련된 경우가 있다. 예를 들면 류마티스관절염의 경우, *CTLA4* & abatacept, *IL6R* & tocilizumab, *TYK2* (JAK-STAT pathway) & JAK inhibitors가 있으며 강직척추염과 건선관절염의 경우 IL-17 & IL-23 pathway 관련 유전자와 sekukinumab 등의 치료제, 루푸스의 경우 interferon pathway 관련 유전자와 anifrolumab 등이 있다. 따라서 이러한 기존 효과적인 치료제와 유전적 연관성에 비추어 볼 때 유전학 연구를 통하여 새로운 치료타겟 또는 병리기전 등을 발굴하고 이를 신약개발의 기초자료 및 단서로 활용할 수 있을 것이다.

## 4) 고위험군 예측 및 예후 예측

구체적으로 임상에 적용되기 위해서는 많은 연구의 축적이 필수적이지만 다양한 유전인자의 위험도를 고려하여 일반인 또는 환자의 가족 내 구성원 중에서 고위험군을 선정할 수 있을 것이다. 류마티스 질환은 전적으로 유전인자만으로 발생하는 유전 질환이 아니라 환경인자와의 상호 복합작용에 의하여 발생하는 질환이다. 당뇨병이나 고혈압의 가족력을 갖고 있는 정상인이 운동과 식이요법을 통하여 질병에 이환되지 않도록 예방요법을 취하는 것처럼 류마티스 질환의 유전적 고위험군을 예측하고 이들을 대상으로 고위험 환경인자의 조절을 통하여 질병을 적극적으로 예방할 수 있을 것이다. 이를 위하여 류마티스 질환에 대한 고위험군 예측용 유전인자 마커들의 확립을 위한 유전학 연구가 필요할 것으로 생각된다.

유전자 마커들은 아직 질병이 생기지 않은 사람들 중 고위험군을 예측하는 것뿐만 아니라 질병 발생 이후에도 예후 예측인자로도 활용될 수 있을 것이다. 왜냐하면 같은 진단명을 가지고 있는 환자군에도 임상경과는 매우 다양하기 때문이다. 예를 들어 전신홍반루푸스의 경우 피부, 관절 증상 등의 경한 증상들만 나타나는 환자에서부터 루푸스신염 등의 심각한 장기 침범을 보이는 경우에 이르기까지 매우 다양한 임상양상 및 예후를 보인다. 이들을 예측하기 위하여 자가항체 프로파일 등이 임상적으로 사용되고 있으나 아직까지는 제한적이다. 따라서 유전적으로 좀 더 위중한 경과를 보일 것으로 예측되는 질병군을 선정할 수 있다면 보다 적극적인 치료여부를 판단하는 데에 도움이 될 것이며 이를 위하여 예후 결정 유전인자 연구가 필요할 것으로 생각된다.

## 5) 치료반응 예측 및 정밀의료

약물유전체 연구는 개인의 유전정보를 이용하여 개인별 약물반응을 분석하고 심각한 부작용을 예측하거나 약물반응 효과를 예측하도록 하여 효과적이고 부작용이 적은 적절한 약제를 선택하도록 하는 것이다. 이러한 약물유전체 연구는 미래의 개인별 맞춤치료를 위하여 반드시 선행되어야 하는 연구이다. 통풍 치료제인 알로푸리놀의 드물지만 치명적인 부작용인 알로퓨린올 과민증후군(allopurinol hypersensitivity syndrome)을 예측하기 위한 HLA-B*5801 유전자 검사가 대표적인 좋은 예가 될 것이다. 하지만 아직까지 약물유전학검사는 임상적으로 널리 사용되지 못하고 있으며 환자 치료에 적용하기까지는 더 많은 시간이 필요할 것으로 보인다.

류마티스 질환 중에서 류마티스관절염이 비교적 약물유전체 연구가 많이 이루어졌으나 아직까지 결론을 내리기에는 시간이 필요할 것으로 보인다. 류마티스관절염 정밀의료의 가장 큰 화두는 생물학적제제에 대한 치료반응 예측과 이를 이용한 약제 선택이다. 현재 류마티스관절염 생물학적제제는 유사생물학제제(biosimilars)를 포함하면 10여 개가 넘으며 현시점에서는 지속적인 새로운 약제의 개발도 중요하지만 기존 약제를 효율적이고 경제적으로 선택할 수 있게 하는 약물반응 예측기술의 개발이 더 필요할 수도 있다. 또한 고가의 약제들이 모든 환자에서 반응하는 것은 아니며 심각한 감염 등의 부작용도 있을 수 있어 더욱더 약물 반응과 약물부작용 예측 연구가 필요하다. 이를 위하여 여러 가지 임상적 마커들뿐만 아니라 약물유전체 연구도 활발히 진행되고 있다. 현재와 같은 전 세계적인 연구의 흐름에 비추어 보았을 때 향후 가시적인 약물반응 예측 유전자 마커가 발굴되고 이를 이용한 치료제 선택 알고리즘이 만들어지지 않을까 기대해본다.

## 류마티스 질환 유전학 연구 현황

최근 류마티스 질환 유전학 연구도 매우 빠르게 발전하여 양적으로 매우 많은 연관유전자들이 보고되었다. 이러한 양적인 증가는 대부분 최근 발표된 GWAS 연구들의 결과이다. 직접적으로 그 유전자들이 질환을 일으킨다는 구체적인 후속 기능연구들이 미흡하기 때문에 연관유전자들을 이용한 향후 연구들이 지속적으로 필요할 것으로 보인다.

### 1) GWAS catalog의 활용

전세계적인 GWAS 연구의 유행으로 전체 질환 연관유전자의 수는 가히 폭발적으로 증가하였다. 미국 국립보건원에서는 GWAS catalog (www.genome.gov/gwastudies)라는 사이트에 이러한 GWAS 결과들을 누구나 쉽게 검색할 수 있도록 제공하고 있다. 또한 해당 논문을 Pubmed에서 볼 수 있도록 링크되어 있을 뿐만 아니라 각 논문에서 발굴한 유전자 리스트 및 SNP, 대상 환자군, P value 등의 자세한 내용이 정리되어 있어서 매우 유용하다. 류마티스관절염, 루푸스를 비롯한 거의 모든 질환의 수많은 GWAS 관련 논문들도 모두 이곳에서 검색할 수 있다.

### 2) 자가면역질환의 공통 연관유전자

이전부터 HLA가 공통적으로 자가면역질환과 연관되어 있음이 알려져 있었다. 또한 최근 밝혀진 연관유전자들 중에 상당수가 다수의 자가면역질환과 연관되어 있음이 알려지고 있다. 이러한 유전자들은 대부분 자가면역질환의 공통된 병리기전 즉 면역체계의 조절과 기능에 영향을 주는 것들로 생각된다. 즉 공통된 감수성 유전인자가 공통된 병리기전을 통하여 다양한 자가면역질환들을 일으킨다는 것을 시사한다.

실제로 이런 가능성은 이전의 가족연구에서도 제시되었다. 즉 한 개의 자가면역질환을 갖고 있는 환자의 가족 내 집단에서는 그 특정 질환뿐만 아니라 다른 다양한 자가면역질환의 빈도가 증가하는 것이 잘 알려져 있다. 예를 들면 류마티스관절염 환자의 가족 중에는 전신홍반루푸스, 갑상선 질환 등이 더 빈번하다. 또한 한 명의 환자에서도 2개 이상의 자가면역질환이 같이 발생하는 경우(예: 전신홍반루푸스와 갑상선 질환)를 임상에서 흔히 보게 된다.

이러한 자가면역질환의 공통 유전자들 중 대표적인 것이 *IRF5*와 *STAT4*이다(표 11-4).

2005년에 처음으로 전신홍반루푸스 연관유전자로 알려진 *IRF5*는 그 이후로 다수의 자가면역질환에서도 연관되는 것으로 조사되었다. 이는 전신홍반루푸스를 비롯한 이들 자가면역질환

표 11-4. **다양한 자가면역질환에서 공통적인 연관유전자**

| 연관유전자 | 연관 자가면역질환 |
|---|---|
| *PTPN22* | RA, SLE, SSc, GD, HT, MG, DM1, UC |
| *IRF5* | SLE, RA, SS, SSc |
| *STAT4* | RA, SLE, SS, GD, DM1, UC, CD |
| *CTLA4* | RA, SS, HR, DM1 |
| *TNFAIP3* | RA, JIA, PsA, SLE, SSc, DM1 |
| *TRAF1, C5* | RA, JIA, SLE |
| *IL2RA* | RA, JIA, MS, DM1 |
| *CD40* | RA, GD, MS |
| *FCRL3* | RA, SLE, HT, GD |

RA, rheumatoid arthritis; SLE, systemic lupus erythematosus; SSc, systemic sclerosis; GD, Graves' disease; HT, Hashimoto's thyroiditis; MG, Myasthenia graves; DM1, type1 diabetes; UC, ulcerative colitis; SS, Sjögren's disease; CD, Crohn's disease; JIA, juvenile idiopathic arthritis.

의 발생에 IRF5가 관여하는 interferon pathway가 공통적으로 매우 중요함을 시사한다. 실제로 IRF5뿐만 아니라 interferon pathway에 관련된 다수의 유전자들이 다양한 질환에서 연관됨이 밝혀졌으며 이와 관련된 후속 기능연구들도 계속 연구되고 있다.

### 3) 인종별 유전적 감수성의 차이

류마티스 질환의 연관유전자들 중에는 서양인과 동양인 모두에서 의미 있는 것도 있으나 인종에 따라 매우 다른 양상을 보이는 유전자도 많이 알려져 있다. 이러한 결과는 인종별로 조상이 다르고 이에 따라 유전자 다형성도 서로 차이를 보이기 때문에 당연한 결과일 수도 있다. 반면 서로 다른 유전인자를 통하여 비슷한 병태생리를 거쳐서 동일한 질병이 발생하는 유전적 복합성/다양성(genetic heterogeneity)이 인종 간에 존재함을 시사한다. 가장 대표적인 예가 류마티스관절염에서의 *PTPN22*와 *PADI4*이다. *PTPN22* 유전자 중에서 R620W [620번째 아미노산이 아르기닌(R) 또는 트립토판(W)으로 해독]는 서양인을 대상으로 하는 거의 모든 연구에서 W620 변이를 가지고 있는 사람에서 류마티스관절염 발생이 유의하게 증가하는 것으로 알려져

있다. 그러나 동양인에서는 다형성이 거의 존재하지 않고 거의 모든 동양인이 R620만 가지고 있다. 따라서 이 변이는 동양인 류마티스관절염의 위험인자가 될 수 없다. 반대로 *PADI4*는 반복적으로 동양인 대상 연구에서 류마티스관절염 위험인자로 조사되는 반면 서양인에서는 환자-대조군 간의 차이가 없거나 매우 약한 연관성만을 보이는 것으로 조사되었다.

### 4) 주조직적합복합체

MHC 영역은 6번 염색체의 특정영역(6p21.3)으로서 HLA를 포함하여 수많은 면역관련 유전자들이 밀집되어 있는 3.5 megabase (Mb)에 달하는 광범위한 영역이다(그림 11-5).

70년대 후반에 이식 관련 거부반응을 조절하는 곳으로 MHC 영역이 알려지게 되었으며 이후에 다양한 자가면역질환과의 연관성이 매우 강하게 존재하는 곳으로 밝혀진 매우 특징적인 유전체 영역이다.

#### (1) 류마티스 질환과 HLA의 연관성

약 100여 개의 질환이 HLA와 연관성을 보이는 것으로 알려져 있으며 대부분의 류마티스 질환 또는 자가면역질환의 가장 강력한 연관유전자들이 이 영역에 존재한다. 류마티스 질환과 관련된 것을 표에 정리하였다(표 11-5).

#### (2) HLA 영역의 매우 높은 유전적 다형성

MHC 영역의 가장 큰 특징은 전체 염색체 중에서 유전적 다형성이 가장 높다는 것이다. 대부분의 유전자, 특히 HLA class I과 class II 유전자들은 전 세계적으로 수십 개에서 수백 개까지

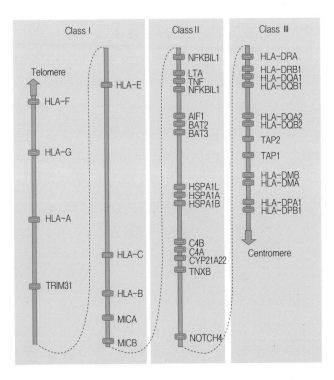

그림 11-5. 총 3.5 Mb의 MHC map과 class I, II, III의 대표적 유전자들

표 11-5. 류마티스 질환과 HLA 연관성

| 질환 | 연관된 HLA 대립유전자 | 연관의 강도 |
|---|---|---|
| 척추관절염 | B27 | ++++ |
| 류마티스관절염 | 서양인; DRB1*0401,*0404<br>아시아인; DRB1*0405, *0901 | +++ |
| 전신홍반루푸스 | 서양인; DR3<br>아시아인; DR2 (DRB1*15 and 16) | ++ |
| 쇼그렌증후군 | DR3 | ++ |
| 베체트병 | B51 | ++ |

이르는 수많은 대립유전자들이 보고되었다. 한국인만 보더라도 HLA-A는 약 20개, HLA-B는 약 43개, HLA-C는 약 21개, HLA-DRB1은 약 31개, HLA-DQB1은 약 14개의 다양한 대립유전자가 존재한다. 이러한 HLA의 유전적 다형성은 HLA의 고유한 면역기능과 관련되어서 매우 중요한 기능을 갖는다. MHC는 항원인 펩티드(peptide)와 결합하여 'MHC-peptide'를 형성하게 되고 이는 'MHC-restricted' T세포와 결합하여 T세포를 활성화시킨다. 따라서 MHC의 높은 유전적 다형성에 따라 결합하는 펩티드의 종류, 결합강도 등이 달라지게 되며 이로 인한 T세포의 반응 또한 달라지게 되고 이에 따라 다양한 면역반응이 초래되며 자가면역질환의 감수성도 달라지게 된다.

### (3) HLA 영역의 매우 광범위한 LD

MHC class I과 class II에 속한 각 유전자가 수십 개 이상의 대립유전자를 갖는다면 이들 유전자들 조합의 종류의 수는 어마어마할 것이다. 하지만 각각의 유전자들이 서로 매우 강한 LD를 갖고 있으며 이러한 LD가 전체 MHC 영역에서 광범위하게 일어난다. 즉 이는 3.5 Mb에 이르는 영역 내에 존재하는 수많은 유전자들이 서로 밀접하게 LD를 이루며 유전자 세트를 형성하고 있다는 것으로서 다른 유전체 영역에서 볼 수 없는 MHC 영역의 매우 독특한 특징이다.

따라서 이러한 광범위하고 강한 LD로 인하여 MHC 영역 내에 존재하는 haplotype의 수는 예상보다 훨씬 줄어든다. 예를 들면 서양인에서 흔하게 관찰되는 대표적인 haplotype인 '8.1' haplotype은 A*0101-B*0801-*DRB1*03011로 구성되어 있다. 이 영역에 있는 유전자가 통째로 후손에게 유전되는 haplotype을 이루고 있는 것이다. 한국인의 경우도 A*0201-Cw*0102-B*2705-DRB1*0101-DQB1*0501이 haplotype을 이루고 있으며 이는 전체 한국인의 약 1.13%를 차지한다. HLA-B*2705의 빈도가 전체 한국인의 약 2.5%이므로 이 중 약 50%는 이 haplotype을 가지고 있는 것으로서 MHC class I, III, II에 걸친 약 3 Mb에 이르는 광범위한 영역에서 매우 강한 LD를 형성하고 있음을 보여주는 좋은 예가 될 수 있다.

따라서 이러한 MHC 영역의 강한 LD로 인하여 유전체 연구에서 원인 유전자를 찾을 때 주의를 요한다. 예를 들어 TNF 유전자의 한 대립유전자가 류마티스관절염과 연관되어 있는 것

으로 조사되었다고 하더라도 이러한 연관성은 TNF 자체로 기인한 것이 아니라 이것과 LD관계에 있는 DRB1의 강한 연관성으로 인한 것일 가능성이 높다. 마찬가지로 강직척추염과 DRB1*0101이 연관되는 것으로 조사되었더라도 이것은 B*2705과 DRB1*0101이 LD관계에 있기 때문에 나타나는 현상일 수 있으므로 해석에 주의를 요한다.

따라서 MHC 영역 유전체 연구는 매우 복잡하며 반드시 haplotype 분석을 포함한 다양한 분석방법을 적용해야 한다. 그럼에도 불구하고 가장 강력한 HLA 유전자 이외에도 MHC 내에 또 다른 유전자가 류마티스 질환에 기여하는지에 대한 지속적인 연구는 필요할 것으로 보인다.

## 향후 류마티스 질환 유전학 연구 방향

### 1) 유전체 연구 방법의 발전

류마티스 질환 유전학 연구는 지속적으로 발전할 것이다. 우선 유전체 데이터의 축적과 유전기술의 발전에 따라 류마티스 질환 유전학 연구의 방법도 변화할 것이다. 이미 후보유전자 연구에서 GWAS로 유행처럼 연구가 진행된 것처럼, 앞서 언급한 NGS를 통한 targeted re-sequencing, whole exome 또는 genome sequencing을 통하여 좀더 정밀한 유전체 변이의 조사를 통하여 연관유전자를 찾으려는 노력이 지속적으로 이루어질 것이다.

또한 DNA뿐만 아니라 전사체 연구 및 후성 유전학(epigenetics)에 대한 연구도 활발히 이루어질 것이다. 특히 최근 말초혈액 및 침범조직(관절의 활막조직, 신장조직 등)을 채취하여 단일세포 기술을 활용한 전사체 연구(single cell RNA sequencing)가 류마티스 질환에서 활발히 진행되고 있으며 DNA만으로 설명할 수 없는 영역을 이들 연구가 해결해 줄 것으로 기대하고 있다.

### 2) 유전체 연구 대상의 변화

지금까지의 유전체 연구는 대부분 환자-대조군 연구를 통한 연관유전자 및 원인 유전자 탐색에 초점을 두고 있다. 하지만 최근에는 다양한 약물반응에 대한 유전체 연구 또는 질병이 발생하기 전 단계에서 질병이 생기는 것을 예측할 수 있는 예측 유전

체 연구 등이 시작되고 있다. 즉 유전체를 이용하여 질병 발생 예측, 발병 후 예후 예측, 약물 반응 예측 등과 관련한 연구가 지속적으로 이루어질 것이며 이를 통하여 향후 예방 및 정밀의료에 좀 더 기여할 것으로 생각된다.

## 참고문헌

1. Eyre S, Barton A. Genetics of Rheumatic Diseases. In: Firestein GS, Budd RC, Gabriel SE, Koretzky GA, McInnes IB, O'Dell JR, eds. Firestein & Kelley's Textbook of Rheumatology. 11th ed. Philadelphia: Elsevier; 2021. pp. 378-92.

2. Eyre S, Bowes J, Diogo D, Lee A, Barton A, Martin P, et, al. High-density genetic mapping identifies new susceptibility loci for rheumatoid arthritis. Nat Genet 2012;44:1336-40.

3. International HapMap Consortium. The International HapMap Project. Nature 2003;426:789-96.

4. International Human Genome Sequencing Consortium. Finishing the euchromatic sequence of the human genome. Nature 2004;431:931-45.

5. Jeon S, Bhak Y, Choi Y, Jeon Y, Kim S, Jang J, et al. Korean Genome Project: 1094 Korean personal genomes with clinical information. Sci Adv 2020;6:eaaz7835.

6. Lee KW, Oh DH, Lee C, Yang SY. Allelic and haplotypic diversity of HLA-A, -B, -C, -DRB1, and -DQB1 genes in the Korean population. Tissue Antigens 2005;65:437-47.

7. MacGregor AJ, Snieder H, Rigby AS, Koskenvuo M, Kaprio J, Aho K, et al. Characterizing the quantitative genetic contribution to rheumatoid arthritis using data from twins. Arthritis Rheum 2000;43:30-7.

8. Okada Y, Wu D, Trynka G, Raj T, Terao C, Ikari K, et. al. Genetics of rheumatoid arthritis contributes to biology and drug discovery. Nature 2014;506:376-81.

9. Price P, Witt C, Allcock R, Sayer D, Garlepp M, Kok CC, et. al. The genetic basis for the association of the 8.1 ancestral haplotype (A1, B8, DR3) with multiple immunopathological diseases. Immunol Rev 1999;167:257-74.

10 Raychaudhuri S, Sandor C, Stahl EA, Freudenberg J, Lee HS, Jia X, et al. Five amino acids in three HLA proteins explain most of the association between MHC and seropositive rheumatoid arthritis. Nat Genet 2012;44:291-6.

11. Sigurdsson S, Nordmark G, Göring HH, Lindroos K, Wiman AC, Sturfelt G, et al. Polymorphisms in the tyrosine kinase 2 and interferon regulatory factor 5 genes are associated with systemic lupus erythematosus. Am J Hum Genet 2005;76:528-37.

12. Vyse TJ, Todd JA. Genetic analysis of autoimmune disease. Cell 1996;85:311-8.

류 마 티 스 학
RHEUMATOLOGY

# PART 2

# 류마티스 질환의 임상적 접근

책임편집자 **이충기**(영남의대)
부편집자 **구본산**(인제의대)

# 12

# 문진과 신체검사

경희의대 홍승재

## KEY POINTS 🔒

- 근골격통증은 매우 흔하며 다양한 원인이 존재하므로 진단을 위한 첫 단계로 자세한 병력청취와 신체검사가 필수적이고, 다른 전신 질환과 연관이 있는지 주의 깊게 관찰하는 것이 중요하다.
- 근골격계 증상의 원인이 관절성 또는 비관절성인지 구분할 수 있어야 하고, 관절염이 급성 또는 만성으로 발생했는지, 이환된 관절의 대칭성 여부, 분포와 관절 수 그리고 침범 양상과 시간적 변화 등을 파악해야 한다.
- 관절부위 시진, 촉진, 수동 및 능동운동 등 신체검사를 통해 해부학적인 병변 부위를 추정할 수 있다.
- 수부 통증의 원인은 관절염(류마티스관절염, 골관절염) 외에 비관절질환(힘줄염, 손목굴증후군)도 흔하며 간단한 신체검사로 진단이 가능하다.
- 어깨 통증은 관절의 수동 및 능동운동, 통증 유발 검사를 가지고 병변 부위를 추정할 수 있다.
- 무릎 통증의 흔한 원인인 골관절염의 통증 부위도 관절주변 연부조직에서 기인한 경우가 많다.
- 긴급한 처치가 필요한 류마티스 질환의 응급 상황을 잘 숙지하고 신속하게 진단하여 빨리 치료하도록 해야 한다.
- 류마티스 질환의 조기 진단과 적절한 치료를 위해서 일차진료 의사와 류마티스전문의 간에 긴밀한 협조가 중요하며, 이를 위해 류마티스 질환에 대한 새로운 최신 지견을 지속적으로 습득해야 한다.

## 서론

병원을 내원하는 상당수의 환자가 근골격계 증상을 호소하며, 이는 전체 외래 환자 수의 약 20%를 차지한다. 근골격 증상을 가진 환자는 철저한 병력청취와 포괄적 신체검사로 상당수 질환을 감별할 수 있고, 이를 바탕으로 추가적 실험실 검사를 통해 대부분 질환을 확진할 수 있다. 진료를 받게 되는 근골격계 증상 중 대부분은 간단한 진찰이나 대증요법과 설명만으로도 충분히 자연 치유되는 질병들이다. 그러나 일부 질환은 진단을 확정하기 위하여 또는 병태생리학적 원인을 밝히기 위하여 다양한 검사가 필요한 경우도 있다.

근골격계 진찰의 목표는 정확한 진단을 하고 시기 적절한 치료를 실시하여 과도한 검사와 불필요한 치료를 피하는 것이다. 신속한 진단으로 심각한 후유증을 피할 수 있는 여러 응급상황들이 있는데, 감염관절염, 결정관절염(예: 통풍), 골절 등이 이에 해당된다. 이들 질환들은 갑자기 시작되고 단일 관절을 침범하거나 혹은 국소적 증상일 경우 의심해 볼 수 있다. 따라서 근골격계 증상을 호소하는 환자의 첫 진찰에서 우선적으로 근골격 증상이 응급상황인지 여부를 결정해야 한다. 특히 이 질환들은 신속한 처치가 환자의 예후를 결정하는 데 매우 중요하므로 소위 적색깃발신호(red flag sign)를 잘 관찰해야 한다. 다음으로 근골격 증상이 (1) 원인에 따른 부위가 관절 또는 비관절(articular vs. non-articular), (2) 염증성 또는 비염증성(inflammatory vs. non-inflammatory), (3) 발생 기간이 급성 또는 만성(acute vs. chronic), (4) 침범 관절이 단일, 다발 또는 소수관절(mono-, poly-, oligo-

**표 12-1. 근골격계 증상 환자의 임상적 평가**

| 중요성 |
| --- |
| 정확한 진단을 위한 첫 단계 |
| 시의적절한 치료를 위해 |
| 불필요한 검사를 줄이기 위해 |
| **임상적 접근 순서(병력청취 및 신체진찰)** |
| 1. 관절 또는 비관절(articular vs. non-articular) |
| 2. 염증 또는 비염증(inflammatory vs. non-inflammatory) |
| 3. 발생 기간: 급성 또는 만성(acute vs. chronic) |
| 4. 침범 관절: 단일, 다발, 소수관절(mono-, poly-, oligo-articular) |

표기 예: 급성 염증단일관절염(acute inflammatory monoarthritis), 만성 염증다발관절염(chronic inflammatory polyarthritis)

articular) 여부를 파악해야 한다(표 12-1).

즉 상세한 환자의 문진과 신체진찰을 통해 위에 기술한 범위를 좁혀 감별진단을 하면 좀 더 쉽게 접근할 수 있다. 예를 들어 환자의 증상이 무릎관절에 국한되고, 급성으로 수일 내 발생하였고, 관절이 많이 부어 있다면 환자의 상태는 무릎관절의 급성 염증단관절염(acute inflammatory monoarthritis, knee)으로 생각할 수 있고, 이 경우 감별진단은 감염관절염, 반응관절염, 결정관절염, 외상 등의 원인으로 압축할 수 있어 다음으로 몇 가지 검사를 통해 하나씩 감별을 해 나가면 좀 더 쉽게 진단적 알고리즘에 따른 판단을 할 수 있다. 그러나 일부 환자는 기존의 진단적 범주에 맞지 않는 경우도 있고 발생 초기에는 서로 유사하여 구체적인 감별진단이 될 때까지 수주 혹은 수개월이 걸릴 수도 있다.

## 관절 또는 비관절 원인의 감별

근골격계 진찰은 환자가 증상을 호소하는 부위의 해부학적인 위치 감별이 중요하다. 예를 들어 발목 통증으로 내원한 환자의 경우 원인 질환으로 감염관절염, 발꿈치뼈골절, 아킬레스힘줄염, 족저근막염, 연조직염, 말초 또는 포착신경병증 등 여러 질환이 다른 해부학적 구조의 이상으로 유발될 수 있다. 따라서 우선적으로 환자의 증상이 관절 혹은 비관절 병변인지 감별하는 것이 중요하고 이를 위해 세심한 진찰이 필요하다. 관절 구조는 활막, 활액, 관절연골, 관절내 인대, 관절 피막, 관절 주위 뼈로 이루어져 있다(그림 12-1).

환자는 관절 통증으로 내원했지만 실제로는 관절내 문제(활막염, 연골)가 아닌 관절주위 구조인 관절 주변의 인대, 힘줄, 윤활낭, 근육, 근막, 뼈, 신경, 피부 등에 문제가 있는 경우를 흔히 경험한다. 이러한 관절통을 유발하는 가능성 있는 원인을 구별하는 것은 경험이 많지 않은 의사에게는 어려울 수도 있다. 대개 관절 질환은 깊은 쪽에서 느끼는 미만성통증일 경우가 많고 능동 및 수동 운동을 할 때 움직임의 제한이 나타나거나, 활막 증식이나 삼출 또는 골형성에 의해 부어 있는 것처럼 보이고, 관절마

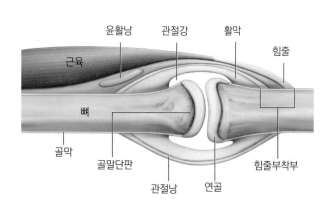

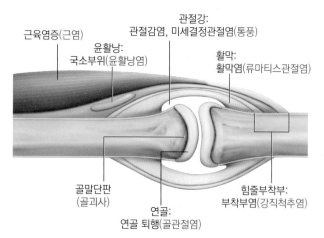

**그림 12-1. 관절의 구조 및 부위에 따른 류마티스 질환의 종류**

찰음, 불안정성, 변형을 관찰할 수 있다. 이와 반대로 비관절 질환은 능동 운동에는 통증이 있으나 수동 운동에는 통증이 없고, 관절과 떨어진 주변 부위에 국소적 통증이 나타나고 관절 피막과도 거리가 있다. 따라서 비관절 질환은 관절부기, 관절마찰음, 불안정성, 변형 등은 일반적으로 관찰되지 않는다.

## 염증성 또는 비염증성의 구분

근골격계 증상이 있는 경우 우선적으로 염증 또는 비염증에 의한 증상인지 구분해야 한다. 염증성 질환은 감염(임질이나 결핵균 감염), 결절(통풍, 거짓통풍), 자가면역(류마티스관절염, 전신홍반루푸스), 감염에 대한 이차적 반응(류마티스열, 반응관절염) 등에 의해 발생한다. 염증의 4가지 대표적 징후인 홍반, 열감, 통증, 부기가 나타나고, 전신 증상(피로, 발열, 발진, 체중감소)을 동반하고, 혈액 검사에서 적혈구침강속도와 C반응단백질 증가, 혈소판증가증, 만성질환에 의한 빈혈, 저알부민혈증 등이 동반될 수 있다. 관절 강직(stiffness)이 만성 근골격계 관절질환에서 흔히 나타나기 때문에 강직의 정도와 발생 시점이 진단에 도움을 줄 수 있다. 류마티스관절염, 류마티스다발근통 등 염증 질환과 관련된 아침강직은 자고 일어날 때 증상이 심하고, 60분 이상 지속되며, 관절 운동 후 또는 비스테로이드소염제 복용 후에 호전되는 특징이 있다. 이와 반대로 골관절염과 같은 비염증 관절염에서 발생하는 간헐적인 강직 증상은 대개 60분 이내 호전되고, 관절의 움직임에 의해 오히려 증상이 악화되고 쉬면 호전된다. 피로감은 류마티스관절염이나 류마티스다발근통 같은 염증 질환에 주로 동반되나 비염증 질환인 섬유근통에서도 관찰될 수 있고, 빈혈, 심부전, 내분비질환, 영양결핍, 만성통증, 수면부족, 우울증에서도 동반될 수 있어 염증 질환에 국한된 특이적 증상은 아니다.

비염증 질환으로는 외상(회전근개힘줄파열), 반복적인 사용(윤활낭염, 힘줄염), 퇴행성 변화(골관절염), 종양(색소융모결절활막염) 또는 통증 전달이상(섬유근통) 등이 있다. 이들은 관절 부위 염증이나 전신 증상이 드물고, 아침 강직보다는 낮에 활동할 때 증상이 주로 나타나며 혈액 검사는 정상인 경우가 대부분이다.

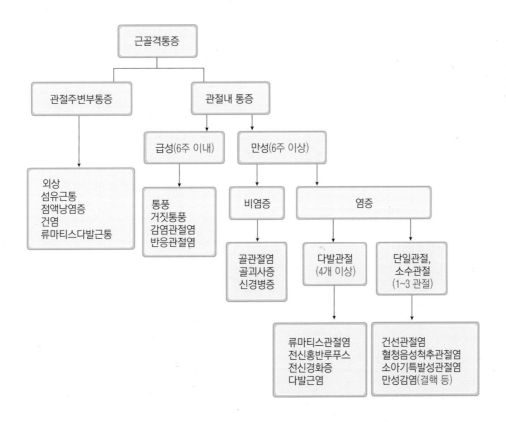

그림 12-2. 근골격통증 환자의 병력 및 진찰소견에 근거한 진단 알고리즘

기저질환의 특성과 증상의 위치를 파악하는 것도 도움이 되는데, 근골격 증상을 크게 구분하여(예: 급성 염증단일관절염, 만성 비염증관절염, 비관절 미만성통증) 진단범위를 좁혀서 감별진단을 보다 용이하게 할 수 있다.

그림 12-2는 근골격 증상이 있는 환자를 평가하는 진단 알고리즘이다. 근골격 증상을 호소하는 가장 흔한 원인들을 일차적으로 대면 진료를 통해 관절에 국한된 증상 또는 관절 및 주변부로 전체적으로 퍼져 나타나는 경우로 구분해서 감별해 나갈 수 있다. 이러한 접근은 흔한 류마티스 질환을 진단하는 데 매우 효과적이며, 혈액검사보다는 임상적 특징 및 병력청취만으로도 평가가 가능하다.

알고리즘적 접근은 일상적으로 흔하게 접하는 질환을 가진 환자에게는 필요하지 않을 수도 있는데, 이들 질환은 빈도 및 특징적인 임상양상에 근거하여 진단될 수 있기 때문이다. 근골격 증상의 가장 흔한 원인인 외상, 골절, 과다사용증후군, 섬유근통 등은 환자의 병력청취만으로도 짐작할 수 있다. 이러한 질환의 가능성이 배제되면, 환자의 나이에 따라 가장 흔하게 나타나는 질환들을 고려해야 한다(표 12-2).

60세 이하의 환자에서는 반복적인 사용이나 과도긴장과 관련된 질환, 통풍(남성), 류마티스관절염, 척추관절염, 감염관절염이 흔하며, 60세 이상의 경우에는 골관절염, 결정관절염(통풍, 거짓통풍), 류마티스다발근통, 골다공증에 의한 골절이 흔하고, 비록 드물지만 감염관절염도 침, 뜸 등으로 피부손상이 일어난 경우에는 생길 가능성이 있다. 이러한 원인들은 희귀질환인 전신홍반루푸스, 전신경화증, 다발근염, 혈관염과 같은 중대한 자가면역 질환들보다 10배에서 100배 정도 더 흔하게 생기므로 우선

적으로 흔한 원인부터 생각하는 것이 바람직하다.

## 임상병력

류마티스 질환의 진단에서 병력청취는 진단에 매우 중요한 단서를 제공할 수 있다. 나이와 성별 등 환자의 인적 사항, 증상 발병기간, 관절침범 정도, 유발인자 등은 중요한 정보를 제공해 준다. 어떤 질환은 특정 연령군에서 호발하는데, 전신홍반루푸스, 반응관절염은 젊은 연령에서, 섬유근통과 류마티스관절염은 중년에서, 골관절염과 류마티스다발근통은 노인에서 호발한다. 또한 어떤 질환은 특정 성별이나 인종에서 호발하는데 통풍과 척추관절염(강직척추염)은 남성에서 흔한 반면, 섬유근통과 류마티스관절염, 전신홍반루푸스는 여성에서 흔하다. 가족 내 빈발하는 양상을 보이는 질환으로는 강직척추염, 통풍, 수부 골관절염의 헤베르덴결절 등이 이에 속한다.

증상의 시간적인 발생 정보도 진단에 중요하며, 통증의 시간적인 정보는 시작, 진행, 지속기간 등으로 나눌 수 있다. 감염관절염과 통풍은 급성 발병을 보이고, 골관절염, 류마티스관절염, 섬유근통은 비교적 완만한 발병 양상을 보인다. 증상이 발생하는 양상에 따라 만성(골관절염), 간헐적(통풍 및 거짓통풍), 이동성(혈관염, 류마티스열), 또는 진행성(류마티스관절염, 건선관절염)으로 분류할 수도 있다. 질환의 유병기간에 따라 급성과 만성으로 나눌 수 있는데 '급성'의 정의는 발병 6주 이내의 증상을, '만성'은 그 이상 지속되는 것을 의미한다. 급성 관절병증은 감염관절염, 결정관절염, 반응관절염인 경우가 많고, 만성인 경우는 골

표 12-2. 연령에 따른 류마티스 질환의 분포

| | 연령 | 여성 | 남녀공통 | 남성 |
|---|---|---|---|---|
| 소아 | 0-16 | | 외상, 바이러스, 소아특발관절염 | |
| 청소년 | 17-35 | 류마티스관절염, 전신홍반루푸스 | 건선관절염 | 반응관절염, 강직척추염 |
| 중년 | 36-65 | 류마티스관절염 | 골관절염 | 통풍 |
| 노년 | >65 | | 골관절염<br>류마티스관절염<br>류마티스다발근통<br>결정관절염(통풍, 거짓통풍) | |

관절염, 류마티스관절염과 같은 염증 또는 면역 관절질환과 섬유근통과 같은 비관절질환들을 포함한다.

증상 있는 관절의 개수와 분포도 고려해야 하는데, 단일관절 (1개의 관절), 소수관절(2-3개의 관절), 다발관절(4개 이상의 관절)로 분류한다. 결정관절염과 감염관절염이 대표적인 단일관절 또는 소수관절 침범질환인데 비해, 골관절염과 류마티스관절염은 다발관절 침범질환이다. 비관절성 질환은 국소적 또는 광범위로 분류한다. 힘줄염, 손목굴증후군에 이차적으로 동반되는 증상은 대개 국소적이고, 다발근육염, 섬유근통으로 인한 근력저하나 근육통은 좀 더 광범위하게 나타난다. 류마티스관절염은 대칭적으로 발병하는 경향이 있으나, 척추관절염과 통풍은 비대칭적인 발병 경향을 보인다. 류마티스관절염은 상지에 흔히 발생하고, 하지의 관절염은 반응관절염과 통풍의 질병 발생 초기의 특징이다. 척추관절은 골관절염과 강직척추염에서 흔히 침범하나 류마티스관절염에서는 목뼈를 제외하고는 척추 침범이 없다.

병력으로 외상(골괴사, 반달연골 손상), 약물복용, 또는 선행되거나 동반된 질환(류마티스열, 반응관절염, 간염)과 같은 유발인자를 알아내는 것이 중요하다. 어떤 동반 질환은 근골격계 증상이 이차적으로 나타날 수 있는데, 특히 당뇨병(손목굴증후군), 신부전(통풍), 건선(건선관절염), 골수종(요통), 암(근염), 골다공증(골절) 등의 질환과 글루코코티코이드(골괴사, 감염관절염), 이뇨제 또는 항암제(통풍) 등 특정 약물복용 병력이 진단에 도움을 줄 수 있다(표 12-3).

마지막으로 전신 신체증상의 체계적인 문진을 통해 유용한

### 표 12-3. **약물 유발성 근골격계 이상**

| |
| --- |
| 관절통 유발: aromatase 억제제, 시메티딘, 퀴놀론항생제, 인터페론, 백신(풍진, 간염백신 등), HIV protease 억제제 |
| 근육통 유발: 스타틴(statin)계 약물, 글루코코티코이드, 페니실라민, 하이드록시클로로퀸, 인터페론, 콜히친, 비스포스포네이트, taxol, 퀴놀론항생제, 사이클로스포린 |
| 통풍 유발: 이뇨제, 아스피린, 항암제, 사이클로스포린, 항결핵제 |
| 골괴사: 글루코코티코이드(고용량), 알코올, 방사선치료, 비스포스포네이트 |
| 혈관염: 알로퓨리놀, 페니실라민, 프로필싸이오유라실, 항TNF제제, B형 또는 C형간염 바이러스, 트라이메토프림/설파메톡사졸 |

### 표 12-4. **류마티스 질환의 체계별 문진 항목**

| |
| --- |
| 전신증상: 고열, 체중감소, 피로감 |
| 안구: 복시, 결막염, 안구건조증 |
| 구강: 혀, 인후두궤양, 치주염, 구강건조증 |
| 소화기: 위장관궤양, 식도염, 복통, 황달, 혈변 |
| 비뇨기: 혈뇨, 빈뇨, 요로감염 |
| 피부: 발진, 레이노현상, 건선, 손톱변화, 빛민감성, 탈모 |
| 호흡기: 마른기침, 운동 시 호흡곤란, 객혈, 쌕쌕거림 |
| 심혈관: 가슴통증, 협심증, 부정맥, 고혈압 |
| 뇌신경계: 반신마비, 경련, 감각이상 및 근육 약화 |
| 근골격계: 관절통증 및 부종, 피하결절, 관절운동범위제한 |

진단적 정보를 얻을 수 있다(표 12-4).

예를 들어 발열(전신홍반루푸스, 감염), 발진(전신홍반루푸스, 건선관절염), 손톱이상(건선관절염, 반응관절염), 근육통(섬유근통, 스타틴 또는 약물유발근육병증), 근력저하(다발근육염, 신경병) 등 다양한 증상들이 근골격계 질환에 의해 나타날 수 있다. 특히 류마티스 질환의 상당수가 전신 자가면역질환이므로 전신을 침범하여, 눈(베체트병, 유육종증, 척추관절염), 위장관 이상(전신경화증, 염증장질환), 비뇨생식기(반응관절염, 임균혈증), 신경계(라임병, 혈관염)와 같이 다른 장기를 침범할 수도 있다.

## 신체검사

신체검사는 침범된 장기, 질병의 본질, 질병의 범위와 기능장애 및 전신증상의 유무를 파악하기 위해 시행한다. 일차적으로 침범된 장소를 파악하고 관절, 관절 주위 혹은 관절 외 질환인지를 감별하기 위해 국소 해부학적 지식이 필요하다. 근골격의 검사는 주로 세밀한 시진, 촉진과 진단적 징후를 파악하기 위한 다양한 진찰 방법으로 이루어진다. 대개 말초 관절은 이러한 방법으로 가능하나 축성관절이나 접근이 어려운 관절(예: 천장관절이나 엉덩관절)의 시진이나 촉진은 실제적으로 불가능하여 특별한 진찰수기나 영상법으로 진단을 한다.

질병이 생긴 관절을 진찰하면 통증, 열감, 홍반, 부기의 유무를 알 수 있다. 관절을 촉진하고 움직이면서 통증의 유발장소나 정도를 기록해야 한다. 예를 들어 쉽게 검진할 수 있는 28개의 관

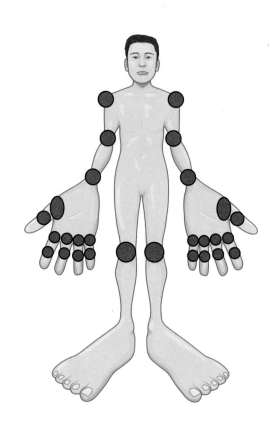

그림 12-3. 류마티스관절염 활성도 평가에 많이 사용하는 28개 관절

구나 탈골은 시진과 촉진만으로도 쉽게 알 수 있다. 관절이 부으면 환자는 통증을 최소화하기 위해 관절내압이 가장 적고 관절용적이 최대로 되는 자세를 유지하려고 하는데 주로 '굴곡자세'를 취한다. 이런 이유로 염증성 삼출은 굴곡구축(flexion contracture)을 일으키게 된다. 관절운동능력 평가는 능동 운동과 수동 운동범위를 모두 측정해서 반대쪽과 비교해야 한다. 운동범위의 연속적인 검사는 운동각을 정량화하기 위해 각도기(gonimeter)로 측정한다. 각 관절은 모든 방향의 수동 운동으로 측정한다(굽힘, 폄, 회전, 외회전, 내회전, 안쪽들림, 팽출, 뒤침, 엎침, 내반, 외반 등). 수동 운동의 제한은 삼출, 통증, 변형, 구축 등에 의해 유발된다. 수동 운동이 능동 운동범위보다 큰 경우에는 힘줄염, 힘줄파열이나 근육병증과 같은 관절 주변 부위 이상을 고려해야 한다. 구축은 이전의 활막염이나 외상 병력에 의한 경우가 많고, 소관절 마찰음(crepitus)은 촉진할 때 느낄 수 있고 거칠게 나타나면 진행된 연골 퇴행(예: 골관절염)을 의미하는 경우도 있다. 관절변형은 오래 진행된 병리학적 과정을 의미하는데, 인대파열, 연부조직 구축, 골비대, 강직, 미란성 질환, 아탈골 등에 의해 유발된다.

절들[양쪽 근위지관절(proximal interphalangeal joint, PIP), 손허리손가락관절(metacarpophalangeal joint, MCP), 손목, 팔꿈치, 어깨, 무릎]의 압통을 0-28의 범위로 측정할 수 있으며, 유사한 수준의 부기가 있는 관절의 수를 0-28의 범위에서 촉진하여 기록하기도 한다(그림 12-3).

관절의 촉진을 통해 활액 삼출이나 활막 증식에 의한 관절부기인지, 아니면 관절 주위의 이상인지 감별할 수 있어야 한다. 활액 삼출은 촉진 등의 수기들로 활막비대나 골비대와 구별할 수 있다. 예를 들어 무릎관절의 미량 또는 중증도 부기는 '팽창징후(bulge sign)' 또는 무릎뼈의 '부유감(ballottement)'으로 알 수 있다. 윤활주머니 삼출(예: 팔꿈치머리나 슬개골하윤활낭 삼출)은 뼈융기 위에 있고 경계가 명확하고 출렁거리는 느낌이 있다. 관절은 뼈와 근육을 연결하는 힘줄이나 뼈와 뼈를 연결하는 인대에 의해 안정성이 유지되는데, 관절을 촉진하면서 여러 방향으로 이동을 통한 수동적 힘을 가해보면 관절의 안정성을 파악할 수 있다. 따라서 외상이나 기계적 또는 염증의 원인에 의한 아탈

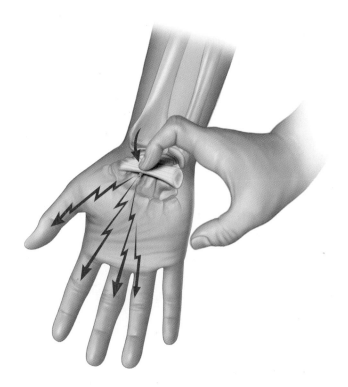

그림 12-4. **Tinel 징후** 손목 내측에서 정중 신경 부위를 가볍게 두드리면 신경분포를 따라 손저림이 유발된다.

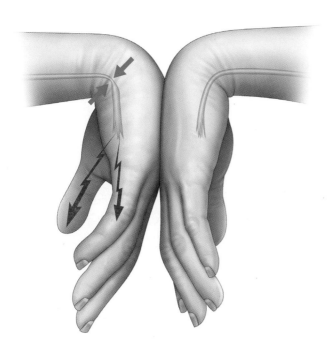

그림 12-5. **Phalen 징후** 손목을 굴곡한 후 30-60초간 위 자세를 유지할 때 정중 신경 압박으로 손저림이 유발된다.

근육검사는 근력 측정과 근위축 정도, 통증 등으로 평가한다. 우선적으로 사지근력약화는 근위부인지 원위부에서 생겼는지를 감별해야 질환을 구분하는 데 도움을 얻을 수 있다. 근력은 환자의 수행능력(걷기, 의자에서 일어서기, 쥐기, 글씨 쓰기)에 의해 판단하며 크게 5단계로 나눈다. 0은 근육운동을 못하는 경우, 1은 근육의 미약한 움직임이나 연축이 있는 경우, 2는 중력의 영향이 없을 때 운동이 가능한 경우, 3은 중력을 이길 정도로 운동이 가능한 경우, 4는 중력과 약한 저항에 대해서도 이길 수 있는 정도의 힘, 5는 정상근력을 의미한다. 특히 관절 증상이 관절내 문제로 일어났을 객관적인 증거가 불확실한 경우에는 관절뿐 아니라 비관절 또는 관절 주위 조직을 자세히 보아야 한다. 상당수 많은 근골격계 통증이 관절보다는 연부조직에 의해 발생하는 경우가 많기 때문에 근력검사는 불필요한 검사를 하지 않도록 하는 데 도움이 된다.

특별한 수기가 비관절성 이상을 알아내는 데 도움이 될 수 있다. 예를 들어 손목굴증후군은 Tinel 징후(그림 12-4) 또는 Phalen 징후가 진단에 도움을 줄 수 있다(그림 12-5).

또한 팔꿈치 관절이 아파서 진료를 받는 경우에 관절부종이

나 움직임에 이상이 없다면 관절주변부 위관절융기염(epicondylitis)인 경우가 대부분이고 이런 경우에는 영상학적 검사가 굳이 필요하지 않다.

## 국소 류마티스 이상

모든 환자들을 철저하고 체계적인 전신 진찰로 검진하는 것이 원칙이나, 대부분의 국소 근골격계 증상들은 시작과 진행, 이환 부위를 예측할 수 있는 패턴을 보이고 병력 조사와 간단한 진찰에 의해 바로 진단할 수 있는 흔한 질환에 의해 발생하므로 이들 질환에 대한 특징을 이해하면 진찰시간을 단축할 수 있다. 다음에서는 4가지 흔한 해부학적 부위인 수부, 어깨, 무릎, 엉덩관절 통증의 원인 및 진찰에 대해 알아보고자 한다.

### 1) 수부관절

한쪽으로 국한해서 나타나는 손 통증은 주로 외상, 과도한 사

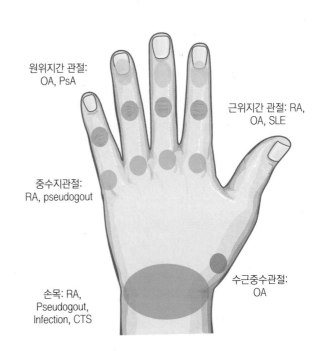

원위지간 관절:
OA, PsA

근위지간 관절: RA,
OA, SLE

중수지관절:
RA, pseudogout

손목: RA,
Pseudogout,
Infection, CTS

수근중수관절:
OA

그림 12-6. **손 관절 부위에 따른 관절염의 분포** 질환에 따라 주로 침범하는 관절의 부위가 다르다.
RA, rheumatoid arthritis; OA, osteoarthritis; CTS, carpal tunnel syndrome; PsA, psoriatic arthritis.

용, 감염, 반응 또는 결정유발관절염에 의해 생긴다. 양측성은 퇴행성(예: 골관절염), 전신적 또는 염증성/면역성 원인(예: 류마티스관절염)을 암시하는 경우가 많다. 침범되는 관절의 형태에 따라 특정 질환이 의심될 수 있는데, 손의 침범되는 부위가 중요한 진단 정보를 줄 수 있다(그림 12-6).

골관절염(또는 퇴행성관절염)은 원위지간 또는 근위지간 관절에 뼈 비후에 의한 헤베르덴결절(Heberden's nodes) 또는 부샤르결절(Bouchard's nodes)을 형성한다. 부기 여부와 관계없이 엄지손가락 기저부인 손목손허리관절(carpometacarpal joint) 통증은 골관절염을 강하게 시사한다. 반대로 류마티스관절염은 근위지관절, 손허리손가락관절, 손목뼈 사이 그리고 손목 관절의 통증, 강직, 그리고 활막 비후소견이 흔히 관찰된다. 건선관절염은 골관절염과 유사하게 근위지관절과 원위지관절을 침범하지만 홍반, 열감, 활막 부기 등 염증징후가 나타나며, 손톱이 우묵해지거나 손발톱분리의 유무가 건선을 진단하는 데 추가적인 도움을 준다. 손목이나 손허리손가락관절에 연골석회화가 있거나 간헐적인 염증 징후가 나타나면 거짓통풍 발병 가능성을 고려해야 한다.

연부조직 부기가 손등이나 손목에 있는 경우 염증관절염(예: 류마티스관절염)이 원인이 될 수 있다. 힘줄활막염의 진단은 국소발열과 부기로 의심할 수 있고, 손가락을 굴곡 또는 신전시켜 연부조직 부기가 힘줄의 움직임을 막거나 손목을 중립상태로 고정시키거나 손가락을 손허리손가락관절에 굴곡시켜 신전근 건막을 늘일 때 통증이 유발되는 것으로 확인할 수 있다.

국소적 손목 통증은 긴엄지손가락벌림근이나 짧은엄지손가락벌림근을 침범하는 건막의 염증에 의한 드퀘르뱅힘줄활막염(de Quervain's tenosynovitis)의 증상으로 나타날 수 있다. 일반적으로 손목의 무리한 사용이나 임신에 의해 유발될 수 있고 핀켈스타인 검사(Finkelstein test)로 진단할 수 있다(그림 12-7).

손목굴증후군은 상지의 흔한 질환으로 손목굴 부위에서 정중신경이 압박되어 나타나는 질환이다. 엄지손가락과 두 번째, 세 번째 그리고 네 번째 손가락의 요골측 절반의 이상 감각과 엄지둔덕 근육의 위축소견이 보인다(그림 12-8).

손목굴증후군은 임신, 부종, 외상, 골관절염, 염증관절염, 침윤질환(예: 아밀로이드증)과 흔히 관련된다. Tinel 또는 Phalen 징후가 양성인 경우 의심할 수 있다. 손목의 손바닥 쪽의 정중신경이 지나가는 부위를 손가락으로 두드릴 때 정중신경의 분포 부위에 이상감각이 발생되는 경우를 Tinel 징후(그림 12-4), 양쪽 손목을 구부리고 신전면을 서로 마주했을 때 정중신경의 분포 부위의 이상감각이 발생되는 경우를 Phalen 징후라 한다(그림 12-5). 이 두 가지 검사는 다양한 범위의 민감도를 보이기 때문에 질

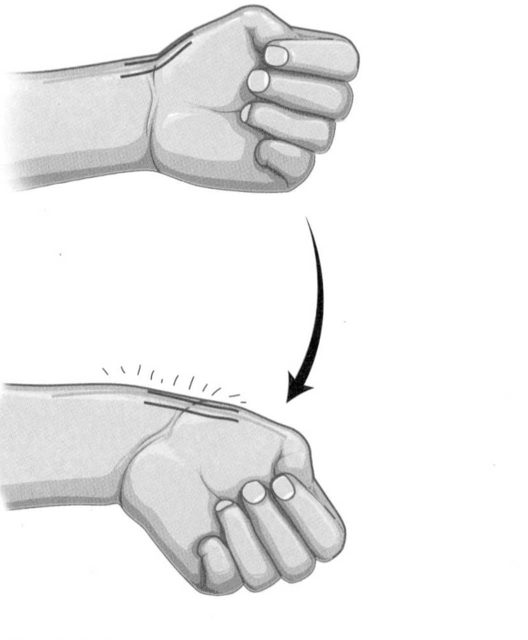

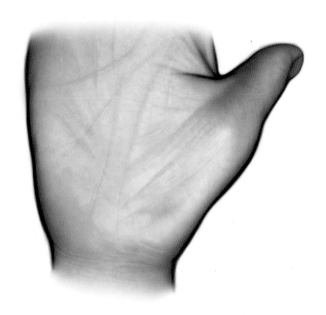

그림 12-7. **핀켈스타인 검사** 엄지손가락을 네 손가락 안쪽으로 집어넣고 손목을 새끼 손가락방향으로 굴곡할 때 손목 통증이 유발된다.

그림 12-8. 장기간 정중신경 압박에 의한 엄지 둔덕 근육의 위축 소견

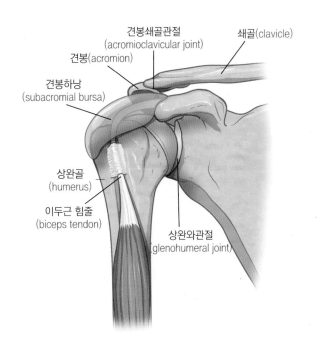

견봉쇄골관절
(acromioclavicular joint)

견봉(acromion)

쇄골(clavicle)

견봉하낭
(subacromial bursa)

상완골
(humerus)

이두근 힘줄
(biceps tendon)

상완와관절
(glenohumeral joint)

그림 12-9. 어깨통증의 주요 부위 및 해부학적 구조

환이 의심될 경우에는 신경전도 검사를 통해 확진할 수 있다.

## 2) 어깨관절

어깨질환을 검사할 때는 앞뒤면 모두에서 어깨의 모양과 변형을 우선 관찰해야 한다. 주로 복장빗장관절(sternoclavicular joint), 위팔어깨관절(glenohumeral joint), 봉우리빗장관절(acromioclavicular joint)과 더불어 어깨가슴관절(scapulothoracic articulation)도 유심히 살펴야 한다(그림 12-9).

항상 반대쪽과 비교해서 불균형이 없는지 봐야 하며, 특히 회전근개힘줄 파열이 있는 경우에는 침범된 어깨가 반대쪽에 비해 올라가 있는 경우가 많다. 어깨관절 근육이 많이 위축되어 있다면 이는 만성관절염(특히 류마티스관절염)의 가능성을 고려해야 한다. 어깨관절 내 공간은 비교적 여유가 있어 상당한 양의 삼출액이 없는 경우에는 어깨관절이 육안적으로 부어 보이지 않는다. 따라서 육안적 진찰만으로 활막염증에 의한 부종을 확인하기는 어렵다.

다음으로 능동 운동에 의한 진찰을 시행한다. 크게 어깨 운동은 모음·벌림(adduction/abduction), 내·외회전(internal/external rotation), 굽힘·폄(flexion/extension) 운동을 관찰한다. 먼저 환자의 상지를 쭉 편 상태로 상완부에 귀에 닿을 때까지 외전 운동

을 시켜본다. 어깨 통증의 가장 흔한 원인인 회전근개 이상이 있을 때는 심한 통증을 느끼면서 상지를 몸 앞쪽으로 올려 동작을 끝내려고 한다. 외회전은 환자가 충분히 외전된 팔을 손바닥으로 머리 뒷부분에 대도록 하는 동작(hand behind the head)으로 관찰할 수 있고, 반면 내회전과 신전은 환자의 손등을 등뒤 어깨뼈 근처에 최대한 다다를 수 있는 곳까지 닿게 하는 동작(hand behind the back)으로 조사한다.

다음 단계로 촉진을 시행하는데, 먼저 복장빗장관절을 만지면서 압통, 부종을 확인하고, 바깥으로 이동하면서 봉우리빗장관절을 만져 압통이 있는지 관찰하는데 이 부위는 골관절염이 잘 발생하는 부위이다. 더 바깥쪽으로 내려가면서 봉우리밑공간(subacromial space)과 가시위(supraspinatus)를 만지고 압통이나 부종을 관찰한다. 봉우리빗장관절 바로 밑에 부리돌기(coracoid process)가 있는데 여기에 위팔두갈래근의 머리끝이 달라붙고, 그 옆으로 위팔어깨관절이 위치한다. 위팔어깨관절을 움직이면서 만져보면 부종이나 압통을 느낄 수 있고, 활막염이 잘 발생하는 부위이다.

마지막으로 수동 운동에 의한 관절운동을 관찰한다. 수동 운동을 관찰할 때는 최소한 어깨가슴관절의 활동을 제한하기 위해 검사자의 손으로 환자의 어깨 위쪽을 살짝 누른 상태에서 팔꿈치를 90° 굽힌 상태에서 내·외전 수동 운동을 평가한다. 예를 들어 팔꿈치를 90° 굽힌 상태에서 손을 뒤침(supination)시켰을 때 위팔두갈래근 긴쪽 머리부위에 통증이 느껴지면 위팔두갈래근 힘줄염을 의심할 수 있고 흔한 어깨통증 원인인 충돌증후군(impingement syndrome)에서 봉우리밑윤활낭염이나 가시위근힘줄염이 있는 경우는 팔을 핀 상태로 90° 벌림 상태에서 최대한 내회전을 시키고 팔을 최대한 벌림 동작을 요구하고, 검사자가 위에서 이를 억제하면 통증이 유발되고, 심한 경우 팔이 아래로 떨어지는 경우가 발생한다.

## 3) 무릎관절

무릎 진찰은 현재 병력 뿐 아니라 과거 손상 여부에 대한 자세한 병력청취가 중요하다. 또한 관절통의 발병 양상이 급성인가 또는 만성인가에 따라 원인 질환을 의심하고 그에 따른 문진과 신체검사를 시행해야 한다.

자세한 문진과 함께 환자의 걷는 모습과 서 있을 때 무릎 모양을 관찰하고 무릎뿐 아니라 무릎 위와 아래에 근육 위축이 있는지 자세히 살펴본다. 대퇴사두근에 심한 위축이 관찰된다면 만성적인 무릎 질환이 있었다고 볼 수 있다. 무릎관절에 삼출액이 있는 경우에는 슬개골 위쪽으로 물주머니가 올라온 것이 보일 수 있고, 삼출액량이 많은 경우는 무릎 좌우 부기 또는 무릎 뒷면에서 부기(베이커낭종)를 볼 수 있다. 무릎의 변형을 보기 위해서는 서있는 상태에서 환자의 뒷면에서 관찰하는 것이 쉬운데 O자형 다리(varus deformity)가 골관절염에서 흔하다. X자형 다리(valgus deformity)는 류마티스관절염에서 볼 수 있다.

시진이 끝난 후에는 환자를 침대 위에 눕히고 무릎을 편 상태로 진찰한다. 만약 이때 무릎이 바닥에 닿지 않고 구부러진 경우 만성 관절염에 의한 굴곡구축을 의미한다. 무릎관절을 관절면을 따라 안쪽에서 바깥쪽으로 만지면서 압통이 있는지 조사한다. 무릎 내연부에는 거위발윤활주머니(anserine bursa)가 위치하며 이 부위에 압통이 나타나는 경우가 많고, 연부조직 무릎통증의 흔한 원인이다. 무릎관절에 삼출액이 차는 경우는 무릎뼈위주머니에서 쥐어 짜게 되면 삼출액이 아래로 이동해서 무릎 안쪽·바깥쪽으로 이동하는 부유감이 느껴진다(ballottement sign, 그림 12-10).

반면에 삼출액은 없으면서 무릎이 부어 보이는 경우는 골관절염에서 흔히 보이는 뼈 비대에 의한 경우로 부은 부위가 뼈처럼 딱딱하게 만져지고 주로 무릎 내연부에서 잘 관찰된다.

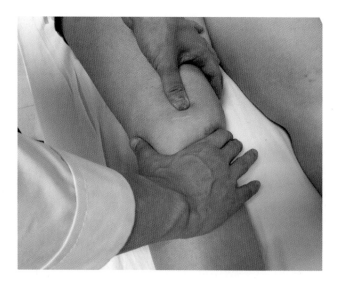

그림 12-10. Ballottement 검사

무릎관절 인대 손상을 검사하기 위해 무릎을 굽힌 상태에서 내반, 외반 스트레스를 주어서 무릎 내외측 측부인대 이상을 살펴본다. 인대 이상이 있는 경우에는 정상 운동범위를 넘어 과도한 내반, 외반 현상이 나타난다. 십자인대 손상은 누운 상태에서 무릎을 90° 정도 굽히고 발바닥을 고정한 상태에서 경골을 앞뒤로 움직이면서 관절 불안정성을 확인해볼 수 있다. 만약 전방이동이 보이면 앞십자인대의 손상을, 반대로 후방이동이 보이면 뒤십자인대의 손상을 의미한다. 반대측과의 비교가 전후방 이동을 보는 데 도움을 줄 수 있다(drawer sign, 그림 12-11).

무릎내이상(internal derangement of knee)은 주로 외상이나 퇴행성 원인에 의해 발생하는데, 반달연골의 이상은 만성적 혹은 간헐적 무릎 파행의 원인이 된다. 무릎을 90°로 굽히고 다리를 펴면서 하지를 내외측으로 회전시켜 시행한다. 내회전 시 통증성 소리는 외측 반달연골 파열을, 외회전 시 통증은 내측 반달연골의 파열을 의미한다(McMurray test, 그림 12-11).

### 4) 엉덩관절

엉덩관절은 환자의 걸음과 운동범위를 관찰함으로써 가장 잘 관찰할 수 있다. 대부분의 환자들은 엉덩관절 통증이 후방, 편측성, 볼기 근육 쪽을 가리킨다. 이러한 통증은 요통과 관련될 수도 있으며 대퇴부 뒤쪽으로 방사된다. 이러한 현상은 요추 천추의 골관절염에 의한 것이고 제4요추와 제1천추 사이의 신경절에 해당하는 피부절에 통증이 나타난다. 좌골신경통은 제4요추, 제5요추 또는 제1천추 신경이 눌려(예: 추간판 탈출) 나타나며, 둔부에서 종아리의 후외측을 따라 발까지 내려오는 일측성 신경통 증상을 보인다. 어떤 사람들은 대퇴돌기윤활낭(trochanteric bursa) 주위의 외측 엉덩관절 통증을 호소한다. 이 윤활낭은 깊이 위치하므로 부기나 열감은 나타나지 않는다. 대개 통증이 국한되어 나타나며 대퇴돌기윤활낭 주변에 통증유발점이 존재한다.

엉덩관절에 발생한 관절염의 통증은 주로 서혜부나 엉덩이 부위에서 많이 나타나며, 대퇴부 앞쪽 안쪽으로 통증이 전이되고 경우에 따라 무릎까지 내려가기도 한다. 엉덩관절은 깊숙이 위치하여 육안적으로 이상을 관찰하기 쉽지 않아 걷는 모양, 주변근육 엉덩관절의 수동적 운동을 통해 질병이 있는지 확인한다. 엉덩관절에 이상이 있는지 간단히 알아보기 위해서 환자를 쪼그리고 앉았다 일어나는 동작을 시키면 통증을 심하게 느끼

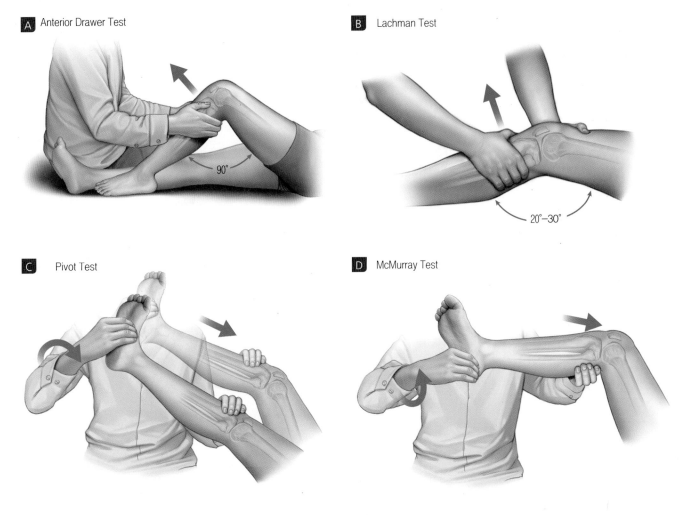

A Anterior Drawer Test
　90°

B Lachman Test
　20°–30°

C Pivot Test

D McMurray Test

그림 12-11. 관절 인대와 반월판 손상을 평가하기 위한 무릎 관절 검사법

고 느린 것으로 짐작할 수 있다. 관절염이 심해지고 만성화되어 대퇴외전근이 심하게 위축되면 병변 부위로 디디고 섰을 때 반대쪽 골반이 아래로 기우는 현상, 즉 Trendelenburg gait(그림 12-12A)을 관찰할 수 있다. 엉덩관절 문제가 있는 경우는 보행을 시켜보면 coxalgic gait(그림 12-12B)로 병이 있는 관절의 체중부하를 줄이기 위해 골반과 상체가 병변 쪽으로 기우는 걸음을 하게 된다. 누운 상태에서는 수동 운동을 통해 엉덩관절의 굽힘·폄 운동범위를 확인하고, 무릎과 엉덩관절을 약 90°가량 굴곡시킨 상태에서 내회전과 외회전 운동을 시켜본다. 내회전 시에 통증과 운동장애는 엉덩관절 이상을 예측할 수 있는 비교적 정확한 검사법이다. 강직척추염에서는 엉덩관절이상이 흔히 발생하는데 오래 진행된 경우에는 엉덩관절 굴곡구축(flexion contracture)을

보일 수 있다.

## 일차 진료의사의 류마티스 질환 의뢰

일차 진료의사는 중증 질환이나 복잡한 질환의 환자를 전문의에게 의뢰하는 중요한 역할을 담당하고 있다. 의료진이 위양성으로 진단을 내리는 경우, 환자가 불필요한 검사를 반복적으로 받거나 상당한 독성을 유발할 수 있는 약물치료나 시술이 행해질 수도 있으며 환자에게 불필요한 불안감을 줄 수 있다는 문제점이 있다. 다른 한편으로 위음성으로 진단을 내리는 경우, 적절한 치료를 받지 못한 상태로 질환이 진행되거나 치료 시기를

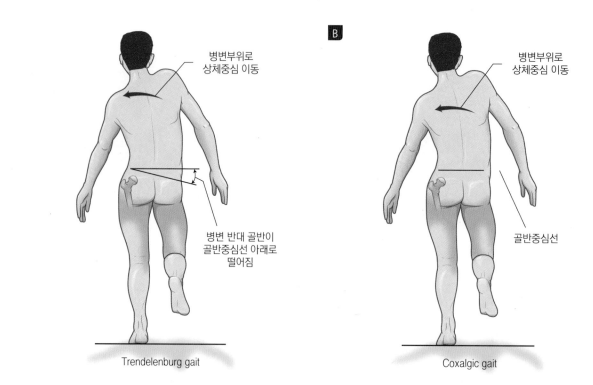

병변부위로
상체중심 이동

병변 반대 골반이
골반중심선 아래로
떨어짐

Trendelenburg gait

병변부위로
상체중심 이동

골반중심선

Coxalgic gait

그림 12-12. 엉덩관절 질환에서 나타나는 보행이상

놓칠 수 있다. 따라서 류마티스 질환이 의심되는 경우 일차 진료의사와 류마티스전문의 사이의 협업이 매우 중요하다.

류마티스전문의에게 의뢰되는 질환은 염증관절질환, 결합조직질환, 혈관염, 결정관절병증, 퇴행질환, 연부조직 류마티즘 또는 류마티스다발근통이나 섬유근통 같은 전신적인 통증 질환이다. 통상적으로 전신적인 염증 소견이 관찰되거나 관절을 파괴하는 질환의 환자를 우선적으로 조기에 의뢰하게 된다(그림 12-13).

전신홍반루푸스의 진단과 치료는 일차 진료의사뿐만 아니라 류마티스전문의에게도 어려운 경우가 있다. 일반적으로 (1) 원인이 불분명한 아급성 또는 만성 질병 상태, (2) 원인이 불분명한 단백뇨 또는 세포감소증, (3) 반복적이거나 비전형적인 심부정맥혈전증 또는 동맥혈전증, (4) 뺨 발진 또는 광과민성, (5) 설명되지 않는 염증관절염, (6) 원인이 불분명한 가슴막염, 심장막염, 울혈 심부전 또는 심한 간질폐렴이 있다면 전신홍반루푸스를 의심하고 류마티스전문의에게 의뢰하는 것이 좋다. 특히 가임기 여성에서 위와 같은 증상이 있다면 더욱 의심을 해야 한다.

한 코호트 연구에 의하면 류마티스전문의에게 의뢰되지 않은 류마티스관절염 환자의 42%가 기능적 장애가 더 심했다는 보고가 있다. 질병의 조기 진단과 초기에 적극적인 치료가 류마티스관절염 관리에 중요하므로 이를 위해 염증성 관절염 환자를 류마티스전문의에게 조기에 의뢰하는 것이 바람직하다. 일차 진료의사는 (1) 3개 이상의 관절 부기, (2) 발허리발가락 관절과 손허리손가락 관절을 침범한 경우, (3) 아침강직이 30분 이상인 경우 중에 하나라도 증상이 있는 경우, 류마티스관절염을 의심하고 류마티스전문의에게 의뢰하는 것이 좋다.

척추관절염(강직척추염)은 척추를 주로 침범하는 만성 염증 질환으로 주로 20-30세 사이의 연령에서 주로 발생하며 대부분 45세 이전에 발병한다. 증상이 처음 발생한 후 진단이 되기까지 5-10년이 소요된다. 최근에 조기 진단의 중요성이 강조되면서 이를 위한 새로운 분류기준이 발표되었다. 더불어 일차 진료의사가 축성 척추관절염이 의심되는 환자를 조기에 의뢰하는 것 또한 중요하겠다. 급성요통은 매우 흔하지만 대부분 3개월 내에 호전된다. 강직척추염 환자의 90-95%가 45세 미만에 발생하므로, 젊은 연령에서 3개월 이상 지속되는 만성요통을 호소하면 류마티스전문의에게 의뢰해야 한다. 염증요통은 운동에 의해 호

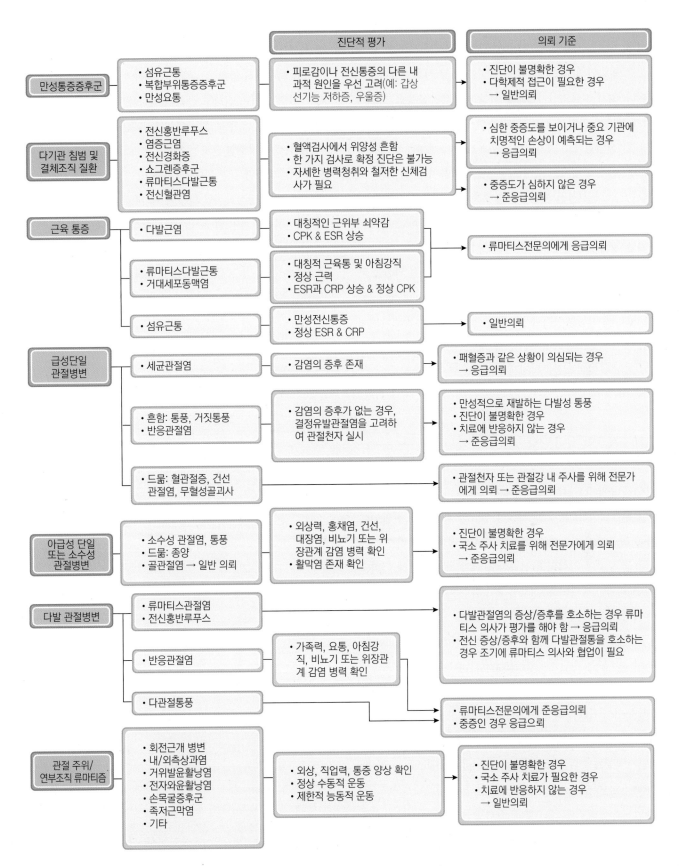

|  | 진단적 평가 | 의뢰 기준 |
|---|---|---|
| **만성통증증후군** | · 섬유근통<br>· 복합부위통증증후군<br>· 만성요통 | · 피로감이나 전신통증의 다른 내<br>과적 원인을 우선 고려(예: 갑상<br>선기능 저하증, 우울증) | · 진단이 불명확한 경우<br>· 다학제적 접근이 필요한 경우<br>  → 일반의뢰 |
| **다기관 침범 및<br>결체조직 질환** | · 전신홍반루푸스<br>· 염증근염<br>· 전신경화증<br>· 쇼그렌증후군<br>· 류마티스다발근통<br>· 전신혈관염 | · 혈액검사에서 위양성 흔함<br>· 한 가지 검사로 확정 진단은 불가능<br>· 자세한 병력청취와 철저한 신체검<br>사가 필요 | · 심한 중증도를 보이거나 중요 기관에<br>치명적인 손상이 예측되는 경우<br>  → 응급의뢰<br><br>· 중증도가 심하지 않은 경우<br>  → 준응급의뢰 |
| **근육 통증** | · 다발근염 | · 대칭적인 근위부 쇠약감<br>· CPK & ESR 상승 | · 류마티스전문의에게 응급의뢰 |
|  | · 류마티스다발근통<br>· 거대세포동맥염 | · 대칭적 근육통 및 아침강직<br>· 정상 근력<br>· ESR과 CRP 상승 & 정상 CPK | |
|  | · 섬유근통 | · 만성전신통증<br>· 정상 ESR & CRP | · 일반의뢰 |
| **급성단일<br>관절병변** | · 세균관절염 | · 감염의 증후 존재 | · 패혈증과 같은 상황이 의심되는 경우<br>  → 응급의뢰 |
|  | · 흔함: 통풍, 거짓통풍<br>· 반응관절염 | · 감염의 증후가 없는 경우,<br>결정유발관절염을 고려하<br>여 관절천자 실시 | · 만성적으로 재발하는 다발성 통풍<br>· 진단이 불명확한 경우<br>· 치료에 반응하지 않는 경우<br>  → 준응급의뢰 |
|  | · 드묾: 혈관절증, 건선<br>관절염, 무혈성골괴사 | | · 관절천자 또는 관절강 내 주사를 위해 전문가<br>에게 의뢰 → 준응급의뢰 |
| **아급성 단일<br>또는 소수성<br>관절병변** | · 소수성 관절염, 통풍<br>· 드묾: 종양<br>· 골관절염 → 일반 의뢰 | · 외상력, 홍채염, 건선,<br>대장염, 비뇨기 또는 위<br>장관계 감염 병력 확인<br>· 활막염 존재 확인 | · 진단이 불명확한 경우<br>· 국소 주사 치료를 위해 전문가에게 의뢰<br>  → 준응급의뢰 |
| **다발 관절병변** | · 류마티스관절염<br>· 전신홍반루푸스 | | · 다발관절염의 증상/증후를 호소하는 경우 류마<br>티스 의사가 평가를 해야 함 → 응급의뢰<br>· 전신 증상/증후와 함께 다발관절통을 호소하는<br>경우 조기에 류마티스 의사와 협업이 필요 |
|  | · 반응관절염 | · 가족력, 요통, 아침강<br>직, 비뇨기 또는 위장관<br>계 감염 병력 확인 | |
|  | · 다관절통풍 | | · 류마티스전문의에게 준응급의뢰<br>· 중증인 경우 응급의뢰 |
| **관절 주위/<br>연부조직 류마티즘** | · 회전근개 병변<br>· 내/외측상과염<br>· 거위발윤활낭염<br>· 전자와윤활낭염<br>· 손목굴증후군<br>· 족저근막염<br>· 기타 | · 외상, 직업력, 통증 양상 확인<br>· 정상 수동적 운동<br>· 제한적 능동적 운동 | · 진단이 불명확한 경우<br>· 국소 주사 치료가 필요한 경우<br>· 치료에 반응하지 않는 경우<br>  → 일반의뢰 |

그림 12-13. 류마티스 질환의 전문가 의뢰 기준

전되고 휴식에 의해서는 호전되지 않는 특징이 있다. 아침강직을 호소하거나 통증으로 인해 밤에 숙면을 취하지 못한다. 염증 요통으로 의뢰된 환자의 25-42% 정도가 축성 척추관절염으로 진단된다. 일차 진료의사가 3개월 이상 지속적인 요통을 호소하는 45세 미만의 환자를 진료할 때 축성 척추관절염을 의심하고 이에 대한 선별검사로 엉치엉덩관절에 대한 영상의학적 검사와 HLA-B27 유전자 검사를 시행하면 진단에 도움이 된다.

혈관염은 다양한 전신 증상들을 호소하기 때문에 진단이 상당히 어렵다. 일반적으로 여러 장기를기관을 침범하는 경우에 혈관염을 의심하게 되는데, 이 질환은 진단이 늦어지거나 놓치는 경우 심각한 장애를 유발할 수도 있기 때문에 우선 의심을 하는 것이 중요하다. 항중성구세포질항체(anti-neutrophil cytoplasmic antibody)가 양성이거나 전신적인 신체 증상이 발생하면서 신기능이 지속적으로 악화되는 등 주요 기관이 침범되면 혈관염을 의심하고 류마티스전문의에게 의뢰해야 한다.

## 류마티스 분야에서의 응급 상황

응급센터에 방문하는 환자의 8-20% 정도가 류마티스 질환과 관련된 문제가 있으며 응급 치료가 필요한 류마티스 질환임에도 잘못 판단하여 진단이 늦어지는 경우가 있다. 류마티스 분야에서 응급 상황이 의심되면 신속한 진단과 치료를 통해 이환율(morbidity)과 사망률(mortality)을 최소화하여야 한다.

류마티스 질환에서 응급으로 간주될 수 있는 상황은 급성 단관절염(감염관절염), 전신홍반루푸스에서 폐포출혈(alveolar hemorrhage) 또는 횡단척수염(transverse myelitis), 거대세포동맥염에서 시력 소실이나 육아종증다발혈관염에서 성대문밑협착증(subglottic stenosis)과 같이 주요 장기를 침범하는 급성 전신혈관염, 전신경화증에서 신장위기(sclerodermal renal crisis), 파국항인지질항체증후군(catastrophic antiphospholipid antibody syndrome) 등이다.

류마티스관절염이 경추부를 침범하는 경우에 경추척수병증(cervical myelopathy)으로 인한 사지마비나 직접적인 소뇌의 압박으로 인해 급사의 가능성이 있기 때문에 고리중쇠아탈구(atlantoaxial subluxation)와 수직탈구(vertical dislocation) 여부를

반드시 확인해야 한다. 류마티스관절염 환자에서 후두부의 통증이 새로 생겼거나 양쪽 손이 저린 증상을 호소하는 경우 경추부 침범을 의심하고 경추 X선 촬영을 해야 한다. 류마티스관절염 환자는 관절 변형이 심하고 근육이 쇠약해져 이로 인한 신경 압박으로 오인하여 경추부 침범에 의한 임상증상을 간과하는 경향이 있다. 강직척추염 환자는 척추 강직으로 인해 뼈가 단단할 것으로 생각되지만 골감소증 또는 골다공증이 흔하고 골절에 취약하다. 실제로 강직척추염 환자의 약 14% 정도는 척추골절이 발생하며, 척추골절이 발생하면 신경학적 합병증이 동반되어 2/3는 완전히 회복되지 않는다. 강직척추염 환자의 척추골절은 응급 상황이며 응급 고정술(urgent immobilization and surgical fixation)을 위해 척추전문의에게 즉시 의뢰해야 한다.

### 참고문헌

1. Aizenberg DJ. Common Complaints of the Hands and Feet. Med Clin North Am 2021;105:187-97.
2. American College of Rheumatology Ad Hoc Committee on Clinical Guidelines: Guidelines for the initial evaluation of the adult patient with acute musculoskeletal symptoms. Arthritis Rheum 1996;39:1-8.
3. Bykerk VP, Crow MK. Approach to the Patient with Rheumatic Disease, In: Goldman L, Schafer AI, eds. Goldman-Cecil Medicine. 25th ed. Philadelphia: Elsevier; 2016;1712-8.
4. Cush JJ. Approach to articular and musculoskeletal disorders, In: Jameson JL, Kasper DL, Fauci AS, Hauser SL, Longo DL, Loscalzo J, eds. Harrison's principles of internal medicine. 20th ed. New York: McGraw-Hill; 2018. pp. 2614-24.
5. Davis JM, Moder KG, Hunder GG. History and Physical Examination of the Musculoskeletal System, In: Firestein GS, Budd RC, Harris ED, Gabriel SE, McInnes IB, O'Dell JR, eds. Firestein & Kelley's Textbook of Rheumatology. 11th ed. Philadelphia: Elsevier; 2021. pp. 621-37.
6. Haley CCA. History and Physical Examination for Shoulder Instability. Sports Med Arthrosc Rev 2017;25:150-5.
7. Jackson JL, O'Malley PG, Kroenke K. Evaluation of acute knee pain in primary care. Ann Intern Med 2003;139:575-88.
8. Keret S, Kaly L, Shouval A, Eshed I, Slobodin G. Approach to a patient with monoarticular disease. A utoimmun R ev 2021;20:102848.
9. Klippel JH, Stone JH, Crofford LJ, White PH. Primer on the rheumatic diseases. 13th ed. New York: Springer; 2008. pp. 6-14.
10. Lee SW. Physical examination of arthritis. Korean J Med 2012;83:162-73.

11. Van Vollenhoven RF. Evaluation of Monoarticular and Polyarticular Arthritis. In: Firestein GS, Budd RC, Gabriel SE, McInnes IB, 0 'Dell JR, eds. Firestein & Kelly's Textbook of Rheumatology. 11th ed. Philadelphia: Elsevier; 2021. pp. 663-77.

12. Woolf AD, A kesson K. Primer: history and examination in the assessment of musculoskeletal problems. Nat Clin Pract Rheumatol 2008;4:26-33.

# 13

# 관절통증과 허리통증의 접근

인제의대 **윤보영**

## KEY POINTS 🔒

- 한국의과대학·의학전문대학원협회가 발간한 「기본의학교육 학습성과」의 101개 임상표현 중 류마티스내과에 해당하는 임상표현은 관절통/관절부기와 허리통증이다.
- 대한내과학회가 발간한 「전공의 수련 핵심 역량」에서 증상 및 징후에 대한 역량 중 류마티스내과에 해당하는 것은 관절통과 부기, 요통이다.
- 관절통증에서 만성다발관절염과 급성단관절염의 접근방식을 학습하는 것이 중요하다.
- 류마티스학을 교육할 때 가장 유용한 교수학습법 중 하나는 증례바탕학습이다.
- 증례로 학습하거나 교육할 때 임상추론방식과 교수학습법을 일치시키는 것이 좋은 교수학습전략이다.
- 스키마는 임상추론을 눈으로 보는 것처럼 표현하는 방법으로 교육과 평가에 유용하다.
- 임상추론과정을 학습자가 말로 표현하도록 돕고 직접 피드백하는 것은 소규모 교수학습환경에서 유용하다.
- 관절천자(무릎관절천자), 신경진찰(운동계, 감각계, 반사 검사)과 같은 임상술기는 완전학습의 개념으로 능숙할 때까지 반복해야 한다.
- 평가에 의해 학습이 결정되므로 상황과 목표에 맞게 평가를 계획하고 피드백해야 한다. 평가도구마다 장단점이 있으므로 맥락에 따라 적절한 평가를 계획한다.

## 서론

역량바탕교육은 교육 종료 후 또는 졸업과 동시에 실제 현장에서 발휘해야 할 역량을 정의하고 그에 따라 교육목표, 내용, 방법 및 평가를 계획하는 교육과정모델이다. 이는 결과를 중요시하는 성과바탕교육의 사조와 맥락을 같이하며 목표한 역량과 성과의 정의가 중요하다. 한국의과대학·의학전문대학원협회에서는 역량바탕의학교육에 적합하게 2012년부터 2017년까지 기본의학교육 학습성과를 진료역량 중심, 과학적 개념과 원리 중심, 사람과 사회 중심으로 개발하였고, 2016년 「기본의학교육 학습성과: 진료역량 중심」을 2판으로 개정하였다. 2판에는 101개의 임상표현(clinical presentation)을 제시하였고, 류마티스내과에 해당하는 임상표현은 관절통/관절부기와 허리통증이다. 2017년 대한내과학회에서도 역량바탕교육을 위해 전공의 교육 목표를 제시한 「내과학회 전공의 수련 핵심 역량」을 출간하였다. 이 중 류마티스내과에 해당하는 것은 관절통과 부기, 요통이다.

류마티스 질환은 내과 영역 중에서도 유병률이 낮아 쉽게 경험할 수 없고, 다른 내과 질환에 비해 질환에 대한 접근법이 다른 추론 방식을 사용하는 경향이 있어 의과대학·의학전문대학원생이 생소하고 어렵게 느끼는 학문이다. 이번 장의 내용은 「류마티스학」교과서 전반과 중복될 수밖에 없는 내용이므로 내용 자체에 대한 기술보다는 의과대학·의학전문대학원생과 전공의가 류마티스 질환을 학습할 때 본 교과서를 어떻게 활용할 것인지를 안내하고 학생들을 지도하는 교수와 지도전문의가 본 교과서를 활용하여 어떻게 학생, 전공의들의 학습을 돕는 것이 효과적인지 기술하도록 하겠다.

## 효과적인 교수학습법

폭넓은 지식을 많은 사람에게 가장 효과적으로 전달하는 교수 방법은 강의이다. 그러나 마땅히 알아야 할 것을 모두 가르쳐야 한다는 전통적인 교과 중심의 교수법으로 류마티스 질환을 학생들에게 이해시키는 것은 쉬운 일이 아니다. 류마티스학에서 학생이 마땅히 알아야 할 것이 무엇인가에 대한 견해도 서로 다를 수 있지만 교과 중심으로 지식을 전달하고자 한다면 환자의 문제를 해결하기 위한 포괄적인 사고능력과 임상추론능력을 배양시키기는 어려울 수 있다. 의학교육의 환경이 변하면서 수업 시간이 축소되었고, 통합교육 속으로 류마티스학이 들어가고, 실습교육이 강조되고 있다. 학생들에게 고유의 학문체계로 류마티스학의 지식을 전달하는 것보다 류마티스 증상 중 비교적 흔한 증상을 가진 환자를 다양한 방법으로 제시하고 문제를 해결하는 법을 안내하면서 류마티스 질환에 대한 흥미와 깊이 있는 이해를 끌어내는 것이 더욱 효과적인 교수법일 수 있다. 또한, 감염병의 범유행(pandemic) 시대에 원하였건 원하지 않았건 이미 발달된 통신기술을 교육에 접목하게 되었고 전통적인 지식위주의 강의는 대부분 온라인으로 대체되었다. 많은 교육학자들은 범유행이 끝난 이후에도 지식에 대한 학습은 전통적인 강의실 교육으로 돌아가지 않을 것이라고 전망한다.

류마티스 질환 환자에 대해 접근할 때 가장 좋은 방법 중 하나는 증례를 통한 접근법이다. 증례바탕학습(case-based learning, CBL) 증례를 이용하여 다양한 교수법에 대응할 수 있다는 장점이 있다. 대부분의 학교에서 진행하는 문제바탕학습(problem-based learning, PBL) 또한 증례바탕학습의 한 형태라고 볼 수 있으며 강의 중심의 증례 활용, 증례중심의 강의, 증례수업 등 다양한 교수방법에서 활용할 수 있다. 증례바탕학습의 또 다른 장점은 증례와 함께 맥락을 이해하는 데 도움이 되며, 흥미를 유발하고 학습에 몰입할 수 있도록 하며, 직업전문성이나 윤리문제 등 다양한 교육적 목적을 의도적으로 포함시킬 수 있다는 것이다.

증례는 다양한 형태로 제공할 수 있는데 종이에 활자화된 증례, 사진이 포함된 종이 증례, 오디오 증례, 비디오 증례, 표준화

환자, 실제 환자 등이 있을 수 있다. 후자로 갈수록 더욱 실제에 가깝고 학습자와 상호작용이 가능하여 학습자에게 흥미를 유발하고 학습동기를 자극하지만 비용과 노력이 많이 들고 교육자가 조절하기 힘든 상황이 개입될 수 있다. 따라서, 주어진 자원과 교수자의 상황과 의도에 따라 적절한 형태의 증례를 학습에 이용하면 된다. 특히 의과대학의 교과과정 중 임상실습 기간은 풍부한 실제 증례를 활용하여 증례바탕학습을 할 수 있는 적기라고 하겠다.

## 임상표현으로 시작하기

의학교육에서 최근 화두는 실세계 문제해결(real-world problem solving)이라고 할 수 있다. 의과대학·의학전문대학원을 졸업하고 의사국가고시를 통과했다면 일차 진료의사로서 실제 환자를 보고 문제를 해결할 수 있어야 한다. 질병 중심, 교과목 중심의 교육은 환자가 병원에 와서 자신의 문제(증상, 임상 표현)를 이야기하는 것을 듣고, 문진과 신체진찰을 통해 의사가 사고하고 추론하여 가능한 진단을 추정하고 검사를 통해 확인한 후 확진을 내리는 의사의 가장 중요한 직무 전체를 생략할 위험이 있다. 따라서, 교육할 때 실제 환자가 병원에 오는 상태인 임상표현으로 증례를 접할 수 있도록 해주는 것이 중요하다. 한국의과대학·의학전문대학원협회는 가장 흔하게 병원을 찾거나, 초기진료 단계에 적절하게 대응하지 못할 경우 위중한 결과를 초래할 수 있는 임상 표현 101개를 선정하였다. 이 중 류마티스내과에 해당하는 임상표현은 관절통/관절부기와 허리통증으로 다음에서 임상표현에 따라 증례를 이용한 효과적인 학습방법을 제시하고자 한다.

### 1) 관절통/관절부기

관절 증상이 주된 증상이거나 부수적인 증상인 류마티스 질환 대부분이 관절통/관절부기의 임상표현으로 병원에 온다. 따라서, 관절통/관절부기의 접근법을 이해하면 류마티스 질환 대부분을 감별진단하거나 접근할 수 있다는 뜻이므로 학생에게는 매우 중요한 임상표현이다.

**증례 1** 36세 여성이 두 달 전부터 손이 아프다고 병원에 왔다. 아침에 일어나면 손이 더 아프고 뻣뻣하였고 오후가 되면 차츰 나아져서 주먹을 쥘 수 있다고 하였다. 양측 손목관절, 오른쪽 두 번째, 세 번째 손허리손가락관절, 왼쪽 세 번째, 다섯 번째 손허리손가락관절, 양쪽 무릎과 발목관절, 오른쪽 네 번째 발허리발가락관절에 압통과 부종이 있었다.

이 증례를 접하면 가장 무엇을 생각해야 할까? 학습자가 바로 진단명을 떠올린다면 두 가지 경우이다. 첫 번째는 문제바탕학습이나 수업 중 증례를 여러 번 접하고 관련 류마티스 질환에

대한 학습을 잘 한 후 임상실습을 통해 유사한 환자를 몇 차례 경험한 경우이고, 두 번째는 '뻣뻣함', '양측', '손허리손가락관절' 등의 몇 가지 핵심 단어로 전문가의 임상추론인 패턴 인식(pattern recognition)을 흉내 내는 경우이다. 두 번째 임상 추론방식은 초심자인 학습자들이 섣불리 따라하는 경우 자주 실패하게 되고 오진으로 이어질 위험이 높다. 이를 막는 방법은 교수자가 학습자의 임상추론 과정을 하나하나 짚어서 되묻고 분석하게 하는 것이다.

표 13-1. **임상표현: 관절통/관절부기(joint pain/joint swelling)**

| 최종학습성과 | 1. 관절통/관절부기를 호소하는 사람에서 원인을 감별할 수 있다. | |
|---|---|---|
| | 2. 관절통/관절부기를 호소하는 사람에서 원인에 따른 적합한 치료계획을 세울 수 있다. | |
| 실행학습목표 | 1. 관절통/관절부기의 해부학적 위치에 따라 통증 발생기전을 설명할 수 있다. | Chapter 2 |
| | 2. 관절통/관절부기의 발생원인에 따른 염증기전을 설명할 수 있다. | Chapter 3, 4 |
| | 3. 관절통/관절부기를 호소하는 사람에서 병력청취와신체진찰을 통해 염증성과비염증성 원인을 감별할 수 있다. | Chapter 12, 기본진료수행지침 |
| | 4. 관절통/관절부기를 호소하는 사람에서 필요한 검사를 선택하고 그 결과를 해석할 수 있다(혈액적혈구침강속도, 혈청 C-반응단백질, 류마티스인자, 요산). | Chapter 14 |
| | 5. 무릎 관절통/관절부기를 호소하는 사람에서 필요한 경우에 관절천자를 시행하고 결과를 해석할 수 있다. | Chapter 19, 기본임상술기지침 |
| | 6. 관절통/관절부기를 호소하는 사람에서 응급 수술이나 처치가 필요한 경우를 알아낼 수 있다. | Chapter 31 |
| | 7. 관절통/관절부기를 호소하는 사람에서 원인에 따른 적합한 치료계획을 세울 수 있다. | Chapter 21 |
| 과학적 개념과 원리 | 1. 관절을 형태적 특징에 따라 분류하고 비교 설명할 수 있다. | Chapter 2 |
| | 2. 관절질환의 병태생리를 설명할 수 있다. | Chapter 3, 4, 5 |
| | 3. 항염증약물의 작용기전을 설명하고 약물선택기준을 제시할 수 있다. | Chapter 21-28 |
| 필수임상술기 | 관절천자(무릎관절천자) | Chapter 19, 기본임상술기지침 |
| 진료수행 | 손마디가 아파요 | Chapter 12, 기본진료수행지침 |
| 해당질환 | 1. 관절염증 | |
| | 1) 결정생성: 통풍, 거짓통풍 | Part 8 |
| | 2) 자가면역: 류마티스관절염, 강직척추염, 전신홍반루푸스 | Part 5, 6, 9 |
| | 3) 감염: 세균관절염 | Part 18 |
| | 2. 관절 비염증 | |
| | 1) 퇴행/과사용: 골관절염 | Part 7 |
| | 2) 외상: 혈관절증 | |
| | 3. 관절 외 | |
| | 1) 과사용: 힘줄염 | Part 4 |

이 증례로 무엇을 어떻게 학습해야 할까? 기본의학학습성과 중 관절통/관절부기(표 13-1)의 실행학습목표를 보면서 본 증례를 따라가 보기로 하자. 실제 환자증례라면 좀 더 풍부한 환자 개인의 이야기와 통증에 대한 호소, 환자가 느끼는 고통들을 이해할 수 있을 것이다. 또한, 환자가 실제로 호소하는 증상이 정말 관절증상인지 관절 외 증상인지 확인할 수 있다. 그러나 간략한 종이 증례이므로 많은 부분이 생략되어 있고 요약되어 있다. 실제 환자를 만난다면 무엇을 더 물어보고 확인했을지 생각해 본다. 시험을 대비한다면 한국의과대학·의학교육전문대학원 협회에서 발행한 「기본진료수행지침」 2판의 '손마디가 아파요'를 참고하면 좋다. 특히 초심자에게는 참고하면 도움이 되지만 실제 환자를 만나면서 자신의 방식과 언어로 환자와 대화하고 진찰하면서 자신의 것으로 내면화하는 과정이 필요하다. 나이와 성별에서 알 수 있는 것(표 12-2), 증상이 시작되고 지속된 기간으로 알 수 있는 것을 학습한다(그림 12-2).

실제 신체진찰, 관절진찰을 한다면 어떻게 하는지 공부하고 실제 동료들의 관절을 만져보고 관절진찰을 연습한다(Chapter 12). 검색을 통해 여러 동영상 자료를 활용할 수 있다. 염증관절염과 비염증관절염의 차이를 병력청취, 신체진찰, 검사실 검사, 영상학적 검사를 통해 어떻게 감별할 수 있는지 학습한다. 실제 환자에게 적용할 수 있는지 연습해 본다. 이 증례를 만성염증다

발관절염(chronic inflammatory polyarthritis)이라고 한마디로 요약(abstraction)할 수 있다면 여기까지는 충분히 학습하였다고 볼 수 있다. 관절진찰 결과를 기록지에 기록해 보고 그림을 그려보며(그림 12-3) 관절염의 분포와 패턴을 확인해 본다. 관절염이 있는 사람에게서 관절 외 동반될 수 있는 증상은 무엇이 있으며 이를 통해 감별해야 할 질환들은 어떤 것이 있는지 학습한다(표 12-4). 학생에게는 관절외증상을 처음부터 꼼꼼하게 문진하고 신체진찰하는 것이 어려울 수 있다. 관절염에 대한 접근을 다양한 증례로 여러 번 학습하다 보면 여러 질환에 대해 이해하게 되고 관절 외 증상에 대해서도 더 많이 알게 된다. 그때까지 학습의 범위를 차츰 넓혀 나가야 한다. 근골격계 질환의 접근을 정리한 알고리즘(그림 12-2)을 보면서 증례가 해당하는 길을 따라가 본다. 특별히 손관절염이 있을 때 관절 분포에 따른 감별진단에 대해 다시 한 번 학습한다(그림 12-6). 가능성이 높은 질환이 일찍 감별되어도 처음에는 천천히 반복해서 절차를 따라 학습한다. 가능성 높은 질환이 있으면 해당 질환에 대한 부분을 찾아 깊이 있게 학습한다. 추가적으로 다음 단계에 어떤 검사를 할지 생각해 보고 검사의 해석 방법을 학습한다(Chapter 14, 15). 검사결과나 치료계획을 환자에게 설명한다면 어떻게 할 수 있을지 연습해 보면 좋다. 동료들과 역할극을 해보는 것도 좋은 학습법이다.

진단까지의 과정이 가장 중요하며 그 과정을 자신만의 스키

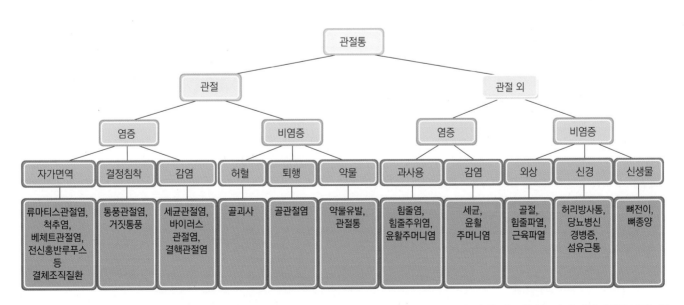

그림 13-1. **임상표현 '관절통'의 스키마 예시** 스키마에 정답은 없으며 경험을 쌓아가며 자신만의 스키마를 정교화하는 과정 자체가 중요하다. (출처: 인제의대 학생들이 임상실습과정 중 수행한 팀 과제)

마(schema)로 그려보는 것이 좋다(그림 13-1). 스키마는 한번 그리고 마는 것이 아니라 항상 가지고 있다가 해당 임상표현을 학습할 때마다 첨가와 수정을 반복하면 좋다.

다음은 해당 질환의 대략적인 치료 원칙에 대해서 학습한다. 만성염증다발관절염(chronic inflammatory polyarthritis)으로 나타나는 질환은 많기 때문에 모든 질환에 대한 세부 치료법을 아는 것은 학생 수준이 아닐 수 있다. 다만 류마티스관절염의 치료 원칙(Chapter 44)과 항류마티스약제(Chapter 24)에 대한 개요를 학습해야 하고 특히 메토트렉세이트의 쓰임과 중요성을 아는 것은 중요하다. 임상실습 상황이라면 환자 증례에 맞추어 치료방법에 대해 좀 더 깊이 있게 구체적인 학습을 해본다.

다음은 유사한 증례를 비교하면서 학습하는 과정이 필요하다. 유사한 증례가 급성 경과로 증상을 호소하는 경우, 고령인 경우, 직업력에 따라서, 비염증성인 경우, 통증의 부위가 관절이 아닌 경우, 다발성이 아닌 경우, 손관절의 통증분포가 다른 경우 등 위 증례가 조금씩 바뀐다면 어떻게 추정 진단이 달라지는지 그 이유는 무엇인지 비교분석하면서 학습한다. 이 과정을 통해 서 학습자가 지닌 관절통/관절부기에 대한 스키마가 더 풍부해지고 환자에 대한 접근이 쉬워진다.

교수자는 학생이 위와 같은 사고과정을 따라 학습할 수 있도록 수업을 설계해야 하고 소그룹 학습환경이면 적절히 질문해야 한다. 교수자의 임상추론 과정을 말로 설명해주는 것으로 모델링(cognitive modelling)할 수 있고 학생들이 자신의 임상 추론 과정을 말로 하도록 하거나(verbalization) 스키마와 같이 도식적으로 표현하게 하여(visualization) 확인하고 피드백할 수 있다. 실습 중 의무기록지를 확인하거나 증례 발표를 통해 드러난 학생들의 임상추론 과정을 확인하고 더 정교화할 수 있도록 도와주어야 한다.

> **증례 2**　45세 남자가 어젯밤부터 갑자기 오른쪽 무릎이 붓고 아프다고 새벽에 응급실에 왔다. 통증으로 오른쪽 발을 딛지 못하였다. 운동을 하거나 다친 적은 없다고 하였으며 이전에 관절이 아픈 적은 없었다고 하였다. 체온은 37.6℃였다. 오른쪽 무릎관절에 열감과 발적이 있고 압통, 부종이 있었으며 Ballottement검사 양성이었다.

이 증례는 빠른 임상추론을 거쳐서 판단까지 오랜 시간이 걸리지 않도록 훈련할 필요가 있다. 근골격계 질환의 응급이 포함

된 증례로 일차진료의로서 응급실에서 근무할 때 흔히 유사한 증례를 만날 수 있다. 이 증례 역시 나이와 성별로부터도 학습할 것이 있으며(표 12-2), 증상이 시작된 지 하루가 되지 않은 급성 경과를 보이고 있고 하나의 관절에만 염증과 관절 삼출이 생겼다. 급성염증단일관절염이라고 요약할 수 있어야 한다. 관절 삼출이 생긴 무릎관절의 관절진찰을 할 수 있어야 하며 동영상을 보고 관절모형이나 동료와 함께 진찰 연습을 하면 좋다. 이 증례의 진단을 위해서 가장 필수적인 검사가 무엇인지 학습해야 하며, 무릎관절천자를 어떻게 하는지 방법을 학습한다. 적응증, 금기, 합병증에 대해서도 학습한다. 역시 동영상을 이용하는 것이 좋은 방법이며, 한국의과대학·의학교육전문대학원 협회에서 발행한 「기본임상술기지침」 3판의 관절천자(무릎관절천자)를 참고하면 좋다. 지침서를 숙지하고 단계와 절차를 생략하지 않고 연습해야 하고 무균조작에 주의한다. 술기는 반복해서 숙달될 때까지 연습하는 것이 중요하다. 무릎관절천자 후 관절 삼출액을 얻었다면 어떤 검사를 할 것인지, 검사해석을 어떻게 할 것인지 학습한다(표 15-2). 결과에 따라 가능성 있는 질환이 무엇인지 학습하고 질환에 따라 어떤 치료를 선택할 것인지 학습한다. 급성 기통풍 치료와 감염관절염 치료는 반드시 잘 알고 수행할 수 있어야 한다. 의료환경의 변화와 환자안전문제로 학생들이 실제 환자에게 무릎관절천자를 해보는 기회는 드물다고 할 수 있다. 주로 관찰을 하거나 모형으로 연습해 볼 수 있다. 무릎관절천자는 절차와 방법을 숙지하면 어렵지 않은 술기이다. 학생들에게는 무릎관절천자를 직접 시행하는 것보다 언제 관절천자를 시행하는지 알고 활액 분석을 하는 것이 더 중요하다. 염증세포 수를 보고 질환을 분류하고 편광현미경을 직접 볼 수 있는 기회가 있으면 좋다. 직접 관찰할 수 없다면 사진을 통해서 편광현미경에서 보이는 요산결정(그림 19-2)과 거짓통풍의 칼슘피로인산결정(그림 19-3)의 특징을 비교 학습한다.

위 증례와 유사한 증례를 비교하면서 학습하는 과정이 필요하다. 무릎이 아프면서 만성 경과로 증상을 호소하는 경우, 고령인 경우, 외상이 있는 경우, 비염증성인 경우, 통증의 부위가 관절이 아닌 경우, 무릎 외에 허리도 아픈 경우, 관절외 증상이 있는 경우 등 병력이 조금씩 바뀐다면 어떻게 추정 진단이 달라지는지 그 이유는 무엇인지 비교분석하면서 학습한다.

## 2) 허리통증

허리통증은 흔히 경험할 수 있는 임상표현이다. 직립보행을 하는 인간은 평생 동안 누구나 한 번 이상의 허리통증을 겪는다고 하니 일차진료의로서 자주 만날 수 있는 임상표현이므로 감별진단을 잘 할 수 있어야 한다. 허리통증은 병력청취와 신체진찰만 잘 하여도 자세한 검사와 주의를 요하는 허리통증과 검사없이 지켜볼 수 있는 허리통증을 감별할 수 있다.

**증례 3**  65세 여자가 두 달 전부터 생긴 허리통증으로 병원에 왔다. 통증은 시간이 갈수록 심해진다고 하였고 다리의 바깥쪽까지 뻗치는 통증이 동반되어 발등까지 내려 온다고 하였다. 아침에 자고 나면 나아지고 20분 이상 걸으면 증상이 심해져서 쉬어야 하고 쉬고 나면 다시 걸을 만하다고 하였다. 신체검사에서 다리 바깥쪽의 감각이 저하되어 있었고 근력의 약화는 없었으며 하지직거상검사는 양성이었다.

허리 통증 환자의 대부분은 척추나 주위 구조물의 물리적(기계적) 손상에 의한 것으로, 특정한 자세나 동작에 악화되고 움직임이 더할수록 심해진다. 대부분은 단기간에 저절로 호전되는 양상을 보이므로 급성기에 병원을 찾은 사람들은 응급수술이 필요한 신경증상이 동반된 경우를 제외하고 1-2주 정도의 관찰 기

간이 필요하고 대부분 그 기간에 호전된다. 따라서 위 증례에서 두 달 동안 지속되며 악화되는 양상에 주목해야 한다. 실제 환자를 만나는 경우라면 동반질환이나 야간 통증이 있는지, 체중감소가 있는지 더욱 자세한 병력청취가 필요하다(Chapter 35).

**증례 4**  23세 남자가 두 달 전부터 허리가 아프다고 병원에 왔다. 2년 동안 몇 차례 비슷한 증상이 있다가 비스테로이드소염제를 복용하고 1-2개월 정도 지나면 호전되어 병원을 찾지 않았다고 했다. 아침에 허리 통증이 가장 심하다가 활동하면 차차 나아졌고 밤에 누워 있으면 다시 심해진다고 하였다. 다리로 뻗치는 통증이나 감각저하는 없었다. 양측 엉치엉덩관절에 압통이 있었다. 하지직거상검사는 음성이었고 파버검사(FABER test)는 양성이었다.

허리통증에서 병력청취와 함께 중요한 것은 신체진찰이다. 신체진찰을 통해 물리적 이상과 비물리적 이상을 감별할 수 있다. 신체진찰을 잘하기 위해서는 척추 뼈와 신경의 해부학적 구조를 이해해야 하고(그림 35-1) 피부분절에 따른 신경의 분포와 이에 따른 증상을 학습해야 한다(표 35-2, 그림 35-2). 신경진찰을 시행할 수 있어야 하며 운동계, 감각계, 반사 검사(기본임상술기지침 3판 참조)를 시행할 수 있도록 연습해야 한다. 동료와 함께 서로 연습하여 익숙하게 환자에게 시행할 수 있도록 한다. 물리적 손상에 의한 허리통증 질환군(등염좌, 추간판탈출증, 골관절염, 척추관협착증, 척추전방전위증, 척추측만증 등)에 대한 해부학적 이해를 바탕으로 신경진찰을 서로 비교하면서 학습하면 효과적이다(표 35-3).

이 증례에서 가능한 진단을 생각해보고 다음 단계로 시행할 영상학적 검사가 무엇인지 학습한다. 영상학적 검사에서 어떤 소견을 볼 수 있는지 학습하고 다른 물리적 손상에 의한 질환은 X선 촬영과 자기공명영상에서 어떤 소견을 보이는지 학습한다(표 35-3). 진단까지의 과정이 가장 중요하며 그 과정을 자신만의 스키마로 그려보는 것이 좋다.

이 증례의 경우 통증 완화를 위한 비약물적 치료와 약물적 치료를 학습하고 수술적 치료를 고려해야 할 상황인지 좀 더 기다려 볼 수 있는 상태인지 판단한다. 검사결과나 치료계획을 환자에게 설명한다면 어떻게 할 수 있을지 연습해 보면 좋다. 동료들과 역할극을 해보고 동료 피드백을 해 보는 것도 좋은 학습법이다. 이 증례가 수술적 치료를 필요로 한다면 어떤 경우인지 미리 예측해 본다.

이 증례와 대비되는 비물리적 허리통증 증례로 비교하면서 학습하면 스키마를 확장하는 데 효과적이다.

　교수자는 중요한 신체검사를 학생이 잘 시행할 수 있도록 시범을 보이거나 비디오 자료 등을 제공하여 예습하도록 유도하면 좋다. 과제로 학생들이 동료와 함께 연습한 것을 촬영하여 비디오 파일로 제출하게 할 수도 있지만 이 비디오를 확인하고 피드백해주는 일도 시간과 노력이 많이 드는 일이다. 소규모 상황이라면 실제 학생들에게 신경진찰을 시행하도록 하고 직접 관찰하면서 평가하고 피드백해준다. 단순히 이해하고 할 수 있는 수준에서 능숙하게 잘 할 수 있는 수준까지 반복하도록 격려해야 한다.

**표 13-2. 임상표현: 허리통증(low back pain)**

| 최종학습성과 | 1. 허리통증이 있는 사람에게서 원인을 감별하고 유발 요인을 알아낼 수 있다. | |
| --- | --- | --- |
| | 2. 허리통증이 있는 사람에게서 기본적인 응급처치를 시행할 수 있다. | |
| | 3. 허리통증이 있는 사람에게서 원인에 따른 적합한 치료계획을 세울 수 있다. | |
| 실행학습목표 | 1. 허리통증의 발생기전을 물리적 이상과 비물리적인 이상으로 구분하여 설명할 수 있다. | Part 4 Chapter 4 |
| | 2. 허리통증이 있는 사람에게서 병력청취와 신체진찰을 통해 허리통증의 원인을 물리적 원인과 비물리적 원인으로 구분할 수 있다. | Part 6 Chapter 1, Part 4 Chapter 4 |
| | 3. 피부분절에 따라 허리통증의 발병 위치를 설명할 수 있다. | Part 4 Chapter 4 |
| | 4. 허리통증이 있는 사람에게서 동반된 신경증상을 확인할 수 있다. | Part 4 Chapter 4, 기본임상술기지침 |
| | 5. 허리통증이 있는 사람에게서 X선 촬영과 혈액검사(온혈구계산, 급성반응물질)가 필요한 경우를 선택하고 결과를 해석할 수 있다. | Part 2 |
| | 6. 허리통증이 있는 사람에게서 허리통증 완화를 위한 비약물적 치료에 대해 교육할 수 있다. | Part 3 |
| | 7. 허리통증이 있는 사람에게서 응급수술이나 처치가 필요한 경우를 선별할 수 있다. | Part 3 Chapter 11, Part 4 Chapter 4 |
| 과학적 개념과 원리 | 1. 관절질환의 병태생리를 설명할 수 있다. | Part 1 Chapter 3, 4, 5 |
| | 2. 뼈 질환을 분류하고 병태생리를 설명할 수 있다. | Part 1 Chapter 2 |
| | 3. 척추뼈와 척수신경의 위치 관계를 설명할 수 있다(추간판탈출증). | Part 4 Chapter 4 |
| | 4. 척수신경의 기능과 구성요소, 경로, 주요 신경의 분포를 설명할 수 있다. | Part 4 Chapter 4 |
| 필수임상술기 | 1. 운동계 검사 | Part 4 Chapter 4 |
| | 2. 감각계 검사 | 기본임상술기지침 |
| | 3. 반사검사 | |
| 진료수행 | 허리가 아파요. | Part 6 Chapter 1 Part 4 Chapter 4 기본진료수행지침 |
| 해당질환 | 1. 물리적 이상 | |
| | 　1) 퇴행: 골관절염 | Part 7 |
| | 　2) 신경압박: 추간판탈출, 척추관협착 | Part 4 Chapter 4 |
| | 　3) 외상: 골절 | |
| | 2. 비물리적 이상 | |
| | 　1) 감염: 골수염 | |
| | 　2) 자가면역: 강직척추염 | Part 6 Chapter 2 |
| | 　3) 종양: 전이뼈암 | |

이 증례를 통해 물리적 이상에 의한 허리통증보다 드물지만 의심하고 진단하는 것이 중요한 비물리적 허리통증에 대한 전반을 학습할 수 있다. 쉬면 악화되고 움직이면 호전되는 통증의 양상을 보아 비물리적 허리통증일 가능성이 높다는 것을 알 수 있어야 한다. 비물리적 허리통증 중에서 염증요통(inflammatory back pain)의 특징을 학습한다(표 5-1-1). 염증요통이 있는 증례에서 병력청취는 아주 중요하다. 같이 동반할 수 있는 증상을 잘 숙지하고 있어야 하며(표 5-1-4, 표 5-1-5) 염증요통으로 병원에 온 사람에게 물어볼 수 있어야 한다. 실제 병력청취 연습을 해보면 좋다. 나이와 성별, 가족력 등이 중요하며 여러 동반 증상이나 질환이 있는지 자세히 물어야 한다. 감별진단을 할 때 결정적인 역할을 하기도 한다.

염증요통에서 최근 중요한 개념은 축성척추관절병증(axial spondyloarthropathy)이다. 고전적인 진단분류기준으로는 조기 진단이 어렵기 때문에 최근 새롭게 주창하는 분류기준이다. 따라서 고전적인 쇼버검사, 흉곽확장검사, occiput-to-wall 검사(Chapter 56)뿐 아니라 엉치엉덩관절염 유무를 확인하는 검사(distraction, thigh thrust, FABER, compression, Gaenslen검사 등)를 시행할 줄 아는 것도 중요하다. 모든 검사를 잘 하는 방법은 시행하는 이유를 숙지하고 절차를 잘 이해한 다음 시범 영상을 확인하고 여러 차례 직접 해 보는 것이다. 또한 실제 수행할 때 동료나 교수자의 피드백을 통해 모자라는 부분을 보충하도록 해야 하고 직접적인 피드백이 쉽지 않다면 녹화하여 보면서 스스로 잘못된 부분을 교정하는 것도 방법이다.

다음으로 시행할 검사실 검사와 영상학적 검사도 중요한데 HLA-B27과 염증을 일으키는 자가면역기전(Chapter 40)을 이해하면 영상학적 검사의 해석이 쉽고 이후 치료를 학습하는 데 도움이 된다. 골반 X선 사진(그림 5-2-6)을 판독할 수 있어야 하며 자기공명영상(그림 5-2-7)에서도 염증이 어떤 식으로 보이는지 원리를 확인하면서 학습한다.

척추관절염의 종류(강직척추염, 반응관절염, 건선관절염, 염증장질환연관관절염 등) 간에 공통점과 차이점을 잘 이해해야 하고 그 차이점을 구분하기 위하여 병력청취와 신체진찰은 중요하다. 소화기내과, 피부과, 비뇨기과, 안과 등 타과와의 협진이 필요한 경우도 생긴다.

척추관절염의 치료를 학습할 때 일반적인 치료원칙을 알아야 하고 비스테로이드소염제(Chapter 22)와 생물학적제제(Chapter 26)에 대한 깊이 있는 학습을 함께 하면 좋다(표 13-2).

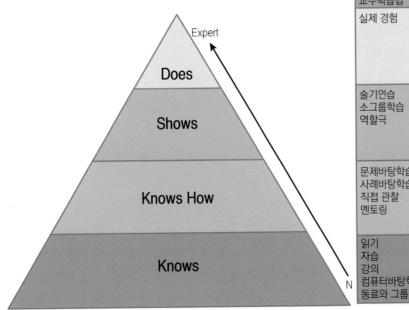

| 교수학습법 | 평가법 | 평가도구 |
|---|---|---|
| 실제 경험 | 실제 수행을 평가 | 관찰<br>비디오<br>기록지<br>포트폴리오<br>직무바탕평가 |
| 술기연습<br>소그룹학습<br>역할극 | 구조화된 상황에서 수행을 평가 | OSCE<br>CPX<br>표준화 환자료 평가 |
| 문제바탕학습<br>사례바탕학습<br>직접 관찰<br>멘토링 | 임상맥락에서 평가 | 임상맥락의 MCO,<br>MEQ<br>에세이<br>짧은 주관식 문제<br>구두시험 |
| 읽기<br>자습<br>강의<br>컴퓨터바탕학습<br>동료와 그룹학습 | 지식에 대한 평가 | 단순 지식에 대한<br>MEQ<br>짧은 주관식 문제<br>OX문제<br>연결문제(matching) |

그림 13-2. 밀러(Miller)의 평가피라미드(Assessment Pyramid)
OSCE: objective structured clinical examination, CPX: clinical performance examination, MCQ: multiple choice question, MEQ: modified essay question

## 효과적인 평가

평가는 학습의 목표, 교수학습법, 학습의 내용에 못지않게 중요하다. 평가는 학습을 견인하고 학습의 질을 결정한다. 학습자는 자신이 평가 받을 방식에 따라 학습하는 행동특성을 보이기 때문에 교수법을 설계하는 것만큼 평가를 계획하는 것이 중요할 수 있고 목표와 교수방법, 평가는 항상 맥을 같이 해야 한다. 학생 입장에서는 학습을 할 때 평가 방식을 잘 이해하면 학습이 쉬워진다. 의학교육에서 가장 유명한 피라미드인 밀러의 평가피라미드(그림 13-2)를 보면 평가하고자 하는 학습자의 수행과 평가방식의 관계를 이해할 수 있다. 단순 지식을 묻는 평가도 때로는 필요하지만 대부분 예습 과제가 잘 이루어졌는지 확인하는 수업 전 퀴즈 정도면 충분할 것이다. 대부분은 이런 지식을 바탕으로 해석하고 적용하는 문제로 평가를 치르게 되며, 좀 더 나아가 실제에 가깝지만 통제 가능한 임상 상황을 만들어 놓고 학생들의 수행능력을 평가하는 객관구조화임상시험(objective structured clinical examination, OSCE)과 임상수행시험(clinical performance examination, CPX)이 의사국가시험에도 도입되어 있다. 더 나아가 실제 직무나 실습현장에서 포트폴리오나 직무바탕평가를 시행하여 실질적인 수행능력을 평가하는 방법도 있다. 피라미드 상위로 갈 수록 좀 더 실제 수행을 평가할 수 있지만 평가자의 노력과 시간, 기관의 비용이 더 많이 들며 학습자의 수가 적어야 가능하다. 피라미드 하위로 갈수록 문제의 질이 우수하다는 전제 조건 하에 비용-효과적이며 다수의 학습자를 동시에 평가할 수 있는 이점이 있다.

강의실 상황에서 교수법은 강의가 주를 이루겠지만 강의도 증례를 들면서 준비하여 학생들의 흥미와 환자에 대한 접근법을 보여줄 수 있다. 환자에 대한 접근법에 대해 교육했다면 평가도 단순 지식을 암기하는 문제를 내서는 안 되고 환자에 대한 접근 방식을 묻고 적용하는지 알아보는 양질의 문제를 만들어야 한다. 강의는 제대로 하고 문제가 단순지식을 묻는다면 학생들은 강의에 집중하지 않고 문제에 나오는 단순한 지식을 몇 가지 암기한 상태로 시험장에 올 것이다. 또한, 양질의 문제를 만들었다고 하더라도 해마다 같은 문제를 출제한다면 학생들은 문제를 파악하지도 않고 답만 외우게 되어 학습을 방해하는 상황이 되기도 한다. MCQ (multiple choice question)를 잘 만들고 평가를 운영하는 것도 쉬운 일이 아니라는 것을 알 수 있다.

문제바탕학습이나 증례바탕학습 등 소규모의 학생들과 함께 토론식 수업을 할 수 있는 여건이라면 학생들이 학습의 주체가 되어 적극적으로 학습에 몰입할 수 있게 도와줄 수 있다. 이때 교수자는 학생들의 상황과 수준에 맞는 적절한 개입과 도움(scaffolding 또는 facilitation)을 주어야 한다. 학생들 스스로 방치해서도 안되고 지나친 개입도 학습을 방해한다. 이런 교수법을 통해 학습한 학생은 임상맥락에 맞는 문제를 잘 해결한다. 이때 당연히 임상맥락이 풍부한 시험문제를 출제하거나 환자를 진료하는 여러 단계로 증례를 나누어 임상추론 과정과 진단, 치료과정의 사고방식을 서술하게 하는 MEQ (modified essay question)로 평가하면 학생의 역량이 잘 드러난다. 다만 채점에 시간과 노력이 많이 드는 단점이 있다.

OSCE, CPX 시험 준비를 위해 소그룹으로 실기연습과 역할극을 하는 것은 많이 사용하는 교수학습법이고 학생들 스스로 잘 하는 편이다. 술기를 얼마나 잘 시행하는지 환자를 문진하고 신체진찰하는 과정을 얼마나 능숙하게 할 수 있는지 진료 역량을 평가하는 좋은 방법이다. 다만 국가고시 특성 때문에 평가 항목이 정해져 있어 체크리스트를 가지고 기계적으로 암기하여 시행하는 경우가 많아 임상적 맥락을 풍부히 넣어 맥락에 맞는 접근을 하는지 평가하는 등 개선이 이루어질 예정이다.

마지막 가장 상위에 있는 평가방법은 실제 행위를 할 때 얼마나 잘 하는지 평가할 수 있고 또, 실제 행위를 잘 하도록 이끌 수 있는 평가법이 무엇인지를 보여준다. 이 단계에서 학습의 재료는 스스로의 경험이며 학습 자원과 목표는 학습자 스스로가 찾을 수 있다. 임상실습단계의 학생이나 전공의가 이 단계의 학습자라고 할 수 있다. 이 단계의 학습자를 지도하는 교수자는 멘토와 같은 1:1, 1:2 정도의 소수의 관계가 적당하다. 학습자 개인에 대한 근접한 관찰과 피드백이 필요하기 때문이다. 포트 폴리오 평가나 직무바탕평가는 학생뿐 아니라 전공의 교육과 평가에 더 유용할 수 있다.

평가의 중요성을 다시 생각해 본다면 제대로 된 평가를 시행할 수 있어야 좋은 교수자가 될 수 있다. 좋은 교수자가 되기 위해서는 개인의 노력과 함께 교수개발 등 의과대학, 전문학회 등 기관의 물질적, 행정적 투자가 필요하다.

# 결론

이번 Chapter를 통해 증례를 가지고 어떤 식으로 학습하면 되는지를 인지적 모델링(cognitive modelling)기법으로 서술하였다. 류마티스내과 분과 전문의라면 이 과정을 거쳐 학습을 해왔고 환자를 볼 때마다 무의식적으로 반복하고 있지만 이미 전문가이므로 저절로 일어나는 것처럼 보인다. 초심자인 학생, 전공의는 모든 단계나 과정이 저절로 일어나지 않기 때문에 처음에는 모두 해설하면서 시각화해줄 필요가 있다. 학년이 올라갈수록 스스로 해결 가능한 부분이 늘어나게 되면 막히는 부분만 도와주면 되고 경험이 늘어난 졸업시점에는 관절통증/관절부기, 허리통증에 대해 스스로 접근할 수 있는 역량에 도달할 것이다. 학습의 방법이나 단계도 의사의 사고 과정과 일치하도록 하면 전문가의 사고방식을 학습하는 데 큰 도움이 된다. 학생이 의사처럼 생각하고 의사처럼 수행하도록 도와주는 것이 교육자의 역할이라고 하겠다.

## 📑 참고문헌

1. 대한내과학회. 전공의 수련 핵심 역량. 진기획; 2017. pp. 32-3.
2. 한국의과대학·의학전문대학원협회. 기본의학교육 학습성과, 진료역량중심. 제2판. 갑우문화사; 2016. pp. 52-3, 240-1.
3. 한국의과대학·의학전문대학원협회. 기본진료수행지침. 제2판. 갑우문화사, 2016. pp. 583-91, 600-8.
4. 한국의과대학·의학전문대학원협회. 기본임상술기지침. 제3판. 갑우문화사, 2021. pp. 165-79, 209-22.
5. Barrows, H. S. A taxonomy of problem-based learning methods. Med Edu 1986;20:481-6.
6. Collins A, Brown JS, Holum A. Cognitive apprenticeship: Making thinking visible. American Educator 1991;15:6-11.
7. Dammers J, Spencer J, Thomas M. Using real patients in problem-based learning: students' comments on the value of using real, as opposed to paper cases, in a problem-based learning module in general practice. Med Educ 2001;35:27-34.
8. Dennis Kasper, Anthony Fauci, et al. Harrison's Principles of Internal Medicine. 19th ed. McGraw-Hill Education; 2015.
9. George JH, Doto FX. A simple five-step method for teaching clinical skills. Fam Med 2001;33:577-8.
10. Jonassen, D. H. Instructional design models for well-structured and ill-structured problem-solving learning outcomes. Educational Technology Research & Development 1997;45:65-94.
11. Miller GE. The assessment of clinical skills/competence/performance. Acad Med 1990;65:S63-7.

# 14

# 혈액검사

울산의대 오지선

## KEY POINTS 🔒

- 류마티스 질환에서 혈액검사는 문진과 진찰을 통해 추정되는 임상 진단을 뒷받침하기 위해 명확한 목적을 가지고 검사를 시행하여야 하고, 검사의 특성(민감도와 특이도 등)을 고려하여 그 결과를 판단하여야 한다.
- 질환의 특성에 따라 적절한 생물표지자를 선택하여 측정함으로써 치료 효능과 안전성을 모니터링하고 환자의 예후와 치료 반응을 예측하는 데 도움이 될 수 있다.
- 염증에 대한 선별 및 치료 경과 모니터링을 위해 주로 적혈구침강속도, C반응단백질이 이용되고 있으며, 이들은 염증에 대한 비특이적인 지표로 감염, 외상, 류마티스 질환 등 다양한 상황에서 증가할 수 있다.
- 대부분의 혈청학적 생물표지자는 민감도와 특이도가 제한적이므로 검사를 통한 해석과 진단은 임상적인 상황을 고려하여 내려져야 한다.

## 서론

류마티스 질환에 대하여 혈액검사를 시행하는 목적에는 여러 가지가 있을 수 있다. 우선 임상적으로 어떤 질환이 의심되는 경우에 그 진단을 뒷받침하거나 감별진단을 하기 위해 사용하기도 하고, 염증성 여부나 질환의 활성도, 장기 침범과 손상을 평가하는 데 도움을 주기도 한다. 또한 질환의 예후를 예측하는 데 도움이 되기도 하며, 질환의 경과를 관찰하거나 약물의 반응을 평가하고 잠재적인 약물의 부작용을 감시하는 목적으로 이용되기도 한다.

현대의학에서 혈액검사를 비롯한 각종 검사가 차지하는 비중은 갈수록 높아지고 있지만, 아직까지 류마티스 질환의 진단과 평가에 있어서 독립적으로 확실한 근거를 제시해줄 수 있는 혈액검사는 거의 없으며, 여전히 문진과 진찰을 통한 임상의사의 판단이 가장 중요한 역할을 하고 있다. 혈액검사는 임상진료에서 매우 유용한 보조적인 수단으로서 이를 잘 활용하기 위해서는 먼저 임상적 소견을 토대로 명확한 목적을 가지고 검사를 시행하여야 하고, 임상에 적용하는 데 있어 제각각 검사가 가지고 있는 고유의 특성들을 충분히 고려하여 해석하는 것이 필요하다.

## 검사의 진단적 특성을 나타내는 지표들

아무리 좋은 검사법이라 하더라도 측정 방법이나 여러 가지 이유로 인해 한계가 존재할 수밖에 없다. 각각의 검사법이 어떤 질환에 대하여 어느 정도의 진단적 가치가 있는가, 즉 정상과 비정상을 얼마나 잘 감별해낼 수 있는가를 나타내기 위한 지표들이 있다(표 14-1).

이 중 가장 대표적인 것이 민감도(sensitivity)와 특이도(specificity)이다.

민감도는 질환을 가진 환자들 중에서 검사를 했을 때 정확히 양성(이상)으로 나오는 비율, 즉, 어떤 검사가 대상 질환(또는 상태)을 놓치지 않고 밝혀낼 수 있는 능력을 의미한다. 특이도는 질환이 없는 사람 중에서 정확하게 음성(정상)으로 나오는 비율로

표 14-1. 진단 검사의 특성을 나타내는 지표 및 개념

| 용어 | 의미 | 정의 |
|---|---|---|
| 민감도(sensitivity) | 실제 환자 가운데 정확하게 양성 결과가 나오는 비율 | $\dfrac{진음성}{질환 없음} = \dfrac{진양성}{(진양성+위음성)}$ |
| 특이도(specificity) | 질환이 없는 사람 중에 정확하게 음성 결과가 나오는 비율 | $\dfrac{진음성}{질환 없음} = \dfrac{진음성}{(위양성+진음성)}$ |
| 가능도비(likelihood ratio, LR) | 질환의 가능도(오즈)가 검사결과(양성 또는 음성)에 따라 검사 전에 비해 몇 배로 변화(증가 또는 감소)하는지를 나타내는 비율 | 양성가능도비 $= \dfrac{민감도}{(1-특이도)}$<br>음성가능도비 $= \dfrac{(1-민감도)}{특이도}$ |
| 양성예측도(positive predictive value, PPV) | 검사결과가 양성일 때 정말로 질환이 있을 확률 | $\dfrac{진양성}{전체양성} = \dfrac{진양성}{(진양성+위양성)}$ |
| 음성예측도(negative predictive value, NPV) | 검사결과가 음성일 때 정말로 질환이 없을 확률 | $\dfrac{진음성}{전체음성} = \dfrac{진양성}{(진음성+위음성)}$ |
| 유병률(prevalence) | 어느 한 시점에서 집단 내의 환자 수가 집단 전체 인구에서 차지하는 비율(집단 내에서 예측되는 질환의 빈도 및 확률) | $\dfrac{환자 수}{총 인구} = \dfrac{질환 있음}{(질환 있음+질환 없음)}$ |

| | | 질환 | |
|---|---|---|---|
| | | 있음 | 없음 |
| 검사 결과 | 양성 | 진양성 | 위양성 |
| | 음성 | 위음성 | 진음성 |

서, 어떤 검사가 질환이 없는 것을 올바르게 음성으로 감별하는 능력을 의미한다. 따라서, 민감도가 높은 검사는 위음성이 낮으므로 음성결과가 나왔을 때 어떤 상황을 배제하는 데 도움이 되고, 특이도가 높은 검사는 위양성이 적으므로 양성 결과가 나왔을 때 해당 질환을 진단 대상에 포함시키는 데 도움이 된다.

민감도와 특이도를 하나로 합친 간결한 지표로 가능도비(우도비; likelihood ratio, LR)가 있다. 이는 검사 결과가 양성(또는 음성)으로 나왔을 때 이에 따라 질환의 존재에 대한 가능도(오즈; odds)가 검사 전에 비해 몇 배로 증가(또는 감소)하게 되는지를 나타낸다. 민감도와 특이도가 높을수록 양성가능도비도 높아지는데, 만일 양성가능도비가 5라면 검사가 양성으로 나왔을 때 실제 질환이 있을 가능도가 검사 전에 비해 5배만큼 증가하게 됨을 의미한다. 일반적으로 양성가능도비가 10보다 높은 경우 우수한 검사로 간주된다.

임상 진료에서는 질환의 여부를 모르는 상태에서 검사결과를 통해 질환의 가능성을 추정하게 되는데, 이를 나타내는 지표는 양성예측도(positive predictive value)와 음성예측도(negative predictive value)이다. 양성예측도는 검사결과가 양성일 때 실제 질환이 있을 가능성을 의미하고, 음성예측도는 검사결과가 음성일 때 질환이 없을 가능성을 의미한다.

주의할 점은, 민감도와 특이도, 가능도비는 질환의 유병률을 반영하지 않지만, 양성예측도와 음성예측도를 추정하기 위해서는 그 질환의 유병률을 알아야 한다.

## 1) 유병률과 가능도비를 통한 양성예측도 계산 예

어떤 질환에 대한 유병률과 특정 검사의 민감도, 특이도를 알고 있다고 했을 때,

- 검사 전 확률(유병률) = $\dfrac{\text{질환 인구}}{\text{전체 인구}}$
- 검사 후 확률(양성예측도) = $\dfrac{\text{검사 후 오즈}}{(\text{검사 후 오즈}+1)}$
- 양성가능도비 = $\dfrac{\text{민감도}}{(1-\text{특이도})}$
- 검사 전 오즈 = $\dfrac{\text{질환 인구}}{\text{비질환 인구}}$ = $\dfrac{\text{유병률}}{(1-\text{유병률})}$
- 검사 후 오즈 (결과 양성일 때) = $\dfrac{\text{결과 양성인 질환 인구}}{\text{결과 양성인 비질환 인구}}$
  = 검사전 오즈×양성가능도비

류마티스관절염에서 류마티스인자 검사의 민감도가 80%, 특이도가 80%라고 가정을 하면,

$$\text{양성가능도비} = \frac{\text{민감도}}{(1-\text{특이도})} = \frac{0.8}{(1-0.8)} = 4$$

이 검사 결과가 양성인 경우 류마티스관절염의 가능도(오즈)가 4배 증가한다는 것을 알 수 있다.

이때, 류마티스관절염의 유병률이 1%라고 한다면,

- 검사 전 오즈 = $\dfrac{0.01}{(1-0.01)}$ ≒0.01
- 검사 후 오즈=0.01×4=0.04
- 검사 후 확률(양성예측도)은 $\dfrac{0.04}{(0.04+1)}$ ≒0.038(3.8%)

임을 알 수 있다.

즉, 일반 인구 집단에서 류마티스인자 검사를 시행하여 결과 양성을 보이는 100명 중에 실제로 류마티스관절염 환자는 대략 4명 정도로 예측된다는 의미로 해석될 수 있다. 따라서, 단독으로 류마티스인자 검사 양성 결과만을 가지고는 실제로 류마티스관절염일 가능성이 그리 높지 않음을 알 수 있다.

이와 같이 대부분의 류마티스 질환은 일반 인구집단에서 비교적 드물기 때문에 이러한 비선택적인 대상집단에서 류마티스 질환의 진단에 보조적인 검사들을 시행했을 때 나오는 양성 결과는 진양성이기보다 위양성일 가능성이 훨씬 더 높다는 점에 유의해야 한다.

## 2) 양성예측도를 높이기 위한 방안

베이즈의 정리(Bayes' theorem)에 의하면 검사를 통해 추정되는 질환의 확률(검사후 확률, 양성예측도)은 검사의 특성(민감도, 특이도, 가능도비)에 의해서만 결정되는 것이 아니라, 검사 시행 전에 알려진 질환의 확률(검사 전 확률), 즉 유병률에 영향을 받는 조건부 확률이라고 할 수 있다. 다른 말로 하면, 양성예측도는 유병률과 가능도비에 의해 결정되는 것으로서, 양성예측도가 높아지도록 하기 위해서는 검사 전 확률을 높이거나 가능도비(민감도와 특이도)가 높은 검사를 선택하여야 한다. 이를 위해서는 환자의 배경인자, 증상, 병력, 진찰소견, 문헌정보 등을 바탕으로 한 의사의 임상적인 판단이 매우 중요하다. 검사 전 확률은 진료를 통해 어떤 증상을 호소하는 환자로부터 문진과 진찰 소견 등의 다양한 임상정보를 바탕으로 가능한 감별진단의 범위를 좁히는 방법으로 높일 수 있게 된다. 예를 들어, 관절통을 호소하는 환자로부터 여러 관절에 걸쳐 부기와 압통이 확인된다면, 이런 소견을 보이는 사람들 중에 류마티스관절염이 있을 가능성(검사 전 확률)은 일반 인구집단에서의 유병률보다 상당히 높아지게 된다. 아울러 임상의가 내린 감별진단을 바탕으로 류마티스관절염에 대하여 양성가능도비가 높은 검사(예: 류마티스관절염에 대한 항 CCP항체 검사)를 선택함으로써 검사 후 양성 결과에 의해 실제 질환의 가능성을 높이는 데 기여할 수 있게 된다.

# 류마티스 진료영역에서 흔히 시행되는 혈액검사

## 1) 일반혈액검사

### (1) 백혈구

중성구(neutrophil)의 증가는 다양한 세균 감염(예: 감염관절염, 폐렴 등)에서 보이는 전형적인 소견이기도 하지만, 류마티스관절염이나 혈관염, 성인형스틸병과 같은 류마티스 질환의 활성기에도 보일 수 있다. 중성구 감소는 면역억제제로 치료받고 있는 동안에 약물로 인한 골수억제와 관련하여 나타날 수도 있고, 류마티스관절염 환자에게서 비장비대증과 연관된 중성구감소증은 활동성 펠티증후군(Felty's syndrome)의 특징적인 소견이기

도 하다. 림프구증가증은 일부 바이러스 감염 중에 보일 수 있는 반면, 림프구감소증은 면역억제제 치료를 받고 있는 경우이거나 전신홍반루푸스의 활성기에 흔히 보이는 소견이다. 호산구증가증은 기생충 감염이나 다양한 알레르기질환 등에서 보이는 소견이기도 하지만, 호산구근막염(eosinophiliac fasciitis)이나 호산구육아종증다발혈관염(eosinophilic granulomatosis with polyangiitis, Churg-Strauss syndrome)의 활성기에 나타나는 전형적인 소견이기도 하다. 호산구 수는 글루코코티코이드(glucocorticoids) 치료에 매우 민감하게 반응하여 빠른 정상화를 보인다.

### (2) 혈색소

류마티스 질환에서의 빈혈은 여러 가지 이유로 흔히 나타날 수 있다. 주로는 만성적인 염증상태로 인해 골수 내 적혈구 생성 감소가 반영되어 나타나는 경우가 흔하며, 이런 만성 질환의 빈혈은 주로 정상적혈구정상색소(normocytic normochromic)로 나타난다. 철분 결핍이나 지중해빈혈(thalassemia), 납중독과 같은 상태에서는 작은적혈구저혈색소빈혈(microcytic hypochromic anemia)을 보일 수 있고, 큰적혈구빈혈(macrocytic anemia)은 비타민 B12나 엽산 결핍증, 간질환, 갑상샘저하증, 메토트렉세이트 치료 중인 경우 등에서 보일 수 있다. 용혈빈혈은 여러 원인으로 발생할 수 있으나, 류마티스 질환이 원인이 되는 경우는 주로 활동성 전신홍반루푸스에서 나타날 수 있다. 장기적인 비스테로이드소염제나 글루코코티코이드 사용과 관련하여 위장관 출혈의 위험이 증가할 수 있고 이로 인한 빈혈도 발생할 수 있어 주의를 요한다.

### (3) 혈소판

혈소판증가증은 류마티스관절염, 성인형스틸병과 같은 자가면역 질환의 활성기나 감염 초기에 동반될 수 있고, 혈소판감소증은 약물로 인한 부작용으로 발생하거나 전신홍반루푸스, 항인지질항체증후군 등 다양한 질환의 혈액학적 이상소견으로 나타날 수 있다.

## 2) 생화학적 검사

### (1) 간기능검사

간기능검사는 주로 약물 부작용을 감시하기 위한 목적으로 흔히 행해지며, 이를 위해선 항류마티스약제를 비롯한 각종 약물로 치료를 시작하기 전과 이후 시행되어야 한다. 아스파르테이트아미노전이효소(aspartate aminotransferase, AST)와 알라닌아미노전이효소(alanine aminotransferase, ALT) 측정은 모든 면역억제제 약물의 치료 부작용을 감시하기 위한 지침이나 권고사항에 포함되어 있다. 일반적으로 아미노전이효소 수치가 정상상한치의 3배 이상 상승하는 경우에는 질환조절항류마티스약제(disease modifying antirheumatic drug, DMARD)는 중단해야 한다. 또한 혈청 총 빌리루빈이 담즙정체 소견 없이 정상상한치의 2배 이상 동시에 증가하는 경우에는 잠재적으로 심각한 약물 유발성 간 손상을 시사한다. 만성 간질환이나 약물로 인한 간 손상이 의심될 때에는 알부민 검사도 추가적인 정보를 제공해줄 수 있다. AST와 ALT 수치 상승은 간 이외에 근육에서 기인하여 상승하는 경우도 있으므로 원인이 불분명한 이상을 보일 경우 이에 대한 고려도 필요하다.

### (2) 알칼리인산분해효소

알칼리인산분해효소(alkaline phosphatase, ALP)는 대부분 간과 뼈에서 생성되며, 일부는 장과 신장, 임산부의 태반에서 생성된다. 급속한 뼈 성장(사춘기)이나 뼈 질환[골연화증 또는 패짓병(Paget's disease)], 부갑상샘항진증 또는 간세포 손상 시에 그 수치가 증가할 수 있다. 간세포 손상에서 기인하는 경우(바이러스 감염, 약물 독성, 알코올 등) 정상상한치의 1.5-3배를 보이지만, 3배 이상 상승하는 경우에는 일반적으로 담도 침범과 관련이 있다. ALP 상승이 뼈에서 기인하는 경우 다양한 범위를 보일 수 있으며, 감마-글루타밀전이효소(gammaglutamyl transferase, GGT)는 간질환에서는 상승할 수 있지만 뼈 질환에서는 상승하지 않으므로 ALP 상승의 원인을 감별하는 데 도움이 될 수 있다.

### (3) 신장기능검사

신장기능을 검사하기 위한 크레아티닌(creatinine) 또는 사구체여과율(glomerular filtration rate, GFR)은 약물 부작용을 감시하기 위해 각종 항류마티스약물로 치료를 시작하기 전과 이후에 일상적으로 이루어진다. 신기능 저하는 환자의 연령이나 당뇨병과 같은 다양한 기저질환과 관련하여 동반되어 있을 수 있고, 신장을 침범하는 전신혈관염이나 전신홍반루푸스와 같은 류마티스 질환에 의해서도 발생할 수 있다. 신기능 저하로 인해 약물의 배설 감소로 인한 독성 위험이 증가할 수도 있고, 때로는 비스테로이드소염제와 같은 약물 부작용에 의해 신기능이 악화될 수도 있으므로, 약물 사용 전과 이후에 신기능 평가가 필요하다. 신기능 이상 시에는 원인에 대한 감별이 필요하며, 신염 또는 신증후군이 의심될 때에는 감별을 위해 흔히 신장 조직검사가 요구된다. 혈액검사와 동시에 요검사도 신장 이상을 감시하고 감별하는 데 유용한 정보를 제공해 주며, 혈뇨와 농뇨뿐만 아니라 단백뇨를 검출하고 정량화하는 것이 도움이 된다.

### (4) 요산

요산(uric acid) 검사는 통풍이 의심되는 관절염 환자에게서 고요산혈증 여부를 확인하기 위해 흔히 시행되는 검사로, 통풍 환자의 90% 정도에서 증가된 소견을 보일 수 있다. 하지만, 통풍 증상이 전혀 없는 사람에서도 요산 증가를 보일 수 있고, 급성 통풍 발작 시에 요산 수치가 정상 범위를 보이는 경우도 있으므로 요산 수치만으로 통풍을 진단해서는 안 되고 임상양상 등을 종합하여 판단하여야 한다. 전형적인 급성 통풍 증상이 의심되지만 요산 수치가 정상을 보이는 경우에는 급성기가 지난 수 주일 뒤에 요산 수치를 재검사해볼 수 있으며, 통풍의 최종진단을 위해서는 관절액에서의 요산 결정을 증명하는 것이 필요하다. 요산 검사는 반복적인 통풍 발작의 위험을 줄이기 위해 장기적으로 요산을 낮추는 치료를 하면서 그 반응을 보고 적절한 요산 범위를 유지하기 위해서도 필요하다.

### (5) 근육 손상과 관련된 마커

혈청 크레아틴키나아제(creatine kinase, CK) 및 미오글로빈(myoglobin) 상승은 근육세포 손상에 대해 매우 특이적이며, 골격근과 심근 손상 시에 모두 나타날 수 있다. CK 아이소형(isoform)인 CK-MB는 대부분 심근세포에 존재하므로, 총 CK 상승이 있는 경우에 CK-MB를 측정하는 것이 골격근 손상과 심근 손상을 구분하는 데 도움이 될 수 있다. 혈청 CK와 미오글로빈이 경도-중등도로 상승하는 경우는 근육량 증가, 최근의 심한 운동, 유전적 요인 등과 관련될 수 있다.

이러한 근육세포 특이적인 마커 이외에도, 근육세포 손상 시에는 다른 세포 손상 시와 마찬가지로 근육세포로부터 많은 종류의 단백질이 방출되게 되는데, ALT, AST, 알돌라아제(aldolase), 젖산탈수소효소(lactic acid dehydrogenase, LD)가 대표적이다. 알돌라아제는 근육 내에 상대적으로 높은 농도로 존재하기에 근손상 평가를 위해 자주 활용되지만, 간질환 환자에서도 상승할 수 있다. 반대로 ALT, AST는 간질환의 평가를 위해 자주 활용되지만, 근질환 환자에서도 상승될 수 있다. LD는 적혈구, 간세포, 근세포를 비롯한 다양한 종류의 세포 손상 시에 상승될 수 있다.

### (6) 칼슘과 비타민D

칼슘과 비타민D 수치는 골다공증과 뼈교체(bone turnover) 상태가 높고 낮음을 평가하기 위한 방법의 일부로서 활용된다. 칼슘을 흡수하고 사용하고 배설하는 과정은 부갑상선호르몬과 비타민D를 통해 조절된다. 이러한 칼슘 조절에 장애가 발생하는 상태나 질환에서는 급성 또는 만성적인 고칼슘혈증 또는 저칼슘혈증이 발생할 수 있다. 고칼슘혈증은 종종 유육종증(sarcoidosis), 신생물딸림증후군(paraneoplastic conditions), 부동상태(immobilization), 비타민D 중독 등과 관련되어 나타날 수 있고, 저칼슘혈증은 전형적으로 비타민D 결핍증, 횡문근융해증(rhabdomyolysis), 부갑상샘저하증, 신세관산증(renal tubular acidosis) 등에서 나타날 수 있다.

최근 일반 인구집단에서 비타민D 부족(insufficiency)의 유병률과 다양한 질환들의 위험 증가와의 관련성에 대한 인식이 증가하고 있다. 비타민D 상태를 측정하는 가장 좋은 방법은 혈청 25-hydroxyvitamin D를 측정하는 것이다.

## 3) 급성반응물질

급성기반응물질(acute phase reactants) 감염, 외상, 조직괴사, 악성종양, 염증성 류마티스 질환, 약에 대한 면역반응 등에 의해 발생하는 다양한 염증 상태에서 일어나게 되는데, 이러한 염증에 반응하여 혈청 농도가 25% 이상 변화하는 물질을 급성반응단백이라 한다. 급성반응단백은 사이토카인(cytokine)의 자극에 반응하여 간세포에서 주로 생성된다. 염증에 의해 그 수치가 상승하는 급성반응단백에는 대표적으로 C반응단백질(C-reactive protein, CRP), 혈청아밀로이드A (serum amyloid A), 섬유소원(fibrinogen), 페리틴(ferritin), 합토글로빈(haptoglobin), C3와 같은 일부 보체 등이 있고, 염증에 의해 감소하는 물질에는 알부민

**표 14-2. ESR이 심하게 낮거나 심하게 높은 경우**

| ESR이 심하게 낮은 경우 | ESR이 심하게 높은 경우(>100 mm/hr) |
|---|---|
| 무섬유소원혈증/이상섬유소원혈증(afibrinogenemia/dysfibrinogenemia) | 세균감염 |
| 무감마글로불린혈증(agammaglobulinemia) | 자가면역성 류마티스 질환: 류마티스다발근통, 전신홍반루푸스, 혈관염 |
| 심한 적혈구증가증(hematocrit. 65%) | 악성종양: 림프종, 골수종, 기타 |
| 혈장 점도 증가 | |

(albumin), 트렌스페린(transferrin) 등이 있다. 급성반응단백은 임상에서 염증의 유무와 정도, 치료 반응 등을 평가하는 데 도움이 될 수 있는데, 임상에서 염증의 지표로 가장 널리 이용되고 있는 검사는 적혈구침강속도(erythrocyte sedimentation rate, ESR)과 CRP 검사이다. ESR와 CRP를 연속적으로 측정함으로써 류마티스관절염과 같은 질환에서 염증 수준을 모니터하는 데 도움이 된다.

## (1) 적혈구침강속도

적혈구침강속도(erythrocyte sedimentation rate, ESR) 검사는 전혈을 표준화된 튜브(Westergren 또는 Wintrobe)에 넣고 수직으로 세워놓은 후 1시간 동안 적혈구가 가라앉으면서 상층부가 이동한 거리(mm)를 측정하여 나타낸다. ESR은 적혈구의 수와 모양, 혈장 내 섬유소원, 글로불린, 단백의 농도 등 다양한 요인의 영향을 받는다. 염증에 의해 급성반응단백 농도가 증가하거나 글로불린이 증가하는 상황에서 증가하게 되므로 급성반응단백보다 늦게 증가하기 시작하였다가 회복기에도 늦게 감소하게 된다. ESR은 적혈구의 응집과 관련이 있으므로 빈혈은 연전현상(rouleaux)을 증가시켜 ESR을 높이고, 겸상적혈구와 같이 비정상적인 적혈구의 모양은 응집을 방해하므로 ESR을 감소시킨다. ESR은 혈장의 섬유소원의 증가에 가장 민감하게 반응하여 증가하고, 글로불린 증가에 따라서도 증가하는 반면 알부민은 ESR을 감소시킨다(표 14-2).

따라서 염증이 아닌 경우에도 빈혈, 신증후군, 고령, 비만, 여성, 임신 등과 관련하여 상대적으로 증가할 수 있고, 반대로 저섬유소원증(hypofibrinogenemia), 적혈구증가증(polycythemia), 만성림프구백혈병(chronic lymphocytic leukemia), 글루코코티코이드 약물 사용 등과 같은 상태에서는 현저히 저하될 수 있다. 주목할 점은, 대식세포활성증후군(macrophage activation syndrome)에서는 CRP, 페리틴은 증가하면서도 ESR이 정상인 경우가 많으므로 말초혈액 혈구감소증과 함께 이러한 소견을 보일 때에는 이를 의심해볼 수 있다. 나이와 성별을 고려한 ESR의 대략적인 정상상한치(mm/hr)는 남성의 경우에 연령/2, 여성의 경우에 연령/2+5이다.

## (2) C반응단백질

C반응단백질(C-reactive protein, CRP)은 폐렴사슬알균(Streptococcus pneumoniae)의 세포벽에 있는 C-다당체(C-polysaccaride)와 반응하는 급성반응단백이다. CRP는 염증과 관련하여 주로 인터루킨(interleukin, IL)-6가 간세포를 자극하여 생성이 촉진되

**표 14-3 CRP의 상승 정도에 따른 다양한 원인**

| 경미한 상승 (<1 mg/dL) | 중등도 상승 (1-10 mg/dL) | 현저한 상승 (>10 mg/dL) |
|---|---|---|
| 감기, 치은염 | 점막 감염(기관지염, 방광염) | 급성 세균 감염 |
| 인슐린 저항성, 당뇨, 비만 | 대부분의 자가면역질환 | 전신 혈관염<br>성인형스틸병<br>급성 다발성 결정관절염(통풍, 거짓통풍) |
| 격렬한 운동<br>발작(seizure) | 악성종양<br>췌장염<br>심근경색 | 전이암<br>심한 외상 |
| 임신<br>우울증<br>일부 유전적 다형성 | | |

는데, 보통 조직 손상 이후 4-6시간 이후에 다른 급성반응단백보다 빨리 증가하기 시작하여 24-72시간 내에 최고점에 도달한다. 반감기가 18시간에 불과하여 치료 후에 더 이상 염증자극이 없을 경우, 빠르게 떨어져 염증 상태나 치료 반응을 평가하는 데 유용한 지표로 사용된다. 대부분 건강 성인의 수치는 0.3 mg/dL 미만이며, 일반적으로 1 mg/dL보다 큰 수치는 임상적으로 유의한 염증질환을 반영한다. CRP의 현저한 상승(>8-10 mg/dL, 80-100 mg/L) 소견이 있는 경우에는, 우선적으로 급성 세균 감염의 가능성을 의심해보게 되며, 그 밖에도 전신혈관염, 급성통풍이나 거짓통풍, 심한 외상, 전이암 등에서도 나타날 수 있다(표 14-3).

일반적인 CRP 측정법은 0.3-1 mg/dL 범위의 농도에서는 덜 정확하므로 이 범위에서 보다 정확한 측정을 위해 고감도 CRP (high sensitivity CRP, hsCRP) 방법이 사용된다. 근래의 많은 연구들을 통해 hsCRP 수치가 0.3 mg/dL보다 높으면 동맥경화증 및 향후 심근경색의 상대위험 증가와 연관성이 있음이 잘 알려져 있다. 나이와 성별에 따른 변화를 고려한 CRP의 대략적인 정상상한치(mg/dL) 계산 공식은 남성은 $\frac{나이}{50}$, 여성은 $\frac{나이}{50}+0.6$이다.

### (3) 페리틴

혈청 페리틴(ferritin)은 철 저장 단백으로 주로 세포내의 철, 사이토카인, 산화스트레스와 성장인자 등에 의해 합성이 조절된다. 혈청 페리틴은 급만성 패혈증, 염증상태나 종양 등에서 상승될 수 있는데, 페리틴의 매우 높은 상승(>5,000 ng/mL) 소견은 대식세포활성증후군의 특징이며, 특히 성인형스틸병, 전신형 소아특발관절염, 혈구탐식림프조직구증(hemophagocytic lympho-histiocytosis) 등의 질환에서 관찰될 수 있다. 반대로 저장철의 결핍상태나 철결핍빈혈에서는 감소한다.

### (4) 프로칼시토닌

프로칼시토닌(procalcitonin, PCT)는 칼시토닌(calcitonin)의 전구체(propeptide)로서 주로 갑상선의 신경내분비 세포(C세포)에서 생성되어 대부분이 칼시토닌으로 변환된다. 정상적인 상태에서는 혈중으로 유입되지 않으므로 혈중 수치가 매우 낮다가(<0.05 ng/mL) 심한 신체적 스트레스 조건(감염, 수술, 외상, 화상, 심인성 쇼크, 췌장염 등)에서는 갑상선 외 조직에서의 생성 증가와 더불어 수치가 상승한다. PCT는 세균 감염 시 세균성

내독소(endotoxin)나 종양괴사인자-α (tumor necrosis factor-α, TNF-α), IL-1β, IL-6 등의 염증 사이토카인에 대한 반응으로 생성되나 바이러스 감염 시 분비되는 인터페론(interferon)-γ에 의해서는 그 생성이 약화되는 것으로 알려져 있다. 염증관련 지표인 ESR, CRP나 백혈구 수는 세균감염에 대한 특이성이 없지만, PCT는 세균감염이나 진균감염 시에 현저히 증가(>0.5 ng/mL)하는 반면, 바이러스나 비감염성 염증의 경우는 그렇지 않은 것으로 알려져 있다. PCT 수치의 상승은 패혈증의 중증도와도 상관관계가 있으며 종종 10-100 ng/mL에 도달할 수 있다. PCT는 자극에 의해 6-12시간 내 즉시 상승하고 혈중 반감기가 25-30시간으로 짧아 감염증 조절 시 빠르게 감소한다는 이점이 있다.

PCT의 임상적 유용성에 대해 많은 연구가 이루어져 왔는데, 메타분석에 따르면 PCT는 세균감염 유무를 구별하는 데 88%의 민감도와 81%의 특이도가 보고된 바 있고, 일반 인구집단에서 다양한 유형의 세균감염 시 항생제 치료 결정을 용이하게 하는 유용성을 보였다.

자가면역질환 환자에서 감염의 생물표지자로서의 PCT의 역할에 대해서는 아직 충분히 확립되지 않은 상태이다. 자가면역질환의 악화와 감염증을 감별하는 데 있어 PCT의 잠재적 유용성을 시사하는 몇몇 소규모 연구에 의하면, 류마티스관절염과 전신홍반루푸스에서 질병활성도는 PCT 수치의 미미한 상승과 관련될 수 있으나, 높은 상승(0.5 ng/mL 이상) 소견은 여전히 세균감염에 대해 높은 특이도를 보였으며, 특히 전신홍반루푸스의 장막염 동반 시에도 CRP와 달리 유의한 상승이 없어 표준 컷오프(cut-off)인 0.5 ng/mL를 적용하여 감염 감별에 사용 가능함을 시사하였다. 또한 면역억제제 복용 중인 환자에서 세균감염 시 PCT 수치는 스테로이드 사용에 의해 크게 영향을 받지 않았고, 생물학제제 치료 여부와 상관없이 PCT 양성률이 유사함을 보였다. 그러나 전신홍반루푸스의 악화 또는 통풍 발작과 감염을 감별하는 데 있어 PCT의 유용성에 대한 여러 연구 결과들이 모두 일관적이지는 않다. 또한 감염이 동반되지 않더라도 PCT 수치 상승은 심한 스트레스 상태나 자가면역질환, 특히 육아종증다발혈관염(granulomatosis with polyangiitis), 굿패스처증후군(Goodpasture's syndrome), 가와사키병(Kawasaki disease) 등의 혈관염이나 성인형스틸병(adult onset Still's disease), 그리고 갑상샘수질암, 소세포폐암에서도 나타날 수 있는 것으로 알려져 있다.

그 밖에도 국소 감염이나 감염 초기에는 수치가 낮다가 추적 검사에서 상승소견을 보일 수 있고, 다양한 감염 유형에 따라 최상의 민감도, 특이도를 확보하기 위한 컷오프 값이 달라질 수 있으므로 해석에 주의가 필요하다.

## (5) 급성반응물질의 임상적 해석과 활용

ESR과 CRP는 모두 전반적인 염증을 측정하는 데 유용하지만, ESR은 더 다양한 변수에 의해 영향을 받으므로 다소 부정확할 수 있으며, 염증이 가라앉은 이후에도 수치가 떨어지는 데 더 오래 걸리는 경향이 있다. 또한 고감마글로불린혈증(예: 전신홍반루푸스)이 있는 경우에 CRP는 영향을 받지 않지만, ESR은 지속적으로 상승되어 정상화되지 않을 수 있다.

류마티스관절염에서 ESR과 CRP는 질병활성도와 연관성이 있어 침범관절의 개수와 함께 질병활성도 평가를 위한 복합지표의 일부분으로 사용된다. 활성기의 전신홍반루푸스에서는 ESR은 흔히 상승되나 CRP는 대체로 정상이거나 약간 증가된 소견을 보여 질병활성도에 민감하지 않은 양상을 보인다. 예외적으로 장막염과 만성 활막염이 있는 경우에 CRP가 많이 증가할 수 있으나, 일반적으로 CRP가 갑작스럽게 현저한 상승을 보이는 경우, 특히 면역억제제를 복용 중인 상태에서는 세균 감염을 먼저 의심해 보아야 한다.

류마티스관절염 환자의 대다수와 류마티스다발근통 환자의 거의 대부분에서 진단 당시 ESR 또는 CRP가 상승을 보인다. 그러나, 류마티스관절염 환자 중 많게는 40% 정도에서 초기 발현 시 ESR, CRP 수치가 정상 범위를 보일 수 있으며, 류마티스관절염이나 류마티스다발근통 환자 중 일부에서는 임상적인 질환활성도 징후가 있음에도 불구하고 ESR과 CRP 수치가 정상 범위를 보이기도 한다. 또한 면역억제제 치료를 받고 있는 동안 감염 동반 시에도 CRP 수치가 충분히 증가하지 않을 수 있는데, 특히 IL-6 길항제인 tocilizumab과 같은 생물학제제 치료 시에 더욱 그러할 수 있다. 따라서, 치료 결정에 있어서 이러한 검사에만 전적으로 의존하기보다는 진찰소견과 영상소견 등 임상적인 상황을 우선적으로 고려해야 한다.

## 참고문헌

1. Dayer E, Dayer J-M, Roux-Lombard P. Primer: the practical use of biological markers of rheumatic and systemic inflammatory diseases. Nat Clin Pract Rheumatol 2007;3:512-20.
2. Feist E and Burmester GR. Laboratory Tests in Rheumatic Disorders, In: Hochberg MC, Gravallese EM, Silman AJ, Smolen JS, Weinblatt ME, and Weisman M H, eds. Rheumatology. 7th ed. Elsevier; 2019. pp. 257-259.
3. Danesh J, Wheeler JG, Hirschfield GM, Eda S, Eiriksdottir G, Rumley A, et al. C-reactive protein and other circulating markers of inflammation in the prediction of coronary heart disease. N Engl J Med 2004;350:1387-97.
4. Haberman R, Fors Nieves CE, Cronstein BN, and Saxena A. Acute Phase Reactants, In: Firestein GS, Budd RC, Gabriel SE, Koretzky GA, McInnes IB, and O'Dell JR, eds. Firestein & Kelley's Textbook of Rheumatology. 11th ed. Elsevier; 2021. pp. 907-16.
5. Keenan RT, Swearingen CJ, Yazici Y. Erythrocyte sedimentation rate and C-reactive protein levels are poorly correlated with clinical measures of disease activity in rheumatoid arthritis, systemic lupus erythematosus and osteoarthritis patients. Clin Exp Rheumatol 2008;26:814-9.
6. Ranganath VK, Elashoff DA, K hanna D, Park G, Peter JB, Paulus HE, et al. Age adjustment corrects for apparent differences in erythrocyte sedimentation rate and C-reactive protein values at the onset of seropositive rheumatoid arthritis in younger and older patients. J Rheumatol 2005;32:1040-2.
7. Ridker PM. C-Reactive Protein and the Prediction of Cardiovascular Events Among Those at Intermediate Risk. J Am Coll Cardiol 2007;49:2129-38.
8. Serio I, Arnaud L, Mathian A, Hausfater P, Amoura Z. Can procalcitonin be used to distinguish between disease flare and infection in patients with systemic lupus erythematosus: A systematic literature review. Clin Rheumatol 2014;33:1209-15.
9. Shaikh MM, Hermans LE, van Laar JM. Is serum procalcitonin measurement a useful addition to a rheumatologist's repertoire? A review of its diagnostic role in systemic inflammatory diseases and joint infections. Rheumatology 2015;54:231-40.
10. Wener MH, Daum PR, McQuillan GM. The influence of age, sex, and race on the upper reference limit of serum C-reactive protein concentration. J Rheumatol 2000;27:2351-9.
11. Wener MH. Laboratory Testing, In: Stone JH, eds. Current Diagnosis & Treatment: Rheumatology. 4th ed. McGraw Hill; 2021.
12. Wolfe F, Michaud K. The clinical and research significance of the erythrocyte sedimentation rate. J Rheumatol 1994;21:1227-37.

# 15

# 자가항체

**가톨릭의대 김기조**

## KEY POINTS 🔒

- 류마티스 질환에서 혈액검사는 문진과 진찰을 통해 추정되는 임상 진단을 뒷받침하기 위해 명확한 목적을 가지고 검사를 시행하여야 하고, 검사의 특성(민감도와 특이도 등)을 고려하여 그 결과를 판단해야 한다.
- 류마티스인자와 항CCP항체는 류마티스관절염에 대해 민감도는 비슷하나 특이도는 항CCP항체가 높다. 특히, 항CCP항체는 류마티스관절염의 진단, 예후, 및 발병 예측에 중요한 임상지표이다.
- 전신홍반루푸스를 비롯한 다양한 결합조직질환의 가능성이 의심될 때 선별검사로서 항핵항체가 유용하며, 항핵항체가 양성인 경우 그 결과와 임상적으로 의심되는 질환에 따라 적절한 특이항원에 대한 자가항체검사를 확인해야 한다.
- 항중성구세포질항체 중에 항PR3와 항MPO항체가 혈관염에 특이적인 항체로 임상적으로 전신혈관염이 의심될 때 감별진단에 도움이 될 수 있다.
- 항인지질항체는 임상적으로 의심될 때 시행하고, 임상적 조건과 판정 기준에 따라 신중하게 해석해야 한다.

## 항핵항체

항핵항체(anti-nuclear antibody, ANA)는 세포핵을 구성하는 거대분자와 그 복합체들을 인지하는 다양한 자가항체를 통칭하며, 자가면역 류마티스 질환을 평가하는 데 중요한 생체지표다. 사실 ANA는 세포질에 존재하는 항원을 인지하는 항체도 포함하고 있지만, 전통적으로 ANA라는 용어를 그대로 사용하고 있다.

### 1) 역사

1948년 ANA와 관련된 현상인 'lupus erythematosus(LE) 세포'가 처음 확인되었다. LE 세포는 혈액을 슬라이드에 도말하고 Wright 염색한 후 관찰했을 때, 다른 세포가 세포핵을 탐식하는 모습인데, 이는 세포핵이 ANA와 보체로 덮혀서(opsonization) 일어나는 세포 기작이다. 하지만 LE 세포 자체를 검출하기는 어렵기 때문에, 이 과정의 핵심 인자인 ANA를 직접 검출하고 특정화하려는 노력이 있었고, 1950년 형광 ANA (fluorescent ANA, FANA) 검사법이 도입되었다.

### 2) 검사법

#### (1) ANA 검사법

#### ① 간접면역형광법

간접면역형광법(indirect immunofluorescence test, IIF)은 전통적으로 가장 널리 사용되고 있는 표준검사법으로, 신속하면서도 민감도가 높다. 후두암 세포주에서 유래한 사람 제2형 상피세포(human epithelial type 2 cells, HEp-2)를 사용하는데, 이 세포의 핵은 다양한 항원을 포함하고 있고, 크기가 커서 현미경으로 관찰하기에 용이하다. HEp-2 세포를 슬라이드에 고정시키고, 용제를 투과시킨 후 희석시킨 사람 혈청을 첨가한다(그림 15-1A). 일정 시간 배양시킨 후 슬라이드를 세척하여 부착되지 못한 면역글로불린 등 단백질 성분을 제거하고, 부착된 면역글로불린에 반응하는, 면역형광물질이 결합된 이차항체를 넣고 배양한

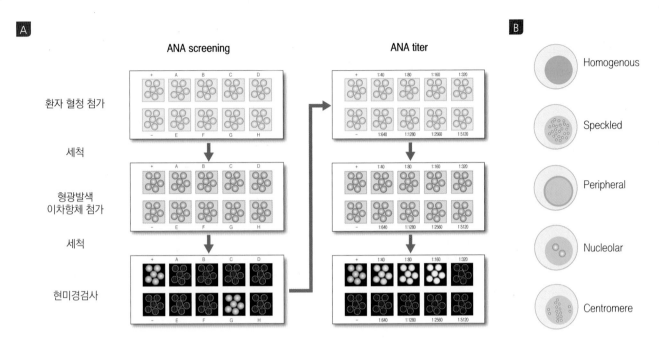

그림 15-1. **항핵항체 간접 면역형광검사법 (A)** 선별검사와 역가 결정 **(B)** 형태(pattern)

다. 다시 세척하여 부착되지 못한 이차항체를 제거한 후 자외선을 쪼여서 현미경으로 형광 반응과 형태(pattern)를 확인한다. 보통 1:40배 희석 혈청으로 시작해서 2배씩 단계적으로 희석하여 발광여부를 관찰하고 최종적으로 발광반응이 관찰되는 농도에서 역가를 정한다(그림 15-1B). 검사 키트에 따라 성능 차이를 보일 수 있으며, 시각적으로 평가하는 검사이기에 판독자의 경험도 판독결과에 영향을 미친다.

HEp-2 세포의 경우 Ro 항원에 적게 포함되어 항Ro항체를 포함하는 ANA의 경우 거짓 음성(false negative)으로 나올 수 있다. 따라서, 전신홍반루푸스(systemic lupus erythematosus, SLE)나 쇼그렌증후군(Sjögren's syndrome, SS)이 의심된다면 ANA가 음성으로 나오더라도 항Ro항체 검사를 확인해보아야 한다. Ro항원이 보충된 HEp-2000세포주가 만들어져 사용되기도 한다.

② 고체상 검사법

고체상검사법(solid phase assay, SPA)은 특이 자가항원들의 복합체로 코팅된 판(plate), 구슬(bead), 또는 막(membrane)과 같은 고체상에 사람 혈청을 첨가하여 배양한다. 효소결합면역흡착검사(enzyme-linked immunosorbent assay, ELISA)와 유사한 방법으로 발색반응을 보이는 효소가 부착된 이차 검출 항체를 이용하여

ANA 여부를 확인한다. 다양한 다중(multiplexed) SPA들이 상용화되어 있으며, 패턴을 확인할 수 없지만, 특이 자가 항원에 반응하는 ANA를 검출할 수 있는 장점이 있다.

(2) 특이 자가항체 검사법

ANA의 형태와 역가는 검사방법, 기술적인 문제 및 검체에 따라 편차가 발생하고 일관된 결과를 내지 못할 수 있으므로, IIF 또는 SPA에서 ANA 존재가 확인되면, 임상증상으로 고려하여 효소결합면역흡착검사(enzyme-linked immunosorbent assay, ELISA)를 이용한 특이 자가항체 검사를 시행한다(표 15-3). SPA와 비슷하지만 특이 자가항원을 이용하여 특이 자가항체를 검출하는 것이 다르다. 세포핵에서 추출한 항원(extractable nuclear antigens, ENA)에 대해서는 항ENA항체라고도 부른다.

(3) 항DNA항체 검사법

단일가닥(single-stranded, ss) DNA에 대한 자가항체는 류마티스 질환과의 관련성이 별로 없고, 이중가닥(double-stranded, ds) DNA에 대한 자가항체가 SLE에 특이적이고 임상적으로도 중요한 지표이므로 이를 측정하고 있다.

### ① Farr 방사면역검사법

방사선동위원소로 표지된 dsDNA와 혈청을 섞고 50% 포화 ammonium sulfate용액에 침전된 항체-DNA 복합체를 분리하여 방사능을 측정하여 농도를 추정한다. 항DNA항체 검사의 표준검사로 특이도와 신뢰도가 높으나, 방사능 노출의 위험성이 있어 현재는 널리 사용되지 않는다.

### ② Crithidia luciliae 검사법

Crithidia luciliae는 단세포 hemoflagelate로 커다란 미토콘드리아(mitochondria)를 가지고 있는데, 여기에는 안정적 구조의 dsDNA가 다른 불순물질 없이 농축되어 있어서, 항dsDNA항체를 우수한 민감도와 특이도로 측정할 수 있다. Crithidia luciliae를 기질로 하여 IIF법으로 측정한다.

### ③ ELISA

## 3) 임상적 의미와 해석

국제 전문가 그룹 권고안에 따르면, 지역 나이-성별 맞춤 정상 건강인의 95 백분위수에 해당하는 농도를 유의한 비정상값으로 정하였고, 이는 일반적으로 HEp-2세포를 이용한 IIF검사에서는 1:160 희석배수에 해당한다. 이 기준에 따라 양성을 보이는 다양한 질환이 알려져 있다(표 15-1). SLE와 같은 질환의 임상연구에서는 1:80을 최소한의 등록기준으로 삼기도 한다.

하지만 정상 건강인에서도 역가에 따라 양성반응이 종종 나오므로 해석할 때 주의해야 한다. ANA가 양성이더라도 대부분 자가면역 류마티스 질환이 숨어있지 않고 향후 발생할 위험성이 높은 것도 아니다.

형광패턴에 따라 크게 핵형(nuclear pattern)과 세포질형(cytoplasmic pattern)으로 나누고, 핵형은 homogenous, coarse speckled, fine speckled, centromere, nucleolar, 세포질형은 diffuse, fine speckled로 세분화된다. 패턴에 따라 관련 항체와 질환이 알려져 있고, 이를 표 15-2에 정리하였다.

**표 15-1. 다양한 질환과 조건에서 ANA의 양성 비율**

| 질환 또는 조건 | | 비율(%) |
|---|---|---|
| 진단에 도움이 되는 질환 | 전신홍반루푸스 | 99-100 |
| | 전신경화증 | 97 |
| | 염증근염 | 40-80 |
| | 쇼그렌증후군 | 48-96 |
| 진단에 필요한 질환 | 약물유발루푸스 | 100 |
| | 혼합결합조직병 | 100 |
| | 자가면역간염 | 100 |
| 예후 판단에 유용한 질환 | 소아특발관절염 | 20-50 |
| | 항인지질증후군 | 40-50 |
| | 레이노병 | 20-60 |
| 임상적 의미가 적은 질환 | 원반홍반루푸스 | 5-25 |
| | 섬유근통 | 15-25 |
| | 류마티스관절염 | 30-50 |
| | 자가면역질환 환자의 친척 | 5-25 |
| | 다발경화증 | 25 |
| | 특발혈소판감소자반증 | 10-30 |
| | 갑상샘질환 | 30-50 |
| | 감염질환 | 다양 |
| | 악성종양 | 다양 |
| 정상 건강인 | ≥1:40 | 20-30 |
| | ≥1:80 | 10-12 |
| | ≥1:160 | 5 |
| | ≥1:320 | 3 |

ANA, anti-nuclear antibody.

## 4) 류마티스 질환과 특이 자가항체

표 15-3에 기본사항을 정리하였다.

### (1) SLE 관련 자가항체

#### ① 항dsDNA항체

항dsDNA항체는 SLE에 대해 약 95%의 높은 특이도와 70% 정도의 민감도를 보여 진단에 도움이 된다. 역가가 질병활성도에 따라 변하는 경향이 있어, 질병활성도를 평가하는 혈액지표 중의 하나로 사용된다. 하지만, 역가 변화가 반드시 질병활성도

표 15-2. HEp-2 세포를 이용한 IIF 검사에서 나타나는 패턴과 관련 항원 및 질환

| | 관련 항원 | 관련 질환 |
|---|---|---|
| **핵형(nuclear pattern)** | | |
| Homogeneous | dsDNA, histones, chromatin/nucleosomes, HMG | SLE, drug induced SLE/vasculitis, JIA |
| Coarse speckled | U1-SnRNP, U2-6 snRNP (Sm), nuclear matrix | MCTD, SLE, Raynaud, SSc, SS, UCTD |
| Fine speckled | SSA/Ro, SSB/La, Topo-1, common to many antigens | SLE, SS, SSc, IM, MCTD |
| Centromere | Kinetochore: CENP-A, B, C, F | SSc (limited), Raynaud's |
| Nucleolar | PM/Scl, RNA-polymerase, URNP, U3-RNP, To/Th, B23 phosphoprotein/numatrin | SSc, Raynaud's, IM, overlap |
| **세포질형(cytoplasmic pattern)** | | |
| Diffuse | RibP, Jo-1, other tRNA synthetases, SRP | SLE, IM |
| Fine speckled | Jo-1, SRP, PDH (mitochondria) | IM, DM, PBC, interstitial lung disease |

CENP, centromere protein; DM, dermatomyositis; dsDNA, double-stranded DNA; IM, inflammatory myopathies; JIA, juvenile idiopathic arthritis; MCTD, mixed connective tissue disease; PBC, primary biliary cirrhosis; PM/Scl, polymyositis/scleroderma; PDH, pyruvate dehydrogenase; RibP, ribosomal P protein; RNP, ribonucleoprotein; SLE, systemic lupus erythematosus; SS, Sjögren's syndrome; SSc, systemic sclerosis; Topo-1, topo-isomerase 1; tRNA, transfer RNA; UCTD, undifferentiated connective tissue disease.

의 변화와 일치하거나 예측지표가 아니므로 이 결과만으로 약물 치료 여부를 결정해서는 안 된다. 항dsDNA항체는 루푸스신염 (lupus nephritis, LN)의 병인에 관여하고 LN의 활성도와도 관련이 있어 이를 평가하고, 추적관찰하는 데에도 이용된다.

### ② 항Sm과 항U1-ribonuceloprotein항체

항Sm항체와 항U1-ribonuceloprotein (RNP)항체는 같이 검출되는 경우가 많은데, 실제로 Sm항원과 U1-RNP항원은 small nuclear ribonucleoprotein particles (snRNPs)로 알려진 세포 내 구조물에 함께 위치한다. 항Sm항체는 SLE 환자의 20-30%에 나타나지만, 특이도가 높아 진단적 가치가 있다. 하지만, 항U1-RNP 항체는 SLE의 30-40%에서 나타나지만 특이적이지는 않으며, 오히려 혼합결합조직병(mixed connective tissue disease, MCTD) 진단을 위해서 반드시 존재해야하는 항체다.

### ③ 항Ro/SS-A와 항La/SS-B항체

항Ro/SS-A항체는 화학적 조성과 면역학적 기능이 다른 두 가지 단백질, Ro60(60kDa)과 Ro52(52kDa)에 대한 항체를 포함하며, SPA 또는 ELISA로 구별하여 검출이 가능하다. Ro52는 Tripartite Motif Protein (TRIM)의 한종류인 TRIM21이고, Ro60은 hY-RNA복합체의 구성성분이다. Ro60에 대한 특이성이 없는 Ro52에 대한 항체는 SjS과 관련이 있고, Ro52에 대한 반응성과 별개로 Ro60에 대한 항체는 SLE와 관련이 있다.

소위 "ANA-negative" SLE 환자에서 관찰되는 항체로 알려져 있는데, ANA검사법에 관련 내용을 기술하였다. SLE에서 항Ro 항체는 피부증상, 건조증상, 신생아루푸스(neonatal lupus) (선천 방실차단 포함), 혈소판감소증 등과 관련이 깊다. 항La항체는 항 Ro항체 없이 단독으로 관찰되는 경우는 드물며, 만기발병(late-onset) SLE, 신생아루푸스 등과 관련이 있다.

### ④ 항리보솜P단백항체

60S 리보솜(ribosome) subunit의 구성성분에 대한 항체이고, SLE 환자의 일부에서만 관찰되지만, 특이성이 상당히 높다. 중추신경루푸스(central nervous systemic lupus), 특히 신경정신 (neuropsychiatric) 증상과 관련성이 높다고 알려져 있는데, neuronal surface P항원과 교차반응 가능성으로 설명하기도 한다. 간

표 15-3. 류마티스 질환과 주요 특이 자가항체

| 질환 | 항원 | 빈도(%) | 임상적 의미 |
|---|---|---|---|
| 전신홍반루푸스 | dsDNA | 70-80 | 95% 질병 특이도<br>루푸스신염<br>질병활성도에 따라 변화 |
| | Smith | 20-30 | 99% 질병 특이도<br>항U1 RNP항체와 관련 |
| | U1 RNP | 30-40 | |
| | Ro/SS-A | 40 | 쇼그렌증후군<br>광과민성, 피부증상 및 신생아루푸스 |
| | La/SS-B | 10-15 | 쇼그렌증후군<br>피부증상, 신생아루푸스 |
| | ribosomal P | 10-20 | 중추신경루푸스 |
| | histone | 50-70 | 약물유발루푸스 |
| 전신경화증 | centromere | 15-40 | 미만 전신경화증<br>CREST증후군<br>폐고혈압 |
| | Topoisomerase I<br>(Scl-70) | 10-40 | 미만 전신경화증<br>간질폐질환 |
| | RNA polymerase III | 4-25 | 미만 전신경화증<br>심한 피부경화<br>신장 위기 |
| 염증근염 | Aminoacyl-tRNA synthetase | 20-30 | 다발근염 |
| | Histidyl-tRNA synthetase (Jo-1) | 15-20 | 간질폐질환, 레이노현상, 관절염, 정비공 손 |
| | SRP | 5-10 | 다발근염 |
| | Mi-2 | 8 | 피부근염 |
| | MDA5 | 1-30 | 무증상 피부근염(CADM)의 50% |
| | NXP-2 | 2-17 | 피부근염의 11-24% |
| | TIF1γ | 13-30 | 악성종양 |
| | SAE | 5-10 | |
| | HMGCR | 6 | 면역매개괴사근염 |
| 쇼그렌증후군 | Ro/SS-A 60 | 67 | |
| | Ro/SS-A 52 | 75 | 심한 건조 증상<br>간질폐질환 |
| | La/SS-B | 80-90 | |
| 혼합결합조직병 | U1 RNP | 100 | |

염, 신장염과의 관련성도 보고된 바 있다.

#### ⑤ 항histone항체

Histone subunit 또는 복합체에 대한 자가항체이다. SLE에서 주로 발견되지만, 약물유발루푸스의 표지자이기도 하다.

### (2) 전신경화증 관련 자가항체

#### ① 항중심절항체

제한 전신경화증(limited systemic sclerosis, lSSc)에서는 가장 흔한 항체로 50%까지 검출되며, 미만 SSc (diffuse SSc, dSSc)에서는 5% 정도 나온다. 레이노현상(Raynaud phenomenon) 및

CREST 증후군과 관련이 깊어서, CREST 환자의 90% 정도에서 검출된다.

### ② 항topoisomerase I항체

dSSc의 2/3에서 관찰되며, 내부장기침범, 특히 간질폐질환 (interstitial lung disease, ILD) 발생과 관련이 깊다.

### ③ 항RNA polymerase III항체

dSSc에서 주로 관찰되며, 빠르게 진행하는 피부 경화, 신장 위기(renal crisis)와 관련이 깊다. 이 항체가 양성인 환자는 악성종 양 발생 위험도 높다고 알려져 있다.

### (3) 염증근염 관련 자가항체

염증근염(inflammatory myositis, IM)의 다양한 임상증상과 관련해서 검출되지만, IM 환자의 약 40%에서만 나오기 때문에, 항체검사 결과가 음성이더라도 IM을 배제할 수 없다.

### ① 항synthetase항체

Aminoacyl-transfer RNA (tRNA) synthetases에 대한 항체들을 통칭하는 것으로, histidyl-tRNA synthetase에 대한 항체인 항Jo-1 항체가 가장 널리 알려져 있다. 항Jo-1항체는 IM 환자의 약 20% 에서 발견되며, ILD, 레이노현상, 관절염, 정비공손(mechanic's hand)과 관련이 깊다. 이러한 증상들이 동시에 발현하는 항합성 효소 증후군(antisynthetase syndrome)의 경우, 90%가 항Jo-1항 체를 가지고 있다.

### ② 항MDA5항체

피부근염(dermatomyositis, DM)에 특이적이고, DM의 50% 에서 발견된다. 무증상 피부근염(clinically amyopathic DM, CADM)에서 자주 발견되어 항CADM항체라고도 불린다.

### ③ 항TIF1γ항체

155-kD nuclear protein transcriptional intermediary factor (TIF) 1γ 또는 140-kD TIF-1α에 반응하며, 이전에 항p155/140 항체로도 불렸다. DM에서 주로 관찰되며, 악성종양 발생과 강 한 연관성이 있다.

### ④ 항Mi1항체

DM에 특이성이 있고, V neck 또는 shawl sign과 같은 피부발 진 및 양호한 치료반응과 관련되어 있다.

### ⑤ 항NPX2항체

Nuclear matrix protein 2 (NXP-2)에 대한 항체로, DM에서 주 로 발견된다. 소아(juvenile) DM에서는 심한 증상, 부종, 석회화, 성인 DM에서는 악성종양 발생과의 관련성이 보고된 바 있다.

### ⑥ 항SAE항체

Small ubiquitin-like modifier activating enzyme (SAE)에 대 한 항체로, DM의 5-10%에서 발견된다. 이 항체를 가진 환자는 CADM으로 시작해서 심한 근염으로 진행하는 경우로 종종 보 고되었다.

### ⑦ 항HMGCR항체

3-hydroxy-3-methylglutaryl coenzyme A reductase (HMGCR) 에 대한 항체로, 면역매개괴사 근염(immune-mediated necrotiz- ing myositis, IMNM)과 관련이 있다. 이 항체가 양성인 환자의 50%는 이전에 statin제제 복용력이 있다.

### (4) 쇼그렌증후군 관련 자가항체

항Ro60과 항Ro52항체는 SS환자의 각각 67%, 75%에서 발 견된다. 항Ro52항체는 심한 건조증상, ILD 발생과 관련이 있다. Ro60과 Ro52 항원을 하나로 묶어 항Ro항체로만 측정하는 경우 가 종종 있는데, 개별항체가 제공하는 임상정보가 다르기 때문 에 분리해서 측정하는게 바람직하다. 게다가, 단일 항Ro항체로 측정하면 항Ro60과 항Ro52항체로 구별해서 측정했을 때보다 20%정도 측정율을 손해볼 수 있다.

### (5) 혼합결합조직병 관련 자가항체

항U1-RNP항체는 혼합결합조직병(mixed connective tissue disease, MCTD) 진단에 반드시 필요한 항목이지만, 이 항체가 있다고 해서 MCTD 관련 증상이 꼭 존재하는 것은 아니다.

# 류마티스관절염 자가항체

## 1) 류마티스인자

### (1) 특징

류마티스인자(rheumatoid factor, RF)는 G형 면역글로불린(immunoglobulin G, IgG)의 Fc (fragment crystallizable, Fc) 부위에 대한 자가항체이며, 자가면역 류마티스 질환에서 처음 확인된 자가항체다. 1940년 양 적혈구(sheep erythrocyte)를 응집시키는 항체로 처음 발견되었고, 1948년 류마티스관절염(rheumatoid arthritis, RA) 환자에서 보고된 이후, 긴밀한 관련성이 확인되면서 1952년 RF로 불리게 되었다. 방사면역검사법(radioimmuno-assay), ELISA 또는 비탁법(nephelometry)으로 RF를 측정하며, 검사법의 성능은 비슷하다. RF는 IgM, IgG, IgA의 동형(isotype)이 있지만, IgM-RF가 가장 일반적이고 임상진료에서 측정하는 형태다.

RA에서 RF의 민감도는 60-90 (~70)%, 특이도는 ~85%다. RF의 특이도는 역가가 높을수록 증가한다. 하지만 RF 단독검사로 RA를 선별하기에는 충분하지 않다. RF는 RA 이외의 다양한 류마티스 질환뿐만 아니라 비류마티스 질환에서도 높은 비율로 나타나고, 건강한 정상인에서도 일정 비율 발견된다(표 15-4). 하지만, RA 환자와 정상 건강인의 RF는 그 반응성(reactivity)이 다르게 나타난다. 정상 건강인에서는 다중반응(poly-reactive), 낮은 결합친화도(low affinity), 낮은 역가의 IgM-RF이지만, RA 환자에서는 일반적으로 역가와 결합력(avidity)이 높은, 복수의 동형 RF로 존재한다.

RF는 면역복합체에 있는 항원에 결합하여 항원을 T세포에 전달하고, 보체를 활성화시키거나, 체액면역반응을 증강시킬 수 있다고 알려져 있다. RA에서는 항CCP 항체(anti-cyclic citrul-linated peptide antibody, ACPA) 면역복합체가 보체 활성화시키는 것을 도와주고, 대식세포(macrophage)를 자극하여 염증성 사이토카인 생산을 유도한다고 밝혀졌다.

### (2) 임상적 의의

RF는 RA가 진단되기 수년 전부터 나타나고, IgM, IgA, IgG가 순차적으로 나타나는 경향을 보인다. RA에서는 RF 역가가 높

**표 15-4. 다양한 질환과 조건에서 RF의 빈도**

| 질병 또는 조건 | | | 빈도(%) |
|---|---|---|---|
| 류마티스 질환 | | 류마티스관절염 | 70-90 |
| | | 쇼그렌증후군 | 75-95 |
| | | 혼합결합조직병 | 50-60 |
| | | 전신경화증 | 20-30 |
| | | 전신홍반루푸스 | 15-35 |
| 비류마티스 질환 | 감염질환 | 세균심내막염 | 25-50 |
| | | B형/C형간염 | 20-75 |
| | | 결핵 | 8 |
| | | 매독 | 13 |
| | | 나병 | 5-58 |
| | 호흡기질환 | 유육종증 | 5-30 |
| | | 간질성폐질환 | 10-50 |
| | | 규폐증 | 30-50 |
| | | 석면증 | 30 |
| | 기타 | 원발담즙경화증 | 45-70 |
| | | 하시모토 갑상선염 | 45 |
| | | 자가면역간염 | 50 |
| | | 악성종양 | 5-25 |
| | | 다수 예방접종 후 | 10-15 |
| 정상 | | 50세 | 5 |
| | | 70세 | 10-25 |

을수록, 예후가 좋지 않고, 보다 심한 관절손상과 질병활성도를 보이며, 관해율이 낮고 관절외증상이 더 많이 발생한다. 이러한 임상적 의의는 ACPA 및 염증지표(C반응단백질, 적혈구침강속도)와 결합하여 평가하였을 때 더욱 의미가 있다.

## 2) 항CCP항체

### (1) 특징

항CCP항체(anti-cyclic citrullinated peptide antibody, ACPA)는 cyclic citrullinated peptide (CCP)에 대한 항체이며 ACPA로 불린다. 1964년 RA 환자의 혈청 성분이 사람의 구강점막 세포에 반응하는 anti-perinuclear factor (APF)로 처음 기술되었고, 이후 식도 상피세포에 있는 항원과 결합한다고 해서 항케라틴항체(anti-keratin antibody, AKA)로도 불렸다. 결합 항원이 filaggrin인 것으로 확인되었는데, 이 filaggrin은 분화된 상피세포에 존재하고, filaggrin 성분 중 arginine이 번역 후 변형(post-translational modification, PTM)으로 citrulline으로 변환되고 이를 포함한 부

분이 항체가 결합할 수 있는 항원성을 지닌다는 것이 밝혀졌다. Linear citrullinated peptide 또는 citrullinated filaggrin을 항원으로 만들어 항체검사를 했는데, 특이도는 높았으나 민감도가 좋지 못했다. 항체가 보다 잘 인지할 수 있도록 항원결정부(epitope)를 cyclic형태로 수정하였더니 특이도와 민감도가 향상되었다. Filaggrin을 기반으로 하는 이 항원은 1세대 CCP ELISA 검사(CCP1 검사)로 만들어져 사용되었다. 하지만, filaggrin은 RA 관절조직에 존재하지 않기 때문에, RA 관절조직에서 유래하는 실제적인 항원을 추출하였고, 최적의 citrullinated peptide library를 구축하여 2세대 CCP ELISA 검사(CCP2 검사)가 만들어졌다. CCP2 검사는 2002년 이후 현재까지 표준검사로 사용되고 있다. CCP2 검사의 민감도는 60-80%, 특이도는 95%다. 민감도는 RF와 비슷한 수준이나 RF 음성인 RA 환자의 20-30%가 ACPA 양성이다. Citrullinated epitopes이 보완된 3세대 CCP 검사(CCP3 검사)가 만들어졌지만 진단성능이 향상되지는 못했다.

PTM은 단백질 합성된 후 추가로 거치는 화학적인 변형과정으로, 효소를 통해 공유결합 형태가 바뀌면서 일어난다. PTM 중 citrullination은 염증, 세포사멸, 또는 각질화 과정 중에 일어나며, 활성화된 peptidylarginine deiminase (PAD) 효소에 의해 arginine의 이미노기($NH_2^+=$)가 산소기(O=)로 치환, citrulline으로 바뀌는 과정이며, 다른 PTM과 달리 비가역적인 반응이다(그림 15-2). Citrulline은 arginine과 전하상태가 달라 단백질 구조에 영향을 주므로, 수정된 단백질은 항원성을 띠고 면역반응을 유도할 수 있다. 세포사멸체(apoptotic body)는 대식세포에 의해 적절히 처리되어야 하는데, 과도한 염증 또는 괴사로 인해 처리되지 못하여 세포사멸체에서 누출된 PAD와 citrullinated protein은 면역관용을 피해 자가항체 생성을 유발할 수 있다. 실제 ACPA의 생성은 유전적인 요인, 즉 HLA-DRB1 공유항원기(shared epitope, SE)에 강한 의존성을 보인다. 다양한 citrullinated protein이 RA 활막조직과 활막액에서 발견되었는데, 이를 통칭하여 citrullinome이라고 부른다. ACPA가 인지하는, 병인에 관여하는 대표적인 관절조직 citrullinated protein으로 fibrinogen, vimentin, collagen type II, α-enolase 등이 알려져 있다.

## (2) 임상적 의의

ACPA는 RA에서 다음과 같은 중요한 임상적 가치가 있다.

① ACPA는 민감도와 특이도가 높은 RA 진단 지표이다. ACPA의 민감도는 RF와 비슷하지만 특이도가 매우 높아 RA를 다른 염증관절염과 감별하는 데 매우 유용하다.

② ACPA는 RA 발생의 중요한 예측인자이다. 미분화관절염 환자에서 ACPA가 양성이면 환자의 90%가 3년 이내에 RA로 진행했으나, ACPA 음성 환자는 25%만 RA로 진행했다. ACPA는 RA 증상이 발생하기 14년 전부터 검출되었다는 보고가 있다.

③ ACPA 양성 RA 환자는 관절이 보다 심하게 손상되는 경과를 보인다.

④ ACPA는 RA 관련 ILD 및 심혈관질환 발생과 관련성이 깊다. ILD와 심혈관질환은 RA 환자의 주요한 사망요인이다. RA는 아니면서 ILD가 있는 환자에서 ACPA가 종종 관찰되는데, 이는 폐병변이 RA가 시작하는 관절외 조직일 수 있음을 시사한다.

⑤ ACPA는 일부 약물치료의 반응과 관련이 있다. Rituximab과 abatacept는 ACPA양성 RA 환자에서 치료반응이 더 좋다.

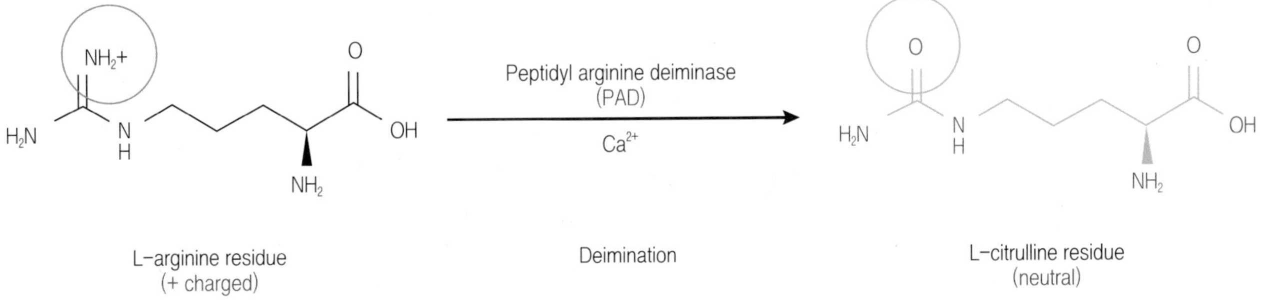

그림 15-2. Citrullination 과정

# 항중성구세포질항체

항중성구세포질항체(antineutrophil cytoplasmic antibody, ANCA)는 중성구와 단핵구의 과립에 존재하는 특이 항원 단백질에 대한 자가항체로, 세 가지 주요 혈관염인, 육아종증다발혈관염(granulomatous with polyangiitis, GPA), 현미경다발 혈관염(microscopic polyangiitis, MPA), 호산구육아종증다발혈관염(eosinophilic GPA, EGPA)과 관련이 있다. 임상적으로 중요한 ANCA는 골수세포과산화효소(myeloperoxidase, MPO)와 단백질분해효소 3 (proteinase 3, PR3)에 대한 항체가 있으며, 다음과 같은 증상이 있어서 혈관염이 의심될 때 검사해볼 수 있다(표 15-5).

## 1) PR3항중성구세포질항체

PR3는 neutrophil elastase 및 cathepsin G와 구조적 기능적으로 유사한 small neutrophil serine protease다. PR3는 일차 과립(primary granule), 분비 소낭(secretory vesicle), 특수 과립 등에 담겨있다가 중성구 활성화 상태이거나 세포사멸 중에 세포 표면에 노출된다. 혈관염 발병기전에 관여하는 neutrophil extracellular trap 에서도 발견된다. PR3-ANCA는 IIF 검사에서 주로 세포질형(cytoplasmic pattern)으로 보인다.

## 2) MPO항중성구세포질항체

MPO는 mammalian haem peroxidase enzyme family의 한 종류이다. MPO는 과산화수소(hydrogen peroxide, $H_2O_2$)로부터 활성산소(reactive oxygen species, ROS)를 발생시켜 탐식한 병원균을 파괴하는 역할을 하며, 다양한 만성염증질환에서도 염증과 조직손상에 관여한다. 사람에서는 중성구가 MPO의 주요 원천이다. MPO는 안정 중성구에서는 과립 내에 있지만 종양괴사인자(tumor necrosis factor, TNF) 등과 같은 염증사이토카인에 의해 자극된 탈과립 중성구에서 방출되어 주변의 안정 중성구에 부착한다. MPO-ANCA는 IIF 검사에서 주로 핵주변형(perinuclear pattern)으로 보인다.

## 3) 검사방법

### (1) 간접면역형광법

에탄올 고정(ethanol-fixed) 중성구에 대해 간접면역형광법(indirect immunofluorescence, IIF)을 시행하며 ANCA를 확인하는 선별검사로 많이 사용된다. 세 가지 패턴이 알려져 있다. 세포질형 ANCA(c-ANCA)는 핵엽(nuclear lobe) 사이를 중심으로 세포질 전체에 형광발색이 나타나는 것이고, 활성도가 높은 GPA의 90%에서 보인다. 핵주변형 p-ANCA는 핵주변부에 형광발색이 특징적으로 나타나고, MPA와 EGPA에서 종종 관찰된다. 비정형(atypical) ANCA (A-ANCA)는 두 가지 모양이 혼재하여 나타나는 형태다. MPO와 PR3를 제외한 단백질(lactotransferrin, cathepsin G, elastase, lysozyme 등)에 대한 항체이며 만성감염증, 일부 결합조직병, 염증장질환, 약물반응 등에서 관찰될 수 있지만, 임상적 의미는 명확하지 않다. 사실, p-ANCA 또는 A-ANCA는 호중구를 에탄올로 고정할때 세포내 성분들이 재배치되면서 나타나는 기술적인 오류(artefact) 현상이고, 포르말린(formalin) 고정이면 모두 세포질형으로 나타난다. 하지만, 포르말린 고정하면 ANA와 구별하기 어려운 문제가 생긴다. IIF검사는 아직 표준화되지 못하였고 판독자의 경험에 따른 편차가 있어서 민감도와 특이도가 매우 다양하므로, 결국 ELISA로 특이 항체를 확인해야 한다.

### (2) ELISA

1990년말에 개발된 1세대 ANCA ELISA는 ANCA항원을 ELISA 검사판에 부착시켜 검사했는데, 특이도는 좋았지만 민감

**표 15-5. 전신혈관염이 의심되어 ANCA 검사를 고려해야하는 소견들**

| | |
|---|---|
| 안구 및 상기도 | Long standing sinusitis 또는 otitis<br>상기도 chronic destructive disease<br>Subglottic tracheal stenosis<br>Retroorbital mass |
| 폐 | Pulmonary hemorrhage, 특히 pulmonary renal syndrome<br>Multiple lung nodule |
| 신장 | Glomerulonephritis, 특히 rapidly progressive glomerulonephritis |
| 피부 | Cutaneous vasculitis, 특히 전신증상이 동반된 경우 |
| 신경 | Mononeuritis multiplex 또는 peripheral neuropathy |

도가 낮았다. 2세대 ELISA에서는 이차항체로 ANCA항원을 잡아(capture) 검사판에 부착시켜서 검사했는데, 1세대 ELISA보다 성능이 좋았지만, 이차항체가 항원의 항원결정부(epitope)를 가려서 민감도의 손해가 있었다. 3세대 ELISA에서는 중개분자(bridging molecule)로 ANCA항원을 검사판에 고정시켜(anchor) 검사를 했고, 이전 검사법보다 좋은 성능을 보여서 현재 널리 사용되고 있다. ANCA 검사에 대한 개정된 국제 합의문(Revised 2017 international consensus statement on testing of ANCAs)에서는 고감도 ELISA검사의 유용성을 언급하면서 ANCA관련혈관염(ANCA-associated vasculitis, AAV)이 임상적으로 의심될 경우 고성능 면역검사를 일차 선별검사로 사용할 것을 권고하였다.

## 4) 임상적 의의

AAV에서 ANCA 검사의 민감도는 50-90% 정도로 다양하며, 특히 신장, 폐 등의 주요 장기를 침범하거나 질환의 활성도가 높을 때 양성률이 더 높은 것으로 알려져 있다. 하지만, 조직검사 결과가 혈관염 진단의 표준이며, 일부 환자에서는 ANCA가 음성으로 나올 수 있다(그림 15-3). 따라서, 임상적으로 이 질환이 의심될 때 ANCA 검사 결과의 뒷받침이 있으면 진단에 도움이 되지만, ANCA 검사가 음성이라고 하여 이 질환을 배제할 수는 없다. ANCA 검사가 양성이더라도 혈관염 외에 다른 문제, 즉 감염증이나 특정약물 노출 등으로 인한 결과일 수도 있으므로 이에 대해 주의깊게 검토해야 한다.

## 항인지질항체

항인지질항체(antiphospholipid antibody, aPL)는 세포막에 존재하는 인지질 성분에 대한 항체로, 항인지질항체증후군(antiphospholipid syndrome, APS) 진단에 필수 항목이다. APS가 의심되는 경우, 즉, 50세 미만, 특별한 위험인자 없이 혈전증이 발생하거나 자가면역질환과 관련해서 혈전증 또는 반복적인 유산 등 임신합병증이 발생한 경우 시행한다. 우연한 검사로 확인된 결과에 대해 예방치료하기 위한 목적으로 시행하는 검사는 적절하지 않다. aPL 검사는 세 가지 항목, 루푸스항응고인자(lupus anticoagulant, LAC), 항cardiolipin항체(anti-cardiolipin antibody, aCL), 항 $\beta_2$ glycoprotein항체(anti-$\beta_2$ glycoprotein I antibody, a$\beta_2$ GPI)로 구성된다. 적어도 12주 간격을 두고 연속검사해서 두 번 모두 양성으로 나와야 최종적으로 양성 판정을 한다. 또한 하나의 혈액샘플에 대해 동시에 검사해야 진단적 가치가 있다. 이는 급성 혈전증, 일시적인 감염증이나 검사실 오류로 인한 위양성의 위험성을 줄이기 위함이다. SLE와 관련성이 깊어서 2019 EULAR/ACR SLE 분류기준(classification criteria)의 항목으로 포함되어 있다.

## 1) 루푸스항응고인자

루푸스항응고인자검사는 모든 aPL의 존재를 확인하는 기능검사다. 발견 초기에 SLE 환자의 혈장을 이용한 혈액응고검사에서 응고시간이 연장되는 것을 보고 '루푸스항응고인자(lupus anticoagulant)'라는 이름을 붙였으나, 실제 생체 혈관 속에서는 혈관세포들과의 상호작용으로 통해 혈전을 조장하는 역할을 하기 때문에 잘못 붙여진 이름(misnomer)이다. aPL이 인지질 의존 응고시간(phospholipid-dependent clotting time)을 연장시키는 정도를 측정하는 두 개의 기능검사, activated partial thromboplastin time (aPTT)과 diluted Russel viper venom time (dRVVT)가 사용된다. aPTT는 혈소판을 제거한 혈장(citrated plasma)에 kaolin과 인지질 역할을 하는 cephalin을 첨가하여 응고연쇄반응

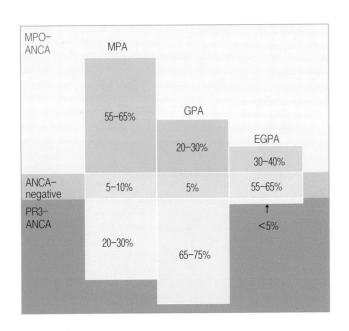

그림 15-3. ANCA관련 혈관염에서 ANCA의 빈도

(coagulation cascade) 내인성 경로(intrinsic pathway)의 상태를 평가한다. Russel viper venom은 혈액을 응고시키는데, 5번 응고인자(factor V)의 도움없이 10번 응고인자(factor X)를 직접 활성화시킬 수 있지만 인지질은 반드시 필요하다. 따라서, aPL이 존재하면 dRVVT은 연장된다. 전통적으로 세 단계의 검사(선별검사, 혼합검사, 확진검사)를 통해서 LAC 존재를 확인한다(그림 15-4). 선별검사에서 응고시간이 연장되나 환자의 혈장과 정상인 혈장을 섞는 혼합검사에서는 연장이 교정되지 않고, 충분한 양의 인지질을 투여하는 확진검사(인지질에 대한 의존성 확인)에서는 교정되면 LAC가 있다고 판단한다. 위양성을 피하기 위해서 혼합검사는 반드시 확인해야 하며, 보통 선별검사 항목에 포함되어 있다. 정상인의 99%를 넘어서는 경우를 절단값(cutoff value)으로 정하는데, 선별검사와 확진검사 결과의 비인 LAC ratio가 1.3 이상인 경우 양성으로 판정하며, 검사실의 검사키트와 표준화상태에 따라 절단값이 다를 수 있다. LAC는 기능검사이기에 응고단계에 영향을 주는 상황, 즉 헤파린(heparin)이나 와파린(warfarin)과 같은 항응고치료 중이거나 급성염증상태, 즉 CRP와 같은 급성반응단백질 수치가 높은 경우에 위양성이 나올 수 있으므로 결과해석에 주의해야 한다.

## 2) 항카디오리핀항체와 항β₂GPI항체

항카디오리핀항체(anti-cardiolipin antibody, aCL)와 항$\beta_2$GPI항체(anti-$\beta_2$ glycoprotein I antibody, a$\beta_2$GPI)는 고체상 면역검사(solid-phase immunoassay, SPA) 또는 ELISA로 측정하며, IgG와 IgM 아형을 모두 측정해야 한다. 정상인의 99%를 넘어서는 경우를 절단값으로 정하는데, 보통 SPA 또는 ELISA 검사에는 20 unit을 양성으로, 40 unit 이상을 임상적으로 유의하다고 판단한다.

## 3) 임상적 의의

LAC가 APS 관련한 혈전증 발생의 가장 중요한 위험인자이며, 세 가지 aPL검사 모두 양성인 경우(triple positivity) 위험이 가장 크다고 알려져 있다. IgG형이 IgM형보다 혈전증과 관련성이 더 깊다.

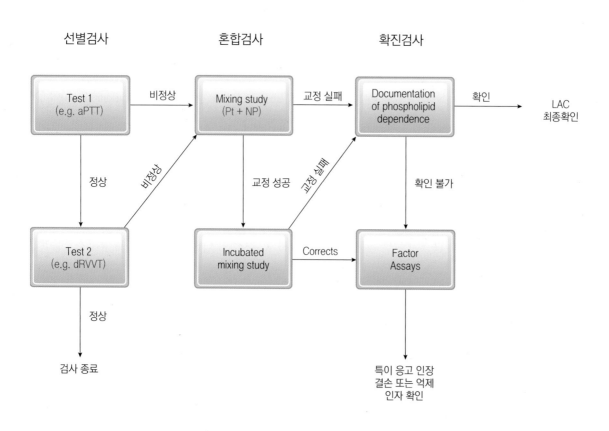

그림 15-4. 루푸스항응고인자(lupus anticoagulant, LAC) 검사 단계 및 결과 해석

## 참고문헌

1. Agmon-Levin N, Damoiseaux J, Kallenberg C, Sack U, Witte T, Herold M, et al. International recommendations for the assessment of autoantibodies to cellular antigens referred to as anti-nuclear antibodies. Ann Rheum Dis 2014;73:17-23.

2. Bossuyt X, De L anghe E, Borghi MO, Meroni PL. Understanding and interpreting antinuclear antibody tests in systemic rheumatic diseases. Nat Rev Rheumatol 2020;16:715-26.

3. Cornec D, Cornec-Le Gall E, Fervenza FC, Specks U. ANCA-associated vasculitis — clinical utility of using ANCA specificity to classify patients. Nat Rev Rheumatol 2016;12:570-9.

4. Csernok E, Moosig F. Current and emerging techniques for ANCA detection in vasculitis. Nat Rev Rheumatol 2014;10:494-501.

5. Devreese KMJ, de Groot PG, de Laat B, Erkan D, Favaloro EJ, Mackie I, et al. Guidance from the Scientific and Standardization Committee for lupus anticoagulant/antiphospholipid antibodies of the International Society on Thrombosis and Haemostasis. J Thromb Haemost 2020;18:2828-39.

6. Ge C, Holmdahl R. The structure, specificity and function of anti-citrullinated protein antibodies. Nat Rev Rheumatol 2019;15:503-8.

7. Kang EH, Ha YJ, Lee YJ. Autoantibody Biomarkers in Rheumatic Diseases. Int J Mol Sci 2020;21:1382.

8. Schreiber K, Sciascia S, de Groot PG, Devreese K, Jacobsen S, Ruiz-Irastorza G, et al. Antiphospholipid syndrome. Nat Rev Dis Primers 2018;4:17103.

9. van Delft MAM, Huizinga TWJ. An overview of autoantibodies in rheumatoid arthritis. J Autoimmun 2020;110:102392.

10 van Venrooij WJ, van Beers JJ, Pruijn GJ. Anti-CCP antibodies: the past, the present and the future. Nat Rev Rheumatol 2011;7:391-8.

# 16

# 영상검사 I: 단순X선

가톨릭의대 **윤종현**

## KEY POINTS 🔒

- 단순X선은 접근의 편리성과 경제적 효용성이 높아서 류마티스 질환 진료에 가장 많이 사용되는 영상기법이다.
- 류마티스 질환 진료에서 단순X선 사진은 질병의 감별진단, 치료 효과 평가 및 예후 판정에 중요하다.

## 단순X선 사진

단순X선 사진(plain radiography)은 X선 흡수율이 조직의 종류에 따라 다른 특성을 이용하여 X선이 통과한 구조들의 다양한 흡수량의 총합을 2차원 영상으로 보여준다. 위치를 구별하는 해상도가 매우 높은 장점이 있고 골, 연부조직, 공기를 구별하는 데 높은 대비를 보인다. 연부조직 중에 지방은 구별이 가능하지만 연골, 근육, 힘줄, 인대, 활막, 액체 등은 같은 농도의 영상으로 표현되어 구별이 어려운 단점이 있다. 비용이 싸고 접근성이 뛰어나서 뼈와 관절을 전체적으로 관찰하는 데 편리해서 근골격계 질환의 진료에 가장 많이 사용되는 영상기법이다. 관절통을 호소하는 환자에서 외상에 의한 골절, 탈구, 아탈구를 감별하는 데 매우 유리하다. 관절염의 경우에는 관절 간격 감소, 골미란, 관절 주변 골밀도 감소, 인대골 증식, 관절강직, 골극, 연골석회증 등을 관찰할 수 있어 질병의 진단과 중등도 평가에 가장 기본적이고 간단한 방법이다. 관절염이 진행함에 따라 발생하는 관절 손상을 추적관찰할 때 쉽게 사용할 수 있어 치료효과 판정에도 많은 도움이 된다.

연부조직의 부종과 결절 및 석회화 등을 관찰할 수 있어 연부조직질환의 감별진단에도 도움이 된다. 단점으로 초음파와 자기공명영상에 비해서 연부 조직을 직접 관찰할 수 없어서 염증에 의한 활막, 연골, 힘줄 등 연부조직의 변화를 실시간으로 평가하기 어렵고 골미란과 같이 뼈의 미세한 손상에 둔감하다는 문제점이 있다. 또한, 여러 관절을 다양한 방향에서 다수의 영상을 동시에 촬영함으로써 다량의 방사능에 노출될 위험이 있어 주의를 기울여야 한다.

단순X선 사진은 특정 질병 상태에 따라 최적화된 촬영방법과 관절들의 해부학적 특성에 따른 다양한 촬영 방향들이 잘 조합되어야 정확한 의학적 판단이 가능하다. 특히 관절염의 경우에는 같은 관절을 좌우 대칭으로 촬영하고 비교함으로써 정상구조의 개체변이를 고려하여 병소를 찾기 용이하다. 관절에 따라 기본적인 촬영(view)들의 조합으로 손가락과 손의 뼈와 관절은 뒤앞방향영상(posteroanterior, PA view), 비스듬촬영(oblique view), 측면영상(lateral view)을 동시에 시행해야 관절을 전체적으로 관찰하는 데 도움이 된다. 손목관절은 뒤앞방향영상과 측면영상이 기본이며 관절염을 상세히 관찰하고 싶은 경우에 비스듬촬영이 도움이 된다. 팔꿈치 관절은 앞뒤방향영상(anteroposterior, AP view)과 측면영상이 기본이며 갈고리돌기(coronoid process)를 잘 관찰하려면 비스듬촬영을 시행한다. 어깨관절은 앞뒤방향영상과 겨드랑영상(axillary view)이 기본이지만 증상에 따라 매우 다양한 촬영방법을 이용한다. 척추 관절은 앞뒤방향영상과 측면영상이 기본이며 운동범위를 평가하려면 측면 폄영상(extension view), 굽힘영상(flexion view)을 추가한다. 경추의 고리중쇠

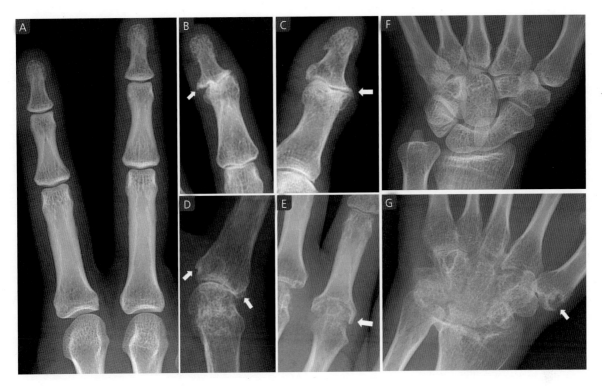

그림 16-1. **정상인과 관절염 환자의 손 단순X선 영상** **(A)** 정상인의 손가락 관절, **(B)** 원위부손가락 관절의 골극(화살표)과 관절간격 감소, **(C)** 엄지손가락 관절의 골극(화살표)과 관절간격 감소, **(D)** 손가락손허리관절의 골미란(화살표) 및 관절간격 감소, **(E)** 손가락손허리관절의 염증관절염에 의한 관절파괴(화살표), **(F)** 정상 손목관절, **(G)** 손허리손목 관절 골미란(화살표) 및 관절간격감소와 손뼈의 강직

관절(atlantoaxial joint)을 관찰하기 위해서 open mouth view를 촬영한다. 요추는 양측 비스듬촬영을 추가한다. 엉치엉덩관절(sacroiliac, SI joint)은 30° 상방에서 기울여(cephalad angulation) 촬영하는 앞뒤방향영상이 기본 검사이며 강직척추염(ankylosing spondylitis)이 의심되면 양측 비스듬촬영으로 엉치엉덩관절영상(SI joint view)을 시행한다. 엉덩관절은 골반 앞뒤방향영상(pelvis AP view)과 엉덩관절 앞뒤방향영상(hip AP view)이 기본검사이다. 무릎관절은 앞뒤방향영상과 측면영상이 기본이며 관절염에서 관절 간격을 정확하게 평가하기 위해 기립 앞뒤방향영상과 굽힘영상(flexion view)을 시행하고 슬개대퇴관절(patellofemoral joint)을 관찰하기 위해 merchant view를 추가한다. 발목 관절은 기본적으로 앞뒤방향영상과 측면영상과 mortise view를 촬영한다. 봉우리빗장관절(acromioclavicular joint)은 15° 상방에서 비스듬히 앞뒤방향영상을 시행한다. 복장빗장관절(sternoclavicular joint)은 뒤앞방향영상, 비스듬촬영, 측면영상을 검사한다(그림 16-1)(표 6-1).

표 16-1. **관절에 따른 표준 및 특별 단순X선 사진 촬영법**

| 손가락 | PA view, lateral view |
|---|---|
| 손 | PA view, oblique view(45° semi-pronated), lateral view |
| 손목 | PA view, oblique view, lateral view |
| 팔꿈치 | AP view, oblique view, lateral view |
| 어깨 | AP view, axillary view |
| 천장관절 | Modified AP Ferguson view, |
| 엉덩관절 | AP view, Frog-leg lateral view |
| 무릎 | Standing AP view, Standing semi-flexed AP view, flexed lateral view, Merchant patellar view |
| 발목 | AP view, lateral view |
| 발 | AP view, oblique view, lateral view |
| 척추 | AP view, lateral view, flexion view, extension view |

PA : posteroanterior
AP : anteroposterior

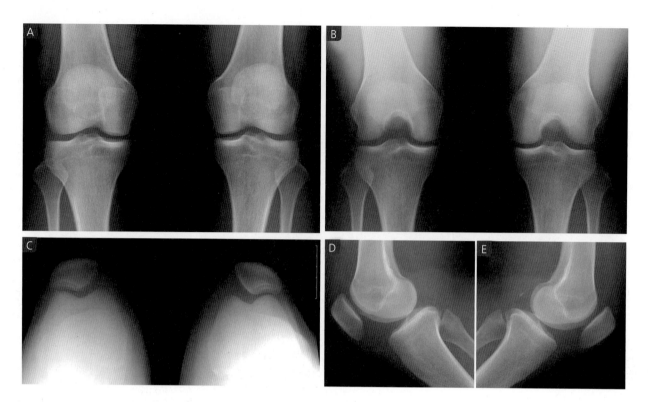

그림 16-2. **무릎 관절통을 감별진단하기 위해 흔히 사용되는 단순X선 영상조합** 정상 무릎 관절의 **(A)** Standing AP view, **(B)** Standing semi-flexed PA view, **(C)** Merchant patellar view, **(D)** Right. semi-flexed lateral. view, **(E)** Left. Semiflexed lateral view

## 주요 류마티스 질환에서 단순X선

### 1) 류마티스관절염

새로운 약물의 개발 등으로 류마티스관절염의 치료결과가 과거에 비해서 현저히 개선되면서 류마티스관절염의 조기진단 및 치료효과 판정에 있어서 영상검사의 중요성이 더욱 강조되고 있다. 류마티스관절염을 평가하는 데 가장 많이 사용되는 영상검사는 단순X선 사진이지만 최근에 자기공명영상(magnetic resonance imaging, MRI)과 초음파의 장점이 강조되고 있다. 단순X선 사진은 류마티스관절염에서 가장 흔히 침범되는 손과 발의 많은 관절들을 한 장의 사진으로 동시에 관찰할 수 있어 편리하다. 단순X선 사진에서 관절주위 연부 조직 부기, 관절주위 골다공증(periarticular osteoporosis), 골미란(erosion), 관절간격 감소가 관찰된다. 관절에 염증이 지속되면 골미란이 커지고 관절간격이 감소하기 때문에 단순X선 사진을 정기적으로 촬영하면 치료의 효과를 평가할 수 있다. 관절 파괴가 심하게 진행되면 관절의 부정렬(malalignment), 척측 편위(ulnar deviation), 골강직

(bony ankylosis)이 발생한다. 류마티스관절염에서 흔한 고리중쇠아탈구(atlantoaxial subluxation)는 open mouth view와 측면 신전 및 굴곡영상을 함께 촬영해야 상태를 정확히 평가할 수 있다. 단순X선 사진은 연부조직의 변화를 직접적으로 관찰할 수 없기 때문에 활막염의 중등도를 평가할 수 없다는 한계가 있다(그림 16-3).

### 2) 척추관절염

천장관절과 척추를 주로 침범하는 축성척추관절염(axial spondyloarthritis)은 단순X선 사진에서 천장관절의 미란, 경화(sclerosis), 관절강 변화 등이 양측성으로 관찰되는 특징을 보이지만 초기에는 일측성으로 관찰되는 경우도 있다. 척추는 단순X선 사진에서 척추체의 전방 모서리 경화(shiny corner sign)가 가장 먼저 나타나고 척추체가 사각형 모양으로 변형(squaring)되면서 인대뼈증식(syndesmophyte)이 수직 방향으로 자라서 인대결합(syndesmosis)이 일어나는데, 여러 개의 척추체가 연결되면 대나무척추(bamboo spine) 소견을 보인다. 돌기사이관절(facet joint)

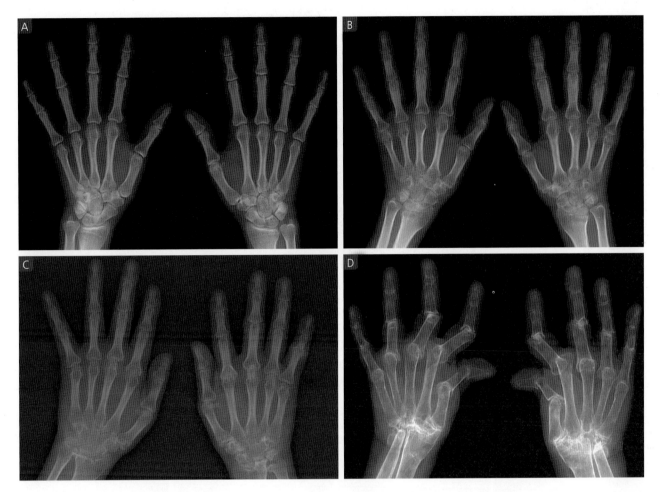

**그림 16-3. 정상인(A)과 류마티스관절염 환자들(B, C, D)의 손 단순X선 영상  (A)** 정상, **(B)** 초기 류마티스관절염 환자에서 관찰되는 관절주위 골밀도 감소(periarticular osteoporosis), **(C)** 손가락 관절과 손목 관절의 골미란과 관절간격 감소 및 강직, **(D)** 손가락 관절 및 손목 관절의 파괴 및 아탈구

강직(ankylosis)이 동반될 수 있다. MRI에서는 척추체 전방모서리에 골염(osteitis)을 관찰할 수 있다. 척추 병변 외에 건의 부착부에 염증을 일으키는 부착부염(enthesitis)이 특징적인데 단순X선에서 부착부에 신생골이 관찰될 수 있다. 초음파나 MRI로 건의 부종, 혈류 증가와 같은 염증소견을 직접 관찰할 수 있다(그림 16-4).

### 3) 골관절염

관절주위에 골극(osteophyte)이 단순X선 사진에서 최초로 발견되는 변화이며, 질병이 진행하면서 연골하골경화가 나타나며, 침범된 연골이 얇아지면서 관절간격이 좁아진다. 무릎관절은 관절간격이 내측이나 외측 중에 한 쪽이 더 심하게 좁아지는 비대칭적인 특징을 보이는 경우가 대부분이다. 일부에서 연골하낭종(subchondral cyst)이 관찰될 수 있다(그림 16-5).

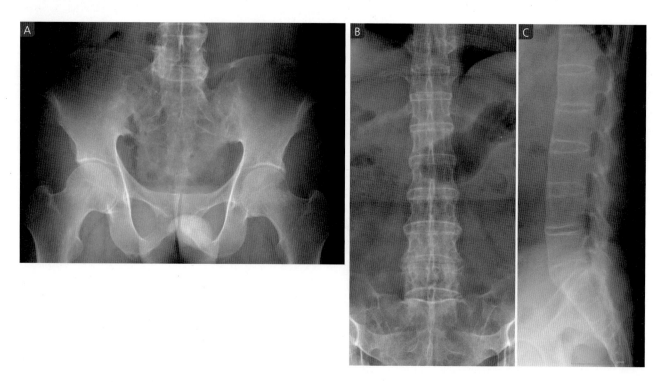

그림 16-4. **강직척추염 환자의 단순X선 영상** **(A)** 양측 엉치엉덩관절 강직과 **(B, C)** 요추 강직이 관찰된다.

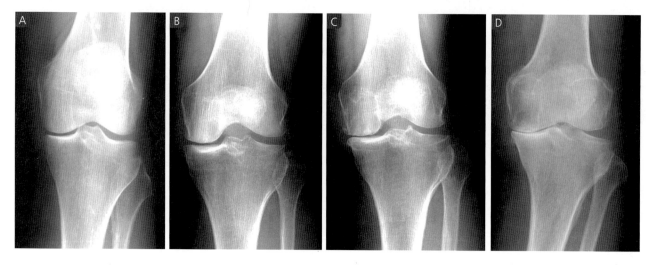

그림 16-5. **무릎 단순X선 영상의 Kellgren-Lawrence grading system** **(A)** 1단계: 골극의 가능성과 관절공간협착 의심, **(B)** 2단계: 분명한 골극과 관절강협착 가능성, **(C)** 3단계: 중등도의 다수의 골극, 분명한 관절공간협착, 연골하골경화 그리고 골주위의 변형 가능성, **(D)** 4단계: 큰 골극, 현저한 관절공간협착, 심한 연골하골경화, 분명한 골주위의 변형. (출처: 가톨릭의대)

📑 **참고문헌**

1. 박원. 류마티즘의 영상진단. In: 임상류마티스학 편찬위원회. 임상류마티스학. 서울: 한국의학사; 2006. pp. 65-92.

2. Amrami KK. Imaging of the seronegative spondyloarthopathies. Radiol Clin North Am 2012;50:841-54.

3. Firestein G, Budd R, Gabriel S. et al. Firestein and Kelley's Textbook of Rheumatology. 11th ed. Philadelphia: Elsevier; 2021.

4. Hochberg M, Silman A, Smolen J, et al. Rheumatology. 7th ed. Philadelphia: Elsevier; 2019.

# 17

# 영상검사 II: 관절초음파

**경희의대 송란**

## KEY POINTS 🔒

- 관절초음파는 최근 기술적인 발전에 힘입어 류마티스 질환의 진단 및 추적에 필수적인 영상검사 도구가 되었다.
- 관절초음파 검사에서는 주로 5-18 MHz의 주파수의 선형 탐촉자를 사용한다.
- 관절초음파 영상은 구조물의 종류 및 특성에 따라 그레이스케일에서 밝기의 차이와 특이적인 모양을 보인다.
- 관절초음파 검사에서는 비등방성, 가장자리 음영, 후방 음향 음영, 후방 음향 증강, 반향 등의 허상이 나타날 수 있다.
- OMERACT에서는 활막염, 활막 삼출, 활막 비대, 부착부염, 힘줄활막염, 힘줄 손상, 골 미란, 골극, 연골손상의 초음파 소견을 정의하였다.
- 초음파검사에서 통풍 관절염의 기본 구성 요소는 이중 윤곽, 골재, 통풍 결절, 골 미란이다.
- 류마티스관절염의 임상 연구에서 사용할 수 있도록 EULAR-OMERACT에서는 활막염에 대한 반정량화된 평가 방법을 제시하였다.
- 초음파를 이용하여 보다 정확하고 안전하게 흡인이나 주사를 할 수 있다.
- 초음파 검사의 정확도는 시술자의 숙련도와 경험에 따라 달라지므로 꾸준한 수련이 필요하다.

## 서론

관절초음파는 해상도 향상을 비롯한 기술적인 발전을 토대로 류마티스 질환의 진단 및 추적에 매우 중요한 영상검사 도구가 되었다. 관절초음파는 방사선 피폭 없이 연골과 연부조직, 체액 등을 관찰할 수 있다는 점에서 자기공명영상(magnetic resonance imaging, MRI)과 유사한 장점이 있고, 골표면을 좀 더 정밀하게 관찰할 수 있다는 부분에서 MRI보다 이점이 있다. 또한, MRI에 비해 비용이 저렴하여 여러 관절을 한꺼번에 관찰할 수 있고 조영제를 사용하지 않고 검사할 수 있으며, 검사에 대한 특별한 금기사항이 없다는 점도 초음파의 장점이다. 무엇보다 관절초음파는 실시간 검사가 가능하고 검사 중 환자와 상호작용이 가능하여 자세를 변경해가며 검사를 할 수 있기 때문에 충돌증후군이나 근육파열 등을 진단하는 데 도움이 된다. 검사 중 의심되는 병변을 탐촉자(probe)로 직접 눌러서 압통을 확인할 수 있어 신체검사를 보완할 수 있고 주사 치료 시 초음파유도를 이용해 보다 정확한 시술을 가능하게 해 준다.

다만 초음파의 주파수가 골 내로 침투할 수 없기 때문에 골수 부종이나 관절 내의 병변을 관찰하는 것에는 한계가 있다. 또한, 검사자의 숙련도와 경험에 따라 영상의 질과 해석이 달라질 수 있기 때문에 적절한 교육과 수련이 이루어져야 한다.

## 초음파 장비와 검사 방법

관절초음파 검사에서는 주로 선형 탐촉자를 사용한다. 관찰하는 구조물들이 대부분 표면의 구조물들이고 크기가 크지 않기 때문에 주로 5-18 MHz의 주파수의 탐촉자를 이용하게 된다. 주파수가 높을수록 투과율이 낮아지고 해상도는 높아지기 때문에 손목 관절이나 힘줄, 인대 등 좀 더 얇은 구조물을 관찰할 때는 10 MHz 이상의 높은 주파수로 관찰해야 하고, 엉덩관절 같이 보다 깊은 구조물을 관찰할 때는 더 깊이 투과될 수 있도록 5-10 MHz의 상대적으로 낮은 주파수를 이용하여 관찰하는 것이 좋다. 손가락, 발가락 등의 작은 관절을 관찰할 때는 길이가 약 2 cm 정도로 짧은 하키스틱 탐촉자(hockey stick probe)를 이용하여 관찰하기도 한다.

관찰하는 구조물의 특질과 형태에 따라 흑백으로 영상이 표시되는 일반적인 모드가 그레이스케일(gray scale, B-mode) 초음파 모드이다. 도플러 모드는 혈류를 감지하여 영상으로 표시되는 방식으로, 칼라도플러(color doppler)는 혈류의 방향과 양을 반영하여 색으로 표시되고, 파워도플러(power doppler)는 혈류의 방향은 고려하지 않고 혈류의 양만을 반영하여 색으로 나타낸다. 이들 도플러를 이용하면 관절 주위에 정상 혈관의 위치를 파악할 수도 있고, 신생 혈관에 의한 혈류증가를 관찰하여 염증의 정도를 확인할 수도 있다. 특히 파워도플러는 보다 적은 양(low-volume, low velocity)의 혈류를 민감하게 감지하여 연부조직의 염증 정도를 파악하는 데 유용하다. 따라서 일반적인 구조와 병변의 형태를 관찰할 때는 그레이스케일을 이용하여 관찰하고, 염증의 활성도를 평가할 때는 칼라도플러나 파워도플러를 활용한다.

초음파 검사를 시작하기 전에는 주파수를 비롯하여 밝기(gain), 깊이(depth), 초점(focus) 등을 관찰하고자 하는 구조물에 맞춰 조절해야 한다. 또한, 환자로 하여금 편안하면서도 검사하고자 하는 구조물의 관찰에 용이한 자세를 취하도록 한다.

검사자는 3개나 4개의 손가락으로 탐촉자를 연필 쥐듯 쥐고, 검사 중 탐촉자가 미끄러지지 않고 안정적이도록 4번째나 5번째 손가락은 환자의 피부에 닿게 올려놓는다. 검사 중 힘을 주어 탐촉자를 누르게 되면 활액과 같은 액체 성분의 병변은 눌려서 관찰되지 않을 수 있기 때문에 가능하면 힘을 빼고 검사하여야 한다. 탐촉자의 방향은 검사자의 취향에 따라 위치할 수 있으나 가능하면 표준화된 방향으로 놓고 관찰하는 것이 이후에 영상을 해석하는데 혼란을 줄일 수 있다(표 17-1).

검사 중 병변이 의심될 때는 반드시 2부위의 수직 면(two per-

### 표 17-1. 관절초음파 검사에서 탐촉자의 표준 방향

| | 세로영상 (Longitudinal scan) | 가로영상 (Transverse scan) |
|---|---|---|
| 화면의 왼쪽 (기준점) | Proximal, Cranial, Upper | Medial, Ulnar, Tibial |
| 화면의 오른쪽 | Distal, Caudal, Lower | Lateral, Radial, Fibular |

### 표 17-2. 관절초음파에서 관찰되는 구조물들의 밝기(echogenecity)와 모양(pattern)

| | 밝기(Echogenecity) | 모양(Pattern) |
|---|---|---|
| 골 표면(bone surface) | 고에코 | 골 표면 아래: 후방 음향 음영(posterior acoustic shadowing) |
| 연골(cartilage) 섬유연골(fibrocartilage) 유리질연골(hyaline cartilage) | 고에코 무에코 | |
| 힘줄(tendon) | 고에코 | 섬유패턴(fibrillar pattern) |
| 인대(ligament) | 고에코(힘줄과 유사) | |
| 신경(nerve) | 고에코(힘줄이나 인대에 비해서는 상대적으로 저에코) | 벌집 모양 패턴(honeycomb pattern, dotted pattern) |
| 결합 조직(connective tissue) | 등에코 | |
| 피하지방(subcutaneous fat) | 등에코 | |
| 근육(muscle) | 저에코 근막(fascia): 고에코 | |
| 활막(synovium) | 저에코 | |
| 활액(synovial fluid) / 윤활낭(bursa) | 무에코 | |

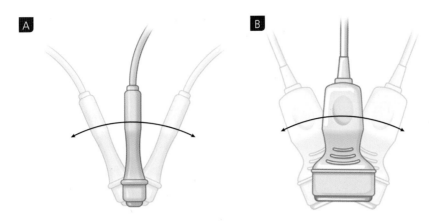

● 그림 17-1. **허상을 방지하기 위한 탐촉자 움직임 (A)** 옆에서 옆(side-to-side), **(B)** 뒤에서 앞으로(back-to-front)

pendicular plane-longitudinal & transeverse)으로 모두 관찰하여 실제 병변인지 여부를 확인해야 한다.

## 초음파 이미지

관절초음파 영상은 구조물의 종류 및 특성에 따라 그레이 스케일에서 밝기의 차이를 보인다. 밝기의 정도(echogenicity)는 고에코(밝음, hyperechoic), 등에코(isoechoic), 저에코(어두움, hypoechoic), 무에코(anechoic)로 표현한다. 또한, 구조물에 따라 독특한 모양을 나타내기도 한다(표 17-2). 예를 들어 힘줄이나 인대는 세로영상(longitudinal view)에서 특유의 섬유 패턴(fibrillar pattern)을 보인다. 신경의 경우에는 특히 가로영상(transverse view)에서 상대적으로 저에코성의 신경섬유다발(fascicles)의 단면으로 인해 점들이 박힌 듯한 벌집 모양의 패턴(honeycomb pattern)을 보인다.

## 흔하게 관찰되는 허상

실제로는 존재하지 않으나 초음파 자체의 특성으로 인해 영상으로 표시되는 허상은 구조물을 식별하거나 병적 소견을 구분하는 데 도움이 되는 경우도 있으나 일반적으로 영상의 해석에 혼란을 줄 수 있다. 따라서 정확한 검사의 해석을 위해 흔하게 관찰되는 허상(artifact)에 대해서 알고 있는 것이 좋다.

### 1) 비등방성

비등방성(anisotropy)은 관절초음파 검사에서 가장 흔하게 관찰되는 허상으로 초음파의 빛의 각도가 조직에 수직이 아닐 때 발생한다. 빛이 수직으로 들어가지 않는 경우 초음파가 탐촉자로 모두 반사되지 않고 산란되기 때문에 해당 조직의 밝기가 영상에서 실제보다 어둡게(저에코) 표시된다. 비등방성은 힘줄과 같은 선형 구조물을 관찰할 때 흔히 나타나는 허상이기 때문에 힘줄을 구분하는 데 도움이 되기도 하나, 정상 조직을 힘줄염 또는 힘줄 파열과 같은 병변으로 오인하여 해석하게 할 수 있다. 비등방성을 제거하기 위해서는 탐촉자를 움직여(그림 17-1) 초음파의 빛이 구조물에 가능하면 수직으로 전달되도록 조정해야 한다.

### 2) 굴절 음영 또는 가장자리 음영

초음파의 빛이 구조물에 비스듬하게 부딪히게 되면 구조물의 가장자리가 저에코로 표시될 수 있다. 굴절 음영(refractile shadowing) 또는 가장자리 음영(edge shadowing)은 힘줄의 가로영상(transverse view)에서 흔하게 관찰되는데 힘줄활막염으로 오인될 수 있다.

### 3) 후방 음향 음영과 후방 음향 증강

구조물의 특성에 따라 구조물 아래의 밝기(echogenicity)가 달라질 수 있다. 뼈나 석회화된 조직과 같이 반사율이 높은 구조물에서는 초음파가 표면에 부딪힌 뒤 완전히 반사되거나 흡수되어 그 구조물의 아래 영역이 무에코로 표시되는데, 이러한 현상을 후방 음향 음영(posterior acoustic shadowing)이라 한다. 이러한 특성 때문에 뼈 아래의 구조는 관찰이 불가능하다. 반대로 활액이나 윤활낭과 같은 액체의 경우 초음파가 조직에 부딪힐 때마다 발생하는 감쇠(attenuation)없이 그대로 전달되기 때문에 액체의 아래 영역은 주변 조직보다 밝게, 고에코로 관찰된다. 이를 후방 음향 증강(posterior acoustic enhancement)이라고 한다.

### 4) 반향

반향(reverberation)은 초음파의 빛이 반사율이 높은 표면에 평행하게 닿을 때 발생하는 허상으로, 이로 인하여 여러 층의 다중 반사 에코가 발생하게 되고 주사 바늘이나 인공관절 등 보철물을 관찰할 때 나타날 수 있다. 반향은 초음파유도시술을 할 때 주사 바늘 끝을 식별하는 데 도움이 된다.

## 병변의 정의

2005년에 Outcome Measures in Rheumatology (OMERACT) ultrasound (US) working group (WG)에서는 류마티스 질환의 핵심적인 병변들에 대한 관절초음파 소견의 정의를 발표하였고 2019년에는 이를 업데이트 하였다. 다음 병변들의 정의는 OMERACT definition (2005년, 2019년)을 참고로 하였다.

### 1) 활막염

활막 삼출의 유무나 도플러 신호 등급과 관계없이 활막 비대(synovial hypertrophy)가 존재한다.

### 2) 활막 삼출

관절 내에서 비정상 저에코 또는 (피하지방에 비해) 무에코로 관찰되는 물질로, 변위(displaceable)나 압축(compression)이 가능하고 도플러 신호가 나타나지 않으며, 때로는 주변 조직이나 병변의 영향으로 등에코나 고에코로도 관찰될 수 있다.

### 3) 활막 비대

관절낭 안에 존재하는 비정상적인 저에코의 활막 조직으로, 변위되지 않고 압축이 잘 되지 않으며 도플러 신호가 나타날 수 있다.

### 4) 부착부염

골 부착부(골 피질로부터 2 mm 이내)에서 저에코 및/또는 두꺼워진 힘줄이나 인대가 관찰되고 활성도가 높을 경우 도플러신호가 나타난다. 구조적인 손상이 있을 때는 골 미란이나 부착부골극(enthesophyte)/석회화가 관찰될 수 있다.

### 5) 힘줄활막염

힘줄 활막 내의 활액 증가나 활막 비대로 인하여 비정상적 무에코 및/또는 (힘줄 섬유에 비해) 저에코를 띤 확장된 힘줄집(tendon sheath)이 관찰된다. 그레이스케일에서 힘줄 주위 힘줄집의 비대가 관찰될 때 도플러 모드를 적용할 수 있고, 2개의 수직 평면에서 도플러신호가 관찰될 때 의미가 있다.

### 6) 힘줄 손상

힘줄 내부 또는 주변 부위에 국소적인 힘줄 결함(섬유소의 손실)이 2개의 수직 평면에서 관찰된다.

### 7) 골 미란

2개의 수직면에서 모두 관찰되는 골 표면의 불연속성이 관절 내 및/또는 관절 외에서 관찰된다.

## 대표적인 질환의 초음파 소견

### 1) 류마티스관절염

류마티스관절염(rheumatoid arthritis, RA)은 말초 관절에 활막염과 힘줄활막염이 발생하고 이후 골 미란이나 관절 변형이 나타나는 질환으로, 이들 병변 모두 초음파로 관찰이 용이하다. 특히 활막염을 관찰하는 데는 신체검사나 다른 영상검사들에 비해 높은 민감도와 특이도를 보여주며, 도플러신호를 이용하여 질병활성도를 평가할 수 있다. 골 미란은 단순X선 사진에 비해 6개월 이상 조기에 관찰이 가능하다. 관절초음파검사는 RA의 조기 진단에 유용하고, 약물에 대한 반응을 평가하거나 임상적 관해 상태에서 영상학적 활성도를 평가하는 데도 이용될 수 있다.

## 2) 골관절염

관절초음파검사에서 확인되는 골관절염(osteoarthritis)의 대표적인 특징은 골극(OA osteophyte)과 연골 손상(OA hyaline cartilage damage)이다. OMERACT에서 정의한 골극과 연골 손상의 초음파 소견은 다음과 같다.

### (1) 골극

뼈의 가장자리(bone margin)에서 위쪽으로 상승된 뼈의 돌출(step-up bony prominence)이 2개의 수직면에서 관찰된다.

### (2) 연골 손상

무에코 구조물의 손실 및/또는 연골층의 얇아짐이 관찰된다. 적어도 1부분의 연골가장자리(cargilage margin)의 불규칙성 및/또는 날카로움이 관찰된다.

OA의 초음파 검사 시 이와 같은 소견 이외에도 비특이적인 활막염이나 윤활주머니 등이 관찰될 수 있다.

## 3) 통풍

OMERACT에서는 2015년에 델파이 방법(Delphi exercise)을 통해 통풍(gout)의 기본 구성 요소로 이중윤곽(double contour), 골재(aggregates), 통풍결절(tophus), 골미란(erosion)을 정의하였다.

### (1) 이중윤곽

관절 연골(articular hyaline cartilage)의 경계에 초음파의 각도와 무관하게 비정상적인 고에코를 나타내는 띠이며, 이는 규칙적일수도 불규칙적일 수도 있고, 연속적일수도 간헐적일 수도 있으며 연골 경계 징후(cartilage interface sign)와 구분된다.

### (2) 통풍결절

명확하게 경계가 지어진, 고에코 및/또는 저에코가 섞여있는 불균질한 에코를 띠는 응집체(aggregation)이며, 둘레가 무에코 테두리로 둘러싸여 있다.

### (3) 골재

밝기(gain)가 가장 어둡게 설정되어 있거나 초음파의 각도가 변할 때에도 지속적으로 높은 반사율을 보이는 비균질의 고에코성 병터들(foci)로, 가끔 후방 음향 음영이 동반되기도 한다.

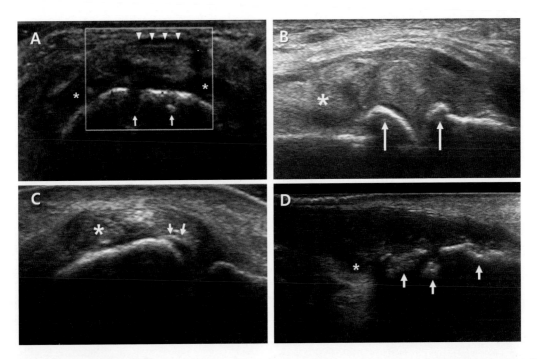

● 그림 17-2. **대표적인 질환의 관절초음파 소견 (A)** 류마티스관절염, 손목: 활막염(별표), 골미란(화살표), 힘줄활막염(화살표머리), 도플러 양성 **(B)** 골관절염, 무릎: 골극(화살표), 활막 비대(별표) **(C)** 통풍관절염, 엄지발가락: 통풍결절(별표), 이중 윤곽(화살표) **(D)** 강직척추염, 아킬레스건: 부착부염, 골미란(화살표), 발꿈치뒤윤활낭염(별표)

### (4) 골미란

기존 골미란의 초음파 정의와 동일하다.

### 4) 거짓통풍

거짓통풍(pseudo gout)은 거짓통풍 섬유연골[CPPD(calcium pyrophosphate crystal deposit) fibrocartilage]과 거짓통풍 유리질연골(CPPD hyaline cartilage)에서의 특징을 나누어 정의한다. 거짓통풍 섬유연골에서는 동적 검사(dynamic assessment) 중 섬유연골을 따라 움직이거나 고정되어 있는, 섬유연골 내에 국한된 고에코 침전물이고 이들의 모양은 매우 다양하다. 거짓통풍 유리질연골은 마찬가지로 동적 검사 중 유리질연골과 함께 움직이거나 고정되어 있는, 유리질연골 내에 국한된 후방 음영 없는 고에코 침전물로 모양과 크기가 다양하다. 또한 거짓통풍의 활액은 활액 내에 모양과 크기가 다양한 고에코 침전물을 동반한다.

### 5) 그 외의 질환에서의 초음파의 활용

관절초음파는 척추관절염의 부착부염이나 가락염(dactylitis), 건선관절염에서 손톱의 변화, 쇼그렌증후군에서 침샘의 변화, 거대세포동맥염에서 혈관의 변화 등 다양한 질환에서 발생하는 연부조직의 구조적, 기능성 변화를 조기에 관찰하기에 용이하여 이들 질환의 진단 및 활성도 평가에 이용되고 있다(그림 17-2).

## 활막염의 평가

관절초음파검사가 활막염을 진단하는 데 민감도가 높고 도플러를 이용하여 신생 혈관에 의한 혈류증가를 확인하여 염증의 활성도를 평가할 수 있기 때문에 류마티스관절염의 임상 연구에서 치료에 대한 질병활성도를 객관적으로 평가하거나 질병 활성도를 엄격하게 관리할 때 관절초음파 검사를 이용할 수 있다. 이를 위하여 보다 높은 신뢰도로 활막염을 정량화하여 평가하기 위한 평가 방식들이 제안되었다. 그 중 2017년에 OMERACT US WG와 유럽류마티스학회(European League Against Rheumatisms, EULAR)가 공동으로 류마티스관절염의 활막염을 평가하는 기준을 제시하였다. EULAR-OMERACT combined score에서는 활막염을 그레이스케일과 도플러 모드에서 각각 0등급(정상), 1등급(최소), 2등급(중등도), 3등급(고도)으로 반정량화하여 구분하였고, 이들을 종합한 합산 등급(combined score)을 제시하

**표 17-3. EULAR-OMERACT scoring system - 각 등급에 따른 기본 구성 요소의 정의**

| 활막염 | 활막 비대, SH (Gray scale) | 도플러(PD) | Combined score* (grayscale SH + PD) |
|---|---|---|---|
| Grade 0 (normal) | 활액 여부와 관계없이 활막 비대가 존재하지 않음(No SH) | 도플러 신호 없음(No PD signal) | No SH + No PD |
| Grade 1 (minimal) | 손허리뼈머리(metacarpal head)와 첫마디뼈(proximal phalanx) 사이를 잇는 골표면의 수평선 위쪽까지 관찰되는 최소한의 저에코성 활막비대(minimal hypoechoic SH) | 최대 3개의 단일 도플러 신호(single doppler spot), 또는 하나의 연속 신호(confluent spot)와 2개의 단일 신호, 또는 최대 2개의 연속 신호 | Grade 1 저에코성 활막 비대와 Grade 1 이하의 도플러 신호 |
| Grade 2 (moderate) | 관절 선 너머까지 확장되면서 상부 표면은 오목(curved downwards)하거나 평평한 중등도의 저에코성 활막비대(moderate hypoechoic SH) | Grade 1 초과(>Grade 1)이나, 전체 grayscale에서 관찰된 SH의 50% 이하(≤50%)에서 관찰되는 도플러 신호 | Grade 2의 저에코성 활막 비대와 Grade 2 이하의 도플러 신호; 또는 Grade 1의 활막 비대와 Grade 2의 도플러 신호 |
| Grade 3 (severe) | 활액 여부와 관계없이 관절선을 너머 확장되면서 상부 표면이 볼록한 (curved upwards) 심각한 저에코성 활막비대(severe hypoechoic SH) | Grade 2 초과()Grade 2)로 전체 grayscale에서 관찰된 SH의 50% 초과로 관찰되는 도플러 신호 | Grade 3의 저에코성 활막 비후와 Grade 3 이하의 도플러 신호; 또는 Grade 1이나 2의 활막 비후와 Grade 3의 도플러 신호 |

*EULAR-OMERACT combined score.
+Independently of the presence of effusion.
PD, power Doppler; SH, synovial hypertrophy.

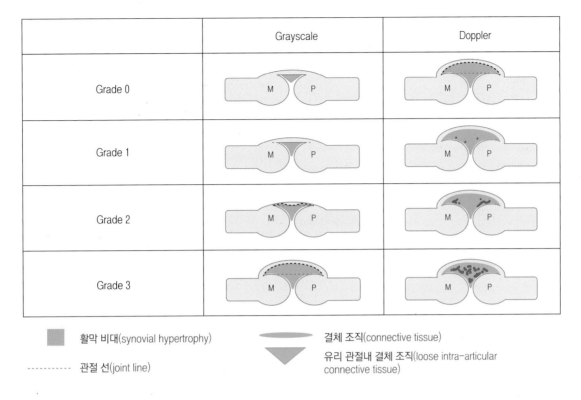

|  | Grayscale | Doppler |
|---|---|---|
| Grade 0 | M P | M P |
| Grade 1 | M P | M P |
| Grade 2 | M P | M P |
| Grade 3 | M P | M P |

█ 활막 비대(synovial hypertrophy)

▼ 결체 조직(connective tissue)
유리 관절내 결체 조직(loose intra-articular connective tissue)

---------- 관절 선(joint line)

그림 17-3 도식화한 EULAR-OMERACT scoring system

였다(표 17-3, 그림 17-3)

## 초음파유도시술

초음파유도시술(ultrasonography guided intervention)은 촉진유도(palpation-guided)에 비해 더 정확하고 안전하게 흡인(aspiration)이나 주사(injection)를 할 수 있다. 바늘 끝의 위치를 직접 확인할 수 있기 때문에 목표한 지점에서 정확하게 시술할

수 있으며, 주변의 혈관이나 신경을 피하기에도 용이하다. 직접적인 초음파유도시술방법은 탐촉자와 바늘과의 위치에 따라 '평면내 접근(in-plane guidance)' 방법과 '평면외 접근(out-of-plane guidance)' 방법이 있다(그림 17-4). '평면내 접근' 방법은 대상 구조물을 확인하여 탐촉자를 고정시킨 뒤 바늘을 탐촉자의 장축을 따라(long axis) 같은 방향으로 진행시키는 방법으로, 주사 바늘 전장(entire length)의 관찰이 가능하여 바늘의 위치를 파악하기 쉽다는 장점이 있다. 다만 주사바늘이 들어가는 입구와 실제 주사 바늘 끝이 위치하는 목표 지점의 거리가 길어진다는 단점이

그림 17-4. **초음파유도시술 방법** **(A)** 평면내 접근(In-plane guidance), **(B)** 평면외 접근(Out-of-plane guidance)

있어 손가락 관절 같은 작은 관절에서는 적용하기 어려울 수 있다. '평면외 접근' 방법은 탐촉자 방향에 수직으로 바늘을 이동시키게 되는데 바늘 끝이 밝은 점으로만 확인되므로 '평면내 접근' 방법에 비해 바늘을 확인하기가 어렵다. 하지만 주사 이동 거리가 짧으므로 작은 관절 주사에 용이하고 주사 바늘에 의한 손상을 줄일 수 있다. 모든 초음파유도시술은 감염 위험성을 최소화하기 위해 멸균 상태를 유지하며 시행해야 한다. 간접적인 초음파유도는 초음파검사로 시술 부위의 위치와 깊이를 확인하여 피부에 표시하고 탐촉자를 치운 후 주사를 하는 방법으로, 정확도는 직접적인 유도에 비해 낮지만 탐촉자와 젤의 멸균 상태를 유지할 수 없는 상황이라면 감염 위험도를 줄일 수 있기 때문에 고려해 볼 수 있다.

## 결론

류마티스 질환에서 관절초음파 검사 빈도는 점차 증가되고 있고 류마티스내과 의사에게도 필수적인 영상 검사로 자리매김하고 있다. 초음파검사는 질환의 조기 진단에 사용될 뿐 아니라 질병활성도를 측정하는 데도 사용되고 있으며, 관절염을 넘어서 혈관염이나 결합조직질환을 비롯한 다양한 류마티스 질환에서의 유용성이 증명되고 있다. 초음파 검사의 정확도는 시술자의 숙련도와 경험에 따라 크게 달라질 수 있으므로 다양한 교육 및 수련의 기회가 마련되어야 하겠다.

### 참고문헌

1. Backhaus M, Burmester GR, Gerber T, Grassi W, Machold KP, Swen WA, et al. Working Group for Musculoskeletal Ultrasound in the EULAR Standing Committee on International Clinical Studies including Therapeutic Trials. Guidelines for musculoskeletal ultrasound in rheumatology. Ann Rheum Dis 2001;60:641-9.

2. Bruyn GA, Iagnocco A, Naredo E, Balint PV, Gutierrez M, Hammer HB, et al. OMERACT Definitions for Ultrasonographic Pathologies and Elementary Lesions of Rheumatic Disorders 15 Years On. J Rheumatol 2019;46:1388-93.

3. Carstensen SMD, Terslev L, Jensen MP, Ostergaard M. Future use of musculoskeletal ultrasonography and magnetic resonance imaging in rheumatoid arthritis. Curr Opin Rheumatol 2020;32:264-72.

4. D'Agostino MA, Terslev L, Aegerter P, Backhaus M, Balint P, Bruyn GA, et al. Scoring ultrasound synovitis in rheumatoid arthritis: a EULAR-OMERACT ultrasound taskforce-Part 1: definition and development of a standardised, consensus-based scoring system. RMD Open 2017;3:e000428.

5. Gutierrez M, Schmidt WA, Thiele RG, Keen HI, Kaeley GS, Naredo E, et al. International Consensus for ultrasound lesions in gout: results of Delphi process and web-reliability exercise. Rheumatology (Oxford) 2015;54:1797-805.

6. Kane D, Balint PV, Sturrock R, Grassi W. Musculoskeletal ultrasound--a state of the art review in rheumatology. Part 1: Current controversies and issues in the development of musculoskeletal ultrasound in rheumatology. Rheumatology (Oxford) 2004;43:823-8.

7. Moller I, Janta I, Backhaus M, Ohrndorf S, Bong DA, Martinoli C, et al. The 2017 EULAR standardised procedures for ultrasound imaging in rheumatology. Ann Rheum Dis 2017;76:1974-9.

8. Smith J, Finnoff JT. Diagnostic and interventional musculoekeletal ultrasound: part 2. Clinical applications. PM R 2009;1:162-77.

9. Taljanovic MS, Melville DM, Scalcione LR, Gimber LH, Lorenz EJ, Witte RS. Artifacts in musculoskeletal ultrasonography. Semin Musculoskelet Radiol 2014;18:3-11.

10 Terslev L, Naredo E, Aegerter P, Wakefield RJ, Backhaus M, Balint P, et al. Scoring ultrasound synovitis in rheumatoid arthritis: a EULAR-OMERACT ultrasound taskforce-Part 2: reliability and application to multiple joints of a standardised consensus-based scoring system. RMD Open 2017;3:e000427.

11 Wakefield RJ, Balint PV, Szkudlarek M, Filippucci E, Backhaus M, D'Agostino, MA, et al. Musculoskeletal ultrasound including definitions for ultrasonographic pathology. J Rheumatol 2005;32:2485-7.

# 18

# 영상검사 III: 컴퓨터단층촬영, 자기공명영상과 기타

인제의대 **구본산**

## KEY POINTS 🔒

- 컴퓨터단층촬영과 자기공명영상 검사는 조기진단과 치료 효과 평가에서 단순X선보다 더 많은 정보를 제공한다.
- 단순X선 검사에 비하여 MRI검사는 단면영상을 얻을 수 있으며 뼈와 연부조직에서 염증변화를 확인할 수 있지만 촬영 시간이 오래 걸리며 비용이 많이 든다.
- 단순X선 검사에 비하여 CT 검사는 단면영상을 얻을 수 있고 뼈의 변화를 확인하는 데 유리하지만 방사선 피폭의 위험이 있다.
- 골밀도를 측정하는 방법으로 DEXA와 QCT가 가장 정확하다.
- 뼈스캔 검사는 뼈 조직의 생리적 현상을 반영한 검사 방법으로 전신의 관절들을 동시에 관찰하여 질병의 침범 범위를 평가할 수 있다는 장점이 있다.

## 조기 진단과 치료를 위한 영상검사의 필요성

류마티스 질환은 뼈나 연조직의 만성적인 변화를 늦추기 위하여 조기 진단이 필요하다. 이를 위하여 단순X선 사진보다 민감도와 특이도가 더욱 높은 검사 방법이 요구된다. 단순X선 검사에 비하여 초기단계의 미세한 연부조직과 뼈의 변화를 볼 수 있는 컴퓨터단층촬영(computed tomography, CT)과 자기공명검사(magnetic resonance imaging, MRI)는 최근 조기진단과 치료 반응의 평가에 유리하다는 연구 결과들이 보고되고 있다. CT는 X선이 투과된 정도를 컴퓨터로 분석하여 내부 조직의 밀도를 단면으로 재구성하여 영상으로 보여주는 기술이며 류마티스관절

염뿐 아니라 다른 염증성 관절염에서 뼈의 미란을 관찰하는 데 적합하지만 연부조직의 염증성 변화를 확인하는 데 제한이 있다. 최근 CT 기술력의 향상으로 dual-energy 또는 multispectral CT 기술이 등장하여 화학성분의 정량화 및 조직의 구분이 가능해지고 있다. MRI는 강한 자기장에서 원자핵에 고주파를 가하고 다시 방출되는 고주파를 모아 컴퓨터로 영상을 얻는다. CT보다 연부조직의 영상화가 뛰어나며 방사선과 같은 중첩이나 왜곡현상이 없이 다중 평면 단층 촬영이 가능하다. 따라서 초기 뼈의 변화나 활막과 같은 연부조직의 염증, 건초염 등과 같이 단순X선 사진에서 확인이 어려운 구조를 파악하는 데 도움이 된다. 의료영상기술이 발전하면서 핵의학 영상 기법도 류마티스 질환의 진단에 많은 도움이 되고 있으며, 전신 뼈스캔과 3상 뼈스캔은 뼈대사의 변화 관찰이 가능하여 류마티스 질환의 영상 검사의 영역에서 고유한 역할을 하고 있다(표 18-1).

## 자기공명영상

뼈의 미란과 같은 구조적 변화는 T1강조(T1-weighted) 영상이 선호된다. 또한, 조영제를 이용한 촬영은 활막을 확인하는 데 민감도가 높기 때문에 염증이 생긴 활막 조직의 정밀한 해부학적 구조를 시각화할 수 있다. MRI의 기술이 발전하면서 골수부종이나 골수염과 같이 지방 골수에서 자유수(free water)를 찾는 다양한 시퀀스가 개발되고 있다. Gadolinium 조영제 투여 전후의 T1강조(T1-weighted), T2강조(T2-weighted) 지방포화(fat

표 18-1. 류마티스 질환에서 영상 기술별 강점과 약점

| 영상 기술 | 강점 | 약점 |
| --- | --- | --- |
| X선 | 비용이 적게 들어 광범위하게 사용<br>상대적으로 빠른 판독 | 중첩된 영상인 경우 구분이 어려움<br>방사선 노출<br>뼈의 구조적 변화를 판별하는 데 오랜 기간이 필요함 |
| MRI | 뼈와 연부조직에서 염증 변화 확인 가능<br>단층촬영으로 단면 영상을 얻을 수 있음 | 영상을 얻는데 시간이 오래 걸림<br>질환 평가(scoring)하는 데 시간이 필요함<br>X선에 비하여 상대적으로 비싸고 널리 사용되기 어려움<br>새로운 뼈의 생성을 확인하는 데 제한이 있음 |
| CT | 빠른 검사<br>단층촬영으로 단면 영상을 얻을 수 있음<br>뼈의 변화를 확인하는 데 가장 좋음<br>새로운 뼈의 생성을 확인하는 데 민감도가 높음 | 전리방사선을 이용<br>X선에 비하여 상대적으로 비싸고 널리 사용되기 어려움 |

saturation) 영상과 단시간반전회복(tau inversion recovery, STIR) 등과 같은 유체에 민감한 시퀀스는 류마티스관절염에서 많이 사용되고 있다. 최근 화학적 이동을 기반으로 물과 지방을 분리하여 분석이 가능한 Dixon 방법이 악성종양을 비롯한 다양한 질환에 응용되고 있으며, 특히 척추관절증에서 척추와 골반의 골수

부종에 대한 정량적 분석이 가능하다.

MRI는 뼈뿐만 아니라 연골, 인대, 힘줄, 활막, 관절액 및 점액낭 등 관절을 구성하는 모든 요소와 주변 조직을 영상으로 보여준다. 특히 연부조직의 대비해상도(contrast resolution)가 다른 영상기법에 비해서 매우 우수하기 때문에 무릎의 반달연골이

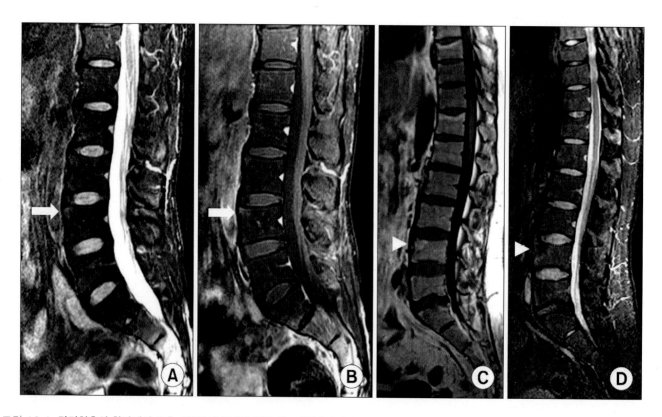

그림 18-1. **강직척추염 환자에서 요추 4번의 모서리에 관찰되는 지방축적 (A)** 지방억제 T2강조, **(B)** 지방억제 조영증강 T1강조 영상은 4번 허리뼈의 모서리(화살표)에서 활동성 염증을 보여주고 있으며, **(C)** T1강조, **(D)** 지방억제 조영증강 T1강조 영상은 4번 허리뼈의 모서리(화살촉)에서 지방축적을 보여준다. (출처: Lee S. MRI Features of Axial Spondyloarthritis and Differential Diagnosis: Focusing on the Spine and Sacroiliac Joint. Journal of Rheumatic Diseases 2014;21)

나 십자인대 등의 손상도 매우 선명하게 보여준다. 손가락 및 손목 관절의 연골이나 관절 주변의 인대나 힘줄을 관찰하는 데도 유용하다. 류마티스관절염이 생길 수 있는 모든 관절의 이상을 MRI로 확인할 수 있으며 조기 류마티스관절염을 평가하고, 동반된 건염 여부를 확인하고, 활액막의 두께와 골수와 연부조직 염증 정도를 기준으로 치료반응을 관찰하는 데 유용하다. 요통 환자에서 척추와 추간판, 척수, 인대 등 주위 조직을 관찰하는 데 MRI가 매우 훌륭한 영상을 제공한다. 특히 척추관절증에서 지방억제 T2강조(fat-suppressed T2-weighted) 영상과 STIR 영상을 통해 병변의 활동성 여부를 판정하고 T1강조영상을 통해 관절주위 골수의 지방침착, 지방억제 T1강조영상 또는 T2강조영상을 통해 골미란의 여부를 확인할 수 있다(그림 18-1).

MRI는 다른 검사에 비하여 비용이 많이 들어가는 검사지만 방사선을 이용한 검사에 비하여 안전하다. 하지만 밀실공포증 (claustrophobia)이 있거나 인공심박기, 클립 등과 같은 금속 물질이 몸 안에 있는 경우는 촬영이 어렵다. Gadolinium 조영제의 부작용은 매우 드물지만 신장기능에 심각한 영향을 미치는 경우도 있기 때문에 주의가 필요하다.

## 컴퓨터단층촬영

컴퓨터단층촬영(computed tomography, CT)은 빠르고 안정적으로 병변에서 고해상도의 영상을 얻을 수 있는 영상 검사 방법으로 많이 사용되고 있다. 축(axial) 영상을 비롯하여 다면 영상을 얻을 수 있기 때문에 관상(coronal) 시상(sagittal) 재구성으로 다양한 신체 부위의 영상을 얻을 수 있다. 또한, MRI와 다르게 절대적인 금기 사항이 없고, 검사가 빠른 속도로 진행되기 때문에 환자의 움직임이 큰 문제가 되지 않는다. 해상도 또한 매우 높아 연부조직과 뼈 사이의 대조비는 다른 방식들보다도 우수하다.

하지만 CT는 연조직 사이의 대조비가 좋지 않고 부위에 따라 방사선량이 문제가 될 수 있다. 특히 척추, 엉덩이 및 어깨 부위는 사지에 비하여 방사선 피폭의 우려가 있다. 최근 저선량(low-dose) CT는 80%까지 방사선 노출을 감소시킬 수 있다. 특히 천장관절의 영상 검사 시 저선량 CT의 방사선 노출량은 단순X선

검사와 비슷한 수준이다.

고해상도(high resolution) CT는 류마티스 질환에서 흔히 동반되는 간질폐질환의 염증 상태를 평가할 때 가장 유용한 검사방법이다. 이중에너지 CT (duel-energy CT)는 연부조직에서 뼈를 포함한 칼슘을 분리해낼 수 있기 때문에 기존에 CT에서 보이지 않던 연부조직의 변화를 관찰할 수 있어서 요산결정과 같은 특정 조직의 구성을 분석하는 데 사용된다.

## 골밀도

골다공증을 진단하고 치료효과를 판정하기 위해서 골밀도를 측정한다. 골밀도를 측정하는 방법으로 DEXA (dual energy X-ray absorptiometry)와 QCT (quantitative computed tomography)가 가장 정확하다. DEXA는 서로 다른 에너지를 가진 X선빔으로 스캔을 하여 영상을 얻는다. X선빔의 에너지 강도에 따라 뼈와 연부조직의 흡수 특징이 다르기 때문에 뼈에 의해서 흡수된 X선빔의 양을 계산할 수 있다. DEXA는 비교적 저렴하고 방사능 피폭량이 적은 장점이 있다. QCT는 요추를 촬영하는 동시에 뼈와 상응하는 물질로 만든 phantom을 같이 촬영하고 phantom의 물질농도에 따른 X선의 감쇄정도를 측정한 표준곡선을 얻어 뼈에 의한 감쇄정도를 이에 대입하여 골밀도를 얻는다. 따라서 비용과 방사능 노출은 더 많아지지만 척추의 후 방구조물과 피질을 제외하고 추체 내부의 해면골만 평가할 수 있다는 장점이 있다.

## 관절조영술

관절조영술(arthrography)은 관절에 조영제를 주입하여 촬영하는 방사선 검사 방법이다. 고식적인 관절조영술은 투시조영이 가능한 곳에서 시행할 수 있으며 CT나 MRI에 비하여 비용이 저렴한 장점이 있다. 하지만 조영제 주입으로 생길 수 있는 세균감염이나 조영제에 의한 이상반응이 있을 수 있다. 최근 비침습적인 CT나 MRI의 기술이 발전하여 활용이 줄었지만 관절조영술은 관절내 구조물의 이상을 확인하면서 관절내주사가 가능하여 천장관절이나 무릎 등의 관절에서 사용해 볼 수 있다.

## 혈관조영술

류마티스 질환에서 혈관조영술(angiography)은 혈관의 이상을 관찰할 수 있는 류마티스 질환의 진단에 유용하다. 특히 질환이 발생한 혈관의 크기가 육안으로 확인이 가능한 질환들, 예를 들어 결절다발동맥염에서 다수의 작은 동맥류를 관찰하거나 타카야수동맥염에서 큰 동맥의 좁아진 혈관을 찾는 데 사용된다. 최근에는 큰 혈관의 병변을 관찰할 때 CT 혈관조영술(angiography)과 자기공명 혈관조영술을 이용하며 이들은 고식적인 혈관조영술보다 덜 침습적이면서도 특이도와 민감도가 유사하다는 보고가 있다.

## 핵의학 영상

핵의학 영상(nuclear medicine imaging)은 뼈의 생리적 변화를 볼 수 있어서 다양한 질환의 진단과 치료에서 중요한 역할을 하였다. 섬광조영(scintigraphy)은 동위원소가 붙은 약물을 생체에 투여하여 이 약물이 특정 조직에 축적된 모양을 동위원소에서 방출되는 감마선이나 베타선량을 측정하여 영상으로 표시한다. 근골격계 질환에 사용되는 대표적인 동위원소약물로 Technetium-99m methylene diphosphonate ($^{99m}$Tc-MDP), 99mTc-sulfur colloid, 99mTc-pertechnetate, Gallium-67 citrate (Ga-67 citrate)가 있다. $^{99m}$Tc-MDP은 뼈스캔(bone scan)검사에 사용되며 뼈의 생성부위, 칼슘 침착 부위, 혈류량이 많은 곳에 많이 분포한다. $^{99m}$Tc-sulfur colloid는 간, 비장, 골수 등 망상내피계(reticuloendothelial system)에 분포하게 된다. Ga-67 citrate는 염증 부위에 주로 분포한다. $^{99m}$Tc-pertechnetate는 침샘에 의한 타

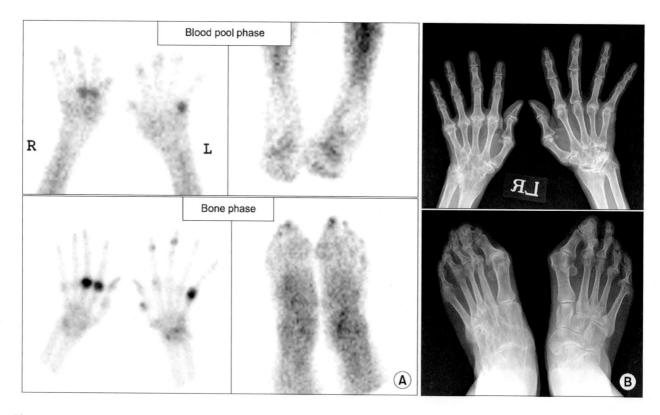

그림 18-2. **류마티스관절염 환자의 뼈스캔 검사(A)와 X선 검사(B)의 비교 (A)** 류마티스관절염 환자에서는 양측 손목과 여러 손가락 관절에 동위원소강도가 증가된 소견을 보이지만 발에서는 보이지 않는다. **(B)** X선 검사에서 진행된 류마티스관절염의 소견이 보인다. 두 검사를 종합하여 류마티스 관절염의 진행과 질병의 활동성을 확인할 수 있다. (출처: Choi YY, Kim JY. Nuclear Medicine Imaging in Rheumatic Diseases. Journal of Rheumatic Diseases 2017;24)

액 생산 및 분비를 평가하는 데 사용된다.

뼈스캔 검사는 류마티스 영역에서 많이 사용되며 $^{99m}$Tc-MDP를 정맥주사하고 뼈나 근육의 영상을 얻는다. 뼈를 이루는 중요한 세포인 조골모세포는 수산화인회석 결정(hydroxyapatite crytal)으로 광물화(mineralization)하여 뼈 기질(bone matrix)을 형성하며, $^{99m}$Tc-MDP는 국소 혈류 및 조골모세포 활성도(osteoblastic activity)에 비례하여 화학적 결합을 만들어 수산화인회석 결정(hydroxyapatite crytal)과 비정질 인산칼슘(amorphous calcium phosphate)에 결합한다. 관절염에서는 관절 주위에 $^{99m}$Tc-MDP 분포가 증가되므로 전신의 관절들을 동시에 관찰하여 질병의 침범 범위를 평가할 수 있다는 장점이 있다. 뼈스캔 검사는 X선이나 CT보다 민감도가 높기 때문에 늑골골절, 척추 및 골반의 스트레스 골절로 인한 불완전골절(insufficiency fracture)과 같이 단순X선 사진에서 발견이 어려운 골절을 쉽게 진단할 수 있다. 골괴사(osteonecrosis)나 건파열을 진단하는 데도 뼈스캔 검사가 이용된다. 골수염이 의심되는 경우에는 3상 뼈스캔 검사를 시행한다. 동위원소약물을 주사하고 초기 혈관 관류기, 주사 후 5분 정도 경과되어 혈액풀 시기, 주사 후 3시간 정도 지연된 뼈 시기에 영상을 얻으면 시간의 경과에 따라 연부조직의 동위원소는 사라지고 뼈의 동위원소강도가 상대적으로 강해지기 때문에 연부조직과 골수내 변병을 구별하기 용이해진다. $^{99m}$Tc-MDP은 레이노증후군을 진단하는 데도 이용된다. 찬물에 한쪽 손을 담그면 환자에서는 과민한 혈관 수축에 의해 찬물에 담그지 않은 손에 비해 동위원소 섭취가 감소된 영상을 얻을 수 있다. 시간이 경과 후에 영상을 얻으면 찬물에 의한 혈관수축의 회복이 지연되는 것을 확인할 수 있다(그림 18-2).

단일광자 단층촬영(single photon emission computed tomography, SPECT)은 평면 뼈스캔 검사에 비하여 개선된 핵의학 영상기법이며, CT와 결합한 SPECT/CT 검사는 SPECT로 얻은 영상을 해부학적 구조를 상세하게 관찰할 수 있는 CT 영상에 중첩한 영상을 제공하여 3차원 정보를 얻을 수 있어 진단적 정확도를 높일 수 있다. 무혈성괴사, 강직척추염을 비롯한 척추 병변 및 사지관절의 병변, 근골격계의 감염병 진단에 사용될 수 있다. 종양질환에서 많이 사용되는 양전자방출단층촬영(positron emission tomography, PET)/CT는 근골격병변의 대사 평가(metabolic evaluation)에 사용되며 류마티스관절염, 건선관절염 및 류마티스다발근통에 사용되기도 한다.

📑 **참고문헌**

1. Choi YY, Kim JY. Nuclear Medicine Imaging in Rheumatic Diseases. J Rheum Dis 2017;24:4-13.
2. Kim HW, Hur JW. Update on the Classification Criteria for Vasculitis. Korean J Med 2014;87:401-14.
3. Koh SH. Imaging of Arthritis. Korean J Med 2012;83:178-89.
4. Lee S. MRI Features of Axial Spondyloarthritis and Differential Diagnosis: Focusing on the Spine and Sacroiliac Joint. J Rheum Dis 2014;21:110-21.
5. Ostergaard M, Boesen M. Imaging in rheumatoid arthritis: the role of magnetic resonance imaging and computed tomography. Radiol Med 2019;124:1128-41.
6. Park EH, Yoon CH, Kang EH, Baek HJ. Utility of Magnetic Resonance Imaging and Positron Emission Tomography in Rheumatic Diseases. J Rheum Dis 2020;27:136-51.
7. Tins BJ, Butler R. Imaging in rheumatology: reconciling radiology and rheumatology. Insights Imaging 2013;4:799-810.
8. van der Heijde D, Braun J, Deodhar A, Baraliakos X, Landewe R, Richards HB, et a l. Modified stoke ankylosing spondylitis spinal score as an outcome measure to assess the impact of treatment on structural progression in ankylosing spondylitis. Rheumatology (Oxford) 2019;58:388-400.

# 19

# 관절천자와 활액 분석

메리놀병원 **이지현**

## KEY POINTS 🔒

- 관절천자란 관절강 속의 활액을 뽑는 것으로 진단 및 치료에 사용된다. 진단 목적으로는 급성관절염, 특히 단일관절염을 보이는 염증관절염 환자에서 감별진단을 위해 사용하며, 그 외 관절내 골절이나 관절 삼출액의 원인을 밝히기 위해 사용한다.
- 치료 목적으로는 급성관절삼출액에 의해 통증이 발생하는 경우 관절삼출액을 제거하여 통증을 감소시키기 위해 사용하거나 치료 약물의 주사를 위해 사용한다. 또한 외상관절염에서 혈액에 의한 관절조직 유착 및 관절운동장애를 막기 위하여 혈액을 제거하는 데 사용한다.
- 류마티스 질환의 진단에 여러 가지 혈청검사 및 영상기술이 발달하였지만, 활액 분석은 여전히 관절염, 특히 급성관절염의 감별진단에 중요한 진단적 도구로 이용되고 있다.
- 활막내피세포는 기저막이 없어, 활막의 염증이나 손상 시 활액 내 구성 요소의 변화가 그대로 반영된다.
- 활액 분석 시 확인을 해야 하는 요소로는 (1) 육안적 소견, (2) 세포 수 검사, (3) 습성 시료, (4) 세포원심분리 시료, (5) 배양 등이 있다.

## 서론

관절천자란 관절강 속의 활액을 뽑는 것으로 진단과 치료 목적으로 사용된다. 진단목적으로는 급성관절염, 특히 단일관절염을 보이는 염증관절염 환자에서 감별진단을 위해 사용하며 그 외, 관절내 골절이나 관절삼출액의 원인을 밝히기 위해 사용한다. 치료목적으로는 급성관절삼출액에 의해 통증이 발생하는 경

우 관절액을 제거하여 통증을 감소시키기 위해 사용한다. 또한 치료 약물의 주사나 외상관절염에서 혈액에 의한 관절조직 유착 및 관절의 운동장애를 막기 위해 혈액성분을 제거하는 데 사용하기도 한다.

## 관절천자의 일반적 원칙

관절 및 관절 주변의 해부학적 구조를 숙지하고 천자 전 이학적 검사를 면밀히 시행한다. 흔하지 않지만 천자로 인한 연골, 인대 및 신경 손상이 발생할 수 있으며 연골의 경우 혈관 분포가 없어 재생이 잘 되지 않으므로 주의를 요한다. 접근은 주로 관절의 신전부로 하는 것이 좋은데 신전부 쪽이 활액낭과 가깝고 인대 및 혈관, 신경의 분포가 적기 때문이다. 활액 배액을 위해 천자를 시행하는 경우 관절내 최대 압력이 형성되는 자세에서 시행하는 것이 좋으며 활액의 양이 적을 경우 관절부를 압박하여 활액을 한쪽으로 이동시키도록 한다.

### 1) 무균적 시술이 되도록 노력한다

무균 천(sterile drape)이나 마스크(facial mask)까지 필요하지는 않지만 시술용 장갑은 착용하는 것이 좋다. 주사기 및 바늘을 선택할 때에는 작은 관절이나 중간 크기의 관절은 20-22 게이지 주사기를 사용하고, 큰 관절은 18-19 게이지의 주사기를 사용하며, 주사 바늘은 병변에 도달할 만큼 충분히 긴 것을 선택한다. 피부에 주사 바늘을 찌를 위치를 선정하고 손톱으로 눌러 흔적

을 남긴 다음, 피부를 소독하고 소독 장갑을 낀 상태로 환부와 주사기를 다루도록 한다. 배액해야 할 활액의 양이 많아 주사기를 교체해야 하는 경우 주사기의 바늘을 빼지 않은 상태에서 지혈물개(hemostat)로 단단히 고정 후 주사기를 돌려 바늘에서 빼고 새로운 주사기로 교체한다. 굵은 바늘을 사용할 경우 누액의 가능성이 있으므로 압박 드레싱을 하도록 한다.

## 2) 적절하게 국소 마취를 시행한다

시술과 관련된 통증을 줄이기 위해 1% 리도케인(lidocaine) 0.5-1.0 mL를 함께 주사하면 통증을 줄일 수 있다.

## 3) 관절천자 후 주의 사항

관절천자나 관절강 주사의 경우 1-2일간 통증이 있을 수 있으므로 시술을 받은 관절을 24-48시간 동안 쉬게 한다. 필요할 경우 항염제 등을 사용하며 환자에게 가능한 합병증에 대해 설명한다.

## 4) 항응고요법 중인 환자에 있어서의 관절천자

항응고요법 중인 환자에서 국제표준화비율(international normalized ratio, INR)이 2 이상인 군과 미만인 군 사이의 관절천자 합병증을 비교한 연구에서 임상적으로 유의한 출혈이나 통증, 감염의 빈도 차이가 없었다고 보고하였다. 와파린(warfarin) 사용 중인 환자에 있어서 시술 전 후 안정성을 본 연구에서도 관절천자는 치과 시술이나 백내장 수술, 진단적 내시경과 비슷하게 안전하며 항응고제의 용량을 바꿀 필요는 없다고 보고하였다. 비타민K 비의존 경구 항응고제(non-vitamin K antagonist oral anticoagulant)로도 불리는 새로운 경구용 항응고제(direct oral anticoagulant agent)의 관절천자에 대한 출혈 합병증을 본 연구에서도 임상적으로 유의한 출혈 합병증은 없어 약제 중단은 필요 없다고 보고하였다.

## 적응증

관절천자의 경우 부종이 관찰되는 관절 혹은 부종이 관찰되지 않더라도 진단이 명확하지 않은 급성관절염에서 진단적 목적

표 19-1. 관절천자의 적응증

| 활액 증가가 동반된 급성 관절염의 진단 |
| --- |
| 1) 관절염의 분류<br>　비염증관절염(WBC <3,000 /mm$^3$)<br>　염증관절염(WBC 3,000~50,000 /mm$^3$)<br>　세균관절염(WBC >50,000 /mm$^3$)<br>2) 관절염의 확진<br>　결정관절염<br>　세균관절염 |
| 외상관절염의 진단 및 치료 |
| 관절천자 후 치료 약물의 주사 |
| 관절 배액에 의한 통증 완화 및 운동장애의 개선 |
| 미생물학적 검사가 필요한 경우 |

으로 시행하며 관절 배액에 의한 통증 완화 및 치료 약물의 주사 등 치료적 목적으로 사용한다(표 19-1).

## 1) 급성관절염의 진단

급성관절염의 경우 활액 증가의 원인이 세균, 외상, 혹은 결정인지 감별하는 데 이용된다. 세균관절염의 경우 포도상구균(staphylococcus)이 가장 흔한 원인이지만 마이코박테리아(mycobacteria), 진균(fungi) 및 바이러스(viruses)도 세균관절염을 일으킬 수 있다. 일반적으로 세균 및 바이러스가 원인인 경우 급성관절염의 경과를 보이며 진균 및 마이코박테리아는 아급성 혹은 만성 경과를 보인다. 또한 단일관절염으로 발현되는 경우가 많지만 원인균에 따라 다발관절염의 형태로 나타나기도 한다. 급성세균관절염은 관절을 빠르게 파괴시키고 패혈증을 포함한 심각한 합병증을 일으킬 수 있으므로 급성단일관절염 환자에서 반드시 감별하여야 하며 적절한 치료가 적기에 시행되어야 심각한 합병증을 피할 수 있다. 세균관절염의 가능성이 있는 관절의 진단적 접근에 있어서 연부조직감염이 의심되는 곳을 통하여 천자하지 않도록 하여야 하는데, 이는 오히려 연부조직감염을 관절염으로 확대할 수 있기 때문이다. 세균관절염의 경우 보통 100,000/mm$^3$의 세포 수와 90% 이상의 호중구분율을 보이며 진균이나 마이코박테리아 감염에서는 10,000-30,000/mm$^3$의 세포와 50-70%의 호중구분율을 보인다. 활액의 생화학적 검사 중 활액 당의 감소(40 mg/dL 혹은 혈청 당의 1/2 이하)와 고농도의 젖산염(lactate)은 세균관절염을 의심할 수 있는 소견이지만 비특

이적이다. 활액 내의 당, 단백, 젖산탈수소효소(lactate dehydrogenase, LDH)나 자가항체의 측정은 진단적 가치가 없어 추천되지 않는다. 세균관절염의 확진을 위해서는 그람염색이나 배양 혹은 종합효소사슬반응(polymerase chain reaction, PCR)이나 면역학적 방법을 이용한 세균 단백질의 검출을 시행해야 한다.

결핵관절염은 다른 세균관절염과 달리 아급성 혹은 만성적인 경과를 보이며 특히, 엉덩관절이나 무릎관절과 같은 체중 부하 관절을 침범하므로 노인에서 골관절염으로 오인하지 않도록 하여야 한다. 결핵관절염이 의심되는 경우 활액 항산균염색, 항산균배양 및 활막생검을 시행하며 활액 검사만으로는 진단율이 20-40%에 지나지 않으므로 가능한 한 활막생검과 함께 활막조직의 결핵균 조직배양을 시행하는 것이 바람직하다.

결정관절염이나 류마티스관절염 등과 같은 염증관절염의 경우 30,000-50,000/mm$^3$ 이하의 세포 수를 보이지만 범위가 서로 겹치기 때문에 세포 수를 기준으로 완전하게 감별할 수 없다. 일반적으로 50,000/mm$^3$을 기준으로 감별하지만, 활액 백혈구가 50,000/mm$^3$을 넘지 않는 세균관절염이 약 30%에서 관찰되며 급성통풍관절염의 약 10%에서 50,000/mm$^3$이 넘을 수도 있다. 골관절염 치료 약제로 사용되고 있는 히알루론산(hyaluronic acid) 관절강 주사 후 발생하는 관절염 악화의 경우 5,000-75,000/mm$^3$의 세포 수가 보고되었다.

## 2) 외상관절염의 진단 및 치료

관절 외상의 병력과 함께 관절의 통증 및 부종이 관찰되는 경우 외상관절염을 의심해볼 수 있으나 외상의 병력을 환자가 기억하지 못하는 경우도 있으므로 주의를 요한다. 천자를 통해 관절 내 출혈을 확인할 수 있으며 이런 경우 혈액에 의한 관절조직 유착 및 관절운동장애를 막기 위하여 혈액을 제거해 주어야 한다. 천자액에서 지방구(fat globule)가 관찰되는 경우 골절된 뼈의 골수에서 유리되었을 가능성이 있으므로 관절내 골절을 의심할 수 있다.

## 3) 치료 약물의 주사

국소주사요법은 보존적 치료법의 한 부분으로 관절천자 후 글루코코티코이드나 하이알유론산, 그리고 방사성동위원소 등을 직접적으로 관절내 주사할 수 있다. 글루코코티코이드 주사의 경우 강력한 항염 작용 때문에 사용하나 조직 내 콜라겐 합성을 억제하여 조직의 치유를 방해할 수도 있으며 주사 후에 증세가 빨리 좋아져서 조직의 과사용으로 인한 퇴행성 변화가 일어날 수 있다. 이러한 퇴행성 변화는 주사된 용량에 비례하므로 반복적인 국소 주사는 피하도록 해야 한다. 임상에서 사용하고 있는 글루코코티코이드는 여러 가지 종류가 있으며 인체에서 나타나는 작용시간 및 상대적 활성도에 따라 분류된다. 각 종류에 따른 효과 및 부작용의 비교에 관한 대규모 임상 연구는 없으며 수용성 글루코코티코이드에 비해 불용성 글루코코티코이드가 긴 효과를 갖는다. 주사할 때 리도케인 등의 국소마취제를 희석액으로 사용하기도 하는데 이는 글루코코티코이드에 의한 피하조직 위축을 감소시키고 주사 직후 통증을 완화하며 스테로이드 결정에 의한 자극을 감소시키기 위함이다.

## 4) 관절배액에 의한 통증 완화 및 운동장애의 개선

관절배액의 목적은 관절강 내 압력의 증가로 인한 통증을 경감하고 관절연골의 손상을 예방하며 세균관절염에 의한 농성활액의 발생시 농에 포함된 단백분해효소와 조직파편을 제거하고 치료반응을 추적 조사하기 위함이다. 고름활액의 경우 비수술적 배농 방법과 수술적 배농 방법 사이의 치료 결과에 따른 차이는 없다고 보고되고 있어 반복적인 관절천자를 통한 치료 반응이 확인되는 경우 별도의 수술이 필요하지는 않다. 그러나, 예후가 좋지 않거나 비수술적 방법을 적용하기 어려운 관절의 경우는 수술적 배농을 고려한다. 즉, 엉덩관절이나 어깨관절에 발생한 경우, 괴사 조직편이나 소방형성으로 관절천자를 통하여 적절하게 배농할 수 없는 경우, 4일이 지나고도 치료 반응이 없는 경우, 인공관절이 들어있는 관절, 치료의 시작 시점이 증상 발생 7일이 지난 경우에는 수술을 고려한다.

## 5) 미생물 검사

세균감염의 가능성을 배제하기 위하여 그람염색 및 배양검사를 의뢰한다. 항균제 치료 시작 전 활액의 그람염색의 양성률은 포도상구균과 같은 그람양성균은 75%이지만 그람음성균은 50%, 임균은 25%에 지나지 않는다. 반면 배양양성률은 거의 90%에 이르며 혈액배양용 용기를 이용하는 경우 더 증가된다고 알려져 있다. 대부분의 급성 세균관절염이 혈행 전파에 의하므로 활액 배양이 음성인 경우 혈액배양검사도 같이 시행하는 것이 바람직하다. 또한 항균제를 사용한 후에는 민감도가 감소하므로 세균관절염이 의심되는 경우 반드시 항균제 사용 전 배양검사를 위한 검체를 채취하여야 한다.

## 금기

절대적 금기는 없으나 상대적 금기로 생각되는 상황은 다음과 같다.

### 1) 천자 부위 주변의 연부 조직이나 피부 감염

연부조직이나 피부의 감염을 감염관절염으로 확산시킬 수 있으므로 주의를 요하며 부득이하게 천자를 시행하는 경우 항균제 예방요법을 시행한다.

### 2) 패혈증

패혈증 환자에서 관절천자를 시행하여 감염이 발생한 경우가 보고된 바가 있으므로 주의를 요하나 세균감염이 관절에 발생한 것으로 판단되는 경우 관절천자를 시행한다.

### 3) 피부장벽 손상

건선 등 피부장벽 손상이 있는 경우 손상 부위에 세균의 집락 형성이 증가되는 경우가 있으므로 주의를 요한다.

### 4) 응고장애

혈액응고인자 결핍이나 간부전, 출혈 경향이나 심한 혈소판감소증, 헤파린이나 와파린 치료 중인 경우 천자를 피하는 것이 좋으나 천자가 필요하다고 판단되는 경우 응고촉진제를 전처치한 후 될 수 있는 한 가는 바늘을 사용하여 천자를 시행할 수 있다.

### 5) 심한 비만

심한 비만의 경우 해부학적으로 천자 부위를 찾기 힘든 경우가 있으며 때로 척수천자용 바늘(spinal needle)이 필요할 수 있다.

### 6) 협조가 되지 않는 환자

협조가 되지 않는 환자의 경우 천자 중 갑작스러운 움직임에 의하여 연골 손상이나 출혈이 발생할 수 있으므로 진정제를 투여한 후 실시할 수 있다.

### 7) 인공관절

인공관절치환술 이후에는 해부학적 구조의 변화 및 반흔 등으로 천자가 어려울 수 있으며 감염관절염 발생 가능성이 상대적으로 높으므로 가능한 한 완벽한 무균 조건에서 경험이 많은 의사가 시행하는 것이 좋다.

## 합병증

관절천자 시 발생하는 합병증은 대부분 경미한 것이지만 드물게 심각한 합병증이 발생하기도 한다.

### 1) 알레르기 반응

관절천자 시 발생하는 알레르기 반응은 대부분 국소적으로 사용한 마취 약제에 의하며 경미한 가려움부터 사망에 이르기까지 다양하다. 심각한 알레르기 반응에 대비하여 병력청취를 자세하게 하며 병력상 마취 약제에 의한 알레르기가 의심이 되는 경우 냉각요법(topical ice)으로 대체할 수 있다.

### 2) 연골 손상

연골의 경우 혈관 분포가 없어 재생이 되지 않으며 손상된 연골은 국소적인 퇴행성 변화를 일으키며 감염의 원인이 되기도 한다. 될 수 있는 한 연골 분포가 적은 부위를 골라 천자를 시행하며 예측하지 못한 저항이 느껴지면 시술을 중단하고, 관절공간 내의 활액은 모두 제거하지 않도록 하는 것이 좋다.

### 3) 출혈

심각한 출혈이 발생하는 경우는 매우 드물며 외부로 출혈이 관찰될 경우 천자 부위를 압박해 줌으로써 출혈을 조절할 수 있다. 출혈 경향이 있거나 항응고제를 사용하고 있는 경우에도 출혈이 발생하는 경우는 그리 많지 않다.

### 4) 감염

천자 48시간 이후에 통증이 발생하거나 48시간 이상 지속되는 경우, 통증이 점점 심해지거나 발적, 누액, 발열 등이 발생하는 경우 감염을 의심해야 한다. 적절한 무균적 시술을 시행하는 한 천자와 관련된 감염의 빈도는 1:10,000 정도인 것으로 알려져 있으나 면역저하환자나 인공관절의 천자의 경우 감염 가능성은 증가한다. 류마티스관절염 환자에서 0.01-0.05% 정도의 감염이 보고된 바가 있다.

### 5) 글루코코티코이드 관련 합병증

글루코코티코이드 국소 주사의 부작용으로 흔한 것은 관절주머니 주변의 석회화로 약 40%에서 발생하며 그 외 주사 후 발적(2-5%), 스테로이드 관절병증(0.8%) 등이 있다. 또한, 스테로이드가 관절주머니 밖으로 밀려나오거나 주머니 밖에 주입되면 피하지방 소실이나 피부변색을 초래할 수 있는데 특히 트리암시놀론 아세토나이드(triamcinolone acetonide)는 연부조직 위축이나 괴사를 유발할 수 있다. 희석하지 않은 글루코코티코이드 주사 시에는 드물게 인대의 파열이 발생할 수 있으며 그 외 안면 홍조, 피부위축, 감염관절염, 과민반응 등이 발생할 수 있다.

### 6) 혈관-미주신경 반응

바늘에 대한 공포(needle phobia)나 통증으로 인해 미주신경 반응이 증가하여 현기증, 두통, 발한, 두근거림, 실신 등이 나타날 수 있으므로 될 수 있는 한 침대에서 천자를 시행하도록 한다.

## 활액 분석의 개요

정상적으로 활액은 모든 관절에 소량으로 존재하며 관절 윤활작용, 항상성 유지 및 관절연골에 영양을 공급한다. 정상 활액은 무색이고 투명하며 점도가 높다. 활액의 구성 중 단백질과 프로테오글리칸(proteoglycan) 등은 활막세포에서 생성되어 분비되고 그 외 대부분의 활액 구성 성분은 혈장에서 투석(dialysis)에 의해 얻어진다. 그 외 산소, 이산화탄소, 젖산, 요소, 크레아티닌, 포도당 등은 활막의 내피를 통해 분산되며 혈장의 농도와 동일하다.

활막세포는 A, B, C형의 3종류의 세포로 구성되어 있다. A형 세포는 포식세포(phagocyte)로 활막세포의 약 1/3을 차지하며 관절공간에 인접한 곳에 위치한다. 관절공간을 둘러싸고 있는 내피 세포 및 연골세포는 기저막이 없어, 활막이나 연골의 손상 시 활액 내에 염증세포 침윤이나 단백 생산 증가, 결정과 같은 병소 물질의 침투로 활액 내 구성 성분이 변화된다. A형 세포는 이러한 물질들의 제거를 담당하며 정상적인 조건에서는 활동도가 낮게 조절되어 있다. 그러나 일단 활성화되면 관절을 파괴하는 염증반응의 주체가 된다. B형 세포의 경우 내막의 기저막에 분포하며 활액을 생산한다. 활액은 혈장 농도의 1/3가량의 단백질을 포함하며 섬유소원이 없어 활액에서는 응고가 일어나지 않는다. 활액 내 전체 단백질 농도는 혈중 단백질 농도, 활막으로의 혈류, 내피세포의 투과성 등에 의하여 결정된다. C형 세포는 A형 및 B형 세포의 미분화 전구세포로 활막세포의 1% 정도를 차지하여 활막세포가 손상을 입을 때 재생에 관여하는 세포이다.

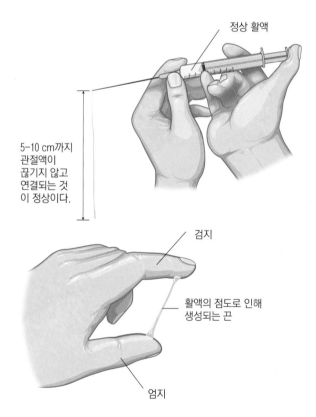

정상 활액

5-10 cm까지 관절액이 끊기지 않고 연결되는 것이 정상이다.

검지

활액의 점도로 인해 생성되는 끈

엄지

**그림 19-1. 정상 관절액에서 관찰되는 높은 점도** 주사기에서 활액을 한 방울 떨어뜨릴 때 약 10 cm 정도까지 관절액이 끊기지 않고 연결되는 것이 정상이다.

정상적인 활액의 단백농도는 약 1.3 g/dL이며 각각의 단백농도는 분자량에 반비례하여 알부민과 같이 분자량이 적은 단백의 경우 혈장의 농도의 50% 정도 관찰되나 고분자글로불린(macroglobulin), 면역글로불린과 같이 분자량이 큰 단백은 낮은 농도로 관찰된다. 하이알유론산은 활막세포에서 합성되는 주된 프로테오글리칸으로 활액의 높은 점도의 원인이 되며 하이알유론산이 제거되면 활액의 점도는 물과 동일한 정도로 떨어진다. 주사기에서 활액을 한 방울 떨어뜨릴 때 약 10 cm 정도까지 관절액이 끊기지 않고 연결되는 것이 정상인데, 5 cm 이하에서 끊긴다면 하이알유론산의 분해가 심한 것을 의미한다(그림 19-1). 이와 반대로 활액의 점도가 과도하게 높아진 경우에는 갑상샘선 기능저하를 의심해볼 수 있다. 활액의 윤활 작용은 lubricin이라는 당단백질에 기인하며 lubricin의 생성과 관련이 있는 PRG4 유전자의 변이가 있는 경우 심한 연골 파괴를 동반하는 관절병증을 특징으로 하는 camptodactyly-arthropathy-coxa vara-pericarditis syndrome이 야기된다.

## 활액 분석의 요소

활액 분석 시 활액은 고정하지 않은 상태로 준비하며 염증이 있는 경우 섬유소원(fibrinogen)과 섬유소(fibrin)가 증가하여 응고하는 경향이 있으므로 헤파린 등을 사용한 후 검사를 실시한다. 천자 후 활액 분석은 가능한 한 빠른 시간 내에 확인을 해야 하며 48시간 이상 지연되지 않도록 한다. 만약 바로 분석을 시행하지 못하고 단기간 활액을 저장해야 하는 경우 4℃ 온도에서 보관하도록 한다. 활액 분석 시 확인을 해야 하는 요소로는 (1) 육안적 소견, (2) 세포 수 검사, (3) 습성 시료(wet preparation), (4) 세포원심분리 시료(cytocentrifuge preparation), (5) 배양 등이 있다.

### 1) 육안 소견

활액소견 중 육안으로 확인을 해야 하는 요소는 활액의 색깔과 투명도이다. 정상적인 활액은 무색이거나 투명한 황색이며 점도가 높은 반면, 염증이 있을 경우 투명도가 떨어지며, 점도도 감소한다. 활액에 염증이 있는 경우 색이 탁하거나 백색을 띠는데, 이는 활막병변에 의하여 활막으로부터 관절 내로 혈구가 침투하고, 혈구로부터 나온 혈색소가 파괴되어 변색이 일어난 것이다. 천자 시 손상 없이, 활액이 붉거나 주황색인 경우 혈관절증으로 진단할 수 있다. 세균관절염의 경우 세균 발색체(bacterial chromogens)에 의해 활액의 색이 변하는 경우가 있다.

투명도의 경우 활액 내의 물질의 농도나 세포의 수를 전체적으로 반영한다. 주로 백혈구 수에 의해 결정되며, 그 외 지방, 각종 결정, 관절 파괴로 인한 조직 파편 등이 활액 투명도를 결정하게 된다. 골관절염의 활액은 맑고 투명한 반면, 경한 류마티스관절염이나 전신홍반루푸스의 경우에는 반투명하며, 세균관절염의 경우는 불투명하다.

### 2) 세포

백혈구 수 검사는 hemocytometer chamber(정방형의 격자가 그려진 현미경 슬라이드)를 이용하여 간단하게 현미경으로 수동으로 계산하거나 자동화된 계수기를 사용할 수 있다. 단위는 cells/mm$^3$를 사용하며 cells/μL와 동일하다. 정상 관절액은 200 cells/mm$^3$ 이하의 세포가 존재한다. 염증관절염의 경우 3,000 cells/mm$^3$ 이상의 세포가 관찰되며 비염증관절염의 경우 이보다 적은 수의 세포가 관찰된다. 세포수가 5,000 cells/mm$^3$ 이상인 경우는 주로 급성 류마티스관절염의 악화, 세균관절염, 결정관절염, 반응관절염에 국한되어 관찰된다.

### 3) 습성 시료

활액 내 염증세포나 결절 등을 관찰하기 위하여 활액을 슬라이드에 떨어뜨린 후 염색 없이 바로 현미경으로 관찰하는 것을 말한다. 될 수 있는 한 많은 입자를 관찰하기 위해 검체를 부유시켜 덮개유리(cover slip)로 덮어 즉시 관찰하며 현미경의 집광기를 내려서 관찰하면 영상이 선명해진다. 습성 시료로 관찰할 수 있는 것으로는 몇몇 종류의 결정과 비결정성 입자 등이 있다.

### (1) 결정

결정 유무를 확인하기 위해서는 활액 채취 후 시간이 경과되지 않은 상태에서 바로 습성 시료를 시행하는 것이 효과적이며 부득이하게 바로 검사하지 못하는 경우 실온보다는 냉동 혹은 냉장 보관하는 것이 결정의 보존에 도움이 된다. 항응고제는 결정의 보존에 도움을 주지는 않지만 항응고제를 사용해야 할 경우 소듐헤파린(sodium heparin)이나 EDTA를 선택하는 것이 좋은데, 리튬헤파린(lithium heparin)이나 수산칼슘(calcium oxalate)은 복굴절을 가지는 결정을 형성할 수 있기 때문이다. 또한 결정물질과 형태가 비슷한 이물질이 묻는 것을 방지하기 위하여 깨끗한 슬라이드와 덮개유리를 준비하고 탤컴파우더가 없는(talc-free) 장갑을 사용하는 것이 좋다.

통풍을 유발하는 요산결정(monosodium urate, MSU)은 5-30 mm 길이를 가진 바늘 형태의 결정으로 강한 음성 복굴절을 가진다. 일반적인 광학현미경에서도 관찰할 수 있지만 더 효과적인 관찰을 위해서는 편광현미경이 필요하다. 편광현미경과 일반

현미경의 차이점은 두 개의 편광판과 보정기(compensator)가 장착되어 있다는 점이다. 편광판을 통과한 빛이 복굴절을 가진 결정을 통과하면 이를 빠른 파동과 느린 파동으로 굴절시키며 이 2가지 파동은 서로 직각인 형태로 굴절이 이루어진다. 만약 결정의 장축이 보정기에 표시된 느린 파동축에 평행하게 놓이면 색 간섭에 의해 노란색을 띠게 된다. 이렇게 결정의 장축이 느린 파동축에 평행할 때 노랗게 보이고 직각으로 놓일 때 파랗게 보이는 특징을 음성 복굴절(negative birefringence)이라고 하며 통풍 관절염에서의 편광현미경하 결정의 특징이다(그림 19-2). 그 반대로 결정의 장축이 보정기의 느린 파동축에 평행할 때 파란색

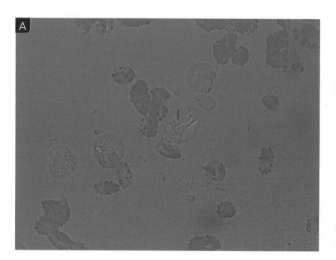
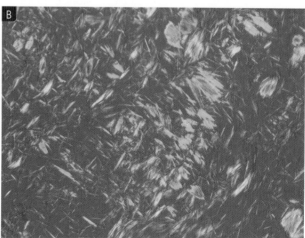

그림 19-2. **(A)** 통풍 환자에서 관찰되는 세포내 요산 결정, **(B)** 편광현미경에서 관찰되는 요산 결정; 바늘 형태로 강한 음성 복굴절을 가진다. (출처: 경상의대 이상일 교수)

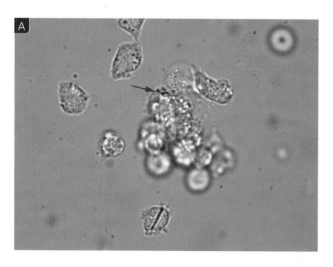
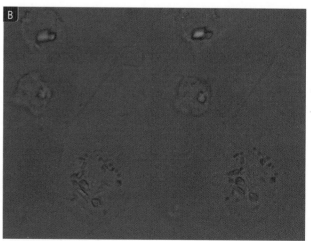

그림 19-3. **(A)** 칼슘피로인산 결정, **(B)** 편광현미경 관찰 시 양성 복굴절 및 마름모형(rhomboid-shape)의 결정이 관찰된다. (출처: 강서힘찬병원 윤지열 선생)

을 보이는 특징을 양성 복굴절(positive birefringence)이라고 하며 칼슘피로인산(calcium pyrophosphate dihydrate, CPPD) 결정에서 볼 수 있다(그림 19-3). 칼슘피로인산 결정은 나이가 들수록 관절공간 내 침착되는 양이 늘어난다.

MSU와 CPPD 결정 이외에도 다른 드문 형태의 결정들도 있을 수 있는데, 콜레스테롤결정은 편평하며 상자 모양을 한 결정이 서로 달라 붙어 있는 특징이 있으며 구석 부위가 오목하게 파인 모양이 흔히 관찰된다(그림 19-4). 칼슘수산화인회석(calcium hydroxyapatite)은 부갑상샘항진증이나 만성 신부전에서 볼 수 있으며, 석회화된 연골이나 관절아래뼈(subarticular bone)의 손상을 의미한다. 매우 작고 복굴절을 띠지 않아 활액 내에서 관찰하기가 쉽지는 않다. Wright 염색에서 보라색으로 보이고 alizarin red S 염색에서 밝은 붉은색으로 보인다(그림 19-5).

## (2) 라고세포와 라이터 세포

라고세포(ragocyte)는 세포질 내에 굴절성이 강한 봉입체를 가진 세포로서 이름에서 짐작할 수 있듯 류마티스관절염에서 처음 기술되었으나 류마티스관절염뿐만 아니라 대부분의 염증관절염에서 모두 발견할 수 있는 비특이적 세포이다(그림 19-6). 관절염의 감별진단에 진단적 가치가 높지는 않지만 일반적으로 라고세포가 전체 활액 백혈구의 70% 이상인 경우 류마티스관절염을, 95% 이상인 경우 세균관절염을 의심할 수 있다.

라이터세포(Reiter cell)는 과립구를 탐식한 탐식 세포(cytophagocytic mononuclear cell)를 일컫는 것으로 (그림 19-7) 처음에

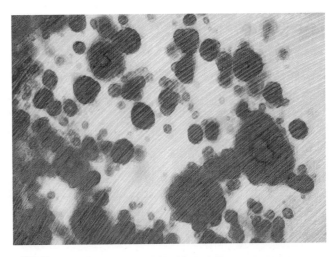

그림 19-5. alizarin red S 염색에 큰 덩어리 형태를 취한 칼슘수산화인회석 결정

그림 19-4. 활액에서 콜레스테롤 결정

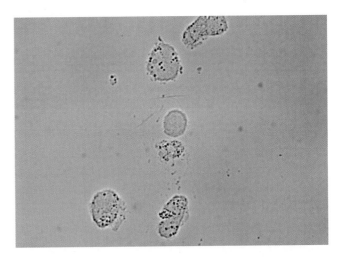

그림 19-6. 류마티스관절염 활액에서 발견되는 비구세포. 세포질 내에 봉입체를 가지고 있다. (출처: Denton K. Synovial fluid analysis in the diagnosis of joint disease. Diagnostic Histopathology 2012; 4:159-68.)

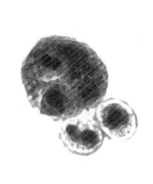
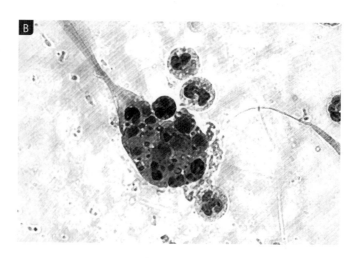

그림 19-7. **(A)** 세균관절염 활액에서 관찰된 Reiter 세포, B) 결정관절염 활액에서 관찰된 라이터 세포

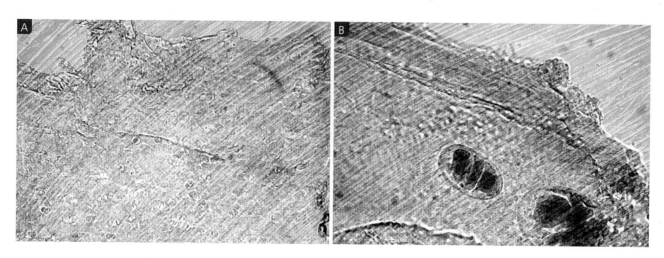

그림 19-8. **(A)** 진행된 골관절염 환자의 활액에서 발견되는 연골조각, **(B)** supravital staining상 연골세포 덩어리가 보인다

는 반응관절염 환자에서 처음 기술된 것이지만, 활막증식과 과립구 이동을 특징으로 하는 염증 과정에서는 모두 보일 수 있는 비특이적 세포이다.

### (3) 비결정 입자

관절은 연골과 활막, 그리고 인대가 교차하는 복잡한 구조이다. 질환이 있을 때 이러한 구조의 작은 입자들이 활액에서 관찰될 수 있다. 가장 흔한 구조는 연골 입자로 무릎에서 흔히 관찰된다. 골관절염이 많이 진행한 경우나 관절의 손상이 있는 경우 연골 조각(cartilage fragment)이 관찰될 수 있다(그림 19-8).

### (4) 비만세포

비만세포는 보통 활액분석에 잘 사용하지 않는 특수 염색이 필요하기 때문에 활액에서 잘 관찰되지는 않는다. 반응관절염이나 건선관절염, 류마티스관절염 혹은 골관절염에서 모두 발견할 수 있는 비특이적 세포이다(그림 19-9).

### (5) 지질

편광현미경으로 두 종류의 지질 방울이 관찰될 수 있다. 하나는 복굴절이 아닌 중성지질 방울로 관절의 손상이나 관절천자 중 강한 흡입을 한 경우, 연골아래 골절, 활액 내 지방 괴사가 있

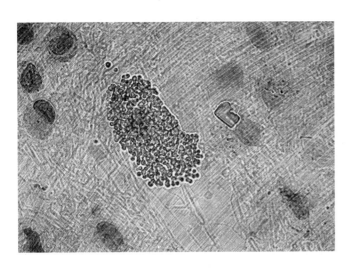

그림 19-9. 류마티스관절염 환자의 활액에서 관찰된 비만세포

는 경우 관찰된다. 다른 하나는 양성 복굴절을 보이는 몰타십자가 모양의 지질 방울로 만성 염증성 관절이나 손상, 색소융모결절활막염(pigmented villonodular synovitis)에서 관찰된다(그림 19-10).

#### (6) 색소융모결절활막염 환자의 활액

색소융모결절활막염은 관절 활막에 발생하는 양성의 증식성 질환으로 단핵구성조직구와 거대세포, 섬유성 간질세포의 증식을 특징으로 하며 활막의 비후, 삼출액, 골미란을 보인다. 잦은 출혈로 인해 활액검사시 세포 수의 증가 및 중성구를 포함한 세포 수의 증가가 관찰될 수 있다(그림 19-11).

#### 4) 세포원심분리 시료

활액 내의 세포수 및 백혈구 감별 검사는 진단적 가치가 높은 활액 검사 중 한 가지이다. 세포수 검사방법은 검체를 생리식염수를 이용하여 400 cells/mm³ 정도로 희석하고 Jenner-Giemsa 염색을 한 후 도말 표본을 만들어 감별 계산한다. 세균관절염이 의심되는 경우 1,200 cells/mm³ 정도로 희석하고 그람염색을 하여 사용한다.

일반적으로 세균관절염의 경우 과립구가 우세하며 반복적 천자에서 지속적으로 과립구가 95% 이상이면 대개 세균관절염을 의미한다. 다른 염증관절염에서도 과립구가 우세하게 나타나며 결정관절염에서도 과립구가 백혈구의 90% 이상 나타나는 경우가 많다. 반면 비염증 활액의 백혈구 감별검사는 특징적으로 과립구가 50% 이하이며 림프구, 대식세포, 활막세포가 대부분을 차지한다. 단구가 증가된 경우 바이러스감염이나 결정관절염, 혈청병관련관절염(serum sickness associated arthritis)를 의심할 수 있다.

류마티스관절염에서 림프구가 80% 이상에서 관찰되면 아직 관절파괴가 많이 진행되지 않았음을 의미한다. 림프구가 70% 이상이고 LE 세포가 관찰되면 전신홍반루푸스를 의심해 볼 수 있다.

바이러스관절염에서는 대식세포가 80% 이상 관찰되며 과립구를 탐식한 대식세포(cytophagocytic macrophage)는 혈청음성

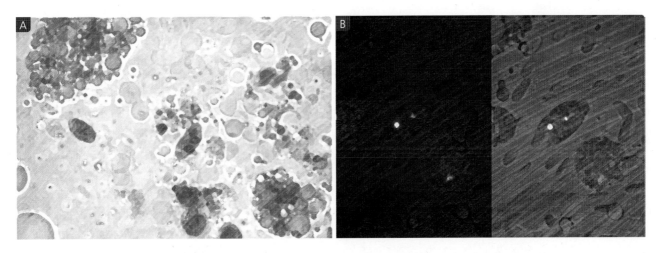

그림 19-10. **(A)** 무릎 단관절염 환자에서 관찰된 지질 방울, **(B)** 몰타십자가 모양의 지질 방울

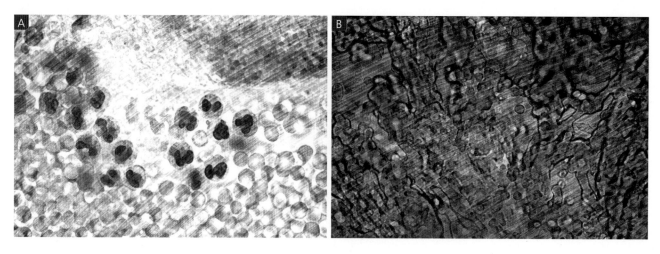

그림 19-11. **(A)** 색소융모결절활막염 환자에서 관찰된 다형핵세포, **(B)** 섬유소 조각(fibrin fragment)

척추관절병에서 관찰된다(그림 19-12).

## 5) 배양

급성 단일관절염 환자나 만성 다발관절염 환자에서 새롭게 단일관절염이 발생한 경우 세균관절염의 가능성을 항상 염두에 두어야 한다. 세균관절염에서 가장 흔하게 원인이 되는 균은 포도알균이나 사슬알균과 같은 그람양성균이라고 알려져 있다(그림 19-13). 활액의 그람염색법은 29-50%에서 미생물의 존재를 밝혀낼 수 있으며, 양성예측도가 매우 높으나 음성예측도는 상당히 낮다. 화농관절염의 확진은 균 배양검사이며, 활액뿐만 아니라 혈액에서 시행하는 것이 추후 항생제의 선택에 도움을 준다. 임균이나 혐기성, 진균의 경우 일반적인 방법으로 배양이 되지 않는 경우가 있으므로 일반적인 그람염색이나 배양검사에서 확인이 되지 않더라도 세균관절염의 가능성을 완전히 배제할 수 없다.

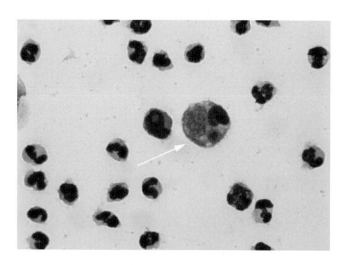

그림 19-12. Cytophagocytic macrophage(Jenner-Giemsa 염색) 대식세포가 과립구를 탐식해 있다. (출처: 강서힘찬병원 윤지열 선생)

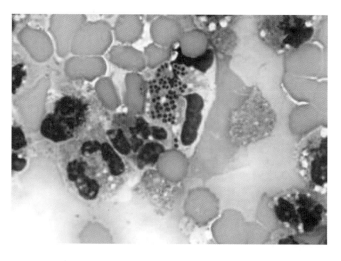

그림 19-13. 세포내 푸른색의 여러 쌍의 알균(Jenner-Giemsa 염색) (출처: Denton K. Synovial fluid analysis in the diagnosis of joint disease. Diagnostic Histopathology 2012;4:159-68.)

## 활액분류

활액은 관절공간의 활막에서 분비되는 점액과 혈액에서 투석되는 혈청 성분, 세포 성분 등으로 구성되어 있으며 활액 분석은 관절염, 특히 급성 관절질환의 감별진단에 중요하게 생각되어 왔다. 육안적 소견이나 현미경적 소견, 생화학적 소견, 미생물학적 소견 등에 따른 분류 등이 사용되어 왔으나 현재까지 많이 사용되고 있는 분류는 활액을 정상, 비염증, 염증, 세균, 그리고 혈관절염으로 나누는 분류법이며(표 19-2), 이와 같은 활액의 분류는 관절염 환자에서 진단과 예후의 예측, 적절한 치료를 선택하는 데 있어 중요한 정보를 제공하게 된다.

### 참고문헌

1. 이지현. 관절천자와 활액분석. In: 대한류마티스학회. 류마티스학. 제2판. 범문에듀케이션; 2018. pp. 86-94.
2. Cush JJ. Approach to Articular and musculoskeletal disorders. In: Harrison's principles of internal medicine. 20th ed. McGraw-Hill Education; 2018. pp. 2621-2.
3. Denton K. Synovial fluid analysis in the diagnosis of joint disease. Diagnostic Histopathology 2012; 4:159-68.
4. El-Gabalawy HS, Stacy T. Synovial fluid analyses, synovial biopsy,

표 19-2. **활액분류**

| | 정상 | 비염증관절염 | 염증관절염 | 세균관절염 | 혈관절염 |
|---|---|---|---|---|---|
| **육안 소견** | | | | | |
| 색 | 무색/투명한 황색 | 황색 | 황색/백색 | 백색/다양 | 붉은색 |
| 투명도 | 투명 | 투명 | 투명/탁함 | 탁함 | 탁함 |
| 점도 | 매우 높음 | 높음 | 낮음 | 매우 낮음/다양 | |
| 뮤신결합체 | 형성 | 형성 | 쉽게 형성하지 않음 | 쉽게 형성하지 않음 | |
| **현미경 소견** | | | | | |
| 백혈구 수(mm³) | <200 | <3,000 | 3,000-50,000 | >50,000 | |
| 과립구(PML,%) | <25 | <25 | >70 | >90 | |
| **생화학 소견** | | | | | |
| 당(mg/dL) | 정상 | 정상 | 70-90 | >90 | |
| 단백(mg/dL) | 1.3-1.8 | 3-3.5 | >4.0 | >4.0 | |
| **배양검사** | | | | | |
| 그람염색 | 음성 | 음성 | 음성 | 양성 | 음성 |
| 배양 | 음성 | 음성 | 음성 | 양성 | 음성 |
| 감별진단 | | 골관절염 | 류마티스관절염 | 세균감염 | 외상 |
| | | 외상관절염 | 급성결정유발관절염 | | 응고병증 |
| | | 조기류마티스관절염 | 바이러스관절염 | | 항응고치료 |
| | | 무혈성괴사 | 건선관절염 | | 종양 |
| | | 결정유발관절염 | 반응관절염 | | 샤르코관절병증 |
| | | 박리연골염 | 장병성관절염 | | 혈관종 |
| | | 전신홍반루푸스 | 전신홍반루푸스 | | 동정맥기형 |
| | | 결절다발동맥염 | 결절다발동맥염 | | 낫적혈구병 |
| | | 전신경화증 | 전신경화증 | | 인공관절 삽입술 후 |
| | | 아밀로이드증 | 아밀로이드증 | | |

and synovial pathology. In: Firestein & Kelley's Textbook of Rheumatology. 11th ed. Elsevier; 2020. pp. 841-58.

5. Freemont AJ, Mangham DC. Synovial fluid analysis. In: Rheumatology. 7th ed. Elsevier; 2018. pp. 263-7.

6. Lee YS, Koo KH, Kim HJ, Tian S, Kim TY, Maltenfort MG, et al. Synovial fluid biomarkers for the diagnosis of periprosthetic joint infection: A systematic review and meta-analysis. J Bone Joint Surg Am 2017;99:2077-84.

7. Oliviero F, Galozzi P, Ramonda R, de Oliveira FL, Scheiavon F, Scanu A, et al. Unusual findings in synovial fluid analysis: A review. Ann Clin Lab Sci 2017;47:253-9.

8. Roberts WN. Joint aspiration or injection in adults: Technique and indications. http://UpToDate.com (updated on Jul 2020).

9. Yui JC, Preskill C, Greenlund LS. Arthrocentesis and joint injection in patients receiving direct oral anticoagulants. Mayo Clin Proc 2017;92:1223-6.

10. Zayat AS, Di Matteo A, Wakefield RJ. Arthrocentesis and injection of joints and soft tissue. In: Firestein & Kelley's Textbook of Rheumatology. 11th ed. Elsevier; 2020. pp. 859-74.

11. Zell M, Shang D, FitzGerald J. Diagnostic advances in synovial fluid analysis and radiographic identification for crystalline arthritis. Curr Opin Rheumatol 2019;31:134-43.

# 20

# 관절생검

서울의대 **공현식**

## KEY POINTS 🔒

- 관절생검 혹은 활막생검은 일상적인 방법으로 진단이 어려운 관절염, 감염, 드문 관절질환의 진단에 도움을 줄 수 있고, 분자생물학적 분석 방법의 발전에 따라 질환의 병리, 약제의 작용기전, 약물치료에 대한 반응 및 예후 등을 파악하고 새로운 약제를 개발하거나 질환의 생물표지자를 개발하는 데 이용될 수 있다.
- 활막생검의 방법은 침생검, 관절경생검, 초음파유도하생검의 방법이 있으며, 초음파유도하생검은 덜 침습적이면서 적절한 활막조직을 얻을 수 있어 최근 활발한 연구가 이루어지고 있다.

## 관절 활막생검의 적응증

대부분의 류마티스 질환은 신체검진과 혈액 및 활액 검사, 단순 촬영 검사로 진단이 가능하나, 일상적인 방법으로 진단이 어려운 비전형적인 관절염, 종양, 침착질환, 그리고 활액배양이 음성이지만 감염이 의심되는 경우에는 관절 활막생검이 도움이 된다.

### 1) 진단

활액배양이 음성인 경우나 배양 검사 전에 항생제 치료를 시작한 경우, 서서히 증식하는 병원체가 의심되는 경우 등은 활막조직에서 중합효소사슬반응(polymerase chain reaction, PCR)으로 세균 유전자를 검출하여 감염 여부를 확인할 수 있다.

통풍 또는 거짓통풍의 경우 결정을 활막이나 관절연골에서

발견할 수 있으며, 아밀로이드증(amyloidosis), 혈색소증(hemo-chromatosis), 색소융모결절활막염(pigmented villonodular syno-vitis), 활막연골종증(synovial chondromatosis), 악성종양의 활막전이 등의 드문 질환을 진단할 수 있다.

### 2) 치료 반응 파악

활막의 병리 소견과 세포 및 분자 표지자들을 분석하여 약물치료에 대한 반응 및 예후를 파악할 수 있다.

### 3) 연구 목적

활막조직을 분자생물학적 기법으로 연구하여 질환의 병리와 약제의 작용기전을 이해하고 새로운 약제를 개발하거나 질환의 생물표지자(biomarker)를 발견하는 데 도움을 줄 수 있다.

## 관절생검 방법

### 1) 침생검

침생검(needle biopsy)은 피부절개 없이 국소마취하에 생검 침을 이용하여 활막조직을 얻는 방법으로, 비교적 간단하지만 조직을 직접 보면서 선별적으로 얻을 수 없는 단점이 있다. 주로 무릎관절에서 시행되지만 다른 작은 관절에서도 사용할 수 있다.

### 2) 관절경생검

관절경생검(arthroscopic biopsy)은 관절경으로 활막과 연골의

상태를 직접 평가할 수 있으며, 특히 염증성 활막과 주위 연골의 경계면에서 얻은 조직은 병리 현상을 이해하는 데 도움이 된다. 관절경생검과 동시에 치료적 목적으로 관절을 세척하거나 관절 내 활막 또는 결정을 제거할 수 있다. 최근 진단 면에서 정밀한 자기공명영상과 초음파생검의 발전으로, 치료면에서 약제의 발전에 따라 활막절제술의 필요성이 줄어 류마티스 질환에서 관절경의 활용 빈도가 준 면이 있으나, 침 크기의 작은 관절경과 광학(optics)의 발전으로 향후 그 역할이 재조명될 가능성이 있다.

### 3) 초음파유도하생검

초음파유도하생검(ultrasound-guided biopsy)은 덜 침습적이라는 침생검의 장점과 활막조직을 확인한다는 관절경의 장점을 모두 가지며, 초음파와 도플러로 삼출액과 활막을 구별하여 활막조직을 얻는 방법으로 최근 많은 연구가 이루어지고 있다. 생검 전 초음파로 본 활막 두께가 클수록 좋은 조직을 얻을 가능성이 높다.

## 결론

관절생검은 일상적인 방법으로 진단이 어려운 관절염, 감염, 그리고 드문 관절 질환의 진단에 도움이 될 수 있다. 최근 관절경과 초음파 등 관절생검 기술이 발전하고 분자생물학적 분석 방법이 발전하여 류마티스 질환의 병인과 약물의 작용기전을 세포 수준에서 이해하는 것이 가능하게 되었다. 관절생검은 환자마다 차이가 있는 활막조직의 유전적이질성(genetic heterogeneity)에 따라 표적치료를 가능하게 하여 정밀의학(precision medicine)에 기여할 수 있을 것으로 기대된다.

### 참고문헌

1. Astorri E, Nerviani A, Bombardieri M, Pitzalis C. Towards a stratified targeted approach with biologic treatments in rheumatoid arthritis: role of synovial pathobiology. Curr Pharm Des 2015;21:2216-24.

2. Gerlag DM, Tak PP. How to perform and analyse synovial biopsies. Best Pract Res Clin Rheumatol 2009;23:221-32.

3. Ike RW, Arnold WJ, Kalunian KC. Arthroscopy in rheumatology: where have we been? Where might we go? Rheumatology (Oxford) 2021;60:518-28.

4. Kelly S, Humby F, Filer A, et al. Ultrasound-guided synovial biopsy: a safe, well-tolerated and reliable technique for obtaining high-quality synovial tissue from both large and small joints in early arthritis patients. Ann Rheum Dis 2015;74:611-7.

5. Vordenbämen S, Joosten LA, Friemann J, Schneider M, Ostendorf B. Utility of synovial biopsy. Arthritis Res Ther 2009;11:256.

류 마 티 스 학
RHEUMATOLOGY

# 21

# 목표와 원칙

서울의대 송영욱

## KEY POINTS 🔒

● 대부분의 류마티스 질환은 만성적인 경과를 보이며 근골격계 통증을 수반한다. 이러한 경과로 인해 장기적으로 질병으로 인한 기능 및 삶의 질 저하가 발생할 수 있다.

● 류마티스 질환의 치료는 약물 치료와 비약물 치료로 구분되며, 비약물 치료는 교육과 정신건강 관리를 포함한다.

● 류마티스 질환 환자들은 질환 자체 및 약물 치료의 부작용으로 인한 여러 가지 동반질환을 가지고 있으며, 특히 일반 인구에 비해서 심혈관질환의 위험이 높다.

## 서론

류마티스 질환은 근골격계에 발생하는 다양한 질환을 포함하기 때문에 각 질환에 따라서 그 발병기전과 치료 방법, 그리고 예후에 있어서 큰 차이가 있다. 그러므로 이를 하나의 치료 원칙에 따라 설명하기에는 어려움이 있다. 그럼에도 불구하고 류마티스 질환은 몇 가지 특징을 공유하고 있으며 이에 따른 공통적인 목표와 치료 원칙이 있다.

첫째, 대부분의 류마티스 질환은 만성 질환이다. 만성 질환은 유병 기간 중 급성 악화와 완화가 반복될 수 있으므로 이러한 병의 경과를 잘 이해해야 하며, 급성 악화에 대해 민감하게 반응하고 치료를 해야 한다. 뿐만 아니라 오랜 치료에도 불구하고 질환 자체에 의한 영구적인 장기 손상으로 기능저하 또는 장애가 발생할 가능성도 높다. 따라서 질환의 합병증으로 인해 영구적인 손상을 예방하는 데에도 목표를 두어야 한다. 둘째, 대부분의 류마티스 질환은 근골격계의 만성통증을 동반한다. 당뇨나 고혈압과 같은 만성 질환은 특별한 합병증이 동반되지 않는 이상 증상이 전혀 없거나 미미한 경우가 많다. 그러나 대부분의 류마티스 질환은 통증을 주 증상으로 하고 통증에 대한 약물 치료의 반응도 개개인에 따라 차이가 있는 경우가 많아, 실질적으로 환자는 이환 기간 중 크고 작은 통증에 시달리는 경우가 많다. 이러한 만성통증은 환자의 삶의 질을 현저히 떨어트리고 정신 건강에도 나쁜 영향을 끼칠 수 있으므로 만성통증을 효과적으로 조절하는 것이 중요하다. 셋째, 류마티스 질환에 사용되는 많은 약물은 장기간 사용할 때에 부작용이 발생할 수 있고 질환 자체 또는 약물의 영향으로 인해 동반질환이 발생할 가능성이 높다. 따라서 약물의 부작용을 모니터링하고 동반질환의 발생을 잘 예방하고 관리하는 것이 중요하다. 마지막으로, 자기 효능감(self-efficacy)은 만성질환자의 삶의 여러 측면에서 긍정적인 역할을 하므로 자기 관리 전략(self-management strategy)을 잘 사용해야 하며 그러기 위해서는 치료와 의사 결정 과정에 환자를 적극적으로 개입시키는 것이 중요하고 정신 건강에 대해 주기적으로 평가하는 것도 필요하다.

## 치료의 목표

### 1) 만성 질환의 이해

자가면역반응을 기전으로 하는 류마티스 질환은 대개 만성적인 경과를 보인다. 즉, 류마티스 질환에서 완치는 드물며 많은 환자에서 질병의 호전과 악화를 반복하게 된다. 따라서 대부분의 류마티스 질환의 치료의 목표는 관해이다. 관해는 환자의 증상과 징후가 일시적 혹은 영구적으로 사라지는 것을 의미하는데, 이는 질환의 경과 중 자연적으로 발생하기도 하고, 약물 치료에 의해 유도되기도 한다. 따라서 많은 류마티스 질환에 대한 치료제는 관해 상태를 유도하는 약제와 이후 관해 상태를 유지하는 약제로 나뉘는 경우가 많으며 그 종류와 용량에도 차이가 있다. 이러한 치료에도 불구하고 관해 상태가 유지되지 못하기도 하는데 이를 악화라고 하며, 이러한 악화 상태가 지속되는 것을 재발이라고 한다. 의사는 급성 악화에 대해 민감하게 반응하고 치료를 할 수 있어야 한다. 관해와 재발을 중심으로 한 만성적 경과는 질환의 상태를 평가하는 방법의 개발로도 연결되어 류마티스관절염, 전신홍반루푸스, 척추관절염과 같은 대표적인 질환에서는 환자의 질병활성도를 최대한 객관적으로 평가하기 위해 환자와 의사의 평가, 염증 수치와 같은 지표들을 고려한 질병 활성도 측정 지표가 사용된다.

## 2) 만성통증 관리

류마티스 질환과 연관된 통증은 주로 근골격계통증으로 나타나는데, 기저 질환의 치료와 더불어 통증 조절 또한 하나의 치료 목표라 할 수 있다. 최근의 연구에 따르면 근골격계통증은 생리적 기전에 따라 주로 통각수용기 통증 및 신경병증 통증으로 분류된다.

통각수용기 통증은 통각수용체에 통각 자극이 가해지고 그 자극이 척수, 시상, 대뇌와 같은 일반적인 통증 전달 경로를 거쳐 발생하는 통증을 말하며 류마티스 질환의 통증은 주로 몸통증(somatic pain)의 형태로 나타난다. 이 중에서 표재성 몸통증은 피부나 점막 부위의 기계적, 화학적, 열 자극에 의해 발생하며 통증의 양상은 날카롭고, 찌르는 듯하고, 욱신거리는 등 다양하나 국소 부위에 한정되어 나타난다. 심부 몸통증은 관절, 인대, 건, 근육 또는 근막을 자극함으로써 발생하는 것으로 무디고 쑤시는 듯한 통증이 나타나고, 국소적으로 나타나는 경우는 드물다. 특히 통증이 심할 경우 다른 부위로 전파되는 경향이 있어 연관통증(referred pain)을 일으키는 경우가 많다. 이런 통각수용기 통증은 염증이나 수술 또는 외상 등에 의한 조직 손상과 관련이 있으며 골관절염의 통증이 여기에 속한다.

신경병증 통증은 신경계 손상이나 비정상적인 신경 기능에 의해 야기되는 만성 병적 통증이며 최근에 체감각계(somatosensory system)에 영향을 미치는 병변이나 질환에 의한 결과로서 발생하는 통증으로 새롭게 정의되었다. 통각 자극이 없는 상태에서도 나타나는 통증, 정상적으로 통증을 유발하지 않는 자극에 의해 유발되는 이질통(allodynia), 유해 자극에 의해 통증이 증강되는 통각과민(hyperalgesia) 및 이상감각(paresthesia)이나 불쾌감각(dysesthesia) 등의 비정상적인 반응이 신경병증 통증의 특징이다. 중추형과 말초형으로 구분할 수 있는데 말초 신경병증 통증에는 대상포진후 신경통, 당뇨신경병증, 복합부위 통증증후군 2형 등과 같은 말초 신경계의 이상에 의한 지속적인 통증이 해당된다. 대부분의 근골격계 통증은 어느 정도 혼합형 통증의 성질을

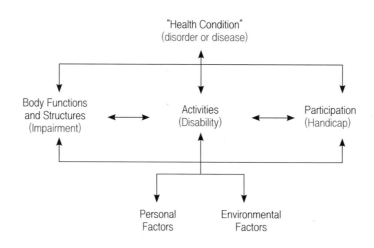

그림 21-1. World Health Organization International Classification of Functioning, Disability and Health (WHO-ICF)에 대한 모델

나타낸다. 따라서, 이에 대한 치료를 위해서는 약물 이외의 비약물적 치료를 혼합한 다방면적 접근이 필요하며, 약물 선택에 있어서도 통증의 기전에 따른 약물의 병합 사용을 통한 효과적인 치료 전략 수립이 요구되고 있다. 이러한 약물 병합 사용은 통증 조절 효과의 향상으로 이어지는 것과 동시에, 각각의 약제 사용량을 줄이는 효과가 있어 이로 인한 유해 반응의 가능성을 낮출 수 있다. 한편, 이러한 만성통증은 환자의 기분, 수면 그리고 활력에 직접적으로 영향을 미치고, 환자의 사회적 기능과 장애에 직접적으로 영향을 미칠 수 있기 때문에, 이에 대한 관리가 매우 중요하다고 할 수 있다.

### 3) 기능과 삶의 질 유지

대부분의 류마티스 질환은 만성적인 질병 경과를 가지며, 완치가 아닌 질병활성도의 지속적인 억제를 목표로 하기 때문에 환자가 장기간 약물 치료를 받는 일이 흔하다. 이 과정에서 질병의 악화 혹은 재발에 동반된 장기의 손상, 동반된 통증, 치료 약제에 의한 부작용 등에 의해서 궁극적으로 환자의 전반적인 기능과 삶의 질이 영향을 받을 수 있다. 또한 이러한 기능 및 삶의 질의 저하는 향후의 질병 조절에도 악영향을 미친다. 따라서 질병 자체의 관해 뿐만 아니라, 질환이 환자의 삶에 주는 영향을 잘 파악하고 질환의 합병증으로 인해 영구적인 손상을 예방할 수 있도록 이를 치료 전략에 반영하는 것이 매우 중요하다(그림 21-1).

따라서 류마티스 질환 환자를 진료할 때 단순히 질병활성도의 변화만을 평가해서는 안 되며, 환자의 일상 생활이나 사회 활동에 질병이 미치는 영향, 환자가 이러한 영향 때문에 느끼는 감정, 주변 환경의 지원 여부, 환자의 경제적 사정 등 환자의 삶의 질을 종합적으로 파악하는 것이 중요하다. 이러한 환자의 기능이나 삶의 질의 측면은 Health Assessment Questionnaire (HAQ)나 36-item Short Form Survey (SF-36)과 같은 지표를 사용하여 평가할 수 있다.

## 치료의 원칙

### 1) 약물과 비약물 치료

류마티스 질환의 치료는 크게 약물 치료와 비약물 치료로 나눌 수 있다. 약물 치료의 원칙은 앞서 설명한 만성 질환으로서 류마티스 질환의 특징을 염두에 둘 필요가 있다. 즉, 질병활성도를 조절하고 신체 기능을 정상화시키는 치료 약제가 현재 류마티스 질환의 주요 치료제로 분류되며, 이는 각각 글루코코티코이드(Chapter 23), 항류마티스약제(Chapter 24), 면역억제제(Chapter 25), 생물학적제제(Chapter 26)와 표적치료제(Chapter 27)로 구분하여 설명할 예정이다. 최근에 관심이 높아지고 있는 대체요법은 Chapter 29에서 다룰 예정이며 비약물 치료의 일부인 재활치료와 수술치료는 각각 Chapter 30과 Chapter 31에서 다루게 된다.

### 2) 교육과 정신건강 관리

#### (1) 교육

환자에 대한 교육에서 고려할 중요한 사항은 "과연 무엇을 교육할 것인가?"와 "어떻게 교육할 것인가?"라고 할 수 있다. 대부분의 류마티스 질환에서는 통증, 피로감, 장애 그리고 우울 증상이 나타날 수 있다. 이를 극복하기 위해서는 이에 대한 약물 치료의 효과를 이해하고 복약 순응도를 높이는 것이 중요한데, 이러한 약물과 관련된 교육도 하나의 중요한 교육 내용이라 할 수 있다. 이와 함께 최근에는 자기 관리 전략을 잘 활용하는 것이 강조되고 있는데 환자 교육은 모든 자기 관리의 중요한 시작점이 된다. 효과적인 자기 관리를 위해서는 치료와 의사 결정 과정에 환자를 협력자로 적극 참여시키는 것이 중요하고, 질환의 다방면에 긍정적인 영향을 주는 자기 효능감을 높일 수 있도록 도와주어야 한다. 자기 관리 방법의 일환으로 인지행동치료(cognitive behavioral therapy)도 포함이 된다. 최근 각광받고 있는 디지털 헬스케어도 활용할 수 있으며, 환자가 이용 가능한 자원들에 대해 많은 정보를 제공하는 것이 중요하다.

교육의 방법으로는 크게 소그룹 교육, 전화 및 우편 교육, 컴퓨터를 활용한 교육 등을 들 수 있다. 이러한 교육 방법에 대해서 외국에서는 환자의 건강 상태의 개선과 건강 유지 비용의 감소로 이어지는 것이 증명되어 있으나, 우리나라에서는 아직 연구가 많이 이루어져 있지 않다.

#### (2) 정신건강 관리

류마티스 질환 환자가 겪게 되는 네 가지 과정은 진단에 이르는 단계, 진단이 된 단계, 질환이나 치료의 위험과 이득을 이해하려 노력하는 단계 그리고 질환이 자신의 주위와의 관계에 미치는 영향을 해결하는 단계로 나눌 수 있다. 각 단계에서 환자는 정신적 스트레스를 받게 되고 이 중 일부는 우울하거나 불안한 감정을 느끼기도 한다. 일반적으로 다른 만성 질환에 비해 류마티스 질환에서 진단 기준을 만족할 만한 수준의 정신과적 질환이 더 증가한다는 보고는 없다. 그러나 전신홍반루푸스 환자에서는 인지 장애의 빈도가 늘어나고, 광범위한 통증을 특징으로 하는 섬유근통 등의 질환에서는 정신과 질환이나 신체화 장애의 빈도가 높게 나타난다. 이러한 정신건강 문제에 대한 관리를 위해서는 일상 진료에서 의사-환자의 소통을 향상하려는 노력과 위험군에 대한 체계적인 교육 프로그램을 준비하는 것, 그리고 증상이 심각한 경우에는 정신건강의학과 진료를 받는 것을 고려할 수 있다. 특히 일상 진료에서의 의사-환자 사이의 대화는 매우 중요한데, 이는 환자의 가장 큰 걱정이 질환의 진행이나, 약물 치료의 유해 반응 등 의학적인 측면이 매우 강하기 때문이다.

## 3) 동반질환 관리

### (1) 빈도

류마티스 질환에서 동반질환은 각 기저 질환에 따라서 매우 다양한 형태로 나타나기 때문에 각 질환별로 설명하는 것이 더 적절하다. 크게는 질환의 임상증상의 하나로서 혹은 질병활성도에 영향을 받아 발생하는 동반질환과 질환에 대한 치료 과정에서 발생하는 동반질환으로 나눌 수 있다. 류마티스관절염을 예로 들면, 환자는 평균 약 1.6개의 동반질환을 가지고 있으며 이는 환자의 연령이 증가하면서 함께 늘어난다. 동반질환의 증가는 의료 비용의 증가와 삶의 질 저하, 사망률의 증가를 유발한다. 따라서 치료에 있어서 환자의 동반질환에 대한 파악은 환자의 예후를 예측하고 적절한 치료를 하는 데 있어 매우 중요하다.

### (2) 심혈관질환

일반 인구에 비해서 류마티스 질환이 있는 환자들은 심혈관질환이 동반될 가능성이 더 높고, 이는 류마티스 질환 환자의 사망률을 증가시키는 가장 중요한 요인이다. 류마티스 질환 환자에서 심혈관질환의 위험성을 증가시키는 요인은 고령, 고혈압,

고지혈증, 당뇨, 흡연, 비만과 같은 일반적인 심혈관질환의 위험인자 이외에 전신의 염증과 류마티스 질환 치료 약제의 부작용 등으로 구분할 수 있다. 특히 염증의 경우, 급성 염증의 혈청 표지자인 적혈구침강속도나 C반응단백질 그리고 질병 활성도가 심혈관계 동반질환의 위험과 연관이 있다는 많은 연구들이 보고되어 있고, 동맥 경화의 발생과 진행에도 중요한 역할을 하는 것으로 알려져 있다. 이 때문에 류마티스 질환을 가진 환자를 보는 의사는 심혈관질환의 위험도를 파악하고 적절한 치료를 통해 이들을 관리해야 한다. 첫째로, 고혈압과 당뇨와 같은 심혈관질환의 전통적인 위험 인자에 대한 약물 혹은 비약물 치료가 필요하며, 둘째로 류마티스 질환의 질병활성도를 조절해야 한다.

## 결론

류마티스 질환은 그 종류와 상관없이 만성적인 경과와 통증을 특징으로 하며, 따라서 치료 과정에서 교육과 정신적 관리가 필요하다. 또한, 의사는 류마티스 질환의 질병 활성도뿐 아니라 환자의 삶의 질 및 기능 저하에 대해서도 지속적으로 평가하고 이를 치료 전략에 반영해야 한다. 마지막으로 류마티스 질환은 심혈관질환을 비롯한 여러 다른 질환을 함께 동반할 수 있으며, 이는 환자의 삶의 질, 치료 효과, 예후 등과 연관이 있다. 따라서 이에 대한 평가 및 적절한 위험 인자의 조절이 환자의 장기적인 치료 성적 향상에 도움을 줄 수 있다.

### 📑 참고문헌

1. Altehara D, Dorner T. Considering comorbidity in managing rheumatic diseases: going where trials cannot go. Arthritis Res Ther 2011;13:116.
2. Chang SH, Cho JH, Shin NH, Oh HJ, Choi BY, Yoon MJ, et al. Depression and quality of life in patients with systemic lupus erythematosus. Journal of Rheumatic Diseases 2015;22:346-55.
3. Choi IA, Park SH, Cha HS, Park W, Kim HA, Yoo DH, et al. Prevalence of co-morbidities and evaluation of their monitoring in Korean patients with rheumatoid arthritis: comparison with the results of an international, cross-sectional study (COMORA). Int J Rheum Dis. 2018;21:1414-22.

4. Gabriel SE, Michaud K. Epidemiological studies in incidence, prevalence, morbidity and comorbidity of the rheumatic diseases. Arthritis Res Ther 2009;11:229.

5. Nurmohamed MT, Heslinga M, Kitas GD. Cardiovascular comorbidity in rheumatic diseases. Nat Rev Rheumatol 2015;11:693-704.

6. Nikiphorou E, Santos EJF, Marques A, et al. 2021 EULAR recommendations for the implementation of self-management strategies in patients with inflammatory arthritis. Ann Rheum Dis 2021;80:1278-85.

7. Stucki G, Cieza A. The International Classification of Functioning, Disability and Health (ICF) Core Sets for rheumatoid arthritis: a way to specify functioning. Ann Rheum Dis 2004;63 Suppl 2:ii40-ii45.

# 22

# 비스테로이드소염제

**경상의대 이상일**

## 서론

염증 시 나타나는 통증, 부종, 홍반 등은 류마티스 질환의 가장 흔한 증상들이다. 의학의 역사에서 이러한 염증 증상을 감소시키기 위한 여러 시도들이 있었는데, 3,500년 전 이집트에서 복통과 허리 통증에 사용된 말린 소귀나무 잎, 히포크라테스가 눈의 질병 치료 및 출산 통증과 해열을 위해 사용한 포플러 나무, 버드나무 껍질, 고대 로마 및 중국에서 통증과 염증 치료로 사용

한 다양한 식물들을 사용한 예들이 대표적이다. 1763년 영국의 에드워드 스톤이 버드나무 껍질을 말려 분말형식으로 만들어 50명의 환자들에게 처방한 후 식물성분 추출물인 살리실산(salicylic acid)이 통증 억제 효과가 있음을 밝혀내었다. 당시의 살리실산은 너무 쓴 맛을 가졌으나, 1860년에 펠렉스 호프만이 쓴맛이 덜한 아세틸살리실산을 합성하였고, 1899년 베이어가 처음으로 이를 약제로 개발을 하면서 아스피린이라고 명명하였다. 1949년 아세틸살리실산의 부작용으로 소화불량이 알려지면서 인돌아세틸산(indoleacetic acid) 유도체인 페닐부타존(phenylbutazone)이 개발되어 임상에서 사용되었고, 이후 인도메타신, 나프록센, 페나메이트 등의 다양한 약제들이 개발되었다.

## 작용 기전

1971년 비스테로이드소염제(non-steroidal anti-inflammatory drug, NSAID)가 프로스타글란딘 합성을 방해해서 치료 효과와 부작용을 일으킬 수 있다는 것이 밝혀졌다. 세포막의 포스포리피드가 아라키돈산으로 변환되고 이후에 사이클로옥시게나제(cyclooxygenase, COX)라는 효소에 의해서 다양한 프로스타글란딘으로 합성되는데, NSAID의 가장 중요한 작용기전은 바로 아라키돈산이 COX에 결합하는 것을 방해하여 결국 프로스타글란딘 합성을 억제함으로써 항염, 해열, 진통 효과를 나타내는 것이다. 반면에 글루코코티코이드는 주로 포스포리파제를 억제하여 항염, 해열, 진통 효과를 나타내며, 아세트아미노펜은 주로 중추

신경계에서의 COX만을 억제해서 진통, 해열 작용만을 나타낸다. 최근 프로스타글란딘의 형성 및 NSAID의 작용 기전에 관한 연구가 매우 발전했는데, 대표적인 것이 사이클로옥시게나제의 두 가지 중요한 아형(isoforms)인 COX-1/-2의 발견이다. COX-1은 대부분의 세포에서 염증 반응과 상관없이 지속적으로 발현되어 호르몬, 성장 효소의 분비 및 정상 세포 과정을 조절하는 역할을 한다. 특히, 정상 위장관 점막의 주요한 COX isoform이기 때문에 COX의 억제에 따른 NSAID의 위장관계 부작용과 관련이 깊다. 반면 COX-2는 감염, 염증 등이 발생할 때 발현이 빠르게 증가한다. COX-2의 선택적 억제는 염증에 관여하는 프로스타글란딘 생성을 강력하게 억제하지만 정상조직에서의 COX-1에 의한 프로스타글란딘 합성은 억제하지 않는다. 그래서 COX-2선택 억제제를 사용하면 비선택적 NSAID에 비해서 관절염의 염증과 통증을 억제하는 효과는 비슷하지만 위장관계 부작용, 출혈, 천식 악화 등의 부작용이 감소한다. 그러나, 최근에는 COX-2가 뇌, 신장 등에서는 염증과 상관없이 지속적으로 발현되고 생식, 심혈관, 골격계의 정상적인 생리 작용과 관련하여 일정한 역할을 하는 점이 밝혀지면서 추가적인 연구 필요성이 제시되고 있다.

**표 22-1.** 국내에서 주로 사용 중인 진통제 및 비스테로이드소염제의 종류 및 특징

| 분류 | 성분명 | 하루 사용량 | 하루 최대용량 | 반감기(시간) |
| --- | --- | --- | --- | --- |
| Para-aminophenol | Acetaminophen | 0.3–1.0 g, 3–4회 | 4,000 mg | 1–4 |
| Salicylate (Acetylated) | Aspirin | 325–650 mg, 4–6회 | 4,000 mg | 3–9 |
| Acetic acid | Diclofenac | 50 mg, 3회 | 200 mg | 2 |
| | Indomethacin | 25–50 mg, 2–3회 | 150 mg | 2–13 |
| | Sulindac | 100–200 mg, 2–3회 | 400 mg | 16 |
| | Ketorolac | 10 mg, 2–3회 | 40 mg PO | 4–6 |
| | Etodolac | 200–400 mg, 3–4회 | 1,200 mg | 6–7 |
| | Aceclofenac | 100 mg, 2회 | 200 mg | 4 |
| Propionic acid | Ibuprofen | 200–600 mg, 3–4회 | 3,200 mg | 2 |
| | Ketoprofen | 50–100 mg 2–3회 | 300 mg | 2–4 |
| | Loxoprofen | 60 mg, 2–3회 | 180 mg | 0.75 |
| | Zaltoprofen | 80 mg, 3회 | 240 mg | 2–6 |
| | Naproxen | 250–500 mg 2회 | 1,500 mg | 12–15 |
| Oxicams | Piroxicam | 10–20 mg, 1회 | 20 mg | 50 |
| | Meloxicam | 7.5–15 mg, 1회 | 15 mg | 20 |
| | Lornoxicam | 4 mg, 2–3회 | 16 mg | 3–4 |
| Selective COX-2 inhibitor | Celecoxib | 100–200 mg, 2회 | 400 mg | 11 |
| | Etoricoxib | 30–60 mg, 1회 | 60–120 mg | 22 |
| Fixed-dose combination | Enteric-coated naproxen/immediate- release esomeprazole | 500 mg/20 mg, 2회 | 1,500 mg (naproxen기준) | 12–15 |

## 임상 약리

아스피린을 포함하여 다양한 NSAID와 아세트아미노펜은 화학적 구조와 반감기의 차이에 의해서 분류될 수 있다. NSAID의 반감기는 다양하지만 크게 속효성(6시간 이내; 이부프로펜, 디클로페낙, 케토프로펜, 인도메타신)과 지속성(6시간 이상; 나프록센, 세레콕시브, 멜록시캄, 피록시캄)으로 나뉜다. 긴 반감기를 가진 NSAID의 경우 약물이 충분히 효과를 나타내기까지 시간이 걸리며, 약을 중단한 이후에도 체내에서 제거되는데도 시간이 많이 걸린다. COX-1/-2의 억제 효과의 차이는 'IC50 COX-1: COX-2'를 이용해서 표시하는데 에토리콕시브(106.0), 세레콕시브(7.6), 디클로페낙(3.0), 멜록시캄(2.0), 나프록센(0.7), 인도메타신(0.4), 이부프로펜(0.2)으로 알려져 있다. 숫자가 큰 NSAID일수록 COX-2 억제의 선택성이 크고 상대적으로 위장관 궤양 및 출혈의 부작용 등이 감소한다. 우리나라에서 사용되는 주요 NSAID의 화학적 구조에 의한 분류와 반감기, 사용 용량 등에 대해서는 표 22-1에 정리하였다.

## 임상 효과

비선택적 NSAID와 COX-2선택억제제의 진통 효과는 대부분 유사한 것으로 알려져 있다. 그러나, COX 효소 억제의 절대적 및 상대적 차이, 다양한 투여 간격, 비프로스타글란딘 매개 작용 기전, 개개인의 약물 동역학 및 약물 대사의 차이로 인해서 사람마다 각 NSAID들의 진통 효과는 다르게 나타난다. 따라서 한가지 NSAID를 약 2주 정도 사용해보고 효과가 부족하다고 판단되면 다른 화학 구조를 가지는 NSAID로 교체하는 것이 필요하다.

### 1) 항염 효과

NSAID는 다양한 류마티스 질환에서 염증을 억제하여 통증 및 경직을 호전시킨다. 이러한 NSAID의 항염효과는 COX-2선택억제제와 비선택적 NSAID에서 비슷하게 나타나며 주로 COX-2의 억제에 의한 효과로 생각된다. 그러나, NSAID는 ESR 혹은 CRP와 같은 염증성 지표의 농도를 감소시키거나 관절의 파괴를 억제하여 질병의 경과를 변화시키는 효과는 나타내지 못

한다.

### 2) 진통 효과

대부분의 NSAID는 항염 효과에 필요한 것보다 적은 용량으로 진통 효과를 나타낸다. 프로스타글란딘의 증가는 말초의 염증 장소에서 통증 수용체를 민감화시키며, 척수에서는 중추감작(central sensitization)에 관여해서 통각과민과 이질통을 일으킨다. NSAID는 이러한 말초 부위 및 중추 신경계에서의 프로스타글란딘 생성을 모두 억제하여 진통 효과를 나타낸다. NSAID 약물 간의 효과 차이에 대해서는 여러 기관에서 비교 연구가 진행되었는데 약물 간의 진통 효과는 특별한 차이가 없다.

### 3) 해열 효과

인터루킨-1, lipopolysaccaride (LPS)와 같은 염증물질들은 프로스타글란딘 E2 (PGE2)의 합성을 증가시키는데, PGE2는 전방 시상하부의 preoptic area에서 체온조절센터(thermoregulatory center)를 활성화시켜서 발열을 나타낸다. NSAID와 아세트아미노펜은 PGE2를 억제하여 해열 효과를 나타내는데, 비선택적 NSAID와 COX-2선택억제제의 해열 작용은 큰 차이는 없다.

### 4) 항혈소판 효과

아스피린과 NSAID는 혈소판의 COX-1을 억제한다. NSAID의 혈소판 응집 억제 효과는 가역적이면서 약의 용량에 비례하여 나타나기 때문에 NSAID의 복용을 중단하고 해당 NSAID 반감기의 2-3배의 시간이 지나면 혈소판 응집 억제 효과는 소실된다. 그러나 아스피린은 80 mg의 적은 양이라도 혈소판 응집 억제 효과가 비가역적으로 나타나기 때문에, 복용을 중단하더라도 아스피린에 의한 혈소판 응집 억제 효과는 골수에서 완전히 새로운 혈소판을 생성하는데 필요한 4-6일 동안 지속된다. 따라서 수술을 앞둔 환자에서 출혈의 위험성을 최소화 하기 위해서 일반적인 NSAID는 반감기의 2-3배, 아스피린은 4-6일 동안 중단할 것을 권유한다. COX-2선택억제제는 출혈의 위험성을 증가시키지 않는다.

### 5) 암 발생 예방 효과

여러 연구에서 NSAID가 대장암 발생이나 진행을 예방할 수

있다고 보고되고, 특히 가족성샘종폴립증(familial adenomatous polyposis, FAP) 환자에서 NSAID를 사용하였을 때 용종이 감소한다는 연구 결과가 보고되었다. 이러한 효과는 COX-2의 억제에 따른 효과로 생각되며, 미국 식약청에서는 COX-2선택억제제제인 세레콕시브를 FAP 환자에서 용종을 줄이기 위해 사용할 수 있도록 승인하였다.

# 부작용

## 1) 소화불량

소화불량은 NSAID의 가장 흔한 부작용이며 NSAID를 복용하는 환자의 약 10-20%에서 나타날 수 있다. 비궤양성 소화불량은 COX-2선택억제제 및 비선택적 NSAID 둘 다에서 발생할 수 있다.

## 2) 상부위장관 부작용

### (1) 역학 및 특징

위장관궤양 및 합병증은 아스피린과 NSAID의 가장 중요한 부작용이다. 1991년 ARAMIS (Arthritis, Rheumatism and Aging Medical Information System)의 연구에서 매년 76,000명이 NSAID에 의한 위장관 질환으로 입원 치료를 받으며 그 중 7,600명이 사망한다고 보고하였다. 최근 다른 연구에서는 1년 이상 NSAID를 복용한 1,000명의 류마티스관절염 환자 중 13명이 심각한 위장관 합병증이 나타났다고 보고되었다. NSAID는 상부 및 하부 전 위장관 계통에 궤양을 일으키는데, 위, 십이지장, 공장, 회장, 대장 등의 부위에서 궤양이 발생하며 심할 경우 천공이나 흡수 장애를 일으킬 수 있다. 심각한 위장관 합병증은 대부분 NSAID를 사용한지 수주 이후에 발생하며, 인도메타신, 케토롤락 등은 사용 후 7일 이내에도 일으킬 수 있다. NSAID를 사용하는 도중 심한 소화불량이나 철결핍성빈혈이 나타나는 경우 심각한 위장관계 합병증을 시사할 수 있기 때문에 주의를 요한다. 한편 상부위장관 궤양이 무증상으로 나타날 수 있기 때문에 NSAID를 장기간 사용할 경우에는 정기적인 검진이 필요하다.

### (2) 위험 인자

NSAID와 관련된 위장관 부작용의 가장 잘 알려진 위험 인자는 NSAID의 사용 기간 및 NSAID의 종류이다. 일반적으로 건강한 사람에게 1주일 미만으로 NSAID를 투여할 경우 위장관 부작용이 거의 발생하지 않는다. NSAID를 오래 사용할수록 위장관 부작용이 증가하는데, 미국식약청에 의하면 NSAID를 3개월 사용한 환자의 1-2%, 1년 이상 사용한 환자의 2-5%에서 위장관계 궤양, 출혈, 천공 등의 부작용이 발생한다. NSAID 중에서 위장관 부작용의 빈도가 상대적으로 높은 것은 인도메타신, 나프록센, 디클로페낙, 피록시캄, 이부프로펜 등으로 알려져 있다.

### (3) 예방

비선택적 NSAID를 사용하는 것보다 COX-2선택억제제를 사용하였을 때 위장관 점막 보호와 관련 있는 COX-1을 적게 억제하기 때문에 위장관 궤양 발생의 위험이 낮다. NSAID와 관련된 위장관 부작용을 예방하기 위해서는 첫째, NSAID를 프로스타글란딘 E 아날로그인 misoprostol 혹은 프로톤펌프억제제(PPI)와 병용 투여하는 방법, 둘째, COX-2선택억제제를 단독 혹은 PPI와 병용 투여하는 방법 등이 있다. 비선택적인 NSAID를 사용할 경우와 비교해서 COX-2 선택억제제를 사용한 경우, misoprostol을 NSAID와 병용투여한 경우, PPI를 병용투여한 경우 궤양 발생의 상대적 위험도가 각각 0.49, 0.36, 0.09로 감소한다. Misoprostol 투여 환자들에서 설사, 복부 불편감 등으로 약제를 중단하는 경우가 증가하는데 100 mcg의 저용량으로 투여를 시작하였다가 점차 용량을 늘려가면 설사, 복부 불편감 등의 발생이 줄어들 수 있다. PPI는 저용량 및 고용량에서 misoprostol과 비슷하거나 우월한 위장관 합병증 예방 효과가 있고 약물순응도는 훨씬 좋다. 최근 NSAID와 위장관 보호제 2가지 약물의 병용을 가능하게 해주는 고정용량 복합제(fixed-dose combination)가 시장에 출시되고 있다. 이러한 고정용량 복합제는 NSAID 단독에 비해 위궤양의 발생 위험을 낮춘다(4.1% vs. 23.1%). 또한 COX-2선택억제제는 비선택적인 NSAID에 비해서 약 50% 정도 위장관 부작용을 감소시킨다. 그러나, 심혈관질환의 예방 목적으로 저용량 아스피린을 같이 투여하는 경우에는 COX-2 선택억제제의 위장관 보호 효과는 소실된다. 최근에는 COX-2선택억제제와 PPI를 같이 투여하는 방법이 위장관 부작용을 줄이는

데 가장 효과적이라는 연구가 있다. 일부 연구에서 고용량의 히스타민 2 억제제가 NSAID에 의한 위궤양을 감소시키는 결과가 있었으나, 상용 용량에서 히스타민 2 억제제와 제산제는 위장관 합병증의 예방 효과가 없다. 위장관 궤양의 병력이 있는 환자가 NSAID를 사용할 경우 *H. pylori* 감염이 동반되어 있다면 적절한 제균 치료를 시행하는 것이 필요하다. 궤양의 병력이 없거나 무증상 *H. pylori* 감염인 경우에는, 장기간 NSAID를 사용할 예정이라면 가급적 NSAID를 사용하기 전에 제균 치료를 하면 도움이 된다.

### 3) 하부 위장관 부작용

최근 NSAID의 상부 위장관 부작용의 발현이 감소하면서 상대적으로 하부 위장관 부작용에 관심이 기울여지고 있다. NSAID는 2-10배 정도 하부 위장관 부작용을 증가시키는데, 원위부 소장과 결장은 NSAID의 유해한 영향을 받기 쉽고, 특히 회맹장 부위는 미란, 궤양, 협착, 천공 및 장폐색을 유발할 수 있는 장횡격막 형성을 포함하여 다양한 손상이 동반될 수 있으며 염증성 장질환과 유사한 장염이나 기존 염증성 장질환의 악화 및 게실질환 등을 일으킬 수 있다. 노인이나 오랫동안 NSAID를 사용하는 경우 위험성이 증가하며, 특히 철결핍빈혈 이외에 대부분 무증상인 경우가 많기 때문에 진단하기가 쉽지 않다. 주로 프로스타글란딘 합성의 억제에 의해 상부 위장관 부작용이 발생하는 것과 달리, 하부 위장관 부작용은 대장 투과성 증가, 세균증식, 점막 손상 등에 의해 발생하는 것으로 알려졌다. COX-2선택 억제제도 상부 위장관 궤양의 예방에 효과가 있는 것과는 달리 하부 위장관에 대한 안정성은 확실하지 않으며 또한, misoprostol 병용 투여, PPI 병용 투여의 하부 위장관 부작용 감소 효과도 아직까지 확실하지 않다. 하부 위장관 부작용의 경우 NSAID를 중단하는 것이 유일한 치료법으로 NSAID를 중단하고 관찰하면 수개월 이내에 대부분 호전된다.

### 4) 신장 부작용

신장의 프로스타글란딘은 물과 나트륨의 항상성과 신혈류 유지에 중요한 역할을 하므로 NSAID 사용에 의해서 다양한 신장 부작용이 나타난다. 가장 흔한 것은 고혈압 및 부종의 발생인데, NSAID는 5-10 mmHg 정도의 혈압을 상승시키며, 부종의 원인

이 되는 나트륨 저류는 약 25%에서 발생한다. NSAID는 급성 및 만성 신부전을 일으키는데 급성 신부전의 경우 NSAID를 중단하면 대부분 회복된다. 특히 울혈심부전, 간경화, 이미 신기능 이상이 있는 환자처럼 순환 혈류량이 적은 경우에는 NSAID에 의한 급성 신부전이 발생할 위험이 높다. 아세트아미노펜도 단독 혹은 NSAID와 장기간 같이 사용하면 만성 신부전을 약 2.5배 증가시킬 수 있기 때문에 주의를 요한다. COX-1과 COX-2 모두 신장의 신혈관과 사구체에서 지속적으로 발현이 되므로 COX-2 선택적 혹은 비선택적인 NSAID의 신장 부작용은 비슷하게 발생한다.

### 5) 간 부작용

NSAID를 사용하는 환자의 경우 15%에서 AST, ALT 등의 간효소가 증가할 수가 있으며 1%의 환자에서는 정상의 3배 이상까지 상승할 수 있다. 이러한 간 부작용시 NSAID 사용을 중단하면 대부분 정상으로 회복된다. 류마티스관절염으로 NSAID를 복용하는 환자는 골관절염 환자에 비해서 간독성의 위험이 10배 정도 높은데, 아마도 류마티스관절염의 경우 간독성이 있는 다른 약물을 동시에 복용하기 때문일 것이다. 간 부작용이 특히 많은 NSAID는 디클로페낙과 술린닥이다. 아세트아미노펜의 경우 치료적인 용량에서는 간에 부작용이 나타나지는 않으나 고용량으로 사용하였을 경우 전격간염(fulminant hepatitis)이 발생할 수 있다.

### 6) 천식

천식 환자 중 10-20%는 아스피린과 비선택적 NSAID에 의해서 천식의 급성 악화가 유발된다. 이를 과거에는 aspirin-sensitive asthma 라고 불렀으나, 현재는 상하기도 점막의 염증, 부비동염, 부비동 용종 등이 같이 발생하기 때문에 aspirin-exacerbated respiratory disease (AERD)라고 불린다. COX-2선택억제제는 AERD에서 천식의 악화를 거의 일으키지 않는다.

### 7) 알레르기 반응

아스피린과 NSAID 사용에 의해 가벼운 피부 발진부터 독성표피괴사용해(toxic epidermal necrolysis)에 이르기까지 다양한 알레르기 반응이 나타날 수 있다. 피록시캄 계통의 NSAID가

가장 높은 위험을 나타내며 디클로페낙, 이부프로펜은 위험이 다소 적고 케토프로펜은 위험이 거의 없는 것으로 보고되었다. COX-2선택억제제인 세레콕시브는 설폰기를 가지고 있어 설폰 계통에 알레르기가 있는 환자들에게서 사용을 금해야 한다.

### 8) 심혈관계 부작용

저용량 아스피린은 심혈관 및 뇌혈관계 질환에 도움이 되나, COX-2선택억제제를 포함한 모든 NSAID들은 심근경색, 심부전, 뇌졸중 등의 심혈관계 부작용을 증가시킬 수 있다. 따라서 심혈관계 부작용의 위험성이 높은 환자에게 NSAID는 가급적 짧은 기간 동안 저용량으로 투여되어야 한다. COX-1 경로를 통해서 혈소판에서 thromboxane A2가 합성이 되고, COX-2 경로를 통해서는 혈관내피세포에서 prostacyclin 합성이 이루어진다. Thromboxane은 혈전 형성을 증가시키고 prostacyclin은 thromboxane의 길항제로 작용을 하여 혈소판 활성이나 혈관을 확장시키는 작용을 가진다. 결국 이론적으로 COX-2선택억제제를 사용하면 prostacyclin의 합성은 억제되고 thromboxane 형성은 증가가 되어 심/뇌혈관의 혈전 형성이 증가하게 되는 것이다. 로페콕시브와 나프록센을 비교한 VIGOR 연구에서 로페콕시브가 심근경색을 4배 증가시키고, 이후 APPROVE 연구에서도 유의하게 심혈관질환 발생의 위험이 높아진다고 증명이 되어 로페콕시브는 2004년 시장에서 회수가 되었다. 이후 발데콕시브도 심혈관계 안정성 문제로 판매가 중단되었다. COX-2 선택성이 로페콕시브에 비해서 낮은 세레콕시브는 하루 100 mg 2회 복용의 용량을 사용할 경우에는 일반적으로 비선택적 NSAID들인 나프록센, 이부프로펜 등과 심혈관계 질환 증가의 위험성이 유사하다.

### 9) 임신과 수유기 사용

NSAID는 프로스타글란딘 합성을 억제하여 동맥관의 조기 폐쇄를 유발할 가능성이 있으므로 임신 3분기에 NSAID의 사용은 금기이다. 그러나, 최근 저용량 아스피린의 경우 동맥관의 조기 폐쇄를 거의 일으키지 않기 때문에 임신기간 동안 필요시 지속적으로 사용하라고 권유된다. 모유 수유 여성에서 대부분의 NSAID의 안전성에 대한 정보는 제한적이지만, 하루 1,600 mg의 이부프로펜을 복용하는 여성의 모유에서는 이부프로펜 수치가 검출되지 않았다는 보고가 있어 만약 사용해야 하는 경우 이

부프로펜이 선호된다. 불임 여성의 경우 프로스타글란딘이 배란과 착상에 필요하기 때문에 임신을 준비하기 위해서는 NSAID를 중단하는 것이 권유된다.

### 10) 기타 부작용

NSAID를 복용한 환자에게서 심한 두통, 어지럼증, 착란, 우울증, 졸음, 환각, 경련과 같은 신경학적 증상이 보고가 되었으며, 특히 노인들이 NSAID를 복용하였을 때 인지 장애가 발생할 확률이 높다.

## 약제 상호 작용

NSAID는 간에서 cytochrome P450에 의해 대사되기 때문에 항응고제, 항혈소판제, 이뇨제, 항고혈압제, 글루코코티코이드 등의 다양한 약물들과 상호 작용을 나타낼 수 있다. 아스피린과 NSAID는 단백질 결합 부위에 대해 경쟁을 하거나 두 약제가 상호 작용을 하여 NSAID의 농도를 증가시켜서 부작용의 위험성이 커지며, 또한 COX-2선택억제제를 저용량 아스피린과 같이 사용하면 일반적인 NSAID와 아스피린을 병용 투여시와 비슷하게 위장관 부작용이 증가한다. NSAID가 아스피린의 항혈소판 효과를 감소시킬 수 있어서 아스피린을 복용중인 환자는 가급적 간헐적으로만 NSAID를 사용하고, NSAID를 투여할 때에는 적어도 두 시간 전에 아스피린을 먼저 복용할 필요가 있다. COX-2 선택억제제는 저용량 아스피린의 항혈소판 효과를 차단하지 않는 것으로 알려져 있지만 COX-2선택억제제의 심혈관계 합병증의 위험성 측면에서 불확실한 면이 있어 개개인의 위험도를 고려한 처방이 필요하다. 또한 NSAID는 고혈압 약제 중 이뇨제, 앤지오텐신전환효소 억제제 등의 효과를 떨어뜨리고 와파린의 항응고 작용을 증가시킨다. 글루코코티코이드와 NSAID를 같이 사용하는 경우 단독으로 사용할 때보다 소화기계 궤양의 위험이 더욱 높아진다.

표 22-2. 대한 상부위장관 학회 약제 연관 소화성궤양의 임상 진료지침 개정안(2020)

| | | 위장관계 위험도 | |
|---|---|---|---|
| | | 저위험 | 고위험 (아래 인자 중 하나 이상 해당) |
| | | 위험인자가 없는 경우 | 1. 고령<br>2. 궤양의 병력<br>3. 고용량 NSAID 치료<br>4. 아스피린, 글루코코르티코이드, 항응고제, 항혈소판제제 사용 |
| 심혈관계 위험도 | 저위험 | 비선택적 NSAID 단독 | 비선택적 NSAID + PPI<br>COX-2선택억제제 단독 |
| | 고위험 (저용량 아스피린, 항혈소판제제, 항응고제 복용자) | 비선택적 NSAID + PPI | NSAID 사용을 피하라.<br>꼭 사용해야 한다면 비선택적 NSAID + PPI |

# 위장관계 및 심혈관계 부작용을 고려한 NSAID의 사용

2020년 상부위장관 학회가 발표한 약제 연관 소화성궤양의 임상진료 지침 개정안에서는 위장관과 심혈관계의 위험도를 각각 고려하여 다음과 같은 NSAID 사용의 기준을 제시하였다. (표 22-2).

📑 참고문헌

1. Abramson SB, Weissmann G. The mechanisms of action of nonsteroidal antiinflammatory drugs. Arthritis Rheum 1989;32:1-9.

2. Catella-Lawson F, Reilly MP, Kapoor SC, Cucchiara AJ, DeMarco S, Tournier B, et al. Cyclooxygenase inhibitors and the antiplatelet effects of aspirin. N Engl J Med 2001;345:1809-17.

3. Crofford LJ. Non-steroidal inflammatory drug. In: Gary SF, Ralph CB, Sherine EG, Ianin BM, James RO. eds. Kelley's Textbook of Rheumatology. 9th ed. Philadelphia: Elsevier Saunders; 2012. pp. 8390-572.

4. Goldstein JL, Hochberg MC, Fort JG, Zhang Y, Hwang C, Sostek M. Clinical trial: the incidence of NSAID-associated endoscopic gastric ulcers in patients treated with PN 400 (naproxen plus esomeprazole magnesium) vs. enteric-coated naproxen alone. Aliment Pharmacol Ther 2010;32:401-13.

5. Graham DY, Agrawal NM, C ampbell DR, Haber MM, Collis C, Lukasik NL, et al. Ulcer prevention in long-term users of nonsteroidal anti-inf lammatory drugs: results of a double-blind, randomized, multicenter, active- and placebo-controlled study of misoprostol vs lansoprazole. Arch Intern Med 2002;162:169-75.

6. Kurumbail RG, Stevens AM, Gierse J K, McDonald JJ, Stegeman RA, Pak JY, et al. Structural basis for selective inhibition of cyclooxygenase-2 by anti-inflammatory agents. Nature 1996;384:644-8.

7. McGettigan P, Henry D. Cardiovascular risk and inhibition of cyclooxygenase: a systematic review of the observational studies of selective and nonselective inmhibitors of cyclooxygenase 2. JAMA 2006;296:1633-44.

8. MK Joo, CH Park, JS Kim, JM Park, JY Ahn, BE Lee, et al. Clinical Guidelines for Drug-induced Peptic Ulcer, 2020 Revised Edition. Korean J Gastroenterol 2020;76:108-133

9. Nissen SE, Yeomans ND, Solomon DH, Lüscher TF, Libby P, Husni ME, et al. Cardiovascular Safety of Celecoxib, Naproxen, or Ibuprofen for Arthritis. N Engl J Med 2016;375:2519-29.

10. Smith SR, Deshpande BR, Collins JE, Katz JN, Losina E. Comparative pain reduction of oral non-steroidal anti-inflammatory drugs and opioids for knee osteoarthritis: systematic analytic review. Osteoarthritis Cartilage 2016;24:962-72.

11. Sostek MB, Fort JG, Estborn L, Vikman K. Long-term safety of naproxen and esomeprazole magnesium fixed-dose combination: phase III study in patients at risk for NSAID-associated gastric ulcers. Curr Med Res Opin 2011;27:847-54.

12. Stevenson DD. Diagnosis, prevention, and treatment of adverse reactions to aspirin and nonsteroidal anti-inflammatory drugs. J Allergy Clin Immunol 1984;74:617-22.

13. Wolfe MM, Lichtenstein DR, Singh G. Gastrointestinal toxicity of nonsteroidal anti-inflammatory drugs. N Engl J Med 1999;340:1888-99.

# 23

# 글루코코티코이드

한양의대 **성윤경**

- 글루코코티코이드는 류마티스 질환에서 널리 사용하는 항염 효과가 있는 약제이다.
- 주로 사용하는 약제로는 코티솔, 코티손, 프레드니솔론, 프레드니손, 메틸프레드니솔론, 트리암시놀론, 덱사메타손, 베타메타손 등이 있고 약제의 특성과 역가를 고려하여 사용한다.
- 류마티스 질환의 치료에서는 주로 글루코코티코이드 경구약과 주사제를 질병의 종류와 상태에 따라 적절하게 선택하여 사용하며, 관절강내 주사로 사용되기도 한다.
- 글루코코티코이드는 다양한 신체 계통에서 부작용이 나타날 수 있으므로 시기에 따라 적절한 모니터링이 필요하고 부작용 발생 시 치료가 중요하다.

## 서론

류마티스 질환의 치료에서 글루코코티코이드는 매우 중요한 위치를 차지하고 있다. 면역 조절 효과와 더불어 항염 효과를 가진 글루코코티코이드는 류마티스 질환의 초기 치료에 특히 효과적이며, 환자의 예후를 크게 향상시켜왔다. 그럼에도 불구하고, 글루코코티코이드 사용에 의한 부작용은 여전히 발생할 수 있으며, 장기적으로 사용할 때 증가한다. 따라서, 글루코코티코이드의 작용 기전과 종류, 사용의 원칙, 그리고 이에 따른 부작용에 대해서 잘 이해하고 있는 것이 환자의 치료 성과 향상과 더불어 약제의 안전한 사용을 위해 매우 중요하다.

## 작용 기전

### 1) 발현 기전

글루코코티코이드는 세포막 내에 존재하는 글루코코티코이드 수용체(glucocorticoid receptor, GR)와 결합하여 핵 내로 이동하여 표적 유전자의 발현을 전사 수준에서 억제하여 작용을 나타낸다. 사람의 GR 유전자는 염색체 5q31에 존재하고, 이의 유전자 다형성이 글루코코티코이드 감수성과 저항성에 관계되는 것으로 알려져 있다.

### 2) GR에 의한 항염 작용과 면역억제

GR은 핵내 DNA에 결합 후, 표적 유전자의 발현을 전사 단계에서 활성화한다(genomic effect). 한편, DNA결합을 거치지 않는 기전도 주목을 받고 있다(non-genomic effect). 글루코코티코이드에 의한 면역 억제 및 항염 작용은 전사의 활성과 억제 작용으로 나뉜다. 전사의 활성은 항염 작용이 있는 내인성 단백질이 글루코코티코이드에 의해 증가되는 과정으로 나타나는데, annexin1 등의 발현이 증가되어 호중구 표면 등에 존재하는 lipoxine A4 수용체와 결합하여 호중구의 이동을 억제하는 것이 하나의 예이다. 한편, 전사의 억제를 통해서 염증을 일으키는 단백질의 발현과 억제를 통하여 항염 작용을 나타내게 된다. 글루코코티코이드는 사이토카인 등의 형성에 관여하는 AP-1, NF-κB등의 발현을 억제하는데, 이는 글루코코티코이드가 GR의 항 NF-κB작용을 향상시켜 항염 작용을 나타낸다.

### 3) GR과 글루코코티코이드 부작용의 발현

글루코코티코이드는 다양한 조직에서 많은 작용을 나타내는데, 이의 투여 과정에서 생리적 효과가 과다하게 나타나거나 기대하지 않았던 반응이 나타나는 경우를 부작용이라 할 수 있다. 하나의 GR에도 불구하고 다양한 효과와 부작용이 나타나는 것은 전사 공역인자의 각 조직 발현 등과 같은 표적조직의 차이로 인한 것으로 생각되고 있다. 따라서, 향후 각 표적조직에서의 글루코코티코이드의 작용을 조절할 수 있게 된다면, 효과를 극대화하고, 부작용을 최소화할 수 있는 사용법이 될 것으로 기대된다.

## 종류 및 특성

### 1) 공통 효과

글로코코르티코이드가 코티손의 형태로 처음 사용된 1949년 이후 현재까지 다양한 합성 글루코코티코이드제가 개발되었다. 기본적으로 각 글루코코티코이드는 GR과 결합해서 효과를 나타내는데 합성 글루코코티코이드제는 GR과의 친화성이 높아 작용 시간이 길고, 효과도 크다. 반면, 대부분의 약제가 코티솔에 비해 광물코르티코이드(mineralocorticoid) 작용은 약하기 때문에 전해질 저류에 의한 부종 등의 발생 가능성은 낮은 편이다. 제형은 경구형이 기본이나 주사제나 좌약 형태로도 존재하며, 다양한 형태의 외용제로 만들어져 사용되고 있다.

### 2) 경구 글루코코티코이드제

류마티스 질환의 경우 대부분 전신질환이기 때문에 경구약을 많이 사용하게 된다. 합성 글루코코티코이드는 제제별로 특징이 있어, 치료의 목적과 부작용을 고려하여 약제를 선택하게 된다. 약제는 특별한 경우를 제외하고 1정이 건강한 성인의 1일 분비량에 해당하는 코티솔 20 mg과 같은 역가로 만들어져 있다(표 23-1). 우리나라에서는 프레드니솔론을 많이 사용하는데, 이는 광물코르티코이드 작용이 강한 편으로 환자들이 부종을 호소하는 경우가 많다. 반면, 덱사메타손이나 베타메타손은 광물코르티코이드 작용이 낮으나 역가가 강하여 약물 조절이 쉽지 않고, 작용 시간이 길어 류마티스 질환의 치료제로 선호되지 않는다. 환자의 상태 및 기저 질환, 그리고 부작용 여부에 따라 적절한 경구 글루코코티코이드제를 선택하고 투여하는 것은 담당 의사가 해야 할 매우 중요한 결정이라 할 수 있다.

일반적으로 전신성 류마티스 질환에서 경구 글루코코티코이드제를 투여하는 경우는 급성기인 경우가 많으며, 이 경우 매일 투여하는 것이 원칙이다. 글루코코티코이드제 사용 필요 여부와 필요 용량에는 질환별로 다소 차이가 있다(표 23-2). 아침에 1회 투여하는 것과 아침 저녁으로 나누어 투여하는 것은 치료 효과의 차이가 없다는 보고도 있으나, 일부 질환에서는 분할 투여가 효과가 좋은 것으로 알려져 있다.

### 3) 주사 글루코코티코이드제

정맥주사로 투여할 경우, 일부가 신장에서 그대로 배출되기

**표 23-1. 합성 글루코코티코이드의 종류와 특징**

| 약제 | | 글루코코티코이드 작용 | 광물코르티코이드 작용 | 생물학적 반감기(시간) |
|---|---|---|---|---|
| 단기작용 | 코티솔<br>(하이드로코르티손) | 1 | 1 | 8-12 |
| 중기작용 | 코티손 | 0.7 | 0.7 | 8-12 |
| | 프레드니솔론 | 4 | 0.8 | 12-36 |
| | 프레드니손 | 4 | 0.8 | 12-36 |
| | 메틸프레드니솔론 | 5 | 0.5 | 12-36 |
| | 트리암시놀론 | 5 | 0 | 24-48 |
| 장기작용 | 덱사메타손 | 25 | 0 | 36-54 |
| | 베타메타손 | 25 | 0 | 36-54 |

## 표 23-2. 글루코코티코이드제 사용의 적응이 되는 류마티스 질환

| 질환 | 글루코코티코이드 적응 | 일반적인 사용량 |
| --- | --- | --- |
| 전신홍반루푸스 | *** | 저용량~고용량 |
| 염증근염 | *** | 저용량~고용량 |
| 혈관염 | *** | 저용량~고용량 |
| 류마티스다발근통 | *** | 저용량~고용량 |
| 성인형스틸병 | *** | 저용량~고용량 |
| 류마티스관절염 | ** | 저용량~중등량 |
| 전신경화증 | ** | 저용량 |
| 유육종증 | ** | 고용량 |
| 베체트병 | ** | 저용량~중등량 |
| 쇼그렌증후군 | ** | 저용량~중등량 |
| 강직척추염 | * | 저용량 |

*** 1차적으로 사용 ** 제한적으로 사용 * 드물게 사용

때문에 약제 이용률이 경구 약제보다 떨어져, 경구 제제의 용량보다 다소 증량하는 것이 권장되고 있다. 가장 흔히 사용되는 용법은 수용성 글루코코티코이드제를 높은 용량으로 사용하는 충격요법(pulse therapy)으로 주로 메틸프레드니솔론이 사용된다. 1일 약 250-1,000 mg의 메틸프레드니솔론을 3일간 투여하는 방법으로 전신홍반루푸스 신염이나 혈관염 같은 매우 위험한 상황에서 사용되는 용법이다. 약제의 수분 및 전해질 저류 작용이 과

도하게 나타날 가능성이 있기 때문에, 고령자나 심혈관질환을 가진 환자에게 사용하는 경우에는 각별히 주의가 필요하다. 한편, 관절강내 주사의 경우 트리암시놀론과 같은 불용성 글루코코티코이드를 사용하는 경우가 많다. 관절 주사는 4주 이상 간격을 두고 주사하며, 같은 날에는 관절 수 3개 이내에 주사하는 것이 바람직하다. 관절강내 주사의 경우 결정유발관절염이나 감염성관절염 등의 발생 가능성에 대한 주의가 필요하다.

## 부작용

글루코코티코이드 제제는 다양한 부작용을 유발할 수 있다. 대부분의 부작용은 용량, 시간 의존적으로 발생하여, 부작용을 줄이기 위해 최소한의 용량을 최소한의 기간 동안 사용하는 것을 원칙으로 한다. 상대적으로 적은 용량의 글루코코티코이드에 의해서도 심각한 부작용이 발생하는 경우도 있어 부작용을 일으키는 용량과 정도가 개인에 따라 차이가 있을 수 있다. 부작용이 흔히 발생하는 시기를 참고하여 증상 발생을 주의해서 관찰하는 것이 필요하다(표 23-3). 특히, 고용량 투여 시에는 특히 조기에 발생하는 부작용의 모니터링도 중요하다.

## 표 23-3. 글루코코티코이드 부작용 발현 시기

| 수시간 후(고용량 투여) | 수일 후(중등용량 이상) | 1-2개월 후(중등량 이상) | 3개월 이상 후(저용량에서도) |
| --- | --- | --- | --- |
| 고혈당 | 고혈압 | 감염(세균) | 감염(바이러스, 결핵) |
| 부정맥 | 부정맥 | 무혈관성 골괴사 | 보름달형얼굴 |
| | 고혈당 | 골다공증 | 이차부신기능부전 |
| | 정신 장애 | 보름달형 얼굴 | 골다공증 |
| | 부종 | 고지혈증 | 고지혈증, 동맥경화 |
| | | 정신 장애 | 백내장, 녹내장 |
| | | 녹내장 | 소화궤양 |
| | | 글루코코티코이드 근병증 | 고혈당 |
| | | 소화궤양 | |
| | | 고혈당 | |

## 1) 골격계 부작용

### (1) 골다공증

글루코코티코이드유발골다공증(glucocorticoid-induced os-teoporosis, GIOP)은 충분히 예방할 수 있는 골격계 부작용이다. 글루코코티코이드는 뼈에 작용하여 파골세포를 활성화하고 조골세포 생성을 억제하며 골세포의 세포자멸사를 촉진해서 골다공증을 유발한다. 일반적으로 글루코코티코이드 사용 후 골밀도는 초기 3개월 이내에 빠르게 감소하기 시작해서 6개월에 최저점에 이르기 때문에 글루코코티코이드를 사용하는 환자들은 초기에 적극적으로 예방과 치료를 시작해야 한다. 2017년 미국류마티스학회에서 개정하여 발표한 글루코코티코이드유발골다공증 예방과 치료 가이드라인에서는 성인뿐 아니라 임신 가능한 연령의 여성, 고용량의 글루코코티코이드 사용 환자, 그리고 4-17세의 소아까지 대상으로, FRAX (http://www.shef.ac.uk/FRAX/tool.jsp)로 계산할 수 있는 10년 내 주요 골절의 절대 위험도를 이용하여 환자를 범주화하여 작성이 되었다. 폐경후 골다공증의 예방과 치료로 강조되는 칼슘, 비타민D, 생활습관 개선 및 금연과 절주가 역시 중요하며, 성인 남녀와 임신 가능성 있는 여성이 중등도 이상의 골절 위험을 가진 경우에는 경구 비스포스포네이드, 정주 비스포스포네이트, 테리파라타이드, 그리고 데노수맙의 순서로 권고되었다. 랄록시펜은 이런 약제가 사용이 어려울 경우에 폐경 후 여성에서 권고되었다. 국내에서도 대한류마티스학회와 골대사학회에서는 공동으로 미국류마티스학회 지침의 수용개작을 통해 2018년 글루코코티코이드유발골다공증 예방과 치료 가이드라인을 발표하였다. 이와 더불어 글루코코티코이드유발골다공증 치료를 위한 국내 보험 기준도 재정비되었다.

### (2) 골괴사

류마티스 질환에서 중등도 이상의 용량(30 mg/일 이상의 프레드니솔론 또는 동일한 용량의 제제)의 글루코코티코이드는 골괴사를 일으킬 수 있는데, 주로 혈액 순환 장애에 의한 것으로 생각된다. 초기 증상은 주로 엉덩이와 무릎 부위에 지속적인 미만성통증으로 나타나는데 초기에 뼈 스캔 영상과 MRI 촬영으로 진단할 수 있다. 치료는 우선적으로 절대 안정하여 체중-부하를 줄여야 한다. 경우에 따라서 수술적 감압술이나 관절 치환술 또는 두 가지 모두가 필요할 수도 있다. 예방은 불가능하며 주의하여 조기 진단하는 것이 중요하다.

### (3) 근병증

근위부 근육에서 위약감은 하지에서 특징적으로 나타나는데 수주에서 수개월에 걸쳐서 나타나고 글루코코티코이드 치료 시작 후 또는 용량을 증량한 후에 발생하는 것이 글루코코티코이드 근병증을 시사하는 소견이다. 진단은 근생검으로 하며 글루코코티코이드를 끊는 것이 치료법이다. 드물게 급격한 글루코코티코이드 근병증이 발생하는데 이는 고용량 글루코코티코이드 또는 충격 요법을 시작하고 며칠 내에 일어난다. 근생검에서는 모든 섬유에서 위축과 괴사를 보인다.

## 2) 소화기계 부작용

### (1) 소화 궤양

경구 글루코코티코이드에 의한 소화성 궤양 발생 여부는 아직 명확하지 않은데 이는 글루코코티코이드가 COX-2의 생산을 저해하고 COX-1은 방해하지 않는다는 연구 결과 때문이다. 현재까지 연구를 보면 상부 위장관 소화성궤양에 대한 합병증이 발생하거나 NSAID와 병용투여 시 소화성궤양의 위험성이 증가한 경우가 있었다. 그러나 NSAID를 사용하지 않고 글루코코티코이드 제제만 사용하는 환자가 다른 소화기 합병증의 위험성이 없다면 소화기 보호 약제를 사용할 필요가 없다.

### (2) 다른 소화기계 부작용

글루코코티코이드가 췌장염을 일으키는 원인 중에 하나로 제시되지만 명확히 연관되어 있다는 증거가 부족하고 전신홍반루푸스나 혈관염 같은 다른 질환이 잠복해 있을 가능성을 배제하기 어렵다. 고령, 당뇨, 다른 면역억제제를 투여한 상황에서 글루코코티코이드로 치료받은 환자는 캔디다증이 발생할 수 있다. 글루코코티코이드는 복강 안의 장 천공이나 복막염과 같은 합병증의 증상을 숨기기도 하여서 진단이 늦어져 이로 인한 사망이 증가할 수 있다.

### 3) 감염 유발과 악화

하루 10 mg 이하의 프레드니솔론 또는 동일한 용량의 제제를 투여하는 경우 감염의 위험성이 사용하지 않는 경우보다 더 높지 않지만 하루 20-40 mg을 매일 투여한 경우에는 감염의 위험성이 증가한다(상대위험도: 1.3-3.6). 약제 사용 기간과 용량이 증가할수록 감염 발생의 위험도는 증가한다. 감염 위험도는 질환에 따라 다양하게 나타날 수 있는데, 평균적으로 감염의 상대적 위험도는 2.0 정도 된다. 특히 높은 용량의 글루코르티코이드로 치료받은 환자는 정형적 또는 비정형적인 세균 감염이 발생할 수 있는데, 세균 감염은 글루코르티코이드 치료 시작 후 비교적 초기(수개월 내)에 일어나는 경우가 많고, 결핵이나 대상포진과 같은 바이러스 감염과 진균 감염은 장기 치료 시에 일어나기 쉽다. 더구나 글루코르티코이드 치료 시에는 발열이나 염증 반응이 억제되어 있기 때문에 감염 증상이 나타나지 않는 경우가 많다. 따라서 기운이 없거나 권태감과 같은 전신 증상, 혹은 기침과 같은 국소 증상이 가볍다 할지라도 방사선 검사와 혈액 검사를 적극적으로 시행하여 조기 진단할 수 있도록 해야 한다.

### 4) 심혈관계 부작용

#### (1) 광물코르티코이드 효과

일부 글루코르티코이드 제제는 광물코르티코이드 작용을 함께 가지고 있어 나트륨 배설을 감소시키고 포타슘, 칼슘, 인 배출을 증가시킨다. 이로 인해 부종, 체중 증가, 혈압 상승, 심부전, 심부정맥, 칼슘경직(tetany), 저칼슘혈증으로 인한 심전도 변화 등을 일으킬 수 있다. 글루코르티코이드가 신장과 신기능에 직접적으로 미치는 효과는 없다. 하루 10 mg 프레드니솔론 또는 이하의 용량으로 복용하였을 때, 혈압에 미치는 영향은 거의 없다. 또한, 심근염, 특발성심근증 환자를 대상으로 한 무작위 연구에서도 특별한 차이가 없다. 그러나 울혈성 심부전 환자의 심장 기능에는 해로운 영향을 미칠 것으로 예상된다. 나트륨 저류 작용이 없는 글루코르티코이드인 덱사메타손에 의해서도 고혈압이 나타날 수 있는데, 그 원인은 동맥의 긴장성 등으로 생각되고 있으나 명확하게 밝혀져 있지는 않다.

#### (2) 죽상동맥경화증

최근에 전신홍반루푸스와 류마티스관절염 환자에서 죽상동맥경화증이 보고되었는데 이는 글루코르티코이드 제제가 혈청 지단백, 혈압 변화에 직간접적인 영향 아니라, 혈관에도 영향을 미치는 것으로 나타났다. 반면에, 죽상동맥경화증은 그 자체로 염증성 질병으로 간주되는데, 글루코르티코이드가 영향을 미칠 것으로 보인다. 또한 글루코르티코이드의 사용은 전신홍반루푸스 관상동맥 질환 발병에 독립적인 위험 요인으로 생각되고 있다.

#### (3) 이상지질혈증

글루코르티코이드의 장기 치료는 혈장 LDL, VLDL, 총 콜레스테롤 및 TG를 증가시키는데, 이러한 변화는 증가된 혈장 인슐린, 지질 이화 장애, 간에서 증가된 지질 생산에 의해 발생한다. 혈장 LDL의 계속되는 증가는 고혈압 다음으로 죽상동맥경화증을 일으키는 중요한 위험 인자 중 하나이다. 반면에 심혈관질환과 류마티스관절염의 상관관계는 혈관벽에 생긴 장기간의 염증에 의한 직접적인 영향 때문일 수 있다. 글루코르티코이드는 손상된 동맥혈관 내 대식세포의 축적을 억제하여 국소적 염증반응을 억제하는 효과를 보인다. 따라서 저용량 글루코르티코이드 사용은 류마티스관절염 환자에서 죽상동맥경화증의 발생을 감소시킬 수 있다.

### 5) 백내장, 녹내장

글루코르티코이드는 후방 수정체 피막하 백내장과 피질 백내장의 위험을 증가시킨다. 백내장의 발생은 치료 용량과 기간에 의해 좌우되는데 프레드니솔론을 1년 동안 매일 15 mg 이상 복용할 때 백내장 발병이 증가하는 결과를 보였다. 하지만 프레드니솔론을 10 mg 이하로 장기간 치료하는 경우, 백내장의 비율이 대략 10% 정도 낮고, 하루 5 mg 이하 투여하였을 때는 수정체 피막하 백내장이 생길 가능성은 매우 낮다.

글루코르티코이드는 안압을 증가시켜 녹내장을 일으키거나 악화시킬 수 있다. 가족 중 녹내장 병력이 있는 경우에는 발생 가능성이 증가한다. 이 환자들은 안압을 낮추는 약물이 필요로 하며, 약제를 중단한 후에도 장기간 안압 저하 치료가 필요한 경우도 있다. 글루코르티코이드를 안구에 국소적으로 투여할 때 전신에 적용했을 때 보다 안압에 미치는 효과가 더 큰 것으로 나타났다. 따라서 녹내장 가족력이 있거나 글루코코티코이드 복용량이 높을 경우 안압을 자주 검사할 필요가 있다.

## 6) 내당불내성과 당뇨병

글루코코티코이드는 간의 당 생산을 증가시키고, 말초 조직에서 인슐린 자극 당 섭취와 대사를 제한하여 인슐린 저항성을 유도한다. 또한 췌장의 베타세포에도 글루코코티코이드가 직접적인 영향을 미쳐, 글루코코티코이드 치료 기간 동안 인슐린 분비를 강화시키는 것으로 생각된다. 한 연구에 의하면 매일 프레드니손을 10 mg 복용하였을 경우 혈당강하제를 사용할 필요성이 1.8배, 프레드니손 10-20 mg의 경우 3.0배, 20-30 mg의 경우 5.8배, 30 mg 이상인 경우는 10.3배 증가한다고 하였다. 또한 가족력, 연령 증가, 비만, 이전 임신성 당뇨병과 같은 위험 요소가 있는 경우는 위험도가 더욱 높다. 하지만 글루코코티코이드 사용으로 인해 생긴 고혈당은 약제를 중단하면 원상태로 돌아가는 것이 일반적이다. 혈당 상승은 글루코코티코이드 복용 시작 후 수 시간 만에 현저한 경우도 있기 때문에 고용량을 투여하는 경우 빠른 시기에 반드시 혈당 검사를 해야 한다. 글루코코티코이드 증량 혹은 감량에 따라서 내당능 이상의 정도도 변하기 때문에 상황에 따른 혈당 조절과 저혈당 예방이 필요하다.

## 7) 시상하부-뇌하수체-부신 축 억제

글루코코티코이드 투여는 시상하부-뇌하수체-부신축(HPA axis)의 만성적인 억제를 유발할 수 있어, 약제의 갑작스런 투여 중단은 급성 부신기능저하증과 순환기계 기능 손상 및 사망으로 이어질 수 있다. 용량 감량 없이 글루코코티코이드 치료를 중단할 경우 헤르페스 바이러스에 의한 각막 궤양과 각막 천공이 생길 수 있고, 급성 정신병이 생길 수도 있다. 이러한 환자에서 코르코트로핀 시험을 시행하여 부신 반응을 평가하는 것이 중요한데 코르코트로핀 시험에서 반응성이 낮은 환자에서 항상 부신기능저하증의 증상이나 징후를 보이는 것은 아니다. 만성 부신기능저하증의 임상증상과 징후로는 피로와 무기력, 혼수, 기립성 저혈압, 오심, 식욕 저하, 구토, 설사, 관절통 및 근육통이 있다. 이러한 증상은 부분적으로 글루코코티코이드 금단 증상과 중복되어 나타난다. 이 둘을 감별하기 위해 혈청 코티솔 수치를 측정하거나 부신피질 자극 검사를 시행할 수 있다. 글루코코티코이드 금단 증상은 때때로 류마티스다발근육통과 같은 일차성 질병과 구별하기가 어렵다. 레닌-안지오텐신-알도스테론 축을 통해 광물코르티코이드의 분비는 정상이기 때문에 저칼륨혈증은 드물다.

## 8) 정신 장애

글루코코티코이드는 우울감, 행복감, 과민성 또는 정서적 불안정, 불안, 불면증, 기억 장애와 인지 장애와 같은 낮은 수준의 장애와 밀접한 관련이 있다. 이런 증상은 기저 질환의 평가 및 치료를 방해할 수 있기 때문에 증상들이 심각하지 않더라도 세심한 주의가 필요하다. 환자의 약 절반에서 치료 시작 일주일 내에 이러한 증상들이 나타날 수 있기 때문에 글루코코티코이드 치료 시작 전 가벼운 기분장애 발생 가능성에 대해 환자에게 미리 알리는 것이 중요하다.

망상과 같은 정신분열 유사 증상이나 섬망을 비롯한 의식 장애는 고용량 글루코코티코이드나 충격 요법을 쓰는 전신홍반루푸스 환자에서 드물게 발생하는데 전신홍반루푸스 질병 자체에 의한 합병증일 수도 있다. 그래서 정신병이 질병의 합병증인지, 글루코코티코이드 부작용인지, 혹은 두 가지 모두에 의한 것인지 구분하기가 어렵다. 글루코코티코이드 정신병 사례는 글루코코티코이드 관련 사례의 약 10%를 차지하지만, 대부분의 환자에서 정서 장애도 함께 존재한다. 정신병의 증상은 대개 치료를 시작(처음 2주 이내에 60%, 처음 6주 이내에 90%)하면서 나타나고, 증상이 사라지는 것 또한 약물을 감량하거나 끊었을 때 동일한 패턴으로 나타난다. 때로는 용량 감량 없이도 증상이 사라질 수 있다. 일반적으로 단기 고용량 요법 시 초기에는 다행감과 불면이 많고, 장기 투여 시 우울 상태가 많아지는 것으로 생각된다. 투여량이 많아 질수록 이들의 발현 빈도가 증가하므로 프레드니솔론으로 1일 40 mg 이상의 고용량 투여 시 면밀한 관찰이 필요하다.

## 9) 가벼운 증상

의학적으로 가벼운 증상들은 아래와 같다. 그러나 환자의 불편감이 큰 증상들도 있으므로 잘 이해하고 있을 필요가 있다.

## (1) 피부 부작용

쿠싱양 외관, 쉽게 멍듦, 반상출혈, 피부위축, 선조, 눈 주위 피부염, 과색소침착, 얼굴 피부 홍조, 두피 모발을 제외한 모발 성장의 증가가 생길 수 있다. 안면을 중심으로 하여 여드름양 발진이 많이 나타나는데 비교적 젊은 연령에서 나타나나 미용적 관점 이외의 심각한 경우는 거의 없다. 글루코코티코이드에 의한 이화 작용에 의해 피하조직량이 감소하고 모세혈관을 보호하는 탄력 조직이 줄어들게 된다. 그 결과 피부 바로 밑의 모세혈관이 특별한 외상이 없이 터지기도 하여 피하출혈을 일으키게 되며, 이것이 자반이 된다. 이 경우, 체내 혹은 피하 심층 혈관의 출혈은 없고, 특히 고령자와 같이 원래 피하 조직이 취약한 사람에게 더 잘 나타난다.

## (2) 월경 이상

글루코코티코이드에 의해 시상하부와 뇌하수체 기능이 저하되어 월경 이상이 나타나는 경우가 있다. 원래 월경 불순이 있는 사람에게 나타나기 쉽다. 글루코코티코이드 감량에 의해 회복되는 경우가 많지만, 회복되지 않는 경우에는 호르몬 측정 후, 필요하면 산부인과 전문의와 협의해서 여성 호르몬 치료 등을 고려한다.

## (3) 보름달형 얼굴, 식욕 항진, 체중 증가

보름달형 얼굴은 지방조직의 글루코코티코이드에 대한 감수성의 차이에 의해서 나타나는 것으로 설명되며 갈색 지방조직이 많은 얼굴이나 어깨에 지방이 축적되기 쉽다. 한편, 글루코코티코이드의 투여에 의해 기저 질환이 개선되면서 식욕 저하와 체중 감소가 개선될 수 있고, 글루코코티코이드 자체가 식욕을 항진시켜 체중도 증가하게 된다.

## 결론

류마티스 질환에서 글루코코티코이드제 사용은 매우 중요한 치료의 일부분이다. 이의 사용에 따른 부작용에 대한 지나친 우려는 환자의 적절한 치료에 나쁜 영향을 미칠 수도 있다. 따라서, 글루코코티코이드제를 처방하는 의사는 적응증과 용량, 그리고 감량 계획을 포함한 적절한 사용 계획을 수립하는 것이 필요하다. 아울러 글루코코티코이드제를 사용하는 과정에서 나타날 수 있는 부작용에 대해서는 의사의 면밀한 관찰과 환자와의 긴밀한 협의가 필요하다.

📑 **참고문헌**

1. 윤경, 조수경, 유대현, 배상철. 스테로이드 언제 어떻게 쓸 것인가? 대한의학서적; 2010.
2. Buckley L, Guyatt G, Fink HA, Cannon M, Grossman J, Hansen KE, et al. 2017 American College of Rheumatology Guideline for the Prevention and Treatment of Glucocorticoid-Induced Osteoporosis. Arthritis Care Res (Hoboken) 2017; 69:1095-1110.
3. Buttgereit F, Burmester GR. Glucocorticoids. In: Klippel J.H., Stone J.H., Crofford L.J., White P.H., eds. Primer on the Rheumatic Diseases. New York: Springer; 2008.
4. Buttgereit F, Straub RH, Wehling M, Burmester GR. Glucocorticoids in the treatment of rheumatic diseases: an update on the mechanisms of action. Arthritis Rheum 2004;50:3408-17.
5. Gorter SL, Bijlsma JW, Cutolo M, Gomez-Reino J, Kouloumas M, Smolen JS, et al. Current evidence for the management of rheumatoid arthritis with glucocorticoids: a systematic literature review informing the EULAR recommendations for the management of rheumatoid arthritis. Ann Rheum Dis 2010; 69:1010-4.
6. Larry Jameson, Anthony S. Fauci, Dennis L. Kasper, Stephen L. Hauser, Dan L. Longo, Joseph Loscalzo. 20th ed. Chapter 379 and 404. Harrison's Principle of Internal Medicine. McGraw-Hill; 2018.
7. Park SY, Gong HS, Kim KM, Kim D, Kim HY, Jeon CH, et al. Korean Guideline for the Prevention and Treatment of Glucocorticoid-induced Osteoporosis. J Rheum Dis 2018;25:263-295.

# 24

# 항류마티스약제

을지의대 **신동혁**

## 서론

질환조절항류마티스약제(disease-modifying antirheumatic drugs, DMARDs)는 류마티스관절염을 비롯한 각종 류마티스 질환에서 항염증작용과 면역조절작용으로 병의 진행을 억제하 는 역할을 나타내어 치료의 근간을 이루며, 현재 다양한 약제들 이 개발되어 사용되고 있다. 이러한 약제들은 합성 DMARDs (synthetic DMARDs, sDMARDs)와 생물학적 DMARDs (bio-logic DMARDs, bDMARDs)로 나뉜다. 또한, sDMARDs에 는 최근에 개발되어 특정 분자에만 작용하는 tofacitinib, barici-tinib 등의 표적 sDMARDs (targeted sDMARDs, tsDMARDs) 와 전통적인 방식으로 오래전부터 개발되어 사용되는 고식적 sDMARDs (conventional sDMARD, csDMARDs)가 있다. csD-

MARDs에는 메토트렉세이트, 레플루노마이드, 설파살라진, 하 이드록시클로로퀸이 대표적인 약제들이고, 이 외에 금제제, 부 실라민, 테트라사이클린계 항생제 등이 있다. 류마티스 질환의 치료에서 이러한 약제들은 단독 혹은 병합요법으로 치료에 사 용된다. 서서히 효과가 나타나게 되고, 최대 효과는 투여를 시작 한지 약 6-12주까지 늦어지기도 한다. 이번 장에서는 주로 csD-MARDs를 중심으로 각종 약제들의 작용 기전, 투여 방법, 부작 용, 임신 및 수유 시에 주의사항 및 약물 모니터링 방법에 대하여 기술하였다(표 24-1).

## 메토트렉세이트

메토트렉세이트는 1950년대 항증식효과를 보여 항암제로 소 개되었고, 1960년대 류마티스관절염, 건선 치료에 사용된 첫 보 고가 있다. 이후 1986년경 류마티스관절염에서 효과가 입증되어 치료제로 승인되었다. 비교적 효과가 빠르고 모니터링이 용이하 며 심각한 독성이 드물어 DMARDs 중에서 우선적으로 사용된 다. 또한 류마티스 질환의 치료에 가장 중요한 약제이며 대부분 의 병용치료의 중심이 되는 약제이다.

### 1) 작용기전

메토트렉세이트는 엽산의 구조적 유사체(그림 24-1)로 세포 막의 reduced folate carrier와 folate receptor를 통해 세포 내로 유 입된 후 folyl-polygultamyl synthetase에 의해 polyglutamation된

표 24-1. 주로 사용되는 고식적 합성 질환조절항류마티스약제(csDMARDs)

| | 메토트렉세이트 | 레플루노마이드 | 하이드록시클로로퀸 | 설파살라진 |
|---|---|---|---|---|
| 용량 | 경구 또는 피하주사<br>10–25 mg/주<br>엽산 1 mg/일 병용 | 10–20 mg/일 | 경구 200–400 mg/일<br>(5.0 mg/kg 이하) | 500 mg 하루 2번 시작<br>1,000–1,500 mg 하루 2번<br>유지 |
| 흔한 부작용 | 구역, 설사, 구강궤양, 탈모 | 설사, 탈모, 위염, 무기력 | 구역, 설사, 두통, 발진 | 구역, 설사, 두통 |
| 심각한 독성 | 간독성, 골수억제, 감염,<br>간질폐렴 | 간독성, 골수억제, 감염 | 비가역적 망막손상,<br>심장독성 | 호중구감소증,<br>용혈성 빈혈(G6PD 결핍시) |
| 금기 | 급성 감염,<br>간질폐렴,<br>간기능이상(LFT>2X UNL)<br>신부전(CrCl<30 mL/min)<br>혈액이상(백혈구<3,000/μL,<br>혈소판<50,000/μL, MDS,<br>5년이내 림프구증식질환),<br>급성 혹은 만성 B/C형간염,<br>임신, 수유 | 급성 감염,<br>간기능이상(LFT>2X UNL)<br>신부전(CrCl<30 mL/min)<br>혈액이상(백혈구<3,000/μL,<br>혈소판<50,000/μL, MDS,<br>5년이내 림프구증식질환),<br>급성 혹은 만성 B/C형간염,<br>임신, 수유 | 일부 만성 B/C형간염* | 간기능이상(LFT >2X UNL)<br>혈소판<50,000/μL,<br>설파제 알레르기,<br>급성 B/C형간염,<br>일부 만성 B/C형간염[†] |

\* 치료를 받지 않는 만성 B/C형간염 중 Child-Pugh class C인 경우
+ 치료받지 않는 만성 B형간염, 치료받는 만성 B형간염 중 Child-Pugh class C형, 만성 C형간염 중 Child-Pugh class C인 경우
Cr, 크레아티닌(creatinine); CrCl, 크레아티닌청소율(creatinine clearance); LFT, 간기능검사(liver funtion test); UNL, 정상상한치(upper normal limit); MDS, 골수형성
이상증후군(myelodysplastic syndrome); G6PD: glucose-6-phosphate dehydrogenase.

다. Polyglutamtion된 메토트렉세이트는 유출이 감소되어 세포 내에 축적되고 항염증과정과 항증식작용에 관여하는 여러 중요한 효소들에 작용한다.

(1) Aminoimidazole carboxamide ribonucleotide (AICAR) transformylase를 억제하여 아데노신을 증가시키고, (2) thymidylate synthetase (TYMS)를 억제하여 피리미딘 합성을 억제하며, (3) dihydrofolate reductase (DHFR)를 억제하여 DNA 합성 과정과 세포 기능에 필수적인 transmethylation 반응을 억제한다. 분비된 아데노신은 림프구, 단핵구, 중성구의 표면에 있는 특정 수용체에 결합하여 염증반응을 억제하고, 혈관을 확장시키며 혈소판 응집을 억제하는 효과가 있다. 그 외에도 메토트렉세이트는 혈관 신생, 중성구의 활성화와 IL-1과 IL-6의 생성과 분비, 종

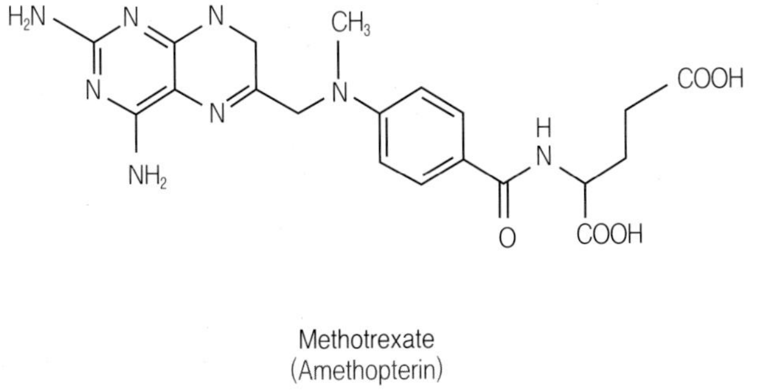

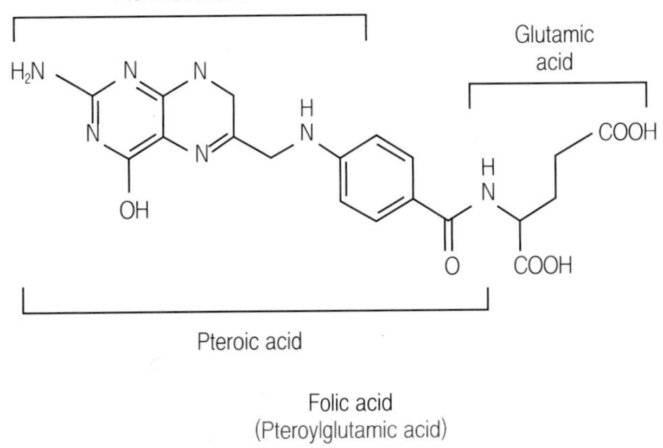

그림 24-1. 메토트렉세이트와 엽산의 구조

양괴사인자(tumor necrosis factor, TNF)의 분비를 억제하는 작용이 있다.

## 2) 적응증

류마티스관절염, 류마티스관절염과 관련된 펠티증후군과 거대과립림프구증후군, 소아특발관절염, 건선관절염, 건선, 전신홍반루푸스, 혈관염, 염증근염 등에 사용이 된다. 특히 류마티스관절염 환자에서 진단이 되고 특별한 금기사항이나 예상되는 부작용이 없으면, 가능한 조기에 사용하기로 권장되는 DMARD이다.

## 3) 투여방법

초기 용량은 일반적으로 7.5-15 mg으로 시작하여 주 1회 경구 복용하고, 치료 반응에 따라 최대 25 mg까지 4주에서 8주 간격으로 점차 증량한다. 경구 용량이 15 mg을 초과한다면 흡수율과 생체이용률을 고려하여 6-12시간 간격으로 나누어 복용하는 것이 효과적이다. 대부분 복용이 용이한 경구제제로 투여를 시작하고, 위장관 증상이 있거나 생체이용률을 향상시킬 필요가 있을 때는 피하 또는 근육주사로 변환하기도 한다. 일반적으로 주 20 mg이상 복용한다면 비경구요법이 권유된다. 메토트렉세이트 단일요법은 ACR20 반응률이 약 60%로 효과적이지만, 메토트렉세이트 단일요법만으로는 관해유도가 어려워 질병조절이 충분하지 않다면 다른 DMARD를 병용투여한다. 메토트렉세이트 단일요법보다 다른 DMARD(고식적 혹은 표적합성이나 생물학적제제)를 병용하는 것이 더 효과가 있다. 메토트렉세이트는 엽산-의존성 경로(folate-dependent pathways)를 방해하여 상대적 엽산 결핍을 초래할 수 있다. 따라서 엽산을 매일 1 mg 혹은 매주 5 mg 함께 복용하면, 메토트렉세이트의 효과 감소 없이 위장관 독성(메스꺼움, 구토, 복통)이나 구내염을 포함한 부작용을 줄일 수 있으며, 고호모시스테인혈증을 감소시켜 류마티스관절염 환자에서 비교적 높은 심혈관계 위험도를 낮출 수 있다. 메토트렉세이트를 매일 복용할 경우 골수기능부전이나 간독성 등 부작용의 위험성이 증가하므로, 환자에서 복용법을 정확하게 설명해 주는 것이 필요하다.

## 4) 부작용

메토트렉세이트는 주 1회 복용하고 부작용 모니터링을 제대로 한다면, 큰 부작용 없이 매우 효과적으로 널리 사용할 수 있는 약제이다. 주된 부작용은 구강궤양, 구역, 간독성, 골수억제, 간질폐렴이다. 피부 증상, 위장관 증상, 골수억제 등의 대부분의 부작용은 메토트렉세이트 용량 및 엽산 결핍과 관련이 있어 용량 감량이나 엽산 투여를 통해 줄일 수 있다. 반면에 간질폐렴의 경우에는 특이 반응이나 과민 반응에 의해 나타나므로 메토트렉세이트 치료를 중단하여야 한다.

### (1) 소화기계

소화불량, 구역, 식욕부진 등의 위장 증상은 치료 시작 후 1년 내에 약 20-70%로 흔하게 나타난다. 이러한 증상은 엽산 추가나 비경구요법으로 호전될 수 있다. 간기능에 영향을 줄 수 있는 다른 약제나 음주를 피하고 세심한 모니터링을 통해 심각한 간독성이 나타날 위험성을 줄일 수 있다. 메토트렉세이트 간독성의 위험 요인으로는 음주, α1-antitrypsin 결핍증, 비만, 당뇨, 같이 복용하는 간독성 약물, 만성 B형, C형간염, 레플루노마이드와 병용 등이 있다.

### (2) 혈액계

골수억제는 대부분 용량에 비례하여 나타나며 엽산 투여로 호전된다. 범혈구감소증, 백혈구감소증, 빈혈, 혈소판감소증이 발생할 수 있다. 심각한 골수 독성은 폴리닌산(류코보린)으로 치료하고, 필요시 과립구자극인자를 투여한다. 신기능감소, 저알부민혈증, probenecid나 trimethoprim/sulfamethoxazole과 병용할 때 위험도가 증가한다.

### (3) 호흡기계

메토트렉세이트 치료와 관련된 폐독성은 크게 5가지 형태로 나타난다. 즉, 급성간질폐렴, 간질섬유증, 비심인성폐부종, 흉막염 및 흉수, 폐결절이다. 메토트렉세이트에 의한 폐질환의 초기 증상은 대부분 비특이적으로 기침과 발열이나 호흡곤란으로 나타나기도 하여 예측하기 어렵고, 감염에 의한 질환은 반드시 배제해야 한다. 폐독성 부작용은 치명적일 수 있어 메토트렉세이트를 즉시 중단하고, 심한 경우 글루코코티코이드를 사용하며 재투여하지 않는다. 유발 위험인자로는 고령, 흡연, 당뇨, 메토트렉세이트로 인한 피부질환 등이 있다.

## (4) 피부

구강궤양, 식도궤양, 피부발진, 탈모 등이 있는데. 메토트렉세이트를 복용하는 환자의 1/3까지도 나타날 수 있다. 이러한 부작용은 용량 의존적이며, 감량을 하거나 엽산 복용으로 회복된다.

## (5) 기타

메토트렉세이트 복용 직후 독감증상(methotrexate flu), 결절증(nodulosis), 혈관염 등이 나타날 수 있다.

## 5) 임신, 수유

여성에서 가임 능력에 영향을 주지 않으나, 남성에게는 가역적인 불임을 유발할 수 있다. 임신을 계획한다면 긴 반감기와 분포 용적을 고려할 때 남성이나 여성에서 모두 3개월 전부터 중단하여야 하며, 엽산은 필수적으로 유지한다. FDA 분류 X등급으로 임신 기간 동안 절대 금기이고, 가임기여성은 반드시 적절한 피임법과 기형 발생 위험성에 대하여 충분히 교육되어야 한다. 모유를 통해 전달되므로 수유 시에도 사용은 금지한다.

## 6) 모니터링

기본적으로 전체혈구계산과 간기능검사, 크레아티닌, B형간염과 C형간염검사 및 가슴X선촬영을 시행한다. 문진 할 때 발열, 감염, 멍, 출혈 등의 골수 억제 증상, 호흡곤란, 기침, 수포음과 같은 폐독성증상, 위장관증상, 림프절병증에 대해 주의를 기울여야 한다. 전체혈구계산과 간기능검사, 신기능검사를 치료초기에는 2~4주 간격으로 시행하며, 안정화된 후에는 8-12주 간격으로

시행하면서 메토트렉세이트 용량을 조절하여야 한다. 메토트렉세이트는 주로 신장을 통해서 배설되기 때문에 신기능이 악화될 경우(혈청크레아티닌 2 mg/dL 이상) 사용은 피해야 한다. 류마티스관절염 환자들은 폐렴으로 인한 사망률이 높고 메토트렉세이트 사용 시 면역반응이 감소되므로, 폐렴구균 예방접종을 치료 전에 시행해야 하며 B형간염 예방접종 및 매년 인플루엔자 예방접종이 권유된다.

## 7) 금기

심한 신기능, 폐기능, 간기능 손상이나 골수기능 저하, 알코올성간질환, 임신, 모유수유, 진행중인 활동성 감염환자에서는 금기이다.

# 레플루노마이드

레플루노마이드는 1997년 류마티스관절염의 치료제로 승인되었고, 메토트렉세이트를 대체할 수 있는 대표적인 경구약제이다. Isoxazole 유도체인 레플루노마이드는 항염작용과 뛰어난 면역조절 효과로 류마티스 질환 환자에서 단일요법 및 메토트렉세이트와의 병용요법 모두 효과적이다(그림 24-2). 약제를 복용하면 장간재순환으로 인해 아주 긴 반감기를 가지고 있어 체내에 오랫동안 남아있게 된다.

## 1) 작용기전

레플루노마이드는 전구약물로 체내에서 흡수되면 빠르게 활성물질인 A77 1726으로 변환된다. 류마티스 질환에서 정확한 기전은 알려져 있지 않지만, 활성화된 T세포를 감소시켜 나타나는

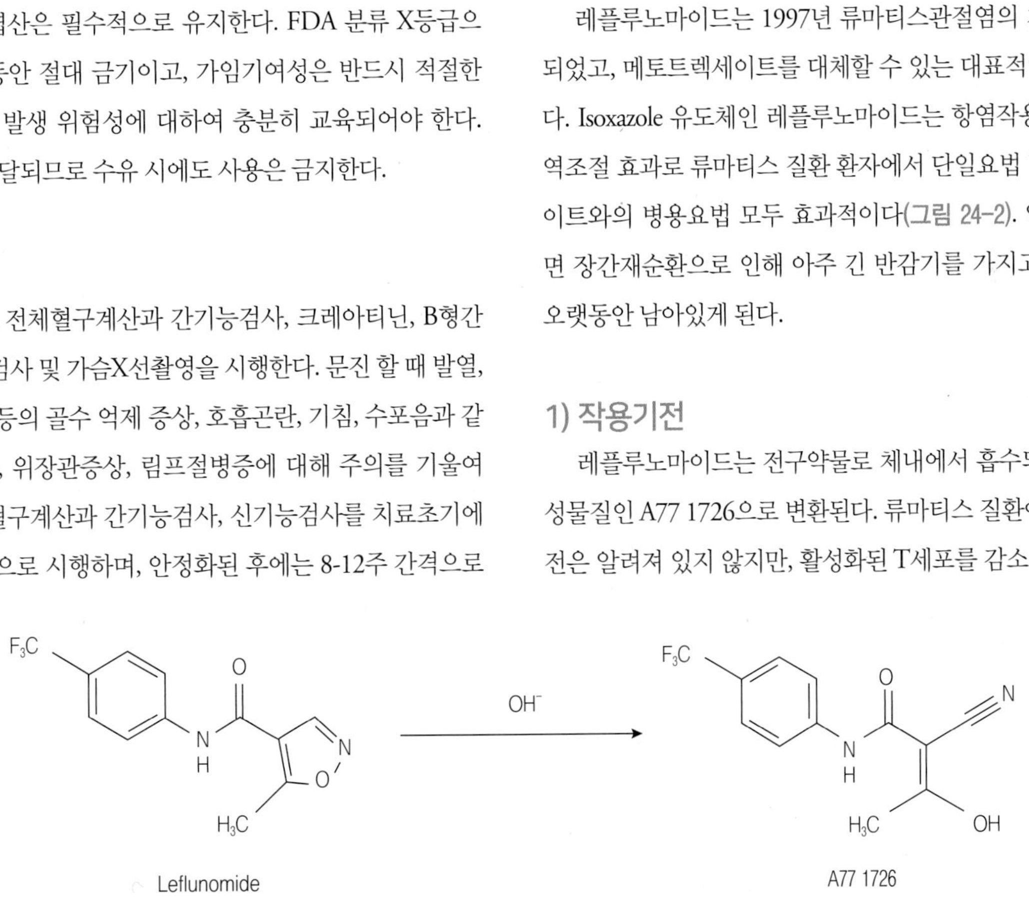

그림 24-2. 레플루노마이드와 그 대사물인 A77 1726의 구조

면역조절 작용이 주된 작용으로 알려져 있다. 이는 레플루노마이드의 체내대사물인 A77 1726이 피리미딘 합성경로에 필수적인 디히드로오르트산 탈수소효소(dihyroorotate dehydrogenase, DHODH)를 억제하고, 고농도에서는 티로신키나아제를 억제하여 세포 신호 전달을 방해하는 두 가지 기전에 의해 나타나는 것으로 증명되었다. T세포 활성화 과정에는 새로운 피리미딘과 퓨린 생합성이 필요한데, 이 과정을 방해하여 휴지기의 림프구보다는 주로 활성화된 T세포를 감소시켜 면역 조절 작용을 한다. 부가적인 항염증작용은 염증 과정에 관여하는 유전자들을 발현시키는 nuclear factor-κB (NF-κB)를 억제하거나, 호중구 화학주성을 억제하여 관절내로 염증세포의 침입을 억제하여 나타난다.

## 2) 적응증

류마티스관절염에서 치료 효과와 안정성이 입증되었는데, 메토트렉세이트와 동등한 효과를 보이고, 방사선적 진행을 억제한다. 또한, 활동성 건선관절염에도 치료제로 사용되고 있다. 일부 연구에서 전신홍반루푸스, 건선, 말초관절염이 있는 강직척추염, 육아종증다발혈관염의 유지요법, 메토트렉세이트에 반응하지 않는 소아특발관절염에도 효과가 좋다는 보고가 있다.

## 3) 투여방법

레플루노마이드는 10 mg, 20 mg의 정제로 시판되고 있다. 치료제로 사용되기 시작한 초기에는 더욱 빠르게 정상 상태의 혈중농도에 도달하기 위하여 처음 3일간 100 mg 부하 후 매일 20 mg 복용을 유지하고, 부작용이 있거나 질병이 잘 조절되면 10 mg으로 감량하였다. 하지만 부하 기간 동안 혹은 그 후로 소화기계 증상(예: 구역, 설사)이 유발될 수 있어 대부분 임상 의사들은 부하 용량을 사용하지 않고 1일 20 mg씩 투여한다. 부작용이 있거나 효과가 충분할 경우에는 1일 10 mg으로 감량하여 유지하기도 한다. 류마티스관절염 환자에서는 메토트렉세이트에 반응이 적을 경우에 단독으로 혹은 추가하여 처방한다.

## 4) 부작용

주된 부작용은 간기능 악화, 설사, 발진, 탈모이다. 부작용으로 인한 약물 중단은 메토트렉세이트(14%)보다 흔하며 설파살라진과는 비슷한 빈도(19%)를 보인다(위약 9%). 주성분인 A77

1726은 체내에서 알부민과 대부분(>99%) 결합하여 비교적 긴 반감기(15-18일)를 가지고, 약제를 중단해도 장간 순환에 의해 수년간 체내에 남아 있게 된다. 따라서 투약을 중단한 후에도 이상반응이 나타나거나 지속될 수 있기 때문에, 심각한 부작용이 발생하는 경우 콜레스티라민을 투여하여 제거하여야 한다.

### (1) 소화기계

가장 흔한 부작용은 설사인데, 이는 용량 의존적이고 고용량을 부하하면 더 흔하게 발생한다. 복통, 소화불량, 구역을 호소할 수도 있고 이러한 경우에는 용량을 낮추어 사용한다. 간기능이상이 발생할 수 있는데, 메토트렉세이트와 병용요법 시에 위험성이 더 높아지며, 건선관절염 환자에서 더 흔하게 나타난다. 간기능에 영향을 줄 수 있는 다른 약제나 기저 간질환을 주의해야 한다.

### (2) 심혈관계

고혈압, 고콜레스테롤혈증, 심계항진, 빈맥 등이 나타날 수 있다.

### (3) 피부

피부발진(치료 후 2-5개월 사이), 피부염, 모발변색, 결절, 탈모, 궤양이 발생할 수 있다. 심한 경우 스티븐스-존슨증후군이나 독성표피괴사용해증이 나타날 수 있으며, 이때에는 약제 중단과 함께 콜레스티라민으로 레플루노마이드를 제거해야 한다.

### (4) 호흡기계

간질폐렴과 섬유증, 기회감염에 의한 폐렴의 합병 등이 나타날 수 있다. 간질폐렴의 경우, 보통 치료시작 후 3개월 이내에 발생한다. 기저에 간질폐렴을 가지고 있는 환자에서 레플루노마이드에 의해 치명적인 합병증이 발생할 수 있으므로, 필요한 경우 치료를 시작하기 전에 가슴X선촬영을 실시하여 투여 여부를 판단해야 한다.

### (5) 혈액계

드물게 무과립구증, 빈혈, 반상출혈, 호산구증가증, 범혈구감소증 등이 발생할 수 있다.

## (6) 기타

체중감소, 단백뇨, 배뇨 곤란, 말초 부종 등이 일어날 수 있다.

## 5) 임신, 수유

FDA 분류 X등급으로 임신은 절대 금기이다. 가임기 여성은 투약 전에 임신과 관련한 상담을 반드시 받도록 해야 하고, 임신 반응검사를 실시해야 한다. 또한, 약제투여 기간에는 반드시 적절한 피임법을 사용하여야 한다. 모유를 통해 전달되는지는 알려지지 않아 수유 시 사용은 피한다. 레플루노마이드로 치료받던 환자가 임신을 원할 경우, 혈중 A77 1726 농도를 측정해서 0.02 mg/L 이상의 농도일 경우 콜레스티라민 8 g을 하루에 3회 11일 동안 복용하여 제거해야 한다. 임신을 시도하기 전에 14일 이상의 간격을 두고 두 차례 검사를 통해 혈중 농도(<0.02 mg/L)를 확인하여야 하며, 이후에도 여성의 경우엔 3차례의 월경 주기가 지난 후, 남성의 경우에도 3개월이 지난 후 임신을 계획하여야 한다.

## 6) 모니터링

치료 전 전체혈구계산과 간기능검사, 알부민, 크레아티닌을 포함한 검사를 시행해야 한다. 이후의 모니터링 빈도는 치료기간에 따라 다르며, 메토트렉세이트를 같이 복용하거나 다른 면역억제제와 함께 복용할 경우 더 자주 시행하여야 한다.

## 7) 금기

심한 신기능, 간기능 손상이나 골수형성이상(bone marrow dysplasia), 심한 면역결핍, 심한 저단백혈증, 레플루노마이드에 대한 과민반응이 있는 환자에서는 금기이다.

# 설파살라진

설파살라진은 1938년 스톡홀롬의 Nanna Syartz 교수에 의해 합성되어 류마티스관절염 치료제로 소개된 약물로, 염증을 줄이고 임상적 질병활성도를 줄이는 데 효과적이다(그림 24-3). 주로 메토트렉세이트와 하이드록시클로로퀸과의 병합요법으로 사용된다.

## 1) 작용기전

류마티스 질환에서 설파살라진은 80여 년간 사용되었지만, 정확한 작용기전에 대해 충분히 설명되지 않았다. 설파살라진은 항염작용이 있는 5-아미노살리실산(aminosalicylic acid, ASA or mesalazine)과 항균작용이 있는 설파피리딘(sulfapyridine)의 합성물로, 과거에는 항균작용으로 장관 내 세균총을 변화시켜 염증관절염을 일으키는 면역반응을 억제할 것이라고 생각되었으나, 최근 항염증작용과 면역조절작용이 더 주된 작용으로 생각되고

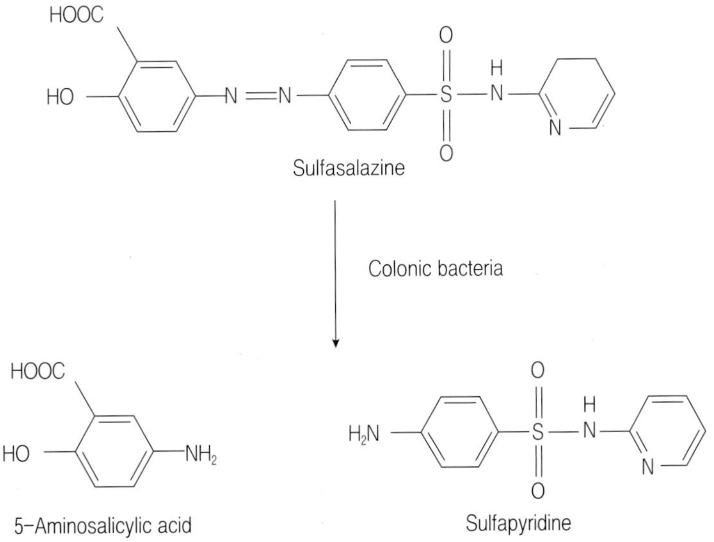

그림 24-3. 설파살라진과 5-아미노살리실산(메살라진), 설파피리딘의 구조

있다. 설파살라진은 메토트렉세이트처럼 AICAR transformylase 와 DHFR 같은 엽산과 관련된 효소를 억제하여 아데노신 분비를 촉진한다. 또한, 중성구의 화학주성과 이동, 단백 분해효소의 생산과 분비를 감소시켜 항염증작용을 나타낸다. 류마티스관절염의 활막염에 관여하는 내피세포와 섬유모세포의 분화와 혈관신생을 억제하고, 파골세포의 형성에도 관여하여 골파괴를 방지하는 효과가 있을 것으로 생각된다.

설파살라진은 T세포 증식, 자연살해세포(natural killer cell)의 활성도, B세포 활성화를 억제하여 면역글로불린의 생성을 감소시키고, IL-1, IL-2, IL-6, IFN-$\alpha$, TNF, NF-$\kappa$B를 억제하여 면역조절작용 효과를 나타낸다.

## 2) 적응증

1980년대 초기부터 류마티스관절염 치료에 효과를 보이는 연구들이 발표되었다. 류마티스관절염 외에도 말초관절염이 동반된 강직척추염, 건선관절염, 반응관절염, 염증장질환연관관절염, 소아특발관절염의 치료에 사용된다.

## 3) 투여방법

설파살라진은 500 mg 장용정으로 시판되고 있다. 30% 미만이 소장에서 흡수되고 이 중 대부분이 장간 순환을 통해 담즙으로 분비되어 생체이용률은 약 10%이다. 나머지는 대장에서 장내세균에 의해 설파피리딘과 5-ASA로 분해되고, 설파피리딘은 대부분(>90%) 흡수되는 반면에 5-ASA는 대장에 남아서 변으로 배출되기 때문에 설파피리딘과 설파살라진은 류마티스 질환에서 효과가 있고 5-ASA는 궤양성대장염에 효과를 나타내는 것으로 알려져 있다. 500 mg 하루 2회 복용으로 시작하여 점차 증량하여 1,500-3,000 mg을 매일 2회로 나누어 복용한다. 그러나 부작용이 있을 때는 감량을 고려해야 한다. 엽산-의존성 경로에 관련된 효소를 억제하므로 엽산과 함께 복용하는 것이 도움이 될 수 있다.

## 4) 부작용

대부분의 부작용은 첫 몇 개월 동안 발생하고, 사용 기간이 길어질수록 감소한다. 초기에 가장 흔하게 나타나는 증상은 소화기계 부작용, 두통, 어지러움, 발진 등이다.

### (1) 소화기계

어지럼증이나 두통을 동반한 구역과 상부복부 불편감이 가장 흔하게 나타나고, 그 외에 설사, 위염, 복통, 식욕부진, 구토, 췌장염 등이 나타날 수 있다. 소화기계 증상은 장용해 형태의 제제를 사용하여 줄일 수 있다. 간기능장애가 나타날 수 있지만 대부분 일시적이다.

### (2) 혈액계

3% 미만으로 드물게 발생하고, 주로 첫 3개월 이내에 나타난다. 백혈구감소증이 가장 흔하게 나타나고 빈혈, 무과립구증, 혈소판감소증, 호산구증가 등이 있으나 대부분 약물 중단 후 호전된다. G6PD 결핍증 환자에서는 대적혈구혈증과 용혈이 나타날 수 있어 사용하면 안 된다.

### (3) 피부

5% 미만에서 피부발진이 발생할 수 있고, 대부분 첫 3개월 이내에 발생한다. 주로 반구진성으로 소양증을 호소하고 전신으로 퍼진다. 일부에서는 두드러기, 광과민성으로도 나타나며, 다형홍반, 스티븐스-존슨증후군이나 독성표피괴사용해 등이 드물게 보고된다. 설파살라진에 발진을 보인 환자는 thiazide 이뇨제, 세레콕시브, 항생제 등의 설폰아미드를 포함한 약제를 피해야 한다.

### (4) 호흡기계

드물게 폐 침범이 말초호산구증, 기침, 호흡곤란, 발열, 체중 감소와 동반되어 나타날 수 있으나 대부분 글루코코티코이드를 사용하거나 설파살라진을 중단하면 호전된다.

### (5) 과민반응

발진, 전염성단핵구증, 안면홍조, 광과민반응, 혈청병, 관절통, 안와부종, 횡문근융해 등이 나타날 수 있다.

### (6) 기타

불안감, 두통, 수면 장애, 약물유발루푸스, 저감마글로불린혈증, 체액(소변, 땀, 눈물)의 오렌지색 변화가 보고된다.

### 5) 임신, 수유

여성에서 가임 능력에 영향을 주지 않지만 남성에서는 정자부족증, 정자의 운동력 감소 및 형태학적 이상을 유발할 수 있고 이는 약물 중단 2-3개월 후 호전된다. FDA 분류 B, C등급으로 태반을 통과하여 태아에게 전달되지만 태아기형이나 자연유산의 위험성을 증가시키지는 않는다. 따라서 임신을 원하는 가임기 여성의 류마티스 질환 치료에 사용해 볼 수 있는 DMARDs 중의 하나이다. 모유를 통해 분비되어 유아에게 혈변, 설사를 일으킬 수 있으므로, 수유 시 주의를 요한다.

### 6) 모니터링

치료를 시작하기 전에 전체혈구계산과 간기능검사, 혈청크레아티닌 및 G6PD를 확인해야 한다. 이후의 모니터링 빈도는 치료기간에 따라 다르다(표 24-3 참고). 폐렴구균 백신과 매년 독감 백신 접종이 추천된다.

### 7) 금기

설파살라진에 과민반응, sulfonamide나 salicylate에 알러지, 혈소판감소증, 심한 간질환, 활동성 바이러스 감염이 있는 환자에서는 금기이다.

## 하이드록시클로로퀸과 클로로퀸

말라리아 치료제로 사용되는 아미노퀴놀론(aminoquino-lones) 유도체로 독성을 감소시킨 하이드록시클로로퀸이나 클로로퀸은 전신홍반루푸스 환자에서 가장 널리 사용되고, 류마티스관절염을 가진 경증 환자나 중증 환자에서 다른 DMARD와 병합요법으로 사용된다. 류마티스관절염 환자에서 단일요법으로는 구조적 손상을 늦추는 효과가 알려져 있지 않다. 따라서 활동성이거나 진행하는 류마티스관절염에서 하이드록시클로로퀸이나 클로로퀸 단독요법은 적절치 않다. 클로로퀸은 말라리아 치료제로 사용되었으나 약제에 대한 Plasmodium falciparum의 저항성이 널리 퍼지고 과량복용으로 급성 중독과 사망을 일으켜 거의 사용되지 않는다. 이후 부작용과 독성을 감소시킨 하이드록시클로로퀸이 1946년에 소개되어 현재는 널리 사용되고 있다.

### 1) 작용기전

류마티스 질환에서 항염과 면역조절 효과가 있는 하이드록시클로로퀸과 클로로퀸은 약염기성으로 세포막을 통과하여 세포질 소포 내에 축적되고 pH를 높인다(pH4 → 6). 소포 내 pH가 높아지면 리소좀막이 안정되고 항원 처리와 표현이 감소하여 세포매개 세포독성이 억제된다. 대식세포와 단핵구 또한 적절한 pH가 필요하기 때문에 그 기능이 억제된다. 또한 IL-1, IL-

**표 24-3. csDMARDs의 안전성 모니터링과 예방접종**

| | 메토트렉세이트 | 레플루노마이드 | 하이드록시클로로퀸 | 설파살라진 |
|---|---|---|---|---|
| 기본검사 | CBC, LFT, Cr, HBV/HCV*, 가슴X선 | CBC, LFT, Cr, HBV/HCV*, 가슴X선 | CBC, LFT, Cr, 안과검진 | CBC, LFT, G6PD농도 |
| 모니터링 항목 | CBC, Cr, LFT | CBC, Cr, LFT | 매년 안저검사 및 시야검사† | CBC, Cr, LFT |
| 혈액검사 주기 | | | | |
| 3개월 미만 | 2-4주 | 2-4주 | 기본 이후로는 안 함 | 2-4주 |
| 3-6개월 | 8-12주 | 8-12주 | | 8-12주 |
| 6개월 이후 | 12주 | 12주 | | 12주 |
| 예방접종 | 폐렴구균, 인플루엔자, B형간염†, 사람유두종바이러스, 대상포진 | | | |

\* B형간염표면항원(HBsAg), B형간염표면항체(anti-HBs), B형간염핵심항체(anti-HBc), C형간염항체(anti-HCV)
+ 위험인자 존재 시: 고용량(>5 mg/kg), 긴 사용기간(>5년), 신기능장애, 타목시펜사용, 그 외에는 5년에 한 번을 권유함
‡ 위험인자 존재 시: 정맥주사 남용, 이전 6개월간 다수의 성배우자, 보건의료종사자
CBC, complete blood count; Cr, creatinine; G6PD, glucose-6-phosphate dehydrogenase; HBV, hepatitis B; HCV, hepatitis C; LFT, liver function test.

6, TNF 같은 염증 사이토카인 생성을 억제하고 자가반응 림프구를 제거함으로써 자가면역을 감소시킨다. 또한 항말라리아제들은 전염증 프로스타글랜딘의 생산과 지질 과산화(lipid peroxydation)를 촉진하는 포스폴리페이스(phospholipase) A2, C를 감소시켜 아라키돈산 연쇄반응(arachidonic acid cascade)에 영향을 끼치고, 항산화작용으로 자유라디칼(free radical)에 의한 손상으로부터 조직을 보호하여 항염작용을 나타낸다. 이외에도 류마티스 질환에서 광보호 효과와 항혈전 효과, 지질과 혈당저하 효과를 가지고 있다.

## 2) 적응증

류마티스관절염, 전신홍반루푸스, 원반모양루푸스, 항인지질항체증후군, 쇼그렌증후군 등의 질환에서 사용된다.

## 3) 투여방법

하이드록시클로로퀸과 클로로퀸은 경구제제이며, 빠른 속도로 흡수되어 8시간 이내에 최고 농도에 이른다. 안구독성을 막기 위해서는 하루에 하이드록시클로로퀸은 5 mg/kg (6.5 mg/ideal body weight, IBW) 이하, 클로로퀸은 2.3 mg/kg (3.0 mg/IBW)이하의 용량을 사용하여야 한다. 일반적으로 하이드록시클로로퀸은 하루에 최대 400 mg, 클로로퀸은 하루에 최대 250 mg을 넘지 않게 사용한다. 두 약제 모두 신장과 간을 통하여 제거되므로 두 장기에 기능 이상이 있는 경우 혈장 내 약물 농도가 증가할 수 있다.

## 4) 부작용

하이드록시클로로퀸과 클로로퀸 대부분의 부작용은 투약을 중지하거나 용량을 줄이면 호전된다.

### (1) 안구

조절장애, 전환장애, 시야흐림 등이 초기에 나타났다가 호전될 수 있다. 망막독성은 가장 심각한 부작용으로 적절한 용량 사용과 모니터링이 필요하다. 망막병증의 위험인자로는 고용량(>5 mg/kg), 긴 사용시간(>5년), 신기능 장애, 타목시펜 병합사용 등이 있고, 이러한 환자들에서는 7.5%에서 망막독성이 나타난다. 하이드록시클로로퀸보다 클로로퀸이 망막독성 위험도가 높다. 진행되면 비가역적인 시력손실이 오고 약물 중단 후에도 지속될 수 있기 때문에 초기에 진단이 중요하며, 정기적인 안과검진이 필요하다.

### (2) 피부

발진, 두드러기, 광과민성, 탈모, 탈색이 일어날 수 있다. 이러한 반응은 투약 중지 후 대부분 신속히 소실된다.

### (3) 신경근육계

비교적 흔하게 두통, 불면증, 환각, 감정 변화, 악몽, 근무력, 신경과민이 경미한 상태로 나타날 수 있고 용량을 줄이면 대부분 호전된다. 이명과 현기증, 청력 소실이 신경독성에 의해 발생할 수 있다. 드물지만 경련도 보고된 예가 있다. 근위근육의 위축과 약화로 진행되는 골격근육병증 및 신경근육병증이 나타날 수 있다.

### (4) 심혈관계

드물지만 전도장애와 심근병증이 보고된다.

### (5) 소화기계

식욕부진, 구역, 구토, 설사, 복통, 간기능이상이 나타날 수 있다.

### (6) 혈당

하이드록시클로로퀸은 혈당과 당화혈색소를 감소시킨다. 따라서 당뇨병 환자의 경우 하이드록시클로로퀸 치료 초기에 혈당검사를 자주 시행해야 하며, 혈당강하제 조절이 필요할 수도 있다.

## 5) 임신, 수유

여성에서 가임 능력에는 영향이 없다고 알려져 있다. FDA 분류 C등급으로, 하이드록시클로로퀸은 태반을 통과하지만 기형유발 효과나 예후에 영향을 준다는 보고는 없다. 하이드록시클로로퀸은 중단할 때 질환이 악화될 가능성이 있는 경우, 특히 전신홍반루푸스 환자에서는, 산모와 태아 모두에서 위험한 상황을 초래할 수 있으므로 임신 중에도 유지하도록 권고된다. 모유를 통해 저농도가 전달되지만 수유 시에도 큰 문제는 없다.

## 6) 모니터링

하이드록시클로로퀸과 클로로퀸 치료 전 전체혈구계산과 간 기능검사, 크레아티닌을 확인해야 한다. 이후의 정기적인 혈액 검사는 권고되지 않는다. 복용 전 안과 진료를 통해 안구질환을 배제하여야 하고 이후 망막병증의 위험 인자가 있으면 매년 정 기적인 검진이 필요하다. 시각장애가 발생하면 즉각 투여를 중 지해야한다. 망막의 변화와 시각장애는 투여를 중지한 후에도 진행될 수 있어 악화 가능성에 대해 주의 깊은 관찰이 필요하다. 대부분 의사들은 약 복용 후 매년 혹은 2년에 한 번 안과 선별검 사를 선호한다.

## 7) 금기

약제에 대한 과민반응이나 망막이상, 시야변화를 경험했거

나, 바이러스에 의한 심한 간질환 환자에는 금기이다(그림 24-4).

## 금제제

금주사는 약 한 세기 동안 류마티스관절염의 치료로 사용되 어 왔다. 1935년 처음 소개된 후, 초기에는 근주제제로만 사용하 였고 1980년대 중반부터 오라노핀(auranofin)이라는 경구용 제 제도 사용되었다. 초기단계의 질병에서 기존 치료에 효과가 없 을 때 부가적으로 사용하는 이차 약제로 관절 미란의 진행을 늦 춘다는 여러 보고가 있고, 메토트렉세이트에 추가적으로 사용하 여 효과가 있다는 연구들도 알려져 있다. 그러나 느린 효과, 심각 한 부작용(예: 혈구감소증, 단백뇨)에 대한 세심한 모니터링의 필

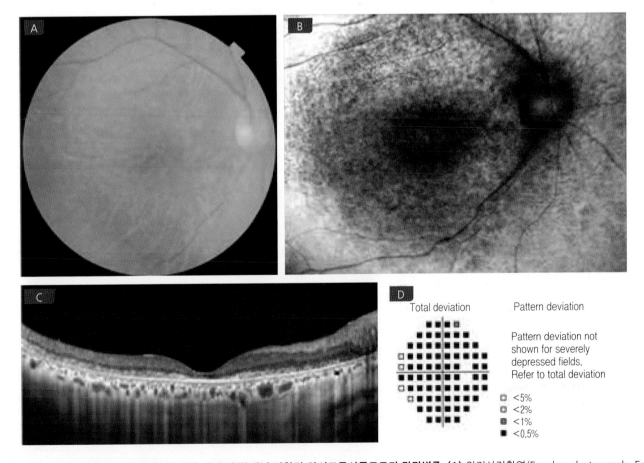

**그림 24-4. 전신홍반루푸스 환자(54세 여자, 우측안구)에서 관찰된 하이드록시클로로퀸 망막병증 (A)** 안저사진촬영(Fundus photograph, Fd); 망막색소변화(retinal pigmentary changes), **(B)** 안저자가형광검사(fundus autofluorescence, FAF); 저자가형광(hypo-autofluorescence), **(C)** 빛간섭단층촬영(optical coherence tomography, OCT); 외망막손상(outer retinal damage), **(D)** 시야검사(visual field(VF) examination); 완전 시야 소실 (출처: 한양의대 안성준, 이병로 교수)

요와 근주제의 불편함 때문에 최근에는 거의 사용되지 않는다.

### 1) 작용기전

류마티스관절염에서의 기전은 정확히 밝혀지지는 않았다. 활막에서 금 주사의 효과에 대한 연구들에서 단핵구와 대식세포와 함께 여러 염증 사이토카인들(IL-1α, IL-1β, IL-6, TNF-α)을 감소시킨다는 보고가 있다.

### 2) 투여방법

근육주사 시에는 대부분 첫 주에 10 mg으로 시작하여 둘째 주에 25 mg로 증량한다. 급성 과민반응이 없으면 이후 50 mg을 12-20주 동안 매주 사용한다. 충분한 효과를 보인다면 한 달에 한 번, 최대 6주에 한 번으로 기간을 늘릴 수 있다. 경구 제제는 3 mg을 하루에 1-3회 복용한다.

### 3) 부작용

금 주사제는 여러 부작용으로 인해 메토트렉세이트나 다른 DMARD보다 더 높은 치료 탈락률을 보인다. 부작용으로는 피부 발진, 가려움, 구강궤양이 흔하고, 홍조, 설사, 어지러움, 골수억제, 단백뇨, 신증후군, 급성신부전 등이 나타날 수 있다. 부작용이 나타나면 용량을 줄이거나 투약 간격을 늘리고 심한 경우에는 중단하여야 한다. 경구 제제는 근주제제에 비해 덜 심한 독성을 가진다. 약제 중단 후 20년까지도 체내에 남아 있기도 한다.

### 4) 모니터링

혈소판감소증, 빈혈, 백혈구감소증에 대한 전체혈구계산과 단백뇨검사가 금주사 전에 매번 확인되어야 한다.

## D-페니실라민, 부실라민

D-페니실라민은 1970-1980년대 널리 사용되었으나 중등도의 효과와 비교적 높은 부작용 빈도로 점차 사용이 줄어들고 있다. 초기 단계의 질병에서 기존 치료에 효과가 없을 때 부가적으로 사용하는 이차 약제이며, 메토트렉세이트를 쓸 수 없는 경우나 메토트렉세이트를 포함한 복합요법으로 한국과 일본에서 주로 사용되고 있다. D-페니실라민과 화학적 구조가 유사한 시스테인 유도체인 부실라민은 D-페니실라민보다 우수한 효과와 적은 부작용을 가지고 있다.

### 1) 작용기전

부실라민은 항산화작용과 함께 대식세포를 억제하고 림프구를 감소시키며, NF-κB, TNF-α, IL-1, IL-2, IL-6, IL-8, INF-γ 등을 억제하여 항염증작용과 면역조절 작용을 가질 것으로 생각된다.

### 2) 투여방법

D-페니실라민은 하루에 125 mg 또는 250 mg으로 시작하여 점차 증량하고 750 mg 이상은 사용하지 않아야 독성을 감소시킬 수 있다. 부실라민의 전형적인 투여량은 1일 100-300 mg이다. 공복에 복용하는 것이 좋고 철분제나 칼슘 보충제, 우유, 제산제와 함께 복용하는 것은 피한다.

### 3) 부작용

단백뇨가 가장 빈번한 부작용으로 보고되고 있고, 피부발진, 구강궤양, 구역, 소양증, 골수억제, 간독성, 막성사구체병증 등이 발생할 수 있다.

#### (1) 피부점막

피부발진, 홍반, 탈모, 드물게 독성표피괴사용해증, 노란손톱증후군(노란색 손톱, 림프부종, 폐질환)이 일어날 수 있다.

#### (2) 위장관 및 간

식욕부진, 구역, 위염, 소화불량, 설사, 황달, 간기능장애 등이 나타날 수 있다.

#### (3) 호흡기계

호산구폐침윤, 흉막염, 드물게 간질폐렴, 폐섬유증이 나타날 수 있다. 간질폐렴은 노령 환자에서 스테로이드제에 반응이 없을 경우 치명적일 수 있다.

### (4) 혈액계

재생불량빈혈, 범혈구감소증, 무과립구증, 혈소판감소 등이 나타날 수 있어 투여 중 인두통, 발열 등 감기 증상과 자반 등의 출혈경향에 주의한다.

### (5) 신장

급성신부전, 신증후군(주로 막성 사구체병증), 단백뇨, 혈뇨, 신기능이상이 나타날 수 있다. 대부분의 경우는 처음 4개월 이내에 발생하고 약을 중지하면 1년 이내 회복된다. 단백뇨에 대한 정기적인 모니터링이 필요하며, 단백뇨 발생 이후 약제의 사용 기간은 단백뇨 관해기간에 영향을 끼치므로 확인되면 바로 약제를 중단해야 한다.

### (6) 기타

그 외 두통, 어지러움, 미각이상, 손가락 말단의 마비감, 근력저하, 중증근무력증이 보고되었다.

## 4) 임신, 수유

가임기의 여성은 적절한 피임법을 사용하여야 하고, 임부에 대한 안전성이 확립되어 있지 않으므로 주의한다. 모유로 분비되는지는 알려져 있지 않아 수유 시 사용을 피한다.

## 5) 모니터링

전체혈구계산, 단백뇨검사를 1-3개월에 한 번 이상 검사한다.

# 테트라사이클린계 항생제

테트라사이클린(tetracycline)은 1960년대 마이코플라즈마와 이와 비슷한 균들의 감염이 류마티스관절염의 원인으로 제시되어 치료제로 사용된 최초의 항생제이다. 1980년대 테트라사이클린의 유도체로 가장 널리 사용된 미노사이클린(minocycline)과 독시사이클린(doxycycline)은 항균작용과 함께 면역반응 조절, 항염증, 연골보호 작용을 가진다. 중등도 류마티스관절염 환자에서 치료 효과를 입증하였으나 과다색소침착 등 부작용으로 인해 약을 중단하는 경우가 많아 현재는 제한적으로 사용되고 있다.

## 1) 작용기전

류마티스관절염에서의 기전은 정확히 밝혀지지는 않았다. 류마티스관절염을 야기하는 감염을 치료한다는 근거는 없으나, 면역반응(IL-1, IL-6, TNF)을 활성화시키는 치주염, 기관지염, 위염과 같은 비특이적인 감염을 억제하는 효과가 있을 것으로 생각된다. 또한 류마티스관절염에서 관절연골을 감소시키는데 주요한 역할을 하는 기질금속단백분해효소(matrix metalloproteinases)의 생합성과 활성을 억제하는 능력이 있으며, 이러한 기전으로 골관절염 치료제로도 가능성이 있다고 제안되고 있다. 활막 T세포의 증식과 사이토카인 생성을 억제하고 IL-10 생성을 증가시키는 효과도 있다.

## 2) 투여방법

항생제로서 미노사이클린은 50-400 mg을 하루 1-2회 복용하는데, 류마티스 질환에서는 100 mg을 하루에 두 번 복용으로 질병 활성도의 임상적 지표들의 중등도 호전을 보인다. 마그네슘, 알루미늄, 칼슘, 철분, 아연, 수크랄페이트 등은 약제흡수를 방해하므로 2-3시간 간격을 두고 복용해야 한다. 독시사이클린도 100 mg을 하루 두 번 복용하지만 약의 흡수가 식사에 영향을 받지 않아 식후 바로 복용한다. 만성신질환이 있는 경우 감량이 필요하다.

## 3) 부작용

부작용으로는 어지러움, 현훈, 드물지만 간독성, 약물유발루푸스, 장기간 사용 시 피부에 과다색소 침착이 있을 수 있다.

### (1) 피부 점막

탈모증, 다형홍반, 결절홍반, 광과민성, 가려움, 혈관부종이 나타날 수 있고, 드물게 박탈피부염, 스티븐스-존슨증후군이 일어날 수 있다. 장기투여 시 가끔 색소침착이 일어날 수 있고, 이 경우 투여를 중지하면 대부분 호전된다.

### (2) 위장관 및 간

소화불량, 식도염, 식도 궤양, 식욕 부진, 구역, 복통, 설사, 변비, 구강변색이 나타날 수 있다. 지속적인 설사 및 대장이상증상을 보일 때는 거짓막대장염을 고려해 보아야 한다. 간기능장애,

황달, 드물게 급성간부전이 나타날 수 있다.

## (3) 호흡기계

기관지연축, 천식의 악화, 폐렴, 간질폐렴, 호산구폐렴 등이 나타날 수 있다.

## (4) 혈액계

용혈빈혈, 백혈구감소, 빈혈, 호산구증가, 범혈구감소증, 과립구감소증 등이 나타날 수 있다.

## (5) 기타

가역적인 다발관절통이나 관절염, 아침강직, 피부발진, 만성활성간염을 동반하고 항핵항체 양성 또는 항중성구세포질항체 역가의 증가를 특징으로 하는 전신홍반루푸스양증후군이 발생하는 경우도 있다.

## 4) 임신, 수유

FDA 분류 D등급으로 임산부에서 태아에게 치아의 착색, 불완전사기질발생증, 일과성 골발육부전을 일으킬 수 있다. 모유로 이행되며 아기에게 치아 착색을 일으키므로 수유 시에는 투여하지 않는다.

## 5) 모니터링

전체혈구계산과 간기능, 신장기능 모니터링이 정기적으로 권유된다.

## 참고문헌

1. Ahn SJ, Lee BR. Hydroxychloroquine Retinopathy Update. J Rheum Dis 2018;25:153-157.
2. Firestein GS, Budd RC, Gabriel SE, Koretzky GA, McInnes IB, O'dell JR, et al. Kelley's Textbook of Rheumatology. 11th ed. Philadelphia: Elsevier; 2021. pp. 1007-30.
3. Fraenkel L, Bathon JM, England BR, Clair E, Arayssi T, Carandang K, et al .2021 American College of Rheumatology Guideline for the Treatment of Rheumatoid Arthritis. Arthritis Rheumatol 2021;73:1108-23.
4. Marmor MF, Kellner U, Lai TY, Melles RB, Mieler WF. Recommendations on Screening for Chloroquine and Hydroxychloroquine Retinopathy (2016 Revision). Ophthalmology 2016;123:1386-94.
5. Park YB, Lee SK. Leflunomide; A New Disease Modifying Anti-Rheumatic Drug. J Korean Rheum Assoc 2000;7:323-332.
6. Silman AJ, Smolen JS, Weinblatt ME, Weisman MH. Hochberg MC, et al. Rheumatology. 6th ed. Philadelphia: Elsevier; 2018. pp. 499-517.
7. Smolen JS, Landewe R, Bijlsma J, Burmester G, Dougados M, Kerschbaumer A, et al. EULAR recommendations for the management of rheumatoid arthritis with synthetic and biological disease-modifying anti rheumatic drugs: 2019 update. Ann Rheum Dis 2020;76:685-99.

# 25

# 면역억제제

전남의대 **박용욱**

## KEY POINTS 🔓

- 면역억제제는 다양한 류마티스 질환의 관해 유도와 유지요법에 효과적인 약물로, 최근 주로 쓰이는 면역억제제로는 사이클로포스파마이드, 아자싸이오프린, 마이코페놀레이트모페틸, 사이클로스포린, 타크로리무스가 있다.
- 사이클로포스파마이드는 중증 전신홍반루푸스와 괴사혈관염에서 관해 유도에 가장 많이 사용되는 약물이다. 독성에는 골수 억제, 감염, 난소부전, 출혈 방광염, 방광암을 포함한 악성 종양이 포함되며, 특히 누적량이 높을수록 위험하다.
- 아자싸이오프린은 관해 유지 요법, 특히 전신홍반루푸스 및 괴사혈관염에서 글루코코티코이드 억제제로서 효과적이다. TPMT 활성이 낮거나 존재하지 않는 환자에서 심한 골수 억제가 발생할 수 있다.
- 마이코페놀레이트모페틸은 루푸스신염에서 관해 유도 및 유지 요법, 전신홍반루푸스와 괴사혈관염의 관해 유지 요법으로 사용될 수 있다. 대부분 잘 적응하지만, 설사와 백혈구 감소증 때문에 중단될 수도 있다.
- 칼시뉴린 억제제에는 사이클로스포린과 타크로리무스가 있다. 사이클로스포린은 난치성 류마티스관절염, 건선관절염, 전신홍반루푸스, 염증 안질환에 효과적이다. 신장 기능과 혈압에 영향을 미치고 이 경우 용량 조절이 필요하다. 타크로리무스는 사이클로스포린보다 더 강한 효과를 보이며, 류마티스관절염 및 루푸스, 염증근염 연관 간질폐질환에 효과가 있다. 사이클로스포린과 타크로리무스는 다른 약제와 약물 상호 작용이 흔하여 혈장 농도의 변화를 고려해야 한다.
- 면역억제제를 도입하고 유지할 때에는 약물동력학 특성 및 약물 상호작용, 여러 부작용과 동반 질환을 고려하여 주의가 필요하다.

## 서론

면역억제제는 류마티스관절염, 전신홍반루푸스, 염증근질환, 전신경화증과 같은 전신성 류마티스 질환의 염증면역반응을 조절하는 약물이다. 면역억제제는 주로 T 및 B세포의 수와 기능에 영향을 미쳐 이상면역반응을 조절하여 다양한 자가면역질환의 관해를 유도하고 질병활성도를 조절하는 데에 유용한 역할을 한다. 현재 쓰이는 대부분의 면역억제제는 주로 종양학, 이식의학 등의 영역에서 처음 도입되었으나, 자가면역질환의 발생 기전에 대한 지식이 증가하고 해당 약제 사용에 관련된 다양한 임상 경험이 축적되면서 여러 임상시험을 통해 치료 적응증이 확립되었고, 현재에도 관련된 다수의 임상시험이 진행 중이다. 따라서 질환에 따른 작용 기전이 명확하게 알려진 경우는 드물고 임상 경험 및 임상시험의 결과에 따라 그 적응증이 지속적으로 바뀌고 있다. 면역억제제는 각각의 약제가 나타내는 고유한 독성에 유의해야 할 뿐만 아니라, 장기간 사용으로 인한 감염의 위험이 증가하므로 환자의 임상양상을 지속적으로 관찰하면서 약제 사용을 조절하는 것이 중요하다. 이번 장에서는 현재 보편적으로 사용되는 면역억제제인 사이클로포스파마이드, 아자싸이오프린, 마이코페놀레이트모페틸, 사이클로스포린, 타크로리무스를 자세히 설명하기로 한다. (표 25-1).

표 25-1. 주요 면역억제제의 종류, 약동학, 약력학, 부작용

| | Cyclophosphamide | Azathioprine | Mycophenolate mofetil | Cyclosporin | Tacrolimus |
|---|---|---|---|---|---|
| 약물분류 | Alkylating agent | Purine analogue agent | Purine synthesis inhibitors | Calcineurin Inhibitor | Calcineurin Inhibitor |
| 분자구조 | | | | | |
| 분자식 | $C_7H_{15}Cl_2N_2O_2P$ | $C_9H_7N_7O_2S$ | $C_{23}H_{31}NO_7$ | $C_{62}H_{111}N_{11}O_{12}$ | $C_{44}H_{69}NO_{12}$ |
| 작용기전 | DNA를 알킬화 및 cross-link | Guanosine nucleotide 합성 억제 | Guanosine nucleotide 합성 억제 및 섬유모세포 증식 억제 | Cyclophilin A와 결합 후 칼시뉴린을 억제하여 IL-2 전사와 T세포 활성화 억제 | FKBP-12와 결합 후 칼시뉴린을 억제하여 IL-2 전사와 T세포 활성화 억제 |
| 생체이용률 | > 75% | 47% (27~80%) | 94% | ~30% | 20~25% |
| Tmax | 경구: 1시간 이내 정주: 2~3시간 | 경구: 1~2시간 | 1.5 시간, 이후 장간순환에 의해 6~12시간 후 두 번째 최고점 도달 | 2~6시간 | 경구: 0.5~6시간 |
| 단백결합률 | ~20% 일부 metabolite는 >60% | 20~30% | 97% | 90~98% | >99% |
| 대사 | 간 | 간 | 간, 위장관 | 간(CYP3A4) | 간(CYP3A4) |
| 제거 | 소변(10~20%) 대변(4%) | 주로 소변 | 소변(93%), 나머지는 대변 | 대부분 대변 | 대변(95%) |
| 제거 반감기 | 정주: 6~8시간 | 6-MP로 변환후60~120분 | 12~18 시간 | 10~27시간 | 12~15 시간 |
| 주요 부작용 | 백혈구/중성구 감소, 감염, 비뇨기 장애, 성선독성, 종양 | 설사, 오심, 구토, 골수억제 감염, 종양 | 설사, 오심, 구토, 골수억제 탈모, 췌장염, 감염 | 신장독성, 고혈압, 전해질장애, 다모증, 잇몸증식 | 신장독성, 고혈당, 전해질장애, 탈모 |
| 임신 | 금기 (첫 삼분기) | 가능 | 금기 | 가능 | 가능 |
| 수유 | 금기 | 가능 | 금기 | 가능 | 가능 |
| 모니터링 | CBC, RFT, LFT, 혈뇨 | CBC, RFT, LFT TPMT, NUDT15 | CBC, RFT, LFT | CBC, RFT, LFT 혈압, 전해질 Trough level | CBC, RFT, LFT 혈압, 혈당, 전해질 Trough level |

CBC, 전혈구수(Complete blood count); RFT, 신장기능검사 (Renal function test); LFT, 간기능검사(Liver function test); 6-MP: 6-mercaptopurine; TPMT: thiopurine methyltransferase; NUDT15: Nudix hydrolase 15; trough level, 최저혈중약물농도

## 알킬화약물

1950년대에 항암제로 처음 소개된 이후, 류마티스 질환의 치료에 nitrogen mustard를 처음 사용하였으나 강한 약물 독성 때문에 지금은 주로 사이클로포스파마이드를 사용하고 있다.

## 1) 사이클로포스파마이드

Nitrogen mustard의 유사체인 전구약물로, 대사체가 세포독성을 나타낸다. 류마티스 질환의 치료에 사용하는 대표적인 알킬화 약물이다.

## (1) 작용기전

사이클로포스파마이드는 cytochrome P450에 의해 4-hydroxycyclophosphamide와 aldophosphamide로 바뀌고, aldophosphamide는 phosphoramide mustard와 acrolein으로 바뀐다. 사이클로포스파마이드 자체는 세포독성이 없고 주요 약물 효과는 phosphoramide mustard가 나타내는데, 이 물질은 nucleophilic base를 알킬화하여 DNA를 cross-linking하고 복제를 방해하여, 세포자멸사를 일으킨다. 사이클로포스파마이드는 전체 세포 주기에 작용해서 T와 B세포의 수를 감소시키고, B세포에 의한 항체 생성을 억제하여 체액성 및 세포매개성 면역반응을 조절한다.

## (2) 약동학적 특성

경구와 정주 투여 모두 비슷한 혈장 농도 변화를 보여준다. 투여 1시간 후 최고 농도에 도달하고 배출 반감기는 6-8시간이다. 사이클로포스파마이드의 단백결합률은 20%로 낮아서, 체내에 널리 분포하며 대부분의 체액 농도가 혈장 농도의 50-80%에 이른다. 간에서 활성 대사체와 비활성 대사체로 빠르게 대사되고, 이 대사산물은 주로 신장을 통해 배설된다. 간질환이 있는 경우 배출 반감기가 늘어나지만, 활성 대사체는 영향을 받지 않아서 용량 조절이 필요하지 않다. 신기능 장애가 있을 때는 크레아티닌 청소율에 따라 용량을 줄여야 한다. 중등도(CrCl 10-29 mL/min)의 신기능 장애가 있는 경우 25%를 감량하고, 그보다 심한 경우 50%까지 줄여서 투여한 후 임상양상과 백혈구 수의 변화를 고려하여 용량을 조절한다. 투석에 의해 사이클로포스파마이드의 일부가 제거되기 때문에, 혈액투석을 하는 경우라면 투석이 끝난 후나 투석일 하루 전에 50% 정도의 용량으로 투여하는 것이 권유되고 CRRT를 한다면 원래 용량대로 투여한다.

## (3) 약물 상호작용

시메티딘은 간효소 작용을 방해하여 사이클로포스파마이드 알킬화 대사 산물 수준을 증가시키고 골수억제 효과를 증가시키지만, 다른 H2-수용체 길항제(ranitidine 등)는 간효소 활동에 거의 영향이 없다. 알로퓨리놀은 사이클로포스파마이드의 배출 반감기를 늘리고 백혈구감소증의 빈도를 증가시킨다.

## (4) 부작용
### ① 혈액 장애

가역적인 골수억제가 흔히 나타난다. 백혈구 및 중성구 감소, 감염의 위험은 약물 용량이 많을수록 증가한다. 사이클로포스파마이드 1회 투여 후 8-14일째 백혈구 최저점에 도달하며, 약 21일이 지나면 회복된다.

### ② 감염

세균, 바이러스, 기회감염 발생이 비교적 흔하다. 감염의 위험은 기저 질환이 심하고, 약물에 의한 면역억제 정도가 심하고 글루코코티코이드 용량이 많을 수록 증가한다. 경구 투여가 정주 요법보다 감염 위험이 더 높고, 장기간 지속적으로 정맥 주입하는 것보다는 정주 주기요법이 감염률을 낮추는 것으로 알려졌다. 대표적인 기회감염으로 폐포자충폐렴(PCP)이 있는데, 특히 고위험군(백혈구감소, 림프구감소, 고용량 글루코코티코이드 사용, 신기능장애) 환자에게 TMP-SMX (trimethoprim-sulfamethoxazole)을 투여하는 것이 PCP 발생 예방에 도움이 된다. 대상포진 감염의 위험 또한 높아지는 것으로 알려져 있어서 예방을 위해 사이클로포스파마이드 투여 전 대상포진 백신 접종이 권유된다.

### ③ 비뇨기 장애

Acrolein이 방광 독성의 원인이다. 경구로 장기간 투여할 경우 혈뇨, 출혈방광염, 방광암의 위험이 커진다. 경구에 비하여 정주로 간헐적으로 사용되었을 때 방광염이나 방광암 발생이 현저하게 감소되는 것으로 알려져 있다. 정주 요법에 함께 사용하는 mesna (sodium-2-mercaptoethane sulfonate)는 소변에서 acrolein과 결합하여 방광 독성을 줄인다. 경구 요법의 경우 mesna 경구제를 사용할 수 있다. 비사구체혈뇨가 경구 요법의 50%에서 관찰되고, 방광암의 평생 발생 위험은 약 30배 정도 증가한다. 방광암은 사이클로포스파마이드 치료 시작 7개월째부터 언제든지 발생할 수 있으며 대부분 비사구체혈뇨가 선행되기 때문에 비사구체혈뇨가 지속된다면 평생 동안 소변검사와 세포검사를 이용한 추적관찰이 필요하다.

#### ④ 암

방광암 이외의 암의 발생 위험 또한 약 2-4배 커진다. 피부암, 백혈병, 비호지킨림프종, 입인두암 등이 발생하는데, 총 투여량이 많을수록(80g 이상) 발생 빈도가 증가한다. 정주 요법은 경구 요법에 비해 암 발생 위험이 상당히 적은 것으로 알려져 있다.

#### ⑤ 성선 독성

지속적 무월경이 11-59%에서 보고되고 있다. 발생률은 정주와 경구 요법 사이에 큰 차이를 보이지 않으며, 환자의 연령이 높고 치료 기간이 길고 총 투여량이 많을수록 증가한다. 남성의 60%에서 무정자증이나 정자부족증이 발생한다. 여성에서는 조기폐경이 발생하는 경우가 많은데, 사이클로포스파마이드 정주 주기요법을 받는 경우 leuprolide 같은 생식샘자극호르몬분비호르몬(gonadotropin-releasing hormone)을 사용하여 조기폐경을 예방하는 것이 조건적으로 권고된다. 다만 대부분의 경우 생명을 위협할 정도로 질환이 급격히 악화한 상황에서 사이클로포스파마이드를 지체하지 않고 사용하기 때문에, 임신을 예정하는 환자라면 미리 정자와 난자은행을 활용하여 정자와 난자를 보존하는 것이 유용하다.

#### ⑥ 기타

사이클로포스파마이드 유발 폐렴(cyclophosphamide induced pneumonitis)이 1% 미만에서 발생하며, 이 경우 치료를 중단하고 글루코코르티코이드를 사용하면 호전된다. 투여 할 때 메스꺼움, 구토가 흔하여 항구토제 사용이 필요할 수 있다. 수년 경과 후 폐섬유화가 발생한 보고가 있어 추적관찰이 필요하다. 가역적으로 탈모가 발생할 수 있고, 아나필락시스와 두드러기를 동반한 과민반응을 드물게 볼 수 있는데, mesna가 원인일 가능성이 더 크다.

#### (5) 치료 효과

류마티스관절염에서는 주로 관절외 증상(혈관염 또는 간질폐질환)의 치료에 사용되고, 루푸스신염의 관해 유도에 쓰인다. 중추신경계를 침범하거나, 심한 혈소판감소를 동반한 전신홍반루푸스에도 효과가 있으며, 전신경화증과 같은 자가면역질환에 동반하는 간질폐질환과 육아종증다발혈관염과 같은 ANCA관련혈관염의 치료에도 사용할 수 있다.

#### (6) 모니터링

CBC를 포함한 약물 모니터링을 반드시 해야 한다. 초기에는 7-14일마다 시행하며, 질병활성도 및 투여 용량이 2-3개월 동안 안정화되면 2-4주 간격으로 검사할 수 있다. 사이클로포스파마이드 투여 후 증상이 좋아지면, 백혈구감소[WBC<3000/μL (경구), and <2000/μL(정주)]와 중성구감소를 피하고, 감염 빈도를 감소시키기 위해 글로코코르티코이드 용량을 줄인다. 사이클로포스파마이드의 혈장 농도는 효능 또는 독성에 대한 임상적으로 유용한 예측 인자는 아니다.

#### (7) 임신과 수유

사이클로포스파마이드는 기형 유발 물질로 가임기 여성은 피임이 권유되며, 임신을 고려한다면 최소 3개월 이상 약물을 중단해야 한다. 임신 중인 환자의 경우, 제1삼분기(1-3개월)에는 사이클로포스파마이드 사용을 금지하지만 제2-3삼분기에는 생명이나 장기를 위협하는 심한 질환활성도를 보일 경우에 태아에 미칠 잠재적 영향을 고려하여 사용을 고려해 볼 수 있다. 모유로 배설되기 때문에 수유 중에는 사용하지 않는다.

## 퓨린 유사약물

### 1) 아자싸이오프린

6-mercaptopurine (6-MP)의 전구 약물이지만, 체내에서 더 좋은 효과를 보이고 안정성이 높아서 6-MP을 대체했다.

### (1) 작용기전

아자싸이오프린은 체내에서 짧은 시간에 glutathione-S-transferase에 의해 6-MP로 화학적으로 변환된다. 6-MP의 대사는 여러 경로를 거치는데, xanthine oxidase (XO)와 thiopurine methyltransferase (TPMT)에 의해서 상대적으로 활동성이 낮은 대사체가 만들어지고, hypoxanthine-guanine-phosphoribosyl-transferase (HGPRT)에 의해서 세포 독성이 있는 활성 대사체인 6-thioguanosine nucleotide가 형성된다. 세포는 guanine nucleotide를 de novo pathway와 salvage pathway를 통해 합성하는데, 6-thioguanosine nucleotide는 aminotransferase 효소를 억제하여 de novo synthesis를 차단하여 림프구 증식을 억제하고, 한편으로는 DNA, RNA와 결합하여 세포 독성을 일으킨다. 이를 통해 림프구와 항체 생성을 줄이고, 단핵구의 증식과 자연살해세포 (natural killer cell)의 활동도 억제하여 체액성 및 세포 매개성 면역에 모두 작용한다.

### (2) 약동학적 특성

경구 아자싸이오프린은 체내에 흡수되어 빠르게 6-MP로 변환된다. 경구 섭취 후 1-2시간이면 6-MP은 최고 농도에 다다르고 1-2시간의 배출 반감기를 가진다. 6-thioguanine nucleotide는 1-2주의 배출 반감기를 가지고 있어 아자싸이오프린의 복용에 큰 영향을 받지 않는다. TPMT 활성도가 신기능보다 아자싸이오프린의 반응 결정에 중요하다고 알려져 있으나, 중등도 이상의 신기능장애(CrCl 10-50 mL/min)가 있는 경우 25%를 감량하고, 그보다 심한 경우 50%까지 줄여서 투여해야 한다. 투석에 의해 소량 제거되기 때문에, 혈액투석을 하는 경우라면 50% 정도의 용량으로 투여하고 투석 후에 0.25 mg/kg로 추가 투여한다. CRRT를 한다면 75% 정도의 용량으로 투여한다. 면역억제 효과는 활성 대사산물이 수주에 걸쳐 세포 내로 서서히 축적되기 때문에 비교적 느리다.

### (3) 약물 상호작용

6-MP가 xanthine oxidase와 TPMT에 의해 상대적으로 활동성이 낮은 대사체로 변환되기 때문에, XO와 TPMT가 약물의 내약성과 독성의 균형에 중요한 역할을 한다. 알로푸리놀과 페북소스태트와 같은 xanthine oxidase inhibitor (XOI)는 xanthine oxidase에 의한 아자싸이오프린의 비활성화 과정을 방해하여 아자싸이오프린의 세포독성을 크게 증가시킨다. 따라서 XOI을 벤즈브로마론으로 바꾸거나 아자싸이오프린의 용량을 줄이거나 다른 약제로 변경하는 것을 고려한다. 설파살라진은 TPMT 활동을 감소시켜 골수 억제 발생을 증가시킨다. 아자싸이오프린이 와파린의 약물 효과를 떨어뜨린다는 보고도 있다.

### (4) 부작용

아자싸이오프린에서 나타나는 가장 흔한 이상 반응은 메스꺼움과 설사를 포함한 위장관 불내성이다. 다른 독성 영향에는 발진, 췌장염, 담즙정체성간염, 구내염 및 바이러스감염 등이 있다.

#### ① 혈액 장애

가역적인 골수억제가 흔하다. 환자마다 차이가 크고, 약물 용량이 높을수록 증가한다. 심한 골수억제는 흔하지 않으며, 대개 TPMT 활성도의 감소 또는 결핍 수준과 관련이 있다. TPMT 활동은 유전다형태(genetic polymorphism)와 점돌연변이(point mutation)에 의해 결정되는데, 적혈구를 이용한 중합효소연쇄반응검사로 TPMT 활동도를 알아볼 수 있다.

#### ② 소화기 장애

오심과 구토, 설사가 가장 흔한 부작용이다. 간기능검사 이상이 5-10%에서 관찰되지만 심한 간독성은 드물다.

#### ③ 과민반응

드문 부작용으로, 약물 투여 2주 이내에 발생하고 쇼크, 열, 발진, 췌장염, 간염, 신부전 등을 동반한다.

#### ④ 기타

아자싸이오프린으로 치료한 신장이식 환자에서 비호지킨림프종의 위험이 50배 증가했다는 보고가 있다. 사이클로포스파마이드보다 감염이 드물지만 대상포진, 거대세포바이러스를 비롯한 다양한 세균 및 비세균성 감염이 올 수 있다.

### (5) 치료 효과

아자싸이오프린은 염증성 관절 질환 보다는 주로 결체조직 질환의 치료에 사용된다. 류마티스관절염에서는 메토트렉세이트보다 효과가 적어 현재는 잘 쓰이지 않는다. 루푸스신염에서도 관해 이후 유지 요법에 있어 마이코페놀레이트모페틸을 쓰지 못하는 상황(임신 등)에서 선호된다. 신장염 외의 전신홍반루푸스 증상과 염증근질환, 베체트병을 포함한 염증안질환, 혈관염의 치료에 글루코코르티코이드 보존 약제(steroid sparing agent)로 사용할 수 있다. 전신경화증과 중복증후군에 동반된 간질폐질환의 치료에도 효과가 있다.

### (6) 모니터링

TPMT 활성의 측정은 골수 독성의 가능성을 결정하는데 유용하기 때문에, 아자싸이오프린 치료를 시작하기 전에 TPMT 활성도를 검사하는 것이 추천된다. TPMT 활성이 낮거나 존재하지 않는 환자에서 심한 골수 억제가 발생할 수 있다. 최근 NUDT15 유전자 변이가 아시아인에게서 발견되었는데, NUDT15는 6-thioguanine nucleotide를 가수분해하여 불활성화 시키는 효소와 연관된 유전자로 이 유전자에 변이가 있는 경우 아자싸이오프린의 부작용 위험이 증가할 수 있어서 심하고 반복적인 골수부전이 있는 환자들의 경우 NUDT15 유전자 검사가 도움이 될 수 있다.

실제로 심한 골수억제는 정상적인 TPMT 활성을 가진 환자에서도 발생할 수도 있고, TPMT 활성이나 NUDT15 유전자변이를 확인하지 못하는 경우도 있기 때문에, 초기에는 낮은 용량부터 시작하고 백혈구수를 정기적으로 모니터링 하는 것이 권유된다. 투약 용량이 변경되는 동안 헤모글로빈, 백혈구수 및 혈소판수를 2주마다 검사하고 안정된 용량에 도달한 후에는 4-12주마다 검사한다. 간기능검사는 초기 2주에서 4주까지 검사하고, 이후에는 6-12주마다 시행한다. 림프세포증식질환 질병 및 기타 악성종양에 대한 면밀한 경과 관찰 또한 병행되어야 한다.

### (7) 임신과 수유

아자싸이오프린과 6-MP는 태반을 통과하지만, 태반에서 대사되기 때문에 실제 태아 순환 농도는 낮다. 활동성 루푸스와 같은 상황에서 면역억제가 필요한 경우 사용 가능하다. 또한 모유로 배설되는 양이 적어서 수유시에도 비교적 안전한 약물이다.

## 마이코페놀레이트 모페틸

### 1) 작용기전

마이코페놀레이트 모페틸(mycophenolate mofetil, MMF)은 활성 형태인 mycophenolic acid (MPA)로 가수분해되어 효과를 나타내는 전구약물이다. MPA는 inosine monophosphate dehy-drogenase (IMPDH)를 가역적으로 억제하여 세포의 guanosine nucleotide의 합성 과정 중 de novo pathway를 차단한다. 림프구는 다른 세포와 달리 guanosine nucleotide의 합성을 de novo pathway에만 의존하기 때문에, MMF는 T와 B세포의 DNA 합성을 방해하여 림프구증식, 항체 생성, microRNA 발현을 가역적으로 억제한다. 면역반응의 조절 이외에, MMF는 섬유모세포, 신장 혈관사이세포, 내피세포의 증식을 억제하고 콜라겐, 세포외기질단백의 축적을 저해하여 조직의 섬유화를 조절하는 역할을 한다.

### 2) 약동학적 특성

투여된 약물의 거의 대부분이 빠르게 소장에서 흡수되어 MPA로 바뀐다. MPA는 단백 결합률이 98%로 매우 높고, 99% 이상이 혈장 내에 분포하며 매우 적은 양이 세포 내로 들어간다. 대부분 glucuronidation에 의해 비활성체인 phenol glucuronide로 대사되고 소변으로 배출된다. 투여 1-2시간에 최고 농도에 이르고, 장간순환에 의한 두 번째 고점을 보인다. 신장 및 간질환은 MPA의 농도에 큰 영향을 미치지 않으나, 고빌리루빈혈증, 저알부민혈증, 심한 신질환(CrCl<20-30 mL/min)이 있을 때는 대사산물이 체내에 축적되어 소화기 부작용 발생이 증가할 수 있어서 용량 조절이 필요할 수도 있다. 배출 반감기는 16시간이고, 높은 단백 결합률 때문에 혈액투석을 해도 제거되지 않는다. 장용 코팅 MMF 나트륨(enteric-coated MMF sodium, EC-MPA)은 MMF의 대안으로 설계되었는데, 소장에 도달한 후에 MMF에 비해 천천히 용해되어 MPA의 방출을 지연시킨다. 따라서 EC-MPA는 MMF에 비해 혈장 농도가 비교적 일정하게 유지되고, 제산제 등의 약물에 영향을 받지 않는다.

### 3) 약물 상호작용

Cytochrome P450을 거치지 않아서 중요한 약물 상호작용이 거의 없다. 사이클로스포린과 타크로리무스는 MPA의 glucuronidation을 억제하여 MMF의 생체이용률을 증가시킬 수 있다. 리팜핀은 MPA 농도를 2-3배 정도 감소시키고, PPI 등의 제산제와 cholestyramine은 MMF의 생체이용율을 각각 15% 와 40% 정로 감소시킨다. 아자싸이오프린과의 병용투여는 추천되지 않는다.

## 4) 부작용

일반적으로 내약성이 뛰어나다. 신장이식 환자들을 대상으로 한 연구에서 MMF와 아자싸이오프린은 유사한 소화기, 혈액, 간 독성을 나타냈다. 주된 부작용으로 설사, 오심, 구토, 복통과 같은 위장장애가 가장 흔하고, 백혈구 감소, 림프구 감소, 간기능장애, 탈모, 췌장염, 감염 등이 유발될 수 있다. 루푸스신염 치료에 있어서, 사이클로포스파마이드와 비교하여 설사는 좀 더 흔하게 나타나지만 백혈구감소는 덜 발생하였다.

## 5) 치료 효과

류마티스관절염이나 염증근염에 동반된 간질폐질환에 효과가 있다. 루푸스신염의 관해 유도 및 유지요법에 있어 효과가 입증되었고, 일부 혈관염이나 전신경화증의 피부비후 및 간질폐질환, 자가면역간염에도 유용하다.

## 6) 모니터링

혈구 및 간 독성을 1-3개월마다 검사해야 한다. MPA 농도와 AUC와의 연관성이 확실하지 않아서, MPA 농도만을 측정하여 독성을 예측하는 것은 추천되지 않고, 안정된 용량의 MMF를 사용하는 환자의 total MPA (tMPA)농도를 확인하는 것이 조금 더 유용하다고 알려져 있으나, 현재로서는 류마티스 질환에서 이상적인 농도 범위가 정립되어 있지는 않다.

## 7) 임신과 수유

임신 초기 유산과 여러 선천 기형의 위험을 높이는 것으로 알려져 있다. 따라서 MMF 사용 중에는 피임을 하는 것이 좋고, 최소한 임신 6개월 전에는 중단해야 한다. MMF는 경구피임약의 효과를 감소시킬 수 있다. 또한 모유를 통하여 전달될 수 있어서 수유중인 여성은 이 약을 피해야 한다.

# 칼시뉴린억제제

사이클로스포린과 타크로리무스는 세포질 내 immunophilin인 cyclophilin A 또는 FKBP1A와 복합체를 이루어 serine/threonine phosphatase인 칼시뉴린에 결합하여 칼시뉴린의 효소 활동을 방해하거나, MAPK 경로를 억제하여 IL-2 전사를 감소시키고 그 결과 T세포의 면역반응이 억제된다. 사이클로스포린과 타크로리무스는 구조는 다소 다르지만 작용 기전과 약물 상호작용과 부작용이 비교적 유사하다. 새로운 칼시뉴린 억제제인 보클로스포린(voclosporin)이 2021년에 루푸스신염의 치료제로 FDA의 승인을 받아서, 향후 임상에서 폭넓게 쓰일 가능성이 높다.

## 1) 사이클로스포린

### (1) 작용기전

진균에서 추출한 lipophilic endecapeptide로, 세포질 내 cyclophilin A 단백과 복합체를 이루어 serine/threonine phosphatase인 칼시뉴린과 결합하고 효소 활동을 방해한다. 칼시뉴린을 억제하면 세포질내의 nuclear factor of activated T cells (NFAT)의 핵내로의 전위(translocation)가 차단되고, NFAT의 기능인 IL-2와 같은 사이토카인 유전자의 전사(transcription)를 방해하여, T세포 활동을 떨어뜨리고 세포면역반응의 증폭을 차단한다. 사이클로스포린은 MAPK8을 억제하여 IL-2의 전사를 억제하는 역할도 한다. T세포 비의존성 항원에 대한 골수, 적혈구, 또는 B세포의 성장에는 영향을 주지 않는다.

### (2) 약동학적 특성

흡수율이 30%로 낮고, 고지방 음식이 흡수율을 증가시킬 수 있어 변동이 심하다(2-3배). 최고 농도 도달 시간(1-8시간)과 배출 반감기(3-20시간)도 변동이 크다. 현재 사용되는 microemulsion neoral formulation이 등장하며 이러한 변동성은 50%까지 낮아지고 최고 농도 도달 시간도 25% 정도 짧아졌다. 사이클로스포린은 두 경로로 대사된다. 첫째는 P-glycoprotein (P-GP)에 의해 세포 밖으로 배출되는 과정이다. P-GP는 multidrug resistance gene (MDR gene)에서 만들어진 drug efflux pump로, 간과 장상피 세포에 분포한다. 둘째는 간과 장상피 세포의 cytochrome P4503A (CYP3A4)에 의한 것이다. 사이클로스포린의 제거는 주로 담즙 시스템을 통해 이루어지며, 소량이 소변에 나타난다. 체외로의 배출보다는 20여 개의 비활성체로 바뀌어 효력이 없어지지만, 신독성이 있어서 신기능이 떨어진 경우(CrCl<60 mL/min) 사용을 피하는 것이 좋다. 사이클로스포린은 투석으로 제거되지

**표 25-2.** 사이클로스포린/타크로리무스와 다른 약물의 주요한 상호 작용

### 사이클로스포린의 혈중 농도를 증가시키는 경우

Erythromycin, clarithromycin
Azole계 항진균제: ketoconazole, fluconazole itraconazole
칼슘길항제: diltiazem, verapamil, amlodipine*
기타약물: allopurinol, colchicine, amiodarone, danazol, 자몽주스

### 사이클로스포린의 혈중 농도를 감소시키는 경우

간효소유도제(hepatic enzyme inducer): rifampin, phenytoin, pheno-
barbitone, nafcillin

### 사이클로스포린의 독성을 증가시키는 경우

Aminoglycosides, quinolone, amphotericin B, NSAID*, angiotensin
converting enzyme inhibitor*

### 사이클로스포린에 의해 약물의 독성이 증가하는 경우

Statin계 고지혈치료제 (fluvastatin은 제외): 근병증, 횡문근융해
Colchicine: 신경근병 등
Digoxin: 심장독성
칼륨보존이뇨제와 칼륨보충제: 고칼륨혈증

*의견이 분분함(controversial)

않는다.

## (3) 약물 상호작용

P-GP와 CYP3A4의 영향으로 주요한 약물 상호작용이 많다 (표 25-2).

Erythromycin, azole antifungal, 일부 칼슘길항제는 CYP3A4와 P-GP를 모두 방해해서 사이클로스포린의 농도를 2-5배 상승시킨다. 반면에 azithromycin과 nifedipine, isradipine과 같은 칼슘길항제는 영향을 주지 않는다. 비스테로이드소염제와 병용할 경우 신장독성이 증가되며, 자몽주스가 사이클로스포린의 농도를 증가시킬 수 있어서 주의해야 한다. 사이클로스포린이 다른 약물의 독성을 증가시킬 수도 있는데, CYP3A4에 의해 대사되는 약물 농도를 상승시킨다. Fluvastatin과 pravastatin은 CYP3A4에 의해 대사되는 statin이 아닌데, 특이하게도 pravastatin은 5배 이상 약물 작용이 증가한다.

## (4) 부작용

부작용은 일반적으로 저용량에서는 경미하고 가역적이며, 위장장애가 가장 흔하다. 다모증, 잇몸증식, 진전, 감각이상, 유

방통, 고칼륨혈증, 저마그네슘혈증, 고요산혈증, 간독성을 동반할 수 있고, 피부암과 림프종이 증가한다는 보고가 있다. 고혈압이 20%에서 생기지만 용량을 줄이거나 항고혈압 약물을 사용하면 조절된다. 간독성은 대개 고용량의 사이클로스포린을 사용할 때 간혹 발생한다. 거의 모든 환자에서 용량과 관련하여 경도의 신기능 감소(creatinine 20% 상승)를 보이지만, 대부분 용량을 감량하거나 중단하면 회복된다. 만성 사이클로스포린 신장독성(chronic cyclosporine nephrotoxicity)은 사이질섬유화(interstitial fibrosis), 관위축(tubular atrophy)이 동반되는데, 고용량(0.5 mg/kg/day)을 사용하거나 크레아티닌이 정상보다 50% 이상 증가한 경우 위험이 커지므로 이 경우에는 사이클로스포린 용량을 감량해야 한다.

## (5) 치료 효과

항류마티스약제에 반응이 없는 류마티스관절염과 건선관절염의 피부와 관절 증상에 사용할 수 있지만 최근에는 JAK inhibitor나 생물학적제제의 사용이 조금 더 선호된다. 전신홍반루푸스 치료에서 글루코코티코이드 보존 효과를 가지며, 단백뇨와 혈소판감소, 백혈구감소가 있을 때 사용할 수 있다. 안구 증상을 동반한 베체트병, ANCA관련혈관염, 소아류마티스관절염의 대식세포활성증후군에도 효과가 있다.

## (6) 모니터링

간효소, 칼륨, 요산, 지질 농도를 증가시키고 마그네슘 농도를 감소시킬 수 때문에 치료를 시작하기 전 검사를 하는 것이 좋다. 또한 혈압 및 크레아티닌 수치를 치료 시작 전 최소한 2회 이상 측정을 권유한다. 사이클로스포린의 혈중 농도 측정은 치료 효과나 독성 예측에 큰 도움이 되지 않는다. 하지만 환자의 순응도 및 비정상적인 약물 분포가 우려되는 경우 마지막 투여 후 12시간 후에 측정된 사이클로스포린 trough level이 유용할 수 있다.

## (7) 임신과 수유

임신 중에는 효과-위험 측면을 고려하여 효과를 발휘하는 최소 용량을 사용하고, 산모의 혈압과 신장기능을 면밀히 관찰해야 한다. 모유로 일부 배출이 되지만 수유 중에 비교적 문제없이 사용 가능하다.

## 2) 타크로리무스

### (1) 작용 기전

타크로리무스는 방선균(*Actinomyoceses*)의 일종인 *Strepto-myces tsukubaensis*에서 추출한 macrolide로, 과거 FK506으로 불리던 약물이다. 타크로리무스는 세포내 FK binding protein (FKBP-12)과 결합한 후 칼시뉴린에 작용해서 IL-2를 포함한 사이토카인 생성을 억제하며, MAPK14를 억제하여 IL-2 전사를 억제한다. 최근의 연구에 따르면, 타크로리무스는 NK 세포와 수지상세포의 기능도 저해하는 것으로 알려져 있다.

### (2) 약동학적 특성

타크로리무스는 사이클로스포린보다 약 100배 정도의 효과가 있으면서 부작용은 상대적으로 적은 편이다. Lipophilic 특성이 있어서 흡수율이 낮고 변동이 심하다(4-93%). 흡수된 타크로리무스의 99%가 적혈구와 결합하고, 나머지가 림프계를 순환하면서 치료 효과를 나타낸다. 5-16시간의 배출 반감기를 가지며, 95%의 대사산물이 장간순환을 통해 배설되기 때문에 간기능 장애가 약물 농도를 증가시킬 수 있어 심한 간기능 장애(serum bilirubin>2 mg/dL; Child-Pugh score≥10)가 있을 때는 주의가 필요하다. 신기능 감소는 타크로리무스의 농도에 영향을 주지는 않으나, 신독성이 있어서 신기능이 떨어진 경우 사용을 피하는 것이 좋다. 타크로리무스는 투석으로 제거되지 않는다.

### (3) 약물 상호작용

사이클로스포린과 유사하게 P-GP와 CYP-3A4가 약물 대사에 관여해서 상호작용을 보인다.

### (4) 부작용

부작용은 주로 장기이식 환자에게 사용한 후 알려진 것으로, 주된 부작용으로는 신장과 신경 독성과 고혈당이 있다. 이외에 고혈압, 고칼륨혈증, 고요산혈증, 위장장애도 발생할 수 있다.

### (5) 치료 효과

타크로리무스는 루푸스와 염증근질환에 연관된 간질폐질환에 효과가 있다고 알려져 있다. 조직학적으로 확인된 루푸스신염에서 타크로리무스는 관해 유도에 있어서 MMF보다 열등하지 않다. 타크로리무스는 류마티스관절염 치료에 있어서 미국이나 유럽류마티스학회 진료지침에는 포함되지 않았으나 일본에서는 승인되어 사용 가능하다. 국내에서는 항류마티스제로 충분한 효과를 얻을 수 없는 만성 류마티스관절염이나 스테로이드 단독 유지요법 저항성 루푸스신염 환자에게 투여할 수 있다.

### (6) 모니터링

류마티스 질환에서 타크로리무스의 적정 용량은 아직 확립되지 않았으나, 일부 연구에서는 이식 환자에게 적용되는 용량보다는 낮게 유지하는 것을 제안하고 있다. 이식 환자를 대상으로 한 연구에서 타크로리무스를 지속적으로 복용하는 경우 경구 청소율이 감소하는 'maturation'이라는 현상이 확인되어 점차 복용 용량을 감량하는 것이 필요하다.

### (7) 임신과 수유

타크로리무스는 사이클로스포린과 유사하게 임신과 수유시에 비교적 안전하다고 알려져 있다.

## 결론

면역억제제는 다양한 류마티스 질환의 치료에 단독이나 병합요법 약물로 중요하게 고려되고 있다. 최근에 나오고 있는 생물학적제제나 표적치료제와 비교하여 명확한 작용 기전은 아직도 불명확한 부분이 많지만, 상대적으로 오랫동안 사용되면서 약제의 효능과 부작용에 대한 정보가 비교적 풍부하다는 장점도 있다. 면역억제제에 대한 환자의 개별 반응은 매우 다양할 수 있고, 각 약제마다 다양한 부작용과 약물 상호작용이 있으므로 투여 시작 전부터 세심한 관찰과 주의가 필요하며, 약물 유지 여부도 정기적으로 재검토되어야 한다.

📑 참고문헌

1. Allem KB, Keating RM. Immunosuppressitve agents: cyclosporinhe, cyclophosphamide, azathioprine, mycophenolate mofetil, and tacro-

limus. In: Rheumatology. 7th ed. Mosby Elsevier; 2019. pp. 518-26.

2. Bertsias GK, Tektonidou M, A moura Z, A ringer M, Bajema I, Berden JHM, et al. Joint European League Against Rheumatism and European Renal Association-European Dialysis and Transplant Association (EULAR/ERA-EDTA) recommendations for the management of adult and paediatric lupus nephritis. Ann Rheum Dis 2012;71:1771-82.

3. Broen JCA, van Laar JM. Mycophenolate mofetil, azathioprine and tacrolimus: mechanisms in rheumatology. Nat Rev Rheumatol 2020;16:167-78.

4. Brummaier T, Pohanka E, Studnicka-Benke A, Pieringer H. Using cyclophosphamide in inflammatory rheumatic diseases. Eur J Intern Med 2013;24:590-6.

5. Fanouriakis A, Kostopoulou M, Cheema K, Anders H-J, Aringer M, Bajema I, et al. 2019 Update of the Joint European League Against Rheumatism and European Renal Association-European Dialysis and Transplant Association (EULAR/ERA-EDTA) recommendations for the management of lupus nephritis. Ann Rheum Dis. 2020;79:713-23.

6. Sammaritano LR, Bermas BL, Chakravarty EE, Chambers C, Clowse MEB, Lockshin MD, et al. 2020 American College of Rheumatology Guideline for the Management of Reproductive Health in Rheumatic and Musculoskeletal Diseases. Arthritis Rheumatol 2020;72:529-56.

7. van Laar JM. Immunosuppressive Drugs. In: Firestein & Kelley's Textbook of Rheumatology. 11th ed. Mosby Elsevier; 2021. pp. 1031-45.

# 26

# 생물학적제제

가톨릭의대 **박경수**

## KEY POINTS 🔒

- 생물학적제제(biological agent)는 류마티스 질환 발병에 중요한 역할을 하는 염증사이토카인이나 면역세포에 작용하여 증상을 완화시키고, 질병의 진행을 억제하는 약제들로서 기존의 항류마티스약물(csDMARDs)의 치료 효과가 부족한 환자들에게 사용하며 항사이토카인제제와 세포표적제제가 있다.
- 항사이토카인제제는 항종양괴사인자제제(etanercept, infliximab, adalimumab, golimumab, certolizumab pegol), 인터루킨-1(IL-1) 억제제(anakinra), IL-6 억제제(tocilizumab), IL-12/23 억제제(ustekinumab), IL-17 억제제(secukinumab, ixekizumab), B세포활성인자(B-cell activating factor, BAFF 또는 B-lymphocyte stimulator, BLyS) 억제제(belimumab) 등이 있다.
- 세포표적제제로는 B세포를 제거하는 항CD20 단클론항체(rituximab)와 항원제시세포와 T세포 간의 공동자극(co-stimulation)을 차단하는 cytotoxic T-lymphocyte antigen-4 (CTLA-4) Ig (abatacept)가 있다.
- Methotrexate (MTX) 병용은 생물학적제제들의 생물학적제제들의 항원성을 감소시켜 약제에 대한 항체 형성을 줄여서 약제의 제거(clearance)를 줄여 약제의 치료 효과를 높여주는 효과가 있으며, infliximab과 rituximab은 꼭 MTX와 병용투여해야 한다.
- 생물학적제제들을 사용하면 감염 위험이 증가하는데, 생물학적제제 사용 전 특히 잠복결핵과 B형간염에 대한 검사 및 치료가 꼭 필요하고, 백신도 미리 맞아 두는 것이 좋다.

## 항사이토카인제제

### 1) 항TNF제제

종양괴사인자(tumor necrosis factor, TNF)는 주로 활성화된 대식세포가 만들어내는 염증사이토카인으로서 류마티스관절염의 염증반응에 중심적인 역할을 한다. 항TNF제제는 수용성 TNF와 세포막의 TNF 모두에 결합하여 TNF의 작용을 차단함으로써 IL-1, IL-6, TNF 등 염증사이토카인의 생산, 림프구의 활성화 및 관절 안으로 이동을 억제하며 활막의 혈관 생성을 감소시켜 염증을 완화시키고, 관절파괴를 예방한다. 현재 항TNF 단클론항체인 infliximab, adalimumab, golimumab, certolizumab pegol과 수용성 TNF 수용체인 etanercept가 쓰이고 있고, 여러 가지 동등생물의약품(biosimilar)들이 개발되고 있다. Certolizumab pegol을 제외한 다른 약제들은 면역글로불린 Fc 부위에 의한 보체의존 세포용해와 항체의존 세포독성 작용도 있다.

#### (1) 에타너셉트

사람 면역글로불린 G(IgG)1의 Fc 부위와 TNF 수용체의 세포바깥부위(extracellular domain)인 p75 단백질 두 개를 융합한 수용성 TNF 수용체로 TNF-α, 림프독소(lymphotoxin)-α와 결합한다. 일주일에 25 mg 두 번 또는 50 mg 한 번 피하주사하며, 단독투여하거나 MTX와 병용한다.

#### (2) 인플릭시맙

사람유래 IgG1의 불변부위(constant region)와 사람 TNF에

대한 쥐의 단클론항체의 가변부위(variable region)를 결합시킨 키메라단클론항체(chimeric monoclonal antibody)이다. MTX 병용은 infliximab의 제거를 줄여준다. 류마티스관절염에서는 MTX와 병용해야 하고 3 mg/kg을, 건선관절염과 강직척추염에서는 5 mg/kg을 0, 2, 6주, 그 뒤는 8주마다 정맥주사 한다. 반응을 보아 4주마다 증량하여 10 mg/kg까지 증량할 수 있다.

### (3) 아달리무맙

사람유래 IgG1 항TNF 단클론항체이다. MTX 병용은 adalimumab의 제거를 줄여준다. 류마티스관절염, 강직성척추염, 건선관절염 모두 40 mg을 2주마다 피하주사 한다. 단독투여와 MTX 병용투여 모두 승인을 받았다. 크론병에서는 초기에 80 mg(최대 160 mg까지), 2주 후 40 mg(최대 80mg까지), 그 뒤는 2주마다 40 mg을 투여한다.

### (4) 골리무맙

사람유래 IgG1 항TNF 단클론항체이다. MTX 병용은 golimumab의 안정상태 최저 농도(trough level)를 증가시킨다. 50 mg을 한 달에 한 번 피하주사하거나, 2 mg/kg를 0주, 4주, 그 뒤는 8주마다 정맥주사한다. 단독투여와 MTX 병용투여 모두 승인을 받았다.

### (5) 써톨리주맙

사람유래 항TNF 단클론항체의 Fab 부분을 대사 및 제거를 지연시키고자 polyethylene glycol과 결합시킨 약제로 Fc 부위가 없다. 400 mg을 0, 2, 4 주에, 그 뒤는 200 mg을 2주마다 피하주사 한다. 단독투여와 MTX 병용투여 모두 승인을 받았다.

### (6) 항TNF제제 적응증

#### ① 류마티스관절염

MTX를 포함한 기존의 항류마티스약물(csDMARDs)의 치료 효과가 부족한 환자들에게 쓰인다. 항TNF제제는 관절 증상을 완화시킬 뿐만 아니라 방사선학적 관절 손상 진행도 억제한다. 관절 증상 개선이 없다 하더라도 관절 손상 진행을 어느 정도 막을 수 있다. MTX를 항TNF제제와 병용하면 매주 7.5 mg의 저용량으로도 항TNF제제의 항TNF제제의 면역원성을 감소시켜서 약제에 대한 항체 형성을 줄여 infliximab, adalimumab 의 제거를 줄여서 치료 효과를 증가시킨다.

#### ② 건선관절염

항TNF제제는 질병활성도와 생활의 질을 개선시키고, 방사선학적 질병 진행을 지연시키고, 피부건선, 손톱건선, 건부착부염, 손발가락염을 호전시킨다. 류마티스관절염과 달리 MTX 병용이 효과를 증가시키지는 않았다.

#### ③ 강직성척추염

항TNF제제는 질병활성도를 개선시키고 MRI에서 보이는 척추의 염증을 감소시킨다. 하지만 인대골극형성으로 평가되는 방사선학적 진행을 막지는 못했는데, 발병 초기부터 지속적으로 항TNF제제를 사용하면 방사선학적 진행을 억제했다는 보고도 있다.

#### ④ 그 밖에 소아특발관절염, 건선에서도 항TNF제제가 쓰이고 있고, 크론병, 궤양성대장염, 포도막염, 화농성한선염에서는 항TNF제제들 중 항TNF 단클론항체 제제가 효과가 있다.

### (7) 항TNF제제의 부작용

#### ① 주입반응과 주사부위반응

Infliximab은 주입반응으로 열, 가려움, 두드러기, 두통, 구역, 호흡곤란이 생길 수 있다. 이는 일시적인 증상으로 주입 속도를 늦추고 항히스타민제제, 단기 작용 글루코코티코이드를 사용하여 치료한다. Etanercept, adalimumab, golimumab, certolizumab 등 피하주사 제제들은 주사 부위에 통증, 발적, 가려움, 두드러기 등이 생길 수 있는데 대개는 시간이 지나면 좋아진다.

#### ② 항원성

Infliximab, adalimumab은 약제에 대한 항체가 생길 수 있다. 이는 약제의 반감기를 줄여서 약효를 떨어뜨릴 수 있는데 MTX는 매주 7.5 mg의 저용량으로도 항TNF제제의 면역원성을 낮추어 약제에 대한 항체 생산을 줄여준다.

### ③ 감염

항TNF제제는 감염과 중증 감염의 위험을 증가시키는데 호흡기, 요로 감염이 흔하다. 류마티스관절염 중증도, 부신피질호르몬제 등의 다른 약제들 사용, 동반질환 등도 중요한 감염 위험 증가 요인이다. 한편 항TNF제제는 감염의 초기 증상을 가릴 수도 있어서 사용시 주의가 필요하다.

TNF는 육아종(granuloma) 형성에 중요한 역할을 하기 때문에 항TNF제제를 사용하면 마이코박테리아 감염에 대한 적절한 방어를 하지 못해서 결핵이 발생할 수 있다. 특히 폐외결핵, 범발성결핵이 많이 생긴다. 결핵은 항TNF제제 치료를 시작한 뒤 첫 수개월 내에 잘 생겨 잠복결핵의 재활성화라고 여겨진다. 따라서 항TNF제제 투여를 고려하는 환자들은 흉부 X선은 물론 잠복결핵검사(결핵피부반응검사, interferon-γ 분비 검사)를 받아야 하고, 잠복결핵이 확인되면 이에 대한 치료를 받아야 한다. 6-9개월간의 isoniazid 5 mg/kg/일(최대 300 mg/일) 투여가 보편적이고, 3개월간의 isoniazid/rifampin 병합요법도 고려할 수 있다. 잠복결핵 치료를 시작하고 3주 뒤부터 항TNF제제 투여를 시작하는 것이 권고되어 왔는데, 꼭 필요한 경우 잠복결핵 치료 시작과 동시에 항TNF제제 투여를 시작하는 것도 고려해볼 수 있다.

그 밖에 B형간염 보균자라면 B형간염 바이러스 재활성을 막기 위해서 항TNF제제 치료 이전에 반드시 예방적 항바이러스 치료를 시작해야 한다.

### ④ 백신

모든 백신은 항TNF제제 투여 전에 맞는 것이 좋으며 항TNF제제 투여 중 생백신 투여는 피해야 한다.

### ⑤ 자가면역

항TNF제제를 투여받는 환자의 10-15%에서 항dsDNA항체가 생기긴 하지만 실제로 전신홍반루푸스 증상이 생기는 환자는 매우 드물다.

### ⑥ 기타

가. 항TNF제제 투여 뒤 아주 드물게 다발경화증이나 말초신경의 탈수초질환 발생이 보고된 적이 있지만 약제와의 관련성은 뚜렷하지 않다.

나. 류마티스관절염 환자에서 림프종, 폐암 발생이 증가하는데 항TNF제제가 암 발병 위험을 올리지는 않는다.

다. 항TNF제제가 울혈성심부전을 증가시키지는 않지만 3, 4단계의 울혈성심부전 환자에게는 쓰지 않는 것이 좋다. 항TNF제제는 지질 지표를 개선시키고, 전신 염증을 조절해서 염증성자가면역질환 환자의 심혈관질환 위험을 감소시킨다.

라. 점점 늘어가고 있는 항TNF제제 부작용으로 항TNF제제를 투여받은 환자 2-5%에서 건선과 유사한 염증성피부병변이 손바닥, 발바닥에 생긴다고 보고되었다(paradoxical psoriasis).

마. 항TNF제제는 임신 중에는 꼭 필요할 때에만 써야 하며, 수유 중에는 피하는 것이 좋다.

## 2) IL-1 억제제

Anakinra는 IL-1 수용체에 대한 길항제(IL-1 receptor antagonist)로서 IL-1이 IL-1 수용체에 결합하는 것을 차단한다. 류마티스관절염에서는 매일 100 mg을 피하주사하는데 항TNF제제에 비해 효과가 떨어져서 잘 쓰이지 않는다. 하지만 발열, 피부발진, 관절염, 안구충혈, 두통, 청력장애 등이 주기적으로 나타나는 cryopyrin-associated periodic syndrome (CAPS)에 속하는 자가염증질환들과 전신성소아기염증성관절염, 성인형스틸씨병, 통풍에서는 효과가 뛰어나다. 부작용으로는 주사부위 피부반응이 제일 흔하고, 항TNF제제와 병용은 이점은 없이 감염 및 중증감염이 증가하여 권장되지 않는다.

다른 IL-1 억제제로는 IL-1 수용체의 세포외 부분과 사람의 IgG Fc 부분을 결합시킨 rinolacepet, IL-1β에 대한 단클론항체인 canakinumab이 있다.

## 3) IL-6 억제제

IL-6는 IL-17, IL-22를 분비하는 $T_H17$세포 생산, B세포 분화 및 활성화, 파골세포 분화 및 활성화 등에 관여하는, 류마티스관절염 발병에 중추적인 역할을 하는 염증사이토카인이다. IL-6가 수용성 IL-6 수용체 또는 세포표면의 IL-6 수용체에 결합하면 여기에 부단백질(accessory protein)인 gp130이 결합하고, 이어서 JAK/STAT 경로를 통해 염증신호가 전달된다.

Tocilizumab은 IL-6 수용체에 대한 단클론항체로서 수용성 IL-6 수용체와 세포 표면의 IL-6 수용체 모두에 결합해서 IL-6 작용을 억제한다. 류마티스관절염 환자에서 증상 및 기능을 개선시키고, 방사선학적 관절 손상의 진행을 억제한다. 4주마다 4-8 mg/kg를 정맥주사하거나, 162 mg을 체중이 100kg 이하이면 2주마다, 100kg 이상이면 매주 피하주사한다. 단독투여와 MTX 병용투여 모두 승인을 받았다. 그 밖에 tocilizumab이 쓰이는 질환들로는 거대세포동맥염, 소아특발다발관절염, 소아특발전신성 관절염, 성인형스틸병, 사이토카인방출증후군, 전신경화증 관련 간질폐렴 등이 있다.

부작용으로는 tocilizumb 투여에 따른 감염 위험은 다른 생물학적제제들과 비슷하며 상기도감염, 인후염이 제일 흔하고 기회감염은 드물다. 투여 전 결핵이나 다른 감염 유무에 대한 검사가 필요하고, 투여 중 생백신 투여는 피해야 한다. 간효소 상승이 생길 수 있지만 간기능장애나 중증 간부작용을 일으키지는 않는다. 모든 혈중 지질(total cholesterol, LDL, HDL)이 증가하지만 심혈관질환이 증가하지는 않았다. 중성구감소가 있지만 감염 관련 부작용 증가와 관련은 없었고, 혈소판감소가 있지만 심각한 출혈을 일으키지는 않았다. 드물게 게실염의 합병증으로 위장관 천공이 보고되었다. 암 발생과는 관련이 없었다. 다른 IL-6 억제제로는 IL-6 수용체에 대한 단클론항체인 sarilumab이 있다.

## 4) IL-12/23 억제제

IL-12와 IL-23은 수지상세포와 대식세포가 분비하는데, IL-12는 IFN-$\gamma$를 분비하는 $T_H1$세포의 분화를 유도하고, IL-23은 IL-17, IL-22, TNF를 분비하는 $T_H17$세포의 분화를 유도한다. Ustekinumab은 IL-12, IL-23의 공통구성요소인 p40에 대한 단클론항체이다. 건선과 건선관절염에서는 45 mg을(체중이 100 kg을 넘으면 90 mg) 0주, 4주, 그 뒤는 12주마다 피하주사 한다. 크론씨병 치료에도 쓰이는데 강직척추염에는 효과가 없다. Risankizumab은 IL-23의 p19에 대한 단클론항체로 건선 치료에 쓰이고 강직척추염에는 효과 없다.

## 5) IL-17 억제제

Secukinumab은 항IL-17 단클론항체로서 건선, 건선관절염, 강직척추염 치료에 쓰이고, 류마티스관절염에는 효과가 없다. 150 mg을 0주, 1주, 2주, 3주, 4주에 그 뒤는 4주마다 피하주사한다. 임상반응에 따라 용량을 300 mg으로 증량할 수 있다. Ixeki-

zumab도 항IL-17 단클론항체로서 건선, 건선관절염, 강직척추염 치료에 쓰이고 있다. 첫 날 80 mg을 두 번(총량 160 mg) 피하주사하고, 그 뒤 첫 3개월간은 80 mg을 2주마다, 그 다음부터는 80 mg을 4주마다 피하주사한다. IL-17 억제제의 부작용으로는 진균증(candidiasis), 염증장질환의 발생이나 악화가 보고되었다.

## 6) B세포 활성화 관련 사이토카인 억제제

Belimumab은 B세포의 성장과 생존에 중요한 역할을 하는 B세포활성인자(B-cell activating factor, BAFF) 또는 B세포자극인자(B-lymphocyte stimulator, BLyS)에 대한 단클론항체이다. Belimumab은 전신홍반루푸스 환자들 중 심한 활성 신장염이나 중추신경계 염증이 없으면서 표준치료에도 불구하고 활성도를 보이는 환자들에게 쓰이고, 근골격계증상, 피부점막증상(탈모, 구강궤양, 뺨발진, 피부혈관염) 등을 호전시키고, 질병활성도를 줄였다. 0주, 2주, 4주, 그 뒤로는 4주마다 10 mg/kg를 정맥주사한다. 성인에서는 200 mg을 매주 피하주사 하기도 한다. Belimumab 투여로 인해 중증감염의 위험이 증가하지는 않는다고 한다(표 26-1, 표 26-2).

# 세포표적제제

## 1) B세포를 표적으로 하는 치료제

B세포는 면역반응에서 항원제시, 염증사이토카인 분비, 류마티스인자 생산, 면역복합체 형성, T세포 공동자극(costimulation) 제공 등의 역할을 한다. CD20은 B세포 계열의 세포 표면에만 발현되고 세포 내로 들어가지 않기 때문에 단클론항체로 B세포를 제거하고자 할 때 이상적인 표적이다.

Rituximab은 CD20에 대한 쥐/사람 키메라단클론항체로서 Fc 부위를 매개로 보체매개 세포용해, 항체의존 세포독성 작용 및 세포자멸사를 유도해서 B세포를 제거한다. Rituximab을 투여하면 말초혈액에서 B세포가 빠르게 거의 완전히 제거되어 24주까지 나타나지 않는다. 류마티스관절염에서 rituximab은 항TNF 제제 효과가 불충분한 환자에게 쓰이는데 자가항체 양성 환자들이 rituximab 치료에 반응이 더 좋고, B세포가 제거되면서 류마티스인자나 항CCP항체 역가가 감소한다. Rituximab의 관절손

표 26-1. 생물학적제제의 분자생물학적 특성

| 표적 | | 약제(상품명) | 분자생물학적 특성 |
|---|---|---|---|
| 사이토카인 | TNF | Etanercept (Enbrel) | IgG1의 Fc부위와 TNF수용체의 extracellular domain인 p75 단백질 두 개를 융합한 수용성 수용체 |
| | | Infliximab (Remicade) | 사람 IgG1의 constant region과 사람 TNF에 대한 쥐의 단클론항체의 variable region을 결합시킨 키메라단클론항체 |
| | | Adalimumab (Humira) | 사람유래 항TNF 단클론항체 |
| | | Golimumab (Simponi) | 사람유래 항TNF 단클론항체 |
| | | Certolizumab (Cimzia) | 사람유래 항TNF 단클론항체의 Fab부분과 polyethylene glycol 결합체, Fc부위 없음 |
| | IL-1 | Anakinra (Kineret) | IL-1 수용체에 대한 길항제 |
| | IL-6 | Tocilizumab (Actemra) | 사람유래 항IL-6수용체 단클론항체 |
| | IL-12/23 | Ustekinumab (Stelara) | IL-12, 23의 공통구성요소인 p40에 대한 사람유래 단클론항체 |
| | IL-17 | Secukinumab (Cosentyx) | 사람유래 항IL-17 단클론항체 |
| | | Ixekizumab (Taltz) | 사람유래 항IL-17 단클론항체 |
| | BlyS/BAFF | Belimumab (Benlysta) | 항B lymphocyte stimulator (BlyS)/B-cell activating factor (BAFF) 단클론항체 |
| B세포 | CD20 | Rituximab (Mabthera) | CD20에 대한 쥐/사람 키메라단클론항체 |
| 항원제시세포 | CD80/86 (B7) | Abatacept (Orenica) | CTLA-4의 extracellular domain과 사람 IgG-1의 Fc부위 결합체 |

표 26-2. 생물학적제제의 용량 및 투여방법

| 표적 | | 약제 (상품명) | 용량 및 투여방법 |
|---|---|---|---|
| 사이토카인 | TNF | Etanercept (Enbrel) | 25 mg을 주 2회 또는 50 mg을 주 1회 피하주사 |
| | | Infliximab (Remicade) | 3 mg/kg (류마티스관절염, MTX와 병용) 또는 5 mg/kg(그 외 질환), 0, 2, 6주, 그 뒤는 8주마다 정맥주사 (4주마다 증량하여 10 mg/kg까지 증량 가능) |
| | | Adalimumab (Humira) | 40 mg을 2주마다 피하주사, 크론병에서는 처음 80-160 mg, 2주 40-80 mg, 그 뒤는 2주마다 40 mg |
| | | Golimumab (Simponi) | 50 mg을 4주마다 피하주사, 또는 2 mg/kg를 0, 4주, 그 뒤는 8주마다 정맥주사 |
| | | Certolizumab (Cimzia) | 400 mg을 0, 2, 4주, 그 뒤는 200 mg을 2주마다 피하주사 |
| | IL-1 | Anakinra (Kineret) | 100 mg을 매일 피하주사 |
| | IL-6 | Tocilizumab (Actemra) | 4~8 mg/kg을 4주마다 정맥주사, 또는 162 mg을 체중이 100 kg이하이면 2주마다, 100 kg이상이면 매주 피하주사 |
| | IL-12, IL-23 | Ustekinumab (Stelara) | 45 mg을(체중이 100 kg 넘으면 90 mg) 0, 4주, 그 뒤는 12주마다 피하주사 |
| | IL-17 | Secukinumab (Cosentyx) | 150 mg을 0, 1, 2, 3, 4주, 그 뒤는 4주마다 피하주사, 임상반응에 따라 300 mg 으로 증량 가능 |
| | | Izekizumab (Taltz) | 첫날 80 mg을 두 번(총량 160 mg) 피하주사, 그 뒤 3개월간은 80 mg을 2주마다, 그 뒤는 80 mg을 4주마다 피하주사 |
| | BlyS/BAFF | Belimumab (Benlysta) | 10 mg/kg을 0, 2, 4주, 그 뒤는 4주마다 정맥주사 또는 200 mg을 매주 피하주사 |
| B세포 | CD20 | Rituximab (Mabthera) | 류마티스관절염에서 1,000 mg을 0, 2주 정맥주사(한 주기), 6개월마다 주기 반복 가능, (MTX와 병용, 전처치로 methylprednisolone 100 mg 정맥주사) ANCA-관련 혈관염에서 375 mg/m²를 4주간 매주 투여 |
| 항원제시세포 | CD80/86 (B7) | Abatacept (Orenica) | 500 mg (체중 <60 kg), 750 mg (체중 60-100 kg), 1,000 mg(체중 >100 kg) 0, 2, 4주, 그 뒤는 4주마다 정맥주사, 또는 125 mg을 매주 피하주사 |

상 억제 효과는 질병활성도에 미치는 영향과 관계없이 나타난다. Rituximab 투여 뒤 평균 8개월 정도 지나면 말초혈액의 B세포가 회복되는데(repopulation) B세포가 다시 나타나는 것과 임상증상 재발은 관련이 있는 환자도 있고 없는 환자도 있다. 그런데 류마티스인자의 증가는 임상증상 재발과 관련이 깊다고 알려져 있다. 류마티스관절염에서 rituximab은 MTX와 병용해야 하며, 치료 한 주기는 1 g을 2주 간격으로 두 번 투여하는데. 주입 반응을 막기 위해 투여할 때마다 methylprednisolone 100 mg을 전처치로 투여한다. 재발하는 경우 24주마다 rituximab 치료 주기를 반복할 수 있다.

Rituximab은 ANCA관련혈관염 치료에도 쓰이는데, 특히 재발한 경우 사이클로포스파마이드보다 관해 유도에 효과가 더 좋다. 이 경우 375 mg/m²를 4주간 매주 투여한다. 한편 중간 이상의 활성도를 보이는 전신홍반루푸스 환자나 class III/IV 루푸스신염 환자에서 rituximab은 위약보다 우수한 효과를 보이지 못했다.

부작용으로 주입반응은 주로 첫 번째 투여 때 나타나며 발열과 오한이 흔하고, 피부발진, 가려움증, 홍조, 두통, 구역 등의 증상이 발생할 수 있다. 심하면 혀와 인후 부종, 호흡곤란도 생긴다. Rituximab 투여 전 methylprednisolone 100 mg을 투여하면 주입반응을 현저히 줄일 수 있다. Rituximab 투여 뒤에는 B세포 결핍 상태가 상당히 오래 지속된다. 면역글로블린도 감소하지만 혈중 농도는 정상 범위이고, B세포 결핍이나 면역글로불린 감소로 인해 감염 위험이 증가하지는 않는다. 감염은 주로 상기도감염이며, 중증감염이나 기회감염, 범발성 진균감염, 결핵은 드물지만, 대상포진이 생길 수 있다. 그런데 rituximab 은 B형간염 바이러스 재활성화 위험을 크게 높인다고 알려져 있어서 주의가 필요하다. 아주 드문 일이지만 에이즈, 암, 장기이식 등 동반한 위험요소가 있는 환자에서 John Cunningham (JC) virus 재활성화에 의한 진행성다병소성백질뇌증이 발생했다는 보고가 있다. 악성종양이 증가한다는 보고는 없다. Rituximab을 투여받은 환자에서는 백신에 대한 반응이 떨어지는데 특히 rituximab 투여 뒤 4-8주 정도가 제일 심하다. 따라서 백신 투여는 rituximab 투여 전이 좋고 rituximab 투여 뒤에는 적어도 수개월은 미루는 것이 좋다. B세포를 표적으로 하는 다른 약제로는 사람유래 항CD20 단클론항체인 ocrelizumab, ofatumumab이 있는데 류마티스관절염에

서 큰 효과가 없었다.

## 2) 항원제시세포와 T세포 간의 공동자극 차단제

류마티스관절염 발병에 중심 역할을 하는 T세포 활성화에는 항원제시세포의 CD80/86(또는 B7)와 T세포의 CD28이 결합하는 공동자극(costimulation)이 필요하다. 이렇게 활성화된 T세포는 항원제시세포의 CD80/86와 결합하는 cytotoxic T lymphocyte antigen-4 (CTLA-4)를 발현해서 CD80/86-CD28 상호작용을 차단해서 면역반응을 조절한다.

Abatacept는 CTLA-4의 세포외 부위와 사람 IgG-1의 Fc 부위를 결합한(CTLA-4 Ig) 약제로서 항원제시세포의 CD80/86에 결합해서 T세포 CD28이 결합하지 못하게 하여 공동자극을 차단한다. 이 작용은 류마티스관절염에서 기억 T세포가 많이 존재하는 염증 상태의 관절 활막보다는 순진(naïve) T세포가 많이 존재하는 림프조직에서 T세포 초회감작(priming)을 억제해서 자가반응 T세포가 생기는 것을 막는데 중요한 역할을 할 것으로 생각된다. 또한 CTLA-4 Ig는 항원제시세포의 CD80/86에 결합한 뒤 tryptophan 대사를 통해 항원제시세포를 면역관용세포로 유도하는 작용도 있다. Abatacept의 CD86에 대한 결합력은 CD80의 1/4 정도인데 2세대 CTLA-4 Ig인 belatacept는 CD86에 대한 결합력을 증가시켰다.

류마티스관절염에서 abatacept는 MTX나 항TNF제제의 효과가 충분하지 않은 환자, MTX 치료를 받지 않은 환자 모두에서 질병활성도를 낮추고 관절손상 진행을 늦추는 효과가 있었다. 다른 생물학적제제들에 비해서 효과는 느리게 나오는 편으로 2개월 정도 지나야 효과가 뚜렷해지는데, 투여 시작한 뒤 2년 까지는 시간이 갈수록 치료 효과가 계속 증가하는 경향을 보이는 좋은 특징이 있다. MTX를 복용하는 류마티스관절염 환자에서 abatacept 피하주사 제제는 adalimumab과 비슷한 효과를 보였다. 용량은 체중에 따라 60 kg 이하는 500 mg, 60-100 kg은 750 mg, 100 kg 이상은 1,000 mg을 0주, 2주, 4주, 그 뒤는 4주마다 정맥주사 하거나, 125mg을 매주 피하주사 한다. 단독으로 사용하거나, MTX, 레플루노마이드와 같은 다른 항류마티스약물들과 병용하기도 한다.

Abatacept는 생물학적제제들 중에서 중증 감염률이 가장 적고 시간이 지나도 더 증가하지 않고, 폐암이나 악성종양 증가와

도 관련이 없지만, 다른 부작용으로는 건선이 흔하다. MTX를 복용하는 류마티스관절염 환자에서 abatacept 피하주사 제제는 adalimumab 보다 부작용으로 인한 중단이나 주사 부위 부작용이 더 적었다. Abatacept와 다른 생물학적제제와의 병용은 심각한 감염 및 부작용의 증가로 권장되지 않는다. Abatacept가 쓰이는 다른 질환들로는 6세 이상 소아의 소아특발다관절관절염과 성인의 건선관절염이 있다.

## 참고문헌

1. Mccarthy K, Kavanaugh A, Ritchlin CT. Anti-cytokine Therapies (Chapter 66). In: Firestein GS, ed. Firestein & Kelley's Textbook of Rheumatology. 11th ed. Elsvier; 2021. pp. 1046-67.
2. Shah A, St. Clair EW. Rheumatoid arthritis (Chapter 351). In: Kasper DL, ed. Harrison's Principles of Internal Medicine. 20th ed. McGraw-Hill; 2018.
3. Taurog J. The Spondyloarthritides (Chapter 355). In: Kasper DL, ed. Harrison's Principles of Internal Medicine. 20th ed. McGraw-Hill. 2018.
4. Taylor PC. Cell-targeted biologics and emerging targets (Chapter 67). In: Firestein GS, ed. Firestein & Kelley's Textbook of Rheumatology. 11th ed. Elsvier; 2021. pp. 1068-90.

# 27

# 표적치료제

**충남의대 강성욱**

## KEY POINTS 🔒

- 염증 반응의 특정 인자를 표적으로 하는 기술의 발전으로 염증에 의해 발생하는 류마티스 질환의 치료제 개발 연구가 급격히 발전하였다.
- 단백질인산화효소는 염증 반응에서 신호 전달의 중요한 역할을 하는 효소로서, 이를 표적으로 다양한 인산화효소 억제제가 새로운 치료 방식으로 부상하였다.
- Janus kinase (JAK)억제제가 류마티스관절염과 건선관절염 치료제로 승인된 데 이어 선택적 JAK억제제가 개발되면서 다양한 류마티스 질환에서 활발한 연구가 진행되고 있다.
- JAK억제제는 앞서 개발된 생물학적제제와 유사한 효능과 안전성을 보이나, 대상포진 발생의 증가는 주의해야 할 부작용이다.
- Bruton's tyrosine kinase (BTK)억제제가 악성 종양의 치료제로 인정되면서 류마티스관절염과 전신홍반루푸스에서 연구 중이다.

## 서론

질환에 대한 이해와 생명 공학의 급속한 발전에 힘입어 자가면역 또는 염증 질환 치료제의 개발은 어느 때보다 활발하다. 염증과 조직 손상을 유발하는 중요한 인자들이 밝혀지면서 이들을 표적으로 하는 약물이 개발되었다.

종양괴사인자와 IL-6 등 염증 질환에서 중요한 역할을 하는 사이토카인에 대한 생물학적제제가 류마티스관절염의 치료에 쓰인 이래로, IL-12/23, IL-17 억제제가 개발되어 다양한 자가면역질환에서 효과를 입증하였다. 사이토카인을 표적으로 하는 약물 외에도 염증세포를 제거하거나 기능을 조절하는 생물학적제제가 개발되어 류마티스 질환 치료에 큰 성과를 이루었다. 그러나 생물학적제제는 주사로 투여해야 하는 불편함과 약물에 대한 항체 생성으로 효과가 감소하는 단점이 있다.

세포 표면에서 핵으로의 신호 전달 과정이 알려지면서 이 경로를 표적으로 하는 소분자 표적치료제가 개발되었다. 특정한 단백질인산화효소(protein kinase)를 표적으로 억제하는 약물 개발이 시도되었으나 실패한 경우가 많았고, 그 중에서 janus kinase (JAK)을 억제하는 tofacitinib의 효과가 알려지면서 다양한 JAK억제제가 개발되고 있다.

## 신호 전달 경로

지난 30여 년간의 연구를 통해 가역적인 단백질인산화가 세포 신호 전달의 핵심 기전임이 알려졌으며, 특히 단백질타이로신인산화효소(protein tyrosine kinase; PTK)가 중요한 역할을 함이 밝혀졌다. 면역세포를 활성화하는 중요한 수용체들이 단백질인산화효소와 연결되어 있다(그림 27-1). 수용체-리간드상호작용 후 일어나는 신호 전달 경로는 매우 다양하고 서로 중복되어 있어, 특정 경로를 표적으로 하는 치료제에 기대한 효과를 거두기 어렵다. 신호 전달에 관여하는 하나의 요소를 억제하여도 다른 경로를 통한 신호가 증가함으로써 신호가 완벽하게 억제되지는 않는다.

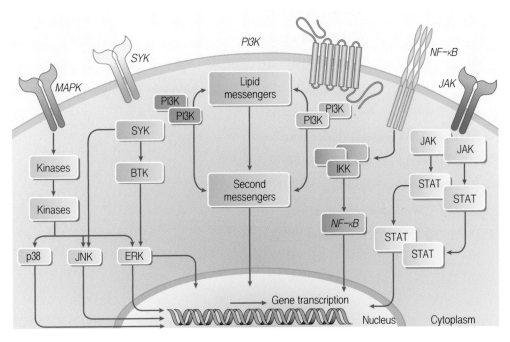

그림 27-1. 신호 전달 경로

BTK, Bruton's tyrosine kinase; ERK, extra-cellular signal-regulated kinase; IKK, IκB kinase; JAK, janus kinase; JNK, c-JUN N-terminal kinase; MAPK, mitogen-activated protein kinase; NF-κB, nuclear factor-κB; STAT, signal transducer and activator of transcription; SYK, spleen tyrosine kinase.

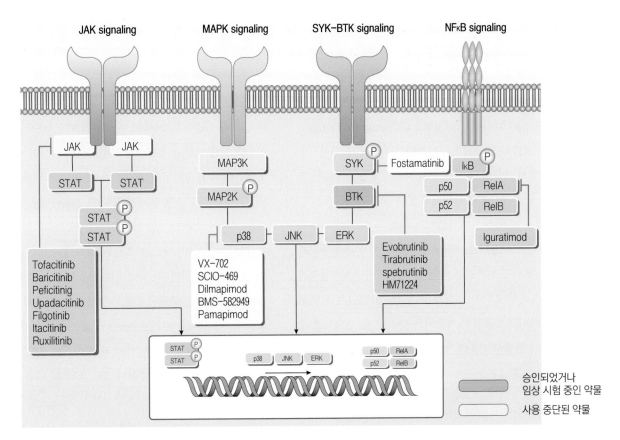

그림 27-2. 표적 합성 질환조절항류마티스약제(targeted synthetic disease modifying antirheumatic drug, tsDMARD)의 작용 기전

T세포와 NK세포에서는 1형과 2형 사이토카인이 세포의 수용체에 결합하여 JAK을 활성화하여 signal transducer and activators of transcription (STAT)을 인산화한다. STAT이 활성화되면 이합체(dimer)를 이루어 핵 안으로 들어가 유전자 발현을 조절한다. B세포에서는 항원이 결합하면 Lyn, spleen tyrosine kinase (SYK), Bruton's tyrosine kinase (BTK) 등을 통하여 phospholipase Cγ (PLCγ)를 활성화한다. PLCγ는 protein kinase C (PKC)를 활성화하여 mitogen-activated protein kinase (MAPK)를 자극한다. MAPK 연쇄 반응을 통해 NF-κB와 nuclear factor of activated T cells (NFAT)와 같은 전사인자를 활성화함으로써 유전자 발현을 조절한다.

## 소분자억제제

신호 전달 경로에서 다양한 단백질 인산화효소를 표적으로 하는 치료제가 개발되었다(그림 27-2). 특정한 분자 구조를 표적으로 개발되었기에 표적 합성 질환조절항류마티스약제(tsDMARD)라는 새로운 종류의 치료제로 분류되었으며 소분자억제제(small molecule inhibitor)라고도 불린다. 소분자억제제는 경구 투여가 가능하고 생물학적제제가 특정한 세포외 분자를 억제하는 데 반해 여러 염증 유발 사이토카인을 동시에 억제할 수 있다는 장점이 있다. p38 MAPK와 MAPK/ERK kinase (MEK)를 억제하는 약물이 개발되었으나, 류마티스관절염 환자를 대상으로 하는 임상연구에서 대부분 실패하였다. SYK억제제는 효과는 약하고 부작용은 심해 치료제로 승인되지 못하였다.

BTK억제제가 림프종과 백혈병에서 승인된 후, 류마티스관절염에서 연구 중으로 BTK는 B세포수용체 신호 전달에 중요한 기능을 하므로, B세포가 다양한 역할을 하는 류마티스관절염과 전신홍반루푸스에서 효과가 기대된다. 또한, 2012년에 광범위 JAK억제제가 류마티스관절염 치료제로 승인된 후 선택적 JAK 억제제의 개발이 활발히 이루어지고 있다.

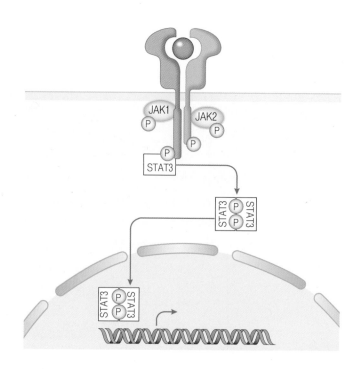

그림 27-3. Janus kinase (JAK)/signal transducer and activator of transcription (STAT) 신호 전달경로

## JAK억제제

### 1) JAK의 신호 전달

JAK은 1형 및 2형 사이토카인 수용체를 통한 신호를 전달하는 단백질 인산화효소이다. 수용체-리간드상호작용을 통해 다양한 JAK이 활성화되면 수용체 타이로신의 인산화가 일어나고, 결국 STAT이 활성화되어 전사인자로 작용한다(그림 27-3). JAK/STAT 신호 전달을 통해 세포의 증식, 분화, 이동, 세포자멸사, 세포의 생존과 같은 다양한 세포 반응을 유도한다.

JAK은 JAK1, JAK2, JAK3, tyrosine kinase 2 (TYK2)의 4가지 종류로 구성되며, 이 중 2개씩 짝을 이뤄 신호를 전달한다(그림 27-4). JAK3는 조혈세포에서 주로 발현하며, IL-2, IL-4, IL-7, IL-9, IL-15, IL-21에 대한 수용체에 있는 공통 γ-사슬(common γ-chain)로부터 신호를 전달하는 데 필수적인 역할을 한다. JAK3는 JAK1과 결합하여 작용하며 림프구의 활성화, 증식 및 그 기능에 필수적이다. JAK2는 적혈구형성호르몬, 성장호르몬, 과립구대식세포집락자극인자(GM-CSF), IL-3, IL-5 등의 신호를 전달한다. IL-6, IL-10, IL-11, IL-20, IL-22, IFN-α, IFN-β, IFN-γ는

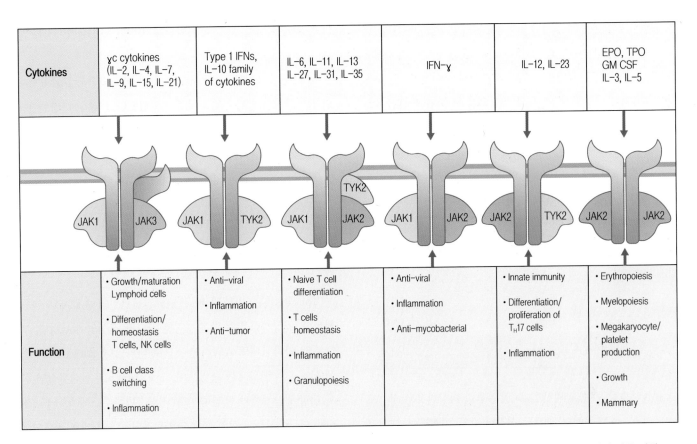

그림 27-4. Janus kinase (JAK)/signal transducer and activator of transcription (STAT) 경로를 통한 다양한 사이토카인의 신호 전달

JAK1을 통해 신호 전달을 한다. TYK2는 IL-12, IL-23, 1형 인터페론의 신호를 전달하며, JAK1이나 JAK2와 짝을 이룬다.

## JAK 선택성

Tofacitinib은 광범위 JAK억제제로서 JAK1/2/3를 억제할 수 있으며 TYK2도 부분적으로 억제한다. Tofacitinib에 의한 JAK1/3의 억제는 공통 γ-사슬을 이용하는 IL-2, IL-4, IL-9, IL-15, IL-21 등의 신호 전달을 억제한다. JAK1 억제는 JAK1을 통한 IL-6의 신호 전달을 억제한다. JAK억제제는 IL-1이나 TNF의 신호는 억제하지 않는다.

이후에 개발된 JAK억제제는 JAK1이나 JAK3를 선택적으로 억제함으로써 조혈억제 부작용이 적을 것으로 기대하고 있다. Upadacitinib과 filgotinib은 JAK1 선택적 억제제이며, peficinib은 JAK1/3을 우선적으로 억제한다. 여러 종류의 선택적 JAK억제제

표 27-1. 류마티스 질환 치료제로 개발된 JAK억제제

| Tofacitinib | JAK1/3 억제제 |
| --- | --- |
| Baricitinib | JAK1/2 억제제 |
| Upadacitinib | JAK1 억제제 |
| Peficitinib | JAK1/3 억제제 |
| Filgotinib | JAK1 억제제 |

가 류마티스 질환의 치료제로 개발되었다 (표 27-1).

## 류마티스관절염에서 JAK억제제의 효과

고식적 합성 질환조절항류마티스약제(csDMARD)나 생물학적제제 치료에 실패한 류마티스관절염 환자에서 여러 가지 JAK억제제의 치료 효과가 검증되었다. Tofacitinib은 2012년 미국에서 5 mg씩 하루 2회 복용하는 용법으로 류마티스관절염 치료제

로 승인되었고, 최근에는 서방정이 개발되어 11 mg을 하루 한 번 복용할 수 있다. 국내에도 도입되어, 메토트렉세이트 치료에도 불구하고 활동성 관절염을 보이는 환자에서 투여할 수 있으며, 단독요법이나 메토트렉세이트와 병합요법 모두 가능하다. Baricitinib은 2017년 유럽에서 4 mg씩 하루 1회 복용하는 용법으로 승인되었고, 미국에서는 부작용의 우려로 2 mg으로 승인되었다. 국내에서는 4 mg씩 투여할 수 있다. 일반적으로 메토트렉세이트에 불충분한 반응을 보이는 류마티스관절염 환자에서 JAK억제제의 효능은 항TNF제제와 유사하거나 조금 더 나은 결과를 보였으며, 약제에 따른 차이가 있기는 하지만 방사선학적 진행을 억제할 수 있다.

## JAK억제제의 안전성

JAK억제제 투여 후 발생할 수 있는 흔한 이상반응은 상기도 감염, 두통, 설사 등이며, 때로는 심각한 감염, 기회감염, 대상포진, 소화관천공, 혈전, 색전 등과 같은 심각한 이상반응이 발생할 수 있다. 이상반응의 종류나 빈도는 생물학적제제와 유사하지만, 예외적으로 동양인에서 대상포진의 빈도가 더 증가하는 것으로 보고되었다.

JAK억제제의 작용 기전을 고려할 때 발생할 수 있는 검사 소견은 다음과 같다. JAK1은 IL-6 신호 전달을 억제하므로 호중구 감소를 유발하며, JAK3는 림프구의 생존과 성숙에 관여하여 림프구 수가 감소할 수 있다. 그러므로 정기적으로 혈구수 측정이 필요하다.

JAK2는 적혈구형성호르몬의 신호 전달에 관여하므로 중대한 빈혈의 발생을 우려했으나, 실제로 JAK2를 주로 억제하는 baricitinib에서 심각한 빈혈은 드문 것으로 보고되었다. IL-6는 간세포의 항상성을 유지시켜 주는데 JAK1 억제로 IL-6의 신호 전달이 감소하면 간기능 이상을 초래하며 메토트렉세이트와 같이 투여하면 더 흔히 발생한다. JAK억제제를 투여하는 환자는 투여 시작 후 3개월 동안은 한 달에 한 번, 그 후로는 3개월에 한 번씩 간기능 검사를 하도록 권고하고 있다. 또한 혈청 지질 수치가 상승하는 경우가 15-20%까지 보고되었으나 총콜레스테롤, 고밀도지질단백질, 저밀도지질단백질 모두 상승하여 HDL/

LDL 비율은 차이가 없어, 심혈관계 이상반응이 증가하지는 않는다.

2021년 ORAL Surveillance study가 발표되면서 JAK억제제의 심혈관질환 발생 부작용이 우려되었으나, 기존의 다양한 3상 연구와 시판 후 시장조사를 통해 안전성이 확인되었다. 고령, 흡연력, 심혈관계 위험인자가 있는 환자에서는 심혈관질환과 종양 발생 가능성에 대해 주의 깊은 투여가 권고된다.

## 다른 류마티스 질환에서의 JAK억제제 사용

Tofacitinib은 2017년 미국에서 건선관절염 치료제로 승인되었다. 임상시험을 통해 관절염뿐 아니라 건선의 피부병변, 부착부염, 가락염에도 효과적인 것으로 나타났다. Baricitinib은 건선에서 유의한 효과를 보였으며, upadacitinib은 건선관절염 환자 대상 임상시험이 진행 중이다. 전신홍반루푸스에 대한 baricitinib 연구에서는 관절염과 발진이 호전되었다. 강직척추염 연구에서는 tofacitinib 투여 후 천장관절과 자기공명영상에서 척추염증의 호전을 보였으며, filgotinib은 강직척추염의 증상과 징후를 개선하였다.

📑 **참고문헌**

1. Baker KF, Isaacs JD. Novel therapies for immune-mediated inflammatory diseases: what can we learn from their use in rheumatoid arthritis, spondyloarthritis, systemic lupus erythematosus, psoriasis, Crohn's disease and ulcerative colitis? Ann Rheum Dis 2018;77:175-87.

2. Harrington R, Al Nokhatha SA, Conway R. JAK inhibitors in rheumatoid arthritis: an evidence-based review on the emerging clinical data. J Inflamm Res 2020;13:519-31.

3. Jamilloux Y, El Jammal T, Vuitton L, Gerfaud-Valentin M, Kerever S, Sève P. JAK inhibitors for the treatment of autoimmune and inflammatory diseases. Autoimmun Rev 2019;18:102390.

4. Kalden JR. Emerging therapies for rheumatoid arthritis. Rheumatol Ther 2016;3:31-42.

5. Massalska M, Maslinski W, Ciechomska M. Small molecule inhibitors in the treatment of rheumatoid arthritis and beyond: latest updates and potential strategy for fighting COVID-19. Cells 2020;9:1876.

6. McInnes IB, Schett G. Pathogenetic insights from the treatment of rheumatoid arthritis. The Lancet 2017;389:2328-37.

7. Reddy V, Cohen S. Intra-cellular targeting agents in rheumatic disease. In: Firestein GS, Budd RC, Gabriel SE, Koretzkt GA, McInnes IB, O'dell JR, eds. Textbook of Rheumatology 11th ed. Philadelphia: Elsevier; 2021. pp. 1091-112.

8. Vollenhoven RF. Tyrosine kinase inhibition. In: Hochberg MC, Gravallese EM, Silman AJ, Smolen JS, Weinblatt M E, Weisman MH, eds. Rheumatology. 7th ed. Philadelphia: Elsevier; 2019. pp. 527-34.

9. Zhang H, Chambers W, Sciascia S, Cuadrado MJ. Emerging therapies in systemic lupus erythematous: from clinical trial to the real life. Expert Rev Clin Pharmacol 2016;9:681-94.

# 28

# 관절과 연부조직 주사

**가톨릭의대 문수진**

## KEY POINTS 🔒

- 과거 관절 및 연부조직 주사 치료는 해부학적 촉진에 의존하여 수행하였기 때문에 정확한 목표 병변 위치에 스테로이드와 같은 약물이 효율적으로 전달되지 못했다. 하지만 관절 초음파가 임상에 널리 적용되면서 초음파 유도하 관절 및 연부 조직 내 주사치료가 가능해졌다.

- 초음파 유도하에 시행하는 관절 및 연부조직 내 주사치료는, 비유도 주사에 비해 치료의 정확도와 효율을 높인다. 따라서, 관절 초음파를 통해 병변의 위치와 범위를 확인한 후, 초음파 유도하 주사 치료를 하는 것이 권고된다.

- 초음파 유도하 주사 치료는 치료해야 할 병변을 직접 확인하고 바늘이 병변에 정확히 위치함으로서 주사 치료의 효율 및 시술 정확도를 높일 뿐 아니라, 주사 치료로 인한 통증을 줄이는 결과로 이어진다.

- 초음파 유도하 관절 및 연부조직 내 주사치료를 위해서는, 주사 치료를 위한 적절한 환자의 자세 확보 및 시술 부위에 맞는 기기가 우선 준비되어야 한다.

- 시술하는 의사는 가능한 간단하고 쉽게 시술을 시행하면서도 환자에서 발생하는 시술로 인한 통증이 최소화되도록 해야 한다.

## 초음파 유도하 중재시술의 정확성 및 필요성

염증성 관절 질환들의 전신적인 치료제 선택이 확대되고 있지만, 관절뿐 아니라 인대 및 윤활낭에 시행하는 국소 스테로이드 주사 치료는 실제 임상에서 중요한 위치를 차지한다. 과거에는 이러한 국소 주사 치료가 영상 유도 없이 해부학적 지형물의 촉진에 의해 이뤄졌지만, 촉진에만 의존한 이러한 비유도(blind) 주사는 바늘 위치의 정확도가 30-70%로 높지 않다. 임상에서 흔히 적용되는 위팔어깨관절(glenohumeral joint) 주사의 경우, 초음파 유도하 주사 정확도는 92%인데 반해 촉진에 의존한 주사의 정확도는 72%로 낮다. 관절액 흡인의 성공률을 비교한 연구에서도 초음파 유도하에 의한 흡인 성공률이 97%인 것에 비해, 비유도하 관절액 흡인의 성공률은 32%에 불과했다. 또한, 천장관절과 같이 깊이 위치한 관절에 중재시술을 시행해야 하는 경우에도 관절초음파는 유용하다.

초음파 유도하에 시행된 중재시술의 염증 및 통증 조절이 비유도 주사 치료에 비해 높은 성공률을 보인다는 임상적인 효능 이점과는 별개로, 초음파 유도하 중재시술의 중요한 장점은 비유도하 중재시술시 발생할 수 있는 혈관, 신경, 인대와 같은 중요한 관절 주위 구조물의 손상을 피할 수 있다는 것이다.

만성 염증성 자가면역 관절 질환에서 초음파 유도하 부신피질호르몬 관절내 주사는 질병의 자연 경과를 바꾸지는 못하지만, 질병활성도 악화에 의한 염증 및 통증을 일시적이지만 신속하게 조절하는 효과가 있어, 이를 적용해야 하는 환자를 임상에서 흔히 마주한다. 또한 소염진통제나 전신적인 면역억제제 투여가 어려운 내과적 문제를 지닌 환자들이 점차 늘고 있어, 류마티스 질환 관리 측면에서 그 역할이 점차 확대될 것으로 예상된다.

## 초음파 유도하 주사 치료의 방법

초음파 유도 중재시술 방법에는 간접법과 직접법의 두 가지 접근법이 있다. 간접법은 중재시술 전 초음파를 통해 병변을 먼저 확인한 후, 바늘이 들어갈 최적의 위치를 표시하고, 중재시술을 위한 바늘 주입 시에는 초음파를 사용하지 않는 방법이다. 간접법은 피부 표면 가까이 위치하여 초음파 도움 없이도 정확한 위치에 시술이 가능한 구조물들이나 무릎 관절에 발생한 삼출액과 같은 큰 관절에 적합하다. 바늘이 들어갈 가장 좋은 위치 선정에 페이퍼 클립을 이용하기도 한다. 이에 반해, 직접법은 표적 병변과 시술에 쓰이는 주사 바늘을 실시간으로 확인하는 초음파 검사와 중재시술을 동시에 시행하는 기법이다. 깊이 위치하는 관절의 경우는 촉진으로 확인할 수 없기 때문에 천자나 주사 치료를 수행할 때 초음파의 도움을 받는 직접법이 유리하다.

초음파 유도시 표적의 크기와 깊이에 따라 바늘을 탐촉자의 장축에 평행하게 진입하거나(그림 28-1), 직각으로 진입할 수 있다. 바늘이 탐촉자와 평행에 가까울수록 바늘을 더 잘 관찰할 수 있고, 반대로 바늘이 탐촉자의 장축과 이루는 각도가 가파를수록 바늘은 잘 보이지 않는다.

바늘이 탐촉자의 장축에 직각으로 진입하게 되면, 바늘은 고에코의 점으로만 관찰되므로, 탐촉자의 장축에 평행하게 진입하는 것이 대부분의 초음파 유도 중재시술에 사용되지만, 피부에서 가깝게 위치하는 작은 관절(예: 손가락, 발가락 관절)에는 탐촉자의 장축에 수직으로 진입하는 것이 바늘의 정확한 위치 확보에 유리하다. 바늘이 목표한 표적에 잘 위치했는지 확인하기 위해, 중재시술을 시행하기 전에 종단면과 횡단면 스캔을 동시에 시행하여 바늘 끝의 위치를 확인하여야 시술의 성공 확률을 높일 수 있다.

중재시술의 표적의 깊이에 따라 초음파 주파수를 선택해야 한다. 또한, 주사 바늘이 항상 초음파 빔과 수직에 가깝게 위치하도록 탐촉자 및 바늘의 위치를 확인하면서 시술을 시행해야 한다. 바늘을 흔들면 바늘의 위치를 확인하는 것이 더 용이하다.

## 초음파 유도하 주사 치료 시 주의점

초음파 유도하 관절강내 혹은 관절 주위 연부조직에 주사치료를 결정하기 전에 반드시 확인해야 할 사항들이 있다. 첫째, 문진을 통한 과거력 확인을 통해 중재시술의 합병증 병력 및 중재시술의 금기에 해당하는 의학적 상태를 확인하여야 한다. 와파린과 같은 항응고제를 투여하고 있는지, 당뇨병이 있는지, 국소마취제나 주사에 쓰일 스테로이드에 알레르기가 있는지, 임신가능성이 있는지, 과거에 동일 부위에 스테로이드 주사를 맞은 적이 있는지, 맞았다면 언제 맞았는지 등을 확인하여야 한다. 둘째, 초음파에서 확인된 비정상 소견이 환자가 호소하는 통증의 원인인지 확인하기 위해 중재시술 전 이학적 검사를 시행하여야 한다. 이는 시술을 통해 환자의 주 증상이 호전될 것인지를 미리 예측 가능하게 함으로써 불필요한 중재시술을 예방할 수 있다. 이득이 없는 중재 시술은 시술로 인한 통증 발생뿐만 아니라 시술로 인한 합병증만을 일으킬 뿐이다. 셋째, 중재시술의 방법 및 합병증을 환자에게 충분히 설명하고 동의하는 경우에만 시술을 진행해야 한다. 중재시술의 합병증으로는 감염, 알러지, 스테로이드 부작용(안면홍조, 생리불순 등), 혈당상승, 주사부위 멍, 인대 파열, 치료 실패 등이 있다.

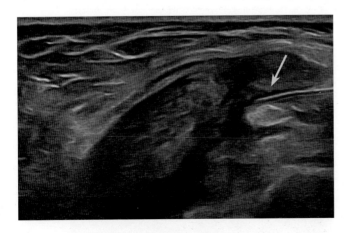

그림 28-1. 무릎 관절에 활막증식과 삼출액이 있는 류마티스관절염 환자에서, 탐촉자에 평행하게 바늘이 진입하는 사진

## 초음파 유도하 중재 시술 방법

### 1) 장비 준비

탐촉자는 3-5 MHz의 볼록(convex) 탐촉자와 7-15 MHz의 선

형(linear) 탐촉자 중 병변의 깊이에 따라 선택하고 도플러가 가능한 것이 좋다. 시술이 진행되는 자세는 환자와 시술자 모두 편안한 자세여야 하며, 시술자가 모니터를 정면으로 응시하는 것이 가능하도록 위치되어야 한다. 시술할 관절 및 병변에 따라 베개, 수건 등을 이용하여, 환자와 시술자 모두 가장 편안한 자세를 취하는 것이 시술 성공에 큰 영향을 미친다.

주사 바늘의 두께와 길이는 시술하고자 하는 표적의 크기 및 깊이에 따라 선택한다. 관절천자의 경우 18-21 gauge의 두꺼운 바늘을 사용하지만, 약제의 주입은 대부분 23-25 gauge의 가는 바늘만으로도 가능하다. 바늘의 길이는 주사 경로의 길이를 예상하여 결정하는데, 환자가 비만하고 표적이 깊게 위치한다면 충분한 길이의 바늘을 준비해야 시술로 인한 통증을 최소화하면서 시술 성공 가능성을 높일 수 있다. 어깨 관절이나 엉덩관절과 같은 깊은 관절은 최소한 6-10 cm 이상의 바늘을 사용해야 관절 내에 도달할 수 있다.

## 2) 소독

관절 및 관절주위 연부조직 주사치료시 피부 소독 방법에 대한 연구는 아직 없다. 각 기관의 권고 사항에 따라 시행하는 것이 원칙이나, 시술 이후 발생하는 감염 합병증을 최소화하기 위해 시술 시 시술자는 멸균된 장갑을 착용하고, 시술 부위의 피부를 알코올 혹은 포비돈요오드로 소독한 다음 시술을 시행해야 한다. 초음파 탐촉자는 일반적으로 알코올이나 포비돈요오드를 표면에 바르는 것이 금지된 경우가 대부분으로, 멸균된 젤 및 멸균 탐촉자 포를 사용하도록 권고된다. 초음파 유도 중재시술시 탐촉자의 관리에 대해 명확한 가이드라인은 없지만, 오염된 탐촉자와 주사 바늘의 직접 접촉은 시술 이후 감염 합병증을 발생시킬 수 있으므로 탐촉자 포를 사용하기 어려운 상황이라면 탐촉자와 바늘이 닿지 않도록 세심한 주의가 이뤄줘야 한다.

## 3) 시술 전 국소마취

시술 전 국소마취는 대개 필요하지 않지만, 통증에 민감한 부위나 환자일 때는 국소 마취주사를 사용할 수 있다.

## 4) 개별 관절 시술

### (1) 어깨

어깨 관절에 시행하는 초음파는 통증의 원인을 찾는 진단 및 치료 목적으로 임상에서 가장 흔히 사용된다. 류마티스 질환에서 어깨 관절에 시행하는 초음파 유도 주사 치료의 대상은 주로, 어깨세모근밑윤활주머니염(subdeltoid bursitis), 위팔두갈래근 힘줄활막염(biceps tenosynovitis), 위팔어깨관절 활막염(synovitis of glenohumeral joint), 봉우리빗장관절 활막염(synovitis of acromioclavicular joint), 복장빗장관절 활막염(synovitis of sternoclavicular joint)이다. 위팔어깨관절 주사는 유착관절낭염, 류마티스관절염으로 인한 활막염에서 주로 행해진다. 주사는 전방과 후방 접근법이 있으나 초음파 유도시엔 주로 후방으로 접근한다. 환자의 자세는 팔은 약간 외회전 상태로 앉은 자세이며, 탐

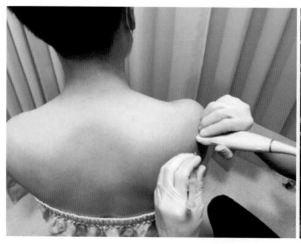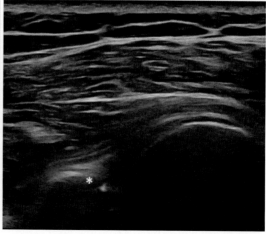

그림 28-2. 후방접근을 통한 위팔어깨관절 주사 (* 주사 후 고에코로 보이는 약물)

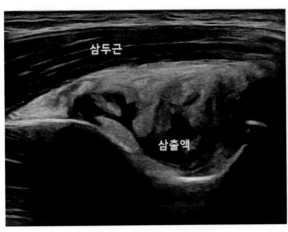
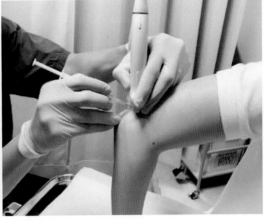

그림 28-3. 팔꿈치관절 염증이 발생한 류마티스관절염 환자에서의 주사치료(후방접근)

촉자는 횡단 방향으로 놓아 가시아래근(infraspinatus muscle)과 종단뷰(longitudinal view)로 놓여야 한다(그림 28-2). 초음파 검사를 통해 상완골두(humeral head) 및 관절순(glenoid labrum)을 확인한다. 바늘은 밝은 흰색으로 확인되기 때문에 실시간으로 확인할 수 있지만, 탐촉자와 바늘이 완전히 직각이 될 수 없어 바늘 끝이 관절강 내로 진입 될 때까지 추적되어야 한다(그림 28-2).

### (2) 팔꿈치

팔꿈치 관절에 삼출액이 생기면 팔꿈치머리오목(olecranon fossa)의 지방체를 들어올리기 때문에, 팔꿈치 관절을 목표로 하는 경우는 주로 후방에서 접근한다. 환자는 앉은 자세에서 팔꿈치를 굽히고 손바닥을 테이블 위에 올리면, 초음파로 삼두근과 팔꿈치머리오목이 장축으로 보인다(그림 28-3).

### (3) 손목

손목은 류마티스관절염이 가장 흔하게 침범하는 관절로, 손목의 초음파 유도 주사는 주로 종단스캔에서 수행된다. 초음파 검사를 통해 통증과 부종의 원인 병변을 확인할 수 있어 표적 구조물을 결정하는데 필수적이다. 요수근관절(radiocarpal joint)내 주사는 팔꿈치를 신전한 상태에서 팔을 테이블에 편하게 올려놓고 앉은 자세에서 수행한다. 종단 방향으로 목표 구조물이 보이게 탐촉자를 위치시키고 바늘이 탐촉자 말단지점에 인접하게 진입하여 바늘이 요수근관절내에 위치하게 초음파 직접 유도하에 바늘을 전진시킨다. 손목터널증후군의 경우, 탐촉자를 손목

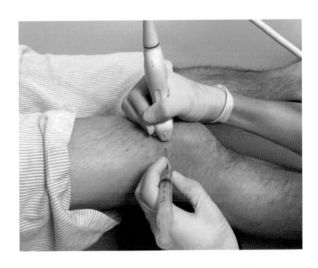

그림 28-4. 무릎관절 초음파 유도하 주사

터널에 횡축으로 놓고 손목터널의 근위부에서 바늘을 삽입하여 정중신경과 횡수골인대(transverse carpal ligament)의 사이에 바늘이 위치하게 유도한 후 약제를 주입한다.

### (4) 무릎

무릎관절 주사는 촉진에만 의존하여 시행해도 높은 성공률을 보이나, 환자가 비만하거나 삼출액의 양이 촉진에만 의존하기엔 너무 적은 경우 초음파가 시술에 도움이 된다. 탐촉자를 슬개골 근위부에 횡으로 위치시키고, 바늘은 외측 혹은 내측에서 진입하여 약제를 주입한다(그림 28-4).

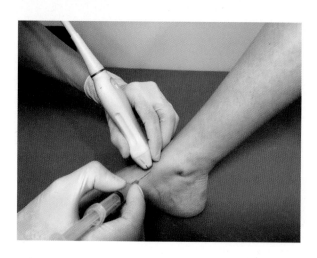

그림 28-5. 발목관절 초음파유도 주사

## (5) 발목과 발

환자는 앙와위 자세로 눕고, 환자의 무릎은 굴곡 상태로 발은 진찰대 위에 편평하게 올려 놓는다. 정강목말(tibiotalar)관절의 주사는 탐촉자를 관절 위에 종축 방향으로 위치한 후 발등동맥과 장지신근(extensor digitorum longus)을 확인하고 탐촉자의 원위부에서 바늘을 진입시키는 것이다. 또 다른 방법으로, 탐촉자를 정강목말 관절 위에 횡축으로 두고, 내측 혹은 외측에서 바늘을 진입하여 전방 와(recess)에 위치시킨 후 초음파 유도 주사를 시행할 수 있다(그림 28-5).

중족지(metatarsophalangeal) 관절과 같이 작고 피부에서 가까운 관절은 탐촉자의 중심에서 직각으로 바늘을 진입시켜 주사한다. 중족지관절의 삼출액을 흡인하여 편광현미경 검사를 시행해야 할 때, 촉진에만 의존하여 관절천자를 시도하는 것보다 초음파 유도 관절천자가 성공할 확률이 높다.

## 결론

초음파 유도 중재시술은 시술 정확성 및 치료 성공률을 높일 뿐만 아니라, 중재시술과 연관하여 발생할 수 있는 혈관, 신경, 힘줄 등의 관절 주위 구조물들의 손상을 피할 수 있는 장점을 지닌다. 특히, 전신 약물 투여가 어려운 내과적 문제가 있는 환자들과 염증성관절염의 악화로 인해 심각한 통증을 호소하는 많은 환자들에게 도움이 되고 있다. 초음파 유도 주사 치료는 임상에서 그 적용 범위가 빠르게 확대되고 있어, 적응증과 술기에 대한 이해가 필수적이다.

## 📑 참고문헌

1. Balint PV, Kane D, Hunter J, McInnes IB, Field M, Sturrock RD. Ultrasound guided versus conventional joint and soft tissue fluid aspiration in rheumatology practice: a pilot study. J Rheumatol 2002;29:2209-13.

2. De Zordo T, Mur E, Bellmann-Weiler R, Sailer-Höck M, Chhem R, Feuchtner GM, et al. US guided injections in arthritis. Eur J Radiol 2009;71:197-203.

3. Eustace JA, Brophy DP, G ibney R P, B resnihan B, FitzGerald O. Comparison of the accuracy of steroid placement with clinical outcome in patients with shoulder symptoms. Ann Rheum Dis 1997;56:59-63.

4. Jones A, Regan M, Ledingham J, Pattrick M, Manhire A, Doherty M. Importance of placement of intra-articular steroid injections. Bmj 1993;307:1329-30.

5. Klauser A, De Zordo T, Feuchtner G, Sögner P, Schirmer M, Gruber J, et al. Feasibility of ultrasound-guided sacroiliac joint injection considering sonoanatomic landmarks at two different levels in cadavers and patients. Arthritis Rheum 2008;59:1618-24.

6. Koski JM. Ultrasound guided injections in rheumatology. J Rheumatol 2000;27:2131-8.

7. Patel DN, Nayyar S, Hasan S, Khatib O, Sidash S, Jazrawi LM. Comparison of ultrasound-guided versus blind glenohumeral injections: a cadaveric study. J Shoulder Elbow Surg 2012;21:1664-8.

8. Sofka CM, Collins AJ, Adler RS. Use of ultrasonographic guidance in interventional musculoskeletal procedures: a review from a single institution. J Ultrasound Med 2001;20:21-6.

# 29

# 보완대체요법

**원광의대 이명수**

## KEY POINTS 🔒

- 류마티스전문의는 류마티스 질환을 가진 환자들의 시각을 고려해야 하며 환자들과 보완대체요법에 대해 토론할 준비가 되어야 한다.
- 보완대체요법은 류마티스 및 근골격계 질환 환자들이 많이 시도하고 있는 보조적인 치료방법이다.
- 운동 요법, 식이요법, 침술, 약초 등이 가장 일반적으로 사용되는 보완대체요법들이다.
- 대부분의 보완대체요법은 과학적 근거와 임상 시험이 제한적이거나 부족하다.
- 과학적인 근거가 부족하다는 이유로 환자에게 적절한 정보를 제공하지 못하는 경우가 많아 이에 대한 보완대체요법의 효과를 정립하기 위한 노력이 필요하다.
- 류마티스 질환을 가진 환자들에게서 식이요법에 대한 관심이 현저히 증가하고 있어 이에 대한 적극적인 교육이 필요하다.

## 개요

우리나라 일반인들의 보완대체요법 이용률은 국내 연구에 따르면 29-37%이다. 류마티스 질환을 가진 환자의 이용률은 59% 정도로 일반인보다 이용률이 높다. 영미권 연구에 의하면 류마티스 질환 환자의 42.6%가 1년 동안 과학적인 보완대체요법으로 알려진 16개의 치료법 중 적어도 1개 이상 시도해 본 것으로 확인될 만큼 많은 사람들이 접하고 있다. 이 조사에 참여한 사람들 중 보완대체요법 치료 횟수가 일차 의료에 방문한 횟수보다 더 많았으며 환자들 중 50% 이상이 관절염, 요통 및 목의 통증을 호소하는 근골격계질환 환자였다. 대부분의 류마티스 질환은 만성통증과 예측 불가한 질병 경과 및 불완전한 치료 효과를 보이는 특징이 있다. 그 결과 많은 환자들, 특히 골관절염 및 섬유근통 환자들은 의사들이 권하는 전통적인 치료법 외에 보완대체요법을 자주 찾게 된다. 하지만 이러한 보완대체요법에 대해 환자와 의사 사이에 충분한 의논이 이루어 지지 않는 것이 현실이다. 환자들을 위험한 약물 상호작용과 검증되지 않은 치료 방식에서 보호하기 위해서 보완대체요법은 반드시 포괄적인 의학 및 신체 검진 영역의 일부로 이끌어 내야 한다. 단순히 의사들이 묻지 않았다는 이유만으로 환자들 중 38-55%가 보완대체요법에 대한 사실을 의사들에게 말하지 않는다. 의학계는 더욱 엄격한 보완대체요법에 대한 평가를 하면서 의사들은 환자들에게 대체 요법에 대한 치료 경험을 묻고 기존의 검증된 효과에 대해서는 적극적으로 도입하는 자세로 임하고, 보완대체요법에 대한 안전하고 충분한 정보에 입각한 결정을 내리도록 지원하고 안내하여야 한다.

## 운동

한 연구에서 노인들이 규칙적인 운동을 한 경우 관절 기능 저하를 32% 정도 예방하는 결과를 보였다. 특히 규칙적인 운동은 근육의 약화를 막아 무릎 퇴행성 관절염 환자에게서 임상적인 증상의 호전이 보였다. 근력운동, 스트레칭, 일반적인 운동, 요가는 다양한 형태의 관절염 증상을 완화시키는 효과를 보인다고 알려져 있다. 운동의 효과는 1년이 지난 후에도 지속되었으며 무릎 수술을 요하는 환자도 훨씬 감소했다는 보고가 있다.

섬유근통은 염증성 관절염이 아니므로 약물 치료에 의존하기 보다는 이와 더불어 적극적인 운동 치료를 시행하는 것이 중요하다. 실제 신체활동과 체질량지수, 섬유근통에 관한 연구에서 1주일에 4번 이상 운동을 하는 여성들이 운동을 하지 않는 여성에 비해 섬유근통 발병 위험이 29% 가량 낮았다는 결과가 있으며, 이 외에도 운동 치료가 섬유근통 환자를 도와줄 수 있는 효과적인 치료임을 나타내는 여러 연구가 있다. 규칙적인 전신 운동을 통해 근육의 이완을 도와주는 운동 치료는 근육과 관절의 경직을 호소하는 섬유근통 환자에게 많은 도움을 줄 수 있다. 그러나 중요한 것은 환자의 수준에 맞는 운동을 시행해야 한다는 것이다. 환자의 통증이나 체력 수준을 고려하지 않은 운동은 오히려 증상의 악화를 유발할 수 있다. 환자의 통증, 무력감, 그리고 통증을 견뎌낼 수 있는 정도에 따라 적절히 대응해 통증의 악화를 유발하지 않는 수준에서의 맞춤 운동을 시행하는 것이 중요하다.

류마티스관절염 환자들은 걷기운동이 좋으며, 가능한 한 조기의 재활 과정에 걷기운동을 시작하는 것이 좋다. 초기에는 적당한 속도로 15-30분간 걷도록 지도한다. 시간은 그 후 연장하며 속도도 빠른 걸음 수준으로 높인다. 자전거타기와 비슷하게 수영이나 노젓기 동작들도 체중의 전부가 관절이나 하지에 부하되지 않으므로 적당한 방법이다. 류마티스관절염의 급성기에는 환부 관절에 동통이 있으며, 근육은 약화되어 있어 관절과 근육에 부하가 많은 운동은 피해야 한다. 그러나 근력이나 가동성을 증가시키는 적당한 운동프로그램이 확립되면 많은 환자들은 류마티스관절염의 증상이 진정되는 시기에 이 같은 활동을 실시할 수 있다. 실제 류마티스관절염 환자 중에는 장거리를 달릴 수 있거나 테니스를 할 수 있는 사람도 있다. 만약 운동에 의한 관절, 근육에 통증이 생겼을 경우에는 환자 스스로 판단하여 운동의 종류를 바꾸어야 한다.

강직척추염은 다른 류마티스 질환과 비교해서 소아, 청년기에 병이 시작하기 때문에 사회, 경제적으로 심각한 타격을 줄 수 있으므로 조기 발견 및 꾸준한 치료와 관리가 매우 중요한 병이다. 따라서 약물 치료에 앞서 질병에 대한 교육과 운동 치료가 필수적이다. 척추의 유연성을 유지하고 변형을 막기 위해서 꾸준한 운동과 스트레칭이 좋다. 운동을 통해 통증을 줄이고 관절의

운동을 원활하게 하여 일상생활을 하는 데 큰 도움을 줄 수 있다. 만약 운동의 강도가 세거나 척추에 충격을 줄 수 있는 운동은 오히려 증상을 악화시킬 수 있을 뿐만 아니라 심하면 척추 골절이 발생할 수 있으므로 반드시 피해야 한다. 운동은 매일 규칙적으로 하는 것이 중요하고 목, 어깨, 몸통, 허리 등을 최대한 뒤로 펴는 운동이나 회전시키는 운동이 좋다. 수영이 매우 좋은 운동이지만, 목 변형이 진행되었을 경우에는 조심해야 한다.

## 침술

침술은 일반적으로 경락(신체를 통해 기를 전달하는 특정 통로)에 있는 경혈에 얇은 스테인리스 바늘을 삽입하는 것이다. 견고하고 무균의 금속 바늘을 피부에 통과시켜 잘 알려진 기의 흐름, 즉 '혈'을 수동적으로 또는 전기적으로 자극하는 것이다. 침술은 퇴행성관절질환, 레이노현상, 섬유근통 및 요통을 치료하는 데 보조적으로 유용한 방법으로 여겨지며 통증 조절의 수단으로 시행된다. 무릎 골관절염 환자를 대상으로 한 무작위, 대조 연구에서 침술 치료는 통증 감소에 있어 상당한 효과가 있었고 만성 요통의 침술 치료도 통증 감소 효과가 있음이 무작위, 대조군 연구와 메타분석에서 확인되었다.

뜸(moxibustion)은 경혈에서 쑥(artemisia vulgaris)을 태우는 비침습적 시술이다. 무릎 골관절염 환자 중 뜸 치료가 기능과 통증 점수를 향상시키는 것으로 나타났다.

## 영양

### 1) 영양과 류마티스 질환

의료진들이 식이조절이 염증성 질환에 영향을 주지 못한다고 생각했던 견해가 염증성 질환을 호전시킬 수 있다는 방향으로 변화를 보이고 있다. 염증성 질환에서 식이 조절의 역할이 클 수 있다는 생각이 면역계, eicosanoid 대사 및 세포 생물학에 대한 이해가 높아지면서 함께 발전하였다. 역학 연구에 의하면 혈관 및 위장관 질환 같은 질병의 경과에도 식이조절의 중요성이 증명되었다. 놀랍게도 심혈관계 대규모 연구에서도 사망률 향상에 콜

레스테롤 저하, 고혈압 치료 또는 흡연 습관의 변화뿐 아니라 식이 지방 섭취 등도 연관되었음이 밝혀졌다. 질병에서 식이요법의 역할에 대한 연구 결과가 보고됨과 동시에 현재의 식이 습관이 전 인류 역사 동안 행해졌던 것과는 완전히 달라졌음이 밝혀졌다. 류마티스 질환을 가진 환자들의 동반된 질환을 염두에 둔 영양에 대한 전반적인 이해가 필요하다.

## 2) 영양의 역할

### (1) 류마티스관절염

류마티스 질환의 병인에서 영양의 역할에 대한 관심이 증가되고 있는 것은 새로운 것이 아니다. 류마티스관절염의 발생 이전의 식이 습관에 대한 초기 연구에서는 영양 변화가 질환 발생에 연관이 있는지를 분석하였다. 대규모 연구에서 류마티스관절염 환자와 대조군 간의 연상기법을 통한 조사 결과 별다른 차이를 발견할 수 없었다. 이후 골관절염 환자와 비교연구 결과, 골관절염 환자에서는 15.3 파운드의 체중 증가가 있는 반면, 류마티스관절염 환자에서는 10.3 파운드의 체중 증가만이 있었다. 두 군 간의 단백질, 지방, 탄수화물, 비타민, 미네랄의 섭취에서 차이는 없었으며 오히려 두 군 모두에서 비타민결핍이 많이 발견되었다. 최근 연구에서는 3일간의 음식일기를 기록하고 류마티스관절염 환자를 조사한 결과, 엽산, 아연, 마그네슘, 피리독신 결핍이 있음을 3명의 독립된 연구자들이 보고하였다. 또 다른 연구에서 류마티스관절염 환자 50명을 대상으로 생화학적 영양 상태와 함께 세갈래근 피하지방 두께, 위팔근육 둘레, 체지방지수를 측정하였다. 두 가지 이상의 생화학적 영양지표 감소와 더불어 한 가지 이상의 체형 감소가 있을 경우 영양실조로 분류한 결과, 13명(26%)이 영양실조로 나타났으며 이들의 식이습관을 조사하였지만 정상군과의 음식 섭취 차이점을 발견할 수 없었다. 하지만 영양실조가 있을 경우 정상에 비해 류마티스관절염이 더 심하게 나타났고 류마티스관절염 환자에서는 모든 체형 지표가 현저히 낮게 나타났다. 연구 대상 간의 섭취 영양분의 차이가 없었으므로 이는 필수 영양분 대사 과정에 염증 상태가 더 큰 부담을 주는 것을 시사하는 것이다. 이런 이화작용 증가 요인으로는 증가된 사이토카인 생성, 특히 TNF-α와 관계가 있다. 흥미로운 것은 류마티스관절염 환자에게 메토트렉세이트 투여나 근력운동을 시켰을 경우 증가된 단백질 파괴가 정상화되는 것을 관찰할 수 있다.

### (2) 자유라디칼과 영양

짝을 이루지 못한 자유 전자를 가진 화합물을 자유라디칼(free radical)이라고 부르며 이 중 가장 반응성이 강한 것이 산소이다. 자유라디칼은 자기 자신을 안정화시키기 위해 안정된 화합물에서 전자를 끌어온다. 이 과정에서 새로운 자유라디칼이 생기게 된다. 이러한 자유라디칼은 빠르게 증식하는 면역계에 산화에 의한 손상을 끼치며, 또한 트롬복산, 프로스타글랜딘, 류코트리엔 생성에 영향을 준다. 한편으로 자유라디칼은 정상 면역 활동에 필수적으로 필요하기도 하다. 세포 내 자유라디칼 생성은 체내에 침투한 미생물 제거에 필수적인 숙주 반응의 일부분이다. 자유라디칼 반응은 아라키돈산의 방출과 에이코사노이드로의 전환 및 마지막으로 에이코사노이드 대사와 관련되어 있다. 이런 물질들은 면역계가 정상적으로 작용하는 데 필수적인 물질들이다. 그러므로 자유라디칼의 생성과 조절은 언제든지 파괴적일 수 있는 염증 반응에서와 정상 면역계에 존재하는 자연 생성 상태에서의 균형을 이루는 것이 중요하다. 활성 산소 분자들을 불활성화시키는 자연 생성 효소들이 있다. 항산화 metal-loenzymes들은 전구물질을 불활성화시켜 자유라디칼의 생성을 억제시킨다. 영양학적으로 필수 미네랄인 구리, 아연, 철, 망간, 셀레늄은 항산화효소와 합쳐지기 전까지는 항산화작용을 하지 못한다. 식품으로 이런 요소들을 섭취할 경우 포화상태에 이르면 항산화효소 작용을 증강시키는 효과를 더 이상 거두지 못하게 된다. 이런 효소들은 세포내 농도보다 혈중 농도가 더 낮게 존재한다. 따라서 세포외 자유라디칼 생성과 방출 그리고 항산화효소의 방어기전이 여러 면역 매개 염증 질환에서의 염증반응과 조직 파괴에 매우 중요하다고 할 수 있다. 퇴행성관절염 동물 실험에서는 산화 저밀도 지방단백질수용체가 백혈구 침투와 연골 파괴와 연관이 있음을 시사하였다.

### (3) 항산화 비타민

#### ① 베타카로틴

Carotenoids는 모든 광합성 식물에서 볼 수 있는 적황색 안료이며 500가지 이상이 존재하고 일부는 대사되어 비타민A로 된다. 이 중 베타카로틴은 분열이 이루어지면 2개의 비타민A로 분리되는 carotenoid이다. 시각 및 면역체계에 있어 중요한 역할을 하는 비타민A는 간, 전지분유, 계란, 푸른잎 채소, 해조류 등에 많이 함유되어 있다. 비타민A는 레티놀결합단백(retinol-binding protein)에 의해 혈중에서 운반되는데, 류마티스관절염과 강직척추염 환자에서는 혈중 레티놀결합단백이 낮아 비타민A가 부족할 수 있다. 이는 레티놀결합단백의 합성에 중요한 역할을 하는 아연이 류마티스관절염 환자에서는 떨어져 있기 때문으로 추정된다. 수분과 식이섬유가 풍부한 토마토는 열량이 낮으며 칼로리도 적어서 다이어트에 도움이 되는 식품이다. 또한, 신진대사를 촉진시키며 플라보노이드와 카로티노이드(carotenoid) 성분이 다이어트 시에 허리와 무릎에서 발생하는 통증을 낮춰준다. 비타민A는 항산화 작용이 약하지만, 베타카로틴은 비타민A와는 달리 강력한 항산화제이다. 하지만 한 실험에서는 인간 말초혈액 단핵구를 carotenoid에 노출시켰을 때 단핵구활성 증가가 관찰되고, 암 발생 동물 모델에서 carotenoid 주입 후 세포독성 T세포의 기능과 대식세포에서 TNF의 방출이 증가하였다. 최근 연구에서 베타 카로틴을 섭취한 환자에서 사망률 증가가 관찰된 보고도 있다.

## ② 비타민B, C와 D

많은 의사들은 비타민C와 D는 골관절염에 효과가 있다고 추측해 왔다. 한 연구에서 엉덩관절과 무릎 골관절염 환자에서 저용량 비타민D가 효과가 있다고 보고되었다. 저 비타민D 혈증은 골관절염 환자에서 골절의 확실한 위험요소이다. 혈중 25-hydroxy 비타민D 농도가 낮을 경우 골밀도는 비례해서 낮고 무릎 골관절염이 생긴다는 보고가 있다. 또한 비타민D를 과다 섭취할 경우 노인에서 류마티스관절염 발생 위험도가 0.6배 낮아진다. 비타민C가 항산화 작용을 나타낼 뿐만 아니라 척추 연골의 형성에 중요한 역할을 수행하는 것으로 인식되어 왔다. 그러나 고용량 비타민C를 장기간 과량 복용할 경우 오히려 골관절염을 악화시킬 수 있다는 동물실험 결과가 도출되었다. 지금까지 진행된 연구 사례 들에서 비타민C를 단기간 복용할 경우 골관절염 예방에 효과적이라 인정한다. 그러나 장기간 비타민C를 복용한 효과에 대한 분석은 별로 없다. 비타민B12는 고용량으로 섭취 시 신경통증을 줄여주고 혈액순환을 도와 피로, 염증물질을 제거하는

것으로 알려져 있고, 하루 500 mcg 이상 섭취가 적절하다. 이론적으로는 항산화제를 복용할 경우 무릎의 골관절염 진행을 막을 수 있을 것 같다.

## (4) 한약재와 건강보조식품

한약재는 천연물이란 관점에서 안전하다고 여겨지며 실제로 약효도 있다. 대부분의 한약재는 eicosanoid 대사에 영향을 미침으로써 진통제로 사용되고 있기 때문에 부작용도 비스테로이드 항염제와 비슷하다. 많이 사용되고 있는 한약재나 건강보조식품은 혈액응고에 영향을 주므로 수술 전 평가에서도 한약 복용 여부를 조사해야 한다. 건강보조식품은 정량이 처방되지 않을 수 있고 심지어는 광고 효과로 인해서 다량 복용할 수도 있다.

지금까지 가장 잘 연구된 영양 보충제는 황산글루코사민과 황산콘드로이틴이다. 글루코사민-콘드로이틴 관절염 중재 연구는 무릎 골관절염으로 인한 경증 또는 중등도 및 중증의 통증이 있는 1,583명의 사람들을 대상으로 글루코사민-콘드로이틴 조합 및 셀레콕시브 단독의 효과를 위약과 대비해 측정하였다. 중등도 및 중증의 통증이 있는 환자에서 글루코사민-콘드로이틴 조합을 복용한 환자의 79%가 통증 완화를 보고한 반면 위약을 복용한 환자의 54%는 통증 완화를 보고하였다. 경미한 통증이 있는 환자는 글루코사민-콘드로이틴 조합 및 위약에 유사하게 반응하였다(각각 63% 및 62%).

염증성관절염 동물 모델 연구에서 녹차에 함유된 폴리페놀이 관절염 발생 예방 효과가 있음이 보고되기도 했다. 녹차를 하루 3-4잔 마시면 관절염 발생을 예방하거나 호전시켰다. 식이 유황제제는 methylsulfonylmethane (MSM)으로 대표되는 성분으로 체내 황산화효소인 글루타티온의 수치를 올려 염증 대사산물을 줄여 줌으로써 염증과 통증을 조절하게 된다. MSM은 우리가 먹는 마늘, 양파 등의 자연 중에 존재하는 화합물이다. 하루 3,000 mg 이상 섭취 시 염증 제거 효과를 나타내게 된다. MSM은 WOMAC 통증 점수를 감소시켰고 대조군에 비해 골관절염 환자의 기능을 향상시켰다. 한편 전신홍반루푸스 환자에서 오메가-3가 함유된 건강 식품을 복용하였을 때 대조군에 비해 질병 활성도를 크게 낮추는 것으로 나타난 연구도 있다.

## (5) 식이요법과 관절염

많은 연구가 시행되면서 식습관의 변화가 다양한 증상을 완화시킬 수 있고 심지어는 질병 진행에 영향을 줄 수 있음을 시사하는 연구가 많아지고 있다. 예를 들면 올리브오일 추출물인 oleocanthal은 농도에 비례하여 COX-1과 COX-2를 억제하여 염증을 억제하였고 또 다른 연구에서는 류마티스관절염으로의 진행 위험도 감소시키는 것으로 나타났다. 하지만 불행하게도 이 부프로펜 두 캡슐의 효과를 보기 위해서는 0.5 L의 올리브오일이 필요하기도 했다. 이러한 결과에서 일정한 효과를 얻을 수 없는 것이 관절염의 치료 및 예방에서 특정 식이 요법을 권할 수 없는 한계를 만들고 있다.

그러나 환자의 식습관 조절로 체중감소뿐만 아니라 전반적인 건강증진 효과를 낼 수 있다. 5 kg의 체중 감량은 여성에서 무릎 골관절염 환자 발생을 50% 정도 감소시킬 수 있고, 특히 권장 체중에서 10% 이상 비만인 환자에서는 관절염 발생을 더욱 줄일 수 있다. 붉은 고기와 특정 야채 오일(옥수수, 해바라기)은 오메가-6 지방산을 함유하고 있으며 이는 프로스타글랜딘과 류코트리엔 생산의 원료인 arachidonic acid로 합성된다. 만약 오메가-3 오일로 대체하여 오메가-6 지방산의 양을 줄이거나 없애면 통증과 염증을 줄일 수 있다. 오메가-3 지방산들은 eicosapentaenoic acid (EPA) 와 docosahexaenoic acid (DHA), arachidonic acid를 만들기 위해 오메가 6 지방산과 경쟁하는 지방산이다. 실제로 오메가-3 지방산을 많이 함유한 음식은 류마티스관절염 발생에 예방 효과를 보이고, 하루 2,000-3000 mg 섭취가 적절하다. 오메가-3 지방산이 포함된 음식은 신선한 해수 어류, 정어리, 아마씨, 녹색 콩, 두부, 캐놀라와 올리브오일들이다. 생선에서 발견되는 불포화지방산인 오메가-3 지방산은 강력한 항염증 효과를 갖는다. 매릴랜드 대학 통합의학센터의 크리스 다다모박사는 오메가-3 지방산은 골관절염보다 류마티스관절염에 더 효과가 있는 것으로 보인다고 발표하였다. 류마티스관절염은 주로 염증에 의해 유발되기 때문이다. 2017년 체계적인 연구 검토결과 오메가-3 지방산 보충제가 류마티스관절염의 통증, 뻣뻣함, 부기를 감소시킨 것으로 나타났다.

📑 참고문헌

1. Fuggle NR, Cooper C, Oreffo ROC. Alternative and complementary therapies in osteoarthritis and cartilage repair. Aging Clin Exp Res 2020;32:547-560.

2. Gary SF, Ralph CB, Edward D. Harris, Jr, Iain B. McInnes, Shaun R, John SS. Kelley's Textbook of Rheumatology. 7th ed. Elsevier Saunders; 2008.

3. John HK, John HS, L JC, Patience HW. Primer on the Rheumatic Diseases, 13th ed. Springer; 2008.

4. Marc C. Hochberg, A lan JS, Josef SS, Michael EW, Michael HW. Rheumatology. 7th ed. Elsevier; 2018.

5. Paul JM, Ottar V. Association Between Physical Exercise, Body Mass Index, and Risk of Fibromyalgia. Arthritis Care & Research, 2010;62:611-617.

6. Virginia BK, Janet LH, Thomas S. Ascorbic acid increases the severity of spontaneous knee osteoarthritis in a guinea pig model. Arthritis Rheum 2004;50:1822-31.

# 30

# 재활치료

서울의대 **임재영**

## KEY POINTS 🔒

- 관절염 환자 재활의 목적은 환자로 하여금 가능한 높은 기능 수준으로 회복하여 기능적 독립을 얻고 향상된 삶의 질을 영위 하게 하는 것이다. 따라서 재활의 초점은 통증을 경감시켜 통증을 느끼지 않는 운동범위를 증가시켜 줌으로써 환자의 일상 생활 수행 능력을 높이는 것이다.
- 관절운동범위, 근력, 통증 및 피로도, 일상생활 동작능력 등 초기 평가를 통하여 관절염 환자들에게 적절한 개별화된 재 활치료를 제공하여 환자의 증상 호전 및 기능 회복에 도움을 줄 수 있다.
- 관절염의 재활치료는 환자 교육, 안정, 보조기 사용, 체중조 절, 물리치료, 운동치료 등으로 구성되며, 평가에 따른 치료 목 표를 설정하고, 관절염의 증상 및 질병 단계에 따라 적합한 치 료를 제공한다.
- 관절염을 예방하거나 악화시키지 않기 위해 일상생활에서 필 요한 관절보호 요령과 구체적으로 관절을 아끼는 방법에 대 해 숙지한다.

## 서론

노령 인구의 증가 등으로 인하여 관절염이 국민 보건에 미치는 영향은 더욱 커져가고 있는 추세이다. 미국의 경우 2012년에 전체 인구의 22.7%가 관절염을 진단받았고, 2040년까지 인구의 25.9%, 약 8,000만 명이 관절염 환자일 것으로 추산하고 있으며, 그들 중 절반 정도는 관절염 관련 활동 제한을 가지게 되고, 의료 비용의 지출 또한 점점 늘어날 것으로 전망하고 있다. 우리나라

의 경우 2017년 노인실태조사에 따르면 골관절염 또는 류마티스 관절염의 유병률은 65세 이상의 노인에서 33.1%, 남자는 17%, 여자는 45%로 보고되고 있으며, 만성질환 중에 고혈압 다음으로 높은 유병률을 보이고 있다. 관절염은 외래 진료실에서 만나는 근골격계 환자 가운데 가장 많은 수를 차지하는 질환 중 하나이므로, 진단 및 비수술적 영역에서의 치료 등에 대하여 반드시 숙지하여야 하는 질환이다.

관절염은 다른 질환과는 달리 질병이 한 상태로 고정되거나 멈춰지는 것이 아니라 계속 진행 상태에 있는 특징을 가지고 있다. 따라서 일차적으로 관절에 병변이 있는 것은 물론, 이로 인한 주변 조직의 약화와 통증으로 관절을 제대로 사용하지 못하게 된다. 단순히 신체적인 측면뿐 아니라, 사회, 경제, 심리적인 면, 직업과 취미 생활까지 영향을 미치게 된다. 따라서 정확한 진단과 질병의 인식과 함께 약물치료, 재활치료가 필수적이다.

관절염 환자 재활의 목적은 환자로 하여금 가능한 높은 기능 수준으로 회복하여 기능적 독립을 얻고 향상된 삶의 질을 영위하게 하는 것이다. 따라서 재활의 초점은 통증을 경감시켜 통증을 느끼지 않는 운동범위를 증가시켜 줌으로써 환자의 일상생활 수행 능력을 높이는 것이다. 관절염 환자의 임상양상과 기능적 상태에 따라 단기적인 목표, 장기적인 목표를 설정해야 한다. 환자 자신의 의욕과 동기유발이 가장 중요하고, 초기 설정된 목표는 유동적이며 반복적으로 변할 수 있도록 한다. 재활치료의 주요 요소는 통증 완화, 관절운동범위 유지, 근력 유지, 관절변형 방지 등이다.

관절염 환자들을 접하다 보면 관절염 그 자체 외에도 주위에

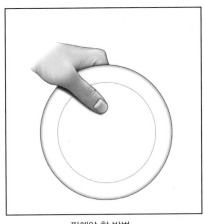
피해야 할 방법

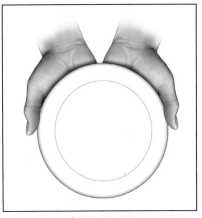
바람직한 방법

그림 30-1. 손가락 변형을 막기 위한 교육

윤활주머니염이나 힘줄염 또는 근막통증증후군이 동반하거나 또는 이차적으로 나타나 환자의 고통을 더 크게 하는 경우가 적지 않다. 관절염 치료와 관리에만 몰두하다 보면 병발한 동반 질환을 등한시하게 되는 수가 있다. 관절염의 치료 효과는 단시일에 나타나지 않는 데 반하여 대개의 점액낭염은 국소 글루코코티코이드 주사, 물리치료 등으로 탁월한 효과를 볼 수 있으므로 단시일 내에 환자들의 고통을 덜어주는 데 큰 도움이 된다. 따라서 관절염 환자를 다룰 때에는 관절 주위를 반드시 촉진하여 점액낭염, 건초염 등 연부조직 병변들과 근육 내 통증유발점을 찾는 노력이 필요하다.

## 관절염 환자의 재활치료

### 1) 치료 목표의 설정

관절염 환자에게 관절운동범위(관절가동역) 측정, 근력 측정, 근지구력 측정, 통증 및 피로도 측정, 일상생활동작능력평가, 생역학적 측정(보행 분석) 및 심리학적 평가, 동반 심폐질환 유무 및 환자의 요구도 등을 확인하는 평가를 시행한다. 이러한 초기 평가를 통해 치료 목표를 설정하고, 관절염 환자들에게 적절한 개별화된 치료 프로그램을 제공하여 환자의 증상 호전 및 기능 회복에 도움을 줄 수 있다.

### 2) 환자 교육

골관절염 환자에게 질병에 대한 인식 수준에 맞는 개별적인 교육이 이루어져야 한다. 골관절염의 일반적인 이환 상태 및 예후를 고려하여, 지금의 관절이 아프다고 하여도 다른 관절은 아플 가능성이 적다는 것과 또한 병의 진행이 비교적 느려 기능의 유지가 충분히 가능하다는 점을 교육시킨다. 일상생활 습관의 교정도 필요한데 류마티스관절염 환자에게는, 열이 나고 통증이 있는 관절은 가능하면 사용하지 않고 얼음찜질을 하도록 하고, 관절 구축과 근육 위축을 예방할 수 있도록 교육시켜야 한다. 손에 골관절염이 있는 환자에게는 관절보호법, 즉 어떻게 하면 나쁜 기계적인 요인을 피할 수 있는지 구체적 방법을 환자에게 교육시키고, 환자의 수준에 맞는 관절가동범위 운동과 근력강화 운동을 함께 교육시키면 통증 감소와 기능 향상에 도움을 줄 수 있다. 손가락에 관절염이 있는 경우에는 손가락 끝에 힘을 주는 동작을 피하고 손바닥을 이용하여 물건을 들어야 한다(그림 30-1).

아울러 체중 관리법, 적절한 보조기 및 보조 기구의 사용법 교육도 중요하다. 이러한 환자 교육은 1회성으로 그치지 않고 병원 진료뿐 아니라 시청각 자료, 인터넷 자료 또는 소그룹 모임을 통해 주기적으로 확인하면서 수정, 보완될 수 있으며 환자뿐만 아니라 배우자나 간병인 교육도 필요하다.

### 3) 안정

활동 중의 짧은 안정이 이따금씩 오랫동안 안정하는 것보다 더 효과적이다. 즉, 이환된 관절에는 적당한 휴식과 운동을 균형 있게 시행함으로써 증상의 경감 및 완화를 기대할 수 있다. 관절의 휴식을 위해 부목이나 보조기를 단기간 착용할 수 있다. 이를 통해 통증의 감소나 변형의 예방을 기대할 수 있다.

## 4) 보조기 및 보조기구의 사용

체중부하의 감소를 위해 지팡이, 목발, 보행기 등이 사용될 수 있다. 보행 보조기구의 사용에서 주의점은 부적절한 사용이나 지나치게 의존하게 되는 경우이다. 따라서 관절의 보호를 위해서는 적절한 최소한의 보조기 사용이 필요하며, 보조기 사용에 대한 훈련도 필요하다. 예를 들어 한쪽 엉덩관절 또는 무릎에 골관절염이 있는 경우 반대쪽에 지팡이나 목발을 사용하여 삼점 보행을 시켜줌으로써 부분적 체중 부하의 감소를 가져올 수 있다. 족관절, 후족 및 중족 관절에 관절염이 있는 경우 체중부하를 덜기 위해 슬개 인대 체중부하(patellar tendon bearing, PTB) 보조기를 사용할 수 있으며, 발의 변형이 있을 때는 플라스틱으로 변형에 맞는 구두 안창을 만들고 넉넉하고 부드러운 구두를 맞춰주며, 무지외반증에는 wide toe box shoe를 처방하고, 중족지 관절이 좋지 않을 때는 특수한 신발 바닥(metatarsal bar 또는 rocker bottom)을 만들어 주어 보행을 쉽게 해준다. 슬관절에 통증 및 불안정성이 있으면 스웨디시 슬보조기 또는 경첩형 슬보조기를 처방하며, 경추 관절염에는 토마스 칼라 또는 필라델피아 칼라의 처방으로 척추 굴곡, 신전을 제한하여 통증을 경감시킨다. 부목은 관절의 휴식, 변형의 방지, 기능 항진을 위한 안정과 구축된 관절의 교정을 위하여 필요하다. 손의 염증이 활동성일 때는 기능적 위치에 부목을 대고, 양쪽 손목관절일 때는 양측을 서로 다른 각도에서 고정하여야 한다. 즉 우성 측 손목(보통 오른손)은 20° 배굴, 반대측은 중립 위치로 고정한다. 중수지관절은 35-45° 굴곡, 근위지관절은 25-30° 굴곡, 원위지관절은 15° 정도의 굴곡 위치에서 부목을 만들어 관절의 휴식 및 안정을 도모한다. 증상에 따라서 고정하는 관절을 정해야 되는데 어느 정도 통증이 가라앉으면 손목은 고정하되 손가락을 움직일 수 있는 손목관절 부목을 만들어 주어 관절 강직의 발생을 최소화하도록 한다. 류마티스관절염에서 잘 발생하는 손허리손가락관절의 척측 치우침 경향(ulnar drift)을 막으며 동시에 간단한 작업을 할 수 있는 MUD (metacarpophalangeal ulnar drift) 부목이 도움이 된다. 손가락의 변형으로는 단추구멍변형(boutonniere deformity)이나 백조목변형(swan neck deformity)이 대표적인데 간단하게 손가락 반지형 부목을 만들어 줄 수 있다(그림 30-2).

그림 30-2. 손가락 변형에 사용되는 반지형 부목

손과 손목의 변형 또는 염증이 있을 때 또는 팔꿈치관절이 굴곡 구축이 있을 때는 일반 목발을 쓸 수가 없으므로 특수한 목발(platform crutch)을 만들어 주면 도움이 된다. 즉, 손목의 변형에 따라서 손잡이의 방향을 달리 만들고 팔을 받칠 수 있는 판을 만들어 주는 것이다. 같은 원리로 보행기도 변조할 수 있다. 보행기가 무거워 힘에 겨우면 바퀴를 달아주면 좋다. 의자나 카시트, 침대, 변기의 높이를 올려주거나 계단에 난간 설치하는 것도 관절염 환자의 통증 감소 및 기능 호전에 도움이 된다.

## 5) 체중 조절

체중이 실리는 관절, 즉 엉덩관절, 무릎관절, 족관절 및 무지 등에 관절염이 있는 경우는 비만의 조절이 특히 중요하다. 체중 조절은 관절염 환자에서 통증 감소 및 기능 호전에 도움이 되며, 적절한 영양 관리를 통한 식습관 개선(지방, 당질 섭취 감소 및 충분 한 비타민, 무기질 섭취 증가, 식사량 조절), 신체 활동량 증가를 통해 체중 감량을 할 수 있다. 유산소 운동은 체중 조절에 효과적인데 물속에서 걷기 또는 관절염이 없는 쪽 다리의 힘을 이용한 고정식 자전거 타기가 추천되며, 최근에는 공기압을 이용하여 관절에 체중부하를 현저하게 낮출 수 있는 탈부하트레드밀 위에서 걷기 운동을 시키는 장비도 개발되었다(그림 30-3).

## 6) 물리치료

물리치료에는 온열치료, 한랭치료, 초음파 치료, 초단파 및 극초단파 치료, 전기 치료, 경피적 전기자극 치료, 수치료 등이 포

그림 30-3. 탈부하트레드밀 치료 (출처: 리콥웰니스센터)

함된다. 관절염에 있어서 물리치료는 근본적인 치료라 할 수 없으나 환자의 주요 증상인 통증, 운동 장애, 근 경직, 부종 등에 대하여 좋은 결과를 줄 수가 있고, 따라서 기능장애를 최소화할 수 있는 유용한 치료 프로그램이 될 수 있다. 온열치료는 근육의 경련과 통증을 경감해 주는 방편으로 많이 쓰이는데, 여러 가지 방법이 있으나 그 치료 양식에 관계없이 효과는 비슷하다. 하지만 환자들은 일반적으로 건조열보다 습기열을 선호하는 경향이 있다. 표재열에는 온습포, 적외선 치료, 온수욕(수치료), 파라핀욕 등이 있으며, 심부열에는 초음파 치료가 많이 사용된다. 류마티스관절염에서는 관절 내의 온도가 올라가면 관절을 손상시키는 효소, 특히 콜라게나아제의 활성도가 증가하므로 염증이 활발한 상태에는 온열치료보다는 한랭치료가 적절하다. 특히 급성 관절염에는 한랭치료를 시행하여야 한다. 어떤 방법을 택할 것인가 하는 것은 환자의 상태, 경제성, 간편성 등을 고려하는데, 손이나 발에는 교대욕이 간단하며, 양 무릎관절에는 온습포가 알맞고, 전신적 다발성 관절염의 경우에는 적외선 치료나, 허바드(Hubbard) 탱크와 같은 수치료가 적용된다. 엉덩관절 관절염에는 초음파 치료만이 관절 내 온도를 상승시키므로 초음파 치료를 사용한다. 통증이 심한 경우에는 고주파 및 저주파 경피적 전기 신

경 자극(TENS) 치료를 효과적으로 사용할 수 있고 저에너지 레이저 치료도 사용된다.

## 7) 운동치료

### (1) 운동치료의 목적

관절염에서의 운동치료의 역할은 여러 가지가 있겠으나, 요약하면 통증 및 강직의 완화, 관절운동범위의 유지, 소실된 운동 기능의 회복, 근력 및 지구력의 증진, 관절 기능의 보존 등이다. 아울러 운동을 하게 되면 환자의 전체적인 기능과 건강관련 삶의 질이 향상된다.

### (2) 휴식과 운동의 조화

관절염의 염증이 심하면 전신적 또는 국소적 휴식이 필요하다는 것은 상식이다. 동물 실험에서도 운동량이 많은 경우와 적은 경우를 비교하면, 운동량이 많은 경우에 관절염의 발생률이 높음을 보여주고 있다. 따라서 관절염이 진행할 때에는 안정을 취해야 한다. 그러나 지나치게 장기간 관절 안정과 부동은 관절의 강직을 초래하고 연골의 질은 떨어지며, 이러한 변화는 1-2개월 후에는 돌이킬 수 없게 된다는 것이 동물 실험에서 연구된 바 있다. 또한, 안정은 근력을 저하시키는 중요한 요인이 되는데 만약 침상에서 절대 안정을 하면 1주에 2-5%씩 근육 용적이 감소하며, 근력은 10-15%씩 감퇴한다고 한다. 관절에 대한 근육의 역할은 자세를 안정시키고 활동할 때 관절에 전달되는 충격과 스트레스의 힘을 확산하여 줄여주는 것이다. 그런데 근력이 약하게 되면 이러한 관절의 생역학적 이점이 줄어들어 관절의 조화로운 운동이 잘 이루어지지 않게 된다. 이렇듯 관절염에서의 휴식은 염증을 감소시키는 장점과 관절 강직을 일으키고 근 위약을 초래하는 위험성을 동시에 갖고 있다. 그러므로 적당한 휴식과 운동을 조화롭게 해야 한다.

### (3) 운동처방을 할 때 고려할 사항

관절염에 있어서 운동 처방을 할 때에는 관절의 염증 정도, 관절의 삼출액 유무, 근육의 상태, 환자의 지구력 및 심폐기능 상태, 환자의 선호도 등을 고려하여야 하며, 운동 처방을 할 때에도 주로 부위와 운동강도를 지정해 주고 운동의 종류 및 운동 기

간을 지정해 주어야 한다.

## (4) 운동 프로그램

운동 프로그램은 점진적이어야 하며, 처음에는 관절통증을 완화하는 것부터 시작해야 한다. 운동은 관절가동범위운동, 근력강화운동, 유산소운동, 오락적 활동의 순서로 진행한다. 관절이 굳은 경우에 스트레칭 운동으로 관절의 운동범위를 증가시키고, 근육의 재교육으로 근육의 긴장도를 감소시켜 준다. 근력강화운동은 등척성 운동을 먼저 시행하고, 등장성 운동, 등속성 운동의 순서로 진행한다. 등척성 운동으로 정적 근력(static strength)과 정적 지구력(static endurance)을 증가시켜준다. 근력이 어느 정도 좋아지면, 심폐지구력을 증가시키는 유산소 운동 프로그램을 서서히 도입하고, 맨 마지막으로 오락적 활동을 하게 된다. 모든 운동의 치료는 다음의 원칙에 따라야 한다.

첫째,    가장 편한 자세를 취하도록 하여 긴장을 풀도록 한다.
둘째,    운동하려는 관절보다 근위부에 위치한 관절을 안정된 위치에서 고정시켜 운동하려는 관절에 좋지 않은 운동이 일어나는 것을 막고 최대의 결과를 얻을 수 있게 한다.
셋째,    모든 운동은 처음부터 끝까지 부드럽게 하고 원위치로 돌아갈 때에도 부드럽게 해야 한다.
넷째,    운동은 조금씩 여러 번에 나누어 하는 것이 한 번에 긴 시간을 하는 것보다 좋다.
다섯째, 치료적 운동의 효과를 평가하려면 정확하고 주기적인 기록을 남겨둬야 한다.
여섯째, 운동 및 동작의 목적을 정확히 이해하고 하는 방법도 정확히 알고 해야 한다.

관절염 환자들에게 운동을 효과적으로 시키기 위해서는 비교적 관절의 뻣뻣함이 적은 늦은 아침이나 이른 낮에 운동을 하도록 한다. 각각의 운동을 하는 이유를 설명해주며, 환자에게 운동 프로그램을 써서 준다. 프로그램을 시행하기에 쉽고 단순하게 한다. 또한, 환자가 운동을 하는 것에 가족들이 도움을 주고 잊지 않게 한다. 운동 전후에 물리 치료를 시행하며, 운동을 시키고자 하는 부위에 통증 또는 구축이 있는 경우에는 운동 전에 물리 치료를 시행하여 통증과 구축을 완화시키고, 운동 후에는 한랭치료를 시행하여 운동으로 인해 관절 부위에 염증이 생기는 것을 예방하여야 한다. 가정에서 혼자서 운동할 때에도 온습팩이나 얼음을 이용하도록 교육한다. 또한, 운동을 함에 있어서도 지나치지 말아야 하는 것은 당연한데, 운동 후 2시간 이상 통증이 지속되거나 지나친 피로, 관절 가동 범위의 감소, 근력의 감소, 관절의 부기 등의 소견이 생기면 당연히 운동량을 조절해야 한다.

## (5) 관절가동범위 운동

관절가동범위 운동은 수동적, 능동적 보조, 능동적 운동으로 나눌 수 있다. 근육의 쇠약이 심하거나 통증이 심할 때는 자연히 수동적 관절가동범위 운동을 시켜줄 수밖에 없다. 다른 모든 운동이 그렇겠지만 특히 수동적 운동은 부드럽게 서서히 통증을 감내할 수 있는 범위 내에서 시행하여야 한다. 그렇지 않으면 관절 주위 조직에 손상을 초래하여 여러 가지 부작용을 나타낼 수 있다. 능동적 보조 운동은 환자가 통증 때문에 완전히 관절을 펴거나 구부리지 못할 때 치료사와 환자가 관절가동범위의 한계까

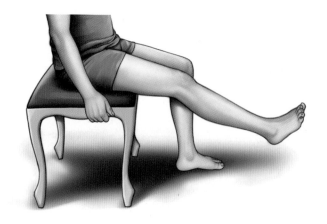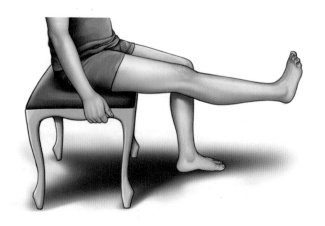

그림 30-4. 능동적 관절가동범위 운동

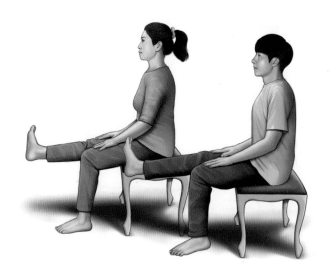

그림 30-5. 등척성 운동

지 최대로 구부렸다 최대로 폈다를 반복한다. 관절에 급성 염증이 있을 때에는 수동적 관절가동범위 운동이 오히려 통증을 유발하고 근육의 강직을 초래하게 되므로, 이 때에는 능동적 관절가동범위 운동을 해야 한다(그림 30-4).

### (6) 스트레칭 운동

스트레칭 운동은 관절낭의 유착을 풀어줌으로써 관절의 구축을 예방하고 관절운동범위를 회복 내지 유지하기 위하여 필요하다. 스트레칭 운동은 치료사의 힘을 빌어서 할 수도 있고, 머리 위 활차(overhead pulley) 등 기계적 힘을 이용할 수도 있다. 이 때 스트레칭 운동의 강도는 염증의 정도, 통증의 유무, 환자의 통증에 대한 참을성 등에 따라 조절해야 한다. 스트레칭 운동을 하는 동안 통증을 느낄 때에는 억지로 하지 않는 것이 좋다. 또한 스트레칭 운동은 서서히 시간을 충분히 들여가며 해야 하고 신장되어야 할 근육은 가능한 한 이완되어 있어야 한다. 스트레칭 운동을 하기 전에는 온열치료나 한랭치료를 선행하는 것이 좋은데, 온열치료는 결체 조직의 신장도를 증가시키고 한랭치료는 통증을 감소시켜 주기 때문이다. 그러나 급성 염증이 있을 때에는 수동적 스트레칭 운동은 하지 않는 것이 좋다.

### (7) 근력강화 운동

근력강화 운동에는 등척성, 등장성, 등속성 운동의 세 가지가 있다. 관절염 환자에 있어서의 운동은 환자의 상태에 따라서 운동의 종류를 달리해야 하는데 일반적으로 등척성 운동은 관절염 환자에게 가장 알맞은 운동이라고 할 수 있고, 등장성 운동과 등속성 운동은 급성 염증이 없는 경우에 할 수 있는 운동이다. 관절염 환자의 근력강화 운동에는 대퇴사두근 및 둔근과 같은 양하지의대근육 운동이 포함되어야 한다. 일반적으로 주 2-3회 중등도 이상의 강도(60-80% of 1 repetition maximum, 1RM)로 8-12회 반복할 때 등장성 근력강화 운동의 효과가 있지만, 환자의 상태에 따라서 운동의 강도는 조절될 수 있고 최소 40%의 강도에서 시작하여 점차적으로 강도를 올려 초기에는 운동당 1-3세트, 숙련된 경우에는 3-5세트를 시행할 수 있다. 관절의 변형이 있는 경우에는 등장성 및 등속성 운동을 할 때 보조기를 착용하여 관절의 정렬을 맞춘 상태에서 시행하여야 한다.

등척성 운동의 장점은 최소의 운동량, 최소의 근육 피로, 최소의 관절 부담으로 최대한의 근 수축과 긴장된 근육의 완화를 얻을 수 있다는 것이다. 등척성 운동을 할 때에는 복압이 증가하여 혈압이 높아질 수 있으므로 숨을 쉬면서 하도록 교육시켜야 한다. 짧은 등척성(Brief Resisted IsoMetricExercise, BRIME) 최대하 수축을 6초 동안 지속하면 등장성 운동을 했을 때와 유사한 정도로 근력을 증가시킬 수 있다(그림 30-5).

등척성 수축을 6초 동안 지속하고, 그리고 20초의 휴식을 수축 사이에 가지며 시행하면 혈압이 많이 올라가지 않고 근력강화를 유도할 수 있다. 또한, 수축의 횟수를 증가시키면 국소 근육의 지구력도 증가시킬 수 있다. BRIME 운동프로그램은 관절염

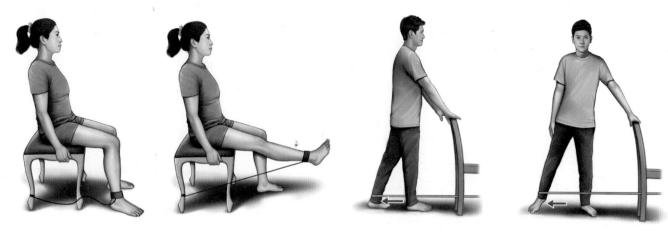

그림 30-6. 고무밴드를 사용하는 등장성 운동

그림 30-7. 편심성 수축운동

환자, 특히 급성기의 환자에게 흔히 추천하는 운동 중 하나이다. 등장성 운동은 아령이나 고무밴드를 이용하여 시행할 수 있으며 환자는 수준에 맞는 아령이나, 고무밴드를 가지고, 운동하고자 하는 관절의 관절가동범위 내에서 근 긴장이 충분히 유발될 때까지 관절을 굴곡, 신전시킨다(그림 30-6).

또한, 일반적인 동심성 수축 운동과는 달리 근육이 신장되면서 수축을 야기하는 편심성 수축(신장성 수축) 운동을 같이 병행하면 근력 및 근비대에 더 좋은 효과를 볼 수 있다(그림 30-8).

## (8) 유산소(심폐지구력) 운동

관절염이 심하면 전체적인 지구력이 떨어지고 정적 과제나 동적 과제를 계속할 수 있는 능력이 제한된다. 등장성 지구력 운

그림 30-8. 관절염 환자를 위한 풀 운동 치료

동을 하면 환자는 기능적으로 훨씬 좋아진다. 힘과 지구력을 키우려면 동적이면서 반복성이 적으며 저항이 작은 등장성 운동 (dynamic, low repetition, low resistance, isotonic exercise)을 해야 하는데, 이 때 주의할 점은 관절의 염증과 통증이 가라앉고 등척성 운동으로 충분한 정적인 힘과 정적인 지구력을 기른 후에 해야 한다는 것이다. 지구력을 향상시킬 수 있는 운동으로는 물속에서 걷기, 수영, 자전거 타기 등이 있다. 일반적으로 중등도 이상의 강도(최대심박수의 50-75%)로 주 3-5회, 하루에 30분에서 60분 정도 유산소 운동을 시행하였을 때 좋은 효과를 보인다. 수영은 부력으로 인하여 중력이 적고 또한 운동할 때 통증이 덜하여 관절염 환자에게는 더없이 훌륭한 운동이다. 풀 운동 치료에서의 물의 온도는 30-33℃ 정도를 유지해서 통증을 완화시키며, 물의 부력으로 관절 내에서의 횡단력이 감소되고 물의 저항이 신체 곳곳에 모두 전해지기 때문에 최대 관절운동범위를 얻기 위한 근력이 작아도 효과적으로 근력 강화 운동이 될 수 있다. 근력 강화뿐 아니라 신장 운동, 관절운동범위 증가 등이 시행된다 (그림 30-8).

### (9) 오락적 활동

관절염 환자가 재미없는 단순 운동에 싫증을 느끼고 오락적 활동 또는 오락적 운동에 참여하기를 원한다면 그건 오히려 당연한 일이라고 할 수 있다. 사회성과 자부심을 키우고 우울증을 완화시킬 수 있다. 자기 자신이 좋아하는 모든 운동을 할 수 있다. 그러나 환자 자신의 관절 상황에 맞는 운동을 가려서 선택해야 한다. 오락적 운동을 시작하기 전에 할 일은 근력과 심폐지구력을 갖추는 것이다. 급성 염증이 있거나 주요 관절에 부기가 있으면 오락적 운동을 할 수 없다. 관절 변형이 있으면 보조기를 착용하고 운동을 해야 한다. 관절염 환자가 함께 모여서 운동을 하면 훨씬 재미도 있고, 효과적인 운동을 할 수 있다.

## 질병 단계에 따른 재활치료 원칙

병의 진행에 따라 다양한 양상을 보이는 류마티스관절염의 재활치료를 우선적으로 기술하고 다른 관절염은 이를 기본으로 하여 변형 적용할 수 있을 것이다.

### 1) 급성기

급성기일 때는 염증이 있는 관절을 쉬게 하고 가능하면 관절을 기능적인 자세로 위치시켜야 한다. 목의 경우 생리적 전만증을 유지시켜주는 것이 최상의 자세이다. 어깨관절은 베개 같은 것으로 40° 외전시킨 상태를 만들어 주고, 팔꿈치관절은 75° 이상 굴곡 시켜서는 안 된다. 우성측 손은 손목관절에서 20° 정도 배굴시키고 비우성측 손은 손목관절을 중립 또는 약간 굴곡시키며, 손가락은 손허리손가락관절에서 35-45° 굴곡, 손가락 근위부 관절에서 25-30° 굴곡, 손가락 원위부 관절에서 15° 굴곡시키며 엄지 손가락의 경우에는 지간관절에서 25° 굴곡 및 대립(opposition)시킨다. 엉덩관절은 45°에서 외전시키고 5° 이상 굴곡시키지는 않아야 한다. 무릎은 완전히 신전시켜야 하고, 발목은 90°를 이루게 하고 발은 중립을 유지시킨다. 가벼운 플라스틱으로 된 부목(serial splint)이 연조직 구축을 늘리는 데 도움이 되며 관절의 위치를 조금씩 변화시킬 수 있다. 부목의 착용 기간 7-10일 정도는 관절 구축을 염려하지 않고 24시간 내내 착용시킬 수 있고, 환자에게 잘 맞도록 맞추어 주기 때문에 초기의 석고 부목은 큰 도움이 된다. 급성기에는 대개 적합한 약물 치료와 발병된 관절에 대한 부목, 팔걸이, 쐐기형 베개 등을 이용한 기능적 자세 유지 정도로 7-10일 내 증상이 가라앉게 된다.

### 2) 아급성기

염증이 아급성기에 들어서면 관절의 부드러운 활강 동작을 유지하기 위해서 보조 능동 관절 운동을 시작해야 한다. 이러한 운동은 움직임 자체가 부기를 감소시키는 펌프로 작용하는데 관절에 스트레스를 가하거나 통증을 유발시키지 않도록 상당한 주의를 기울여야 한다. 야간 부목 역시 중력에 의하여 당겨지거나, 불수의적인 운동이 일어나는 것을 막도록 지지해주고 근 이완에 대해서 인대를 재강화시켜주게 된다. 이러한 부목은 손목의 아탈구와 요골측 편향으로부터 손목뼈를 보호하도록 고안되고, 손허리손가락관절과 손가락 근위부 관절의 자뼈측을 강화시키어 자뼈측 편향에 대한 저항을 제공할 수 있다. 아급성기에는 휴식과 운동량 사이에 균형을 잡는 것이 재활치료의 가장 큰 도전이다. 휴식에 의한 염증의 감소는 지속적인 관절 고정의 영향 즉, 국소적인 또는 전신적인 신체의 역반응까지 조심스럽게 고려하여 결정되어야 한다. 이러한 반응 등은 적절한 운동의 도입으로 피할 수 있으며 이 운동으로 국소적인 근위약뿐 아니라 장기적 고정으로 인한 전신적인 피해도 줄일 수 있다. 운동을 시작할 때 풀장 등의 수치료가 유용한데 이는 부력을 이용해서 중력으로 인한 부하를 줄여주고 체중을 가볍게 해주기 때문이다. 보조 능동 관절가동범위 운동은 표재열 치료법으로 효과적으로 준비되고 시작, 촉진시킬 수 있다. 표재열 치료법은 피부 표층의 혈류량을 증가시키고 관절 주위 조직의 신 장도를 증가시키며, 통증을 완화시키는 반면에 냉습포는 피부 표층과 관절 주위 조직 모두의 온도를 저하시켜 통증을 완화시키고, 운동 후 발생할 수 있는 염증을 예방한다. 심부열 치료법은 세포 간 온도를 증가시키고 콜라게나아제의 활동성을 증가시켜 염증을 더 유발시킬 가능성이 있기 때문에 급성기 류마티스관절염에는 금기이다. 이와는 대조적으로 표층 온열치료는 이러한 과정을 유발하지 않는 것으로 여겨진다.

이 시기에는 관절의 지나친 움직임과 손상 위험이 높은 수동적 스트레칭 운동과 관절내 압력 및 온도를 상승시키는 저항을 가하는 운동은 주의해야 한다. 이 시기에는 작업장이나 집무 장소에서 관절 보호 및 작업의 단순화를 적용하는 것이 바람직하다. 류마티스관절염을 가진 환자는 생활 동작의 우선 순위를 다시 정렬하고 생활 방식을 바꾸어야 하는데 처음에 환자들은 이를 받아들이기 어렵다. 왜냐하면 그러한 상황을 병의 말기 상황으로 여기기 때문이다. 의료인은 아침강직, 심한 통증 및 피로를 가지고 있는 환자들의 두려움과 문제점을 이해할 필요가 있으며 이러한 두려움으로부터 환자가 수용할 수 있는 내성을 높이도록 교육한다. 관절 손상과 전신의 피로를 최대한으로 줄이도록 일하는 습관을 고치고, 작업장이나 주방의 구조를 행동반경 내로 변형시키고, 자주 사용하는 물건들은 손만 뻗으면 닿을 수 있는 곳에 배열하는 것이 도움이 된다. 이 시기에 적응 장치와 자조기구를 이용하여 옷을 입고 벗기 쉽게, 신발들을 벨크로를 이용하여 쉽게 착용하도록 하고, 가벼운 옷을 입도록 한다. 발허리뼈에 염증이 있는 환자는 발뒤꿈치부터 지면에 닿아 발가락으로 지면을 박차는 정상 보행이 힘든데, 이를 도와주기 위하여 신발 바닥에 중족흔들받침(metatarsal rocker bar)을 붙여주기도 한다. 또한, 발에 체중 부하로 인한 통증을 감소시키고 보행 속도와 모양새를 좋게 하기 위하여 깊이가 깊은 신발에 부드러운 폼 플라스틱으로 만든 삽입물을 만들어 넣기도 한다. 환자는 일상생활 동작에서, 활동으로 인한 관절 손상을 줄이고 에너지 소모의 증가를 줄이며, 힘든 상황을 돕기 위하여 일상 기구들을 변형시켜 사용하는 것이 좋다. 예를 들어 빗이나 칫솔 등의 손잡이를 길게 하여 조금만 움직여도 원하는 결과를 얻을 수 있고, 그 외에 스타킹 착용 보조기구, 긴 손잡이의 집게, 파악기, 미끄러지지 않는 파악 보조기구 등을 이용한다. 또한 머리 모양은 짧게 하여 간편하게 다룰 수 있도록 하는 등 여러 면에서의 활용을 고려하여야 한다.

다발성으로 여러 관절이 침범된 경우 보행을 위한 보조기의 선택은 조심스럽게 해야 하는데, 이환된 손으로 체중부하를 받게 되면 관절의 변형을 촉진시키게 된다. 전동 의자차를 제외하면 팔꿈받침대가 있는 바퀴 달린 보행기가 사지를 모두 이용하여 분산된 체중 부하를 받기 때문에 각 관절에서 받는 체중부하를 줄이는 데는 효과적이다. 손잡이는 잡기 쉬워야 하고 잡는 면적을 넓혀 압력을 고르게 분산시키는 것이 중요하다. 이러한 보행 보조기는 환자의 피로도를 감소시키고 지구력 부족을 최소화하는 역할을 한다. 여러 관절에 관절염을 겪고 있는 환자들은 주변 환경 때문에 그들의 장해(impairment)보다 더 심한 장애(disability)를 초래할 수 있다. 예를 들어서, 낮은 의자를 사용하면 환자의 엉덩관절 및 무릎관절 신전근이 약해 일어나기 어려우며 이때 팔 힘으로 보조를 하게 되어 상지 관절 즉 어깨, 손목, 팔꿈치의 관절내 압력이 증가하게 된다. 따라서 화장실 변기의 높이를 높이고, 의자의 다리 길이를 늘여주어 환자의 활동이 훨씬 효과적으로 시행될 수 있도록 한다.

## 3) 만성기

만성 류마티스관절염은 염증반응이 끝났다 해도 계속해서 그 결과가 장애 요인으로 남아 있게 된다. 우선 장기간의 염증으로 인하여 각 관절에 변형을 초래할 수 있는데, 대표적으로 경추부 변형은 전방굴곡, 전방단축(foreshortening)이며 어깨관절은 내전, 내회전, 전방굴곡이고 팔꿈치관절은 굴곡, 전완부는 내회전, 손목은 굴곡 및 요골측 편향, 손목손허리관절의 자뼈측 편향(ulnar deviation), 손가락의 백조목변형과 단추구멍변형 등이다. 또한, 하지에서 엉덩관절은 굴곡, 외회전, 무릎관절은 굴곡, 발은 회내, 무지외반증, 발가락기립(cock-up toe) 변형, 발허리뼈의 아탈구가 일어난다. 또한, 만성적인 통증은 기능적인 활동에 상당한 제한을 초래한다. 통증 조절을 위해서 지금까지 사용되어 온

약물 치료와 물리적인 치료 외에 경피적 전기 신경자극을 효과적으로 사용할 수 있으며, 한랭치료는 일반적으로 관절염 환자들이 잘 적응하지 못하여 많이 사용하지 않는다.

만성기의 최적의 치료는 관절의 운동범위를 늘리기 위하여 조심스럽게 스트레칭 운동을 시켜 연조직을 신장시키는 것이다. 이와 동시에 근력의 강화를 위한 운동을 시행하는데, 관절에 미치는 부담을 최소화하기 위해 관절의 운동이 거의 없는 등척성 운동부터 시작하게 된다. 또한, 손상되기 쉬운 관절보다는 큰 관절을 사용하도록 하며 근력의 강화도 큰 관절을 중심으로 시행한다. 이러한 저항성 운동 전에는 진찰과 방사선 소견을 통해 관절 손상의 정도를 확실하게 파악하고, 관절염의 진행 정도를 운동의 기준으로 삼도록 한다. 염증과 통증이 조절되고 등척성 운동에 의한 충분한 근력 강화가 이루어지면, 동적이며 반복적인 저저항등장성(dynamic, repetitive, low resistive isotonic) 운동을 실시하게 된다. 이런 종류의 최적의 운동은 수영, 자전거타기 등의 활동 또는 짧은 원호(arc) 내의 행동 반경을 가지고 물건을 들어 올리는 동작 등이다. 수영은 지구력을 증가시키는데 우수할 뿐 아니라 활동으로 즐거움을 주기도 한다. 관절 변형을 가지고 있는 만성 비활동성 류마티스관절염 환자들에게 나타나는 근위축 및 근력저하에는 저항성 운동을 통한 회복이 필요하다. 하지만 이미 관절 변형을 가지고 있는 경우, 심한 저항 운동과 저항성 운동 수행을 위한 기구, 예를 들어 등속성 운동계(Cybex)나 노틸러스(Nautilus) 기구 사용에는 주의를 요한다. 즉 관절 운동 동안 지속적인 저항을 가하게 되면 관절 내부의 압력과 온도가 증가하고 관절 주변 연조직 손상과 이로 인한 염증 악화의 가능성이 있다.

보행 보조기는 만성기 환자에서 관절의 보호를 의미할 뿐 아니라 비정상 보행의 보상 작용을 위해서 선택해야 한다. 이러한 비정상성은 이미 고정된 관절 구축, 그로 인한 불안정성과 변화에 대한 보상적인 기전, 걸음걸이의 보행 속도와 지구력의 장애에 대한 결과이다. 부가해서 상지의 관절 구축이 있는 경우, 목발이나 보행기에 팔꿈 지지대를 부착해줌으로써 팔꿈치 관절의 굴곡 구축이나 이두박근의 근 위약에 대해 보완해줄 수 있다. 보행 보조기가 무거우면 에너지 소모를 증가시키며, 보행 속도를 감소시키게 되므로 가능한 한 보조 기구의 무게를 줄여야 한다.

부목은 가장 많이 사용되는 기구이다. 만성기에 주로 사용되는 것은 백조목변형이나 단추구멍 변형에 사용되는 반지형 부목, 척골측 편향방지부목, 엄지손가락 부목 등이며 안정 부목도 만성기 중 일시적인 염증에 사용할 수 있다.

## 관절의 보호

### 1) 관절 보호 요령

일상생활 중에 관절을 보호하는 요령을 예를 들어 보면 다음과 같다. 첫째, 변형을 야기할 수 있는 자세를 피할 것, 둘째, 가능한 힘센 대관절을 이용할 것, 셋째, 그 관절의 가장 안정된 방향으로 움직일 것, 넷째, 같은 자세로 너무 오래 유지하지 말 것, 다섯째, 올바른 운동 패턴을 따를 것, 여섯째, 도중에 멈춰야 할 만한 힘든 일, 그러면서도 멈출 수가 없는 동작은 시작을 하지 말 것, 일곱째, 통증이 있을 때는 그 아픔을 무시하지 말 것, 여덟째, 일은 한꺼번에 다 할 생각을 말고 나누어 조금씩 할 것, 아홉째, 문명의 이기(바퀴, 지렛대 등)를 이용하여 힘을 절약할 것 등이다.

### 2) 관절을 아끼는 구체적 방법

무릎관절과 엉덩관절 보호를 위한 일상 생활 수칙으로는 뛰거나 등산하는 것을 피하고 수영 등의 운동 방법을 선택하게 된다. 계단은 되도록 오르지 않게 하며 일할 때 서지 말고 되도록 앉아서 하도록 한다. 푹신한 낮은 소파에 앉지 말고 되도록 딱딱한 높은 의자에 앉아 일하는 것이 좋으며 무릎을 꿇거나 쪼그려 앉지 않게 한다. 의자에서 일어설 때에는 먼저 엉덩이를 의자 끝 부분으로 옮긴 후 의자 팔걸이에 두 손을 지탱하면서 일어서도록 한다. 손관절의 보호를 위해 식사 준비할 때 가능하면 가위, 깡통 따개, 칼, 믹서기 등을 사용하도록 하며 유리나 무거운 금속보다는 플라스틱이나 알루미늄으로 된 가벼운 식기를 사용하게 한다. 모든 도구는 손잡이 부분을 되도록 크게 잡을 수 있는 것을 선택하는 것이 좋으며 지퍼를 여닫을 때 지퍼 손잡이에 갈고리를 끼어 여닫으면 편리하고 손가락에 부담이 적어진다는 것을 교육한다. 의복의 단추 대신 벨크로로 여닫는 것을 선택하며, 비틀어 여는 수도꼭지 대신 지렛대 모양의 수도꼭지를 선택한다. 물건을 옮길 때 되도록 들지 말고 굴려서 옮기도록 하며, 무거운

피해야 할 방법            바람직한 방법

그림 30-9. 관절 보호 전략 예시

물건을 한 손으로 들지 않게 한다. 또한 양손의 손바닥으로 함께
드는 습관을 갖도록 교육시킨다(그림 30-9).

참고문헌

1. 보건복지부. 2017년도 노인실태조사 결과보고서. 2017.
2. 한태륜, 방문석, 정선근. 재활의학. 제6판. 군자출판사; 2018.
3. Delisa JA. Rehabilitation of the patient with inflammatory arthritis and connective-tissue disease. In: Delisa JA, Gans BM, editors. Physical medicine & rehabilitation. 5th ed. Philadelphia: Lippincott Williams & Wilkins; 2010.
4. Fernandes L, Hagen KB, Bijlsma JW, Andreassen O, Christensen P, Conaghan PG et al. EULAR recommendations for the non-pharmacological core management of hip and knee osteoarthritis. Ann Rheum Dis 2013;72:1125-35.
5. Hootman JM, Helmick CG, Barbour KE, T heis KA, Boring MA. Updated Projected Prevalence of Self-Reported Doctor-Diagnosed Arthritis and Arthritis-Attributable Activity Limitation Among US Adults, 2015-2040. Arthritis Rheumatol 2016;68:1582-7.
6. McAlindon TE, Bannuru RR, Sullivan MC, Arden NK, Berenbaum F, Bierma-Zeinstra SM et al. OARSI guidelines for the non-surgical management of knee osteoarthritis. Osteoarthritis Cartilage 2014;22:363-88.

# 31

# 수술치료

서울의대 **김지형**

## KEY POINTS 🔒

- 류마티스 질환에서 수술적 치료의 목표는 기능을 회복하고 통증을 줄이는 데 있다.
- 수술은 예방적 수술과 치료적 수술로 나눌 수 있다.
- 예방적 수술은 염증이 있는 활막 조직 및 건활막 조직을 제거하여 관절의 기능을 향상시키고 건 파열을 예방하는 것이다.
- 치료적 수술은 관절 파괴 및 건 파열이 이미 일어난 경우 기능 개선 및 통증 조절을 위해 관절을 고정하거나 관절을 치환하는 수술이다.
- 류마티스 질환에 대한 치료 시 수술이 도움이 되는 경우가 있으며, 적절한 시기에 수술적 치료를 시행하기 위해 류마티스 내과 의사와 정형외과 의사간의 긴밀한 협조가 필요하다.

## 서론

최근 류마티스 질환에 대한 약물 치료가 다양해지면서, 염증 과정을 조절하고, 관절 파괴를 예방하는 치료가 매우 발달하였다. 류마티스 질환을 조기에 진단하여 약물 치료를 빨리 시작하게 되면 류마티스 질환의 자연 경과를 늦출 수는 있지만, 만성적이고 진행성의 경과를 밟게 되어 정형외과적 수술 혹은 다른 형태의 수술적 치료를 필요로 하는 환자가 여전히 많이 있다. 수술적 치료의 적응증은 내과적 치료에 반응하지 않는 심한 통증이 있는 경우와 관절의 불안정성 및 변형으로 기능이 현저하게 떨어진 경우이다. 일부 류마티스 질환 치료제들은 면역억제 작용이 있기 때문에 수술 후 감염률을 증가시킬 수 있다. 따라서 류마

티스 질환 환자가 수술을 시행할 경우 약제 사용에 대해 류마티스내과 의사와의 긴밀한 협조가 필요하며, 마취, 수술, 수술 전후 간호 등의 과정에 있어 다학제적 접근이 추천된다.

## 수술 위험도 평가

류마티스관절염은 관상동맥질환의 위험인자 중 하나이기 때문에, 응급 수술의 경우에는 위험을 감수하고 수술을 진행할 수 있지만, 계획 수술의 경우에는 수술 전에 심혈관질환에 대한 위험도 평가가 필요하다. 심혈관질환 위험도 및 수술 위험도를 평가 척도상 위험도가 낮은 경우에는 수술을 진행할 수 있지만 위험도가 높은 경우에는 운동 부하에 대한 평가가 필요한데, 운동 부하가 4 METS (metabolic equivalent tasks) 이상인 경우에는 추가적인 검사 없이 수술을 진행할 수 있다.

류마티스 질환은 흉막질환, 간질성섬유화(interstitial fibrosis), 결절성폐질환(nodular lung disease), 폐동맥고혈압 등이 발생할 수 있고, 이들 질환으로 인해 수술 후 위험한 상황이 발생할 수 있기 때문에 호흡기질환에 대한 평가 역시 매우 중요하다. 무릎 혹은 엉덩관절의 관절치환술을 시행할 경우, 지방색전의 위험이 있고, 뼈나 뼈시멘트 가루가 혈관 속으로 들어가 폐부전을 발생시킬 수 있는데, 이런 위험은 폐동맥고혈압 혹은 폐섬유화증과 같은 폐질환이 있는 경우 증가하게 된다. 따라서, 수술 전 흉부단순방사선 영상을 통한 초기 선별검사가 필요하며, 필요시 폐 CT 혹은 폐기능 검사를 시행해 볼 수 있다. 사지에 대한 수술보다 횡

격막에 가까운 부위에 대한 수술을 할 경우, 폐질환 관련 합병증 위험이 증가한다.

## 마취

류마티스 질환 환자에서 발생하는 척추의 병변은 경추에서 많이 관찰되는데, 만성 활막염으로 인해 골미란과 인대 이완성이 발생하게 되어, 불안정성과 아탈구가 발생하게 된다. 전방환축추아탈구(anterior atlantoaxial subluxation)는 가장 흔히 발견되는 경추의 변형으로 척추 인대의 이완으로 인해 발생한다. 따라서 정형외과 수술을 앞둔 류마티스관절염 환자의 경우 굴곡 및 신전 경추 측면 방사선 영상을 촬영하여 경추 불안정성에 대한 평가를 해야 하며, 만약 불안정성이 관찰될 경우 경추 MRI 촬영이 추천된다. 두통, 경추 동통 및 신경학적 손상 소견이 있는 경우, 전반적인 신경학적 평가가 필요하다. 경추 수술 예정인 류마티스관절염 환자의 경우 기도삽관 시 굴곡형 후두경을 이용한다면, 수술후 상기도 폐쇄의 위험을 줄일 수 있다.

## 수술 적응증 및 수술의 종류

류마티스 질환 환자에서 주된 수술의 목표는 통증 조절 및 기능 개선이다. 약물 치료를 포함한 보존적 치료에도 통증이 조절되지 않거나, 관절의 불안정성 및 변형이 심각한 기능 제한을 초래한 경우 수술적 치료를 고려할 수 있다. 수술적 치료에는 진단적, 예방적, 치료적 관절경 수술, 활막 절제술, 치료적 절제 관절성형술(resection arthroplasty), 관절고정술, 인공관절 치환술 등이 있다.

## 활막절제술

활막조직은 활막 관절에 존재하는 결체 조직으로 관절막의 내측면에 위치한다. 활막조직에 염증이 생기게 되면, 활액이 증가하게 되어 관절 주변에 열감이 생기고 압통과 부종이 발생하게 된다. 활막절제술은 이와 같이 염증이 생긴 활막조직을 제거하는 것이다. 아직까지 활막절제술이 골파괴를 지연시키고, 류마티스 질환의 진행을 늦춘다는 증거는 없지만, 적어도 2년 이상 통증을 줄일 수 있고, 관절의 부기를 효과적으로 줄일 수 있는 유용한 수술이다. 활막절제술은 관절경을 이용하여 시행할 수도 있고 관절을 직접 열어서(개방적) 시행할 수도 있다. 활막절제술은 손가락, 손목, 팔꿈치, 어깨, 무릎, 발목 관절을 포함한 여러 관절에서 시행할 수 있다. 많은 연구자들은 관절경을 이용한 활막절제술이 개방적 활막절제술보다 유리한 점이 많다고 주장한다. 관절경적 활막절제술은 최소침습적이며, 재원기간을 줄일 수 있고, 관절이 뻣뻣해지는 위험도 적다. 또한 카메라를 이용하여 근접 확대 영상을 얻을 수 있어 보다 정확하게 병변을 확인할 수 있다. 하지만 관절경적 활막절제술을 시행한 경우 개방적 활막절제술을 시행한 환자에 비해 활막염의 재발 및 방사선학적 병변의 진행이 보다 흔하게 발생한다는 보고도 있다. 수술전 방사선학적으로 관절염의 진행 정도가 수술 후 통증이나 관절치환술이 필요한 빈도와 유의한 상관관계가 없기 때문에 진행된 관절염이 관찰된다 하더라도 활막절제술의 금기가 되지는 않는다.

### 1) 손과 손목

류마티스관절염 환자들에서 손목관절은 가장 흔하게 침범되며, 질환의 첫 2년 동안 약 50%의 환자들에서 손목 활막염이 발생한다. 요수근관절(radiocarpal joint) 및 중수근관절(midcarpal joint)에 활막염이 발생하게 되면 손목관절 내 압력이 증가하게 되어 심한 통증이 발생하게 된다. 안정적이고 통증이 없는 손목관절은 정상적인 손 기능을 위해 필수적이기 때문에, 관절의 불안정성과 파괴적 관절염이 발생하기 전에 활막절제술을 시행하는 것이 추천된다. 손목 관절의 관절경적 활막절제술은 파악력이나 관절 운동범위를 향상시키지는 못하지만, 75% 이상의 손목 관절 활막염 환자에서 활막염을 조절할 수 있고, 통증을 효과적으로 줄여줄 수 있다.

### 2) 팔꿈치

팔꿈치관절은 류마티스관절염 환자 중 약 20-65% 정도에서 이환되며, 활막절제술은 팔꿈치 통증이 약물 치료를 포함한 보존적 치료로 조절되지 않는 경우에 첫 번째로 고려해볼 수 있는 수술이다. 팔꿈치의 활막절제술은 65% 이상의 환자에서 통증 호전을 가져올 수 있는데, 관절운동범위를 유의하게 향상시키지는 못하는 것으로 알려져 있다. 팔꿈치 활막절제술은 관절염이 많이 진행하지 않은 젊고 활동적인 환자에서 시행해 볼 수 있다. 팔꿈치 활막절제술은 개방적으로 시행할 수도 있고, 관절경을 이용해서도 시행할 수 있는데, 관절내 유리체를 제거하거나, 관절 연골을 다듬거나 관절막을 유리시키는 과정이 필요한 경우에는 관절경을 이용하는 것이 유용하다. 하지만, 팔꿈치 관절경의 경우, 상지의 주요 말초신경 손상 위험이 있기 때문에 술기에 대해 충분히 숙련이 된 상태에서 수술을 진행해야 한다.

### 3) 어깨 관절

상지에서 손목, 팔꿈치 다음으로 흔히 침범되는 관절로 류마티스관절염이 진행된 경우 관절 손상이 발생하게 된다. 최근 어깨 관절경의 수술법이 발달하고, 보편화되면서 어깨관절의 활막절제술은 대부분 관절경을 이용하여 시행한다. 어깨관절의 관절경적 활막 절제술은 통증을 효과적으로 줄일 수 있으며, 회전근개가 이상이 없다면, 어깨관절의 관절 운동범위도 개선시키는 것으로 알려져 있다. 하지만, 광범위한 연부조직 봉합술이나 골 관절 관련 술식을 시행해야 하는 경우에는 개방적 활막절제술을 시행할 수 있다.

### 4) 무릎

무릎관절의 활막절제술은 오랜 기간 통증이 감소된 상태로

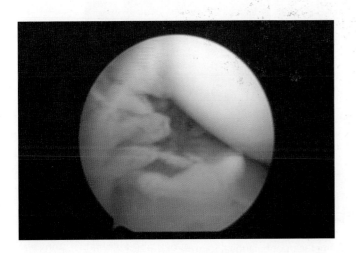

그림 31-1. 35세 여성 류마티스관절염 환자의 무릎 관절 활막염 관절경 사진

유지될 수 있고, 관절의 기능과 국소 관절 문제들을 개선시킬 수 있기 때문에 표준 약물 치료에 반응을 하지 않는 환자의 경우 활막절제술을 고려해 볼 수 있다. 무릎 관절의 활막절제술의 가장 이상적인 적응증은 무릎 관절의 변형, 불안정성이 없는 초기 관절염 환자에서 관절 운동범위와 연골이 보존된 경우이다. 활막절제술 이후, 무릎 관절 운동을 포함한 재활 운동을 적절히 시행하여야 보다 좋은 결과를 얻을 수 있다. 개방적으로 활막절제술을 시행해볼 수도 있지만, 많은 경우 관절경적 활막절제술을 시행하는데, 관절경적 활막절제술은 수술 후 회복이 빠르기 때문에 병원 재원 일수를 줄일 수 있고, 빨리 기능 회복을 기대할 수 있다(그림 31-1).

### 5) 발목 관절

초기 류마티스관절염 환자의 약 20%는 발 및 발목 증상이 있으며, 병이 진행하게 되면, 대부분의 환자에서 발 및 발목 증상이 발생하게 된다. 발목 활막절제술은 통증과 부기를 효과적으로 감소시키고, 관절 운동범위와 보행 양상을 개선시킬 수 있다. 발목 관절의 경우에도 활막절제술을 관절경을 이용하여 시행할 수도 있고, 개방적으로 시행할 수도 있다. 관절경적 활막절제술은 비침습적이고 효과적인 수술법이며, 초기 류마티스관절염에서 관절 변형이 없는 경우에 시행하게 되면, 좋은 결과를 기대할 수 있다.

## 절골술

하지에서 관상면상 변형이 있는 경우, 특히 무릎관절에서 외반 변형이 있는 경우, 관절 손상을 막기 위해 교정이 필요하다. 교정 위치는 변형의 위치에 따라 다를 수 있는데, 대퇴골 원위부가 될 수도 있고, 근위 경골이 될 수도 있다. 무릎 관절 외반 변형에 대한 교정 방법도 무릎 내측에 절골술(osteotomy)을 하며, 내측의 뼈 일부를 절제하는 폐쇄성 쐐기절골술(wedge osteotomy)도 있고, 절골술 후, 외측부를 벌려주는 개방형 쐐기절골술도 있다. 무릎 관절의 교정 절골술을 시행할 경우, 무릎관절의 측부 인대 및 십자인대는 문제가 없어야 하며, 교정 절골술 시행 시 관절경적 활막절제술을 시행할 수 있다. 류마티스관절염 환자에서

엉덩관절에 대한 절골술이 필요한 경우는 매우 드물며, 많은 경우 활막절제술 혹은 엉덩관절 인공관절치환술이 필요하다. 류마티스성 전족부 변형을 교정하기 위해서 중족골의 절골술이 시행될 수 있고, Heral 절골술은 확립된 안전한 중족골 절골술이지만, 관절을 볼 수 없다는 단점이 있다. Weil 절골술은 관절내 절골술로 활막절제술과 족지 신전건의 연장술을 동시에 시행할 수 있는 장점이 있다.

느 정도의 관절의 움직임이 있기 때문에, 기능적인 측면에서는 관절고정술보다는 낮다고 볼 수 있다. 절제 관절성형술은 무지 기저 관절(basal joint)에 관절염이 진행될 경우, 큰마름뼈(trapezium)를 제거하는 방법으로 시행할 수도 있고, 원위 요척관절의 관절염과 동반된 손가락폄근 파열이 있을 때, 원위 자뼈를 절제하는 방법(modified Darrach procedure)으로 시행할 수도 있다(그림 31-2).

## 절제 관절성형술

류마티스관절염이 진행하게 되면, 관절의 불안정성으로 인한 변형이 발생하게 되고, 관절이 파괴되어 관절을 보존하는 것이 불가능하게 된다. 인공 관절치환술이 비약적으로 발전하게 되어 절제 관절성형술(resection arthroplasty)의 사용 빈도가 많이 줄어들었지만, 인공 관절치환술이 불가능한 경우에는 절제 관절성형술이 대안이 될 수 있다. 절제 관절성형술은 주로 손허리손가락관절 혹은 전족부의 발허리발가락관절에서 시행한다. 손허리뼈 골두 부분 혹은 발허리뼈 골두 부분을 절제한 후, 변형을 교정한 상태로 K-강선 등을 이용하여 4-6주 정도 고정하게 된다. 이 때, 관절을 제거한 부위에 주변 인대나 건 조직을 삽입(interposition)할 수도 있다. 절제 관절성형술은 관절을 제거하고, 변형을 교정해 놓기 때문에 변형이 진행되는 것을 막거나 늦출 수 있고, 어

## 관절고정술

관절고정술(arthrodesis)은 류마티스관절염의 전통적인 수술적 치료 방법 중 하나이며, 이는 관절염이 있는 관절을 통증이 없고, 안정적인 관절로 만들 수 있다. 하지만, 최근에는 관절치환술을 통해 좋은 결과를 얻을 수 있기 때문에 관절고정술을 시행하는 빈도가 많이 감소하였다. 그럼에도 불구하고, 관절고정술을 우선적으로 고려하는 부위가 있는데, 경추와 족부이다. 경추에서 환축추 불안정성이 있을 경우, 첫번째로 고려할 수 있는 수술법은 제1-2경추간 유합술이다(그림 31-3). 전족부에서는 소족지의 망치족지변형을 교정하고, 제2-5 중족골두를 절제하면서, 전족부 첫 번째 열(first ray)의 관절고정술을 시행할 수 있다. 후족부에서 관절고정술을 고려할 수 있는 부위는 목말발배관절(talonavicular joint)이다. 목말발배관절에 심한 관절염이 있게 되면

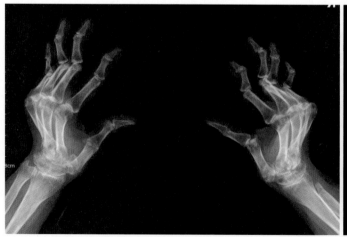
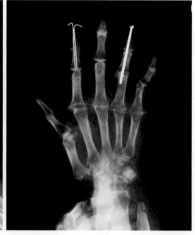

그림 31-2. **51세 여성 류마티스관절염 환자로** **(A)** 양측 손허리손가락관절(metacarpophalangeal joint)의 아탈구와 손가락의 단추구멍변형이 관찰된다. **(B)** 우측 원위 요척 관절 관절염에 대해 원위 자뼈 절제술 시행하였고, 제2~5 손허리손가락관절에 대해 절제 관절성형술을 시행하였다. 또한, 제2수지 원위지관절과 제4수지 근위지관절에 관절고정술을 시행하였다.

관절고정술을 시행할 수 있고, 인접 목말밑관절(subtalar joint)과 발꿈치입방관절(calcaneo-cuboidal joint)에서 관절고정술을 함께 시행할 수도 있다. 목말발배관절, 목말밑관절 및 발꿈치입방관절의 관절고정술을 함께 시행하는 술식을 삼중관절고정술(triple arthrodesis)이라고 한다. 발목관절에 대해서도 뼈 상태, 불안정성, 인접 관절의 상태 등을 고려하여 관절고정술을 시행할 수도 있다. 무릎관절의 관절고정술은 통증의 완화 및 관절 안정성 측면에서 장점이 있지만 일상생활에 불편함이 있으며, 무릎관절 전치환술의 결과가 좋기 때문에 시행되는 경우가 적으며 무릎 관절 전치환술이 실패한 경우, 특히 감염으로 인한 전치환술 실패 시 시행되는 경우가 있다. 엉덩관절 역시 관절치환술의 결과가 매우 우수하기 때문에 관절고정술을 우선적으로 고려하지는 않는다. 손목관절은 류마티스관절염 진단 후 초기 2년 이내에 약 50% 정도에서 이환되며, 관절염이 빠르게 진행될 수 있기 때문에 안정적이고 통증이 없는 관절을 만들기 위해 관절고정술을 시행할 수 있지만, 상지에서의 관절고정술은 기능 제한이 생기게 되므로 환자와 충분한 상의 후에 시행하여야 한다. 또한 손목뼈간 관절고정술을 시행할 수도 있고, 노뼈-손배뼈 관절고정술을 시행할 수도 있다.

## 관절치환술

관절치환술(arthroplasty)은 여러 관절의 관절염에서 표준 치료로 받아들여지고 있다. 류마티스관절염에서 관절치환술의 적응증은 골관절염에서보다 빠르며, 소아특발관절염에서도 관절치환술을 시행하기도 한다. 인공관절의 디자인 및 수술법이 발전하면서 인공관절의 수명도 매우 길어졌지만, 어린 나이에 관절치환술을 시행하게 되면, 관절치환 재수술이 필요한 경우가 많다.

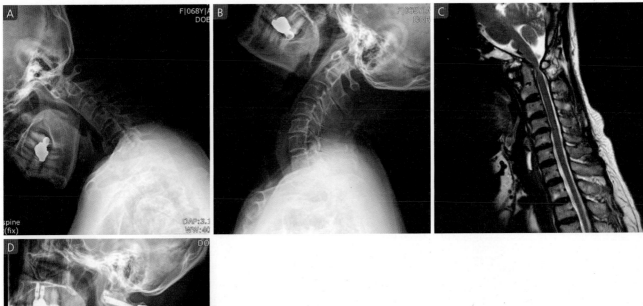

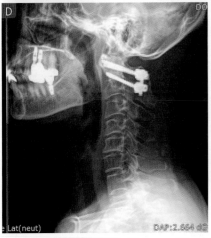

그림 31-3. 68세 여성으로 (A, B) 경추 굴곡 및 신전 측면 영상에서 환축추 불안정성(atlantoaxial instability)이 관찰된다. (C) MRI 검사 T2 강조 영상에서 제1-2 경추 부위의 척추관이 심하게 좁아져 있으며, 척수의 신호 강도 변화가 관찰된다. (D) 제1-2 경추간 고정술을 시행하였고, 성공적으로 골유합이 이루어졌다.

## 1) 하지의 관절치환술

류마티스관절염 환자의 엉덩관절은 비구(acetabulum) 및 대퇴골이 변형된 경우가 많기 때문에 적절한 치환물(prosthesis)을 선택하여 준비하여야 한다. 비구돌출(acetabular protrusion)이 있는 경우에는 골이식과 함께 무시멘트 비구컵을 사용할 수도 있고, 심한 경우에는 비구 보강환(acetabular reinforcement ring)을 사용하기도 한다. 대퇴 경부의 전경사(anteversion)가 증가된 경우 혹은 대퇴골 간부가 휘어있는 경우, 골수강이 좁은 경우에는 대퇴골에 삽입하는 대퇴 스템으로 맞춤형(custom-made) 스템이나 조립형(modular) 스템이 필요한 경우도 있다. 골반 내로 비구돌출이 심한 경우 비구 입구가 좁아 관절치환술 수술 과정에서 대퇴골두를 탈구시킬 때 대퇴골 골절의 위험이 있기 때문에 대퇴골 경부를 먼저 절골한 후 대퇴골두를 제거하는 것이 대퇴골 골절 예방에 도움이 될 수 있다. 최근에는 무시멘트형 엉덩관절 전치환술이 우수한 결과를 보여, 무시멘트 고정 방식이 선호되고 있지만, 골질이 매우 불량하거나 안정적인 고정을 얻기 어려운 경우에는 시멘트형 고정 방식을 사용하기도 한다.

보존적 치료에 반응하지 않는 무릎의 진행된 관절염 환자에서 무릎 관절전치환술은 통증을 완화시켜주고, 변형을 교정하며, 관절운동범위를 개선시켜줄 수 있는 매우 유용한 치료법이다 (그림 31-4). 류마티스관절염 환자에서 무릎관절 이외에 다른 관절에서도 관절염이 동반된 경우가 많기 때문에 무릎관절전치환술 후 재활치료가 가능한지를 살펴보기 위해 엉덩관절 혹은 족관절과 같은 인접 관절에 대한 평가가 필요하다. 류마티스관절염 환자에서 무릎과 엉덩관절 모두에서 관절 손상이 심하여 인공관절치환술을 시행해야 할 경우에는 강직되어 있는 엉덩관절로 인해 무릎 관절전치환술 수술이 용이하지 않을 수 있고, 무릎 관절의 굴곡 구축은 엉덩관절 전치환술 후 탈구의 빈도를 높일 수 있다. 따라서 관절 파괴가 진행되어 변형이 심하고, 증상이 심한 관절을 우선적으로 수술하는 것이 바람직하지만 무릎과 엉덩관절이 비슷한 정도로 이환되었을 경우에는 엉덩관절 전치환술을 먼저 시행하는 것이 일반적이다. 류마티스관절염 환자의 경우 골질이 좋지 않고, 변형이 심한 경우가 많기 때문에 수술 술기상 주의를 요한다. 무릎 관절전치환술의 장기 결과는 10-15년 이상 추시 시 90% 이상의 치환물 생존율을 보이고 있지만, 수술 후 창상이 더디게 아물고, 감염의 위험이 있기 때문에 주의를 요한다.

발목 관절치환술은 엉덩관절이나 무릎 관절관절치환술 만큼

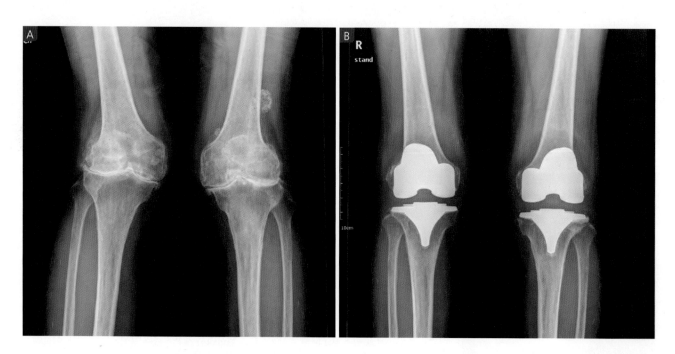

그림 31-4. 71세 남성 류마티스관절염 환자로 **(A)** 양측 무릎의 진행된 관절염이 관찰되어, **(B)** 양측 무릎 관절에 대해 인공관절치환술을 시행하였다.

결과가 좋지는 않아 10년 추시 시 치환물 생존율은 85% 정도이다. 발목 관절치환술 후 실패하는 경우는 발목 관절에 15° 이상 내반 혹은 외반 변형이 있는 경우에 흔하며, 평발, 전족부 외반 변형이 있는 경우에는 수술도 어렵고, 수술 결과를 예측하기도 어렵다. 이러한 변형이 목말밑 관절고정술로 교정이 어려울 정도로 심한 경우에는 삼중 관절고정술과 같은 술식을 동시에 혹은 순차적으로 시행하여야 보다 좋을 결과를 얻을 수 있다.

류마티스관절염으로 관절치환술을 하는 경우 골관절염으로 관절치환술을 하는 경우에 비해 재원 기간이 길고 기능 회복도 더디다. 양쪽 무릎 관절전치환술을 동시에 하는 경우 기능적 결과 및 합병증 발생률은 한쪽씩 순차적으로 하는 경우와 비슷하지만, 회복 속도는 더 빠른 것으로 알려져 있다.

관절치환술 후 발생할 수 있는 합병증에는 치환물 주위 골절(periprosthetic fracture), 감염, 정맥 혈전색전증 등이 있다. 류마티스관절염 환자들은 골질이 안 좋기 때문에 치환물 주위 골절이 발생하기 쉬우며, 골관절염으로 관절치환술을 시행한 경우에 비해 치환물 주위 골절에 대한 위험비(hazard ratio)는 1.56-2.1이다. 류마티스관절염 환자에서 골관절염으로 관절치환술을 시행한 경우에 비해 치환물 관절 감염에 대한 위험비는 4.08로 보고되고 있다.

## 2) 상지의 관절치환술

류마티스 질환에서 어깨, 팔꿈치, 손목관절에 대해서도 관절치환술을 시행하고 있다. 어깨관절에 관절치환술을 할 경우 회전근개파열과 같은 동반 연부조직의 문제나 심한 변형이 동반될 수 있음을 염두에 두어야 하며, 골다공증이 심하거나 골질이 좋지 않은 경우에는 치환물이 견고하게 고정되지 않을 수 있다. 상완골의 스템을 고정할 때 시멘트를 사용하는 것과 사용하지 않는 것 사이에 차이는 없으며 감염률은 2% 정도이다.

팔꿈치관절의 관절치환술의 치환물 10년 생존율은 81%, 15년 생존율은 71%로 보고되고 있다. 팔꿈치관절에 진행된 관절염이 있고 통증이 내과적 치료로 조절되지 않거나 심한 변형이 있는 경우 관절치환술을 고려할 수 있지만, 관절치환술의 수명이 길지 않고, 과사용할 경우 치환물의 수명은 더욱 단축되기 때문에 활동도가 높지 않은 70세 이상의 여자 환자에서 고려할 수 있다. 하지만 팔꿈치 관절의 관절치환술 후 재수술은 매우 어렵

기 때문에 이에 대한 고려가 필요하다.

손목관절, 손허리손가락관절 및 근위지관절에 대해서도 관절치환술을 시행할 수 있지만, 치환물 생존률이 높지 않아 이들 관절에 대한 관절치환술은 흔히 시행하지는 않는다.

## 수술적 치료의 결정

최근 류마티스 질환의 조기 진단이 가능해졌고 내과적 치료법들이 발전하였지만, 수술적 치료가 필요한 경우가 많이 있다. 관절염이 많이 진행하지 않은 경우, 내과적 치료로 통증 조절이 되지 않는다면 관절경적 혹은 개방적 활막절제술이 통증 조절에 도움이 될 수 있다. 류마티스관절염 환자의 경우 무릎 관절에 관절염이 이환되게 되면 외반 변형을 보이게 된다. 비록 외반 변형이 있다 하더라도 관절염이 진행되지 않았다면 절골술을 통해 통증을 줄일 수 있으며 향후 인공 관절 치환술 수술 시기를 늦출 수 있다.

관절과 주변 연부 조직이 심하게 파괴된 상태에서 수술적 치료를 고려하게 되면, 보다 큰 수술이 필요할 수 있고 수술 결과 역시 좋지 않을 수 있다. 가령, 견관절에서 초기 관절염의 경우에는 관절와(glenoid)의 치환이 필요 없는 상완골두치환술 또는 반관절치환술로 치료할 수 있지만, 진행된 관절염의 경우에는 관절와의 치환도 시행하는 어깨 관절 전치환술이 필요할 수 있다. 어깨 관절에서 회전근개의 손상 여부는 수술 방법뿐 아니라 수술 후 기능 회복에도 많은 영향을 미치는데, 회전근개 손상이 심한 경우에는 견관절 전치환술을 시행하기 어려워 역행성 견관절 치환술을 고려해야 한다.

원위 요척관절에서도 관절염이 진행하게 되면, 척골두(ulnar head)에 관절염적 변화가 생겨 뼈가 거칠어지고, 손등 쪽으로 돌출하게 된다. 후방으로 돌출된 척골두로 관절막이 파열되고 손가락폄근 힘줄이 손상되며, 제5 손가락폄근 힘줄부터 순차적으로 파열이 발생하게 된다(그림 31-5). 이 경우 척골두를 절제하고, 끊어진 손가락폄근 힘줄을 인접한 손가락폄근 힘줄에 옮겨주는 수술을 시행하게 되는데, 원위 요척관절의 관절염이 진행한 경우 손가락폄근 힘줄이 손상되기 전에 척골두 절제술을 시행한다면 보다 좋은 결과를 얻을 수 있다. 만약 손가락폄근 힘줄이 모두

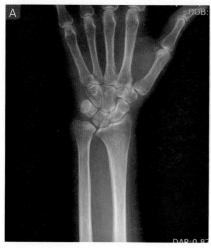
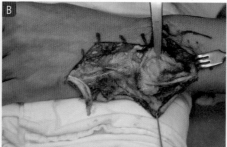
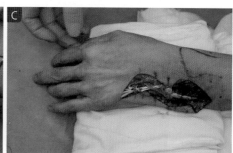

그림 31-5. 59세 여성 류마티스관절염 환자로 좌측 제5수지 손허리손가락 관절을 능동적으로 펼 수 없어 내원하였다. (A) 손목 관절 후전면 단순 방사선 영상에서 좌측 원위 요척관절의 관절염 소견이 관찰된다. 수술장 소견상 원위 척골에 심한 관절염 변화가 관찰되었고, (B) 제5 손가락폄근 힘줄의 파열 소견이 관찰되었다. (C) 원위 척골절제술(modified Darrach operation)과 척측 측부 인대재건술을 시행하였고, 제5수지 손가락폄근 힘줄의 원위부는 제4수지 손가락폄근 힘줄에 연결해 주었다.

파열된 경우에는 요수근굴곡건(flexor carpi radialis)을 손가락폄근 힘줄로 이전하는 수술이 필요할 수 있다.

# 결론

류마티스 질환의 일차적 치료는 내과적 치료이지만 약물치료에 반응하지 않는 통증이 있거나 진행된 관절염과 연부 조직 손상으로 인한 불안정성 및 변형으로 기능 제한이 있는 경우 수술적 치료가 도움이 될 수 있다. 적절한 시기에 환자의 상태에 맞는 수술적 치료를 선택한다면, 환자의 삶의 질을 많이 향상시킬 수 있기 때문에, 류마티스내과 의사와 정형외과 의사간의 긴밀한 협조가 필요하다.

## 참고문헌

1. 윤상협, 김신윤. 류마티스 관절염의 수술적 치료. 대한의사협회지 2010;53;889-97.

1. Sigmund A, Russell LA. Optimizing Rheumatoid Arthritis Patients for Surgery. Curr Rheumatol Rep 2018;20;48.

2. Nikiphorou E, Konan S, MacGregor AJ, Haddad FS, Young A. The surgical treatment of rheumatoid arthritis: a new era? Bone Joint J 2014;96-B(10):1287-9.

3. Chalmers PN, Sherman SL, Raphael BS, Su EP. Rheumatoid synovectomy: does the surgical approach matter? Clin Orthop Relat Res 2011;469:2062-71.

4. Trieb K, Hofstaetter SG. Treatment strategies in surgery for rheumatoid arthritis. Eur J Radiol 2009;71:204-10.

6. Clement ND, Breusch SJ, Biant LC. Lower limb joint replacement in rheumatoid arthritis. J Orthop Surg Res 2012;7:27.

7. Christie A, Dagfinrud H, Ringen HO, Hagen KB. Beneficial and harmful effects of shoulder arthroplasty in patients with rheumatoid arthritis: results from a Cochrane review. Rheumatology (Oxford) 2011;50:598-602.

8. Krukhaug Y, Hallan G, Dybvik E, Lie SA, Furnes ON. A survivorship study of 838 total elbow replacements: a report from the Norwegian Arthroplasty Register 1994-2016. J Shoulder Elbow Surg 2018;27:260-9.

9. Chim HW, Reese SK, Toomey SN, Moran SL. Update on the surgical treatment for rheumatoid arthritis of the wrist and hand. J Hand Ther 2014;27:134-41; quiz 42.

류 마 티 스 학
RHEUMATOLOGY

# PART 4 국소류마티즘

책임편집자 **양형인**(경희의대)
부편집자 **허진욱**(을지의대)

# 32

# 어깨

계명의대 **김상현**

## KEY POINTS 🔒

- 어깨관절은 가동범위가 넓고 질환이 다양하다.
- 어깨관절의 다양한 신체검사 술기를 정확히 숙지하고 체계적인 검사를 시행한다.
- 어깨관절 및 그 주위 질환뿐만 아니라 만성염증질환의 합병의 가능성도 고려하여야 한다.

## 해부학

어깨는 빗장뼈(clavicle), 어깨뼈(scapula), 상완골(humerus)로 이루어진 위팔어깨관절(glenohumeral joint), 봉우리빗장관절(acromioclavicular joint), 어깨가슴관절(scapulothoracic joint), 복장빗장관절(sternoclavicular joint)로 구성된 복잡한 구조로 이루어져 있다.

위팔어깨관절은 어떠한 위치에서도 위팔갈래(humeral head) 표면의 25%만이 관절오목(glenoid fossa)과 접촉하고 있어 신체에서 운동범위가 가장 넓은 관절이다. 관절의 자유로운 운동이 가능한 대신에 상대적으로 안정성이 떨어지는데 섬유연골(fibrocartilage)로 이루어진 관절테두리(glenoid labrum)가 관절면의 접촉 부위를 넓혀줌으로써 이러한 단점을 보완하여 안정성을 제공한다(그림 32-1). 앞쪽, 뒤쪽, 아래쪽 관절낭(capsule)이 두꺼워져 형성된 위팔어깨인대(glenohumeral ligament)도 관절 안정화에 도움을 준다. 따라서 관절테두리나 위팔어깨인대의 손상에 의해서 관절 불안정성이 발생하게 된다. 회전근개(rotator cuff)는 위

팔어깨관절과 어깨뼈봉우리(acromion) 사이에 존재하면서 관절운동 중에 안정성을 제공하며 어깨밑근(subscapularis), 가시위근(supraspinatus), 가시아래근(infraspinatus), 작은원근(teres minor)으로 이루어져 있다(그림 32-2). 봉우리밑윤활낭(subacromial bursa)이 회전근개와 봉우리 사이에 존재하여 근육과 뼈의 마찰을 감소시켜 부드러운 움직임이 가능하게 한다.

팔을 어깨뼈보다 위쪽으로 들어 올릴 때에는 봉우리빗장관절과 복장빗장관절의 역할이 중요하며 이들 관절에 염증이 있을 때는 통증을 초래할 수 있다.

어깨관절 주변에는 다른 관절과 비교해도 수많은 윤활낭(bursa)이 있어 원활한 어깨관절의 움직임을 돕고 있다. 봉우리밑윤활낭(subacromial bursa), 어깨위윤활낭(subscapular bursa), 어깨아래윤활낭(infrascapular bursa), 부리위윤활낭(supracoracoid bursa), 부리밑윤활낭(subcoracoid bursa), 어깨세모근밑윤활낭(subdeltoid bursa) 등이 있다. 윤활낭의 역할은 관절의 운동에 동반해 피부와의 마찰을 줄여 힘줄의 활동을 돕는 것이다.

어깨관절 주변의 감각신경은 빗장위신경(supraclavicular nerve, C3-C4), 위가쪽위팔피부신경(superior lateral cutaneous nerve of arm, C5-C6), 척수신경 뒤가지(spinal nerve posterior branch, C7-T5)이다. 한편, 어깨 주위 근육은 대부분이 팔신경얼기(brachial plexus, C5-T1)에 의해 지배받고 있다. 삼각근(deltoid)과 작은원근은 겨드랑신경(axillary nerve, C5-C6), 가시위근(supraspinatus)과 가시아래근은 어깨위신경(suprascapular nerve, C5-C6), 어깨밑근과 큰원근(teres major)은 어깨밑신경(subscapular nerve, C5-C7), 넓은등근(latissimus dorsi)은 가슴등

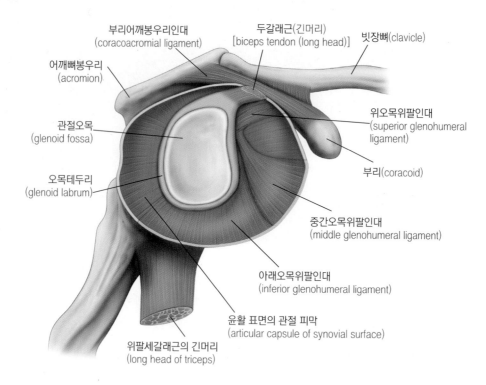

부리어깨봉우리인대
(coracoacromial ligament)

어깨뼈봉우리
(acromion)

관절오목
(glenoid fossa)

오목테두리
(glenoid labrum)

두갈래근(긴머리)
[biceps tendon (long head)]

빗장뼈(clavicle)

위오목위팔인대
(superior glenohumeral
ligament)

부리(coracoid)

중간오목위팔인대
(middle glenohumeral ligament)

아래오목위팔인대
(inferior glenohumeral ligament)

윤활 표면의 관절 피막
(articular capsule of synovial surface)

위팔세갈래근의 긴머리
(long head of triceps)

그림 32-1. 위팔어깨관절의 관절 오목

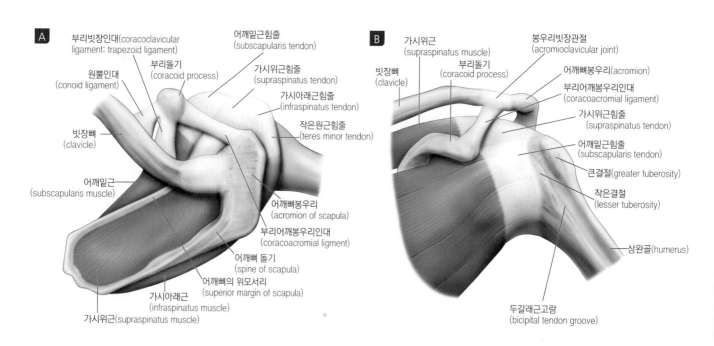

A

부리빗장인대(coracoclavicular
ligament: trapezoid ligament)

원뿔인대
(conoid ligament)

빗장뼈
(clavicle)

어깨밑근
(subscapularis muscle)

부리돌기
(coracoid process)

어깨밑근힘줄
(subscapularis tendon)

가시위근힘줄
(supraspinatus tendon)

가시아래근힘줄
(infraspinatus tendon)

작은원근힘줄
(teres minor tendon)

어깨뼈봉우리
(acromion of scapula)

부리어깨봉우리인대
(coracoacromial ligment)

어깨뼈 돌기
(spine of scapula)

어깨뼈의 위모서리
(superior margin of scapula)

가시아래근
(infraspinatus muscle)

가시위근(supraspinatus muscle)

B

가시위근
(supraspinatus muscle)

빗장뼈
(clavicle)

부리돌기
(coracoid process)

봉우리빗장관절
(acromioclavicular joint)

어깨뼈봉우리(acromion)

부리어깨봉우리인대
(coracoacromial ligament)

가시위근힘줄
(supraspinatus tendon)

어깨밑근힘줄
(subscapularis tendon)

큰결절(greater tuberosity)

작은결절
(lesser tuberosity)

상완골(humerus)

두갈래근고랑
(bicipital tendon groove)

그림 32-2. 어깨관절의 근육둘레띠와 인대

신경(thoracodorsal nerve, C6-C8), 앞톱니근(serratus anterior)은 긴가슴신경(long thoracic nerve, C5-C7), 승모근(trapezius)은 부

신경(accessory nerve, cranial nerve 11), 큰가슴근(pectoralis major) 과 작은가슴근(pectoralis minor)은 가슴신경(thoracic nerve, C5-

T1)의 지배를 받는다.

어깨관절 주변에는 많은 혈관들이 존재하는데, 빗장밑동맥(subclavian artery)과 겨드랑동맥(axillary artery)의 가지로부터 혈류를 받는다. 가로목동맥(transverse cervical artery), 어깨위동맥(suprascapular artery), 가슴봉우리동맥(thoracoacromial artery), 어깨밑동맥(infrascapular artery), 가슴등동맥(thoracodorsal artery), 어깨휘돌이동맥(circumflex scapular artery), 뒤위팔휘돌이동맥(posterior circumflex humeral artery), 앞위팔휘돌이동맥(anterior circumflex humeral artery) 등이 있다.

## 신체검사

### 1) 병력청취

병력청취에서는 증상의 부위, 성질과 상태, 정도, 증상 발생의 일시, 유발인자 등에 대해서 상세하게 들어 증후의 특징을 파악해야 한다(표 32-1).

#### (1) 통증평가

어깨질환의 주소는 대부분이 통증이다. 통증이 없고 기능 장애(근력저하, 운동범위 제한)만이 주소인 경우는 경추질환 등에 의한 신경마비를 고려한다. 통증은 visual analogue scale (VAS)를 이용해 운동 시 통증, 안정 시 통증, 야간 통증의 3개로 나누어 정량화한다. 정량화함으로써 현재의 통증의 정도를 객관적으로 파악할 수 있고, 치료 효과를 판정하는 데에도 도움이 된다.

#### (2) 부위평가

'어깨'가 의미하는 부위는 환자에 따라 다양하기 때문에 실제로 통증의 있는 부위를 환자 본인이 가리키도록 하는 것이 좋다. 어깨관절 질환에서는 외측, 전방, 후방에 통증을 느끼는 경우가 많다. 만약 어깨관절 상방에 통증이 있는 경우 봉우리빗장관절 질환, 어깨뼈 상부에 통증이 있는 경우는 경추 질환을 고려한다.

### 2) 시진

어깨의 형태를 관찰하는 것으로 신체검사를 시작한다. 환자의 양쪽 어깨를 노출시킨 상태에서 뒤쪽에 서서 이환된 어깨와

**표 32-1. 증상의 특징을 파악하는 병력청취의 포인트**

| 언제부터(발생 일시) |
| --- |
| 어떤 상황에서(유발인자, 환경) |
| 어디가(증상의 부위, 부위의 이동성, 방사통) |
| 어떻게 되었는지(성상, 정도, 생활에 끼치는 영향, 지속 시간, 빈도) |
| 어떻게 했는지(대처 행동, 치료 행동) |
| 그 결과 어떻게 되었는가(악화, 불변, 개선) |
| 무엇이 영향을 주는가(악화 인자, 완화 인자) |

정상 어깨를 비교해서 관절의 부종, 근육의 위축 등에 의한 비대칭적 구조가 존재하는지를 잘 관찰한다.

### 3) 촉진

환자가 통증을 호소하는 부위를 촉진하여 압통, 부기, 불안정성을 확인한다. 위팔두갈래근힘줄(biceps tendon), 회전근개 힘줄에 압통이 존재하면 힘줄염을 시사한다. 위팔어깨관절의 부종은 봉우리밑윤활낭염(subacromial bursitis)과 감별이 필요하다. 어깨와 목주위의 근육에 압통점이나 유발점이 존재하는지 확인한다. 봉우리빗장관절과 복장빗장관절의 불안정성은 쉽게 확인할 수 있지만 위팔어깨관절의 불안정성은 관절테두리의 이완, 불안정성과 관련된 통증 악화 등을 확인하기 위한 다양한 평가가 필요하다.

### 4) 운동진찰

#### (1) 관절운동범위

관절의 움직임을 모든 방향에서 평가한다. 능동운동범위를 평가하기 위해서 환자가 앉거나 서서 양팔을 편안하게 내리게 한다. 팔꿈치를 편 상태에서 팔을 앞으로 올려서 머리 위까지 팔과 몸통이 180°가 되도록 올리게 한다[굽힘(flexion)]. 팔꿈치를 옆쪽으로 벌리면서 양손을 머리 뒤쪽에 닿도록 한다[외전(abduction) 및 외회전(external rotation)]. 팔을 내려서 등 뒤쪽에 양손을 교차하여 뒷짐을 지는 자세를 취하게 한다[폄(extension) 및 내회전(internal rotation)]. 이 동작을 연속으로 시행하면서 움직임의 리듬이 깨지거나 과도하게 어깨뼈와 가슴을 사용하는지

를 관찰한다. 관절의 움직임에 이상이 발견되면 진찰자가 환자의 팔을 잡고 수동운동을 시행하여 능동과 수동운동범위를 비교한다. 관절낭 내부에 이상이 있는 경우에는 능동과 수동운동범위가 똑같이 제한되고 윤활낭, 힘줄, 근육 등 관절낭 외부에 이상이 있는 경우에는 수동운동범위에는 제한이 없기 때문에 감별진단에 도움이 된다.

## (2) 근력

관절운동의 제한이 회전근개 이상에 의한 것으로 의심될 때 각각의 근육들에 대한 검사를 시행하면 병변 부위를 찾는 데 도움이 된다. 임상적으로 근력 저하의 상당수는 회전근개 파열이 주원인이다. 환자에게 팔꿈치를 펴고 양팔을 벌려 위팔어깨관절을 90° 외전, 30° 굽히게 하고 마치 캔에 들어있는 물을 쏟아버리듯이 엄지손가락을 아래로 향하게 내회전한 상태에서 진찰자의 누르는 힘을 이기면서 환자가 위팔어깨관절을 외전할 때(empty can test, Jobe test) 통증이 발생하면 가시위근 이상을 의미한다. 환자가 팔꿈치를 90° 굽힌 상태에서 진찰자가 저항을 주면서 환자에게 뒤침(supination)을 시키거나(Yergason's test), 환자가 팔꿈치를 펴고 팔을 앞으로 90° 들어 올린 상태에서 진찰자의 누르는 힘을 이기면서 환자가 위팔어깨관절을 굽힐 때(Speed's test) 통증이 발생하면 위팔두갈래근힘줄 이상을 시사한다(그림 32-3). 환자가 팔을 등 뒤로 하여 뒷짐을 진 상태에서 진찰자의 누르는 힘을 이기면서 환자가 손을 등에서 뗄 때(lift-off test) 통증이 발생하면 어깨밑근 이상을 알 수 있다. 환자가 팔꿈치를 90° 굽힌 상태에서 진찰자의 저항을 이기면서 위팔어깨관절을 외회전할 때 통증이 발생하면 가시아래근이나 작은원근의 이상을 의미한다.

## 5) 충돌증후군

충돌증후군(impingement syndrome)은 능동적으로 팔을 들어올릴 때나 내릴 때 상완골대결절(great tuberosity of humerus)이 봉우리 아래를 통과하는 외전 60°에서 120° 사이 부근에서 통증이 나타나는 경우(painful arc sign)에 의심해볼 수 있다. 환자의 어깨를 진찰자의 왼손으로 고정해 안정시키고 환자의 팔을 편 상태에서 내회전시킨 상태로 진찰자가 환자의 어깨를 진찰자의 왼손으로 고정해 안정시키고 환자의 팔을 편 상태에서 내회전시킨 상태로 진찰자가 환자의 팔을 전방위쪽으로 들어올릴 때 통증이 유발되는 경우(Neer's sign), 환자의 어깨를 90° 굽히고 팔꿈치를 90° 굽힌 상태에서 진찰자가 환자의 팔을 강제로 내회전시

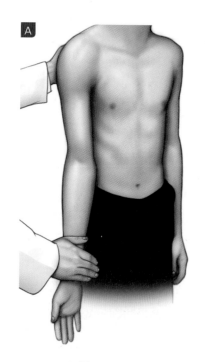
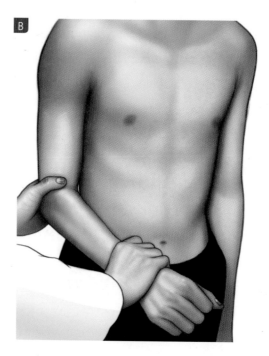

**그림 32-3. 위팔두갈래근힘줄염의 신체검사 (A)** Speed's test, **(B)** Yergason's test

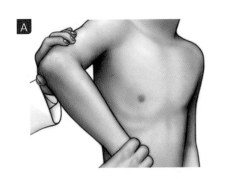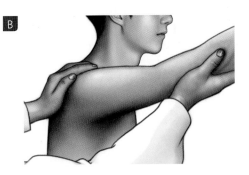

그림 32-4. **충돌증후군의 신체검사** (A) Hawkin's test, (B) Neer's test

킬 때 통증이 발생하면(Hawkin's sign) 회전근개 힘줄의 충돌증후군을 시사한다(그림 32-4). 충돌증후군이 의심되는 통증이 실제로 봉우리밑힘줄(subacromial tendon)의 부딪힘에 의한 것인지 봉우리밑윤활낭 유래인지를 알아보기 위해 윤활낭 내에 국소마취제를 주입해 직후에 충돌 징후가 소실하는지를 알아보는 블록테스트를 시도해볼 수도 있다. 진찰자가 환자의 팔을 옆으로 120° 이상 올려준 다음에 환자에게 천천히 팔을 내리게 할 때 갑자기 환자 자신도 모르게 팔이 아래로 떨어지면 회전근개 힘줄의 파열을 시사한다.

## 어깨관절 질환

어깨관절은 우리 몸의 관절 중 운동범위가 가장 큰 관절이다. 어깨는 인대, 힘줄, 근육에 의해 안정이 되고 뼈끼리의 의존성이 적다. 그러므로 어깨의 통증은 관절 자체의 질환보다는 관절 주위의 조직에서 문제가 발생한 경우가 더 많다. 그래서 진단과 치료 또한 다른 관절보다는 좀 더 복잡하다.

어깨관절의 통증을 일으키는 질환은 대개 중년 이후에 발생한다. 정확한 병력청취와 신체검사로 진단을 비교적 쉽게 할 수 있다. 치료는 대부분 약물요법, 주사요법, 운동요법, 물리치료로 효과를 보며 드물게 수술이 필요하기도 한다.

어깨에서 봉우리밑 공간(subacromial space)은 위로는 부리어깨활(coracoacromial arch)과 아래로는 회전근개 및 상완골두(humeral head)의 사이의 공간을 말하는데 해부학적으로 불안정한 부분이다. 여기에 윤활낭(bursa), 회전근개들의 힘줄, 위팔두갈래근(biceps brachii) 등이 존재하며 이 부위의 염증, 유착 또

는 충돌로 인한 윤활낭염(bursitis), 가시위근힘줄염(supraspinatus tendinitis), 회전근개 힘줄파열(rotator cuff tear), 위팔두갈래근힘줄염(bicipital tendinitis) 및 파열 등이 발생하며 이러한 병변을 총칭하여 봉우리밑증후군(subacromial syndrome)이라고 부르기도 한다.

### 1) 봉우리밑윤활낭염

봉우리밑윤활낭염(subacromial bursitis)은 어깨관절 통증의 주된 원인 질환 중의 하나이다. 윤활낭염이 일차적으로 발생하는 경우보다는 가시위근힘줄염에 의한 이차적인 경우가 더 흔하다. 어깨관절의 외전 및 내회전 시 통증이 발생하고 통증이 야간에 더 심하다. 상완골(humerus)을 완전히 외전하여 윤활낭이 봉우리 아래로 들어가면 통증이 감소하는 경향을 보인다. 최근에

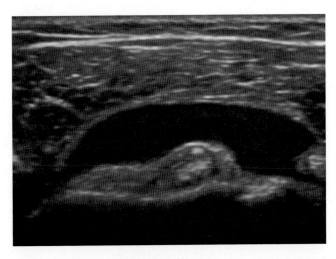

그림 32-5. 봉우리밑 윤활낭염(subacromial bursitis)의 초음파 소견 (출처: 연세원주의과대학 강태영)

는 근골격계 초음파가 도입되면서 보다 빠르고 정확하게 진단이 가능해졌다(그림 32-5). 치료는 휴식과 견딜 수 있는 최대한 가동범위의 운동 등이다. 비스테로이드소염제가 도움이 되나 대개 효과가 빠른 글루코코티코이드 주사가 흔히 이용된다.

## 2) 회전근개힘줄염과 충돌증후군

회전근개힘줄염(rotator cuff tendinitis)은 어깨관절을 과도하게 사용하는 경우에 잘 발생한다. 특히 머리보다 높은 곳의 작업을 하면서 회전근개힘줄(rotator cuff tendon)의 충돌이 생기는 경우이다. 실제 회전근개힘줄염 또는 충돌 증후군이 '오십견'이라고 불리는 유착관절낭염(adhesive capsulitis)보다도 더 많고 가장 흔한 어깨통증의 원인이다. 주로 가시위근힘줄염에 기인하며 일차적인 통증의 원인은 힘줄염이며 이차적으로 봉우리밑윤활낭의 병변이 동반될 수 있다. 급성 또는 만성으로 발생할 수 있으며 힘줄의 석회화를 동반할 수도 있다. 어깨관절을 능동적으로 60-120°로 외전한 상태에서 통증이 유발되며 이 범위를 벗어나면 통증이 감소하는 painful arc sign이 특징적이다.

급성 힘줄염은 주로 젊은이들에서 흔하며 통증이 급속히 나타나며 칼로 자르는 듯 아프다. 가시위근의 부착부위에 석회화를 동반하는 경우가 많은데 어깨를 외회전하고 찍은 단순X선에서 잘 보인다.

만성 힘줄염은 대개 나이가 듦에 따라 윤활낭의 보호작용 감소 및 주위구조물에 의한 기계적 자극 등으로 가시위근의 퇴행 변화를 초래하여 발생하며 심할 경우 파열될 수 있다. 또한 노인에서는 힘줄 자체의 퇴행 변화와 혈관성이 감소하고 근력이 감소하는 것도 원인이 될 수 있다. 환자들은 삼각근의 외측에 통증을 호소하며 어깨관절의 외전과 내회전 때 통증이 잘 유발된다. 혼자서 옷을 입기가 힘들고 야간에 통증을 호소한다. 진찰소견은 만지면 압통을 호소하고 운동범위가 감소되어 있다. 능동적인 외전에 저항을 주면 통증은 더욱 심해지는 충돌 징후는 거의 양성반응을 보인다.

충돌증후군(impingement syndrome)은 봉우리와 봉우리빗장관절 아래, 부리어깨인대(ligamentum coracoacromiale), 갈고리돌기(coronoid process) 및 회전근개를 경계로 이루어지는 봉우리 아래 공간에서 반복적인 자극에 의해 회전근개힘줄 및 위팔두갈래근 힘줄의 염증과 퇴행 변화가 일어나고 봉우리밑윤활낭이 비후되고 염증이 초래되는 상태를 말한다(그림 32-6). Hawkin's impingement test나 Neer's impingement test로 진단할 수 있다.

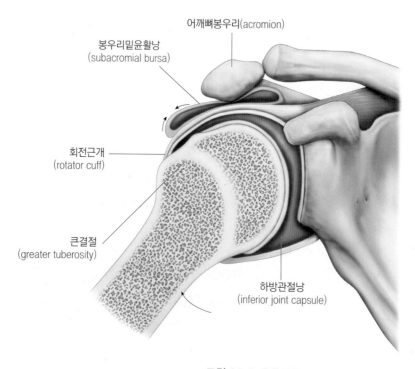

어깨뼈봉우리(acromion)
봉우리밑윤활낭(subacromial bursa)
회전근개(rotator cuff)
큰결절(greater tuberosity)
하방관절낭(inferior joint capsule)

그림 32-6. 충돌증후군

그러나, 류마티스관절염과 같은 전신염증 질환에서 회전근개의 염증이 동반된 경우에는 충돌현상과는 무관하다.

치료는 비스테로이드소염제가 도움이 되나 봉우리밑윤활낭 글루코코티코이드 주사가 가장 흔히 이용된다.

### 3) 위팔두갈래근힘줄염과 파열

위팔두갈래근힘줄염(bicipital tendinitis)은 어깨의 앞쪽에 발생하는 통증이 특징이며 가끔 어깨 주위 전체에 통증이 나타나기도 한다. 대개 만성통증으로 나타나며 위팔두갈래근힘줄이 어깨뼈봉우리(acromion)에 충돌하여 발생하는 것이 대부분이다. 위팔두갈래힘줄염은 위팔두갈래근 힘줄활막염(tenosynovitis of biceps tendon)과 잘 동반되며 파열에 선행되어 나타날 수 있다. 두갈래근고랑(bicipital groove) 주위의 압통이 특징이다. 정상적인 압통도 있으므로 반대쪽 위팔두갈래근힘줄 압통과 비교하는 것도 좋은 방법이다. Speed's test와 Yergason's test를 통하여 진단할 수 있다. 위팔두갈래근힘줄염의 치료는 휴식, 열찜질 및 비스테로이드소염제 등이다. 경우에 따라서는 글루코코티코이드를 힘줄활막 내부나 주위에 주사하는 것이 도움이 되며, 힘줄에 직접 주사하지 않도록 주의하여야 한다.

위팔두갈래근힘줄의 불완전탈구(subluxation)도 발생할 수 있는데 이는 위팔두갈래근힘줄이 어깨관절의 움직임에 따라 홈에서 빠져나갔다가 다시 들어오는 현상이다. 어깨를 90° 외전한 상태에서 팔을 뒤로하고서 외회전과 내회전을 반복하면 힘줄이 딸깍하는 것을 느낄 수 있다. 이런 역동적인 문제는 실시간 초음파 검사가 가장 도움이 된다. 위팔두갈래근힘줄 홈의 위쪽에서 힘줄의 파열(rupture)이 발생할 수 있다. 위팔두갈래근힘줄이 완전히 파열된 경우 위팔두갈래근의 외측 반이 특징적으로 공처럼 부풀어 올라오는데 이를 '뽀빠이 징후'라고 한다. 대개 보존 치료를 한다.

### 4) 유착관절낭염

유착관절낭염(adhesive capsulitis, frozen shoulder)은 흔히 '오십견' 또는 '굳은어깨, 동결견'으로 불리며 어깨 전체에 통증과 압통이 있다. 어깨관절의 모든 운동 방향에서 심한 능동적 및 수동적 운동의 제한이 있다. 주로 40대에서 60대에 발생한다. 유발인자로는 전신질환에 의한 장기간 관절고정, 고령, 우울증, 당뇨병,

심혈관질환, 어깨관절 주위 외상, 염증관절질환 등이 있다. 또한 다른 어깨관절질환과 감별을 해야 하는데 실제로 유착성 운동장애가 온 것인지 아니면 회전근개 파열 등에 의한 근력 약화인지 감별해야 한다. 유착성 강직은 모든 방향에서 관절의 운동이 제한되지만, 통증이나 근력약화 등에 의한 경우는 대개 어느 일정 방향에서 운동이 제한되며 다른 방향은 운동이 가능한 경우가 많다.

그러나 방사선 사진에서 특별한 소견이 없으며 관절 조영술로 진단을 하는데 어깨관절내강 부피가 작아진다. 치료는 물리치료를 시행하면서 비스테로이드소염제, 위팔어깨관절 주사 및 봉우리밑윤활낭 글루코코티코이드 주사가 도움이 된다.

### 5) 관절 자체질환

#### (1) 위팔어깨관절

위팔어깨관절(glenohumeral joint)은 통상적으로 '어깨관절'이라고 고려하며 실제로는 깊은 관절이라 신체검사하기가 어려워 관절염 발생 빈도보다 더 적게 진단된다. 어깨관절은 그 관절 자체에만 염증을 일으키는 질환은 드물다. 류마티스관절염과 같은 전신염증질환이나 통풍과 같은 다른 관절에 염증이 있는 환자에서 어깨 통증이 동반되어 있는 경우 발견하는 경우가 더 많다. 관절부기는 주로 관절 앞으로 나타나며 뒤쪽의 부기는 알아차리기 힘들다. 관절액과 관절의 활막 비후가 앞쪽의 위팔두갈래근힘줄활막을 따라 내려와 어깨 앞쪽에 증상을 일으키기도 한다.

#### (2) 봉우리빗장관절

봉우리빗장관절(acromioclavicular joint)에서는 류마티스관절염이나 골관절염이 발생할 수 있다. 팔을 가슴 앞으로 하여 반대편 어깨를 만질 때 통증이 유발된다. 정확한 위치에 압통을 확인하는 것이 가장 쉬운 방법이다. 관절이 피부표면에 가까이 존재하고 압통부위가 분명하므로 글루코코티코이드 주사의 효과가 좋다.

#### (3) 복장빗장관절

복장빗장관절(sternoclavicular joint)은 일반적으로 관절이라

생각하지 않는 경향으로 관절통이라기보다는 흉통이나 근육통으로 오인될 수 있다. 환자가 통증을 호소한다면 압통을 확인하고, 초음파 검사 또는 컴퓨터단층촬영(computed tomography, CT) 검사로 쉽게 관절염을 확인할 수 있다. 복장빗장관절염은 류마티스관절염, 척추관절병증에 동반될 수 있고 드물게는 임균 등의 감염관절염이 발생하기도 한다. 특히 SAPHO (synovitis, acne, pustulosis, hyperostosis, osteitis) 증후군의 증상으로 나타나는 경우가 많다. SAPHO 증후군은 'sternoclavicular hyperostosis'로 불리기도 하는데 척추관절증에 준하여 치료한다.

## 참고문헌

1. 강태영. 류마티스내과 근골격초음파. 서울: 대한의학; 2012.
2. 박원. The diagnosis and management of the Shoulder disorders. In: 임상류마티스학 편찬위원회, ed. 임상류마티스학. 서울: 한국의학사; 2006. pp. 142-53.
3. 유총일. 그림으로 보는 임상견관절학. 서울: 메디안북; 2007.
4. 윤종현. Shoulder pain. In: 임상류마티스학 편찬위원회, ed. 임상류마티스학. 서울: 한국의학사; 2006. pp. 138-41.
5. Hochberg MC, Silman AJ, Smolen JS, Weinblatt ME, Weisman MH. Rheumatology. 5th ed.Philadelphia: Mosby, 2011
6. Langford CA, Gilliland BC. Periarticular Disorders of the Extremities. In: Longo DL, Fauci AS, Kasper DL, Hauser SL, Jameson JL, Loscalzo J, eds. Harrison's principles of Internal Medicine. Textbook of medicine. 18th ed. New york: McGraw-Hill; 2012. pp. 2860-3.
7. Magee DJ. Orthopedic Physical Assessment. 5th ed. St. Louis: Saunders; 2008.

# 33

# 팔꿈치

**을지의대 허진욱**

- 팔꿈치는 복합 윤활관절로서 손과 팔의 기능적 사용에서 중요한 역할을 한다.
- 팔꿈치 통증의 원인으로는 관절염 이외에도 상과염(내측, 외측), 척골신경압박증후군, 윤활낭염 등 관절 주변 연부조직의 이상과 경추신경근병증 및 어깨문제에 의한 연관통증을 함께 고려해야 한다.
- 상완골의 외측상과염, 팔꿈치머리낭염과 같은 연부조직질환이 팔꿈치 통증의 흔한 원인질환이다.

## 서론

팔꿈치는 상완골(humerus) 원위부와 척골(ulna), 요골(radius)의 근위부가 이루는 관절로서 기능적으로 경첩관절(hinge joint)로 분류된다. 관절의 주요 운동인 굽힘(flexion), 폄(extension)은 주로 척골상완골관절에서 일어나며 회내(pronation), 회외(supination)는 요골상완골관절과 요척관절에 의해 일어난다. 어깨와 함께 팔꿈치의 운동이 정상적일 때 손의 기능적인 사용이 가능하다. 폄 0°, 굽힘 약 135-150°, 회내 75-80°, 회외 85-90° 정도가 정상적인 팔꿈치의 운동범위이다.

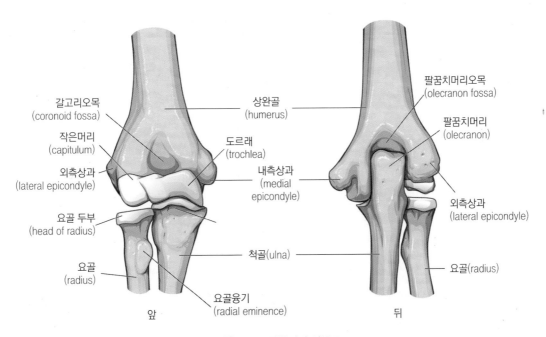

그림 33-1. 팔꿈치의 뼈구조

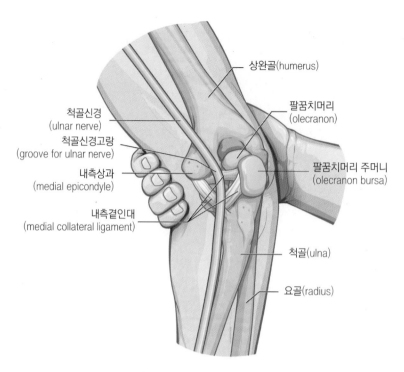

그림 33-2. 팔꿈치 후내측 주요 구조물

상완골(humerus)

팔꿈치머리 (olecranon)

팔꿈치머리 주머니 (olecranon bursa)

척골(ulna)

요골(radius)

척골신경 (ulnar nerve)

척골신경고랑 (groove for ulnar nerve)

내측상과 (medial epicondyle)

내측곁인대 (medial collateral ligament)

## 1) 뼈구조

안쪽에서는 상완골 원위부의 도르래(trochlea)와 척골의 도르래파임(trochlear notch)이 경첩관절을 형성하고 바깥쪽에서는 상완골의 작은머리(capitulum)와 요골의 두부(head)가 관절을 형성하며 요골과 척골 사이에서는 근위부 요척관절이 형성되어 총 세 부분의 관절로 이루어져 있는 복합 윤활관절이다. 안쪽과 바깥쪽의 상완골에서 돌출되어 있는 곳이 내측상과(medial epicondyle)와 외측상과(lateral epicondyle)이며 내측상과의 홈(notch)으로 척골신경이 지나간다. 팔꿈치머리(olecranon)는 척골의 근위부 후면에 위치하는 크고 두꺼운 골융기로서 팔꿈치를 펼 때 상완골 원위부의 팔꿈치머리오목(olecranon fossa)과 접촉하게 되고 역시 척골 근위부 전면에 위치하는 갈고리 돌기(coronoid process)는 팔꿈치를 굽힐 때 상완골의 갈고리오목(coronoid fossa)에 접촉하게 된다(그림 33-1).

## 2) 인대

요측측부인대(radial collateral ligament)와 척측측부인대(ulnar collateral ligament)가 팔꿈치의 안정성을 유지하는 데 중요한 역할을 한다. 척측측부인대는 상완골의 내측상과에서 내려와 앞쪽

의 요골갈고리돌기(coronoid process), 뒤쪽의 팔꿈치머리에 부착하며 관절구조 지지에 중요한 역할을 한다. 요측측부인대는 외측상과와 요골윤상인대(annular ligament)를 연결하며 손뒤침근(supinator muscle), 단요측수근신근(extensor carpi radialis brevis)의 부착부와 합쳐진다. 요골윤상인대는 요골두부를 감싸는 구조로서 요골을 척골 파임부분에 강하게 밀착시키는 역할을 한다.

## 3) 근육과 윤활낭

팔꿈치를 굽히는 동작은 위팔근(brachialis)과 두갈래근(biceps), 펴는 동작은 세갈래근(triceps)과 팔꿈치근(anconeus)에 의해 수행되며 공통굽힘근육이 내측상과에 부착하고 공통폄근육이 외측상과에 부착한다.

가장 큰 윤활낭은 팔꿈치머리의 표면에 위치한 표재팔꿈치머리낭(superficial olecranon bursa)이며 이 밖에도 두갈래근힘줄 부착부위에 위치한 이두근요낭(bicipitoradial bursa), 표재상과낭(superficial epicondylar bursa), 요상완낭(radiohumeral bursa) 등이 있다.

표 33-1. 팔꿈치 통증 원인에 따른 신체검진 징후

| 진단 | 신체검진 징후 |
|---|---|
| 관절염 | 관절운동범위제한, 팔꿈치 외측(외측상과와 팔꿈치머리돌기 사이) 부기 |
| 연관통증 | 관절운동범위 정상, 압통 없음, 부기 없음 |
| 외측상과염 | 관절운동범위 정상, 외측상과부위 압통, 저항에 대항하여 손목을 펴거나 요골방향으로 편향시킬 때 통증 유발 |
| 내측상과염 | 관절운동범위 정상, 내측상과부위 압통, 저항에 대항하여 손목을 굽히거나 척골방향으로 편향시킬 때 통증 유발 |
| 척골신경압박증후군 | 관절운동범위제한, 티넬징후, 팔꿈치를 굽히면 이상감각 유발 |
| 팔꿈치머리낭염 | 관절운동범위 정상, 팔꿈치머리돌기부위 부기 |

표 33-2. 팔꿈치 통증의 원인

| 관절 내부 | 관절염, 아탈구, 골연골염, 유리체(loose body) |
|---|---|
| 관절 주변 연부조직 | 외측상과염, 내측상과염, 신경압박증후군, 윤활낭염, 인대염, 인대파열 |
| 연관통증 | 경추질환, 어깨질환 |

## 4) 혈관과 신경

팔꿈치는 주로 상완동맥으로부터 혈액공급을 받으며 상완동맥은 두갈래근힘줄 안쪽에서 팔꿈치 앞쪽으로 주행한다. 요골신경은 관절피막 앞쪽 두갈래근힘줄 안쪽으로 상완동맥을 따라 주행하며 척골신경은 내측상과의 척골신경홈을 따라 주행한다(그림 33-2).

# 신체검사

팔꿈치 통증을 호소하는 환자에서 통증이 관절내부의 문제인지, 관절부위 연부조직 질환에 의한 것인지, 아니면 경추나 어깨질환에 의한 연관통인지를 감별할 필요가 있다. 일차적으로는 환자가 호소하는 통증의 양상이 중요하고 신체검진으로 감별진단에 필요한 정보를 얻을 수 있다.

## 1) 시진

팔꿈치를 이루는 중요한 구조물들이 대부분 피부에 가깝게 위치하기 때문에 시진으로 많은 정보를 얻을 수 있다. 팔을 펴고 회외(supination)시킨 상태에서 관찰하면 관절의 정렬 상태와 관절 가동 범위, 즉 팔꿈치를 완전히 펼 수 있는지를 파악할 수 있으며 관절의 부기나 근육위축도 쉽게 관찰할 수 있다. 팔꿈치 외측으로 팔꿈치머리돌기와 외측상과 사이 정상적으로 오목하게

파인 부분이 불룩해진 경우 활막의 증식과 활액의 증가를 의심할 수 있으며 팔꿈치 뒤쪽으로는 팔꿈치머리낭염에 의한 부기를 관찰할 수 있다.

## 2) 촉진

내외측상과와 팔꿈치머리, 요골두부 등을 촉진할 수 있다. 상과의 압통은 상과염의 특징이며 팔꿈치를 약 90°로 굽힌 상태에서 쉽게 촉진할 수 있다. 팔꿈치를 살짝 굽힌 상태에서 팔꿈치머리 위쪽으로 팔꿈치오목 부위를 쉽게 만져볼 수 있으며 여기에 부기와 압통이 있으면서 관절운동범위가 감소되어 있으면 활막염을 의심할 수 있다. 팔꿈치머리낭염은 팔꿈치머리돌기부위의 표피 쪽에서 고정되어 있지 않고 움직이는 낭종형 부기로 촉진된다.

## 3) 운동검사

자발적, 비자발적 관절운동을 시켜본다. 관절운동범위가 감소되어 있고 비자발적 관절운동 시 통증이 유발된다면 관절 내부에 병변이 있다는 것을 시사한다. 특히 활막염이 있는 경우 완전히 팔꿈치를 펼 수 없는 경우가 흔하다. 반면에 관절 운동범위가 정상이면서 비자발적 관절운동 시에는 통증이 없으나 자발적 운동이나 저항을 주고 관절운동을 시켰을 때에만 통증이 유발된다면 근육이나 인대 등 관절외부의 연부조직 문제라는 것을 알 수 있다(표 33-1).

# 질환

팔꿈치의 통증을 일으키는 경우는 팔꿈치관절 내의 염증이나 손상, 팔꿈치 관절 주위의 힘줄이나 윤활낭의 염증이나 손상 그리고 목과 어깨의 질환으로부터 연관 통증이 생길 수 있다(표 33-2).

## 1) 외측상과염

외측상과염(lateral epicondylitis)은 '테니스팔꿈치증(tennis elbow)'라고도 하며 팔에 가장 흔하게 발생하는 질환 중 하나이다. 인구의 1-3%에서 발생하며 팔, 손목을 무리하게 반복해서 사용하는 사람에게서 잘 생긴다. 이름에서 알 수 있듯 테니스 선수에서 잘 발생한다고 알려져 있으나 위험인자가 없는 경우도 흔하다. 45세에서 54세 사이에 가장 많이 발생한다.

병리학적으로는 외측상과에 부착되는 공통폄근육과 단요측수근신근(extensor carpi radialis brevis)의 힘줄염증과 퇴행에 의한 것이며 만성일 경우 힘줄의 파열, 골막염 등이 동반될 수 있다.

신체검사에서 외측상과의 앞쪽, 약간 원위부쪽으로 눌렀을 때 심한 압통을 호소하는 것이 특징적이다. 저항에 맞서 손목을 신전시키거나 또는 요골방향으로 편향시킬 때 통증이 악화된다. 관절의 운동범위는 정상이다.

환자가 호소하는 팔꿈치의 통증 정도는 운동이 가볍게 제한될 정도의 경한 경우부터 일상생활과 수면에 불편을 느끼는 정도의 중한 경우까지 다양하다. 특히 주먹을 꽉 쥘 때 통증이 있거나 쥐는 힘이 약해지고 팔을 뻗을 때 통증이 심해지므로 물건을 들어올리거나 악수를 하거나 걸레질을 하는 등 일상생활에 필요한 동작을 할 때 불편을 느끼게 된다.

후골간신경(posterior interosseous nerve)이 요측굴(radial tunnel)에서 눌리는 요측굴증후군(radial tunnel syndrome) 때에도 팔꿈치의 바깥쪽에 통증을 느끼기 때문에 외측상과염과 감별이 필요하다. 신경 압박증상은 아래팔을 저항에 대항하여 회외전할 때 증상이 심해지고, 외측상과염은 손목을 저항에 맞서 신전 할 때 더욱 통증이 심해진다.

치료를 위해 팔의 과도한 사용을 중단하고 휴식을 취하는 것이 중요하며, 부목을 사용하여 관절의 움직임을 제한하기도 한다. 비스테로이드소염제를 복용하거나 비스테로이드소염제를

국소 도포하는 것도 증상 완화에 도움을 준다. 글루코코티코이드를 직접 압통 부위에 주사하는 치료가 널리 사용되며 빠르게 증상을 호전시킨다. 그러나 주사 후 증상이 재발되는 경우가 흔하며 반복적으로 주사할 경우 피부 탈색, 피하지방의 소실 등 부작용이 발생할 수 있으므로 주의가 필요하다. 또한, 글루코코티코이드 주사는 단기적으로는 증상 완화에 도움을 주나 약 1년 후에는 글루코코티코이드 주사를 맞지 않은 환자와 효과 면에서 큰 차이가 없다. 또한, 치료하지 않고 관찰하면 대개 6개월에서 2년 사이에 완전히 증상이 좋아지는 경우가 대부분이므로 증상이 경한 경우 과도한 부하를 피하며 기다려 볼 수 있다.

## 2) 내측상과염

내측상과염(medial epicondylitis)은 '골퍼팔꿈치(golfer's elbow)'라고도 하며 외측상과염보다 발생빈도가 적어서 0.4% 정도로 알려져 있다. 내측상과에 부착되는 공통굽힘근육 힘줄의 염증과 퇴행에 의해 발생한다. 테니스팔꿈치증과 마찬가지로 실제 골프 등 운동에 의해 유발되는 경우는 많지 않다. 그 증상과 불편감도 외측상과염보다 경미한 경우가 많다. 팔꿈치 안쪽에서 시작되는 통증이 아래팔로 뻗치는 양상을 보이며 내측상과 밑 1-2 cm 지점에 압통이 있다. 팔꿈치를 편 상태에서 저항에 대항하여 손목의 굴곡시켰을 때 통증이 유발된다. 주먹을 꽉 쥘 때 통증이 유발되거나 쥐는 힘이 약해진다. 역시 특징적으로 팔꿈치 관절의 운동범위는 정상이다. 척골신경이 팔꿈치굴(cubital tunnel)에서 눌리는 척골신경포착신경병증에서도 팔꿈치 내측의 통증을 호소하므로 감별이 필요하다. 치료를 위해서는 증상을 악화시키는 반복적인 팔의 사용이나 부하를 제한하고 비스테로이드소염제를 사용한다. 증상이 지속되면 국소 글루코코티코이드 주사가 효과를 보인다. 이 경우 내측 상과 바로 뒤로 지나가는 척골신경을 찌르지 않도록 주의가 필요하다.

## 3) 척골신경압박증후군, 팔꿉굴증후군

척골신경압박증후군(ulnar nerve entrapment neuropathy)은 손목에서 정중신경이 압박되는 손목굴증후군에 이어 상지에서 두 번째로 흔한 말초신경압박증상이다. 연간 발생률은 100,000명당 15-25예 정도로 보고되어 있다.

팔꿈치부위의 상완골 내측 상과 뒤에 있는 척골신경홈 즉 팔

꿈치굴 부위에서 척골신경이 압박되어 나타난다. 류마티스관절염과 같은 팔꿈치관절의 관절염, 직업적인 압박과 충격, 마취수술 또는 장기간의 침상안정 등 척골신경이 압박된 상태에서 관절을 장기간 굽히고 있는 경우, 외상 및 골절에 의한 압박, 종괴에 의한 직접적 압박 등 다양한 원인에 의해 발생한다. 팔꿈치를 굽힌 채로 자고 일어났을 때도 일시적으로 아래 팔꿈치굴 부위에서 척골 신경이 눌려 손저림 등 같은 증상을 느낄 수 있다.

증상은 팔과 팔꿈치의 내측에 통증과 저림, 제4, 5 수지와 해당 부위 손바닥의 저림과 이상감각, 통증이 흔하다. 이런 증상들은 팔꿈치와 손목을 굽힐 때 악화된다. 감각증상에 비해 운동증상은 대개 심하지 않으나 척골신경의 지배를 받는 손 근육의 약화로 쥐는 힘이 약해지거나 단추를 잠그는 등 섬세한 손의 동작이 힘들어지고 만성적인 경우 근육이 위축될 수 있다. 전형적인 증상을 나타내는 환자에서 신경전도검사를 시행하여 확진할 수 있다. 팔꿈치 내측뒤쪽 척골신경 홈을 반복해서 두드리거나 압박하면 감각이상이나 저린 증상이 유발되는데 이를 티넬징후(Tinel's sign)라 하고 팔꿈치를 굽히게 하면 역시 저린 증상이 유발된다. 신경전도검사는 척골신경이 팔꿈치에서 눌린 팔꿈치굴 증후군과 손목에 위치한 가이온길(Guyon's canal)에서 눌린 경우를 감별하는 데 유용하다. 손의 쥐는 힘이 약해지고 근육위축이 동반된 경우 가이온길에서 척골신경이 압박된 경우를 먼저 생각해야 한다. 초음파, 자기공명영상으로 척골신경의 비후를 관찰하는 것도 진단에 유용하다. 증상이 심하지 않고 간헐적이며 근위축이 없는 경우 보존적인 치료를 한다. 기계적인 압박을 줄이고, 팔꿈치를 많이 움직이거나 충격을 가하는 작업을 삼가고, 오랫동안 팔꿈치를 굽히고 있는 동작을 금하거나 팔꿈치가 50-70° 이상 굽히지 못하게 하는 부목을 할 수 있다. 관절염이 원인인 경우에는 팔꿈치 관절에 글루코코티코이드를 주사하는 것이 도움이 될 수 있다. 증상이 심하고 보존적인 치료에 반응이 없고 6개월 이상 지속된다면 수술적으로 신경을 풀어주는 것을 고려하여야 한다.

## 4) 팔꿈치머리낭염

팔꿈치머리낭염(olecranon bursitis)은 팔꿈치에 발생하는 윤활낭염 중 가장 흔하다. 팔꿈치머리 윤활낭은 팔꿈치의 신전근 쪽에서 피부와 팔꿈치머리가 마찰 없이 잘 움직이도록 도와주는

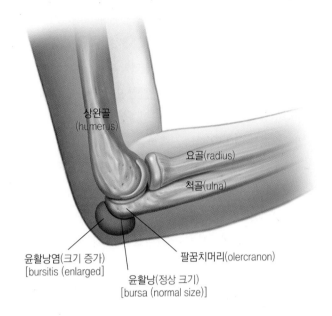

**그림 33-3. 팔꿈치머리윤활낭**

역할을 한다. 젊은 성인에서 팔꿈치의 반복적인 외상으로 인해 발생하는 경우가 가장 흔하다. 외상성 윤활낭염인 경우 국소적인 통증과 팔꿈치를 굽혔을 때 또는 윤활낭 부위가 압박되었을 때 통증이 악화된다. 이 경우 팔꿈치를 보호하며 소염제를 복용하는 것만으로도 증상이 호전되는 경우가 많다. 윤활낭액을 흡인하면 압력이 감소하여 통증이 감소되며 압박붕대를 감아 다시 붓는 것을 예방하기도 한다. 글루코코티코이드 윤활강내 주사는 감염의 위험이 없을 때 시행할 수 있으며 증상을 빠르게 호전시킨다. 류마티스관절염이나 통풍 등 염증성 관절염에서 윤활낭염이 동반될 수 있으며 이 경우도 글루코코티코이드의 윤활강내 주사가 매우 효과적이다. 감염이 동반되었는지를 감별하는 것이 가장 중요한데 의심될 경우 윤활낭액을 반드시 흡인하여 그람염색과 세균배양 검사를 시행해야 한다. 적절한 항생제를 사용하는 것이 필수적이며 통상적으로 10-14일 정도 사용한다. 항생제에 반응하지 않는 감염된 윤활낭염, 외상성 윤활낭염이 반복될 때, 염증성 관절염에서 동반된 윤활낭염의 증상이 좋아지지 않을 때 수술적 제거를 고려할 수 있다(그림 33-3).

## 5) 기타 팔꿈치 질환

두갈래근힘줄염(biceps tendinitis)은 요골의 두갈래근융기(bicipital tuberosity) 부위에 국한된 통증과 압통이 특징으로 팔꿈치

를 접거나 회외시킬 때 저항을 가하면 통증이 유발된다. 비록 흔하지는 않지만 두갈래근힘줄의 파열은 특히 골형성근염(myositis ossificans)을 발생시킬 수 있고 초기에 딱딱하고 열감이 있는 덩어리는 종양으로 오인될 수도 있다. 팔꿈치머리에 세갈래근 부착부위에서 염증이 생기는 세갈래근힘줄염(triceps tendinitis)은 흔히 발생하지는 않지만 팔의 근육힘줄 경계(musculotendinous junction) 부위에서 나타날 수 있다. 인대의 병변은 단독으로 발생하는 경우보다 주로 외상성 관절 활막염이나 삼출액과 연관된 경우가 많다. 또한 팔꿈치 내측에 발생하는 인대 병변은 투창과 같은 던지는 동작을 심하게 할 경우 발생할 수 있고 과도한 사용으로 인한 손상은 내측상과염과 감별할 필요가 있다.

## 참고문헌

1. 대한견·주관절학회. 견관절 주관절학. 영창출판사; 2007.
2. Caliandro P, La Torre G, Padua R, Giannini F, Padua L. Treatment for ulnar neuropathy at the elbow. Cochrane Database Syst Rev 2012;11:CD006839.
3. Coombers BK, Bisset L, Vicenzino B. Efficacy and safety of corticosteroid injections for management of tendinopathy: a systematic review of randomised controlled trials. Lancet 2010;376:1751-67.
4. De Smedt T, de Jong A, Leemput WV, Lieven D, van Glabbeek F. Lateral epicondylitis in tennis: update on aetiology biomechanics and treatment. Br J Sports Med 2007;41:816-9.
5. Inagaki K. Current cocepts of elbow-joint disorders and their treatment. J Orthop Sci 2013;18:1-7.
6. Shiri R, Viikari-Juntura E. Lateral and medial epicondylitis: Role of occupational factors. Besr Pract Res Clin Rheumatol 2011;25:43-57.
7. Shiri R, Viikari-Juntura E, Varonen H, Heliovaara M. Prevalence and determinants of lateral and medial epicondylitis: a population study. Am J Epidemiol 2006;164:1065-74.

# 34

# 손목과 손

**고려의대 김재훈**

손은 감촉을 민감하게 느끼는 부위이자 섬세한 운동을 필요로 하는 부위이다. 관절 및 그 위를 지나가는 건(힘줄)들의 복잡한 연관관계로 인해 구성 구조물들의 작은 병변도 심각한 기능 장애를 초래할 수 있다. 따라서 기본적인 해부학을 잘 이해해야 손목과 손의 질환에 대한 올바른 진단적 접근과 치료를 할 수 있다.

## 손목과 손의 해부학

### 1) 손목과 손의 관절

손목은 요수근(radiocarpal)관절, 척수근(ulnocarpal)관절, 요

척(radioulnar)관절, 이렇게 세 개의 관절로 구성되어 있다. 손목관절은 일반적으로 요수근관절을 지칭한다. 수근골(carpal bone)은 총 8개의 골로 구성되어 있으며, 중수골(metacarpal bone)과 수근중수(carpometacarpal, CMC)관절로 연결되어 있다. 이어서 중수지(metacarpophalangeal, MCP)관절로 연결되며 엄지손가락은 지간(interphalangeal, IP)관절로 2-4번째 손가락은 각각 근위지(proximal interphalangeal, PIP)관절과 원위지(distal interphalangeal, DIP)관절로 연결된다(그림 34-1).

### 2) 근육과 힘줄(건)

손목과 손가락의 운동은 손의 외부에서 기인하는 외재근(extrinsic muscle)과 내부에서 기인하는 내재근(intrinsic muscle)에 의해 이루어진다. 외재근 중 굴근(flexor muscle)들은 손목과 손가락의 굴곡운동을 지배하며 상완골 내측상과(medial epicondyle)에서 공통굴근건(common flexor tendon)으로 기시하며, 척골과 요골 근위부에서도 일부 기시한다. 이들 굴근은 손목을 통과할 때 그 건은 건초(힘줄활막, tendon sheath)로 둘러싸여 있다. 신전운동을 담당하는 신근(extensor muscle)들은 상완골 외측상과(lateral epicondyle)에서 공통신근건(common extensor tendon)으로 기시하며, 척골과 요골 근위부에서도 또한 일부 기시한다. 신근 또한 손목을 통과할 때 그 건은 건초로 둘러싸여 있다. 특히 신건은 손목에서 다음 6개의 신전구획(extensor compartment)으로 나뉘며, 각 구획은 각각의 독립된 건초를 가지고 있다(그림 34-2).

(1) 제1구획: 장무지내전건(abductor pollicis longus tendon), 단무

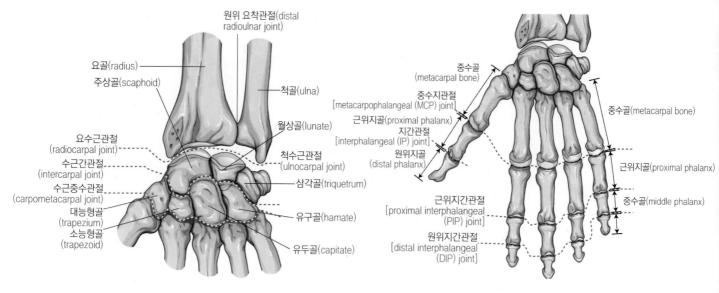

그림 34-1. 손의 관절 해부학

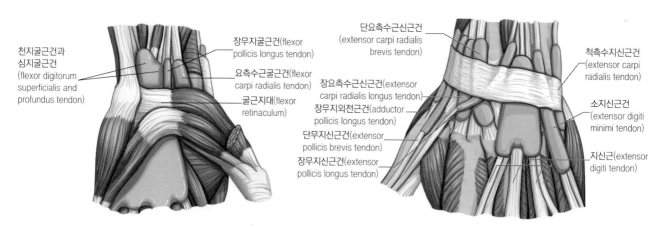

그림 34-2. **손목과 손의 굴건과 신건**   신건은 손목에서 6개의 구획으로 나눌 수 있다.

지신건(extensor pollicis brevis tendon)

(2) 제2구획: 장척수근신건(extensor carpi radialis longus tendon), 단요수근신건(extensor carpi radialis brevis tendon)

(3) 제3구획: 장무지신건(extensor pollicis longus tendon)

(4) 제4구획: 지신건(extensor digitorum tendon), 시지신건(extensor indices tendon)

(5) 제5구획: 소지신건(extensor digiti minimi tendon)

(6) 제6구획: 척수근신건(extensor carpi ulnaris tendon)

손의 내재근에는 무지(엄지손가락)의 외전, 맞섬(opposition) 및 굴곡을 지배하는 무지구근(thenar muscle), 소지(새끼손가락)

의 외전, 맞섬 운동을 지배하는 소지구근(hypothenar muscle) 및 외재근과의 협동작용을 통해 PIP관절과 DIP관절의 신전과 제2-5MCP관절의 내전과 외전을 지배하는 충양근(lumbricalis muscle), 골간근(interossei muscle) 등이 있다.

## 진단적 접근

### 1) 병력청취

손목 또는 손의 통증에 대한 올바른 진단적 접근은 통증을 비롯한 증상의 위치, 통증 양상, 기간, 악화 및 유발 인자, 외상이나

수술의 과거력 등을 포함한 올바르고 세밀한 병력청취가 반드시
필요하다.

## 2) 신체진찰

### (1) 시진

시진(inspection)은 관절증상에 대한 신체진찰의 첫 단계이다.
관절부기, 아탈구 및 변위, 골성 비대 등의 이상을 확인하고, 연
관된 피부위축(skin atrophy), 조갑변화, 멍, 손가락 궤양 등이 있
는지를 확인해야 한다. 표면해부학(surface anatomy)을 정확하게
이해하고 있는 것도 손상을 평가하는 데 있어 매우 유용하다.

특히 손가락 관절에서 헤베르덴결절(Heberden's node), 부샤
르결절(Bouchard's node), 통풍결절, 류마티스결절, 곤봉지(club
finger), 허혈성 궤사나 궤양, 건선성 피부변화, 경화 등의 병변은
진단적 의미를 가지고 있다.

### (2) 촉진

손목관절은 양손으로 손목을 받치면서 엄지손가락으로 손목
관절 배측(dorsal) 부위를 촉진(palpation)하면서 관절부기와 압
통을 확인한다(그림 34-3). 손목관절 장측(palmar) 부위는 두텁게
겹쳐서 주행하는 수지굴건들로 인해 상대적으로 관절부기를 확
인하기가 어렵다. 비슷한 방법으로 MCP관절을 촉진한다. PIP
관절과 DIP관절은 양손의 엄지와 검지손가락을 이용하여 촉진
한다. 한 손의 엄지와 검지손가락으로 PIP관절, DIP관절 및 엄지
의 IP관절을 눌렀을 때 잡고 있는 다른 쪽 손 엄지와 검지에 액체

가 이동되어 오는 것이 느껴지면 해당관절에 삼출이 있다는 것
을 의미한다.

신건이 손목을 통과하는 부위에서 건초염이 발생한 경우에
손목에서 압통성 부종이 관찰될 수 있다. 또한 염발음이 촉진될
수 있으며, 손목을 움직여 이환된 건에 스트레스를 가하면 통증
이 유발될 수 있다.

### (3) 운동범위

수동적인 운동 평가에 앞서 능동적인 관절운동을 평가하여
건 손상이나 변형, 관절 아탈구 또는 탈구 여부를 확인해야한다.

손목은 굴곡(65-80°), 신전(55-75°), 회내(pronation), 회외
(supination), 요측 변위(15-25°), 척골측 변위(~45°)에 대하여 동
작 및 운동범위(range of movement, ROM)를 확인해야 한다.

정상적으로 엄지손가락의 MCP관절은 50-70°의 굴곡과 10-
30°의 신전, 나머지 MCP관절들은 90°의 굴곡과 30°의 신전 및
35°의 내측 및 외측 변위가 가능하다. PIP관절은 정상적으로 과
신전이 발생하지 않으며 100-120°의 굴곡이 가능하다. DIP관절
은 50-80°의 굴곡과 5-10°의 신전이 가능하다. 엄지손가락 IP관
절은 80-90°의 굴곡과 20-35°의 신전이 가능하다. 신체진찰 시 각
관절의 정상운동범위를 확인하여야 하며, 관절강 협착, 골극, 골
성 비대 등은 관절의 운동범위를 제한시킬 수 있다.

## 3) 검사

초기 진단적 검사로 혈액검사, 적혈구침강속도, C-반응단백,
혈청 요산, 류마티스인자, 항핵항체 검사, X선 검사 및 천자가 가

그림 34-3. 손목과 손가락의 올바른 촉진법

능한 경우 활액분석 검사가 필요할 수 있다. 부가적으로, 방사성 동위원소 검사, 초음파, 자기공명영상, 컴퓨터단층촬영, 관절조영술 및 활막 생검이 필요할 수 있다. 신경질환이 의심되는 경우에는 근전도검사 및 신경전도검사가 필요하다.

## 손목과 손을 침범하는 질환의 감별진단

여러 질환에서 손목과 손이 침범되어 통증과 관절변형을 유발할 수 있다. 통증은 손목과 손의 관절 또는 관절주위 조직[피부 및 피하조직, 수장근막(palmar fascia), 건초 등], 신경뿌리, 말초신경, 혈관조직에서 기인하거나 또는 경추, 흉곽출구(thoracic outlet), 어깨, 팔꿈치의 근골격 조직에서 기인하는 연관통(referred pain)일 수 있다. 다른 임상적 소견들과 함께 병력청취가 감별진단에 중요하며 통증의 시작시점, 위치, 양상, 악화 및 완화 인자, 지속시간 등이 감별에 중요하다. 반복적이고 과도하게 손목이나 손가락에 부하를 주는 일이나 행위는 과사용증후군(overuse syndrome)에 의한 손목과 손가락의 건초염을 유발할 수 있다. 손의 건염 및 건초염이 직업적인 연관성인지, 반복적인 외상성 질환 또는 급성 손상으로 인한 것인지를 구별하는데 세밀한 직업력 파악이 중요하다.

골관절염이 손에 이환되어 진행된 경우 엄지손가락의 CMC 관절(thumb base) 및 DIP관절의 골성비대(헤베르덴 결절) 소견이 관찰될 수 있다. 더욱이, 손은 류마티스관절염에서 가장 흔하게 이환되는 관절 중의 하나로, MCP관절, PIP관절 및 DIP관절의 부기 또는 PIP관절의 방추형(fusiform) 부기는 초기 류마티스관절염의 전형적인 형태이다. 류마티스관절염이 MCP관절을 이환하여 관절변형이 생기면, MCP관절의 장측 아탈구와 척측 변위를 유발하여 류마티스관절염 특이 관절 변형이 발생할 수 있다. 또한, PIP관절과 DIP관절의 활막염은 측부인대의 손상을 유발하여 류마티스관절염에 특이한 백조목(swan neck) 변형 또는 단추구멍(button hole) 변형을 유발할 수 있다. 급성통풍관절염으로 인해 수부에 침착된 통풍결절은 수지관절의 급성 부기를 유발할 수 있다. 만성결절통풍관절염의 경우, 피부 하방에 통풍결절(tophi) 물질이 이환된 관절 및 관절주위 조직에 침착되어 있는 것이 육안으로 관찰될 수 있다(표 34-1).

## 손목과 손의 특이 질환

### 1) 건초염

손목관절은 가장 많은 총 22개의 외재성(extrinsic) 건이 손목의 배측(dorsal)과 장측(volar)을 통과하며, 이 건들은 고유의 조합을 통하여 손의 힘과 운동을 조절한다. 이 건들은 손목 부위에서 활막세포로 피복(lining)된 건초로 둘러싸여 있다. 반복적인 손목이나 손동작은 해당 운동에 사용되는 건의 건초 염증을 유발시킬 수 있다. 류마티스관절염과 같은 염증관절염에서도 질환의 경과 중 건초로 이환될 수 있다. 건초염(힘줄윤활막염; tenosynovitis)이 발생하면 건초의 부종과 팽대가 발생하고 건초로 둘러싸인 건의 활강(gliding) 능력에 손상이 생겨 손가락의 '포획(catching)', '방아쇠(triggering)', '잠김(locking)' 등의 증상이 나타나게 된다. 또한, 손가락의 부종, 뻣뻣함이나 운동장애, 주먹쥐기 힘듦 등의 증상이 나타날 수 있다. 신체진찰에서 촉진 시 이환된 건을 따라 부종과 압통이 나타날 수 있고, 손가락을 움직일 때 염발음이 촉진될 수 있다.

건초염은 반복적인 손동작의 사용중지, 소염제 투여 및 초음파 유도하 이환된 건초내 글루코코티코이드 주사 등으로 증상을 완화시킬 수 있다. 또한, 염증관절염이 동반되어 있는 경우에는 경구 글루코코티코이드제제의 투여가 필요할 수 있다.

### 2) 방아쇠손가락

방아쇠손가락(trigger finger, snapping finger, stenosing digital tenosynovitis)은 손의 통증이나 기능장애를 유발하는 흔한 원인 중의 하나로 정확한 기전은 밝혀져 있지 않으며, 류마티스관절염, 당뇨, 통풍 및 다른 결합조직질환에 동반되어 나타날 수 있다. 방아쇠손가락은 보통 한 손가락에만 나타나나 동시에 여러 손가락에 나타날 수도 있다. 방아쇠손가락은 MCP관절 부위에 위치하는 A1 윤상활차(annular pulley)의 비후나 건초염으로 인해 발생한다. 활차나 건초의 국소성 비후나 결절은 정상 건의 움직임을 기계적으로 방해하여 방아쇠(triggering) 현상을 유발하며, 심한 경우에는 결절이 촉진될 수 있다. 손가락이 굴곡된 상태에서 펴지지 않는 잠김 증상이 특히 아침에 깼을 때 심하게 나타날 수 있다. 환자는 불편을 감소시키려는 방향으로 이환된 손가락의 운동을 스스로 제한할 수 있으며, 이것이 지속되면 손가락

표 34-1. 손목과 손 통증의 감별진단

| 관절질환 | |
| --- | --- |
| 관절염 | 외상, 과운동성, 염좌 |
| | 류마티스관절염 |
| | 골관절염 |
| | 통풍, 건선관절염, 감염 |
| | 관절 종양 |
| **관절주위 질환** | |
| 피하조직 | 류마티스결절, 통풍결절, 통증피하석회결절(경피증), 토리종양(손톱밑바닥) |
| 수장근막 | 뒤피트랑구축 |
| 건초 | 손목 신근 힘줄활막염[드퀘르뱅힘줄활막염, 요측 수근 신근 힘줄활막염] |
| | 손목 손바닥 굴근 힘줄활막염[수근관증후군] |
| | 엄지 굴근 힘줄활막염[방아쇠 엄지] |
| | 색소융모결절활막염[건초의 거대세포종양] |
| 급성석회관절주위염 | 손목관절, 중수골관절, 드물지만 원위지 관절 및 근위지관절 |
| 신경절 | |
| **골성질환** | |
| 골 병변 | 골절; 종양; 감염; 골괴사[Kienbock병(월상골), Preiser병(주상골)] |
| **신경질환** | |
| 신경포착 증후군 | |
| 정중신경 | 수근관증후군(손목) |
| | 원형회내근 증후군(원형회내근) |
| | 전골간신경증후군 |
| 척골신경 | 주관절터널증후군(팔꿈치) |
| | 척골관(손목) |
| 후골간신경증후군 | 요골신경마비(요골구 증후군, spiral groove syndrome) |
| 하부 상완신경총 | 흉곽출구증후군, Pancoast 종양 |
| 경추 신경근 | 경추 추간판 탈출증, 종양 |
| **척수병변** | |
| 척추종양, 척수공동증(syringomyelia) | |
| **혈관 질환** | |
| 혈관경련성 질환(레이노현상) | 경피증, 직업 진동증후군 |
| 혈관염(소혈관 또는 대혈관) | 수지허혈, 허혈괴사 |
| | (예: 전신홍반루푸스, 류마티스관절염, 타카야수동맥염) |
| **연관통** | |
| 경추질환 | 어깨손증후군, 작열통 |
| 반사교감신경이상증 증후군(Reflex sympathetic dystrophy syndrome) | |
| 심장질환 | 협심증 |

에 굴곡변형이 발생될 수 있다.

방아쇠손가락의 치료에는 손을 사용하는 반복적인 일의 중단, 휴식, 보조적인 물리치료 및 소염제 투여 등이 있으며, 방아쇠손가락은 종종 저절로 없어지기도 한다. 비후나 결절이 있는

부위에 국소 글루코코티코이드 주사는 효과적이며 치료 성공률이 85%에 이른다. 또한 초음파 유도하 글루코코티코이드 주사는 목표지점에 바늘을 보다 정확히 위치시킬 수 있어 주사 성공률의 향상과 피부위축, 탈색 등의 주사 부작용을 효율적으로 감

소시킬 수 있다. 주사치료의 실패 시 A1 윤상활차의 박리 수술을 시행해 볼 수 있다.

## 3) 결절종

결절종(ganglion)은 관절낭, 건초에서 기인하는 낭성 종양이다. 손에서 발생하는 가장 흔한 연부조직 종양이며 20-30대 여성에서 잘 발생한다. 반복적으로 발생 부위에 충격이 가해지는 직업적인 일, 외상 등과 연관될 수 있다. 경미한 반복손상으로 인해 관절낭이 얇아지거나 관절낭이 파열되어 관절 활액이 피하지방층으로 누출되는 기전으로 설명할 수 있으나 정확한 원인과 병태생리는 아직 명확하게 밝혀져 있지 않다. 결절종은 활막세포로 피복되어 있으며 젤리 같은(gelatinous) 액체로 차 있다. 전형적으로 결절종의 벽은 얇으며, 단방성(unilocular) 또는 다방성(multilocular)으로 나타날 수 있다. 크기가 때때로 매우 크기도 하나, 촉지되기 힘들 만큼 작을 수도 있다. 또한, 결절종이 너무 딱딱한 경우 고형종양으로 오인될 수도 있다. 결절종은 손목의 배측(dorsal)에서 가장 흔하게 나타나고, 요척(radioulnar)관절 장측(volar) 부위가 그 다음으로 흔하다. 또한 MCP관절, DIP관절의 관절염과 연관되어 점액낭종(mucinous cyst)의 형태로도 나타날 수도 있다.

손목관절 배측에 발생한 결절종은 무통성의 경계가 명확한 낭성부종으로 관찰된다. 이 경우 팔굽혀펴기 등과 같이 손목에 신전부하가 걸리는 동작을 할 때 통증이나 불편감을 초래할 수 있다. 그러나 통증이나 운동장애보다는 촉지 시 느껴지거나 크기가 변하는 종물을 주증상으로 내원하는 경우가 많다.

결절종은 그 줄기(stalk)를 통해 인접한 관절이나 건초에 연결되어 있을 수 있다. 단순 방사선 촬영에서 결절종은 관찰되지 않으므로, 진단을 위해 초음파나 자기공명영상 검사가 필요하다. 초음파는 의심되는 여러 부위를 동시에 검사할 수 있으며, 결절종의 줄기를 확인하고 이를 추적함으로써 결절종과 관절 및 건과의 연결 유무를 확인할 수 있기 때문에 임상에서 유용하다. 관절조영술에서 활액이 관절강에서 결절종으로 들어가는 것은 관찰될 수 있으나, 반대로 낭종에서 관절강으로는 들어가지 않는데, 이는 낭종의 줄기가 일방향밸브(one-way valve)의 기능을 하고 있음을 시사한다.

환자에게 결절종으로 인한 증상이 없다면 치료가 반드시 필요하지는 않다는 것을 인지시키는 것이 중요하다. 결절종은 시간이 경과함에 따라 크기가 커지거나 작아질 수 있다. 단순 흡인을 통해 결절종을 없앨 수 있지만 줄기의 제거가 없이는 약 50%에서 재발할 수 있다. 흡인 후 글루코코티코이드 주사는 재발률을 낮출 수 있으며, 또한 초음파유도를 통한 흡인 및 글루코코티코이드 주사는 정확도 향상을 통해 재발률을 감소시킬 수 있다. 이러한 내과적 치료에 반응하지 않고 재발하는 결절종은 수술적 요법을 통한 제거를 고려한다. 특히 재발 방지를 위해서는 줄기 부위의 제거가 중요하다

## 4) 손목굴증후군

손목굴증후군(수근관증후군, 손목터널증후군; carpal tunnel syndrome)은 포착신경병증의 가장 흔한 원인으로 주로 정중신경이 분포하는 손가락 말단부위[요측 세 손가락의 장측부위]의 저린감, 작열감 또는 감각저하 등의 증상이 나타난다(그림 34-4). 심한 경우에는 밤에 수면을 취하기 힘들 정도의 통증이나 저린감을 호소할 수 있다. 손목굴증후군은 수근관 내 정중신경에 가해지는 압력이 커질 때 정중신경이 압박되어 발생한다. 젊은 사람에게서는 흔하지 않으며, 연령이 증가함에 따라 특발성으로 자주 발생한다. 건초염, 손상, 결절종, 손목관절염 등을 포함하여 수근관 내의 압력을 증가시키는 어떠한 원인도 손목굴증후군을 유발할 수 있다. 특히 반복적인 손목이나 손의 사용은 수근관에서 굴근건초의 건초염을 유발하여 이로 인해 팽대된 건초가 그 상부를 주행하는 정중신경을 압박하여 발생한다. 또한, 임신, 갑상선질환, 당뇨, 류마티스관절염을 비롯한 염증관절염과 연관되

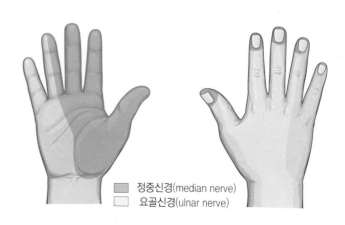

정중신경(median nerve)
요골신경(ulnar nerve)

그림 34-4. 정중신경의 분포 부위

어 발생할 수도 있다.

유발검사에는 티넬징후[손목의 장측 손목주름이 있는 위치에서 장장근(palmaris longus) 주행부 바로 외측을 타진하면 증상 발생]와 팔렌검사[양손 손등을 서로 마주 대고 60초간 굴곡시켰을 때 증상 발생], Durkin 검사[수근관에 지속적인 압력을 가했을 때 증상 발생]가 있다. 유병기간이 오래되면 무지구근의 위축이 발생할 수 있다.

손목굴증후군은 전형적인 증상이 있는 경우 임상적으로 진단할 수 있으며, 신경전도검사를 통해 확진할 수 있다. 최근에 류마티스내과 영역에서 초음파를 이용한 진단이 새로운 대안으로 제시되고 있다. 손목의 두상골(pisiform) 위치에서 정중신경 단면적(cross-sectional area)을 이용한 진단기준은 82%의 민감도와 92%의 특이도를 가진다.

반복적인 손 사용의 중단 및 휴식, 소염제 그리고 수근관 내 글루코코티코이드 주사치료를 통해 대부분에서 증상이 호전된다. 초음파 유도하 수근관 내 글루코코티코이드 주사는 정확도를 향상시켜 치료효과를 향상시킬 수 있다. 이러한 내과적 치료에 반응하지 않는 경우 증상개선과 신경손상의 진행을 막기 위해 수술적 요법을 고려할 수 있다.

## 5) 드퀘르뱅힘줄활막염

드퀘르뱅건초염(De Quervain's tenosynovitis)은 제1 신건구획인 장무지외전건(abductor pollicis longus tendon)과 단무지신건(extensor pollicis brevis tendon)에 발생한 건초염을 말한다. 주로 30-50세 여성에서 잘 발생한다. 제1 신건구획에 반복적인 국소손상이 가해지는 경우에 발생하며, 또한 류마티스관절염, 건선관절염 등과 같은 염증관절질환과 연관되어 발생할 수 있다. 국소적인 외상에 의해서 또는 임신기간이나 분만 이후 시기에도 발생할 수 있다. 엄지손가락을 반복적인 굴곡과 신전시키는 직업적인 일이나 행위는 제1 신건구획 건초가 요골 경상돌기(styloid process) 위치에서 신건지대(extensor retinaculum)를 통과하는 부위의 국소적 비후와 협착을 유발할 수 있다. 환자는 손목 요측에 국한된 국소적인 통증과 부종을 호소할 수 있으며, 신체진찰 시 경상돌기 1-2 cm 근위부 건 주행부위를 촉진 시에 압통이 나타날 수 있다. 또한, 엄지손가락 운동 시 건에서 염발음이 관찰될 수 있다. 유발검사에는 Finkelstein 검사(그림 34-5)가 있으

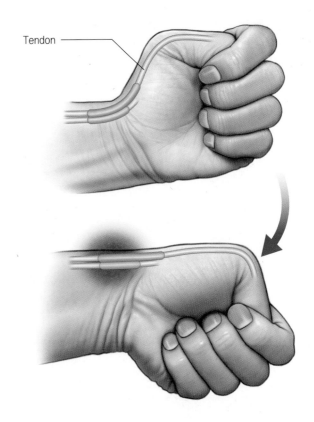

그림 34-5. Finkelstein 검사

며, 엄지손가락을 손바닥에 놓고 주먹을 쥐게 한 상태에서 손목관절을 척측으로 부드럽게 꺾을 때 증상이 발생한다. 엄지손가락 CMC관절이 골관절염에 이환된 경우에도 비슷한 증상으로 나타날 수 있기 때문에 감별진단에 반드시 포함되어야 한다.

증상이 심하지 않은 경우에는 엄지손가락을 사용하는 반복적인 일의 중단, 휴식, 부목 사용 및 소염제투여가 증상 완화에 도움이 될 수 있다. 증상이 심하거나 지속되는 통증이 있는 경우에 제1 신건구획 국소 글루코코티코이드 주사 치료로 약 70% 환자에서 호전될 수 있다. 이러한 내과적인 치료에 반응하지 않는 경우에 수술적 요법을 고려할 수 있다.

## 6) 교차증후군

교차증후군(intersection syndrome)은 제1 신전구획을 구성하는 장무지외전건(abductor pollicis longus tendon)과 단무지신건(extensor pollicis brevis tendon)이 손목관절 약 4 cm 근위부에서 제2 신전구획을 구성하는 장요측수근신건(extensor carpi radialis longus tendon)과 단요측수근신건(extensor carpi radialis brevis

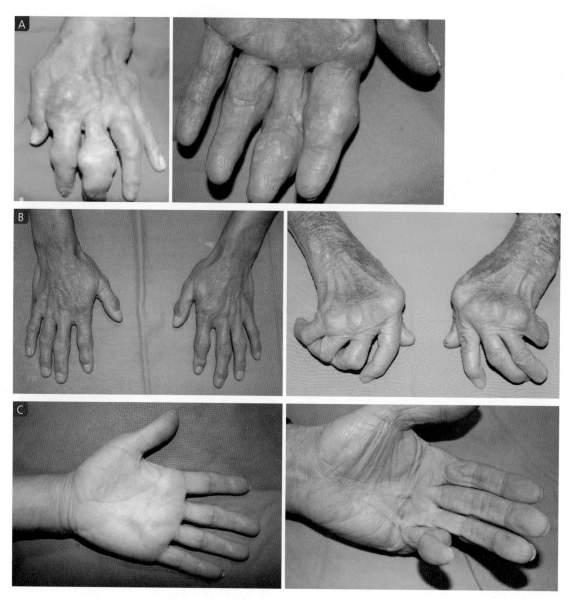

그림 34-6. **손을 침범하는 질환에 의해 나타나는 진단적 의미를 가지고 있는 손의 특징적인 소견 (A)** 반복적인 통풍발작으로 인해 손에 침착된 통풍결절과 이로 인한 MCP, PIP관절 변형이 관찰된다. **(B)** 손의 PIP 와 DIP관절에 골관절염으로 인한 부샤르결절과 헤베르덴결절이 각각 관찰된다 (좌). 진행된 류마티스관절염으로 인해 손목의 변형과 MCP 관절의 아탈구를 동반한 척골변위가 관찰된다(우). **(C)** 초기 뒤퓌트랑구축으로 4th, 5th 수지 근위부 수장부위에서 결절성 변화가 관찰된다(좌). 병변이 진행된 경우 수지의 구축장애를 유발한다(우).

tendon)을 가로질러 교차하면서 넘어가는 부위에서 발생하는 건초염이다. 손목을 반복적으로 사용하는 운동선수(카누, 조정, 역도 등)에서 잘 발생한다. 드퀘르뱅힘줄활막염과 비슷한 임상양상을 보이므로 감별이 필요하다. 즉, 손목 요측에 국소적인 부종과 동통이 발생할 수 있으며, 염발음이 촉진될 수 있다. 또한 휴식, 소염제 투여 및 초음파 유도하 병변 내 국소 글루코코티코이드 주사로 증상을 호전시킬 수 있다.

## 7) 뒤퓌트랑구축

뒤퓌트랑구축(Dupuytren's contracture)은 수장근막(palmar fascia or aponeurosis)에 결절성 비후와 수축이 발생하여 손 및 손가락의 굴곡구축을 유발하는 질환이다. 남성이 여성보다 약 7배 이상 많이 이환되며 40세 이전에는 드물게 발생한다. 가족적인 발생 경향이 있는 것으로 보아 유전적이 영향이 있을 것으로 여겨지고 있다. 외상과의 연관성은 없는 것으로 간주되고 있다. 결절성 비후로 인해 손가락의 근위부 또는 손바닥 부위에서 육안으로 관찰되는 또는 촉진 시 만져지는 결절이 관찰될 수 있다(그림 34-6). 여러 개의 결절들이 밴드(band)나 코드(cord)를 형성하여 손가락의 굴곡성 변화가 시작될 때까지 본인이 이상을 잘 인지하지 못할 수도 있다. 네 번째 손가락이 가장 많이 이환되며, 일측성으로 한쪽 손에만 생기는 경우가 많다. 보다 심하고 진행적인 뒤퓌트랑구축이 있는 환자의 경우 발바닥, 남성 성기, 손등 등에서도 변화가 나타날 수 있다.

병리학적으로 수장근막의 표층에 있는 섬유모세포(fibroblast)와 근섬유모세포(myofibroblast)의 증식이 가장 먼저 나타나는 변화이다. 이어서 혈관 과다증식, 대식세포와 T세포 군집 등의 변화가 관찰된다. 병이 진행되어 진피에 섬유모세포가 침범되면 손의 피부가 주름지고, 울퉁불퉁해져서 쇠사슬 모양처럼 변한다. 그러나 뒤퓌트랑구축에서 나타나는 결절들은 악성은 아니다. 또한 어떤 경우에는 결절성 변화가 전혀 진행되지 않아 치료를 필요로 하지 않는 경우도 있다. 그러나 대부분의 경우 수개월에서 수년에 걸쳐 서서히 진행되면서 점진적으로 손가락의 신전을 방해하고 굴곡구축을 유발한다. 건과 관절은 이환되지 않는다.

뒤퓌트랑구축은 아직 그 발생원인이 밝혀져 있지 않으며 치료로 병의 진행을 완전히 중단시키지는 못한다. 얼마나 많은 구축이 있으며, 얼마나 빨리 진행하는가가 치료 결정에 중요하다. 경한 경우에는 국소 온열(heat) 등의 물리치료, 손가락 스트레칭, 보호장갑 착용 등을 시도해 볼 수 있다. 부목고정(splinting)은 병의 진행 방지에 도움이 되지 않는다. 병변 부위 글루코코티코이드 국소주사는 통증 경감에 도움이 될 수 있다. 섬유모세포 증식과 비정상적인 콜라겐을 분해시키기 위해 콜라겐분해효소(collagenase)의 국소주사를 시도해 볼 수 있다. 손가락구축이 점진적으로 진행되어 MCP관절과 PIP관절이 30° 이상 굴곡되어 있는 경우에 수장근막 절제술(palmar fasciectomy)과 같은 수술적 요법이 필요할 수 있다. 하지만, 수장근막이 성공적으로 절제되어도 재발가능성이 높다. 특히 젊은 나이에 발생하고 가족력이 있으며 손 이외의 부분에도 나타나거나 양측성인 경우에는 재발을 잘할 수 있다.

## 참고문헌

1. Donohue KW, Fishman FG, Swigart CR. Hand and Wrist Pain. In: Firestein GS, Budd RC, Gabriel SE, Koretzky GA, McInnes IB, O'dell JR, eds. Firestein & Kelly's Textbook of Rhuematology. 11th ed. Elsevier; 2021. pp. 800-12.

2. Dyer GS, Simmons BP. The wrist and hand. In: Hochberg MC, Gravallese EM, Silman AJ, Smolen JS, Weinblatt ME, Weisman MH, eds. Rheumatology. 7th ed. Elsevier; 2019. pp. 673-80.

3. Gude W, Morelli V. Ganglion cysts of the wrist: pathophysiology, clinical picture, and management. Curr Rev Musculoskelet Med 2008;1:205-11.

4. Hanlon DP, Luellen JR. Intersection syndrome: a case report and review of the literature. J Emerg Med 1999;17:969-71.

5. Kang T, Lanni S, Nam J, Emery P, Wakefield RJ. The evolution of ultrasound in rheumatology. Ther Adv Musculoskelet Dis 2012;4:399-411.

6. McAuliffe JA. Tendon disorders of the hand and wrist. J Hand Surg Am 2010;35:846-53; quiz 853.

7. Patil P, Dasgupta B. Role of diagnostic ultrasound in the assessment of musculoskeletal diseases. Ther Adv Musculoskelet Dis 2012;4:341-55.

8. Peters-Veluthamaningal C, van der Windt DA, Winters JC, Meyboom-de Jong B. Corticosteroid injection for trigger finger in adults. Cochrane Database Syst Rev 2009;CD005617.

9. Visser LH, Ngo Q, Groeneweg SJ, Brekelmans G. Long term effect of local corticosteroid injection for carpal tunnel syndrome: a relation with electrodiagnostic severity. Clin Neurophysiol 2012;123:838-41.

10. Wilson D, Allen GM. Imaging of the carpal tunnel. Semin Musculoskelet Radiol 2012;16:137-45.

# 35

# 척추와 엉치뼈

경희의대 **이상훈**

## KEY POINTS 🔒

- 척추와 엉치뼈의 통증(요통)은 감기 다음으로 흔한 질환이며 85%에서 원인을 밝힐 수 없다.
- 하중을 가한 상태에서 척추에 MRI 등 영상검사를 하기가 사실상 불가능하기 때문에 영상 검사뿐만 아니라 증상의 자세한 청취로 통증의 원인을 추정해야 하는 경우가 많다.
- 요통은 대부분의 경우 추가적인 검사가 필요 없지만, 고령, 암이나 외상의 병력, 체중감소, 야간통증, 신경학적 이상, 감염의 위험요인이 있는 등 전신적인 질환이 의심되는 경우 영상검사 및 혈액검사 등이 필요하다.

## 서론

요통(low back pain)은 사람에게서 감기 다음으로 흔한 증상으로, 전 인구의 약 65-80%가 특정 시점에서 요통을 경험하고 있고, 미국의 한 조사에 따르면 환자들이 의사를 찾게 되는 원인 중에 요통이 다섯 번째로 흔한 원인이다. 85%에서 원인을 밝힐 수 없어 비특이적 통증으로 간주된다. 위험요인으로는 유전적 소인, 나이, 정신적인 상태, 기계적 하중 등이 있다. 쌍생아 연구에서 예측과 다르게 유전요인이 환경요인보다 더 큰 역할을 한다는 연구가 있다(디스크퇴행). 45세 이상에서 하중이 가해지는 노동은 24세 미만에서의 노동보다 요통을 일으킬 위험도가 2.5배 높다고 한다. 그리고 모든 만성 요통의 30% 정도는 정신과적인 문제와 관련이 있는데, 신체형장애와 불안장애가 가장 흔한 원인이라고 한다. 척추에 발생하는 통증은 다양한 종류의 기계

적 원인뿐 아니라 여러 내과적 질환들과 관련되어 있다(표 35-1). 척추의 기계적인 질환은 근육의 과도한 긴장과 같이 무리하게 사용한 경우나 그 외에 외상, 추간판탈출과 같은 척추구조물의 변형에 의해 발생한다. 척추의 통증을 유발하는 내과적 질환들로는 다른 질환의 전신적 증상인 경우나 다른 장기를 침범한 질환들에서 나타나는 증상인 경우, 척추의 염증질환들, 척추의 침습성 질환들이 해당된다. 요통을 호소하는 환자들 중에서 많게는 90%에서 그 원인이 척추의 기계적인 손상과 연관성이 있다. 이런 기계적인 손상들에 의한 통증은 어떤 특정 동작에 의해 증상이 악화되거나 완화되곤 한다. 또한, 기계적인 손상에 의한 통증은 대부분 단기간에 사라진다. 환자 들 중 50% 이상이 1주일 안에 증상의 개선이 있으며 8주가 지나면 약 90%에서 증상의 개선을 보이지만 척추에서 발생하는 통증은 1년 내에 약 75%의 환자들에서 재발하게 된다. 본 장에서는 기계적 원인의 요통에 대해서만 다루도록 하겠다.

## 해부학

요통과 관련된 해부학적 부위는 5개의 척추로 이루어진 요추(lumbar vertebra) 및 1개 척추인 천추(sacrum), 척수(spinal cord) 및 척수신경, 근육 및 인대의 연부조직으로 이루어진다(그림 35-1). 척수는 1번 요추나 2번 요추까지 뻗어 있고, 이후로는 신경다발인 말총로 이루어져 있다. 척추 사이는 척추뼈 몸통(vertebral body)의 앞뒤에 앞세로인대(anterior longitudinal ligament) 및 뒤

표 35-1. 요통의 원인 질환

| 기계적인 손상 | 류마티스 질환 | 내분비대사질환 | 신생물 기타 |
|---|---|---|---|
| 염좌 | 강직척추염 | 골다공증 | 유골골증 |
| 추간판탈출증 | 반응관절염 | 골연화증 | 골모세포증 |
| 골관절염 | 건선관절염 | 부갑상선 질환 | 뼈연골증 |
| 척추협착증 | 창자병증관절염 | 미세결정 질환 | 거대세포증 |
| 척수병증 | 미만특발뼈형성과다증 | 갈색증 | 동맥류, 혈관기형 |
| 척추융해증 | 척추뼈연골염 | 불소증 | 뼈낭종 |
| 척추앞전위증 | 류마티스다발근통 | 유전병 | 혈관종 |
| 척추옆굽음증 | 섬유근통 | | 호산구육사종 |
| | 베체트병 | | 엉치엉덩지방종 |
| | 휘플병 | | 골전이 |
| **감염** | **신경정신질환** | **연관통** | 다발골수종 |
| | | | 연골육종 |
| 척추골수염 | 신경병관절병증 | 복부대동맥 | 척삭종 |
| 수막염 | 신경병증 | 흉부대동맥 | 림프종 |
| 추간판염 | 압박 | 췌장, 담낭 | 수막종 |
| 화농성 엉치엉덩관절염 | 정신성 류마티스 | 장 | 신경아교종 |
| 대상포진 | 우울증 | 신장, 요관, 방광 | 척수구멍증 |
| | 꾀병 | 자궁, 난소 | 골수섬유증 |
| | | 전립선 | 비만세포종 |

표 35-2 신경근의 충돌과 관련된 증상과 징후

| 신경증 추간판 | 추간판 | 통증의 분포 | 감각의 소실 | 운동의 소실 | 반사의 소실 |
|---|---|---|---|---|---|
| S1 | L3-4 | 넓적다리 앞쪽에서 다리 안쪽까지 | 다리 안쪽에서 복사뼈 안쪽까지 | 경골 앞쪽 | 무릎반사 |
| L5 | L4-5 | 다리 가쪽에서 발의 등쪽까지 | 다리 가쪽에서 발의 등쪽까지 | 긴엄지폄근 | |
| S1 | L5-S1 | 발의 가쪽 | 발의 가쪽, 발바닥 | 긴종아리근과 짧은종아리근 | 발목반사 |

세로인대, 추간판(intervertebral)으로 연결되어 있으며, 뒤에는 황색인대(ligamentum flavum), 돌기사이 관절(facet joint), 가시사이인대(interspinous ligament) 등으로 연결된다. 추간판은 속질핵(nucleus pulposus)과 섬유테(annulus fibrosus)로 나뉜다. 척추의 관절들은 척추 뼈들이 서로 위에 얹혀져 있는 형태로 직립 보행 시 매우 불안정하므로 주위 인대들이 강하게 엉겨 둘러싸 안정성을 확보하고 있다. 이런 해부학적 불안정성으로 인해 장기간의 직립이 하중을 가해 인간에게 기계적 요통이 흔하게 발생하게 된다.

## 병력청취 및 신체검진

척추통증을 처음 평가하는 데 있어서는 전신질환의 증상인지 또는 기계적 손상인지를 감별해야 하는데, 환자의 증상과 징후가 척추통증의 원인을 감별하는 데 도움을 줄 수 있다. 가장 먼저 병력청취와 시진 및 촉진, 기타 신체검진을 해야 한다. 병력청취는 정확한 통증의 부위, 악화시키는 자세, 항염제 투여 후 통증경감 등을 확인하여 먼저 염증성 요통과 감별한다. 신체검진에서는 특히, 척수의 손상이나 중추 및 말초 신경의 이상을 평가하기 위하여 신경학적 검사가 매우 중요하다(표 35-2, 그림 35-2).

먼저 시진으로는 서 있는 자세에서 자세 및 척추의 정렬을 확인하고, 환자가 전후, 좌우로 허리를 굽히거나 회전하도록 하여 운동범위를 살핀다. 또한, 환자가 걸음을 걷게 하면서 이상이 없는지를 확인하는 것이 중요하다. 그리고 척추를 따라 만져보면서 연부조직과 골의 압통, 주위 근육의 경련(spasm) 등을 확인한다. 그 다음으로는 환자를 눕게 하여 필요에 따라 특수한 조작 검사를 시행한다. 대표적인 검사로 뻗은발올림검사(straight leg

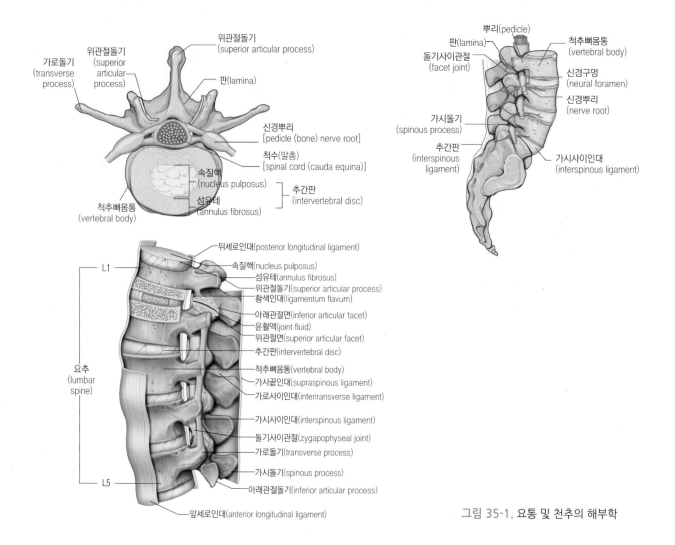

가로돌기(transverse process)

위관절돌기(superior articular process)

위관절돌기(superior articular process)

판(lamina)

신경뿌리[pedicle (bone) nerve root]

척수(말총)[spinal cord (cauda equina)]

속질핵(nucleus pulposus)

섬유테(annulus fibrosus)

추간판(intervertebral disc)

척추뼈몸통(vertebral body)

뿌리(pedicle)

판(lamina)

돌기사이관절(facet joint)

가시돌기(spinous process)

추간판(interspinous ligament)

척추뼈몸통(vertebral body)

신경구멍(neural foramen)

신경뿌리(nerve root)

가시사이인대(interspinous ligament)

뒤세로인대(posterior longitudinal ligament)

속질핵(nucleus pulposus)

섬유테(annulus fibrosus)

위관절돌기(superior articular process)

황색인대(ligamentum flavum)

아래관절면(inferior articular facet)

윤활액(joint fluid)

위관절면(superior articular facet)

추간판(intervertebral disc)

척추뼈몸통(vertebral body)

가시끝인대(supraspinous ligament)

가로사이인대(interiransverse ligament)

가시사이인대(interspinous ligament)

돌기사이관절(zygapophyseal joint)

가로돌기(transverse process)

가시돌기(spinous process)

아래관절돌기(inferior articular process)

앞세로인대(anterior longitudinal ligament)

L1

요추(lumbar spine)

L5

그림 35-1. 요통 및 천추의 해부학

raising test)가 있다(그림 35-3). 이 검사는 신경근의 충돌을 확인하기 위한 검사로 환자가 무릎을 곧게 편 상태에서 엉덩관절을 굽혀 한쪽 다리를 들어 올리면서 통증이 생길 때 발생하는 통증 및 각도를 검사하고 반대쪽 다리도 되풀이하여 검사한다. 30-70° 사이에서 통증이 발생하고, 허벅지 뒤쪽에서 무릎 아래로 방사 통증이 있으면 양성으로 판정한다. 교차뻗은발올림검사(crossed straight leg raising test)는 뻗은발올림검사와 같은 방법으로 시행하나 통증이 올리지 않은 다리에 발생하는 것으로 양성일 경우 신경근충돌의 가능성이 매우 높다. 또한 신경학적 검사를 시행하여 통증의 분포 양상 및 감각이상의 범위, 근력 및 반사를 평가하여 침범된 신경근을 알 수 있다. 엎드린 상태에서 척추의 압통을 평가하고, 대퇴신경신장검사(femoral nerve stretching test)를 검사한다. 이 검사는 엉덩관절을 펴서 통증이 유발되는지를 확인하는 검사로 L4 신경근을 위시한 신경근 침범에서 양성으로

나올 수 있다.

대부분의 환자에서 방사선촬영과 혈액검사는 필요로 하지 않으나, 이전에 암으로 진단을 받았거나 50세 이상의 환자, 설명되지 않는 체중감소, 1개월 이상 지속되는 통증, 야간 통증 및 이전 치료에도 반응하지 않았던 경우 전신질환을 염두에 두고 검사가 필요하다. 방사선검사는 신경학적인 증상이 진행하거나 전신적인 증상이 있는 경우, 외상의 병력이나 암의 병력이 있는 경우, 50세 이상, 골다공증의 병력, 감염의 위험성이 증가된 경우 추천된다.

처음 평가할 때에 응급치료가 필요한 말총증후군(cauda equina syndrome)을 배제해야 한다. 말총증후군은 2번에서 5번까지 요추신경(lumbar nerve) 및 1번에서 5번까지 천골신경(sacral nerve)으로 이루어진 말총이 압박되어 발생하며, 요통, 양측 하지의 쇠약, 양측의 좌골신경통(sciatica), 안장마비(saddle anesthe-

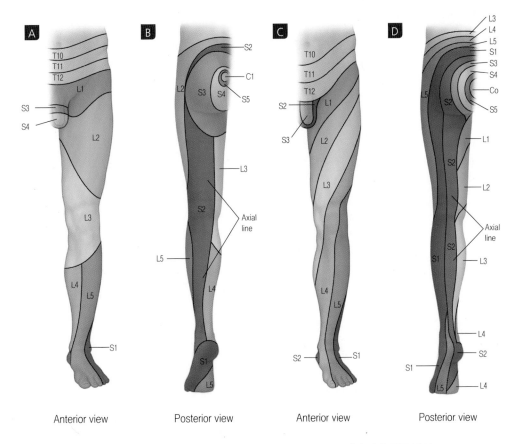

**그림 35-2. (A), (B)** 신경근의 충돌 위치에 따른 감각소실. **(C), (D)** 통증 범위

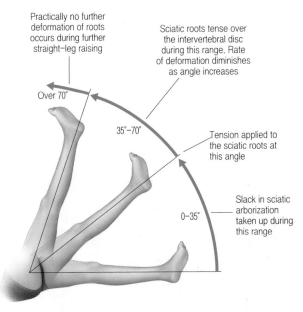

**그림 35-3.** 뻗은발올림검사(straight leg raising test)

sia), 방광실금(bladder incontinence), 장실금(bowel incontinence)을 특징으로 한다. 추간판탈출증(herniation of intervertebral disc), 경막외농양, 경막외혈종, 종양 등이 말총압박의 가장 흔한 원인들이다. 말총증후군이 의심된다면 영상검사가 필요하며 자기공명영상(magnetic resonance imaging, MRI)이 가장 정확하다. 임상적 진단이 확인되면 눌려진 신경에 대해 수술적인 감압이 필요하다.

## 기계적 질환

요통의 가장 흔한 원인은 기계적인 손상 때문이다. 근육염좌, 추간판탈출, 골관절염, 척추관협착(spinal stenosis), 척추전방전위증(spondylolisthesis), 척주옆굽음증(scoliosis) 등이 이에 해당된다. 이들 질환들의 임상적 특징들은 표로 기술하였다(표 35-3).

표 35-3. 신경근의 충돌과 관련된 증상과 징후

|  | 등염좌 | 추간판탈출증 | 골관절염 | 척추관협착 | 척추전방전위증 | 척추옆굽음증 |
|---|---|---|---|---|---|---|
| 시작한 나이 | 20-40 | 30-50 | >50 | >60 | 20-30 | 20-40 |
| 통증의 양상 |  |  |  |  |  |  |
| 　위치 | 등 | 등/다리 | 등 | 다리 | 등 | 등 |
| 　시작 | 급성 | 급성 | 잠행성 | 잠행성 | 잠행성 | 잠행성 |
| 　서기 | 증가 | 감소 | 증가 | 증가 | 증가 | 증가 |
| 　앉기 | 감소 | 증가 | 감소 | 감소 | 감소 | 감소 |
| 　구부리기 | 증가 | 증가 | 감소 | 감소 | 증가 | 증가 |
| 뻗은발올림검사 | - | + | - | + | - | - |
| 단순방사선사진 | - | - | + | + | + | + |
| 전산화단층촬영 | - | + | ± | + | + | - |
| 자기공명영상 | - | + | ± | + | ± | ± |

## 1) 등염좌

등염좌(back strain)는 작게는 재채기, 기침에서부터 무거운 물건을 드는 것에 이르기까지 여러 종류의 허리에 무리를 줄 수 있는 사건 이후에 발생한다. 갑작스러운 요통이 발생하고 가시옆근육(paraspinous muscle)을 따라 방사될 수도 있고 엉덩이로 방사될 수도 있다. 하지만 통증이 허벅지까지 가지는 않는다. 운동범위의 제한이 생기고 만져보면 가시옆근육의 수축이 있으나 신경학적인 이상은 없다. 비스테로이드소염제와 근이완제, 물리치료가 통증을 치료하는 데 도움이 될 수 있다.

## 2) 허리추간판탈출증

추간판의 탈출(lumbar disc herniation, 그림 35-4)은 신경의 충돌(impingement)과 염증을 유발하고 결국 좌골신경통이 생긴다. 추간판의 탈출은 갑작스러운 움직임이나 무거운 물건을 들 때 발생한다. 앉거나 앞으로 구부리는 동작, 발살바조작(Valsalva maneuver)과 같은 디스크 내의 압력을 높일 수 있는 동작을 하면

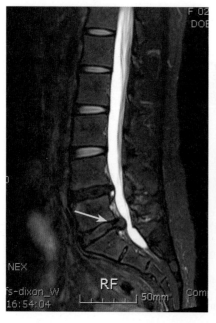
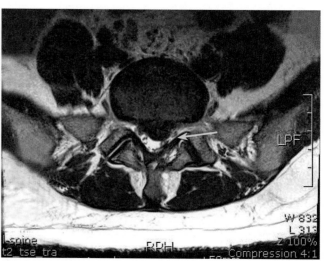

그림 35-4. **허리추간판탈출** L4-5 허리추간판의 중앙부위로 돌출이 관찰됨(화살표)

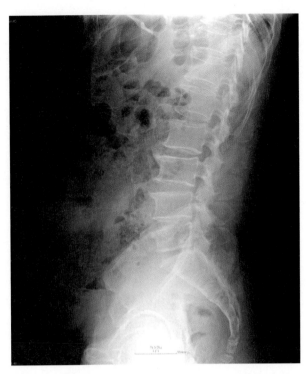

그림 35-5. **허리엉치척추증(lumbosacral spondylosis)** 요추 및 돌기사이관절의 뼈돌기, 경화 등 전반적인 퇴행 변화가 관찰됨

상이 관찰되며 신경의 침범 정도에 따라 검사의 이상 정도에 차이가 난다(표 35-2).

추간판탈출의 위치를 찾고 신경충돌의 정도를 평가하는 데 자기공명영상이 가장 좋은 검사법이지만 임상증상에 견주어 평가를 하여야 한다. 근전도검사와 신경전도검사를 하면 신경이상을 객관적으로 평가하는 것이 가능하다.

치료는 물리치료, 비스테로이드소염제, 경막외글루코코티코이드주사(epidural corticosteroid injection) 등을 이용하며 좌골신경통이 없어지는 데는 약 12주가 소요되며, 약 5%의 환자만이 수술적 치료가 필요하다.

### 3) 허리엉치척추증(그림 35-5)

허리엉치뼈(lumbosacral spine)에 골관절염이 있으면 국소적인 요통이 있을 수 있다. 골관절염이 진행을 하면 척추관의 간격이 점차 좁아지고 척추관협착으로 진행하여 주위의 신경조직에 압박이 가해질 수도 있다. 추간판의 퇴행 변화가 진행함에 따라 마디사이불안정(intersegmental instability)이 발생하고 척추뼈몸통의 위치가 변화하게 되면서 체중부하를 하지 않던 돌기사이관절이 체중부하관절로 바뀌게 되어 돌기사이관절의 골관절염은 더 진행하게 된다. 결국 허리통증이 발생하게 되고 통증이 점

좌골신경통이 악화된다. 뻗은발올림검사를 하면 좌골신경통을 발생시킬 수 있다. 감각이상, 반사 소실, 쇠약 등의 신경학적 이

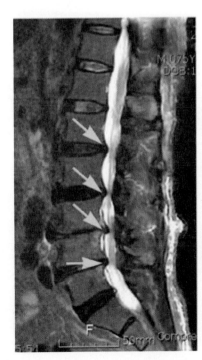
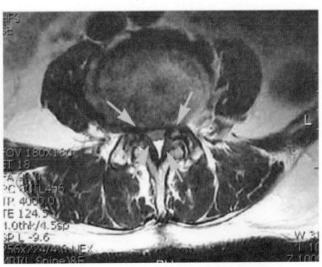

그림 35-6. **척추관협착** 척추의 여러 곳에 뼈돌기에 의한 척추강의 협착이 관찰됨(화살표)

점 아래로 내려가게 된다. 척추를 펴면 통증이 악화되지만 신경학적인 이상은 없다. 통증이 허벅지의 뒤쪽으로 방사되기도 하며 골관절염이 있는 관절 쪽으로 몸을 기울이면 통증이 악화되는 돌기사이관절통증후군(facet joint pain syndrome)이 나타난다. 허리뼈의 비스듬촬영사진(oblique view)을 보면 후 관절의 협착과 관절주위경화(periarticular sclerosis), 뼈곁돌기(osteophytes)를 관찰할 수 있다. 이들 방사선 사진의 변화는 임상증상이나 징후와의 연관성이 있어야 의미가 있다.

## 4) 허리척추관협착

척추관협착은 뼈곁돌기의 점진적인 성장, 황색인대의 과잉, 추간판의 돌출에 의해 이차적으로 발생한다(그림 35-6). 척추관협착은 척추관의 중심에서 발생할 수도 있고 주변부에서 발생할 수도 있으며 척추사이구멍(intervertebral foramen)에서도 생길 수 있다. 한 개의 척추에서 발생하기도 하지만 여러 부위에서 동시에 발생하기도 한다. 방사되는 통증의 형태는 압박을 받는 신경에 따라 다르게 나타나고, 만약 척추관의 중심부에 협착이 있으면 걸을 때 한쪽 또는 양쪽의 다리에 통증이 발생하지만 혈관성 절뚝거림(vascular claudication)과는 다르게 걷고 난 후에 통증이 발생하게 되는 거리가 가변적이다. 혈관성 절뚝거림은 걸음을 멈추면 호전이 되지만 신경성 절뚝거림(neurogenic claudication)은 앉거나 앞으로 구부려야 통증이 호전된다. 이러한 동작은 척추관의 공간을 넓게 하고 척수신경뿌리(spinal nerve roots)로의 혈액 공급을 원활하게 해주어 통증을 호전시킨다. 가쪽협착(lateral stenosis)은 일어설 때 한쪽 다리의 통증을 유발한다. 척추사이구멍에 협착이 있으면 환자가 자세를 바꾸어도 통증이 호전이 되지 않고 지속된다. 환자들은 특정한 자세에서 통증이 유발된다고 호소하며, 통증이 유발될 때 신경학적 이상도 동반되고, 이러한 신경학적인 이상은 통증이 소실되면 같이 없어진다. 약 3분의 1의 환자에서 근력의 약화가 관찰이 되고, 약 2분의 1의 환자에서 근반사의 장애를 가지고 있다. 단순 방사선 사진에서 돌기사이관절의 협착과 추간판의 퇴행 변화를 관찰할 수 있으며, 이러한 변화가 의미를 가지려면 임상양상과 맞아야 한다. 컴퓨터단층촬영은 돌기사이관절의 병변이나 척추관의 형태 및 척추관의 감소된 면적을 확인하는 데 유용하고, 자기공명영상은 압박을 받는 신경의 위치를 파악하는 데 유용하다. 골관절염과

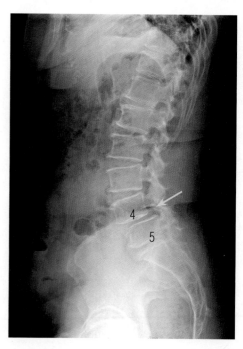

그림 35-7. **척추전방전위증** 4번 요추(4)가 5번 요추(5)에 비해 앞으로 나와 있다(화살표).

척추협착의 치료시 처음에는 비스테로이드소염제와 물리치료를 이용하게 되며 후관절에 약물주입도 도움이 된다. 척추협착이 있는 환자들에게 경막외 글루코코티코이드 주사를 하면 도움이 되며 보통 3개월 간격으로 시행할 수 있다. 대부분의 환자는 수술적인 치료가 필요하지 않으나 위의 방법들로 치료가 되지 않으면 수술을 고려하여야 한다. 심각한 동반 질환이 없다면 수술로 좋은 결과를 기대할 수 있다.

## 5) 척추전방전위증

척추전방전위증(spondylolisthesis)이란 척추뼈몸통이 다른 척추뼈몸통에 비해 앞으로 나온 경우를 말하는 것(그림 35-7)으로 추간판의 퇴행 변화나 돌기사이관절의 변화에 의한 이차적인 현상이며 척추분리증(spondylolysis, 그림 35-8)이 점점 심해져도 발생하게 된다. 척추전방전위증을 가지고 있는 환자들은 요통을 호소하게 되고 기립 자세에서 통증이 더 심해지고 쉬면 호전된다. 탈골이 심한 경우에는 하지에도 통증이 발생할 수 있다. 신체검사를 해보면 척추앞굽음증(lordosis)이 심해 보이고 신경학적인 이상 소견은 없다. 단순 방사선 사진으로 관절 사이에 용해성 병변(lytic lesion)을 확인할 수 있고, 전방전위의 정도를 평가할

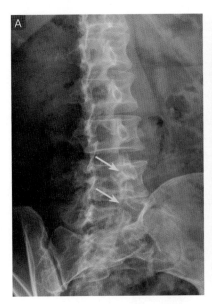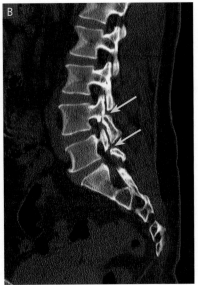

그림 35-8. **척추분리증** **(A)** 좌측 요추 비스듬촬영 방사선 사진 및 **(B)** 컴퓨터단층촬영에서 4, 5번 요추의 pars interaticularis의 분리가 관찰됨 (화살표)

수도 있다. 자기공명영상으로는 척수신경에 영향이 있는지를 확인할 수 있다.

척추전방전위증은 운동요법, 비스테로이드소염제, 보조기 착용 등으로 치료를 하며, 신경이 압박을 받거나 증상이 호전되지 않고 지속되거나 악화되면 수술을 해야 하는데 고정술(fusion)을 주로 하게 된다.

## 6) 척추분리증

척추분리증(spondylolysis)은 단측 혹은 양측으로 요추의 관절간부의 분리 혹은 골절로 발생한다(그림 35-8). 젊은 육상 선수의 경우 피로 골절로 내원하기도 한다. 일반적으로 유아기 때에는 통증이 없으며 청소년기부터 운동 시 특히 요추의 후굴 운동 시 요통이 발생한다. 통증은 허리 중심에서부터 엉덩이, 허벅지까지 방사통이 생기는 경우도 있고, 야간 통증은 드물다. 요추의 단순 방사선 검사의 비스듬 촬영 혹은 컴퓨터단층촬영으로 진단할 수 있다. 대부분의 경우 증상이 없어 이 경우에 생활이나 운동을 제한할 필요는 없다. 통증이 있는 경우 요추에 하중이 가해지는 심한 운동을 피하는 것이 좋고 장기간의 휴식 시에도 통증 호전이 없는 경우에는 물리치료, 항염제, 요추 보조기 등이 도움이 되기도 한다.

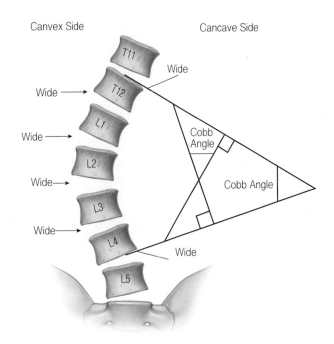

그림 35-9. 콥스법

## 7) 척추옆굽음증

척추가 측면으로 10° 이상 휘는 척추옆굽음증(scoliosis)은 사춘기 여성에게 주로 발생하며 심한 경우 40°까지 휘기도 한다. 요통이 있을 수 있으며 누워서 쉬면 호전된다. 심한 경우 신경학적인 이상도 동반이 될 수 있으며 단순 방사선 사진에서 콥스법

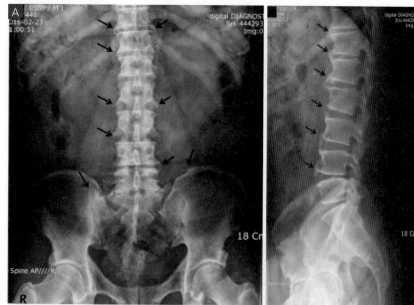

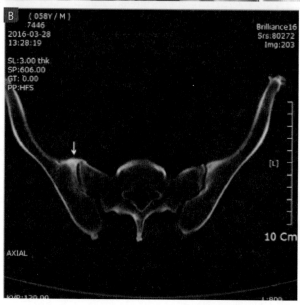

그림 35-10. **미만특발골격과골화증** **(A)** 요추 단순 방사선 검사에서 요추 앞 세로인대의 골화와 좌측 엉덩뼈능선(iliac crest)의 부착부 골화를 관찰할 수 있다(화살표). **(B)** 골반 컴퓨터단층촬영 검사에서 천장관절 안쪽으로 골미란 없이 바깥쪽 인대만 골화되어 연결된 것을 알 수 있다(화살표).

(Cobb's method)(그림 35-9)을 이용하여 척추옆굽음증의 정도를 평가하게 된다. 40° 이내에서는 운동과 보조기를 가지고 치료하게 되며 통증이 있을 때 NSAIDs를 사용한다. 계속해서 척추옆굽음증이 진행하거나 정도가 심하여 호흡에 장애를 초래할 가능성이 있는 경우 수술을 하게 된다.

## 8) 미만특발골격과골화증

미만특발골격과골화증(diffuse idiopathic skeletal hyperostosis)은 강직척추염과 유사하게 척추 주변 인대의 과골화, 석회화로 인해 강직이 생기는 질환이다. 'ankylosing hyperostosis' 혹은 'Forestier's disease'로도 불린다. 강직척추염과 달리 비염증질환이나, 인대가 뼈에 붙는 골부착부병증이라는 점에서는 척추관절염과 매우 유사하다. 척추 이외에도 아킬레스힘줄 골부착부, 팔꿈치, 골반 등 하중이 가해지는 모든 부착부에 전신적으로 생길 수 있다(그림 35-10).

부착부의 하중이 영향을 미치는 것으로 추정하고 있으나, 정확한 기전은 모른다. 40세 이전에는 거의 생기지 않고 나이가 들어감에 따라 점차 부위가 늘어나 퇴행 질환으로도 추정하고 있다. 남자가 여자보다 많이 발생하며, 과도한 노동이 영향을 미치지 않는다는 연구 결과도 있다. 과석회화를 일으킬 수 있는 대사

질환들이 이차적 원인인 경우도 있다.

영상검사에서 강직척추염과의 감별점은 주로 흉추에서 발생하며, 인대결합(syndesmophyte)의 각도가 좀 더 수평면에 가깝게 형성된다는 점이지만 단순 방사선 검사만으로 감별이 되지 않는 경우도 흔하다. 비염증질환이므로 골미란 없이 골화만 진행되므로 돌기사이관절(facet joint)이나 천장관절에 골미란을 확인하여 감별할 수 있다.

치료는 보존적 치료로 요통이 있을 때 휴식이나, 스트레칭, 물리치료를 해볼 수 있으며 아세트아미노펜 같은 진통제나, 근이완제, 비스테로이드소염제를 투여해 볼 수 있다.

### 📑 참고문헌

1. 강성욱. Low back pain and cervical pain syndrome. In: 임상류마티스학 편찬위원회. 임상류마티스학. 서울: 한국의학사; 2006. pp. 154-166.
2. 이상훈. 허리. In: 대한류마티스학회. 류마티스학. 서울: 범문에듀케이션; 2018. pp. 699-709.
3. Borenstein DG. Neck and back pain. In: Stone JH, Crofford LJ, White PH, eds. Primer on the rheumatic diseases. 13th ed. New York: Spinger; 2008. pp. 58-67.
4. Davis PC, Wippold FJ II, Cornelius RS, Angtuaco EJ, Broderick DF, Brown DC, Garvin CF, Hartl R, Holly L, McConnell CT Jr, Mechtler LL, Rosenow JM, Seidenwurm DJ, Smirniotopoulos JG, Expert Panel on Neurologic Imaging. ACR Appropriateness Criteria low back pain. [online publication]. Reston (VA): American College of Radiology (ACR); 2011. 8 p. [Available from] http://www.acr. org/~/media/ACR/Documents/AppCriteria/Diagnostic/LowBackPain.pdf.
5. Fornasier VL, Littlejohn G, Urowitz MB, et al. Spinal entheseal new bone formation: the early changes of spinal diffuse idiopathic skeletal hyperostosis. J Rheumatol 1983;10:939-47.
6. Issac Z, Katz J. Lumbar spine disorder. In: Hochberg MC, Silman AJ, Smolen JS Weinblatt ME, Weisman MH, eds. Rheumatology. 15th ed. Philadelphia: Mosby; 2011. pp. 659-681.
7. Jensen MC, Brant-Zawadzki MN, Obuchowski N, Modic MT, Malkasian D, Ross JS. Magnetic resonance imaging of the lumbar, spine in people without back pain. N Engl J Med 1994;331:69-73.

# 36

# 엉덩관절

건양의대 **정청일**

## KEY POINTS 🔒

- 엉덩관절 통증은 다양한 원인에 의해 발생하며 자세한 병력청취와 신체진찰, 영상검사를 통해 정확한 진단을 할 수 있다.
- 젊고 활동적인 사람이 엉덩관절 통증을 호소할 경우 비구순병변을 고려해 본다.
- 엉덩관절 자기공명영상은 정확한 진단에 큰 도움을 준다.

## 엉덩관절의 해부학적 특징

엉덩관절은 대퇴골두(femoral head)와 컵 모양의 비구(ac-
etabulum) 사이에 형성된 ball and socket joint로 다양한 방향으로 움직일 수 있다[굴곡(flexion) 120°, 외전(abduction) 20°, 회전(rotation) 20°]. 대퇴골목과 몸통 사이의 각도(femur neck-shaft angle)는 125-140°인데 이보다 클 경우 외반고(coxa valga), 작을 경우에는 내반고(coxa vara)라고 한다. 엉덩관절을 둘러싸고 있는 근육조직은 관절의 안정성과 정상적인 보행을 유지하는 데 도움을 준다(그림 36-1, 36-2). 윤활낭(bursa)은 활막으로 덮인 주머니로 관절 운동 시 주변 조직 사이의 마찰을 줄이는 역할을 한다. 엉덩관절 주위의 대표적인 윤활낭으로는 대퇴돌기윤활낭(trochanteric bursa), 엉덩허리근윤활낭(iliopsoas bursa), 궁둥볼기윤활낭(ischiogluteal bursa)이 있다. 대퇴골두는 혈액 공급이 취약한 부위로 탈구나 대퇴골목골절에 의해 medial femoral circumflex

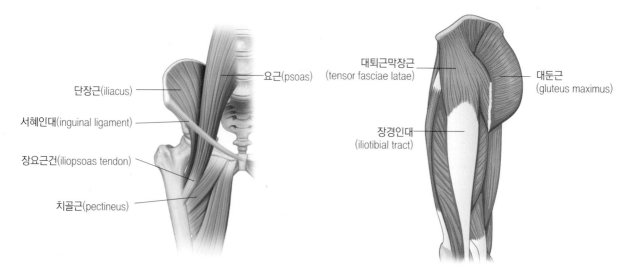

그림 36-1. **엉덩관절의 전면과 측면의 근육구조물** 장요근은 엉덩관절의 굴곡과 외회전(external rotation)에 관여하고 장경인대는 인접한 근육과 함께 대퇴골이 몸통과 일직선을 이루고 바로 설 수 있게 하며, 외전에 작용한다.

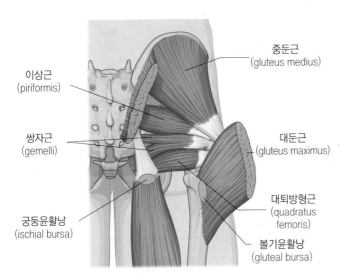

이상근
(piriformis)

중둔근
(gluteus medius)

쌍자근
(gemelli)

대둔근
(gluteus maximus)

대퇴방형근
(quadratus femoris)

궁둥윤활낭
(ischial bursa)

볼기윤활낭
(gluteal bursa)

**그림 36-2. 엉덩관절 후면의 근육 구조물과 윤활낭** 대둔근은 엉덩관절의 신전(extension)과 내전(adduction), 외회전에 관여하며, 중둔근은 소둔근(gluteus minimus)과 함께 외전에 작용을 하고 이상근은 쌍자근과 함께 외회전 기능을 한다.

artery의 손상이 오면 무혈성괴사(avascular necrosis)로 진행할 가능성이 높다.

## 엉덩관절 통증의 병력청취

진단을 위해 가장 중요한 과정으로, 통증의 위치와 강도, 빈도, 악화시키거나 완화시키는 요인들, 방사통의 유무를 확인한다. 엉덩관절 통증은 주로 아래등, 다리이음뼈(pelvic girdle), 몸쪽 넓적다리(proximal thigh)의 통증으로 나타난다. 원인 질환으로는 골관절염, 대퇴돌기윤활낭염, 척추질환이 대부분을 차지한다(표 36-1). 관절내 원인의 통증은 대개 서혜부에 발생하고 무릎으로 방사되며 넓적다리의 앞과 내-외측의 통증이 동반될 수 있다. 대퇴돌기윤활낭염은 엉덩관절 외측 통증의 주요 원인이며 치료가 잘 되지 않을 경우 외전근건파열을 감별해야 한다. 요추 병변은 엉덩관절 뒤의 통증으로 오며 신경뿌리병은 엉덩이와 무릎 뒤의 방사통을 동반한다. 천장관절염(sacroiliitis)은 엉덩관절 뒤와 엉덩이의 통증으로 나타나고 아침강직을 동반하는 경우 척추관절염을 의심할 수 있다. 탈장, 신장결석증, 부인과 문제도 아랫배와 서혜부 통증으로 나타날 수 있다. 골관절염은 활동을 하면 악화되고, 쉬면 좋아진다. 휴식을 해도 통증이 지속되면 감염을 포

**표 36-1. 엉덩관절 통증의 원인 질환**

| 엉덩관절 안을 침범하는 질환 | 엉덩관절 주위와 밖을 침범하는 질환 |
| --- | --- |
| 염증관절병:<br>　류마티스관절염<br>　척추관절염<br>　류마티스다발근육통<br>　소아특발관절염<br>퇴행관절병: 골관절염<br>대사관절병:<br>　통풍<br>　거짓통풍<br>　말단비대증<br>　갈색증(ochronosis)<br>　혈색소증(hemochromatosis)<br>　윌슨병<br>대퇴비구충돌(femoroacetabular impingement)<br>비구순열상(acetabular labral tear)<br>세균관절염(septic arthritis)<br>골절<br>출혈관절증(hemarthrosis)<br>종양:<br>　색소융모결절활막염<br>　골연골종증<br>　활막육종<br>　전이종양 | 윤활낭염: 대퇴돌기, 엉덩허리근, 궁둥볼기<br>힘줄염: 내전근, 외전근<br>외전근힘줄파열(abductor tendon tear)<br>척추증: 등허리<br>이소골화(heterotopic ossification)<br>대퇴머리무혈성괴사<br>골다공증<br>파제트병(Paget's disease)<br>선천성 혹은 발달 이상:<br>　엉덩관절형성이상(hip dysplasia)<br>　선천엉덩관절탈구(congenital dislocation of hip)<br>　대퇴골두골단분리증(slipped capital femoral epiphysis)<br>　패르테스병(Perthes' disease)<br>　구루병<br>신경계질환:<br>　대퇴감각이상증(meralgia paresthetica)<br>　요추신경뿌리병(radiculopathy L2, L3, and L4)<br>복강내외 후복막 질환:<br>　탈장(hernia)<br>　신장결석증(nephrolithiasis)<br>부인과 질환<br>혈관 질환: 대동맥과 장골동맥의 죽상경화증 |

함한 염증질환을 의심해볼 수 있으며, 발열을 동반할 경우 감염질환을 의심해 볼 수 있다. 활동하면 악화되고 몇 분 휴식을 하면 통증이 바로 사라지는 경우에는 혈관 문제를 고려한다. 이전에 있었던 관절 손상과 수술, 약물치료에 대해 확인하고, 소아기에 패혈증, 엉덩관절형성이상, 패르테스병, 대퇴골두골단분리증을 앓은 적이 있는지 확인한다. 무혈성괴사의 위험인자인 글루코코티코이드 사용, 과음, 응고병, 염증질환, 암질환의 유무도 확인한다.

## 신체검사

활력징후를 확인하고, 관절을 포함한 근육, 신경, 혈관계의 이상 유무를 함께 확인한다.

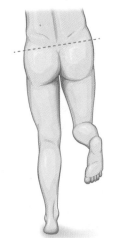
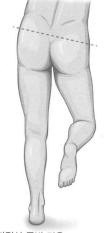

정상 골반 기욺: 골반이 디딤 다리 방향으로 기운다.

비정상 골반 기욺: 골반이 디딤 다리 반대 방향으로 기운다.

그림 36-3. 트렌델렌부르크징후

### 1) 시진

환자의 걷는 모습을 보고 기본 정보를 얻는다. 보행주기(walking cycle)는 체중을 지탱하는 디딤기(stance phase, from heel strike to toe off)와 체중의 영향을 받지 않는 흔듦기(swing phase, from toe off to heel strike)로 나눈다. 외전근(abductor)의 근력이 약하면 환측의 발딛음단계에 몸의 중심을 환측으로 옮기며 걷는다(트렌델렌부르크걸음, Trendelenburg gait). 양측 외전근의 근력이 약하면 몸통을 좌우로 흔들며 걷는다(뒤뚱걸음, waddling gait). 굴곡근(flexor)이 약하면 스윙단계가 제대로 이루어질 수 없어 발딛음단계에 있는 반대측 다리를 축(axis)으로 삼아 환측 다리를 휘돌려서 앞으로 나아간다(휘돌림걸음, circumduction gait). 보행하며 통증이 심한 경우에는 환측의 발딛음단계를 줄이기 위해 짧은 걸음을 한다(진통보행, antalgic gait). 환자를 바로 세우고 양측 엉덩뼈능선(iliac crest)이 수평인지 관찰하고 골반기욺(pelvis tilting)이 있는지 확인한다. 탈구, 외반고, 관절염에 동반한 외전근 장애가 있으면 환측 다리로만 디디고 서게 하였을 때 반대측 골반이 올라가 있지 않고, 서서히 아래로 쳐져 내려오는 것을 볼 수 있다(트렌델렌부르크징후, Trendelenburg sign). 이 경우 트렌델렌부르크걸음을 함께 관찰할 수도 있다(그림 36-3).

### 2) 촉진

엉덩뼈능선큰돌기(greater trochanter), 궁둥뼈결절(ischial tuberosity), 치골결합(pubic symphysis), 앞위와 뒤위엉덩뼈가시(anterior and posterior superior iliac spine) 등의 골표식(bony landmark)은 선 자세에서 쉽게 확인할 수 있다. 동통(tenderness)이 있는 부위를 제대로 찾아내면 진단에 큰 도움을 준다. 서혜부 탈장과 혈관잡음(vascular bruit)의 유무도 확인한다.

### 3) 운동범위측정과 특수검사법

바로 누운자세에서 측정하기가 쉽다. 반드시 양측 엉덩관절의 모든 방향의 수동운동범위와 능동운동범위를 측정한다. 정상 운동범위는 중립자세 기준으로, 굴곡 100-135°, 신전 0-30°, 외전 40°, 내전 30°, 내회전 30-40°, 외회전 40-60°이다. 내전과 외전은 골반수평을 유지한 상태에서, 회전은 엉덩관절 굴곡자세에서 더 효과적으로 측정할 수 있다.

### (1) 패트릭검사

엉덩관절과 천장관절 문제를 확인하는 검사이다. FABER는 진찰 동작인 Flexion, ABduction, External Rotation에서 각 단어의 앞 글자를 따온 이름이다. 바로 누운 자세에서 환측 엉덩관절과 무릎관절을 90° 굴곡시키고 환측 발을 반대측 무릎 위에 둔다(figure of 4 position). 그 다음, 환측 무릎에 검사자의 한 손을 두고, 다른 손으로는 반대측 앞위엉덩뼈가시에 두고 바닥을 향해 천천히 함께 누른다. 서혜부 통증을 호소하면 엉덩관절에, 엉덩이 뒤

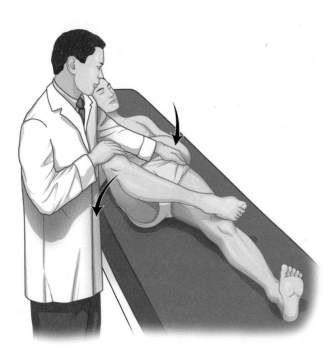

그림 36-4. 패트릭검사

통증이 있으면 천장관절에 문제가 있을 가능성이 크다(그림 36-4).

### (2) 불안검사

비구순(acetabular labrum) 질환을 진단하는 검사이다. 바로 누운 자세에서 검사자가 환측 엉덩관절을 굴곡, 외회전, 외전한 상태에서 신전, 내회전, 내전 위치 상태로 옮길 때 서혜부 통증과 동반된 소리를 느끼면 앞비구순병변(anterior labral pathology)을 의미하고, 반대 순서로 검사해서 통증이 유발될 경우에는 뒤비구순병변(posterior labral pathology)을 의심할 수 있다.

### 4) 하지길이측정

실제다리길이(true leg length)는 바로 누운 자세에서 앞위엉덩뼈가시에서 발목 외과(lateral malleolus)와 내과(medial malleolus) 사이의 중간 지점간의 거리이고, 겉보기다리길이(apparent leg length)는 같은 자세에서 배꼽(umbilicus)에서 발목 외과와 내과 사이의 중간 지점간의 거리를 말한다. 두 길이가 1 cm 이내의 차이를 보이면 임상적 의미를 두지 않는다. 척추측만증이나 엉덩관절 구축이 있는 경우 겉보기다리길이는 차이를 보이지만, 실제다리길이는 똑같다. 실제다리길이의 차이를 보이는 경우로

는 선천엉덩관절탈구, 선천내반고(congential coxa vara), 엉덩관절형성이상, 패르테스병, 대퇴골두골단분리증이 있다.

## 영상 검사

단순X선만으로도 충분한 정보를 얻을 수 있다. 골반앞뒤방향영상(pelvis anteroposterior view)을 확인하고 true cross table view나 개구리다리 촬영(frog-leg view) 중 한 가지를 추가해서 확인한다. MRI영상은 무혈성괴사, 골절, 비구순 질환을 포함한 거의 모든 병변의 진단에 도움을 준다.

## 엉덩관절 특정 질환

여기에서는 엉덩관절 영역에서만 볼 수 있는 질환을 설명한다.

### 1) 엉덩관절형성이상

선천형태이상(congenital dysmorphism)으로 비구가 수직에 접근하고 대퇴골두는 외반된다. 대퇴골두는 비구의 바깥 가장자리에 걸치게 되고 관절이 불안정해져 비구순열상이 잘 생긴다. 골반앞뒤방향영상에서 찌그러진 원형 모양의 골두를 관찰할 수 있고, 대퇴골두 중심과 비구의 바깥가장자리를 이은 선과 대퇴골두 중심에서 수직으로 그은 선이 만나는 각도(위베르그각도, vertical center edge angle of Wiberg)가 20° 미만이면 진단할 수 있다. 참고로 정상 위베르그각도는 25° 이상이다.

### 2) 대퇴비구충돌

과도한 굴곡, 내회전에 의해 비구테(acetabular rim)와 대퇴골두가 만나는 지점에 손상이 생기는 경우로 골관절염으로 진행할 수 있다. 활동적인 사람에서 잘 생기며 운동과 관련된 서혜부 통증이 있다. 쪼그리고 앉아 있으면(squat; 굴곡, 내회전, 내전) 통증을 호소한다. 대퇴골두와 대퇴골목의 직경이 커진 경우(cam type)와 비구테의 골이 과형성된 경우(pincer type)가 있다. 단순X선에서 대퇴골경의 골변화와 비구테뼈형성(ossification)이 관찰

된다. 절골술(osteotomy)과 관절경(arthroscopy)을 이용한 수술적 치료를 할 수 있다.

## 3) 윤활낭염과 힘줄염

공통적으로 치료는 휴식과 비글루코코티코이드소염제, 국소 글루코코티코이드주사(depot steroid)를 이용한다.

대퇴돌기윤활낭염(trochanteric bursitis)은 엉덩관절 통증의 가장 흔한 원인이며, 대퇴부 바깥통증을 호소한다. 환측을 아래로 두고 누우면 악화되고 돌기를 누르면 동통이 있다. 치료가 잘 안되면 윤활낭절제(bursectomy)를 하기도 한다. 치료가 잘 되지 않을 경우 외전근힘줄파열을 의심해 볼 수 있고 자기공명영상(magnetic resonance imaging, MRI)에서 중둔근과 소둔근의 돌기 부착부의 건손상을 관찰할 수 있다.

엉덩허리근윤활낭염(iliopsoas bursitis)은 15%에서 엉덩관절과 직접 연결되어 있고 엉덩관절 질환에 동반되는 경향이 있다. 위치와 크기에 따라 통증, 서혜부 종양(tumor), 정맥류(varicosities), 저림증(paresthesia) 등 다양한 증상을 보인다.

궁둥볼기윤활낭염(ischiogluteal bursitis)은 오래 앉아있는 경우에 흔히 발생하며 궁둥뼈결절에 동통을 호소한다. 8-10 cm 두께의 고무쿠션(rubber cushion)에 궁둥뼈결절이 닿는 부분에 구멍을 내고 깔고 앉으면 통증을 경감할 수 있다.

내전근힘줄염(adductor tendinitis)은 승마처럼 안장에 앉아서 하는 스포츠 활동에 잘 동반된다. 서혜부와 대퇴부 내측, 치골 앞에 통증을 느끼며 수동외전(passive abduction)과 능동내전(active adduction)을 하면 통증이 심해진다.

## 결론

엉덩관절 통증은 다양한 원인에 의해 발생하며 자세한 병력 청취와 신체진찰, 단순X선을 확인하면 추정 진단을 할 수 있고 자기공명영상은 정확한 진단을 하는 데 보다 더 큰 도움을 줄 수 있다.

📑 참고문헌

1. Hochberg MC, Gravallese EM, Silman AJ, Smolen JS, Weinblatt ME, Weisman MH, eds. Rheumatology. 7th ed. Philadelphia: Elsevier; 2019. pp. 681-739.
2. Tony VDV. The hip and buttock. In: Ludwig O, Pierre B, Herman JTV, eds. A system of orthopedic medicine 2nd ed. Philadelphia: Churchill livingstone; 2003. pp. 973-1021.

# 37

# 무릎

경희의대 **양형인**

## KEY POINTS 🔒

- 무릎은 대퇴골 원위부와 경골 근위부 사이의 경첩형태의 복잡한 가동관절(움직관절)이다.
- 무릎의 정적/동적 안정성은 적합한 뼈구조, 네 개의 주요인대, 내측/반달연골, 인접 근육 등에 의해 유지될 수 있다.
- 무릎 주위에 여러 개의 윤활낭이 있는데 뼈가 돌출된 부위나 근막층에서 연조직이 움직일 때 손상되는 것을 막아준다. 무릎 주위의 윤활낭염이 생기면 무릎관절 삼출과 유사하여 감별이 필요하다.
- 무릎 통증은 관절뿐만 아니라 관절 주위 인대, 힘줄, 윤활낭에 문제가 생겨도 발생할 수 있으며, 때로는 엉덩관절이나 대퇴골로부터 통증이 전이되어 나타나기도 한다.

## 서론

무릎관절은 인체 내에서 가장 큰 관절이지만, 그 구조상 불안정한 해부학적인 특성과 외력에 의해 손상받기 쉬운 위치 및 하지의 역학적인 상황 등으로 인해서 병변이 자주 생기는 관절이다. 무릎관절의 병변 중 인대나 반달연골 손상은 단순X선 사진에서는 병변이 나타나지 않으므로 다른 관절에 비하여 진단이 어려운 경우가 많다. 무릎관절의 주요 구조물들이 쉽게 촉진될 수 있기 때문에 무릎관절 통증은 위치와 양상으로 그 원인을 예측할 수 있으며, 또한 유발검사를 통해 어떤 구조물이 손상을 받았는지 추측이 가능하다. 보통 무릎관절 주변의 통증을 호소하는 환자를 진찰할 때 편의상 내측, 외측, 슬개대퇴부의 세 부분으로 나누어 검사를 한다.

## 무릎관절의 구조

대퇴골과 경골은 우리 몸에서 가장 긴 뼈로써 우리 몸의 주요 구조이며, 체중부하, 하지의 보행운동 기능을 수행한다. 무릎은 신체의 하지 뼈인 대퇴골과 경골을 연결해주는 관절로서 무릎관절을 이루는 구조물로는 대퇴골, 경골, 슬개골의 3개의 뼈와, 이들 사이를 연결해주고 안정시키는 인대, 무릎 주위 연부조직에 마찰을 줄여주는 윤활낭(bursa), 관절면에 위치한 연골, 반달 연골이 있으며, 무릎을 움직이게 하는 원동력인 무릎 주위 근육, 힘줄 등이 있다.

무릎은 대퇴골 원위부와 경골 근위부 사이의 경첩형태의 복잡한 가동관절(움직관절)이다. 관절연골은 내·외측 대퇴골과 내·외측 경골(정강뼈), 원위대퇴골의 도르래파임(trochlear notch)과 슬개골 사이에 분포되어 있으며, 내측 경대퇴관절, 외측 경대퇴관절, 슬개대퇴관절의 3개 다른 관절면 혹은 구획(compartment)으로 구성되어 있다.

### 1) 무릎 주위 연부조직

#### (1) 인대

무릎관절 주위 인대는 무릎을 구성하는 뼈 사이를 견고하게 연결하여 안정성을 부여하고 무릎을 움직일 때 해부학적 범위

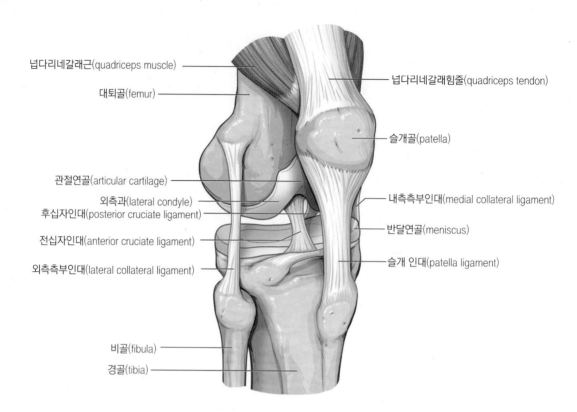

넙다리네갈래근(quadriceps muscle)

대퇴골(femur)

넙다리네갈래힘줄(quadriceps tendon)

슬개골(patella)

관절연골(articular cartilage)

외측과(lateral condyle)

후십자인대(posterior cruciate ligament)

전십자인대(anterior cruciate ligament)

외측측부인대(lateral collateral ligament)

내측측부인대(medial collateral ligament)

반달연골(meniscus)

슬개 인대(patella ligament)

비골(fibula)

경골(tibia)

그림 37-1. 무릎관절의 구조와 주위 인대

내에서만 움직일 수 있도록 제한하는 역할을 한다. 감각신경이 분포하여 결합조직 구조에 고유감각 피드백을 제공한다. 무릎에는 4개의 주요 인대가 있으며 관절 외부의 내측측부인대(medial collateral ligament, MCL), 외측측부인대(lateral collateral ligament, LCL), 관절 내부의 전십자인대(anterior cruciate ligament, ACL), 후십자인대(posterior cruciate ligament, PCL)가 있다(그림 37-1). 이들은 무릎을 견고하게 하고 외력에 대해 무릎을 보호하는 역할을 한다.

내측측부인대는 무릎관절 내측을 보강하는 역할을 하며 넓은 형태로 표면층과 심층으로 구분된다. 표면층은 대퇴골 내상과에서 기시하여 내측 관절막의 표면을 지나 관절면 하방 약 10 cm의 경골 골간단에 부착한다. 심층은 내측 관절낭이 두터워진 부분으로 관절낭과 구분이 불가능한 관절낭인대이며, 대퇴상과에서 기시하여 경골 관절면의 내측 반달연골에 부착된다. 내측측부인대는 무릎이 바깥으로 굽는 힘(외반력, valgus stress)에 대하여 안정성을 제공하며 이차적인 회전 안정성에도 기여한다.

외측측부인대는 내측보다 좁고 짧아 둥근 힘줄모양으로 대퇴골외상과에서 기시하여 비골골두의 후면에 부착한다. 외측측부

인대는 무릎관절이 편(신전) 상태에서 안쪽으로 굽는 힘(내반력, varus stress)에 대하여 주된 안정성을 제공한다.

두 개의 십자인대는 관절 내에 있으나 활막의 바깥에 있다. 십자인대는 무릎의 안정성에 매우 중요한 역할을 하며 대퇴골에 대하여 경골이 전후로 이동하는 것을 방지한다. 전·후십자인대는 서로 십자모양으로 교차되어 있어 경골이 외회전하면 풀리고 내회전하면 서로 꼬이게 된다.

전십자인대는 외측 대퇴골과의 내측면에서 기시하여 경골의 과간 부위에 부착한다. 전십자인대의 대퇴부부착부는 반원형이며 상하의 길이가 전후 길이보다 길다. 전십자인대는 전내측다발과 후외측다발의 2개 다발로 이루어져 있는데, 전내측다발은 무릎관절을 굽힐 때, 후외측다발은 펼 때 팽팽해진다. 전십자인대의 주기능은 대퇴골에 대하여 경골이 전방이동되는 것을 방지하고, 무릎이 과신전되는 것을 방지하며 경골의 회전을 제한하는 것이다.

후십자인대는 내측대퇴골과의 외측면 후방에서 반원 형태로 기시하고 경골과간의 후면에 관절면으로부터 1 cm 원위부에 부착된다. 후십자인대는 전외측다발과 후내측다발로 이루어져 있

고 전외측다발이 크고 생역학적으로 더 중요한 역할을 한다. 후십자인대는 무릎관절의 회전축이 되며 경골이 대퇴골에 대하여 후방 이동되는 것을 방지한다.

### (2) 반달연골

반달연골(meniscus)은 무릎관절의 정상기능을 유지하는 데 필수적인 구조물로, 대퇴골과 경골의 관절면 사이에 위치하고, 경골 관절면의 1/2 정도를 덮고 있다. 절단면에서 보면 반달연골은 삼각형의 구조로 외측은 두껍고 내측 중심부는 얇으면서 오목한 형태를 보인다. 내측 반달연골은 외측보다 그 반경이 큰 'C'자 모양이며, 후각이 전각보다 넓다. 내측 반달연골의 말초부위는 내측 관절낭과 관상인대(coronary ligament)를 통하여 단단히 부착되어 있어 가동성이 적다. 이에 비하여 외측 반달연골은 원형인 'O' 형태에 가깝고 말초 부위가 느슨하게 부착되어 내측 반달연골 보다 약 1 cm가량의 유동성이 있다. 이러한 구조적인 특징으로 인해 무릎의 후방구름운동(roll-back)과 나사잠김운동(screw-home)이 가능하게 된다.

### (3) 윤활낭

윤활낭(bursa)은 연부조직이 뼈의 융기된 부위나 근막과 마찰되면서 손상되는 것을 방지하기 위한 얇은 쿠션 같은 구조물로 서 무릎 주위에 다수의 윤활낭이 존재한다(그림 37-2).

전방에는 슬개전윤활낭이 슬개골의 아래 절반 사이 피하층에 위치한다. 슬개하윤활낭은 슬개골힘줄과 경골 결절 사이에 위치한다. 무릎 내측에는 거위발윤활낭이 있는데 내측측부인대와 거위발힘줄(pes anserinus) 사이 표층에 위치한다. 대퇴사두힘줄의 심층에 슬개상윤활낭이 있고, 장딴지근(gastrocnemius)과 반막근(semimembranosus)윤활낭은 50% 정도가 무릎관절과 통하고 있는데 베이커낭의 원인이 된다. 무릎 주위 윤활낭은 어느 것이나 염증이 생기고 부기가 생길 수 있는데 간혹 무릎관절낭의 삼출과 유사하므로 무릎 주위 윤활낭의 위치를 잘 이해하여 관절삼출과 잘 감별해야 한다.

## 신체검사

무릎관절의 신체검사 시행순서는 무릎관절의 시진과 촉진 후에 무릎관절의 관절운동범위를 측정한다. 환자를 의자에 앉히고 무릎관절을 굴곡, 신전하도록 하여 운동범위를 측정한다. 정상적인 경우, 굴곡은 130° 정도이며 신전은 10° 정도이다. 다음으로 환자에게 발을 내측과 외측으로 돌려보도록 하여 무릎관절의 내회전과 외회전 운동범위를 측정하는데, 정상적인 경우 내회전과

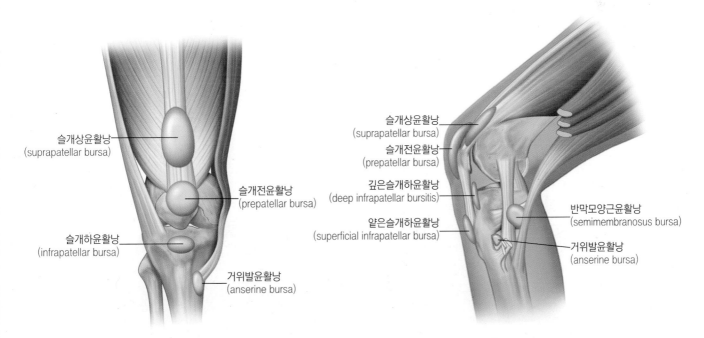

그림 37-2. 무릎관절 주위의 윤활낭의 위치

외회전은 약 10° 정도이다.

측부인대의 검사는 환자를 의자나 침대의 가장자리에 앉히고, 한쪽 다리를 충분히 구부리도록 하여 측부인대를 느슨하게 한다. 이렇게 내측부인대를 검사할 때, 한손으로 환자의 발목을 잡고 다른 한 손으로 손바닥의 엄지 쪽을 비골골두로 향하여 무릎을 잡은 다음 무릎관절의 내측을 여는 것처럼 무릎을 내측으로, 발목은 외측으로 눌러 통증이 나타나는지 확인한다. 이때 통증이 있으면 내측부인대 손상을 의미한다. 외측부인대를 검사할

때는 내측부인대를 검사할 때와는 반대로 하여 무릎관절의 외측을 여는 것처럼 무릎을 외측으로, 발목은 내측으로 눌러 통증이 나타나는지 확인한다. 이때 통증이 있으면 외측측부인대 손상을 의미한다.

십자인대의 검사는 환자를 침대에 바로 눕히고 무릎을 90° 정도 구부려 발바닥을 고정시킨 뒤 침대 끝에 걸터앉아 환자의 다리를 안정시킨다. 양손으로 무릎을 감싸 쥐고 손가락은 내외측 넙다리뒤근육(hamstring)에, 엄지손가락은 내외측 관절선에 닿

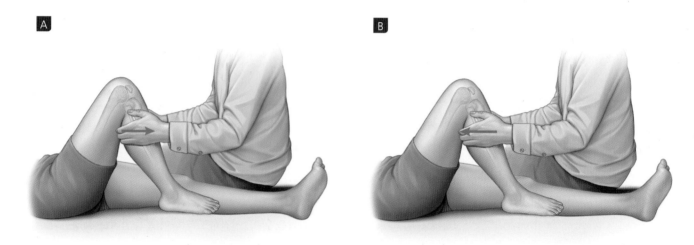

그림 37-3. **(A)** anterior drawer test, **(B)** posterior drawer test

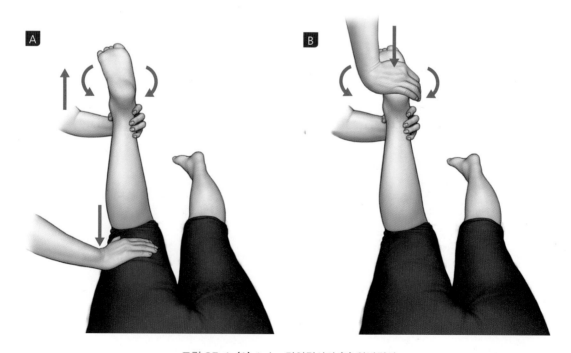

그림 37-4. **(A)** Apley 견인검사와 **(B)** 압박검사

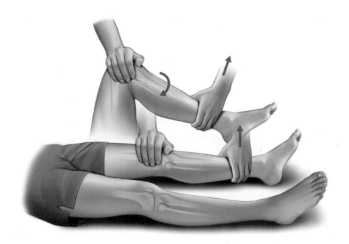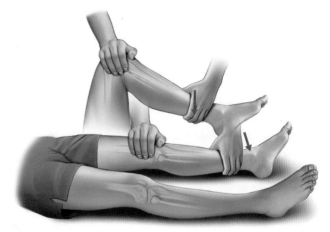

그림 37-5. 맥머리검사(McMurray test)

도록 한다. 전십자인대를 검사할 때는 경골을 앞쪽으로 당겨 경골이 전방으로 미끄러져 나오는지 확인한다(anterior drawer test). 양성인 경우 무릎관절이 앞으로 미끄러져 나온다. 후십자인대를 검사할 때, 경골을 뒤쪽으로 밀어 경골이 후방으로 밀려 들어가는지 확인한다(posterior drawer test). 양성인 경우 무릎관절이 뒤쪽으로 밀려 들어간다(그림 37-3).

반달연골의 검사는(Apley 압박과 견인검사)는 환자를 엎드려 누운 자세로 하고 한쪽 무릎을 90° 구부리게 한다. 압박검사는 환자의 대퇴부를 가볍게 누른 채로 대퇴골에서 경골을 내회전, 외회전시켜 통증이 나타나는지 확인한다. 내측의 통증은 내측반달연골의 손상을 의미하고, 외측의 통증은 외측반달연골의 통증을 의미한다. 견인검사는 환자의 대퇴골에 대해서 경골을 내회전, 외회전하면서 발목을 위로 잡아당긴다. 견인검사는 반달연골 손상과 인대 손상을 감별하기 위한 검사로 견인할 때 통증을 호소하지 않는다면 반달연골의 손상이며, 압박과 견인 모두에서 통증을 호소한다면 인대와 반월판 모두 손상된 것이다(그림 37-4).

맥머리검사(McMurray test)는 환자를 바로 누운 자세로 하고 다리를 펴도록 한다. 한 손으로 환자의 발뒤꿈치를 잡고 다른 한 손으로 환자의 무릎 위를 잡는다. 환자의 무릎관절 내측에 외반압력과 외회전시키며 다리를 천천히 신전시킨다. 환자의 무릎관절에서 딸까닥하는 소리가 나는지 확인한다. 딸가닥하는 소리가 난다면 내측 반달연골의 단열을 의심하며, 그 위치는 대개 내측 반달연골 후방 1/2이 되는 부위이다. 다음으로 환자의 무릎관절 외측에 내반압력과 내회전시키며 다리를 천천히 신전시킨다. 환

자의 무릎관절에서 딸가닥하는 소리가 나면 외측 반달연골의 단열을 의심할 수 있다(그림 37-5).

무릎관절의 삼출액 검사는 환자를 바로 누운 자세로 하여 무릎관절을 편 상태로 허벅지의 힘을 빼라고 지시한다. 슬개골을 대퇴골 도르래파임(trochlear notch) 안으로 눌렀다가 재빨리 떼어 슬개골이 원위치로 돌아가는 양상을 살핀다. 삼출액이 다량인 경우 슬개골이 삼출액에 의해 밀려 올라가는데, 이것을 부구감(ballottment)이라고 한다. 슬개상윤활낭(suprapatellar pouch)과 무릎의 외측에서 삼출액을 짜내어 무릎의 내측으로 이동시킨 뒤 삼출액이 고인 부위의 관절 부위를 약간 눌러 외측이 볼록하게 융기되는지 살피는데(bulge sign), 삼출액이 소량인 경우 이 검사에서 양성으로 나타난다.

## 무릎관절 통증의 감별진단

### 1) 무릎내이상

무릎관절 통증을 유발하는 상태와 질병에는 매우 많은 원인이 있다. 감별진단으로 고려해야 할 질병 및 상태는 표 37-1과 같다. 염증관절염 및 비염증관절염 등의 질병은 각 질병 부분에서 다루기로 하고 여기에서는 무릎의 구획별로 전방, 내측, 외측, 후방에 잘 발생하는 연부조직류마티즘에 대해서 알아보겠다.

주로 외상으로 인한 무릎관절의 기능장애를 초래하는 다양한 관절내와 관절외 장애를 무릎내이상(internal derangement of

**표 37-1. 무릎관절 통증을 일으킬 수 있는 질환**

| 외상 및 과용 |
| --- |
| 무릎내이상 |
| 관절주위 문제 |
| 전방 무릎 통증 |
| 슬개전낭염, 슬개하낭염, |
| 슬개건병증(patellar tendinopathy, jumper's knee), |
| 슬개골추적문제, 슬개대퇴 관절통(patellar tracking problems, patellofemoral pain) |
| 내측 무릎 통증 |
| 내측부인대 긴장 |
| Pellegrini-Stieda병 |
| 거위발윤활낭염 |
| 외측 무릎 통증 |
| 외측부인대 긴장 |
| 장경인대증후군(Iliotibial band syndrome) |
| 후방 무릎 통증 |
| 슬와윤활낭염 |
| 슬와윤활낭파열 |
| 골관절염 |
| 염증관절염 |
| 급성 단관절염(통풍, 거짓통풍, 세균관절염) |
| 소수관절염(혈청음성척추관절염, 비정형 류마티스관절염 등) |
| 다발관절염(류마티스관절염) |
| 박리뼈연골염 |
| 색소융모결절활막염 |
| 과운동과 이형성 |
| 엉덩관절로부터 전이통 |

knee)이라 한다. 무릎내이상의 빈번한 원인은 반달연골, 측부인대, 십자인대의 손상 등이 있으며, 이외에 관절내 유리체(loose body), 슬개하지방체비후(hypertrophied fat pad), 활막추벽증후군(synovial plica syndrome) 등이 있다. 운동선수들이나 일반인에서도 여러 가지 스포츠 손상으로 무릎내이상이 유발될 수 있으며 네 가지 인대 중 전십자인대, 내측측부인대 손상이 가장 흔하다. 전십자인대 손상의 경우 갑작스러운 방향전환, 전력질주 중 갑자기 멈추는 상황, 점프 후 착지 시에 손상될 가능성이 높다. 스키, 농구 혹은 축구 선수들이 전십자인대 손상이 잘 발생할 수 있다. 내측부인대 손상은 축구나 미식축구 같이 직접적인 접촉을 하는 운동에서 무릎관절의 바깥쪽에서 직접적인 외력으로 인해 무릎이 내측으로 꺾이면서 내측부인대 손상을 입게 된다. 후

십자인대는 무릎 전방에서 직접적인 타격을 받거나 앞으로 넘어지면서 경골에 충격을 주는 경우 손상된다. 단순히 헛딛는 경우에도 후십자인대 손상이 생길 수 있다. 반달연골 파열의 경우 무릎이 뒤틀리거나, 축성 회전, 직접적인 타격에 의하여 파열될 수 있다. 무릎내이상을 일으키는 구조물은 단순X선 사진으로는 잘 보이지 않으므로 세밀한 검사와 자기공명영상으로 그 손상의 여부를 확인하고, 손상이 심할 경우 관절경으로 정밀진단과 치료를 시도한다.

## 2) 거위발힘줄염, 윤활낭염

주로 과체중의 중년 또는 노년기의 여성 중 골관절염이 있는 환자에서 발생한다. 무릎 내측에 통증과 압통을 주증상으로 한다. 넙다리뒤근(hamstring) 중의 하나인 반힘줄근(semitendinosus)과 2개의 내전근인 넙다리빗근(sartorius)과 두덩정강근(gracilis)의 근육이 무릎 내측에서 합쳐져서 경골 내측의 근위, 전내측 부위에 닿는 곳을 형성한다. 'Pes anserinus'는 '거위발'이라는 라틴어로 세 개의 힘줄이 닿는 부위가 거위발을 닮아 붙여졌다. 이 부위의 힘줄에 발생하는 급성 염증을 거위발힘줄염(pes anserinus tendinitis)이라 하며, 힘줄이 닿는 부위 아래 윤활낭의 염증을 거위발윤활낭염이라 한다(그림 37-6). 이 둘을 감별하기

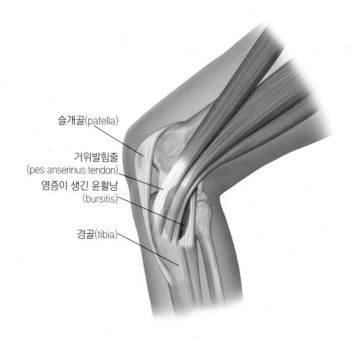

슬개골(patella)

거위발힘줄
(pes anserinus tendon)

염증이 생긴 윤활낭
(bursitis)

경골(tibia)

**그림 37-6. 거위발윤활낭염(anserine bursitis)**

는 어렵고, 윤활낭염은 주로 힘줄의 이상 기능으로 이차적으로 생긴다. 통증은 전형적으로 거위발힘줄이 닿는 부위에 통증을 호소하고, 국소적인 압통을 호소한다. 내측 무릎굽힘근이나 엉덩관절내전근(hip adductor muscle)의 약화도 거위발힘줄염의 발생에 영향을 줄 수 있다. 허벅지가 비대하고 무릎관절의 골관절염이 있는 여성에서 흔하게 발생하며, 계단을 오를 때 심한 통증을 호소하고, 하지를 내회전시키면서 무릎을 굽혔다 펼 때 통증이 유발되기도 한다.

초기 치료는 냉찜질과 비스테로이드소염제를 투여하여 통증과 염증을 줄여준다. 국소 글루코코티코이드 주사는 능동적인 운동을 향상시키는 데 도움을 줄 수 있다.

거위발힘줄염은 골관절염환자에서 동반하는 경우가 많아 간과하기 쉬우므로 약물치료에도 무릎내측부 통증이 조절되지 않는다면 세밀한 신체검사를 통하여 거위발힘줄염으로 인한 통증인지 확인이 필요하다.

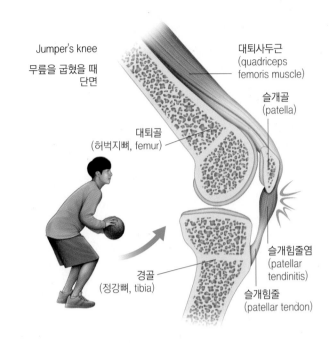

그림 37-7. 슬개건병증 위치

## 3) 슬개전낭염

슬개전낭염(prepatellar bursitis)은 무릎을 꿇고 작업하는 사람에게 많이 발생하여 가사도우미무릎(housemaid's knee)이라고 불린다. 무릎관절 앞의 통증과 부기의 가장 흔한 원인이다. 슬개전낭염은 원예사나 유도, 레슬링선수와 같이 무릎이 매트와 마찰을 많이 일으키는 운동선수에서도 발생한다. 대개 압박이 가해질 때 통증이 있고 휴식기에는 통증이 없다. 무릎관절의 운동 범위는 약간 제한이 있을 수 있다. 부기는 무릎관절이 아니라 윤활낭에 국한된다. 치료는 증상을 악화시키는 활동을 피하는 것이 일차적인 치료이다. 즉, 무릎을 꿇는 자세를 피하고, 필요 시 패드를 사용하기도 한다. 급성기에는 냉찜질과 비스테로이드소염제로 통증과 부기를 줄인다. 부기가 심한 경우에는 글루코코티코이드 주사가 효과적이지만 감염에 의한 윤활낭염을 감별해야 한다. 보존적인 치료에도 효과가 없는 경우에는 윤활낭제거술이나 배액치료가 필요하다.

## 4) 슬개건병증

슬개건병증(patella tendinopathy, jumper's knee)은 슬개힘줄의 과부하로 인해 조금씩 점차 진행된다. 국소적인 통증을 주로 호소하는 부위는 슬개골의 아래끝 부위이다(그림 37-7). 그러나

통증은 힘줄의 주행 방향 어디든지 나타날 수 있다. 슬개힘줄에 과부하가 잘 생길 수 있는 사람은 무릎관절의 굽힘과 폄을 반복하는 농구, 배구, 사이클선수와 노 젓는 사람, 모굴스키어 등이 있다. 진단은 병력청취가 중요하고 신체검사에서 힘줄의 주행을 따라 압통을 호소할 수도 있다. 영상의학적 검사가 진단에 반드시 필요하지 않지만 치료에 잘 반응하지 않거나 임상 진단이 모호한 경우 자기공명영상이나 초음파검사를 통하여 슬개힘줄의 변화를 확인할 수 있다.

치료는 냉찜질이나 비스테로이드소염제, 마사지, 대퇴사두근의 스트레칭과 근력강화운동을 시행하고 운동 시 주의사항과 준비운동, 정리운동을 교육한다. 경우에 따라 'chopat' 보조기를 이용해서 슬개건 통증을 감소시키기도 한다. 보존적인 치료에도 효과가 없을 경우에는 힘줄에 변연절제술(debridement)을 시행하면 통증이 조절되기도 한다.

## 5) 슬개대퇴관절통

슬개대퇴관절통(patellofemoral pain)은 다른 이름으로 슬개골연골연화증(chondromalacia of patellar)이라고 한다. 스포츠 활동을 활발하게 하는 젊은 연령층에서 자주 발생한다. 이름에서 알 수 있듯이 슬개대퇴관절통은 슬개골과 대퇴골 사이의 통

증을 의미한다. 이외에 슬개대퇴동통증후군(patellofemoral pain syndrome) 혹은 슬개골추적문제(patellar tracking problem)로 불리기도 한다. 슬개대퇴관절통은 청장년층에서 무릎 통증을 일으키는 가장 흔한 원인이기도 하다. 슬개대퇴관절통은 낙상과 같이 급성 외상으로 발생할 수 있지만 점차적으로 발생하는 경우가 더 많다. 무릎관절 전면에 통증이 있고 의자에서 일어나 앉거나 계단을 오를 때 마찰음이 들리기도 한다. 무릎관절을 오래 구부리고 앉아 있다가 일어설 때 악화된다(극장 증상, theater sign). 환자의 병력청취를 해보면 무릎을 꿇고 오래 앉아 있거나 최근 달리기 속도를 늘리는 등의 활동량이 증가한 것을 알 수 있다. 임상적인 주된 지표는 촉진 시 무릎관절 내측과 외측의 압통이다. 감별진단해야 할 질환으로는 슬개하 혹은 슬개상윤활낭염(infra- or suprapatellar bursitis), 활막주름(synovial fold), 대퇴힘줄염, 슬개힘줄염, Sinding-Larsen-Johansson병 및 반달연골 파열과 같은 관절내 병변이다.

초기 치료는 비스테로이드소염제, 근육강화운동, 스트레칭 운동 등의 보존적인 치료이다. 예를 들어 달리기 대신 수영과 같은 운동으로 바꾸는 행동 수정이 중요하다. 테이프요법이 통증을 감소시키고 슬개대퇴 제한을 방지하는 효과가 있어 운동선수들에게 많이 시행되고 있다. 대퇴근육의 강화가 증상 완화효과가 있을 수 있다. 보존적인 치료에도 낫지 않는 경우에는 글루코코티코이드 주사, 히알루론산 주사, 침술, 관절경 검사를 고려할 수 있다. 드물게 외측 지지대 이완술이나 내측 슬개대퇴 인대의 성형술을 통하여 이랑 내에서 슬개골의 위치와 증상의 개선을 가져올 수 있다.

## 6) 장경인대증후군

장경인대증후군(iliotibial band syndrome, runner's knee)은 과사용 증후군의 하나로 장거리 달리기와 상관이 있으며, 다른 이름으로 runner's knee라고 한다. 장거리달리기 선수에서 슬내반이나 평발변형이 있을 때 잘 생긴다. 무릎관절을 굽히고 펼 때 장경인대가 대퇴골 상과(epicondyle) 위를 지나면서 마찰되어 통증을 유발하는 현상이며, 대퇴골 상과 부위에 국소적인 통증이 있고 달리기를 하면 악화된다(그림 37-8). 바로누운 자세에서 무릎

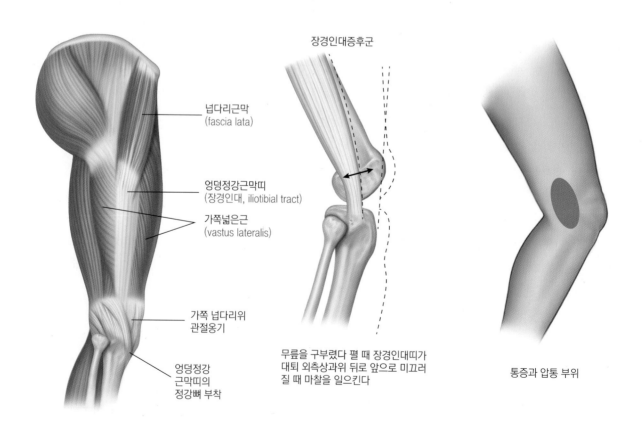

넙다리근막
(fascia lata)

엉덩정강근막띠
(장경인대, iliotibial tract)

가쪽넓은근
(vastus lateralis)

가쪽 넙다리위
관절융기

엉덩정강
근막띠의
정강뼈 부착

장경인대증후군

무릎을 구부렸다 펼 때 장경인대띠가 대퇴 외측상과위 뒤로 앞으로 미끄러질 때 마찰을 일으킨다

통증과 압통 부위

그림 37-8. 장경인대증후군(iliotibial band syndrome)의 기전과 통증 위치

관절을 90° 굴곡시킨 후 대퇴골 상과나 약간 근위부를 누른 채로 무릎관절을 신전시키면 통증이 유발된다(Noble 압박검사, Noble compression test).

장경인대증후군을 일으키는 요인으로는 경사면 달리기, 양하지 길이 차이, 경골내반(tibia vara), 족부의 과도한 내회전, 장경인대 구축 등이 있다. 치료는 장경인대 및 대둔근의 신전 운동을 하고 족부 내회전을 교정하고 달리기를 금하거나 평편한 곳에서만 달리게 한다. 휴식과 스트레칭, 비스테로이드소염제에 반응이 없을 경우에는 대퇴골 상과 부위에 글루코코티코이드와 국소 마취제 주사를 하기도 한다.

### 7) 오스굿씨병과 Sinding-Larsen-Johansson병

오스굿씨병(Osgood-Schlatter disease)은 성장기 어린이들에서 볼 수 있는 경골거친면(tibial tuberosity) 부위의 부기와 통증을 특징으로 하는 병이다. 발생 연령은 남아에서 12-15세, 여아에서 8-12세이며 남아에서 흔하고 양측성으로 침범하는 경우가 많다. 원인은 확실하지 않으나 슬개건의 닿는 곳에서 반복적인 과부하가 염증이나 경골거친면의 이차 골화 중심에 부분 파열을 일으켜 발생하는 것으로 추정된다. 임상적으로는 경골거친면(tibial tuberosity)에 심한 통증과 압통을 동반할 때 의심할 수 있다. 오스굿씨병의 방사선학적 소견은 경골거친면의 불규칙성과 뼈 조각 등이 있다.

오스굿씨병보다 흔하지 않지만 슬개골 아래극에서 발생하는 유사한 질환을 Sinding-Larsen-Johansson병이라고 한다. 두 가지 질환 모두 치료는 냉찜질, 비스테로이드소염제, 대퇴사두근 스트레칭, 활동성 조절 등이 있다. 활동성 조절은 쉽지 않은 경우가 많은데 이는 활동이 왕성한 사춘기에 주로 발생하기 때문이다. 증상은 성장판이 닫힐 때까지 가끔 혹은 지속적으로 통증을 호소할 수 있으나 성장판이 닫히면 대부분 증상이 해결된다.

### 8) 박리뼈연골염

박리뼈연골염(osteochondritis dissecans)은 연골하골의 무혈성 변화가 나타나 치유되지 않을 때 연골하골을 덮고 있는 연골이나 뼈가 분리되어 관절내 유리체를 발생시키는 질환이다. 무릎관절에서 가장 흔히 생기는 부위는 후방십자인대 부착부위에 인접한 대퇴골 내과의 외측면이다. 대퇴골 외과나 슬개골 관절

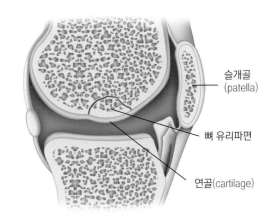
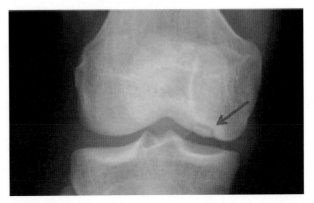

슬개골(patella)

뼈 유리파편

연골(cartilage)

그림 37-9. **박리뼈연골염**(osteochondritis dissecans) 화살표 부위가 병소

연골에 생기기도 한다(그림 37-9). 연골 편이나 연골 유리체가 생길 수도 있다. 간헐적인 기계적 증상이 있으며 통증이나 삼출액이 동반되기도 한다.

박리뼈연골염이 의심될 때는 단순X선 촬영 시에 대퇴골 과간절흔상(intercondylar notch view, tunnel view)을 반드시 찍어서 대퇴내, 외과를 관찰한다. 컴퓨터단층촬영은 뼈의 병변을, MRI는 연골의 상태를 살피는 데 유리하다. 병변이 대퇴골과 분리되어 있거나 잠김현상, 만성통증, 삼출액이 심한 경우 관절경검사를 시행한다.

치료는 어린이의 경우 약 6주에서 8주간 체중부하를 피하고 절대 안정을 취하면 괴사 골편이 흡수되고 신생골로 대치되어 치유될 수 있다. 성인도 가능하면 보존적인 방법으로 치료하고 관절운동 제한 등의 증상이 있을 때만 수술한다.

## 9) 색소융모결절활막염

비교적 드문 질환으로 주로 무릎관절을 침범한다. 활막의 증식이 국소적으로 시작하여 결절성의 갈색소침착이 진행된다. 헤모시데린(hemosiderin)의 침착으로 갈색 변형이 유발되는 것으로 추정된다. 삼출액이 갈색인 것이 특징으로 원인은 명확하지 않으며 일부 환자에서 골파괴까지 발생할 수 있다. 증상은 통증과 부종을 호소한다. 진단은 MIR나 관절경으로 진단한다. 치료는 관절경하 절제술이 일차적인 치료이며 낫지 않는 경우 방사선치료를 하기도 한다.

### 참고문헌

1. Aaron DL, Patel A, Kayiaros S, Calfee R. Four common types of bursitis: diagnosis and management. J Am Acad Orthop Surg 2011;19:359-67.
2. Accadbled F, Vial J, Sales de Gauzy J. Osteochondritis dissecans of the knee. Orthop Traumatol Surg Res 2018;104(1s):S97-s105.
3. Bunt CW, Jonas CE, Chang JG. Knee Pain in Adults and Adolescents: The Initial Evaluation. Am Fam Physician 2018;98:576-85.
4. Circi E, Atalay Y, Beyzadeoglu T. Treatment of Osgood-Schlatter disease: review of the literature. Musculoskelet Surg 2017;101:195-200.
5. Gaitonde DY, Ericksen A, Robbins RC. Patellofemoral Pain Syndrome. Am Fam Physician 2019;99:88-94.
6. Gross JM, Fetto J, Rosen E. Musculoskeletal examination 3th ed. Wiley Blackwell 2009:335-378.
7. Hochberg, Marc C., MD, MPH, MACP, MACR. Rheumatology 7th ed. Elsevier; 2019. pp. 690-703.
8. Khaund R, Flynn SH. Iliotibial band syndrome: a common source of knee pain. Am Fam Physician 2005;71:1545-50.
9. Slotkin S, Thome A, Ricketts C, Georgiadis A, Cruz AI, Jr., Seeley M. Anterior Knee Pain in Children and Adolescents: Overview and Management. J Knee Surg 2018;31:392-8.
10. Vaishya R, Azizi AT, Agarwal AK, Vijay V. Apophysitis of the Tibial Tuberosity (Osgood-Schlatter Disease): A Review. Cureus 2016;8(9):e780.

# 38

# 발과 발목의 통증

건국의대 **김해림**

## KEY POINTS 🔒

- 발과 발목의 통증은 매우 흔하며, 이 부위는 26개의 뼈, 38개의 근육과 125개의 인대로 이루어져 해부학적 구조가 복잡하며 운동범위가 다양하다.
- 발과 발목의 통증은 관절 이상, 인대 손상, 힘줄질환, 신경질환, 근질환, 윤활낭염, 혈관질환 및 연관통 등 다양한 원인에 의해 발생하며, 자세한 병력청취, 신체검사 및 영상검사를 통해 감별진단이 필요하다.

## 서론

발과 발목을 비롯한 하지의 통증은 일상에서 흔히 접하는 문제로, 중년 이후 인구 중 약 20%가 발과 발목의 통증을 호소하고, 약 반수의 환자에서 일상생활의 기능적 문제를 가지고 있다. 발과 발목의 관절은 26개의 뼈, 38개의 근육과 125개의 인대 등으로 이루어진 복잡한 구조이며, 걸음마다 신체의 6배가량의 무게를 흡수해야 하는 부위로, 복잡한 해부학적 구조와 다양한 운동 영역을 보이는 부위이다. 발과 발목에 관절염, 인대 손상, 힘줄염, 윤활낭염이나 신경 이상 등에 의해 통증이 유발될 수 있으며, 그 결과 운동 불안정성, 균형 소실, 넘어짐 위험, 보행 장애 등이 발생할 수 있다. 진단을 위한 신체검사에는 걸음걸이 관찰, 시진, 촉진 그리고 운동범위 검사가 모두 포함되어야 한다. 진단의 확인을 위해서 영상 검사, 즉 단순방사선, 자기공명영상, 컴퓨터단층촬영, 초음파 등이 필요하고, 가능한 한 체중 부하 촬영을 얻

는 것이 좋다.

## 발과 발목의 해부학

### 1) 뼈의 구조

발은 뼈의 경계에 따라 후족부(hindfoot), 중족부(midfoot), 전족부(forefoot) 등 세 부위로 나뉜다. 후족부는 목말뼈(talus)와 발꿈치뼈(calcaneus)로, 중족부는 발배뼈(navicular bone), 입방뼈

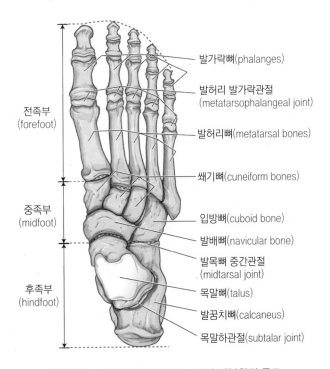

그림 38-1. 발과 발목을 이루는 뼈의 해부학적 구조

(cuboid bone)와 3개의 쐐기뼈(cuneiform bone)로, 전족부는 5개의 발허리뼈(metatarsal bone)와 14개의 발가락뼈(phalanges)로 구성된다. 엄지발가락은 2개의 발가락뼈로, 나머지 발가락은 3개의 발가락뼈로 이루어져 있다(그림 38-1). 발목은 대표적인 경첩관절(hinge joint)로, 정강뼈(tibia)와 종아리뼈(fibula) 그리고 목말뼈로 이루어져 있으며 이 관절면은 유리 연골로 싸여 있고 두꺼운 관절주머니와 주변의 인대 등에 의해 지지되고 있다.

## 2) 인대

발목과 발은 운동범위와 종류가 매우 복잡하고 다양한 관절로, 안쪽 곁인대, 가쪽 곁인대 그리고 정강뼈과 종아리뼈를 연결하는 말단 정강목말 인대결합(distal tibiotalar syndesmosis) 등 세 가지 인대군이 발목의 골격 구조를 연결시켜 지지하고 있다. 대표적인 안쪽 곁인대는 세모인대(deltoid ligament)이며, 이 인대는 정강발배(tibionavicular), 앞목말정강(anterior talotibial), 정강발꿈치(tibiocalcaneal), 뒤목말정강(posterior tibiotalar) 인대 가닥으로 이루어져 있고, 비교적 넓게 부채살 모양으로 퍼져있는 얕은 층과 관절 내에 좀 더 수평적으로 배열하는 깊은 층 등 두 층으로 나뉘어져 있다(그림 38-2A). 가쪽 곁인대는 앞목말종아리(anterior talofibular), 발꿈치종아리(calcaneofibular), 뒤목말종아리(posterior talofibular) 인대로 이루어져 있는데, 이들은 발목 인대 중에서 손상에 취약한 인대들이다. 앞목말종아리인대는 목말뼈의 외측과 외측 복사뼈의 앞쪽을 연결하는 인대로 내측의 세

모인대만큼 튼튼하지 않아 발목 염좌의 가장 흔한 원인이 된다. 발꿈치종아리인대는 발꿈치뼈의 외측과 외측 복사뼈의 앞쪽을 연결하는 인대로 이 역시 튼튼하지 않아 염좌가 잘 발생하는 부위이다. 그리고 발목의 뒤쪽을 지탱해주는 뒤목말종아리인대는 목말뼈의 후면과 종아리뼈를 연결한다(그림 38-2B). 말단정강종아리인대결합(distal tibiofibular syndesmosis)은 정강뼈와 종아리뼈의 말단부를 연결하는 매우 강한 구조물로 앞·뒤정강종아리인대(anterior and posterior tibiofibular ligament), 아래가로인대(inferior transverse ligament), 뼈사이인대(interosseous ligament), 뼈사이막(interosseous membrane)으로 이루어져 있다.

## 3) 근육과 힘줄

발목의 앞쪽을 지나가는 힘줄로는 안쪽부터 차례로 앞정강근(tibialis anterior), 긴엄지폄근(extensor hallucis longus), 긴발가락폄근(extensor digitorum longus)이 있으며, 주로 발목과 발가락의 발등굽힘(dorsiflexion)과 폄(extension)을 담당한다. 그 외 짧은엄지폄근(extensor hallucis brevis), 짧은발가락폄근(extensor digitorum brevis), 셋째종아리근(peroneus tertius) 힘줄과 발의 가쪽으로 새끼벌림근(abductor digiti minimi), 새끼맞섬근(opponens digiti minimi)이 있다. 발목의 가쪽 복사뼈를 따라 긴종아리근과 짧은종아리근(peroneus longus and brevis) 힘줄이 지나가고 이를 위아래 종아리근지지띠(superior and inferior peroneal retinaculum)가 고정하고 있는데, 이 근육들은 발목의 발바

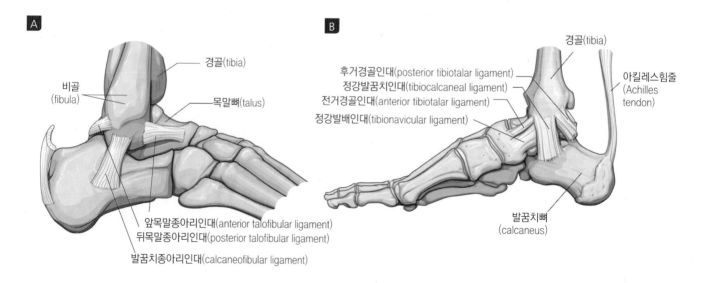

그림 38-2. **발목관절을 고정하는 인대의 해부학적 구조 (A)** 발목 외측, **(B)** 발목 내측

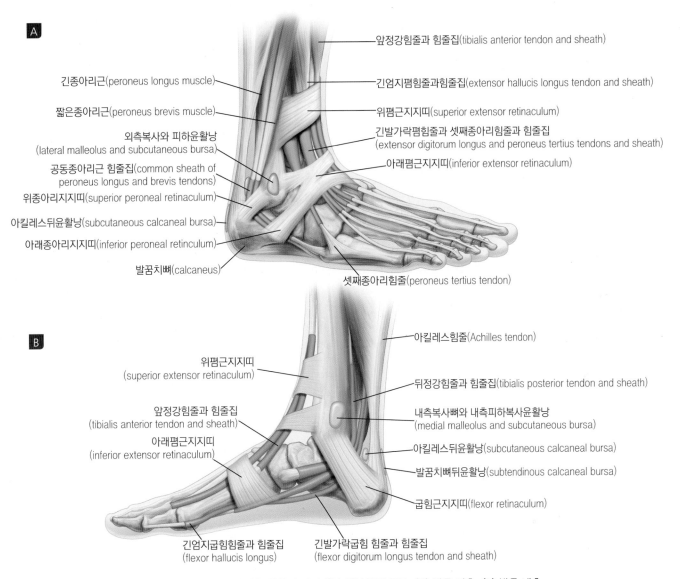

**그림 38-3.** **발목의 내외측 힘줄과 지지대의 해부학적 구조** **(A)** 발목 외측, **(B)** 발목 내측

닥쪽굽힘(plantar flexion)과 벌림(abduction)을 주로 담당한다 (그림 38-3A). 발목의 안쪽 복사뼈 뒤쪽을 따라 뒤정강근(tibialis posterior), 긴발가락굽힘근(flexor digitorum longus), 긴엄지발가락굽힘근(flexor hallucis longus) 힘줄이 돌아 지나가며 이를 굽힘근지지띠(flexor retinaculum)가 고정시키고 있다. 뒤정강근은 발을 내번(inversion)시키고 세로활(longitudinal arch)을 유지하는 역할을 한다. 발목의 뒤쪽으로는 가자미근(soleus)과 장딴지근(gastrocnemius)의 공통 힘줄인 아킬레스힘줄이 발꿈치뼈의 후면 상방에 부착하여 발의 발바닥쪽굽힘(plantar flexion)을 담당한다 (그림 38-3B).

# 발과 발목 통증의 원인과 신체검사

발목과 발의 통증이 발생하는 경우로 관절염뿐 아니라 관절 주위 연부조직이나 신경, 혈관의 이상, 요추 신경이나 무릎관절에서의 연관 통증 등 다양한 원인이 있어 세심한 감별진단이 필요한 경우가 많다(표 38-1).

## 1) 앞쪽 발목관절의 통증

### (1) 정강목말관절의 관절염

앞쪽 발목은 복숭아뼈로 보호되지 않고 피하조직과 바로 닿

표 38-1. 발과 발목 통증의 여러 가지 원인

| 관절 | 골관절염 |
|---|---|
| | 류마티스관절염 |
| | 척추관절염 |
| | 통풍 |
| | 기타 염증성 관절염 |
| | 샤르코관절 |
| | 관절충돌증후군 |
| | 엄지발가락굽음증(강직족무지) |
| 뼈 | 골절 |
| | 뼈연골 결함 |
| | 무혈성괴사 |
| | 종자뼈염 |
| | 발허리통증 |
| 인대 | 염좌 |
| | 인대 파열 |
| 힘줄 및 근육 | 힘줄염 및 힘줄활막염 |
| | 힘줄 및 근육 파열 |
| | 힘줄주위염 |
| | 부착부병증 |
| | 근육 연축 |
| | 발바닥널힘줄 섬유종증 |
| 관절 주위 구조물 | 감입발톱 |
| | 티눈과 굳은살 |
| | 류마티스 결절 |
| | 통풍 결정 |
| | 윤활낭염 |
| 신경 | 모르톤 신경종 |
| | 포착신경병증 |
| | 복합부위통증증후군 |
| | 말초신경증 |
| | 연관통 |
| 혈관 | 허혈성 발통증(동맥경화, 버거씨병) |
| | 혈관경축성 질환(레이노병) |
| | 혈관염 |
| | 구획증후군 |

쪽 엄지손가락으로 관절의 앞쪽을 촉지하고 나머지 네 손가락으로 관절을 지지하며 관찰한다. 관절선이 가장 잘 촉지되는 부위로는 정강뼈의 말단부로 앞정강근 힘줄의 안쪽 부위이며, 정상적인 운동범위는 발등굽힘 시 15-25°, 발바닥굽힘 시 40-50°이다. 많은 양의 활액이 있는 경우 발목폄근 힘줄들의 내외측으로 돌출이 보이며 한 손으로 압력을 가해보면 다른 손으로 관절액이 전달되어 파동되는 것을 느낄 수 있다. 이 부위에 가장 흔한 관절질환은 골관절염이며, 그 외 류마티스관절염이나 외상 후 관절염도 비교적 흔하다. 대개 발목의 발등굽힘 시 통증이 악화되며 관절 사용 시 삐걱이는 느낌을 받을 수 있다. 점차적으로 관절의 운동범위가 소실되면서 '굳은 발목(frozen ankle)'을 유발하기도 한다. 류마티스관절염의 경우 목말밑관절이나 발목뼈중간 관절(midtarsal joint)만큼 흔하게 침범되지는 않지만 30-50%가량의 환자에서 침범을 하며, 신체검사에서 관절의 부종과 압통, 열감, 운동범위의 감소 등으로 의심할 수 있다.

### (2) 힘줄활막염

발목의 앞쪽을 지나가는 힘줄로는 내측부터 차례대로 앞정강근 힘줄, 긴엄지폄근 힘줄, 긴발가락폄근 힘줄이 있다. 이 부위 힘줄 병변은 흔하지는 않지만, 힘줄윤활막염(건초염; tenosynovitis) 또는 힘줄염의 원인으로는 꽉 조이는 신발, 부츠, 스케이트, 칼슘의 침착 등이 있고, 류마티스관절염 등 염증관절염과 동반되는 경우도 보인다. 발등 부위의 심한 통증과 부종, 발가락을 펼 때 심해지는 통증, 이러한 통증을 피하기 위한 이상 걸음 등이 보일 수 있다. 통증의 위치가 깊지 않고, 발등 부분에 일직선으로 통증이 연결되고 관절 범위를 벗어난 부종, 발가락에 저항을 주며 힘줄을 펼 때의 통증 등으로 관절염과 감별할 수 있다.

### (3) 발목뼈중간 관절의 통증

발목뼈중간 관절은 목말발배관절과 발꿈치입방관절로 이루어져 있고, 대개 발배뼈와 쐐기뼈 사이의 관절에서 관절염이 발생한다. 골관절염이 가장 흔한 원인이나 류마티스관절염 환자의 40-60%에서 이 부위를 침범한다. 증상은 발등의 내번(inversion)이나 내전(adduction) 시 악화되는 통증으로 나타나며, 신체검사 시 발꿈치를 한 손으로 고정시키고 다른 손으로 이 관절을 회전시켜 통증이 유발되거나 운동범위가 감소되어 있는지 여부를 관

아 있으며, 힘줄질환이 잘 발생하지 않으므로 이 부위 통증의 원인은 관절내 병변이 대부분이다. 발등굽힘 시에 통증이 악화하므로 계단이나 비탈을 오르며 걸을 때 통증을 호소하는 경우가 많다. 발목관절은 정강목말(tibiotalar), 목말밑(subtalar), 목말발배(talonavicular) 관절로 나뉜다. 이 중 정강목말 관절은 목말뼈의 비면(dome)과 말단 정강뼈, 말단 목말종아리 관절(distal tibiofibular joint)로 구성되어 있는 진정한 의미의 발목관절이다. 이 관절을 진찰할 때 발을 약간 발바닥굽힘시킨 상태에서 양

찰한다. 또한, 관절의 통증을 보기 위해서는 네 손가락은 발바닥을 지지하면서 엄지손가락으로 해당 관절을 촉지하고 압박을 가해본다.

## 2) 안쪽 발목관절의 통증

### (1) 목말밑관절의 관절염

이 관절은 목말뼈와 발꿈치뼈가 각각의 관절주머니로 둘러싸여 있는 관절로 정상적으로 각각 5°가량의 내번과 외번을 보인다. 관절이 쉽게 촉지되지 않으므로 운동범위를 확인하여 이상 여부를 확인하는 것이 좋다. 발목을 중립 위치시킨 상태에서 발꿈치를 한 손으로 잡고 다른 한 손으로는 다리를 고정시킨 후 발꿈치를 잡은 손을 이용해 내번과 외번을 시켜 통증의 유발 여부와 운동범위의 감소 등을 평가한다. 목말밑관절은 정상적으로는 30°의 내번과 20°의 외번이 가능하다. 이 부위 통증의 원인으로 골관절염이 가장 흔하고 그 외 류마티스관절염, 감염관절염, 외상후관절염 등이 있다. 증상으로는 발꿈치 깊은 곳의 통증과 발꿈치뼈의 내전 시 심해지는 통증이 특징이다. 관절의 운동범위가 감소하면서 근육이 약화되면 유착관절낭염에 의해 '동결목말밑관절(frozen subtalar joint)'이 유발되기도 한다. 류마티스관절염에서 흔히 침범되는 부위이며, 통증과 강직감, 때로는 목말밑 탈구가 나타난다. 또한, 골미란, 연골 소실, 종아리 근육의 연축 등에 의해 발의 종아치가 사라지면서 바깥굽은 변형(valgus deformity)이 조장된다.

### (2) 뒤정강근의 힘줄염/힘줄활막염

통증의 위치에 따라 원인을 예상해 볼 수 있는데, 복숭아뼈의 앞쪽 통증은 대부분 관절 병변, 복숭아뼈 자체의 통증은 스트레스성 골절, 그리고 복숭아뼈 뒤쪽 통증은 뒤정강근 힘줄의 병변이 원인일 가능성이 높다. 뒤정강근은 발목 부분에서 발의 발바닥굽힘과 목말밑관절에서 내번을 수행하는 근육으로 내측 복숭아뼈의 후면을 돌아 지나가는 부위에 힘줄염이나 힘줄활막염이 발생할 수 있다. 주로 중년의 여성에서 많이 발생하며, 원인으로는 발목의 갑작스러운 외번, 부드럽거나 고르지 못한 평면에서의 달리기 등이 있고, 관절염, 윤활낭염이나 발목굴증후군과 잘 동반된다. 발목의 내측에 지속적이고 심한 통증으로 나타나고,

내측 세로활이 사라지면서 유연편평발(flexible pes planus) 양상이 보일 수 있다. 신체검사 시 발목에 저항을 주며 내번시키거나 수동적 외번을 유도할 때 증상이 악화된다. 염증이 오래되어 방치하는 경우 힘줄이 절단되어 편평발 변형(flatfoot deformity)이 진행될 수 있다.

### (3) 세모인대 염좌

세모인대는 매우 튼튼하고 단단하기 때문에 다른 발목 주위 인대에 비해 염좌가 흔하지는 않지만, 급격한 발목의 과회내(overpronation)나 과사용 또는 잘못된 사용에 의한 반복되는 미세외상 등에 의해 염좌가 유발될 수 있다. 발목 외측부위의 골절이나 인대 손상과 동반되는 경우가 많으며 대개 심한 관절의 불안정성을 초래한다. 신체검사 시 발목을 발바닥굽힘이나 외번시킬 때 통증이 악화되고, 내측 복사뼈 부위의 압통을 보인다.

## 3) 가쪽 발목관절의 통증

### (1) 종아리근의 힘줄염/힘줄활막염

긴종아리근 힘줄은 짧은종아리근 힘줄과 하나의 공동 힘줄집을 가지고 있으며, 외측 복사뼈를 감으면서 지나 발바닥을 지나 제1 발허리뼈의 바닥에 부착한다. 주로 달리기나 테니스 등 반복되는 움직임이나 외번 손상에 의해 힘줄염이 발생할 수 있다. 발목 외측과 뒷부분에 주로 심한 통증이 발생하고, 발을 외번시킬 때 통증이 악화된다.

### (2) 발목염좌

발목관절의 인대 손상은 95% 이상에서 전외측 부위에서 발생하며 그 중에서도 앞목말종아리 인대는 가장 흔하게 손상되는 인대로, 갑작스러운 내번이나 과사용에 따른 반복적 미세 외상에 의해 발생한다. 대개 가쪽 복숭아뼈 바로 아래 부위의 압통이 있으며 내번 시 통증이 심해진다. Anterior draw test가 양성이라면 앞목말종아리 인대의 파열을 의심해야 한다. 이 검사의 방법은 한 손으로 정강뼈와 종아리뼈를 잡아 고정시키고 다른 한 손으로 발꿈치뼈와 목말뼈를 잡아 앞쪽으로 끌어당겨보는 것이고, 이때 별다른 저항 없이 끌어당겨지는 경우 양성이다.

### (3) 복사의 피하 윤활낭염

복사뼈 주위에는 정상적으로는 윤활낭이 없으나 스케이트 등 지나친 압력을 받으면서 오랜 시간에 걸쳐 발생하는 경우가 있다. 이러한 압박이 지속되면 염증을 유발해 급성 또는 만성 윤활낭염이 발생하게 된다. 또한 감염, 류마티스관절염, 통풍 등에 의해 발생하는 경우도 있다.

## 4) 발꿈치와 발바닥의 통증

### (1) 아킬레스힘줄염

아킬레스힘줄은 우리 몸에서 가장 강하고 튼튼한 힘줄이지만 염증에 취약한 두 부위가 있는데, 힘줄이 발꿈치뼈에 부착하는 부위와 부착부에서 약 5 cm 상방의 힘줄의 가장 얇은 부위이다. 아킬레스힘줄염(Achilles tendinitis)은 장딴지 근육의 과사용에 의한 반복되는 외상이나 미세한 파열 등에 의해 발생할 수 있고, 하이힐, 성장, 과중한 하중, 칼슘의 침착, 척추관절염, fluoro-quinolone 계열의 항생제 사용과 관련이 있다. 주로 걷거나 발을 내딛기 시작할 때 통증이 발생하고 계속 움직이면 통증이 완화되는 증상을 보인다. 신체검사 시 발목을 수동적으로 발등굽힘 시킬 때 악화되는 통증, 손가락으로 힘줄을 쥐고 누를 때 유발되는 통증, 때로는 힘줄 마찰음이 들리기도 한다. 부착부위의 힘줄염은 발꿈치뼈 뒷면의 중간 1/3 지점에서, 비부착부 힘줄염인 경우 발꿈치뼈 부착부위 상방 4-5 cm 지점에서 가장 심한 압통이 발생한다. 반면 발가락으로 서 있는 것이 불가능하고 Thompson

### 표 38-2. 발꿈치 주위 통증의 원인 질환들

| |
|---|
| 아킬레스힘줄염 |
| 아킬레스 주위 윤활낭염 |
| 발꿈치뼈 아래 윤활낭염 |
| 발바닥널힘줄염 |
| 척추관절염과 연관된 부착부병증 |
| 발꿈치 지방 패드의 통증 |
| 발꿈치뼈 골극의 통증 |
| 발꿈치뼈 질환 |
| 목말밑관절염 |
| 발목굴증후군 |

검사 양성인 경우 힘줄의 파열을 의심해야 한다. 이 검사는 환자가 의자에 무릎을 꿇고 발을 의자 아래로 내려뜨린 상태에서 검사자가 장딴지 근육을 압축시키는 경우 발은 정상적으로 발바닥굽힘을 하게 되는데 이러한 정상적인 발의 반응이 보이지 않는 경우를 양성으로 평가한다. 아킬레스힘줄을 둘러싸고 있는 힘줄 주위 조직의 염증과 감별이 필요한데, 아킬레스힘줄염의 경우 두꺼워지고 압통이 있는 부위가 발등굽힘과 발바닥굽힘 시 움직인다는 특징이 있으나 두 질환의 감별이 쉽지 않을 때가 많아 영상 검사가 필요한 경우가 있다. 발꿈치의 통증을 유발할 수 있는 질환은 표 38-2와 같다.

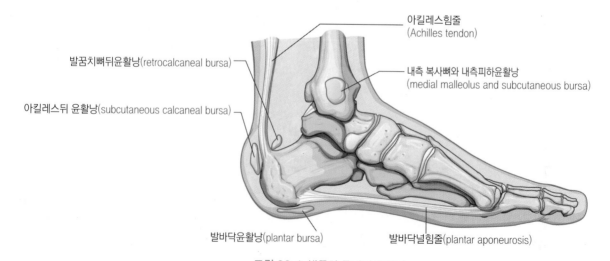

아킬레스힘줄
(Achilles tendon)

발꿈치뼈뒤윤활낭(retrocalcaneal bursa)

내측 복사뼈와 내측피하윤활낭
(medial malleolus and subcutaneous bursa)

아킬레스뒤 윤활낭(subcutaneous calcaneal bursa)

발바닥윤활낭(plantar bursa)

발바닥널힘줄(plantar aponeurosis)

그림 38-4. 발꿈치 주변의 윤활낭

## (2) 아킬레스힘줄 주위 윤활낭염

아킬레스힘줄 주위의 윤활낭으로는 발꿈치뼈뒤윤활낭(ret-rocalcaneal bursa)과 피하발꿈치윤활낭(subcutaneous calcaneal bursa, retroachilleal bursa)이 있다(그림 38-4). 발꿈치뼈뒤윤활낭은 발꿈치뼈와 아킬레스힘줄 사이에 위치하며 윤활낭의 앞쪽은 섬유 연골로 이루어져 있고 뒤쪽은 아킬레스힘줄집과 혼합된다. 이 윤활낭은 발꿈치뼈의 뒤쪽 면과의 마찰 손상에서 아킬레스힘줄을 보호해 주는 역할을 하는데, 발꿈치뼈뒤윤활낭염은 운동 등에 의한 반복적인 외상 외에 류마티스관절염이나 척추관절염 환자에서 흔히 발생한다. 발꿈치의 통증과 부종이 주 증상이며, 진찰 시 발목의 수동적인 발등굽힘에 의해 통증이 악화되고 아킬레스힘줄의 양 옆으로 부종이 관찰될 수 있다.

## (3) 족저근막염

발바닥널힘줄(족저근막)은 발꿈치뼈의 결절의 내측 돌기에서 시작되어 다섯 가닥으로 갈라져 각 발가락근처 피부에 부착하는 긴 섬유로 이루어진 굵은 백색 조직이다. 걸을 때 디딤기에서 발가락이 펴지도록 지지해주며, 종아치의 융기와 후족부의 내번, 결과적으로 다리의 외회전에 관여하는 힘줄막이다. 점프나 장시간 서있기가 주된 운동이나 직업, 비만 및 평발 등이 발바닥널힘줄염의 원인이 되며, 류마티스관절염, 척추관절염, 통풍, 발꿈치 뼈돌기의 존재 등과 관련이 있다. 대부분의 환자에서 발꿈치 패드의 교원질 및 수분 함량이 감소되어 신축성이 약화되는 퇴행 변화를 동반한다. 하중을 받게 되는 발꿈치 밑쪽의 통증이 주된 증상이고 통증이 발바닥널힘줄을 따라 방사된다. 통증은 대개 수면이나 휴식 등 쉬고 난 직후 보행 시 하중을 받을 때 심하며 오래 서 있은 후 통증이 악화된다. 신체검사 시 발꿈치뼈 아래 면의 앞 안쪽 부위의 압통이 특징이고, 발가락을 수동적인 발등굽힘시키는 경우 통증이 악화된다.

## (4) 발목굴증후군

발목굴은 정강뼈, 목말뼈 그리고 굽힘근지지띠로 이루어진 터널로, 뒤정강힘줄, 혈관, 신경과 긴발가락굽힘근과 짧은발가락굽힘근의 힘줄이 이 터널을 지나간다(그림 38-3B). 발목굴증후군(tarsal tunnel syndrome)이란 뒤정강신경이 굽힘근지지띠를 지나는 부위에서 압박을 받아 증상이 나타나는 질환으로, 강직척

추염이나 류마티스관절염 등 주변 연부 조직과 뼈의 잠식이나, 반복되는 운동, 평발, 체중 과다, 힘줄염, 혈종, 종양, 정맥류, 하지의 부종 등 다양한 내외부적 원인에 의해 발생한다. 증상은 밤에 심해지는 발바닥과 발가락의 저린감과 이상 감각 등이고, 심한 경우 발가락 굽힘근의 약화로 인해 발 관절의 불안정화를 유발하기도 한다. 신체검사상 굽힘근지지띠에 압박을 가하거나 능동적 내번 시 증상이 재현되거나, 굽힘근지지띠 부위를 타진함으로써 증상이 재현되는 경우(Tinel sign)와 압박대 검사(Tourniquet test) 양성인 경우 이 질환을 의심할 수 있고, 근전도 검사 등으로 확진이 가능하다.

## 5) 발가락 부위의 통증

### (1) 발허리통증

발허리통증(metatarsalgia)은 한 군데 이상의 발허리뼈의 머리 부위 또는 발허리발가락 관절의 발바닥 면의 통증이 나타나는 질환의 총칭이다. 과다사용, 부적절한 신발, 평발, 체중 과다, 근육 부조화, 지방 패드의 위축, 윤활낭염, 무지외반증, 엄지발가락굳음증, 종자뼈염(sesamoiditis), 모르톤신경종, 발목굴증후군, 동맥부전증 등이 원인이다. 또한, 류마티스관절염이나 골관절염 등 관절염에 의해 발생할 수 있으며 스트레스성 골절을 배제하는 것이 중요하다. 증상은 발허리뼈 머리의 통증이 오래 서 있거나 걷는 경우 심해지며, 신발 속에 모래나 자갈이 들어 있는 것 같은 느낌을 호소한다. 주로 2, 3번째 발허리뼈에 발생하며 그 부위의 압통이나 굳은살 형성이 보이고, 발허리뼈의 머리 부위의 하수 또는 갈퀴발가락(claw toe) 변형이 생길 수 있다.

### (2) 무지외반증

무지외반증(hallux valgus)은 첫째 발허리발가락 관절의 가쪽 치우침 변형으로, 발허리뼈는 안쪽으로, 근위 발가락뼈는 가쪽으로 비틀어져, 발허리뼈간 각도가 정상인 9°보다 증가하게 된다(그림 38-5). 대개는 무증상이지만 좁고 불편한 신발 착용, 이차적인 골관절염, 엄지건막류(bunion) 등에 의해 통증이 유발될 수 있다.

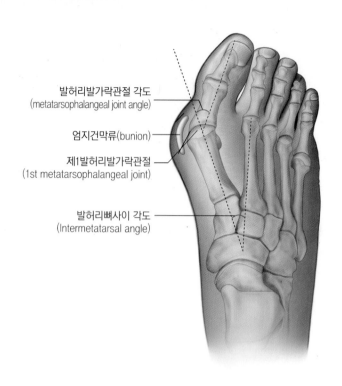

발허리발가락관절 각도
(metatarsophalangeal joint angle)

엄지건막류(bunion)

제1발허리발가락관절
(1st metatarsophalangeal joint)

발허리뼈사이 각도
(Intermetatarsal angle)

그림 38-5. 발허리뼈 간 각도의 측정

### (3) 강직족무지

첫째 발허리발가락관절의 통증과 운동범위가 저하되는 질환으로, 골관절염이나 반복되는 외상, 통풍이나 거짓통풍 등에 의해 유발된다. 하중을 줄 때 엄지발가락 아래쪽의 깊고 둔한 통증을 호소하며 맨발로 걷거나 하이힐을 신을 때 통증이 악화된다. 신체검사상 관절의 연발음, 뼈돌기, 발가락의 발등굽힘 시 유발되는 통증과 운동범위의 저하가 특징이다.

## 특정 질환에서 발과 발목의 통증

### 1) 류마티스관절염

류마티스관절염의 처음 증상으로 발의 통증이 있는 경우는 15-20% 정도에 불과하지만 유병기간이 길어질수록 90% 이상의 환자에서 발이 침범된다. 발허리발가락관절을 침범하는 경우가 80-95%로 가장 많고, 발목뼈중간관절(40-60%), 발목관절(30-50%), 목말발꿈치관절(30-50%)의 순으로 흔하게 침범된다. 관절 변형의 중요한 원인은 활막염, 연골 소실, 골미란, 관절강

협착과 골파괴 등이지만 이차적인 관절 변형의 원인으로 관절의 활막염과 굽힘 힘줄의 염증에 의해 환자는 발바닥 통증이 나타나고 이 통증을 피하기 위해 발등굽힘을 한 상태에서 발꿈치로 걷게 된다. 이러한 자세는 긴발가락폄근 등의 반응성을 유도함과 동시에 갈퀴발이 되고 발허리발가락관절이 탈구된다. 발허리뼈의 머리 부위가 내려가고 전체적인 전족부가 넓어지면서 변형이 일어나게 된다.

### 2) 척추관절염

부착부위염이 특징적인 질환으로, 아킬레스힘줄과 발바닥널힘줄 등 주로 하지의 부착부위염을 보이는 경우가 많다. 환자의 10-60%에서 발생하며 말초관절염에 동반되는 경우도 있지만 부착부위염 단독으로 발생하는 경우도 흔하다. 발꿈치뼈 주위로 부착부위염이 발생한 경우 미미한 통증부터 보행 시 심한 통증까지 다양한 정도의 증상이 나타나고, 특히 잠에서 깨어난 아침에 증상이 심하고 시간이 지나면서 호전되는 특징적 양상을 보인다. 아킬레스힘줄염과 발바닥널힘줄염뿐 아니라 발꿈치뼈뒤윤활낭염과 피하 발꿈치윤활낭염 등이 나타날 수 있고, 부착부위 뼈의 변화로는 뼈돌기와 골미란 등이 관찰된다.

### 3) 통풍관절염

급성 통풍의 경우 50-70%가 첫째 발허리발가락관절에서 발생하며, 재발성 통풍의 경우 그 누적 빈도는 엄지발가락이 76%, 발과 발목이 50%, 무릎이 50%로, 주로 하지에 많이 발생한다. 통풍의 특징적인 임상양상과 심한 압통과 부종, 관절액의 편광현미경 검사를 이용한 요산나트륨결정(monosodium urate crystal)의 확인으로 진단할 수 있다.

### 4) 골관절염

목말발배관절과 목말밑관절에서 발생하는 골관절염은 대개 외상과 관련된 이차성 골관절염인 경우가 많다. 증상은 주로 몸무게를 싣는 경우 발목 통증과 관절 운동 장애가 발생한다. 보행 시 첫째 발허리발가락관절의 통증과 넓어짐이 특징이며, 엄지발가락의 내측부분탈구(medial subluxation)와 가쪽 편위(lateral deviation)가 발생할 수 있다. 또한, 염증이 동반되어 압통과 발등굽힘 시 관절 운동성의 저하 등을 관찰할 수 있다. 무지외반증이

나 엄지발가락굽음증이 전형적으로 나타난다.

가적인 영상검사 등을 통한 진단이 필요하다.

## 결론

발과 발목의 통증은 흔하게 접할 수 있고, 걸음에 중요한 영향을 주므로 삶의 질과 직접적인 관련이 있는 부위이며, 이 부위 통증을 유발하는 질환은 매우 다양하다. 구조물들이 표면에 위치하기 때문에 대부분 촉진이 가능하다. 따라서 복잡한 해부학적인 구조와 운동적 기능의 이해를 토대로 정확한 신체검사와 추

### 참고문헌

1. Firestein GS, Budd RC, Gabriel SE, Koretzky GA, McInnes IB, O'Dell JR. Firestein's and Kelly's textbook of Rheumatology, 10th ed. 2021.
2. Hochberg MC, Silman AJ, Smolen JS, Weinblatt ME, Weisman MH. Rheumatology. 7th ed. 2018.
3. JL Jameson, SJ Mandel, AP Weetman. Harrison's Principles of Internal Medicine. 7th ed. Philadelphia: Elsevier; 2018.

# 39

# 흉곽

한림의대 손경민

- 흉곽은 흉부를 둘러싸고 있는 뼈대로, 내부의 주요 장기를 보호하며 상지의 골격과 근육을 지지해 주는 역할을 한다.
- 흉통은 환자들이 흔하게 호소하는 증상으로 심혈관질환에 의한 중증응급질환에 의한 질환의 감별이 필요하며, 근골격계 흉통은 비심장성 흉통의 가장 흔한 원인이 된다.
- 늑연골염은 근골격계 흉통 중 가장 흔한 원인이다.

## 구조

흉곽은 흉부를 둘러싸고 있는 뼈대로 12개의 흉추(thoracic vertebra), 12개의 늑골(rib), 1개의 흉골(sternum)로 이루어져 있으며, 내부의 주요장기를 보호하며 호흡근육의 부착점이 되고 상지의 골격과 근육을 지지해 주는 역할을 한다. 흉곽의 전면을

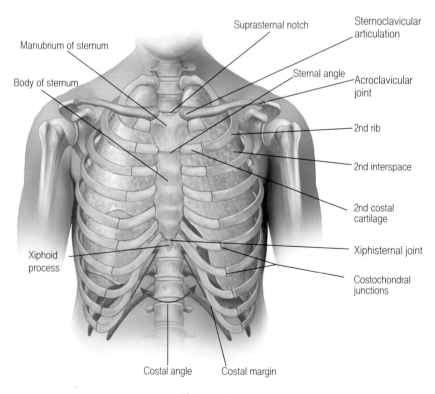

그림 39-1. 흉곽의 구조

이루는 흉골은 파병골(manubrium), 체부(body) 및 검상돌기(xyphoid process)의 세 부분으로 되어 있다. 제1늑골부터 제7늑골은 각각의 늑연골(costal cartilage)로 흉골과 연결되나, 제8늑골부터 제10늑골은 공통연골(common cartilage)에 의해 연결되고 나머지 제11, 12늑골은 흉골과 연결되지 않는 부유늑골(free-floating rib)이라고 한다. 흉곽 내 관절 부위는 복장빗장관절(sternoclavicular articulation)과 봉우리빗장관절(acroclavicular joint), 흉골각(sternal angle), 흉골검상관절(xyphisternal joint)이 있다.

눌림, 긴장 기흉, 급성 종격동염과 같은 경우에는 진단 및 치료에 소요되는 시간이 환자의 예후에 중대한 영향을 미치므로, 이러한 중증응급질환의 가능성을 염두에 두고 평가하여야 한다. 하지만 이러한 응급 질환의 원인이 아닌 경우로는 역류식도염, 소화궤양질환, 간담도질환, 췌장질환, 근골격계질환, 심리학적 질환을 생각해 볼 수 있다. 본 단원에서는 흉통의 원인으로 생각해 볼 수 있는 여러 근골격계 질환에 대하여 알아보도록 한다(표 39-1).

## 증상

흉통은 환자들이 흔하게 호소하는 증상으로서 통증으로 내원하는 환자들 중 복통 다음으로 흔한 것으로 보고된 바 있다. 흉곽의 내·외부와 인근에는 심장, 대동맥, 폐, 식도, 위, 간담도계, 피부, 골격계, 근육, 신경, 유방 등의 많은 장기 및 조직이 존재한다. 특히 급성관상동맥증후군, 대동맥질환, 폐동맥색전증, 심장

#### 표 39-1. 근골격계 흉통의 원인

**근골격계 통증(isolated musculoskeletal pain)**
늑연골염(costochondritis)
하부 늑골 통증 증후군(lower rib pain syndrome)
흉골근 증후(sternalis syndrome)
피로 골절(stress fractures)
티체증후군(Tietze's syndrome)
칼돌기 통(xiphoidalgia)

**류마티스 질환(rheumatic diseases)**
섬유근통(fibromyalgia)
류마티스관절염(rheumatoid arthritis)
축성척추관절병증(axial spondyloarthritis)
건선관절(psoriatic arthritis)
흉골쇄골과골증(sternoclavicular hyperostosis)
전신홍반루푸스(systemic lupus erythematosus)
흉곽의 세균관절염(septic arthritis of the chest wall)
재발다발연골염(relapsing polychondritis)

**비류마티스 질환(non-rheumatic systemic causes)**
골다공증 관련 골절(osteoporotic fracture)
암(neoplasm)
병적 골절(pathological fracture)
골 통증(bone pain)

## 질환

### 1) 늑연골염

늑연골염(costochondritis)은 근골격계 흉통 중 가장 흔한 원인으로, 늑골늑연골관절(costochondral articulation) 부위의 통증이 발생하는 질환으로 주로 40세 이상, 여성에서 흔하게 관찰된다. 주로 3-5번째 늑골늑연골관절 부위에 발생한다. 늑연골염으로 인한 흉통은 순환기계, 소화기계 질환에 의한 증상에 의한 흉통과 증상이 유사할 수 있으며, 류마티스관절염, 강직척추염, 반응관절염도 늑골늑연골관절 부위에 발생할 수 있으므로 이들 질환과의 감별이 필요하다. 티체증후군(Tietze's syndrome)도 2-3번째 늑골늑연골관절 부위에 발생하나 국소적인 비화농염증이 동반되어 관절 부종이 발생된다는 점에서 차이가 있다. 늑연골염은 관절 부위 부종은 관찰되지 않으며 주로 증상이 있는 늑골늑연골관절 부위를 눌렀을 때 통증이 재현된다. 증상은 주로 좌 또는 우측에 여러 부위에서의 늑골늑연골관절 부위에 통증이 나타나며, 주된 치료는 대증적인 치료로 증상 완화를 위한 아세토아미노펜, 비스테로이드소염제를 사용해 볼 수 있고, 국소적인 온찜질을 고려할 수 있다.

### 2) 하부늑골통증증후군

하부늑골통증증후군(lower rib pain syndrome)은 'slipping rib 증후군'이라고도 불리우며, 아래쪽 가늑골(8, 9, 10번)이 인접 늑골 아래로 빠지면서 늑간신경을 자극하여 생긴다. 이들 늑골은 직접 흉골에 붙어있지 않고 서로 붙어있어 과유동성을 보이며 외상을 쉽게 받아 상해를 입으면 이들의 연결이 끊어져 움직일

때 통증을 유발하는 것으로 알려져 있다. 손가락을 늑골 하연에 놓고 앞으로 들어올리는 갈고리 방법(hooking maneuver)으로 통증이 유발되거나 클릭이 느껴질 경우 진단할 수 있다.

### 3) 근막통증증후군

근막통증증후군(myofascial pain syndrome)은 보통 통증유발점(trigger point)이라고 부르는 과민반응을 보이는 지점이 근육 및 근육주위 조직 내에 존재하는 근육질환을 총칭하며, 통증 및 근육경련, 압통, 경직 등의 증상으로 나타나게 된다. 호발 부위는 가슴보다는 머리와 목, 어깨관절 부위 그리고 허리 부위이며, 증상은 통증 유발점 부위 및 떨어진 부위에 연관통으로도 발생한다. 이학적 검사 시 압통이 있는 주위의 근육을 촉진하였을 때 단단한 띠 같은 경결을 만질 수 있는데, 이를 긴장성 띠(taut band)라고 한다. 치료로는 국소마취제나 생리식염수, 또는 소량의 글루코코티코이드를 이용한 통증유발점 주사, 분무제제를 사용한 근육의 신장요법이 대표적인 치료법이고 이외에도 보톡스 치료를 이용할 수 있다.

### 4) 섬유근통

섬유근통(fibromyalgia)은 만성전신통증의 흔한 원인이며, 만성전신통증 이외에도 다양한 임상증상을 동반하게 된다. 수면장애, 우울감, 피로감 이외에도 여러 신체 증상이 동반되게 되며, 연구에 따르면 비심장성 흉통 환자에서 섬유근통 환자의 발병율은 2.7-30% 정도로 보고되었다.

### 5) 류마티스 질환과 관련된 흉통 증상

류마티스 질환 중 척추관절염, 류마티스관절염에서도 흉통이 발생할 수 있으며, 척추관절염에서는 복장빗장관절, 봉우리빗장관절, 흉골, 흉골검상관절에서, 류마티스관절염에서는 주로 복장빗장관절, 봉우리빗장관절에서 발생한다.

### 6) SAPHO증후군

SAPHO증후군(SAPHO syndrome)은 활막염(synovitis), 여드름(acne), 농포증(pustulosis), 과골증(hyperostosis), 골염(osteitis)의 증상을 동반하는 질환이다. 전 연령에서 발생 가능하나 주로 젊은 연령에서 발생한다. 특이적인 골병변으로는 주로 봉우리빗장관절과 복장빗장관절에 골경화성 과골증(osteosclerotic hyperostosis)이 발생하며, 경화성 병변(sclerotic bone lesion)은 뼈 스캔(technetium-99m bone scanning)에서 흡수증가(radionuclide uptake)로 관찰된다. 골 조직검사에서는 균은 잘 배양되지 않으며, 골 주변 관절 부위에 미란성, 염증성 활막염이 발생한다. 척추관절염 질환과 연관이 있는 것으로 알려져 있으며, 13%의 환자에서 HLA-B27 양성이 관찰되며, 1/3 환자에서 천장관절염이나 척추염 소견이 관찰된다. 주로 새로운 골병변이 발생할 때 증상이 발생하는 경우가 많으며, 피부 병변은 골 병변보다 상대적으로 징상이 지속되고, 약물에 대한 반응도 적은 편이다. 치료로는 비스테로이드소염제와 관절내 스테로이드주사를 고려할 수 있으며, 비스테로이드소염제 치료 실패 시 스테로이드 약물을 사용해 볼 수 있다. 그 외에도 메토트렉세이트나 종양괴사인자 길항제, 비스포스포네이트와 같은 약물 사용을 고려하여 볼 수 있다.

📑 **참고문헌**

1. 김예지, 배송이, 최성재, 이영호, 지종대, 송관규. 난치성 SAPHO 증후군에서 Etanercept으로 치료한 1예. 대한류마티스학회지 2012;19: 51-4.
2. 김정환. 비심인성 흉통 환자의 우리나라에서의 진단적 접근. 대한내과학회지 2013;84:512-4.
3. 문철원. 근근막 통증증후군. Korean J Pain 2004;17(2):36-44.
4. 성덕현, 라윤주, 정준용, 정순탁, 정승현, 박승우 외. 근골격계 질환에 의한 전벽부 흉통. Annals of Rehabilitation Medicine 2003;27:17-101.
5. 손희영, 김성규, 김기호. 종설: 호흡기계의 해부. Tuberc Respir Dis 1985;32:1-18.
6. 심현익, 박원, 김여주, 정경희, 백지현, 임미진 외. SAPHO 증후군에서 경구 Alendronate로 치료한 1예. 대한류마티스학회지 2015;22: 313-6.
7. 윤경림. 소아청소년 흉통의 원인과 치료. 대한의사협회지 2020;63:382-9.
8. 이봉기. 흉통을 호소하는 환자에 대한 접근법. 대한내과학회지 2017;92:259-63.
9. Winzenberg T, Jones G, Callisaya M. Musculoskeletal chest wall pain. Aust Fam Physician 2015;44:540-4.
10. Ayloo A, Cvengros T, Marella S. Evaluation and treatment of musculoskeletal chest pain. Prim Care 2013;40:863-87, viii.
11. Almansa C, Wang B, Achem SR. Noncardiac chest pain and fibro-

myalgia. Med Clin North Am 2010;94:275-89.

12. Marc C.Hochberg AJS, Josef S. Smolen, Michael E. Weinblatt, Michael H. Weisman. Sapho Syndrome. Rheumatology (Oxford) 5th ed. 2018. pp. 1682-3.

13. Nguyen MT, Borchers A, Selmi C, Naguwa SM, Cheema G, Gershwin ME. The SAPHO syndrome. Semin Arthritis Rheum 2012;42:254-65.

류 마 티 스 학
RHEUMATOLOGY

PART

# 5

# 류마티스관절염

책임편집자 **유대현**(한양의대)
부편집자 **방소영**(한양의대)

# 40

# 역학과 위험인자

한양의대 **방소영**

## KEY POINTS 🔒

- 류마티스관절염의 유병률은 약 0.3-1.0%이며, 남성보다 여성에서 더 많이 발병하며, 주로 40세 이후 나타나는 자가면역질환이다.
- 류마티스관절염 발병에 유전적 요인이 대략 60% 정도 기여하며, 유전적인 소인이 있는 사람에서 흡연과 같은 여러 환경적 요인에 의해 발병한다.
- 6번 염색체에 있는 HLA-DRB1은 가장 중요한 류마티스관절염의 발병 위험 유전인자이며, 한국인에서는 HLA-DRB1 *04:05와 *09:01가 주요 위험 대립유전자이다. HLA-DRB1 내에 위치하는 5개의 아미노산(11, 13, 57, 71, 74번)이 류마티스관절염 발병에 중요 역할을 한다.
- 환경적 위험요인은 흡연이 가장 잘 알려져 있으며, 유전적·환경적 요인의 상호작용으로 HLA-DRB1 위험 유전자를 가진 사람이 흡연할 경우에는 류마티스관절염 발생위험이 더 크게 증가한다. 흡연은 시트룰린화 생성을 촉진하고, HLA-DRB1 위험유전인자를 가진 사람은 이를 자가항원으로 잘 인식하게 되어 항시트룰린화가 생성되고 면역반응을 유발하여 류마티스관절염 발병에 관여한다.

## 서론

류마티스관절염은 항CCP항체, 항시트룰린화펩티드항체(anti-cyclic citrullinated peptide antibody, ACPA)와 같은 자가항체를 동반하는 자가면역질환으로 관절 손상이 일어나는 대표적

인 근골격계 만성 염증성 면역 질환이다.

류마티스관절염의 정확한 발병원인은 밝혀지지 않았으나, 다수의 유전적 요인과 환경적 요인이 복합적으로 상호작용하여 발생하는 것으로 알려져 있다. 현재까지 병인을 규명하기 위한 류마티스관절염 유전학 및 임상 연구들의 성과로 류마티스관절염의 유력한 100개 이상의 유전자자리(locus)와 흡연 등 환경적 인자가 밝혀지고 있다. 이 장에서는 류마티스관절염의 역학 및 발병 위험인자에 대해서 최근 국내외 연구결과들을 토대로 하여 기술하였다.

## 역학

류마티스관절염은 전 세계적으로 인구의 약 0.3-1.0%에서 나타나고 있으며, 10만 명당 매년 5-50명의 발병률을 보이고 남성보다 여성에서 약 3배 많이 나타나며, 40대에서 70대 사이에서 흔하다. 여성의 발병은 45세까지 지속적으로 증가하다 그 후 비슷하게 유지되는 것으로 알려져 있고, 남성은 젊은 나이에서는 적게 발병하다가 65세 이상에서는 여성과 비슷한 발병을 나타낸다.

### 1) 유병률

류마티스관절염의 유병률은 평균 0.3-1.0%이며, 북유럽 0.5-1.0%, 남유럽 0.3-0.7%, 아시아 중동의 개발 도상국 0.1-0.5%, 북아메리카 인디언 5.3-6.0%, 아프리카 흑인 0.3% 등으로 인종

별로 다양하다. 한국인을 대상으로 한 연구에서 류마티스관절염의 유병률을 1.4%로 추정하였고, 남녀 비는 13.5로 여성 환자의 비율이 현저히 높았다. 제3기 국민건강영양조사에서 우리나라 19세 이상 성인인구의 류마티스관절염의 유병률은 2.1%로 나타났고, 보건지표 자료를 이용하여 조사한 자료에서는 류마티스관절염 유병률을 1.1%로 추정하였다. 한국인 건강보험 청구자료를 이용한 대규모 연구에서 류마티스관절염 환자의 유병률은 0.27%로 발표하였다.

### 2) 발병률

류마티스관절염의 발병률에 대한 여러 연구를 살펴보면, 북아메리카는 10만 명당 20-70명, 북유럽 20-50명, 남부유럽 10-20명, 일본 40-90명의 발병률을 보고하였다. 국내 건강보험 청구자료를 이용한 연구에서 류마티스관절염 환자의 발병률은 인구 10만 명당 42명으로 보고하였다.

### 3) 국내 류마티스관절염 코호트 연구

인종에 따라 역학적, 임상적 특성 및 치료 환경에 차이가 있고 발병 유전자의 차이가 있기 때문에 국내 류마티스관절염 환자를 대상으로 한 환자 코호트 구축과 이를 이용한 연구를 통해 국내 자료를 생성하는 것은 매우 중요한 문제이다. 단일기관 대규모의 류마티스관절염 코호트(BAE RA 코호트)의 자료 분석결과와 전국 다기관 한국인 류마티스관절염 환자 코호트(Korean

Observational Study Network for Arthritis, KORONA) 분석한 연구에서 각각 발병 시의 평균 나이는 41.0, 43.9세, 남녀 비는 7.3, 8.5배, 류마티스인자 89.3, 86.8%, 현재 흡연율은 7.6, 8.0%로 유사하였다. KORONA의 ACPA 양성률은 83.9%이고, 류마티스관절염 질병활성도 점수(disease activity score 28, DAS28) 기준 2.6 이하는 20.9%, 2.6-3.2는 15.1%, 3.2-5.1는 46.8%, 5.1 이상은 16.9%였다.

## 발병 위험인자

류마티스관절염의 발병 위험 인자는 아직 완전히 알려지지 않은 상태이나, 유전적인 소인이 있는 사람에서 여러 가지 환경적 상호작용에 의해 발병하는 것으로 여겨진다.

류마티스관절염은 여러 단계를 거쳐 발병하는 것으로 알려져 있으며 각 단계마다 발병 위험 인자가 영향을 주는 것으로 여겨진다(그림 40-1).

류마티스관절염이 발생하기 전에 많은 경우 자가항체(류마티스인자 또는 항CCP항체)는 생성되었으나 증상이 없으며 질환으로 이행되지 않은 상태(preclinical RA)를 지나, 관절통 등 비특이적인 증상은 있지만 임상적으로 관절염은 아직 없는 상태를 거쳐서 최종적으로 류마티스관절염으로 진행하며 각 단계마다 유전인자 및 환경인자 그리고 이들 간의 상호작용이 영향을 주는 것

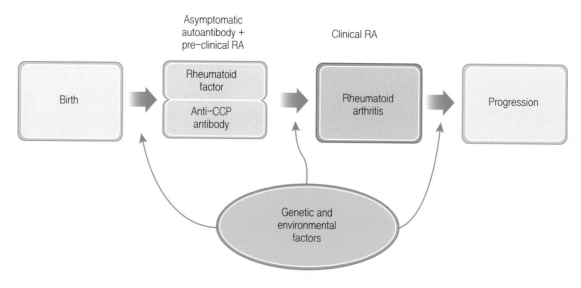

그림 40-1. 류마티스관절염의 발생단계

으로 밝혀지고 있다. 최근에는 무증상 자가항체 양성군의 류마티스 질환 발병 예측을 위한 전향적인 연구들이 진행되고 있다.

그러나, 류마티스관절염의 모든 원인인자들은 밝혀내기가 매우 어려운데, 그 이유는 류마티스관절염이 (1) 유전적 요인과 환경적 요인이 오랜 기간 동안 복합적으로 상호작용하여 나타나는 질환이며, (2) 한 개의 유전인자가 아닌 다수의 유전인자가 작용하는 복합유전질환이고, (3) 관련된 다수의 유전인자들 간의 상호작용이 존재하며, (4) 원인이 되는 유발인자가 인종마다 서로 다를 수 있다는 사실 등을 들 수 있다. 또한 같은 인종이라도 류마티스관절염 자가항체의 유무에 따라 유전적 소인과 환경적 인자 등이 서로 다르다는 연구 결과들이 발표되고 있어, 류마티스관절염의 발병 원인을 찾기 위해서는 각 인종별로 질환의 특성이 세세하게 분류된 연구들이 필요할 것으로 생각된다. 여기서는 현재까지 알려진 류마티스관절염의 대표적인 유전적 요인과 환경적 요인에 대해 살펴보겠다(그림 40-2).

## 1) 유전적 요인

가족 및 쌍생아 연구를 통하여 류마티스관절염의 발생에 유전인자가 기여함이 밝혀져 왔다. 류마티스관절염 환자의 형제는 일반인구보다 류마티스관절염의 발병률이 2-4배 정도 높으며 특히 쌍생아 연구에서 일란성 쌍생아에서 이란성 쌍생아보다 발병 일치율이 약 8배 높게 나타난다. 이러한 여러 연구결과들을 종합해볼 때 유전율(heritability)은 대략 60% 정도로 추정되고 있다. 현재까지 전체 유전율 중 약 30-40% 정도만(HLA 유전자영역 약 15%, non-HLA 유전자영역 약 7%) 규명되었다. 최근 차세대 염기서열결정(next generation sequencing, NGS) 등 다양한 기술로 유전체 변이 분석 및 빅데이터 통계 분석방법의 개발에 힘입어 류마티스관절염의 유전학 연구도 매우 활발히 진행 중이며, 생물정보학을 바탕으로 질병의 연관성 및 질병예측 모델이 제시되고 있다. 외국의 대단위연구를 통하여 밝혀진 류마티스관절염의 유전인자라 하더라도 인종에 따라서 위험 유전자가 서로 다른 경우가 많기 때문에 한국인 류마티스관절염 환자에서도 같은 결과가 재현되는지 검증이 필요하다.

최근 미국·일본·한국을 포함한 환자-대조군 연관연구, 광범위 유전체 연쇄연구(genome-wide linkage study), 전장유전체 연관분석(genome wide association study, GWAS) 및 면역계집중유전

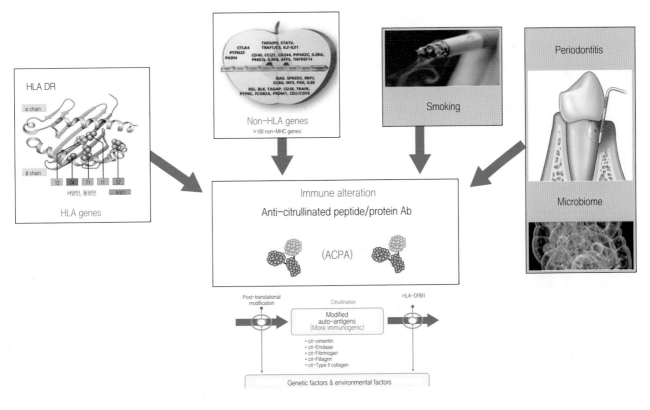

그림 40-2. 류마티스관절염의 발병 위험인자

자변이검사(immunochip) 등 여러 대규모 유전체연구를 통해 류마티스관절염의 위험 유전자자리(loci) 약 100여 개가 밝혀졌다.

## (1) HLA 유전자 영역

류마티스관절염에 관여하는 가장 중요한 유전자인 염색체 6번에 위치하고 있는 조직적합항원(human leukocyte antigen, HLA)은 여러 연구들에서 모두 일관되게 전체 유전적 요인 중 가장 강력한 연관성을 보이고 있다. HLA 중에서도 HLA-DRB1 대립유전자는 류마티스관절염의 가장 강력한 위험 유전자로 알려져 있다. 전통적인 HLA-DRB1의 'shared epitope (SE)' 가설은 HLA-DRβ1 chain의 고변이 부위에서 동일한 아미노산 서열을 만드는 대립유전자를 가지고 있는 사람에서 류마티스관절염의 발병 위험이 증가한다는 것이다. 우리나라와 일본을 비롯한 동양에서는 *04:05, 서양에서는 *04:01이 가장 흔하게 발견되는 대립유전자로서 인종 간의 차이가 있다. 또한 우리나라와 일본을 비롯한 아시아 지역에서는 SE에 포함되지 않는 HLA-DRB1*09:01이 위험 대립유전자로 밝혀졌다. 2004년 한국인 류마티스관절염 환자-대조군 연구에서 *04:05와 *09:01 대립유전자의 이형접합체가 발병을 큰 폭으로 증가시킴을 밝혀내었다. 그 후 한국인 류마티스관절염 환자와 건강한 대조군을 대상으로 한 2009년 및 2013년 연구에서도 HLA-DRB1*04:05/*09:01 이형접합체가 류마티스관절염 발병을 큰 폭으로 증가시키는 일관된 연구결과로 한국인에서 *04:05와 *09:01 대립유전자의 강

력한 연관관계를 보여주었다. 최근 HLA의 아미노산 즉, HLA-DRB1 내에 위치하는 5개의 아미노산(11, 13, 57, 71, 74번)과 HLA-B 9번, HLA-DPB1 9번 아미노산으로 류마티스관절염 발병과 HLA 유전적 연관성을 입증하였다. 특히 서양인에서 먼저 발굴된 HLA-DRB1의 11 또는 13, 71, 74번 아미노산뿐 아니라 한국인에서 가장 연관성이 강한 *04:05가 기여하는 57번 아미노산이 자가항원을 인식하는 에피토프(epitope) 결합 부위의 구조적 영향을 미쳐 이 유전자 변이가 류마티스관절염 발병에 기여함을 발표하였다(그림 40-3).

## (2) Non-HLA 유전자 영역

현재까지 서양인을 대상으로 한 대규모 유전자 연구를 통해 non-HLA 영역에서 새로운 유전인자를 발굴하였다. 국내에서도 한국인을 대상으로 한 전장유전체 연관분석(GWAS) 및 면역유전자집중변이(immunochip) 결과 새로운 한국인 위험 유전자를 제시하였다. 최근 한국인 류마티스관절염에서 차세대염기서열결정(next generation sequencing, NGS) 기술로 주요 유전자를 대상으로 한 targeted exome sequencing 연구에서는 유의한 희귀변이(rare variant)는 발굴되지 않았다. 현재까지 연구결과에 따르면 100개 이상의 수많은 유전자에서 희귀변이보다는 많은 고빈도(common) 또는 저빈도 단일뉴클레오타이드다형성(single nucleotide polymorphism, SNP) 등이 류마티스관절염 발병에 영향을 줄 것으로 여겨지고 있다. 최근 한국인 류마티스관절염 환자와 정상인 약 4만여 명의 대규모 게놈 유전변이를 정밀 분석했고, 한국인칩(KoreanChip, >833K) 등을 이용한 유전체연관분석으로 류마티스관절염 발병의 새로운 원인 유전변이(SLAMF6, CXCL13, SWAP70, NFKBIA, ZFP36L1, LINC00158, p <5.0× $10^{-8}$)를 밝혀내었다.

이들 유전자중 여러 연구에서 류마티스관절염 위험인자로 일관되게 입증되었고, 그 중 한국인을 대상으로 한 데이터가 있는 주요 유전자인 peptidylarginine deiminase 4 (PADI4), signal transducer and activator of transcription 4 (STAT4), protein tyrosine phosphatase N22 (PTPN22) 및 최근 단일세포연구 등 다중오믹스 기반의 류마티스관절염의 새로운 발병 원인을 규명하는 첨단 연구를 간단히 살펴보겠다.

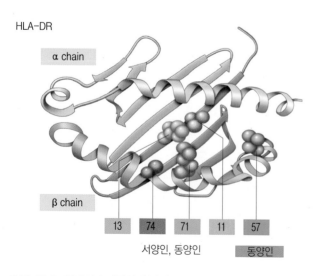

HLA-DR

α chain

β chain

| 13 | 74 | 71 | 11 | 57 |

서양인, 동양인          동양인

그림 40-3. 류마티스관절염의 발병 HLA-DRB1 중요 아미노산

### ① PADI4

류마티스관절염의 유전적 위험 인자로 항CCP항체 및 ACPA 형성과 관련 있는 시트룰린화(citrullination)에 관여하는 PADI4가 류마티스관절염의 감수성 유전자로 2003년 처음 일본인에서 밝혀졌다. 이 유전자의 기능적 일배체형(haplotype)이 류마티스관절염의 발병과 관련되어 있다는 일치된 후속결과들이 발표되었고, 국내에서는 이 유전자의 기능적 일배체형이 류마티스관절염의 발병과 연관되어 있다는 결과들이 발표된 바 있다. 2010년 한국인 환자-대조군 연구에서 PADI4 유전자가 항CCP항체 양성과 음성인 환자들 모두에서 류마티스관절염의 발병과 강한 연관성이 있음을 처음으로 밝혀내었으며, 항CCP항체 유무와 관계없이 HLA-DRB1 SE와 PADI4 유전자들 간의 상호작용이 발생하여 류마티스관절염 발병을 더욱 증가시킴을 입증하였다. 미국과 유럽을 비롯한 서양인에서는 관련이 없는 것으로 보고되었으나, 최근 수만 명을 대상으로 한 immunochip 연구 결과 서양인에서도 연관성을 보였다.

### ② STAT4

GWAS에서 류마티스관절염의 위험영역으로 밝혀진 2번 염색체에 분포하는 13개의 유전자를 북미 류마티스관절염 코호트(NARAC)를 이용하여 세밀하게 분석한 결과 STAT4라는 새로운 위험 유전자를 찾아내었다. STAT4는 한국인 류마티스관절염에서도 감수성 유전자로 밝혀졌으며 미국 내 백인, 유럽인, 일본인 모두에서 일관성 있게 재현되어 HLA-DRB1 이후 밝혀진 동서양의 공통 위험 유전자로서 STAT4는 의미를 가진다.

### ③ PTPN22

서양인을 대상으로 GWAS 포함한 여러 대규모 연구에서 PTPN22 유전자의 rs2476601 단일염기 다형성이 류마티스관절염과 관련을 보였다. 그러나, 한국과 일본을 비롯한 아시아지역의 류마티스관절염 환자에서는 이 PTPN22 유전자의 SNP가 발견되지 않았다. 국내 대규모 연구에서도 류마티스관절염의 발병과 연관되지 않았다는 결과를 보여주어, PTPN22 유전자 연구 결과들로 미루어 서양인과 동양인의 류마티스관절염의 유전적 소인이 매우 다름을 확인하였다.

### (3) 오믹스 연구

최근 유전자연구 뿐 아니라 유전체 발현, 후성유전체 및 단일세포연구 등 다중 오믹스 기반의 류마티스관절염의 새로운 발병원인을 규명하는 첨단 연구가 이루어지고 있다. 유전 위험 유전자변이(risk variant)는 주로 CD4⁺ T세포의 조절 부위에 다수 존재하여 병인 유전자의 발현에 영향을 끼친다고 알려져 있다. 최근 다양한 오믹스(multi-omics) 데이터를 이용하여 류마티스관절염의 관련성이 가장 큰 CD4⁺ T세포 내 류마티스관절염 특이적 특징을 분석하여 유전체, 전사체(유전체 발현) 및 후성유전학적(메틸화) 데이터를 이용하여 새로운 발병기전을 발굴하였다. 또한 유전체와 전사체 및 후성유전체 등 다중 오믹스 기반의 생물정보학 분석을 통해 류마티스관절염 관련 유전자들이 기존 알려진 면역 조직(spleen, EBV-transformed lymphocytes, whole blood) 뿐만 아니라 비면역 조직인 폐와 소장 조직에서 류마티스관절염 발병에 관여한다는 것도 발굴하였다.

## 2) 환경 요인

류마티스관절염의 발병에 있어서 유전적 요인뿐 아니라 환경적 요인이 중요한 부분을 담당할 것으로 여겨진다. 환경적 요인은 교정이 가능한 면이 있기 때문에 병인이 되는 환경적 요인을 찾아내는 것은 향후 질환 발생을 예측 및 예방에 있어 매우 중요한 문제이다. 류마티스관절염의 환경적 요인에 대한 연구는 주로 대규모의 환자-대조군 연구와 코호트 연구를 통해 이루어지고 있다. 최근에는 류마티스관절염의 발현에 영향을 미치는 환경적 요인 자체에 대한 연구뿐 아니라, 특정 환경적 요인이 미치는 영향을 ACPA 자가항체의 유무에 따라 나누어서 분석하고 하기도 하며, 특히 유전적 인자와 환경적 인자의 상호작용에 대한 연구들이 많은 관심을 받고 있다.

### (1) 흡연

현재까지 알려진 류마티스관절염의 환경적 위험요인 중에 가장 강력한 위험인자는 흡연이다. 흡연은 남녀 모두에서 류마티스관절염의 발병에 영향을 미치는데 이러한 영향은 금연 후에도 상당기간 지속되는 것으로 나타났고 발병뿐만 아니라 류마티스관절염의 임상경과에도 나쁜 영향을 미치며, 생물학적제제 등의 약제 치료효과를 감소시키는 것으로 보고되고 있다. 흡연은 류마티스관절염 관련 ACPA 자가항체의 생성과 연관이 있고 병인에 핵심적인 염증사이토카인의 발현에 영향을 미침으로써 류마티스관절염의 발현과 임상경과에 영향을 준다. 최근 흡연이 폐의 정상조직 시트룰린화를 촉진하여, 시트룰린화 단백질(citrullinated protein)을 생성하게 되고, 이를 자가항원으로 인식하게 되어 면역반응을 유발시켜 ACPA 자가항체 형성에 기여함으로써 흡연이 류마티스관절염을 일으키는 것으로 제시하였다. 한국인 환자-대조군 연구에서 담배를 피운 사람의 경우에는 전체 류마티스관절염 발병의 위험도가 약 3배 증가하였고, 흡연이 ACPA 유무와 관계없이 질환 발생을 증가시킴을 보여주었다.

## (2) 치주염

만성치주염은 복합세균감염으로 치주조직의 파괴와 골흡수를 야기해 치아가 상실되는 주된 요인이다. 지금까지 확인된 구강 세균은 500여 종 이상이 있으며, 치주질환 원인균은 치주낭이 깊어짐에 따라 크게 증가된다고 보고하였다. 구강 세균 중 *Porphyromonas gingivalis*가 류마티스관절염의 자가항원인 시트룰린화 단백질 생성에 반드시 필요한 peptidyl arginine deiminase (PAD) 효소를 발현하여 류마티스관절염의 환경적 요인으로 제시되고 있다. 환자-대조군 연구에 따르면 항류마티스약제를 사용하지 않은 비흡연자인 류마티스관절염 환자를 대상으로 한 연구에서 만성치주염이 류마티스관절염 발병위험을 증가시켰고, 치주낭이 깊어짐에 따라 ACPA 자가항체의 수치도 증가하여 만성치주염이 류마티스관절염의 주요한 환경적 위험요인으로 제시되고 있다.

## (3) 장내세균

장점막에서 장내균총 및 그 대사산물은 시트룰린화 단백질 생성보다는 장점막면역조직의 T세포($T_H17$)를 자극하여 전신적인 자가면역 기전을 일으키는 것으로 보고하고 있다. 류마티스관절염 동물모델 연구를 통하여 장내세균이 특정 면역세포(T helper 17, $T_H17$)의 생성을 통하여 자가항체 생성을 조절함으로써 병증을 유도한다고 보고하였으며, 아직 정확한 기전에 대한 더 많은 연구가 이루어지고 있다.

## (4) 감염

세균성 감염 또는 바이러스 감염 등이 자가면역현상을 유발하여 류마티스관절염 발병에 영향을 미칠 것으로 생각되고 있다. 그 근거로 엡스타인-바바이러스(Epstein-Barr virus)나 파르보바이러스(parvovirus) B19에 대한 항체가 류마티스관절염 환자에서 증가되어 있고 이들 바이러스의 DNA가 류마티스관절염 환자의 활막조직에서 검출된다는 점 등이 있으나 확실한 증거는 부족한 상태이다.

## (5) 여성호르몬과 비타민D

류마티스관절염은 여성이 비율이 약 80-90%으로 남성보다는 여성에 발병하는 질환으로 여성호르몬의 질환 발병과 연관성이 제시되어 왔다. 동물실험에서 에스트로젠(estrogen)은 관절염을 호전시키며, 폐경후 여성에서 여성호르몬 복용이 자가면역질환 및 관절염에 효과를 보이는 연구들이 보고되었다. 또한 조기 폐경은 류마티스관절염 발병의 독립된 위험인자로 제시하였다. 향후 이에 대한 대규모 연구를 통한 입증이 필요하다. 비타민D가 류마티스관절염의 발병을 예방한다는 연구들이 있으며, 대규모 연구가 필요하다. 그 외 비만이 항CCP항체 음성인 환자군에서 위험요인으로 보고되었고, 사회경제학적 수준과 교육 수준이 낮을수록 류마티스관절염의 위험도가 높다는 연구들도 있으나 근거가 아직 부족하여 이에 대한 추가적인 연구가 필요하다.

## 3) 유전적·환경적 요인의 상호작용

서양인을 대상으로 한 연구에서 흡연이 류마티스관절염의 위험 유전자인 HLA-DRB1 SE을 가진 사람에게서 시트룰린화 단백질(citrullinated protein)에 대한 면역반응을 유발시켜 ACPA 자가항체생성에 기여함으로써 유전자와 흡연의 상호작용으로 류마티스관절염을 일으키는 것으로 보고하였다. 즉, 특정 위험유전인자를 가진 사람이 흡연을 하는 경우 담배를 피우지 않은 사람보다 류마티스관절염이 발병할 위험도가 큰 폭으로 증가하며, 또한 다른 위험 유전인자까지 가지고 있을 때 더욱 더 발병할 위험도가 높다는 것이다. 지금까지 발표된 서양의 연구들에서는 이 위험 HLA-DRB1 SE 유전자와 흡연이 자가항체 양성인 류마티스관절염 환자에서만 위험인자이며 발병위험을 높인다고 보고하여 왔다. 그러나 한국인 연구 결과에 따르면 HLA-DRB1 SE

유전자와 흡연이 자가항체 양성인 류마티스관절염뿐만 아니라 음성인 류마티스관절염에서도 위험인자임이 밝혀졌다. HLA-DRB1 SE 유전자를 가진 사람이 담배를 피운 경우에는 이 유전자가 없는 비흡연자와 비교했을 때, 항CCP항체 양성인 류마티스관절염 발병의 위험도가 36배나 증가하였고 항CCP항체 음성인 류마티스관절염 발병의 위험도도 12배 증가하였다. HLA-DRB1 SE 유전자와 4가지의 특이 ACPA 자가항체(항CCP항체, 항enolase항체, 항vimentin항체, 항fibrinogen항체)의 국내연구에서, HLA-DRB1 SE 유전자로 인해 ACPA를 가진 사람이 흡연할 경우, 4가지의 특이 ACPA 종류에 관계없이 류마티스관절염의 발병 가능성이 10-15배 정도 증가된다. 또한 HLA-DRB1 SE 유전자와 흡연이 ACPA항체 양성뿐 아니라 음성인 류마티스관절염 발병위험도 모두 증가시킨다는 새로운 발병기전을 제시하였다. 이처럼 서양의 연구와 다른 결과가 나타난 이유는 서양인과 한국인에서 HLA-DRB1 위험 대립유전자의 차이 때문으로 여겨진다.

치주염, 장내세균 등 다양한 환경적 요인들이 류마티스관절염 발병과 관련이 있다고 보고되고 있으며, 그 외 환경적 요인에 대한 확실한 증거는 부족한 상태이다. 최근 다양한 기술로 빅데이터 유전체 통계 분석방법의 개발에 힘입어 생물정보학을 바탕으로 환경적 요인인 임상자료와 유전체, 전사체, 유성유전체 등 다중 오믹스 통합 데이터로 질병기전 발굴, 질병예측 및 이들 데이터를 바탕으로 한 새로운 약물발굴에 초점이 맞추어지고 있다. 현재 대규모의 한국인 류마티스관절염 환자를 대상으로 임상연구를 지속적으로 수행하고 있으며, 또한 치료약물에 대한 개인별 차이가 커서, 개인의 유전형에 따른 예후 및 약물반응을 예측하는 정밀의학(precision medicine) 연구가 진행되고 있다. 향후 조직화된 정확한 임상 정보를 갖춘 임상 코호트연구를 통한 최신 빅데이터 다중 오믹스 연구의 눈부신 발달이 이루어지고 있어, 앞으로 이들 연구를 통한 류마티스관절염 환자를 위한 발병예측과 약물 연구, 나아가 정밀의학 맞춤형 치료에 기여할 것으로 기대하고 있다.

## 결론

류마티스관절염의 유병률은 0.3-1.0% 정도로 알려져 있으나 각 인종별로 유병률의 차이가 있고 1960년대 이후로 류마티스관절염의 유병률과 발병률은 감소하고 있는 추세로 보이나 아직까지 단정하기 어렵고 향후 역학연구들의 결과를 지켜보아야 하겠다. 국내연구로는 특정 지역사회, 특정 의료기관을 대상으로 이루어진 단면 조사 경우 류마티스관절염의 유병률은 1.1-2.1%로 나타났고, 최근 한국인 건강보험 청구자료를 이용한 연구에서 류마티스관절염 환자의 유병률은 0.26-0.27%로 조사되었다.

류마티스관절염은 유전적 요인과 환경적 요인의 상호작용으로 인해 발생하는 질환으로 동서양에서 공통적이며 대표적인 유전적 요인은 HLA-DRB1이며, HLA-DRB1 내에 위치하는 4개의 아미노산(11, 57, 71, 74번)이 류마티스관절염 발병에 중요 역할을 한다. PTPN22과 PADI4 유전자처럼 류마티스관절염 연관 유전자가 인종마다 차이가 있다. 흡연은 가장 강력한 류마티스관절염의 환경적 요인이며, 유전적 요인과 흡연과의 상호작용 관련 연구들이 발표되었다. 광범위한 역학 연구들로부터 흡연,

## 참고문헌

1. Bang SY, Han TU, Choi CB, Sung YK, Bae SC, Kang C. PADI4 haplotypes interact with shared epitope regardless of anti-cyclic citrullinated peptide antibody or erosive joint status in rheumatoid arthritis: a case control study. Arthritis Res Ther 2010;21:R115.

2. Bang SY, Lee KH, Cho SK, Lee HS, Lee KW, Bae SC. Smoking increases rheumatoid arthritis susceptibility in individuals carrying the HLA-DRB1 shared epitope, regardless of rheumatoid factor or anti-cyclic citrullinated peptide antibody status. Arthritis Rheum 2010;62:369-77.

3. Bang SY, Na YJ, Kim K, Joo YB, Park Y, Lee J, et al. Targeted exon sequencing fails to identify rare coding variants with large effect in rheumatoid arthritis. Arthritis Res Ther 2014;16(5):447.

4. Chun S, Bang SY, Ha E, Cui J, Gu KN, Lee HS, Kim K, Bae SC. Allele-Specific Quantification of HLA-DRB1 Transcripts Reveals Imbalanced Allelic Expression That Modifies the Amino Acid Effects in HLA-DRβ1. Arthritis Rheumatol 2021;73:381-391.

5. Deane KD, Holers VM. Rheumatoid Arthritis Pathogenesis, Prediction, and Prevention: An Emerging Paradigm Shift. Arthritis Rheumatol 2021;73:181-93.

6. Fisher BA, Bang SY, Chowdhury M, Lee HS, Kim JH, Charles P, et al. Smoking, the HLA-DRB1 shared epitope and ACPA fine-specificity in Koreans with rheumatoid arthritis: evidence for more than one

pathogenic pathway linking smoking to disease. Ann Rheum Dis 2014;73:741-7.

7. Gu KN, Bang SY, Lee HS, Park Y, Kang JY, Kim JS, Nam B, Yoo HS, Shin JM, Lee YK, Lee TH, Chun S, Cho SK, Choi CB, Sung YK, Kim TH, Jun JB, Yoo DH, Kim K, Bae SC. Deletion at 2q14.3 is associated with worse response to TNF-α blockers in patients with rheumatoid arthritis. Arthritis Res Ther 2019;28;21:195.

8. Ha E, Bang SY, Lim J, Yun JH, Kim JM, Bae JB, Lee HS, Kim BJ, Kim K, Bae SC. Genetic variants shape rheumatoid arthritis-specific transcriptomic features in CD4+ T cells through differential DNA methylation, explaining a substantial proportion of heritability. Ann Rheum Dis 2021;80:876-883.

9. Kim K, Bang SY, Lee HS, Bae SC. Update on the genetic architecture of rheumatoid arthritis. Nat Rev Rheumatol 2017;13:13-24.

10. Kim K, Bang SY, Lee HS, Cho SK, Choi CB, Sung YK, et al. High-density genotyping of immune loci in Koreans and Europeans identifies eight new rheumatoid arthritis risk loci. Ann Rheum Dis 2015;74:e13.

11. Kwon YC, Lim J, Bang SY, Ha E, Hwang MY, Yoon K, et al. Genome-wide association study in a Korean population identifies six novel susceptibility loci for rheumatoid arthritis. Ann Rheum Dis 2020;79:1438-45.

12. McInnes IB, Schett G. The pathogenesis of rheumatoid arthritis. N Engl J Med 2011;365:2205-19.

13. Okada Y, Kim K, Han B, Pillai NE, Ong RT, Saw WY, et al. Risk for ACPA-positive rheumatoid arthritis is driven by shared HLA amino acid polymorphisms in Asian and European populations. Hum Mol Genet 2014;20;23:6916-26.

14. Okada Y, Wu D, Trynka G, Raj T, Terao C, Ikari K, et al. Genetics of rheumatoid arthritis contributes to biology and drug discovery. Nature 2014;506:376-81.

15. Raychaudhuri S, Sandor C, Stahl EA, Freudenberg J, Lee HS, Jia X, et al. Five amino acids in three HLA proteins explain most of the association between MHC and seropositive rheumatoid arthritis. Nat Genet 2012;29;44:291-6.

16. Sung YK, Cho SK, Choi CB, Bae SC. Prevalence and incidence of rheumatoid arthritis in South Korea. Rheumatol Int 2013;33:1525-32.

17. Sung YK, Cho SK, Choi CB, Park SY, Shim J, Ahn JK, et al. Korean Observational Study Network for Arthritis (KORONA): establishment of a prospective multicenter cohort for rheumatoid arthritis in South Korea. Semin Arthritis Rheum 2012;41:745-51.

18. Viatte S, Plant D, Raychaudhuri S. Genetics and epigenetics of rheumatoid arthritis. Nat Rev Rheumatol 2013;9:141-53.

# 41

# 병인기전

**경북의대 강영모**

## KEY POINTS 🔒

- 류마티스관절염은 활막에서 발생하는 만성 염증을 특징으로 하며 관절파괴와 변형이 일어난다.
- 병리소견은 염증세포 침윤 및 활막증식과 연골 및 뼈 파괴를 특징으로 한다.
- 병인기전은 유전적 요인과 환경인자에 의해 자가면역성이 발생하며 호르몬과 장내세균과 같은 내외적요인에 의해 활막염이 발생한다.
- 활막염은 $T_H17$세포를 중심으로 하는 T세포와 B세포, 그리고 대식세포 등의 염증세포 유입이 중요하며 거주세포인 섬유모세포-유사 및 대식세포-유사 활막세포가 증식하여 파누스 (pannus)를 형성함으로써 관절파괴를 일으킨다.
- 활막염 조직의 직접적인 침습 및 염증매개물을 통한 간접적인 작용으로 연골 손상과 뼈 파괴를 일으키며 그 결과 관절의 구조적 변형을 유발한다.

## 서론

류마티스관절염은 관절조직에 발생하는 만성 염증질환으로서, 특히 가동관절(diarthrodial joint)의 활막조직에 일차적으로 염증이 발생하며 염증이 지속됨에 따라 활막증식과 이로 인한 연골 및 뼈 손상이 동반된다. 활막염이 진행되면 관절 주위 조직인 인대, 힘줄, 관절낭 그리고 근육도 염증의 영향을 받아 손상과 약화 혹은 불균형이 발생하며 이로 인해 관절변형은 가속화된다. 관절염이 발병하는 이유는 아직 규명되지 않았으나 유전적 인자와 흡연과 같은 환경적 요인의 상호작용에 의해 자가면역반응이 시작되고, 호르몬과 같은 내적 인자나 스트레스와 같은 외적 인자에 의해 이 과정이 증폭될 것으로 추정하고 있다.

## 병리학

### 1) 활막의 정상구조

정상 가동관절은 두 개의 뼈 끝부분이 맞닿아 있고, 끝부분에 유리연골(hyaline cartilage)이 있어 마찰과 충격을 완화하는 기능을 담당하며, 접촉 부분을 관절주머니가 싸고 있는 구조를 갖고 있다. 관절주머니의 가장 안쪽 면에 위치한 활막은 1-3개의 세포층으로 이루어진 표층(lining layer)과 느슨한 교원조직과 지방세포가 분포되어 있는 하층(sublining layer)으로 이루어져 있다. 활막 표층을 구성하는 활막세포는 상피세포를 대신하여 비교적 밀집된 구성을 갖고 있으며 cadherin 11을 통해 세포 간의 단단한 접촉을 유지한다. 표층은 기저막 구조를 갖고 있지 않다. 활막세포는 대식세포-유사세포(A형)와 섬유모세포-유사세포(B형)의 두 종류가 있다. 골수에서 발생한 A형 활막세포는 단핵구-대식세포 표지자인 CD68과 CD14를 발현하고 있으며 탐식기능을 유지하고 있다. B형 활막세포는 섬유모세포와 구조와 기능에 있어 유사하며 uridinediphosphoglucose dehydrogenase (UDPGD)를 발현하고 있어 관절액의 주요 구성성분인 히알루론산(hyaluronic acid)을 생산한다. 연골에는 혈관이 없기 때문에 관절액을 통해 영양을 공급받아야 하며 이를 위해 세동맥과 모세혈관이 활막 표층까지 분포되어 있다.

## 2) 진행과정

류마티스관절염은 활막조직의 비후가 특징이며, 이는 활막 표층세포의 증식과 하층조직 내의 염증세포 침윤 그리고 신생혈관 형성과 세포외기질 증가에 의해 진행된다(그림 41-1). 활막염의 초기 병변은 미세혈관의 손상으로 시작되며 혈관 충혈, 내피세포 활성화 및 투과성 증가, 그리고 혈관 내강폐쇄에 의한 간질의 부종과 섬유소 축적이 뒤따른다. 초기부터 염증세포의 침윤이 관찰되며 표층의 활막세포 증식도 일어나는데 B형 활막세포의 증식이 더 뚜렷하다. 활막염이 진행된 병변은 활막세포의 증식이 지속되어 조직의 융모성 비후가 뚜렷해지며 표층을 구성하는 세포 가운데 A형 활막세포가 더욱 많아진다. 활막 하층의 염증세포 침윤이 심해지면 림프소포(lymph follicle)와 같은 특이적인 미세구조를 형성하기도 한다. T세포와 B세포가 세포 무리를 형성하거나 더 나아가 소포수지상세포(follicular dendritic cell)를 중심으로 배중심(germinal center)에 있는 림프소포를 형성하기도 한다. 이를 비림프조직에서 형성되는 림프소포라고 하여 3차 소포(림프절에는 1차 및 2차 소포가 있으며 배중심은 2차 소포에 있음)라고 한다. 세포의 활성화와 증식이 진행됨에 따라 대사 요구도가 늘어나면서 허혈과 염증매개물에 의한 내피세포 활성화가 동반되고 혈관 분포가 급증한다. 비후된 활막조직의 혈관 구조는 정상조직과 달리 불규칙한 모양을 갖고 있으며 만곡도와 분지가 증가되어 있을 뿐 아니라 팽창되어 있다. 이에 비해 림프혈관 신생은 상대적으로 부족한 상태로 유출된 혈액이 순환계로 재유입되는 효율은 낮아져 있다. 그 결과 부종이 일어나면서 세포외기질의 증가가 활막조직 비후를 심화시킨다. 증식된 활막조직은 연골과 뼈를 침식하는데 이를 파누스(pannus) 조직이라 한다. 활막염의 말기 병변은 증식되었던 세포가 사멸하면서 세포외기질이 증가되는 조직 리모델링이 일어난다.

## 3) 적응면역의 병리

### (1) T세포 병리

활막하층에 주로 침윤되는 T세포는 활막에 침윤되는 세포 가운데 약 30-50%를 차지하며 대부분 CD4$^+$이며(CD4$^+$:CD8$^+$ 비율이 4:1에서 14:1 정도임), 이들은 주로 기억세포들로서 CD45RO$^{high}$ CD11a/CD18 (LFA-1)$^{high}$, CD49d/CD29(VLA-4)$^{high}$, CD44$^{high}$, CD7$^{low}$의 표현형을 갖고 있다. 상당수의 T세포들은 활성화된 상태로 HLA-DR과 CD27을 발현하고 있어 B세포

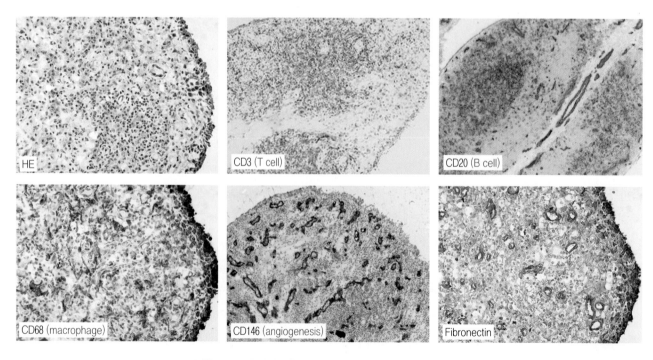

그림 41-1. 류마티스활막염 조직의 세포 및 세포외기질 분포

를 위한 조력세포 역할을 효율적으로 담당할 수 있다. CD4+ T세포는 세포 무리에서 B세포와 혼재되어 있거나 림프소포에서 소포수지상세포 주위에 B세포와 함께 밀집되어 있는 반면, CD8+ T세포는 림프소포의 경계부와 소포간 조직에 미만성으로 분포하며 다량의 인터페론(interferon, IFN)-γ를 생산한다. 활막조직의 CD4+ T세포의 아형에는 인터루킨(interleukin, IL)-17을 생산하는 $T_H17$세포가 증가되어 있으며 IFN-γ를 생산하는 $T_H1$세포는 상당히 적게 분포되어 있다. 조절 T (regulatory T, Treg)세포들은 활동성 류마티스관절염 환자의 활막에서 관찰되고 관절액에서도 발견된다. 이들 T세포 아형들의 기능적 균형에 의해 활막염이 조절될 가능성에 대한 광범위한 연구가 진행되고 있다.

### (2) B세포 병리

B세포는 활막염 조직 내에 증가되어 있으며 미만성으로 분포되기도 하지만, 림프소포가 형성된 조직에서는 소포수지상세포와 밀접한 접촉을 보이며 그 주변에 집중된 분포를 보임으로써 효과적인 항체 생산이 가능한 구조를 형성한다. 항체를 생산하는 형질세포도 증가되어 있으며 이들 중 일부는 류마티스인자를 분비한다. B세포는 항체 생산뿐 아니라 T세포에 항원제시세포 역할을 하거나, 사이토카인 생산을 통해 다른 항원제시세포를 활성화시켜 자가반응성을 높일 수 있다.

### 4) 활막 중간엽세포 병리

표층을 구성하는 활막세포는 염증의 초기 단계부터 증식되며, 질병이 진행됨에 따라 A형 활막세포의 증가가 더 뚜렷해진다. 대식세포 계열의 활막세포는 HLA-DR을 많이 발현하고 있어 T세포에 대한 항원제시기능이 효율적일뿐 아니라, 활성화된 상태에서는 종양괴사인자(tumor necrosis factor, TNF)-α, IL-1, IL-6와 같은 사이토카인을 대량으로 생산하며, 기질금속단백분해효소(matrix metalloproteinase, MMP), 카텝신 B, 산소 자유라디칼을 생산함으로써 염증을 증폭시키고 연골 파괴를 촉진한다. 정상 활막의 80%를 차지하는 B형 활막세포는 섬유모세포와 유사하나 류마티스관절염 조직에 있는 B형 활막세포는 접촉억제(contact inhibition; 세포배양 시 융합층을 형성하면 세포 간의 접촉에 의해 더 이상 증식하지 않는 현상)가 일어나지 않는 악성세포 변형과 유사한 변화가 일어나 활막 표층에 융모를 형성하며

증식한다. 이들은 세포 표면에 낮은 수준의 MHC class II 분자를 발현하고 혈관세포부착분자(vascular cell adhesion molecule, VCAM-1)를 항상 발현하고 있으며, 염증환경에서는 활성화되어 다량의 사이토카인과 단백분해효소들을 생산함으로써 염증진행 및 관절파괴를 일으킨다. 류마티스관절염에서 관절 파괴는 활막세포 증식으로 형성되는 파누스 조직에 의해 일어난다.

### 5) 파누스의 특성

활막조직이 연골과 접하는 부위에는 섬유모세포가 연골과 닿아있는 transition fibroblastic zone이 있으며 이 부위에서 파누스 조직이 발달한다. 파누스는 관절연골에 부착하여 표면을 따라 증식하며 직접적으로 혹은 염증매개물을 통해 연골세포를 자극하여 단백분해효소 분비를 유도함으로써 연골파괴를 일으킨다. 뿐만 아니라, 파누스가 접촉하고 있는 뼈를 침식함으로써 골미란을 일으킬 수 있으며 이는 직접적인 작용과 함께 파골세포 분화 촉진을 통해서 유도된다. 관절염의 활성도가 소멸됨에 따라 파누스 조직의 구성도 세포와 혈관이 거의 없는 섬유조직으로 바뀌게 되며, 이를 비활성 파누스라고 한다. 파누스 조직은 섬유모세포-유사 활막세포(B형) 증식에 의해 형성되지만 대식세포와 염증세포도 포함되어 있으며 혈관신생이 뚜렷하다. 활막조직 생검 소견은 류마티스관절염을 이해하는 데 도움이 될 수 있겠지만, 다른 종류의 염증관절염에서도 유사한 병리소견을 나타낼 수 있기 때문에 활막 생검의 류마티스관절염에 대한 진단적 가치는 높지 않다.

### 6) 관절외 질환의 병리

류마티스관절염에서 다양한 형태의 관절외증상이 동반될 수 있으며 류마티스결절을 비롯하여 피부, 폐, 심장, 신경, 안구, 그리고 신장을 침범할 수 있다. 대부분의 관절외증상은 혈관염에 의한 것으로 주로 혈청 양성 환자에서 관절 침범 정도와 무관하게 발생할 수 있다. 류마티스결절은 피하결절로서 외부 압력이나 반복적인 자극을 받는 관절 주위에 흔하지만 폐, 늑막, 뇌막, 활막 등에도 발생한다. 조직 소견은 3개의 전형적인 층을 보이는 육아종으로 중심의 괴사부위에는 세포 잔해, 콜라겐, 섬유소, 점액다당류, 핵단백 등이 포함되어 있고, 그 주위를 줄지어 서 있는 대식세포가 차지하고 있다. 대식세포에는 HLA-DR의 발현이 증

가되어 있으며, 활막조직의 대식세포와 유사한 특성도 있다. 외연부에는 림프구, 형질세포, 그리고 조직구로 구성된 염증세포들이 혈관 주위에 침윤되어 있으며 다핵거대세포가 관찰되기도 한다.

## 병리기전

### 1) 개요

류마티스관절염은 자가면역질환이며 아직 원인이 규명되지 않았지만 유전적 요인과 환경인자의 상호작용에 의해 자가항원에 대한 면역관용이 무너지면서 자가면역이 발생한다. 자가면역반응은 관절염으로 진행되며 활막조직의 염증이 진행되면서 선천 및 적응 면역세포의 침윤과 중간엽세포의 증식이 일어나고, 그 결과 연골 및 뼈 파괴와 같은 관절의 구조적 변형이 발생한다. 염증과정에는 사이토카인 및 케모카인, 기질단백분해효소 등 많은 염증매개물이 관여하며 이들은 관절외증상을 유발하기도 한다.

### 2) 자가면역의 발생: 유전자-환경 상호작용기전

류마티스관절염은 면역관용의 붕괴와 그로 인한 자가면역기전이 가장 핵심 과정으로 밝혀져 있으나, 자가항원에 대한 면역관용 소실의 원인은 규명되지 않았다. 자가면역 발생에는 유전인자와 환경인자가 관여할 것으로 알려져 있다. 류마티스관절염의 감수성 유전자인 HLA-DRB1 부위의 공유에피토프(shared epitope, SE) (QKRAA)는 T세포수용체 레퍼토리 선택에 관여하거나 항원, 특히 관절염을 유발할 수 있는 항원에 대한 결합력에 영향을 미침으로써 T세포-매개반응을 조절하며 이를 통해 자가면역발병의 위험도를 높일 수 있다. 하지만, 일란성 쌍생아 연구에서 보듯이 유전적 요인의 역할이 제한적인 것으로 나타나고 있어 환경적 요인의 중요성도 높을 것으로 보인다. 감염은 오랫동안 류마티스관절염의 환경적 인자로 생각되었다. 특히, 엡스타인-바바이러스(Epstein-Barr virus)나 거대세포바이러스가 주목을 받았으며, 박테리아(Proteus spp, Escherichia coli 등)도 분자모방기전을 통해 류마티스관절염 발병에 관여할 가능성이 제기되었으나 구체적인 기전이 증명되지 못하였다. 환경인자 가

운데 가장 명확한 원인 인자로 규명되어 있는 흡연은 특히, anti-citrullinated peptides antibody (ACPA)가 양성인 환자에서 HLA-DRB1 SE와 상호작용하여 류마티스관절염의 위험도를 높인다. 즉, 유전적 요인과 환경 인자의 상호작용으로 특정 자가항원에 대한 면역관용을 잃게 만들 것으로 추정하고 있다. 단백의 시트룰린화는 아르기닌에서 deimination을 통해 시트룰린으로 전환되는 번역 후 변형과정이며 peptidylarginine deiminase (PAD) 효소에 의해 매개된다. 양전하를 띈 아르기닌을 중성인 시트룰린으로 교체하면 단백의 소수성이 증가되어 3차 구조의 변화가 일어난다. 그 결과 새로운 에피토프로 인식되어 면역반응이 유도될 수 있다. 류마티스관절염에서는 fibrinogen, vimentin, 2형 콜라겐, α-enolase의 시트룰린화가 중요한 자가항원으로 연구되고 있으며 관절염 조직에는 PAD2와 PAD4가 발견된다. 흡연을 하면 기관지 점막과 폐포세포에서 PAD2 발현을 증가시키며, 담배연기에 있는 cyanide가 thiocyanate로 대사된 후 homocitrulline을 생성한다. 치주염과 류마티스관절염의 연관관계를 연구하는 과정에서 치주염의 주요 원인균인 Porphyromonas gingivalis가 인간 PAD와 유사한 PAD (PPAD)를 생산하는 것을 발견하였다. PPAD는 카복시말단의 아르기닌을 시트룰린화시킬 수 있어 인간 fibrinogen과 α-enolase를 시트룰린화시킬 수 있다. HLA-DRB1의 SE가 있을 때 시트룰린화 단백의 생성이 T세포 반응을 촉진한다는 연구 결과들이 나오고 있어 유전자와 환경 요인의 상호작용 기전이 규명될 가능성이 높아지고 있다. 다만, 류마티스관절염과 치주염의 관계를 P. gingivalis가 설명하지 못한다는 연구결과들이 최근 발표되어 그 관련성에 있어 논란이 있다. 최근 미생물총(microbiome)이 질병의 위험인자로 작용하고 질병진행에 관여한다는 근거가 제기되고 있다. 수만 종에 이르는 장내 미생물은 인체 내에서 영양분의 생산, 해독과정, 병원균에 대한 방어 기전을 통해 협력하는 공생관계를 유지하고 있다. 하지만 류마티스관절염 환자의 대변이나 침에는 정상인과 다른 미생물 구성이 관찰되며, 일부 연구에서 초기 류마티스관절염 환자의 장내에 Prevotella copri가 증가되어 있는 반면 Bacteroides 균주는 감소되어 있으며, 항류마티스약제 치료에 의해서도 미생물의 변화가 초래되는 것을 확인하였다. 이런 장내세균불균형(dysbiosis)은 인체의 염증촉진 및 억제 면역반응의 균형을 변화시킴으로써 류마티스관절염의 발병 위험 및 진행에 영향을 미칠

것으로 추정하고 있다.

### 3) 활막염 발생과 진행

전신적인 자가면역반응의 결과 류마티스관절염의 활막조직에는 만성 염증이 발생하며 그 결과 활막비후가 나타난다. 염증이 발생한 활막조직에는 순환계를 통해 T세포, B세포, NK세포, 단핵구, 중성구 등이 유입되며 활막에 거주하는 A형 및 B형 활막세포들이 활성화되면서 증식하게 된다. 염증 과정 동안 다양한 염증매개물, 즉 사이토카인, 케모카인, 성장인자 등이 축적되어 면역반응과 효력 경로를 더욱 증폭시킨다. 뿐만 아니라, 증가된 대사요구도 및 염증매개물 생산 결과로 혈관신생이 일어나 더 많은 영양소와 산소를 공급할 뿐 아니라 염증세포의 유입도 증가시킨다.

#### (1) T세포-매개 면역반응

1970년대에 T세포 연구가 본격화되면서 활막염 조직 내의 T세포가 주요 세포군이며, T세포에 대한 항원제시가 유일한 기능인 HLA-DR과 질병의 연관성을 바탕으로 T세포의 중요성이 부각되었다. 류마티스관절염의 활막조직에 존재하는 염증세포 가운데 T세포가 가장 많이 분포하며 대부분이 효력세포나 기억세포들이다. T세포는 실험적 연구를 통해 병인기전에 핵심역할을 담당할 가능성이 제시되었다. Total nodal irradiation이나 항 CD52 항체를 이용하여 T세포를 모두 제거하는 실험에서 관절염의 치료효과가 부분적으로 나타났고, T세포-의존성 동물관절염모델에서는 항T세포치료가 관절염의 발병초기에 더 나은 효과를 나타낸다. 임상적인 연구에서 T세포에 제시할 항원과 결합하는 HLA-DR 분자가 질병과 연관성을 나타내기도 한다. 하지만 T세포를 모두 제거해도 치료 반응이 예상보다 낮았다. 그 이유는 염증을 촉진하는 T세포와 조절 T세포가 모두 제거되는 것으로 설명하고 있어 활성화된 T세포만을 억제하거나 제거하면 더 효과적일 가능성이 있다. 실제로 abatacept는 co-stimulation 경로를 억제함으로 T세포 활성화를 억제하여 치료효과를 나타낸다. 따라서 T세포 전체를 억제하는 것보다 활성화의 공통경로를 억제하는 방법을 통해 좀 더 효과적인 T세포 억제기전을 연구할 필요성이 있다.

#### ① 활막조직의 T세포 이주

관절염 조직에 분포하는 T세포는 효력세포와 기억세포로 CD45RO를 발현하고 있으며 CD69와 MHC Class II 항원과 같은 활성화 표지자도 발현하고 있다. 최근 연구에서 naive T세포와 효력/기억 T세포는 이주리간드와 수용체의 레퍼토리가 달라 해부학적 부위에 있는 특이적인 미세혈관과 상호작용하는 능력이 제한되어 있다. 이에 따라 주로 이주하는 표적장기가 다르다. 효력/기억 T세포는 주로 비림프조직과 염증부위로 이주한다. 이들의 종착지는 발현하고 있는 표지자에 따라 결정되는데 활막염 조직으로 이동하는 T세포는 CCR4와 CCR6를 발현하고 있으며 IL-17의 자극으로 생산되는 CCL-20 (MIP-3α)에 의해 효과적으로 유도된다. 하지만 활막염 조직에 있는 활성화된 T세포들이 활성화된 상태에서 유입되었는지, 조직에서 활성화된 것인지 아직 명확하게 규명되지 않았다.

#### ② 활막염 조직의 T세포 분화

류마티스관절염의 활막에 있는 T세포들은 활성화된 상태로 있으며 B세포를 위한 조력 T세포로서 항체생산 및 affinity maturation을 촉진하거나 염증반응을 증가시킬 수 있다. 1986년 조력 T세포가 $T_H1$과 $T_H2$로 분류되기 시작하면서 $T_H1$세포가 관절염의 원인기전으로 연구되었으나 $T_H1$세포가 생산하는 IFN-γ가 조직에 적을 뿐 아니라 IFN-γ와 IL-12p35가 결핍된 마우스에 관절염이 오히려 더 심해져 $T_H1$세포는 핵심 기전이 아닌 것으로 규명되었다. 이에 비해 IL-17을 억제하면 관절염이 호전될 뿐 아니라, $T_H17$ 세포 분화에 중요한 IL-6 결핍 마우스에서도 관절염이 차단된다. 류마티스관절염 환자의 활막조직에서 $T_H17$세포는 혈관주위에 많이 분포하는 것이 밝혀졌으며, IL-17 차단항체가 류마티스관절염 치료에 효과적이었다. 이와 대조적으로 IL-6 없이 TGF-β만으로 자극할 경우 전사인자인 FoxP3가 유도되며 그 결과 $T_H0$세포는 $T_{reg}$세포로 분화된다. IL-10과 TGF-β를 분비함으로써 항염증작용을 나타내는 $T_{reg}$세포는 류마티스관절염에서 감소되어 있다. 염증환경에는 $T_H17$세포로 분화하는데 필요한 IL-6, IL-1β, TGF-β, IL-21, IL-23가 충분하며 그 결과 T세포 분화의 균형도 $T_{reg}$세포보다 $T_H17$세포가 증가되는 쪽으로 기울어져 있다.

### ③ T세포의 효력경로

T세포가 활막염을 조절하는 기전은 사이토카인과 같은 수용성 매개물을 분비하거나 중간엽세포의 직접적인 상호작용을 통해 활성화를 촉진시킨다. T세포의 대표적인 사이토카인인 IL-17은 중성구, 대식세포, 섬유모세포, 그리고 골모세포를 활성화시킬 수 있으며 염증물질의 생산을 자극하여 활막염을 악화시킬 수 있다. $T_H17$세포는 IL-21을 생산하여 positive feedback loop를 형성하기도 한다. T세포는 주변에 있는 대식세포와 섬유모세포와도 직접적인 접촉을 통해 활성화시킬 수 있으며 이때 CD40-CD40L, LFA1-ICAM1, 그리고 CD2-LFA3 상호작용이 관여할 것으로 추정되고 있다.

### ④ T세포클론분석

관절의 자가항원이 활막염에 있는 T세포를 활성화하는지에 대해서는 아직 결론이 없다. 자가반응 T세포를 찾기 위해 T세포수용체 레퍼토리 연구의 결과 활막염에서 T세포수용체의 올리고클론 확장을 확인하였으며 이는 항원-특이적 반응의 결과로 추정된다. 자가항원에 의한 일차적인 반응의 결과일 가능성과 함께 질병의 원인이 아니라 T세포를 활성화시킬 수 있는 이차항원에 대한 반응에 의한 것일 가능성도 있을 것으로 추정되고 있다. 류마티스관절염의 초기에는 항원-특이적인 T세포수용체 클론들이 유입되지만 진행과정 동안 항원-비특이적 세포들의 유입이 증가되면서 항원-특이적 T세포클론들이 가려져 있을 가능성도 있다.

### (2) B세포-매개면역반응 및 자가항체

B세포에서 생산되는 류마티스인자의 중요성은 70여 년의 연구를 통해 밝혀지고 있다. 1940년 Eric Waaler가 류마티스인자를 발견한 후 1950년대에 류마티스관절염의 병인은 자가면역반응이라는 개념이 정립되기 시작하였다. 하지만 류마티스인자가 관절염을 직접 유발하지 못하는 것이 규명된 후 면역복합체를 형성하여 병인기전으로 작용할 가능성도 제시되었으나 자가항체가 질병의 원인인지 결과인 지에 대해서는 논란이 있다. 류마티스관절염의 활막조직에 있는 3차소포에서는 T세포의 도움으로 B세포의 체세포 초돌연변이(somatic hypermutation)가 일어나면서 항체의 친화력 성숙(affinity maturation)이 진행된다.

B세포수용체 서열분석에서도 중쇄가변 영역(variable region of heavy chain, VH)의 서열에 올리고클론 B세포 증식이 있어 항원-특이적인 반응이 관찰된다. 림프구의 특이적인 미세구조를 형성하는 데 있어 CXCL3과 CCL21이 관여하며, 특히 배중심 형성에는 2차 림프기관과 마찬가지로 lymphotoxin-β (LTβ)의 역할이 중요하다. 뿐만 아니라, $CD8^+$ T세포는 림프소포의 주변부에 위치하면서 배중심 유지에 관여하며 이것 역시 LTα1β2 발현을 통해 일어날 가능성이 제시되었다. B세포의 기능은 생존인자인 APRIL (TNFSF13)과 B-lymphocyte stimulator (BLyS, BAFF, 혹은 TNFSF13b)가 조절하며 이들은 각각 수지상세포와 대식세포에서 생산된다. BAFF는 B cell maturation antigen (BCMA), transmembrane activator and CAML interaction (TACI), 그리고 BAFF-receptor (BAFF-R)와 결합할 수 있으며 BAFF의 B 세포 생존 신호는 BAFF-R를 통해 일어난다.

### ① 자가항체생산

류마티스활막염에서는 류마티스인자를 생성하는 형질세포가 관찰되며 $CD20^-CD38^+$세포들이다. 류마티스인자는 어떻게 생산되는지 그 기전을 정확히 알지 못하지만 3차 림프소포가 있는 활막조직에는 미만형으로 림프구가 흩어져 있는 조직에 비해서 더 높은 농도로 분포하기 때문에 배중심이 류마티스인자 생산에 관여할 가능성이 있다. 류마티스인자가 관절염의 유발에 관여하는지 규명되지 않았지만 이를 생산하는 B세포가 염증을 증폭시키는 데 중요한 역할을 한다는 가설도 있다. ACPA는 3차소포가 있는 조직에 더 고농도로 분포하며 활막염 조직의 시트룰린화 펩타이드와 면역복합체를 만들어 관절염을 악화시킬 수 있다.

### ② B세포의 다른 기능

2000년대 중반에 B세포 파괴를 위해 항암제로 개발되었던 rituximab(항CD20항체)이 류마티스관절염의 치료에 매우 효과적이라는 사실이 입증되면서 B세포가 자가항체생산을 통해서보다는 항원제시기능이나 사이토카인 생산을 통해 관절염 발병기전에 관여할 것이라는 패러다임의 전환이 일어났다. B세포를 rituximab으로 파괴시키면($CD20^-$인 형질세포는 파괴되지 않음) 자가항체 농도의 변화가 없음에도 불구하고 관절염이 호전되고 장기간 효과가 유지된다. 이는 B세포가 MHC class II 분자를 통해 항원제시세포 역할을 담당하며 CD80/86을 발현함으로써 T세포수용체를 통한 신호전달이 가능하기 때문으로 생각된다. 더욱이 B세포는 활성화된 후 염증사이토카인(IFN-γ, IL-6, IL-10, TNF-α, LTβ, IL-15, RANKL 등)들을 생산함으로써 염증과정을 증폭시킬 수 있다. 류마티스관절염 발병에 있어 B세포의 기능에 대한 새로운 패러다임은 좀 더 많은 연구를 필요로 하며, 특히 활막의 미세구조가 가지는 의미에 대한 규명이 필요할 것이다.

## (3) 선천면역반응

### ① 단핵구/대식세포

활막에 분포하는 대식세포는 섬유모세포-유사활막세포와 함께 비교적 단단한 층을 구성하는 표층세포와 하층에 분포하는 간질대식세포로 분류할 수 있다. 단핵구는 CD14, CD33, HLA-DR, Fcγ receptor (FcγR)를 발현하며 혈액에 있는 단핵구는 최소한 두 가지로 세분되고 있다. Classic monocyte는 CD14$^{high}$CD16- 단핵구로 CCR2$^{high}$CX3CR1$^{low}$의 특성을 갖고 있고, 말초혈액단핵구의 80-90%를 차지하며 염증조직으로 이주하기 때문에 염증단핵구라고도 한다. 다른 종류로는 CD14$^+$CD16$^+$단핵구로서 CX3CR1$^{high}$CCR2$^{low}$의 특성이 있는데 그 가운데 CD64$^+$세포는 중간단핵구(intermediate monocyte)로서 탐식기능이 높고 자극 시 TNF-α와 IL-6를 다량 생산하는 데 비해, CD64 발현이 없는 non-classic monocyte의 경우 골수에서 순환계로 나와서 순찰하는 역할을 담당하며 염증반응의 초기에 활성화된다. 류마티스관절염 환자에서는 CD14$^+$CD16$^+$단핵구가 혈액에 증가되어 있으며, 이들은 파골세포로 분화할 수 있어 뼈 파괴에도 관여한다.

활막조직에 유입된 단핵구는 여러 가지 자극에 의해 대식세포로 분화되며 조직 내에서의 수명이 60일 이상으로 유지된다. 대식세포로 분화되는 과정에서 노출되는 자극에 따라 M1 혹은 M2 대식세포로 분극화된다. M1 대식세포는 classically activated macrophage라고 하며, IFN-γ와 LPS 자극에 의해 분화되어 살균작용이 강하고, 사이토카인 생산량이 많으며, 염증유발에 중요한 역할을 한다. 이에 비해 M2 대식세포는 alternatively activated macrophage라고 하며 IL-4나 IL-13에 의해 유도되며 상처치유과정에 관여한다. 류마티스관절염의 활막조직에는 M1 대식세

포가 많은 것으로 추정되지만 이에 대한 증거는 아직 부족하다. 활막염의 환경에는 대식세포의 가소성(plasticity)에 의해 염증의 단계에 따라 아형의 분포가 다를 것으로 생각되며 이에 대한 규명을 통해 염증과정에 핵심적인 역할을 담당하는 대식세포 분화 조절기전을 표적으로 새로운 치료기술 개발이 가능할 것이다. 대식세포는 다양한 표지자가 있으며 세포부착분자, 케모카인수용체, FcγR, TLR 등이 발현되어 선천면역반응을 매개한다. 활성화된 대식세포는 다양한 염증물질을 생산하는데 TNF-α, IL-1, IL-6를 포함하는 사이토카인, 케모카인, 성장인자, 단백분해효소들을 분비하여 염증의 증폭에 중요한 역할을 한다. 뿐만 아니라, 질병의 활성도가 낮아지면 고유기능인 탐식작용을 통해 염증의 치유과정을 매개한다.

### ② 수지상세포

류마티스관절염의 활막조직에는 미성숙 및 성숙수지상세포가 혈관 주위에 모여 있으며 특히 림프소포에 주로 분포한다. 관절액에도 골수성수지상세포와 형질세포성수지상세포가 혈액보다 더 높은 빈도를 보인다. 활막의 3차소포에는 수지상세포와 소포수지상세포가 있으며 이들이 자가항체의 affinity maturation을 조절한다. 활막수지상세포는 MHC 분자와 공동자극분자(co-stimulatory molecule)의 발현이 증가되어 있어 자가항원을 T세포에 효과적으로 제시할 수 있고 항체를 생산하는 B세포의 분화와 성숙도 촉진한다. 뿐만 아니라, 수지상세포는 활성화됨에 따라 TNF-α, IL-1, IL-6를 생산하여 염증을 증가시킬 수 있다. 성숙수지상세포는 T세포가 분화하는 과정에 TFG-β와 함께 이들 사이토카인의 도움을 통해 T$_H$17세포 분화를 유도한다.

### ③ 중성구

류마티스관절염의 관절액에는 중성구가 매우 많은데 비해 활막조직에는 중성구가 드물다. 그러나 활막조직에서도 연골-파누스 접촉부위에는 중성구 침윤이 관찰된다. 중성구는 FcγR를 발현하고 있어 면역복합체와 결합하며 그 결과 활성화된 중성구의 과립이 세포 밖으로 배출되고 활성산소를 분비함으로써 염증을 유발한다. 중성구는 TNF-α, IL-1β, IL-18, IL-6와 같은 사이토카인, 케모카인, 프로스타글란딘과 활성질소종(reactive nitrogen species)을 분비하여 염증을 악화시킨다. 관절액에 있는 중성구

도 면역복합체나 염증매개물에 의해 활성화되어 단백분해효소를 함유한 과립 및 활성산소를 분비함으로써 연골과 활막 조직의 손상을 유발한다. 최근에는 염증의 초기 단계에 중성구에서 DNA, 히스톤, 그리고 여러 가지 단백으로 구성되어 있는 그물-유사 구조가 방출되는데 이를 neutrophil extracellular trap (NET) formation, 즉 NETosis라고 하며 면역관용 와해와 자가면역 발생에 중요한 역할을 할 가능성이 제기되고 있다. NETosis 과정에서 시트룰린화 항원이 생성되어 활막세포 내의 자가면역반응을 유도할 수 있다.

### (4) 중간엽세포: 섬유모세포-유사 활막세포

활막표층의 주요 세포인 섬유모세포-유사 활막세포(이하 활막세포)는 류마티스관절염에 있어 활막증식의 가장 중심 역할을 담당한다. 류마티스관절염에서 활막세포는 형태학적으로 정상 활막세포에 비해 둥글고 핵이 크며 핵소체도 뚜렷할 뿐 아니라 기능적으로 활성화되어 있다. 활막세포는 변형된 표현형(transformed phenotype)을 갖고 있으며, 이는 정상 활막세포와 달리 체외에서 배양했을 때 배지표면을 덮어 융합층을 만든 후에도 접촉억제가 일어나지 않을 뿐 아니라, 면역결핍생쥐에 인간연골과 함께 넣으면 연골을 파고 들어가는 현상을 통해 확인되었다. 활막표층의 증식에도 불구하고 활막세포의 세포자멸사는 감소되어 있다. 변형된 표현형은 염증사이토카인에 의해 일시적으로 일어나는 것이 아니라 염증이 없어도 지속된다. 활막세포의 기능의 변화는 여러 가지 기전으로 설명되고 있다. 류마티스관절염의 활막세포에서는 종양억제유전자인 p53의 돌연변이가 있어 활막세포의 지속적인 활성화 및 세포자멸사에 대한 저항성이 나타난다. 염증사이토카인에 의해 활성화되는 NFkB와 MAP kinase 경로도 MMP, 사이토카인, 케모카인 등의 생산을 자극하고 동시에 활막세포의 생존을 촉진한다. 뿐만 아니라, 세포주기 조절 유전자의 메틸화 및 아세틸화, 그리고 microRNA 발현과 같은 후성유전학적 기전도 기능조절에 관여한다. 임상에서 약물치료를 통해 염증을 조절한 후에도 관절파괴가 지속되는 현상 역시 활막세포의 표현형 변화에 따른 이차적 현상일 가능성이 있다.

활막표층을 이루는 활막세포들은 관절 내부의 높은 압력에도 불구하고 상피세포와 같은 치밀이음부(tight junction)가 없는데,

이를 대신하여 cadherin11의 동형상호작용(homotypic interaction)을 통해 그 역할을 하고 있다. Cadherin11은 염증 환경에서 연골표면을 따라 증식하는 과정에 있어서도 중요한 역할을 담당한다. 최근에 활막세포는 혈관을 타고 한 관절에서 다른 관절로 이동할 수 있으며 이를 통해 관절염이 진행될 수 있다는 연구결과도 있다. 따라서 활막세포는 염증환경에서 공격적인 표현형으로 변형된 후 염증세포들과 상호작용을 통해 염증의 발생과 진행 그리고 관절의 파괴를 유발한다.

### 4) 혈관신생

만성 염증환경에서는 많은 세포들이 유입되거나 증식되며 활성화된 상태에 있기 때문에 대사요구도가 매우 높다. 이에 비해 류마티스관절염의 관절액은 산소분압이 30 mmHg 정도로 정상인의 63 mmHg에 비해 낮은 상태이고 pH도 6.8 정도로 산성도가 높은데, 이는 산소요구도를 충족시키지 못한 결과이다. 따라서, 허혈에 의한 자극으로 저산소유도인자(hypoxia-inducible factor, HIF)가 유도되며 혈관내피세포성장인자(vascular endothelial growth factor, VEGF)를 분비시켜 혈관신생을 촉진하게 된다. 염증매개물들 가운데 VEGF, FGF-2, TGF-β, connective tissue growth factor (CTGF), platelet-derived growth factor (PDGF) 등은 활막의 혈관신생을 촉진하는 성장인자이며 염증사이토카인인 TNF-α, IL-1β, IL-6, IL-18, GM-CSF, MIF 등도 직간접적으로 혈관신생을 조절한다. 뿐만 아니라, CXC 및 CC 케모카인들도 혈관신생을 촉진할 수 있다. 이에 비해 CXCL4, CXCL9 (MIG), CXCL10 (IP10) 등의 ELR-CXC 케모카인들과 thrombospondin-1 (TSP-1)은 혈관신생을 억제한다. 허혈과 염증에 의해 형성되는 신생혈관은 불규칙적인 분포와 투과도의 증가, 그리고 혈관운동성 감소로 인한 혈액공급의 제한을 동반하며, 활막조직의 증가에 비해 상대적으로 혈관밀도는 저하됨으로써 혈액공급은 더욱 감소된다. 류마티스관절염 조직의 비교적 잘 발달된 신생혈관에 비해 림프혈관의 신생은 상대적으로 부족하며 그 결과 혈관 외로 유출된 세포 및 염증매개물의 순환내로의 복귀가 어려워 염증이 지속되는 환경을 제공한다. 혈관신생은 대사요구도의 충족과 조직재생이라는 측면과 함께 염증세포 유입의 증가, 활막세포증식 촉진을 통해 관절염의 전반적인 악화라는 결과를 초래할 수 있다. 따라서 혈관신생을 조절하는 다양한 접근법은

관절염치료의 새로운 전략을 제공할 수 있을 것이다.

## 5) 염증매개물: 사이토카인과 케모카인

류마티스관절염의 활막조직에 다양한 종류의 사이토카인과 케모카인이 발견되며 이들은 세포간의 상호작용을 조절함으로써 염증세포의 유입 및 활성화, 중간엽거주세포의 증식 및 세포자멸사 감소, 그리고 연골세포와 파골세포의 분화 및 활성화를 촉진하며 이를 통해 활막염의 진행과 관절구조의 리모델링을 조절한다. 사이토카인과 케모카인의 복잡한 네트워크에서 관절염 발병에 대한 중요도에 해석이 분분하였으나 사이토카인 억제제를 이용한 치료 결과 핵심기능을 담당하는 사이토카인이 밝혀지고 있다(표 41-1).

대식세포에서 주로 생산되는 TNF-α, IL-1β, 그리고 IL-6는 활막염의 가장 중요한 사이토카인들로서 국소적인 염증과 전신

**표 41-1. 류마티스관절염에 관련된 주요 염증매개물**

| 분류 | 명칭 | 주요 출처 | 역할 |
|---|---|---|---|
| 사이토카인 | IL-1α, IL-1β | 단핵구, B세포, 활막섬유모세포 | 활막섬유모세포 사이토카인 및 케모카인 생산, 단핵구사이토카인, ROS와 PG의 분비 촉진, 파골세포 활성화, 내피세포부착분자 발현 |
| | IL-6 | 단핵구, B세포, T세포 | B세포 증식 및 항체 생산, T세포 증식 및 분화, 염증매개물 생산 |
| | IL-7 | 활막섬유모세포, 단핵구 | T세포 확장, 대식세포 활성, NK세포 성숙 |
| | IL-10 | 단핵구, T세포, B세포, 수지상세포 | 대식세포 사이토카인 분비 촉진, T세포 사이토카인 분비, 수지상세포 활성 및 사이토카인 분비 억제, 활막섬유모세포 MMP와 콜라겐 분비 억제 |
| | IL-12 | 대식세포, 수지상세포 | $T_H1$세포 증식 및 성숙, B세포 활성 |
| | IL-15 | 단핵구, 수지상세포, 활막섬유모세포, B세포 | T세포 chemokinesis 및 활성, T세포 memory maintenance, B세포 분화, NK세포 활성 및 세포독성, 활막섬유모세포 활성 |
| | IL-10 | 단핵구, T세포, B세포, 수지상세포 | 대식세포 사이토카인 분비 촉진, T세포 사이토카인 분비, 수지상세포 활성 및 사이토카인 분비 억제, 활막섬유모세포 MMP와 콜라겐 분비 억제 |
| | IL-17 | $T_H17$세포, 활막섬유모세포 | 활막섬유모세포 사이토카인과 MMP의 분비 증가, 파골세포 형성 |
| | IL-18 | 단핵구, 수지상세포, 혈소판, 내피세포 | T세포 분화($T_H1$세포, $T_H2$세포), NK세포 활성화, 단핵구사이토카인 분비 및 부착분자 발현, 중성구 활성화 |
| | IL-23 | 대식세포, 수지상세포 | $T_H17$세포 증식 |
| | TNF | 단핵구, T세포, B세포, NK세포, 활막섬유모세포 | 단핵구의 활성화 및 사이토카인과 PG의 분비 촉진, 내피세포부착분자 발현 촉진, 활막섬유모세포 증식과 콜라겐 합성 억제 |
| | MIF | 대식세포, 활성 T세포, 활막섬유모세포 | 대식세포작용 및 사이토카인과 NO 분비 증가, T세포 활성, 섬유모세포 증식, COX 발현 |
| 케모카인 | CCL3 | 단핵구, B세포, T세포, 대식세포, 수지상세포 | 급성염증반응에서 중성구의 동원 및 활성화 |
| | CCL5 | 대식세포, T세포 | 정상 T세포의 활성 조절 |
| | CCL13 | 대식세포, 내피세포 | 단핵구, 호산구, T세포와 호염구의 주화성 유도 |
| | CXCL8 | 단핵구, T세포, 대식세포 | 감염부위로 중성구의 주화성 유도 및 식균작용 유도, 혈관생성 촉진 |
| | CXCL9 | 단핵구 | T세포의 활성 |
| 성장인자 | VEGF | 활막섬유모세포 | 혈관생성 |
| | FGF | 활막섬유모세포, 단핵구 | 간충직세포, 상피세포 및 신경외배엽세포의 성장과 분화 |
| | PDGF | 대식세포, 활막섬유모세포 | 혈소판유도성장, 신경교세포, 민무늬근육세포 증식 촉진 |

IL, interleukin; TNF, tumor necrosis factor; MIF, macrophage migration inhibition factor; CCL, chemokine(C-C motif) ligand; CXCL, chemokine (C-X-C motif) ligand; VEGF, vascular endothelial growth factor; FGF, fibroblast growth factor; PDGF, platelet-derived growth factor; Th, T helper; NK, natural killer; ROS, reactive oxygen species; PG, prostaglandin; MMP, matrix metalloproteinase; NO, nitric oxide; COX, cyclooxygenase.

적인 증상을 일으킨다. TNF-α는 T세포와 B세포의 증식을 촉진하고, 내피세포에 부착분자 발현을 증가시킴으로써 염증세포의 혈관외 유출을 유도하며, 활막세포 활성화를 통해 단백분해효소 생산을 자극할 뿐 아니라, 혈관신생을 촉진하고 파골세포 분화를 조절한다. TNF-α를 차단하였을 때 관절염은 매우 효과적으로 치료될 뿐 아니라 관절파괴도 억제되기 때문에 염증과정 전체에 있어 가장 중요한 역할을 하는 것으로 규명되고 있다. IL-6는 TNF-α에 의해 효과적으로 유도되어 발열, 급성반응단백질의 증가, 지방대사의 변화 등 전신증상을 매개하며 $T_H$17세포의 분화 및 B세포의 증식과 자가항체생산을 조절한다. IL-6와 IL-6수용체 차단항체를 이용한 치료가 임상적으로 매우 효과적이라는 연구 결과에 따라 관절염의 발병기전에 있어서의 중요성이 다시 주목을 받고 있다. T세포의 분화와 증식에 관여하는 사이토카인으로는 IL-12, IL-23, TGF-β, IL-6, IL-21 등이 있는데 이들은 대부분 대식세포나 수지상세포 그리고 활막세포에서 생산되며 $T_H$1, $T_H$2, $T_H$17 혹은 Treg세포로의 분화를 조절한다. 활성화된 T세포는 IFN-γ, IL-4, IL-17, IL-10을 분비하여 대식세포, 파골세포의 기능을 활성화한다. 그 외에도 IL-2, IL-15, IL-18, RANKL, MCSF, GM-CSF, LT-β, BAFF, APRIL 등 다양한 사이토카인들이 각 세포군에 대해 고유의 작용 혹은 중첩된 효과를 나타냄으로 관절염 발병과 진행에 관여한다. 병인기전에 있어 $T_H$17세포의 중요성과 그 분화과정에 관여하는 IL-23의 역할에 기반하여 개발한 IL-17A와 IL-23차단제의 류마티스관절염 치료효과가 예상보다 부족한 결과로 인해 이들의 작용기전에 대한 재평가가 진행되고 있다.

케모카인 가운데 많은 종류가 활막염 조직에서 발견되며 그 수용체들이 여러 가지 세포에 발현되어 있다. 케모카인은 활막 조직 내로 염증세포를 유입시키며 유입된 염증세포들이 조직화된 구조를 형성하는 데 관여할 뿐 아니라 세포외 기질에 축적되어 염증세포들이 조직에서 빠져나가는 것을 제한하며 이를 통해 염증의 진행을 촉진한다. 케모카인을 차단하는 억제제들이 개발되었지만 효과는 제한적이었다.

## 6) 염증과 신호전달 경로

염증과 면역에 관여하는 세포 내 신호전달 경로에 대한 지식이 확장되면서 신호전달을 매개하는 kinase의 중요성이 부각되고 있는데, 이는 kinase 억제제의 뛰어난 치료효과를 통해 명확하게 증명되고 있다. 신호전달 경로는 kinase 조합을 통해 한 가지 사이토카인이 여러 경로를 활성화시킬 수 있을 뿐 아니라, 여러 가지 사이토카인이 공통의 kinase를 사용하며, 이러한 현상은 다양한 면역세포에서 동시에 일어날 수 있다. 사이토카인의 신호전달 경로에는 Janus kinase (JAK)-signal transducers and activator of transcription (STAT) 경로를 비롯하여 mitogen activated protein kinase (MAPK) 그리고 phosphatidyl inositol 3-kinase (PI-3K)/AKT 경로가 핵심역할을 담당하며, 이들 경로들은 류마티스관절염에서 왜곡되어 있다. JAK-STAT 경로를 차단하는 tofacitinib (Pan JAK 억제제)와 baricitinib (JAK1/2 억제제) 그리고 upadacitinib 및 filgotinib (JAK1 억제제)이 류마티스관절염 치료에 성공하면서, JAK-STAT 경로가 활막염의 핵심세포인 T 및 B세포와 활막세포에 직접적 혹은 사이토카인-의존적 피드백 루트를 통해 조절기능을 갖고 있다는 점이 명확해지고 있다. 뿐만 아니라, 신호 전달 경로를 차단하는 표적치료제는 여러 가지 사이토카인의 세포내 공통 신호전달경로를 차단함으로써 상당히 효과적인 동시에 경구용의 치료제 개발의 시작을 알렸으며 합성 표적 신약의 시대를 열었다.

## 7) 면역 대사

활막염 조직에 분포하는 면역세포와 기질세포들은 염증과정에서 다양한 대사 변화를 통해 적응하고 있으며, 이는 염증 진행 및 조절에 영향을 미친다. 특히, 류마티스관절염에서 활막염 조직은 허혈 환경에 노출되어 있기 때문에 미트콘드리아는 만성적으로 hyper-polarization되어 있고, 이에 적응하여 미토콘드리아 대사가 변화되어 있다. 자가면역이 진행되는 과정에 증식 및 분화가 매우 역동적으로 일어나는 면역세포들은 이화대사경로 (catabolic metabolic pathway)를 사용하는 휴식기 상태에 있다가 항원이나 사이토카인 자극에 의해 당분해와 글루타민분해가 급속도로 증가되면서 세포증식에 필요한 biomass를 생산하는 동화 대사 프로그램(anabolic program)으로 전환한다. 이런 대사 재프로그램화(metabolic reprograming)는 각 세포의 종류와 활성에 따라 당분해, 지방산 산화, 글루타민 대사, 5탄당 인산경로(pentose phosphate pathway), 지방산 합성 및 TCA 회로 과정의 증감을 통해 일어난다. T세포의 경우 T세포수용체와 CD28 공동자극분자를 통해 활성화되면 당분해가 20-50배 증가되고 지방산 분해가 감소되며 효력 T세포로 분화되면서 빠른 속도로 증식한다. 이에 비해 조절 T세포는 증식이 느리며, 지방산 분해와 산화가 상대적으로 활성화되어 있고, 기억 T세포도 유사한 대사 프로그램을 보인다. B세포 역시 활성화 단계에 따라 T세포와 유사한 대사 변화를 나타낸다. 대식세포는 림프구와 달리 최종 분화단계의 세포로서 증식에 필요한 에너지 및 biomass 생산이 중요하지 않으며 DAMP와 PAMP에 의해 활성화된 후 사이토카인이나 효력 분자 생산이 증가되어야 하기 때문에 이를 위해 적정화 된 대사 변화를 보인다. 염증촉진 역할을 하는 M1 대식세포에서는 당분해가 증가되어 있고, 효력기능을 수행하는 데 필요한 세포구조의 성장이 일어날 수 있는 방향으로 대사 재프로그램화가 일어난다. 면역세포뿐만 아니라, 활막조직의 기질세포로서 관절파괴에 중요한 역할을 담당하는 활막세포는 염증 과정 동안 활성화된 후 당분해 증가를 비롯한 핵심 대사경로의 변화를 통해 사이토카인 및 MMP 등의 생산이 증가되며 증식, 이주, 및 침습 능력이 강화된다. 즉, 대사변화를 통해 활막 세포의 공격적 표현형이 유지될 것으로 추정되고 있다. 그 외에 혈관신생에 필요한 내피세포의 활성화에 있어서도 세포 내 대사변화가 중요한 역할을 담당한다. 각 세포군에서의 대사결과로 생산된 산물은 기질세포와 실질세포 간의 상호교환을 통해 세포 간의 cross-talk를 유지한다. 예를 들어, 면역세포에서 생산된 세포외 젖산염은 직접 작용하거나 주변환경의 산성화를 통해 혈관신생을 촉진하며 상대방 세포의 대사변화를 유도함으로써 염증의 진행을 조절할 수 있다. 최근 면역대사에 대한 관심이 집중되고 있지만 아직 연구의 초기단계여서 정확한 기전규명을 위해 앞으로 활발한 연구가 필요하다.

## 8) 구조적 리모델링과 관절변형

류마티스관절염이 진행됨에 따라 활막염 조직은 연골손상과 뼈 침식을 일으키며 그 결과 관절변형과 장애가 발생한다(그림 41-2). 활막염증으로 인해 증식된 중간엽세포인 섬유모세포양 활막세포는 표현형이 변형되면서 정상적인 제어를 벗어나 지속적으로 증식하여 파누스 조직을 형성하는데 연골면을 덮고 자라면서 matrix metalloproteinase (MMP)를 생산하여 연골을 손상시킨다. 염증물질의 영향으로 연골세포에서의 대사는 기질의 합성(anabolic pathway)보다 분해(catabolic pathway)가 더 활성화되어 연골기질이 감소되는 방향으로 균형이 이루어지게 되어 연골파괴로 이어진다. T세포에서 생산된 IL-17과 RANKL은 파골세포의 증식과 분화 및 활성화를 유도하여 활막이 부착된 뼈의 옆면에서 미란을 일으킨다. 파골세포는 자유주름막(ruffled membrane)을 형성하고 이 부분에서 산성을 유지하며 cathepsin K (CSK)와 MMP를 활성화시켜 뼈를 부식시킨다. 연골을 덮은 파누스 조직의 일부는 손상된 연골을 통해 연골하골로 들어가 골수에서 파골세포를 활성화시켜 연골하골의 용해를 유도한다.

### (1) 연골손상

관절연골은 제2형 콜라겐이 주성분인 세포외기질과 연골세포로 구성되어 있으며 정상상태에서 연골세포는 연골의 대부분을 구성하는 세포기질인 제2형 콜라겐, 아그리칸(aggrecan), 프로테오글리칸, 그리고 비콜라겐성 기질단백을 합성하는 동화작용이 주요기능이다. 연골은 혈관과 신경이 분포하지 않아서 리모델링 과정이 느리게 일어난다. 류마티스관절염에서 관절변형은 뼈 손상과 함께 관절강 협소화(joint space narrowing)에 의해 발생하며, 이는 연골파괴의 결과이다. 활막염이 연골손상을 유발하는 과정에는 염증매개물에 의해 활성화된 연골세포와 연골면을 따라 증식하는 파누스 조직이 핵심역할을 담당한다. 관절액에 분비된 금속단백분해 효소가 연골 표면의 프로테오글리칸을 분해함으로써 느슨해진 기질을 통해 IL-1, IL-17, 그리고 IL-18 등의 사이토카인이 침투하여 연골세포를 활성화시키며 기질합성(동화작용)보다는 MMP 및 ADAMTS와 같은 단백분해효소를 분비함으로써 기질분해(이화작용)를 촉발한다. 뿐만 아니라, 연골면에 노출된 콜라겐과 피브로넥틴(fibronectin)과 같은 당단백은 활막세포의 부착과 이주를 용이하게 만들어 파누스 조직이 연골을 덮으면서 자랄 수 있도록 지지한다. 활성화된 활막세포에서 다량의 MMP가 생산되기 때문에 연골분해가 가속화되며, 부분적으로는 파누스가 연골의 심층부까지 침식하면서 자라 들어가 연골하골 미란을 일으키며 마침내 골수 내로 침습한다.

### (2) 뼈 파괴

류마티스관절염에서 뼈 손상은 국소적인 변화와 전신적인 영향으로 구분할 수 있다. 국소적인 변화로는 골미란과 관절 주위

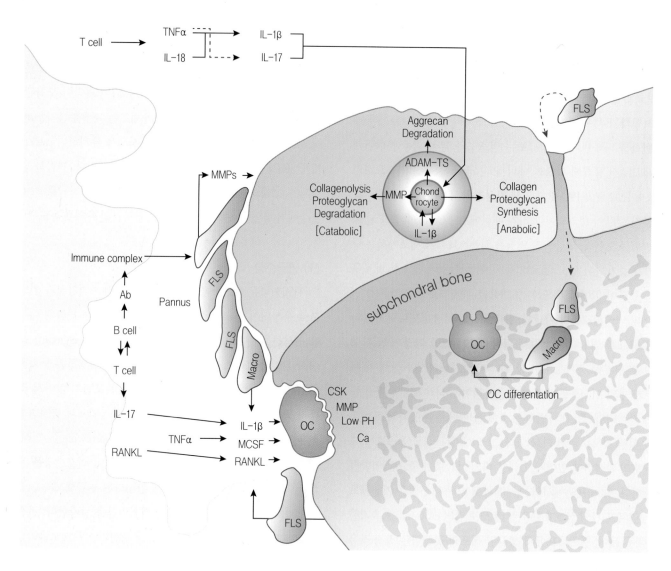

그림 41-2. 연골손상과 뼈파괴의 기전

뼈 소실이 있으며 전신적으로는 골다공증이 동반될 수 있다. 골미란은 파누스에 있는 대식세포가 파골세포로 분화 및 활성화되어 연골밑뼈를 침식한 결과이다. 이 현상은 주로 관절주머니가 뼈에 부착하는 부위에서 먼저 일어나지만, 연골을 덮고 있는 파누스가 연골밑뼈로 직접 파고들어가 골수 쪽에서 뼈파괴를 일으키기도 한다. 류마티스관절염의 활막조직에는 receptor activator of NFkB ligand (RANKL)가 많이 발현되어 있고 염증사이토카인이 풍부한 환경을 갖고 있어 파골세포 생성이 활발하게 일어나고 있을 뿐 아니라, 골모세포의 활성도는 상대적으로 억제되어 있다. 다른 한편으로는 침범된 관절주위 뼈결핍이 일어나는데 이는 활막조직의 직접적인 침식보다는 염증조직에 넘쳐나는

사이토카인의 유입으로 파골세포의 활성화가 일어난 결과로 추정되고 있다.

　파골세포는 조혈줄기세포에서 유래한다. M-CSF는 파골세포 전구세포의 증식과 생존에 중요한 신호를 제공하며 RANKL은 이 세포의 분화를 유도한다. 파골세포는 calcitonin수용체, tartarate-resistant acid phosphatase (TRAP), H⁺-ATPase, MMP13, 그리고 카텝신 K 등을 생산한다. RANKL은 주로 골모세포에서 생산되지만 섬유모세포와 같은 중간엽세포와 T세포에서도 생산되며, 세포 간의 접촉을 통해서뿐 아니라 수용형으로 작용할 수 있다. 최근에는 micro-RNA도 파골세포의 분화와 기능을 조절할 수 있는 것으로 보고되었다. 염증조직에 있는 TNF-α, IL-1 β, IL-6와 같은 염증사이토카인들은 파골세포의 분화와 활성화를 촉진할 뿐 아니라 다른 세포들에서 RANKL 생성을 촉진한다. T$_H$17세포는 섬유모세포를 포함한 다양한 세포에서 RANKL 생산에 대한 가장 강한 자극물질을 제공한다. 이에 비해 여러 가지 염증촉진물질들이 골모세포의 기능을 억제하기 때문에 골모세포는 관절염의 뼈미란 부분에서 관찰되지만 수가 적고 활성도도 낮다.

## 결론

류마티스관절염의 병인기전은 류마티스인자의 발견으로부터 시작된 자가면역개념의 정립 후 지난 50년간 여러 분야의 개념적 전환을 유발하는 많은 진보를 이루어 현재 상태에 이르렀다. 그동안 새로운 기전을 바탕으로 한 신약개발이 성공하면서 치료결과에 있어 의학역사상 가장 눈부신 발전을 이루었다. 뿐만 아니라, 표적신약의 성공과 실패를 통해 병인기전상의 표적의 상대적 중요성에 대한 이해에 있어서도 뚜렷한 진전이 있었다. 하지만 여전히 발병 시작단계의 기전, 자가반응의 발생에서 지속단계로의 변환, 전신적 자가면역의 국소적 관절염 유발 등 많은 부분의 핵심기전이 규명되지 않은 상태로 남아 있어 이들 기전규명을 통해 질병의 발병과정에 대한 좀 더 완전한 이해가 필요하며 이는 완치에 근접한 치료기술 개발의 초석이 될 것이다.

## 참고문헌

1. Firestein GS. Evolving concepts of rheumatoid arthritis. Nature 2003;423:356-61.
2. Hamilton JA, and Tak PP. The dynamics of macrophage lineage populations in inflammatory and autoimmune diseases. Arthritis Rheum 2009;60:1210-21.
3. Kang YM, Zhang X, Wagner UG, et al. CD8 T cells are required for the formation of ectopic germinal centers in rheumatoid synovitis. J Exp Med 2002;195:1325-36.
4. Klareskog L, Ronnelid J, Lundberg K, Padyukov L, and Alfredsson L. Immunity to citrullinated proteins in rheumatoid arthritis. Annu Rev Immunol 2008;26:651-75.
5. Lee DM, Kiener HP, Agarwal SK, et al. Cadherin-11 in synovial lining formation and pathology in arthritis. Science 2007;315:1006-10.
6. Lefevre S, Knedla A, Tennie C, et al. Synovial fibroblasts spread rheumatoid arthritis to unaffected joints. Nat Med 2009;15:1414-20.
7. Schett G, McInnes IB, Neurath MF. Reframing immune-mediated inflammatory diseases through signature cytokine hubs. New Engl J Med 2021;385:628-39.
8. Redlich K, and Smolen JS. Inflammatory bone loss: pathogenesis and therapeutic intervention. Nat Rev Drug Discov 2012;11:234-50.
9. Rogers GB. Germs and joints: the contribution of the human microbiome to rheumatoid arthritis. Nat Med 2015; 21:839-41.
10. Weyand CM, Goronzy JJ. The immunology of rheumatoid arthritis. Nat Rev Immunol 2021; 22:10-18.

# 42

# 임상증상

성균관의대 **이재준**

- 류마티스관절염은 만성 전신 염증질환으로 주로 작은 관절들을 대칭성으로 침범하여 활막염을 일으키며 이로 인한 관절의 부기, 통증, 아침강직 증상뿐만 아니라 전신적인 관절외증상을 유발한다.
- 조기진단 및 적절한 치료가 이루어지지 않을 경우 관절과 연골 파괴로 인한 기능 장애가 발생하여 환자의 삶의 질 저하와 경제적 손실을 야기할 수 있다.
- 비가역적인 관절 손상을 최소화하기 위해 류마티스관절염 환자의 증상을 조기에 파악하여 진단하고 신속한 치료계획을 수립하는 것이 질병의 예후를 향상시키는 데 중요하다.

## 초기 증상

류마티스관절염의 증상은 주로 수주 또는 수개월에 걸쳐 서서히 나타나며 주로 여러 관절의 통증, 뻣뻣함, 부기와 같은 증상이 발생한다. 일부 환자에서는 단관절의 반복적 또는 이동성 관절침범이 일어나기도 한다. 관절증상으로 인하여 정상적인 일상 활동(걷기, 옷 입기, 의자에서 일어나기, 컴퓨터 사용)에 지장을 받기도 하며 급성 다발관절염으로 내원하는 약 1/3의 환자에서는 근육통, 미열, 피로감, 체중감소와 같은 전신증상이 동반되기도 한다. 드물게는 류마티스결절 또는 상공막염과 같은 관절외증상이 동반될 수 있다.

### 1) 전형적인 초기 증상

류마티스관절염의 발병 초기에는 관절의 통증, 부기과 뻣뻣한 증상이 서서히 악화되며 주로 여러 관절에서 증상이 나타난다. 전형적으로 손허리손가락관절(metacarpophalangeal joint, MCP 관절), 근위지관절(proximal interphalangeal joint, PIP 관절), 손목 관절, 발허리발가락관절(metatarsophalangeal, MTP 관절) 등이 초기부터 잘 침범된다. 상지 및 하지의 윤활관절(팔꿈치관절, 어깨관절, 발목관절, 무릎관절) 또한 자주 침범한다. 아침강직(morning stiffness)은 활동성 류마티스관절염 환자가 자주 호소하는 증상이며 아침강직은 아침에 일어나서 또는 한 자세로 오래 있은 후 양측의 관절이 뻣뻣해 움직이기 힘들고 움직일수록 호전되는 현상으로 정의할 수 있다. 아침강직이 한 시간 이상 지속되는 경우는 활성화된 류마티스관절염 환자 이외에서는 보기 드물다고 할 수 있지만 대부분의 염증관절염 환자에서도 경미한 아침강직 증상이 동반될 수 있다.

### 2) 재발류마티즘

일부의 류마티스관절염 환자에서는 단관절 또는 소수의 관절이 순차적으로 침범되어 수 시간에서 수일 동 증상이 발생하였다가 소실된 후 수개월 동안의 무증상기간을 거쳐 비슷한 증상이 재발되는 재발류마티즘(palindromic rheumatism)이 발병한 후 류마티스관절염으로 진행되기도 한다. 재발류마티즘환자는 류마티스관절염 환자와 유전적 소인을 공유하며 (HLA) alleles의 보유에 의한 발병위험도 유사한 것으로 알려져 있어 두 질환이 연관성이 있는 것으로 제시되고 있다.

### 3) 단관절염

류마티스관절염은 대부분 다발관절염으로 발병하지만 일부의 환자에서는 단관절, 특히 손목관절, 무릎관절, 어깨관절, 엉덩관절, 발목관절 등의 큰 관절의 지속적인 염증으로만 발병하기도 하며 이러한 양상으로 장기간 지속되기도 한다. 단관절에서의 류마티스관절염 발병은 해당 부위 관절의 외상병력과 일치하는 경우도 있을 수 있다. 단관절의 침범이 수주 또는 수개월 동안 지속된 후 다수의 타관절의 침범으로 인한 다발성 관절염 증상이 나타나기도 한다.

## 관절 외 초기증상

일부분의 환자에서는 관절염 증상이 발생하기 수개월 전부터 전신통증, 뻣뻣함, 손목굴증후군 증상, 체중감소, 우울감, 피로감 비관절성 증상을 호소하기도 한다.

## 관절증상 및 신체검사소견

모든 말초관절 및 근위관절을 침범할 수 있지만 손관절, 손목관절, 전족부관절과 같은 소관절의 통증과 부기가 제일 흔하게 나타나며 아침강직과 움켜잡는 힘의 저하가 동반된다. 경추의 C1-C2 부위를 제외한 척추관절은 침범되지 않으며 류마티스관절염이 오랜 기간 동안 지속된 환자에서 발생하는 경추침범은 심각한 신경학적인 문제를 유발할 수 있다.

### 1) 관절염증의 신체검사소견

초기 류마티스관절염의 중요한 소견은 침범된 관절의 통증과 부기이다. 염증으로 인한 통증은 관절부위에 압박을 가했을 때 또는 관절을 수동적 또는 피수동적으로 움직일 때 유발된다. 부기는 활막의 비후 또는 관절액의 삼출로 유발되며 활막의 비후는 관절 신체검사에서 질척임 또는 질퍽임(boggy)이 느껴지며 활막 삼출이 있을 경우 파동(fluctuance)을 촉진할 수 있다. 열감과 발적은 류마티스관절염의 두드러진 특성은 아니지만 촉진상 침범된 관절부위가 비교적 따뜻하게 느껴질 수도 있다. 류마티스

관절염으로 비롯된 전형적인 관절의 변형은 지속적인 염증으로 인한 관절 및 관절주위의 연부조직의 손상과 신체적인 스트레스로 유발된 만성관절염 환자에서 볼 수 있는 신체검사소견이다.

### 2) 관절침범의 분포

류마티스관절염 환자의 대부분에서 말초관절의 침범이 이루어지며 약 20-30% 환자에서는 경추의 고리중쇠관절(atlantoaxial joints), 봉우리빗장관절(acromioclavicular joint), 복장빗장관절(sternoclavicular joint), 턱관절(temporomandibular joint), 윤상피열관절(cricoarytenoid joints), 어깨관절과 엉덩관절의 침범이 동반될 수 있다. 요추의 돌기사이관절(facet joint)을 침범할 수 있으나 빈도는 매우 낮은 것으로 알려져 있다. 대칭성 관절의 침범이 특징적이지만 발병 초기에는 대칭성 분포가 명확하지 않을 수 있으며 발병 이후 지속된 염증으로 야기된 관절의 변형도 대칭적이지 않을 수 있다. MCP 관절, MTP 관절을 손으로 쥐어 짰을 때 유발되는 통증과 해당관절의 활막비후 소견은 류마티스관절염의 특징적인 소견이라고 할 수 있다.

### 3) 손관절

류마티스관절염의 초기에는 주로 손에서 질병의 주요 징후를 발견할 수 있다. 전형적으로는 대칭적으로 MCP 관절 및 PIP 관절 주변의 삼출과 연부조직 부종이 발생하는데, 이 때 관절을 촉진하면 압통이 있고, 관절운동범위가 제한되는 것을 관찰할 수 있다. 손의 잡는 힘(grip strength)이 감소하는 것은 손목과 손의 질병 활성도를 반영하는 민감하지만 비특이적인 소견이다. 말초관절염과 함께 손바닥의 홍반이 나타날 수도 있다. 때로는 손바닥을 촉진하였을 때 굽힘근의 비대가 감지될 수도 있는데, 이는 힘줄활막의 활막염에 기인한 소견이다. 손바닥 쪽 힘줄활막 주행을 따라 결절이 형성되면, 힘줄이 움직이면서 걸리는 방아쇠(triggering) 현상이 발생하여 손가락을 완전히 펼 수 없게 되기도 한다. 이러한 결절은 힘줄파열을 유발할 수도 있는데, 특히 엄지손가락의 원위지관절 폄근인 긴엄지폄근(extensor pollicis longus)이 대표적이다. 이외의 신체검사소견은 다음과 같다.

(1) 손의 잡는 힘이 감소하는 것은 흔한 소견으로, 조기 질병을 시사하는 민감한 표지자이며, 또한 질병 활성도와 진행 정도를 평가할 수 있는 유용한 지표이다. 하지만 관절 통

증, 힘줄침범, 신경압박 및 근육소모(muscle wasting) 등 다른 여러 가지 다양한 요인이 손잡는 힘의 약화에 기여할 수 있어 비특이적인 면이 있다.

(2) 매우 급성으로 발병하는 류마티스관절염에서는 손 전체가 부어 오를 수도 있는데, 손등의 부종으로 인해 '권투장갑' 모양으로 나타날 수 있다. 관절운동 범위가 제한되고, 능동적 굽힘제한이 매우 심할 때는 손가락 끝을 손바닥에 대는 것조차 불가능할 수 있다.

(3) 1-5%의 환자에서는 손목굴증후군(carpal tunnel syndrome)이 나타날 수 있는데, 이러한 경우 첫째부터 셋째 손가락과 넷째 손가락의 요골측에 이상감각, 근위약감이 발생하고, 티넬징후 또는 팔렌검사 양성 소견이 종종 동반된다.

특징적인 관절 변형은 만성화된 류마티스관절염에서 관찰된다(그림 42-1).

이러한 소견들에는 손가락의 척골편위(ulnar drift), 백조목변형(swan neck), 단추구멍변형(Boutonniere deformities), 또는 손의 폄근 구획 힘줄들이 돌출되어 보이는 'bowing string' 징후가 포함된다. 때로는 폄근 힘줄이 파열될 수 있는데, 가장 흔하게는 첫째, 넷째 또는 다섯째 손가락에서 발생한다. 손톱이나 손가락 끝에 혈관염으로 인한 경색(digital infarcts) 소견이 나타날 수도

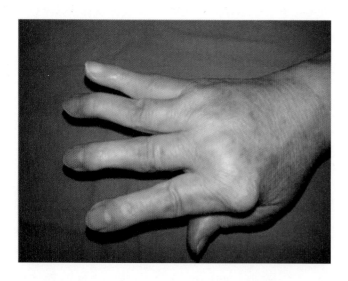

그림 42-1. 류마티스관절염에 의해 일어난 관절변형(ulnar deviation와 swan neck deformity)이 관찰된다.(출처: 성균관의대 안중경 교수)

있다.

## 4) 손목, 팔꿈치, 어깨관절

손목을 포함한 상지의 모든 관절은 류마티스관절염의 초기에 침범될 수 있으며, 팔꿈치관절과 어깨관절도 마찬가지이다

### (1) 손목관절

손의 다른 작은 말초 관절을 제외하면, 손목이 류마티스관절염에서 가장 흔히 침범될 수 있는 상지 관절이다. 질병 초기에는 손목의 폄 제한이 발생하고, 후기에는 골미란으로 인한 수장측 아탈구(volar subluxation)와 손목의 요골 측 이동(radial drift)에 의해 척골 경상돌기(ulnar styloid)의 돌출 및 외측 편위가 일어난다. 손목의 힘줄 또한 파열될 수 있다.

### (2) 팔꿈치관절

팔꿈치도 종종 침범되는데, 질병의 초기와 후기 모두에서 폄 제한(굽힘 상태로 고정)이 발생할 수 있다. 관절의 삼출이나 활막염은 요골 두부와 팔꿈치머리(olecranon) 사이의 팽창으로 감지될 수 있다. 팔꿈치관절의 활막염으로 인하여 척골신경(ulnar nerve)의 압박 신경병증이 발생하면, 넷째와 다섯째 손가락의 감각이상을 초래할 수 있다. 팔꿈치 머리의 윤활낭염 또한 흔한 소견이다. 연골과 뼈의 미란으로 인한 관절 파괴가 발생할 수도 있다. 또한 팔꿈치는 피하 류마티스결절이 발생하는 가장 흔한 위치이므로, 진단 그리고 예후인자로서의 중요성을 고려하여 반드시 잘 살펴보아야 한다.

### (3) 어깨관절

근위부의 어깨관절은 보다 질병의 후기에 침범되는 경향이 있다. 생물학적제제의 사용이 보편화되기 이전에 수행된 한 전향적 연구에서 류마티스관절염 환자의 74%에서 어깨관절이 침범되는 것을 관찰한 바 있다. 골미란은 상완의 상방외측에서 가장 흔히 발견되었다. 위팔어깨관절이 질병에 이환되면, 관절낭염(capsulitis) 비슷하게 고통스러운 운동제한이 발생하면서, 굳은 어깨(frozen shoulder)를 유발할 수 있다. 전형적으로는 환자가 침범된 어깨 쪽으로 누워 있는 밤에 통증이 유발된다. 회전근개의 손상 또한 흔히 동반된다. 관절삼출은 비교적 드물지만, 만약 삼

출이 발생하면 위팔어깨관절의 앞쪽에서 상완골 머리 앞쪽, 쇄골 아래의 우묵한 곳이 부어 오르면서 감지될 수 있다.

## 5) 발과 발목관절

발의 침범, 특히 MTP 관절의 침범은 질환의 초기에 흔히 볼 수 있으며, 손에서와 유사한 양상을 보인다.

(1) 발허리발가락관절의 압통으로 인하여, 환자는 발뒤꿈치에 체중을 싣게 되거나, 발가락의 과도한 신전을 보일 수 있다.

(2) 골미란으로 인해 발가락이 바깥쪽으로 틀어지거나 중족골두가 발바닥쪽으로 아탈구(subluxation) 되어 'cock-up' 변형이 생길 수 있다. 중족골두의 아탈구는 발바닥에서 튀어나온 뼈덩이와 굳은살로 만져질 수 있다.

(3) 발목의 힘줄집의 침범 또한 흔한데, 이는 발의 외번(eversion) 및 내번(inversion) 시의 통증 및 발등의 부종, 발적을 초래한다.

(4) 발뒤꿈치 통증은 발꿈치뼈뒤윤활낭염(retrocalcaneal bursitis)이나 후경골신경의 압박을 유발하는 발목굴증후군과 연관되어 발생할 수 있다. 발목굴증후군은 발가락의 이상감각 과도 연관이 있으며, 초음파로 진단하고, 국소 주사 또는 수술로 치료할 수 있다.

(5) 발목의 관절염은 정강목말관절(tibiotalar joint) 부근의 발적과 부종을 초래할 수 있는데, 이 같은 소견이 체액 저류나 감염성 연조직염으로 오인될 수 있으므로 주의를 요한다.

## 6) 무릎관절

류마티스관절염 환자의 무릎관절에는 다양한 변화가 나타날 수 있다. 활막의 비후는 무릎에서 쉽게 발견할 수 있는데, 종종 슬개골 주변으로 확장된다. 관절 삼출액은 무릎 침범에서 보이는 흔한 증상으로, 슬개골 두드림(patellar tap) 검사를 통해 확인할 수 있다. 운동범위의 제한, 특히 굽힘의 제한 또한 흔하게 나타난다. 인대의 이완으로 인한 변형이나 대퇴사두근의 위축도 자주 관찰된다. 대퇴골과(femoral condyle)나 경골 고평부(tibial plateau)의 골미란은 내반슬이나 외반슬을 초래할 수 있다. 류마티스관절염 환자들은 슬와(popliteal) 부근에 베이커낭종(Baker's cyst 또는 popliteal cyst)이 생기기도 하는데, 베이커낭종이 파열

되면 장딴지까지 부기와 통증을 보일 수 있어 심부정맥혈전증이나 급성 혈전정맥염과의 감별하는 것이 중요하다. 관절염의 과거력, 아침강직, 폐색된 정맥이 만져지지 않으면서, 무릎 뒤쪽의 아래로 발생한 부종 등은 모두 베이커낭종을 시사하는 소견들이다. 베이커낭종을 확인하는 데에는 초음파가 많이 사용되며, 자기공명영상에서도 쉽게 발견이 가능하다.

## 7) 엉덩관절

엉덩관절의 침범은 주로 서혜부나 대퇴부, 혹은 요통으로 나타나거나, 서거나 움직일 때의 무릎의 연관통(referred pain)으로 나타나기도 하며 엉덩관절의 회전 운동 시에 운동범위의 제한이 관찰될 수 있다. 대퇴부 바깥쪽의 통증은 대퇴돌기윤활낭염(trochanteric bursitis)을 시사한다.

## 8) 척추관절

경부 척추의 침범은 유병기간이 오래된 류마티스관절염에서 비교적 흔하게 나타난다. 흉요추나 천장관절은 류마티스관절염에서는 거의 잘 침범되지 않는다. 목의 통증과 강직이 전형적인 증상이나, 침범된 척추의 불안정성을 초래하여 목 통증, 강직, 방사통과 같은 아탈구와 연관된 증상을 초래할 수도 있기 때문에 임상적으로 중요하다. 아탈구로 인하여 척수 압박이 발생하게 되면, 반사항진(hyperreflexia)이나 바빈스키검사(Babinski test) 시 발가락이 위로 치켜 올라가는 소견(up going toes)과 같은 긴신경로징후(long tract involvement sign)가 나타날 수 있다. 영상학적 연구나 사후 연구에서, 류마티스관절염 환자에서 요추의 후관절(facet joints)의 침범이 있다고 보고된 바가 있기는 하나, 실제 임상에서 환자가 요통을 호소하는 경우, 류마티스관절염의 요추 침범을 의심하기 전에 골질량감소 등과 연관된 척추의 압박 골절 등의 더 흔하고 심각한 다른 원인을 감별하는 것이 중요하다.

## 9) 윤상피열관절

류마티스관절염 환자의 30%에서 윤상피열관절(cricoarytenoid joint)의 침범이 있을 수 있으며, 쉰 목소리나 들숨 시 협착음(inspiratory stridor) 등의 증상을 보일 수 있다.

## 전신침범 및 관절외증상

류마티스관절염은 주로 가동관절의 활막염이 주된 병인으로 작용하지만 관절염의 활성도가 높은 환자에서 비관절 장기를 침범할 수 있다. 활막염을 일으키는 주된 염증사이토카인이 비관절 장기의 침범에 직접적으로 작용하며 피부, 안구, 폐, 심장, 신장, 혈관, 침샘, 골수, 중추신경 및 말초신경을 침범할 수 있다.

### 1) 위험인자

비관절 장기 침범의 위험인자로는 나이, 류마티스인자, 항핵항체, HLA-DRB1의 보유 여부, 조기장애(early disability)와 흡연이 있다. 비관절 장기 침범이 있는 환자는 주로 발병 시 류마티스인자가 높게 측정되며 ACPA가 양성일 가능성이 높다. 비관절 장기침범은 류마티스관절염의 활성도의 표지자이기도 하며 사망률의 증가와 관련이 있다.

### 2) 전신증상

전신증상으로는 전신통증, 뻣뻣함, 미열, 체중감소, 피로감이 있을 수 있으며 이러한 증상들은 관절염의 발생보다 수개월 선행되기도 한다. 체중감소는 노인, 염증표지자가 증가된 환자, 골미란이 생성된 환자 또는 발병초기에 체질량지수가 높은 환자에서 잘 나타나며 피로감의 원인으로는 통증, 수면장애, 감정 및 인지장애 등 다수의 요인이 작용한다. 우울감 등의 정동장애(affective disorder)의 발생이 증가한다고 알려져 있다.

### 3) 골감소증

류마티스관절염 환자는 통증으로 인한 운동장애, 종양괴사인자와 IL-1과 같은 염증사이토카인의 증가와 글루코코티코이드의 사용으로 인하여 파골세포의 활동이 골모세포의 활동보다 상대적으로 증가함에 따라 골감소증이 유발되며 관절 주위의 골감소증은 류마티스관절염에서 특징적이라 할 수 있다. 글루코코티코이드 사용을 배제하더라도 류마티스관절염 자체만으로 골감소증이 유발될 수 있으며 류마티스관절염 환자의 주된 골다공증 골절(osteoporotic fracture) 및 엉덩관절 골절의 위험도는 각각 30%와 40% 증가되어 있으며 초기 류마티스관절염 환자에서의 골밀도 감소 소견은 골미란 발생의 위험도를 증가시키는 요인으

로 알려져 있다.

### 4) 근육침범

류마티스관절염 환자에서 근력약화는 흔하게 볼 수 있으며 원인은 다음과 같이 다양하며 서로 복합적으로 연관될 수 있다.

#### (1) 활막염

활막염은 관절운동의 제한과 연관이 있으며 이로 인하여 관절주위 근육의 위축을 유발한다. 이러한 영향은 무릎관절에서 잘 나타나며 무릎관절의 활막염은 사두근의 근력약화를 초래한다. 사두근의 약화는 무릎관절에 부하를 증가시키므로 연골의 손상을 가중시킬 수 있다. 사두근의 운동은 근력약화를 방지할 수 있으며 활막염으로 인한 근력약화를 회복하는 데 도움을 줄 수 있다.

#### (2) 근육염

류마티스관절염 환자의 근육부검소견을 보면 근육괴사 부근에 림프구와 형질세포가 침착되어 있는 결절근염(nodular myositis)이 관찰된다. 이러한 소견은 낮은 관절염 활성도에 비해 상대적으로 높은 적혈구침강속도(ESR) 수치를 보이는 환자에서 잘 관찰되며 드물게는 류마티스관절염 환자에서 다발근염이 발생할 수도 있다.

#### (3) 혈관염

류마티스관절염 환자에서 혈관염이 발생할 수 있으며 이에 대한 위험도는 높은 류마티스인자와 공막염, 류마티스결절과 같은 비관절침범의 여부와 관련이 있다. 골격근의 혈관염은 급성근육통을 유발할 수 있으며 혈관염의 신경침범은 근력약화와 다발단일신경염(mononeuritis multiplex)을 발생시킬 수 있다. 최근 적극적인 항류마티스약제를 이용한 치료 및 생물학적제제의 도입으로 이러한 임상양상은 1% 미만으로 줄어든 추세이다.

#### (4) 약물사용

약물유발근병증(drug-induced myopathy)은 위의 언급된 염증성 근육침범의 원인들과 오인될 수 있으므로 각별히 주의를 기울여야 한다. 글루코코티코이드, 항말라리아제, 콜레스테롤

강하제인 스타틴 계열 약물이 주로 근병증을 일으킬 수 있다. 글루코코티코이드로 인한 근병증을 유발할 수 있는 용량 및 투약기간은 환자마다 큰 차이를 보일 수 있으며 저용량을 수 주에만 걸쳐 투약한 환자에게 발생할 수도 있고 고용량을 장기간 투여한 환자에서는 오히려 근병증이 발생하지 않을 수도 있다. 글루코코티코이드 근병증은 다른 원인을 배제하여야 진단할 수 있으며 류마티스관절염의 활성도가 낮은 환자에서 글루코코티코이드 용량을 줄인 후 3-4주 후에 근력의 호전을 보인다면 글루코코티코이드 근병증이 근력약화의 원인일 가능성이 높다.

## 5) 피부 임상양상

가장 흔한 피부 임상양상은 류마티스결절이며 류마티스혈관염이 동반될 경우 피부궤양과 같은 병변이 관찰될 수 있다. 관절주변의 피부가 위축된 소견이 보이기도 한다.

### (1) 류마티스결절

류마티스관절염의 질병경과기간 동안 피부하 결절이 약 20-35%의 환자에서 촉진되며 이러한 환자에서는 대부분 류마티스인자가 양성으로 나타난다. 주로 압력이 가해지는 관절 부근, 특히 자뼈팔꿈치돌기(olecranon) 부위에 잘 생기지만 폐를 비롯한 내부 장기에서도 생길 수 있다. 치료를 요하는 경우는 드물지만 관절의 운동제한과 주변 신경을 압박하는 경우 글루코코티코이드와 국소 마취제의 주입으로 호전을 보일 수 있으며 수술적 제거를 요하는 경우는 매우 드물다.

### (2) 피부궤양

피부궤양은 정맥의 울혈, 동맥부전, 호중구의 침착, 또는 혈관염 등에 의해 발생할 수 있다. 만성적인 류마티스피부궤양은 대체로 복합적인 원인이 작용했을 가능성이 높고 적극적인 면역억제 치료로 호전을 보인다. 호중구의 침착은 드물게 관찰되며 스위트증후군(Sweet syndrome), 괴저농피증(pyoderma gangrenosum), 류마티스호중구피부염(rheumatoid neutrophilic dermatitis)을 감별하여야 한다.

## 6) 안구침범

상공막염과 공막염은 약 5% 이내의 환자에서 발생하며 홍체염을 비롯한 포도막염이 발생할 수 있다. 공막염과 각막융해(corneal melt)를 동반한 궤양각막염(ulcerative keratitis)은 매우 불량한 예후를 초래할 수 있다. 상공막염은 분비물이 없이 급성으로 안구통증 및 충혈이 생기는 반면 공막염일 경우 안구통증이 심부에서 느껴지며 공막세포에서 생성된 금속단백분해효소가 공막의 콜라겐을 분해함에 따라 검붉은 착색이 관찰된다. 건성각결막염(keraoconjunctivitis sicca)이 약 10-20% 환자에서 나타난다.

## 7) 호흡기계 임상양상

간질폐렴(interstitial pneumonitis), 기질화폐렴(organizing pneumonia), 폐결절(pulmonary nodule) 등이 발생할 수 있으며 간질폐렴 중에서는 조직학적으로 통상간질폐렴(usual interstitial pneumonia, UIP)과 비특이간질폐렴(nonspecific interstitial pneumonia, NSIP)이 주로 발생한다. 기침이나 운동 시 호흡곤란 등의 증상은 섬유화가 많이 진행된 후에 나타나게 되며 관절염 발생 5년 이후에 주로 발견되지만, 때로는 급성 간질폐렴으로 관절염의 초기에 나타나는 경우도 있다. 기질화폐렴(organizing pneumonia/bronchiolitis obliterans organizing pneumonia/cryptogenic organizing pneumonia)은 조직학적으로 말단공간(distal air space) 내에 섬유아세포 등이 증식하며 방사선소견상 부분적인 폐경화(patch consolidation) 소견이 관찰되며 임상적으로는 발열, 체중감소, 기침, 호흡곤란을 일으킨다. 류마티스결절은 류마티스관절염에 특이한 소견으로 주로 흉막하부나 폐 세엽간 중격(interlobular septa)에서 발생한다. 조직학적 소견은 피부의 류마티스결절과 마찬가지로 중심부 괴사, 중심부를 둘러싸는 상피양세포(palisading epithelioid cells), 단핵세포의 침윤(mononuclear cell infiltrate)과 혈관염의 소견을 보인다. 카플란증후군(Caplan's syndrome)은 류마티스관절염 환자 중 석면 등에 의해 생긴 진폐증(pneumoconiosis)이 동반할 때 다발말초기저부결절(multiple peripheral basilar nodules)이 생기는 현상을 말한다. 그 외 흉막염(pleuritis)이 발생하여 흉수를 유발할 수 있다. 메토트렉세이트는 매주 20 mg 이하의 낮은 용량에서도 간질폐질환(Interstitial lung disease)을 유발시키거나 악화시킬 수 있다. 또한 약을 복용한 후 6개월 이내에 급성폐렴(acute pneumonitis)이 과민반응(hypersensitivity)으로 인해 발생할 수 있으며 이런 경우 약물을 재투여해서는 안된다. 레플루노마이드도 간질폐렴을 유발할 수 있다.

## 8) 순환기계 임상양상

임상적으로 저명한 심막염이나 심근염은 드물지만 관상동맥병의 위험도가 증가하며 심부전과 심방세동의 발생이 증가한다고 알려져 있다.

### (1) 심막염

류마티스관절염의 이환기간 동안 10% 이내의 환자에서 심막염이 발생할 수 있으며 30%에서는 심장초음파로 발견되지만 임상적인 의미가 적은 심막염이 관찰된다. 심낭압전(cardiac tamponade)이 동반된 제한심막염은 드물며 진단이 어려울 수도 있다. 대부분의 심막염 환자에서 류마티스인자가 양성으로 나타나며 관절염의 활성도가 높은 환자에서 비관절조직의 침범이 있는 경우 호발하므로 류마티스관절염의 조절이 심막염 예방에 도움을 줄 수 있다.

### (2) 심근염

심근염은 육아종성(granulomatous) 또는 간질(interstitial) 심근염으로 나타날 수 있으며 드물기는 하지만 주로 관절염의 활성도가 높고 비관절조직의 침범이 있는 환자에서 발생한다. 육아종심근염이 류마티스관절염에 특이적이며 간질심근염은 그에 비해 드물다. 육아종성 염증의 직접적인 침범은 승모판기능부전을 유발할 수 있으며 전도체계를 침범할 경우 방실차단이 일어날 수 있다.

### (3) 관상동맥병/심부전

심근경색 및 급사의 위험도가 증가되며 전통적인 관상동맥병의 위험인자가 류마티스관절염 환자에서 증가되어 있으나 류마티스관절염 자체가 관상동맥병의 위험인자로 작용한다. 전신침범이 있는 환자의 경우 관상동맥병의 위험도가 증가하며 관상동맥병은 류마티스관절염 환자의 주된 사망 원인이다. 심부전의 발생률은 일반인에 비해 2배 정도 증가되어 있으며 관상동맥병과 마찬가지로 전통적인 위험인자로는 이 현상을 설명하기 어렵다.

### (4) 결절

류마티스결절이 심낭, 심근 및 판막부근에 발생할 수 있으며 초음파로 발견할 수 있다. 증상유발은 드물지만 전도 체계 주위에 발생할 경우 실신과 사망을 초래할 수도 있으며 심장 판막에 류마티스결절이 발생할 경우 뇌졸중, 동맥색전증, 판막부전이 유발될 수 있다.

## 9) 혈관질환 임상양상

류마티스관절염에서 혈관염은 다양한 형태로 나타날 수 있으며 주로 작거나 중간크기의 혈관을 침범하며 관상동맥, 말초혈관, 뇌혈관을 침범할 수 있다. 류마티스혈관염은 국소적인 손가락 침범에서부터 결절다발동맥염(polyarteritis nodosa)과 유사할 정도의 전신침범의 양상을 보이는 다양한 임상양상을 보일 수 있다. 말초동맥염(distal arteritis)은 흔하게 조갑주름경색(nail-fold infarcts)과 같이 국소 허혈(ischemia)을 일으키는 경우부터 드물게 손, 발가락 끝의 괴사를 일으키는 경우가 있다. 피부궤양을 일으켜 괴저농피증(pyoderma gangrenosum)과 비슷한 임상양상 등을 일으키는 경우도 있으며 말초신경을 침범하는 경우, 가벼운 감각 신경병증부터 심각한 감각운동신경병증 등을 일으켜 다발단일신경염(mononeuritis multiplex)을 유발하는 경우도 있다. 괴사다발동맥염(necrotizing polyarteritis)과 흡사한 내장동맥염(visceral arteritis)은 말초신경을 침범할 수 있으며 장, 폐, 심장, 비장 등의 내부장기도 침범할 수 있다. 장침범은 경미한 복통으로 시작하여 극심한 통증, 동통으로 전개되며 장음 감소와 더불어 장폐색, 장출혈로 이어질 수 있다. 촉진자색반증(palpable purpura)의 대부분은 항류마티스약제의 부작용으로 유발된다.

## 10) 신장계 임상양상

류마티스관절염으로 인하여 신장에 직접적으로 이상이 생기는 경우는 드물지만 국소사구체질환(focal glomerulonephritis), 막콩팥병증(membranous nephropathy)과 류마티스혈관염이 있을 수 있다. 주로 비스테로이드소염제, 사이클로스포린 등과 같은 약물로 인하여 신장기능이 저하되는 경우가 더 흔하게 발생한다. 류마티스관절염이 오래된 환자에서 이차성 아밀로이드증이 발생할 수 있으나 최근 류마티스관절염 치료의 향상된 효과로 발생률이 매우 감소하였다. 아밀로이드증이 발생한 환자에서 관절염증을 효과적으로 조절한다면 단백뇨와 아밀로이드 조직 침착의 소멸을 기대할 수 있다.

## 11) 신경계침범

중추신경 및 말초신경계를 침범하는 다양한 임상증상이 나타날 수 있으며 국소적 또는 전신적인 양상으로 나타날 수 있다. 손목굴증후군이 가장 흔한 신경학적 소견이며 압박척수병증(compressive myelopathy) 또는 신경뿌리병증이 나타날 수 있다. 경추 1, 2번의 불안정성이 발견된 환자는 척수병증(myelopathy)의 위험이 증가하므로 적절한 조치를 취해야 한다. 흔한 증상은 후두로 향하는 방사통이지만 통증 없이 손이나 발에 감각 손실이 발생하는 경우도 있고 천천히 진행하는 뇌성마비(slowly progressive spastic quadriparesis)도 생길 수 있다. 전신마취를 요하는 수술이나 경추에 영향을 주는 수술의 경우 단순방사선촬영 결과를 반드시 확인해야 한다. 또한 류마티스혈관염이 있는 환자는 신경침범의 위험이 증가하며 다발홑신경염(mononeuritis multiplex) 또는 대칭다발신경병증(polyneuropathy)이 발생할 수 있다.

## 12) 혈액계 임상양상

빈혈은 류마티스관절염 환자에서 흔하게 동반되는 증상이며 호중구저하가 발견된다면 펠티증후군(Felty's syndrome)이나 큰과립성림프구증후군(large granular lymphocyte syndrome)을 의심할 수 있고 이에 대한 적절한 처치가 필요할 수 있다. 반응성 혈소판증가나 호산구의 증가는 질병활성도와 비례하므로 치료가 필요하지 않다.

### (1) 빈혈

정상적혈구정상색소빈혈(normocytic normochromic anemia)이 흔히 관찰되며 질병활성도와 적혈구침강속도와 비례한다. 대부분의 경우 만성질환에 의한 유발된 빈혈이며 염증으로 인해 골수에서 철분이 적혈구로 저장되지 못하기 때문이다. 혈색소가 10 g/dL 이하로 내려가는 경우는 드물다.

### (2) 펠티증후군

류마티스인자가 양성인 환자에서 호중구저하가 일어나며, 혈소판저하, 비장비대 등이 동반되며 하지의 궤양을 동반하기도 한다. 주로 만성관절염의 기간이 길고, 관절염의 정도가 심한 경우와 관련성이 높다.

### (3) 큰과립성림프구증후군

거짓 펠티증후군(pseudo Felty's syndrome)으로 알려져 있으며 말초혈액에서 큰과립성림프구가 특징이다. 골수증식성질환(clonal lymphoproliferative disease)으로 류마티스관절염에서는 대부분이 T세포에서 유래된 백혈병이다. 1/3에서는 증상이 없으며, 나머지는 열, 세균염, 피로감, 야간발한, 체중저하 등이 발생한다. 85%에서는 호중구저하가 있으며, 75%에서 림프구증대(lymphocytosis)가 있다.

### (4) 림프증식성질환

림프증식성질환(lymphoproliferative disease)은 류마티스관절염에서 백혈병과 림프종의 위험이 정상인에 비해 2배 정도 증가되어 있다. 특히 질병의 정도가 심할수록 위험도는 증가한다. 가장 흔한 종류는 diffuse large B cell type이다.

### 참고문헌

1. Creemers MCW, van de Putte LBA. Rheumatoid arthritis-the clinical picture. In: Isenberg DA, Maddison PJ, Woo P, Glass D, Breedveld FC eds. Oxford Textbook of Rheumatology. 3rd ed. Oxford, Oxford University Press; 2004. pp. 697-718

2. Fleming A, Crown JM, Corbett M. Early rheumatoid disease. I. Onset. Ann Rheum Dis 1976;35:357-60.

3. Jacoby RK, Jayson MI, Cosh JA. Onset, early stages, and prognosis of rheumatoid arthritis: a clinical study of 100 patients with 11-year follow-up. Br Med J 1973;2:96-100.

4. Lee DM, Weinblatt ME. Rheumatoid arthritis. Lancet 2001;358:903-11.

5. Lipsky PE. Rheumatoid arthritis. In: Kasper DL, Braunwald E, Fauci AS, Hauser SL, Longo DL, Jameson JL eds. Harrison's Principles of Internal Medicine. 16th ed. New York: McGaw-Hill; 2005. pp. 1968-77.

6. Maksymowych WP, Suarez-Almazor ME, Buenviaje H, Cooper BL, Degeus C, Thompson M et al. HLA and cytokine gene polymorphisms in relation to occurrence of palindromic rheumatism and its progression to rheumatoid arthritis. J Rheumatol 2002;29:2319-26.

7. Venables PJW, Maini RN. Clinical manifestations of rheumatoid arthritis. UptoDate. [Available from] https://www.uptodate.com/contents/clinical-manifestations-of-rheumatoidarthritis?source=search_result&search=clinical%20features%20of%20 rheumatoid%20arthritis&selectedTitle=1~150. (Updated in 2016).

# 43

# 검사소견과 진단

**연세의대 송정식**

## KEY POINTS 🔒

- 류마티스관절염의 검사에는 자가면역질환임을 입증할 수 있는 자가항체 검사와 관절염의 활성도를 측정하는 염증반응 검사, 추가적으로 질병활성도를 간접적으로 측정하고 약제의 부작용을 판단하기 위한 일반 혈액검사 등이 있다.
- 류마티스관절염을 확진할 수 있는 한 가지 증상이나 검사소견은 없으며 여러 가지 임상증상 및 검사소견을 종합하여 진단한다.
- 혈청양성 류마티스관절염 진단 시 류마티스인자와 항CCP항체가 중요하나, 혈청음성 류마티스관절염의 진단에는 아직 질병 표지자로 사용되는 자가항체가 보고되지 않았다.
- 1987년에 만들어진 류마티스관절염의 미국류마티스학회 질병 분류기준으로는 조기 류마티스관절염 환자들에게서 정확한 분류가 안 되는 경우가 많아서 이를 보완하기 위해 2010년 새로운 분류 기준이 마련되었다.
- 관절초음파 영상을 이용하여 관절 내 활막의 증식, 신생혈관 증식, 힘줄의 침범 및 작은 골미란을 조기에 민감하게 관찰할 수 있다.

## 류마티스관절염의 검사소견

류마티스관절염은 다른 류마티스 질환과 마찬가지로 진단에 100% 민감도와 특이도를 가지는 검사가 없으므로 여러 가지 검사들을 복합적으로 이용하여 진단 및 치료반응추적에 이용한다. 류마티스관절염의 검사에는 자가면역질환임을 입증할 수 있는 자가항체 검사와 관절염의 활성도를 직접적으로 측정하는 염증

반응 검사, 추가적으로 질병활성도를 간접적으로 측정하고 약제의 부작용을 판단하기 위한 일반 혈액검사 등이 있다.

### 1) 혈액검사

#### (1) 류마티스인자

류마티스인자(rheumatoid factor, RF)는 1940년대에 노르웨이 의사인 왈러(Waaler)가 류마티스관절염 환자의 혈청에서 발견한 자가항체이며 현재까지 류마티스관절염 진단에 가장 중요한 혈액검사 중 한 가지이다. 류마티스인자는 면역글로불린 G (immunoglobulin G, IgG)의 Fc 부분에 대한 자가항체로서 류마티스관절염 환자의 약 70-80%에서 양성으로 나타난다. 임상에서 검사로 확인하는 류마티스인자는 IgM type이지만 환자의 혈청에는 IgG, IgA, IgE, IgD 등 모든 동형(isotype)의 류마티스인자들이 있다. 류마티스인자 측정법은 과거에는 IgG로 코팅한 양(sheep) 적혈구에 환자의 혈청을 넣었을 때 류마티스인자로 인해 일어나는 적혈구의 응집여부를 확인하는 Waaler-Rose 법이 사용되었으나 현재는 더 예민하게 RBC 대신 IgG로 코팅한 latex를 이용한 latex-fixation 검사가 이용된다. 그러나 latex-fixation method는 검사자가 각각의 결과를 육안으로 판독해야 하기 때문에, 주로 소규모 검사실에서 사용되고 있으며, 대형 검사실에서는 자동화 장비의 사용이 가능한 nephelometry, turbidometry, ELISA 등의 검사법이 사용되며, latex-fixation methods에 비해 민감도가 개선되었다. 류마티스인자 결과의 해석에는 주의를 요하

는 데, 그 이유는 평균적으로 정상인의 5%에서 류마티스인자가 양성이며 연령 증가에 따라 양성률이 증가되어 65세 이상인 경우 약 10-20%에서 양성이다. 또한 건강한 사람이 백신을 맞거나 수혈을 받은 이후에도 양성으로 나올 수 있다. 따라서 류마티스인자가 양성이라고 하여 류마티스관절염으로 진단하면 안 된다. 이 외에도 여러 종류의 자가면역질환(전신홍반루푸스, 쇼그렌증후군, 자가면역근염, 유육종증, 간질폐질환), 만성감염질환(B형/C형간염, 결핵, 매독, 심내막염, 말라리아), 여러 종류의 악성종양 등 다른 질환에서도 류마티스인자가 위양성으로 나온다. 반면에 류마티스관절염 환자 중에서도 류마티스인자가 음성인 경우(seronegative RA)가 30%로 위음성률도 높은 편이다. 메타분석에 따르면 류마티스인자의 민감도는 69%, 특이도는 85% 정도이다 류마티스인자 검사는 민감도가 낮기 때문에 류마티스인자가 음성이라고 하여 진단에서 제외하면 안 된다. 또한 류마티스인자 검사는 특이도가 낮기 때문에 류마티스인자가 양성인 것만 가지고 류마티스관절염을 확진하기도 쉽지 않다. 따라서 류마티스인자는 류마티스관절염 진단에서 선별검사로 사용하기에 적합한 검사는 아니다. 한편 임상적으로 류마티스관절염이 의심되는 검사 전 확률(pretest probability)이 높은 환자에서 류마티스인자 양성이 나오는 경우 진단하는데 도움이 된다. 특히 항CCP항체 검사가 발명되기 이전에는 류마티스인자 양성이 류마티스관절염을 확진하는 데 많은 도움을 주었다. 다만 항CCP항체 검사가 사용되고 나서는 류마티스관절염의 확진에 항CCP항체의 양성이 더 도움이 되는 편이다.

한편 류마티스관절염 환자 중 혈관염이 있거나 류마티스결절을 가지고 있는 환자에서는 대부분 류마티스인자가 검출되며 류마티스인자의 역가가 높은 경우 관절염의 진행 정도가 심하며 간질폐렴 등의 관절외증상이 호발하므로 류마티스인자 검사는 질환의 예후를 예측하는 데 도움이 된다. 진단 당시 류마티스인자가 양성인 경우 치료 후에도 역가가 낮아지는 것은 아니므로 진단이 된 후에 류마티스인자를 반복적으로 검사하는 것은 큰 도움이 되지 않는다. 반면 류마티스인자가 음성인 경우에는 임상경과 중 일부 환자에서 양성으로 변하는 경우도 있기 때문에 반복 측정해보는 것이 의미가 있는 경우도 있다.

## (2) 항CCP항체

일반적으로 아미노산은 유전자에서 코드화되어 생성되는데 시트룰린(citrulline)과 같은 아미노산은 유전자에서 생성되지 않고 아미노산 중 하나인 아르기닌이 peptidylarginine deaminase에 의해서 전사후변형(post-translational modification)이 되어 만들어진다. 이와 같은 과정을 시트룰린화(citrullination)라고 하며 정상적인 단백질의 아르기닌 부위가 변형되어 만들어진 시트룰린을 포함한 펩타이드 부위에 반응하는 자가항체들이 류마티스관절염 환자의 혈청에서 발견되었으며, 이를 anti-citrullinated protein antibody (ACPA)라고 한다. 그러나 아르기닌이 포함된 단백질의 종류가 많기 때문에, 어떤 단백질이 ACPA의 주된 자가항원이 될지는 아직 명쾌히 규명되지는 않았다. 활막에 발현되는 단백질이 ACPA의 주된 표적으로 생각되고 있으며, histone, vimentin, fibrinogen 등의 단백질이 ACPA에 대한 반응성이 높은 것으로 알려져 있다. ACPA가 반응하는 여러 단백질 중에서 일부의 펩타이드를 cyclic 형태로 만들어 항원의 반응성을 증가시킴으로써 류마티스관절염 환자의 ACPA 양성검출률을 증가시킨 검사법을 항CCP항체 검사라고 한다. 항CCP항체는 비교적 류마티스관절염 환자의 진단에 특이적이기 때문에, 항CCP항체 검사의 개발은 류마티스관절염의 진단뿐만 아니라 질병의 병인에 대한 연구에도 많은 영향을 주었다.

항CCP항체 검사의 개발 역사는 다음과 같다. 1964년에 볼점막(buccal mucosa)의 상피세포에서 핵 주위의 과립(granule)에 반응하는 항체인 항핵주변인자항체(anti-perinuclear factor antibody, APF)가 류마티스관절염 환자의 혈액에서 발견되었고, 이와는 독립적으로 1979년에 다른 연구자들에 의해 anti-keratin antibody (AKA)가 발견되었다. 그 후에 이들 항체들이 반응하는 공통 항원이 있으며 그것이 바로 상피세포에 존재하는 자연적으로 시트룰린화 되어있는 단백인 filaggrin이라는 것이 밝혀졌고 나아가 이들 항체의 반응성이 시트룰린의 존재에 비례한다는 것이 밝혀졌다. 그러나 APF와 AKA는 류마티스관절염 환자의 약 반수 이상에서 발견되며 특이도가 매우 높은 항체이기는 하지만 면역형광법을 사용하는 검사의 불편함 그리고 실험실 간 표준화의 어려움 등의 이유로 임상에서 광범위하게 사용되지는 못했다. 이후 합성 cyclic citrullinated peptide를 항원으로 사용하는 ELISA검사법이 시도되었으며 이것이 항CCP항체 검사이다. 처음 개발된 1세대 항CCP항체 검사의 류마티스관절염에 대한 민감도과 특이도가 각각 68%, 97%로 보고되어 특이도는 높으나 민감도가 상대적으로 떨어지는 단점이 있었다. 이를 극복하기 위하여 민감도를 개선시킨 제2세대 항CCP항체 검사가 상품화되어 널리 사용 중이다. 최근에는 조기 류마티스관절염에 좀더 민감도가 개량된 제3세대 항CCP항체 검사가 개발되었다.

이 항CCP항체는 류마티스관절염 환자에서 특이적으로 발견되며 기존에 사용되던 류마티스인자와 비교하여 여러 장점을 갖고 있다. 첫째로 이 항체는 류마티스관절염 이외의 질환에서 위양성률이 낮아 진단에 특이도가 높다(표 43-1). 따라서 과거 1987년 미국류마티스학회의 류마티스관절염 분류기준에는 류마티스인자가 유일한 자가항체였으나 2010년 개정된 분류기준에는 항CCP항체가 류마티스인자와 동등한 자가항체 항목으로 포함되었다. 또한 항CCP항체는 류마티스관절염 증상이 나타나기 수년 전부터 양성으로 나오므로 류마티스관절염을 조기에 진단할 수 있게 되었다(그림 43-1).

시간이 갈수록 항CCP항체의 양성률이 증가하며 반응하는 시트룰린화 펩타이드의 종류가 증가한다. 항CCP항체가 양성인 경우 관절 파괴가 더 많이 진행하므로 질환의 예후를 예측할 수 있다. 흡연을 하면 류마티스관절염의 발생율이 높아지는데 흡연과 항CCP항체 발생과는 서로 연관성이 있다.

### (3) 급성기 반응물질

급성기 반응은 염증반응에 동반되는 주요한 병태생리학적 현상이다. 이러한 반응은 류마티스 질환뿐만 아니라 다양한 질환에서 관찰되는데 대표적인 질환이 감염, 외상, 경색, 악성 종양 등이다. 급성반응단백은 염증반응 동안 혈청에서 적어도 25%

이상의 변화가 있는 단백 물질을 말하며 C반응단백질(C-reactive protein, CRP)과 혈청 아밀로이드와 같이 혈중 농도가 증가하는 물질과 알부민, 트랜스페린(transferrin)과 같이 감소하는 물질들이 있다. 진단적 특이성이 부족함에도 염증의 유무 및 정도를 반영하므로 임상에서 유용하게 이용되며 가장 널리 사용되는 것은 적혈구침강속도(erythrocyte sedimentation rate, ESR)와 CRP이다. 이들 검사는 염증성 질환과 비염증성 질환을 구별하는 데 도움을 주며, 치료에 대한 반응을 반영한다. 또한 류마티스관절염 환자에서 예후와 연관되어 CRP와 ESR의 지속적 상승은 질병의 지속적인 진행으로 인한 방사선적 진행과 깊은 상관 관계가 있다. 이와 같은 급성반응단백질이 정상 범위 내로 유지하는 것이 치료의 목표가 되며 류마티스관절염의 질환 활성도 지수인 질병활성도점수28 (disease activity score 28, DAS28)의 한 항목에 포함되고 있다.

### (4) 일반 혈액검사

일반 혈액검사로는 전체혈구계산(complete blood count)을 실시하는데 가장 흔한 이상은 빈혈로 활동성 류마티스관절염이 있는 경우에 자주 동반된다. 빈혈의 원인은 만성 질환으로 인한 빈혈과 철결핍빈혈이 가장 흔하게 나타난다. 철결핍빈혈은 비스테로이드소염제의 사용에 따른 위장관 출혈에 기인하는 경우가 있을 수 있다. 그 외에도 비효율적인 적혈구생성, 적혈구생성 인자에 대한 골수 반응 저하, 적혈구 수명 단축, 염증이 있는 활막에서의 적혈구 파괴 등이 관여한다. 일반적으로 평균적혈구용적(mean corpuscular volume)은 만성 질환에 의한 빈혈에서는 정

**표 43-1.** 한국인 류마티스관절염 환자에서 항CCP항체와 류마티스인자의 진단 정확성

| 자가항체 | 민감도* | 특이도* |
|---|---|---|
| 항CCP항체 | 0.76 | 0.95 |
| RF | 0.78 | 0.80 |
| 항CCP항체 or RF | 0.85 | 0.74 |
| 항CCP항체 & RF | 0.79 | 0.96 |

*류마티스관절염과 다른 류마티스 질환을 비교함.
RF, 류마티스인자.

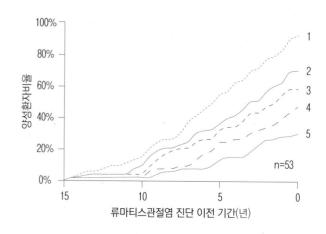

**그림 43-1.** 항CCP항체의 발병 전 발생 기간

상이며, 철결핍빈혈에서는 감소되어 있으므로 구분할 수 있으며 만성 질환에 의한 빈혈일 때는 혈청 ferritin이 증가되어 있다. 그러나 류마티스관절염 환자에서 위궤양이 있거나, 또는 생리 등으로 철결핍빈혈과 만성 염증성 빈혈이 같이 존재하는 경우도 있고, 약제가 골수에 미치는 영향도 있어서, 환자의 상황에 대한 임상의사의 판단이 중요하다. 치료 약제의 부작용으로 빈혈이 일어날 수 있는데 메토트렉세이트나 설파살라진과 같은 항엽산 제제는 거대적혈모구빈혈(megaloblastic anemia)을 일으킬 수 있고 아주 드물게 류마티스관절염에 자가면역용혈빈혈이 동반될 수도 있다.

백혈구 수는 대부분 정상이지만 약간 증가되는 경우도 있다. 백혈구감소증은 펠티증후군으로 인해서 나타날 수 있으며 다른 증상이 없는 경우에도 나타날 수 있다. 일반적으로 혈소판은 급성 염증반응으로 증가되는데 이로 인해 혈전증이 잘 생기지는 않는다. 일반적으로 빈혈 정도와 혈소판증가 정도는 질병활성도와 비례한다. 또한 약물치료 중에는 정기적으로 간기능 검사 및 신장기능 검사를 통하여 치료제의 부작용이나 다른 장기의 침범은 없는지 감시해야 한다.

## 2) 영상검사

류마티스관절염에서 방사선검사는 진단뿐만 아니라 질병의 추적관찰에 도움이 된다. 즉 연골손상이나 미란(erosion) 등의 정도를 평가하여 질병의 중증도 및 치료에 대한 반응과 수술의 필요 여부를 판단하는 데 이용된다. 실제로 손과 발에서 방사선 침범 정도의 점수를 측정하는 것은 각종 임상 연구에서 약제의 질병 진행 억제 효과를 보기 위해 많이 사용된다. 류마티스관절염에서 사용되는 방사선검사에는 단순X선검사, 초음파검사, 자기공명영상(MRI), 컴퓨터단층촬영(computed tomography, CT) 등이 있다.

### (1) 단순X선 검사

일반적으로 류마티스관절염을 진단하고 질환의 중증도를 측정하는 가장 간단한 방사선적 방법이다. 하지만 골미란을 자세히 보기 위해서는 고해상도 영상이 필요하다. 발병 초기에는 연부 조직 부기, 관절 삼출 등 신체검사에서 확인되는 사항들만이 관찰되며 이러한 소견들은 류마티스관절염에 특이적이지 않으

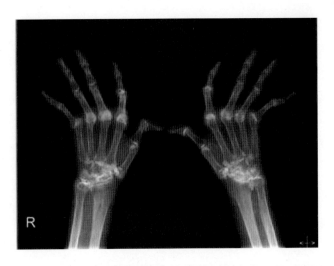

그림 43-2. **류마티스관절염의 단순X선 검사소견** 양측 수부의 근위부 손가락뼈사이관절(proximal interphalangeal, PIP), 손허리손가락관절(metacarpophalangeal, MCP), 손목관절에 골미란과 관절간격이 좁아지며 아탈구 소견이 관찰된다. (출처: 충남의대 심승철 교수)

므로 진단에 큰 도움이 되지 않는다. 그러나 질병이 진행하면서 골다공증, 낭종, 부분탈구, 골막반응, 좁아진 관절간격, 관절강직, 반응성 경화증 등 다양한 이상들이 관찰되며, 류마티스관절염의 특징적인 소견으로는 대칭적인 관절침범 및 미란이 있다 (그림 43-2).

류마티스관절염에서 관절손상이 잘 일어나는 순서를 보면 손, 발, 무릎, 엉덩관절, 경추, 어깨, 팔꿈치 관절 순이다. 촬영 각도에 따라 미란이 보일 수도 있고 안 보일 수도 있으므로 각각의 관절은 서로 다른 각도에서 촬영하여야 한다. 미란이 단순X선 사진에서 보이기 위해서는 관절경계에서 골피질을 관통할 정도로 진행되어야 한다. 미란은 일반적으로 류마티스관절염 발병 1년 이내에 15-30%의 환자에서 관찰되며 특히 MCP, PIP 관절에서 잘 보인다. 미란의 발생빈도는 점차 증가되어 발병 2년 후에는 약 83%의 환자에서 관찰된다. 일부 환자에서는 척골경상돌기 (ulnar styloid)나 발허리발가락관절(metatarsophalangeal, MTP)에 미란이 처음 발생할 수도 있다. 따라서 류마티스관절염이 의심되는 환자에서는 손뿐만 아니라 발의 방사선 사진도 촬영하는 것이 좋다. 손목에서는 미란이 커다란 연골밑미란(subchondral erosion)으로 진행하고 나중에는 모든 손목 뼈의 관절 간격이 소실되며 결국에는 관절강직이 일어난다.

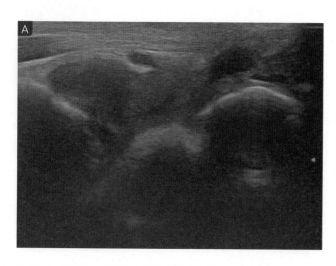
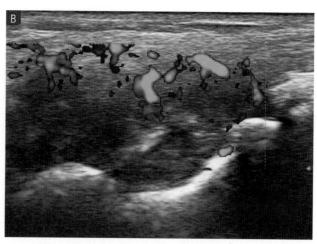

그림 43-3. 류마티스관절염의 초음파검사소견 (A) Grayscale 초음파 소견: 류마티스관절염의 특징인 활막의 증식이 관찰되며 압박에도 병변이 이동하지 않는다. (B) Color Doppler 초음파 소견: 초음파에서 이상 혈관 음영의 증가가 관찰된다(출처: 충남의대 유인설 교수).

## (2) 초음파검사

초음파검사는 진료실에서 바로 검사할 수 있는 장점이 있어 최근 들어 관절이나 관절 주변 조직 질환을 진단하는 데 점점 중요해지고 있다. 현재 사용되는 초음파 종류는 회색조초음파검사(gray scale ultrasonography, GSUS), 색도플러(Color Doppler) 및 파워도플러초음파검사(Power Doppler ultrasonography) 등이다. 단순X선 영상은 연부조직의 변화를 직접적으로 관찰할 수 없기 때문에 활막염의 중등도를 평가할 수 없고 골미란을 조기에 검출할 수 없다는 한계가 있다. 그러나 초음파 영상을 이용하면 관절내 활막의 증식, 신생혈관 증식, 힘줄의 침범, 연골 손상 및 작은 골미란을 조기에 민감하게 관찰할 수 있다는 장점이 있다. 또한 류마티스관절염의 진단과 활성도 평가에 필수적인 침범된 관절의 개수를 평가하는 데 있어 기존에 사용해 왔던 신체검사소견에 비해 초음파 영상을 이용하는 경우가 민감도가 높고 재현성도 좋다. 류마티스관질염의 득징인 활막의 증식은 압박에도 병변이 이동하지 않는다는 점과 도플러 초음파검사에서 이상 혈관 음영의 증가가 관찰되어 삼출액과 구분이 가능하다(그림 43-3).

초음파검사에서 미란은 세로, 가로 평면에서 불규칙한 바닥을 가진 피질결손으로 관찰되며 단순X선 촬영에 비해 초기 류마티스관절염 환자에서 미란을 6배 정도 더 찾아낼 수 있어 조기 진단과 정확한 활성도 평가에 더 유리하다. 특히 초기에 잘 침범되는 2번째 MCP 관절이나 5번째 MTP 관절에서 단순방사선 사진보다 미란을 발견하는 능력이 더 뛰어나다. 이외에도 건초염, 건초파열, 베이커낭종, 관절삼출, 근육둘레띠파열(rotator cuff tear)을 진단하는 데 유용하다. 그러나 초음파검사를 사용하여 질병의 중증도나 진행을 평가하는 방법은 아직 정립되어 있지 않다.

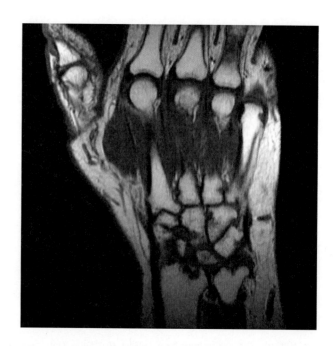

그림 43-4. 류마티스관절염의 MRI 소견 손목 부위에 다발성 골미란 소견이 관찰된다. (출처: 충남의대 유인설 교수)

### (3) 자기공명영상

MRI는 뼈와 함께 연부 조직도 같이 평가할 수 있는 장점이 있다. 초음파검사와 마찬가지로 관절내 활막의 증식, 신생혈관 증식, 힘줄의 침범, 연골 손상을 관찰할 수 있으며 단순방사선 사진보다 3배 더 민감하게 미란이 관찰되며 미란이 생기기 전에 발생하는 골수부종이 관찰되어 초기 변화를 감지할 수 있다(그림 43-4).

그러나 MRI는 초음파와 달리 진료실에서 바로 사용할 수 없으며 가격이 비싸고 촬영에 시간이 많이 걸리기 때문에 널리 사용되지는 않는다.

## 진단

대부분의 류마티스 질환이 그렇듯이 류마티스관절염을 확실하게 진단할 수 있는 특정 검사법은 없다. 따라서 환자의 증상, 신체검사소견, 각종 검사소견 및 방사선 소견을 종합하여 류마티스관절염 진단을 내리게 된다. 이를 위해 환자를 진료할 때 나이, 성별, 관절 증상의 특징, 관절외증상 등을 철저히 검토하고 신체 검사를 해야 하며, 이러한 자료를 바탕으로 감별진단할 병들을 떠올리고 이에 따라 필요한 검사를 실시한다.

### 1) 류마티스관절염을 의심해야 하는 경우

#### (1) 침범된 관절 양상

류마티스관절염은 손가락, 발가락의 작은 관절을 특징적으로 침범하며 대칭으로 나타난다. 그러나 처음부터 항상 대칭으로 나타나는 것은 아니므로 경과를 관찰해야 한다. 또한 처음에는 한 개의 관절만 아플 수도 있지만 시간이 지남에 따라 아픈 관절 수가 점점 늘어나는 양상을 보인다.

#### (2) 아침강직

아침에 손가락 관절이 뻣뻣해지는 아침강직(morning stiffness)은 골관절염 환자에서도 관찰되지만 대개 30분 이내이고 류마티스관절염은 1시간 이상 지속된다. 따라서 아침강직이 오래가는 경우 류마티스관절염을 시사한다.

#### (3) 증상 지속 기간

바이러스 감염 등에 의한 일시적인 관절염은 수일에서 수주 사이에 저절로 호전되지만 류마티스관절염은 증상이 지속된다. 따라서 6주 이상 지속되는 경우 류마티스관절염을 의심해 볼 수 있으나 그 외의 다른 염증성 관절염도 고려해야 한다.

#### (4) 자가항체

류마티스인자는 류마티스관절염 환자의 70-80%에서 양성 소견을 보이며, 20-30%의 환자에서 음성으로 나오게 되어 위음성 경우가 많다. 특히 조기 류마티스관절염에서 위음성이 증가한다. 또한 다른 여러 만성질환, 또는 정상인에서 위양성으로 나오는 경우가 많다. 이에 반하여 항CCP항체는 류마티스관절염에 매우 특이적이다. 류마티스인자와 항CCP항체가 같이 양성으로 나오는 경우에는 류마티스관절염 진단의 특이도가 더 높아진다. 만일 여러 관절에 관절염이 있는 환자에서 류마티스인자와 항CCP항체가 같이 양성으로 나온다면 이 환자는 류마티스관절염을 가지고 있을 가능성이 매우 높다.

### 2) 류마티스관절염 분류기준

류마티스관절염을 확실하게 진단하는 최적기준(gold standard)인 임상적, 영상의학적, 혈청학적 검사는 아직 없다. 간혹 류마티스 분야에서 분류기준(classification criteria)과 진단기준(diagnostic criteria)을 혼동하여 사용하는 경우가 있는데 이는 정확하지 않은 것이다. 류마티스학은 다른 분야에 비하여 그 발전이 늦은 편이라 류마티스관절염이란 용어가 널리 사용된 것은 20세기 이후이다. 따라서 과거 문헌을 보면 같은 병을 다른 이름으로, 또는 다른 병을 관절염이란 한 가지 병명으로 불러 서로 혼동되는 일이 많았다. 이런 혼란을 없애기 위하여 각종 임상연구를 하거나 학회에 보고를 할 때 특정 조건을 만족시키는 환자를 류마티스관절염이라 하기로 약속을 하였고 이를 분류기준으로 삼았다. 그러나 실제로는 이 분류기준을 진단기준과 유사하게 사용하기도 하는데, 이는 어떤 상황에서 환자를 보는가에 따라 정확도가 결정된다. 따라서 임상적으로 류마티스관절염이 의심되는 경우에는 우선 류마티스 전문의 의견을 들어 보는 것이 좋다. 류마티스관절염의 분류기준은 여러 가지가 있는데 대표적인 2가지를 소개한다.

**표 43-2. 1987년 미국류마티스학회 류마티스관절염 진단 기준**

| | |
|---|---|
| 아침강직* | 관절이나 관절 주변의 뻣뻣함으로 최소한 1시간 이상 지속됨 |
| 3개 이상 관절의 부기* | 의사가 진찰했을 때 다음 14개 관절 중 동시에 3개 이상의 관절에서 연부조직 부기나 활액이 존재함: 양측 근위부 손가락뼈사이(proximal interphalangeal, PIP) 관절, 손허리손가락(metacarpophalangeal, MCP) 관절, 손목, 팔꿈치, 무릎, 발목, 발허리발가락(metatarsophalangeal, MTP) 관절 |
| 손 관절의 부기* | 손목, MCP, PIP 관절 중 최소한 한 관절 이상의 부기 |
| 대칭적인 관절의 부기* | 위에 언급한 관절을 대칭적으로 동시에 침범 |
| 류마티스결절 | 뼈가 튀어나온 부위나 폄근(extensor) 표면에 만져지는 피하결절 |
| 류마티스인자 양성 | 정상 대조군에서 위양성률이 5% 이하인 방법으로 측정하여 양성으로 나와야 함 |
| X선 검사에서 미란 또는 탈칼슘화 | 손이나 손목 방사선 사진에서 미란, 분명한 관절주변 골감소증 등 전형적인 류마티스관절염 소견이 보이는 경우 |

\* 반드시 6주 이상 지속되어야 함
† 7 항목 중 4개 이상을 만족하여야 함

## (1) 1987 미국류마티스학회 분류기준(표 43-2)

1957년도에 처음으로 류마티스관절염 분류기준이 만들어졌으며 1987년 미국류마티스학회(American College of Rheumatology, ACR)에서 개정되었고 이 기준이 가장 널리 사용되고 있다. 이 기준은 오래 앓은 류마티스관절염 환자를 대상으로 하여 만들어졌다. 표 43-2는 1987년에 ACR에서 제정한 분류 기준으로서 류마티스관절염을 진단하는 민감도는 77-95%, 특이도는 85-98%이다. 그러나 이 기준을 만족하지 못하였다고 하더라도, 특히 발병 초기에는 류마티스관절염이 아니라고 진단할 수 없다. 또 이 기준은 조기 류마티스관절염과 다른 초기 염증성 관절염을 구분하지 못하는 경우도 있다.

## (2) 2010 미국류마티스학회/유럽류마티스학회 분류기준(표 43-3)

2010년 미국과 유럽 류마티스학회에서는 새로운 류마티스관절염 기준을 마련하였다. 이 기준의 중요한 목표는 새로 발생한 미분화성 염증성 활막염 환자 중에서 앞으로 활막염이 지속되어 골미란이 발생할 환자를 조기에 구분해 내는 것이다. 그 이유는 새로운 치료약제가 많이 개발되어 염증을 조절하고 앞으로 관절이 손상되는 것을 예방할 수는 있지만, 이미 발생한 관절손상은 치유할 수 없기 때문이다. 따라서 류마티스관절염 환자들이 관절장애를 겪지 않고 지내도록 하기 위해서는 관절손상이 일어나기 전인 조기 류마티스관절염 시기에 적절한 치료가 시작되어야 한다. 이러한 조기치료가 어려운 이유 중 한 가지는 기존의 류

**표 43-3. 2010년 류마티스관절염 분류 기준**

| 침범된 관절* | 점수 |
|---|---|
| 큰 관절† 1개 | 0 |
| 큰 관절 2-10개 | 1 |
| 작은 관절† 1-3개 | 2 |
| 작은 관절 4-10개 | 3 |
| > 10개 관절 (적어도 1개의 작은 관절 포함) | 5 |
| **혈청 검사§** | |
| 류마티스인자 음성 및 항CCP항체 음성 | 0 |
| 류마티스인자 약양성 또는 항CCP항체 약양성 | 2 |
| 류마티스인자 강양성 또는 항CCP항체 강양성 | 3 |
| **급성기반응물질** | |
| 정상 CRP와 정상 비정상 ESR | 0 |
| 비정상 CRP 또는 ESR | 1 |
| **증상 지속 기간** | |
| <6주 | 0 |
| ≥6주 | 1 |

\* 관절 침범이라 함은 검사 시 부어 있거나 압통이 있는 관절, 또는 MRI나 초음파 검사상 활막염의 증거가 있는 것을 말한다. 이러한 평가시 원위부 손가락뼈사이(distal interphalangeal, DIP) 관절, 1번째 손목손허리(carpometacarpal, CMC) 관절, 1번째 발허리발가락(metatarsophalangeal, MTP) 관절은 제외한다.
† 큰 관절은 어깨, 팔꿈치, 엉덩관절, 무릎 및 발목 관절을 말한다.
‡ 작은 관절은 2번째부터 5번째 손허리손가락(metacarpophalangeal, MCP) 관절, 근위부 손가락뼈사이(proximal interphalangeal, PIP) 관절, 2번째부터 5번째 발허리발가락(metatarsophalangeal, MTP) 관절 및 엄지 손가락의 손가락뼈사이관절, 손목 관절을 말한다.
§ 약양성이라 함은 정상 상한치(upper normal limit, UNL)보다는 높으나 UNL의 3배 이하인 경우. 강양성은 UNL의 3배보다 더 높은 경우. 만일 류마티스인자가 양성, 음성으로만 보고되는 경우에는 약양성으로 간주한다.
CRP, C-reactive protein; ESR, erythrocyte sedimentation rate.

마티스관절염 분류기준이 여러 가지 제한점을 가지고 있다는 점이다. 기존의 분류기준은 발병한 지 오래된 류마티스관절염 환자들의 자료를 이용하여 만들어졌기 때문에 조기 류마티스관절염 환자에게 적용하기 어려운 점이 있다. 현재 많이 사용되는 항CCP항체 검사도 1987년 기준을 제정할 때는 알려져 있지 않았다. 이러한 이유 때문에 2010년에 새로운 류마티스관절염 분류기준을 발표하게 되었다. 즉, 개정된 새 분류기준의 특징은 초기부터 항류마티스약제(DMARDs)를 사용해야 하는 조기 류마티스관절염 환자를 선별하자는 것이고 이렇게 함으로써 관절파괴가 일어나기 전에 적절한 치료를 하여 류마티스관절염 치료 성과를 좋게 하기 위함이다. 새로운 기준에 따르면 최소한 한 개 이상의 활막염이 있으면서 다른 질환이 배제되고 다음 항목의 점수가 6점 이상이면 류마티스관절염이라 진단할 수 있다.

## 3) 류마티스관절염의 감별진단

### (1) 골관절염

중년 또는 노년 환자에서 손가락관절을 침범한 골관절염은 류마티스관절염과 가장 혼동되는 질환이다. 그러나 침범되는 관절양상이 다르기 때문에 대부분 쉽게 감별할 수 있다. 골관절염은 대부분 손톱에서 가까운 DIP 관절을 침범하며 헤베르덴결절(Heberden's node)이 동반되는 경우가 많다. 대조적으로 류마티스관절염은 MCP, PIP 관절이 잘 침범되고 헤베르덴결절은 없다, 엄지손가락의 CMC 관절은 골관절염 때 전형적으로 침범되는 관절이다. 아침강직은 류마티스관절염 시 매우 흔한 증상이지만 골관절염인 경우에는 비교적 드물고 오래가지 않는다. 또한 류마티스관절염의 관절경직이 손을 사용하지 않아도 잘 나타나는데 반하여 골관절염의 경우에는 손을 사용한 후에 잘 나타난다.

단순X선 사진도 감별진단에 도움이 된다. 골관절염은 연골소실에 의한 관절강협착을 특징으로 하며 뼈재형성에 의하여 뼈돌기가 나타나며 미란 등은 나타나지 않는다, 그러나 류마티스관절염을 오래 앓은 환자에서는 2차적인 골관절염이 잘 동반된다. 골관절염은 일반적으로 류마티스인자가 음성이며 급성기단백이 정상이다. 그러나 환자의 연령이 높은 경우에는 류마티스인자가 저역가로 나타나는 경우도 있다. 또 동반된 다른 질환에 의하여 급성기단백질이 증가하는 경우도 있다.

### (2) 재발류마티즘

관절염 같다고 내원한 환자의 일부는 관절이 돌아다니면서 2-3일씩 아프다고 하는 경우가 있다. 이런 경우에는 재발류마티즘(palindromic rheumatism)을 고려해 보아야 한다. 재발류마티즘은 아픈 중간에는 전혀 이상소견이 없으며, 치료하지 않아도 대부분 증상이 소실된다. 여러 관절이 침범될 수 있으며 간혹 관절주변 힘줄이 침범되기도 한다. 진단은 부은 관절을 직접 보는 것이 가장 좋다. 일부 환자에서 류마티스관절염으로 진행되기도 하지만 일반적으로 예후가 좋다. 우리나라에서는 간헐적으로 관절염이 나타나는 경우 베체트병도 감별하여야 한다.

### (3) 섬유근통 및 과신전증후군

흔하게 볼 수 있는 질환들이다. 관절통은 섬유근통이나 과신전증후군(hypermobility syndrome)의 주 증상이며 이러한 질환은 언뜻 보면 류마티스관절염과 유사하지만, 관절염이 없고 류마티스인자나 급성기단백질의 증가가 관찰되지 않는다. 또 섬유근통에서는 압통점이, 과신전증후군에서는 특징적인 관절소견이 나타난다. 그러나 일부 류마티스관절염 환자에서는 이차적으로 섬유근통이 발생하기도 한다.

### (4) 미분화다발관절염

미분화다발관절염(undifferentiated polyarthritis)은 만성적인 혈청음성 염증성 다발관절염으로서 류마티스관절염이 의심되기는 하지만, 류마티스관절염 진단기준을 만족시키지 못하는 경우이거나, 류마티스관절염의 비전형적인 형태이다. 여성에서 더 흔하며 추후 검사에서 약 10-15%의 환자는 추가로 류마티스인자가 양성으로 나올 수도 있다. 이 환자 중 약 20%는 류마티스관절염으로 진행하고, 약 50%에서는 관해가 일어난다. 이런 환자의 경우에는 병의 경과를 면밀히 주시하여 관해가 일어나는지, 류마티스관절염으로 진행하는지 관찰하여야 한다.

### (5) 반응관절염

간혹 류마티스관절염이 무릎관절과 같은 큰 관절이나 소수의 관절만 침범하여 나타날 수 있다. 이 경우에는 반드시 반응관절염(reactive arthritis)을 감별하여야 한다. 침범된 관절소견은 류마티스관절염이나 반응관절염이 서로 동일하기 때문에, 요도염,

장 감염 과거력, 피부병변, 발꿈치통증, 영상의학적 검사에서 천장관절염이나 척추염소견, HLA-B27과 같은 소견으로 구분한다. 또 반응관절염의 경우 관절침범이 비대칭적이고 류마티스인자도 잘 나타나지 않는다. 반응관절염에서 손관절이 침범된 경우는 감별이 그렇게 어렵지는 않다. 왜냐하면 류마티스관절염과 달리 비대칭적으로 관절이 침범되며 관절 이외에 손가락의 근막층까지 침범되므로 특징적인 '소시지손가락(sausage digits)'이 나타난다. 발가락이 침범된 경우에도 같은 소견을 보인다.

## (6) 건선관절염

건선에 의한 관절염은 류마티스관절염과 매우 유사하며 류마티스인자나 항CCP항체가 나오지 않는 혈청음성 류마티스관절염의 경우 관절염의 양상만 가지고 구분이 어렵다. 류마티스관절염과 건선관절염의 구분은 일부 건선관절염 환자에서 피부병변이 나오기 수년 전에 관절증상이 먼저 나오는 경우가 있어 더 어렵다. 그러나 일반적으로 건선에 의한 피부병변, 손톱변화(onychodystrophy), 소시지 모양의 손가락이나 발가락, 척추침범, arthritis mutilans 등에 의해 구분된다.

## (7) 다른 류마티스 질환 및 유육종증

초기 류마티스관절염은 전신홍반루푸스, 쇼그렌증후군, 중복후군, 전신경화증 등과 감별이 어렵다. 특히 이 병들은 대칭적인 다발관절염을 일으키므로 류마티스관절염과 구분이 매우 어렵다. 그러나 질병이 진행함에 따라 류마티스관절염인 경우에는 아침강직, 대칭적 관절침범, 피하결절, 특징적인 관절변형 등이 나타나며, 다른 질환의 경우에는 각각의 질환에 해당하는 증상들이 나타난다. 환자를 볼 때 우선 류마티스관절염이 의심되는 경우에는 레이노현상, 모발손실 여부, 안구 혹은 구강 건조증상 등 각종 류마티스 질환을 시사하는 증상을 물어보아야 하며 처음 검사할 때 항핵항체 정도는 측정하는 것이 좋다. 유육종증의 경우에는 관절이 부어 있어도 관절주변염(periarthritis)이 있을 수 있어, 부은 정도에 비하여 관절천자를 할 때 물이 잘 안 나올 수 있다. 중요한 것은 관절염 환자 감별진단 리스트에 유육종증이 들어가 있어야 한다는 점이다.

## (8) 결정관절염

통풍과 같은 결정관절염도 만성적인 경과를 보이면서 여러 관절을 침범할 수 있다. 이 경우 활액에서의 요산결정을 확인하거나, 류마티스인자가 없거나, 아침강직이 없는 것 또는 통풍 결절로 진단을 한다. 대부분의 경우에는 발병초기에 어떤 식으로 아팠었나를 자세히 물어보면 감별할 수 있다. 즉, 발병 초기에는 간헐적인 발작을 보이다가 시간이 경과하면 통풍결절, 만성 염증성 다발관절염의 양상을 보인다. 혈청요산이 증가한 것과 통풍결절이 감별진단에 도움이 된다. 단, 노년층의 남성 환자인 경우에는 감별진단으로 통풍관절염을 잘 생각해 내지만, 젊은 여성에서도 발생할 수 있으므로 주의하여야 하며 대부분 젊은 여성의 경우에는 이뇨제를 남용한 병력이 있다

## (9) 급성 바이러스다발관절염

감기 증상 이후 갑자기 발생한 관절염이나 관절염 지속기간이 6주 이내인 경우에는 임상증상이 류마티스관절염을 시사하여도 혹시 바이러스감염에 의한 관절염이 아닌가를 고려해 보아야 한다. 풍진, 파보바이러스(parvovirus), B형간염 등과 같은 바이러스감염은 급성 다발관절염을 일으킬 수 있으며 증상은 수일에서 수 주, 길게 가면 여러 달 지속될 수도 있다. C형간염 바이러스의 경우 소수 환자에서 다발성 또는 소수의 관절만을 침범하는 관절염을 일으킬 수 있다. 일본에서는 HTLV 1형 바이러스가 큰 관절에 염증을 일으킨다는 보고도 있다. 이러한 감염 들은 종종 류마티스인자, 항핵항체 등이 양성인 경우가 있고 급성기단백도 증가하는 경우가 있다. 이러한 감염과 류마티스관절염을 구분하는 법은 주로 병력, IgM 항 바이러스 항체, 저절로 호전되는 질병경과 등에 의해서이다.

📖 참고문헌

1. Aletaha D, Neogi T, Silman AJ, Funovits J, Felson DT, Bingham CO, 3rd, et al. 2010 Rheumatoid arthritis classification criteria: an American College of Rheumatology/European League Against Rheumatism collaborative initiative. Arthritis Rheum 2010;62:2569-81.

2. Arnett FC, Edworthy SM, Bloch DA, McShane DJ, Fries JF, Cooper NS, et al. The American Rheumatism Association 1987 revised criteria for the classification of rheumatoid arthritis. Arthritis Rheum 1988;31:315-24.

3. Lee YH WJ, Choi SJ, Ji JD, Song GG. Diagnostic Accuracies of Anti-cyclic Citrullinated Peptide Antibody and Rheumatoid Factor in Korean Patients with Rheumatoid Arthritis: A Meta-analysis. J Korean Rheum Assoc 2008;15:27-38.

4. Nishimura K, Sugiyama D, Kogata Y, Tsuji G, Nakazawa T, Kawano S, et al. Meta-analysis: diagnostic accuracy of anti-cyclic citrullinated peptide antibody and rheumatoid factor for rheumatoid arthritis. Ann Intern Med 2007;146:797-808.

5. Rantapaa-Dahlqvist S, de Jong BA, Berglin E, Hallmans G, Wadell G, Stenlund H, et al. Antibodies against cyclic citrullinated peptide and IgA rheumatoid factor predict the development of rheumatoid arthritis. Arthritis Rheum 2003;48:2741-9.

6. Scott DL, Wolfe F, Huizinga TW. Rheumatoid arthritis. Lancet 2010;376:1094-108.

7. van de Stadt LA, de Koning MH, van de Stadt RJ, Wolbink G, Dijkmans BA, Hamann D, et al. Development of the anti-citrullinated protein antibody repertoire prior to the onset of rheumatoid arthritis. Arthritis Rheum 2011;63:3226-33.

8. van der Helm-van Mil AH, le Cessie S, van Dongen H, Breedveld FC, Toes RE, Huizinga TW. A prediction rule for disease outcome in patients with recent-onset undifferentiated arthritis: how to guide individual treatment decisions. Arthritis Rheum 2007;56:433-40.

9. Willemze A, Trouw LA, Toes RE, Huizinga TW. The influence of ACPA status and characteristics on the course of RA. Nat Rev Rheumatol 2012;8:144-52.

# 44

# 치료

서울의대 **신기철**

## KEY POINTS 🔒

- 류마티스관절염은 조기에 항류마티스약제 치료를 시작해야 한다.
- 치료는 관해 혹은 낮은 질병활성도를 목표로 해야 하며 목표에 도달하지 못하는 경우 1-3개월 간격으로 평가하여 치료를 조정하는 것이 좋다.
- 항류마티스약제 중에는 메토트렉세이트를 가장 먼저 고려한다.
- 메토트렉세이트에 금기 혹은 순응도가 나쁜 경우 레플루노마이드, 설파살라진 등을 사용할 수 있다.
- 고전적 항류마티스약제 치료로 목표에 도달하지 못한 경우 불량예후지표가 있으면 생물학적제제 혹은 JAK억제제를 고려한다. 치료를 변경 후 목표에 도달하지 못하면 작용기전이 다른 항류마티스약제로 전환을 고려한다.
- 지속적으로 관해 상태가 유지되면 항류마티스약제 감량을 고려할 수 있다.
- 경구 글루코코티코이드는 가능하면 중단하도록 노력하는 것이 필요하다.
- 동반질환의 유무를 고려하여 치료제를 선택한다.

## 서론

류마티스관절염은 대표적 다발염증관절질환으로, 치료하지 않는 경우 발병 후 2년 이내에 관절에 비가역적 손상이 일어난다. 이로 인해 일상생활의 장애뿐만 아니라 환자의 수명을 단축시킬 수 있다. 또한, 청년에서 중장년 연령층에 걸쳐 발생하여 이에 따르는 노동 손실과 경제적 손실, 그리고 막대한 의료비는 사회적인 부담이 될 수 있다. 따라서, 류마티스관절염이 진단되면 조기에 적극적인 치료를 시작하는 것이 필요하다. 류마티스관절염의 치료 목표는 염증을 조절하여 통증을 해소하고, 관절의 손상을 예방하거나 늦추며, 관절의 기능을 유지시켜 삶의 질과 생산성을 향상시키는 데 있다. 류마티스관절염으로 분류하기 어려운 초기 혹은 미분화 관절염에 대한 치료원칙도 본문의 초기평가 및 치료전략에서 크게 벗어나지 않는다.

## 환자 초기평가

류마티스관절염은 관절뿐만 아니라 전신을 침범하는 중증의 질환으로 발전할 수 있고, 다양한 항류마티스약제들이 임상에 활용되고 있어 류마티스내과 전문의가 환자를 평가하고 치료를 담당하는 것이 필요하다. 특히, 환자에게 불량예후지표가 있는지 조사하는 것이 중요한 바, 부은 관절 수가 많거나, 류마티스인자/항CCP항체 역가가 높거나, 혈액 내 염증표지자 수치가 높거나, 골손상이 존재하는 경우가 이에 포함된다. 또한, 예방접종력을 확인하여 폐렴구균, B형간염 바이러스 등에 대한 예방접종이 이루어지지 않았다면 시행해야 한다. 그리고, 고혈압, 당뇨병 등 만성질환이나 B형, C형간염 바이러스 만성 감염 등 환자의 동반질환 여부를 평가하여 약제를 선택하는 것이 필요하다(아래 동반질환 참조).

# 약물치료

류마티스관절염의 치료에 사용되는 약물은 다음과 같다: 질환조절 항류마티스약제, 비스테로이드소염제, 글루코코티코이드를 포함한다. 적어도 한 가지의 질환조절 항류마티스약제 치료가 필요하며, 관절염이 심한 시점에서는 위 세 가지 치료의 병합이 필요할 수 있다.

## 1) 질환조절 항류마티스약제

질환조절 항류마티스약제(disease-modifying antirheumatic drug, DMARD, 이하 항류마티스약제)는 류마티스관절염 활막 내의 염증의 진행을 막거나 질병을 개선시킬 수 있는 약물이다. 항류마티스약제 대부분은 환자의 X선 촬영에서 관찰되는 관절손상을 늦추거나 억제할 수 있다(표 44-1).

메토트렉세이트는 효과가 대표적인 고전적 합성(conventional synthetic) 항류마티스약제이다. 메토트렉세이트는 1주일 1회 10 mg에서 25 mg 복용하며, 피하주사로도 맞을 수 있다. 부작용으로는 구강궤양, 구역, 간기능 이상, 골수기능저하, 간질폐렴 등이 있다. 메토트렉세이트의 청소율(clearance)에 신기능이 매우 중요하므로, 치료 중에 신기능을 같이 모니터링하는 것이 필요하다. 엽산(folic acid) 1일 1 mg 복용은 메토트렉세이트의 부작용 발생 위험을 감소시킨다. 메토트렉세이트 단독 치료로 질병이 개선되지 않을 경우, 다른 고식적 혹은 생물학적(biologic), 표적 합성(targeted synthetic) 항류마티스약제와 병합이 가능하며, 치료효과를 증대시키는 효과가 있다. 현재 사용되고 있는 생물학적 항류마티스약제는 각각 TNF-α (tumor necrosis factor-alpha), IL-6 수용체, T세포와 항원전달세포 간의 신호전달, 그리고 B세포 등이 그 표적이며, 새로운 약제들이 계속 개발되거나 임상시험 중에 있다. 동등생물의약품 또는 바이오시밀러(biosimilar)는 기존 생물학적 항류마티스약제와 구조, 물리화학적, 생물학적 성질이 동등한 약제로 현재 항TNF제제 및 리툭시맙에 대한 바이오시밀러가 임상에 사용되고 있다. 표적 합성 항류마티스약제는 염증반응에 관여하는 세포내 신호전달을 억제하며 현재 Janus kinase (JAK) 억제제 중심으로 류마티스관절염 치료에 활용되고 있다.

## 2) 비스테로이드소염제

비스테로이드소염제(non-steroidal anti-inflammatory drug, NSAID)는 관절염 증상을 완화하는 데 도움이 되나 질병을 개선하는 작용은 없어 항류마티스약제 없이 단독으로 써서는 안 된다. 류마티스관절염 환자들은 비스테로이드소염제를 장기간 사용할 때 발생하는 소화기계 부작용에 대한 위험인자(고령, 글루코코티코이드 사용 등)를 대개 동반하기 때문에 주의를 요한다. 저용량의 아스피린 병용은 비스테로이드소염제의 소화기계 부작용 가능성을 높일 수 있으며, 비스테로이드소염제에 의한 신장혈류감소나 혈압상승효과도 처방할 때 염두해야 한다.

## 3) 글루코코티코이드

글루코코티코이드(glucocorticoid)는 관절염 증상을 호전시킬 뿐만 아니라, 류마티스관절염에 의한 골손상을 감소시킬 수 있다. 하지만, 이를 장기간 사용할 경우 심각한 부작용을 초래할 수 있어 몇 가지 원칙을 지키는 것이 필요하다. 글루코코티코이드는 항염효과가 크고 작용시작이 빠르기 때문에 항류마티스약제 효과가 나타나기 전 염증을 조절하는 역할을 한다. 흔히 사용하는 프레드니솔론(prednisolone)의 경우 관절증상 조절에 필요한 용량은 보통 1일 7.5 mg 이하로, 항류마티스약제의 효과가 나타나면 최소 필요한 용량으로 프레드니솔론을 천천히 감량하되, 가능하면 중단하는 노력이 필요하다. 류마티스관절염의 관절외 임상상(예: 혈관염, 공막염)의 치료에는 고용량의 글루코코티코이드가 요구될 수 있다. 글루코코티코이드를 사용하는 모든 환자에게 골다공증 예방을 위해 신경써야 하며 칼슘, 비타민D의 보충과 선별된 환자들에게는 글루코코티코이드 유발 골다공증 예방을 위한 추가 치료를 병행해야 한다.

# 약물의 치료전략

류마티스관절염 치료의 궁극적인 목표는 질병의 관해(remission) 혹은 낮은 질병활성도(low disease activity)를 유지하는 것이다(표 44-2).

모든 류마티스관절염 환자의 약물치료에는 항류마티스약제가 포함되어야 한다. 조기에 치료를 시작하면 약 40-50%의 환자

표 44-1. 항류마티스약제군

| 약물 | 용량 | 부작용 | 평가 |
|---|---|---|---|
| **고전적 합성(conventional synthetic) 항류마티스약제** | | | |
| 메토트렉세이트(methotrexate) | 10-25 mg/주 경구 혹은 피하주사(엽산 1 mg/일 병용필요) | 구역, 설사, 구내염, 탈모, 피로감, 간기능 이상, 골수기능저하, 감염, 간질폐렴, 임부투여안전성 X | 전체혈구계산, 간기능 및 신기능 검사, 바이러스성 간염항체, 흉부 X선 |
| 하이드록시클로로퀸(hydroxy-chloroquine) | 200-400 mg/일 경구(≤ 5.0 mg/kg) | 구역, 설사, 두통, 발진, 망막변화, 근병증 | 매년 시야 및 망막검사 |
| 설파살라진(sulfasalazine) | 첫 용량: 500 mg 경구 일 2회 유지용량: 1,000-1,500 mg 일 2회 | 구역, 구토, 두통, 백혈구감소증, 용혈성빈혈 (G6PD deficiency) | 전체혈구계산, 간기능 검사 |
| 레플루노마이드(leflunomide) | 10-20 mg/일 | 탈모, 설사, 간기능 이상, 골수기능 저하, 감염, 임부투여안전성 X | 전체혈구계산, 간기능 검사, 바이러스성 간염항체 |
| 타크로리무스(tacrolimus) | 1-3 mg/일 | | |
| **생물학적제제** | | | (공통) 시작 전 인터페론 감마 유리검사(interferon-γ releasing assay), 결핵 피부반응검사, 흉부 X선 |
| 항TNF제제 | 인플릭시맙(Infliximab): 3 mg/kg IV 0, 2, 6주, 이후 8주마다 주사 | 주사반응, 간기능이상, 감염 (결핵, 세균, 진균), 약물유발 전신홍반루푸스, 신경학적 이상 | 주사반응, 간기능 검사 |
| | 에타너셉트(Etanercept): 50 mg SQ 주 1회, 혹은 25 mg SQ 주 2회 | 위와 동일 | 위와 동일 |
| | 아달리무맙(Adalimumab): 40 mg SQ 2주에 1회 | 위와 동일 | 위와 동일 |
| | 골리무맙(Golimumab): 50 mg SQ 월 1회 | 위와 동일 | 위와 동일 |
| | 서토리주맙(Certolizumab): 400 mg SQ 0, 2, 4주, 이후 200 mg 2주 | 위와 동일 | 위와 동일 |
| 토실리주맙(tocilizumab) | 4-8 mg/kg IV 월 1회 혹은 162 mg SQ 2주 1회 | 감염, 주사반응, 간기능 이상, 고지혈증, 혈구감소 | 전체혈구계산, 간기능 검사 |
| 아바타셉트(abatacept) | < 60 kg: 500 mg<br>60-100kg: 750 mg<br>> 100 kg: 1,000 mg IV 0, 2, and 4주, 이후 4주마다 IV 혹은 125 mg SQ 주 1회 | 두통, 구역, 감염 | 주사반응 |
| 리툭시맙 (rituximab) | 1,000 mg IV 0, 2주 6개월 이상의 간격을 두고 주사할 수 | 발진, 열, 감염, 주사반응, 혈구감소, B형 간염 악화 | 전체혈구계산, 바이러스 간염항체 주사반응 |
| 바이오시밀러 (biosimilar) | 인플릭시맙, 에타너셉트, 아달리무맙, 리툭시맙 각각에 대한 동등생물의약품이 허가를 받아 사용 중에 있음 | | |
| **표적 합성(targeted synthetic) 항류마티스약제** | | | |
| 토파시티닙(tofacitinib) | 5 mg 경구 일 2회 | 상기도 감염, 설사, 두통, 기타 감염, 간기능 이상, 고지혈증, 중성구 감소 | 시작 전 인터페론 감마 유리검사 (interferon-γ releasing assay), 결핵 피부반응검사, 흉부 X선, 전체혈구계산, 간기능 및 지질검사 |
| 바리시티닙(baricitinib) | 4 mg 경구 일 1회 | 위와 동일 | 위와 동일 |
| 우파다시티닙(upadacinitib) | 15 mg 경구 일 1회 | 위와 동일 | 위와 동일 |

G6PD, glucose-6-phosphate dehydrogenase; TNF, tumor necrosis factor; SQ, subcutaneous; IV, intravenous.

**표 44-2.** 류마티스관절염의 질병활성도와 관해를 평가할 수 있는 도구와 한계치 범위

| 도구 | 한계치 범위 |
| --- | --- |
| DAS28 (Disease Activity Score in 28 joints) (범위 0-9.4) | 관해 < 2.6<br>낮은 활성도 ≥ 2.6 ~ < 3.2<br>중간 활성도 ≥ 3.2 ~ < 5.1<br>높은 활성도 ≥ 5.1 |
| SDAI (Simplified Disease Activity Index) (범위 0-86) | 관해 ‹3.3<br>낮은 활성도 ≥ 3.3 ~ < 11.0<br>중간 활성도 ≥ 11.0 ~ < 26.0<br>높은 활성도 ≥ 26.0 |
| CDAI (Clinical Disease Activity Index) (범위 0-76) | 관해 ‹2.8<br>낮은 활성도 ≥ 2.8 to ~ 10.0<br>중간 활성도 ≥10.1 to ~ 22.0<br>높은 활성도 ≥22.0 |

가 관해에 도달할 수 있다. 가장 먼저 고려되는 약제는 메토트렉세이트이며, 메토트렉세이트를 사용할 수 없거나 이에 부작용이 있다면, 레플루노마이드나 설파살라진을 선택한다. 치료 초기에는 항류마티스약제, 비스테로이드소염제 및 저용량의 글루코코르티코이드의 병합이 필요할 수 있다. 또한, 초기 치료에 반응이 없는 경우 환자가 불량예후지표를 갖고 있지 않으면 다른 고전적 항류마티스약제 혹은 그 병합을, 불량예후지표가 있다면 생물학적 혹은 표적합성 항류마티스약제를 추가하는 것이 필요하다. 생물학적 혹은 표적합성 항류마티스약제 치료 시 고전적 항류마티스약제와의 병합이 추천되며, 고전적 항류마티스약제 병합이 어려운 경우, IL-6 수용체 억제제, 표적합성 항류마티스약제 사용을 고려할 수 있다. 생물학적, 표적합성 항류마티스약제에 불충분한 반응을 보이면, 작용 기전이 다른 약제로 전환을 고려한다(그림 44-1).

관절염이 심한 시기에는 주기적으로(1-3개월 간격) 환자를 평가하되, 발생할 수 있는 약물 부작용은 항시 모니터링해야 한다. 정리하면, 약물의 선택은 질병의 활성도, 관절 손상의 여부, 동반질환, 그리고 과거 혹은 현재의 약물의 부작용에 의해 결정된다. 약물치료의 순응도를 유지하기 위해서는 약물정보 및 치료 경과에 대해 환자에게 자주 설명하는 것이 필요하다. 한편, 항류마티스약제의 감량은 신중히 결정할 사항으로, 관해가 충분한 기간 지속될 때 고려할 수 있다.

## 동반질환 평가 및 치료

류마티스관절염과 동반된 질환을 확인하고 평가하는 것은 관절염 치료약제의 선택뿐만 아니라, 치료에 대한 예후에 영향을 미친다. 고혈압을 비롯한 심혈관질환, 고지혈증에 대한 관리는 관절염의 장기적인 치료 과정을 고려할 때 매우 중요하다. 혈당이 조절되지 않은 류마티스관절염 환자는 관절의 뻣뻣함(stiffness)과 부기가 심해질 수 있다. 신기능 저하가 있는 경우는 메토트렉세이트 사용에 주의를 요하거나 피해야 하며, B형간염 바이러스를 보균한 환자는 일부 항류마티스약제의 사용이나 병합이 제한된다. 류마티스관절염은 골다공증의 독립적인 위험요인이므로, 골다공증에 대한 평가와 관리에 각별한 주의가 필요하다. 관절외 임상상 및 새로운 동반질환이 류마티스관절염 치료과정 중에 발생할 수 있으므로 주기적으로 이를 평가하고 관리해야 한다.

## 기타

### 1) 교육

환자로 하여금 치료 프로그램에 적극적으로 참여하고 약물에 대한 순응도를 높이기 위해서는 교육이 중요하다. 안내책자, 홍보물 외에도 관절염 환자교육 프로그램을 활용할 수 있다. 교육의 내용에 관절염의 원인, 증상, 치료약제의 용법과 부작용, 그리고 관절보호방법 등 다양한 정보가 포함되는 것이 필요하다.

### 2) 휴식

관절염에 의한 에너지의 소모를 억제시키고 염증이 있는 관절을 쉬게 함으로써 염증의 회복을 기대하는 것이다. 따라서 활성기에는 쉬는 시간을 많이 갖고 염증이 가라앉는다면 활동의 양을 늘려 본다.

### 3) 운동

관절염이 심한 활동기에는 운동범위 내 운동(range of motion exercise)과 등장성 수축운동(isometric exercise)을 하는 정도가 좋으며 염증이 가라앉을수록 근력을 강화시키는 적극적인 운동을

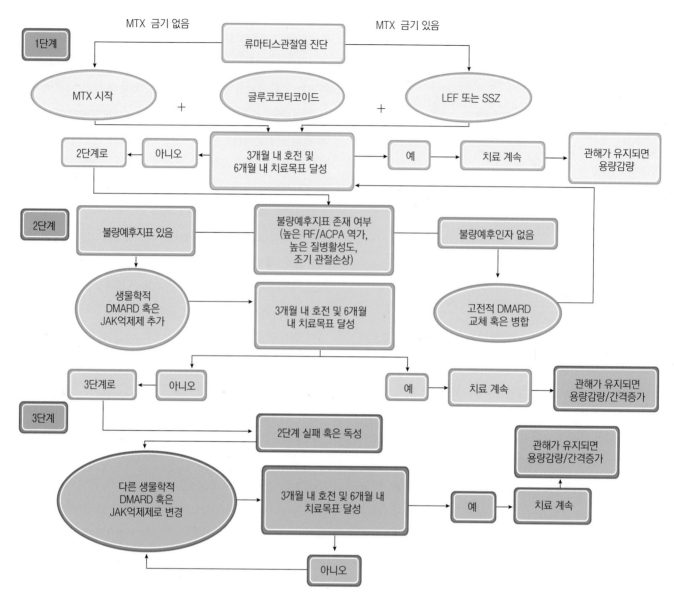

**그림 44-1.** 류마티스관절염 치료에 대한 유럽류마티스학회의 권고(2019)에 기반한 알고리즘

DMARD, disease-modifying antirheumatic drug; MTX, 메토트렉세이트; LEF, 레플루노마이드; SSZ, 설파살라진; RF, rheumatoid factor; ACPA, anti-citrullinated protein antibody; JAK, Janus kinase.

시행한다. 운동의 종류에 따라서 관절의 손상이 증가될 수 있음을 교육시킨다. 즉, 작은 관절의 굴곡(flexion)운동보다는 큰 관절을 이용한 운동을 추천함으로써 관절을 보호하는 요령을 교육시킨다.

## 4) 온열 및 한랭치료

온열 및 한랭치료를 통하여 환자의 증세를 도와줄 수 있는데 이때 환자가 편안하게 느끼는 것을 선택하도록 한다. 일반적으로 염증의 급성기에는 한랭치료가 도움이 된다.

## 5) 음식

현재 관절염에 효과가 있는 식품으로는 어류의 불포화지방산 외 특별히 효능이 입증된 것이 없으므로 5대 영양소가 함유된 음식을 골고루 섭취하도록 권유하는 것이 좋다. 그리고 체중의 증가는 환자의 관절에 부담을 줄 수 있으므로 체중을 조절하도록 권유한다. 특히 글루코코티코이드의 사용에 따른 식욕증가와 체중증가가 있을 때에는 식사의 양을 조절하도록 한다.

## 결론

류마티스관절염이 진단되면 항류마티스약제를 시작해야 하며, 치료를 제대로 받지 않을 경우 결국 관절 및 관절 외 합병증이 동반될 수 있다. 주기적으로 환자를 평가하고 필요한 치료목표를 달성한다면 적절 항류마티스약제의 사용으로 낮은 질병활성도, 나아가 관해를 기대할 수 있다. 이를 위해서는 환자에게 질환과 치료약물에 대한 적절한 정보를 제공하는 한편, 투약에 대해 교육을 시행하는 것이 매우 중요하다.

## 참고문헌

1. Aletaha D, Smolen JS. The definition and measurement of disease modification in inflammatory rheumatic diseases. Rheum Dis Clin North Am 2006;32:9-44.

2. Grigor C, Capell H, Stirling A, McMahon AD, Lock P, Vallance R, et al. Effect of a treatment strategy of tight control for rheumatoid arthritis (the TICORA study): a single-blind randomized controlled trial. Lancet 2004;364:263-9.

3. Mottonen T, Hannonen P, Leirisalo-Repo M, Nissila M, Kautiainen H, Korpela M, et al. Comparison of combination therapy with single-drug therapy in early rheumatoid arthritis: a randomized trial. FIN-RACo trial group. Lancet 1999;353:1568-73.

4. Shah A and St. Clair EW. Rheumatoid arthritis. In: Kasper D, Fauci A, Hauser S, Longo D, Jameson JL, Loscalzo J. eds. Harrison's Principle of Internal Medicine. 19th ed. New York: McGraw Hill. 2015.

5. Smolen JS, Aletaha D, Bijlsma JW, Breedveld FC, Boumpas D, Burmester G, et al. Treating rheumatoid arthritis to target: recommendations of an international task force. Ann Rheum Dis 2010;69:631-7.

6. Smolen JS, Landewé RBM, Bijlisma JWJ, Burmester GR, Dougados M, Kerschmaumer A, et al. EULAR recommendations for the management of rheumatoid arthritis with synthetic and biological disease-modifying antirheumatic drugs:2019 update. Ann Rheum Dis 2020;79:685-99.

7. van der Heide A, Jacobs JW, Bijlsma JW, Heurkens AH, van Booma-Frankfort C, van der Veen MJ, et al. The effectiveness of early treatment with second-line antirheumatic drugs. A randomized, controlled trial. Ann Intern Med 1996;124:699-707.

# 45

# 예후

울산의대 **이창근**

## KEY POINTS 🔒

- 류마티스관절염 환자의 약 10%는 관해를 경험하지만 대부분의 환자는 만성적인 질병의 경과를 보인다.
- 류마티스관절염 환자의 기대수명은 건강 대조군에 비해서 약 2배가량 높은 표준사망비율을 보였으나 최근 연구결과에서는 유의미한 사망률 증가가 관찰되지 않았다.
- 이는 효과적인 항류마티스약제 개발 및 다양한 치료의 향상에 따라 지난 수십 년간에 걸쳐 사망률이 낮아져 왔음을 의미하며, 일례로 발생 사망률은 1955년 이후 매년 약 2.6%씩 낮아졌다.
- 류마티스관절염에서 감염은 주요한 동반질환으로 감염 위험도를 증가시키는 인자로는 고령, 관절외증상, 백혈구감소증, 글루코코티코이드, 그리고 생물학적제제 등이다.
- 류마티스관절염에서 심혈관질환의 발생 위험도가 높으며 이러한 위험을 조절하기 위해 류마티스관절염 질병 활성도의 적절한 조절과 심혈관질환의 위험도 평가 및 관리가 필요하다.
- 류마티스관절염에서 간질폐렴 발생은 사망률 증가를 가져오는 매우 중요한 동반질환으로 고령, 남성, 흡연, 류마티스인자, 항CCP항체 및 관절외증상 등이 주요 위험인자로 알려져 있다.

## 서론

류마티스관절염은 손가락관절을 비롯한 다발관절염을 가져오는 대표적인 자가면역질환으로 관절뿐 아니라 다양한 전신 합병증을 동반한다. 10%의 류마티스관절염 환자는 6개월 내에 자발적인 관해를 경험하며, 약 15-20%의 환자는 악화와 호전을 반복하는 경과를 보이지만 비교적 경과는 좋다. 하지만 대다수의 류마티스관절염 환자는 임상적 혹은 방사선학적으로 진행되는 만성적인 경과를 경험한다.

류마티스관절염 발생 후 2년이 경과하면 방사선학적 골미란이 약 60-70%의 환자에서 관찰된다. 20년이 지난 후에는 심장혈관질환이나 감염 등의 류마티스관절염과 연관된 합병증으로 일상적인 생활에 어려움을 겪거나, 타인의 도움이 필요하거나 혹은 관절치환술을 받아야 하는 경우가 약 60%의 환자에서 나타난다는 보고도 있다. 관절 손상의 정도, 신체기능상태, 정신의학적 건강함 유지, 심혈관질환이나 신장, 폐질환 동반 여부, 그리고 감염증은 류마티스관절염의 경과와 예후에 밀접한 관련이 있다. 따라서 류마티스관절염의 좋은 예후를 위해서는 조기 진단과 치료 그리고 동반질환에 대한 적절한 관리가 중요하다.

류마티스관절염의 불량예후와 관련된 인자에 대해서는 많은 연구들이 있어 왔으나 주요 인자가 확실하게 정립되어 있지는

**표 45-1. 류마티스관절염 환자에서 불량예후인자**

1. 류마티스인자, 항CCP항체 양성
2. Shared epitope 존재
3. 진단시 미란(erosion) 존재
4. 진단시 질병 활성도
5. 적혈구침강속도/C반응단백질 상승 정도
6. 관절외 증상 또는 결절의 존재
7. 여성
8. 흡연
9. 비만

않다. 또한 특정 예후인자 여부에 따라 다른 치료가 이루어져야 하는가 등에 대해서도 그간의 많은 연구에도 불구하고 현재까지 결론내리기가 어렵다. 하지만 일반적으로 불량예후와 관련된 인자는 다음과 같이 제시되고 있다(표 45-1).

## 신체기능상태

### 1) 신체기능상태의 척도 및 영향 인자

류마티스관절염 환자에서 각 관절의 기능상태 저하는 전반적인 신체기능상태(physical function capacity)를 반영한다. 류마티스관절염 환자의 관절기능상태에 영향을 미치는 인자로서는 질병 활성도, 관절의 구조적 통합성(structural integrity), 관절주위 근육의 강도(strength) 및 긴장도(tone), 일반적 체력(fitness) 그리고 사회심리학적 요소들이 있다. 신체기능상태는 일상생활 수행능력에 따라서 4가지로 분류된다: Class I=정상적 일상생활 수행능력; Class II=1개 이상의 관절기능제한이 있으나 비교적 일상생활 수행능력의 보존; Class III=일상생활 수행능력의 제한; Class IV=일상생활 수행 불가능. 신체기능상태의 척도는 자기보고문항에 기초한 Health Assessment Questionnaire (HAQ)이나 Arthritis Impact Measurement Scale Health Status Questionnaire (AIMS)에 근거해서 측정할 수 있다. 신체기능상태는 류마티스관절염 초기에는 관절 염증과 관련이 있지만, 류마티스관절염의 말기에는 관절 손상과 관련이 있다. 류마티스관절염 환자가 HAQ≥1 점수를 가지고 있다는 것은 대부분의 일상생활 일들을 처리함에 있어 어려움을 느낄 수 있다는 것을 의미한다. 전체 인구를 대상으로 비교하였을 때, HAQ≥1을 호소하는 비율은 환자군이 대조군에 비해서 약 8배 높다. 스웨덴에서 진행된 10년 이상의 관찰 연구는 94%의 환자가 정상적 일상생활 수행능력을 보였지만, 중등도 이상의 HAQ 점수를 보고한 환자는 58%에 달했다. 연구종결 시점까지 20%의 환자는 악화를 경험하지 않았다. 진단 후 첫 3개월 동안의 HAQ 점수는 10년 후의 신체기능상태를 예측할 수 있는 인자로 제시되었다(OR 13.4). 또 하나의 관찰 연구는 류마티스관절염이 시작된 시점으로부터 매년 약 2-3%의 신체기능저하가 진행되는 것으로 보고하였다. 이러한 경향은 나이, 성별, 인종, 질병이환 기간 및 진단 당시의 신체

**표 45-2.** 류마티스관절염 환자에서 고용과 생산성에 나쁜 영향을 미치는 인자

1. 고령
2. 낮은 교육 수준
3. 늦은 치료 시작
4. 진행된 신체기능상태 저하(HAQ >1)
5. 항류마티스약제에 대한 낮은 치료 효과
6. 높은 시각통증등급(visual analogue scale, VAS)
7. 높은 의사 및 환자의 전반적 시각통증등급(global VAS ≥50 mm)

장애의 정도와 연관을 보였다. 한편, 신체기능상태와 삶의 질과의 연관성을 조사하고자 우리나라 류마티스관절염 환자를 대상으로 한 분석연구 결과에 따르면 류마티스관절염의 질병 활성도 및 통증보다 신체기능상태의 저하와 우울이 삶의 질에 더 많은 영향을 주는 것으로 밝혀졌다.

### 2) 신체기능상태 저하에 따른 직업 고용의 어려움

신체기능상태 저하(신체장애) 측면은 직업 고용의 유지에 중요한 영향을 미친다. 한 연구에 따르면, 평균 12년의 추적관찰 기간 동안 35.7%의 환자가 유급의 고용 상태였고, 심각한 신체장애는 직업 고용률을 낮추는 인자로 보고되었다. 류마티스관절염 환자에서 고용과 생산성에 영향을 미치는 인자는 다음과 같다(표 45-2).

### 3) 항류마티스약제와 신체기능상태

효과적인 항류마티스약제의 사용은 류마티스관절염 환자의 신체기능상태 유지 혹은 호전에 긍정적인 영향을 주었다. 메토트렉세이트를 초기부터 사용하는 경우, 1년마다 HAQ 점수가 약 2%씩 감소하였는데, 메토트렉세이트의 사용이 나이, 성별, 인종, 교육수준, 질병 이환 기간보다 신체기능상태 악화를 지연시키는데 효과적이었다. 메토트렉세이트 이외에도 레플루노마이드와 설파살라진도 메토트렉세이트와 유사한 HAQ 점수 감소 효과를 보였다. 생물학적제제는 기존의 경구 항류마티스약제보다 신체기능상태 악화 지연 효과가 더욱 저명했다. 다양한 생물학적제제(infliximab, abatacept, adalimumab, certolizumab, etanercept, rituximab, tocilizumab)의 신체기능상태 관련 효과를 분석한 28개의 기존 연구를 메타분석 하였을 때, 생물학적제제는 고

식적 항류마티스약제에 비해서 평균적으로 HAQ 점수를 0.22점 낮추었다. 또한, 메토트렉세이트를 복용한 적이 없는 류마티스관절염 환자만을 분석하였을 때, 생물학적제제는 HAQ 점수를 평균적으로 0.19점 낮추었다. 기존 약물의 장점을 부각하고 단점을 보완하는 방향으로 개발 시도되고 있는 다양한 생물학적제제는 더욱 효과적으로 신체기능상태의 보완 및 저하 지연을 할 것으로 기대된다.

## 동반질환

류마티스관절염 환자는 관절 침범 이외 다양한 전신질환을 동반하는 경우가 많은 것으로 알려져 있다. 한 연구에 따르면 19%의 환자가 관절염 이외의 만성질환을 가지고 있으며, 응답자 중 20%의 환자에서는 중등도 이상의 심각한 동반질환(comorbidity)을 가지고 있었다.

### 1) 감염

감염은 류마티스관절염에서 사망까지 이르게 할 수 있는 심각한 동반질환으로 류마티스관절염 자체의 이상면역이나 항류마티스약제에 의한 면역 억제에 의해서 유발될 수 있다. 600여 명의 류마티스관절염 환자와 대조군을 평균 12.7년 추적관찰한 연구에 따르면, 류마티스관절염 환자에서 더 높은 감염률을 보였는데, 주된 감염은 골수염[상대위험도(relative risk, RR) 10.6], 세균관절염(RR 14.9), 피부감염(RR 3.3), 복부감염(RR 2.8)과 호흡기감염(RR 1.7) 등이었다. 또 다른 연구 결과에 따르면 27,000여 명의 류마티스관절염 환자 중 92%의 환자에서 1개 이상의 경미한 감염을 경험하였고, 18%의 환자에서는 1개 이상의 중등도 이상의 감염을 경험하였다. 항류마티스약제의 사용은 감염의 위험성을 증가시키지 않는 것으로 보고되고 있으나, 글루코코티코이드의 사용은 감염의 위험성을 높이는 것으로 보고되었다. 2015년 이전까지 보고된 연구들에서는 항TNF제제와 감염의 위험도에 대해서는 논란의 여지가 있으나, 글루코코티코이드와 병용 투여를 하는 경우에는 감염의 위험도가 증가되는 것으로 알려졌다. 생물학적제제를 시작할 때, 프레드니솔론 5 mg 이하로 복용하는 환자의 감염 위험도는 1.32였고, 10 mg 이상을 복

### 표 45-3. 류마티스관절염 환자에서 감염 위험도를 증가시키는 인자

1. 고령
2. 관절외증상
3. 백혈구감소증
4. 동반질환(만성폐질환, 알코올중독, 당뇨 등)
5. 글루코코티코이드
6. 생물학적제제

용하는 환자의 감염 위험도는 2.95까지 상승하였다. 2015년에 생물학적제제를 복용한 류마티스관절염 환자를 대상으로 한 106개의 임상연구를 조사한 메타분석 연구가 발표되었다. 이 연구에서 전통적 항류마티스약제에 비해서 표준 용량의 생물학적제제는 1.31배, 고용량의 생물학적제제는 1.90배 감염 위험도를 증가시키는 것으로 밝혀졌다. 하지만 표준 용량 이하의 저용량의 생물학적제제 사용은 감염 위험도를 증가시키지 않았다. 생물학적제제를 사용한 환자 중에서도 메토트렉세이트를 투약받은 적이 없는 환자들의 감염 위험도가 전통적 항류마티스약제나 항TNF제제를 투약 받았던 환자들보다 낮음을 보고하였다. 생물학적제제를 투약 받은 환자에서의 절대 감염 환자 수는 표준 용량 생물학적제제 투약 환자에선 1년 1,000명당 6명이었고, 고용량의 생물학적제제 투약 환자에선 1년 1,000명당 55명이었다. 따라서 생물학적제제를 투약하는 류마티스관절염 환자에서는 감염 빈도 증가에 대한 고려를 해야만 한다. 류마티스관절염 환자에서 감염의 위험도에 영향을 주는 인자들은 다음과 같다(표 45-3).

### 2) 심혈관질환

류마티스관절염 환자에서 사망률을 높이는 가장 많은 원인은 심혈관질환이고 그 다음이 감염질환으로 알려져 있다. 류마티스관절염에서 심혈관질환의 위험도 증가는 당뇨병 환자의 위험 정도와 비슷한 위험도를 가지는 것으로 알려지면서 류마티스관절염 환자에서 심혈관질환 위험도 평가 및 적절한 치료는 매우 중요한 부분을 차지한다. 류마티스관절염의 만성 염증은 동맥경화를 조장하게 되는데 염증사이토카인, 면역복합체, C반응단백질의 증가, 내피세포 기능이상 그리고 드물게는 관상동맥의 혈관염 등에 의해서 심혈관질환의 빈도가 증가하게 된다. 면역학적으로는 면역이상 T세포, 수지상세포 및 대식세포가 염증의 진행을 유도하고 결과적으로 동맥경화 형성을 촉진하게 된다.

**표 45-4.** 류마티스관절염 환자에서 심혈관계 위험 조절을 위한 유럽류마티스학회 권고안

1. 심혈관질환의 위험도를 낮추기 위해 질병활성도가 적절하기 조절되어야 한다.
2. 심혈관질환의 위험도 평가는 적어도 5년에 한번 모든 환자에서 이루어져야 하며 항류마티스 치료 변경 시에는 고려되어야 한다.
3. 심혈관질환의 위험도 평가는 각 국가의 지침에 따라 이루어져야 한다.
4. 총콜레스테롤, HDL콜레스테롤이 심혈관질환 위험도 평가에 사용되어야 하며 질병 활성도가 안정화 혹은 관해를 유지할 때 시행되는 것이 이상적이다.
5. 심혈관질환 위험도 예측 모델에서 1.5를 곱하여 이루어져야 한다.
6. 경동맥초음파를 이용하여 무증상의 동맥경화반을 스크리닝하는 것이 고려될 수 있다.
7. 생활습관 교정 특히 건강한 식습관, 규칙적인 운동, 금연의 효과를 강조하여 이루어져야 한다.
8. 심혈관 위험도 관리는 국가 가이드라인에 따라 수행되며 항고혈압제, 스타틴은 일반인과 마찬가지로 사용될 수 있다.
9. 비스테로이드소염제의 처방은 주의가 필요하며 특히 심혈관질환이 있거나 위험 인자가 존재하는 경우 유의가 필요하다.
10. 글루코코티코이드는 최소한의 용량으로 사용되어야 하며 질병 관해 혹은 낮은 질병활성도에서 감량이 시도되어야 한다. 글루코코티코이드 사용을 지속해야 하는 이유에 대해 규칙적으로 평가가 이루어져야 한다.

111,758명의 류마티스관절염 환자를 대상으로 한 24개의 관찰연구를 메타분석한 연구에 따르면 류마티스관절염 환자에서 뇌-심장혈관에 의한 사망률의 증가는 대략 50-60%로 나타나며, 허혈심질환에 의한 메타-표준사망비율(meta-standardized mortality ratio, meta-SMR)은 59% (meta-SMR 1.59) 증가하는 것으로 보고하고 있다. 고혈압, 흡연, 당뇨병, 고령 및 이상지질혈증 등 전통적인 심혈관질환의 위험인자 이외에도 류마티스관절염과 연관되어서 류마티스관절염의 이환 기간(10년 이상), 항CCP항체 또는 류마티스인자 양성, 관절외증상, C반응단백질 상승, 비선택적 NSAID, COX-2억제제 및 글루코코티코이드가 포함된다. 류마티스관절염 환자에서 심혈관질환의 위험 조절을 위해 유럽류마티스학회에서 제시한 권고안은 다음과 같이 요약해 볼 수 있다(표 45-4).

심혈관질환 이외에도 류마티스관절염 환자에서는 심부전(heart failure)의 빈도도 증가하는데, 한 연구에 따르면 30년 추적관찰을 하였을 때, 약 37%의 환자에서 관찰되는 것으로 보고하

였다. 심부전을 유발하는 인자로는 염증매개체, 항류마티스약제와 아밀로이드증(amyloidosis)이 있으며, 심혈관질환에 의해서 이차적으로 심부전이 발생할 수 있다.

### 3) 폐질환

간질폐질환은 류마티스관절염에서 관찰되는 호흡기 침범 중 가장 흔하며 고해상컴퓨터단층촬영(high-resolution computed tomography, HRCT) 시행 시 전체 류마티스관절염 환자의 60%까지 관찰되며 임상적으로 의미 있는 경우로 한정할 경우에도 약 10%의 환자에서 관찰된다. 이는 류마티스관절염의 주요 사망을 담당하는 중요한 기관 침범으로 류마티스관절염 환자에서 간질폐질환을 동반하는 경우 그렇지 않은 경우에 비해 2배 이상 높은 사망률 증가를 보였고 특히 질병 진단 초기에 높은 사망률 증가를 가져왔다. 간질폐질환 이외에도 다양한 폐병변이 관절염과 관련하여 발생하는 것으로 보고된다. 흉막에 발생하는 가슴막삼출(pleural effusion)과 기흉(pneumothorax), 기도를 침범하는 기관지확장증(bronchiectasis), 소포세기관지염(follicular bronchiolitis), 폐쇄세기관지염(obliterative bronchiolitis), 이외에도 류마티스결절, 카플란증후군(Caplan syndrome), 류마티스혈관염 등이 있다. 류마티스관절염은 여성에서 많이 발생하지만 류마티스관절염관련 간질폐렴은 남성에서 2배 높게 발생하며, 40대에서 50대에 가장 높게 발생한다. 이외 MUC5B 변이와 같은 유전적 인자가 간질폐질환의 위험도를 올리는 것으로 보고된다. 현재까지 알려진 류마티스관절염 관련 간질폐질환 발생의 주요 위험인자는 다음과 같다(표 45-5).

간질폐렴의 발생률 증가에 관여하는 약물 효과는 두 가지 측면에서 고려되어야 한다. 첫째는 약물 자체의 폐 독성이다. 메토트렉세이트-유도 과민폐렴은 잘 알려져 있다. 이외에도 레플루노마이드, 항TNF제, B세포억제제와 다양한 면역억제제도 간

**표 45-5.** 류마티스관절염-연관 간질폐질환 발생 위험인자

1. 나이(고령)
2. 남성(여성보다 2배)
3. 흡연
4. 높은 류마티스인자 농도 혹은 항CCP항체
5. 관절외증상

질폐렴을 유발할 수 있다고 알려져 있다. 하지만, 메토트렉세이트 복용력과 흡연이라는 혼란 변수를 통제한 정확한 발생 빈도는 아직까지 불명확하다. 최근 연구에 따르면 메토트렉세이트 복용과 간질폐질환의 발생 위험도 증가와는 유의미한 관련성이 없음이 보고되었다. 둘째는 최근 보다 높은 효과와 낮은 부작용을 갖는 항류마티스약제의 사용은 수명을 연장하기 때문에 류마티스관절염 관련 폐질환의 발생 빈도가 상태적으로 증가되는 부분도 있다. 간질폐질환 이외에도 류마티스관절염 환자의 약 5%에서 가슴막삼출, 가슴막염을 동반할 수 있다. 가슴막삼출에서 흉막액 검사를 시행하면 삼출물(exudate), 높은 수치의 단백질, 낮은 pH와 낮은 포도당(10-50 mg/dL)이 보일 수 있으나 폐결핵 등 다른 원인과의 감별이 중요하다.

# 사망률

## 1) 기대수명

류마티스관절염 환자에서의 기대수명은 건강한 일반인에 비해서 단축되는 것으로 알려져 있다. 209명의 환자를 25년 동안 추적관찰한 연구에 따르면 남성의 경우 약 7년, 여성의 경우 약 3년의 기대수명이 단축되는 것으로 보고되었다. 또 다른 연구에서는 100명의 류마티스관절염 환자를 대상으로 40년 동안 질병의 경과와 예후를 관찰한 연구 결과, 84명의 환자가 사망하였는데 이 중 13명은 류마티스관절염과 직접적 연관성을 가진 원인에 의해서 사망하였고, 11명은 류마티스관절염 치료 약물의 부작용에 기인해서 사망하였으며, 이 외의 60명의 환자 중 28명은 심혈관질환으로 사망하였다. 생존한 16명의 환자 중 8명은 류마티스관절염에 의한 심각한 신체장애를 보였고, 5명은 정상적인 관절 기능을 보존하고 있었다. 관절염의 진단 후 40년째 표준사망비율은 2.13으로 높았고, 평균 기대수명은 남성의 경우 10년, 여성의 경우 11년으로 일반인보다 짧았다.

최근 시기에 따른 류마티스관절염 환자의 사망률에 대한 연구결과에 따르면 1996년에서 2000년까지의 류마티스관절염 환자는 일반인에 비해 1.18배의 all-cause mortality rate ratio을 보였고 이는 심혈관질환 및 감염에 의한 사망률 증가가 큰 부분을 차지하고 있었다. 하지만 2001년에서 2006년 환자의 경우 류마티스관절염 환자가 일반 인구에 비해 높은 사망률은 관찰할 수 없었다. 이러한 결과는 2000년 이후 최근 류마티스관절염 치료 및 심혈관질환, 감염증을 비롯한 다양한 질환에 대한 치료 수준의 향상을 의미한다.

## 2) 항류마티스약제와 사망률

메토트렉세이트 이외의 항류마티스약제에 효과가 없는 환자에게 메토트렉세이트를 시작하고, 10년 동안 관찰하였을 때, 1년 내 50% 이상의 호전을 보인 환자의 표준사망비율이 1.47인데 비해서 효과가 전혀 없었던 환자의 표준사망비율은 4.11로 메토트렉세이트에 효과가 없는 환자의 사망률이 효과가 있는 환자에 비해서 높았다. 또 다른 연구에서도 여러 혼란 변수를 보정하였을 때 메토트렉세이트 사용에 대한 사망 위험도는 0.4였고, 심혈관질환에 의한 사망 위험도는 0.3으로 메토트렉세이트는 류마티스관절염에 의한 사망률을 낮추는 것으로 보고되었다. 반면에 항TNF제제는 류마티스관절염 환자의 사망률을 높이지 않는 것으로 알려졌다. 미국에서 진행된 연구에서는 7,734명의 항TNF제제 사용 환자 중 71명이 사망하였는데 이것은 일반인의 사망률과 유사했다. 일본에서 진행된 연구에서도 2,683명의 사용환자 중 38명이 사망하였는데 사용환자와 비사용환자의 표준사망비율은 1.08과 1.28로 통계적 유의성은 없었다. 하지만 항TNF제제 사용 환자에서 폐렴과 연관된 표준사망비율은 4.19로 높아서 폐렴은 항TNF제제 사용 환자에 있어 사망률을 높이는 요인으로 생각된다. 폐렴 이외에도 남성(RR 2.78), 고령(RR 1.07)과 글루코코티코이드 사용(RR 1.08)이 항TNF제제 사용 환자에서 사망률을 높일 수 있다.

## 3) 신체장애와 사망률

1,095명의 류마티스관절염 환자와 1,490명의 대조군을 대상으로 진행된 이전 연구에 따르면, 진단 당시의 HAQ이 1 이상의 환자에서 2년 후 사망률이 10.1%인 반면, HAQ이 1 이하인 환자의 사망률은 2.3%로 낮았다. 따라서 신체장애의 정도는 류마티스관절염 환자에서 사망률의 예측인자로 유의미하다.

# 결론

약 10%의 류마티스관절염 환자는 관해를 경험하지만 60-70%의 환자에서는 2년 내 재발을 경험한다. 관절염에 의한 신체기능상태 저하(신체장애)는 시간에 따라서 점차 진행되며 직업 고용 및 생산성에 나쁜 영향을 미친다. 류마티스관절염 환자는 건강한 일반인에 비해서 관절염 자체와 항류마티스약제에 의해서 다양한 동반질환의 발생 및 높은 사망률을 보인다. 하지만 최근 지난 수십 년에 걸쳐서 조금씩 사망률의 개선이 이루어져 왔으며, 일례로 발생 사망률(incidence mortality rates, IMR)은 1년에 약 2.6%씩 낮아졌음이 보고되었다. 나아가 2001년 이후 결과는 류마티스관절염 환자가 일반 인구에 비해 유의미한 사망률 증가가 관찰되지 않음을 보였다. 기존 약물에 비해서 높은 효과와 적은 부작용을 갖는 새로운 항류마티스약제의 지속적인 개발과 도입은 향후 사망률을 포함한 류마티스관절염 환자의 긍정적인 경과와 예후를 기대하게 한다.

## 참고문헌

1. Agca R, Heslinga SC, Rollefstad S, Heslinga M, McInnes IB, Peters MJ, et al. EULAR recommendations for cardiovascular disease risk management in patients with rheumatoid arthritis and other forms of inflammatory joint disorders: 2015/2016 update. Ann Rheum Dis 2017;76:17-28.

2. Avina-Zubieta JA, Choi HK, Sadatsafavi M, Etminan M, Esdaile JM, Lacaille D. Risk of cardiovascular mortality in patients with rheumatoid arthritis: a meta-analysis of observational studies. Arthritis Rheum 2008;59:1690-7.

3. Barra L, Ha A, Sun L, Fonseca C, Pope J. Efficacy of biologic agents in improving the Health Assessment Questionnaire (HAQ) score in established and early rheumatoid arthritis: a meta-analysis with indirect comparisons. Clin Exp Rheumatol 2014;32:333-41.

4. Berkanovic E, Hurwicz ML. Rheumatoid arthritis and comorbidity. J Rheumatol 1990;17(7):888-92.

5. Choi HK, Hernan MA, Seeger JD, Robins JM, Wolfe F. Methotrexate and mortality in patients with rheumatoid arthritis: a prospective study. Lancet 2002;359:1173-7.

6. Dadoun S, Zeboulon-Ktorza N, Combescure C, Elhai M, Rozenberg S, Gossec L, et al. Mortality in rheumatoid arthritis over the last fifty years: systematic review and meta-analysis. Joint Bone Spine 2013;80:29-33.

7. Doran MF, Crowson CS, Pond GR, O'Fallon WM, Gabriel SE. Frequency of infection in patients with rheumatoid arthritis compared with controls: a population-based study. Arthritis Rheum 2002;46:2287-93.

8. Juge PA, Lee JS, Lau J, Kawano-Dourado L, Rojas Serrano J, Sebastiani M, et al. Methotrexate and rheumatoid arthritis associated interstitial lung disease. Eur Respir J 2021;57:2000337.

9. Kadura S, Raghu G. Rheumatoid arthritis-interstitial lung disease: manifestations and current concepts in pathogenesis and management. Eur Respir Rev 2021;30:210011.

10. Lacaille D, Avina-Zubieta JA, Sayre EC, Abrahamowicz M. Improvement in 5-year mortality in incident rheumatoid arthritis compared with the general population-closing the mortality gap. Ann Rheum Dis 2017;76:1057-63.

11. Lee DM, Weinblatt ME. Rheumatoid arthritis. Lancet 2001;358:903-11.

12. Lindqvist E, Saxne T, Geborek P, Eberhardt K. Ten year outcome in a cohort of patients with early rheumatoid arthritis: health status, disease process, and damage. Ann Rheum Dis 2002;61:1055-9.

13. Minaur NJ, Jacoby RK, Cosh JA, Taylor G, Rasker JJ. Outcome after 40 years with rheumatoid arthritis: a prospective study of function, disease activity, and mortality. J Rheumatol Suppl 2004;69:3-8.

14. Singh JA, Cameron C, Noorbaloochi S, Cullis T, Tucker M, Christensen R, et al. Risk of serious infection in biological treatment of patients with rheumatoid arthritis: a systematic review and meta-analysis. Lancet 2015;386:258-65.

15. Sokka T, Hakkinen A, Krishnan E, Hannonen P. Similar prediction of mortality by the health assessment questionnaire in patients with rheumatoid arthritis and the general population. Ann Rheum Dis 2004;63:494-7.

# 46

## 증례

대구가톨릭의대 **최정윤**

## 증례 1

40세 여자가 3개월 전부터 지속되는 양측 손목과 손가락 관절의 통증과 부기로 왔다.

환자는 1년 전부터 간헐적인 손목과 발목, 손가락관절의 이동성 통증과 부기가 발생하였고 관절주위의 발적이 동반되었다(그림 46-1). 이러한 증상은 무리하거나 신경을 쓰면 오는 경향이 있고 비스테로이드소염제를 복용한 후에 호전되거나 또는 특별한 치료 없이 5일 내에 호전되었다고 한다. 최근 3개월 전부터는 양측 손목과 손가락 관절의 통증과 부기이 심해져 비스테로이드소염제를 복용하여도 이전처럼 호전되지 않았으며, 오전 중에는 손목과 손관절의 뻣뻣함이 지속되었다.

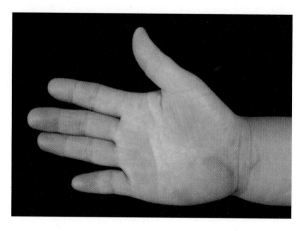

그림 46-1.

비흡연자이고 과거력과 가족력에서 특이 소견은 없었다.

신체검사에서 활력징후는 정상이었고, 양측 손목관절과 좌측 중수지관절의 부기와 압통이 확인되었고, 우측 두 번째, 세 번째 근위지관절의 압통이 있었다(그림 46-2).

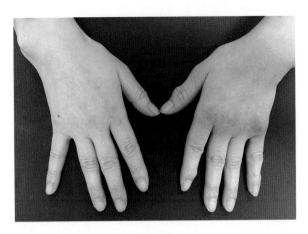

그림 46-2.

환자의 검사실 소견은 아래와 같다.

- 혈액검사: 혈색소 11.7 g/dL, 백혈구 8,500/mm³, 혈소판 335,000/mm³, ESR 40 mm/hr(정상 <20), C 반응단백질 9.8 mg/L(정상<5), 류마티스인자 78 IU/mL(정상<14), 항CCP항체 128 U/mL(정상<17), 항핵항체 음성, 항중성구세포질항체 음성, HBsAg/Ab (-/+)

## 1) 질문

(1) 진단은?
(2) 초기 치료 전략은?

## 2) 정답 및 해설

(1) 이 증례는 재발류마티즘으로 발현하였다가 류마티스관절염으로 이행한 경우이다.

류마티스관절염은 관절의 통증, 부기와 뻣뻣한 증상이 서서히 악화되면서 주로 중수지관절, 근위지관절, 손목관절, 중족지관절 등 여러 작은 관절을 침범하는 전형적인 초기증상을 가진다. 일부에서는 초기에 단관절염으로 수주에서 수개월 동안 지속된 후 다발관절염 증상이 나타나기도 한다. 재발류마티즘은 갑자기 관절과 관절 주위의 염증이 불규칙적으로 발생하는 질환으로, 약 50%에서 류마티즘이 반복되고 1/3의 환자에서 류마티스관절염으로 진행한다.

상기 증례에서처럼 재발류마티즘이 류마티스관절염으로 이행하기도 하지만, 구강궤양이나 베체트병과 연관되거나 쇼그렌증후군과 연관되어 올 수 있으므로 감별진단이 필요하다.

재발류마티즘 환자에서 류마티스인자나 항CCP항체가 양성이거나 손목관절 또는 중수지관절이 침범되거나 관절염이 더 자주 온다면 류마티스관절염으로의 이행 가능성이 높으므로 주의 깊게 관찰하고 치료해야 한다.

(2) 일반적으로 재발류마티즘에서 류마티스관절염으로 이행한 경우는 처음부터 류마티스관절염의 증상을 보이는 경우보다 양호한 경과를 가진다고 알려져 있지만 일단 류마티스관절염으로 진단되면 적극적으로 치료를 해야 한다.

초기에는 소량의 글루코코티코이드와 비스테로이드소염제 그리고 항류마티스약제로 메토트렉세이트를 사용하면서 엽산을 매일 1mg씩 병용투여한다. 메토트렉세이트를 사용할 때에는 가임기 여성에게 반드시 적절한 피임법과 기형 발생 위험성에 대해서 교육해야 한다.

## 증례 2

50세 여성이 2년 전부터 양측 손목과 손가락 관절의 통증과 부기가 있어오던 중, 최근 2개월 전부터 여러 관절에 통증과 부기가 악화되어 왔다.

과거력에서 이상지질혈증으로 스타틴을 복용 중인 것 외에 특이 소견은 없었다. 비흡연자이고, 가족력에서 특이 소견은 없었다.

신체검사에서 활력징후는 정상이었고, 양측 손목과 중수지관절, 근위지관절의 부기과 압통이 관찰되었다(그림 46-3).

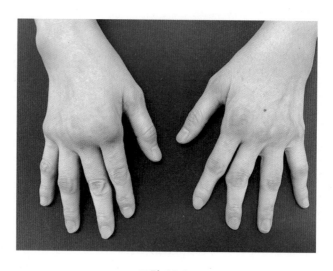

그림 46-3.

환자의 검사실 소견은 아래와 같다.

- 혈액검사: 혈색소 10.1 g/dL, 백혈구 7,500/mm³, 혈소판 477,000/mm³, ESR 75 mm/hr (정상 <20), C반응단백질 18.3 mg/L (정상<5), 류마티스인자 265 IU/mL (정상<14), 항CCP항체 >500 U/mL (정상<17), 항핵항체 음성, 항중성구세포질항체 음성, HBsAg/Ab (-/+)
- 영상의학 검사: 단순 방사선 사진(그림 46-4), 중수지관절의 초음파 사진(그림 46-5), 동위원소 검사(그

림 46-6) 소견이다.

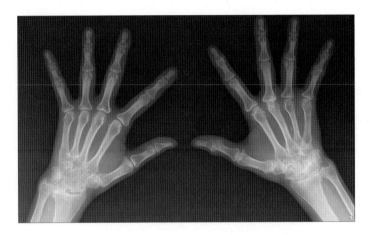

그림 46-4.

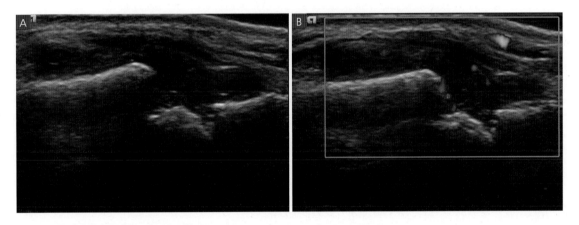

그림 46-5. **중수지관절의 초음파 사진.** Grayscale **(A)** 및 power Doppler **(B)** 초음파 영상에서 관절 내부의 활막 비대와 혈관 음영의 증가, 골미란을 관찰할 수 있음.

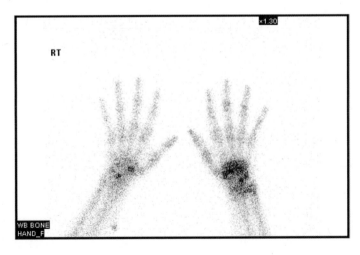

그림 46-6.

환자의 DAS28-ESR은 5.1이었다.

## 1) 질문

(1) 초기 치료 전략은?

(2) 치료에 반응이 부적절한 경우 다음 단계에서 쓸 수 있는 전략은?

(3) 안정적으로 유지되는 경우, 약물 조절은?

(4) 생물학적제제 치료에 효과가 불충분한 경우에 치료 전략은?

## 2) 정답 및 해설

(1) 이 증례는 류마티스관절염을 앓아오다가 급성 악화로 방문한 경우이다. 치료로서 고용량글루코코티코이드 충격요법(메칠프레드니솔론 125 mg 3일간 정맥으로 주사한 후 빠른 시일 내에 경구로 전환하여 감량)을 시행하거나, 글루코코티코이드 경구요법을 초기에는 0.5-1 mg/kg로 준 후에 감량하거나, 저용량의 글루코코티코이드를 지속적으로 사용하면서 질병의 활성도가 안정되면 감량하여 최소량 혹은 중단하는 전략을 쓴다. 비스테로이드소염제를 병용하며, 치료에 반응이 적으면 최대 용량까지 증량하거나 다른 계열의 약제로 바꾼다.

항류마티스약제는 금기사항이 없으면 메토트렉세이트를 사용하면서 엽산을 병용투여하며, 불량한 예후인자를 가지고 있거나 초기 치료에 반응이 없다면 레플루노마이드나 설파살라진 병합요법이 필요하다.

상기 환자는 내원 당일 입원해서 이틀간 메칠프레드니솔론 125 mg을 정맥으로 주사 후 증상 호전이 있어서 62.5 mg으로 감량 후 프레드니솔론 30 mg으로 경구 투여 후에 계속 감량하여 7.5 mg으로 유지 중이다. 비스테로이드소염제와, 메토트렉세이트와 엽산을 복용 중이다.

내원 당시 DAS28-ESR은 5.1에서 3개월 후 DAS28-ESR은 3.3으로 감소하였으나 양측 손목의 부기는 지속되고, 검사실 검사에서 ESR 53 mm/hr, CRP 8.9 mg/L로 증가되어 있었으며, 6개월이 지난 후에도 큰 변화는 없었다.

(2) 류마티스관절염의 치료의 목표는 관해를 이루거나 질병활성도가 낮은 상태로 유지되는 것이다. 이 증례는 6개월의 적극적인 치료에도 불구하고 처음 방문 당시보다는 증상 및 검사실 검사의 호전이 있었으나 질병활성도를 낮은 상태로 유지하지 못하여 초기 치료에 반응이 부적절한 것으로 생각된다.

이러한 경우에 항류마티스약제 복합요법으로 치료하였다면 다른 약물로 바꾸어 복합요법을 하거나 생물학적제제로 치료하게 된다.

생물학적제제를 사용하기 위해서는 결핵의 병력을 확인해서 결핵의 병력이 있다면 충분한 기간 치료 후 완치하였는지를 확인해야 한다. 결핵의 병력이 없다면 IGRA (interferon gamma release assay)를 시행하여 잠복결핵 유무를 확인하고 잠복결핵이 있다면 3주간의 잠복결핵 치료 후 생물학적제제를 써야 한다.

어떤 생물학적제제의 효과가 더 우월한지에 대한 연구는 많지 않아서 환자의 특성, 생물학적제제의 기전 및 투여방법, 그리고 환자의 편의성 등에 따라 선택하여 투여한다.

상기 증례는 항TNF제제를 2주마다 피하 주사 후 증상의 호전이 있어서 3개월 후에는 DAS28-ESR 2.5, ESR 20 mm/hr, CRP 0.6 mg/L, 부기 및 압통관절 없이 환자의 patient global assessment score가 1 (scale 0-10) 이하로 유지되는 관해 상태를 이루었다.

(3) 류마티스관절염 환자가 관해 혹은 질병의 활성도가 낮게 유지되는 경우에는 약물 조절이 필요하다. 상기 증례는 생물학적제제 피하주사를 2주 간격으로 맞고 있어서 먼저 그 간격을 천천히 늘리면서 증상의 변화가 없다면 최소량으로 유지하거나 중단해서 증상 재발이 없는지 신중한 관찰이 필요하다. 생물학적제제를 최소화하거나 중단 후에도 관절 증상이 재발하지 않는다면 글루코코티코이드를 감량하거나 중단하고 비스테로이드소염제도 계속 사용하는 것보다 필요시 사용하는 것으로 줄이는 것이 필요하며, 특히 고령자, 고혈압이나 당뇨병이 있는 경우, 이뇨제를 함께 투여하는 경우에는 정기적인 신장기능 검사를 통한 추적관찰이 필요하다.

(4) 생물학적제제 치료에 불충분한 반응을 보이는 경우에는 다른 기전을 가진 생물학적제제로 바꾸거나 같은 기전을 가진 다른 약물로 교환하는 것이 좋다. 일반적으로 생물학적제제에 부작용으로 투약을 지속할 수 없는 경우에는 같은 기전을 가진 다른 약물로, 치료에 반응이 불충분한 경우에는 다른 기전의 약물을 쓰기를 권유한다. 생물학적제제 중에서 B세포를 표적으로 하는 rituximab은 항TNF제제에 효과가 불충분한 경우에 쓸 수 있는 약물이다.

## 증례 3

60세 남성이 5년 전부터 양측 손목관절의 통증과 부기가 있어오던 중, 최근 3개월 전부터 손목과 손가락 관절의 통증과 부기가 악화되어 왔다.

B형 간염 보균자인 것 외에 특이 과거력은 없었다. 흡연자로 지난 30년간 매일 담배를 한 갑씩 피워왔다고 한다. 가족력에 류마티스 질환은 없었다.

신체검사에서 활력징후는 정상이었고, 양측 손목과 중수지관절, 근위지관절의 부기와 압통이 관찰되었다(그림 46-7).

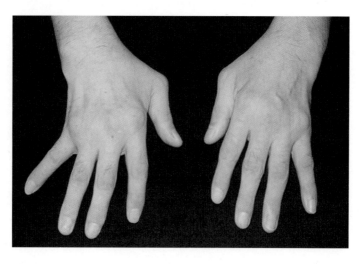

그림 46-7.

환자의 검사실 소견은 아래와 같다.

- 혈액 검사: 혈색소 12.1 g/dL, 백혈구 5,500/mm³, 혈소판 324,000/mm³, ESR 44 mm/hr(정상 <20), C 반응단백질 7.3 mg/L(정상<5), 류마티스인자 480 IU/mL(정상<14), 항CCP항체 >500 U/mL(정상 <17), 항핵항체 음성, 항중성구세포질항체 음성, HBsAg(+), HBeAg(+), 간기능 검사 정상이다.
- 영상의학 검사: 단순 방사선 사진(그림 46-8), 흉부 X선 사진(그림 46-9), HRCT 검사(그림 46-10) 소견이다.

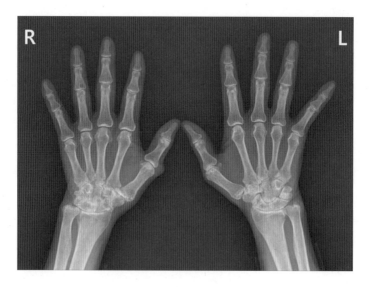

그림 46-8.

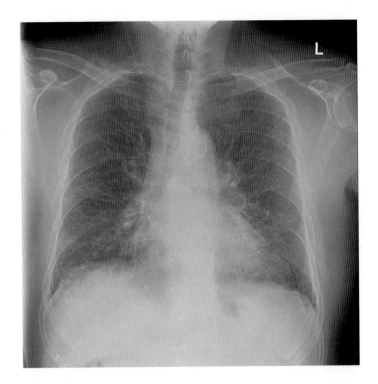

그림 46-9.

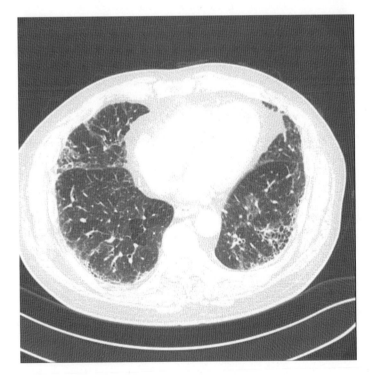

그림 46-10.

환자의 DAS28-ESR은 3.8이었다.

## 1) 질문

**(1)** 초기 치료 전략은?

**(2)** 초기 치료에 효과가 불충분한 경우는 대응 전략은?

## 2) 정답 및 해설

(1) 이 증례는 류마티스관절염 환자에서 간질폐질환이 동반되어 있으며, B형 간염 보균자인 경우이다. 류마티스관절염 환자에서 어떤 항류마티스약제를 선택하느냐는 환자의 나이, 임신계획, 병용 약물, 동반질환 등을 고려하여야 한다.

메토트렉세이트는 류마티스관절염 치료의 단일 요법 및 병합요법에서 우선 사용되는 대표적인 항류마티스약제지만, 간질폐질환이 동반된 경우에는 기저 폐질환을 악화시킬 수도 있으므로 주의가 필요하며, 간독성이 있으므로 정기적인 추적검사가 필요하다. 레플루노마이드도 간기능 악화와 간질폐렴과 기회감염에 의한 폐렴이 나타날 수 있다.

이러한 항류마티스약제의 특성을 고려하여 정기적인 추적검사를 하면서 약물을 투여하면서 치료의 반응을 관찰해야 한다.

(2) 이 증례에서 초기 치료에서 효과가 불충분한 경우에는 다른 항류마티스약제를 쓸 수도 있지만 생물학적제제의 치료도 고려할 수 있다.

간질폐질환이 있는 경우에 사용하는 생물학적제제에 대한 치료지침이 만들어져 있지는 않지만 일부의 국가에서는 항원제공 세포와 T세포 간의 공동자극 차단제인 abatacept나 항TNF제제에 효과가 불충분할 때 쓸 수 있는 rituximab을 권유하기도 하고, 세포내 신호전달 JAK억제제를 쓸 수도 있다.

류 마 티 스 학
R HEUMATOLOGY

# PART 6 척추관절염

책임편집자 **이은영**(서울의대)
부편집자 **김형진**(성균관의대)

# 47

# 척추관절염의 개요와 발병기전

가천의대 **백한주**

## KEY POINTS 🔒

- 척추관절염은 천장관절염 및 척추염, 소수관절염, 부착부염과 같은 근골격 증상을 특징으로 하고, 포도막염, 건선, 염증장질환 같은 근골격외 증상을 자주 동반하는 만성 염증 류마티스 질환이다.
- 척추관절염은 주요 근골격 증상의 부위에 따라 축성 및 말초 척추관절염형으로 분류한다. 축성척추관절염은 단순X선에서 천장관절 이상이 보이는 강직척추염과 보이지 않는 단계인 비방사선학 축성척추관절염을 모두 포함한다.
- 척추관절염의 주요 병리는 부착부의 염증과 골생성이다. *HLA-B27*를 비롯한 유전 요인, 장내 세균총을 포함한 세균 감염과 기계적 스트레스, 다양한 세포와 사이토카인 및 신호전달 경로가 염증 및 골생성의 기전에 관여할 것으로 추정한다.

## 서론

척추관절염(spondyloarthritis, SpA)은 강직척추염(ankylosing spondylitis, AS)을 포함한 축성척추관절염(axial SpA, axSpA), 건선관절염(psoriatic arthritis), 반응관절염(reactive arthritis), 염증장질환연관관절염(inflammatory bowel disease-associated arthritis), 소아기발병척추관절염(juvenile-onset spondyloarthritis) 등을 포괄하는 만성염증류마티스 질환이다. *HLA-B27* 유전자와의 연관성을 공통적으로 갖고 있고, 주요 근골격 증상은 천장관절염(sacroiliitis)과 척추염에 의한 만성 등 통증, 주로 하지에 비대칭적으로 나타나는 소수관절염(oligoarthritis), 그리고 인대나 건이

뼈에 붙는 위치에 염증이 생기는 부착부염(enthesitis)이다. 근골격외 장기 침범으로 종종 포도막염, 건선, 또는 염증장질환을 동반한다.

ASAS (Assessment of SpondyloArthritis international Society)는 SpA를 주 증상이 척추 증상일 경우 axSpA로, 말초관절 증상일 경우 말초척추관절염(peripheral SpA, pSpA)으로 분류한다. AxSpA은 천장관절염 소견이 단순X선에서 보이는 방사선학 단계(radiographic axSpA, r-axSpA)와 보이지 않는 비방사선학 단계(non-radiographic axSpA, nr-axSpA)를 모두 포함하며, AS는 r-axSpA에 해당한다. 건선관절염, 반응관절염, 염증장질환연관관절염 등은 pSpA에 포함된다.

## 임상양상

### 1) 유병률

SpA의 유병률은 인구의 *HLA-B27*의 유병률을 반영하며 지역과 민족에 따라 차이를 보인다. 보통 AS의 유병률은 0.1-0.3%로, axSpA 유병률은 이보다 2-3배 높은 것으로 알려져 있다. 최근 문헌에 의하면 동아시아에서 AS유병률은 0.16%, SpA는 0.79%로 보고되었다.

### 2) 증상

SpA의 주요 근골격 증상은 천장관절염/척추염에 의한 등 통증, 말초관절염, 부착부염, 가락염(dactylitis) 등이다. 종종 피부나

점막, 눈, 또는 장 점막을 침범하여 건선, 구강궤양, 포도막염, 염증 장 병변 같은 근골격외 증상을 동반한다. 질병의 가족력이 존재하여 가까운 친척에서 SpA뿐만 아니라 포도막염, 건선, 또는 염증장질환 등이 종종 발견된다.

### 3) 영상 소견

천장관절염은 비교적 SpA에 특이적 소견이지만 질환 초기에는 단순X선 촬영에서 나타나지 않는다. 방사선학 이상 소견이 관찰되지 않는 nr-axSpA 환자는 자기공명영상(magnetic resonance imaging, MRI)을 통해 천장관절의 활동염증을 확인할 수 있다. 척추의 인대골증식(syndesmophytes)은 진행된 환자에서 관찰된다.

### 4) 검사실 소견

*HLA-B27* 유전자는 많게는 SpA 환자의 70%에서, AS 환자에서는 90% 이상에서 발견된다. *HLA-B27* 검사는 일반 인구집단에서도 상당수에서 양성이기 때문에 이 자체가 진단적이지는 않다. 적혈구침강속도(erythrocyte sedimentation rate)와 C반응단백질(C-reactive protein)은 SpA 일부 환자에서 증가한다.

## 분류 기준

분류기준은 역학 및 연구에 사용하기 위해 만들어진 것으로 일반적으로 진단 기준과 다르다. 그러나 실제 임상진료에서 진단은 보통 분류기준에 포함된 근거에 기초하여 류마티스 전문의의 임상적 결정에 의해 이루어진다.

SpA과 관련된 최초의 분류기준은 1961년 만들어진 AS의 기준이다. 이 기준은 이후 몇 번의 수정을 거쳐 수정 뉴욕 기준(1984년)으로 정착되었고, 현재도 AS의 기준으로 이용되고 있다. 1990년대에 들어서 AS를 포함한 SpA질환군 전체에 대한 분류기준으로 'Amor' 기준 및 'ESSG (European Spondyloarthropathy Study Group)' 기준이 제안되었다. 이 기준들은 AS의 수정 뉴욕 기준과 달리 SpA의 다양한 특징들을 기준에 포함시킴으로써 SpA 환자들을 보다 포괄적으로 분류할 수 있도록 하였다. 이 기준들은 ASAS의 새로운 분류 기준이 나오기 전까지 많이 활용되었다.

2000년대 MRI와 종양괴사인자(tumor necrosis factor, TNF) 억제제가 도입되면서 SpA의 진단과 치료에 새로운 지평이 열렸다. MRI를 이용하여 단순X선 촬영에서의 이상이 나타나기 전에 천장관절의 염증 소견을 발견할 수 있게 되었고, TNF억제제는 AS, 특히 조기 질환 환자에게 탁월한 효과를 보였다. 이것은 방사선학 변화가 오기 전 조기 질환에 대한 관심으로 확대되었고, 기존의 기준들이 갖고 있는 한계를 극복한 새로운 분류 기준의 필요성이 증대되었다.

이에 따라 ASAS는 두 개의 주요한 증상, 즉 척추 및 말초 증상에 따라 SpA을 axSpA과 pSpA으로 분류하는 새로운 기준을 제안하였다. ASAS의 axSpA분류기준은 SpA의 다양한 임상적 특징과 천장관절의 MRI 소견, *HLA-B27* 결과를 기준에 포함시켜 AS의 분류기준에서 제외되었던 단순X선에서 천장관절염이 보이지 않

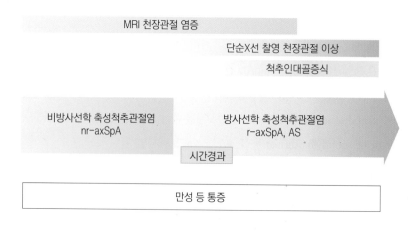

그림 47-1. AxSpA분류와 질병 경과

는 단계(nr-axSpA)를 포함하였다(그림 47-1). (분류 기준의 상세한 내용은 Chapter 48. 강직척추염 참조)

## 발병기전

SpA의 특징적인 병리 소견은 부착부의 염증과 골 파괴 및 골 생성이다. SpA의 발병은 *HLA-B27*로 대표되는 유전적 영향 위에서 다양한 세포들이 세균과 기계적 스트레스와 같은 환경 요인과 상호 반응하면서 활성화되고 여러 병인적 사이토카인을 분비하면서 진행하는 것으로 추정한다.

### 1) 유전적 감수성

SpA에서는 강력한 유전적 요인들이 관찰된다. 가장 주요한 유전적 위험 인자는 *HLA-B27*이다. *HLA-B27*은 AS 환자의 90% 이상에서 존재하고, *HLA-B27* 유전자 이식 쥐는 사람의 SpA와 유사한 질환을 자연 발현한다. *HLA-B27*의 역할에 대해서는 다음과 같은 가설이 존재한다(그림 47-2).

첫째, *HLA-B27*은 관절염 유발 펩타이드(arthritogenic peptide)를 CD8⁺ T세포에 제공함으로써 자가면역 반응을 일으킨

다. 둘째, 적절하지 않게 접힌 *HLA-B27*이 세포내 소포체(endoplasmic reticulum, ER)에서 미접힘단백반응(unfolded protein response, UPR)이라는 세포내 신호전달 반응을 유발하여 자가포식(autophagy)과 전염증경로를 활성화시킨다. 셋째, *HLA-B27*의 자유 중쇄(free heavy chain)의 동종이합체(homodimer)가 세포 표면에 발현하여 자연살해(natural killer, NK) 세포나 T세포를 작동시킨다.

*HLA-B27*은 AS 유전성에 23% 정도 기여하는 것으로 알려져 있다. *HLA-B27*이외에 *IL23R, LTBR-TNFRSF1A, 2p15, ERAP1, KIF21B, 21q22, TBKBP1, ANTXR2, PTGER4, RUNX3, IL12B, CARD9, IL1R2, STAT3* 등의 유전자가 AS와 연관된 유전자로 전유전체연관연구(genome-wide association study, GWAS) 등을 통해서 보고되었다.

### 2) 환경 요인

SpA 발병과 관계된 환경요인으로는 감염과 기계적 스트레스 등이 있다.

#### (1) 감염

일반적인 환경이 아닌 무균 상태에서 키운 쥐에서는 SpA와

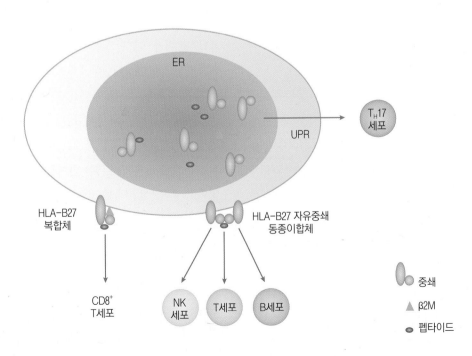

그림 47-2. AS 발병을 초래하는 HLA-B27관련 3가지 가설

유사한 양상들이 생기지 않는다는 동물 모델의 결과는 SpA 발병에서 감염의 역할을 시사한다. 실제로 *Salmonella spp., Shigella spp.*등 다양한 세포내 병원균들이 SpA의 일종인 반응관절염을 일으킨다. 이러한 세균들의 관절 침범이 확인되었으며, *HLA-B27*과 세균 특이적인 T세포 반응도 알려져 있다.

*HLA-B27* 보유자들은 반응관절염과 관련된 세포내 세균을 제거하는 데 결함이 있다고도 알려져 있다. SpA 환자의 약 2/3에서 장 염증이 관찰되는 것으로 알려져 있다. 장 점막 경계가 취약해지면, 이를 통해 장내 세균이 전신 면역 반응을 유발할 수 있을 것이다.

장내 세균총은 SpA 발병에 중요한 역할을 할 것으로 추정된다. SpA 환자의 장내 세균총 구성은 건강 대조군이나 류마티스관절염 환자와 다르고, 건강 대조군에서도 *HLA-B27* 유무에 따라 장내 세균총은 차이가 있다. 활동성 AS 환자의 장에서는 *Ruminococcusgnavus* 등이 증가되어 있다고 알려져 있다. 이 종은 크론병(Crohn's disease)과 관련 있는 점액 용해 세균으로 이와 같은 균들은 SpA 환자의 장 점막 경계에 균열을 일으킬 수 있다.

### (2) 기계적 스트레스

SpA에서 염증은 척추나 발뒤꿈치와 같이 기계적 스트레스를 받는 해부학적 부위, 특히 부착부에서 주로 관찰된다. 기계적 부하로 인한 부착부의 미세 손상은 상주하는 면역세포를 활성화하고 염증사이토카인 및 순환하는 전염증 세포를 유인하는 케모카인을 방출한다.

## 3) 면역세포 및 염증 매개물질

부착부염 병변에서는 T세포, B세포, 골수유래 대식세포(macrophage)와 같은 면역세포와 파골세포(osteoclast), 신생혈관생성과 관련된 세포들이 관찰된다. SpA 동물모델에서 CD4$^+$ T세포의 전달이 관절염을 일으키는 것으로 보아 면역세포 중에 보조 T (helper T, T$_H$) 세포가 발병에 주요한 역할을 할 것으로 추정된다. 그러나 사람의 SpA에서는 이 외에 수지상세포(dendritic cell), 단핵세포, 세포독성 CD8$^+$ T 세포, NK 세포 등 다양한 면역세포가 발병기전에 관여하는 증거가 제시되고 있다.

비스테로이드소염제(non-steroidal anti-inflammatory drug, NSAID)와 TNF억제제, 인터루킨(interleukin, IL)-17 억제제가 SpA 환자 치료에 효과가 있는 것으로 보아 각각의 치료제가 억제하는 cyclooxygenase (COX), TNF, IL-17 같은 염증 매개물질이 SpA의 발병에 관여함은 분명해 보인다. NSAID에의해 억제되는 COX는 염증 유도 화합물인 프로스타글랜딘(prostaglandin, PG) 생성에 필요한 효소이다.

TNF는 대식세포, 호중구 및 림프구 등 여러 면역세포 사이에서 분비되어 다수의 염증 매개체를 유도하는 강력한 사이토카인이다. TNF 억제제는 선천면역, PG, 대식세포, nuclear factor kappa-light-chain-enhancer of activated B cells (NF-kB) 경로에 작동한다.

IL-17는 주로 T$_H$17 세포에서 분비되는 강력한 염증사이토카인으로 TNF를 포함한 다수의 염증사이토카인과 PG의 발현을 유도하고 그것과 상승작용을 일으킨다. IL-17은 항균 펩타이드 생성을 유도하여 장 상피 경계를 보호하는 역할도 한다. 건선과 AS 환자에 대한 IL-17 억제제 임상시험에서 염증장질환의 악화가 증가한 것은 이런 이유로 설명된다.

장에서는 전통적인 T세포 외에도 gamma-delta T 세포, innate-like invariant natural killer T cells (iNKT), mucosal-associated T cells (MAIT), innate lymphoid cells (ILCs) 등이 IL-17을 분비한다. 이러한 세포들이 장에서 미생물에 의해 활성화되어 골수나 말초관절, 부착부 등으로 이동하는 것으로 가정된다.

IL-23은 IL-23 수용체를 통하여 T$_H$17 세포의 확장과 분화 및 IL-17 분비를 촉진함으로써 SpA에서 가능성 높은 질병 유발 사이토카인으로 예상되었다. 그러나 건선 환자와는 달리 AS 환자에 대한 여러 임상 시험에서 IL-23 억제제는 치료 효과를 나타내지 못했다. 따라서 SpA에서 IL-17 양성 세포는 IL-23과 무관하게 발병에 관여하거나 또는 IL-23은 SpA의 발병 초기 과정만 유도하고 발병을 지속하는 데는 관여하지 않을 수 있다. SpA에서 무엇이 IL-17 양성 세포를 가동시키는지는 규명이 더 필요한 과제이다.

## 4) 염증과 골생성

류마티스관절염과 달리 SpA의 병변에서는 염증에 의한 골미란 외에 골생성이 관찰되는 것이 특징이다. MRI를 이용하면 SpA환자의 척추에서 각각 척추의 염증과 복구과정을 시사하는 골수부종과 지방화생(fat metaplasia)을 모두 볼 수 있다. TNF와

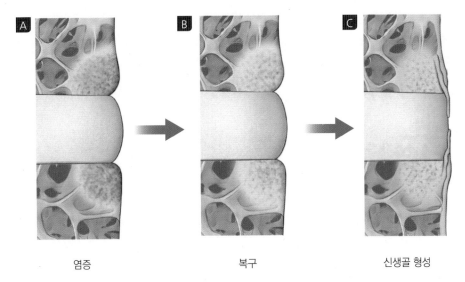

염증                     복구                     신생골 형성

**그림 47-3. axSpA에서 신생골형성 과정 (A)** 염증은 MRI에서 골수부종으로 관찰되기도 한다. **(B)** 염증은 복구 과정으로 이어지고 골미란을 동반하기도 한다. 염증이 있던 골수는 육아조직으로 대치되고, MRI에서는 지방 변화로 관찰되기도 한다. **(C)** 복구가 일어나는 지점에서 신생골을 형성하여 인대골증식을 보인다.

IL-17 같은 사이토카인은 초기 염증을 일으키고 파골세포 전구세포를 활성화시켜 골미란을 일으킬 수 있다. 골생성은 염증이 가라앉은 후 회복 과정을 보이는 지방화생 부위에서 잘 일어난다(그림 47-3).

척추에서의 골생성, 즉 인대골증식은 골막과 연골 접합부위에서 일어난다. 그곳에서 간엽세포(mesenchymal cell)가 bone morphogenic proteins (BMP) 또는 wingless (Wnt) 경로 활성화에 의해 비대연골세포 및 조골세포(osteoblast)로 분화함으로써 골화가 이루어 진다. $T_H$17 세포 등에서 분비되는 IL-22은 조골세포의 분화를 촉진한다. 한편 부착부 간엽세포의 *HLA-B27* UPR은 골생성 지표인 조직 비특이적 알칼리 인산분해효소(tissue-nonspecific alkaline phosphatase, TNAP)의 생성 경로를 활성화하는 것으로 알려져 있다.

📑 **참고문헌**

1. Ciccia F, Guggino G, Rizzo A, et al. Type 3 innate lymphoid cells producing IL-17 and IL-22 are expanded in the gut, in the peripheral blood, synovial fluid and bone marrow of patients with ankylosing spondylitis. Ann Rheum Dis 2015;74:1739-47.

2. Dumas E, Venken K, Rosenbaum JT, et al. Intestinal Microbiota, HLA-B27, and Spondyloarthritis: Dangerous Liaisons. Rheum Dis Clin North Am 2020;46:213-24.

3. Gracey E, Burssens A, Cambré I, et al. Tendon and ligament mechanical loading in the pathogenesis of inflammatory arthritis. Nat Rev Rheumatol 2020;16:193-207.

4. McGonagle DG, McInnes IB, Kirkham BW, et al. The role of IL-17A in axial spondyloarthritis and psoriatic arthritis: recent advances and controversies. Ann Rheum Dis 2019;78:1167-78.

5. McHugh K, Bowness P. The link between HLA-B27 and SpA-new ideas on an old problem. Rheumatology (Oxford) 2012;51:1529-39.

6. Poddubnyy D, Sieper J. Mechanism of New Bone Formation in Axial Spondyloarthritis. Curr Rheumatol Rep 2017; 19:55.

7. Reveille JD. Genetics of spondyloarthritis—beyond the MHC. Nat Rev Rheumatol 2012;8:296-304.

8. Schett G, Lories RJ, D'Agostino MA, et al. Enthesitis: from pathophysiology to treatment. Nat Rev Rheumatol 2017; 13:731-41.

9. Sieper J, Rudwaleit M, Baraliakos X, et al. The Assessment of SpondyloArthritis international Society (ASAS) handbook: a guide to assess spondyloarthritis. Ann Rheum Dis 2009;68 Suppl 2:ii1-44.

10. Stolwijk C, van Onna M, Boonen A, et al. Global Prevalence of Spondyloarthritis: A Systematic Review and Meta-Regression Analysis. Arthritis Care Res (Hoboken) 2016;68:1320-31.

# 48

# 강직척추염

서울의대 **이은영**

- 강직척추염은 천장관절을 비롯한 척추 및 부착부의 염증을 특징으로 하는 만성염증질환이다.
- 강직척추염의 발병은 *HLA-B27*과 같은 유전적 소인과 환경적 요인, TNF-*α*, IL-17등의 염증사이토카인과 연관된 면역반응 등이 관여한다.
- 강직척추염에서는 척추를 비롯한 관절증상과 눈, 장, 피부 등의 다양한 관절외 증상을 동반할 수 있다.
- 강직척추염은 염증요통과 함께 신체검진, 영상검사를 이용하여 진단할 수 있으며, 질환의 조기진단을 위한 새로운 진단기준이 제시되어 사용되고 있다.

## 서론

보통 강직척추염은 10-20대에 시작되며, 남성 대 여성의 유병률은 2:1-3:1 정도로 나타난다. 서구에서는 강직척추염의 연간 발병률은 100,000명당 약 0.5-8.2명 정도이며, 유병률은 0.2-1.2%로 보고되고 있다. 유병률은 *HLA-B27*의 유병률에 비례하여 나타나는 것으로 알려져 있다. 북미 백인에서 *HLA-B27* 양성률은 7%, 한국이나 일본은 대략 4% 정도로 알려져 있으나, 강직척추염 환자에서 *HLA-B27*의 양성률은 90%이다. 인구 집단을 대상으로 한 역학조사에 따르면, 강직척추염은 *HLA-B27* 양성인 자의 1-6%에서 나타나지만, *HLA-B27* 양성인 자의 일차 친족에서는 10-30%에서 나타난다. 일란성 쌍생아에서의 일치율은 대략 65%이다.

강직척추염에 대한 감수성은 주로 유전적 요인에 의해 결정되며, *HLA-B27*이 유전적 요인의 3분의 1을 차지한다. 이 밖에 유전적 관련 가능성이 알려진 것으로 인터루킨(interleukin, IL)-1 gene cluster, IL-23 수용체(IL-23R), *ERAP1* 등이 있다.

## 병리 및 병태생리

천장관절염이 강직척추염의 가장 초기 임상양상 중의 하나이다. 활막염, 판누스(pannus) 형성, 점액 모양의 골수(myxoid marrow), 연골하 육아 조직과 골수 부종, 부착부염, 연골 모양 분화 등의 소견이 나타난다. 대식세포, T세포, 파골세포가 흔하게 나타난다.

척추에서는, 먼저 섬유테(annulus fibrosus)와 척추뼈의 인접 부위에서 염증육아조직이 나타나고, 먼저 바깥쪽 돌림섬유(annular fiber)들이 침식되어 뼈로 대체되면서 뼈 인대골극(bony syndesmophyte)이 형성되고, 이후 지속적인 연골내 골화에 의해 인접한 척추뼈가 연결되면서 소위 '대나무척추(bamboo spine)'가 형성된다(그림 48-1). 디스크 가장자리에서 척추뼈가 침식되면서 척추의 '사각화(squaring)' 및 추간판-뼈 인접부위의 염증과 파괴 소견이 나타난다. 중심부위와 말초부위 뼈 모두에서 섬유연골 부착부의 염증이 특징적이며, 이러한 부착부염 인접 부위 골수의 뚜렷한 부기와 미란 소견이 나타난다(그림 48-2).

골밀도는 뚜렷한 활동 불가 상태가 오기 전인 질환 경과의 초기에도 척추와 근위부 대퇴골에서 감소하여 나타난다. 중심연골

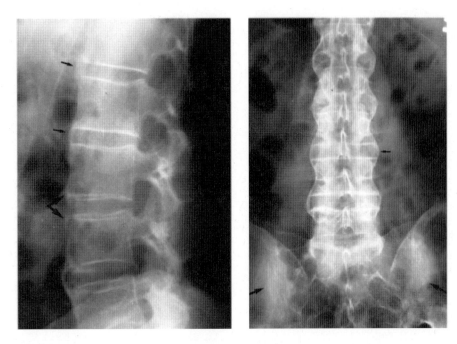

그림 48-1. 진행성 강직척추염 환자의 X선 사진에서 보이는 뼈 인대골극(syndesmophyte)과 대나무 척추(bamboo spine)

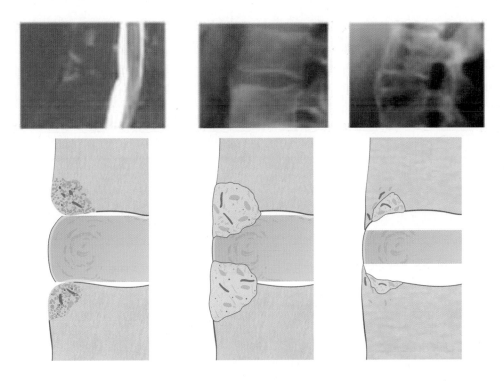

그림 48-2. 뼈 인대골극의 형성 과정

(출처: Appel H & Sieper J et al. Curr Rheumatol Rep. 2008; 10; 356-63)

침식도 연골하 육아 조직 생성에 의해 비교적 흔하게 나타난다.

강직척추염의 병인은 완전히 밝혀져 있지는 않으나, 면역학적 기전이 작용할 것으로 생각하고 있다. 일반적으로 관절 연골, 인대, 다른 구조물들이 뼈에 붙는 자리에서 일차적으로 발생한다고 생각되며, TNF-α가 면역병리에 중요한 작용을 하는 것처럼 보인다. 천장관절염 부위는 CD4⁺/CD8⁺ T세포와 대식세포로 침윤되고, 특히 질환 초기에는 TNF-α가 높은 농도로 나타난다. 최근에는 IL-17을 분비하는 $T_H17$세포의 중요성이 크게 대두되었고, 이러한 세포 및 염증사이토카인들의 상호작용으로 염증반응이 유지되면서 골화(ossification)가 진행되는 방향으로 작용하게 된다. 말초 활막염 부위는 중성구, CD68/CD163을 발현하는 대식세포, $CD4^+/CD8^+$ T세포와 B세포들이 다양하게 나타나며, ICAM-1, VCAM-1, matrix metalloproteinase-3 (MMP-3), myeloid-related proteins (MRP) 8과 14 등에 강하게 염색된다. 류마티스관절염과는 다르게 시트룰린화 단백질(citrullinated proteins)과 cartilage gp39 peptide-MHC complex 등이 존재하지 않는다.

질병을 유발시키는 사건이나 외부 인자는 확인되지 않았으나, 반응관절염과 염증장질환과 일치되는 특징들을 보면 장내 세균이 중요한 역할을 할 것이라고 추측된다. 실제로 강직척추염 환자에서 혈청 내 일부 장내 세균에 대한 항체의 역가 상승이 흔하지만, 실제 병리에 어떤 역할을 하는지는 아직 불분명하다. 유전 역학 연구들에서는 HLA-B27이 직접적인 역할을 할 것이라는 증거가 제시되고 있으나 정확한 기전은 불확실한 상황이다.

## 임상증상

### 1) 관절 증상

증상은 보통 후기 청소년기나 초기 성인기에 처음 발현된다. 환자의 5% 정도에서는 40세 이후에 발생한다고 알려져 있다. 초기 증상은 보통 요추 아래쪽이나 둔부에서 점진적으로 발생하는 둔통(dull pain)이다. 허리의 아침강직이 몇 시간까지 지속될 수 있고, 활동을 하면서 점차 좋아진다. 그러나, 증상 발현 수개월이 되면 보통 통증은 지속적이 되고, 양측 모두에서 나타난다. 통증의 야간 악화도 흔하게 나타나, 수면에서 깨서 움직이는 일이 흔해진다.

일부 환자는 부착부염을 의미하는 뼈의 압통이 동반된다. 늑골흉골 접합부, 가시돌기, 장골능선, 대전자(greater trochanter), 좌골 조면(ischial tuberosity), 경골 결절(tibial tubercle), 뒤꿈치 등에서 호발한다. 때로는 전흉벽 통증으로 제시되기도 한다. 엉덩관절염과 어깨관절염은 대체로 질병 초기에 환자들의 25-35%

에서 나타난다. 이외 부위의 말초관절염은 보통 비대칭적이며, 환자들의 30% 정도에서 나타난다. 이는 질병의 어느 단계에서든지 나타날 수 있다. 보통 경추 침범은 상대적으로 늦은 시기에 나타난다.

가장 특이한 소견으로 척추 운동능력의 소실로 인한 요추의 전방과 측방 굽힘, 펴기의 제한 및 흉곽 확장 제한이 나타난다. 이러한 운동성의 제한은 뼈의 강직 정도에 비례한다. 어깨관절 또는 엉덩관절의 침범이 있으면, 관절통 또는 움직임 제한이 있을 수 있다.

질병의 경과는 다양하여 경도의 강직과 방사선학적으로 뚜렷하지 않은 천장관절염만 있는 환자부터 전체 척추가 융합되고 심한 양측 엉덩관절염 및 말초관절염과 관절외증상이 모두 있는 환자까지 다양하다. 통증은 보통 병의 초기에는 지속적이나, 진행되면 간헐적이 되어 악화와 호전을 반복하게 된다. 척추염이 진행되어 인대골극(syndesmophyte)까지 형성된 중증의 치료받지 않은 환자의 경우에는 특징적인 자세 변화로 요추 전만(lordosis)의 소실, 둔부 근육의 위축, 흉추 후만(kyphosis)의 악화가 일어난다. 목은 앞으로 굽힌 자세를 취하고, 무릎관절의 구축과 함께 엉덩관절은 굽힘 구축 상태가 될 수 있다. 질병의 진행은 임상적으로 신장의 소실, 흉곽 확장의 제한, 척추 굽힘과 occiput-to-wall distance에 따라 추정할 수 있다.

척추 질환의 가장 중대한 합병증은 척추 골절이며, 미세한 외상에도 발생 가능하다. 경추 하부에서 가장 흔하게 발생하고, 쉽게 전이되어 척수 손상을 일으킨다. 한 연구에서는 강직척추염 환자의 전 생애에서 10% 이상의 골절 위험도를 보고하였다. 추간판척추인접부(discovertebral junction)와 인접한 신경궁(neural arch)을 통한 골절('pseudoarthrosis')이 때로 발생할 수 있고, 흉추와 요추에서 가장 흔하게 발생한다. 그러나, 이는 때로 인식하지 못한 상태로 지속되어 국소 통증과 신경학적 장애의 원인이 될 수 있다.

### 2) 관절외증상

강직척추염에서는 눈과 장, 피부 등을 침범하는 관절외증상이 나타날 수 있고, 환자들의 약 40%에서 이러한 증상이 동반되는 것으로 알려져 있다(그림 48-3).

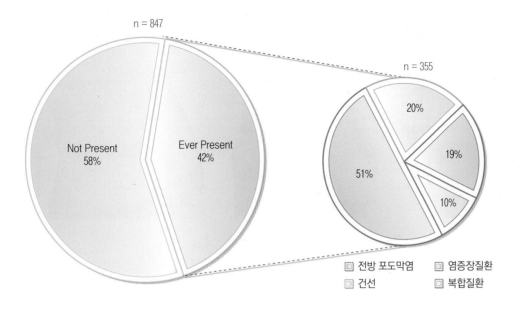

n = 847

n = 355

Not Present
58%

Ever Present
42%

20%

19%

51%

10%

▢ 전방 포도막염    ▢ 염증장질환
▢ 건선              ▢ 복합질환

그림 48-3. 강직척추염에 동반되는 관절외 증상의 빈도와 종류

### (1) 안증상

급성앞포도막염이 가장 흔한 관절외증상이다. 강직척추염 환자의 30-40%에서 발생하며, 척추염보다 먼저 발생할 수 있다. 보통 한쪽만 침범하는 경우가 많고, 충혈, 통증, 광선 공포증, 눈물 증가 등의 증상이 있다. 포도막염은 재발하는 경향이 있고, 보통 반대쪽 눈에 재발한다. 후유증으로 백내장과 이차성 녹내장이 흔하다.

### (2) 장증상

약 60%의 환자들이 대장이나 회장에 염증 소견이 있으나, 보통은 무증상이다. 그러나, 5-10% 환자에서는 실제로 염증장질환이 발생하게 된다.

### (3) 기타

강직척추염의 진단기준을 만족시키는 환자의 약 10%는 건선을 가지고 있다. 또한 대동맥판막폐쇄부전(aortic insufficiency)으로 심부전 증상이 발생하는 환자도 있다. 3도방실차단이 있을 수 있으며, 일부에서는 대동맥판막폐쇄부전과 함께 나타난다. 무증상 폐병변과 심장 기능 이상이 상대적으로 흔하다. 드문 후기 합병증으로 마미증후군(cauda equina syndrome)과 상부 폐엽 섬유화증이 있고, 드물게 동반되는 질환으로 후복막섬유증(retroperitoneal fibrosis)이 있다. 강직척추염 환자에서 전립선염의 유병률이 증가한다는 보고가 있고, 드물게 아밀로이드증이 발생한다.

## 신체검진과 혈액, 영상검사소견

### 1) 신체검진

강직척추염의 특이 소견 중 하나는 척추 움직임의 소실이다. Schober 검사는 허리의 굽힘을 측정할 수 있는 유용한 검사이다. 대개는 변형된 방법이 주로 쓰이는데 이는 요천골 접합부(대개 5번 요추의 가시돌기)를 기준으로 이보다 위 10cm에 해당하는 위치에 표시를 하고, 허리를 최대한 앞으로 구부린 후 두 표시 사이의 거리를 측정하여 변화가 5cm 이상이면 정상으로, 5cm 미만이면 움직임의 제한이 있는 것으로 평가한다(그림 48-4).

마찬가지로 흉곽의 확장 정도를 최대 흡기 시와 최대 호기 시의 흉부 둘레 길이 차이를 측정하여 5cm 이상이 되면 흉곽 확장이 정상인 것으로 판단한다. 그 밖에 엉덩관절이나 어깨관절 움직임 시 통증이나 움직임의 제한을 직접 확인할 수도 있다. 강직척추염 환자에서 경추 침범이 진행되면 그로 인해 목이 앞으로 기울어 뒤통수가 벽에 닿지 않게 되는 자세를 취하게 되고, 이를

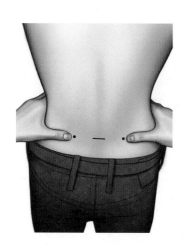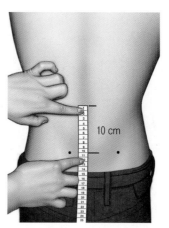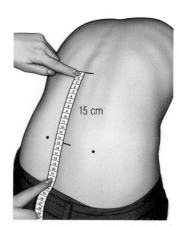

10 cm

15 cm

≥5 cm : normal
<5 cm: limited

그림 48-4. modified Schober 검사

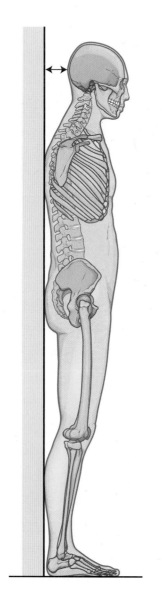

그림 48-5. Occiput-to-wall 검사

확인하는 검사가 occiput-to-wall test이다(그림 48-5).

## 2) 혈액과 관절액, 폐기능 검사

HLA-B27이 환자들의 약 90%에서 나타난다. 적혈구침강속도(erythrocyte sedimentation rate, ESR), C반응단백질(C-reactive protein, CRP)이 종종 증가하고, 경도의 빈혈이 존재할 수 있다. 혈청 IgA 농도의 상승이 관찰될 수 있다. 류마티스인자, 항CCP 항체, 항핵항체 등은 동반질환에 의해 양성으로 나타날 수도 있으나, 보통은 음성 소견이다. 관절액은 비특이 염증 소견을 보이는 경우가 많고, 흉곽 움직임 제한이 있는 경우, 폐활량(vital capacity)의 감소와 기능적 잔기용량(functional residual capacity)의 증가가 나타난다. 그러나, 기류 측정은 정상이며, 환기능도 보통 잘 유지된다.

## 3) 영상검사

### (1) 천장관절

연골하골(subchondral bone)의 흐려짐, 미란, 연골하골의 경화증이 관찰되며 장골 쪽에 변화가 좀 더 심하게 나타난다. 진행되는 경우에는 천장 관절의 관절강이 없어지고, 천골과 장골이 하나의 뼈처럼 붙어 있는 것처럼 보일 수 있다(그림 48-6).

### (2) 척추

척추체의 모서리 부분에 경화증으로 인한 'shiny corners', 척추체의 앞부분에 신생골이 형성되어 척추체 전면이 오목함이 줄

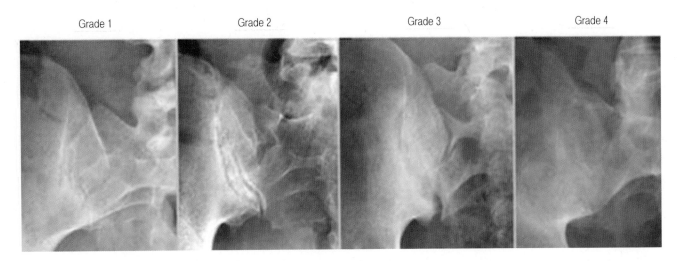

그림 48-6. **천장관절염의 등급** Grade 0: 정상, Grade 1: 변화가 의심됨, Grade 2: 미미한 이상. 작은 국소적 미란 또는 경화. 관절간격의 변화는 없음, Grade 3: 분명한 이상. 미란과 경화, 관절 간격의 협착, 확장, 부분적 강직이 있는 중등도 혹은 중증의 천장관절염, Grade 4: 심한 이상, 전체 강직

어드는 'squaring', 척추체 사이 섬유륜의 점진적 석회화에 따른 'bridging', 척추체의 완전한 융합으로 인한 '대나무척추(bamboo spine)'가 관찰될 수 있다.

### (3) 말초뼈

경한 병변의 경우, 초기에는 단순 방사선 사진에서 잘 나타나지 않으며, CT나 MRI로 병변을 확인할 수 있다. MRI는 단순X선보다 훨씬 민감한 검사법이다. 의심되는 환자에서 단순X선이 정확한 변화를 보여주지 못하거나 젊은 여성이나 아이들에서처럼 단순X선이 적절하지 않은 경우에 MRI가 추천될 수 있다. 골밀도 감소는 대퇴 경부와 요추의 dual-energy X-ray absorptiometry (DEXA)로 확인할 수 있다.

## 진단

염증요통은 강직척추염을 의심하게 하는 가장 중요한 소견이다. 염증요통은 다음의 5가지 특징들 중 4가지 이상을 만족할 때를 말한다(표 48-1).

강직척추염과 관련된 최초의 분류기준은 1961년에 만들어진 분류기준이며, 이 기준은 이후 '수정 뉴욕 기준(Modified New York Criteria)'이라고 알려진 1984년의 분류기준 형태로 정착되

었고(표 48-2), 수정 뉴욕 기준에 따르면 염증 요통, 요추 운동의 제한, 흉부 확장능 감소의 임상기준 중 1개 이상을 만족하고, 2-4 등급의 양측 천장관절염 또는 3-4 등급의 편측 천장관절염의 방사선학적 기준을 만족하는 경우, 확정 강직척추염으로 진단될 수 있다.

하지만 방사선학적 손상은 일반적으로 서서히 진행되기 때문에, 첫 증상이 발생한 후 강직척추염으로 확진 판정을 받기까

표 48-1. **염증요통의 정의(ASAS)**

| |
|---|
| 1. 발생 연령 40세 미만 |
| 2. 서서히 발생 |
| 3. 운동으로 호전 |
| 4. 휴식으로 호전되지 않음 |
| 5. 야간 통증 및 기상 시 호전 |

표 48-2. **강직척추염의 수정 뉴욕 분류기준(1984년)**

| **A. 임상 기준** |
|---|
| • 요추 통증 및 경직: 최소 3개월 이상, 운동으로 호전되지만 휴식으로 호전되지 않음 |
| • 요추 운동의 제한: 전후방 및 측방 운동 제한 |
| • 흉부 확장능 감소: 연령 및 성으로 보정된 기준보다 감소 |

| **B. 방사선학 기준** |
|---|
| • 2-4 등급의 양측 천장관절염 또는 3-4 등급의 편측 천장관절염 |

지 10년이 지연되는 경우도 발생하며, 분류기준을 따르게 되면 방사선학적 천장관절염을 보이지 않는 조기 질환을 배제하게 될 수 있다. 또한 요추 운동의 제한이나 흉부 확장능의 감소는 보통 질병이 상당히 경과한 이후에 관찰되고, 급성염증을 반영하지 못한다는 점, 축성(axial) 증상에만 집중을 하여 MRI 결과라든가, *HLA-B27*여부, 척추관절염의 가족력, NSAID에 대한 반응과 같은 임상적으로 중요한 다른 여러 척추외 증상에 대해서는 고려하지 않게 된다는 점 등의 한계도 있다.

척추관절병증에서 방사선학적 변화가 오기 전 조기 질환에 대한 관심이 확대되었고, 이전 기준의 한계점을 보완한 새로운 분류기준의 필요성이 증대됨에 따라, ASAS (Assessment of SpondyloArthritis international Society)에서는 대규모의 단면 연구를 거쳐 두 개의 주요한 증상에 따라, 축성(axial)과 말초(peripheral) 척추관절병증으로 구분한 새로운 분류기준을 제안하였다. ASAS의 새로운 분류기준은 척추관절병증의 여러 임상적 특징과 *HLA-B27* 결과, 단순X선에서 이상이 나타나기 전 급성염증 병변을 발견할 수 있는 MRI 소견 등을 기준에 포함하였고, 강직척추염의 분류기준에서 제외되었던 방사선학적 천장관절염이 없는 초기 척추관절병증도 포함하였다(표 48-3). 또한 척추증상 대신 말초관절염이나 부착부염, 손발가락염과 같은 말초 증상이 주증상인 환자를 대상으로 말초척추관절병증의 분류기준도 제시되었다(표 48-4).

### 표 48-3. 축성 척추관절병증 분류기준(ASAS)

| 45세 이전에 시작된 3개월 이상의 등통증을 갖는 환자에서 다음을 만족할 때 |
| --- |
| 영상검사에서 천장관절염이 있고 척추관절염의 특징이 1개 이상 또는 HLA-B27 양성이고 척추관절염의 특징이 2개 이상 |
| 척추관절염의 특징 |
| • 염증등통증<br>• 관절염<br>• 부착부염(발뒤꿈치)<br>• 손발가락염<br>• 포도막염<br>• 건선<br>• 크론병/대장염<br>• NSAID에 좋은 반응<br>• 가족력<br>• HLA-B27 양성<br>• CRP 상승   • 영상검사에서 천장관절염<br>  • MRI에서 활동성 천장관절염<br>  • 단순X선 촬영에서 확정 천장관절염 |

### 표 48-4. 말초척추관절병증의 분류기준(ASAS)

| 관절염이나 부착부염, 또는 손발가락염이 있고 다음을 만족할 때 | |
| --- | --- |
| 다음 척추관절염 특징 중 하나 이상 | 혹은 다음 척추관절염 특징 중 2개 이상 |
| 포도막염<br>건선<br>크론병/대장염<br>선행 감염<br>HLA-B27<br>영상검사에서 천장관절염 | 관절염<br>부착부염<br>손발가락염<br>염증등통증 과거력<br>가족력 |

### 1) 감별진단

강직척추염과 미만특발뼈형성과다증(diffuse idiopathic skeletal hyperostosis, DISH)은 척추와 말초관절을 침범하는 점, 질환이 진행되면 골증식으로 자세변화 및 운동범위 감소를 일으킨다는 점에서 비슷하며, 척추 단순X선 소견도 구별하기 쉽지 않을 수 있다. 하지만 강직척추염은 만성염증질환으로, 비교적 어린 나이에 발병하고 염증요통과 천장관절염이 동반되며, 90%에서 *HLA-B27* 양성을 보이고, 골피질과 후관절(facet joint)의 미란을 보이는 데 반해서, 미만특발뼈형성과다증은 퇴행관절염으로, 비교적 고령에서 발생하며 요통이나 천장관절염이 동반되지 않고, ESR이나 CRP와 같은 급성기반응물질이 상승하지 않으며, 디스크와 후관절은 비교적 보존되는 차이가 있다(그림 48-7).

### 2) 질환활성도 평가

BASDAI (Bath Ankylosing Spondylitis Disease Activity Index), ASDAS (Ankylosing Spondylitis Disease Activity Score) 등의 질환활성도 평가가 이용되고 있다(참조: https://www.asas-group.org/education/asas-app/ or https://www.rheum.or.kr/data/sub07.html).

### 참고문헌

1. Dean LE, Jones GT, MacDonald AG, Downham C, Sturrock RD, Macfarlane GJ. Global prevalence of ankylosing spondylitis. Rheumatology (Oxford) 2014;53:650-7.

2. Dougados M, Baeten D. Spondyloarthritis. Lancet 2011;377:2127-37.

3. McGonale DG, McInnes, IB, Kirkham BW, Sherlock J, Moots R.

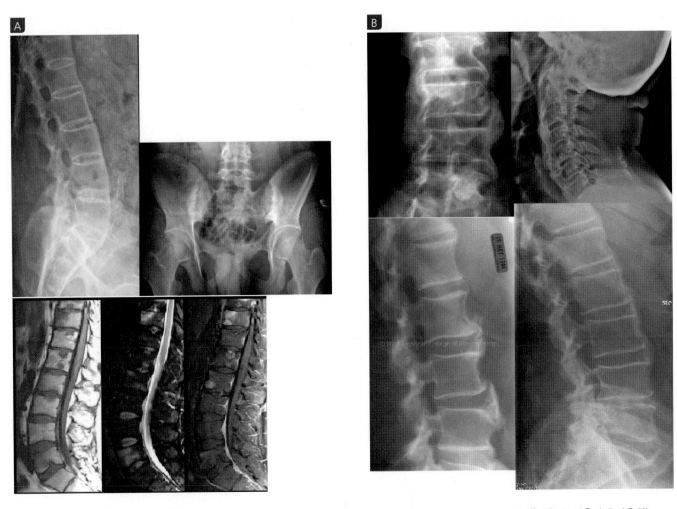

그림 48-7. **강직척추염과 미만특발골격과골화증의 영상 소견 비교 (A)** 강직척추염, **(B)** 미만특발골격과골화증 (출처: 서울의대 이은영)

The role of IL-17A in axial spondyloarthritis and psoriatic arthritis: recent advances and controversies Ann Rheum Dis 2019;78:1167-78.

4. Monnet D, Breban M, Hudry C, Dougados M, Brezin AP. Ophthalmic findings and frequency of extraocular manifestations in patients with HLA-B27 uveitis: a study of 175 cases. Ophthalmology 2004;111:802-9.

5. Orlando A, Renna S, Perricone G, Cottone M. Gastrointestinal lesions associated with spondyloarthropathies. World J Gastroenterol 2009;15:2443-8.

6. Sieper J, Rudwaleit M, Baraliakos X, Brandt J, Braun J, Burgos-Vargas R, et al. The Assessment of SpondyloArthritis international Society (ASAS) handbook: a guide to assess spondyloarthritis. Ann Rheum Dis 2009;68 Suppl 2:ii1-44.

7. Sieper J, Rudwaleit M, Khan MA, Braun J. Concepts and epidemiology of spondyloarthritis. Best Pract Res Clin Rheumatol 2006;20:401-17.

8. van der Linden S, Valkenburg HA, Cats A. Evaluation of diagnostic criteria for ankylosing spondylitis. A proposal for modification of the New York criteria. Arthritis Rheum 1984;27:361-8.

9. van Tubergen A, Weber U. Diagnosis and classification in spondyloarthritis: identifying a chameleon. Nat Rev Rheumatol 2012;8:253-61.

# 49

# 반응관절염

대구가톨릭의대 **김성규**

## 개요

반응관절염(reactive arthritis)이란 선행하는 위장관 또는 비뇨기 감염 후 나타나는 염증성 증후군이다. 고전적인 3징후는 급성 염증성 관절염, 염증성 안구증상, 및 배뇨곤란이다. 관절염 증상을 보인 대부분은 관절 내 미생물의 침입 흔적이 없이 나타나는 무균성 관절염이다. 반응관절염은 척추관절염(spondyloarthritis) 그룹에 속한다. 반응관절염의 병인은 확립되어 있지 않지만, 선행 감염세균의 면역성을 가진 세균항원(immunogenic bacterial antigens)에 의한 면역매개 관절염으로 생각하고 있다.

## 역학

반응관절염은, 주로 20-40세의 성인에서 발병하고 전 세계적으로 분포한다. 위장관감염과 관련된 반응관절염의 성비는 남녀 1:1이지만, 비뇨기 감염과 관련된 경우는 남성이 좀더 많은 빈도를 보인다. 반응관절염은 비뇨생식기 및 장관 감염이 있는 환자의 약 1-4% 정도에서 발생되며, 이 환자의 30-70%에서 *HLA-B27*이 양성이다.

## 병인

반응관절염을 유발하는 위장관 및 비뇨생식기, 또는 상부 호흡기 감염은 세균에 의해 발생한다(표 49-1).

일부 연구에서 이들 감염세균의 핵산 또는 단백질과 같은 구성성분들이 반응관절염 환자의 혈액 내 단핵구와 활막에서 확인

표 49-1. **반응관절염 발생과 관련된 세균**

| 장내 세균 |
|---|
| 살모넬라(*Salmonella*) |
| 시겔라(*Shigella*): *S. flexneri*, *S. dysenteriae*, *S. sonnei* |
| 예르시니아(*Yersinia*): *Y. Enterocolitica*, *Y. pseudotuberculosis* |
| 캄필로박터(*Campylobacter*): *C. jejuni*, *C. coli* |
| **비뇨기계 세균** |
| 클라미디아 트라코마티스(*Chlamydia trachomatis*)<br>우레아플라스마 우레알리티쿰(*Ureaplasma urealyticum*)<br>미코플라스마 제니탈리움(*Mycoplasma genitalium*) |
| **호흡기 세균** |
| 클라미디아뉴모니아(*Chlamydia pneumonia*) |

이 되었다. 이 성분들이 어떻게 관절에 도달하는지에 대한 기전은 밝혀져 있지 않다.

반응관절염은 *HLA-B27*와 관련성이 있는데, *HLA-B27* 양성인 사람이 음성인 사람에 비해 반응관절염의 발생 위험이 약 50배 증가한다. *HLA-B27* 양성인 환자가 음성인 환자보다 더 심한 임상 소견을 보인다. 감염 세균인 클라미디아 또는 예르시니아에서 나온 펩타이드 항원이 관절염유발펩타이드(arthrogenic peptide)로 *HLA-B27*에 의해 제시되어 CD8[+] T세포를 자극하는 것이 가장 설득력이 있는 가설이다. 인터페론 감마(interferon-γ, IFN-γ)는 세균 제거를 담당하는 물질로 *HLA-B27* 양성인 클라미디아 관련 관절염 환자의 활액 내 IFN-γ의 농도가 낮았다. 이는 IFN-γ 저하가 세균제거에 영향을 줌으로써 반응관절염 임상 증상 발현과 관계 있음을 시사한다. 반응관절염 환자의 활막 내 단핵구에 세균 항원을 자극 시 IFN-γ와 항종양괴사인자(tumor necrosis factor, TNF)-α의 발현이 낮아지고 반면에 인터루킨(interleukin, IL)-10 발현이 증가하는데, 이는 염증 관련 사이토카인 발현의 불균형이 반응관절염의 병인이 될 수 있음을 시사한다.

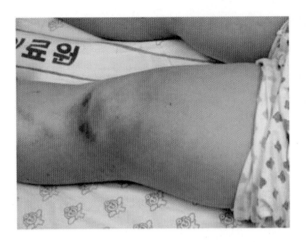

그림 49-1. 반응관절염 환자의 좌측 무릎 부종 소견

## 임상증상

반응관절염 증상은 다른 척추관절염의 증상과 상당히 유사한 부분이 있다. 주로 관절, 생식기, 안구, 피부 등에 주로 증상이 나타나지만, 다른 장기도 침범할 수 있다.

### 1) 관절증상

세균 감염 후 증상 발현까지는 수일에서 6주 정도로 평균 약 4주 정도 소요된다. 전형적인 관절 증상은 주로 무릎, 발목, 발등의 하지를 침범하는 비대칭, 단관절 또는 소수관절관절염이며 (그림 49-1), 수주에서 수개월 지속될 수 있다. 일반적으로 90% 이상의 환자는 수주에서 수개월 내 자연치유된다. 그러나 일부에서 6개월 이상 증상이 지속되어 만성관절염으로 진행할 수 있다. 반응관절염의 중증 관절 증상의 예측인자로는 엉덩관절관절염, 적혈구침강속도 30 mm/hr 이상, 비스테로이드소염제에 부족한 치료반응, 요추강직, 가락염(dactylitis) 등이다. 그리고 반응관절염의 특징적 관절 증상 중 가락염 또는 소시지손가락

(sausage-like digits)은 주로 소수의 손가락과 발가락에서 비대칭적으로 나타날 수 있고, 일부는 여러 관절을 침범할 수 있다.

반응관절염의 관절 증상은 경추, 흉추, 요추 및 천장골 등의 척추에서도 나타날 수 있다. 방사선학적 검사에서 천장관절염이 확인되기도 하며, 특히 천장관절염은 증상이 심하고 긴 유병기간을 가진 환자에서 나타난다.

### 2) 골부착부 증상

반응관절염 환자에서 부착부염(enthesitis)이 흔히 나타난다. 부착부염은 주로 만성 반응관절염에서 주로 나타난다. 부착부염은 주로 발꿈치뼈(calcaneum)의 아킬레스힘줄과 족저근막에 가장 빈번히 나타나서, 발바닥 통증과 보행 장애의 원인이 되기도 한다.

### 3) 관절외 증상

#### (1) 피부 증상

반응관절염의 대표적인 피부 증상으로 농루각피증(kerato-derma blenorrhagica)과 윤상귀두염(balantis circinata)이 나타날 수 있다. 농루각피증은 반응관절염에 특이도가 높은 피부 소견으로 환자의 5-10% 정도에서 관찰된다. 이 피부병변은 농포(pustule)로 시작하여 과각화와 인설(hyperkeratosis and scaly)을 거쳐 건선과 유사한 판(plaque)으로 진행할 수 있다. 주로 손바닥

과 발바닥에 주로 나타나지만, 발가락, 고환, 몸통, 두피에도 나타날 수 있다. 윤상귀두염은 반응관절염 남성 환자의 약 20-40%에서 보이는데, 음경 귀두 끝 부분에 작고 얇은 무통의 궤양으로 나타난다. 반응관절염 남성 환자의 약 20-40%에서 발견된다. 기타 피부 증상으로는 구강궤양, 발진, 건선에서 보이는 손톱 변화 등이 있다.

## (2) 안증상

반응관절염 환자의 비교적 흔한 안증상은 점액 농즙성결막염이며, 약 30%의 환자에서 관찰된다. 대개 관절염 증상보다 수일 선행해서 나타나며, 양측성인 경우가 많다. 대개는 1-4주 내에 호전된다. 이외에도 전포도막염, 광선공포증, 통증, 시력감소가 드물게 발생할 수 있다.

## (3) 심혈관 증상

심혈관계 증상은 매우 드물게 동반된다. 근위 대동맥염(aortitis)이 1-2%에서 나타나는데, 특히 반응관절염 중증 또는 반복적으로 증상을 보이는 환자에서 발현한다. 이는 대동맥 폐쇄부전을 일으킬 수 있어 대동맥판 치환술이 필요할 수 있다.

# 진단

## 1) 진단적 접근

반응관절염의 진단 기준은 아직 확립되어 있지 않고 있다. 하지만, 첫째는 하지에 단관절 또는 소수관절의 침범이 있고, 둘째는 감염 또는 외상에 의한 관절염 등을 배제해야 하는 기본적인 요건이 필요하다. 반응관절염이 의심되면, 선행 감염을 확인하기 위해서 증상에 관계없이 소변, 요도, 자궁경부에서 클라미다아의 선행 감염 증거를 찾기 위한 검사와 설사 증상이 있는 경우에는 대변 배양을 시행해야 한다.

1999년 독일 베를린에서 개최된 제4차 반응관절염 국제 워크샵에서 반응관절염의 분류기준을 제시하고 있다(표 49-2).

반응관절염의 분류기준은 특징적 임상 소견, 환자의 병력이나 검사실 소견에서 선행 감염의 확인, 다른 류마티스 질환 가능성 배제 등을 고려하였다.

**표 49-2. 반응관절염의 분류기준**

**주기준**

1. 관절염(3항목 중 2)
   - 비대칭성 침범
   - 단관절 또는 소수관절 침범
   - 하지 침범
2. 선행 유증상 감염(1항목 중 1)
   - 장염
   - 요도염

**부기준(2항목 중 1)**

1. 유발 감염 증거
   - 클라미디아 트라코마티스에 대한 요도/자궁경부도말표본 또는 소변 리가제 연쇄반응 양성
   - 반응관절염 관련 장내세균에 대한 대변 배양 양성
2. 지속적 활막 감염 증거
   - 클라미디아에 대한 중합효소 연쇄 반응 양성

**추가 분류**

- 요로 감염 또는 장 감염 반응관절염
- 급성(6개월 이하)과 만성(6개월 초과) 반응관절염

**배제기준**

아래의 검사를 통해서 다른 류마티스 질환을 시사하는 경우는 제외
- 임상 병력 및 신체검사
- 최소한 다음의 검사를 시행
  - 활액 이용 가능한 경우 현미경, 배양, 그리고 결정 분석
  - 혈청 검사에서 류마티스인자와 항핵항체 그리고 가능한 경우 항 *Borrelia burgdorferii* 항체, 항연쇄상구균항체
  - 방사선검사에서 연골석회화증 및 관절강협착 확인

**반응관절염의 정의**

- 반응관절염 확진: 주기준 2개(1번과 2번)와 부기준 1개 이상 또는 합당한 부기준
- 반응관절염 의증: 적합한 부기준 없이 주기준 2개(1번과 2번) 또는 주기준 1번과 부기준 1개 이상

## 2) 감별진단

반응관절염을 진단하기 위해서는 급성 단관절염 또는 소수관절염을 발생할 수 있는 다른 원인을 배제해만 한다(표 49-3).

반응관절염과 감별해야 할 질환 중에 파종임균감염(disseminated gonococcal infection)은 흔히 손가락, 발가락, 발목, 무릎 등의 관절을 침범하는 다발관절염과 손관절의 힘줄활막염으로 나타날 수 있다. 일시적인 농포성 및 소포성 피부병변이 손과 발에 나타날 수 있다. 파종임균감염에 의한 관절염은 항생제 치료에 급속히 호전된다. 건선관절염은 비대칭관절염, 손발가락염, 원위지관절 침범, 그리고 피부 증상 등은 반응관절염과 유사한 임

**표 49-3 반응관절염의 감별진단**

- 건선 관련 관절염(psoriasis-associated arthropathies)
- SAPHO (synovitis, acne, pustulosis, hyperostosis, osteitis) 증후군 (SAPHO syndrome)
- 크론병/궤양성장염연관관절염(Chohn's disease/ulcerative colitis-associated arthritis)
- 기타성병연관관절염(other sexually acquired arthritis (gonococcal, HIV)
- 류마티스관절염
- 통풍관절염
- 베체트병
- Parvovirus arthropathies
- 라임병
- 사르코이드관절염(Sarcoid arthritis)

상증상을 공유하지만, 건선관절염은 상지 침범이 반응관절염 보다 빈번히 나타난다. 파보바이러스 B19와 간염바이러스에 의한 관절염은 주로 대칭적으로 발현하고 소수관절염 형태로 나타나서 반응관절염과 감별이 가능하다.

## 검사실 소견

### 1) 혈액 검사

혈액 검사에서 경한 빈혈, 호중구성 백혈구증가증, 그리고 적혈구침강속도(erythrocyte sedimentation rate)와 C반응단백질(C-reactive protein)의 증가가 나타날 수 있다. 소변검사는 임상증상 발현 시 시행하고, 요도염에 의한 무균농뇨를 확인하기 위해서 추적 검사가 필요하다. 항핵항체와 류마티스인자는 음성이다.

### 2) 활액 검사

반응관절염은 세균관절염 또는 결정관절염과 같은 염증관절염과 감별하기 위해서 활액 검사를 시행하고 세포개수, 세균배양, 현미경적 결정 등을 확인해야 한다.

### 3) 미생물 검사

반응관절염 유발과 관련된 감염 미생물의 존재에 대한 증거를 확인하기 위해 미생물학적 검사가 필요하다. 위장관 감염의 경우, 살모넬라와 예르시니아와 같은 세균 감염을 확인하기 위해 대변검사를 시행해야 한다. 요로감염의 경우, 클라미디아트라코마티스 배양을 위해서 요도와 질에서 면봉을 이용한 표본 채취를 해야 하고, 필요하면 목과 항문에서도 채취를 할 수 있다. 소변에서 클라미디아의 배양이 용이하지 않기 때문에, 핵산증폭검사를 시행할 수 있다.

관련 미생물의 배양 외에도, 선행감염을 확인할 수 있는 혈청학적 방법도 제안되고 있다. 살모넬라와 캄필로박터의 항체 검사와 같은 혈청학적 방법이 제안되고 있지만, 건강한 사람에게서도 확인될 수 있으므로, 이런 경우에는 급성기와 회복기 혈청의 항체 역가를 확인할 필요가 있다. 하지만, 임상적 이용의 효용성은 상당히 낮아 보인다.

### 4) HLA-B27 검사

일반적으로 *HLA-B27* 검사는 반응관절염의 진단에 필요조건은 아니다. 반응관절염 환자의 약 60-80% 정도에서 *HLA-B27* 양성이라는 결과를 보고하고 있지만, 연구 인구집단의 특성에 따라 조금씩 차이가 있을 수 있다. 선행 감염 세균에 따라 *HLA-B27* 양성률이 조금씩 다른데, 살모넬라, 캄필로박터, 클라미디아에 의한 관절염에서는 약 50% 정도이고, 시겔라 관절염에서는 약 80%가 *HLA-B27* 양성이다. 임상적으로는 *HLA-B27* 양성은 만성 또는 재발관절염, 포도막염, 대동맥염, 천장골염 등의 임상증상 발현과 관련이 있다.

## 방사선학 소견

특이적인 방사선학적 소견은 없지만, 방사선학적 검사는 진단 및 질병 중증도 평가에 중요한 역할을 한다. 질병 초기에는 단순X선 검사에서 연부조직 부종 외에는 정상 소견을 보이며, 관절염이 만성화 되면, 환자의 약 20%에서 방사선학적 이상 소견이 관찰된다. 단순X선에서 특징적 소견으로는 염증 부위의 비대칭적 반응성 골증식이 진단에 도움이 된다. 후기에는 솜털 모양의 골막반응(periosteal reaction)과 골미란이 아킬레스힘줄, 족저건막 부위의 인대와 건 삽입부에서 관찰될 수 있다. 이런 병변은 MRI와 근골격초음파검사로도 병변을 확인할 수 있다. 천장골은 주로 비대칭으로 나타나며, 만성 반응관절염 환자의 1/3 이상에서 관찰된다.

## 자연경과 및 예후

반응관절염의 예후는 대부분의 환자들이 1년 이내에 회복된다. 급성기 증상은 3-5개월 정도 지속된다. 4-19%의 환자는 만성 관절염으로 진행한다. 하지만, 반응관절염의 예후는 유발 병인과 환자의 유전적 배경에 따라 다양하게 나타날 수 있다. 살모넬라에 의한 반응관절염에 대한 5년 추적 연구에서 환자의 1/3은 완전한 회복되었으나, 반수는 관절염이 만성화 되었다. 반면에 평균 11년 추적한 다른 연구에서는 약 16%의 환자가 만성적인 임상경과를 보였고 일부 환자에서는 천장골염이 나타나기도 하였다. 클라미디아 유발 반응관절염의 장기간 예후는 잘 알려져 있지 않은데, 비임균 세균에 의해 유발된 반응관절염 환자의 대부분이 만성관절염을 보였다고 알려져 있다.

## 참고문헌

1. 대한류마티스학회. 류마티스학. 제5부, Chapter 03. 군자출판사; 2014. pp. 250-5.
2. 대한류마티스학회. 류마티스학. 제2판. Part 05, Chapter 03. 범문에듀케이션; 2018. pp. 240-4.
3. 이종준, 이미라, 최효진, 정재걸, 백한주. 질 편모충(Trichomonas vaginalis) 감염 후 발행한 반응관절염(Reactive Arthritis) 1예. 대한류마티스학회지 2006;13:338-42.
4. 이진성, 양미진, 서종훈, 김근태. 클로스트리디움디피실리균감염 발생한 반응관절염 1예. 대한류마티스학회지 2009;16:43-7.
5. Braun J, Kingsley G, van der Heijde D, Sieper J. On the difficulties of establishing a consensus on the definition of and diagnostic investigations for reactive arthritis. Results and discussion of a questionnaire prepared for the 4th International Workshop on Reactive Arthritis, Berlin, Germany, July 3-6, 1999. J Rheumatol 2000;27:2185-92.
6. Carter JD and Hudson AP. Reactive arthritis. In: Firesteine GS, Budd RC, Gabriel SE, McInnes IB, O'Dell JR, Koretzky G, eds. Firstein & Kelly's Textbook of Rheumatology. 11th ed. Elsevier; 2021. pp. 1344-57.
7. Hannu T. Reactive arthritis. Best Pract Res Clin Rheumatol 2011;25:347-57.
8. Kim PS, Klausmeier TL, Orr DP. Reactive arthritis: a review. J Adolesc Health 2009;44:309-15.
9. Leirisalo-Repo M, Sieper J. Reactive arthritis: Epidemiology, clinical features, and treatment. In: Weisman M, van der Heijde D, Reveille J, eds. Ankylosing Spondylitis and the Spondyloarthropathies. Philadelphia: Mosby Elsevier; 2006. pp. 53-64.
10. Sieper J, Rudwaleit M, Braun J, et al. Diagnosing reactive arthritis: role of clinical setting in the value of serologic and microbiologic assays. Arthritis Rheum 2002;46:319-27.

# 50

# 건선관절염

성균관의대 **차훈석**

## KEY POINTS 🔒

- 건선관절염은 건선과 동반하여 발생하는 만성 염증관절염으로 건선 환자의 약 20%에서 발생한다.
- 건선관절염의 대표적인 증상들은 관절염 외에 가락염(dactylitis), 부착부염(enthesitis), 손발톱변화 등이다.
- 관절염은 척추염과 말초관절염이 발생하고 비대칭적인 침범을 보이고 원위지간관절을 흔히 침범하는 특징을 보인다. 관절의 파괴가 매우 심하게 나타날 수 있으나 류마티스관절염에 비해 통증이 덜하다.
- 진단은 임상적 특징들에 근거해 내리며 근래에는 CASPAR 분류기준을 이용한다.
- 건선관절염은 장애를 초래하는 중증의 경과를 밟을 수 있으며, 심혈관질환의 위험이 높아서 이와 연관된 사망률이 증가된다.

## 정의 및 역학

건선관절염은 건선과 동반하여 발생하는 만성 염증관절염이다. 건선은 염증피부병변으로 흔히 적색 인설상의 발진으로 나타나며 주로 관절의 신전부위에 발생하나 두피, 피부가 접히는 부위나 손바닥, 발바닥에도 발생한다.

서구의 경우 건선의 유병률은 2-3%이며 남자와 여자에 균등하게 발생한다. 건선 환자의 6-42%에서 건선관절염이 발생하는 것으로 보고되고 있다. 국내 역학자료는 제한적이나 건선의 유병률은 0.5-1%이고 건선 환자 중 9-14%에서 건선관절염이 발생하는 것으로 알려져 있다. 건선관절염은 30-40대에 가장 많이 발

병한다.

## 임상증상

건선관절염의 대표적인 증상은 관절염, 가락염(dactylitis), 부착부염(enthesitis), 손발톱변화 등이다.

### 1) 관절염

관절염은 일반적으로 호전과 악화를 반복하지만 치료를 하지

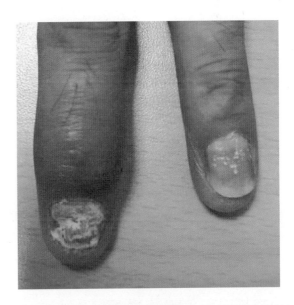

**그림 50-1. 원위지간 관절염과 손톱 변화** 원위지간관절의 부기와 발적 및 변형을 보이고 있다. 손톱은 손톱박리증, 손톱밑각화과다증, 손톱오목증 등의 소견을 보인다.

않는 경우 염증은 만성적으로 지속된다. 건선의 피부증상이 관절염보다 선행하는 경우가 75%이며 10%의 환자에서는 피부증상과 관절염이 동시에 발생하고 나머지 15%에서는 관절염이 피부증상보다 선행한다. 건선의 피부증상이 관절염보다 10-15년 뒤에 발생하는 경우를 건선이 없는 건선관절염(psoriatic arthritis sine psoriasis)이라 부르며 건선이 없지만 건선관절염의 중요한 임상적 특징들을 보일 때 의심할 수 있다.

관절염은 말초관절염(peripheral arthritis)과 척추염(spondylitis)으로 나누어 볼 수 있다. 말초관절염은 침범된 관절의 통증, 부기, 경직 등의 증상으로 나타난다. 어떤 관절도 침범할 수 있으며 질병 초기에는 주로 소수관절염(oligoarthritis)의 형태로 발생하는 경향이 있지만 병이 경과함에 따라 다발관절염(polyarthritis)으로 발달할 수 있다. 류마티스관절염과 달리 비대칭적인 침범을 하며 원위지간관절(distal interphalangeal joint)을 흔히 침범한다(그림 50-1).

또한, 특징적으로 류마티스관절염에 비해 통증이 덜하며 이로 인해 진단이 늦어지는 문제가 있다. 많은 건선관절염 환자들이 진단 당시에 뚜렷한 통증의 병력 없이 관절의 손상과 변형을 보인다. 척추의 침범은 약 40-50%에서 보인다. 천장관절염은 비대칭적으로 한쪽에만 발생하거나 양쪽에 발생하더라도 양측의 침범 정도에 차이가 있다. 척추의 침범도 비대칭적이며 불규칙적이며 척추 전부를 침범할 수 있다.

건선관절염의 분류에는 일반적으로 Moll과 Wright의 기준이 사용된다(표 50-1).

그러나 이 다섯 가지 분류는 서로 중복되는 경우도 많고 한 가지 유형에서 다른 유형으로 전환되기도 한다.

## 2) 가락염

가락염은 손발가락 전체에 염증이 있는 것을 일컬으며 건선관절염의 매우 특징적인 증상이다. 이는 활막염과 건초염이 한 개의 수지에 동시에 발생할 때 보이는 소견이다. 손발가락 전체가 부어 있는 증상을 보이기 때문에 소시지손가락(sausage digit)라고 부르기도 한다. 건선관절염 환자의 약 30%에서 관찰된다. 발가락을 가장 흔히 침범하지만 손가락에도 잘 발생한다. 가락염이 있는 부위의 관절에는 골미란이 더 잘 발생하기 때문에 질병의 진행을 예측할 수 있는 불량한 예후인자이기도 하다. 가락염은 만성화되어 통증이나 발적 없이 부어있는 상태가 지속되면서 치료에 반응을 하지 않는 경우도 있다.

## 3) 부착부염

부착부염은 건선관절염의 또 다른 중요한 임상적 특징이다. 힘줄의 부착부(enthesis)라면 어디든 발생할 수 있지만 발바닥 근막(plantar fascia), 아킬레스건 부착부, 어깨, 무릎, 골반뼈의 부착부에 가장 흔히 발생한다.

## 4) 그 외 증상들

손발톱변화는 건선환자에서는 45%에서 나타나는 반면 건선관절염이 있는 경우 90%의 환자에서 나타난다. 손발톱에 나타나는 변화들은 손발톱박리증(onycholysis), 손발톱오목증(nail pitting), 손발톱밑각화과다증(subungual hyperkeratosis) 등이다(그림 50-1).

또한, 손발톱 변화가 있는 환자들은 원위지간관절의 침범이 더 흔하다. 포도막염은 모든 척추관절염에서 나타나는 관절외 증상으로 건선관절염 환자의 약 7%에서 나타난다. 건선관절염에서도 장 침범이 있을 수 있으며 주로 비특이적인 대장염의 형태로 나타난다. 강직척추염과 마찬가지로 대동맥궁 기저의 확장과 같은 심장이상이 건선관절염에서도 보고되고 있다. 또한, 건선관절염 환자는 심혈관질환의 위험이 증가하는 것으로 밝혀졌다. 이는 건선관절염과 동반되는 고지혈증, 고요산혈증과 같은 대사이상 및 비만 등과 연관된 것으로 생각되고 있다.

표 50-1. Moll과 Wright의 기준에 의한 건선관절염의 분류

| 분류 | 관절염의 특징 | 발생빈도 |
|---|---|---|
| 비대칭 소수관절염 | <5개의 비대칭적 관절 침범 | 70% |
| 대칭 다발관절염 | ≥5개의 대칭적인 관절 침범 | 15% |
| 원위지간관절염 | 주로 원위지간 관절의 침범 | 5% |
| 단절관절염 (arthritis mutilans) | 관절파괴로 심한 변형 초래 | 5% |
| 척추관절염 | 척추와 천장관절을 주로 침범 | 40% |

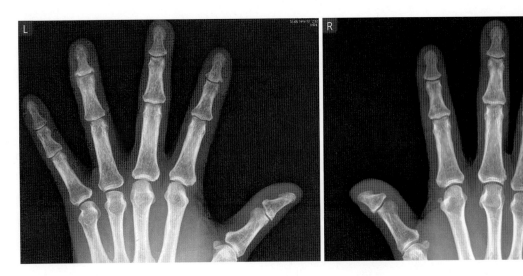

그림 50-2. **비대칭적인 관절침범** 우측 제5원위지간관절과 좌측 제2 및 4원위지간관절의 연부조직 부기, 골미란, 관절주변 신생골의 형성 등이 관찰된다.

## 검사 및 방사선학적 소견

건선관절염에 특이적인 검사방법은 없다. ESR, CRP와 같은 염증 지표들이 종종 상승한다. 백혈구 증가증 및 만성질환과 연관된 빈혈이 발생할 수 있다. 2-10%의 환자에서는 류마티스인자가 나타나며 항CCP항체도 약 10%의 환자에서 관찰된다. 건선이 심한 경우 혈청 요산이 증가할 수 있다. *HLA-B27*은 축성 질환이 있는 환자의 50-70%의 환자에서 양성 소견을 보이지만 말초관절염만 있는 경우 20% 이하의 환자에서만 양성 소견을 보인다.

건선관절염의 방사선학적 소견은 검사실 소견보다는 특징적이다. 건선관절염에서 보이는 방사선 소견은 골의 미란 및 증식에 기인한다. 말초 건선관절염에서 보이는 특징적인 단순X선 소견들은 원위지간 관절의 침범, 비대칭적인 분포, 골막염(periostitis), 부착부의 증식 골형성, 뼈융해(osteolysis), 컵 속의 연필(pencil-in-cup) 변형 등이다(그림 50-2, 그림 50-3).

축성 건선관절염의 단순X선 소견들은 비대칭적인 천장관절염, 척추주위 골화(paravertebral ossification), 인대골극(syndesmophyte), 추간판척추 병변(discovertebral lesion) 등이다. 초음파는 부착부병증을 평가하는 데 유용한 방법이다. MRI는 활막염, 건초염 등을 관찰하는 데 있어 단순X선 검사에 비해 민감도가 더 높으며 초기의 천장관절염을 발견하는 데에 유용한 방법이다.

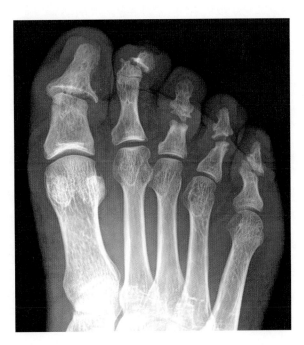

그림 50-3. **단절 관절염** 제2-5 중간마디뼈의 심한 뼈용해에 의한 관절파괴와 변형이 관찰된다.

## 진단

2006년에 건선관절염의 분류기준이 제정되었다[Classification of Psoriatic Arthritis (CASPAR) criteria](표 50-2). CASPAR 분류기준은 민감도와 특이도가 모두 90% 이상으로 매우 높고 조기진단에 유용한 기준이다. 이 기준은 환자의 병력, 건선의 존

표 50-2 CASPAR (Classification Criteria for Psoriatic Arthritis) 기준

CASPAR 기준을 충족하기 위해서는 염증 관절질환(말초관절 또는 척추 또는 부착부)이 반드시 존재하고 아래 항목에 근거한 점수의 합이 3점 이상이어야 한다.

| | 점수 |
|---|---|
| 1. 건선의 증거 | |
| 현재 건선이 존재 | 2 또는 |
| 건선의 과거력 | 1 또는 |
| 건선의 가족력 | 1 |
| 2. 건선 손발톱이상증(nail dystrophy) | |
| 오목증, 손발톱박리증, 손발톱밑각화과다증 | 1 |
| 3. 류마티스인자 음성 | 1 |
| 4. 가락염 | |
| 현재 하나의 손발가락 전체가 부어있음 | 1 또는 |
| 가락염의 과거력 | 1 |
| 5. 방사선학적 증거 | |
| 손, 발의 단순 방사선 사진상 관절주위 신생골의 형성 | 1 |

재, 특징적인 말초 및 축성관절염의 증상, 징후, 영상소견 등을 근거로 한다.

건선관절염의 진단은 특히 관절염이 건선에 선행하거나 건선의 진단이 불명확할 때 어려울 수 있다. 그렇기 때문에 염증 관절질환이 있는 환자의 경우 건선관절염의 가능성에 대한 의심을 하는 것이 매우 중요하며 건선의 과거력 및 가족력 여부에 대한 병력청취가 중요하다. 또한 건선을 발견하기 위한 신체검진이 중요한데, 두피, 귀, 배꼽 주위, 그 외 피부가 접히는 부위에 환자가 미처 인지하지 못한 건선 병변이 존재할 수 있다. 특징적인 손발톱 병변의 유무에 대한 진찰도 매우 중요하다. 관절염의 분포 양상과 염증요통과 같은 축성 증상의 존재가 진단에 도움을 줄 수 있다.

감별진단에는 모든 염증관절질환이 포함된다. 특히 반응관절염(reactive arthritis)은 비대칭적인 관절염, 부착부염, 손발가락염, 염증요통 등의 증상을 공유하기 때문에 감별이 어려울 수 있다. 류마티스관절염은 관절 침범의 분포, 건선의 존재, 류마티스인자의 부재 등으로 감별할 수 있으나 건선관절염의 일부에서도 류마티스인자가 존재하고 건선관절염이 대칭 다발관절염의 형태로 발현할 때에는 감별진단이 어려울 수 있다. 실제로 건선관절염과 류마티스관절염이 같은 환자에서 나타날 수도 있다. 건선관절염의 특징적인 소견인 원위지간관절의 침범은 골관절염, 통풍 등에서도 보일 수 있으므로 감별을 요한다. 건선관절염에서 척추 증상이 주된 증상일 경우 강직척추염과의 감별진단도 필요하다.

## 경과 및 예후

과거에는 건선관절염이 경증의 경과를 밟는 것으로 여겨져 왔다. 그러나 건선관절염은 과거에 생각했던 것보다 훨씬 중증의 경과를 밟는 것으로 밝혀지고 있다. 연구에 의하면 건선관절염 환자 중 55%의 환자들이 10년 이상 추적관찰 시 5개 이상의 관절변형이 발생한다고 하며, 약 50%의 환자들에서 발병 2년 내에 골미란이 발생한다고 알려져 있다.

발병 시 침범관절의 수가 5개 이상의 다발관절염으로 발현한 환자들과 ESR이 높은 경우 예후가 나쁘다. 관해가 더 잘 일어나는 좋은 예후인자로는 남성, 젊은 연령, 발병 시 침범관절의 수가 적은 경우 등이 보고되어 있다. HLA 유전자와의 연관성에 대해서도 보고되어 있는데, HLA-B22는 건선관절염의 진행을 억제하는 인자로 알려졌으며 HLA-B39와 HLA-B27은 악화인자로 알려져 있다.

건선관절염 환자들은 일반인에 비해 삶의 질이 떨어지고 심각한 기능장애를 보일 수 있다. 건선관절염에서의 삶의 질은 류마티스관절염 환자들과 비슷한 것으로 알려져 있다.

건선관절염 환자들에서의 사망률은 일반인에 비해 높다. 그러나 과거에 비해 시간이 흐를수록 건선관절염 환자들의 사망률은 감소하는 것으로 보고되고 있다. 이는 근래에 조기 진단율이 높아지고 보다 적극적인 치료를 하기 때문인 것으로 판단된다. 건선관절염 환자에서 심혈관질환의 위험이 증가되어 있으며 이로 인한 사망의 빈도가 증가하는 것으로 알려져 있다.

📖 참고문헌

1. Choi HJ, Lee YJ, Park JJ, et al. Clinical features of Korean patients with psoriatic arthritis. Korean J Med 2008;74:418-25.
2. Firestein, G. S., Budd, R. C., Gabriel, S. E., McInnes, I. B., & O'Dell, J. R. (2020). Firestein & Kelly's Textbook of Rheumatology. 11th

ed. Elsevier; 2021.

3. Hochberg, M. C., Gravallese, E. M., Silman, A. J., Smolen, J. S., Weinblatt, M. E., & Weisman, M. H. (2018). Rheumatology. 7th ed. London, England: Elsevier; 2018.

4. Johnsson H, McInnes IB, Sattar N. Cardiovascular and metabolic risks in psoriasis and psoriatic arthritis: pragmatic clinical management based on available evidence. Ann Rheum Dis 2012;71:480-3.

5. Taylor W, Gladman D, Helliwell P, et al. Classification criteria for psoriatic arthritis. Development of new criteria from a large international study. Arthritis Rheum 2006;54:2665-73.

6. Youn JI. Psoriasis in Korean. Korean J Dermatol 2012;50:387-402.

# 51

# 장질환과 관련된 관절염

성균관의대 **김형진**

## KEY POINTS 🔒

- 장질환과 관련된 관절염은 궤양대장염과 크론병을 포함하는 염증장질환 환자의 상당수에서 발생하는 관절염이다.
- 장질환과 관련된 관절염은 보통 척추염 및 천장관절염을 특징으로 하는 축성관절염과 소수성 또는 다발성 말초관절염 유형으로 나타날 수 있다.
- 염증장질환과 관련된 관절염을 확진하기 위한 특이적인 검사는 없다.
- 소수관절을 침범하는 말초관절염이 다발성 관절염이나 축성관절염보다 장질환의 활성도와 관련성이 높다.

## 정의 및 역학

장질환과 관련된 관절염은 크론병, 궤양대장염과 같은 염증장질환 환자에서 발생하는 관절염이다. 염증장질환 환자에서 관절염은 6-46% 정도 발생하고 그 중 척추관절염은 1-26% 발생하는 것으로 알려져 있다. 관절염은 대장 질환이 있는 환자뿐만 아니라 결절홍반(erythema nodosum), 구내염(stomatitis), 포도막염(uveitis) 및 괴저농피증(pyoderma gangrenosum)과 같은 장외 증상이 있는 환자에서 다소 더 발생 가능성이 높은 것으로 알려져 있다.

## 임상증상

장질환과 관련된 관절염은 척추염 및 천장관절염을 특징으로 하는 축성관절염(axial arthritis)과 말초관절염(peripheral arthritis), 그리고 축성관절염과 말초관절염이 함께 나타나는 유형으로 나타날 수 있다.

말초관절염은 보통 급성으로 나타나고 소수 관절을 침범하며 장질환 초기에 발생하는 것이 특징이다. 관절염의 90%가 6개월 이내 저절로 호전되고 골미란은 생기지 않으며 흔하게 침범되는 부위는 무릎관절이다. 이러한 형태의 말초관절염은 염증장질환 환자의 5% 정도에서 나타나고 흔하게 장질환의 악화와 관련되어 있으며 장질환이 발생하기 전에 나타나기도 한다. 말초관절염의 또 다른 유형은 다발성관절염의 형태로 나타나는데 특징적으로 손허리손가락관절(metacarpophlangenal joints)을 잘 침범한다. 이러한 유형의 말초관절염은 수개월에서 수년 동안 호전과 악화를 반복할 수 있으며, 장질환이 발생하기 전에 나타나는 경우는 거의 없고 장질환의 질병활성도와는 관련성이 없다.

축성관절염이 있는 환자는 일반적으로 염증성 요통의 특징적인 증상을 호소하고 관련 통증은 종종 운동으로 완화된다. 축성관절염은 일반적으로 염증장질환의 질병활성도와 관련이 없다. 척추염은 유일한 관절 증상일 수 있으며 다양한 형태의 말초 관절염과 함께 발생할 수 있다.

부착부염(enthesitis) 및 가락염(dactylitis)은 다른 형태의 척추관절병증에서와 같이 염증장질환관련관절염 환자에서도 발생할 수 있다. 발뒤꿈치 통증을 유발하는 족저근막염과 아킬레스힘줄염이 가장 흔히 관찰된다. 가락염의 발생은 부착부염에 비해 덜 생기는 편이다.

## 검사 및 진단

장질환과 관련된 관절염에 특이적인 검사는 없으며 염증장질환 환자에서 관절염이 발생하면 진단할 수 있다. ESR, CRP와 같은 급성기반응물질(acute phase reactant)은 일반적으로 염증장질환의 질병활성도를 반영하기 때문에 관절염을 평가하는 데에는 별다른 도움이 되지 않는다. 하지만 장질환의 질병활성도가 매우 안정된 환자에서 지속되는 염증성 요통의 증상과 함께 CRP가 상승되어 있는 경우 축성관절염의 심한 정도를 가늠할 수 있는 척도로 활용될 수 있다. 보통 류마티스인자(rheumatoid factor, RF)는 상승되어 있지 않고 만성 빈혈과 관련된 빈혈(anemia of chronic disease)이 동반되기도 하며, 강직척추염 환자에서 설명되지 않는 철 결핍성 빈혈이 있는 경우 염증장질환 시작의 첫 번째 단서가 되기도 한다. 한편 복통, 설사 또는 체중 감소가 발생하거나 설명할 수 없는 빈혈을 나타내는 척추관절병증 환자의 경우 염증장질환의 가능성뿐만 아니라 만성 비스테로이드소염제 치료에 동반될 수 있는 위장관 출혈의 가능성을 염두에 두어야 한다.

축성관절염 환자에서도 강직척추염이나 천장관절염의 전형적인 방사선학적 소견을 보일 수 있으며, 말초관절염 환자에서는 골미란은 거의 없다. 염증장질환 환자에서 증상 없이 방사선학적 이상소견이 흔하게 발견된다. 한 연구에서 무증상 천장관절염이 염증장질환 환자의 4-18%에서 확인되었다.

감별해야 할 관절질환으로는 드물기는 하지만 염증장질환과 관련하여 발생할 수 있는 감염성 관절염이며 이러한 위험은 누공이나 균혈증이 있는 염증장질환 환자에서 증가한다. 그밖에 염증장질환 치료의 부작용의 하나로 글루코코티코이드로 인한 무혈성괴사 및 홍반결절이 관절 근처에 발생한 경우와 비후성 골관절증(hypertrophic osteoarthropathy) 등이 있다.

## 치료

근본적인 염증장질환의 효과적인 치료는 일반적으로 염증장질환의 말초 관절염을 조절하는 데 종종 도움이 된다. 치료는 주로 증상 완화를 목표로 한다. 말초 관절염이나 축성 질환이 있는 환자에서는 비스테로이드소염제로 초기 치료를 한다. 그러나 비스테로이드소염제는 장염증의 악화를 포함하여 위장관 부작용을 일으킬 가능성이 있으므로 주의해야 한다.

비스테로이드소염제에 반응이 없거나 사용이 제한된 말초 관절염 환자에서 질환조절항류마티스약제(DMARDs) 중에서 설파살라진을 사용해 볼 수 있다. 설파살라진은 축성관절염에는 효과가 제한적이다. 비스테로이드소염제 및 기존의 비생물학적 질환조절항류마티스약제 치료에 반응하지 않는 축성관절염 또는 말초관절염이 있는 환자에서 생물학적제제 사용을 고려할 수 있으며 그 중 우선적으로 항TNF제제가 권장된다.

국소 글루코코티코이드 주사는 영향을 받는 관절 수가 적은 환자에게 유용할 수 있으며, 질환조절항류마티스약제 치료가 효과를 나타낼 때까지 보다 신속한 완화가 필요한 중증 증상 또는 기능 장애가 있는 환자에서 단기간의 경구 글루코코티코이드 또는 근육 내 주사가 가교 요법으로 효과적일 수 있다.

### 참고문헌

1. Gracey E, Dumas E, Yerushalmi M, et al. The ties that bind: skin, gut and spondyloarthritis. Curr Opin Rheumatol 2019;31:62-9.
2. Inman R, Sieper J, Romain PL. Clinical manifestations and diagnosis of arthritis associated with inflammatory bowel disease and other gastrointestinal diseases in UpToDate (Aug 2021)
3. Inman R, Sieper J, Romain PL. Treatment of arthritis associated with inflammatory bowel disease in UpToDate (Aug 2021)
4. Sheila L. Arvikar & Mark C. Fisher. Inflammatory bowel disease associated arthropathy. Curr Rev Musculoskelet Med 2011;4:123-31.

# 52

# 그 외 관련관절염

울산의대 **김용길**

## KEY POINTS 🔒

- SAPHO증후군은 활막염(synovitis), 여드름(acne), 농포(pustulosis), 과골증(hyperostosis), 골염(osteitis)이 주 증상인 염증 질환이다.
- 휘플병(Whipple's disease)은 *Tropheryma whipplei* 감염에 의한 위장관 증상이 동반된 염증 관절염으로 항생제로 치료한다.
- 천장관절 부위 장골 쪽 경화가 특징인 Osteitis condensans ilii (OCI)와 척추골 부착부위의 인대 석회화가 관찰되는 미만특발골형성과다증은 강직척추염으로 오인되는 대표적인 비염증 질환이다.
- Bertolotti증후군은 선천적으로 발생한 lumbosacral transitional vertebra로 허리통증이 흔히 동반되는 질환이다.

## SAPHO증후군

SAPHO증후군(SAPHO syndrome)은 1967년 일본 문헌에 'bilateral clavicular osteomyelitis accompanied by palmar and plantar pustulosis'로 보고된 첫 번째 증례에서 유래된다. 이후 sternocostoclavicular hyperostosis (SCCH)로 불리게 되었으나 pustulotic arthroosteopathy 등 50여 가지 유사어가 있을 정도로 명칭이 통일되지 못하였다. 이에 1987년 Charmot 등에 의해 활막염(synovitis), 여드름(acne), 농포(pustulosis), 과골증(hyperostosis), 골염(osteitis)을 동반하는 하나의 임상 증후군으로 'SAPHO'로 명명되었다.

### 1) 역학

SAPHO증후군의 매우 드문 질환으로 유병률은 대략 1/10,000 미만일 것으로 추정하고 있다. 주로 청소년기나 중년층에 호발하는 것으로 보고된다.

### 2) 진단 및 분류기준

SAPHO증후군의 임상증상이나 징후는 특이도가 낮고 다양한 골관절 증상으로 인해서, 정립된 진단기준이 없다. 다만, 임상 진료에서는 Benhamou 등이 제시한 포함 및 배제기준(inclusion and exclusion criteria)을 참고할 수 있다(표 52-1).

관절염 진단을 위해 단순X선, CT스캔, 뼈스캔 등이 시행될 수 있으며 전흉부 관절염에서는 CT스캔이 가장 민감도 높은 진단 기법이다. 감별진단으로 세균골수염, 종양 및 골전이 등이 포함될 수 있어, 피부 및 관절 조직 검사나 세균 배양들을 통해서 감별해야 한다.

### 3) 임상증상

임상증상은 크게 골관절 및 피부 소견으로 나누어 볼 수 있다. 골관절 증상은 침범관절의 연부조직 부종, 발적 및 열감, 운동 제한을 동반할 수 있다. 대체적으로 증상은 서서히 나타나지만, 일부 환자는 급격한 악화 양상을 보이기도 한다. 가장 흔히 침범되는 관절은 전흉벽(anterior chest wall)으로 65-90% 환자에서 나타나고(그림 52-1), 30% 미만 환자에서 척추를 침범한다. 천장골염은 13-52%의 환자에서 나타날 수 있고 말초관절염은 30% 미만에서 관찰된다.

표 52-1. SAPHO증후군의 포함 및 배제 기준

| 포함기준 | • 골관절 소견과 응괴성 여드름(acne conglobate), 전격성 여드름(acne fulminans), 화농땀샘염(hidradenitis suppurativa)<br>• 골관절 소견과 수족저농피증(palmoplantar pustulosis)<br>• 피부병변 여부와 관련 없는 전흉부, 팔다리, 척추의 과골증(hyperostosis)<br>• 피부병변 여부와 관련 없는 만성 재발성 다병변 골수염(chronic recurrent multifocal osteomyelitis) |
|---|---|
| 배제기준 | • 세균골수염(septic osteomyelitis)<br>• 감염흉벽관절염(infectious chest wall arthritis)<br>• 감염 수족저농피증(infectious palmo-plantar keratodermia)<br>• 미만특발골형성과다증(diffuse idiopathic skeletal hyperostosis)<br>• 레티노이드 치료(retinoid therapy) |

4개 포함 기준 중 1개가 있으면 SAPHO증후군으로 분류할 수 있다.

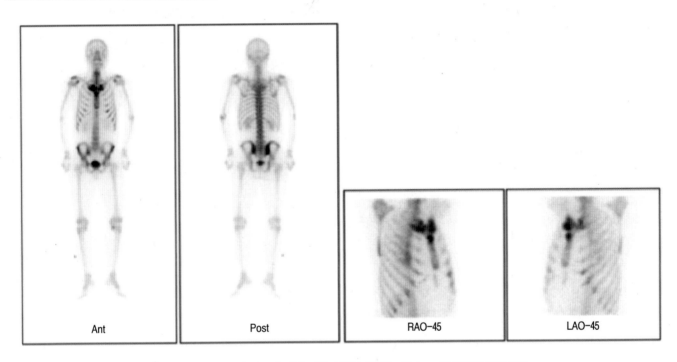

그림 52-1. Technetium-99m 뼈스캔 영상에서 관찰되는 흉쇄골 관절의 "황소머리(bull's head)" 모양의 섭취 증가

피부병변은 대부분 골관절 증상이 나타날 때 동반되지만, 일부에서는 골관절 증상 전후에 개별적으로 나타나기도 한다. 가장 흔히 수족저농피증(palmoplantar pustulosis, PPP)이 50-75%에서 나타나고, 이외에도 농포건선(pustular psoriasis), 응괴여드름(acne conglobata), 전격여드름(acne fulminans), 화농땀샘염(hidradenitis suppurativa) 등도 관찰될 수 있다.

### 4) 치료

대규모 대조군 연구는 없지만 증상 개선을 위해 비스테로이드소염제와 진통제를 투여할 수 있다. 글루코코티코이드는 비스테로이드소염제와 진통제에 효과가 없는 경우에 투여하는데, 특히 관절 주사가 효과적이다. 글루코코티코이드 효과가 부족하거나 글루코코티코이드 감량을 위해 질환조절항류마티스약제인 메토트렉세이트, 설파살라진 등이 사용될 수 있다. 항TNF제제와 비스포스포네이트 등이 난치성 SAPHO증후군 환자 치료에 시도되고 있다.

### 5) 질병 경과

경과는 환자마다 다양한데, 한 코호트 연구에서는 13%의 환자는 일회성 소견을 보이고, 35%는 수년 동안 재발 호전을 반복하다가 관해되며, 나머지 52% 환자는 만성적인 경과를 보였다.

## 휘플병

### 1) 역학 및 병인

휘플병(Whipple's disease)은 *Tropheryma whipplei*라는 미생물에 의한 장 감염으로 유발되는 관절염으로 매우 드문 질환이다. *Tropheryma whipplei*에 의한 관절염 발병기전은 확인되어 있지 않고 있으나 일부 연구에서는 대식세포가 세균을 정상적으로 포식하더라도, 세균 항원을 효과적으로 제거하지 못하는 대식세포 기능 장애가 이 질병 발생과 관련이 있다고 한다. 최근에는 IL-16이 *Tropheryma whipplei*의 증식과 병원체의 전파에도 중요한 역할을 하는 것이 확인되었다.

### 2) 임상증상

가장 흔한 위장관 증상은 설사이며, 복통이나 장점막 출혈로 인한 잠혈 양성 반응을 보일 수 있다. 관절 증상은 65-90%의 환자에서 나타나고, 주로 간헐적인 이동 관절통 및 관절염이며, 대부분은 여러 관절을 동시에 침범한다. 이외에도 인지 변화 같은 신경학적 이상과 심낭염 및 심근염 등의 심장 침범 소견이 나타나기도 한다.

### 3) 진단

진단은 *Tropheryma whipplei*에 대한 염색, 풍부한 CD68[+] 대식세포, periodic acid-Schiff 양성 물질 등을 확인하는 면역 조직학적 방법을 이용한다. 침과 대변에서 양적 역전사효소반응을 비침습적 선별검사로 이용할 수 있다.

### 4) 치료 및 경과

Ceftriaxone을 2주 동안 투여해야 한다. 그리고 trimethoprim-sulfamethoxazole을 장기간 투여한다. 효과가 없거나 투여하기 어려운 경우 tetracycline을 사용해 볼 수 있다. 이런 치료에도 면역 조직학 검사에서는 남아 있는 병변을 확인할 수도 있는데, 이는 충분한 치료 없이 치료를 중단하면 재발할 수 있음을 시사한다. 만약 치료하지 않을 경우 휘플병은 만성화 또는 재발하여 결국

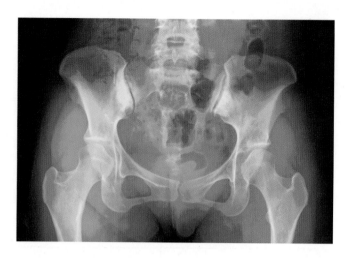

**그림 52-2. 간헐적 허리통증으로 내원한 30세 여성** 단순 골반 X선 영상에서 관찰되는 양쪽 장골 부위의 경화

치명적일 수 있다. 적절한 항생제 치료로 임상적 관해를 유도할 수 있다.

## 허리통증 연관질환

### 1) Osteitis Condensans Ilii

Osteitis Condensans Ilii (OCI)는 1926년 Sicard 등에 의해 처음 보고된 천장관절의 양쪽 장골 부위 골경화를 일으키는 비염증질환이다. 대략적인 유병률은 일반인에서 1-2% 내외로 예상되나 염증관절염에 대한 검사를 받은 환자에서는 약 9%로 보고되었다. 40세 이하 여성에서 흔하며 드물게 출산력이 없는 여성에서도 관찰될 수 있다(그림 52-2).

허리통증과 골반통을 동반하는 경우 강직척추염으로 오인되는 경우가 흔하지만 영상 검사에서 관절 미란, 강직, 협착 소견은 없으며 혈액검사에서 정상 염증 및 *HLA-B27* 음성 등이 차이점이다. 대개 증상이 심하지 않아 특별한 치료 없이 지내는 경우가 많으나 필요 시 비스테로이드소염제를 권할 수 있다.

### 2) 미만특발골형성과다증

미만특발골형성과다증(diffuse idiopathic skeletal hyperostosis, DISH)은 부착부위 인대 골화를 특징으로 하는 비염증질환이나

인대골극(syndesmophyte) 유사 소견으로 강직척추염으로 흔히 오인된다. 또한 병태생리상 강직척추염과 미만특발골형성과다증은 공통 요소가 있으므로 함께 존재하는 사례도 간간히 보인다. 미만특발골형성과다증은 강직척추염과는 다르게 고령에서 호발하며 정상 혈액 염증, *HLA-B27* 음성 등의 양상으로 구분할 수 있다. 하지만 미만특발골형성과다증에서도 천장관절 침범 소견이 관찰될 수 있으므로 MRI를 통해 감별해야 할 수도 있다. 미만특발골형성과다증에서 관찰되는 척추 단순X선 소견은 4개 이상의 연속된 척추에 발생하는 척추 주위 인대 석회화로 인한 물결 흐르는 듯한 골화(flowing ossification)가 특징적이다(그림 52-3).

### 3) Bertolotti증후군

Bertolotti증후군은 선천적 혹은 원인 불명의 허리가로돌기(lumbar transverse process)의 연장으로 천골과 요추가 이어져 있는 lumbosacral transitional vertebra 형성이 특징적이다. 만성 허리 통증을 호소하는 환자 약 1/3에서 Bertolotti증후군이 한쪽 혹은 양쪽으로 관찰되며 증상이 없는 일반인에서도 4-30%가량 보이며 남성에서 좀 더 흔하다. 젊은 연령층에 발생하여 강직척추염과 임상 소견으로는 감별이 쉽지 않다. 하지만, 정상 혈액 염증 소견, *HLA-B27* 음성 및 천장관절염 확인을 통해 강직척추염과 감별할 수 있다. 진단은 단순X선으로 가능하지만 통증의 원인과 염증 부위를 확인하기 위해 MRI 및 뼈스캔도 시행될 수 있다. 무

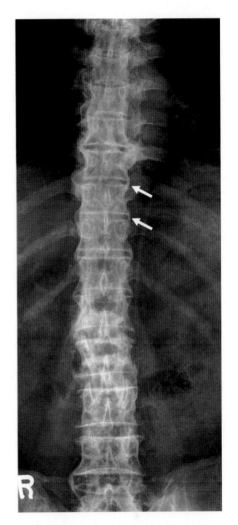

그림 52-3. **등허리 뻣뻣함으로 내원한 60세 남성** 단순 척추X선 영상에서 4개 이상의 연속된 척추골 인대 석회화 및 골화 소견 (화살표)

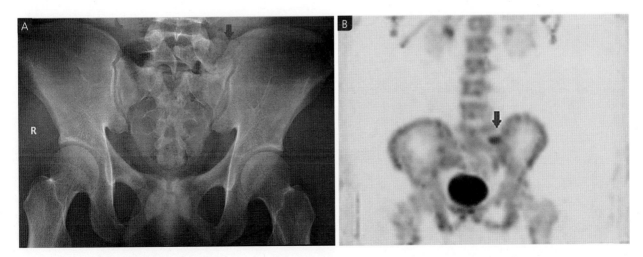

그림 52-4. **만성 허리통증으로 내원한 18세 남성. (A)** 단순 골반X선 영상에서 왼쪽 lumbosacral transitional vertebra 소견 (화살표) 및 **(B)** 전신 뼈스캔 영상에서 왼쪽 천장관절 상부의 염증 소견 (화살표) (출처: J Rheum Dis. 2020;27:209-12)

증상인 경우는 약 10%에 불과하고 대부분 허리통증을 호소하므로 비스테로이드소염제가 일차적으로 추천된다. 하지만 증상이 심한 경우 국소 병변 내 글루코코티코이드 주사를 고려할 수 있으며 경우에 따라 절단 혹은 L4-S1, L5-S1 융합 수술이 필요할 수 있다(그림 52-4).

## 참고문헌

1. 김예지, 배송이, 최성재 외. 난치성 SAPHO증후군에서 Etanercept으로 치료한 1예. 대한류마티스학회지 2012;19:51-4.

2. 김해림, 김영백, 김동림 외. 미산부 여성에서 발생한 Osteitis Condensans Ilii 1예. 대한류마티스학회지 2006;13:223-9.

3. 성상석, 정청일. 엉덩뼈 가시부위 인대골극을 동반한 범발성 특발성 골격 과골증 2008;15:186-8.

4. Carroll MB. Sternocostoclavicular hyperostosis: a review. Ther Adv Musculoskel Dis 2011;3:101-10.

5. Chamot AM, Benhamou CL, Kahn MF, et al. Acne-pustulosis-hyperostosis-osteitis syndrome. Results of a national survey. 85 cases. Rev Rhum Mal Osteoartic 1987;54:187-96.

6. Dougados M, van der Linden S, Juhlin R, et al. The European Spondyloarthropathy Study Group preliminary criteria for the classification of spondyloarthropathy. Arthritis Rheum 1991;34:1218-27.

7. Fenollar F, Puéchal X, Raoult D. Whipple's disease. N Engl J Med 2007;356:55-66.

8. Kang J, Lee S, Kim T. Bertolotti's Syndrome Requiring Intervention for Lower Back Pain: Two Cases Suspected as Ankylosing Spondylitis. J Rheum Dis 2020;27:209-12.

9. Kuperus JS, Waalwijk JF, Regan EA, et al. Simultaneous occurrence of ankylosing spondylitis and diffuse idiopathic skeletal hyperostosis: a systematic review. Rheumatology (Oxford) 2018;57:2120-8.

10. Mader R, Pappone N, Baraliakos X, et al. Diffuse Idiopathic Skeletal Hyperostosis (DISH) and a Possible Inflammatory Component. Curr Rheumatol Rep 2021;23:6.

11. McGrath K, Schmidt E, Rabah N, et al. Clinical assessment and management of Bertolotti syndrome: a review of the literature. Spine J 2021;21:1286-96.

12. Nguyen MT, Borchers A, Selmi C, et al. The SAPHO syndrome. Semin Arthritis Rheum 2012;42:254-65.

13. Parperis K, Psarelis S, Nikiphorou E. Osteitis condensans ilii: current knowledge and diagnostic approach. Rheumatol Int 2020;40:1013-19.

14. Slobodin G, Lidar M, Eshed I. Clinical and imaging mimickers of axial spondyloarthritis. Semin Arthritis Rheum 2017;47:361-8.

# 53

# 치료와 예후

한양의대 **김태환**

- 임상증상이 다양한 척추관절염 치료는 증상에 따른 치료가 우선이다.
- 금연, 운동 및 재활치료가 척추관절염 치료의 기본이다.
- 비스테로이드소염제는 증상에 따라 선택해야 하고 염증 및 증상이 심한 경우 강직 진행을 늦을 수 있다.
- 척추증상은 비스테로이드소염제 및 항TNF제제가 효과적이다.
- 말초관절염은 비스테로이드소염제, 글루코코티코이드, 질환조절항류마티스약제 및 항TNF제제가 선택될 수 있다.
- 항TNF제제에 효과가 없는 경우 IL-17억제제를 사용할 수 있다.

척추관절염의 치료목표는 임상적으로 염증이 없는 관해 상태를 유지시키는 것이다. 이는 개인마다 다르고 증상이 있는 부위와 정도에 따라 치료 방법이 차이가 난다. 강직척추염 치료를 근간으로 기술하고자 한다.

## 강직척추염

최근 강직척추염 전문가모임과 유럽류마티스학회를 중심으로 척추관절염의 치료권고사항이 발표되었다(표 53-1). 강직척추염은 일부에서만 심한 변형을 일으키는 비교적 양호한 예후를 보이는 질환으로 관절외증상으로 포도막염은 흔하게 나타날 수

있지만 포도막염도 약제를 꾸준히 사용하면 잘 조절될 수 있다.

강직척추염에서 모든 치료는 환자들의 통증, 강직을 줄이고 바른 자세와 충분한 운동범위를 유지하는 데 목적이 있다. 증상에 따른 치료가 필요하며 가장 중요한 것은 금연과 스트레칭을 포함한 운동이고, 약물치료는 증상에 따라 조절 가능하다. 만성 경과를 보이는 질환이므로 정확하게 질환을 이해하고 꾸준한 관리가 필수적이다. 흡연은 폐쇄성 호흡기질환을 발생시키며, 심한 강직척추염을 조기 발병시킬 수 있고, 염증 증가와 심혈관 위험인자를 증가시키기 때문에 반드시 금연해야 한다.

### 1) 재활치료

강직척추염의 재활 목적은 통증 감소, 올바른 관절의 정렬 및 자세를 유지하고 기능적으로 독립적인 생활을 유지하도록 하는 것이다. 척추, 어깨 및 엉덩관절의 충분한 관절 가동 운동을 시행하도록 교육해야 한다. 동시에 적절한 근력 강화 운동과 유산소 운동을 30분 이상 주 3회 이상 실시하도록 한다. 엎드리는 자세를 하루에 1회 이상 최소 5-10분 정도 유지할 수 있도록 하며, 잠잘 때 무릎 밑에 베개를 고이지 않도록 한다. 치료적 수영 같은 풀 운동이나 온천 치료가 증상 완화에 도움이 되고 충분한 스트레칭 후에 너무 과격하지 않은 운동을 하는 것이 좋다.

강직척추염 환자는 경추 골절로 인한 사지마비의 잠재적 위험이 높다. 경추 골절은 흉추나 요추 골절보다 더 흔하게 일어나며, 척수 손상의 위험은 정상인에 비해 11.4배 높은 것으로 알려져 있다. 미끄러져 넘어지는 등 안전사고에 의한 것이 가장 많기 때문에 손상을 최소화할 수 있도록 생활 속에서 자가 보호에 대

표 53-1. **척추관절염 치료에서의 ASAS/EULAR 권고사항**

**척추관절염 환자의 치료 원칙은,**
1. 척추관절염은 다양한 증상을 나타낼 수 있는 심각한 질병이며, 일반적으로 류마티스 전문의를 중심으로 하여 여러 분야의 협진 치료가 요구된다.
2. 척추관절염 환자 치료의 첫 번째 목표는 증상과 염증의 조절, 진행 중인 구조적 손상의 예방, 사회구성원으로서의 기능보존 또는 정상화를 통하여 장기간 건강과 관련된 삶의 질을 향상시키는 것이다.
3. 척추관절염의 치료는 비약물치료와 약물치료가 조합되어야 한다.
4. 척추관절염의 치료는 환자와 류마티스 전문의 사이의 공감대를 바탕으로 한 최선의 치료를 추구한다.

**권고사항**
1. 일반적인 치료
   척추관절염 환자의 치료는 다음과 같은 상황에 맞추어 달라지게 된다.
   - 질병의 현재 발현된 증상(척추, 말초 손발관절, 골근부착부, 관절 외 증상 및 징후)
   - 현재 증상, 임상 경과, 예후 지표의 정도
   - 전반적인 임상적 상태(나이, 성별, 동반질환, 병용약물, 심리사회적 요인)
2. 질병 감시
   척추관절염 환자의 질병 감시에 포함되어야 하는 것들에는,
   - 환자 병력청취(예, 설문지)
   - 임상 지표
   - 검사실 결과
   - 영상검사
   - ASAS 점수 계산과 함께 임상증상 발현에 대한 평가 모두 고려한다.
   - 환자 감시 빈도는 다음과 같은 것에 의해 개개인마다 다르게 결정된다.
     - 증상의 경과
     - 심각한 정도
3. 치료는 이미 설정된 목표에 따라 계획하여야 한다.
4. 가장 중요한 치료는 일상생활에서 규칙적인 운동이고 반드시 금연해야 한다.
5. 통증이나 뻣뻣함이 있는 환자는 비스테로이드소염제를 우선적으로 추천한다. 비스테로이드소염제는 충분한 양을 사용해야 하고 득과 실을 잘 계산해야 한다. 증상에 효과가 있으면 지속적으로 사용한다.
6. Paracetamol, 마약 진통제 등은 일반적인 치료에 효과가 없는 경우에만 고려한다.
7. 한두 부위의 관절염이 있는 경우 관절내 글루코코티코이드 주사를 사용할 수 있다. 척추증상이 있는 경우 장기간 전신 글루코코티코이드 사용은 피해야 한다.
8. 척추증상이 있는 경우 질환조절항류마티스약제는 효과가 없다. 말초관절염 경우에는 설파살라진을 고려할 수 있다.
9. 생물학적제제는 일반치료에도 불구하고 질환 활성도가 높은 경우에 고려된다. 항TNF제제가 가장 먼저 추천된다.
10. 항TNF제제가 효과 없으면 다른 항TNF제제나 IL-17억제제를 사용한다.
11. 환자 상태가 관해에 이르면 생물학적제제는 줄여 사용할 수 있다.
12. 나이에 상관없이 엉덩관절 변형이 있으면 수술적 치료도 고려될 수 있다. 척추변형이 심한 경우에 교정술이 도움이 될 수 있다.
13. 염증 이외 척추골절 같은 예상치 못한 일이 발생하는 경우 영상 검사를 포함한 적절한 진단적 접근이 필요하다.

한 교육이 필요하다. 의자는 소파보다는 단단한 좌석 및 머리까지 받칠 수 있는 등받침이 있는 것이 좋으며 일어나기 편하도록 팔걸이가 있는 것이 좋다. 침대는 단단한 매트리스를 사용하도록 하며, 베개는 가능하면 낮게 사용하는 것이 좋으며, 깃털 베개가 유용하다. 운전할 때 경추 손상을 최소화하기 위해 안전벨트를 반드시 해야 하며, 머리 받침을 사용한다. 운전 중 좌우 주시가 어려운 경우 넓은 뒷유리를 사용하거나 옆유리에 보조유리 등을 사용하는 것이 좋다.

최근 연구에서 가정에서의 스트레칭 운동이 중요하고 그룹으로 하는 재활운동이 집에서 하는 운동보다 좋으며 병원입원 및 외래에서 꾸준히 하는 운동이 그룹운동보다 더욱 효과가 있다고 보고 하는 등 운동치료가 강조되고 있다.

# 약물치료

## 1) 비스테로이드소염제

환자들의 자세와 운동범위를 유지하는 운동이 치료의 가장 기본이고 비스테로이드소염제가 가장 중요한 치료 약물이다. 이들 약제는 통증, 압통을 줄이고 척추 운동성을 증가시키는 효과가 있다. 염증과 증상이 심한 경우 꾸준히 비스테로이드소염제를 복용하는 경우가 간헐적으로 복용하는 경우보다 경추/요추 변형을 더디게 된다는 연구들이 나와 단지 통증 완화보다는 강직예방 효과약물로 기대되고 있다. 이 효과는 비스테로이드소염제가 프로스타글랜딘을 통한 골모세포의 분화를 억제하고 혈관 재생을 억제하기 때문인 것으로 생각되고 있다. 많은 비스테로이드소염제가 효과가 있지만 위장관, 심혈관 및 신장 부작용이 생길 수 있어 꾸준한 관찰이 필요하고 부작용 위험이 높은 노령, 위궤양이 있는 경우 COX-2선택억제제가 더 효과적이다. 비스테로이드소염제를 2-3주 치료하면 그 약제의 효과여부를 판단할 수 있다. 만약 효과가 없으면 다른 계열의 비스테로이드소염제로 교체 치료를 권하고 중복해서 사용하는 것은 피해야 한다. 만약 약제를 교체해도 효과가 없고 증상이 지속되고 변형이 생기면 항TNF제제 등 다른 치료를 고려해야 한다.

## 2) 질환조절항류마티스약제

질환조절항류마티스약제가 류마티스관절염에서 염증을 낮추고 관절변형 예방효과가 있다는 점에 착안해서 강직척추염에서도 사용되어 왔지만 염증성 요통에는 효과가 없다. 설파살라진이 가장 많이 연구되어 왔는데 강직척추염/척추관절염에 빈번히 발생하는 말초관절염이나 건선관절염에는 효과가 보고되고 있지만 염증성 요통에는 효과가 없는 것으로 입증되었다. 류마티스관절염의 가장 중요한 약제인 메토트렉세이트는 연구가 부족하지만 강직척추염에는 효과가 없는 것으로 알려져 있다. 글루코코티코이드는 천장관절, 무릎 및 발목 등 말초관절염이 심한 경우 관절내주사치료에 사용되며 효과적이다. 천장관절 주사의 경우 CT나 투시검사 유도하에 시행되고 있다. 전신 글루코코티코이드 사용은 척추증상에는 권고되지 않고 최근에는 많은 양을 사용하면 염증을 줄인다는 보고도 있지만 장기간의 효과 및 부작용으로 인해 추천되지는 않고 있다. 다만, 말초관절염이 있거나 포도막염이 있는 경우 사용될 수 있다. Leflunomide는 효과가 없고 비스포스포네이트인 pamidronate 치료는 일부 효과가 있다는 보고도 있지만 아직 많은 연구가 필요하다.

## 3) 생물학적제제

생물학적제제는 생물체에서 유래된 물질이나 혹은 생물체를 이용하여 만든 물질을 함유한 약품을 통틀어 이르는 말로 유전자 재조합 기술을 이용하여 목표한 단백질을 만들어 내고 이를 세포주를 통해 대량생산 함으로써 실용화한 치료이다. 항TNF제제가 대표적인 약제로 강직척추염 치료에 등장하면서 치료에 획기적인 변화가 생겼다.

종양괴사인자를 억제하는 방법과 주사 방법 등에서 차이가 있지만 etanercept, infliximab, adalimumab과 golimumab이 사용되고 있으며 최근 국내에서 개발된 etanercept, infliximab, adalimumab 동등생물의약품도 기존 약제와 동등한 치료효과를 보이고 있다. 강직척추염 환자에게 항TNF제제 투여용량은 류마티스관절염 환자에게 사용할 때와 비슷하다. Etanercept는 주 1회 50 mg을 피하주사, infliximab은 체중 킬로그램당 5 mg의 용량을 정맥주사, 그 후 2주, 6주째 주사하며 이후에는 8주를 두고 반복한다. Adalimumab은 2주에 한 번 40 mg을 피하주사, Golimumab은 4주마다 50 mg를 피하 주사한다.

여러 대규모의 임상시험에서 4가지 약제 모두 척추관절염 전문가 협회에서 정한 Assessment of SpondyloArthritis international Society (ASAS) 20%, 40% 반응기준을 만족하였다. 치료 2-4주부터 질환의 활성도를 측정하는 BASDAI, 아침강직, 통증 및 잠설침 등 모든 임상적 소견과 ESR, CRP를 포함하는 염증검사도 유의하게 호전시켰다. MRI에 활막 및 골수부기 등 염증이 발견되었던 경우 치료 후 염증이 감소 혹은 없어진 것을 확인할 수 있고, 말초관절염 환자는 부기가 감소되거나 조직검사에서 염증반응이 호전됨을 증명되었다. X선에서 변형이 적은, 관절변형이 없는 척추관절염에, 유병기간이 짧고 HLA-B27 양성이거나 과거 항TNF제제를 사용한 적이 없는 환자에서 더욱 효과적이다. 관절변형이 심한 경우에는 효과가 있지만 변형이 없는 경우보다 효과는 많이 떨어진다. 또 실직률 감소와 업무능력 향상을 보여 젊은 환자에게 사용하는 경우에서 긍정적인 효과가 더욱 기대되고 있다. 그러므로 비스테로이드소염제에 반응이 없는 경우, 치료에도 불구하고 염증이 있는 경우, 목, 엉덩관절 통증이 있는 경우, 새벽녘에 통증이 심해 잠을 못 이루는 경우, 젊은 나이에 증상이 생긴 경우나 남성 등에서는 항TNF제제 투여를 조기에 고려해야 한다. 1개월(국내는 아직 3개월)이상 장기간 사용되는 경우 4가지 약제 모두 치료효과가 유지되고 5-15년간의 추적관찰에서도 효과가 지속된다고 알려져 있다. 항TNF제제의 강직예방효과에 대해서는 논란이 있어 왔다. 2년 동안 항TNF제제 사용한 경우 강직예방효과는 없다는 보고가 있었고 그 후 관찰 기간에 따라 결과가 조금씩 달랐었다. 하지만, 국내 자료를 포함한 최근의 연구에서는 장기간 항TNF제제의 사용이 어느 정도 강직을 예방할 수 있다는 결론이 지배적이다.

항TNF제제의 가장 큰 부작용은 피부 이상반응 및 감염이다. 자가주사인 경우 주사 부위에 염증, 부기가 생길 수 있고, 전신피부이상 및 가려움증으로 고생할 수 있다. 대부분 양호한 경과를 취하지만 일부에서는 치료가 필요하고, 드물지만 약제를 바꿔야 하는 경우도 있고 건선이 생길 수 있다. Infliximab의 경우 약물 주입 시 과민반응이 나타날 수 있다. 고열, 심계항진 등이 있을 수 있고 주입속도를 줄이면 호전되는 경우가 있지만 호전되지 않으면 중단해야 한다. 감염은 가장 주의해야 할 부작용이다. 류마티스관절염에 비해 입원을 요하는 심한 감염은 낮지만 상기도감염, 비염 등 감염이 오래 지속되는 경우가 흔하다. 또한 결핵

예방에 대한 점검이 필수적인데, 항TNF제제에 의해 육아종 형성이 억제되어 속립성결핵을 포함한 결핵 발병이 증가할 수 있기 때문이다. 따라서 치료 전 잠복결핵 발견 및 예방적 치료가 중요하다. 결핵반응검사(TST)에서 5 mm 이상 나오거나 interferon gamma releasing assay (IGRA) 검사에서 양성이면 과거 혹은 현재 결핵을 확인해야 하고 현재 결핵이 없는 잠복결핵으로 판정되면 최소 3주간 isoniazid 예방 치료 후에 항TNF제제를 시작할 수 있고 이 예방은 isoniazid 9개월, isoniazid와 rifampin 동시 사용시 3개월 유지해야 한다. 최근에는 주사치료 전 TST, IGRA 음성이었던 환자가 항TNF제제 치료 중 양성으로 변환되는 보고가 있기 때문에 잠복결핵에 대한 관심이 필요하다. 그 외 (1) 범혈구감소증 같은 혈액학적 이상, (2) 탈수초화 질환(demyelinating disorders), (3) 심부전증의 악화, (4) 전신홍반루푸스와 관련된 자가항체 및 임상양상 발생 혹은 건선 등 자가면역질환 발생, (5) 심각한 간질환 등이 있다. 류마티스관절염 치료에서 상승되는 암 발생률은 강직척추염에서는 증가되지 않았다. 과거에는 임신을 위해서 조절해야 하는 약으로 분류되었으나 최근에는 임신준비기간 및 임신 때 안전하게 사용할 수 있다는 의견이 지배적이다.

강직척추염은 산정특례 혜택을 받을 수 있는 희귀난치성 질환으로 분류되어 본인부담의 10%만 지불하면 되지만, 항TNF제제가 가격이 비싸고, 부작용의 발생 및 장기간 효과 등 장단점의 연구가 필요한 상황이다. 일반적으로 두 개 이상의 비스테로이드소염제 3개월 이상 치료에 효과를 보이지 않고, BASDAI 4점 이상을 호소하는 강직척추염 혹은 척추관절염 환자에서는 항TNF제제가 추천되고 있다. 염증요통 및 척추증상만 있는 경우 질환조절항류마티스약제 사용에 관계없이 사용할 수 있고 말초관절염이 심한 경우 글루코코티코이드 주사치료 및 설파살라진을 포함한 질환조절항류마티스약제에 효과가 없으면 추천되고 있다. 부착부염 역시 기존약제에 효과가 없는 경우 추천되고 있다.

미국류마티스학회/미국척추염협회/척추관절염 연구 진료 지침에 따르면 항TNF제제에 효과가 없는 경우 다른 항TNF제제로 교체 투약하거나, IL-17억제제로의 변경을 권고하고 있다. Secukinumab과 ixekizumab과 같은 IL-17억제제 역시 항TNF제제처럼 ASAS 20%, 40% 반응기준에 따른 증상개선에 유의한 효과를 보였고, 강직 예방에도 도움이 될 수 있다는 자료가 나오고

있다. 또한 대표적인 관절외증상인 건선과 같은 피부 증상의 치료에도 효과적이다. 그러나 부작용으로 곰팡이 감염이나 염증대장염을 악화시킬 수 있다는 보고가 있어 장질환이 동반된 경우 주의를 요한다.

항TNF제제, IL-17억제제 이외의 생물학적제제에 대한 연구도 많이 진행되고 있다. 류마티스관절염에서 효과를 보이는 abatacept, rituximab, tocilizumab은 강직척추염에서의 효과는 부족한 것으로 보고되고 있다. IL-12/23 p40억제제인 ustekinumab은 건선 및 건선관절염에는 효과를 보였으나 강직척추염에서는 효과부족으로 연구가 중단되었고, phosphodiesterase-4를 억제하는 약제인 apremilast는 건선관절염에는 효과적인것으로 알려졌지만, 강직척추염에서의 유용성은 아직 소규모의 연구만 진행중이므로 향후 검증이 필요하다. 최근 류마티스관절염에서 좋은 효과를 보이고 있는 JAK억제제는 강직척추염의 임상연구에서도 그 효과가 입증되어 국내 치료 적응증 확대를 기다리고 있다. 현재까지 강직척추염의 치료에 사용되는 생물학적제제는 증상 초기나 염증이 심한 환자에서는 임상증상의 큰 개선을 보이지만, 척추강직이 이미 진행된 환자에서는 그 효과가 떨어진다는 한계가 있었다. 따라서 증상 완화 이외에도 강직속도를 늦추거나 예방할 수 있는 치료에 대한 연구가 필요하다.

강직척추염의 대표적인 관절외증상인 포도막염은 산동제와 함께 국소 글루코코티코이드 점안액에 대부분 효과적으로 치료되나, 일부는 전신 글루코코티코이드, 면역억제제 혹은 항TNF제제가 필요하기도 하다. 대부분의 항TNF항체 제제는 포도막염의 빈도를 줄여주지만 etanercept를 사용한 일부 환자에서는 포도막염이 새로 생기거나 재발한 보고들이 있다. IL-17 억제제의 경우 포도막염에 대한 효과 연구가 아직 제한적이다.

골다공증의 치료는 다른 일차 골다공증 치료와 비슷하며, 아직 강직척추염에서 골다공증 및 치료에 대한 자료가 부족한 상태이다. 강직이 진행된 경우 골 내부의 골다공증은 진행된다는 보고가 많아 유병기간이 길고 강직이 심한 경우 반드시 골다공증에 대한 고려가 필요하다.

### 4) 수술적 치료

수술적 치료의 가장 흔한 대상은 심한 엉덩관절염으로 인한 변형이고 척추의 심한 굴곡변형이나 고리중쇠아탈구(atlantoaxial subluxation)도 수술적 치료대상이다. 강직척추염 환자에서 엉덩관절 이환율은 약 50% 정도로 보고되고, 이 중 90% 이상에서 양측을 침범한다. 방사선 소견상 대퇴골두의 중축이동, 중심성 관절강 협소, 골극 형성 등이 관찰되며, 질병이 진행할 경우 심한 엉덩관절 굴곡 구축으로 인해 활동 능력의 감퇴를 가져오게 된다. 관절 운동의 제한으로 인한 좌식 생활이 어렵고 보행 시 과다한 체력이 소모되는 등의 일상 생활의 제한, 장기간의 엉덩관절 강직으로 인한 요통, 동측 슬관절, 반대측 엉덩관절의 통증, 보존적 요법으로 호전되지 않은 엉덩관절의 통증 등이 있을 수 있다. 엉덩관절의 통증과 기능을 회복시키기 위해 사용될 수 있는 방법은 관절경하 골극 및 활막제거술, 인공 엉덩관절 전치환술이 있다. 수술을 고려할 때, 강직척추염 환자는 다른 질환에 비해 환자의 나이가 젊은 경우가 많기에 추후 재수술의 가능성이 높다는 점을 염두에 두어야한다.

강직척추염 환자에서 인체의 중심선이 전방으로 이동하여 후만 변형이 발생하면서 강직이 발생하는 경우에는 정면으로 전방 주시가 불가능하게 되며, 똑바로 누울 경우 머리가 들려 베개를 베고 누울 수 없게 된다. 더불어 구부정한 자세로 인한 만성 소화불량과 변비, 심지어는 정신적인 박탈감도 호소하게 되며 이러한 경우 수술적 치료를 시행하게 된다.

수술적 치료는 발생한 부위에 따라 절골술을 시행하는 부위가 다르지만 대부분의 경우 요추부 척추경 쐐기형 절골술을 이용하여 후만 교정을 시도하는 경우가 많다. 강직척추염 환자의 경우에는 후만 기형이 심할수록 후만증과 더불어 척수강내 황색인대의 골화 등에 의해 비정상적으로 척수 신경관이 좁아지므로

해서 경막과의 심한 유착을 유발하는 경우가 많다. 이러한 경우에는 절골술 시행 시 주의가 필요하다(그림 53-1).

수술 시행 전 환자에서 전신 마취를 위해 반드시 확인을 해야 할 사안은 경추부의 강직 상태이다. 기관지 삽관 시 강직성 변화가 경추부까지 침범한 환자에 있어서는 경추의 과신전이 상당히 위험하거나 되지 않아 기관 삽관 시에 문제를 유발하는 경우가 많으므로 이에 필히 술전 경추부에 대한 조사를 하여야 한다.

## 반응관절염

반응관절염의 병인이 확실히 밝혀지지 않고 있기 때문에, 특이적이고 완치가 가능한 치료는 아직 없다. 다른 염증성 관절염과 같이 치료의 목적은 통증 조절 및 경감, 관절 파괴와 장애 예방, 그리고 관절 기능 보존이다.

### 1) 유발 감염에 대한 항생제 치료

원발 감염 병소에 대한 항생제 치료는 세균 또는 그 항원의 확산을 제한시켜 관절염의 발생을 차단할 수 있다. 특히 요로 감염의 항생제 치료는 반응관절염의 위험을 상당 부분 감소시킬 수 있다. Azithromycin(경구로 1g 1회 복용) 또는 doxycyclin (7일간 100mg 하루 2회 복용)를 투여해야 한다. 환자와 함께 성관계를 함께 한 동거인을 동시에 치료하는 것이 재감염을 방지할 수 있다. 설사에 대한 항생제 치료가 관절염 발생에 어떠한 영향을 주는지에 대한 결과가 없기 때문에, 항생제 치료는 권고되지 않고

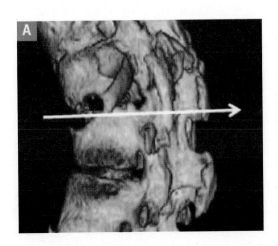
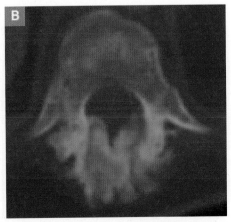

그림 53-1. **(A)** Spondylo-discitis 환자의 3D CT 영상 **(B)** Spondylo-discitis 부위의 축면영상

있다. 반응관절염에 대한 장기간 항생제 치료에 대한 이중 맹검 연구는 Lymecycline이 *Chlamydia* 관련 관절염의 유병기간을 줄여준 결과 외에는 장기간 항생제가 유의한 효과를 보여주지는 못하였다. 하지만, 실험 연구에서는 azithromycin과 rifampin 복합치료가 azithromycin 단독보다 *Chlamydia*를 억제하는 능력이 높음이 보고되었다. *Chlamydia* 감염이 선행된 환자를 포함한 만성 미분화 척추관절염 환자를 대상으로 한 연구에서 doxycycline과 rifampin 복합치료가 doxycycline 단독치료에 비해 효과적이었다. *Chlamydia* 관련 반응관절염의 경우에는 장기간 항생제를 사용하는 데 이론의 여지가 많으나, 장관 감염 관련 반응관절염에는 항생제 치료가 필요하지 않다는 것이 중론이다.

## 2) 반응관절염 치료

반응관절염 환자의 80-90%는 증상이 자연 소실되므로, 질병의 진행을 조절하는 질환조절항류마티스약제는 필요하지 않는 경우가 대부분이다. 관절 증상 조절을 위해서 가장 많이 사용하는 약제가 비스테로이드소염제이다. 환자의 위장관 출혈 및 심혈관질환 위험도를 고려해서 COX 비선택적 또는 선택적 약제를 사용해 볼 수 있다. 추가적으로 아세트아미노펜과 같은 진통제를 투여할 수 있다. 감염을 배제할 수 있다면 관절 내에 글루코코티코이드를 주사할 수 있고, 부착부염 발생 부위에 국소 글루코코티코이드를 주사할 수도 있다. 다만 아킬레스건 주위에 주사는 건의 파열이 생길 위험이 있으므로 피하는 것이 좋다. 중증 그리고 심한 전신 증상이 있는 경우에는 단기간 전신 글루코코티코이드를 투여해 볼 수 있다. 현재까지 반응관절염에 대한 질환조절항류마티스약제의 유용성을 검증한 무작위 임상 연구는 드물다. 비스테로이드소염제에 치료 효과가 부족한 134명의 반응관절염 환자를 대상으로 설파살라진과 위약을 투여한 연구에서 설파살라진에 62.3%, 위약에 47.7%의 치료 효과를 보였고, 적혈구침강속도 검사에서 위약에 비해 유의하게 설파살라진 치료군에서 감소하였다. 하지만 설파살라진이 반응관절염에 치료에 효과적인지에 대해서는 충분한 후속 연구가 필요하다.

그렇다면 반응관절염 환자에서 언제 항류마티스약제 치료를 시작해야 하는가? 지속적이고 중증의 증상이 있는 환자에서 특히 *HLA-B27* 양성인 경우, 질환조절항류마티스약제를 고려해 볼 수 있다. 그러나, 심한 증상에도 불구하고 비스테로이드소염

제나 관절 내 글루코코티코이드 관절내주사 등으로 급속히 호전되는 경우도 있어서, 치료 반응 속도가 늦거나 초기에 반응을 보였으나 악화된 환자에게 첫 3개월 내에 질환조절항류마티스약제를 투여해 볼 수 있다. 그리고 초기 치료에 반응을 보인 경우에도 재발한 환자에게도 질환조절항류마티스약제가 필요할 수 있다. 설파살라진은 1 g을 하루 2-3차례 용량으로 투여하는 것이 효과가 높다. 또 다른 방법으로는 아자싸이오프린(1.5-2.0 mg/kg)을 투여해 볼 수도 있다. 다른 척추질환과 마찬가지로 약제에 반응이 적은 경우 항TNF제제가 추천되고 있다. 보고된 예 들에서는 생물학적제제가 비교적 효과적이고, 감염이 재발하는 상황은 없는 것으로 나타났다. 이는 최소한 단기간 효과와 안전성이 있음을 시사한다고 볼 수 있다. 하지만, 기저 감염에 대한 임상적 효과는 아직 규명되지 않아, 향후 이 분야에 대한 추가 연구가 필요할 것으로 보인다.

## 건선관절염 치료

건선관절염은 다양한 증상을 보일 수 있는 질환으로 삶의 질 개선이 우선이고 피부와 관절 모두를 조화롭게 치료해야 하므로 피부과 의사와의 긴밀한 협조를 요한다. 항TNF제제의 도입이 건선괄절염 치료에도 혁신적인 발전을 이루었다. 건설관절염의 치료에는 유럽류마티스학회의 지침서를 가장 많이 활용하고 있으며, 강직척추염에서 언급한 것과 같이 증상에 따라 치료 방법이 다르다. 척추 및 말초관절염이 있는 경우 비스테로이드소염제 및 필요에 따른 글루코코티코이드 병용 치료가 기본이다. 아직 연구가 부족하지만 주당 15-25 mg 메토트렉세이트의 사용이 증상 개선에는 효과를 보였다. 건선관절염의 다른 치료는 류마티스관절염이나 건선에 효과가 있는 것으로 알려진 약에 근거하고 있다. 설파살라진(보통 하루 2-3 g)은 대조군 시험에서 임상증상의 개선효과를 보였지만 관절변형을 예방하지는 못하였다. 사이클로스포린과 피리미딘 합성 효소 억제제인 leflunomide는 무작위대조군 실험에서 건선과 건선관절염에 효과를 보였던 보고도 있다. 강직척추염에서 효과를 보이는 항TNF제제는 관절증상 뿐 아니라 피부증상에도 상당한 치료 효과를 보인다. IL-17억제제인 secukinumab과 IL-12/23 p40억제제인 ustekinumab은 척

추관절염뿐 아니라 건선에도 좋은 효과를 보이고 JAK3억제제는 건선에 효과가 있어 건선관절염에서도 효과가 기대되고 있다.

## 염증장질환연관관절염 치료

크론병의 치료는 항TNF제제의 사용으로 크게 향상되었다. Infliximab과 adalimumab이 크론병의 관해 유도와 유지 치료에 효과적이고 infliximab은 샛길(fistula)을 가진 환자에서도 효과를 보인다. 장질환연관관절염에서도 이들 약제는 효과적이다. 제1형 관절염의 경우 비스테로이드소염제와 설파살라진을 사용할 수 있고, 제2형 관절염의 경우는 장기간 치료가 필요한데 기존의 비스테로이드소염제와 설파살라진에 글루코코티코이드를 첨가할 수 있다. 비스테로이드소염제는 일반적으로 유용하게 잘 사용할 수 있지만, 염증장질환을 악화시킬 수 있다. 척추증상이 있는 경우 강직척추염 치료와 유사하다. 운동치료와 비스테로이드소염제를 사용하고 이에 효과가 없으면 항TNF제제를 사용한다. 드물게 염증장질환은, 특히 궤양대장염은, 여러 가지 류마티스질환의 치료를 위해 사용한 항TNF제제 특히 etanercept의 치료로 유발될 수 있다. 최근 척추관절염에 널리 사용되는 IL-17억제제는 장질환을 악화시킬 수 있다는 보고가 있어 장질환이 있는 환자에서는 주의를 요한다.

### 📑 참고문헌

1. 결핵 진료지침. 질병관리본부 2020:180-8.
2. Barber CE, Kim J, Inman RD, Esdaile JM, James MT. Antibiotics for treatment of reactive arthritis: a systematic review and meta-analysis. J Rheumatol 2013;40:916-28.
3. Braun J, van den Berg R, Baraliakos X, Boehm H, Burgos-Vargas R, Collantes-Estevez E, et al. 2010 update of the ASAS/EULAR recommendations for the management of ankylosing spondylitis Ann Rheum Dis 2011;70:896-904.
4. Dagfinrud H, Kvien TK, Hagen KB. Physiotherapy interventions for ankylosing spondylitis. Cochrane Database Syst Rev. 2008;2008:CD002822.
5. Firestein GS, Budd RC, Gabriel SE, McInnes IB, O'dell JR. Kelley's Textbook of Rheumatology. 9th ed. Philadelphia: Elsevier, 2011.
6. Flagg SD, Meador R, Hsia E, Kitumnuaypong T, Schumacher HR. Decreased pain and synovial inflammation after etanercept therapy in patients with reactive and undifferentiated arthritis: an open-label trial. Arthritis Rheum 2005;53:613-7.
7. Gossec L, Smolen JS, Gaujoux-Viala C, Ash Z, Marzo-Ortega H, van der Heijde D, et al. European League Against Rheumatism recommendations for the management of psoriatic arthritis with pharmacological therapies. Ann Rheum Dis 2012;71:4-12.
8. Haroon N, Kim TH, Inman RD. NSAIDs and radiographic progression in ankylosing spondylitis Bagging big game with small arms? Ann Rheum Dis 2012;71:1593-5.
9. M, Kavanaugh A. Treatment of spondyloarthropathy: the potential for agents other than TNF inhibitors. Curr Opin Rheumatol 2013;25:455-9.
10. Koo BS, Oh JS, Park SY, Shin JH, Ahn GY, Lee S, Joo KB, Kim TH. Tumour necrosis factor inhibitors slow radiographic progression in patients with ankylosing spondylitis: 18-year real-world evidence. Ann Rheum Dis 2020;79:1327-32.
11. Kroon F, Landewé R, Dougados M, van der Heijde D. Continuous NSAID use reverts the effects of inflammation on radiographic progression in patients with ankylosing spondylitis. Ann Rheum Dis 2012;71:1623-9.
12. Lakatos PL, Lakatos L, Kiss LS, Peyrin-Biroulet L, Schoepfer A, Vavricka S. Treatment of extraintestinal manifestations in inflammatory bowel disease. Digestion 2012;86:28-35.
13. Longo DL, Fauci FD, Kasper DL, Hause SL, Jameson JL, Loscalzo JL. Harrison's Principles of Principles of internal medicine. 18th ed. McGraw-Hill; 2012
14. Mass F, Arends S, Brouswer E, et al. Reduction in Spinal Radiographic Progression in Ankylosing Spondylitis Patients Receiving Prolonged Treatment With Tumor Necrosis Factor Inhibitors. Arthritis Care Res (Hoboken) 2017:1011-9.
15. Rudwaleit M, Claudepierre P, Wordsworth P, Cortina EL, Sieper J, Kron M, et al. Effectiveness, safety, and predictors of good clinical response in 1250 patients treated with adalimumab for active ankylosing spondylitis. J Rheumatol 2009;36:801-8.
16. Smolen JS, Braun J, Dougados M, Emery P, FitzGerald O, Helliwell P et al. Treating spondyloarthritis, including ankylosing spondylitis and psoriatic arthritis, to target: recommendations of an international task force. Ann Rheum Dis 2014 Jan;73:6-16.
17. Zochling J, van der Heijde D, Dougados M, Braun J. Current evidence for the management of ankylosing spondylitis: a systematic literature review for the ASAS/EULAR management recommendations in ankylosing spondylitis. Ann Rheum Dis 2006;65:423-32.

# 54

# 증례

**원광의대 이창훈**

24세 남성은 6개월 전부터 발생한 우측 엉치와 허벅지 통증이 최근 2주 전부터 악화되어 내원하였다. 이 남성은 과거 특이 병력이 없었으며, 하지직거상 검사에서 양측 모두 45° 거상에서 통증이 발생하였고, 우측이 더 심하였다. 남자는 요추 추간판 탈출증이 의심되어 정형외과에 입원하여 영상 검사와 통증 조절을 하였다. 시행한 요추 MRI에서 특이 소견이 없었으나, 통증은 지속되었고 걷기도 힘든 상태가 되었다. 무릎, 허리, 어깨, 발꿈치 등에는 특별한 증상을 호소하지 않았다. 신체검사에서 활력 징후는 정상이었고, 건선 등의 피부병변은 관찰되지 않았고, 구강궤양이나 안구 충혈은 보이지 않았다. 관절류마티스내과로 협진 의뢰가 와서 병력을 청취하여 보니 6개월 전부터 서서히 통증이 발생하여 최근 2주 전부터 악화되었고, 주로 아침에 일어날 때 통증이 심하였다가 오후가 되면 약간의 호전을 보이는 양상이었고 FABER test에서 양성 소견을 보였다.

## 1) 혈액 및 소변 검사

백혈구 8,770/μL, 혈색소 15 g/dl, 혈소판 254,000/μL, C-반응단백질 5.39 mg/L (정상<5), 적혈구침강속도 2 mm/hr (정상<10), VDRL 음성, 류마티스인자 음성, 항핵항체 음성, 항CCP항체 음성, 항중성구세포질항체 음성, HLA B27 양성, 소변배양 음성, 수시방출뇨(spot urine) 음성

## 2) 영상의학검사

단순X선 검사에서 양측 천장관절에 염증 소견(그림 54-1)과 자기공명영상에서 우측 장골 및 양측 천골의 하위부분에 미만성 부종성의 fat saturated T2 고강도 신호, 미란과 경화성 변화(그림 54-2)가 관찰되었고, 컴퓨터단층촬영에서 양측 천장관절에 다발성 미란과 경화성 병변(그림 54-3)이 관찰되었다.

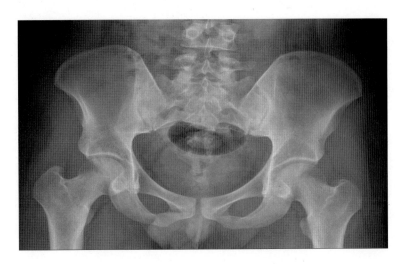

그림 54-1.

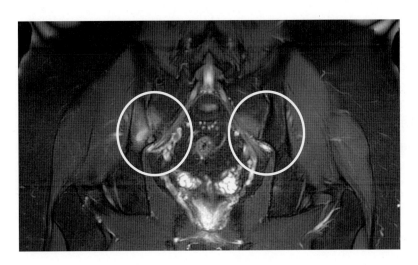

그림 54-2.

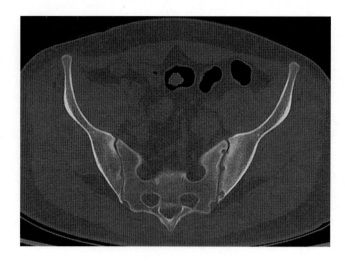

그림 54-3.

## 질문

1) 진단은?
2) 상기 질환에 동반될 수 있는 관절 및 관절외증상은?
3) 적절한 약물치료는?

## 정답

　이 남성은 40세 미만에서 잠행적으로 발생한 3개월 이상의 만성요통으로 아침강직과 활동 후 호전되는 양상을 보이는 염증성 요통을 보이고 있고, 단순X선 검사, 자기공명영상과 컴퓨터단층촬영에서 천장관절의 염증을 시사하는 소견, 그리고 *HLA B27* 유전자가 양성으로 보아 방사선학적 축성척추관절염인 강직척추염으로 진단할 수 있다.

　천장관절염과 척추염으로 인한 요통, 하지 특히 무릎과 발목에서 급성, 비대칭적으로 나타나는 말초관절염, 그리고 인대, 건, 관절낭, 근막 등이 뼈에 붙는 부위인 부착부에 발생하는 부착부염이 발생할 수 있다. 발뒤꿈치 부착부염이 가장 흔한데 아킬레스건 또는 발바닥 근막이 종골에 붙는 부위에 통증과 압통이 생기고, 부기를 동반한다. 부착부염은 엉덩뼈, 팔꿈치, 어깨, 흉골, 척추와 후두 부위에도 생긴다. 가락염은 굴곡건, 건막, 주변 연부조직으로 염증이 침범하여 손가락 또는 발가락 전체가 붓는 것이다.

　관절외증상으로는 피부나 점막, 눈, 또는 장 점막을 침범하여 건선, 구강궤양, 포도막염, 염증장질환 등이 나타날 수 있다. 결막염과 전 포도막염 같은 눈의 염증성 병변이 가장 흔하고 건선이나 염증장질환이 의심되는 경우 피부과 의사의 진찰과 내시경 검사가 필요하다. 분명한 염증장질환이 아니더라도 반수 이상의 척추 관절염 환자가 내시경검사에서 장점막의 염증병변을 보인다고 알려져 있는데, 임상적 증상이 없는 경우가 대부분이다.

환자들의 자세와 운동범위를 유지하는 운동이 치료의 가장 기본이고 비스테로이드소염제가 가장 중요한 치료 약물이다. 이들 약제는 통증, 압통을 줄이고 척추 운동성을 증가시키는 효과가 있다. 염증과 증상이 심한 경우 꾸준히 비스테로이드소염제를 복용하는 경우가 간헐적으로 복용하는 경우보다 경추/요추 변형을 더디게 된다는 연구들이 나와 단지 통증 완화보다는 강직 예방효과약물로 기대되고 있다. 많은 비스테로이드소염제가 효과가 있지만 위장관, 심혈관 및 신장 부작용이 생길 수 있어 꾸준한 관찰이 필요하고 부작용 위험이 높은 고령, 위궤양이 있는 경우 COX-2 선택억제제가 더 효과적이다. 비스테로이드소염제를 2-3주 치료하면 약제 효과여부를 판단할 수 있고, 만약 효과가 없다면 다른 계열의 비스테로이드소염제로 교체 치료를 권하고 효과가 없고 증상이 지속되고 변형이 생기면 항TNF제제 등 다른 치료를 고려해야 한다.

류 마 티 스 학
Rheumatology

# PART 7

## 골관절염

책임편집자 **김현아**(한림의대)
부편집자 **김진현**(충남의대)

# 55

# 역학과 위험인자

한림의대 **김현아**

## KEY POINTS 🔒

- 골관절염은 관절 연골뿐만 아니라 활막, 근육, 골 등 관절 전체를 침범하는 관절기능부전으로 이해해야 한다.
- 골관절염은 경추, 요-천추, 엉덩관절, 슬관절, 제1 발허리발가락관절, 원위지관절, 근위지관절, 엄지손가락 기저부위를 흔히 침범한다.
- 방사선소견상 이상을 보이는 많은 경우에서 통증 등의 관절 증상이 없을 수 있다.
- 주요 위험인자는 연령, 비만, 외상, 성별, 관절의 해부학적 이상 등이다.
- 최근 분자생물학의 발달에 따라 가까운 장래에 흔한 골관절염이 표현 형질이 아닌 원인 유전자의 결함에 따라 분류될 가능성이 있고 그렇게 되는 경우 분자적 결함을 진단하고 예방적 치료도 가능하게 될 것이다.

골관절염(osteoarthritis, OA)은 퇴행성관절염이라고 불리기도 하는 가장 흔한 관절염이다. 서양에서는 75세 이상의 인구의 80%에서 방사선적 골관절염의 소견이 관찰된다. The Global Burden of Disease (GBD) 프로젝트에 의하면 세계적으로 3억 명이상의 엉덩관절과 슬관절 골관절염 유병률이 추산되며 1990년대 이후 연령 보정 유병률, 발병률, 장애를 가지고 살아가는 햇수(years lived with disability)가 8-10% 증가됨이 보고되었다. 또한 손관절과 발관절의 골관절염도 중요도가 높아감을 보고하였다. 미국의 보고에 의하면 골관절염에 기인하는 의료비는 1996년에서 2016년 사이 해마다 5.7% 상승하여 2016년에는 8,000억 달러에 달하고 154개의 기준 질환 중 8위를 차지하는 고비용 질환

이 된 것을 확인할 수 있다. 2010년에서 2013년 사이의 국민건강영양 조사 자료를 사용한 우리나라의 최근 보고는 50세 이상 성인에서 방사선적 골관절염의 유병률은 35.1%(남성 24.4%, 여성 44.3%)이고 80세 이상 여성에서는 78.7%의 높은 빈도로 관찰되었다. 이처럼 우리나라도 고령 사회에 접어들면서 골관절염의 문제가 증가함을 알 수 있다. 골관절염은 심각한 이환을 일으켜서 서양에서는 허혈성 심질환 다음으로 직업 불능을 많이 유발하며 류마티스관절염보다 입원율도 높다. 그럼에도 불구하고 골관절염은 나이가 들면 당연히 생기는 질병이라는 통념 하에 제대로 관심을 받지 못한 것도 사실이다.

골관절염에 속하는 환자군의 범위는 매우 넓기 때문에 이 병을 어떻게 정의할지에 대해서는 아직도 논란이 많으며 병리적, 방사선적, 임상적 특징을 모두 포함하여 정의할 수 있다. 병리적으로는 관절 연골의 파괴와 동반되는 연골하 골의 경화가 가장 대표적인 소견이지만 골관절염을 심부전이나 신부전처럼 관절전체를 침범하는 관절 기능부전으로 보는 견해가 강조된다. 최근에는 골관절염은 한 개의 질환이 아니고 다양한 원인을 가지며 공통적인 생물학적, 형태학적, 임상적 특징을 갖는 질환군이라는 개념이 대두되고 있다. 가장 흔한 형태인 특발(일차) 골관절염은 유발인자가 없는 반면 이차 골관절염은 병리학적으로는 일차 골관절염과 구별이 되지는 않지만 특정한 선행 원인 때문에 발생한다(표 55-1).

**표 55-1. 골관절염의 분류**

| 원발성 |
| --- |
| **국소성** |

- 손가락
  - 결절성 원위지 관절염(헤베르덴결절),
  - 결절성 근위지 관절염(뷰샤르결절),
  - 미란성 지절간 관절염,
  - 제일 손목손허리 관절염
- 발가락
  - 무지 외반증
  - 추상 족지(cock-up toe)
- 무릎
  - 내측 구역, 외측 구역, 슬개대퇴구역
- 엉덩관절
- 척추
  - 골단관절(apophyseal joint)
  - 추간관절(추간판)
  - 미만특별뼈형성과다증(diffuse idiopathic skeletal hyperostosis, DISH)

| **전신성** |
| --- |
| 3 부위 이상의 골관절염 |

| **이차성** |
| --- |

- 외상
- 선천성 골관절 질환
  - 선천성 엉덩관절 탈구
  - Legg-Calvé-Perthes
  - 다리 길이 차이
  - 외반/내반 변형
  - 과운동성 증후군
  - 골이형성증
- 대사 질환
  - 조직흑변증(알캅톤뇨증)
  - 혈색소증
  - 윌슨씨병
  - 고셔 병
- 내분비 질환
  - 말단비대증
  - 부갑상선기능항진증
  - 당뇨
  - 비만
  - 갑상선기능저하증
- 칼슘 침착 질환
  - 칼슘 피로인산결정침착질환(calcium pyrophosphate dihydrate deposition)
  - 인회석 관절병증(apatite arthropathy)
- 다른 골, 관절질환의 합병증
  - 골절, 골괴사, 감염, 통풍, 류마티스 관절염, 골연골염

# 역학

노인의 하지 골관절염은 선진국에서는 장기적인 운동장애를 일으키는 가장 흔한 원인으로 미국에서는 약 100,000명이 엉덩관절이나 무릎의 골관절염 때문에 일상 생활이 불가능하다. 골관절염의 유병률은 나이와 비례하여 증가하며 40세 이하에서는 드물다. 또한 중년과 노년에서는 여성에서 훨씬 흔하며 유병률의 성별 차이는 나이가 많아지면서 더 증가한다. 55세 이전에는 성별에 따른 골관절염의 관절 분포는 비슷하나 노인층에서는 엉덩관절은 남성에서, 손가락 관절과 엄지손가락 기저부의 골관절염은 여성에서 더 흔하다. 무릎의 방사선 사진상 골관절염 소견, 특히 증상이 있는 무릎 골관절염은 남성보다 여성에서 더 흔하다. 골관절염의 유병률과 침범관절 양상에는 인종간 차이도 있다. 동양인에서는 엉덩관절의 골관절염 발생 빈도가 백인보다 낮은 반면 무릎관절의 골관절염 빈도는 높다. 무릎 골관절염은 체질량지수의 차이에도 불구하고 미국의 백인과 중국인의 빈도가 비슷하며 중국, 특히 시골지역에서 중요한 장애의 원인이 되는데 이런 결과는 우리나라에서도 유사하게 관찰되었다. 엉덩관절의 경우 아시아인과 백인의 엉덩관절의 해부학적 차이가 유병률의 차이를 상당 부분 설명하며 백인의 엉덩관절이 골관절염이 발생하기 쉬운 구조를 보인다. 아프리카인도 엉덩관절 골관절염의 유병률이 낮으나 미국 흑인의 경우는 그렇지 않다. 이러한 차이가 유전적인지 생활양식 또는 직업과 관련된 관절 사용의 차이에 의한 것인지는 알려져 있지 않다.

골관절염에서 흔히 침범하는 관절은 경추, 요-천추, 엉덩관절, 슬관절, 제1 발허리발가락관절 부위이다(그림 55-1). 원위지관절, 근위지관절, 엄지손가락 기저부위도 종종 침범되나 손목, 팔꿈치, 발목은 잘 침범하지 않는다. 인간은 네발 보행을 하는 유인원으로부터 진화했기 때문에 엄지손가락 기저부와 같이 물건을 집는 일이나 직립 보행(무릎과 엉덩관절)과 같은 진화적인 관점에서 새로운 임무를 수행해야 하는 관절에 골관절염이 호발한다. 발목관절은 부하 하중에 저항성이 있는 연골 자체의 특성 때문에 골관절염 발생이 적다.

골관절염은 단순X선 검사로 관찰되는 구조적인 이상과 구조적 이상에 의해 초래되는 증상에 근거하여 진단할 수 있다. 골관절염의 해부학적 변화는 부검 연구 결과를 보면 노년기에는 거

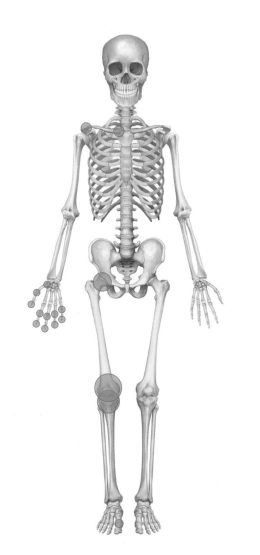

**그림 55-1. 골관절염에서 흔히 이환되는 관절들** 제1손목손허리관절, 원위지관절, 근위지관절, 경추, 하부요추, 엉덩관절, 무릎, 제1발허리발가락관절

의 대부분에서 관찰되고 단순X선 검사상 관절강 협착으로 나타나는 연골의 소실과 골극도 노년기에는 대다수에서 관찰된다. 그러나 단순X선 검사상 이상을 보이는 많은 경우에서 관절 증상이 없다. 골관절염의 역학에서 임상적 측면에 가장 중요한 것은 통증이 있는 골관절염인데 통증이 장애, 병원 방문, 질환에 드는 비용을 결정하기 때문이다. 국민건강영양조사 데이터를 이용한 최근 보고에서 가장 심한 연골 소실을 보이는 KL grade 4의 무릎 골관절염 환자의 31.2%는 증상을 호소하지 않아 단순X선 검사만으로 치료 방침을 결정하는 것은 한계가 있음을 보였다.

"무릎에 최근 한 달 동안 거의 매일 통증이 있으면서 단순X선

검사상 골관절염이 있는 경우"로 정의하는 유증상 무릎 골관절염은 미국의 경우 60세 이상에서 약 12%, 30세 이상에서 6% 정도로 발생한다. 증상이 있는 엉덩관절 골관절염은 무릎 골관절염의 약 1/3 정도이고 증상있는 손 골관절염은 약 10%에서 발생한다.

최근 미국에서 산업혁명 초기(1800년대에서 1900년대 초기의 1,581명), 산업혁명 후기-근대(1900년대 후반기에서 2000년도 초기의 819명), 그리고 선사시대(기원전 6,000년-기원 후 300년의 176명)의 유골을 조사한 각각의 무릎 골관절염 유병률은 각각 6%, 16%, 8%로 연령과 체질량지수를 보정한 후에도 근대에 그 이전 시기보다 유병률이 2.1배 높음을 보고하였다. 이는 현대의 늘어난 수명과 비만 외에도 골관절염의 원인이 되는 아직 밝혀지지 않은 인자가 있음을 시사하는 소견이다.

## 1) 한국인의 골관절염 역학

국제 기준의 표준화된 방사선 촬영법과 판독법을 이용하여 조사한 춘천 지역의 50세 이상 한국인의 방사선학적 무릎 골관절염의 유병률은 37.3%였고 유증상 무릎 골관절염의 유병률은 24.2%였다. 남성보다 여성에서 유의하게 유병률이 높았고 고혈압, 육체 노동은 방사선학적 골관절염과 유증상 골관절염 모두에서 위험인자였다. 한편 낮은 교육 수준은 방사선학적 골관절염의, 여성은 유증상 골관절염의 유의한 위험인자였다. 같은 인구 집단의 3년간 추적 조사 결과 10.2%에서는 새로 골관절염이 발생했고 13.55%에서는 기존 골관절염이 진행하는 소견을 보였고 이는 서구에서의 보고에 비해 높은 경향이었다.

한편 안성-안산 인구 집단에서 관찰한 손의 방사선학적 골관절염 유병률은 13.4%, 유증상 손 골관절염의 유병률은 8.0%로 나타났다. 연령과 여성이 방사선적/유증상 손 골관절염의 위험인자였고 당뇨병, 육체 노동은 방사선학적 손 골관절염과 유의한 연관성을 보였다.

70세 이상의 경정맥 신우조영술 촬영 환자의 엉덩관절을 분석한 결과 엉덩관절 골관절염의 유병률은 1.2%로 서구의 유병률에 비해 현저히 낮은 것으로 관찰되었다. 엉덩관절 골관절염은 중국과 중국계 미국 이민에서도 드물고 동양인과 백인의 엉덩관절의 해부학적 차이가 이러한 유병률의 차이를 설명할 수 있다고 생각된다. 한편 가장 심한 골관절염의 범주에 드는 무릎

관절 전치환술을 시행받은 환자의 경우 우리나라에서 여성이 남성에 비해 10배 정도 높고, 이는 2-3배 높은 골관절염의 유병률로는 설명되지 않아 우리나라 여성에서 남성에 비해 골관절염으로 인한 증상 및 기능 장애가 더 심함을 시사한다.

## 위험 인자

### 1) 유전

골관절염과 유전의 관련이 뚜렷한 경우가 있는데 원위지절관절 골관절염 환자 중 헤베르덴 결절(Heberden's nodes)을 가진 환자의 어머니는 같은 부위에 골관절염이 생길 가능성이 정상인의 어머니보다 2배 정도 높고 환자의 자매는 정상인의 자매보다 3배 정도 높다. 최근 영국에서 시행한 쌍둥이 연구에서 골관절염의 일치도는 일란성 쌍둥이에서 이란성 쌍둥이보다 높게 나타나 분명한 유전적 연관성을 보였다. 골관절염의 유전성향은 관절 부위마다 다른데 손과 엉덩관절의 골관절염은 무릎의 골관절염보다 유전에 기인하는 부분이 높은 것이 일반적이다.

연골과 골의 세포외기질의 구성 단백질을 전사하는 몇 개의 유전자들의 관절/골격 질환과의 연관성이 최근 조명되었고 골밀도를 조절하는 역할을 하는 것으로 보고되었다. 그러나 흔히 보는 원발성 골관절염에서는 유전자 변이가 관찰되지 않았고 대부분의 유전자 변이는 이차성 골관절염으로 분류되는 비교적 드문 증후군들에서 밝혀졌다. 예를 들어 제2형 콜라겐(collagen)

**표 55-2.** 아시아인에서 밝혀진 골관절염의 위험 유전자

| 연구 대상 수 | 인구집단 | 유전자변이 | 골관절염 위험도 |
|---|---|---|---|
| 280 무릎 골관절염, 308 대조군 | Pakistani | rs1862513, RETN rs3745367, RETN | 증가 |
| 200 무릎골관절염, 200 대조군 | Indian, Hyderabad | rs2228314, SREBP2 | 증가 |
| 279 무릎골관절염, 287 대조군 | Indian, Punjab | rs1800795, IL6 rs10499563, IL6 | 증가 |
| | | haplotype GGGGCT haplotype CGAGGC | 증가 감소 |
| 730 엉덩관절골관절염, 1,220 대조군 | Chinese, Han | rs187064, TLR9 | 증가 |
| 348 무릎골관절염, 423 대조군 | Chinese, Han | rs11564299, CDH2 | 증가(특히 여성, 흡연자, 음주자, 체질량지수 ≥25, KL grade와 C반응단백질과도 연관) |
| 237 무릎골관절염, 142 대조군 | Chinese, Han | rs1065080, SMAD3 | GG는 위험도 증가, |
| 866 무릎골관절염, 1,688 대조군 | Chinese, Han | rs3884606, FGF18 | 증가 |
| 471 무릎골관절염, 532 대조군 | Chinese, Multi- site | rs2908004, WNT16 | 감소(특히 여성, 흡연자, 비음주자, 60세 이하, 체질량지수 >25) |
| | | rs1799986, LRP1 | 감소(특히 남성, 흡연자, 음주자, 60세 이하, 체질량지수 >25) |
| 393 무릎골관절염, 500 대조군 | Chinese, Han | rs1485286, rs1905786, and rs1032128, OPG | 증가 |
| 278 골관절염, 289 대조군 | Chinese, Han | rs2498789, AKT1 rs7646409, PIK3CA | 증가 |
| 1033 무릎골관절염, 920 대조군 | Chinese, Han | rs2234693, ESRa | 경도의 골관절염에서만 증가 |
| 423 무릎골관절염, 523 대조군 | Chinese, Han | rs4965833, PACE4 | 증가(55세 이상, 체질량지수 ≥25) |
| 532 무릎골관절염, 927 대조군 | Chinese, Han | rs4867568, LSP1P3 rs143383, GDF5 | 증가 |

(Adapted from Ratneswaran et al. Osteoarthritis Cartilage, 2021)

에 대한 유전자 변이는 어린 나이에 발생하는 척수골단이형성증으로부터 심한 범발성 골관절염에 이르는 임상 형질의 발현과 연관이 있다. 몇 개의 가족 조사 및 쌍둥이 연구에서 골관절염은 여러 개의 유전자가 복합적으로 병인에 영향을 미치는 다유전자성 질환이라는 증거가 강하게 제시되었고 이에 따라 몇 가지 candidate gene들이 연구되었는데 type II collagen, vitamin D receptor, frizzled-related protein (FRZB), growth differentiation factor (GDF) 5 등이 그 예이다. 유전적 원인 규명의 가장 큰 문제점은 골관절염이 다양한 원인을 가진 heterogeneous한 질환이라는 점과 적절한 control 검체를 찾기가 어렵다는 점이다. 최근 genome-wide association study (GWAS)를 통한 대규모 유전자 발굴 사업들이 진행함에 따라 다양한 만성 퇴행성 질환의 연관 유전자들이 새롭게 규명되고 있다. 현재 GWAS 연구 결과 새롭게 규명된 골관절염의 유전자로는 MCF2L (MCF.2 cell line derived transforming sequence-like)과 CHST11 [carbohydrate (chondroitin 4) sulfotransferase 11] 등이 있다. 가장 많은 검증이 된 유전자는 GDF5 내 유전자다형성(polymorphism)으로 GDF5의 양을 감소시킨다. GDF5는 관절의 발달과 형성에 중요한 영향을 미치므로 이 영향력을 기반으로 질병의 위험도를 증가시키는 것으로 추측된다. 한편 최근 보고된 대규모 GWAS는 UK biobank 코호트의 171,516명의 무릎 통증을 분석하고 GDF5 rs143384과 COL27A1 근처의 rs2808772를 유의한 연관 유전자로 보고하였다. 과거 백인 위주의 환자 집단에서 주로 유전자 변이의 보고가 된 데 반해 최근에는 다양한 인구 집단에서 골관절염 유관 유전자들이 규명되고 있다(표 55-2).

최근 분자생물학의 발달에 따라 single cell PCR 분석을 이용한 세포표면 표지자와 질환 유관 세포 아형분석, microRNA, long non-coding RNA, circular RNA, DNA methylation 분석을 통한 epigenetic 연구들이 활발히 진행되고 있으며 가까운 장래에 흔한 골관절염이 표현 형질이 아닌 원인 유전자의 결함에 따라 분류될 가능성이 있고 그렇게 되는 경우 분자적 결함을 진단하고 예방적 치료도 가능하게 될 것이다.

## 2) 연령

골관절염의 가장 중요한 위험인자는 연령이다. 45세 이하 여성에서 방사선학적 검사를 실시하면 단지 2%만이 골관절염을 가지고 있지만 45세에서 64세 사이에서는 30%이고, 65세 이상에서는 68%이다. 남성에서도 비슷한 양상이지만 노인층에서는 빈도가 다소 낮다. 최근 연골세포 성상 분석을 통한 많은 연구들에서 나이가 들면서 연골세포의 성상이 변한다는 결과들이 발표되고 있고 노화 세포를 제거할 수 있는 동물 모델에서 골관절염이 치료된다는 보고들도 있어 골관절염 발병과 노화의 직접적인 연관을 시사한다. 동적인 부하가 걸리면 젊은이의 연골세포는 연골 기질 합성을 촉진하는 반면 노인의 연골은 이런 자극에 반응을 덜 하며 결과적으로 연골이 얇아지고 연골 손상의 위험이 높아지게 된다. 나이가 들면서 중요한 관절 보호 기전들인 근육과 감각 신경의 기능이 떨어지게 되면서 관절의 보호 기전이 약해지는 것도 다른 요인으로 작용한다. 인대는 나이가 들면서 늘어지게 되어 충격을 흡수하는 기능이 떨어진다. 나이든 여성에서는 폐경 이후 모든 관절에 골관절염 발생 위험이 커지는데 여성 호르몬 감소가 위험인자로 작용할 가능성이 있다.

## 3) 신체 활동과 관절 외상

심한 부상과 반복적인 관절 사용도 골관절염의 위험인자이다. 인간과 실험 동물에서 전방십자인대 부전과 반달연골 손상이 무릎골관절염을 일으킨다. 관절연골의 손상은 부상 시기에 또는 그 후(손상관절의 사용 시기 중)에 발생하는데 관절이 불안정하면 정상 연골까지도 손상된다. 예로 삼과 골절(trimalleolar fracture)이 발생한 사람에서 거의 대부분 발목골관절염이 발생한다.

관절의 침범 양상은 작업에 의한 과중한 부하에 영향을 받는다. 따라서 발목골관절염은 발레 무용수에 흔하고, 팔꿈치 골관절염은 투수, 손허리손가락관절(metacarpophalangeal) 골관절염은 권투 선수에 흔하다. 반면 일반인들에서 이런 부위의 골관절염은 흔하지 않다.

한편 심한 외상을 제외하면, 특정 운동과 골관절염 발생과의 확실한 인과 관계는 없다는 것이 밝혀졌다. 즉 장거리 달리기 선수나 조깅을 즐기는 사람에서도 골관절염 발생이 증가하지 않는 것으로 관찰된다. 그러나 이것은 장기간의 좋은 연구가 적고 활동을 후향적으로 평가하는 것이 어려우며, 관절 손상에 의한 활동의 조기중단 같은 증례 선택 뒤틀림이 있을 수 있어 이론이 많다. 이미 관절이 손상된 사람은 특정 타입의 운동에 의해 관절 파괴를 악화시킬 수 있는데 예를 들어 이미 무릎에 중대한 손상을 입은 병력이 있는 사람의 경우에는 달리기를 하면 무릎 골관절염이 진행할 위험이 높아진다. 천공기(jackhammer)를 다루는 사람, 면방적공장 근무자, 조선소 근무자, 광부 등은 직업과 관련하여 반복적으로 사용하는 관절에 골관절염이 생긴다. 무릎을 구부린 상태에서 평균 이상의 작업을 하는 직업을 가진 남성들은 다른 직업을 가진 남성들보다 방사선학적 무릎골관절염의 소견이 더 많았고, 방사선학적 변화도 더 심하였다. 노동자들에서 골관절염이 증가하는 이유는 작업 시간 중 근력이 점차 피로해지면서 관절을 효과적으로 보호하는 기능을 못하는 것에도 기인한다.

근래에는 골관절염 환자에서의 좌식 생활의 영향이 관심을 모으고 있는데 최근의 umbrella systematic review에 의하면 전형적인 좌식 생활자에 비해 잠깐씩이라도 하루 종일 간간히 신체 활동을 하는 사람에서 기능과 건강 관련 삶의 질이 높았다는 보고가 주목을 끈다.

## 4) 비만과 대사 이상

비만은 무릎골관절염과 손골관절염의 위험인자이다. 기본검사에서 체질량지수가 상위 20%에 속하는 군에서 36년 후에 무릎골관절염이 생길 비교위험율(relative risk)은 남성은 1.5이고 여성은 2.1이다. 심한 무릎골관절염이 생길 비교위험율은 남성에서 1.9이고 여성에서는 3.2인데, 이것은 비만이 심한 무릎골관절염의 발생의 중요한 원인이고 특히 여성에서 더 중요한 요인으로 작용함을 시사한다. 비만은 질환 발생에 선행하며 골관절염 환자가 활동을 하지 않는 것에 기인하지 않는다. 비만이 체중 부하 관절의 골관절염 발생 위험인자일 뿐 아니라 비만한 사람은 질환으로 인한 증상이 더 심하다. 아직 골관절염이 발생하지 않은 비만한 사람은 체중을 줄임으로 발병을 줄일 수 있는데 5킬로그램의 체중감소가 무릎 골관절염의 증상을 일으키는 비교위험도를 50% 감소시킨다.

어떤 기전에 의해 비만이 골관절염을 일으키는지는 아직 알려져 있지 않다. 비만한 사람이 걸을 때 체중 증가 정도의 3-6배에 해당하는 부하가 무릎관절에 더 걸릴 수 있어 관절 부하의 증가로 인한 직접적인 관절 손상이 가장 쉽게 생각할 수 있는 측면이지만 비만이 엉덩관절보다는 무릎관절의 골관절염과 강한 연

관성을 갖는다는 점, 그리고 남성보다는 여성에서 강하게 연관이 된다는 점 등은 단순한 기계적 요인만으로는 설명이 되지 않는다. 최근의 연구 보고에서 무릎골관절염의 진행 시 체중이 가지는 영향은 관절의 배열 상태에 영향을 받는 것으로 관찰되었다. 즉 관절 배열이 5° 이상 편향되어 있는 경우 18개월의 추적 시 골관절염의 진행이 현저히 증가하였고 내반 변형은 내측 대퇴-경골 골관절염의 진행과, 외반 변형은 외측 대퇴-경골 골관절염의 진행과 연관이 있는 것으로 관찰되었다. 한편 비만과 손 골관절염과의 연관성은 전신적 대사 요인도 골관절염의 위험요인과 관련됨을 시사한다.

최근의 스웨덴과 영국의 Biobank 데이터를 활용한 두 개의 Mendelian 무작위배정연구는 체질량지수의 증가가 엉덩관절과 무릎의 골관절염의 원인이 됨을 시사하나 손의 골관절염에는 해당되지 않았다. 이러한 영향은 성별, 연령, 흡연 여부, 제2형 당뇨병의 존재 여부와 무관하게 전체 환자군에서 관찰되었다.

## 5) 골밀도

엉덩관절의 경우 골밀도와 골관절염의 발생이 역의 상관관계를 갖는다는 보고가 많이 있다. 또한 골화석증(osteopetrosis)이 있는 경우 골관절염의 발병이 높아지는 현상도 연골하 골의 비정상적인 기계적 성상으로 인해 연골 손상이 가속화된다는 가설을 뒷받침한다. 그러나 손의 골관절염의 발생은 골밀도와 뚜렷한 연관을 보이지 않는다.

## 6) 여성 호르몬과 생식력

다관절 골관절염이 여성에게 많은 현상은 성호르몬의 원인적 역할을 시사한다. 골관절염의 빈도는 폐경 후 증가하며 자궁적출술을 받은 환자에서 더 증가한다. 역학 연구에서 폐경 후 여성 호르몬을 복용하는 경우 골관절염의 발생이 감소한다는 보고들도 많이 있어 여성 호르몬의 병인적 역할에 대한 증거가 된다. 그러나 다른 보고들에서는 여성 호르몬을 복용하는 환자에서 대조군에 비해 무릎골관절염의 증상이 발생할 가능성이 높으며 관절 전치환술을 시행받은 환자에서 여성 호르몬을 복용한 환자가 많았다는 결과들도 있어 결론을 내리기 위해서는 전향적 무작위 위약 대조군 임상시험에서 얻는 데이터가 필요한 실정이다.

## 7) 관절의 해부학적인 문제

관절의 해부학적인 구조에 따라 관절에 가해지는 부하가 관절 표면에 균등하게 분산되지 않고 국소적으로 부하가 증가하는 경우가 있는데 예를 들어 엉덩관절에서는 선천성 혹은 소아성 발달 이상인 선천성 엉덩관절 이형성, Legg-Perthes disease, slipped capital femoral epiphysis가 있는 경우 엉덩관절의 해부학적 기형을 초래하여 나이가 증가하면 골관절염으로 이행하게 된다. 여아에서는 경한 형태의 선천성 탈구인 관골절구 이형성증이 많은 반면 남아에서는 다른 이상이 더 흔하다. 해부학적 이상이 심한 경우 성년 초기에, 경한 경우 중년에 엉덩관절 골관절염이 발생하게 된다. 관절 표면을 지나가는 골절이 생기는 경우 골관절염이 잘 발생하지 않는 발목이나 손목관절에서 골관절염이 발생하게 된다. 무혈성 골괴사의 경우에는 관절 표면에서 괴사된 골이 무너지면서 해부학적으로 표면이 불규칙해지고 이어 골관절염으로 발전한다.

관절을 보호하는 인대의 파열, 예를 들어 무릎의 전방십자인대나 반월상연골판, 엉덩관절의 테두리가 파열되는 경우 조기 골관절염이 발생할 수 있다. 연골판 파열은 나이가 들면서 증가하며, 만성적으로 되면 무증상이어도 인접한 연골의 손상을 일으키고 골관절염의 발생을 촉진시킬 수 있다. 중대한 무릎 외상을 입은 병력이 있으면 수술을 받지 않았다 하더라도 후에 무릎 골관절염이 발생할 위험이 3.5배 높아진다는 보고도 있다. 골관절염의 위험을 높이는 또 다른 해부학적 이상으로 관절의 배열 이상을 들 수 있다. 무릎관절은 몸에서 가장 긴 지렛대의 지레목 구실을 하는데 내반(안짱다리) 기형이 있는 무릎골관절염 환자의 경우 무릎관절 내측의 연골이 소실될 위험이 매우 높아지는 반면 외반 기형이 있는 무릎의 경우 외측 연골의 소실이 빠르게 진행될 수 있다. 관절 배열 이상이 있는 경우 관절 부하 시 연골의 국소 부위에 스트레스가 증가하면서 연골의 파괴가 일어난다. 또한 관절 배열 이상이 있는 경우에는 연골 손실만 일으키는 것이 아니고 자기공명영상에서 관찰할 수 있는 골수 병변과 같은 연골 하 골의 손상도 일으킨다. 무릎관절에서 관절을 연결하는 근육이 약해지는 경우에도 증상있는 무릎골관절염의 위험이 높아진다.

## 8) 골관절염의 통증에 영향을 미치는 인자

골관절염의 병리학적 변화와 증상과의 상관관계는 낮다. 즉 방사선 사진상 골관절염이 꽤 진행된 소견을 보이는 많은 사람들에서 증상이 없다. 골관절염 환자에서 통증과 운동장애가 발생하는 위험인자는 잘 알려져 있지 않다. 무릎 골관절염을 가진 사람에서의 운동장애는 관절통이나 방사선학적 중증도보다 대퇴사두근의 약화와 관계가 있다. 병변의 정도가 같은 경우에, 여성이 남성보다, 직업이 없는 사람이 직업이 있는 사람보다, 이혼한 사람이 결혼한 사람보다 증상이 더 심하다. 훈련받은 상담원이 주기적으로 전화해주는 것이 사회 계층이 낮은 골관절염 환자의 통증을 줄이는 데 비스테로이드소염제(NSAID)만큼 효과가 있다는 사실은 골관절염 환자가 통증을 느끼는 데는 사회정신적인 요소도 중요하다는 것을 말한다.

### 참고문헌

1. Dieleman JL, Cao J, Chapin A, et al. US Health Care Spending by Payer and Health Condition, 1996-2016. JAMA. 2020;323:863-84.

2. Felson DT. Osteoarthritis. In: Kasper DL, Fauci A, Hauser S, Longo D, Jameson JL Joseph L eds. Harrison Textbook of Internal Medicine. 19th ed. New York: McGraw-Hill Education; 2015. pp. 2226-33.

3. Funck-Brentano T, Nethander M, Moverare-Skrtic S, Richette P, Ohlsson C. Causal factors for knee, hip, and hand osteoarthritis: a mendelian randomization study in the UK Biobank. Arthritis Rheumatol 2019;10:1634-41.

4. Hindy G, Akesson KE, Melander O, Aragam KG, Haas ME, Nilsson PM, et al. Cardiometabolic polygenic risk scores and osteoarthritis outcomes: a mendelian randomization study using data from the Malmo diet and cancer study and the UK Biobank Arthritis Rheumatol 2019;71:925-34.

5. Hong JW, Noh JH, Kim DJ. The prevalence of and demographic factors associated with radiographic knee osteoarthritis in Korean adults aged ≥ 50 years: The 2010-2013 Korea National Health and Nutrition Examination Survey. PLoS One 2020;15:e0230613.

6. Nelson AE, Jordan JM. Osteoarthritis. In: Silman A, Smolen J, Weinblatt M, Weisman M, Hochberg M, Gravallese E, eds. Rheumatology 7th ed. Elsevier; 2018. pp. 1503-12.

7. Peat G, Thomas MJ. Osteoarthritis year in review 2020: epidemiology & therapy. Osteoarthritis Cartilage 2021;29:180-9.

8. Ratneswaran A, Kapoor M. Osteoarthritis year in review: genetics, genomics, epigenetics. Osteoarthritis Cartilage 2021;29:151-160.

9. Son KM, Hong JI, Kim DH, Jang DG, Crema MD, Kim HA. Absence of pain in subjects with advanced radiographic knee osteoarthritis. BMC Musculoskelet Disord 2020;21:640.

10. Yoo JJ, Kim DH, Kim HA. Risk factors for progression of radiographic knee osteoarthritis in elderly community residents in Korea. BMC Musculoskelet Disord 2018;19:80.

# 56

# 병인

**가톨릭의대 윤종현**

## KEY POINTS 🔒

- 골관절염의 가장 특징적인 병리소견은 관절연골 중에 부하가 걸리는 부위에 국소적인 궤양과 관절에 인접한 골의 골극이다.
- 골관절염의 질병의 경과가 느리고 길어서 연구가 쉽지 않고 임상양상도 다양하게 나타나기 때문에 발병기전이 명확히 밝혀져 있지 않다.
- 연골세포의 노화와 이화작용 증가가 특징적이며 이러한 변화를 초래하는 인자로 과도한 기계적부하, 사이토카인, 세포외기질의 분절 등이 알려져 있다.
- 기질분해효소에 의한 세포외기질의 과도한 소실에 따른 섬유질망의 손상이 관절연골의 생체기계적 기능저하를 초래한다.
- 골관절염의 발병기전에서 연골세포, 활막세포, 대식세포 등으로부터 분비된 염증매개물질이 연골세포의 이화작용 촉진 및 기질분해효소 증가에 중요한 역할을 수행한다.

## 병리

### 1) 정상 관절연골의 구조

관절연골은 히알린(hyalin) 연골로 혈관, 신경, 림프계가 분포하지 않으며 연골세포와 세포외기질로 이루어져 있다. 관절연골은 관절 움직임에 따른 마찰이 거의 일어나지 않는 매끄러운 표면을 형성하고 관절에 가해지는 부하를 이겨내는 저항력을 제공하여 충격을 완화함으로써 관절 손상을 예방한다.

연골은 여러 종류의 세포외기질로 이루어져 있으며 모든 세포외기질이 연골세포로부터 생성된다. 연골을 구성하는 세포외기질로 제2형 콜라겐, 제6형 콜라겐, 제9형 콜라겐, 제11형 콜라겐, 프로테오글리칸(proteoglycan), 히알루론산(hyaluronic acid) 등이 있다. 이 중에서 제2형 콜라겐과 아그리칸(aggrecan)이 가장 중요한 성분이다. 제2형 콜라겐은 섬유질망의 기본 구조를 이루는데 세 다발이 서로 꼬여 있는 형태로 하나의 섬유질을 이루며 씨줄과 날줄처럼 엮어진 그물구조(network)를 형성한다. 제11형 콜라겐과 제9형 콜라겐이 제2형 콜라겐 다발들을 서로 연결하여 그물구조를 안정화시킨다. 아그리칸은 프로테오글리칸의 한 종류이며 황산화된 상태로 히알루론산을 중심으로 뭉쳐서 제2형 콜라겐과 연결되어 그물구조의 섬유질 사이의 빈 공간을 차지한다. 이러한 연골구조는 외부에서 주어지는 물리적 부하를 연골이 견뎌내는 데 핵심적인 역할을 한다. 그물구조를 이루고 있는 제2형 콜라겐은 장력을 버텨내는 인장강도(tensile strength)를 제공한다. 히알루론산을 중심으로 뭉쳐진 형태로 존재하는 아그리칸은 음전하를 띠고 있어서 서로를 밀어내기 때문에 누르는 압력을 버텨내는 압축강도(compressive strength)를 제공한다. 또한 음전하가 물분자를 끌어당기는 특성이 있어 연골 내에 수분함량을 유지함으로써 연골탄성(elasticity)을 제공한다. 연골에 하중이 가해지면 물이 빠져나가면서 형태가 변형되었다가 부하가 제거되면 물이 다시 들어옴으로써 연골이 다시 형태를 회복하는 데 아그리칸이 중요한 역할을 수행한다.

정상적인 관절연골을 유지하는 역할은 연골세포가 담당한다. 연골세포는 모든 세포외기질을 생산할 뿐 아니라 세포외기질 분해효소, 사이토카인, 성장인자 등을 합성하고 분비한다. 정상적인 관절연골 내에서 연골세포는 분화가 끝난 성숙된 상태로

## 표 56-1. 관절연골의 구성성분

| | 전체 무게 중 비율 |
| --- | --- |
| 물 | 66-78% |
| 고형성분 | 22-34% |
| | 건조 무게 중 비율 |
| 제2형 콜라겐 | 48-62% |
| 프로테오글리칸 | 22-38% |
| 비콜라겐기질단백질 | 5-15% |
| 기타 콜라겐들 | <5% |
| 수산화인회석(hydroxyapatite) | 5-6% |
| 히알루론산 | <1% |
| 콘드로넥틴 | <1% |

분열하지 않는다. 기계적 부하(mechanical stress), 사이토카인, 성장인자 등의 자극에 반응하여 연골세포가 기질을 합성하거나 기질 분해효소를 분비하여 손상된 기질을 분해하고 대체함으로써 연골의 구조를 유지한다. 성장인자들 중에 전환성장인자(transforming growth factor β, TGF-β)와 인슐린유사성장인자(insulin-like growth factor type 1, IGF-1)는 연골세포를 자극하여 세포외기질의 합성을 증가시켜 연골의 동화작용(anabolic process)을 촉진하고 연골을 정상적인 상태로 유지하는 역할을 한다. 연골 내의 세포외기질의 대부분이 골격성장과정 중에 만들어지며 그물구조를 이루는 제2형 콜라겐은 내구성이 강해서 거의 교체되지 않을 것으로 가정된다. 아그리칸이나 작은 크기의 프로테오글리칸, 제6형 콜라겐, 제9형 콜라겐은 지속적으로 교체되어 연골의

구조를 유지한다고 알려져 있다(그림 56-1).

## 2) 골관절염의 병리

골관절염의 가장 특징적인 병리소견은 관절연골 중에 부하가 걸리는 부위에 국소적인 궤양과 관절에 인접한 뼈의 골극형성이다. 연골 변화는 연골표면의 강도가 약해지면서 시작된다. 초기에 연골 부종이 동반되거나 표면이 거칠어지고 갈라진다. 현미경으로 관찰하면 프로테오글리칸이 감소되고 세포외기질이 끊어지면서 그물구조를 이루는 섬유질망이 파괴되어 간다. 기질분해효소에 의해 세포외기질이 소실되면서 기질 사이에 수분이 증가하여 연골 부종이 발생한다. 연골 부종은 외부에서 주어지는 부하를 견뎌내는 저항력의 감소를 초래하여 섬유질망의 기계적 파괴가 가속화된다. 섬유질망의 파괴와 함께 연골 표면에서부터 연골세포의 사멸이 촉진되어 연골세포 수가 감소된다. 골관절염 초기에는 연골 표면의 연골세포 소실과 상반되게 연골 중심부에서는 연골세포의 분화와 증식이 나타난다. 질병이 진행하면서 강도가 약화된 연골의 표면이 갈라지고 연골 내부에 틈이 발생하고 연골 심부에까지 연골세포의 사멸(apoptosis)이 촉진되어 연골세포 수가 현저히 감소한다. 골관절염 말기에는 연골 전층에 걸쳐 연골세포 및 세포외기질이 소실되어 연골이 얇아지게 되어 연골아래의 뼈가 드러날 정도로 연골이 파괴된다. 연골의 변화와 함께 연골 바로 밑에 뼈가 석회화가 진행하여(bony subchondral sclerosis) 연골과 뼈의 접합부(tide mark)가 두꺼워진다. 연골 밑 뼈에 미세골절(microfractures of subchondral trabeculae)

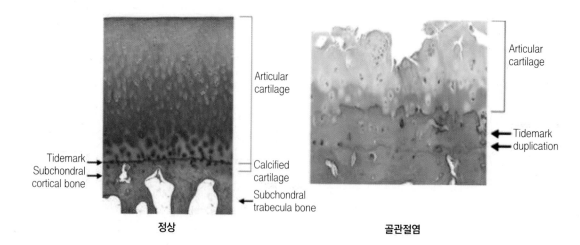

정상　　　　　　　　　골관절염

그림 56-1. 관절연골의 정상구조와 골관절염의 연골변화

이 발생하고 신생 혈관이 자라 들어오면서 연골에 석회화가 진행된다. 석회화된 연골은 기계적 부하에 취약하기 때문에 연골의 파괴를 더 촉진시킨다. 국소적으로 뼈가 소실되어 연골하골낭(subchondral bone cyst)을 형성한다. 골관절염이 진행하면서 관절면을 이루는 뼈의 가장자리에 골극이 나타난다. 골막이나 활막으로부터 이동한 중간엽 전구세포가 연골세포로 분화하여 연골이 만들어지고 연골내 골화가 진행되어 골극을 형성한다. 골극의 형성이 관절파괴에 따른 재생과정의 일환이거나 관절면에 과도하게 주어지는 기계적 부하에 대한 반응에 의한 것일 가능성이 제시되지만 골극이 형성되는 위치가 체중부하가 주어지지 않는 곳인 경우가 많아서 골극이 파괴된 관절의 기계적 안정성에 기여하는지는 명확하지 않다. 활막에 염증세포가 침윤하여 가벼운 염증 반응이 진행되면서 활막세포가 증식하고 활막이 두꺼워지는 활막염도 발생하지만 류마티스관절염에 비해서 매우 약한 염증변화를 보인다.

## 발병기전

골관절염의 발병기전은 아직 명확히 밝혀져 있지 않다. 질병의 경과가 느리고 길어서 연구가 쉽지 않고 임상양상도 다양하게 나타나기 때문에 단일 발병기전으로 설명하기 어려운 상태이다. 골관절염이 발생할 수 있는 상황을 관절연골이 비정상인 경우와 관절에 주어지는 부하가 비정상인 2가지 경우로 가정할 수 있다. 첫째로 관절연골과 연골하골(subchondral bone)의 생체재료적 특성(biomaterial properties)이 정상인 상태에서 관절에 과도한 부하가 주어지는 경우이다. 관절의 과도한 사용, 외상 또는 인체의 관절 보호기능 이상으로 인해 과도한 부하가 관절에 주어지게 된다. 관절연골을 보호하기 위해서 작동되는 기전은 다양하다. 활액이 관절면의 마찰을 감소시키는 데 활막섬유모세포(synovial fibroblast)로부터 분비된 루브리신(lubricin)이 윤활 효과를 제공한다. 근육이 관절에 주어지는 충격을 완화하는데 관절을 구성하고 있는 인대(ligament)에 존재하는 기계수용기감각신경(mechanoreceptor sensory afferent nerve)을 통해서 중추신경계가 관절의 움직임을 인지하여 관절에 주어질 충격에 대비할 수 있게 근육 수축을 조절한다. 또한 근육과 힘줄이 관절에 주어

진 충격을 고르게 분산시켜 흡수함으로써 연골을 보호한다. 둘째로 관절에 주어지는 부하는 정상적이고 적당하지만 연골과 골의 생체재료적 특성이 나쁜 경우이다. 선천적으로 연골이나 골이 제대로 형성되지 않거나 질병으로 인해 연골 변화가 이차성 골관절염을 초래할 수 있다. 일차 골관절염의 경우에는 연골세포, 활막세포, 골세포 등 관절내 세포들의 병적인 변화가 중요한 역할을 수행할 것으로 예상된다. 연골세포의 자가포식현상(autophagy)의 장애, 세포자멸사 증가, 이화작용 증가, 염증매개물질 생성증가 등이 중요한 역할을 수행한다고 알려져 있다. 활막세포와 골세포로부터 염증매개물질 생성증가로 인한 관절내 염증반응도 중요하다고 여겨진다. 골관절염 발병 초기에 관찰되는 정상연골세포의 분화 및 증식과 연골파괴가 진행되면서 관찰되는 연골세포의 탈분화(dedifferentiation), 비대분화(hypertrophic differentiation), 연골의 석회화, 골극 형성 등의 병리변화가 골격 성장 과정에서 관찰되는 뼈의 발생과정과 유사하다. 연골세포, 활막세포, 골세포로부터 분비되어 골격 발생의 각 단계를 거치는 과정에서 중요한 역할을 수행한다고 알려진 전사물질, 성장인자, Wnt 등 다양한 물질들이 골관절염 발병기전에서 중요한 역할을 할 것으로 주목받고 있다.

### 1) 관절연골세포외 기질의 병적인 파괴

골관절염의 가장 중요한 특징은 연골의 파괴에 따른 생체기계적(biomechanical) 기능의 감소이며 발병 과정에서 일어나는 최초의 변화도 연골에서 시작된다고 알려져 있다. 세포외기질의 과도한 소실에 따른 섬유질망의 손상이 관절연골의 생체기계적 기능 저하를 초래한다. 세포외기질의 파괴는 과도한 기계적 부하에 의한 물리적 손상과 기질 분해효소에 의한 화학적 분해에 의해서 발생한다. 기질분해효소들로 기질금속단백분해효소(matrix metalloproteinase, MMP)-1, MMP-2[젤라틴분해효소(gelatinase) A], MMP-3, MMP-13[콜라겐분해효소(collagenase) 3)], 아그리칸분해효소(aggrecanase) 1 [a disintegrin and metalloproteinase with a thrombospondin motif (ADAMTS)-4], aggrecanase 2 (ADAMTS-5), 카텝신(cathepsin) B, 스트로멜리신(stromelysin) 등이 있다. 이 중에서 MMP-13은 제2형 콜라겐을 분해하는 데 중요한 역할을 수행하며 ADAMTS-4와 5는 아그리칸의 분해과정에서 중요한 역할을 수행한다. 스트로멜리신은 프

로테오글리칸을 분해시키고 비활성 콜라겐분해효소를 활성화시킨다. 이들 기질분해효소들은 정상적인 상태에서 연골세포로부터 분비되며 세포외기질을 분해하는 역할을 수행하면서 연골의 섬유질망을 재생하고 유지하는 과정에 작용한다. 골관절염 환자의 연골에 MMP-13과 ADAMTS-5의 발현이 현저히 증가되어 있고 동물실험에서 MMP-13 또는 ADAMTS-5의 유전자를 제거하면 골관절염이 발생하지 않는다는 보고가 있어 이들 기질분해효소가 골관절염 발병기전에서 결정적인 역할을 수행한다고 알려져 있다. 기질 분해효소에 의한 세포외기질의 과도한 파괴를 막기 위해서 효소의 활성을 조절하는 금속단백분해효소조직억제제(tissue inhibitor of metalloproteinase, TIMP), 플라스미노겐활성화인자억제제(plasminogen activator inhibitor, PAI)-1와 같은 억제인자들이 연골세포로부터 분비되어 정상적인 연골을 유지한다. 골관절염이 진행하면서 연골세포가 병적인 상태로 변화하게 되면 제2형 콜라겐, 아그리칸 등의 합성과 TIMP의 생산이 감소하고 기질 분해효소의 분비가 증가되어 연골 내 세포외기질이 감소하게 된다. 그물구조를 이루고 있는 제2형 콜라겐의 손상이 증가되고 재생이 충분히 진행되지 못하는 상황이 초래되면 섬유질망이 느슨해져서 연골의 강도가 약해진다. 느슨해진 섬유질망사이로 물분자가 과도하게 증가하게 되어 부종이 발생한다. 연골의 강도 약화와 부종은 인장강도와 압축강도를 감소시켜 외부에서 주어지는 기계적 부하를 이겨내지 못하는 결과를 초래한다. 연골이 기계적 부하를 감당하지 못하게 되면서 제2형 콜라겐과 아그리칸의 물리적 손상을 더 촉진시켜서 연골파괴가 가속화된다. 연골파괴가 가속화되면 다양한 세포외기질의 분절이 발생하는데 이들이 연골세포의 표면에 존재하는 수용체와 결합하여 염증반응과 연골세포의 병적인 변화를 더욱 악화시킨다는 연구결과들이 알려져 있다.

## 2) 연골세포의 병적인 변화

골관절염의 발병 과정에서 연골세포가 매우 중요한 역할을 수행하기 때문에 연골세포의 변화로부터 골관절염의 발병이 시작될 것으로 예상된다. 연골을 정상적으로 유지시키는 역할을 담당하던 연골세포가 골관절염 환자에서는 비정상적인 변화를 보인다. 분열하지 않던 안정상태의 연골세포가 골관절염 초기에는 증식을 시작하고 세포외기질의 합성도 증가된다. 하지만 질

병이 진행하면서 연골세포의 세포외기질 합성이 감소하고 기질분해효소의 분비는 증가하여 섬유질망을 유지 보수하던 역할을 수행하지 못할 뿐 아니라 연골의 파괴를 가속화시키고 세포사멸이 촉진되면서 연골세포가 급격히 감소하게 된다. 연골세포 중 일부는 탈분화 또는 비대분화를 통해서 정상적인 성인 관절연골에서는 존재하지 않는 콜라겐들을 합성하는 특성을 보이는 연골세포로 분화한다. 탈분화를 거치면 골격 성장과정에서 나타나는 연골세포의 특성인 제1형과 3형 콜라겐을 합성하게 되는데 탈분화과정에서 Wnt 단백질이 중요한 역할을 수행한다. 비대분화를 통해 비대연골세포(hypertrophic chondrocyte)로 변화하면 제10형 콜라겐을 합성하게 되어 연골의 석회화와 골극 형성을 촉진시킨다.

연골세포의 이러한 변화를 초래하는 인자로 기계적 부하, 사이토카인, 세포외기질의 분절 등이 알려져 있다. 정상적인 기계적 부하는 연골세포에 의한 제2형 콜라겐과 프로테오글리칸 합성을 자극하여 연골을 정상적으로 유지시키지만 과도한 기계적 부하는 MMP 합성을 증가시켜서 섬유질망의 파괴를 촉진시킬 수 있다. 활막에 염증세포가 침윤되면서 증가된 사이토카인이 활막염을 유발하고 연골세포의 병적인 변화를 촉진한다고 알려져 있다. 염증세포 침윤에 중요한 케모카인을 억제하면 골관절염 발생이 일부 억제된다는 연구 보고가 있다. 골관절염 발생과정에서 증가된 세포외기질의 분절들이 연골세포 표면의 수용체와 결합하면서 연골세포의 염증매개물질 생성을 촉진하여 질병의 진행을 촉진한다는 가설도 있다.

골관절염의 발병기전에 관여하는 사이토카인 중에 가장 잘 알려진 것이 인터루킨[interleukin (IL)]-1β와 종양괴사인자[tumor necrosis factor (TNF)]-α로 연골세포와 활막에 존재하는 활막섬유모세포, 대식세포에서 분비된다. 이들은 연골세포내에 MAP kinases와 NF-kB 신호전달체계를 활성화시켜 연골의 이화작용(catabolic process)을 증가시킨다. 이화작용이 활성화된 연골세포는 제2형 콜라겐과 프로테오글리칸 합성이 감소되고 MMP-1, MMP-2, MMP-3, MMP-13, ADAMTS-4, ADAMTS-5, 스트로멜리신 등 기질분해효소의 합성이 증가된다. 기질분해를 촉진시키는 조직플라스미노겐활성제(tissue plasminogen activator, TPA)의 분비도 증가된다. 저산소유도인자(hypoxia-inducible factor, Hif) 2α는 골관절염 환자의 연골에 발현이 증가되어 있

는 전사인자로 IL-1β와 TNF-α에 의한 기질분해 효소 생산을 매개하여 골관절염 발병에 중요한 역할을 한다고 알려져 있다. 또한 IL-1β, IL-6, IL-8, TNF-α, monocytechemoattractant protein (MCP)-1, C-C motif chemokine ligand 5 (CCL5), 프로스타글란딘E2, 플라스미노겐활성화인자, 일산화질소(NO)와 같은 염증반응매개물질들의 발현도 증가되어 연골세포의 이화작용을 촉진시킨다. 연골세포에서 분비된 MCP-1과 CCL5는 연골세포 표면의 C-C chemokine receptor 2 (CCR2)와 CCR5에 결합해서 NO와 MMP-3의 분비를 더욱 촉진시킨다. NO는 IL-1β에 의해 연골세포 내에 활성화된 일산화질소 합성효소(inducible nitric oxide synthases, iNOS)로부터 생산되며 연골세포의 아그리칸 합성을 억제하고 기질 분해효소의 생성을 증가시키며 caspase-3와 티로신인산화효소(tyrosine kinase)를 활성화시켜서 연골세포 사멸을 촉진한다. 또한 골형성단백(bone morphogenic protein, BMP)-2 합성이 증가되고 BMP-7의 합성이 감소된다. BMP-2는 연골세포의 비대분화를 촉진시키고 BMP-7는 이를 억제하는데 BMP-7에 비해서 BMP-2가 더욱 증가되면서 세포외기질의 합성 증가와 골극형성이 촉진된다.

연골 내에 존재하는 혈관억제 물질로 인해 건강한 연골에는 혈관이 형성되지 않아서 연골석회화가 유발될 수 없지만 골관절염이 진행하면서 연골석회화가 발생하여 연골의 충격흡수력을 저하시키고 파괴를 촉진시킨다. 연골세포에서 비정상적으로 생산이 증가된 혈관내피성장인자(vascular endothelial growth factor, VEGF)가 혈관성장을 유발하면 기계적 충격에 의해 형성된 연골아래 뼈에 틈을 통해 뼈의 혈관이 연골로 침투하게 되어 혈액 내의 미네랄이 침착되면 연골 석회화가 유발된다.

섬유질망을 구성하는 세포외기질이 파괴되면서 생성되는 분절이 연골세포의 수용체에 결합하여 연골세포를 자극할 수 있다. 염증반응에 의해서 조직이 손상되면서 생성된 손상관련분자물질(damage-associated molecular patterns, DAMPs)이 톨유사수용체(toll-like receptor, TLR)와 결합하면 염증반응을 촉진하는 사이토카인 분비를 촉진한다. 연골세포의 표면에도 TLR2, 4가 발현되어 있으며 이들을 자극하면 연골세포의 이화작용이 증가한다는 보고가 있어 골관절염의 발병기전에도 DAMP가 중요한 역할을 수행할 것이라는 가설이 있다. 연골세포 표면에 TLR 외에도 세포외기질의 분절과 결합할 수 있는 수용체가 있어서 섬

유결합소(fibronectin), 신데칸(syndecan)-4 등의 분절에 의해서 MMP분비가 증가된다는 보고가 있다. 골관절염의 진행과정에서 다양한 종류의 세포외기질로부터 많은 분절이 발생하기 때문에 이들 분절이 연골세포를 자극하여 연골세포의 이화작용을 더욱 활성화시킬 것으로 예상된다.

### 3) 활막의 변화

활막 염증과 활액 삼출이 골관절염 발병기전에 중요한 요인으로 제기되고 있다. 골관절염이 전통적으로 비염증 관절염으로 분류되고 있지만 활막에 낮은 강도의 염증이 지속되면서 질병의 발생에 기여할 가능성이 있다. 초기와 말기 골관절염 모두에서 초음파와 자기공명영상검사로 활막염이 관찰되고 활막조직에서 대식세포, B세포, T세포의 수가 증가되어 있으며 활막염이 관절 통증 및 활동제한과 연관성이 있다. 기계적 과부하에 의해서 연골이 파괴되면서 발생되는 DAMP가 활막세포와 대식세포를 자극하여 기질분해효소, IL-1β, TNF-α 등의 분비를 촉진하여 연골 파괴를 더 촉진하는 결과를 초래할 가능성이 있다.

### 참고문헌

1. Firestein G, Budd R, Gabriel S, et al. Firestein and Kelley's Textbook of Rheumatology. 11th ed. Philadelphia: Elsevier; 2021.
2. Hochberg M, Silman A, Smolen J, et al. Rheumatology. 7th ed. Philadelphia: Elsevier; 2019.
3. Loeser RF, Goldring SR, Scanzello CR. et al. Osteoarthritis: a disease of the joint as an organ. Arthritis Rheum 2012;64:1697-707.
4. Longo D., Hauser S., Jameson L., Kasper D., Fauci A, et al. Harrison's Principles of Internal medicine. 20th ed. McGraw-Hill; 2018.
5. Mathiessen A, Conaghan PG: Synovitis in osteoarthritis: current understanding with therapeutic implications. Arthritis Res Ther 2017;19:18-26,.
6. Millerand M, Berenbaum F, Jacques C.Danger signals and inflammaging in osteoarthritis. Clin Exp Rheumatol 2019;37 Suppl 120(5):48-56.
7. van den Bosch MHJ, van Lent PLEM, van der Kraan PM. Identifying effector molecules, cells, and cytokines of innate immunity in OA. Osteoarthritis Cartilage 2020;28:532-543

# 57

# 임상증상

**동아의대 이성원**

## KEY POINTS 🔓

- 골관절염은 가장 흔한 관절질환으로서 전형적으로 척추, 손, 무릎, 엉덩관절 및 발에 잘 발생한다. 비전형적인 부위에 발생하는 경우 외상 등 다른 원인을 감별하여야 한다.
- 손가락의 골관절염은 여성에서 흔히 발생하고 유전적 소인이 있으며 류마티스관절염과 달리 주로 원위지 관절마디에서 잘 발생한다.
- 통증은 주요한 임상증상으로 관절 사용 시 악화되고 휴식 시 호전된다. 통증이 만성화되는 경우, 말초감작이나 중추감작을 통한 신경병성 통증을 동반할 수 있다.
- 통증에 영향을 미치는 요인으로 관절의 과사용 이외에도 우울감, 불안, 외로움과 같은 정신사회적 요인이 관여하고 있다.
- 골관절염의 강직은 류마티스관절염과 같은 염증관절염과 달리 30분 이내의 짧은 시간에 호전되는 특징을 보인다.
- 신체검사에서 관절면 주위로 단단한 골비대와 관절의 염발음, 관절부종 및 관절기능장애 등이 동반될 수 있다.
- 개별 관절의 골관절염 증상과 다른 질환에서 발생하는 유사한 증상을 감별하여야 한다.

골관절염(osteoarthritis, OA)은 안정적으로 유지되는 사람도 있지만 시간이 지날수록 서서히 악화되는 것이 일반적이며 성인에서 가장 흔한 장애의 원인으로서 다양한 신체 장애를 초래하기 때문에 삶의 질을 저하시킨다. 일차 증상으로는 통증과 강직, 관절 운동의 제한 및 관절의 형태 변화이다. 일반적으로 40대 이후에 증상이 시작되며 80세 이상의 약 80%에서 조직검사 또는 방사선검사에서 골관절염 소견을 보이긴 하지만 약 반수 정도에

서만 증상을 가지고 있다. 증상은 사람에 따라 다양하게 나타난다. 조직 또는 방사선검사소견에서 심한 연골 손상을 보이더라도 증상을 심하게 호소하지 않는 사람도 있어 연골손상의 정도와 증상 사이의 연관성이 높지는 않다. 일반적으로 양측으로 발생하지만 한쪽이 다른 한쪽보다 증상이 더 심하게 발생하는 경향이 있다. 시간이 지남에 따라 반대쪽에 증상이 나타나기도 한다.

하나의 관절에만 골관절염이 생기면 외상에 의한 이차 골관절염을 생각해야 한다. 연부조직의 부종 또는 삼출이 있지만 염증관절염에서 보는 것보다는 심하지는 않다. 전신 염증관절염과 달리 전신 증상은 없다. 관절연골의 정상적인 부드러운 면이 거칠어지게 되면 관절을 움직일 때 머리카락을 비비는 듯한 염발음이나 금속을 가는 듯한 느낌을 확인할 수 있으며 동시에 운동범위가 감소한다. 골의 과성장으로 인해 골극(osteophyte)이 발생하며 병이 진행할수록 크기가 커져 관절의 촉진 시 감지할 수 있게 된다.

가장 흔히 발생하는 부위는 경추와 요추, 손가락 관절, 엄지손가락 기저, 첫 번째 중족지, 무릎과 엉덩관절이다. 어깨, 발목, 손목의 관절은 드물게 발생하는 부위이며 증상이 있을 수도 있지만 영상검사에서 우연히 발견되기도 한다. 임상 특징은 침범된 관절 부위에 따라 다르게 나타난다. 일부 환자에서는 기후에 따라서 증상의 변동이 있기도 하지만 기압의 변화나 강수, 외부의 기온이 증상에 영향을 미친다는 증거는 확실하지 않다.

# 통증

통증은 가장 흔한 증상으로 활동 시 악화되고 휴식 시 호전된다. 일부 환자는 통증에도 불구하고 기능이 정상적일 수 있지만 통증으로 인해 일상적인 단순한 일조차도 어려움을 겪는 환자들도 있다. 일반적으로 통증은 서서히 발생하며 비교적 일정하지만 갑자기 악화될 수 있다. 대부분의 환자는 관절을 과도하게 사용하는 경우에 통증을 호소하지만 활동을 중단한 후에 시간이 지나도 여전히 지속적으로 통증을 호소할 수 있으며 통증은 서서히 사라진다. 일부에서는 어떤 활동이나 움직임 후에 짧지만 심한 통증을 호소하기도 하고 일부는 자연적으로 이런 통증이 발생하기도 하며 통증이 밤에 나타나서 잠을 설치기도 한다. 질환이 더 진행되면 통증에 의해 활동이 점점 줄어들게 되고 휴식 시나 야간에도 통증이 발생하게 된다.

침범된 관절 주위에 통증이 있는 것이 일반적이지만 일부에서는 골관절염이 발생한 부위가 아닌 연관통에 의해 통증을 호소할 수 있다. 관절통증은 근위부로도 전달되지만 원위부로 더 흔히 전달된다. 엉덩관절 통증은 대퇴부로 전달되고 무릎 통증은 경골상부의 내측 혹은 앞쪽으로 전달된다. 예를 들어 엉덩관절의 대퇴돌기윤활낭염이나 무릎 내측 아래쪽의 거위발윤활낭염(anserine bursitis) 혹은 장경인대증후군과 같은 관절 주변 연부조직에서 유래된 연관통으로 무릎관절 주변부의 통증을 호소할 수 있다. 무릎 앞쪽 통증은 슬개대퇴골 골관절염 또는 연골연화증을 의미한다. 통증의 정도는 활동의 종류에 따라 다르게 나타나며 어떤 특정 활동을 회피하거나 그 활동의 심한 정도에 따라서 다르게 나타나므로 통증을 평가한다는 것은 쉽지 않다. 갑자기 통증의 정도가 심해지면 최근 새로운 손상을 받았거나 통풍과 같은 염증활막염이 병발한 것을 의미한다. 또한 우울증이나 불안, 수면장애뿐만 아니라 외로움이나 그 외 정신사회적 문제에 대한 대처 능력들 역시 통증을 유발하는 요인으로 잘 알려져 있다(표 57-1).

관절구조의 병리변화가 진행되어도 무증상인 환자들이 있으며 노인에서는 이러한 병리변화가 정상적으로도 나타날 수 있기 때문에 골관절염의 병리변화에 의해 직접적으로 통증이 발생한다고는 할 수 없다. 또한 연골은 신경이 없는 조직이기 때문에 통증은 연골의 직접적인 손상에 의해서 발생하는 것은 아니며 체

성감각의 구심성 신경이 분포되어 있는 관절 주변의 해부학 구조물들인 활막, 인대, 관절낭, 근육, 연골하골 등에서 기인한다(그림 57-1). 골관절염이 진행됨에 따라 관절연골은 퇴행성 변화를 겪게 되고 리모델링된다. 이 과정에서 기질 금속단백분해효소(metalloproteinase, MMP)가 활성화되고 염증매개물질과 기질

### 표 57-1. 골관절염의 임상양상

| 발생연령 | |
|---|---|
| 일반적으로 40세 이후 | |
| **흔히 발생하는 관절** | **드물게 발생하는 관절** |
| 경추 및 요추 | 어깨 |
| 첫 번째 손목손허리관절 | 손목 |
| 근위지관절 | 팔꿈치 |
| 원위지관절 | 중수지 관절 |
| 엉덩관절 | 발 |
| 무릎관절 | |
| 목말밑관절 | |
| 첫 번째 발허리발가락관절 | |
| **증상** | **신체검사소견** |
| 통증 | 마찰음 |
| 강직 | 골비대 |
| 겔링(gelling) | 운동범위 감소 |
| | 부정렬(malalignment) |
| | 촉진 시 압통 |
| **활액 분석** | **방사선 소견** |
| 투명한 액체 | 관절강 협착 |
| 백혈구 <2,000/mm³ | 연골하골 경화 |
| 정상점도 | 골변연부 골극 |
| | 연골하 낭종 |
| **발현 양상** | |
| 단관절염 | |
| 소수관절염, 중년에서 큰 관절 침범1 | |
| 전신 다발관절염 | |
| 급속진행형 | |
| 외상후 속발, 선천 이상 혹은 전신질환 | |
| **예후** | |
| 가변적, 일반적으로 서서히 진행 | |

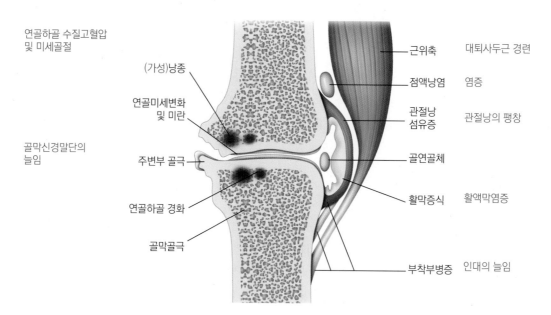

연골하골 수질고혈압
및 미세골절

(가성)낭종

연골미세변화
및 미란

골막신경말단의
늘임

주변부 골극

연골하골 경화

골막골극

근위축    대퇴사두근 경련

점액낭염    염증

관절낭
섬유증    관절낭의 팽창

골연골체

활막증식    활액막염증

부착부병증    인대의 늘임

그림 57-1. 골관절염에서 침범되는 관절부위와 통증의 원인

분해물이 분비되면 관절연골 뿐만 아니라 관절 주변 구조물들의 통각수용체가 활성화되어 통증에 기여한다.

자기공명영상(magnetic resonance imaging, MRI) 연구를 통해 활막염, 관절삼출, 골수부종 등이 통증의 원인으로 알려져 있다. 모든 환자에서 활막염이 발생하는 것은 아니며 활막염이 없는 환자도 있지만 대부분 중등도의 활막염을 가지고 있고 심한 경우 류마티스관절염과 유사한 활막염을 동반하는 환자도 볼 수 있다. MRI에서 활막염 정도는 무릎 통증 유무 및 통증의 심한 정도와 양의 상관관계를 보인다. 관절내 삼출액은 대부분 비염증성이지만 높은 농도의 염증매개물질이 검출되기도 한다. 활막삼출액으로 인해 관절낭이 늘어나게 되면 움직임이 제한되고 관절낭의 통각신경(nociceptor)이 자극되어 통증을 유발한다. 관절의 국소적 하중 증가는 연골뿐만 아니라 연골하골의 손상을 초래하여 MRI에서 골수부종으로 나타나며 조직학적으로는 미세골절과 흉터를 의미한다. 골수부종과 골내 혈역학적 압력 증가 역시 통각신경을 자극하여 통증을 유발한다. 골극이 형성되는 과정에서 신경혈관이 뼈의 기저 부위를 통과하여 연골로 자라 들어가게 되고 말기에는 연골의 연속성이 소실되면서 연골하골에서 자라나온 신생 신경혈관계로 인해 통증이 발생하기도 한다.

골관절염의 병리변화는 신경계신호의 변화를 초래할 수 있다. 특히, 말초 통각신경은 감각 자극에 대하여 반응이 더 증가하게 되는데 이를 말초감작(peripheral sensitization)이라고 하며 상행 중추통각신경 경로 역시 활성화되는데 이는 중추감작(central sensitization)이라고 한다. 또한, 골관절염 환자는 불충분한 하행억제자극 조절을 보인다. 일부에서는 이러한 감작에 대한 유전적인 소인을 가진 환자들이 있다. 그러나 원인과 관계없이 신경계 변화는 좀 더 심한 통증의 정도와 관련이 있고 통증이 아닌 감각을 통증으로 느끼는 무해자극통증(allodynia), 가벼운 통증을 과도한 통증으로 인지하는 통각과민(hyperalgesia), 반복적인 자극을 통해 점점 더 심한 통증을 느끼게 되는 통증의 시간가중(temporal summation) 효과를 일으키게 된다. 이러한 신경병성 통증은 통각성 통증보다 더 복잡하고 전통적인 진통제에 의해 쉽게 호전되지 않기 때문에 골관절염 환자에서 관절의 구조적 이상 정도와 통증이 일치하지 않는 것을 설명하기도 한다. 통각성 통증은 원인이 사라지면 호전되지만 신경병성 통증은 만성적이고 시간이 지나가면서 더 심해지기 때문에 최근에는 골관절염의 통증을 이해하는데 있어 신경병성 통증의 비중이 점점 늘어가고 있는 추세이다.

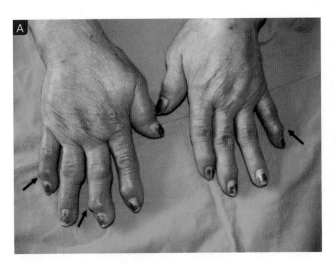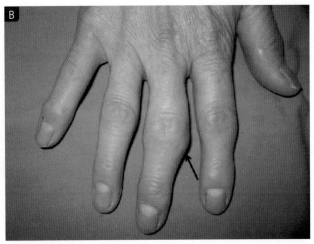

그림 57-2. **(A)** 손의 헤베르덴결절, **(B)** 손의 부샤르결절

## 강직과 운동제한

강직은 활동을 하지 않고 있다가 관절 운동을 시작하고자 할 때 나타나는 것으로 겔링현상(gelling phenomenon)이라고 한다. 강직은 가장 흔한 증상 중 하나이지만 전신염증관절염에서 보이는 것보다 그 정도가 심하지 않고 지속 시간도 짧으며 류마티스관절염과 달리 피로가 깊어지거나, 발열, 전신쇠약감은 드물다. 아침강직은 기상 후 대개 30분 이내에 호전되지만 활동이 없는 시기에 다시 발생하기도 한다.

강직은 관절에 염증이 발생하면 활성산소종(reactive oxygen species, ROS)이 생성되어 관절내 하이알유론산(hyaluronic acid, HA)이 분해되고 분해된 조각이 활막에 축적되어 수분 제거와 함께 조직 순응도가 감소되어 발생한다. 관절 운동을 하게 되면 HA 조각이 활막내 조직에서 관절강 내 및 혈액으로 이동하게 되어 활막이 수화되고 강직이 개선된다. HA 조각은 활막의 심한 염증을 동반하는 류마티스관절염과 달리 분자량이 작아서 관절 운동 시 보다 쉽게 이동이 되므로 강직은 보통 30분 이내로 회복된다. 움직이지 않는 기간이 오래되면 움직임 유무에 따라 강직이 하루 종일 반복하여 나타나기도 한다.

무릎관절 주변 근육의 허약으로 무릎의 꺾임(buckling), 관절포획(catching) 또는 잠김(locking)과 같은 물리적 신체 증상이 나타날 수 있는데 이는 십자인대나 반달연골의 손상에 의한 슬내장(internal derangement)을 의미할 수 있다. 그러나 무릎골관절염 환자에서 흔히 보이는 이러한 증상들이 급성 무릎 손상 후에 발생한다면 추가적인 검사가 필요하다.

## 개별관절에서의 임상증상과 징후

골관절염은 발생한 부위에 따라 각각 서로 다른 특징적인 임상증상을 보인다. 모든 관절에서 동일하게 발생하는 것이 아니라 손가락, 무릎, 엉덩관절 및 척추에서 흔히 발생하므로 팔꿈치, 손목, 발목과 같이 드물게 발생하는 부위에 골관절염이 있는 경우, 관절의 선천 이상이나 외상의 병력을 확인하여야 하며 결정침윤성질환이나 전신질환이 동반되어 있는지를 확인하여야 한다.

### 1) 손가락관절

손가락의 침범은 흔하며 통증과 손 사용에 제한이 생긴다. 원위지관절의 골비대에 의한 결절을 헤베르덴결절(Heberden's node)이라 하며(그림 57-2A) 근위지관절의 골비대를 부샤르결절(Bouchard's nodes)이라고 한다(그림 57-2B). 이 결절들은 열감과 압통을 동반하는 염증골관절염(inflammatory OA) 형태로 나타날 수 있다.

헤베르덴결절은 여자에게서 흔하고 가족력이 있으며 주로 폐경 무렵에 발생하지만 에스트로겐 감소와 관련성은 확실하지 않

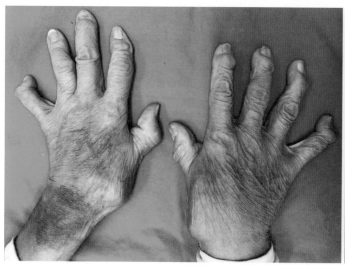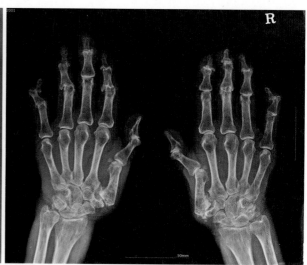

그림 57-3. 손목손허리관절의 골관절염

다. 두 번째와 세 번째 원위지관절에서 가장 흔히 발생하고 주로 사용하는 손에서 골비대가 더 심하게 나타난다. 손허리손가락(metacarpophalangeal, MCP) 관절의 침범은 이전에 보고된 것 보다 더 흔히 발생하고 있다. 척골, 요골 또는 손바닥 쪽으로 변형이 생길 수 있으며 통증보다는 미관상의 문제를 더 많이 호소한다. 원위지관절에 젤리모양의 물질이 차 있는 낭종이 급성으로 발생할 수 있다.

엄지의 손목손허리(carpometacapal, CMC)관절은 흔히 침범되는 부위이다. 작은마름뼈(trapezoid)의 원위척골면에 골극이 발생하고 첫 번째 중수지 근위부가 요골쪽으로 휘게 되면(요측편위) 아탈구가 일어나서 임상적으로 엄지가 혹처럼 튀어나오게 된다. 원위지 또는 근위지 관절에서 발생하는 것과 달리 엄지가 휘어지게 되면 통증뿐만 아니라 손 사용의 장애 및 악력의 감소를 초래하며 골극 형성과 관절강 협착으로 인해 수근중수관절의 사각화를 보인다(그림 57-3).

비교적 서서히 진행하며 염증은 아니지만 일부 환자에서는 매우 심한 경과를 거쳐 골파괴까지 초래되기도 한다. 손가락의 골관절염을 결절(비염증)과 비결절(염증)로 나누거나 또는 미란수지관절염(erosive OA)으로 분류하기도 한다. 미란 골관절염이 있는 일부 여성 환자에서는 주기적인 염증과 통증, 부종이 나타나기도 한다.

## 2) 발관절

발의 다양한 부위에 생길 수 있는데 첫 번째 발허리발가락(metatarsophalangeal, MTP)관절에서 흔히 발생하며 통증과 무지외반(hallux valgus or bunion) 변형을 보인다. 첫번째 발허리발가락관절의 무지외반 변형은 지속적으로 뼈가 커지고 관절의 정상 구조가 파괴되는 뼈 재형성과정의 결과이다. 발에 가해지는 생체역학적 힘은 발가락을 잡아당겨 가쪽들림(eversion)을 일으킨다. 영상검사에서는 다른 부위와 마찬가지로 관절강협착과 골극을 볼 수 있다. 첫 번째 발허리발가락의 강직이 발생하거나 목말밑(subtalar) 관절의 침범 시 발의 기능이 소실되어 보행에 문제가 되고 수술이 필요한 엄지발가락굽음증(hallux rigidus)이 생긴다. 통증은 발의 안쪽들림(inversion)과 가쪽들림 시에 흔히 발생한다. 발목뼈(tarsal bones), 목말발배관절(talonavicular)의 골관절염도 흔히 볼 수 있다. 발관절의 유증상 골관절염이 있는 환자들은 높은 굽의 신발을 신기 어려워 한다. 하지만 신발로 인하여 발의 골관절염이 악화될 수 있는지는 아직 명확하지 않다.

## 3) 무릎관절

서서히 시작되는 통증과 겔현상 및 운동범위의 제한이 특징이다. 보행을 하거나 앉았다가 일어날 때와 같이 동작이 바뀔 때, 특히 계단을 오르내릴 때 통증과 장애를 호소한다. 이는 무릎의 불안정성이나 갑자기 무릎이 힘없이 꺾이는 느낌(giving way)과

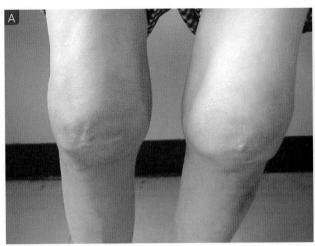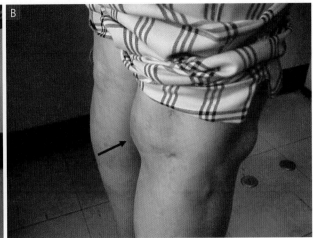

그림 57-4. **(A)** 무릎골관절염에서 골비대와 대퇴사두근 위축, **(B)** 무릎엉덩관절염에서 베이커낭

관련이 있다. 무릎의 잠김(locking)은 강직의 결과이거나 관절강내 유리체 또는 반달연골의 병변 때문이다. 종종 마찰음을 느낄수 있고 골비대를 확인할 수 있다(그림 57-4A).

통증은 촉진 시 내측 또는 외측 혹은 양측의 관절면에서 확인할 수 있다. 삼출이 있더라도 염증이 아니므로 일반적으로는 발적이 없고 열감도 없다. 삼출이 증가하면 오금주머니(popliteal bursa) 쪽으로 흘러 베이커낭을 만든다(그림 57-4B). 거위발윤활주머니(anserine bursa) 부위에 통증이나 대전자부(greater tro-chanter)의 통증도 무릎골관절염과 관련이 있다.

골관절염에 의한 연골소실이 진행되면 무릎의 정렬(align-ment) 이상이 나타나서 내반슬(genu varus)이나 외반슬(genu valgus) 변형을 보이는데, 무릎내측과 외측부위가 동일하지 않게 침범된 경우에 더욱 더 심하게 나타난다. 연골소실은 주로 대퇴경골의 내측 부위에서부터 시작되고 그 결과 무릎의 내반변형(bow-legged)이 외반변형(knock-kneed)보다 더 흔히 발생한다. 대퇴경골 정렬이상은 무릎 골관절염을 급속하게 악화시키는 위험요인이다. 그 외 신전변형이나 관절불안정이 있을 수 있다. 통증에 의해 관절사용이 감소하면 대퇴사두근(quadriceps)의 약화를 초래하고 최종적으로는 근육 위축이 발생한다(그림 57-4A). 대퇴사두근의 약화는 무릎골관절염을 악화시키는 위험요인이지만 조기에 적절한 대퇴사두근 운동을 통해 근위축을 예방하게되면 관절염의 진행을 늦출 수 있다.

슬개대퇴골(patellofemoral) 골관절염은 무릎의 장애 및 통증

과 연관성이 높으며 계단을 오르내릴 때 무릎 앞쪽에서 발생하는 통증이 특징이다.

## 4) 엉덩관절

엉덩관절 골관절염 환자는 사타구니 사이의 통증을 주로 호소하지만 대퇴, 엉덩이, 하부요통, 혹은 무릎과 같은 다른 원발부위에도 막연한 통증을 호소할 수 있다. 따라서 엉덩관절 통증을 호소하는 경우 척추병변(추간판탈출증, 척주관협착증, 돌기사이관절염, 천장관절통)이나 전자부 윤활낭염, 무릎의 병변으로 인한 보행 장애, 감각이상넓적다리통증(meralgia paresthetica), 혈관 이상에 의한 대퇴파행, 골반내 병변 등 엉덩관절의 병변을 초래하는 질환을 감별하는 것이 중요하다. 그 외 잠복된 대퇴경부골절이나 무혈성괴사와 같은 사타구니 통증과 엉덩관절통증을 초래하는 다른 원인을 고려하여야 한다. 점액낭염에 의한 통증은 엉덩관절 외측에서 주로 호소하며 운동제한은 발생하지 않지만 엉덩관절의 골관절염은 통증과 함께 운동범위의 제한이 있어 감별할 수 있다.

엉덩관절에 골관절염이 발생할 경우 보행의 장애, 앞으로 숙이기, 위치 바꾸기, 계단 오르기 등이 어렵다. 침범된 관절의 내회전 장애가 있고 상당한 통증이 있으며 발생초기에도 통증이 심할 수 있다. 양말을 신기 힘들거나 신발신기, 발톱깎기가 힘들다. 외형상 이상이 있거나 굴곡구축, 운동범위가 심하게 감소된 경우는 질환이 상당이 진행되었음을 의미한다. 이 경우 대퇴골

두가 상부로 이동하여 침범된 다리가 짧아진다. 젊은 사람에게서 사타구니 통증이 앉을 때 심해지고 내회전과 굴곡위에서 엉덩관절을 외전시킬때 통증과 제한이 있는 경우 넓적다리절구(femoroacetabular)의 충돌증후군(impingement syndrome)을 의심해야 한다.

## 5) 척추관절

돌기사이관절의 관절염은 흔하게 보이는 소견이고 등 부위 통증과 관련이 있다. 척추에서 발생하는 골관절염은 척추의 유연성이 가장 높은 부위인 경추 5번과 흉추 8번, 요추 3번에서 가장 흔하다. 척추의 골극은 노인에서 흔히 볼 수 있으며 통증은 없다.

경추에서는 골극이 척추체의 변연을 따라 발생하며 척추강을 압박하게 된다. 진행되면 구상돌기의 골극이 척추열이나 추간공

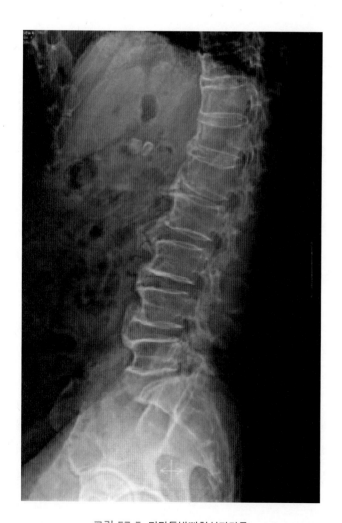

**그림 57-5.** 미만특발뼈형성과다증

을 누르게 되고 경추신경이 이차적으로 압박되어 목의 통증이 팔을 따라 방사되며 마비나 약화가 오게 된다. 경추 앞쪽으로 큰 골극이 있게 되면 식도를 누르게 되어 연하곤란이 발생한다.

요추의 뼈돌기골극이 척수강이나 척수간공으로 빠져나오게 되면 척수강협착증의 원인이 된다. 요천추부 골극은 좌골신경을 눌러 통증과 감각이상, 다리의 근육약화를 초래한다. 그 결과 하부요통의 증상이 발생하고 하지로 방사통이 발생하며 운동 시 악화되어 마치 혈관질환에서 볼 수 있는 파행과 유사하게 보이지만 휴식 시에 더 빨리 호전된다. 척추전방전위증은 척추체가 다른 척추체로 미끄러져 나간 것으로 요추 4번과 5번 사이의 골돌기에서 전형적으로 발생되며 심한 골관절염에서 볼 수 있다. 방사선 소견에서 요추추간판퇴행, 추간공협착, 골단부의 경화 탈출을 볼 수 있다.

미만특발뼈형성과다증(diffuse idiopathic skeletal hyperostosis, DISH)은 인대의 부착부를 따라 부적절하게 뼈가 형성된 증후군을 말하는 것으로 석회화가 지나치게 진행되어 밀랍이 흘러내린 모양을 보인다(그림 57-5).

DISH가 있는 환자에서 골관절염이 흔히 동반되지만 DISH는 임상적으로 골관절염과 명확히 다른 질환이다. DISH는 무증상이 많으며 영상검사에서 우연히 발견되기도 한다.

## 6) 어깨관절

어깨의 침범은 다양한 임상양상을 보이며 경한 불편감에서부터 관절파괴까지 다양하다. 통증은 골극과 관절상완관절보다는 견봉쇄관절이나 흉쇄관절의 협착 때문이다. 관절상환관절의 침범 시 전형적으로 앞쪽 어깨의 통증이 수년 동안 점진적으로 악화되고 운동 시 심해진다. 견봉쇄관절에 발생할 경우 막연한 통증을 일으켜서 진단에 어려움이 있다. 견봉쇄관절면을 따라 골극이 발생하면 견봉쇄관절의 아래쪽에 있는 인대가 손상되어 회전근개의 건염이나 파열을 일으킨다.

노인에서는 견봉하점액낭염, 회전근개병변, 유착관절낭염과 같은 다른 문제들이 흔하다. 회전근개손상은 관절상완관절 골관절염의 원인이 된다. 경추부 병변이 어깨 통증을 초래할 수 있으므로 어깨 통증이 있을 경우 경추검사를 해야 한다. 밀워키어깨증후군(Milwaukee shoulder syndrome)은 관절상완관절의 파괴 관절증으로 대량의 삼출이 차며 삼출을 천자 시 적혈구의 증가

와 칼슘결정체를 관찰할 수 있다.

## 7) 기타관절

발목관절은 생체역학적인 원인으로 다른 관절에 비해 골관절염이 잘 발생하지 않는 것으로 알려져 있으나 외상 후 또는 손상과 관련되어 최근에 발생빈도가 증가하고 있다. 팔꿈치관절의 골관절염은 드물게 발생하며 외상이나 진동손상, 또는 거짓통풍과 같은 질환이 원인이다. 턱(temporomandibular)관절을 침범하여 통증, 클릭음, 잠김, 턱관절 운동범위 감소, 마찰음 등 증상을 나타내기도 한다.

### 참고문헌

1. 이성원. 골관절염. 임상소견과 진단. In: 고은미. 대한류마티스학회. 류마티스학. 군자출판사; 2014. pp. 288-93.
2. Amanda E. Nelson. Clinical Features of Osteoarthritis. In: Gary S. Firestein. Kelley's Textbook of Rheumatology. 11th ed. Amsterdam (Netherlands): Elsevier Academic Press; 2020. pp. 1789-802.
3. David T. Felson, Tuhina Neogi. In: J. Larry Jameson. Harrison's Principles of Internal Medicine. 20th ed. Pennsylvania Plaza New York City (USA): McGraw-Hill Education; 2018. pp. 2628-9.
4. Joel A. Block. Clinical features of osteoarthritis. In: Marc C. Hochberg. Rheumatology. 7th ed. Amsterdam (Netherlands): Elsevier Academic Press; 2018. pp. 1522-28.
5. Virginia Byers Kraus, Tonia L. Vincent. Osteoarthritis. In: Lee Goldman, Andrew I. Schafer. Goldman's Cecil Medicine. 26th ed. Amsterdam (Netherlands): Elsevier Academic Press; 2019.

# 58

# 검사소견과 진단

**대구파티마병원 김건우**

## 서론

골관절염은 주로 병력, 신체검사 및 방사선 소견에 근거하여 진단할 수 있다. 단순X선 사진은 촬영이 간편하고 경제적인 이점으로 골관절염의 병변을 평가하는 데 이용되지만, 골관절염의 초기에 흔히 정상으로 나타나고, 관절연골의 변화를 민감하게 반영하지 못하는 단점이 있다. 최근에는 자기공명영상(magnetic resonance imaging, MRI)과 초음파를 이용하여 관절과 연골의 상태를 더욱 민감하게 평가할 수 있다. 혈액이나 관절액의 검사실 소견은 골관절염의 진단에는 도움이 되지는 않지만 이차골관절염의 원인질환을 밝히는 데 도움이 된다.

## 방사선 소견

### 1) 단순X선 사진

단순X선 촬영은 임상에서 가장 흔하게 골관절염의 진단, 중증도의 평가 및 치료에 대한 반응과 경과를 판단하는 데 이용되고 있다.

### (1) 단순X선 사진상 골관절염 소견

초기의 소견은 정상일 수 있지만 병이 진행하면서 골극(osteophyte), 관절강협착(joint space narrowing), 연골하골경화증

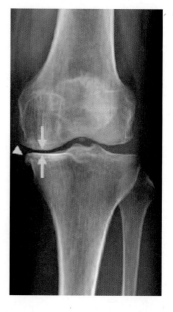

그림 58-1. **무릎관절 단순X선 사진** 관절강협착(화살)과 골극(화살머리)

(subchondral bone sclerosis), 연골하낭종(subchondral bone cyst), 골연골체(osteochondral body), 연골석회화(chondrocalcinosis) 등의 소견들이 나타난다.

### ① 관절강협착

관절강은 뼈와 뼈 사이의 거리로서 부하를 받는 부위에서는 관절 연골의 두께를 반영한다. 연골의 소실은 골관절염의 가장 중요한 병리현상으로 부하를 가장 많이 받는 부위에 국소적으로 발생하므로 단순X선 사진에서는 국소적으로 관절강이 좁아진 소견으로 나타난다(그림 58-1).

그러나 손가락뼈사이관절(interphalangeal joint), 손배뼈-큰마름뼈관절(scapho-trapezial joint)과 간혹 발목관절에서는 대칭적이고 전반적인 연골 소실을 관찰할 수 있다.

### ② 골극

골극은 골관절염의 특징적 소견으로 관절 부하가 작은 관절의 변연부, 관절낭 부착 부위 및 관절의 중앙 부위에서 연골내골화과정(endochondral ossification)을 통해 잘 발생한다(그림 58-1). 골극의 형성은 관절강협착이 일어나기 전인 골관절염 초기에 발생할 수 있고 인접 부위에는 혈류의 증가에 의해 관절 주위 골 감소증이 발생할 수 있다.

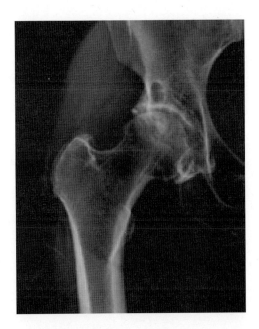

그림 58-2. **엉덩관절 단순X선 사진** 엉덩관절 비구에 연골하골경화증과 연골하낭종 (출처: 성균관의대 이소연 교수)

### ③ 연골하골경화증

연골의 손상은 연골 아래 뼈에도 영향을 주어 소주골(trabecular bone)의 미세골절이 발생하고 골허탈(bony collapse)이 일어나 연골하골경화증이 발생한다(그림 58-2). 주로 관절강협착이 일어난 부위의 관절 표면이 볼록한 부위보다 오목한 부위에서 더 두드러지게 나타난다. 첫째 발가락의 첫마디뼈(proximal phalanx)의 기저(base)와 엉덩관절의 외측비구(lateral acetabulum), 그리고 무릎의 안쪽 경골고원(tibial plateau)에는 정상적으로 잔기둥압축(trabecular condensation)이 일어날 수 있으므로 골관절염에 동반되는 병적 연골하골경화증과 감별을 요한다.

### ④ 연골하낭종

연골하낭종은 골관절염의 흔한 소견으로 관절 부하가 많은 곳에서 주로 나타나고 다발성으로 발생할 수는 있지만 크기가 2 cm 이상인 경우는 드물다(그림 58-2).

흔히 관절강과 연결되고 관절강협착과 연골하골경화증에 동반되어 진행된 골관절염에 잘 발생하지만 다른 관절염에서도 생길 수 있다. 연골하낭종의 발생은 손상된 연골의 틈을 통해 관절액이 연골하골로 유입되어 증가된 압력으로 인해 연골하소주(subchondral trabecula)가 괴사되어 낭종이 만들어지는 기전 또는 연골의 손상으로 연골하골에 부하가 증가되어 국소적 골괴사가 일어나 낭종이 생기게 되는 기전으로 설명한다.

### (2) 단순X선상의 골관절염병변의 정량적 평가

켈그렌-로렌스(Kellgren-Lawrence, KL) 등급은 위에 기술된 방사선 사진상 병변을 종합하여 무릎의 경골대퇴골관절 골관절염의 평가에 가장 널리 사용되는 방법으로 다음과 같다(그림 58-3).

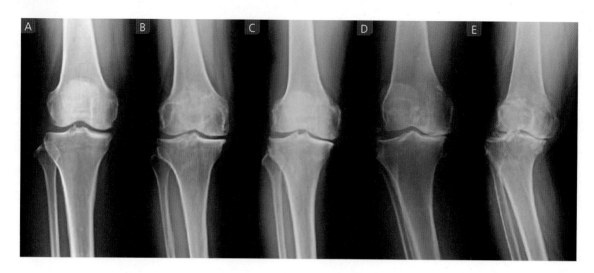

그림 58-3. **무릎 골관절염의 정량적 평가** Kellgren-Lawrence (KL) grading; **(A)** Grade 0, **(B)** Grade 1, **(C)** Grade 2, **(D)** Grade 3, **(E)** Grade 4 (출처: 경상의대 이상일 교수)

- 0: 정상
- 1: 골극의 가능성(possible osteophytic lipping)
- 2: 분명한 골극과 관절강협착 가능성(definite osteophytes, possible narrowing of joint space)
- 3: 중등도의 다수의 골극, 분명한 관절강협착, 연골하골경화 그리고 골 변연의 변형 가능성(moderate multiple osteophytes, definite narrowing of joints space, some sclerosis and possible deformity of bone contour)
- 4: 큰 골극, 현저한 관절강협착, 심한 연골하골경화, 분명한 골 변연의 변형(large osteophytes, marked narrowing of joint space, severe sclerosis and definite deformity of bone contour)

일반적으로 2단계 이상이면 진단할 수 있지만 이 평가 방법은 골극보다 관절강 협착이 현저한 경우에 중증도가 실제보다 낮게 평가되는 단점이 있다. 이를 보완하기 위해 최근 Osteoarthritis Research Society International (OARSI) Grading은 골극과 관절강 협착을 나누어 점수화하였다. 엉덩관절과 수부관절의 평가 방법은 전반적으로 무릎의 평가 방법과 유사하나 약간의 차이가 있다.

## (3) 단순X선 촬영 기법

무릎골관절염의 단순X선 촬영에서 관절 평가의 정확성을 높이기 위해 양측 무릎을 함께 찍어 비교를 해야 하고, 방사선빔의 중심이 관절연골면과 평행을 이루면서 관절 압력 부하의 방향과 직각을 이루어야 한다. 경골-대퇴골 관절의 평가는 무릎을 편 기

립상태의 전후방영상(standing anteroposterior view)이 가장 많이 사용되는 방법이지만, 골관절염이 대개 경골-대퇴골 관절의 후방에서 시작되므로 초기 변화를 잘 반영하지 못하는 경우가 흔하다. 이러한 단점을 보완하기 위해 무릎을 굽히고 방사선빔의 위치를 조절하여 경골고원(tibial plateau)과 방사선빔이 평행을 이루게 촬영하는 여러 방법들이 개발되었다. 이 방법들 중에서 가장 많이 이용되는 방법은 semi-flexed metatarsophalangeal view로 양 무릎은 굽히고 발은 15° 외회전시킨 상태에서 양발의 중족

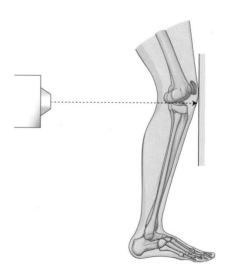

그림 58-4. **단순X선 촬영 기법** Semi-flexed metatarsophalangeal view

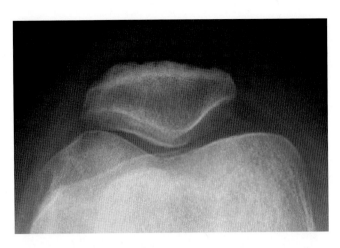

그림 58-5. 슬개골대퇴골관절의 단순X선 사진 Skyline view (출처: 울산의대 김성수 교수)

지관절이 필름 카셋트와 같은 평면에 놓이게 촬영한다(그림 58-4).

슬개골대퇴골관절의 평가는 기립상태에서 슬관절을 30° 굴곡시켜 촬영하는 skyline view가 측방영상보다 정확하여 많이 사용된다(그림 58-5).

엉덩관절관절염의 단순X선 촬영은 기립상태에서 양 발 사이의 각도가 15-20도를 이루도록 내회전시킨 상태에서 시행해야 관절강을 정확히 평가할 수 있다. 손관절염의 단순X선 촬영은 손목을 포함하는 후전방영상(posteroanterior view)으로 원위지관

절, 근위지관절, 손허리손가락관절, 손목손허리관절 등을 모두 평가할 수 있다.

## 2) 초음파

초음파는 안전하고 편리하게 진료 현장에서 시행할 수 있는 비침습적인 검사로서 관절의 실시간 영상과 동적 평가가 가능하고 활막의 비후와 혈류증가, 피질미란(cortical erosion), 인대의 손상과 퇴행 변화, 소량의 관절액, 윤활낭염 또는 반달 연골의 부분적인 손상을 확인할 수 있다(그림 58-6).

또한, 관절연골의 부분적 손상과 전반적인 얇아짐을 확인할 수도 있고, 관절낭 부착 부위에서 일어나는 골극의 조기 골 변화를 알 수도 있어 많은 진료 현장에서 시행되고 있다. 이외에도 도플러를 이용하여 염증관절 병증을 감별하는데 도움이 되고, 치료적 목적으로 관절내 주사를 시행할 때 주사바늘이 쉽고 안전하게 정확한 위치에 도달하도록 도움을 준다. 무릎골관절염에서 초음파검사는 신체검사보다 더 민감하고 자기공명영상과 유사하게 활막염을 검출할 수 있다. 그리고 초음파 유도하에서 시행하는 무릎관절내 주사는 더 정확하고 오금낭종의 천자와 주사도 가능하다.

## 3) 자기공명영상

자기공명영상은 관절을 구성하는 관절연골, 반달연골, 활막,

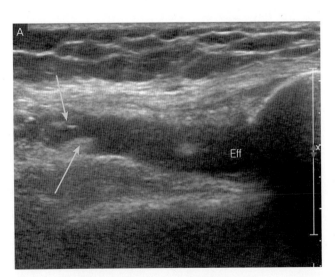
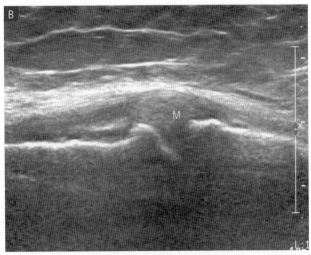

그림 58-6. **무릎관절 초음파 영상 (A)** 활막염(화살)과 관절액(Eff: effusion), **(B)** 안쪽 경골대퇴골관절의 골관절염과 돌출된 안쪽 반달연골(M) (출처: 한양의대 이승훈 교수)

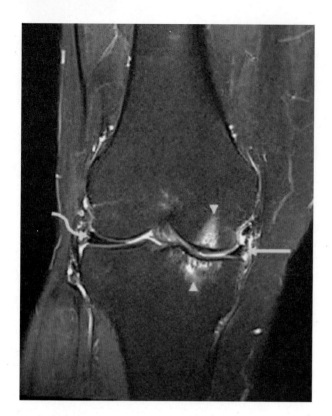

그림 58-7. **무릎관절의 Coronal T2 weighted fat-suppressed MRI 영상** 안쪽 반달의 변성(화살), 가쪽 정상 반달(곡선 화살)과 연골하골수부종(화살머리)

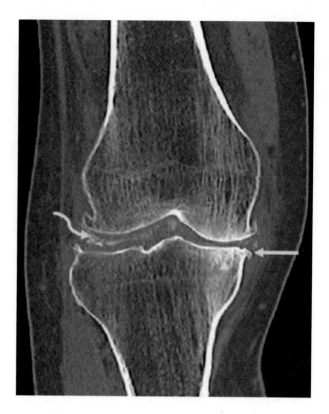

그림 58-8. **무릎관절의 Coronal CT 영상** 가쪽 반달의 연골석회화(곡선 화살), 안쪽 골극(화살), 연골하골경화증(화살머리)

관절액, 골 윤곽, 골수, 인대/힘줄 등의 모든 조직을 동시에 잘 보여주므로 골관절염과 동반된 십자인대 손상, 반달 손상, 무혈성괴사, 스트레스 골절, 염증관절병증 등을 진단하는 데 유용하게 사용된다. 그러나 비용 효율성 문제로 골관절염의 진단에 일반적으로 사용되지는 않는다.

골관절염에서 소견은 연골하골수의 변화, 연골하낭종, 골마모(bone attrition), 골극, 골미란, 활막염과 관절액, 섬유연골과 인대 이상, 관절연골 이상 등이 있다(그림 58-7).

MRI는 단순X선 사진의 이상이 보이기 전에 나타나는 골관절염 초기의 구조적 변화에 대한 연구를 목적으로 많이 사용되지만 연골 두께와 부피 또는 골수 병변의 크기와 부피를 정량적으로 측정할 수 있어 관절 교체와 같은 임상적 결정에도 이용된다. 또한, 무릎 자기공명영상에서 보이는 초기 골수 병변은 통증, 반달연골 병변 및 진행성 연골 손상과 밀접한 관계가 있는 것으로 보고되고 있다.

### 4) 전산화단층촬영

전산화단층촬영은 겉질뼈와 연골석회화를 평가하는 데 좋은 검사이며 돌기사이관절(facet joint) 골관절염을 평가하는 주요한 검사법이다(그림 58-8).

전산화단층촬영 관절조영술은 비싸고 침습적이며 방사선에 노출이 많아 촬영에 제한이 있지만 관절연골 표면의 손상을 평가하는 데 정확한 방법이다.

### 5) 뼈스캔

뼈스캔은 technetium 99m (⁹⁹ᵐTc) hydroxymethane diphosphonate (HDP)를 이용하여 뼈의 대사 활성도의 변화를 촬영하는 영상기법으로 전신 영상을 통해 염증이 있는 관절의 위치를 알려준다. 결절 손 골관절염에서 단순X선 사진의 이상이 관찰되기 전에 연골하골섭취가 나타나며 연골하골의 광범위한 활성도는 심한 골관절염과 상관되고 병의 진행을 예측하게 할 수도 있다(그림 58-9).

그림 58-9. 손 골관절염의 뼈스캔 영상 (출처: 경상의대 이상일 교수)

무릎골관절염에서 방사선 동위원소의 섭취증가와 MRI의 연골하병변은 높은 상관관계를 보이고 병의 진행을 예측하게 할 수 있다. 그러나 민감도에 비해 특이도가 낮고 방사선 노출 때문에 임상적으로 적용하기에는 제한점이 있다.

## 검사실 소견

### 1) 혈액 및 소변검사

혈액 및 소변검사를 포함한 검사실 소견은 골관절염의 진단에는 도움이 되지 않지만 골관절염의 약물치료를 시작하기 전에 내과적 상태를 파악하기 위해 필요하고, 골관절염을 일으킬 수 있는 대사 질환이나 연골석회화 등의 이차골관절염의 원인질환을 밝히는 데 도움을 줄 수 있다(표 58-1).

골관절염에서 낮은 정도의 염증이 있을 수 있으므로 급성반응단백이 증가할 수 있고 특히 활동 골관절염 환자에서 C-반응단백질의 증가를 볼 수 있다.

### 2) 관절액 검사

관절액 소견은 일반적으로 점성도(viscosity)는 정상이고, 색깔은 무색에서 약간 노란색, 백혈구 수는 2,000 cells/mL 이하의 소견을 보인다. 관절액 분석은 편광현미경을 이용해 칼슘피로인산결정침착질환(calcium pyrophosphate dihydrate deposition disease)과 통풍관절염 등을 감별할 수 있고 배양을 통해 패혈관절염을 배제할 수 있다.

### 3) 골관절염의 생물표지자

최근 혈청, 소변 또는 관절액에서 연골의 합성과 분해 대사에서 발생되는 단백인 생물표지자를 측정하여 골관절염의 조기진단, 치료효과, 중증도나 예후 및 진행 정도의 예측을 위한 연구가 많이 이루어지고 있다. 방사선학 골관절염의 발생 및 진행과 연관된 소변 C-telopeptide fragment of type II collagen (u-CTX II)이 대표적인 생물표지자의 예이지만 아직까지는 임상진료보다 주로 골관절염의 연구분야에서 이용되고 있다.

## 수행능력 및 기능 평가

수행능력 평가(performance measure)를 위한 표준화된 검사는 20-50 m의 거리를 가능한 빨리 걸어서 걸리는 시간 측정(de-

표 58-1. 이차성 골관절염을 일으킬 수 있는 대사 질환을 위한 생화학 검사

| 검사 | 질환 |
| --- | --- |
| 혈청 페리틴(ferritin), 간기능 검사 | 혈색소증(hemochromatosis)<br>윌슨병(Wilson's disease) |
| 칼슘, 알칼리인산분해효소(alkaline phosphatase) | 부갑상샘항진증(hyperparathyroidism)<br>저인산증(hypophosphatasia) |
| 혈청 마그네슘 | 저마그네슘혈증(hypomagnesemia) |
| 갑상샘기능검사 | 갑상샘저하증(hypothyroidism) |
| 소변 호모겐티신산(homogentisic acid) | 갈색증(ochronosis) |

표 58-2. 한국어판 Western Ontario and McMaster Universities (WOMAC) OA Index

### 통증 척도: 얼마나 심한 통증이 있었습니까?

1. 평지를 걸을 때
2. 계단을 오르내릴 때
3. 밤에 잠을 잘 때, 즉 수면을 방해하는 통증
4. 앉아 있을 때 혹은 누워 있을 때
5. 똑바로 서 있을 때

### 강직 척도: 뻣뻣한 정도는 얼마나 심합니까?

6. 아침에 막 잠에서 깼을 때 당신이 느끼는 뻣뻣한 정도는 얼마나 심합니까?
7. 오후에 (의자에) 앉거나, 눕거나, 쉬고 난 후에 당신이 느끼는 뻣뻣한 정도는 얼마나 심합니까?

### 운동기능 척도: 당신은 어느 정도의 어려움이 있었습니까?

8. 계단을 내려갈 때
9. 계단을 올라갈 때
10. 앉아 있다가 일어설 때
11. 서 있을 때
12. 바닥에 몸을 구부릴 때
13. 평지를 걸을 때
14. 승용차나 버스를 타거나 내릴 때
15. 시장을 보러 갈 때
16. 양말이나 스타킹을 신을 때
17. 이부자리에서 일어날 때
18. 양말이나 스타킹을 벗을 때
19. 이부자리에 누울 때
20. 욕조에 들어가고 나올 때
21. (의자에) 앉아 있을 때
22. 양변기에 앉거나 일어설 때
23. 힘든 일을 할 때
24. 가벼운 일을 할 때

### 참고문헌

1. 김현아. 골관절염. In: 임상류마티스학 편찬위원회. 임상류마티스학. 한국의학사; 2006;545-62.

2. Felson DT. Clinical practice. Osteoarthritis of the knee. N Engl J Med 2006;354:841-48.

3. Guermazi A, Hayashi D, Eckstein F, Hunter DJ, Duryea J, Roemer FW. Imaging in osteoart hritis. Rheum Dis Clin Nort h Am 2013;39:67-105.

4. Lane NE. Clinical practice. Osteoarthritis of the hip. N Engl J Med 2007;357:1413-1421.

5. Nelson AE. Clinical features of osteoarthritis. In: Firestein GS, Budd RC, Gabriel SE, Mclnnes IB, O'Dell JR, ed. Kelly & Firestein's Textbook of Rheumatology. 11th ed. Philadelphia: Elsevier; 2020;1789-802.

6. O'Reilly S, Doherty M. Signs, symptoms, and laboratory tests. In: Brandt KD, Doherty M, Lohmander LS, ed. Osteoarthritis. 2nd ed. Oxford university press; 2003. pp. 209-10.

7. Rousseau JC, Delmas PD. Biological markers in osteoarthritis. Nature Clinical Practice Rheumatology 2007;3:346-56.

termination of walking speed)과 도움 없이 5회 의자에 앉았다 일어서는데 걸리는 시간 측정(time to stand from a chair five times unassisted)이 있으며 이 결과들은 골관절염에 이환된 관절 수와 중증도를 반영한다.

기능 평가를 위한 설문-기반 검사로는 Health Assessment Questionnaire (HAQ), Western Ontario and McMaster Universities Arthritis Index (WOMAC), Australian/Canadian Hand Osteoarthritis Index (AUSCAN) 등이 골관절염 연구에서 기능적 측면을 측정하기 위해 많이 사용된다(표 58-2).

# 59

# 치료와 예후

충남의대 **김진현**

## KEY POINTS 🔒

● 골관절염 치료의 목적은 통증을 감소시키고 기능을 향상시켜 최종적으로 삶의 질을 높이는 데 있다.

● 치료는 환자의 특성에 따라 달라져야 하며, 비약물적 치료와 약물적 치료를 같이 병행한다.

● 비약물적 치료는 교육, 체중조절, 운동이 핵심이다.

● 글루코코티코이드 관절내 주사치료는 염증이 동반된 골관절염 환자의 증상 완화에 도움이 될 수 있다.

● 수술적 치료는 약물적 치료 및 비약물적 치료에 불충분하게 반응하는 환자에서 추천된다.

## 서론

골관절염에서의 치료목표는 (1) 환자의 주된 증상인 관절의 통증을 완화시키고, (2) 관절의 기능을 유지하고 개선함으로써, (3) 궁극적으로 삶의 질을 높이는 데 있다. 골관절염의 치료는 비약물적 치료와 약물치료, 그리고 수술적 치료로 크게 나눌 수 있다. 골관절염을 치료하기 위해서는 우선적으로 환자가 호소하는 통증이 골관절염에 의한 것인지를 구별하는 것이 필요하다. 예를 들어 관절주위 조직의 장애, 즉 윤활낭염, 부착부병 등으로 인해 관절통증을 일으키는 경우가 많기 때문이다. 한편 골관절염의 치료는 환자의 상태에 따라 적절하게 선택해야 하는데, 증상이 가벼운 환자의 경우 병에 대한 교육과 함께 비약물적 치료로 충분할 수 있으며, 필요한 경우에 진통제를 사용하도록 한다. 증상이 심할 경우에는 경구 약물 및 국소주사제 등 다양한 약물을

사용하게 되며, 심한 관절통증이나 관절의 기능장애가 있을 경우에는 수술 요법이 필요하다. 골관절염 치료에 대해서 유럽류마티스학회(European League Against Rheumatism, EULAR), 미국류마티스학회(American College of Rheumatology, ACR), 국제골관절염연구학회(Osteoarthritis Research Society International, OARSI)에서 제시한 무릎이나 손, 엉덩관절의 골관절염에 대한 권고안이 있다. 무릎과 엉덩관절에 대한 EULAR 권고안은 2003년 약물적 치료와 2013년 비약물적 치료 권고안 이후 발표되지 않았다. 2019년 OARSI 권고안은 환자를 합병증, 다관절 침범, 노쇠 및 전신 통증의 동반 여부 등에 따라 자세히 나누고 있다. 다음 표 59-1, 2, 3, 4에 무릎과 손의 골관절염 치료의 권고안을 다소 수정하여 제시하였다(정확한 내용은 각 문헌을 참고).

## 비약물치료

골관절염 환자에서 관절통증을 경감시키기 위해서 교육 및 체중조절, 운동 등 여러 가지 방법이 있는데 이것이 약물치료보다 더 중요하며, 가장 먼저 그리고 기본적으로 적용되어야 한다.

### 1) 교육

만성적인 관절통증은 환자들을 위축시키고, 의존적인 삶을 살게 하며, 종종 우울감을 초래하여 치료를 열심히 하려는 의지를 저하시킨다. 그러므로 환자에게 관절염에 대해서 교육하는 것이 중요하고, 교육의 초점은 병에 대한 정보를 제공하여 환자

표 59-1. 무릎골관절염 환자의 비약물적 치료

|  | 2019 ACR | 2019 OARSI |
|---|---|---|
| 추천 | 운동, 자기관리, 체중 감량, 태극권, 지팡이, Tibiofemoral knee brace | 운동, 태극권, 요가, 교육, 체중관리 |
| 경우에 따라 추천 | 냉/온치료, 인지행동치료, 요가, 침술, Kinesiotaping, Balance training, Patellofemoral knee brace, Radiofrequency ablation | 수중운동, 보행보조기, 자조관리, 인지행동치료, 마사지, 쐐기깔창 |
| 비추천 | 경피전기신경자극, 마사지, 변형된 신발, 쐐기깔창, Pulsed vibration therapy | 레이저치료, 온천요법, 침술, 전자기장, 도수치료, 신경차단술, Brace, 초음파, 온열치료 |

표 59-2. 무릎골관절염 환자의 약물치료

|  | 2019 ACR | 2019 OARSI |
|---|---|---|
| 추천 | 경구 NSAID, 경피 NSAID, IACS | 경피 NSAID |
| 경우에 따라 추천 | 아세트아미노펜, 둘록세틴, 트라마돌, 경피 캡사이신 | 경구 NSAID/COX-2 억제제, IACS, IAHA, 둘록세틴, ASU, 보스웰리아, curcuminoid |
| 비추천 | 콘드로이친, 글루코사민, Opioid, 콜히친, 어유(fish oil), 비타민D, 비스포스포네이트, Hydroxychloroquine, 메토트렉세이트, Intraarticular Botulinum toxin, IAHA, Prolotherapy, Platelet rich plasma, Stem cell, 종양괴사인자억제제 | 경피 캡사이신, Methylsulfonylmethane, Opioid, 아세트아미노펜, 콘드로이친, 콜라겐, 글루코사민+콘드로이친, Diacerein, 비타민D |

NSAID, nonsteroidal anti-inflammatory drug; IACS, intraarticular corticosteroid; IAHA, intraarticular hyaluronic acid; ASU, avocado-soybean unsafonifiables.

표 59-3. 손 골관절염 환자의 비약물치료

|  | 2018 EULAR | 2019 ACR |
|---|---|---|
| 추천 | 교육, 운동, 보조기(첫째 손목손허리 관절) | 운동, 자기관리 프로그램, 보조기(첫째 손목손허리 관절) |
| 경우에 따라 추천 |  | 인지행동치료, taping (첫째 손목손허리 관절), 보조기(첫째 손목손허리 관절 제외한 다른 관절), 침술, 냉/온치료(파라핀욕 등) |
| 비추천 |  | 이온영동치료(Iontophoresis) |

CMC, carpometacarpal.

표 59-4. 손 골관절염 환자의 약물치료

| | 2018 EULAR | 2019 ACR |
|---|---|---|
| 추천 | 경피 NSAID,<br>경구 NSAID | 경구 NSAID |
| 경우에 따라 추천 | 아세트아미노펜, 트라마돌,<br>콘드로이친, IACS | 경피 NSAID, 경피 캡사이신,<br>IACS, 아세트아미노펜, 둘록세틴,<br>트라마돌, 콘드로이친 |
| 비추천 | DMARD,<br>ASU, Diacerhein,<br>IAHA | Opioid, 콜히친, 어유(fish oil),<br>비타민D, 비스포스포네이트,<br>글루코사민, Hydroxychloroquine,<br>메토트렉세이트, IAHA,<br>종양괴사인자억제제, IL-1 억제제 |

NSAID, nonsteroidal anti-inflammatory drug; IACS, intraarticular corticosteroid; DMARD, disease-modifying anti-rheumatic drug; ASU, avocado-soybean unsafonifiables; IAHA, intraarticular hyaluronic acid.

스스로가 질병을 관리하는 데 중심적인 역할을 하도록 하는 것이다. 엉덩관절이나 무릎관절의 골관절염 환자는 무릎을 꿇거나 쪼그려 앉는 것을 피해야 하며, 오랜 시간 서 있는 것보다 앉아서 일할 수 있는 작업이 더 바람직하다. 휴식은 관절의 통증을 완화시켜주기 때문에, 한 번에 장시간 작업하는 것보다는 짧게 여러 번에 나누어 작업하는 것이 추천된다. 그리고 운동과 체중감소 등의 방법과 약물치료에 대해서도 올바로 이해하게 하는 것이 중요하다. 한 연구에 의하면 전문가가 매달 전화를 통하여 관절통증, 약물 사용, 치료 경과에 대하여 주기적으로 상담하는 것이 관절통증을 경감시키고 관절기능의 향상을 가져왔다고 보고하고 있으며, 또한 심리적인 지지는 약물만큼이나 효과적이라는 연구결과도 있다.

## 2) 관절보호기구 및 보조기

관절보호란 관절에 미치는 비정상적이거나 과도한 하중을 제거함으로써 관절에 부담을 줄이는 것을 말한다. 골관절염은 부적절한 신체역학에 의해 발생되기도 하고 악화될 수도 있기 때문에, 관절보호에 대한 교육을 통해 통증과 관절손상이 진행하는 것을 방지해야 한다. 관절병변이 있는 경우에 정상적인 신경근육계에 비해 충격흡수율이 30% 이상 감소하고 근위축이 있기 때문에 관절에 더 많은 충격을 줄 수 있으므로, 이를 조절하기 위해 지팡이, 목발 등의 기구를 사용하거나 보호장구 사용을 적극 권장하여야 한다. 지팡이는 엉덩관절이나 무릎관절에 골관절염이 있는 환자의 경우에 관절염이 심한 쪽의 반대편 손으로 짚도

록 교육해야 한다. 한편 관절면을 교정하여 올바른 기능을 하게끔 도와주는 보조기구를 이용하면 일상생활을 하면서 관절을 보호하는 데 많은 도움이 된다. 보조기는 불안정한 관절을 안정화시키는 데 도움을 줄 수 있어서 무릎골관절염의 경우 정강넙다리관절 무릎 보조기(tibiofemoral knee brace) 등이 추천된다.

## 3) 체중 조절

비만은 무릎의 골관절염의 발생과 밀접하게 관련되어 있으며, 관절의 과부하를 초래하는 것 이외에, 최근 지방조직에서 분비되는 leptin이나 adiponectin 등의 adipokine 등이 병태생리에 관련되어 있다고 알려져 있으므로 적절한 체중을 유지하는 것이 매우 중요하다. 또한, 심혈관질환이나 대사증후군 등이 동반된 경우가 많으므로 체중조절은 전반적인 건강을 유지하기 위해 필요하다. 과체중 환자에서 체중이 약 10% 감소될 경우 골관절염 통증이 감소하고 기능이 향상되는 것이 잘 알려져 있으며, 효과는 NSAID와 비슷한 정도라고 생각된다. 반대로 체중이 증가할 경우는 통증이 증가하고 관절의 기능이 저하된다. 구체적 방법으로는 식이요법과 적절한 운동을 병행하는 것이 추천된다.

## 4) 운동

관절통증은 활동에 의해서 악화되고, 휴식을 하면 호전되는 것이 일반적이다. 그러나 과도한 휴식은 근육을 약화시키고 관절의 뻣뻣함을 초래할 수 있다. 무릎관절과 엉덩관절에 골관절염이 있는 환자들의 경우에 통증으로 인해 활동을 덜하게 되고,

운동량의 감소 때문에 근골격계 기능이 떨어져 있고, 더불어 고혈압 등의 심혈관질환의 위험성이 증가되어 있다. 따라서 적절한 운동은 골관절염 환자에게 꼭 필요하다.

운동은 계획되고 체계화되어 있는 반복적이고 의식적인 신체적 활동으로 정의되며, 체중조절에 효과가 있고, 관절의 유연성을 증가시키고 관절 주위의 근육을 강화시키며 통증감소 효과가 있다. 골관절염 환자는 유산소운동, 근력강화운동 및 유연성 운동을 통해 도움을 받을 수 있다. 유산소운동은 근력강화, 운동 내구력 증대, 체중감소 등의 이점과 함께 심폐기능을 강화시키기 때문에 전반적인 삶의 질이 좋아진다. 운동 횟수는 일주일에 3-5회 정도, 최대 심박수 70-85%에 이르는 강도의 운동이 추천된다. 무릎골관절염 환자는 험한 산이나 계단을 오르내리는 운동은 피하는 것이 좋고, 수영 또는 물속에서 걷기, 실내자전거, 걷기 등은 관절에 큰 부담을 주지 않으면서 근력을 키울 수 있는 좋은 운동이다. 이와 더불어 대퇴사두근의 근육강화운동은 무릎골관절염 환자의 통증을 감소시키고 관절기능을 개선할 수 있으며, 또한 유연성 유지를 위한 스트레칭은 관절운동범위를 유지하고 향상시키므로 병행하는 것이 좋다. 최근 태극권이나 요가와 같은 심신운동이 통증과 신체적 기능을 향상시키는 데 효과가 있다는 보고가 있어 보조적인 치료로 추천된다.

## 5) 침술

침술은 통증을 감소시키고 신체기능을 향상시키는 효과가 있다고 연구되고 있으나 경락과 무관한 침술도 효과가 있는 등 결과가 일정하지 않고, 효과 크기(effect size)가 작다. 그러나 비교적 안전하므로 보조적으로 사용할 수 있다.

# 약물치료

골관절염에서의 약물치료의 일차목표는 관절의 통증감소이다. 약물치료는 앞에서 언급한 비약물치료와 병행할 때 그 효과가 극대화될 수 있다는 점을 반드시 고려해야 한다. 약물은 환자의 상태를 고려하여 적절한 것을 선택해야 한다. 현재로서는 골관절염의 구조적, 생화학적 이상을 교정하는 효과가 입증된 약물은 없다.

## 1) 국소치료제

경구치료제의 부작용을 최소화하고 국소부위에 효과를 발휘하게 하기 위하여 패치제나 피부에 바르는 국소치료제가 개발되어 사용되고 있다. 특별히 고령의 골관절염 환자들은 심장병, 당뇨병 등의 동반질환으로 인해 이미 사용하는 약제와 상호작용을 많이 일으킬 수 있기 때문에 이를 피하기 위하여 국소치료제가 유용할 수 있다. 캡사이신(capsaicin) 겔/크림과 NSAID 패치제가 사용 가능하다.

캡사이신은 고추에서 추출한 약제로 구심성 C형 신경의 TRPV1 이온통로를 활성화하여 substance P를 생산함으로써 말초신경통증을 둔화시키는 작용을 가진다. 손, 무릎관절에 국소적으로 바르면 관절통증이 유의하게 감소됨이 보고되었다. 한편 캡사이신이 피부에 작열감을 일으키고 종종 피부 발적이 생길 수 있으므로 환자에게 미리 교육하는 것이 중요하다. NSAID 패치제도 널리 사용되고 있는데 효과는 경구 NSAID와 비슷한 정도로 좋으나, 경구제에 비해 안전하므로 추천된다. 피부에서 가까운 손이나 무릎의 골관절염에서는 우선적으로 사용하는 것이 권장된다.

## 2) 아세트아미노펜

경도에서 중등도의 통증이 있는 골관절염 환자에서 추천되는 약제는 아세트아미노펜이다. 아세트아미노펜은 무릎골관절염 환자의 치료에 있어 효과가 크지는 않지만 위약보다 우수하다.

그러나 cyclooxygenase (COX)를 억제하는 효과가 있으므로 과량을 복용할 경우 NSAID와 같은 정도로 위장관, 신장 및 간손상의 부작용이 발생하므로 하루 3,000 mg 이하로 사용하며, 과도한 알코올 섭취는 금하여야 한다.

## 3) 비스테로이드소염제

골관절염 환자에서 국소치료제나 아세트아미노펜에 효과가 없을 경우에는 NSAID를 사용할 수 있다. NSAID는 아세트아미노펜보다 효과가 좋고, 실제 골관절염 환자에서 가장 빈번하게 처방되는 약제이다. NSAID에는 수많은 종류가 있는데 효과 면에서는 대체로 동등하다고 알려져 있지만 환자 개인마다 반응 및 부작용이 매우 다양하게 나타나므로 여러 가지를 고려해야 한다. NSAID의 독성은 위장관계 부작용을 비롯하여, 심혈관계 위험, 간독성, 신독성 및 과민반응 등 종류도 다양하며 심각한 경우도 많다. 이 중 위장관계 부작용이 가장 흔하고 심각하여 소화궤양이나 출혈, 천공 등이 발생하는 경우가 적지 않다. NSAID 용량에 비례하여 그 위험도가 증가하기 때문에 가능하면 효과가 있는 적은 용량을 유지하는 것이 좋다. NSAID 사용 시에 위장관계 부작용을 예방하기 위해서는 프로스타글랜딘 E2 제제인 misoprostol이나 proton pump 억제제가 효과가 있는 것으로 알려져 있다. 그러나 이런 약들은 상부위장관 부작용에는 효과가 입증되어 있으나 소장 및 대장의 궤양이나 출혈을 예방하는 효과는 입증되어 있지 않다.

염증으로 유도되는 COX-2만을 선택적으로 억제하는 COX-2 선택억제제는 COX-1과 COX-2를 모두 억제하는 전통적 NSAID에 비해 효과는 비슷하지만 위장관 부작용의 발생은 현저히 감소하는 것으로 알려져 있다. 그러나 심혈관질환의 위험성이 약간 증가될 수 있으므로 주의가 필요하다. 우리나라에서는 celecoxib, etoricoxib, polmacoxib 등이 사용되고 있다. 실제로 임상에서는 골관절염을 가지는 환자에서 저용량 아스피린을 같이 쓰는 경우가 많은데, 이럴 경우 전통적 NSAID의 위장관 합병증은 증가되며, celecoxib의 상대적 위장관계 합병증의 감소효과가 상쇄되는 것으로 보고되었다. 따라서 위장관 부작용의 위험성이 높은 경우 COX-2억제제와 proton pump 억제제를 같이 사용하는 것을 추천한다.

## 4) 둘록세틴

둘록세틴은 serotonin 및 norepinephrine의 재흡수를 선택적으로 억제하여 내인성 통증 억제 기전을 조절하여 진통효과를 나타내며, 무작위임상시험에서 골관절염에 대한 진통효과가 입증되어있다. 단독으로 사용할 수도 있고, 장기간 NSAID 사용에도 불구하고 통증이 있는 환자에서도 효과가 있으므로 이러한 환자에서 추가해서 사용해볼 수 있다. 구역이나 두통, 어지러움 등 부작용으로 인해 저용량에서 시작하여 천천히 증량하는 것이 필요하다.

## 5) 트라마돌

트라마돌은 μ-수용체에 대한 작용과 norepinephrine/serotonine 재흡수 억제의 작용기전을 가지는 진통제로, 장기간 사용해도 의존이나 내성이 적기 때문에 아세트아미노펜이나 NSAID로 효과가 없거나 부작용으로 사용할 수 없을 때 유용하다. 그러나 일부 환자에서는 트라마돌에 의해 어지럼증, 구역 등이 심하게 나타날 수 있고, 진정제나 우울제 등과 같이 사용할 경우 과도한 진정이나 호흡저하 등의 부작용이 발생하므로 주의해야 한다. 아세트아미노펜과 트라마돌을 복합한 제제가 사용되고 있다.

## 6) 아편유사제

심한 관절통증이나 급하게 통증이 악화된 경우에, 아세트아미노펜이나 NSAID로 효과가 부족하거나 부작용으로 사용할 수 없을 때는 codeine 또는 다른 마약 진통제를 고려할 수 있다. Opioid를 사용하는 경우 부작용을 반드시 고려해야 하는데, 일반적인 부작용으로는 구역, 구토, 소변 저류, 변비, 기면, 혼동, 호흡억제 등이 있다. 특히 노인 환자에서는 중추신경계의 영향 때문에 낙상, 골절 등의 문제를 야기할 수 있으므로 주의하여야 한다. 한편 이런 약들은 중독이나 의존의 가능성 때문에 가급적 짧은 기간 동안만 사용하는 것이 좋다.

## 7) Diacerein

Diacerein과 활성대사물인 rhein은 anthraquinone으로서 실험실 연구에서 관절 활막 내 IL-1β의 합성을 억제하고, 연골세포에서 IL-1 수용체의 발현을 감소시키는 것으로 알려져 있다. 무릎 골관절염 환자를 대상으로 한 전향적 임상연구에서 위약에 비해 통증과 관절기능의 호전을 보였으며, 한편 3년간의 추적 결과 위약군에 비해 관절강 협착이 억제된 것으로 보고되었지만 그 정도가 미미하고 추적 탈락률이 높아서 해석에 주의해야 한다. 증상개선효과는 천천히 나타나며 가장 흔한 부작용은 설사이다.

## 8) 글루코사민

새우나 게의 골격에 있는 chitin을 처리하여 생산한다. 유럽의 연구에서 glucosamine sulfate를 각각 위약과 NSAID와 비교한 결과 증상 개선효과는 느리지만 통증 감소에는 위약보다 우월하였고, 관절연골의 손상을 지연시킨다는 보고가 있어서 미국에서 2006년 대규모의 GAIT 임상시험을 실시하였으나 효과가 위약과 비슷한 것으로 나타났다. 이후의 연구에서는 유럽에서 사용하는 glucosamine sulfate는 효과가 있는 반면 미국이나 영국에서 건강식품으로 사용하는 glucosamine hydrochloride는 효과가 없을 가능성을 제시하였다. 그러나 후속 임상시험에서는 glucosamine hydrochloride도 celecoxib와 비슷한 진통 효과가 있다고 발표하여 논란이 있으며, glucosamine의 연골보호작용에 대한 효과는 입증되지 않았다.

### 9) 콘드로이친

Chondroitin은 콜라겐의 바탕이 되는 고분자 물질로 앞에서 언급한 글루코사민과 같이 사용되는 경우가 많다. 손의 골관절염 임상시험에서 증상조절에 효과가 있음이 밝혀졌고, 메타분석에서 작기는 하지만 관절연골이 파괴되는 것을 지연하는 효과가 있다는 것을 시사하였다. 현재 임상에서는 아직 사용되지 않지만 chondroitin polysulfate가 연골손상을 지연하는 효과가 있다는 연구 결과도 있다.

### 10) Avocado/Soybean Unsafonifiables

아보카도기름과 대두(soybean) 기름의 1:2 혼합물에서 비사포닌 잔유물로 생산되는 ASU는 실험실연구에서 IL-1β, IL-6, IL-8, matrix metalloproteinase의 생성을 억제하고 콜라겐의 생성을 자극하는 효과가 있는 것으로 알려져 있다. 골관절염 환자를 대상으로 한 임상연구에서도 무릎과 엉덩관절 골관절염의 통증 개선에 효과가 있다고 보고되었다.

### 11) 기타 천연물 약제

우리나라에서 개발된 천연물에서 유래한 약제로 조인스, 신바로, 레일라 등이 골관절염에서 진통효과를 얻기 위해서 임상에서 사용되고 있다.

## 관절내 주사

### 1) 글루코코티코이드 주사

골관절염에서 경구 글루코코티코이드는 사용하지 않으나 국소 글루코코티코이드 주사는 염증을 억제하고 관절통증을 감소시키기 때문에 소수 관절에 국한된 골관절염, 특히 무릎골관절염 환자에서 사용된다. 주사의 효과는 바로 나타나며 1주일 내에 최대치에 이르며, 4주 정도 지속되는 것으로 알려져 있다. 하지만 종종 임상에서는 3개월까지 지속되는 것을 보기도 한다. 무릎에 삼출액이 있을 경우 염증이 있으므로 효과가 좋다는 주장도 있으나 2014년 발표된 임상시험 결과에서 삼출액이 있는 무릎골관절염에서 2년 동안 3개월 간격으로 8회 주사하였을 때 관절연골의 손상이 위약군보다 증가하였음이 알려졌으나 관절연골의 손상정도가 미미하여 임상적인 의미가 확실하지 않다. 현재 미국류마티스학회 및 국제골관절염학회 가이드라인에서 경우에 따라 사용할 것을 추천하고 있으며, 관절강 내 글루코코티코이드 주사는 무릎과 손의 골관절염 환자에서 일시적으로 통증을 완화시키며, 통증이 심하거나 다른 치료에 효과가 없는 경우에 추가적으로 사용해볼 수 있다.

### 2) 히알루론산

관절활액은 점성이 높아서 관절표면의 마찰을 최소화하여 정상적인 관절운동에 중요한 기능을 한다. HA는 연골세포와 활막세포에서 분비되는데 관절연골과 세포외기질의 형태를 유지하는 데 필수적인 proteoglycan 응집체(aggrecan)의 중심축이 되는 물질이다. HA 주사치료의 효과에 대해서는 서로 상반되는 보고들이 있고 제형이나 주사방법이 동일하지 않아 해석하기 어려운 점이 있다. 일주일 간격으로 여러 차례 HA를 주사했을 때, 관절의 통증의 개선을 보였고, 효과가 수개월간 지속된다는 긍정적 결과가 있는 반면에, 위약과 별 차이가 없었다는 보고도 있다.

## 수술 치료

골관절염에서 수술 치료는 일반적으로 심한 관절염으로 인해 일상 활동에 많은 지장이 있거나 다른 치료방법으로 효과가 없을 때 사용되는데, 관절염으로 인해 근육 소실이나 관절변형 등이 발생하기 전에 시행하도록 추천하는 것이 필요하다. 수술 치료는 그 방법에 따라 여러 가지로 나눌 수 있다. 관절경을 이용한 세척(lavage)이나 관절죽은조직제거(joint debridement) 등의 수술은 관절경 수술을 한 환자군과 거짓(sham)수술을 시행한 군을 비교한 연구에서는 수술 후 증상의 호전은 양군에서 비슷하여 효과가 없음이 입증되었다.

관절 전치환술은 손상된 관절을 인공관절로 대치하는 수술로서, 다른 치료에 반응하지 않는 통증이 있거나 기능적 장애가 있는 무릎이나 엉덩관절의 골관절염 환자에서 통증을 줄이고 기능을 향상시키는 데 매우 효과적이고, 널리 시행되고 있다.

손의 골관절염에 대해서는 2018년 EULAR 권고안에서 손의 구조적인 문제가 있고, 다른 치료법이 효과가 없는 상황에서 첫째 손목손허리 관절(1st carpometacarpal joint)에는 trapeziectomy, 다른 손가락관절에는 관절유합술(arthrodesis), 관절성형술(arthroplasty)을 고려할 것을 권고하였다.

관절연골은 혈관이 없어서 연골재생능력이 극히 제한적이다. 손상을 입은 후 연골의 재생은 손상의 정도와 나이에 따라 다르지만 일반적으로 손상부위가 넓을수록 재생이 힘들고, 손상이 연골표면에만 국한될 경우에는 거의 재생이 일어나지 않는 것으로 알려져 있다. 한편 재생된 연골은 주로 섬유연골로 물리화학 성상에서 정상적인 유리연골과 동일하지 않으며 퇴행 변화에 더욱 민감하다. 연골을 회복, 재생시키기 위해서 미세절골술, 이식술, 줄기세포를 이용하는 방법이 연구 중이다.

## 예후

골관절염의 초기단계라고 생각되는 연골결손(cartilage defect)은 골관절염이 있는 환자에서 3년간 관찰하였을 때 관절부위에 따라 8-14.1%에서 진행하였다. 다른 연구에서는 연구 시작 시점의 진행 정도(Kellgren-Lawrence grade), 여성, 고령, 체질량지수가 높은 경우 등이 연골결손 진행의 위험 인자로 나타났다. 골관절염의 방사선학적 진행은 Framingham 연구에서는 무릎골관절염의 경우 일반인구집단을 8.1년 추적관찰하였을 때 매년 2%에서 방사선학적 골관절염이 생겼으며, 1%에서 증상이 있는 골관절염이 발생하였고, 기존 골관절염 환자에서는 매년 약 4%에서 방사선학적으로 진행하였다. 손의 골관절염은 여러 관절에서 평가하므로 좀 더 많은 분율에서 발생하고 진행하는데, 9년간에 걸친 추적관찰 결과 단순 방사선 사진에서 발생률은 여성 34.6%, 남성 33.7%에서 발생하였으며, 기존에 관절염이 있는 경우 여성 96.4%, 남성 91.4%에서 진행을 보였다. 기타 연구들

도 종합해서 보면 골관절염은 대다수의 환자에서 서서히 진행하는 것으로 생각된다.

수술이 필요한 경우는 인구집단의 특성에 따라서 다양하겠지만 최근 지속적으로 관절치환술이 증가하고 있다. 또한 골관절염 환자에서 최종적으로 수술을 받게 되는 환자의 비율은 질환의 정도, 동반질환, 활동도에 따라 다르고, 사회경제 상태 등에 따라 개인이 선택하게 되므로 일률적으로 언급하기는 어렵다. 참고로 몇몇 코호트 연구를 살펴보면 캐나다에서 이루어진 무릎골관절염 환자의 코호트 연구에서는 5.5년간 추적관찰하였을 때, 21.7%가 수술적 치료를 위해 정형외과에 의뢰되었고, 6.3%에서 수술을 받았으며, 스웨덴의 코호트 연구에서는 무릎골관절염 환자는 4.3년 추적관찰하였을 때 18%에서, 엉덩관절 골관절염 환자의 경우 3년간 추적관찰하였을 때 42%에서 수술을 받은 것으로 나타났다. 또한, 한 번 관절치환술을 받은 환자에서 반대쪽 관절의 수술을 받는 비율은 17.8년 추적관찰하였을 때 한쪽 무릎골관절염으로 수술을 받은 환자 중 46.0%에서 반대쪽 무릎에 수술을 받았고, 엉덩관절 관절치환술을 받은 환자의 30.5%에서 반대쪽 엉덩관절에 관절치환술을 받았다.

엉덩관절 골관절염 및 무릎골관절염이 있는 환자에서는 몇몇 연구에서 사망률이 2배 정도 증가하고, 심각한 심혈관질환의 발생이 증가되는 것이 밝혀졌으며, 이는 다른 원인을 보정하였을 때 보행장애의 정도와 심각도와 관련이 있었다. 골관절염에서 보행장애는 여러 가지 건강문제를 야기하여 최종적으로는 사망에까지 영향을 미치게 된다.

## 결론

골관절염은 과거에 노화, 혹은 부적절하고 과도한 부하의 결과로 생기는 퇴행질환이라고 생각하였으나 지금은 관절의 생동력학, 생화학 변화에 따른 관절부전이라고 생각된다. 임상에서 의사는 골관절염은 만성질환임을 환자에게 이해시키는 것이 중요하다. 골관절염의 치료는 환자의 상태에 따라 적절하게 적용되어야 하는데, 운동과 체중조절 등의 비약물적 치료가 우선되며 약물치료를 함께 병행하면서 통합적으로 접근하는 것이 좋다. 이러한 방법으로도 호전되지 않을 경우에는 적절한 시기에

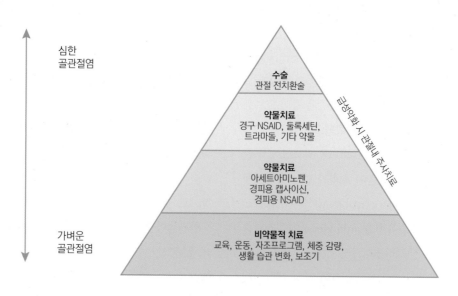

그림 59-1. 유증상 무릎골관절염 환자의 관리

수술적 치료를 추천하여야 한다(그림 59-1).

현재로서는 골관절염의 진행을 방지하거나 지연시킬 수 있는 약제나 방법이 없으므로 연구, 개발이 꼭 필요하다.

## 참고문헌

1. Arden N, Hochberg M. Chapter 188, Management of osteoarthritis. In: Silman A, Smolen J, Weinblatt M, Weisman M, Hochberg M, Gravallese E, eds. Rheumatology. 7th ed. Elsevier; 2018. pp. 1582-90.

2. Bannuru R, Osani M, Vaysbrot E, Arden N, Bennell K, Bierma-Zeinstra S, et al. OARSI guidelines for the non-surgical management of knee, hip, and polyarticular osteoarthritis. Osteoarthritis Cartilage 2019;27:1578-89.

3. Kloppenburg M, Kroon F, Blanco F, Doherty M, Dziedzic K, Greibrokk E, et al. 2018 Update of the EULAR Recommendations for the management of hand osteoarthritis. Ann Rheum dis 2019;78:16-24.

4. Kolanski S, Neogi T, Hochberg M, Oatis C, Guyatt G, Block J, et al. 2019 American College of Rheumatology/Arthritis Foundation guideline for the management of osteoarthritis of the hand, hip, and knee. Arthritis Rheumatol 2020;220-33.

5. Misra D, Kumar D, Neogi T. Chapter 106, Treatment of osteoarthritis. In: Firestein G, Budd R, Gabriel E, McInnes B, O'Dell J, Koretzky G, eds. Firestein & Kelley's Textbook of Rheumatology. 11th ed. Elsevier; 2020. pp. 1803-18.

# 60

# 증례

대구가톨릭의대 **이화정**

## 증례 1

65세의 여성이 내원 6개월 전부터 악화된 손관절 통증을 주소로 내원하였다. 환자는 20년 전부터 식당을 운영하며 주방 일을 해왔으며 일을 마친 후 특히 통증이 악화된다고 하였다. 아침 기상 시 손을 쥐었다 펼 때 손이 뻣뻣하면서 통증이 있었으나 몇 번 주먹을 쥐었다 펴면 손 뻣뻣함이 호전된다고 하였다. 신체검사에서 양측 근위지관절, 원위지관절에 통증 및 압통이 있었고 골비대 소견이 관찰되었다.

### 1) 질문

(1) 이 환자의 진단명은 무엇인가?
(2) 진단에 필요한 검사는?
(3) 손의 단순X선 사진에서 관찰할 수 있는 소견은 무엇인가?
(4) 이 질환에 이환되는 위험인자는 무엇인가?

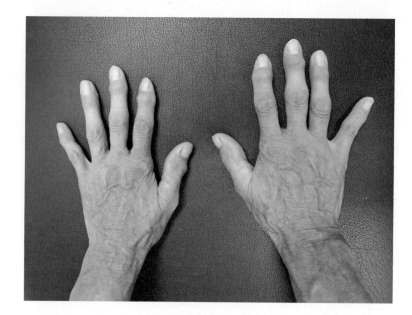

그림 60-1.

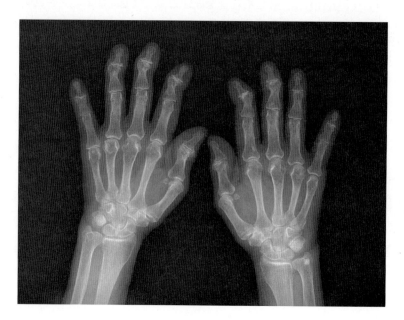

그림 60-2.

## 증례 설명

환자의 사진을 보면 근위지관절의 골비대에 의한 부샤르결절(Bouchard's node)과 원위지관절의 골비대에 의한 헤베르덴결절(Heberden's node)이 관찰된다. 아침강직이 있지만 아침강직의 시간이 짧아 류마티스관절염보다는 골관절염의 가능성이 높다. 이 환자의 증례와 같이 골관절염의 전형적인 소견이 있는 경우 특별한 검사 없이도 병력과 신체검사소견만으로도 골관절염을 진단할 수 있다. 하지만 다른 대사 질환이나 염증성 관절염을 감별하기 위해 검사실 검사와 영상 검사를 시행하기도 한다.

## 2) 정답과 해설

(1) 골관절염

(2) 골관절염은 특별한 검사 없이도 병력과 신체검사소견만으로도 진단할 수 있다.

(3) 근위지관절과 원위지관절에 관절강 협착 소견이 관찰되며 원위지관절에 골극 소견이 관찰된다.

(4) 골관절염의 위험 인자로는 유전 인자와 65세 이상의 고령, 비만, 관절의 과도한 사용 및 관절 외상이 있다.

## 증례 2

70세 여성이 10년 전부터 시작되어 1년 전부터 심해진 양쪽 무릎의 통증으로 내원하였다. 평생 농사를 짓던 분으로 종일 일하고 난 후 무릎의 통증이 심해진다고 하였다. 앉았다가 일어날 때, 계단을 오르내릴 때 무릎 통증이 악화되며 최근 갑자기 무릎에 힘이 빠지거나 무릎관절이 굳는 듯한 느낌도 자주 발생한다고 하였다. 신장은 150 cm, 체중은 60 kg, 체질량지수(BMI)는 26.67이었고, 신체검진에서 무릎관절에 부종이 관찰되었고 관절 마찰음(crepitus)을 양 무릎에서 느낄 수 있었다.

환자의 검사소견은 다음과 같다: 혈색소 12 g/dL, ESR 20 mm/hr, 백혈구 7000/μL, 혈소판 231,000/μL, BUN 15.0 mg/dL, Cr 0.9 mg/dL, AST 18 U/L, ALT 11 U/L, RF 12 IU/mL으로 모두 정상이었다. 무릎의 단순X선 사진과 초음파 사진은 다음과 같았다.

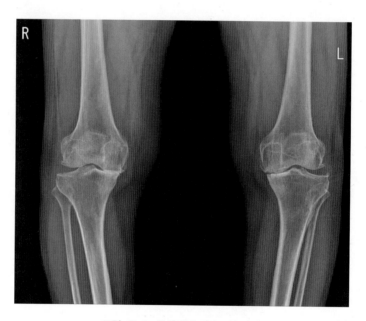

그림 60-3. **무릎관절 단순X선 사진**

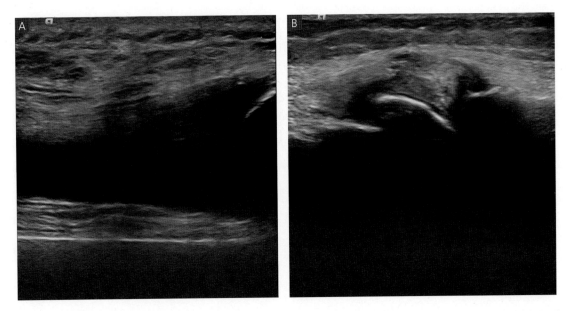

그림 60-4. **무릎관절 초음파 영상 (A)** Suprapatellar longitudinal scan, **(B)** medial tibiofemoral joint longitudinal scan.

## 증례 설명

상기 환자는 만성적인 양쪽 무릎의 통증을 주소로 내원하였고 단순X선 사진에서 국소적으로 관절강이 좁아진 소견과 골극이 관찰되어 골관절염으로 진단할 수 있다. 환자의 무릎 초음파사진(A)에서는 활막염과 관절액을 관찰할 수 있으며 초음파사진(B)에서는 골극과 돌출된 반달연골을 관찰할 수 있다.

## 1) 질문

(1) 어떤 약물치료를 고려할 수 있는가?
(2) 비약물치료를 위해 어떤 교육이 필요한가?
(3) 수술적 치료는 언제 필요한가?

## 2) 정답과 해설

(1) 골관절염에서 약물치료의 목표는 관절의 통증 감소이다. 환자의 통증이 경한 경우 경구치료제의 부작용을 최소화할 수 있는 국소치료제를 사용해 볼 수 있으며 Capsaicin 겔/크림과 NSAID 패치제가 있다. 아세트아미노펜(acetaminophen)은 가장 우선적으로 사용해 볼 수 있는 경구 진통제이며 효과가 없는 경우 비스테로이드소염제(nonsteroidal anti-inflammatory drug, NSAID)를 사용할 수 있다. 고령 환자의 경우 위장관 부작용이 적은 COX-2 선택억제제제를 고려할 수 있다. 아세트아미노펜이나 NSAID로 효과가 없거나 부작용으로 사용할 수 없을 때 트라마돌(tramadol)을 사용할 수 있다. 만성통증을 조절하기 위해 serotonin 및 norepi-

nephrine 재흡수 억제제인 둘록세틴(duloxetine)을 추가할 수 있다. 증례의 환자처럼 갑자기 통증이 악화되었거나 다량의 활액 소견이 보이는 경우 통증조절을 위해 관절천자와 관절내 글루코코티코이드 주사를 할 수 있다.

(2) 골관절염은 완치가 없는 만성질환이므로 골관절염 및 관절통증이 악화되지 않도록 환자를 교육하는 것이 매우 중요하다. 관절의 부하를 줄이기 위하여 체중 감량이 필요하며, 무릎을 꿇거나 쪼그려 앉는 것, 장시간 서 있는 자세를 하지 않도록 한다. 관절의 하중을 줄이기 위해 지팡이나 목발 등의 기구도 권장이 된다. 운동은 관절의 유연성을 증가시키고 관절 주위의 근육을 강화시키므로 도움이 된다. 무릎골관절염 환자는 등산이나 계단 오르내리는 운동과 달리기는 피하는 것이 좋고 수영 또는 물속에서 걷기, 실내자전거, 걷기가 좋다. 대퇴사두근의 근육강화운동은 환자의 통증 감소와 관절 기능 개선에 도움이 되며 스트레칭은 관절운동범위를 유지 및 향상시키는데 도움을 준다.

(3) 진행된 무릎골관절염 환자 중 심한 관절염으로 인해 보행이 힘들거나 기능적 장애가 발생한 경우와 약물치료에도 통증이 지속될 때 수술 치료로 관절 전치환술을 고려해 볼 수 있다.

류 마 티 스 학
Rheumatology

# PART 8

# 결정관절병증

책임편집자  **송정수**(중앙의대)
부편집자   **안중경**(성균관의대)

# 61

# 통풍의 역학, 발병기전과 임상증상

성균관의대 **안중경**

## KEY POINTS 🔒

- 통풍은 중년 남성에서 가장 흔한 염증관절염으로, 전 세계적으로 증가 추세에 있는 질환이다.
- 고요산혈증이 통풍의 원인이며, 체내에 과다하게 축적된 요산이 결정화되고 이들이 관절과 관절 주변 조직에 침착되어 반복적으로 염증을 일으키는 만성 전신대사질환이다.
- 통풍관절염은 요산나트륨결정에 의해 염증세포가 침윤되고, 염증조절복합체, IL-1 등 여러 가지 세포내 염증 신호의 활성화와 사이토카인에 의해 유발되는 급성관절염이다.
- 통풍관절염은 무증상 고요산혈증, 급성통풍관절염, 발작사이 무증상기, 만성결절통풍관절염의 네 가지 임상적 단계로 나눌 수 있다.
- 통풍은 만성신질환, 이상지질혈증, 비만, 당뇨병, 심뇌혈관질환 등과 연관성이 있다.

## 서론

결정유발관절염(crystal-induced arthritis)은 다양한 결정들이 관절이나 관절 주변에 침착하여 증상을 보이는 질환들을 통칭한다. 관절염을 유발하는 대표적인 결정으로는 요산나트륨(monosodium urate)결정, 칼슘피로인산(calcium pyrophosphate dehydrate)결정, 염기인산칼슘(basic calcium phosphate)결정이 있다. 이 외에도 드물지만 칼슘인회석(calcium apatite), 옥살산칼슘(calcium oxalate)결정에 의해서도 관절염이 발생할 수 있다. 결정유발관절염은 대개 급성관절염을 유발하지만 다양한 근골격계 임상양상도 보일 수 있다(**표 61-1**).

**표 61-1. 결정유발관절염의 근골격계 임상양상**

| | |
|---|---|
| 급성단관절염 또는 다발관절염 | 파괴관절병증 |
| 활액낭염 | 만성염증관절염 |
| 힘줄염 | 척추관절염 |
| 부착부염 | 특이한 형태의 골관절염 |
| 결절침착 | 손목굴증후군 |

통풍은 퓨린 대사의 이상으로 요산나트륨이 침착하고 이로 인해 관절염이 발생하는 대사(metabolism) 이상과 염증의 교차점에 있는 전신적인 만성대사질환으로, 중년 남성과 폐경 후 여성에서 흔한 관절염이다. 1961년 McCarty와 Hollander 등에 의해 요산나트륨결정이 처음 발견되었고, 이후 많은 연구를 통해 고요산혈증과 요산염결정이 통풍의 원인으로 밝혀졌다. 침착된 요산나트륨결정에 대한 내재면역반응으로 인해 심한 통증을 동반하는 급성 또는 만성관절염의 특징적 임상양상을 보이게 된다.

## 역학

혈중 요산 농도는 청소년기에 남녀 모두에서 3-4 mg/dL를 유지하다가 남성의 경우 사춘기 이후 그 농도가 점차 증가하게 된다. 반면 폐경 전 여성은 남성에 비해 평균 1-1.5 mg/dL 정도 낮은 농도를 유지하고, 폐경 후에는 남성과 거의 비슷한 정도의 혈중 요산 농도를 보이게 된다. 이런 이유로 통풍은 남성에서는 30-40대, 여성에서는 폐경 후 50-60대에 많이 발병하게 된다.

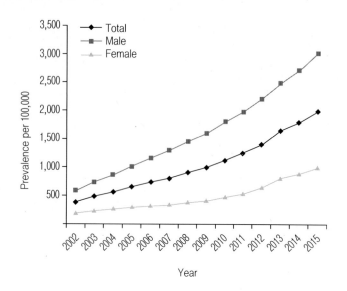

그림 61-1. 2002년-2015년까지의 한국인 통풍 환자의 유병률

풍 발생률은 지속적으로 증가 추세를 보이는 반면, 고소득의 선진국에서는 상대적으로 안정화되는 경향을 보이고 있다.

통풍의 유병률은 영국과 스페인의 경우 3.2%, 캐나다는 3%, 미국은 3.9%, 대만의 경우 6.2%, 뉴질랜드 원주민의 경우 13.9%로 다양하게 보고되고 있다. 또한, 성비는 2:1에서 4:1로 남성에게 많이 발생한다. 우리나라의 경우 2002년부터 2015년까지의 국민건강보험공단 자료를 이용한 연구에서 2002년에는 0.39%, 2015년에는 2.01%로, 외국과 마찬가지로 점진적으로 증가하는 추세를 보였고, 남녀 비는 3-3.8:1로 외국의 보고와 비슷하였다(그림 61-1). 이러한 전 세계적인 통풍 유병률의 증가는 기대 여명의 증가와 고혈압, 대사증후군, 비만 등 대사질환의 증가, 청량음료와 같은 액상과당(high fructose corn syrup) 섭취 증가와 같은 식습관의 변화, 말기신부전이나 이식 환자의 증가 등으로 설명하고 있다.

서구에서 고요산혈증은 매우 흔한데, 유병률은 15-20% 정도이다. 우리나라의 3차의료기관 건강검진자를 대상으로 한 연구에서 남성과 여성의 유병률은 각각 14.3%, 2.2%로 서구와 비슷하거나 약간 낮게 나타났다.

통풍의 발생률은 인종 및 지역차가 있으며 1,000인년당 0.6명에서 2.9명으로 보고되고 있다. 우리나라의 국민건강보험공단 자료를 이용한 연구에서 통풍 발생률은 2009년에는 1,000인년당 1.52명, 2015년은 1.94명으로 보고하였다. 개발도상국의 통

## 통풍의 발병기전

고요산혈증과 통풍은 4단계 과정-고요산혈증의 발생, 요산 나트륨결정의 침착, 이로 인한 급성염증반응, 그리고 통풍결절(tophi)에 의한 만성적 증상으로 나타나게 된다. 일부 환자에서는 이전의 급성통풍발작 없이도 만성통풍 증상을 보이기도 한다.

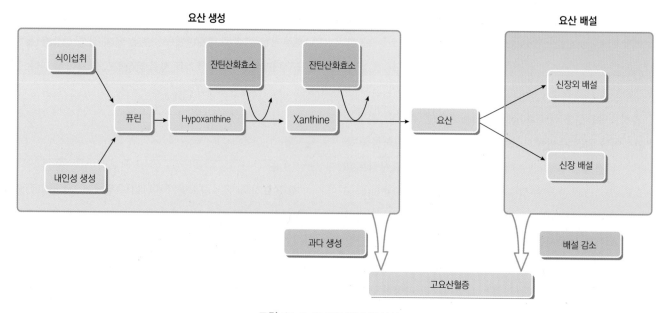

그림 61-2. 요산의 체내 항상성

## 1) 고요산혈증의 발생

고요산혈증은 통풍 발생의 필수적인 단계이며, 혈중 요산 농도와 통풍 발생의 위험도는 농도 의존적인 관련성을 보인다. 요산은 퓨린뉴클레오타이드 대사의 최종 산물이다. 퓨린 대사 과정에서 hypoxanthine, xanthine이 합성되는데, 이들은 잔틴산화효소(xanthine oxidase)에 의해 최종적으로 불용성인 요산이 생성된다. 이들은 혈장, 체액, 관절액 내에서는 요산의 이온화 상태인 요산염의 형태로 존재한다. 세포외액에는 나트륨(sodium)이 과량 존재하기 때문에 요산염 음이온과 결합하여 요산나트륨 형태를 띠게 된다. 대부분의 포유류에서 퓨린은 요산산화효소(uric acid oxidase) 또는 요산분해효소(uricase)에 의해 수용성인 알란토인(allantoin)으로 분해되어 쉽게 배설되므로 혈중 요산 농도는 0.5-2.0 mg/dL로 낮게 유지된다. 그러나 인간을 포함한 대부분의 영장류는 진화 과정 중에 요산분해효소 유전자가 소실되면서 혈중 요산 농도가 증가하게 되었다.

요산은 퓨린뉴클레오타이드가 새로이 합성 또는 분해되거나 음식 섭취를 통해 매일 800-1,200 mg이 체내에 축적되고, 이들 중 2/3는 신장을 통해, 나머지 1/3은 장을 통해 배설된다(그림 61-2).

고요산혈증의 원인은 크게 요산의 과다 생산과 신장에서 요산의 배설 장애로 구분할 수 있다. 통풍 환자의 90%는 신장에서 요산 배설의 저하가 그 원인이다. 나머지 10%가 요산의 과다 생산 또는 배설 장애가 동반된 경우이다.

고요산혈증은 유전적인 요인과 이차성 원인이 있으며, 이차성 원인으로는 내과적 질환, 식습관 또는 약물에 의한 경우 등이 있다(표 61-2).

요산의 과다 생산은 원인에 관계없이 표준 서양 식단을 섭취하는 동안 24시간 소변에서 측정한 요산이 1,000 mg 이상인 것으로 정의한다. 요산 과다 생산의 유전적 요인으로는 hypoxanthine-guanine phosphoribosyltransferase 부분 결핍(Kelley-Seegmiller 증후군) 또는 완전 결핍(Lesch-Nyhan 증후군), phosphoribosyl pyrophosphate synthetase 활성이 증가된 경우이다. 알코올이나 과당(fructose) 섭취와 같은 과다한 퓨린 섭취, 건선, 골수증식질환, 만성용혈상태와 같이 세포 회전율(cell turnover)이 높은 상태에서 퓨린뉴클레오타이드 분해가 촉진되어 요산이 과다 생산된다.

요산의 배출은 신장이나 장에서 조절된다. 요산은 단백질에 결합하지 않기 때문에 사구체에서 100% 여과되고 세뇨관에서 분비와 재흡수 과정을 거쳐서 대부분 흡수된다. 최종적으로 여과된 요산의 8-10%만이 소변으로 배출된다. 요산 배설은 신장의 근위세뇨관의 꼭대기쪽막(apical membrane)과 기저외막(basolateral membrane)에 존재하는 요산염수송체(urate transporter)에 의해 조절된다(그림 61-3). SLC2A9에 의해 코딩되는 GLUT9은 신장의 근위요세관의 꼭대기쪽막과 기저외막에 위치하면서, 포도당수송체로서의 역할뿐만 아니라 요산의 흡수를 촉진하는 요산염수송체의 역할을 한다. 또한 간에서 요산을 흡수하는 역할도 담당한다. SLC22A12에 의해 코딩되는 URAT1은 근위요세관의 꼭대기쪽막에서 요산의 재흡수를 담당하는 가장 중요한 요산염수송체이며, 혈중 요산 농도를 결정하는 가장 중요한 인자

### 표 61-2. 고요산혈증의 이차적 원인

| 요산 배설 장애 | 요산 과다 생산 |
|---|---|
| **임상적 상태** | **임상적 상태** |
| 사구체여과율 감소 | 골수증식질환(백혈병, 진성적혈구증가증, 본태혈소판증가증 등) |
| 탈수/유효혈액량 감소 | 림프구증식질환(림프종 등) |
| 젖산산증(lactic acidosis) | 용혈질환(용혈빈혈, 낫적혈구병) |
| 케토산증(ketoacidosis) | 골수이형성증후군 |
| 고혈압 | 고형종양 |
| 비만 | 종양분해증후군 |
| 인슐린저항성(대사증후군) | 뼈의 패짓병(Paget's disease) |
| 납중독에 의한 신병증 | 비만 |
| 부갑상샘기능항진증 | 건선 |
| 갑상샘기능저하증 | 유육종증 |
| | 대사근병증 |
| | 미토콘드리아근병증 |
| **약물** | **식이와 약물** |
| 고리작용이뇨제 | 알코올음료(특히 맥주) |
| 싸이아자이드(thiazide)계 이뇨제 | 붉은색 고기, 내장육, 조개류 |
| 유기산(organic acids) | 액상과당 |
| 저용량 아스피린 | 세포독성 약물 |
| 피라진아마이드(pyrazinamide) | 니코틴산 |
| 니코틴산(nicotinic acid) | 췌장추출물(pancreatic extract) |
| 알코올 | |
| 사이클로스포린(cyclosporine) | |
| 집락자극인자(colony stimulating factor) | |
| 에탐부톨(ethambutol) | |
| **요산의 배설 장애와 과다 생산** | |
| 심근경색, 울혈심부전, 패혈증 | |

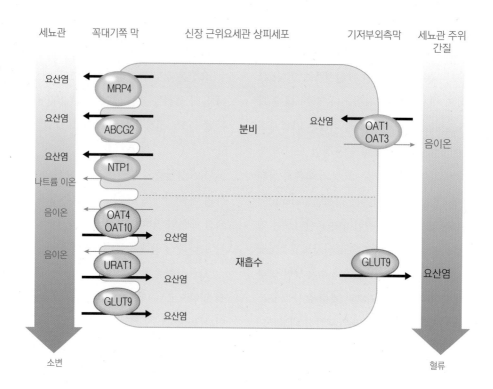

세뇨관　꼭대기쪽 막　신장 근위요세관 상피세포　기저부외측막　세뇨관 주위 간질

요산염

MRP4

요산염

ABCG2

분비

요산염

OAT1
OAT3

음이온

NTP1

나트륨 이온

음이온

OAT4
OAT10

요산염

재흡수

URAT1

GLUT9

요산염

요산염

GLUT9

요산염

요산염

소변　　혈류

그림 61-3. 신장에서 요산염수송체에 의한 요산염의 조절

이다. 이 수송체의 역할을 억제하는 약물이 lesinurad, probenecid, benzbromarone, 그리고 losartan 등이 있다. 요산 배출은 꼭대기쪽막에 위치한 MRP4, NPT1과 ABCG2와 기저외막에 위치한 OAT1 및 OAT3에 의해서 촉진된다. ABCG2는 ATP-binding cassette family에 속하는 다기능 수송체로서, 요산의 분비에 관여하며, 소장이나 간에서도 발현되어 요산의 신장외 배설에도 관여한다. 신장에 비해 장에서의 요산의 조절 기전은 잘 알려져 있지 않다.

신장과 장에서 존재하는 요산염수송체의 유전자 다형성(genetic polymorphisms)과 요산 농도와의 연관성이 알려지면서 그 중요성이 강조되고 있다. 특히 GLUT9을 암호화(encoding)하는 *SLC2A9*, URAT1을 암호화하는 *SLC22A12*, 그리고 *ABCG2*가 통풍 발생과 연관성이 알려져 있다. 그러나 이러한 공통 유전적 변형체에 의해 설명되는 혈중 요산 농도의 변화는 정상인과 통풍 환자 사이에 관찰된 전체 변이의 약 6%에 불과하며, 많은 부분은 비유전적 요인에 의한다.

## 2) 요산나트륨의 결정화

고요산혈증 환자에서 요산나트륨이 조직에 침착하는 것이 통풍으로 진행하는 관문이라 할 수 있다. 고요산혈증 환자의 25% 정도에서 요산나트륨의 결정화가 이루어지게 된다. 혈중 요산 농도가 결정화에 가장 중요한 요소이지만 다른 요인들(체온, 생리학적 pH, 고농도의 나트륨 이온과 활막과 연골의 일부 성분)도 영향을 끼칠 것으로 생각된다.

## 3) 요산나트륨결정에 의한 급성염증반응

이미 침착되었거나 형성된 결정에서 요산나트륨결정이 떨어져 나오면서 활막에서 염증 반응이 일어난다. 특히 통풍은 요산나트륨결정에 의해 단핵구나 대식세포에서 NLRP3 염증조절복합체(inflammasome)가 활성화되면서 개시된다. NLRP3 염증조절복합체는 두 단계를 거쳐 활성화된다. 첫 번째 단계는 톨유사수용체(toll-like receptor, TLR)4와 TLR2에 의해 NF-κB가 활성화되고, IL-1β의 전구체(pro-IL-1β)와 염증조절복합체 구성성분이 만들어진다. 두 번째 단계는 요산나트륨결정이 활성화 신호로 작용하여, 염증조절복합체의 구성성분이 합쳐지고, 이어서 caspase-1이 활성화되면서 IL-1β의 전구체로부터 IL-1β가 생성된다. IL-1β는 내피세포의 수용체에 부착하여 이차적으로 TNF-α와 IL-6와 같은 사이토카인과 케모카인의 합성과 분비를 촉진하

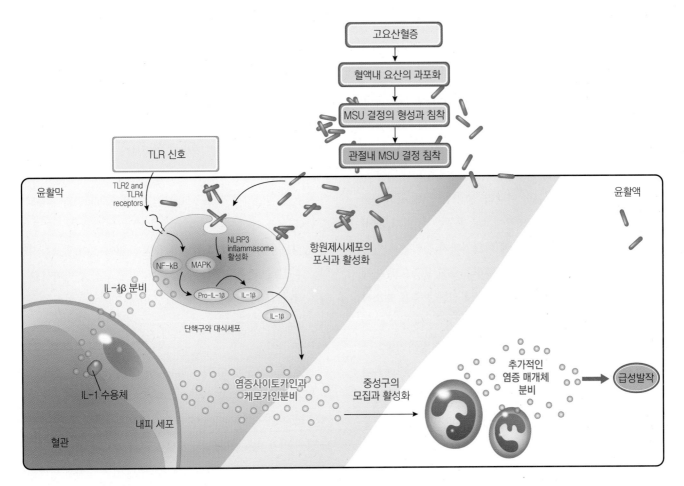

**그림 61-4. 요산나트륨 결정에 의한 급성통풍발작이 일어나는 과정**
MSU, 단나트륨 요산염; NLRP inflammasome, NLRP 염증조절복합체; TLR 톨유사수용체, toll-like receptor.

다. 결과적으로 요산나트륨결정의 침착 부위로 중성구를 포함한 염증 세포들이 모여들면서 염증 반응이 일어난다(그림 61-4).

급성통풍발작은 특별한 치료 없이도 저절로 소실되는데, 이는 다양한 기전으로 설명하고 있다. 중성구는 세포 안의 DNA를 세포외기질로 배출해서 무리 지어진 중성구세포외덫(neutrophil extracellular traps)이 염증 매개체를 포획 및 분해하여 치료 없이도 염증 과정을 신속하게 차단한다. 또 다른 기전 중의 하나는 활액 단백질인 Apo B나 E가 요산나트륨결정을 둘러싸서 염증 반응을 억제하게 된다.

## 임상증상

통풍관절염은 임상적으로 무증상 고요산혈증, 급성통풍관절

염, 발작사이 무증상기, 만성통풍관절염의 4가지 단계로 나눌 수 있다. 또한 통풍으로 인한 신장질환의 위험성이 증가하게 된다.

### 1) 무증상 고요산혈증

생리적 pH, 정상 체온을 고려하였을 때 요산은 6.8 mg/dL이상부터 체내에서 과포화되기 시작한다. 따라서, 무증상 고요산혈증은 임상적으로 증상이 없으면서 혈중 요산 농도가 6.8 mg/dL보다 높은 것으로 정의한다.

고요산혈증은 통풍이 발생하기 위한 전제 조건이지만 고요산혈증 환자의 20% 정도에서 결정이 생성된다. 혈중 요산 농도가 9 mg/dL 이상인 경우 통풍의 연간 유병률은 4.9%인 반면에 7-8.9 mg/dL인 경우는 0.5%에 불과하다. 이처럼 무증상 고요산혈증 기간 동안 혈중 요산 농도가 높을수록 통풍 발생의 위험도가 증가한다.

## 2) 급성통풍관절염

전형적인 통풍 증상은 주로 하지에 발생하며, 치료하지 않으면 5-8일정도 지속되고, 매우 심한 통증을 동반한다. 첫 발작의 약 80%는 대부분 단관절염(monoarthritis)의 형태로 발생하며, 첫 번째 발허리발가락관절(first metatarsophalangeal joint)을 가장 흔하게 침범한다(그림 61-5). 이것을 라틴어로 podagra [pous (foot) + agra (a catching)]라고 하며, 통풍 진단에 중요한 임상 소견이다. 통풍 발작은 관절뿐만 아니라 점액낭, 인대, 근육힘줄뼈부착부위와 같은 관절주변 조직에서도 발생할 수 있다. 급성 발작이 발생하고 가장 심한 통증에 이르기까지 걸리는 시간은 8-12시간 이내로 매우 짧은 것이 특징이다. 또한 통증으로 인해 제대로 걷기 힘들고 매우 적은 움직임에도 심한 통증을 호소하게 된다.

통풍관절염에서 관절의 침범 양상은 첫 번째 발허리발가락관절, 발등, 발목, 그리고 무릎관절 등 하지에서 주로 발생하며 보통 하나의 관절을 침범한다. 그러나 유병 기간이 길고, 적절한 치료가 이루어지지 않는 경우에 상지를 침범하거나 다관절통풍(polyarticular gout)으로 나타날 수도 있다. 다관절통풍으로 발현하는 경우 발열, 오한, 심지어 섬망과 같은 전신 증상이 발생할 수 있다. 그러나 질병초기부터 급성다발관절염으로 나타나는 경우는 흔하지는 않다. 잦은 재발 또는 결절이 동반된 경우, 그리고 골수증식질환 또는 림프구증식질환이나 사이클로스포린 또는 타크로리무스를 복용하는 이식환자에서 다발관절염의 형태로

잘 발생한다. 통풍 환자의 5% 정도가 여성이며, 대부분 폐경 후에 발생한다. 폐경 전 여성에서 통풍이 발생한 경우는 이뇨제 복용이나 신부전, 유전적 요인에 기인한다. 또한 고령의 여성에서는 끝마디가락뼈사이관절(distal interphalangeal joint) 또는 골관절염이 있었던 부분에서 비전형적인 양상의 통풍관절염이 발생하기도 한다. 급성통풍은 침범된 관절보다 더 넓은 부위에서 염증소견이 관찰되어 여러 관절이 침범된 것으로 오해할 수 있으며 건초염, 손발가락염(dactylitis), 연조직염(cellulitis)과 혼동되기도 한다.

급성통풍발작은 대개 특별한 유발 요인이 없이 발생하지만, 외상 후, 수술 전후, 기아, 과음, 과식, 혈중 요산을 변화시킬 수 있는 약제의 복용, 저용량 아스피린(하루 100 mg), 알코올 등에 의해서도 유발된다.

## 3) 발작사이 무증상기

통풍은 급성기 증상이 호전되면 다음 번 발작 때까지 증상이 전혀 없게 되는데 이 기간을 발작사이 무증상기라 한다. 급성발작 사이의 간격은 다양하다. 치료를 하지 않으면 약 80%에서 2년 이내에 급성발작이 재발하게 된다. 다른 자료에서 약 7%는 10년 이상 지나도 재발하지 않는 것으로 보고하였다. 일반적으로 적절한 치료를 받지 않는 경우 발작 빈도가 잦아지고 급성기는 길어지게 된다. 또한 발작사이 기간에도 지속적인 통증뿐만 아니라 방사선학적 변화가 일어나기도 한다. 급성발작은 간헐적

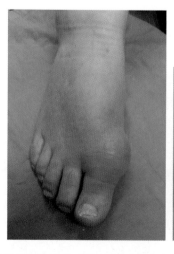
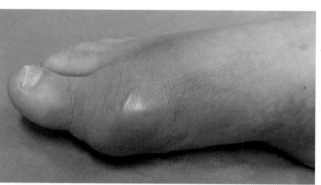

그림 61-5. **급성통풍관절염** 첫 번째 발허리발가락관절에 심한 발적과 함께 심한 부기를 보인다. 관절 위에 생기는 발적은 이 관절염이 결정관절염일 가능성이 높다는 것을 시사하는 소견이다. 발적이 사라지면 관절 위 피부의 표피탈락(desquamation)이 발생하기도 한다.

으로 일어나더라도 요산나트륨결정은 계속 축적되어 골미란과 관절변형이 발생하여 만성관절염으로 진행하게 된다.

통풍결절이 동반된 상태를 만성결절통풍관절염이라 부른다. 질병 초기부터 통풍결절이 나타나는 경우도 있고, 드물지만 급성발작 없이 통풍결절이 생기는 경우도 있다. 그러나, 일반적으로 적절하게 요산 농도가 조절되지 않고 오랜 유병 기간을 갖는 경우에 통풍결절과 만성통풍관절염의 양상을 보이게 된다. 치료받지 않은 환자에서 첫 번째 급성발작부터 만성관절염이나 통풍결절이 발견되기까지는 평균적으로 약 11.6년이 소요된다. 통풍을 치료하지 않고 20년이 경과하면 약 75%의 환자에서 결절이 발생하는 것으로 보고하였다. 피하 조직의 통풍결절은 투명한 피부 밑으로 흰색이나 노란색이 비쳐 보이게 된다. 통풍의 피하결절은 잘 만져지지 않는 것부터 큰 종괴에 이르기까지 다양한 크기로 나타난다. 통풍결절은 통상적으로 딱딱하지만 압통이나 염증 증후를 보이지 않는다. 요산저하제를 사용하면서 부드러워지거나 크기가 작아지게 된다. 통풍결절이 전형적으로 생기는 부위는 관절, 귀, 팔꿈치머리 점액낭, 손가락 패드, 아킬레스힘줄과 같은 힘줄부위이다(그림 61-6). 결절 위치에 따라 관절 운동 제한, 미용적인 문제 그리고 신발을 맞추는 데 어려움 등이 있을 수 있다.

통풍 환자가 만성관절염으로 진행되면 류마티스관절염과 혼동될 수 있으며, 특히 통풍결절이 류마티스결절로 오인될 수 있다.

## 4) 진행통풍

진행통풍(advanced gout)은 통풍결절, 만성활막염 그리고 구조적 관절 손상이라는 특징을 보인다. 통풍결절은 요산나트륨결정이라는 이물질에 대한 만성적인 육아종염증으로, 다핵거대세포를 포함한 다양한 면역세포들이 통풍결절 안에 존재한다. 골미란과 국소적인 연골 손상을 포함한 구조적인 관절 손상은 진행통풍에서 흔한 임상소견이다.

## 5) 통풍의 신장 합병증

통풍과 관련되어 나타나는 신장병은 크게 세 가지인데, 요로결석, 요산염신병증(urate nephropathy), 요산 축적에 의한 급성신부전이다.

요로결석의 유병률은 혈중 요산 농도와 소변으로 배출되는 요산 농도와 비례한다. 통풍환자에서 발생한 결석의 80% 정도는 요산결석이다. 요산염신병증은 요산염 결정이 신장의 간질에 축적되면서 만성염증반응이 일어나고, 결국에는 만성신부전으로 진행한다. 이런 경우 무증상인 경우가 많으며, 단백뇨, 고혈압과 신기능장애가 서서히 발생된다. 갑자기 많은 양의 요산이 생성되는 경우 세뇨관, 수집관(collecting duct), 요관에 침착 되면서 요관을 막아 급성신부전이 발생할 수 있다. 백혈병, 림프종, 발작질환(seizure), 심한 운동, 세포독성 치료 후, 탈수와 같은 상황에서 발생할 수 있다.

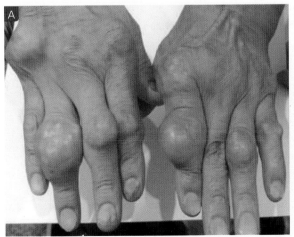
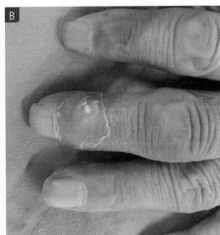
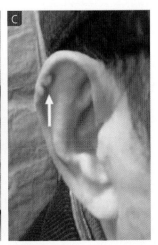

그림 61-6. **만성결절통풍** 통풍결절이 손(A, B)과 귓바퀴 부위(C, 화살표)에서 관찰된다. **(B)** 통풍결절은 위에 있는 긴장된 얇은 피부에 궤양이 발생하여 하얀 분필 같은 양상의 분비물이 관찰되며, 통풍결절의 이차 감염은 드물다. (A: 중앙의대 송정수 교수 제공, B, C: 성균관의대 안중경 교수 제공)

표 61-3. 통풍환자에서 동반질환

| 기관 | 임상질환 | 기관 | 임상질환 |
|---|---|---|---|
| 심혈관계 | 고혈압 | 신장/비뇨기계 | 만성신질환 |
| | 관상동맥질환 | | 신(장)결석증 |
| | 죽(상)경화증 | | 발기장애 |
| | 뇌졸중 | 대사질환 | 당뇨 |
| | 심부전 | | 대사증후군 |
| | 심방세동 | | 골다공증 |
| | 말초혈관질환 | 신경계 | 알츠하이머병 |
| | 혈전색전증 | | 혈관치매 |
| | | | 파킨슨병 |

## 6) 동반질환

통풍은 아직 논란은 있지만 고혈압, 만성신질환, 이상지질혈증, 비만, 당뇨병, 심근경색이나 뇌졸중 등의 질환과 연관성이 있다고 보고되고 있다(표 61-3). 최근 고요산혈증이 심혈관질환이나 신장질환의 독립적인 위험인자라는 보고들이 있다. 일반 인구의 사망률과 비교하였을 때, 통풍 환자의 사망률, 특히 심혈관 질환으로 인한 사망률이 더 높은 것으로 보고되었다. 치료받지 않은 고혈압환자의 약 30%에서 고요산혈증이 관찰되는데, 만일 이뇨제를 사용하고 있거나 신기능저하가 있을 경우에는 약 70%까지 증가하게 된다. 국내의 한 연구에 의하면 통풍환자의 40% 이상에서 대사증후군이 동반된다고 한다. 또한 당뇨환자의 2-50%에서 고요산혈증이 관찰되고 0.1-9%에서 통풍으로 진단된다. 한편 통풍이 파킨슨병, 알츠하이머병, 그리고 혈관치매 등의 신경계 질환의 위험도를 감소시킨다는 보고가 있다. 아직 요산염과 신경계 질환 사이의 인과 관계가 확립되어 있지 않지만 세포외 요산염이 신경 보호 또는 항산화작용을 하기 때문이라고 생각되고 있다.

## 📑 참고문헌

1. 전재범. 통풍의 역학과 발병기전, 임상증상. In. 대한류마티스학회. 류마티스학. 군자출판사; 2014. pp. 314-23.

2. Chang-Fu Kuo, Matthew J. Grainge, Weiya Zhang and Michael Doherty. Global epidemiology of gout: prevalence, incidence and risk factors. Nat Rev Rheumatol 2015;11:649-62.

3. Dalbeth N, Gosling AL, Gaffo A, Abhishek A. Gout. Lancet 2021;397:1843-55.

4. Dalbeth N. Clinical Features and Treatment of Gout. In: Gary S. Firestein, Ralph C. Budd, Sherine E Gabriel, Iain B McInnes, James R O'Dell, Gary Koretzky, eds. Firestein & Kelley's Textbook of Rheumatology. 18th ed. Elsevier; 2020. pp. 1710-1731.

5. Edwards NL. Crystal Deposition Diseases. In: Goldman L, Schafer AI, eds. Goldman-Cecil Medicine. 26th ed. Philadelphia: Elsevier Saunders; 2020. pp. 1767-74.

6. Kim EH, Jeon K, Park KW, et al. The Prevalence of Gout among Hyperuricemic Population. J Rheum Dis 2004;11:7-13.

7. Kim J, Kwak SG, Lee H, Kim S, Choe J, Park S. Prevalence and incidence of gout in Korea: data from the national health claims database 2007-2015. Rheumatol Int 2017;37:1499-506.

8. Park JS, Kang M, Song J, Lim HS, Lee CH. Trends of Gout Prevalence in South Korea Based on Medical Utilization: A National Health Insurance Service Database (2002~2015). J Rheum Dis 2020;27:174-81.

9. Schumacher HR, Chen LX. Gout and other crystal-associated arthropathies. In: Jameson J, Fauci AS, Kasper DL, Hauser SL, Longo DL, Loscalzo J. Jameson J, & Fauci A.S., & Kasper D.L., & Hauser S.L., & Longo D.L., & Loscalzo J, (Eds.), Eds. J. Larry Jameson, et al. eds. Harrison's Principles of Internal Medicine. 20th ed. McGraw Hill; 2018.

10. Shmerling RH. Management of gout: a 57-year-old man with a history of podagra, hyperuricemia, and mild renal insufficiency. JAMA 2012;308:2133-41.

# 62

# 통풍의 진단과 치료

**중앙의대 송정수**

## KEY POINTS 🔒

- 통풍은 침범된 관절의 활액이나 연부조직을 흡인하여 요산결정을 편광현미경으로 확인하면 진단이 확인된다.
- 활액이나 조직을 채취하기 힘든 경우에는 2015년에 미국류마티스학회와 유럽류마티스학회에서 공동으로 발표한 통풍 진단분류기준을 근거로 진단할 수 있다.
- 통풍과 감별해야 할 질환으로는 골관절염, 류마티스관절염, 칼슘피로인산결정침착질환(거짓통풍), 세균관절염, 연조직염, 결절홍반과 동반된 관절염, 외상, 재발류마티즘, 반응관절염, 건선관절염, 지간신경종(Morton's neuroma) 등이 있다.
- 통풍의 치료는 급성통풍관절염의 소염치료와 장기적인 요산저하요법으로 나눌 수 있다.
- 급성통풍관절염의 치료는 콜히친이나 비스테로이드소염제, 글루코코티코이드를 증상의 중증도에 따라 단독 또는 조합으로 사용할 수 있다.
- 요산저하요법에 사용되는 약물은 요산형성억제제인 allopurinol이나 febuxostat 또는 요산배설촉진제인 benzbromarone을 단독 또는 조합으로 사용할 수 있다.
- 만성통풍환자의 치료에서 요산 농도는 통풍결절이 없는 경우 6.0 mg/dL 이하로, 통풍결절이 있거나 질병이 심한 경우 5.0 mg/dL 이하로 유지해야 한다.
- 급성통풍관절염의 치료와 더불어 통풍에 동반되는 만성신장병, 고혈압, 당뇨병, 이상지질혈증, 대사증후군, 동맥경화, 관상동맥병, 뇌졸중 등의 진단과 치료도 중요하다.

## 진단

통풍이 의심되는 환자에게서 통풍을 확진하려면 침범된 관절이나 연부조직을 흡인하여 활액이나 조직, 통풍결절에서 바늘모양의 요산결정(needle-shaped monosodium urate crystal)을 확인하면 진단이 확인된다. 급성통풍관절염 환자에서 채취한 활액을 육안으로 보면 노란색과 흰색이 섞인 불투명한 염증 활액으로 보인다(그림 62-1). 한편 만성결절통풍관절염 환자의 결절에서 나온 물질은 액체 성분이 줄어들고 요산결정만 남아 마치 하얀 치약이나 연고처럼 보인다(그림 62-2). 요산결정을 편광현미경으

그림 62-1. **급성통풍관절염 환자의 무릎에서 채취한 활액** 흰색을 띄는 요산결정과 노란색의 활액이 섞여 불투명한 염증 활액의 모양을 보인다.

그림 62-2. **만성결절통풍관절염 환자의 결절에서 채취한 물질** 액체 성분은 줄어들고 요산만 남아서 하얀 치약이나 연고 모양처럼 보인다.

그림 62-3. 편광현미경으로 관찰된 통풍 환자의 활액에서 나타나는 강한 음성복굴절을 보이는 바늘모양의 요산결정(X100)

로 보면 특징적인 강한 음성복굴절(strong negative birefringence)을 보인다(그림 62-3). 통풍환자에서 채취한 활액에서 결정을 감별할 때에 반드시 주의하여야 할 것은 그 결정이 요산결정이 확실히 맞는지 제대로 확인하여야 한다. 다양한 종류의 칼슘결정과 지방결정이 요산결정과 비슷하게 보일 수 있고 특히 활액을 뽑은 후 늦게 검사했을 때 결정이 활액에 녹아 현미경에서 보이지 않는 경우가 흔히 일어나므로 활액을 뽑자마자 편광현미경 위에서 관찰하는 것이 중요하다. 세균관절염은 활액의 육안적 모양이 통풍의 모양과 비슷하므로 이를 감별하기 위해서는 활액의 편광현미경 검사와 더불어 그람염색과 세균배양검사를 반드시 시행해야 한다.

활액이나 조직을 채취하기 힘든 경우에는 통풍으로 확진할 수 있는 방법이 없지만 이런 경우에는 2015년에 미국류마티스학회와 유럽류마티스학회에서 공동으로 발표한 통풍 진단분류기준을 근거로 진단할 수 있다(표 62-1).

이 진단분류기준에 따르면 임상양상과 실험실 검사소견, 영상검사 등 3가지의 기준(criteria)에서 점수를 합산하여 총 23점

표 62-1. 2015년 미국류마티스학회와 유럽류마티스학회에서 공동으로 발표한 통풍 진단분류기준

| 기준(criteria) | | 범주(categories) | 점수(score) |
|---|---|---|---|
| 임상적 기준 | 관절침범의 양상 | 발목 또는 발등 | 1 |
| | | 첫 번째 발허리발가락관절 | 2 |
| | 통풍의 전형적인 임상적 특징 1) 관절위 피부발적 2) 침범 관절의 심한 압통 3) 보행장애 | 1가지 충족 | 1 |
| | | 2가지 충족 | 2 |
| | | 3가지 충족 | 3 |
| | 통풍 발작의 시간에 따른 경과 급성 발작, 14일 이내 완벽한 회복 | 한 번의 전형적인 발작 | 1 |
| | | 재발성의 전형적인 발작 | 2 |
| | 통풍결절의 임상적 증거 | 존재 | 4 |
| 검사실 기준 | 혈청 요산 농도(mg/dL) | <4 | -4 |
| | | 4~<6 | 0 |
| | | 6~<8 | 2 |
| | | 8~<10 | 3 |
| | | ≥10 | 4 |
| | 관절액검사에서 요산결정 | 음성 | -2 |
| 영상적 기준 | 요산 축적의 영상적 증거 | 음성 | 0 |
| | 통풍과 관련된 관절손상의 영상의학적 증거 | 있음(관절초음파 또는 이중에너지컴퓨터단층촬영) | 4 |
| | | 있음(골미란 또는 통풍결절) | 4 |
| 합계 | | | 23 |

만점에 8점 이상이면 통풍으로 진단할 수 있다. 기준을 구체화한 범주에는 첫 번째 기준인 임상적으로 침범된 관절이나 윤활낭이 발목이나 발등이라면 1점, 통풍이 흔히 발생되는 첫 번째 발허리발가락관절(1st metatarsophalangeal; MTP joint)을 침범하였다면 2점, 통풍의 특징적인 증상인 관절 위의 피부발적, 침범관절의 심한 압통, 보행장애 중 1가지 증상만 나타나면 1점, 2가지가 나타나면 2점, 3가지 모두 나타나면 3점이다. 통풍 발작의 자연경과, 즉 급성 발작과 14일 이내 완벽한 회복이 되는 발작이 한 번 있으면 1점, 재발성의 전형적인 통풍 발작이라면 2점이다. 통풍결절의 임상적 증거가 존재한다면 4점이다. 두 번째 기준인 검사실 기준에서 혈청 요산농도가 6.0-7.9 mg/dL라면 2점, 8.0-9.9 mg/dL라면 3점, 10 mg/dL 이상이라면 4점이다. 하지만 혈청 요산 농도가 4.0 mg/dL 미만이라면 2점을 감점한다. 세 번째 기준인 영상의학적 기준에서 요산 축적의 영상의학적 증거, 즉 관절초음파검사에서 통풍의 특징적인 관절연골 위에 쌓여 있는 요산을 나타내는 이중윤곽징후(double contour sign, DCS)(그림 62-4)를 발견하거나 관절이나 관절주위 윤활낭, 인대, 근육 등에 존재하는 통풍결절을 찾아내거나 이중에너지컴퓨터단층촬영(dual energy computed tomography, DECT)(그림 62-7)에서 요산 축적의 증거가 있다면 4점, 단순X선 사진에서 통풍과 관련된 관절손상의 영상의학적 근거가 있으면 4점이다. 활액 검사에서 요산결정이 음성이면 2점이 감점된다.

이 기준에 따르면 임상양상에 대한 면밀한 병력청취가 중요하며 통풍결절의 임상적 증거를 찾고자 하는 자세한 신체검사, 혈청 요산검사, 관절초음파검사, DECT, 단순X선 검사 등이 필

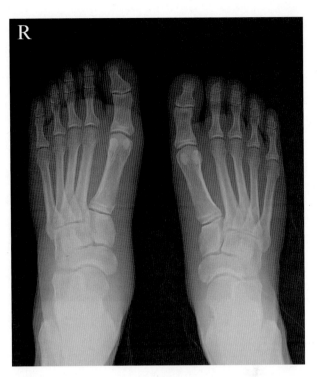

그림 62-5. **오른쪽 엄지발가락을 침범한 급성기 통풍 환자의 발 단순 X선 사진** 오른쪽 엄지발가락 연조직이 약간 부어 있는 것 이외에 뼈에는 특이 소견이 보이지 않는다.

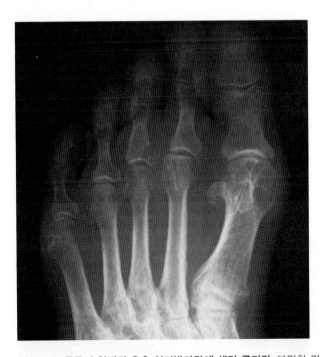

그림 62-6. **통풍이 침범된 우측 엄지발가락에 생긴 골미란** 분명한 경계와 돌출된 모서리가 류마티스관절염에서 나타나는 골미란과 감별할 수 있는 특징이다.

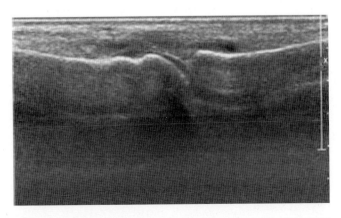

그림 62-4. 관절초음파검사에서 보이는 통풍의 특징적인 이중윤곽징후

요하다.

단순X선 검사는 초기 통풍의 경우에는 침범된 부위의 연부조직이 부어 있는 소견 이외에 뼈에는 이상 소견이 잘 나타나지 않는다(그림 62-5). 따라서 초기의 통풍을 진단하기에 단순X선 검사는 부족한 점이 많다.

하지만 통풍을 장기간 제대로 치료받지 않고 방치하여 만성결절통풍관절염으로 진행된 경우에는 특징적인 방사선적 변화가 생기는데 분명한 경계와 돌출된 모서리(overhanging edge)를 가진 골미란이 결절 주위에 발생될 수 있다(그림 62-6).

이러한 소견들은 류마티스관절염에서 발생되는 골미란과 구분하기가 힘들지만 얇게 돌출된 모서리가 있는 골미란이라면 통풍에 의한 병변으로 볼 수 있다. 많이 진행된 통풍에서는 관절의 변형과 파괴가 관찰되고 통풍결절에 의한 연조직의 부기도 관찰된다.

초기 통풍을 진단하기 위해서는 관절초음파, 자기공명영상 (magnetic resonance imaging, MRI), 전신뼈스캔 등의 도움을 받을 수 있다. DECT는 비침습적인 방법으로 통풍결절을 찾아내는 방법으로 컴퓨터 조작을 통해 요산결절이 있는 부위의 색깔을 차별화하여 쉽게 통풍 결절을 발견할 수 있다(그림 62-7). 하지만 DECT는 만성결절 통풍관절염에서 통풍결절들이 잘 나타나지만 통풍결절이 거의 없거나 많지 않은 초기의 통풍 진단에는 그 장점과 효과가 아직 확실히 밝혀지지 않았고 우리나라에 널리 보급되지 않아 누구나 쉽게 시행하지 못하는 단점이 있다.

관절초음파검사는 비침습적이고 비교적 싼 비용으로 시행할 수 있다. 통풍에 특징적인 이중윤곽징후를 발견하면 통풍의 진단에 큰 도움을 줄 수 있고, 관절초음파검사에서 숨겨진 통풍결절을 찾을 수 있고 이를 초음파유도하 세침흡인으로 요산결정을 증명하여 진단을 확인할 수도 있다. 또한 침범된 관절 부위의 골미란도 확인할 수 있다. 하지만 이를 위해선 숙련된 기술이 필요하므로 장기간에 걸쳐 많은 환자를 대상으로 기술을 익혀야 한다.

MRI는 신체검사만으로 발견하기 힘든 피부 아래 깊은 곳에 존재하거나 척추 등 흔치 않게 발생되는 부위의 통풍 결절을 발견하는 데 도움을 줄 수 있으나 보험 적용이 되지 않고 비용이 비싸서 널리 사용할 수 없는 한계가 있다. 통풍과 감별해야 할 질환으로는 골관절염, 류마티스관절염, 칼슘피로인산결정침착질환 (거짓통풍), 세균관절염, 연조직염, 결절홍반과 동반된 관절염, 외상, 재발류마티즘, 반응관절염, 건선관절염, 지간신경종(Morton's neuroma), 종자골골절(sesamoid bone fracture), 족저근막염 등이 있다.

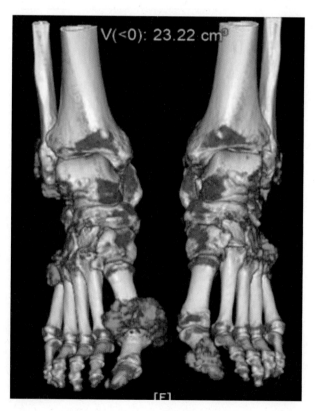

그림 62-7. 이중에너지컴퓨터단층촬영으로 명확히 나타나는 초록색의 통풍결절(한양의대 전재범 교수 제공)

## 치료

통풍의 치료목적은 다음과 같다.
1) 급성통풍발작을 가능한 빨리 그리고 부드럽게 종결시킨다.
2) 급성통풍발작의 재발을 예방한다.
3) 관절, 신장 또는 다른 부위에 있는 요산염의 침착이나 요산결정에 의해 발생되는 합병증을 예방하고 정상화시킨다.
4) 비만, 이상지질혈증, 고혈압과 같이 통풍과 관련된 해로운 동반질환을 예방하고 정상화시킨다.

이러한 목적에서 볼 때 한편으로는 급성염증증상을 치료하는 방법과 또 다른 한편으로 고요산혈증을 치료하는 방법을 구분해야만 한다. 급성통풍의 염증 증상을 치료하는 데 매우 효과적인 약물들은 고요산혈증을 조절하는 면에서는 아무 효과가 없다. 반대로 고요산혈증을 조절하는 데 유용한 약물들이 급성통풍관절염을 치료하는 데 직접적인 효과는 없다.

일단 통풍으로 진단되면 환자마다 식습관이나 체형, 성별, 나이, 환경 등이 모두 다르겠지만 그 치료에는 무엇보다도 올바른 교육이 가장 중요하다. 모든 환자들에게 시행되어야 할 기본적인 교육은 다음과 같다.

(1) 환자에 대한 식이요법과 생활습관에 대한 교육: 뚱뚱한 사람은 체중을 이상 체중에 가깝도록 줄여야 한다. 고지방과 고칼로리의 식이습관을 버리도록 해야 하고 영양사의 도움을 받아 영양소가 골고루 포함된 건강한 식단을 마련해 주어야 한다. 금연은 필수적이며, 균형적인 체형을 만들기 위한 적절한 운동과 충분한 수분섭취 등에 대한 교육을 해야 한다. 건강한 식단을 위해 피해야 할 음식은 퓨린 함량이 많은 췌장, 신장, 간 등의 고기의 내장류와 인공과당이 많이 함유된 청량음료와 과자, 음식들, 과량의 알코올 포함 음료 등이 있다. 그리고 피할 필요까지는 없지만 많이 먹어서는 안 될 음식 또는 적게 먹어야 할 음식으로는 소고기, 양고기, 돼지고기와 퓨린 함량이 많은 정어리나 조개 종류의 생선, 인공과당이 첨가되지 않은 자연 과일주스, 설탕이 많이 함유된 음료나 음식, 소금이 많이 함유된 음식, 맥주를 비롯한 알코올 함유 음료 등이 있다. 통풍환자에게 권장해야 할 음식으로는 퓨린이 적게 들어 있는 우유나, 요구르트, 치즈 등의 저지방 또는 무지방 낙농식품과 채소 등이다. 설탕이나 크림이 함유되지 않은 블랙커피는 요산의 배설을 촉진시키므로 제한하지 않아도 된다.

(2) 고요산혈증의 이차적인 원인이 없는지 동반질환 여부 확인: 비만, 지나친 알코올 섭취, 대사증후군, 당뇨병, 고혈압, 이상지질혈증, 관상동맥병이나 뇌졸중의 가능성, 요산을 증가시키는 약물 복용 여부, 요로결석, 만성 신장병, 요산 과생산 질환(유전성 퓨린대사 이상, 건선, 백혈병, 림프종 등), 납 중독 등을 확인한다.

(3) 복용 중인 약물 중에 고요산혈증을 유발할 수 있는 이뇨제나 저용량 아스피린, 결핵약이 있는지 또 이런 약이 반드시 필요한지, 그리고 또 다른 필요 없는 약물이 있는지를 확인한다.

(4) 신체검사에서 만져지는 통풍결절이 있는지를 확인해야 하며, 급성 또는 만성통풍의 증상과 징후가 얼마나 심하고 자주 발생되는지 등을 조사하여 질병의 중증도를 확인한다.

다음은 통풍의 진행시기에 따른 치료지침이다.

## 1) 무증상고요산혈증

증상이 없이 고요산혈증이 있는 경우 특정한 고요산혈증 약물치료를 시행하는 경우는 거의 없다. 다만 고요산혈증이 발견되었을 경우 다음과 같은 문제를 해결하도록 한다.

(1) 고요산혈증의 원인이 무엇인가?

(2) 동반된 소견이 있는가?

(3) 그 결과로 조직이나 기관에 손상을 주었는가?

(4) 앞으로 무엇을 해야 하나?

고요산혈증이 있는 환자의 70%에서 고요산혈증의 원인은 병력청취나 신체진찰을 통해 쉽게 발견할 수 있다. 고요산혈증은 과거에 생각하지 못했던 질환의 존재를 알 수 있는 기초 단서가 될 수 있다. 더구나 기저질환의 특성이 만약 화학적인 이상에 있다면 잠재적으로 나타날 수 있는 결과를 예상할 수 있다. 그러므로 기저질환의 원인은 모든 고요산혈증 환자에서 반드시 조사되어야 한다. 다만 혈청 요산농도가 9.0 mg/dL 이상인 경우에는 만성 요산신장병증의 발생 위험이 있으므로 이 때는 동반질환 여부를 확인하여 요산저하요법(urate-lowering therapy, ULT) 시작을 고려한다.

## 2) 급성통풍관절염

통풍발작(gout flare)이 시작되었다면 환자는 가능한 움직이지 말고 안정을 취하여야 하고 가능한 빨리 적절한 치료를 시작해야 한다. 치료를 빨리 시작하면 그 효과도 신속하게 나타나 증상이 빨리 호전될 수 있다. 급성통풍발작은 여러 약물에 의해 효과적으로 증상을 완화시킬 수 있다. 실제적으로 약물은 대부분의 경우 콜히친(colchicine), 비스테로이드소염제, 글루코코티코이드 중에서 선택된다. 이 세 가지 약물을 증상의 중등도에 따라 단독 또는 조합으로 사용할 수 있다. 일반적으로 통풍으로 확진 되지 않은 환자에게는 콜히친을 사용하여 효과가 있나 없나를 확인하여 통풍의 진단에 도움을 주기도 한다. 그러나 이미 통풍으로 진단받은 환자들에게는 naproxen이나 ibuprofen, nabumetone, meloxicam, celecoxib 등 이미 다른 관절염에서도 효과를 인정받은 비스테로이드소염제를 사용하는 것이 효과가 좋다. 신장기능이 저하되어 있어 콜히친이나 비스테로이드소염제를 사용할 수 없는 경우에는 글루코코티코이드를 사용하는 것이 안전하다. 무릎이나 어깨와 같이 큰 관절이 침범되었다면 트리암시놀론이나 덱사메타손과 같은 글루코코티코이드를 리도케인과 같은 국소마취제와 섞어 관절강 안으로 주사하면 빠르고 확실한 치료효과를 볼 수 있다. 발가락이나 발등, 발목 등의 작은 관절에는 무릎이나 어깨보다 적은 양의 글루코코티코이드를 국소마취제와 섞어 관절강 안이나 관절 주위로 주사할 수 있다. 이런 약물들 중 어떤 약물이라도 빨리 투여된다면 환자는 신속하고도 확실한 치료효과를 얻을 수 있다. 따라서 발작 시작 24시간 이내에 치료를 시작하는 것이 중요하다.

## 3) 통풍발작의 예방

통풍으로 진단하고 ULT를 시작하면, ULT에 의한 이동통풍발작(migrating gout flare)을 예방하기 위한 치료를 시작한다. 보통은 콜히친 0.6 mg를 매일 한 번 또는 두 번을 복용한다. 진단이 확인된 환자면서 콜히친을 사용할 수 없는 경우라면 비스테로이드소염제나 저용량의 글루코코티코이드(예: prednisolone)를 콜히친 대신 사용할 수도 있다. 이런 저용량 유지 프로그램은 일상생활의 활동과 능력을 호전시킬 수 있다. 이러한 예방치료는 혈청 요산농도가 정상이 되고 3-6개월 동안 통풍발작이 없을 때까지 유지한다.

## 4) 만성결절통풍관절염 환자에서의 고요산혈증 치료

ULT 약물들을 이용하여 고요산혈증을 조절하면 요산이 조직에 쌓이는 것을 예방하고 혈청 요산농도를 정상화시킬 수 있다. 비록 비스테로이드소염제로 통풍관절염의 급성발작을 치료하고 예방하는 것도 중요하지만 궁극적으로 통풍에 의한 증상을 조절하는 방법은 장기적으로 고요산혈증을 치료하는 ULT이다. 1960년대 초반에 개발된 allopurinol은 통풍 치료의 혁명을 가져왔다. 많은 통풍 환자들에서 allopurinol을 복용한 후에 통풍 발작의 빈도가 점차 줄어들었다. 그러나 2%의 환자들에게서 이 약

물에 과민반응을 보이고 0.1%에서 치명적인 allopurinol hypersensitivity syndrome (AHS)이 나타나는 바람에 allopurinol은 모든 환자들에게 안전하지 못하고 일부 환자들에게는 위험한 약으로 인식하게 되었다. 특히 한국인 중에서는 HLA-B*5801 유전자가 양성인 환자, 고령의 환자, 신장기능이 3기 이상으로 나빠진 환자나, 중국의 한족과 태국인 중 HLA-B*5801 유전자가 양성인 환자에게 AHS가 잘 발생된다고 알려져 있다.

HLA-B*5801 유전자 검사는 국내에서 2021년 8월 1일부터 allopurinol 사용이 필요한 환자 1인당 평생 1회에 한해 보험이 적용되어 검사를 쉽게 받을 수 있게 되었다.

한편으로 요산배설촉진제인 sulfinpyrazone과 probenecid가 개발되어 있으나 신장기능이 저하된 환자에게는 사용을 하지 못하고 요로결석 등의 부작용과 효과 부족으로 널리 사용되지 못하였다. 그 후 개발된 요산배설촉진제가 benzbromarone이다. 이 약물은 혈청 요산을 잘 떨어뜨리며 신장기능이 약간 저하된 환자에게도 안전하게 사용할 수 있는 장점이 있으나 일부 환자에서 치명적인 간독성이 나타나서 미국FDA에서는 이 약물을 통풍의 치료에 승인하지 않아 현재도 미국에서는 이 약물을 사용하지 못하고 있다. 통풍의 치료에서 ULT는 매우 중요하지만 기존의 ULT 약물인 allopurinol과 benzbromarone의 여러 부작용과 효과부족으로 인해 새로운 약물을 필요로 하게 되었다. 그 대표적인 약물은 febuxostat이다. 2009년에 미국FDA의 사용 승인을 받고 우리나라에서는 2012년에 한국FDA의 사용 승인과 함께 사용하기 시작한 이 약물은 allopurinol과 같이 xanthine oxidase를 억제하는 요산형성억제제 약물로서 allopurinol과는 달리 퓨린(purine) 성분이 아니며, allopurinol sensitivity와 교차 반응이 없다. xanthine oxidase를 더욱 선택적으로 차단하므로 효과가 강하고 하루에 한 번 40 mg 또는 80 mg 한 알만 복용하면 되는 편리성을 갖고 있다. 또한 여러 임상시험에서 요산을 목표치인 6.0 mg/dL 이하로 떨어뜨리는 우수한 효과와 AHS와 같은 심각한 부작용이 거의 나타나지 않는 안전성을 보였다. 따라서 febuxostat의 등장은 allopurinol을 사용하지 못 하는 통풍 환자들에게는 새로운 희망이 될 것으로 보였다. 그러나 2018년 3월에 발표된 CARES (Cardiovascular Safety of Febuxostat or Allopurinol in Patients with Gout) 임상연구에서 "주요 심혈관질환이 동반된 통풍환자에게 febuxostat 환자군에서 allopurinol 환자군에 비해 모

든 원인의 사망률과 심혈관계 사망률이 유의하게 증가하였다."라는 결과를 발표하여 전 세계 의료계에 큰 파문을 일으켰다. 이를 근거로 미국FDA에서는 febuxostat를 ULT의 일차약제에서 이차약제로 강등시켰다. 한국FDA에서는 febuxostat를 이차약제로 강등시키지는 않았지만, 전문가 및 환자들에게 이 약의 심혈관계 위험성을 널리 알리고, 심장질환 및 뇌졸중 병력이 있는 환자에게는 이 약의 위험성과 유익성을 고려하여 사용하라고 공지하였다. 그러나 CARES 연구 발표 후 이 연구에 대한 오류와 의문점이 많이 대두되었고 아직도 이 결과에 대해서는 여러 논란이 있다. 인종적 차이를 고려하고 한국인의 입장에서 보면 이 연구에 아시아인은 겨우 3%만 포함되어 있어 이 연구 결과를 우리에게 그대로 적용하기는 힘들다.

이후에 febuxostat와 allopurinol의 심혈관계 합병증에 대한 후속 연구가 계속 발표되었는데 대부분 febuxostat 환자군을 allopurinol 환자군과 비교해 볼 때 모든 원인에 의한 사망률이나 심혈관계 부작용의 차이는 없거나 오히려 febuxostat 환자군에서 심혈관계 부작용이 더 적게 나타나 CARES 연구와는 반대되는 결과를 보였다. 따라서 우리나라 통풍 환자를 대상으로 ULT를 시작할 때 allopurinol을 사용할지 또는 febuxostat를 사용할지는 환자의 건강 상태에 따라 맞춤형으로 결정해야 할 것이고, 한국인은 HLA-B*5801 유전자 양성률이 12.2%로 1.6%인 서양인에 비해 훨씬 높기 때문에 allopurinol로 시작할 경우에는 시작 전에 HLA-B*5801 유전자 검사를 고려할 필요가 있다.

통풍 환자에게 febuxostat의 사용과 관련이 없이 심혈관계 합병증의 발생률이나 모든 원인의 사망률이 높다는 사실은 이미 널리 알려진 사실이다. 따라서 어떤 종류의 ULT를 사용하는가를 떠나서 전반적인 심혈관계 위험인자(비만, 고혈압, 당뇨병, 흡연, 이상지질혈증, 동맥경화, 음주, 운동부족) 등을 관리하는 것이 무엇보다 더 중요하다.

만성통풍에서 통풍결절이 없는 경우에는 혈청 요산농도를 6.0 mg/dL 이하로, 질병의 중증도가 심한 경우(통풍결절이 있거나 합병증이 동반)에는 5.0 mg/dL 이하로 유지하는 것이 치료의 목표이다. 그러나 혈청 요산농도를 3.0 mg/dL 이하로 낮추는 것은 권장되지 않는다.

Allopurinol을 처음 사용하는 경우에는 먼저 신장기능이 정상인지 확인하고 신장기능이 정상인 경우(사구체여과율 >60 mL/min/1.73 m²) 100 mg을 하루에 한 번 투여하고 4주 후에 혈청 요산검사를 추적하여 ULT 목표치인 6.0 mg/dL 이하로 조절이 잘되면 100 mg을 유지하고, 목표치 이하로 낮추지 못하면 200 mg으로 증량하고 또 4주 후에도 목표치를 달성하지 못하면 300 mg으로 증량하고, 그 4주 후에도 목표치를 달성하지 못하면 400 mg으로 증량하여 사용한다. 신장기능이 저하된 경우(사구체여과율 30-60 mL/min/1.73 m²)에는 allopurinol을 하루 50 mg부터 시작한다.

Febuxostat을 처음 사용하는 경우에는 신장기능과는 상관없이 40 mg을 하루에 한 번 투여하고 2-4주 후에 혈청 요산검사를 추적하여 목표치인 6.0 mg/dL 이하로 조절이 잘 되면 40 mg을 유지하고 목표치 이하로 낮추지 못하면 80 mg으로 증량하여 사용한다. Febuxostat 80 mg으로도 혈청 요산농도가 목표치 이하로 유지되지 않으면 요산배설촉진제인 benzbromarone 25 mg이나 50 mg을 추가하고 혈청 요산농도를 추적검사한다. 최근까지도 여러 종류의 다양한 ULT 약물이 개발되고 있고 임상시험 중에 있다.

## 5) 급성 요산신장병증의 치료

급성 요산신장병증의 위험이 매우 높은 환자는 소변의 pH를 6.5 이상으로 높이고, 소변량을 높게 유지하고, 예방적으로 allopurinol이나 febuxostat를 투여하여 이를 효과적으로 예방할 수 있다. 이러한 방법들은 요산의 농도를 낮추고 용해도를 증가시킨다. 급성 종양분해증후군(acute tumor lysis syndrome)에 대한 더 자세한 연구에서 보면 allopurinol로 치료함에도 불구하고 소변의 요산 배설량은 여전히 증가되어 있고 xanthine 신장병증을 일으킬 만큼 xanthine의 소변 배설도 증가되어 있음을 보여준다. 그러므로 또 다른 치료법이 필요한데, Urate oxidase를 투여하면 신장손상을 예방하는 효과를 볼 수 있다. Polyethylene glycol로 처리한 재조합형 uricase인 pegloticase는 반감기가 길고 항원형성을 하지 않아 특히 효과적이다. 만약 급성신부전이 발생되었을 경우 이러한 예방적인 치료를 신속히 시행한다면 문제를 해결할 수 있다. 하지만 현재 pegloticase는 국내에 도입되지 않아 사용되지 못하고 있다. 만약 이것으로도 해결되지 않으면 유일한 치료방법은 혈액투석인데 이는 복막투석보다 요산을 제거하는 데 10배에서 20배 정도 더 효과가 높다.

## 6) 요로결석의 치료

요로결석이 발생된 환자의 치료에 있어 첫 번째 치료 원칙은 물을 많이 마시도록 하여 많은 양의 소변을 보게 하는 것이다. 이 원칙은 소변의 요산 배설량이 많은 고요산혈증 환자에게 특히 중요하다. 지속적으로 산성 소변을 배설하는 환자에게는 적절한 알칼리화 약물을 정기적으로 사용하여 소변의 pH를 6.0에서 6.5 사이에 맞추도록 해야 한다. 이러면 요산이 더 쉽게 용해되는 요산염의 형태로 전환된다. 통풍에서 발생되는 요로결석의 치료에 좋은 약물은 allopurinol인데 그 이유는 이 약물이 혈청과 소변의 요산 농도를 모두 내릴 수 있기 때문이다. Allopurinol은 통풍에서 발생되는 요로결석의 문제를 많이 개선시켰다. 또한 이 약물을 사용하면 고요산혈증 환자나 고요산뇨증 환자에게서 발생될 수 있는 칼슘결석(calcium stone)의 발생도 줄일 수 있다. Febuxostat도 allopurinol과 비슷하게 요로결석을 예방하는 효과를 보일 것으로 추정된다. 그러나 allopurinol은 고요산혈증이나 고요산뇨증이 없는 칼슘결석 환자에게는 효과가 없다.

## 경과 및 예후

통풍은 장기간의 무증상 고요산혈증 기간을 거쳐 급성통풍 관절염으로 발현된다. 이 때 적절하고도 지속적인 치료가 이루어진다면 질병이 더 이상 진행하지 않고 통풍관절염도 일어나지 않게 된다. 하지만 치료가 잘 이루어지지 않으면서 10년 이상 방치하면 발작사이통풍과 급성통풍발작이 반복되면서 만성결절통풍관절염으로 진행하게 된다. 류마티스관절염이나 강직척추염의 증상들이 관절 증상과 관절외 증상으로 분류하듯이 통풍도 관절 증상과 관절외 증상으로 나눌 수 있다. 만성결절통풍관절염으로 진행하면 관절의 파괴와 기능장애도 발생하지만 관절외 증상으로 신장병, 요로결석, 고혈압, 동맥경화, 이상지질혈증, 당뇨병, 관상동맥병, 뇌졸중, 대사증후군 등과 동반되어 다양한 임상증상들이 나타날 수 있다.

2004년에 발표된 국내의 연구에 따르면 통풍 환자의 42.2%에서 대사증후군을 동반하며 50%에서 고혈압을, 11%에서는 당뇨병을 동반한다고 보고하였다. 그러나 2018년에 발표된 국내의 보고에서는 통풍 환자의 50.8%에서 대사증후군을 동반하며 79%에서 고혈압을, 33%에서는 당뇨병을 동반한다고 보고하여 대사증후군의 동반 비율이 점차 증가하는 것을 알 수 있다. 치료받지 않은 고혈압 환자의 22-38%에서 고요산혈증을 보인다는 다른 보고가 있으며, 이뇨제 치료를 받고 있거나 신장질환이 동반된 고혈압 환자에게서는 고요산혈증의 빈도가 67%까지 증가한다는 보고가 있다. 또한 젊은 남성에게서 고요산혈증은 고혈압의 잠재적인 위험인자로 알려져 있다. 2012년의 보고에 따르면 전형적인 통풍 환자의 74%에서 고혈압을, 71%에서 2기 이상의 만성신장병을, 53%에서 비만을, 26%에서 당뇨병을, 20%에서 요로결석을, 14%에서 심근경색증을, 11%에서 심부전을, 10%에서 뇌졸중을 동반한다. 통풍 환자의 75-85%에서 고중성지방혈증이 동반되었다는 보고가 있으며 고중성지방혈증 환자의 80% 이상에서 고요산혈증이 발견된다는 보고도 있다. 고요산혈증과 죽경화증의 관련성이 증명되면서 고요산혈증이 관상동맥병의 독립적인 위험인자로 인식되고 있다. 따라서 통풍은 단순한 관절염이 아닌 전신대사질환이며 신장병과 대사증후군의 한 축을 담당하는 질병임을 알아야 한다.

## 결론

현재 우리나라뿐만 아니라 전 세계에서 통풍은 인구의 고령화와 식습관의 변화에 따라 그 발생률과 유병률이 급격히 증가하고 있는 추세이다. 통풍의 원인은 장기간의 고요산혈증에 따른 요산결정의 체내 축적에 의해 면역반응과 물리적 반응이 발생되는 데 기인한다. 통풍이 만성결절통풍관절염으로 진행되면 만성관절염뿐만 아니라 신부전이나 고혈압, 이상지질혈증, 당뇨병, 복부비만 등의 대사증후군, 동맥경화에 따른 뇌졸중이나 관상동맥병과 동반되어 생명을 위협할 수 있는 무서운 병으로 진행하게 된다.

통풍의 적절한 치료와 합병증을 예방하기 위해서는 우선 무엇보다도 통풍의 정확한 진단이 선행되어야 한다. 또한 통풍으로 확인이 된 환자에게는 질병의 경과에 대한 교육을 철저히 자세하게 알려주어야 한다. 통풍으로 확인되지 않은 무증상 고요산혈증 환자는 정기적으로 혈청 요산 농도를 추적검사하고 관련 질환과의 연관성을 찾아야 한다.

## 참고문헌

1. 송정수. 떠오르는 통풍. 생명을 위협하는 공공의 적. 대한류마티스학회지 2011;18:234-41.

2. 송정수, 전재범. 한국인 맞춤형 통풍 치료 지침. 대한류마티스학회지 2013;20:280-5.

3. 송정수. 통풍의 새로운 진단 분류 기준과 치료 지침. 대한내과학회지 2018;93:344-50.

4. Emmerson B. Hyperlipidaemia in hyperuricaemia and gout. Ann Rheum Dis 1998;57:509-10.

5. Emmerson BT. The management of gout. In: Hochberg MC, Silman AJ, Smolen JS, Weinblattv ME, Weisman MH, eds. Rheumatology. 4th ed. Philadelphia: Elsevier; 2008. pp. 1839-46.

6. Jung JH, Song GG, Ji JD, Lee YH, Kim JH, Seo YH, et al. Metabolic syndrome: prevalence and risk factors in Korean gout patients. Korean J Intern Med 2018;33:815-22.

7. Khanna D, Fitzgerald JD, Khanna PP, Bae S, Singh MK, Neogi T, et al; American College of Rheumatology. 2012 American College of Rheumatology guidelines for management of gout. Part 1: systematic nonpharmacologic and pharmacologic therapeutic approaches to hyperuricemia. Arthritis Care Res (Hoboken) 2012;64:1431-46.

8. Khanna D, Khanna PP, Fitzgerald JD, Singh MK, Bae S, Neogi T, et al; American College of Rheumatology. 2012 American College of Rheumatology guidelines for management of gout. Part 2: therapy and antiinflammatory prophylaxis of acute gouty arthritis. Arthritis Care Res (Hoboken) 2012;64:1447-61.

9. Neogi T, Jansen TL, Dalbeth N, Fransen J, Schumacher HR, Berendsen D, et al. 2015 Gout classification criteria: an American College of Rheumatology/European League Against Rheumatism collaborative initiative. Arthritis Rheum 2015;67;2557-68.

10. Richette P, Doherty M, Pascual E, et al.: 2016 updated EULAR evidence-based recommendations for the management of gout, Ann Rheum Dis 2017;76:29-42.

11. Schumacher HR, Chen LX. Gout and other crystal-associated arthropathies. In: Longo DL, Fauci AS, Kasper DL, Hauser SL, Jameson JL, Loscalzo J, eds. Harrison's principles of internal medicine. 18th ed. New York, McGraw-Hill; 2012. pp. 2837-9,

12. White WB, Saag KG, Becker MA, et al. Cardiovascular safety of febuxostat or allopurinol in patients with gout, N Engl J Med 2018;378:1200-10.

13. Yamanaka H. Japanese Society of Gout and Nucleic Acid Metabolism. Japanese guideline for the management of hyperuricemia and gout: second edition. Nucleosides Nucleotides Nucleic Acids 2011;30:1018-29.

14. Zhu Y, Pandya BJ, Choi HK. Comorbidities of gout and hyperuricemia in the US general population: NHANES 2007-2008, Am J Med 2012;125:679-87 e1.

# 63

# 거짓통풍

한림의대 **서영일**

## KEY POINTS 🔒

- 거짓통풍은 칼슘피로인산(CPP) 결정과 관계된 급성관절염으로 골관절염과 동반된 경우가 많으며 관절액에서 칼슘피로인산 결정을 확인하거나 방사선검사나 초음파를 이용하여 진단할 수 있다.
- CPPD는 양성의 복굴성을 띠는 마름모형의 칼슘피로인산결정에 의해 급성 또는 만성의 관절염을 유발하며 무증상의 연골석회화를 유발하기도 한다.
- 관절에서 칼슘피로인산 결정을 제거하는 방법은 없으며 증상을 호전시키기 위한 약물치료로는 비스테로이드소염제, 콜히친, 국소 및 전신 글루코코티코이드, 인터루킨-1$\beta$ 길항제 등이 있다.
- CPPD와 골관절염의 진행과의 연관성은 불확실하며 CPPD 유무가 무릎관절치환술의 결과에 유의한 영향을 주지 못한다.

## 정의

칼슘피로인산(calcium pyrophosphate, CPP)결정의 형태로 연골의 세포주위 기질에 침착되어 연골석회증(chondrocalcinosis)을 보이는 질환을 칼슘피로인산결정침착질환(Calcium pyrophophate deposition disease, CPPD)이라 하며 이들 중 급성관절염의 형태로 발병하는 질환을 거짓통풍(pseudogout)이라고 하는데 일반적으로 거짓통풍을 CPPD와 혼동해서 같은 의미로 사용하기도 한다.

## 발병기전

CPPD는 노인에서 가장 흔한 결정침착질환으로 65-75세에서 10-15%, 85세 이상에서 30-60%로 보고되어 노인관절염의 흔한 원인이지만 실제 임상에서 과소평가되는 경향이 있다. 대부분은 증상이 없고 CPP 결정침착의 원인이 확실하지 않지만 환자의 80% 이상이 60세 이상이고 70% 이상의 경우에 과거 관절손상이 있었던 것으로 보아 노화된 연골의 생화학적인 변화가 결정침착에 관여하는 것으로 보인다. 골관절염이나 노화된 연골에서는 무기피로인산염을 만드는 ectonucleotide pyrophosphatase/pyrophosphohydrolase 1 (ENPP1)의 활성도가 증가되고 무기피로인산염의 생성이 많아져서 CPP결정을 생성하게 된다(그림 63-1).

표 63-1. 칼슘피로인산결정침착질환과 관련된 상태 및 질병

| |
| --- |
| 노화 |
| 골관절염 |
| 외상 |
| 이전의 관절수술 |
| 대사질환관련 |
| 부갑상선기능항진증 |
| 저인산혈증 |
| 혈색소침착증 |
| 저마그네슘혈증 |
| 만성통풍 |
| 골단이형성증 |
| 가족성 |

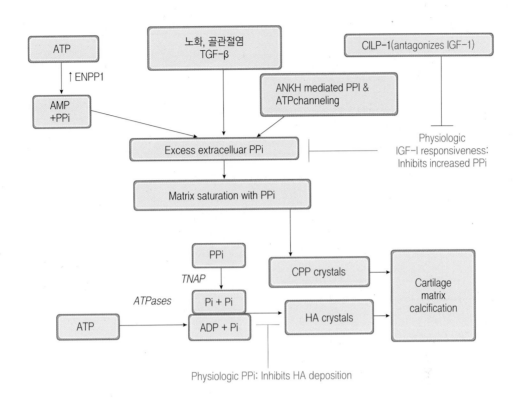

그림 63-1. 노화와 골관절염에서 CPPD와 HA 침착 질환을 유발하는 PPi와 관련된 기전
PPi, inorganic pyrophosphate; ENPP1, ectonucleotide pyrophosphatase/phosphodiesterase 1; AMP, adenosine monophosphate; Pi, inorganic phosphate; TNAP, tissue-nonspecific alkaline phosphatase; IGF-I, insulin like growth factor-I; CILP-1, cartilage intermediate layer protein-1; HA, hydroxyapatite.

이외에 CPPD 환자에서 대사질환이나 유전적인 이상과 연관되는 경우가 있는데 부갑상선기능항진증, 저인산혈증, 혈색소침착증, 저마그네슘혈증 등이 대표적이다. 그러므로 50세 이하의 환자에서 CPPD와 관련된 관절염이 발생할 경우 이러한 대사질환이나 유전적 이상을 염두에 두어야 한다(표 63-1).

## 임상증상

CPPD 관절염은 무증상, 급성, 아급성, 만성으로 나타날 수 있고 이미 존재하던 만성적인 관절질환에 급성활막염을 유발시킬 수 있다. 급성 CPPD 관절염은 그 임상증상이 통풍과 유사하기 때문에 거짓통풍이라고 불리기도 한다. 무릎관절에 가장 잘 발생하며 그 이외에 손목, 어깨, 발목, 팔꿈치, 손관절에도 생길 수 있다. 드물게 턱관절이나 척추의 황색인대(ligamentum flavum)에 생기는 경우도 있다. 임상증상이 서서히 진행되는 경

우에는 골관절염과 감별진단이 어려울 때도 있다. 이러한 경우 침범된 관절의 분포가 CPPD를 의심하게 되는 중요한 단서가 된다. 예를 들면 일차성 골관절염은 손허리손가락(metacarpopha-langeal, MCP), 손목, 팔꿈치, 어깨, 발목관절 등은 잘 침범하지 않는다. CPPD 관절염의 급성발작은 외상이나 관절내시경, 하이알유론산염(hyaluronate)의 주입에 의해 촉발될 수 있으며 갑상선절제술과 같은 수술 후에 혈중 칼슘농도가 급격히 떨어지는 경우에 발생할 수 있다. 약 50%의 환자에서 경도의 발열이 발생하며 때로는 40℃ 이상의 고열이 발생할 수 있다.

## 진단

급성이나 만성 CPPD 관절염이 의심되는 경우에 검사와 치료를 위한 접근방법을 정리하면 다음과 같다(그림 63-2).

CPPD 관절염의 최종적인 진단은 활액이나 관절조직에서 전

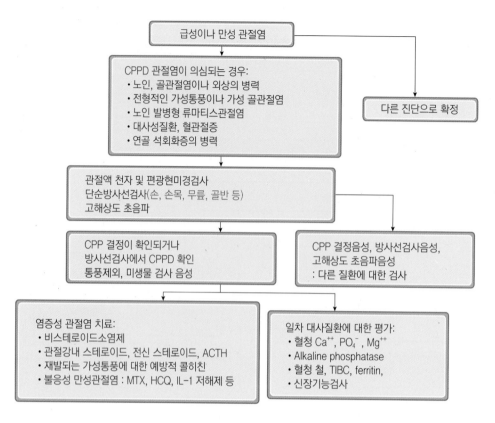

그림 63-2. CPPD가 의심되는 경우에 검사와 치료를 위한 알고리즘

형적인 결정을 확인하는 것이다. 활액이 없거나 활막생검을 시행하지 못한 경우에도 방사선검사에서 유리연골에 점이나 선모양의 연골석회화(chondrocalcinosis)가 보이면 CPPD 관절염의 진단이 가능하다(그림 63-3).

급성 CPPD 관절염 환자의 활액은 염증소견을 보인다. 활액에서 백혈구 수가 수천/mL에서 100,000/mL이며 평균 약 24,000/mL 정도이고 호중구가 주된 세포이다. 편광현미경으로 보면 활액이나 호중구 안에 약한 양성복굴절(weak positive birefringence)을 가지는 마름모형 결정을 발견할 수 있다(그림 63-4).

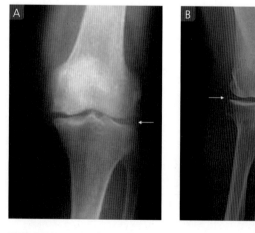

그림 63-3. **CPPD에서 보이는 연골석회증(chondrocalcinosis)**
**(A)** 무릎관절에서 보이는 선형석회화, **(B)** 팔꿈치관절에서 보이는 선형석회화

그림 63-4. 편광현미경에서 막대모양의 약한 양성복굴절(weak positive birefringence)을 보이는 관절액 내의 CPP결정(x100)

표 63-2. 칼슘피로인산결정침착질환(CPPD)의 진단기준

| |
|---|
| I. 조직이나 활액에서 CPP결정의 증명[특징적인 X선 회절 (diffraction) 이나 화학적 분석에 의해] |
| II. (a) 편광현미경에서 약한 양성복굴절이나 복굴절이 없는 결정이 확인<br>　(b) 전형적인 방사선학적인 석회화 존재<br>　(c) 고해상도 초음파에서 전형적인 CPP결정침착 확인 |
| III. (a) 무릎이나 다른 대관절의 급성관절염<br>　(b) 골관절염과 감별되는 특징을 가진 무릎, 손목, 팔꿈치, 어깨, 손허리손가락관절, 엉덩관절 등의 급성악화와 동반된 만성관절염 |
| A. Definite disease: I or II(a)<br>B. Probable disease: II(a) or II(b) or II(c)<br>C. Possible disease: III(a) or III(b) |

그 이외에 환자의 활액을 검사할 때는 감염의 가능성을 배제하기 위해 미생물 배양검사를 필수적으로 해야 한다. CPPD의 진단기준은 다음과 같다(표 63-2).

# 치료

급성발작을 치료하지 않는 경우 수일에서 수개월까지 증상이 지속될 수 있다. 활액을 뽑아주고 비스테로이드소염제, 콜히친, 관절강내 글루코코티코이드 주사 등으로 치료하면 효과가 있다 (표 63-3).

CPP결정관절염이 자주 재발하는 환자에서는 저용량의 콜히친을 날마다 복용하는 예방적 치료가 발작의 횟수를 줄이는 데 도움이 될 수 있다. 또한, 심한 다관절 발작은 단기간의 글루코코티코이드 치료를 필요로 하기도 한다. 통풍의 요산결정과는 달리 연골과 활막으로부터 CPP결정침착을 제거하는 방법은 없으며 큰 관절이 점차적으로 파괴되는 관절염을 가진 환자는 일반적으로 관절치환술이 필요하다.

# 예후

관절치환술을 시행하는 시기에 무릎의 골관절염에서 CCP결정이 흔히 보이기는 하지만 CPPD가 골관절염의 진행을 촉진한다는 증거는 명확하지 않으며 오히려 연골석회증이 있는 경우 연골소실(cartilage loss)의 위험을 줄인다는 보고도 있다. 또한 CPPD 유무가 무릎관절치환술의 결과에 유의한 영향을 주지 못하는 것으로 알려져 있다.

표 63-3. 칼슘피로인산침착질환(CPPD)의 치료

| 비약물치료 |
|---|
| 얼음팩, 냉찜질 |
| 일시적 휴식(temporary rest) |
| 관절액 천자 |

| 약물치료(급성) |
|---|
| 비스테로이드항염제(NSAIDs)나 COX-2억제제 |
| 콜히친(0.6-2.4 mg/일) |
| 관절강내 글루코코티코이드 |
| 전신 글루코코티코이드(0.5-1 mg/kg) |
| 부신피질자극호르몬(ACTH) |
| 진통제: 아세트아미노펜 등 |
| 인터루킨-1β 길항제: anakinra |
| 상기 약물의 병합 |

| 약물치료(만성) |
|---|
| 콜히친 |
| 저용량 글루코코티코이드(<10mg/일) |
| 비스테로이드항염제(NSAIDs)+PPI 또는 COX-2억제제 |
| 하이드록시클로로퀸(Hydroxychloroquine) |
| 메토트렉세이트 |
| 인터루킨-1β 길항제: anakinra |
| 상기약물의 병합 |

📑 참고문헌

1. 전재범, 송정수, 서영일. 결정관절염. In: 대한류마티스학회. 류마티스학. 군자출판사; 2014. pp. 315-36.

2. Abhishek A, Doherty M. Calcium pyrophosphate crystal-associated arthropathy. In: Hochberg 3. MC, Silman AJ, Smolen JS, Weinblantt ME, Weisman MH, Gravallese EM, eds. Rheumatology, 7th ed. Philadelphia: Elsevier; pp. 1583-95.

3. Schumacher HR, Chen LX. Gout and other crystal-associated arthropathies. In: Jameson JL, Kasper DL, Longo DL, Fauci AS, Hauser SL, Loscalzo J, eds. Harrison's principles of internal medicine. 20th ed. New York: McGraw-Hill, 2018. pp. 2631-6.

4. Terkeltaub R. Calcium crystal disease: Calcium pyrophosphate Dihydrate and basic calcium phosphate. In: Firestein GS, Budd RC, Gabriel SE, McInnes IB, O'Dell JR, eds. Kelley and Firestein's Textbook of Rheumatology. 10th ed. Philadelphia: Elsevier Saunders; 2017. pp.1863-91.

# 64

# 기타 결정관절병증

영남의대 홍영훈

## KEY POINTS 🔒

- 통풍 외 기타결정침착질환으로는 칼슘과 결합된 피로인산염, 염기인산염 및 옥살산염 결정의 조직침착으로 발생하는 질환이 대표적이다.
- 염기인산칼슘(BCP) 칼슘수산화인회석(HA) 결정 침착은 석회성 관절주위염이나 인대염 및 광범위한 파괴를 초래하는 관절염(Milwaukee shoulder syndrome)을 유발할 수 있다.
- 관절에서 이들 결정을 제거하는 약물적 치료는 없으며 증상을 호전시키기 위한 약물치료로는 비스테로이드소염제, 콜히친, 국소 및 전신 글루코코티코이드가 있다.

결정유발관절병증은 단일유전자(monogenic) 자가염증증후군(autoinflammatory syndrome)과 유사한 양상을 보이는 1형 자가염증질환으로 분류된다. 여기서 자가(auto)란 의미는 인터루킨(interleukin, IL)-1β의 생성과 분비가 자체적으로 IL-1β 유전자 발현을 유도한다는 것을 의미하며, 이들 질환은 자발적으로 발생하여 자기제한적으로 호전되는 양상이 반복되는데, 이 과정에서 선천면역에 의한 인플라마좀(inflammasome)의 활성화와 폭발적인 IL-1β 생성이 특징적으로 나타낸다. 질환의 급성 또는 만성 과정에서 IL-1을 봉쇄하면 병세가 치료되는 것을 볼 수 있으며, 이 또한 이들 질환이 1형 자가염증질환임을 시사하는 소견이라 할 수 있다. 통풍에서의 요산 결정은 다른 유발인자들과 더불어 세포질 NACHT-LRRPYD-containing protein-3 (NLRP3) 염증조절복합체를 활성화시킬 수 있으며 이는 카스파

제-1(caspase-1)을 통해 pro-IL-1β을 IL-1β으로 전환시키고, IL-1 수용체와 MyD88 분자는 결정에 의한 염증 반응을 유발하고 증폭시키는데 중심적인 역할을 하는 것으로 확인되었다.

칼슘은 결정 구조를 가진 주요 미네랄로서, 연조직석회화는 수동적인 물리-화학적 현상으로 노화에 의한 비가역성의 퇴행성 변화로 여겨져 왔으나, 최근 여러 연구에서 석회화를 유도하거나 억제하는 많은 기전이 관여된 조절의 결과임이 밝혀졌고, 전이석회화(metastatic calcification), 비정상조직석회화(dystrophic calcification), 석회증(calcinosis) 등으로 분류되고 있다. 전이석회화은 주로 내분비-대사성 변화나 종양관련 합병증 등으로 인한 칼슘/인의 농도 증가가 원인이며, 비정상조직석회화는 죽상경화와 같이 손상이나 괴사된 조직에서 발생하는 것을 일컫는다. 석회침착증은 저산소증(hypoxia), 혈관분포과소(hypovascularity), 반복되는 염증 또는 감염을 동반한 근위축이나 관절구축 등에서 관찰된다.

통풍 이외에 발생하는 기타 결정유발관절병증은 주로 칼슘 결정의 침착과 관련된 질환들로서, 칼슘피로인산(calcium pyrophosphate dehydrate, CPPD)결정, 수산화인회석(hydroxyapatite, HA)을 포함한 염기인산칼슘(basic calcium phosphates, BCP)결정 및 칼슘옥살산(calcium oxalate)결정침착질환 등이 있다.

# 염기인산칼슘결정침착질환

## 1) 정의

염기인산칼슘이 결정의 형태로 관절 및 관절 주위의 여러 연조직에 침착되어 발생하는 관절병증으로, 크게 관절 주위의 힘줄, 활액낭 등에 발생하는 석회화 관절주위염과 관절의 퇴행성 변화와 밀워키 증후군(Milwaukee shoulder syndrome, MSS) 등을 초래하는 관절강 내 결정침착질환으로 구분해 볼 수 있다.

## 2) 역학

한 연구에서 BCP결정침착에 의한 석회화 관절주위염의 경우, 환자의 평균 연령은 51세였으나 28세에서 78세 사이의 넓은 연령대에서 나타났으며, 대부분 여성에서 발생하였고(73%), 대둔근건염이 가장 흔한 형태였다고 보고하였다. 환자의 대부분은 노인으로 정확한 유병률은 알려져 있지 않지만 골관절염을 가진 환자들의 30-50%에서 관절액에 BCP 미세결정들을 가진다고 한다.

## 3) 발병기전

인체에서 발생하는 석회화 질환의 대부분은 탄산화수산화인회석(carbonated HA), 인산팔칼슘(octacalcium phosphate, OCP) 그리고 인산삼칼슘(tricalcium phosphate, TCP)의 혼합물을 포함하며, 이들은 염기성 결정을 형성하므로 HA를 포함하여 BCP결정침착질환이라 일컫는다.

골관절염이나 노화된 연골에서 삼인산아데노신(adenosine triphosphate, ATP) 농도와, 무기 인산염을 만드는 ATP분해효소(ATPase), 5'-일인산아데노신분해효소(5'-AMPase), 조직비특이성 알칼리성인산염분해효소(tissue non-specific alkaline phosphatase, TNAP), 피로인산염분해효소(nucleotide pyrophosphatase/phosphodiesterase-1, NPP1) 등의 탈인산가수분해효소의 활성도에 따라 HA 등 BCP결정의 생성이 촉진된다(그림 64-1). 삼인산아데노신으로부터 분해 생성된 무기 인산염(PPi, Pi)은 CPPD 또는 BCP/HA 미네랄을 형성한다. 이 과정에서 피로인산염(PPi)으로부터 인산염(Pi)이 생성되기도 하지만 저농도의 피로인산염은 BCP 미네랄 형성을 억제하는 작용을 하기도 한다. 한편 고농도에서는 CPPD 미네랄 형성이 촉진된다.

BCP결정유발염증반응은 NLRP3 염증조절복합체에 의한 IL-1β 생성/분비에 의한 것으로 생각되었고, 최근 막-근위키나아제(membrane-proximal kinases) Syk와 PI3K 등이 중요한 역할을 하는 것으로 알려지고 있다. 인간 대식세포와 수지상세포에서 BCP결정은 Syk과 PI3K를 활성화시키고, 이는 IL-1 생성과 지질유동섬(lipid raft) 형성을 유도하게 된다. 특히 대식세포가 골관절염의 활액과 더불어 BCP결정에 노출되면 여러 가지 이화성 매개물질과 사이토카인이 유도되는 것으로 보아 골관절염의 활액 내에 BCP결정에 의한 염증반응을 증폭시키는 보조인자가 있을 것으로 생각되고 있다.

또한, BCP결정은 항파골세포생성인자(anti-osteoclastogenic factor)를 억제하고 파골세포 형성을 촉진하여 MSS에서 보이는 광범위한 골파괴와 골관절염에서의 연골하 골이상에 관여하는 것으로 알려져 있다, 그 과정에서 BCP결정이 프로스타글랜딘 E2를 유도하고, 파골세포전구세포에서 IL-6와 IFN-γ의 신호전달을 억제하여 파골세포 생성을 촉진하는 것으로 보고되고 있다.

## 4) 병인

수산화인회석/HA [Ca5(PO4)3(OH)]은 자연에서 발생하는 미네랄이지만, 인체의 뼈와 치아의 일차적인 무기질로서 고칼

표 64-4. 칼슘수산화인회석침착질환과 관련된 상태

| |
| --- |
| 노화 |
| 골관절염 |
| Milwaukee 어깨 |
| 파괴관절병증 |
| 인대염, 소점액낭염 |
| 종양 석회증 |
| 질병관련<br>부갑상선기능항진증<br>신부전/장기간의 투석<br>Milk-alkali 증후군<br>결합조직병(예, 진행전신경화증, CREST증후군, 특발근염, 루푸스)<br>신경학적인 이상에 따른 다른 부위의 석회화(예, 뇌졸중, 척수종 손상) |
| 유전성<br>진행골화섬유형성이상(Fibrodysplasia ossificans progressiva) |

슘/고인산염혈증이나 부갑상선기능항진증뿐 아니라 여러 상황에서도 조직손상부위에 비정상적으로 축적될 수 있다(표 64-4).

신기능 저하로 인해 칼슘 또는 인의 혈중 농도가 증가된 경우나 알칼리성인산염분해효소의 결핍으로 인한 저인산염효소증(hypophosphatasia)에서도 석회화 관절주위염 등이 나타난다. 또한 유전적 요인으로 ENT1 (equilibrative nucleoside transporter-1, SLC29A1) 유전자 결함이나 Augustine-null 혈액형을 가진 가족에서의 발생도 보고되고 있다.

## 5) 임상증상

관절 및 관절주위의 결정 침착은 관절피막(capsule), 인대, 소점액낭, 관절면의 급성 혹은 만성손상을 초래한다. BCP/HA 침착이 발생하는 가장 흔한 위치는 무릎, 어깨, 엉덩관절, 손가락관절 안이나 관절 주위에 있는 소점액낭 및 건/인대 등이다. 임상증상은 무증상부터 급성활막염, 소점액낭염, 건염/인대염, 만성파괴관절병증이 있다. BCP/HA 결정침착질환으로는 석회화 건염이 가장 잘 알려져 있으며, 극상근건이 가장 흔히 침범된다. 노인에서 관절강 내 BCP/HA 결정 침착은 점진적인 관절 파괴를 유발하는데, 무릎이나 어깨관절에 흔하게 발생하며 어깨관절에 발생한 만성관절병증을 'Milwaukee 어깨'라 한다. 관절강 내로 유리된 BCP/HA 결정은 안정된 만성 골관절염에서 급성 활막염을 일으킬 수 있으며, 이러한 환자들의 활막조직 배양에 BCP/HA 결정을 노출시키면 콜라겐분해효소(collagenase)와 중화 단백질

분해효소(neutral protease)가 현저하게 증가되는 것을 볼 수 있다. 이 경우 단순 골관절염과는 다르게 활막조직의 반응이 극심하게 나타나고 관절파괴가 광범위하게 진행된다. 관절의 파괴는 지지구조의 약화, 파열 및 관절의 불안정성과 불구를 초래하기도 한다. 관절파괴는 통증없이 진행된다.

## 6) 진단

BCP/HA결정침착관절병증의 방사선학적 소견은 관절내 또는 관절 주위에 석회화가 보이는 것이다(그림 64-5).

골미란이나 파괴, 비대성 변화 등이 나타날 수 있으나 진단적 의미는 없으며, 확진은 활액이나 조직에서 원인 결정을 확인하는 것이다. BCP/HA 결정은 매우 작고, 복굴절이 없으며 전자현미경하에만 정확히 확인할 수 있다. BCP/HA 결정들의 군집은 1-20 μm 크기로 세포 안 혹은 바깥의 방울처럼 보이며 Wright 염색에서 보라색으로 보이고 칼슘을 염색하는 방법인 alizarin red 염색에서 밝은 붉은색으로 보인다(그림 64-6).

확실하게 HA 결정을 확인하기 위해서는 전자현미경이 필요하다. 활액의 백혈구 수치는 일반적으로 2,000/mm³ 이하이나 때로는 50,000/mm³ 정도까지 나올 수 있다. 대부분의 활액검사에서는 단핵세포가 주로 나타나며 호중구가 주를 이루는 경우도 있다.

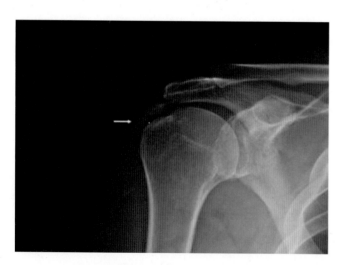

그림 64-5. **어깨관절의 전후영상(AP view)** 어깨세모근밑주머니(subdeltoid bursa) 부위에 보이는 석회화된 침착

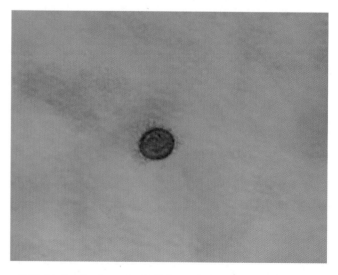

그림 64-6. Alizarin red S 염색 후 보이는 수산화인회석(HA) 결정

## 7) 치료

BCP/HA 침착관절병증의 특별한 치료 방법은 없다. 소점액낭염이나 활막염의 급성발작은 수일에서 수주 안에 저절로 좋아질 수 있다. 비스테로이드소염제나 콜히친을 투약하거나 활액 배액과 관절세척(barbotage/irrigation) 또는 관절강 및 관절 주위에 글루코코티코이드 주사를 하면 증상의 기간과 강도를 줄일 수 있으며 초음파를 이용한 체외충격파치료(ESWT)가 회전근개와 점액낭의 석회화에 효과가 있다는 보고도 있다. 일반적으로 관절의 파괴가 심하게 진행된 환자에서는 약물치료의 효과가 낮으며 증상이 심한 경우 수술적 치료가 고려되기도 한다. 최근 비타민K 의존성 GRP(Gla-rich protein)가 골관절염에서 BCP/HA 결정의 염증 유발을 조절하는 효과가 있음이 보고되기도 했다.

# 옥살산칼슘침착질환

## 1) 정의, 병인 및 기전

옥살산칼슘침착질환은 조직에 옥살산칼슘 결정이 침착되어 발생하는 관절병증이다. 옥살산은 아미노산의 최종 대사산물로서 더 이상 분해되지 않고 소변을 통해 배설된다. 옥살산은 사구체에서 여과되어 근위세뇨관에서 재흡수 또는 분비되는데, 정상적인 상태에서는 분비량이 재흡수량보다 많아 세뇨관에서는 옥살산의 순수한 분비(net tubular secretion)가 일어난다. 이 과정에서 소변의 옥살산 분비가 증가되는 경우, 뇨 중 칼슘과 결합하여 결석을 형성하게 된다. 원발성 고옥살산뇨증(primary hyperoxaluria)은 드문 유전적인 대사질환으로서 세포질의 2-oxoglutarate glycoxalate carboligase의 결함으로 인해 글리콜산과 옥살산의 신장 배설이 증가되는 1형과 D-glyceric dehydrogenase 효소 결핍으로 인해 L-글리세린산과 옥살산의 신장 배설이 증가되는 2형으로 나눌 수 있으며, 옥살산의 생성이 증가되면 일반적으로 20세 이전에 신장결석, 신부전이 발생하게 된다. 속발성 고옥살산뇨증(secondary hyperoxaluria)은 회장 질환이나 회장 절제술 등 흡수장애를 보이는 모든 소화기질환에서 발생할 수 있으며, 지방산이나 담즙산의 흡수 장애로 인한 대장에서의 옥살산 흡수 증가가 그 원인이다.

혈중 옥살산이 증가하는 원인으로는 위에서 설명한 고옥살산뇨증에서 발생하는 원발성과, 옥살산이나 전구물질의 과다섭취, 또는 만성신부전 등의 배설 장애로 인한 속발성 고옥살산혈증(secondary hyperoxalemia)으로 구분할 수 있으며, 증가된 혈중 옥살산은 옥살산칼슘(CaOx)결정을 형성하여 내부 장기, 뼈 등의 연조직, 혈관 등 여러 조직에 침착된다. 이렇게 침착된 결정은 NLRP3 염증조절복합체/ASC (apoptosis-associated speck-like protein containing CARD)/caspase-1의 신호전달 과정을 거쳐 IL-1β를 생성/분비하여 관절염 및 조직의 염증을 유발하는 것으로 알려져 있다.

## 2) 임상증상 및 진단

옥살산칼슘 응집은 뼈, 관절의 연골, 활막, 관절주위 조직에서 발견되며 급성활막염을 일으킬 수 있다. 옥살산칼슘의 응집이 계속되면 활막 증식과 효소방출이 촉진되어 점차적인 관절의 파괴가 일어난다. 옥살산칼슘침착은 손가락, 손목, 팔꿈치, 무릎, 발목, 발 등에서 나타난다. 급성옥살산칼슘관절염의 임상증상은 통풍이나 거짓통풍, BCP/HA 관절염과 감별하기 어렵고 방사선 소견도 CPPD처럼 연골석회화가 나타난다. 옥살산칼슘으로 인한 활막액은 일반적으로 백혈구가 2,000/mm³이며 호중구나 단핵구 세포가 주로 보인다. 옥살산칼슘결정은 편광현미경에서 다양한 모양의 복굴절을 보이며 대부분 양추체형(bipyramidal)의 강한 양성복굴절을 보인다.

## 3) 치료

옥살산칼슘관절염의 치료는 비스테로이드소염제, 콜히친, 관절강 내 글루코코티코이드 주사, 투석 등을 시행하였을 때 경미한 호전을 보인다.

📑 참고문헌

1. Firestein GS, Budd RC, Gabriel SE, McInnes IB, O'Dell JR eds. Kelley and Firestein's Textbook of rheumatology, 11th ed., Philadelphia, Elsevier Saunders, 2020, p1676-1686, p1732-1751.

2. Hochberg MC, Silman AJ, Smolen JS, Weinblantt ME, Weisman MH eds. Rheumatology, 7th ed., Philadelphia, Elsevier, 2015, pp. 1621-1631, 1632-137.

3. Longo DL, Kasper DL, Jameson JL, Fauci AS, Hauser SL, Loscalzo J, eds. Harrison's Principles of Internal Medicine. 20th ed. New York;

McGraw-Hill; 2018. pp. 2631-35.

4. Zhang W, Doherty M, Pascual E, et al. EULAR recommendations for calcium pyrophosphate deposition. Part II: Management. Ann Rheum Dis 2011;70:571-5.

# 65

## 증례

인제의대 **이성근**

## 증례 1

55세 남성이 왼쪽 무릎 통증과 부종으로 병원에 왔다. 하루 전 저녁부터 왼쪽 무릎에 통증이 있었고, 오늘 아침에 일어나서는 붓고 아파서 걸을 수가 없었다. 6개월 전에 오른쪽 첫 번째 발허리발가락관절에 걷기 힘들 정도로 심한 통증과 발적을 동반한 부종이 발생하여 일주일 후 가라 앉은 적이 있었다. 왼쪽 무릎관절에 압통과 부종이 있었다. 혈액과 관절액 검사 결과와 편광현미경 소견(그림 65-1)은 다음과 같다. 진단과 치료는?

- 혈액: 크레아티닌 2.7 mg/dL, 요산 8.8 mg/dL
- 관절액: 육안소견 혼탁(turbid), 백혈구 48,000/mm$^3$ (다형핵백혈구 85%)

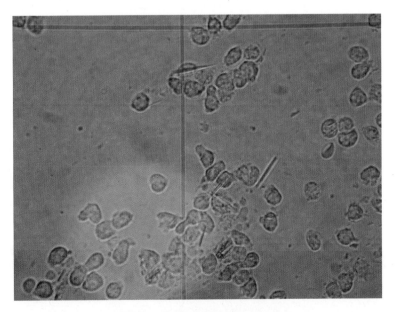

**그림 65-1. 무릎관절액 편광현미경 사진**

## 1) 증례 해설

기저 고요산혈증이 있는 55세 남성이 한쪽 무릎의 급성관절염으로 내원하여 시행한 관절액 분석에서 음성 복굴절을 보이는 바늘 모양의 요산결정이 확인되어 통풍으로 진단할 수 있다. 화농관절염은 주요한 감별질환 중 하나이며, 약 40%에서는 발열이 동반되지 않을 수 있고, 요산결정의 존재 만으로 배제할 수 없다. 하지만, 관절 액 분석소견(백혈구<50,000 mm$^3$, 다형핵백혈구<90%)을 근거로 판단할 때, 가능성이 매우 높지는 않다고 볼 수 있으며(비감염성 염증관절염 대비 양성 대응비 약 3.0), 치료 반응에 대한 모니터링과 관절액 배양 검사 결과 의 확인이 필요하다. 또한, 본 증례는 관절 천자 소견을 감안하지 않고, 기저의 고요산혈증과 급성통풍의 특징적 인 양상과 시간경과를 보인 병력을 근거로 판단하더라도, 2015년 미국/유럽 류마티스학회의 통풍 분류기준을 만족한다.

통풍의 급성기 치료에 사용되는 약물로 비스테로이드소염제, 콜히친, 글루코코티코이드가 있다. 본 증례의 경우 신기능 저하로 비스테로이드소염제와 콜히친은 치료로 고려하기 어렵다. 따라서, 글루코코티코이드를 관 절강 내에 주사하며, 무릎과 같은 큰 관절에는 약 40 mg/1 mL의 triamcinolone acetate를 약 1 mL의 2% lidocaine 에 혼합하여 주입하는 것이 일반적이다. 보통 3일에서 1주일 이내에 관해를 기대할 수 있으며, 치료에도 염증이 2주 이상 지속되는 경우에는 통풍 진단을 다시 생각해 보아야 한다.

본 증례는 이차 예방을 위한 고요산혈증 치료의 적응이 되며, 시작 시기 및 약제 선택에 대한 내용을 앞선 본 문의 내용으로 갈음한다. 하지만, 중요한 점은 고요산혈증의 치료는 단기적으로는 급성통풍의 가능성을 증가시 키기 때문에, 반드시 예방치료를 병행하여야 한다.

## 증례 2

71세 여성이 2일 전부터 왼쪽 무릎 통증으로 병원에 왔다. 이전에 유사한 증상이 생겼던 적은 없었다. 진찰에 서 왼쪽 무릎에 부종과 압통이 있었다. 혈액과 관절액 검사결과, 왼쪽 무릎 X선 사진(그림 65-2)과 편광현미경 사 진(그림 65-3)은 다음과 같다. 진단과 치료는?

- 혈액: 크레아티닌 0.6 mg/dL, 요산 5.8 mg/dL
- 관절액: 육안소견 혈액성(bloody), 백혈구 35,500/mm$^3$ (다형핵백혈구 86%)

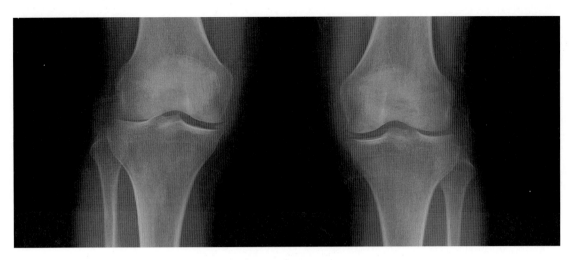

그림 65-2. **무릎 X선 사진**

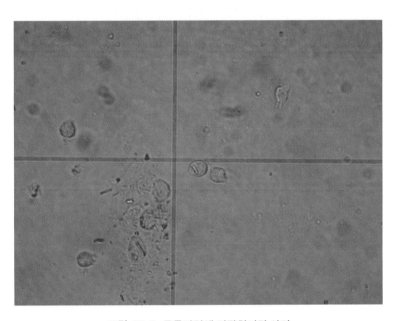

그림 65-3. **무릎관절액 편광현미경 사진**

## 1) 증례 해설

본 증례의 경우 동일한 주소로 내원하였지만 증례 1과는 차이를 보인다. 인구학적으로 고령이며, 여성이다. 고요산혈증이 없으며, 무릎 X선 사진에서는 기저 골관절염 소견과 함께 내측 반월연골을 따라 선형의 음영이 보이는 연골석회화(chondrocalcinosis) 소견을 보이고 있다. 관절액의 육안 소견은 혈액성이며, 편광현미경에서는 뭉툭한 사각형 모양(rhomboid shape)의 양성복굴절을 보이는 결정이 관찰된다. 전형적인 칼슘피로인산(calcium pyrophosphate, CPP) 결정에 의한 급성 CPP결정 관절염(acute CPP crystal arthritis), 거짓통풍이다.

거짓통풍의 치료는 급성통풍의 치료를 준용하지만, 몇 가지 차이점이 있다. 거짓통풍은 콜히친에 대한 치료 반응이 급성통풍에 비해 낮은 경향이 있어 급성기 치료 보다는 거짓통풍의 재발을 막는 예방 목적으로 주로 사용한다. 거짓통풍은 비스테로이드소염제에 잘 반응하지만, 인구학적으로 55세 이상의 고령의 환자에서 주로 발생하기 때문에 비스테로이드소염제의 위장관 및 심혈관계 부작용에 대한 주의가 더 필요하다. 본 증례와 같이 큰 관절을 침범한 경우에 관절강내 글루코코티코이드 주사는 유효한 치료 방법이다. 거짓통풍은 급성통풍보다 보통 관해까지 걸리는 기간이 더 길며, 수주까지 지속되기도 한다.

## 📑 참고문헌

1. Ann K. Rosenthal. Calcium pyrophosphate deposition disease (pseudogout). In: Marc C. Hochberg, editor. Rheumatology, seventh edition: Elsevier;2019. p. 1621-1631.

2. Margaretten ME, Kohlwes J, Moore D, Bent S. Does this adult patient have septic arthritis? JAMA : the journal of the American Medical Association. 2007;297:1478-88.

3. Nicola Dalbeth. Clinical features and treatment of gout. In: Gary S. Firestein, editor. Firestein & Kelley's Textbook of Rheumatology, Eleventh Edition: Elsevier;2021. p. 1710-1731.

4. Robert Terkeltaub. Calcium crystal disease: calcium pyrophosphate dihydrate and basic calcium phosphate. In: Gary S. Firestein, editor. Firestein & Kelley's Textbook of Rheumatology, Eleventh Edition: Elsevier;2021. p. 1732-1751.

류 마 티 스 학
RHEUMATOLOGY

# PART 9 전신홍반루푸스

책임편집자 **배상철**(한양의대)
부편집자 **정경희**(인하의대)

# 66

# 역학과 병인

충남의대 **심승철**

## KEY POINTS 🔒

- 전신홍반루푸스는 유전적, 환경적 요인의 상호작용으로 세포 내 자가항원에 대한 관용에 이상이 발생하여 신장, 관절, 피부, 심혈관, 호흡기, 신경, 조혈계 등 다양한 기관을 침범하는 자가면역질환이다.
- 인구 10만 명당 20-100명의 비율로 젊은 여성에서 호발하며 신염, 감염, 심혈관질환 등으로 사망하는 질환이다.
- 유전적 원인으로 보체, 주조직적합성복합체, 인터페론 알파 등과 관련된 선천면역계와 T세포 및 B세포 등 후천면역계의 생존 및 활성화와 관련된 유전자 등의 이상과 관련이 있다.
- 세포 사멸 과정의 이상에 의해 발생하며 세포자멸사와 중성구세포외덫의 이상과 관련이 있다.
- 면역계의 이상으로 선천면역계와 후천면역계의 복합적인 이상으로 발생한다.
- 가임기 여성에서 호발하여 여성호르몬의 영향으로 발생한다.
- 조직 및 기관의 손상은 자가항체 또는 면역복합체 생성으로 발생한다.

## 역학

### 1) 발생률과 유병률

전신홍반루푸스(systemic lupus erythematosus, 이하 루푸스)는 가임기를 포함한 젊은 연령의 여성에게 주로 발병하는 만성 자가면역질환이다. 최근 발표된 미국, 유럽 및 아시아 등의 조사에서 인구 10만 명당 루푸스의 연간 발생률은 4-7명, 유병률은 20-150명으로 1970년대 40명이었던 것과 비교하면 시간이 지나면서 점차 증가하는 추세이다. 이는 실제 질병 발생이 증가하기보다는 진단율과 생존율의 증가로 인한 것으로 생각된다. 국민건강보험 자료(2010년)로 추정한 우리나라의 인구 10만 명당 루푸스 발생률은 2.5명, 유병률은 26.5명이다.

### 2) 성별

루푸스의 발생률 및 유병률은 남녀비가 약 1:9로 여성에서 높은데 이는 여성호르몬의 영향으로 생각된다. 그러나 소아 환자와 노인 루푸스 환자에서는 비교적 낮다(소아 1:3, 노인 1:8). 또한, 여성호르몬의 영향은 초경 연령이 빠를수록, 경구 피임약이나 폐경 후 호르몬대체요법을 사용할수록 루푸스의 발생위험이 증가하는 결과에서도 확인될 수 있다.

### 3) 연령

젊은 나이에 호발하여 16-55세에서 65%가 발병한다. 20%는 16세 이전에 나머지 15%는 55세 이후에 발병한다. 노인에서의 루푸스는 증상이 가벼운 경향이 있는데, 뺨발진이나 광과민성, 레이노증후군 및 신장이나 중추신경계, 혈액학적 소견이 젊은 연령대의 환자들에 비해서 적게 나타나는 반면, 건조증후군, 장막염, 폐증상과 근골격계 증상이 더 흔히 나타난다.

### 4) 인종의 차이

루푸스는 인종에 따라 발생률과 유병률이 다른데 백인에 비하여 아시아인과 미국 및 중미 흑인에서 많이 발생한다. 흥미롭게도 아프리카 흑인에서는 루푸스가 잘 발생하지 않는다.

## 예후

루푸스의 예후는 기관 손상의 정도와 연관성이 높으며 기관 손상이 있으면 사망률이 1.46배 증가한다. 고연령, 남성, 미국 흑인, 높은 루푸스 질병활성도(Systemic Lupus Erythematosus Disease Activity Index, SLEDAI), 스테로이드 사용, 고혈압 등이 있을 때 기관 손상이 많이 발생한다. 반면 아시아인과 항말라리아제 사용 시에는 기관 손상이 감소한다. 지난 60년 동안 루푸스 사망률은 크게 감소되었다. 5년 생존율은 1955년에는 50%였으나, 1980년대 64-87%, 1990년대 82-95%, 최근에는 약 95%까지 증가하였다. 10년 생존율도 92%에 달하고 북미, 유럽 및 중국의 연구에 의하면 20년 생존율은 78%로 보고되었다. 루푸스의 생존율 증가는 조기진단, 경증 환자의 조기진단, 치료약제의 개발, 그리고 혈액투석, 신이식 등 신장 손상에 대한 치료 발전 등에 의한 것으로 생각된다. 그러나 아직도 루푸스 사망률은 일반인에 비해 약 3-5배 높다.

루푸스의 주요 사망 원인은 루푸스신염, 높은 질병활성도, 감염, 심혈관질환 등이다. 루푸스에 의한 사망은 이원성 형태(bimodal pattern)를 보이는데, 초기에는 높은 질병활성도, 감염 등에 의한 사망이 두드러지지만 5년 이후에는 감소하며, 후기에는 조기 심혈관질환에 의한 사망이 증가한다. 루푸스신염은 사망의 주요인자로서 신염이 없는 경우 10년 생존율이 94%로, 신염을 동반한 경우에 88%로 낮아진다. 또한, 중추신경계 침범과 질병활성도가 높은 경우(SLEDAI >20점) 사망률이 높다. 과거에는 루푸스신염과 높은 질병활성도에 대한 적절한 치료법이 없어 중요한 사망 원인이었지만 치료법의 개발로 사망률이 감소하여 현재는 사망 원인의 약 25%를 차지하고 있다.

## 병인론

### 1) 유전적 요인

루푸스 발생의 유전적인 요인은 쌍둥이 및 가족에 대한 연구에서 처음 알려졌다. 이란성쌍둥이(dizygotic twin)는 루푸스의 발생률이 3%인데 비해 일란성쌍둥이(monozygotic twin)에서 발생률은 14-57%로 이란성쌍둥이에 비해 10배 이상이다. 또한, 루푸스 환자의 가족 중에서 또 다른 루푸스 환자가 생길 확률은 약 5-12%이며, 이는 일반인에 비하여 약 100배의 위험도에 해당한다. 그러나 루푸스 환자의 가족에서는 루푸스뿐만 아니라 다양한 자가면역질환의 발생률이 증가되어 마치 보통염색체우성(autosomal dominant) 유전과 비슷한 양상을 보인다. 또한, X염색체에는 인터루킨(interleukin, IL)-1 수용체 관련 키나제(IL-1 receptor-associated kinase, IRK) 1, 톨유사수용체(toll-like receptor, TLR) 7 등의 위험유전자가 존재하여 루푸스가 주로 여성에게 발병하는 원인이 되며 X염색체의 수가 증가된 클라인펠터증후군(Klinefelter syndrome) 환자에서 루푸스가 높게 발병된다.

루푸스의 발생 위험도가 가장 높은 유전적 이상은 C1q, C4, C2 등 보체계 유전자의 결핍으로 위험도가 5-25배로 상승한다. 그러나 루푸스 환자에서 이 유전자가 결핍된 경우는 극히 드물기 때문에 가장 흔한 연관을 보이는 것은 인간백혈구항원(human leukocyte antigen, HLA) 유전자인 HLA-DR2과 DR3이며 각각 루푸스의 위험도를 2배 정도 증가시킨다.

그 다음이 면역복합체의 탐식작용 및 면역기능을 매개해주는 Fcγ 수용체(FcγR)로 FcγRIIA, FcγRIIIB의 연관성이 보고되었으며 이외 C반응단백질(C-reactive protein, CRP), integrin alpha M (ITGAM) 등이 관련이 있다.

전장게놈연관연구(genome-wide association study)에 따르면 현재까지 약 180여 개의 유전좌위가 루푸스의 발생과 관련되어 있다. 이러한 유전적 다형성은 주로 자가항체를 만들고 면역복합체를 이루는 과정에 영향을 미치는 것으로 생각된다. 또한 선천면역과 관련된 유전자들도 루푸스 발생에 중요한 역할을 한다고 생각되며 인터페론 조절인자(interferon regulatory factor, IRF) 5, Signal Transducer and Activator of Transcription 4 (Stat4), IRAK1, 종양괴사인자 알파 유도단백 3(tumor necrosis factor alpha induced protein 3, TNFAIP3), secreted phosphoprotein 1 (SPP1) 등이 있다. 이들은 주로 인터페론-α 경로와 밀접하게 관련되어 있는데, 실제로 루푸스 환자의 60%에서 말초혈액 세포 내 인터페론-α와 관련된 유전자들이 과발현되어 있다. Stat4, protein tyrosine phosphatase non-receptor type 22 (PTPN22), IRF5 등은 인터페론-α에 대한 민감성 증가와 관련이 있다. 그러나 STAT4와 PTPN22는 류마티스관절염과도 연관성을 보여 루푸스에 특이한 유전인자인지는 불분명하다. 또한 후천면역계 세

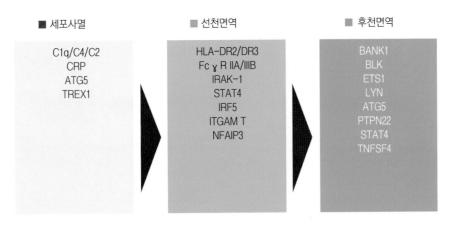

그림 66-1. 루푸스 연관 유전자

CRP, C-reactive protein; ATG5, a-glucoside transporter 5; TREX1, three prime repair exonuclease 1; FcGR, Fcg receptor; IRAK, IL-1 receptor-associated kinase, IRF, IFN regulatory factor; STAT, signal transducer and activator of transcription; ITGAM, integrin Am; TNFAIP3, TNF a-induced protein 3; BANK1, B cell scaffold protein with ankyrin repeats 1; BLK, B lymphoid tyrosine kinase; PTPN22, protein tyrosine phosphatase, nonreceptor type 22; TNFSF4, TNF (ligand) superfamily, member 4.

포인 림프구의 신호전달체계와 관련된 유전자군도 루푸스 발병과 관련된 것으로 알려져 있다. PTPN22, OX40 ligand (OX40L), programmed cell death protein 1 (PD-1), B cell scaffold protein with ankyrin repeats 1 (BANK-1), LYN, BLK 등의 유전자가 여기에 속하며 주로 T세포나 B세포의 활성화 및 생존에 작용한다(그림 66-1). 현재까지 알려진 모든 유전자의 위험도를 모두 합쳐도 루푸스 발생에 기여하는 유전적 위험도의 30%에 미치지 못해 추가적인 연구가 필요하다.

## 2) 세포 죽음의 이상

루푸스 발병기전에 세포 죽음을 연관시키는 배경은 루푸스의 자가항원인 DNA, RNA 등이 세포 내에 존재하여 세포 밖으로 노출되지 않아 이에 대한 면역 반응을 일으키기 어렵기 때문이다.

### (1) 세포자멸사의 이상

세포자멸사(apoptosis)와 연관된 루푸스의 발생 기전은, 표적 자가항원이 핵 내에 위치하여 고립된 상태에서 세포사멸 시 세포 표면의 bleb으로 이동하여 면역세포의 접근이 가능하게 된다는 것이고, 이후 사멸된 세포를 대식세포가 처리하지 못해 자가면역질환이 발생할 수 있다. 동물 실험에서 많은 양의 사멸 세포를 주입하면 수상돌기세포의 성숙을 유도하며 사멸된 세포의 세

포내 항원의 제시는 외부의 위험신호 없이도 면역반응을 유발한다. 정상인에서 림프절의 배중심(germinal center)에서 사멸된 세포는 대식세포 내에서 발견되나 루푸스 환자에서는 식작용되지 않아 사멸된 세포들은 이차괴사(secondary necrosis)에 들어가며 이후 세포내의 DNA 등이 유출된다. 이후 세포내의 자가항원들이 유리되어 보체계가 활성화되어 체세포돌연변이(somatic mutations)를 일으킨다. 따라서 B세포의 관용이 깨지게 되며 이후 T세포 관용에 의존하는데 T세포 관용에도 문제가 생기면 자가면역질환이 발생한다. 림프구가 세포의 발달과정 동안 자가반응세포의 생성을 억제하기 위하여 여러 제어점(check point)에서 세포자멸사의 결정을 받는데, 이 과정에 문제가 생기면 자가항원에 반응하는 림프구가 혈중 내로 유출된다(그림 66-2).

### (2) 중성구세포외덫의 이상

세포 죽음의 다른 형태로 중성구세포외덫(neutrophil extracellular traps, NETs) 현상(NETosis)이 2004년에 보고되었는데, 이는 중성구가 죽으면서 세포외로 DNA 등으로 구성된 크로마틴을 분비하여 덫을 형성하여 외부 항원과 결합하는 현상이다. NETs를 유발하는 물질로는 감염 외에도 사이토카인, 자가항체, 면역복합체 등이 있다. 루푸스의 발생기전과 연관된 현상으로 표적항원인 DNA가 세포외로 노출된다는 사실과 NETs 형성이 형질세포양 수상돌기세포(plasmacytoid dendritic cell)를 활성

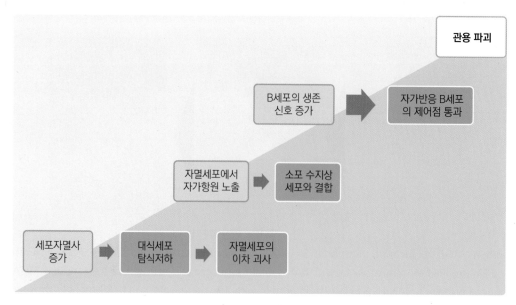

그림 66-2. 세포자멸사가 루푸스 발병기전에 미치는 영향

화시켜 인터페론-α 생성을 증가시킨다는 것이다. 동물실험에서 NETs의 형성을 억제시키면 피부와 신장의 염증이 감소하고 인터페론-α 생성이 억제된다. 루푸스 환자에서 NETs 형성이 증가되어 있는데 특히 단백뇨가 관찰되는 활성 신염이 있는 경우가 대표적이다.

### 3) 면역학적 이상

#### (1) 선천면역계의 이상

##### ① 톨유사수용체의 이상

선천면역계 세포의 대표적인 수용체인 TLR의 이상이 루푸스 발병과 관련된다. TLR 중 엔도솜(endosome)에 위치하는 TLR7 및 TLR9이 각각 RNA, DNA와 반응하는 수용체인데 루푸스에서 DNA, RNA 등의 복합체에 대한 항체가 존재하므로 TLR7과 TLR9의 이상이 질환의 발생과 관련된다. TLR7 및 TLR9를 통하여 수상돌기세포가 활성화되고 제1형 인터페론, TNF-α 등이 분비된다. 한편 루푸스의 B세포, 형질세포, 수상돌기세포에서 TLR9의 발현이 증가되어 있다. TLR7 과 TLR9은 루푸스 발생에서 다른 기능을 나타내는데 TLR7 결핍 생쥐는 자가항체 생성이 저하되며 TLR9 결핍 생쥐는 림프구가 활성화되며 인터페론-α가 증가한다.

또한, 세포질(cytoplasm)내에서는 cyclic guanosine monophosphate-adenosine monophosphate synthase (cGAS)가 DNA를 인식하고, retinoic acid-inducible gene 1 (RIG1)와 melanoma differentiation associated protein 5 (MDA5)가 RNA를 인식하여 인터페론이 생성되고 면역세포의 인터페론 수용체에 결합하면 세포내에서 JAK1/TYK2가 활성화되고 이후 STAT1/2 경로가 활성화된다(그림 66-3).

##### ② 사이토카인

루푸스에서 가장 중요한 사이토카인은 인터페론-α이다. 이에 의해서 유도되는 물질들이 질환의 활성도가 심한 루푸스 환자에서 증가되어 있으며, 인터페론-α의 유전적인 이상도 루푸스 환자에서 관련되어 있다. 또한, 항원제시세포에 의하여 자극받은 T 세포에서는 인터페론-γ, IL-6, IL-10, IL-4 등이 분비되며 자가반응 B세포를 활성화, 증식시켜서 다양한 핵항원에 대한 자가항체를 지속적으로 생산되도록 한다. TNF-α도 질병 활성화와 관련이 있으며 루푸스신염의 조직에서 발현이 증가되어 있다.

##### ③ 보체의 이상

유전적으로 보체가 결핍되면 다른 유전자의 이상보다 유전성이 가장 높다. C1 결핍이 있는 모든 환자에서 루푸스가 발생하며 C2또는 C4가 결핍 시에는 일부에서 루푸스가 발병하나, C3 결

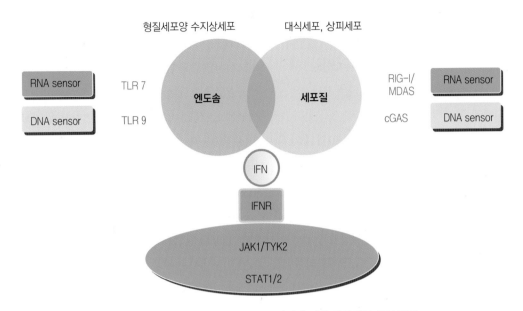

형질세포양 수지상세포    대식세포, 상피세포

RNA sensor    TLR 7    엔도솜    세포질    RIG-I/MDAS    RNA sensor

DNA sensor    TLR 9    cGAS    DNA sensor

IFN

IFNR

JAK1/TYK2

STAT1/2

**그림 66-3.** 세포내 DNA/RNA 인식에 의한 인터페론 생성 기전

TLR, Toll like receptor; RIG-I, retinoic acid-inducible gene 1; MDA5, melanoma differentiation associated protein 5; cGAS, Cyclic guanosine monophosphate-adenosine monophosphate synthase; IFN, interferon; JAK, janus kinase; STAT, signal transducer and activator of transcription.

핍 시에는 거의 발생하지 않아 보체 경로에서 초기 관여 물질이 관련이 있는 것으로 생각된다. 한편 루푸스에서는 C1q에 대한 자가항체가 발견되는데, 이는 보체 수를 감소시키고 면역복합체와 결합하여 항DNA항체 생성에 관여함으로써 피부염 및 신염을 일으킨다. 항C1q항체는 혈청보다 사구체에서 5배 높게 발견되며 현재 신염의 활동성을 반영하며 예후와 연관된다.

### (2) 후천면역계의 이상

#### ① B세포의 이상

루푸스에서 B세포는 숫자는 감소되어 있으나 활성화는 증가되어 있는 것이 가장 큰 특징이다. 반면 tetanus toxoid로 자극하면 항체 생성은 저하되어 있다. 기억 B세포의 아형이 증가되어 있고, 순환하는 형질세포의 수도 증가되어 있다. B세포 자극 시 세포내 칼슘 유입은 증가되어 대표적인 억제 수용체인 FcRIIB가 감소되어 B세포 수용체에 대한 반응이 증가된다. 또한, 루푸스에서 FcRIIB에 대한 유전자다형성이 이 수용체의 기능 저하와 연관되어 있으며 또 다른 억제 물질인 lyn이 루푸스 환자에서 저하되어 B세포의 과활성에 기여한다.

이러한 B세포는 여러 클론이 활성화되어 있으며, B세포 수용체 신호전달이 비정상적으로 활성화되어 있으며 B세포의 조절에 결함이 있어 세포의 생존이 증가되어 있다. 특히 B세포 활성인자(B-cell activating factor, BAFF)는 B2 세포 및 이행단계 미성숙 B세포, 기억 B세포, 형질모세포 등 여러 단계에서 B세포의 생존을 증가시키므로 자가면역을 촉진시킨다. TLR 활성화 및 인터페론-α, β, γ등에 의해서 BAFF 발현이 증가되고, 역으로 BAFF는 TLR 활성화를 촉진한다. 동물실험에서 BAFF 과발현 생쥐는 루푸스 유사 증상을 나타내며 신염이 발생되고 루푸스 환자에서 BAFF가 증가되어 있다.

#### ② T세포의 이상

루푸스에서의 T세포 두 가지 이상은 B세포에 대한 과도한 조력자의 역할을 하는 것과 심한 염증반응을 일으키는데 반해 IL-2의 생성이 부족하다는 것이다. 루푸스 환자에서 T세포의 초기 반응은 일반인에 비해 증가되어 세포내 칼슘 유입이 증가된다. 이후 일반적인 T세포의 신호 전달 체계인 CD3 zeta chain이 감소하고 대신 FcRγ로 대치되어 세포내 신호 전달이 zap70에 의존하지 않는 특이 현상이 일어난다. 또한 세포막의 lipid raft가 결집하여 신호 전달이 증가되게 된다. 또한 세포내 NFAT 전사인자의 증가로 CD40L의 발현이 증가되나 AP1의 저하로 IL-2이 증가되지 않는 것이 특징이다. 따라서 T세포의 세포독성 능력이 감소하고 activation-induced cell death가 감소한다.

루푸스 환자의 혈청에는 IL-17이 증가하고 CD4-CD8- T세포군이 증가한다. IL-17은 배중심의 형성에 기여하며 B세포의 생존과 분열을 증가시키고 항체 생성 세포로 분화를 자극한다. 반면에 T세포를 억제하는 조절T세포(regulatory T cell)의 수가 감소하고 기능이 약화되어 있다.

## 4) 성호르몬의 역할

성호르몬은 면역조절과정에 관여하며 루푸스의 발병과 관련되어 있다고 생각된다. 에스트라디올(estradiol)은 T, B세포의 수용체에 결합하여 림프구의 활성화와 생존을 증가시키고, 대식세포를 자극하여 내피세포에 부착을 촉진시키는 등 지속적인 면역반응이 일어나게 하며, 자가반응 B세포의 세포자멸사를 억제한다. 루푸스 여성에서 에스트라디올, 프로락틴의 농도는 증가되어 있다. 그러나 질환의 중증도와 성호르몬 농도와의 관련성은 없고 성호르몬의 농도는 생리적인 범위 안에 있다. 반면 남성호르몬은 면역억제효과를 보이는데 dehydroepiandrosterone (DHEA)의 농도는 거의 모든 루푸스 환자에서 저하되어 있다. 경구피임약을 복용하거나 초경 연령이 빠르거나 호르몬대체요법을 받는 폐경 여성들은 루푸스의 발생 위험이 약 2배 증가되어 있고, 수유는 루푸스의 발생위험도를 낮추는 것과 관련되어 있다. 루푸스의 대표적인 동물모델인 NZB/NZW종의 쥐에서는 암컷에서 질환이 일찍 발병하고 증상도 심하며, 난소절제술을 시행하거나 남성호르몬으로 치료하면 좋아진다. 그러나 다른 종류의 쥐인 BXSB, MRL종의 쥐에서는 그러한 성별에 따른 차이가 관찰되지는 않으며 환자에서도 남녀 간 임상양상은 거의 같다. 최근에는 성염색체가 질환 발생에 기여한다고 보고되었다.

## 5) 환경적 요인

### (1) 체내 환경 요인

다양한 감염, 특히 바이러스 감염은 면역 체계를 자극한다. 파보바이러스(parvovirus) B19와 세포거대바이러스(cytomegalovirus), 엡스타인-바바이러스(Epstein–Barr virus, EBV)감염이 루푸스에서 일반인에 비해 증가한 것이 관찰되는데 EBV 감염은 루푸스에서 자가항체가 생기기 이전부터 감염되어 있다. 또한, EBV는 B세포를 활성화시키고 Ro 항원의 서열과 유사한 아미노산서열을 포함하고 있어서 분자적인 모방(mimicry)을 한다. 세균감염증 후에 루푸스의 악화가 잘 발생하는데 이것은 아마도 세균에 존재하는 CpG motif와 관련이 있을 것으로 보인다. 이러한 감염증은 자신의 항원과 교차반응하는 면역반응(항체와 T 림프구의 활성화)을 자극하여 루푸스를 일으키는 자가면역반응을 촉진하는 것으로 생각된다. 또한 미코박테리아나 트리파노소마증(trypanosomiasis) 등은 항DNA항체를 생성하고 루푸스와 유사한 증상을 일으킬 수 있다. 최근 장내미생물총(microbiome)에 대한 연구에서는 루푸스 환자에서 Firmicutes/Bacteroidetes 비율이 감소되어 있다.

자외선에 노출되면 각질세포(keratinocyte)를 자극하여 세포 표면에 snRNP를 많이 표현하게 하고 IL-1, IL-3, IL-6, GM-CSF, TNF-α를 많이 분비하여 B 세포를 자극하고 자가항체 생산을 촉진한다.

### (2) 체외 환경 요인

자외선은 대식세포를 자극하여 항원처리과정을 방해하고 T세포의 메틸화(methylation)를 감소시켜 LFA-1 분자를 과발현하게 하는데 이러한 T세포는 자가면역성을 지닐 수 있다. 또한 각질세포와 기타 피부 세포의 세포자멸사가 증가되거나 DNA

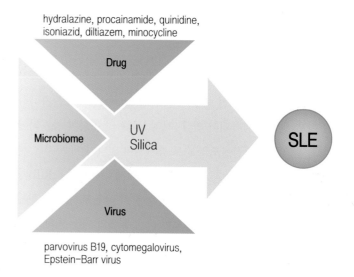

hydralazine, procainamide, quinidine, isoniazid, diltiazem, minocycline

Drug

Microbiome

UV
Silica

SLE

Virus

parvovirus B19, cytomegalovirus, Epstein–Barr virus

그림 66-4. 루푸스 발생의 환경적 요인

와 세포내 단백질이 항원성을 지니게 될 수 있다. 이러한 영향으로 자외선에 노출되면 약 70%의 환자에서 루푸스의 악화가 생긴다. 이외에도 이산화규소먼지(silica dust)와 흡연이 루푸스 발생의 위험도를 증가시키며 hydralazine, procainamide, quinidine, isoniazid, diltiazem, minocycline 등 약물에 의해서도 루푸스가 발생된다(그림 66-4).

## 다양한 장기의 손상기전

루푸스에서는 DNA를 분해하는 DNAse 효소에 이상이 있어 DNA가 제거되지 않아 이에 대한 항체 형성으로 면역 복합체가 발생하는데, 이는 루푸스의 조직 손상에 있어 중요한 역할을 한다. 면역복합체는 FcR또는 보체 수용체를 통해서 제거되며, FcR 또는 C3bi 수용체 유전자(ITGAM) 다형성이 루푸스와 연관성이 있는 것으로 보아 면역복합체에 관련된 기전이 발병에 중요함을 반증한다. 루푸스의 대표적인 침범 기관인 신질환에서 발견되는 면역복합체는 주로 항DNA항체로 고친화성이며 보체를 잘 고정한다. 이러한 복합체는 혈액 중에서 형성된 후 사구체에 침착되거나 기존에 사구체에 존재하는 항원에 대하여 항체가 결합하여 생성된다. 일단 사구체에 면역복합체가 침착되면 보체계를 활성화시켜서 백혈구와 단핵구가 침윤된다. 이러한 세포들이 침윤하여 면역복합체를 형성하고 여러 사이토카인을 분비하여 사구체에 염증을 일으키며 이후 만성 염증이 발생하여 사구체 괴사로 인해 점차 신기능이 감소한다. 결과적으로 (1) 면역글로불린과 결합된 세포의 파괴와 제거, (2) 면역복합체에 의한 보체단백질의 고정과 분할, (3) 조직에 화학주성물질(chemotaxin), 혈관작용 펩타이드(vasoactive peptide) 또는 조직을 파괴하는 효소 등의 방출 등이 일어나서 염증이 발생하며, 세포 및 조직에 손상을 일으켜 임상양상을 나타낸다.

피부병변은 다양한 요인들이 복합적으로 작용하여 발생하는 것으로 생각된다. 자외선이 특히 중요한데 DNA에 손상을 주어서 DNA 및 여러 가지 핵 내의 물질들에 대한 자가면역반응을 일으키며, 각질세포에서 다양한 사이토카인을 분비하도록 한다. 피부조직검사에서는 표피-진피 경계에 면역글로불린이 침착되어 있고, 이는 신장과 유사하게 이 부위에 면역복합체가 생성되

고 보체가 활성화되어서 각질세포를 손상시키고 T 세포를 동원하여 염증을 일으키며, 혈관 및 피부 부속기 손상을 일으키는 것으로 생각된다. 임상적으로는 피부병변이 없어도 면역글로불린의 침착을 보일 수 있다.

면역복합체 외에도 루푸스 환자에서는 다양한 세포표면의 항원에 대한 항체들이 관찰되며 이러한 항체들이 직접적으로 세포의 이상을 초래하거나 세포를 죽게 할 수 있다. 66-kDa 세포막 항원에 대한 항체는 루푸스신염, 혈관염, 보체감소증과 연관되어 있으며, 55-kDa 항원과 18-kDa 항원에 대한 항체는 혈소판감소증과 연관되어 있고, 신경세포에 대한 항체는 뇌증상과 관련되어 있다. 또한 적혈구, 백혈구, 혈소판의 세포막항원에 대한 항체는 항체의존세포독성(antibody-dependent cellular cytotoxicity)을 통하여 용혈성 빈혈, 백혈구감소증, 혈소판감소증 등을 초래한다. 항인지질항체는 루푸스에서 phospholipid-β2 glycoprotein I 복합체에 대한 항체가 생성되어 생기는 것으로 이 단백질은 정상적으로 항응고기능이 있으며 항체가 결합하여 이 기능이 감소하여 혈전증을 일으킨다. 혈관의 손상은 면역복합체나 항체에 의한 염증 외에도 미세한 혈전증이 기여하는 것으로 생각된다.

항인지질항체는 보체 활성화를 통하여 태아 손실에 관여하고 항DNA항체는 뇌에서 NMDA 수용체와 반응하여 신경계 증상을 유발한다. 항DNA, 항히스톤, 항인지질항체를 동물모델에 주입하면 조직 손상을 증가시킨다(그림 66-5).

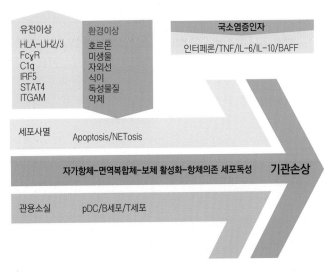

그림 66-5. 루푸스의 발병기전

## 참고문헌

1. Bruce IN, O'Keeffe AG, Farewell V, Hanly JG, Manzi S, Su L, et al. Factors associated with damage accrual in patients with systemic lupus erythematosus: results from the Systemic Lupus International Collaborating Clinics (SLICC) Inception Cohort. Ann Rheum Dis 2015;74:1706-13.

2. Crow MK. Etiology and Pathogenesis of Systemic Lupus Erythematosus. In: Firestein GS, Budd RC, Gabriel SE, McInnes IB, O'Dell JR, Koretzky G, eds. Firestein & Kelley's Textbook of Rheumatology. 11th ed. Philadelphia: Elsevier; 2020:1396-412.

3. Feldman CH, Costenbader KH. Epidemiology and classification of systemic lupus erythematosus. In: Hochberg MC, Silman AJ, Gravallese E, Smolen JS, Weinblatt ME, Weisman MH, eds. Rheumatology. 7th ed. Philadelphia: Elsevier; 2018. pp. 1091-5.

4. Ha E, Bae SC, Kim K. Recent advances in understanding the genetic basis of systemic lupus erythematosus. Semin Immunopathol 2022;44:29-46.

5. Hahn BH. Systemic lupus erythematosus. In: Kasper DL, Fauci AS, Longo DL, Hauser SL, Jameson JL, Loscalzo J, eds. Harrison's principles of internal medicine. 20th ed. New York: McGraw Hill; 2018. pp. 2515-7.

6. Oparina N, Martínez-Bueno M, Alarcon-Riquelme ME. An update on the genetics of systemic lupus Erythematosus. Curr Opin Rheumatol 2019;31:659-68.

7. Shim JS, Sung YK, Kim JH, Lee HS, Bae SC. Prevalence and incidence of systemic lupus erythematosus in South Korea. J Rheum Dis 2013;20:113-7.

8. Tsokos GC. Autoimmunity and organ damage in systemic lupus erythematosus. Nat Immunol 2020;21:605-14.

# 67

# 임상증상

가톨릭의대 **박성환**

## 서론

전신홍반루푸스(systemic lupus erythematosus, 이하 루푸스)는 다양한 장기침범과 이에 따른 임상증상을 나타내며, 발병 초기에 하나 또는 여러 장기를 침범할 수 있고, 질병의 경과에 따라 새로운 임상증상이 나타나기도 한다. 이러한 임상증상은 장기 특이 증상 외에도 발열, 피로, 권태, 식욕부진, 체중감소 같은 증상이 나타나기도 한다. 루푸스의 장기 특이 임상증상은 루푸스 특이 증상과 비특이 증상으로 구분할 수 있고 특이 증상들은 루푸스의 진단과 분류 기준에 대부분 포함되어 진단에 도움이 되며 질병활성도 및 질병의 중증도, 장기 손상 등을 평가하는 데 도움을 준다. 루푸스의 임상소견과 질병의 전체 경과 중의 양성률은 표 67-1과 같다.

## 전신 증상

피로, 권태, 발열, 식욕부진, 체중감소와 같은 전신증상은 루푸스의 시작 증상 또는 경과 중 합병증의 증상으로 흔히 관찰된다. 피로는 우울 증상과 함께 가장 흔히 겪는 증상으로 루푸스의 다른 임상증상이나 혈청 소견과 무관하게 나타날 수 있다. 원인으로는 염증 반응, 약물, 빈혈이나 갑상샘기능저하 같은 동반 임상증상, 섬유근통의 동반, 영양장애, 과도한 운동, 호르몬 불균형등이 원인일수 있다. 발열은 루푸스의 활성기에 나타날 수 있으며, 감염이나 약제, 악성 종양에서도 나타날 수 있어서 감별이 필요하며, 불명열의 원인중 하나로 루푸스가 차지하기도 한다. 2019년 루푸스 분류기준에는 38.3℃ 이상의 체온을 발열로 정의하고 있다. 글루코코티코이드나 면역억제제를 복용하는 환자에서 발열이 있는 경우는 루푸스의 활성도 증가가 원인인지, 감염 등의 다른 원인인지 신중한 접근이 필요하다.

## 근골격계 증상

관절통과 관절염은 루푸스 환자의 90% 이상에서 관찰되는 흔한 증상이다. 일부 환자는 관절염의 전형적인 증상인 부기나 열감, 발진, 관절 운동 장애 등의 염증 소견이 없이 관절통만 나타나는 경우도 있다. 관절통이나 관절염은 어느 관절에나 발생할 수 있으나 손의 작은 관절에 대칭적으로 나타나는 경우가 흔하다. 2019년 전신홍반루푸스 분류기준에는 2개 이상의 관절에

**표 67-1. 전신홍반루푸스의 임상소견과 질병의 전체 경과 중의 양성률***

| 임상증상 | 양성률, % | 임상증상 | 양성률, % |
|---|---|---|---|
| 전신증상: 피로, 권태, 발열, 식욕부진, 체중감소 | 95 | 단일 혹은 다발신경병증 | 15 |
| 근골격 | 95 | 뇌졸중, 일과성허혈발작 | 10 |
| 관절통, 근육통 | 95 | 급성 혼미상태 또는 운동장애 | 2~5 |
| 비미란성 다발관절염 | 60 | 무균성 뇌막염, 척수병증 | <1 |
| 수지변형 | 10 | 심폐 | 50 |
| 근병증/근육염 | 25/5 | 흉막염, 심낭염, 삼출액 | 30~50 |
| 허혈성 골괴사 | 15 | 심근염, 심내막염 | 10 |
| 피부 | 80 | 전신홍반루푸스 폐렴 | 10 |
| 광과민성 | 70 | 관상동맥질환 | 10 |
| 뺨의 발진 | 50 | 간질성 섬유화 | 5 |
| 구강궤양 | 40 | 폐고혈압, ARDS, 폐출혈 | <5 |
| 탈모증 | 40 | 폐 위축 증후군(shrinking lung syndrome) | <5 |
| 원반모양 발진 | 20 | 신장 | 30–50 |
| 혈관염 발진 | 20 | 단백뇨 >500 mg/24h, 세포성 원주 | 30–50 |
| 기타(두드러기, 아급성 피부 전신홍반루푸스) | 15 | 신증후군 | 25 |
| 혈액학적 | 85 | 말기 신질환 | 5–10 |
| 만성 질환에서의 빈혈 | 70 | 위장관 | 40 |
| 백혈구감소증(<4,000/mL) | 65 | 비특이적 증상(구역, 경한 동통, 설사) | 30 |
| 림프구감소증(<1,500/mL) | 50 | 간효소 수치의 이상 | 40 |
| 혈소판감소증(<100,000/mL) | 15 | 혈관염 | 5 |
| 림프절병증 | 15 | 혈전증 | 15 |
| 비장종대 | 15 | 정맥 | 10 |
| 용혈성 빈혈 | 10 | 동맥 | 5 |
| 신경 | 60 | 눈 | 15 |
| 인지장애 | 50 | 건조증후군(sicca syndrome) | 15 |
| 기분장애 | 40 | 결막염/상공막염 | 10 |
| 두통 | 25 | 혈관염 | 5 |
| 발작 | 20 | | |

* 숫자는 질환 경과 중 임상양상이 한 번이라도 나타난 환자의 퍼센트

부기를 동반한 활막염(그림 67-1A)이나 2개 이상의 관절에 30분 이상 아침강직을 동반하고 압통이 나타나는 관절염을 루푸스에 의한 관절 침범으로 정의하고 있다. 일부 환자에서는 류마티스 관절염의 초기 증상으로 오진되기도 하지만 류마티스관절염과 달리 X선에서 골미란이 드물다. 관절초음파에서는 절반 정도에서 골미란이 관찰되며, 관절 변형은 10% 내외에서 발생한다. 척

골 변형이나 과굴곡, 과신전 등의 변형이 나타나기도 하지만 대부분 정상으로 회복 가능하다. 이러한 과도한 운동성 변형은 관절 주변 조직인 관절 캡슐이나 인대, 힘줄 등 관절 주변 조직의 변화에 따른 이차적인 변화로 인해 발생하며 Jaccoud 양 관절증(Jaccoud's arthropathy)으로 불리기도 한다(그림 67-1B, C). 예외적으로 류마티스관절염과 임상적으로 구별하기 어려운 골미란

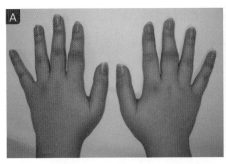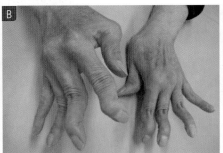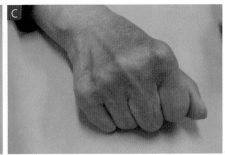

그림 67-1. **(A)** 전신홍반루푸스 환자에 발생한 관절염, **(B, C)** 전신홍반루푸스 환자에 발생한 Jaccoud 변형

이 동반되기도 하며 류마티스관절염의 분류기준과 루푸스의 분류기준을 둘 다 만족하는 경우 rhupus라 하며 두 질환을 가진 것으로 분류한다.

관절 부기가 중등도로 발생할 수 있으며 활액은 색깔이 투명하며, 심한 염증소견이 없음을 반영하는 점도와 뮤신응고, 항핵항체 양성을 보인다. 백혈구는 대부분 2,000/μL 미만이며 주로 단핵구이다. 무혈성골괴사가 발생할 수 있으며, 특히 엉덩관절에 국한되어 관절통을 호소하는 경우는 의심해 보아야 한다. 빈도는 5-10%이며 대퇴 골두가 가장 흔히 침범되는 부위이지만 다른 관절에서도 발생할 수 있다. 양측성으로 오는 경우가 흔하며, 동시에 양측 관절에 나타나지는 않는 경우도 많다. 대부분의 환자는 글루코코티코이드 사용과 관련이 있으며, 레이노현상, 작은 혈관의 혈관염, 지방 색전증, 항인지질항체의 존재 등이 원인으로 제시되기도 한다. 전신적인 근육통과 근육 약화가 사두근 또는 삼각근에서 관찰되는데 이런 경우 질병의 악화가 동반될 수 있다. 크레아티닌키나아제의 상승 및 MRI 양성 소견을 동반하는 근육염은 15% 미만의 환자에서 발생한다. 근전도검사와 근육 조직검사소견은 정상에서부터 다발근염/피부근염 소견까지 다양하며 근육염 효소치가 아주 고역가로 나타나는 경우는 드물다. 전신홍반루푸스 환자의 근위축은 글루코코티코이드의 사용과 항말라리아제의 사용으로 나타날 수도 있다.

## 피부 점막 증상

피부 증상은 가장 흔히 침범되는 증상 중 하나로 80-90%에서 나타난다. 루푸스의 피부소견은 피부 병변의 형태와 지속 경과 기간에 따라 급성, 아급성, 만성 피부홍반루푸스 3가지 형태로 구분한다. 급성 피부홍반루푸스(acute cutaneous LE, ACLE)의 병변에는 루푸스 뺨의 발진(lupus malar rash), 수포루푸스(bullous lupus), 독성표피괴사용해(toxic epidermal necrolysis) variant, 반구진 루푸스 발진(maculopapular lupus rash), 광과민 루푸스 발진(photosensitive lupus rash)이 있다. 가장 특징적인 병변은 뺨 발진으로 이는 나비 모양의 코 상부를 포함한 대칭성 발진으로 약간의 부종과 가벼운 인설을 가진다(그림 67-2). 급성 발진은 전체 루푸스 환자의 30-60%에서 관찰된다. 병변은 비교적 급속히 발생하며, 산재된 홍반으로 시작하여 융합될 수도 있다. 수일간 지속되기도 하고 착색이 있는 피부에서는 염증 후의 변화가 나타나기도 한다. 대개 경계가 불분명 하고 소양감도 거의 느끼지 않으며, 코입술주름을 침범하지 않아 피부근염과 감별이 된다. 나비 모양의 발진은 햇빛에 노출 후 악화되거나 시작되는데 비해, 광과민 홍반발진은 나비 모양의 발진이 없이도 피부의

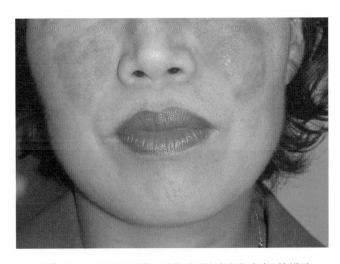

그림 67-2. 전신홍반루푸스의 급성피부병변인 나비모양 발진

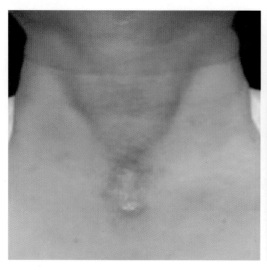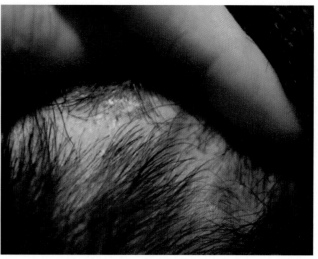

그림 67-3. **원발형발진** 원반모양의 발진이 목과 두피에 관찰됨

어느 부위에나 발생할 수 있다. 아급성 피부 홍반루푸스(subacute cutaneous LE, SCLE)는 환자의 7-27%에서 볼 수 있으며, 주로 백인 여성에서 흔히 발견되며 한국인에서는 백인보다 드물다. 구진, 인설홍반(papulosquamous/psoriasiform) 또는 환상홍반 등으로 나타나며, 드물게는 두 가지 병변이 함께 발생하기도 한다. 특징적으로 광선노출 부위에 대칭적으로 발생하므로 상지의 신측부, 어깨와 흉부의 윗 부분, 등, 목 부위에 발생하며, 자외선에 의해 병변이 쉽게 유발되나 위축성 반흔은 남기지 않는다. 만성 피부 홍반루푸스(chronic cutaneous LE, CCLE)의 가장 흔한 형태는 원반모양홍반(discoid rash)(그림 62-3)으로 15-30%에서 발생한다.

병변은 둥근 모양으로 가장자리는 약간 융기되고, 경계가 비교적 분명한 홍반으로 표면에 약간의 인설이 있다. 호전과 악화를 거듭하면서 수개월 또는 수년이 경과된 후 염증의 소실과 함께 대개의 경우에서 위축 반흔, 색소탈실/침착 또는 모세혈관 확장 등을 남기며 탈모를 보인다. 얼굴, 귀의 뒤쪽, 귓바퀴, 두피, 목 등에 주로 나타나며 햇빛에 노출되지 않은 곳에도 볼 수 있다.

탈모도 루푸스의 특징적 증상 중 하나이며 대체로 광범위하거나 반점형으로 나타날 수 있고 가역적인 탈모, 반흔을 남기는 탈모 등이 나타날 수도 있다(그림 67-4). 2019년 루푸스 분류기준에는 임상의사에 의해 관찰되는 반흔을 남기지 않는 탈모(non-scaring alopecia)를 증상으로 정의하고 있다.

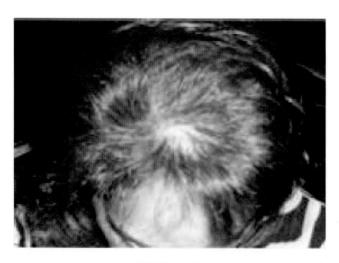

그림 67-4. 탈모

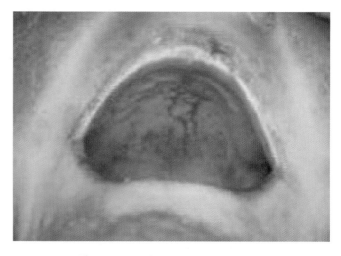

그림 67-5. **구강궤양** 입천장의 궤양이 관찰됨

점막 증상은 가장 흔히 구강에 나타나며, 코, 항문, 생식기 등에 나타난다. 구강 병변은 혀와 볼점막, 윗 입천장 궤양이 특징적이다(그림 67-5).

대부분은 통증이 없으나 중앙에 함몰 부위가 발생할 수 있고 나중에 통증이 있는 궤양을 나타내기도 한다. 혈관염은 루푸스의 또 다른 형태로 두드러기, 자반, 손톱주름이나 손가락 궤양, 홍반성 구진 등이 나타난다. 피부는 질병 활성도를 나타내는 중요한 표지자이므로 진찰할 때마다 두피, 귀의 뒤쪽, 입천장, 손가락 끝 등도 유심히 관찰해야 한다.

## 뇌신경 증상

루푸스 환자의 약 2/3가 신경정신 증상을 나타낸다. 이러한 신경정신 증상의 기전은 아직까지 확실히 밝혀지지 않았지만 혈관병증에 의한 혈관의 폐쇄, 혈관염, 백혈구 응집이나 혈전증, 항체 매개성 신경세포 손상이나 기능 장애 등이 원인으로 제시되고 있다. 중추신경계와 말초신경계의 신경학적 증상과 자율신경계 증상, 정신과 증상이 나타날 수 있으며 이때 다른 원인에 의한 증상은 제외되어야 한다. 증상은 다른 장기의 활성도 증가와 함께 나타나기도 하며 독립적으로 나타나기도 한다. 약물 부작용이나 고혈압, 감염, 루푸스와는 무관한 신경질환, 정신과 증상 등으로 나타나기도 하여 정확한 진단이 필요하다. 경미한 경우부터 생명을 위협하는 증상까지 다양한 형태로 나타나며, 신경정신루푸스의 증상을 확진할 수 있는 특이적인 검사소견이나 영상소견이 없기 때문에 신경학적 평가, 영상 소견, 뇌척수액검사, 혈청검사소견 등을 임상증상과 종합하여 판단하게 된다.

경미한 경우부터 생명을 위협하는 증상까지 다양한 형태로 나타나며, 감염, 요독증, 고혈압, 약물의 부작용 등과 감별해야 한다. 미국류마티스학회에서는 19가지의 신경정신루푸스의 분류기준을 제시하였다. 중추신경증상에는 무균성 뇌막염, 심혈관질환, 탈수초질환, 두통, 운동장애, 척수병증, 발작장애, 급성 혼돈장애, 불안장애, 인지기능장애, 기분장애, 정신병 등이며 말초신경증상으로 급성탈수초 다발신경증, 자율신경기능이상, 단일신경병증, 중증근육무력증, 뇌신경 신경병증, 신경총병증, 다발 신경병증 등이 있다. 2019년 루푸스분류기준에는 섬망(de-lirium), 정신병(psychosis), 발작(seizure) 증상이 포함되어 있다.

다양한 정신과적 증상이 나타나기도 하는데 기분장애, 불안, 정신병 등이 포함된다. 만성 질환에 의한 스트레스, 약물, 감염, 대사 장애에 의해서도 정신과적 증상이 나타나기 때문에 루푸스에 의한 것인지 감별이 어려울 수 있다. 주의력 결핍, 집중력 저하, 기억력 장애, 단어 선택의 어려움과 같은 인지 장애가 루푸스 환자에서 흔히 나타나며 이는 인지장애 검사를 통해 진단할 수 있다.

중추신경계의 신경학적 증상 중 광범위하게 나타나는 것은 초점성 발작과 대발작 같은 발작이다. 두통은 루푸스 환자의 흔한 증상이지만 루푸스와의 연관성에 대해서는 논란이 있다. 루푸스 두통이란 마약성 진통제에 반응하지 않는 지속적이고 심한 두통으로 정의되어 왔지만 루푸스와는 상관없는 편두통도 같은 증세를 나타내어 최근에는 긴장성 두통, 편두통, 군발두통을 모두 분류에 포함시킨다. 척수병증과 무균성 뇌막염도 드물지만 발생한다. 무도병은 루푸스 환자에서 관찰되는 운동 장애 중 흔한 형태로 대부분 항인지질항체 양성과 관련되어 있다. 뇌신경 장애는 시력장애, 실명, 유두부종, 안구 진탕, 이명, 현기증, 안면마비 등을 초래할 수 있다. 말초신경증상으로 운동성 신경증상, 감각성 신경증상, 복합성 운동-감각장애, 다발성 단신경염 등이 나타날 수 있다. 횡단척수염(transverse myelitis)은 급속히 진행하는 상행성 마비 또는 하반신 마비, 감각이상, 조임근 조절장애를 나타내는 류마티스 질환의 응급 증상이다. 뇌척수액 검사에서 단백의 증가와 세포 수 증가를 보이며 MRI 검사를 신속하게 시행해야 한다. 때로는 급성 탈수초다발신경병증(Guillain-Barre 증후군)이 관찰되기도 한다.

## 혈액학적 증상

루푸스의 가장 흔한 혈액학적인 증상은 빈혈이다. 대개 만성 질환에 동반되는 혈청 철분과 트랜스페린은 감소하고 페리틴은 정상 또는 증가를 동반하면서 정상색소, 정상혈구빈혈을 나타낸다. 용혈성 빈혈은 갑자기 발생하는 경우가 많으며 루푸스의 분류기준에 포함된다. 자가면역 용혈은 망상적혈구의 증가, 합토글로불린의 감소, 간접빌리루빈의 증가, 젖산탈수소효소의 증가와 같은 용혈의 증거와 직접 Coomb's 검사 양성 소견으로 정의한다. $4.0 \times 10^9$/L 미만의 백혈구 감소증, $1.5 \times 10^9$/L 미만의 림프구 감소증이 흔히 나타나며, 호중구 감소증이 루푸스에 의한 면역 매개 파괴나 골수 기능억제로 인해 나타날 수 있으나 $1.0 \times 10^9$/L 미만인 경우는 드물다. 혈소판 감소증도 나타날 수 있다. 또한 혈전혈소판감소자색반병(thrombotic thrombocytopenic purpura, TTP), 용혈요독증후군(hemolytic uremic syndrome, HUS) 등이 발생할 수 있다. 용혈, 혈소판감소증, 신장, 뇌, 기타 장기의 미세혈관 혈전증이 나타나는 TTP는 루푸스신염이 있는 젊은 환자에서 흔히 발생하며 높은 사망률을 보이는 합병증이다. 말초혈액 도말검사에서 분절적혈구의 출현과 혈청 젖산탈수소효소의 증가가 진단에 도움이 되는 소견이다. 2019년 분류기준에는 자가면역 용혈, 백혈구감소증 혈소판감소증이 각각 독립된 분류기준으로 제시되었다.

## 심폐증상

루푸스의 심장 침범은 심장막염, 심근염, 심내막염, 관상동맥질환의 형태로 나타나며 심장막염이 가장 흔한 형태이다. 루푸스의 폐 침범의 형태는 루푸스흉막염, 루푸스폐장염, 폐출혈, 폐색전증, 폐동맥고혈압 등이다. 흉막염이 가장 흔하며 때로는 흉막삼출을 동반한다. 흉막염은 장막염을 참조하기 바란다. 간질폐질환, 폐출혈, 폐위축증후군(shrinking lung syndrome)은 생명을 위협할 수 있다.

### 1) 심장막염

전형적인 임상증상은 기침, 기대어 눕는 동작에 의해 악화되는 흉골하 또는 심장막 통증을 호소한다. 심장막 마찰음을 들을 수 있기도 하다. 심전도상 전형적인 T파의 이상이 관찰되지만 심초음파가 가장 예민한 검사법이다.

### 2) 심근염

심근염은 부정맥, 전도 장애, 설명되지 않는 심장 비대, 설명되지 않는 빈맥을 보이는 환자에서 의심해야 한다. 이러한 환자들은 대부분 심장막염이나 다른 활동성 전신홍반루푸스의 징후들이 동반되어 있다. 울혈심부전증은 드물다. 고혈압과 글루코코티코이드 사용과 관련이 있다.

### 3) 심내막염

Libman-Sacks 심내막염은 비세균성 사마귀 모양의 증식을 보이는 심내막염으로 루푸스 환자의 부검에서 15-60%에서 관찰된다. 증식은 이면성 심초음파에서 단순한 판막의 비후에서 심각한 판막기능부전을 보이는 매우 큰 병변까지 다양하게 보인

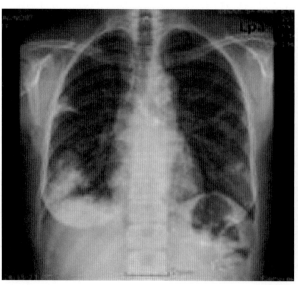
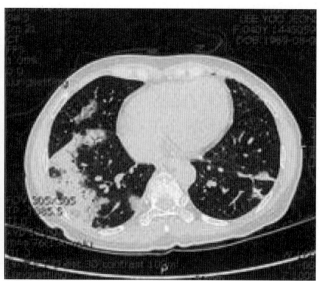

그림 67-6. 혈소판감소증으로 비장적출술을 받은 환자에서 급성 폐장염 형태로 나타난 루푸스

다. 때때로 판막치환술이 요구된다. 급성 또는 아급성 세균성 심내막염이 이전에 침범했던 판막에서 발생할 수 있다. 따라서 전신홍반루푸스 심내막염 환자에서 외과적 시술 전에 예방적 항생제 투여가 권유된다.

## 4) 관상동맥 심장질환

루푸스에서 관상동맥 심장질환은 일차적으로 전신적인 죽상경화증의 한 형태이다. 루푸스 환자에서 관상동맥 죽상경화증의 유병률은 높으며, 비교적 젊은 연령에서도 발생하고 루푸스 이환율과 사망률의 중요한 원인이 된다. 심근경색증으로 인한 사망률은 성별, 연령 일치 대조군보다 10배 이상 높은 것으로 보고되고 있다. 관상동맥의 심한 죽상경화증과 관련된 위험인자로는 고령, 고콜레스테롤혈증, 고혈압, 질병활성도가 반복적으로 높은 경우(루푸스 자체), 글루코코티코이드의 일일 사용량이 많거나 누적 사용량이 많은 경우, 고농도의 호모시스테인 등이 알려져 있다. 글루코코티코이드의 사용이 혈장 내 지질을 상승시키지만 항말라리아제는 혈장 콜레스테롤, 저밀도 지질단백, 초저밀도 지질단백의 농도를 감소시킬 수 있다.

## 5) 폐장염

루푸스폐장염은 급성 또는 만성으로 발현한다. 급성 폐장염은 발열, 호흡 곤란, 기침, 때로는 객혈로 나타나고, 활동성 루푸스의 다른 징후와 관련된다. 영상검사로는 세균 감염에 의한 폐렴과 구별이 어려운 경우도 많다. 루푸스폐장염의 만성적인 형태는 간질폐질환의 형태이며, 노작성 호흡 곤란, 가래 없는 기침, 폐 기저부의 거품 소리가 특징적이다. 때로 루푸스폐장염은 림프구성 간질폐렴의 형태를 보일 수 있다(그림 67-6).

## 6) 폐 출혈

폐출혈은 루푸스의 드물지만 매우 심각한 징후이다. 이것은 폐혈관염 때문인 것으로 생각된다. 출혈성 폐렴의 다른 원인을 감별진단해야 한다(그림 67-7).

## 7) 폐동맥고혈압

루푸스의 폐침범은 폐동맥고혈압 증후군으로 발현할 수 있는데, 이 증후군에서 환자는 호흡 곤란을 호소하지만 정상적인 흉부 방사선 소견을 보인다(그림 67-8).

경한 저산소증과 폐기능검사에서 제한성 폐질환의 소견을 보이며, 이산화탄소의 확산능이 감소되어 있다. 레이노현상이 동반된 경우가 많다. 심초음파가 선별검사로 이용되며, 심도자로 폐동맥고혈압을 확진할 수 있다. 예후는 일반적으로 나쁘다. 폐색전증과 같은 이차적인 폐동맥고혈압을 배제하여야 한다. 폐색전증이 있는 환자는 항인지질항체증후군을 감별해야 한다.

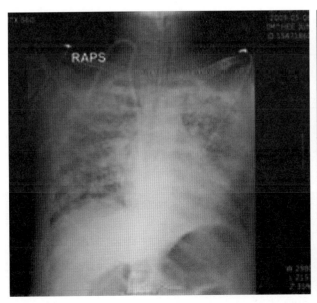
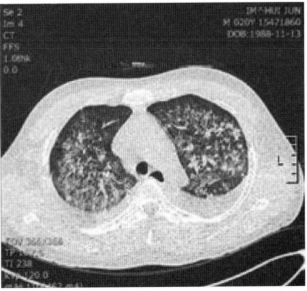

그림 67-7. 전신홍반루푸스 치료 중 폐 출혈

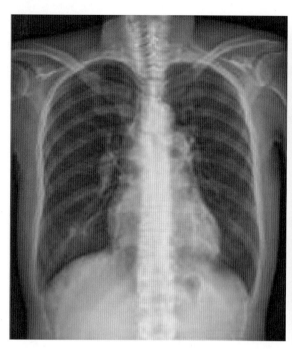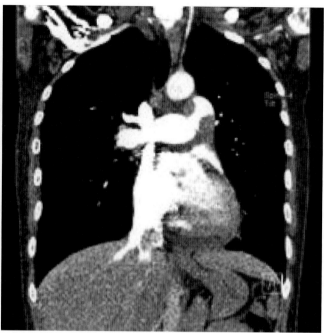

그림 67-8. 루푸스 치료 중 폐동맥고혈압을 보인 환자의 흉부X선과 전산화 단층촬영

## 신장 증상

신장 증상은 루푸스 환자의 25-75%에서 발견된다. 신부전이나 신증후군이 발생하기 전까지는 루푸스신염에 대해 무증상인 경우가 많기 때문에 루푸스가 의심되는 모든 환자에서 요검사를 실시해야 한다. 루푸스신염의 진단 기준은 단백/크레아틴 비율(또는 24시간 요단백량)이 500 mg/24 시간을 초과하거나, 요검사(dipstick test)에서 3(+) 이상의 단백뇨나 세포원주(red blood cells, heme, granular, tubular or mixd)의 확인으로 명시하고 있다. 따라서 신질환의 유무를 판단하기 위해서는 혈청 크레아티닌 농도 외에 요검사가 정기적으로 이루어져야 한다. 신생검은 신질환 진단에 있어서 보다 정확한 정보를 제공할 수 있다. 대부분의 루푸스 환자들은 신조직에서 이상이 발견되지만 일부에서는 면역형광검사나 전자현미경검사와 같은 특수 검사를 통해서만 이상 소견을 관찰할 수 있다. 신장 초음파검사는 치료의 방향을 결정하는 데 도움을 주는 또 다른 검사법이다. 신장의 크기가 작아지고 신장의 에코가 증가되면 성공적인 치료 가능성은 줄어든다.

소변의 단백뇨 측정은 루푸스신염의 활성도 평가에 결정적이다. 500 mg 이상의 새로운 단백뇨의 발생은 중요하지만 막성신염의 경우에는 500-2,000 mg까지는 안정적인 것으로 평가하며 이런 경우 단백뇨가 기저치의 두 배 이상 증가한 경우 악화된 것으로 여겨진다.

고혈압은 신질환 활성도와 기능장애를 반영하기 때문에 정기적인 혈압 측정이 꼭 필요하다.

세계보건기구는 루푸스신염을 광학현미경, 면역형광염색, 전자현미경검사소견에서 관찰되는 변화에 따라서 분류하였으며 2004년에 국제신장학회-신장병리학회와 함께 이 분류를 재개정하였다(표 67-2).

새로운 분류가 기존 분류와 구별되는 가장 중요한 차이점은 증식성 병변을 초점성과 미만성으로 구분하였으며 치료가 가능한 활동성 병변과 반흔을 보이는 만성병변을 구분한 것이다. 또한 미만성 증식성 신염을 침범된 주병변이 분절형인지 전체적인지를 세분하였다. 위험한 증식성 형태의 사구체 손상(III, IV형)이 있는 환자는 대체로 현미경적 혈뇨와 500 mg/24시간 이상의 단백뇨가 나타난다. 절반에서 신증후군으로 발전하고 대부분 고혈압이 발생한다. 만약 IV형을 치료하지 않으면 거의 대부분 환자가 2년 내에 말기 신질환으로 진행한다. 단백뇨 치료의 결정에 대하여 가장 중요한 것은 조직의 구조적인 형태의 다양성이다. 따라서 면역형광염색이나 전자 현미경에서 관찰되는 면역복합

표 67-2. 루푸스신염의 분류(국제신장학회/신장병리학회)

### Class I : 최소 사구체간질 루푸스신염(Minimal Mesangial Lupus Nephritis)

광학현미경으로 관찰 시 정상 사구체 소견이나 면역형광염색에서 사구체간질에 면역 침착이 관찰됨.

### Class II : 사구체간질 증식 루푸스신염(Mesangial Proliferative Lupus Nephritis)

광학현미경으로 관찰 시 사구체간질 세포 수 증가 또는 사구체간질 기질 확장이 관찰되며 면역 침착 있음. 면역형광염색이나 전자현미경에서 일부 고립된 상피밑 또는 내피밑 침착이 보일 수 있으나 광학현미경으로는 보이지 않음.

### Class III : 국소 루푸스신염(Focal Lupus Nephritis)

활동성 또는 비활동성의 국소적, 분절 또는 완전(global), 모세혈관내 또는 모세혈관외 사구체신염으로 전체 사구체의 50% 미만을 침범한 경우, 전형적으로 국소 내피밑 면역 침착이 있으며, 사구체간질 변화를 동반하기도 함.
Class III (A): 활동성 병변 – 국소 증식성 루푸스신염
Class III (A/C): 활동성 및 만성 병변 – 국소 증식성 및 경화성 루푸스신염
Class III (C): 사구체 반흔이 있는 만성 비활동성 병변 – 국소 경화성 루푸스신염

### Class IV: 미만 루푸스신염(Diffuse Lupus Nephritis)

활동성 또는 비활동성의 미만성, 분절 또는 완전, 모세혈관내 또는 모세혈관외 사구체신염으로 전체 사구체의 50% 이상을 침범한 경우. 전형적으로 미만성 내피밑 면역 침착이 있으며, 사구체간질 변화를 동반하기도 함. 침범된 사구체의 50%가 분절 병변이면 미만성 분절(IV-S) 루푸스신염으로, 침범된 사구체의 50%가 완전 병변이면 미만성 완전(IV-G) 루푸스신염으로 세부 분류함. 분절은 병변이 한 사구체의 50% 미만에서 관찰되는 경우로 정의함. 이 등급은 미만성 고리모양 침착은 있지만 사구체 증식은 거의 없는 상태임.
Class IV-S (A): 활동성 병변 – 미만성 분절 증식성 루푸스신염
Class IV-G (A): 활동성 병변 – 미만성 완전 증식성 루푸스신염
Class IV-S (A/C): 활동성 및 만성 병변 – 미만성 분절 증식 및 경화성 루푸스신염
Class IV-G (A/C): 활동성 및 만성 병변 – 미만성 완전 증식 및 경화성 루푸스신염
Class IV-S (C): 반흔이 있는 만성 비활동성 병변 – 미만성 분절 경화성 루푸스신염
Class IV-G (C): 반흔이 있는 만성 비활동성 병변 – 미만성 완전 경화성 루푸스신염

### Class V: 막성 루푸스신염(Membranous Lupus Nephritis)

광학 현미경과 면역형광염색 또는 전자 현미경으로 관찰했을 때 완전 또는 분절 상피밑 면역 침착 및 이로 인한 형태적 결과를 보이며, 사구체간질 변화를 동반하기도 함. Class V 루푸스신염은 Class III 또는 IV와 동반하여 나타날 수 있으며, 이런 경우 양쪽 모두 진단될 수 있음. Class V 루푸스신염은 진행된 경화를 보이기도 함.

### Class VI: 진행된 경화 루푸스신염(Advanced Sclerotic Lupus Nephritis)

남아 있는 활동성 병변 없이 전체적으로 경화된 사구체가 90% 이상임.

주: (경도, 중등도, 중증) 세관 위축, 간질 염증과 섬유화, 세동맥경화 또는 다른 혈관 병변의 정도를 등급화하고 표시함

---

체의 침착 위치가 추가적인 정보를 제공할 수 있다.

루푸스신염의 평가에 있어서 신생검의 역할은 아직 논란의 여지가 있다. 여러 보고에 의하면 미만형 증식성 루푸스신염은 신 기능의 소실과 환자의 생존에 있어서 나쁜 예후인자이다. 만성 병소(chronic lesion)는 신장 및 환자 생존에 있어서 나쁜 예후를 나타낸다. 활성형 병소(active lesion)는 적극적인 면역억제와 항염 치료가 필요함을 의미한다.

루푸스신염의 예후에 있어서 가장 중요한 것은 신기능의 저하로 알려져 있다. 젊은 나이, 남성, 혈청 크레아티닌의 증가가 신부전의 발생과 관련된 인자라는 주장이 있으며, 특히 젊은 남성의 경우엔 만성도(chronicity index)가 신장 생존률 감소의 가장 중요한 인자라고 보고되고 있다. 실제로 조직검사 없이 신기능검사만으로는 가역적인 신질환과 비가역적인 신질환을 구분할 수 없다.

일반적으로 신기능이 저하된 루푸스신염 환자들은 대부분 루푸스 활성도(lupus activity)가 저하된다. 그러나 신기능 저하로 투석이나 신장이식을 받았음에도 SLEDAI에 의하여 지속적인 질환 활성도를 보이는 경우가 있으며, 최근에는 신기능 저하 환자에서도 루푸스 활성도가 증가될 수 있음이 보고되고 있다. 루푸스신염 환자는 대부분 죽상경화증이 가속화되므로 전신 염증,

혈압, 이상지질혈증, 고혈당을 조절하는 데 주의를 기울여야 한다.

## 위장관 증상

위장관 증상은 루푸스에서 매우 흔하지만 질병의 진단 기준에는 포함되지 않고 있다. 다른 질환, 스트레스, 약제 등의 이차적인 원인을 감별해야 한다. 연하곤란은 2-6%의 환자에서 나타나고 특히 레이노현상과 관련이 있다. 식욕부진, 구역, 구토, 설사가 활성도가 높은 환자의 1/3에서 나타나고, 염증성 장질환, 감염, 약제 등에 의한 원인을 배제해야 한다. 궤양성 질환은 대개 소염제 등과 관련이 있다.

복수는 8-11%의 환자에서 관찰되며, 신증, 간경변증, 울혈 심부전증이 있는 경우는 무통성 누출액(transudate)을 보이며, 삼출액은 통증이 있으며, 장막의 염증을 의미한다. 루푸스장염은 글루코코티코이드에 반응이 좋다.

췌장염은 루푸스의 심각한 합병증으로 췌장의 혈관염, 다른 장기의 질병 활성도 증가, 피하지방 괴사, 글루코코티코이드, 아자싸이오프린 등의 약물 사용 등에 의해 발생한다. 췌장염 없이 아밀라아제의 경미한 상승을 보일 수 있으며, 이 수치가 높은 경우 췌장염을 의심한다. 글루코코티코이드가 우선적인 치료제이나 반대로 이 약제가 췌장염을 유발할 수도 있다. 복통이 있으면서 진찰 시 압통이 있는 경우 허혈이나 장궤양을 고려한다. 단백뇨 없이 저알부민혈증, 하지부종 등이 있는 경우는 드물지만 단백상실흡수장애를 생각해야 한다.

장간막 또는 장혈관염은 루푸스에서 생명을 위협하는 심각한 합병증이고 대개 다장기 침범 증세와 동반된다. 고용량의 글루코코티코이드가 필요하고 범위가 광범위하거나 출혈이나 천공을 동반하는 경우에는 수술이 필요하다(그림 67-9).

## 간 증상

간비대증이 루푸스 환자의 10-31%에서 나타나며, 황달은 1-4%의 환자에서 보이는데, 용혈빈혈, 간염, 췌장염 등을 감별해야 한다. 간혈관염은 흔하지 않으나 Budd-Chiari syndrome은 항인지질항체증후군과 동반되어 나타날 수 있다. 간 효소치 상승은 30-60% 환자에서 보이고, 그 원인으로는 질병의 활성도 증가, 감염, 살리실산염, 비스테로이드소염제, 아자싸이오프린, 메토트렉세이트 등의 루푸스 치료 약제 사용 등이 있다. 3배 이상으로 상승하는 경우는 흔하지 않다. 루푸스간염과 자가면역간염의 구분이 힘든 경우가 있다. 루푸스간염은 A, B, C, D, E형의 간염바이러스 감염과, EBV, CMV 바이러스 감염, 약물 및 알코올에 의한 손상을 배제하여야 하며, 항ribosomal P항체가 양성이거나 조직검사에서 비특이적인 염증소견외에 보체1q (C1q)가 침

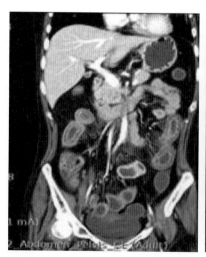
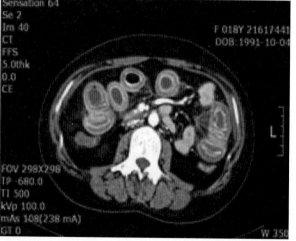

그림 67-9. **전신홍반루푸스 환자에서 복통** 혈변으로 내원하여 촬영한 복부단층촬영영상, 표적사인과 빗살모양사인이 관찰된다. (출처: 서울성모병원)

착되는 경우 루푸스 간염을 시사한다.

## 안과 증상

눈에 나타나는 증상으로는 건조증후군(sicca syndrome, 쇼그렌증후군)과 비특이적인 결막염이 흔하지만 시력을 위협하는 경우는 드물다. 망막의 면화반(cotton-wool spots)이 흔한 증상이며, 각막과 결막의 침범으로 포도막염이나 공막염이 드물게 발생한다. 망막혈관염과 시신경염은 심각한 증상으로 수일에서 수주일 내에 실명할 수 있으므로 적극적인 치료가 요구된다. 비교적 드물지만 루푸스 치료를 위해 사용하는 항말라리아제에 의한 망막 독성이 나타날 수 있고, 이는 질병의 경과 중 망막 손상으로 시력 소실을 가져오는 경우보다 시력 소실의 흔한 원인이다. 국소적 허혈로 인해 발생하는 면화반은 루푸스의 특이 병변은 아니며 망막의 뒷부분을 주로 침범하여 종종 시신경을 침범하기도 한다.

## 장막염

루푸스에서 장막염(serositis)은 흔하며, 흉막염, 심장막염, 복막염 등의 형태로 발현된다. 1일 이상의 전형적인 흉막염이나 흉막삼출액, 흉막마찰음이 있거나 전형적인 심장막 통증(비스듬히 누운 자세에서 통증이 생기고 앉은 자세에서 전방으로 숙이면 통증이 호전)이 있거나 심장막 삼출, 심초음파로 확인되는 심장막염 등이 루푸스 장막염의 특징이다. 흉막염은 루푸스 환자의 약 30-60%에서 발견된다. 흉막염이 있는 환자는 대개 흉막의 통증을 호소하며 방사선학적 변화를 보인다(그림 67-10).

흉막 삼출은 일반적으로 소량이지만 간혹 대량인 경우도 있으며, 양측성인 경우도 있다. 흉수는 일반적으로 삼출액이며 포도당 농도는 정상 범위 내이다. 백혈구 수는 중등도로 증가되어 있으며, 급성기에는 중성구가 많고, 후기에는 림프구가 많다.

심장막염은 루푸스 환자에서 흉막염보다 드물지만 심장을 침범하는 가장 흔한 형태이다. 루푸스에서 약 20-30%에서 발견된다. 심장막염의 진단은 종종 어렵고, 흉통이나 심장막 마찰음 등에 의존해야 한다. 심낭삼출은 심장막염의 한 형태이고, 심장눌림증은 드물다. 심낭액은 중성구가 많은 백혈구 증가를 보이고, 포도당 농도는 매우 낮다. 심장눌림증이 동반되거나, 감염이 의심되는 환자는 심낭천자를 해야 한다.

## 결론

루푸스의 임상증상은 다양하며, 남성과 여성, 발병 나이에 따라 임상증상과 장기 손상의 정도가 다소 차이가 있고, 진단 당시에 없었던 증상들도 임상 경과 중 발생할 수 있기 때문에 정기적으로 각 장기의 손상에 따른 증상들과 비특이적인 증상의 변화

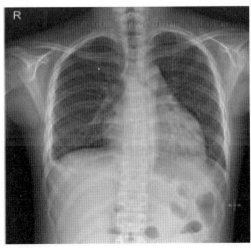
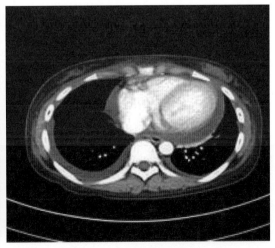

그림 67-10. 흉막삼출과 심낭삼출을 동반한 루푸스 환자의 흉부X선과 전산화단층촬영 (출처: 서울성모병원)

에 대해 정기적인 검사와 진찰이 필요하다.

## 참고문헌

1. Aringer M, Costenbader K, Daikh D, Brinks R, Mosca M et al. 2019 European League Against Rheumatism/American College of Rheumatology Classification Criteria for Systemic Lupus Erythematosus. Arthritis Rheumatol 2019;71;1400-12.

2. Aringer M, Petri M. New classification criteria for systemic lupus erythematosus. Curr Opin Rheumatol 2020;32;590-6.

3. Dall'Era M and Wofsky D. Clinical Features of Systemic Lupus Erythematosus. In: Firestein GS, ed. Kelley and Firestein's Textbook of Rheumatology. 11th ed. Philadelphia: Elsevier; 2021. pp. 1413-36.

4. Hahn BH. Systemic Lupus Erythematosus. In: Kasper DL, ed. Harrison's Principles of Internal Medicine. 19th ed. New York: McGraw-Hill; 2015. pp. 124-34.

5. WallacDJ, Weisman MH. Clinical features of systemic lupus erythematosus. In; Hochberg MC, et al. Rheumatolgy. 7th ed. Philadelphia: PA Elsevier; 2019. pp. 1103-15.

6. Weening JJ, D'Agati VD, Schwartz MM, Seshan SV, Alpers CE, Appel GB, et al. International Society of Nephrology Working Group on the Classification of Lupus Nephritis; Renal Pathology Society Working Group on the Classification of Lupus Nephritis. The classification of glomerulonephritis in systemic lupus erythematosus revisited. Kidney Int 2004;65;521-30.

# 68

# 검사소견과 진단

**중앙의대 최상태**

## KEY POINTS 🔒

- 전신홍반루푸스에서 검사실 소견은 진단 및 질병활성도 평가, 치료 결정에 도움을 준다.
- 주요한 검사로는 전체혈구계산, 자가항체검사, 보체검사 등의 혈액검사와 소변검사, 조직검사 등이 있다.
- 자가항체는 특정한 임상증상과 연관되어 있어 진단과 임상증상의 예측에 도움을 줄 수 있으며, 항dsDNA항체와 보체 역가의 변화는 질병활성도를 평가하는 데 도움을 준다.
- 2019년 유럽류마티스학회와 미국류마티스학회가 함께 전신홍반루푸스의 새로운 분류기준을 제시하였다. 이 분류기준은 항핵항체를 진입 기준으로 설정하고 있으며, 1997년 개정된 ACR 분류기준이나 2012년에 세계루푸스전문가모임 분류기준보다 높은 민감도와 특이도를 보인다.

## 서론

전신홍반루푸스(systemic lupus erythematosus, 이하 루푸스)에서 검사실 소견은 진단에 도움이 될 뿐만 아니라 질병 경과를 추적하며 질병의 활성도 평가 및 치료 방침을 결정하는 데 영향을 준다. 이를 위해 전체혈구계산, 자가항체검사, 보체검사 등과 같은 혈액검사와 함께 소변검사, 조직검사 등을 시행한다.

### 1) 전혈구 검사

혈구감소증은 루푸스 환자에게 흔히 나타나는 증상으로, 전체혈구계산은 루푸스의 초기 진단과 루푸스 환자의 지속적인 평가에 매우 중요한 요소이다. 빈혈은 가장 흔히 나타나는 소견인데, 만성 질환과 관련된 빈혈이 80% 정도로 가장 흔하며, 철결핍빈혈이나 만성콩팥병과 동반된 빈혈도 나타날 수 있다. 자가면역 용혈빈혈은 10% 미만의 환자에서 나타나지만, 시급한 치료를 필요로 하는 중증 증상일 수 있으므로 주의해야 한다. 직접 쿰즈 검사는 적혈구에 IgG나 보체(C3d)가 부착되어 있는지를 보는 검사로서 자가면역 용혈빈혈에서 양성으로 보이지만, 용혈이 없이도 양성으로 나타날 수 있는 점도 유의해야 한다.

백혈구감소증은 약 50%에서 나타나는데, 림프구 감소가 중성구 감소보다 흔하다. 백혈구의 감소는 질병의 활성도를 일부 반영하므로 질병활성도를 나타내는 신호로 평가하지만, 백혈구의 감소가 다른 장기의 질병활성도 증가나 감염 위험의 증가를 의미하지는 않는다. 백혈구가 감소할 때, 질병의 악화 외에 약물이나 감염 등의 원인에 대해서도 감별을 해야 한다.

혈소판감소증은 대개 50,000-100,000/mm³ 정도이며 만성적이고 증상이 없는 경우가 흔하다. 심하면 20,000/mm³ 이하로 떨어지면서 잇몸출혈이나 점출혈 등이 나타날 수도 있다. 일부 환자에서는 질병 활성도가 악화할 때, 혈소판감소증만 나타날 수도 있다. 다행히도 혈소판의 질적 장애가 있는 경우는 드물어 생명을 위협하는 출혈은 드물다. 항혈소판항체는 혈소판감소증이 없이도 양성으로 나타날 수 있다. 항혈소판항체가 음성인 불응성 혈소판감소증인 경우에는 항인지질항체증후군도 고려해 보아야 한다.

적혈구침강속도는 종종 증가하지만, 일반적으로 임상적 질병활성도를 반영하는 믿을 만한 표지자로 여기지는 않는다. 말초

혈액도말검사에서 분절 적혈구가 관찰되는 경우에는 혈전혈소판감소자색반병(thrombotic thrombocytopenic purpura, TTP)이나 용혈요독증후군(hemolytic uremic syndrome, HUS) 등을 고려해 보아야 한다.

## 2) 생화학 검사

루푸스는 전신의 거의 모든 장기를 침범할 수 있기 때문에, 간, 콩팥, 혈당 등에 대한 기본적인 생화학 검사를 시행할 필요가 있다. 또한, 루푸스 환자들에게서 동맥경화증 및 심혈관질환의 발생 위험도가 높기 때문에 고지혈증에 관해서도 확인하고 관리할 필요가 있다. 대표적인 급성기 반응 물질 중의 하나인 C반응단백질(C-reactive protein, CRP)은 일반적으로 루푸스 환자에서 크게 증가하지는 않는 것으로 알려져 있다. CRP가 5.0 mg/dL 이상이면 루푸스의 질병활성도 악화보다는 오히려 감염의 가능성을 고려해 보아야 한다.

## 3) 소변검사

루푸스 환자에서 신장 침범은 증상이 없는 경우도 많기 때문에 루푸스가 의심되는 환자나 진단 후 경과 추적 중인 환자에서 소변검사는 필수적이다. 현미경적 혈뇨가 있고 적혈구 원주가 발견되는 경우에는 루푸스신염의 가능성이 높아 단백뇨에 대한 정량 검사를 시행해야 한다. 일 회 소변 단백/크레아티닌 비율(또는 24시간 소변 단백)이 500 mg/24시간을 초과하거나, 요검사(dipstick test)에서 3(+) 이상의 단백뇨나 적혈구원주(red blood cell casts) 소견을 보이는 경우에 루푸스신염을 의심해 볼 수 있다. 소변의 단백뇨 측정은 루푸스신염의 활성도를 평가하는 데 도움이 되기 때문에 정기적인 소변 검사가 필요하다. 활동성 염증에 의한 사구체질환에서는 세균에 의한 감염 소견이 없이도 소변검사에서 백혈구가 보이는 농뇨가 관찰될 수 있다.

## 4) 자가항체검사

### (1) 항핵항체

루푸스에서 항핵항체(anti-nuclear antibody, ANA)의 양성율은 95-99%로 알려져 있다. 따라서 항핵항체 검사는 루푸스의 선별 검사로 매우 유용하다. 다만 일부 환자는 증상이 시작된 후 1

년 이내에 항핵항체가 생기므로 반복 검사가 필요한 경우도 있다. 항핵항체 음성 루푸스가 있기는 하지만, 성인에서는 매우 드물다. 더욱이 항핵항체는 음성이더라도 대개 다른 자가항체(항Ro/SS-A항체 또는 항dsDNA항체)는 양성이다. 항핵항체를 검사하는 방법은 HEp2세포를 이용한 간접면역형광측정(HEp2-IFA)을 가장 흔히 사용한다. 이 검사가 가능하지 않은 경우에는 효소결합면역흡착측정(ELISA), 형광효소면역측정(FEIA), 화학발광면역측정(CLIA) 등을 사용하기도 하는데, 검사실 간의 검사 결과의 차이가 크게 나타나기도 한다. 따라서 임상적으로 루푸스가 의심되는 환자에서 항핵항체가 음성일 경우에는 항핵항체 검사를 추적하고 다른 자가항체검사를 의뢰해 볼 수도 있다. 면역형광분석법에서 항핵항체 1:40 양성 소견은 정상인의 약 30%에서도 위양성으로 나타날 수 있기 때문에, 항핵항체는 양성/음성 여부와 함께 역가를 함께 참고해서 보는 것이 매우 중요하다. 메타분석에서 항핵항체 1:80 양성 이상인 경우에 전신홍반루푸스 진단에 97.8%의 민감도를 보이는 것으로 보고하고 있으며, 이에 따라 2019년 유럽류마티스학회(European League Against Rheumatism, 이하 EULAR)/미국류마티스학회(American College of Rheumatology, 이하 ACR) 분류기준에서는 항핵항체 1:80 양성 이상의 소견일 경우에만 루푸스의 분류 기준을 적용하도록 하고 있다. 다만 항체의 역가가 루푸스의 질병활성도를 반영하지는 않는다.

### (2) 항dsDNA항체와 항Sm항체

특정 자가항체는 루푸스의 임상증상과 연관되어 있고, 질병의 진단 및 활성도 평가에 도움을 줄 수 있다. 1997년 ACR 및 2012년 세계루푸스전문가모임(Systemic Lupus International Collaborating Clinics, 이하 SLICC) 루푸스 분류기준에 포함된 자가항체로는 항핵항체 이외에도 항이중나선DNA항체(항dsDNA항체), 항Sm항체, 항인지질항체(aPL) 등이 있다.

루푸스 환자에서 항dsDNA항체의 민감도는 50-80% 정도이지만, 특이도는 95% 이상으로 매우 높다. 항dsDNA항체의 측정은 ELISA, Crithidia luciliae 편모의 이중가닥 DNA에 대한 간접면역형광측정, 방사능표지 DNA를 이용하는 Farr 측정, 이중나선 DNA를 형광미세구에 부착하는 유세포분석측정 등이 있으며, 측정 방법마다 민감도와 특이도가 다르다. 항dsDNA항체의 역가는 질병활성도에 따라 변화한다. 항dsDNA항체의 증가는 (특히 보체 C3 또는 C4의 감소와 동반될 때) 루푸스의 악화, 특히 루푸스신염 혹은 혈관염의 악화와 연관성이 있다.

Sm에 대한 항체 또한 루푸스에서 95% 이상의 특이도를 보이며 루푸스의 분류기준에도 포함되어 있지만, 민감도는 5-30% 정도로 낮으며 일반적으로 질병의 활성도나 임상양상과는 관련이 없다.

### (3) 항인지질항체

항인지질항체의 유무를 확인하기 위해서는 루푸스항응고인자, 항카디오리핀항체, 항$\beta_2$GPI항체, 신속혈장즉시과민항체(rapid plasma reagin)에 대한 위양성 검사(매독균에 대한 위양성)

등을 실시한다. 항카디오리핀항체, 항$\beta_2$GPI항체는 ELISA를 통하여 측정한다. 루푸스항응고인자는 프로트롬빈(prothrombin), 카디오리핀, $\beta_2$GPI, 단백질/인지질 복합체 등과 같은 혈청 단백질과 반응하는 항체들을 검출하는 기능적 검사로서, 항카디오리핀항체, 항$\beta_2$GPI항체에 비해 특이도가 높다. 낮은 역가의 항카디오리핀항체의 양성 소견은 비특이적인 경우가 많기 때문에 일반적으로 중등도 또는 고역가로 양성인 경우가 루푸스 및 항인지질항체증후군(antiphospholipid syndrome, APS)의 진단에 도움이 된다. 항카디오리핀항체와 항$\beta_2$GPI항체검사는 IgG뿐 아니라 IgM, IgA 아형 양성도 포함된다. 항인지질항체는 루푸스 분류기준에 포함되어 있으나, 동맥이나 정맥의 혈전증, 혈소판감소증과 태아사산 등과도 연관되어 있어 루푸스에 특이적이지는 않

**표 68-1.** 전신홍반루푸스에서 보이는 자가항체

| 항체 | 양성률(%) | 인지항원 | 임상적 중요성 |
|---|---|---|---|
| 항핵항체 | 98 | 다양한 핵내 항원 | 가장 좋은 선별검사. 반복적으로 음성이 나오면 전신홍반루푸스가 아닐 확률이 높음 |
| 항dsDNA항체 | 70 | DNA(ds, 이중나선) | 고역가는 전신홍반루푸스에 특이적이고 일부 환자에서는 질병활성도, 신장염, 혈관염과 관련됨 |
| 항Sm항체 | 25 | 6종류의 핵내 U1 RNA와의 복합 단백질 | 전신홍반루푸스에 특이적임. 명확한 임상적인 관련성은 없음. 대부분의 환자가 항RNP항체를 같이 가짐. 흑인과 동양인에서 백인보다 흔함 |
| 항RNP항체 | 40 | U1 RNA와의 복합 단백질 | 전신홍반루푸스에 특이적이지 않음. 고역가는 전신홍반루푸스를 포함한 몇 가지의 질환이 중복된 양상을 보이는 증후군과 관련. 흑인에서 백인보다 흔함 |
| 항Ro(SS-A)항체 | 30 | 주로 60 kDa과 hY RNA와의 복합 단백질 | 전신홍반루푸스에 특이적이지 않음. 건조 증후군, 아급성 피부루푸스, 선천성 심장차단이 있는 신생아루푸스와 연관이 있음. 신장염 위험성이 감소함 |
| 항La(SS-B)항체 | 10 | hY RNA와의 47 kDa의 복합 단백질 | 항Ro항체와 대개 연관이 있음. 신장염 위험성이 감소함 |
| 항히스톤항체 | 70 | 히스톤 관련 DNA(뉴클레오솜과 염색질에 존재) | 약물유발루푸스에서 흔히 관찰됨 |
| 항인지질항체 | 50 | 인지질, $\beta_2$-GPI(당단백) 보조인자, 프로트롬빈 | 세 가지 검사가 이용가능함—카디오리핀과 $\beta_2$-GPI(당단백)에 대한 면역효소측정법, 민감한 프로트롬빈 시간(DRWT); 혈전증, 유산, 혈소판감소증의 소인 |
| 항적혈구항체 | 60 | 적혈구 세포막 | 직접쿰즈검사로 측정됨. 일부에서 명백한 용혈이 발생 |
| 항혈소판항체 | 30 | 혈소판의 표면과 변형된 세포질항원 | 혈소판 감소증과 관련이 있으나 민감도와 특이도가 좋지 않음. 임상적으로 유용한 검사는 아님 |
| 항신경세포항체(항Glutamate 수용체 포함) | 60 | 신경세포와 림프구 표면 항원 | 일부 연구에서 뇌척수액의 양성결과와 활동성의 중추신경계루푸스와 연관성이 있음 |
| 항리보솜P항체 | 20 | 리보솜의 단백질 | 일부 연구에서 혈청의 양성결과와 중추신경계루푸스에 의한 우울증이나 정신병과 연관성이 있음 |

다. 항인지질항체는 항인지질항체증후군의 진단에도 필수적인데, 항체의 역가가 높고 여러 종류의 항인지질항체가 검출될수록 혈전증의 발생 위험이 증가한다. 항인지질항체의 농도는 시간에 따라 변화할 수 있으므로, 1회 이상의 혈전증 또는 반복되는 유산과 함께, 적어도 12주 이상의 간격으로 두 번 이상 항인지질항체가 양성일 경우에 항인지질항체증후군으로 진단할 수 있다.

### (4) 기타 자가항체

항dsDNA항체나 항Sm항체, 항인지질항체 이외에도 다양한 자가항체들이 루푸스 환자에서 발견될 수 있다(표 68-1). 항신경세포항체와 항리보솜P항체는 중추신경계 증상과 관련이 있으며, 항리보솜P항체는 특히 정신병, 우울 증상과 관련되어 있다. 항히스톤항체는 약제유발루푸스에서 흔히 관찰된다. 항RNP항체는 레이노증후군이나 근골격계 증상과 관련이 있다. 항Ro/SS-A항체는 루푸스의 분류 기준에 사용되지는 않지만, 신생아루푸스, 쇼그렌증후군, 아급성피부루푸스 등과 연관이 있다. 따라서 임신을 계획하고 있는 루푸스 환자는 선별검사로 항인지질항체와 항Ro/SS-A항체를 시행하는 것이 좋다. 항La/SS-B항체는 항Ro/SS-A항체와 함께 구강 및 안구건조증상, 아급성피부루푸스, 신생아루푸스, 광과민 등과 관련이 있다. 약 17%에서 p항호중구세포질항체(pANCA)가 양성으로 나타날 수가 있으며, 더 많은 장기를 침범하는 경향을 보인다.

### 5) 보체 검사

보체계(complement system)는 선천 면역계에서 중요한 용해 요소(soluble component) 중의 하나로서, 일련의 혈장 효소와 조절 단백질, 그리고 연쇄적으로 활성화되어 세포를 파괴하는 단백질들을 일컫는다. 보체계는 다음과 같은 3가지 경로로 나뉜다. 항원/항체 면역 복합체에 의해 활성화되는 고전경로(classic activation pathway), 미생물이나 종양세포에 의해서 활성화되는 대체경로(alternative pathway), 말단 만노즈군(terminal mannose

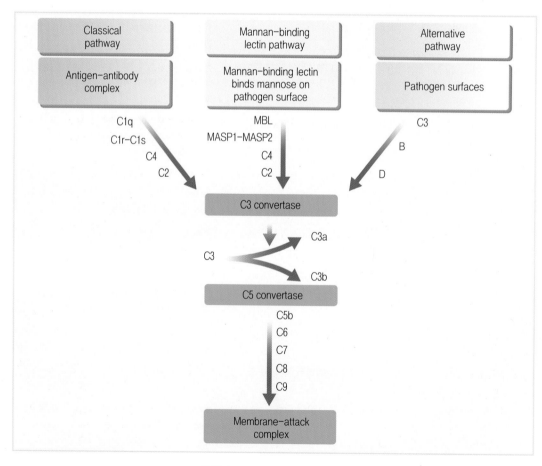

그림 68-1. 보체계의 활성 경로

group)을 가진 미생물에 의해서 활성화되는 만노즈결합렉틴경로(mannose-binding lectin pathway, MBL)이다. 위의 세 경로는 공통으로 말단경로(terminal pathway)를 통하여 세포를 용해하는 세포막 공격복합체(membrane attack complex)를 형성한다(그림 68-1).

면역 복합체와 C1q의 결합에 의해 활성화되는 고전경로는 면역 복합체의 특이항체를 통해 선천면역계와 적응면역계를 연결해 준다. 대체 경로는 항체와 관계없이 C3가 병원체나 종양세포 같은 변형된 자기세포에 직접 결합하여 활성화된다. 고전경로는 C1, C4, C2의 순서를 통해 활성화되고, 대체 경로는 C3, 인자 B (factor B), 인자 D (factor D)를 통해 활성화되는데, 두 경로 모두 C3의 절단(cleavage)과 활성화를 유도한다. C3의 활성화 조각(activation fragment)은 세균이나 기타 외부 항원 등의 표면에 붙어서 탐식작용(phagocytosis) 중의 옵소닌화(항체와 보체가 항원의 표면에 부착되는 현상)에 중요한 역할을 한다. 만노즈결합렉틴경로는 세균이나 바이러스 표면의 만노즈에 의해서 활성화된다. 1형과 2형 MBL 연관 세린 프로테아제(MBL-associated serine protease, MASP)는 C1q, C1r, C1s 대신 C4를 활성화한다. 이 세 가지 보체 활성화 경로는 공통된 말단경로를 거친다. 각각의 경로에서 C3에서 쪼개진 단백질 조각인 C3b는 C5, C6, C7, C8, C9를 활성화시켜서 세포막공격복합체(membrane attack complex)를 형성하는데 이들이 표적세포나 세균 세포막 내부에 물리적으로 삽입되어 세포를 용해한다.

유전적 결함에 의한 C1q 결핍은 매우 드물지만 이런 환자의 대부분에서 루푸스가 발병하고, 루푸스 환자에게 C1q에 대한 항체가 흔히 발견되곤 한다. C1q는 세포자멸사된 세포(apoptotic cell)의 제거에서 옵소닌(opsonin) 역할을 담당한다. 그 외에도 C1q는 인터페론-알파[(interferon, IFN)-α]의 억제나 대식세포를 통한 호중구세포외덫(neutrophil extracellular traps, NET) 제거의 촉진과도 연관이 있는 것으로 알려져 있다. 따라서 유전적 결함에 의한 C1q 결핍이나 변이, 면역복합체의 형성, C1q에 대한 항체 형성은 보체계를 불활성화시키고 세포자멸사된 세포에 대한 탐식작용을 감소시킴으로써 루푸스의 발병에 관여한다. C4는 C4A, C4B 두 가지의 동위체(isoform)가 있으며 그 중 C4A 유전자 복제수의 감소가 루푸스와 연관이 있다. 보체는 루푸스 환자의 적응면역(adaptive immunity)에도 관여한다. 보체의 결핍은

자가반응 B세포의 발생과 연관이 있으며, C3d는 T세포의 활성에 영향을 준다.

루푸스에서는 선천적 혹은 후천적 요인으로 인해 주로 고전경로 구성요소의 이상 소견이 관찰된다. 그러나 대체경로 및 만노즈결합렉틴경로도 활성화될 수 있다. 2012년 SLICC 루푸스 분류기준에는 낮은 역가의 보체(C3, C4, CH50-total hemolytic complement)가 새롭게 추가되었으며, 이는 2019년 EULAR/ACR 분류기준에도 포함되어 있다. 낮은 보체 역가는 루푸스의 질병활성도 평가에도 도움이 된다. 대부분의 검사실에서는 C3 및 C4를 검사하는데, 이들 검사 결과는 안정적이고 특수 처리가 필요 없기 때문이다. CH50은 양의 적혈구(sheep RBC)를 용해하는 데 필요한 혈청 보체의 기능을 평가하는 검사인데, C1-C9의 보체 중 일부는 불안정하기 때문에 CH50은 검체의 수집이나 보관 및 저장에 따라 결과가 달라질 수 있다. 또한 CH50은 염증으로 인한 보체의 소모뿐만 아니라 보체 결핍에 의해서도 감소할 수 있다.

## 6) 질병활성도를 반영하는 검사

루푸스의 치료 중 질병의 악화, 특히 주요 장기의 비가역적인 손상을 예측하는 것은 아주 중요하지만, 현재까지 확실한 지표는 없다. 따라서 악화 시기에 나타나는 주요 기관의 침범 상태를 알려주는 검사를 추적하는 것이 유용하다. 예를 들어 혈뇨 및 단백뇨를 보기 위한 소변검사나, 헤모글로빈, 혈소판, 혈청 크레아티닌, 혈청 알부민 등이다. 루푸스의 악화를 예측할 수 있는 단일한 혈청학적 검사방법은 없지만 가장 유용한 지표는 항dsDNA 항체 역가와 보체 역가이다. 이들 지표는 임상 경과에 따라 역가가 달라질 수 있어, 정기적인 추적검사가 필요하다. 보체 역가의 감소와 항dsDNA항체 역가의 증가는 질병 활성도를 비교적 잘 반영하지만, 임상증상이 호전되더라도 지속해서 항dsDNA 항체가 고역가 양성으로 나타나는 경우도 있으므로, 치료를 결정하는 데 있어서 혈청학적 소견보다는 임상양상이 먼저 고려되어야 한다. 보체 C3의 활성화로 분할된 C3a의 측정은 질병의 악화를 예측하는데 도움이 되며 보체 소모가 증가한 것을 아는 데 도움을 주지만, 아직 널리 이용되지는 않고 있다. C1q 역시 아직 많이 사용되지는 않지만, 루푸스신염의 활성도를 평가하는데 유용한 것으로 알려져 있다. 일부 환자에서는 혈액 내 면

역복합체 농도가 도움이 될 수 있다. 그 외에 질병 활성도의 표지자 후보로는 말초 혈액세포 내 IFN 유도 유전자 발현, IL-2 수치, programmed death ligand 1 (PD-L1)-expressing neutrophils, prolactin 등이 있다. 소변 검사로는 TNF- like weak inducer of apoptosis (TWEAK), neutrophil gelatinase-associated lipocalin (NGAL), B cell activating factor (BAFF), A proliferation-inducing ligand (APRIL), osteoprotegerin (OPG), progranulin (PGRN), pentraxin3 (PTX3), monocyte chemotactic protein 1 (MCP1)에 대한 연구들도 진행되고 있다.

## 7) 조직검사

일부 환자에서는 여러 장기의 조직 검사가 진단에 도움을 줄 수 있다. 가장 흔히 하는 부위 중의 하나는 피부이다. 가장 특징적인 소견 중의 하나는 면역글로불린(IgG, IgA, IgM)과 보체 구성요소들이 진피표피경계(dermoepidermal junction)를 따라 침착되는 것이다. 면역형광염색을 통하여 이들 성분이 침착된 것을 확인하는 것은 루푸스의 진단에 도움이 된다. 이와 함께 진피(dermis) 기저층의 액화변성(liquefactive degeneration)이나 진피의 섬유소성괴사(fibrinoid necrosis), 혈관주변 혹은 모낭주변의 염증세포침윤 등이 관찰될 수 있다. 아급성피부루푸스나 만성피부루푸스에서는 단핵구들(주로 T세포)에 의해서 진피 기저층의 해체(disorganization)와 기저층의 공포변성(vacuolar degeneration)이 관찰될 수 있으며, 만성피부루푸스에서는 과다각화증(hyperkeratosis)이나 모낭마개(follicular plugging) 등이 나타나기도 한다. 피부의 모세혈관에 혈관염이 동반될 경우에는 면역형광염색을 통해 소동맥(small arteries) 혹은 세동맥(arterioles)의 혈관벽에 면역 복합체가 침착되는 것을 관찰할 수 있다. 신장 조직검사는 루푸스신염의 분류와 치료, 예후 등과 밀접한 관련이 있

표 68-2. 1997년 개정된 미국류마티스학회 전신홍반루푸스 분류기준

| 기준 | 정의 |
|---|---|
| 뺨 발진(malar rash) | 코입술주름은 침범하지 않으면서 뺨 부위에 평탄하거나 도드라진 고정된 홍반 |
| 원반형 발진(discoid rash) | 각화된 비늘이 붙어 있고 모낭선은 막혀 있는, 도드라진 홍반; 오래된 병변은 위축성 반흔 동반 가능 |
| 광과민성(photosensitivity) | 햇빛에 의한 비정상적인 반응 현상으로 발생된 피부발진으로서, 환자의 병력이나 의사에게 관찰된 경우 |
| 구강궤양(oral ulcer) | 주로 통증을 동반하지 않는 구강 또는 비후두 궤양으로서, 의사에 의해 관찰된 경우 |
| 관절염(arthritis) | 2개 이상의 원위 관절을 침범하는 비미란성 관절염으로서, 압통, 부기 또는 삼출액을 동반하는 경우 |
| 장막염(serositis) | ① 흉막염: 늑막통의 병력이 있거나 의사에 의해 청진된 마찰음 또는 흉막막액의 증거가 있는 경우<br>② 심장막염: 심전도나 청진된 마찰음으로 증명이 된 경우 또는 심낭액의 증거가 있는 경우 |
| 신질환(renal disorder) | ① 지속적인 단백뇨(>0.5 g/일) 또는 >3+(단백뇨의 정량화를 못한 경우)<br>② 세포성 원주(적혈구, 혈색소, 백혈구 또는 혼합형 원주) |
| 신경학적 질환(neurologic disorder) | ① 원인 약제나 대사이상 없이 발생한 발작(seizure)<br>② 원인 약제나 대사이상 없이 발생한 정신병(psychosis) |
| 혈액학적 질환(hematologic disorder) | ① 유발 약제 없이 발생한 그물적혈구 증가를 동반한 용혈성 빈혈<br>② 유발 약제 없이 발생한 4,000/μL 미만의 백혈구감소증<br>③ 유발 약제 없이 발생한 1,500/μL 미만의 림프구감소증<br>④ 유발 약제 없이 발생한 1,000,000/μL 미만의 혈소판감소증 |
| 면역학적 질환(immunologic disorder) | ① 항dsDNA항체 양성<br>② 항Sm항체 양성<br>③ 항인지질항체 양성<br>   a. 비정상적인 항카디오리핀항체, IgG 또는 IgM<br>   b. 루푸스 항응고인자 양성<br>   c. 매독검사에 대한 위양성 반응으로서, 최소한 6개월 이상 양성이면서 TPI나 FTA-ABS로 확인된 경우 |
| 항핵항체 양성(positive anti-nuclear antibody) | 질환의 어느 시점에서라도 면역형광법 또는 그에 상응하는 검사법으로 측정된 비정상적 항핵항체 수치로서, '약제에 의한 루푸스'와 관련된 약력이 없어야 함 |

병의 경과 중에서 어느 때라도 위 분류기준 중 4가지 이상을 만족하면, 전신홍반루푸스로 분류할 수 있음

표 68-3. 2012년 SLICC 전신홍반루푸스 분류기준

| 기준 | 정의 |
| --- | --- |
| **임상 기준** | |
| 급성 피부루푸스(acute cutaneous lupus) | ① 루푸스 뺨발진(뺨에 원반형발진이 있으면 제외); 물집루푸스; 독성표피괴사용해; 반구진발진; 광과민루푸스발진(피부염이 없어야 함)<br>② 아급성피부루푸스 |
| 만성 피부루푸스(chronic cutaneous lupus) | 전형적인 원반형 발진(국소형–목 위에만 국한, 전신형); 비후(사마귀형)루푸스; 루푸스지방층염; 점막루푸스; 비대루푸스; 동창루푸스; 원반형루푸스/편평태선 중복 |
| 구강 또는 비강궤양(oral or nasal ulcers) | ① 구강궤양(입천장, 볼, 혀)<br>② 비강궤양(혈관염, 베체트병, 감염, 염증성장염, 반응관절염, 산성 음식 등의 원인이 없어야 함) |
| 비흉터성 탈모(nonscarring alopecia) | 광범위하게 얇은 머리카락 또는 눈에 띄게 손상된 머리카락(원형탈모, 약물, 철결핍, 안드로겐성탈모 등의 원인이 없어야 함) |
| 관절질환(joint disease) | ① 2개 이상의 관절의 활막염(부종이나 삼출 동반)<br>② 2개 이상의 관절의 압통과 최소 30분 이상의 아침강직 |
| 장막염(serositis) | ① 전형적인 흉막염(1일 이상); 흉막삼출; 흉막마찰음<br>② 전형적인 심막 통증(1일 이상); 심막삼출; 심막마찰음; 심장초음파로 확인된 심막염(감염, 요독증, Dressler 심막염 등의 원인이 없어야 함) |
| 신장질환(renal disorder) | ① 1회 소변 단백/크레아티닌 비율(또는 24시간 소변 단백) > 500 mg/일<br>② 적혈구원주 |
| 신경질환(neurologic disorder) | ① 발작<br>② 정신병<br>③ 다발성단일신경염(일차성 혈관염 등의 원인이 없어야 함)<br>④ 척수염<br>⑤ 말초신경염 또는 중추신경염(일차성 혈관염, 감염, 당뇨병 등의 원인이 없어야 함)<br>⑥ 급성혼돈상태(독성, 대사이상, 요독증, 약물 등의 원인이 없어야 함) |
| **용혈빈혈(hemolytic anemia)** | |
| 백혈구감소증 또는 림프구감소증(leukopenia or lympopenia) | ① 백혈구감소증: 4,000/μL 미만, 최소 한 번 이상(Felty 증후군, 약물, 문맥고혈압 등의 원인이 없어야 함)<br>② 림프구감소증: 1,000/μL 미만, 최소 한 번 이상(글루코코티코이드, 약물, 감염 등의 원인이 없어야 함) |
| 혈소판감소증(thrombocytopenia) | 혈소판감소증: 100,000/μL 미만, 최소 한 번 이상(약물, 문맥고혈압, 혈전혈소판감소자반병 등의 원인이 없어야 함) |
| **면역 기준** | |
| 항핵항체(ANA) | 검사실 참고치 이상 |
| 항dsDNA항체(anti-dsDNA) | 검사실 참고치 이상(ELISA 검사 시에는 침고치 2배 초과) |
| 항Sm항체(anti-Sm) | Sm 핵 항원에 대한 항체 존재 |
| 항인지질항체(antiphospholipid) | ① 루푸스항응고인자 양성<br>② 신속혈장즉시과민항체(rapid plasma reagin)에 대한 위양성<br>③ 항카디오리핀항체 양성(IgA, IgG, IgM)(중 혹은 고역가)<br>④ 항β₂-GPI항체 양성(IgA, IgG, IgM) |
| 보체감소(low complement) | ① C3 감소<br>② C4 감소<br>③ CH50 감소 |
| 직접 쿰즈검사(direct Coombs' test) | 용혈빈혈이 없으면서 직접 쿰즈 검사 양성 |

17가지 기준 중 4가지 이상의 기준(1가지 이상의 임상 기준과 면역 기준을 포함)을 만족하거나, 항핵항체 혹은 항dsDNA항체 양성이면서 조직 검사로 루푸스신염이 증명되면, 전신홍반루푸스로 분류할 수 있음

어 매우 중요한 부분이다. 이에 관한 자세한 내용은 Chapter 71에 기술되어 있다.

## 8) 진단

### (1) 1997년 개정된 ACR 분류기준

루푸스의 진단은 1997년 개정된 미국류마티스학회의 분류기준(표 68-2)을 사용해왔다. 이 분류기준은 11가지 항목으로 구성되어 있으며 4가지 이상의 항목을 만족하는 경우에 루푸스로 진단할 수 있다.

### (2) 2012년 SLICC 전신홍반루푸스 분류기준

ACR 분류기준은 원칙적으로 전신홍반루푸스에 대한 역학 연구나 임상 연구, 발병기전 연구 및 치료 약제의 임상시험 등을 위한 환자 분류 등을 목적으로 개발되었는데, 다음과 같은 몇 가지의 제한점들이 제기되었다. 11가지 항목 중에 3개 이하의 분류기준을 만족하는 환자(특히 조직 검사를 통해 확인되었으나 다른 기준을 충족시키지 못하는 경우)를 진단하기에 어려운 점, 다양한 피부 증상들이 누락된 점, 뺨발진과 광과민성 등이 중복될 수 있는 점, 신경정신학적 분류 기준에서 발작과 정신병 두 가지만 포함되는 점, 전신홍반루푸스의 활성도를 반영하는 보체 항목이 빠져 있는 점, 진단적인 가중치가 전혀 반영되지 않다는 점 등이다. 이를 보완하기 위하여 2012년에 세계루푸스전문가모임(SLICC)은 개정된 루푸스 분류기준을 발표하였다(표 68-3).

SLICC 분류기준은 세부 항목을 11개의 임상 항목과 6개의 면역 항목으로 세분하였으며, 총 17가지 항목에서 4가지 이상의 항목을 만족하는 경우(이때 임상 항목과 면역 항목 중에서 최소한 1가지 이상은 포함되어야 함)에 루푸스로 진단할 수 있다. 그 외에도 항핵항체 혹은 항dsDNA항체가 양성이면서 조직검사로 확인된 루푸스신염의 경우에는 위의 4가지 항목을 충족시키지 못하더라도 루푸스로 진단할 수 있다. 1997년 ACR 분류기준과 비교했을 때, 2012년 SLICC 분류기준은 임상적인 면에서 피부 증상과 혈핵학적 이상 소견을 세분화했고 신경정신학적 증상을 많이 포함했다. 또한, 자가항체를 각각 하나의 항목으로 나누고 보체와 쿰즈검사 등을 포함하면서 면역 항목을 강조하고 있으며, 특히 루푸스신염에 진단적인 가중치를 부여하고 있다.

### (3) 2019년 EULAR/ACR 전신홍반루푸스 분류기준

1997년 ACR 분류기준은 특이도는 높으나 민감도가 낮으며, 2012년 SLICC 분류기준은 ACR 분류기준보다 민감도는 높으나(97% vs. 83%) 특이도가 낮은 문제점(84% vs. 93%)이 있었다. 더욱이 증상 발현 5년 이내인 환자들을 대상으로 할 때, 1997년 ACR 분류기준과 2012년 SLICC 분류기준의 민감도는 각각 76%, 89.3%로 이들 분류기준은 상대적으로 질병 초기의 환자들에게 더 낮은 민감도를 보이는 것으로 보고되었다. 이러한 제한점들을 개선하기 위하여 2019년에 유럽류마티스학회와 미국류마티스학회는 공동으로 루푸스의 새로운 분류기준을 제시하였다(표 68-4).

2019년 EULAR/ACR 분류기준의 가장 큰 변화 중의 하나는 항핵항체를 여러 가지 분류 기준 중의한 항목이 아니라 루푸스로 분류하기 위한 절대적인 진입기준(entry criteria)으로 채택했다는 점이다. 즉 항핵항체 1:80 미만인 경우에는 첫 번째 단계에서 루푸스 분류에서 제외한다. 항핵항체 1:80 이상 양성인 환자만을 대상으로 하여 다음 단계에서 다양한 임상 기준과 면역 기준을 고려한다. 이 때 각각의 임상 기준과 면역 기준에 진단적 가중치를 부여하는 것이 2019년 EULAR/ACR 분류기준이 기존의 분류기준과 크게 다른 또 하나의 부분이다. 임상 기준은 전신 증상, 혈액학적 질환, 신경정신 질환, 피부점막 질환, 장막염, 근골격계 질환, 콩팥 질환 등 7가지 영역으로, 면역 기준은 항인지질항체, 보체 및 루푸스 특이항체의 3가지 영역으로 구성되어 있다. 각각의 영역 내의 세부 항목들 중에서 가장 점수가 높은 항목의 점수만을 선택하여 합산하고, 총점이 10점 이상인 경우에 루푸스로 분류한다. 이 분류기준을 동일한 코호트를 대상으로 검증하였을 때 민감도 96%, 특이도 93%를 나타냈는데, 이는 1997년 ACR 분류기준(민감도 83%, 특이도 93%)이나 2012년 SLICC 분류기준(민감도 97%, 특이도 84%)에 비해 더 좋은 진단 능력을 보이는 것이다.

드물지만 항핵항체 음성인 루푸스도 있는데, 이 분류기준을 적용할 때 항핵항체 1:80 미만의 환자는 루푸스에서 완전히 배제된다는 단점이 있다. 다만 이 분류기준을 만든 취지는 루푸스를 정확하게 진단하려 하기보다는 효율적인 임상 연구와 임상 시험 등을 위해 환자를 분류하기 위한 목적으로 제시된 것임을 기억할 필요가 있으며, 따라서 2019년 EULAR/ACR 분류기준을 적

**진입 기준**
HEp-2세포를 이용한 검사에서 항핵항체≥1:80 혹은 그에 상응하는 수준의 양성 소견

↓

진입 기준에 만족하지 않을 경우, 전신홍반루푸스로 분류하지 않음
진입 기준에 만족할 경우, 추가 기준들을 적용함

↓

**추가 기준들**
전신홍반루푸스보다 더 분명하게 설명되는 질병이 있으면 아래 기준들을 고려하지 않음
기준을 최소 한 번만 충족하는 것으로 충분함
적어도 한 개의 임상 기준을 만족하면서 10점 이상일 때 전신홍반루푸스로 분류함
기준들은 동시에 발생하지 않아도 됨
각각의 항목 안에서 가장 높은 점수를 보이는 기준만을 선택하여 합산함

| 임상 항목과 기준 | 점수 | 면역 항목과 기준 | 점수 |
|---|---|---|---|
| **전신 증상** | | **항인지질 항체** | |
| 발열 | 2 | 항카디오리핀항체 또는 | 2 |
| | | 항β$_2$-GPI 항체 또는 | |
| **혈액학적 질환** | | 루푸스항응고인자 | |
| 백혈구감소증 | 3 | | |
| 혈소판감소증 | 4 | | |
| 자가면역 용혈 | 4 | | |
| **신경정신 질환** | | **보체** | |
| 섬망 | 2 | C3 감소 혹은 C4 감소 | 3 |
| 정신병 | 3 | C3 감소 그리고 C4 감소 | 4 |
| 경련 | 5 | | |
| **피부점막 질환** | | **루푸스 특이 항원** | |
| 비흉터성 탈모 | 2 | 항dsDNA항체 또는 | 6 |
| 구강궤양 | 2 | 항Sm항체 | |
| 아급성 피부루푸스 또는 원반형루푸스 | 4 | | |
| 급성 피부루푸스 | 6 | | |
| **장막염** | | | |
| 흉막삼출 또는 심막삼출 | 5 | | |
| 급성 심장막염 | 6 | | |
| **근골격계 질환** | | | |
| 관절 침범 | 6 | | |
| **콩팥 질환** | | | |
| 단백뇨 >0.5 g/24h | 4 | | |
| 콩팥조직검사 유형 II 또는 V 루푸스신염 | 8 | | |
| 콩팥조직검사 유형 III 또는 IV 루푸스신염 | 10 | | |

총점:

↓

진입 기준을 충족하고 총점이 10점 이상인 경우에 전신홍반루푸스로 분류함

그림 68-2. 2019년 EULAR/ACR 전신홍반루푸스 분류기준

용하여 루푸스를 진단할 때, 비록 그 비율이 낮기는 하지만 항핵
항체가 음성인 루푸스 환자가 존재한다는 점도 고려해야 한다.

표 68-4. 2019년 EULAR/ACR 전신홍반루푸스 분류기준의 정의

| 기준 | 정의 |
|---|---|
| 항핵항체(ANA) | HEp-2세포를 이용한 검사에서 항핵항체≥1:80 혹은 그에 상응하는 수준의 양성 소견. HEp-2세포에 대한 면역형광 검사 또는 비슷한 성능의 고체상 항핵항체 선별 면역분석법을 강하게 권고함 |
| 발열(fever) | 체온>38.3℃ |
| 백혈구감소증(leukopenia) | 백혈구<4.0x10⁹/L |
| 혈소판감소증(thrombocytopenia) | 혈소판<100x10⁹/L |
| 자가면역 용혈 (autoimmune haemolysis) | 그물적혈구 증가, 낮은 합토글로빈, 간접빌리루빈 상승, 젖산탈수소효소 상승, 직접 쿰스검사 양성과 같은 용혈의 근거가 있어야 함 |
| 섬망(deliuium) | (1) 집중 능력이 감소된 의식 또는 각성 수준의 변화<br>(2) 수 시간에서 2일 미만에 걸친 증상의 발생<br>(3) 하루 중 증상의 변동<br>(4) (4a) 인지 기능의 급성/아급성 변화(예: 기억력 결핍 또는 지남력장애) 또는 (4b) 행동, 기분, 감정의 변화(예: 안절부절, 수면/각성 주기의 역전) |
| 정신병(psychosis) | (1) 망상 그리고/또는 질병인식이 없는 환각이 있으면서<br>(2) 섬망이 없음 |
| 발작(seizure) | 일차 전신발작 또는 부분/국소발작 |
| 비흉터성 탈모(non-scaring alopecia) | 의사가 확인한 비흉터성 탈모 |
| 구강궤양(oral ulcer) | 의사가 확인한 구강궤양 |
| 아급성 피부 또는 원반형루푸스(subacute cutaneous of discoid lupus) | 의사가 확인한 아급성 피부루푸스: 일반적으로 햇빛에 노출된 부위에 생긴 환상 또는 구진평평(건선형) 피부 발진<br>의사가 확인한 원반형루푸스: 위축성 반흔, 색소침착, 여포성 각화증, 두피의 반흔성 탈모 유발 같은 이차적 변화를 동반한 홍반-자색의 피부 병변<br>피부 조직검사를 하는 경우에 전형적인 변화가 나타나야 함; 아급성 피부루푸스: 혈관주위 림프조직구가 침윤되어 있는 경계면공포피부염으로, 종종 진피의 점액이 관찰됨. 원반형루푸스: 혈관 주위 그리고/또는 부속기 주위 림프조직구가 침윤되어 있는 경계면공포피부염. 두피에서 모낭 각질 마개가 보일 수 있음. 오래된 병변에서 점액 침착과 기저막 비후가 나타날 수 있음 |
| 급성 피부루푸스(acute cutaneous lupus) | 의사가 확인한 뺨 발진 혹은 전신 반구진발진<br>피부 조직검사를 하는 경우에 전형적인 변화가 나타나야 함; 혈관주위 림프조직구가 침윤되어 있는 경계면공포피부염으로 종종 진피의 점액이 관찰됨. 초기에는 혈관주위 호중구 침윤이 나타날 수 있음 |
| 흉막 또는 심막삼출(pleural or pericardial effusion) | 흉막 또는 심막 삼출에 대한 (초음파, X-선, CT, MRI 등의) 영상의학적 근거가 있어야 함 |
| 급성 심막염(acute pericarditis) | 다음 중 2가지 이상이 있어야 함<br>(1) 심막 흉통(들숨 때 날카롭게 악화되며, 몸을 앞으로 기울였을 때 호전되는 전형적인 흉통)<br>(2) 심막 마찰음<br>(3) 심전도에서 새로 광범위하게 발생한 ST 상승 또는 PR 하강<br>(4) (초음파, X-선, CT, MRI 등의) 영상에서 새롭게 생기거나 악화된 심막 삼출 |
| 관절침범(joint involvement) | (1) 2개 이상의 관절의 활막염(부종이나 삼출 동반) 또는<br>(2) 2개 이상의 관절의 압통과 최소 30분 이상의 아침강직 |
| 단백뇨(proteinuria) | 단백뇨>0.5 g/24시간 (24시간 소변 또는 일 회 소변 단백/크레아티닌 비율) |
| 콩팥조직 검사상 II형 또는 V형 루푸스신염(Class II or V lupus nephritis on renal biopsy according to International Society of Nephrology/ Renal Pathology Society (ISN/RPS) 2003) | II형: 혈관사이증식성 루푸스신염(mesangial proliferative lupus nephritis):<br>광학현미경에서 혈관사이 면역 침착과 함께, 어느 정도의 혈관사이 과세포성 또는 혈관사이 기질의 확장이 관찰됨. 광학현미경에서는 관찰되지 않으나 면역형광 또는 전자현미경에서는 소수의 고립된 상피밑 또는 내피밑 면역침착이 관찰될 수 있음<br>V형: 막성 루푸스신염(membranous lupus nephritis): 광학현미경과 면역형광 또는 전자현미경에서, 전체 또는 분절, 상피밑 면역 침착 혹은 형태학적 후유증이 관찰되며, 혈관사이 변화는 동반될 수도, 동반되지 않을 수도 있음 |

| 콩팥조직 검사상 III형 또는 IV형 루푸스신염[Class III or IV lupus nephritis on renal biopsy according to International Society of Nephrology/Renal Pathology Society (ISN/RPS) 2003] | III형: 국소 루푸스신염(focal lupus nephritis): 모든 사구체의 50% 미만을 침범하는 활성 또는 비활성, 국소 분절 또는 전체, 모세혈관내 또는 모세혈관외 사구체신염. 일반적으로 국소 내피밑 면역침착이 관찰되며, 혈관사이 변화는 동반될 수도, 동반되지 않을 수도 있음<br>IV형: 미만 루푸스신염(diffuse lupus nephritis): 모든 사구체의 50% 이상을 침범하는 활성 또는 비활성, 국소분절 또는 전체, 모세혈관내 또는 모세혈관외 사구체신염. 일반적으로 광범위의 내피밑 면역침착이 관찰되며 혈관사이 변화는 동반될 수도, 동반되지 않을 수도 있음. 광범위한 철사고리 침착이 있지만 사구체 증식이 거의 없거나 전혀 없는 경우도 포함됨 |
|---|---|
| 항인지질항체 양성(positive antiphospholipid antibodies) | (1) 항카디오리핀항체 양성 (IgA, IgG, IgM): 중 혹은 고역가(>40 APL, GPL 또는 MPL, 또는 >99 percentile)<br>(2) 항$\beta_2$GPI항체 양성 (IgA, IgG, IgM)<br>(3) 루푸스항응고인자 양성 |
| C3 또는 C4 감소(low C3 OR low C4) | C3, C4 중 하나만 감소 |
| C3 그리고 C4 감소(low C3 AND low C4) | C3, C4 모두 감소 |
| 항dsDNA항체 또는 항Sm항체[anti-dsDNA antibodies OR anti-Smith (Sm) antibodies] | 항dsDNA항체 (다른 질환과 비교했을 때 전신홍반루푸스에 대해 90% 이상의 특이도를 보이는 면역분석법으로 검사) 또는 항Sm항체 |

## 참고문헌

1. Aringer M, Costenbader K, Daikh D, Brinks R, Mosca M, Ramsey-Goldman R, et al. 2019 European league against Rheumatism/American College of Rheumatology classification criteria for systemic lupus erythematosus. Ann Rheum Dis 2019;78:1151-59.

2. Bevra Hannahs Hahn. Systemic Lupus Erythematosus. In: Jameson JL, Ed. Harrison's principles of internal medicine. 20th ed. New York: Mc-Graw-Hill Edu; 2018. pp. 2517-22.

3. Dall'Era M, Wofsy David. Clinical Features of Systemic Lupus Erythematosus. In: Firestein GS, Ed. Kelley & Firestein's Textbook of Rheumatology. 10th ed. Philadelphia: Elsevier Saunders; 2016. pp. 1345-67.

4. Hochberg MC. Updating the American college of rheumatology revised criteria for the classification of systemic lupus erythematosus. Arthritis Rheum 1997;40:1725.

5. Inês L, Silva C, Galindo M, López-Longo FJ, Terroso G, Romão VC, et al. Classification of systemic lupus erythematosus: systemic lupus International Collaborating Clinics versus American College of Rheumatology criteria. A comparative study of 2,055 patients from a real-life, international systemic lupus erythematosus cohort. Arthritis Care Res (Hoboken) 2015;67:1180-5.

6. La Paglia GMC, Leone MC, Lepri G, Vagelli R, Valentini E, Alunno A, et al. One year in review 2017: systemic lupus erythematosus. Clin Exp Rheumatol 2017;35:551-61.

7. Leffler J, Bengtsson AA, Blom AM. The complement system in systemic lupus erythematosus: an update. Ann Rheum dis 2014;73:1601-6.

8. Leuchten N, Hoyer A, Brinks R, et al. Performance of antinuclear antibodies for classifying systemic lupus erythematosus: a systematic literature review and metaregression of diagnostic data. Arthritis Care Res 2018;70:428-38.

9. Petri M, Orbai AM, Alarcón GS, Gordon C, Merrill JT, Fortin PR, et al. Derivation and validation of the Systemic Lupus International Collaborating Clinics classification criteria for systemic lupus erythematosus. Arthritis Rheum 2012;64:2677-86.

10. Reeves WH, Li Yi, Zhuang H. Autoantibodies in systemic lupus erythematosus. In: Hochberg MC, Ed. Rheumatology. 6th ed. Philadelphia: Mosby/Elsevier; 2011:1279-88.

11. Tan EM, Feltkamp TE, Smolen JS, Butcher B, Dawkins R, Fritzler MJ, et al. Range of antinuclear antibodies in "healthy" indibiduals. Arthritis Rheum 1997;40:1601-11.

# 69

# 질환의 활성도와 손상도 평가

경북의대 **남언정**

## KEY POINTS 🔒

- 전신홍반루푸스의 질병활성도의 평가지표들로는 Systemic Lupus Erythematosus Disease Activity Index (SLE-DAI), Systemic Lupus Activity Measure (SLAM), British Isles Lupus Assessment Group (BILAG) 지표, European Consensus Lupus Activity Measurement (ECLAM), Lupus Activity Index (LAI) 그리고 Systemic Lupus Erythematosus Activity Questionnaire (SLAQ)가 개발되어 있으며, SLEDAI, SLAM, 그리고 BILAG 지표가 대표적으로 사용되고 있다.

- 전신홍반루푸스로 인한 만성 손상, 동반질환, 그리고 치료에 의한 손상은 질병 사망률과 관련되어 있다. 이러한 만성 장기손상을 평가하는 지표들에는 Systemic Lupus International Collaborating Clinics/American College of Rheuma-tology-Damage Index (SLICC/ACR-DI, SLICC/ACR 손상지표), Lupus Damage Index Questionnaire (LDIQ) 그리고 Brief Index of Lupus Damage (BILD)가 있으며, SLICC/ACR 손상지표가 가장 대표적으로 사용된다.

## 활성도 평가

전신홍반루푸스(systemic lupus erythematosus, 이하 루푸스)의 질병 활성도 평가를 위한 표준화된 지표는 1980년대부터 사용되고 있으며 Systemic Lupus Erythematosus Disease Activity Index (SLEDAI), Systemic Lupus Activity Measure (SLAM), 그리고 British Isles Lupus Assessment Group (BILAG) 지표가 대표적

이다. 활성도 평가지표들 중에서 BILAG은 장기별로 활성도를 표시하는 장기-특이적 평가지표이며, 이외의 활성도 지표들은 침범된 여러 장기의 활성도를 합산하여 하나의 점수로 나타내는 시스템(single summary score system)이다. 후자의 평가지표들은 몇 가지 한계점을 가지고 있다. 첫째, 질병활성도와 질병중증도가 감별되지 않을 수 있는데, 몇 가지 가벼운 장기 침범인 경우와 심한 단일 장기침범인 경우가 동일한 점수일 수 있다. 둘째, 임상상의 변화를 반영하지 못할 수 있는데, 기존 침범된 장기의 증상이 호전되고 새로운 장기가 침범되어도 질병활성도 점수에는 변화가 없을 수 있다(예를 들면, 관절염은 소실되었으나 피부병변이 동반되는 경우). 질병활성도를 평가할 때 주의할 점은, 각 질병활성도 지표마다 평가 시점과 임상상에 대한 정의에 일부 차이가 있다는 것이다. 그러므로, 특정 평가기준을 선택한 경우에는 평가 시점을 확인하고 해당 평가 기준의 해설 목록을 이용하여 그 정의를 정확하게 파악하여야 한다.

## 1) Systemic Lupus Erythematosus Disease Activity Index (표 69-1)

SLEDAI는 9개 장기 시스템에 대한 24개 평가항목으로 구성되어 있으며, 최근 10일 동안의 질병활성도를 평가한다. 항목의 유형에 따라 1-8점의 가중치가 주어지는데, 예를 들면 중추신경계 침범과 혈관염 등의 항목은 8점, 혈소판감소증은 1점이 주어진다. SLEDAI의 총점은 0-105점이며, 6점 이상인 경우는 중등도 이상의 활성도를 의미하고 20점 이상인 경우는 고중증 활성도를 시사한다. 1985년에 발표된 SLEDAI 초기판은 새롭게 발

표 69-1. 전신홍반루푸스(Disease Activity Index-2000 (SLEDAI-2K)

| 가중치 | 점수 | 기술어 | 정의 |
|---|---|---|---|
| 8 | | 발작(seizure) | 최근 발생한 발작으로서, 대사성, 감염성, 또는 약물에 의한 것은 제외 |
| 8 | | 정신병(psychosis) | 심한 현실지각능력(perception of reality)의 장애로 인한 정상적인 활동기능의 변화. 환각(hallucinations), 지리멸렬(incoherence), 뚜렷한 연상의 이완(marked loose associations), 사고내용의 빈곤(impoverished thought content), 뚜렷한 비논리적인 사고(marked illogical thinking), 기이하거나 비체계적인 혹은 긴장성 행동(disorganized or catatonic behavior)을 포함함. 요독증과 약물에 의한 것은 제외 |
| 8 | | 기질성뇌증후군 (organic brain syndrome) | 지남력(orientation), 기억력(memory), 또는 다른 지적기능(intellectual function)의 손상과 함께 정신 기능의 변화(altered mental function)가 보이며, 이런 임상양상의 발생이 급성이며 변동이 심함. 또한, 환경에 대한 지속적인 주의집중이 불가능하며 다음의 증상 중 2가지 이상이 동반되어야 함: 지각장애(perceptual disturbance), 지리멸렬한 언어(incoherent speech), 불면 또는 낮 동안의 졸림(daytime drowsiness), 정신운동성(psychomotor activity)의 증가 또는 감소. 대사성, 감염성 또는 약물에 의한 것은 제외 |
| 8 | | 시력저하(visual disturbance) | 전신홍반루푸스의 망막변화. 세포양 소체(cytoid bodies), 망막출혈(retinal hemorrhages), 맥락막(choroid)의 장액성 삼출물(serous exudates)이나 출혈, 또는 시신경염(optic neuritis) 포함. 고혈압, 감염, 또는 약물에 의한 것은 제외 |
| 8 | | 뇌신경장애 (cranial nerve disorder) | 새로 발병한, 뇌신경을 포함한 감각성 혹은 운동성 신경증 |
| 8 | | 전신홍반루푸스 두통 (lupus headache) | 심하고 지속적인 두통; 편두통 형태일 수 있으나, 반드시 마약성 진통제에 반응하지 않는 두통이어야 함. |
| 8 | | 뇌혈관사고 (cerebrovascular accident) | 새로 발병한 뇌혈관 사고로서 동맥경화증에 의한 것은 제외 |
| 8 | | 혈관염(vasculitis) | 궤양, 괴저(gangrene), 압통성 손가락 결절(tender finger nodules), 손발톱주위 경색증(peri-ungual infarction), 손톱밑선상출혈(splinter hemorrhages), 또는 조직검사나 혈관촬영술로 증명된 혈관염 |
| 4 | | 관절염(arthritis) | 2군데 이상의 관절염으로서 통증과 염증소견(압통, 부종 또는 삼출액)이 동반된 경우 |
| 4 | | 근염(myositis) | 근위부 근육의 통증/근력약화 증상이 있으면서 CPK/aldolase 증가 또는 근전도의 이상소견 또는 조직검사에서 근육염 소견이 동반된 경우 |
| 4 | | 소변 원주(urinary casts) | 혈색소-백혈구 또는 적혈구원주 |
| 4 | | 혈뇨(hematuria) | 적혈구 >5/HPF으로서 신결석, 감염, 또는 다른 원인에 의한 혈뇨는 제외 |
| 4 | | 단백뇨(proteinuria) | 하루 500 mg을 초과하는 단백뇨 |
| 4 | | 농뇨(pyuria) | 백혈구 >5/HPF으로서 감염에 의한 것은 제외 |
| 2 | | 발진(rash) | 염증성 피부발진 |
| 2 | | 탈모(alopecia) | 부분적 또는 광범위한 탈모 |
| 2 | | 점막궤양(mucosal ulcers) | 구강 또는 비강궤양 |
| 2 | | 늑막염(pleurisy) | 흉막마찰음, 또는 흉막삼출(pleural effusion), 또는 흉막비후를 동반하는 흉막염통증 |
| 2 | | 심장막염(pericarditis) | 심낭막마찰음, 심낭삼출(pericardial effusion), 심전도 이상소견, 심초음파검사의 이상소견 중 최소 한 가지를 동반한 심낭막통증 |
| 2 | | 혈중 보체 저하(low complement) | 정상 하한치보다 저하된 CH50, C3, 또는 C4 수치 |
| 2 | | 항dsDNA항체 증가 (increased DNA binding) | 정상범위 이상으로 증가된 항dsDNA항체 역가 |
| 1 | | 발열(fever) | >38℃ (감염증에 의한 것은 제외) |
| 1 | | 혈소판감소증(thrombocytopenia) | <100,000/μL (약제에 의한 것은 제외) |
| 1 | | 백혈구감소증(leukopenia) | <3,000/μL (약제에 의한 것은 제외) |

#최근 10일간의 증상을 표시하세요.

생하거나 악화된 임상상 및 검사실 소견의 이상 유무를 평가하였기 때문에 질병의 변화를 민감하게 평가하는 데는 한계가 있었다. 따라서, 이를 보완하기 위하여 SLEDAI-2000 (SLE-2K)와 SELENA-SLEDAI가 개발되었다. 2002년에 개정되어 발표된 SLEDAI-2K는 SLEDAI 초기판과 몇 가지 차이점을 보인다. 첫째, 발진, 탈모, 점막궤양 항목에서 SLEDAI 초기판에서는 새로 발생하거나 반복되어 발생하는 병변인 경우에만 점수를 주었으나 SLEDAI-2K에서는 병변이 존재하면 점수를 준다. 둘째, 단백뇨 항목의 경우, SLEDAI 초기판에서는 하루 500 mg을 초과하는 단백뇨가 새로 발생하였거나 최근 단백뇨가 증가하여 하루 500 mg 초과하는 경우에만 배점하였으나, SLEDAI-2K에서는 하루 500 mg을 초과하는 단백뇨가 있으면 점수를 준다. 셋째, 관절염 항목의 경우, SLEDAI 초기판은 두 관절을 초과하여 침범한 경우로 정의하였으나 SLEDAI-2K에서는 두 관절 이상을 침범하는 경우로 수정하였다. SELENA-SLEDAI는 '루푸스 환자에 있어 에스트로겐 안전성에 대한 연구(Safety of Estrogen in Lupus Erythematosus National Assessment trial)'에서 질병활성도 평가를 위한 'SELENA-SLEDAI Flare Index' 중 하나의 구성요소로서 사용되었는데, SLEDAI 초기판의 임상상의 정의 중 시력저하 항목을 포함한 일부를 수정하여 사용하였다. 또한, 다른 질병활성도 평가지표가 4주 기준인 것을 고려하여, SLEDAI-2K의 평가시점을 최근 10일에서 최근 30일로 수정한 개정판(SLEDAI-2K 30days)도 개발되어 사용 중이다. SLEDAI는 루푸스 연구 및 임상 분야 모두에서 사용되고 있는 가장 간단하고 쉽게 사용할 수 있는 평가 지표이며 소아 루푸스 환자에서도 적용이 가능하다. 그러나, 기존에 존재하던 증상의 악화나 일부 호전을 민감하게 평가하기 어렵고 동일 증상의 중증도에 대한 가중치가 없는 한계점이 있어 질병활성도를 장기별로 평가하는 BILAG 지표와 상호보완적으로 사용되고 있다.

## 2) British Isles Lupus Assessment Group 지표(표 69-2)

BILAG 지표는 장기-특이적 평가지표로서, 전신 증상, 피부점막계 증상, 혈관염, 검사실 소견을 포함한 8개 장기 시스템에 대한 항목으로 구성된 BILAG 지표 초기판이 1988년에 발표되었다. 그러나, 이후 몇 가지 문제점들이 대두되었으며, 안 증상

및 위장관계 항목이 추가되고 혈관염 항목은 제거되어 최종 9개 장기 시스템에 대한 항목들로 재정비된 BILAG 지표-2004가 개발되었다. BILAG 지표-2004에는 무혈성골괴사나 인대구축과 같은 루푸스에 의한 손상 항목들은 포함되지 않으며 검사실 소견에 항dsDNA항체 검사와 같은 면역학적 검사는 포함되지 않는다.

BILAG 지표-2004에서는 최근 4주간의 질병활성도를 지난 4주간의 활성도와 비교하여 임상의의 치료 의도를 기반으로 질병활성도를 평가한다. 장기 시스템 내 여러 항목들을 0-4점(0=없음, 1=호전, 2=동일, 3=악화, 4=새로운 병변) 또는 있음/없음으로 평가한 후, 각 장기 시스템 활성도의 대표 항목을 기준으로 장기 시스템의 활성도를 A-E 등급으로 평가한다. 각 등급에 대한 설명은 아래와 같다.

(1) A 등급: 매우 높은 활성도를 나타내며, 프레드니솔론 20 mg을 초과하는 글루코코티코이드 치료, 면역억제제치료, 글루코코티코이드와 면역억제제 병용치료, 또는 고용량의 항응고제(INR>3) 치료를 필요로 하는 경우

(2) B 등급: 중등도 활성도를 보이는 상태로, 20 mg보다는 적은 용량의 글루코코티코이드 치료, 국소적 글루코코티코이드 치료, 국소적 면역억제제 치료, 항말라리아제, 비스테로이드소염제 치료를 필요로 하는 경우

(3) C 등급: 낮은 활성도의 안정된 상태로, 비스테로이드소염제/진통제 등의 보존요법만 필요한 경우

(4) D 등급: 이전에는 침범되었으나 현재는 활성도가 없는 경우

(5) E 등급: 루푸스의 침범이 없는 경우

심한 루푸스 활성도 증가는 다른 등급에서 A 등급으로 변경된 경우로 정의되며, 중등도 활성도 증가는 B 등급으로 변경된 경우이다. 치료에 대한 반응이 있다고 판단되는 경우는 어떤 장기 시스템에서라도 새로운 A 또는 B 등급으로 변경되지 않으면서 모든 장기 시스템에서 A와 B 등급이 소실될 때이다. 한편, 점수로 표현되는 다른 활성도 평가지표들과의 비교를 용이하게 하기 위하여 BILAG 지표-2004를 점수화한 시스템이 개발되었는데, A 등급은 12점, B 등급은 8점, C 등급은 1점, 그리고 D/E 등급은 0점으로 환산되어 표시된다.

BILAG 지표는 가장 포괄적인 루푸스 활성도 평가 지표이며

표 69-2. British Isles Lupus Assessment Group (BILAG) 지표-2004

### 전신 증상(CONSTITUTIONAL)

| | | | | | |
|---|---|---|---|---|---|
| 1. 기록된 발열: 체온 >37.5℃ | 0 | 1 | 2 | 3 | 4 |
| 2. 체중의 5%를 초과하는 체중 감소 | 0 | 1 | 2 | 3 | 4 |
| 3. 림프절종대/비장 종대 | 0 | 1 | 2 | 3 | 4 |
| 4. 피로/권태/졸음증 | 0 | 1 | 2 | 3 | 4 |
| 5. 식욕부진 | 0 | 1 | 2 | 3 | 4 |
| Grade | | | | | |

### 피부 · 점막 증상(MUCOCUTANEOUS)

| | | | | | |
|---|---|---|---|---|---|
| 6. 피부발진-중증 | 0 | 1 | 2 | 3 | 4 |
| 7. 피부발진-경증 | 0 | 1 | 2 | 3 | 4 |
| 8. 혈관부종 | 0 | 1 | 2 | 3 | 4 |
| 9. 점막궤양-중증 | 0 | 1 | 2 | 3 | 4 |
| 10. 점막궤양-경증 | 0 | 1 | 2 | 3 | 4 |
| 11. 지방층염-중증 | 0 | 1 | 2 | 3 | 4 |
| 12. 지방층염-경증 | 0 | 1 | 2 | 3 | 4 |
| 13. 피부혈관염/혈전증 | 0 | 1 | 2 | 3 | 4 |
| 14. 손 · 발가락 경색/결절성 혈관염 | 0 | 1 | 2 | 3 | 4 |
| 15. 탈모-중증 | 0 | 1 | 2 | 3 | 4 |
| 16. 탈모-경증 | 0 | 1 | 2 | 3 | 4 |
| 17. 손톱주변 홍반 또는 동창(chilblains) | 0 | 1 | 2 | 3 | 4 |
| 18. 손톱밑선상출혈(splinter hemorrhages) | 0 | 1 | 2 | 3 | 4 |
| Grade | | | | | |

### 신경 · 정신학적 증상(NEUROPSYCHIATRIC)

| | | | | | |
|---|---|---|---|---|---|
| 19. 무균성 뇌수막염 | 0 | 1 | 2 | 3 | 4 |
| 20. 뇌혈관염 | 0 | 1 | 2 | 3 | 4 |
| 21. 탈수초증후군(demyelinating syndrome) | 0 | 1 | 2 | 3 | 4 |
| 22. 척수병증(myelopathy) | 0 | 1 | 2 | 3 | 4 |
| 23. 급성 혼돈 상태 | 0 | 1 | 2 | 3 | 4 |
| 24. 정신병 | 0 | 1 | 2 | 3 | 4 |
| 25. 급성 염증성 탈수초 다발신경뿌리신경병증(acute inflammatory demyelinating polyradiculoneuropathy) | 0 | 1 | 2 | 3 | 4 |
| 26. 단일신경병증(mononeuropathy) | 0 | 1 | 2 | 3 | 4 |
| 27. 뇌신경병증(시신경병증 제외) | 0 | 1 | 2 | 3 | 4 |
| 28. 신경얼기병증(plexopathy) | 0 | 1 | 2 | 3 | 4 |
| 29. 다발신경병증 | 0 | 1 | 2 | 3 | 4 |
| 30. 발작질환 | 0 | 1 | 2 | 3 | 4 |
| 31. 뇌전증지속상태(status epilepticus) | 0 | 1 | 2 | 3 | 4 |
| 32. 뇌혈관 질환(혈관염에 의한 것 제외) | 0 | 1 | 2 | 3 | 4 |
| 33. 인지기능장애 | 0 | 1 | 2 | 3 | 4 |
| 34. 운동장애 | 0 | 1 | 2 | 3 | 4 |
| 35. 자율신경질환 | 0 | 1 | 2 | 3 | 4 |
| 36. 소뇌성실조(cerebellar ataxia) | 0 | 1 | 2 | 3 | 4 |

| | 0 | 1 | 2 | 3 | 4 |
|---|---|---|---|---|---|
| 37. 지속되는 심한 두통 | 0 | 1 | 2 | 3 | 4 |
| 38. 전조증상 유무에 관계없는 편두통 | 0 | 1 | 2 | 3 | 4 |
| 39. 긴장성 두통 | 0 | 1 | 2 | 3 | 4 |
| 40. 군발두통(cluster headache) | 0 | 1 | 2 | 3 | 4 |
| 41. 두개 내 고혈압으로 인한 두통(뇌정맥동 혈전증 제외) | 0 | 1 | 2 | 3 | 4 |
| 42. 기분장애(우울증/조증) | 0 | 1 | 2 | 3 | 4 |
| 43. 불안 장애 | 0 | 1 | 2 | 3 | 4 |
| Grade | | | | | |

**근 · 골격계 증상(MUSCULOSKELETAL)**

| | 0 | 1 | 2 | 3 | 4 |
|---|---|---|---|---|---|
| 44. 근염(Bohan & Peter 진단기준 중 3가지 이상 만족) | 0 | 1 | 2 | 3 | 4 |
| 45. Bohan & Peter 염증성 근염 진단기준을 만족시키지 못하는 근염 | 0 | 1 | 2 | 3 | 4 |
| 46. 심한 다발성 관절염 | 0 | 1 | 2 | 3 | 4 |
| 47. 관절염 또는 건염 | 0 | 1 | 2 | 3 | 4 |
| 48. 관절통 또는 근육통 | 0 | 1 | 2 | 3 | 4 |
| Grade | | | | | |

**심 · 폐 증상(CARDIORESPIRATORY)**

| | 0 | 1 | 2 | 3 | 4 |
|---|---|---|---|---|---|
| 49. 심근염-경증 | 0 | 1 | 2 | 3 | 4 |
| 50. 심부전 | 0 | 1 | 2 | 3 | 4 |
| 51. 부정맥 | 0 | 1 | 2 | 3 | 4 |
| 52. 새로 발생한 판막부전 | 0 | 1 | 2 | 3 | 4 |
| 53. 장막염(흉막심막통)-경증 | 0 | 1 | 2 | 3 | 4 |
| 54. 심장눌림증(cardiac tamponade) | 0 | 1 | 2 | 3 | 4 |
| 55. 호흡곤란을 동반한 흉막액 | 0 | 1 | 2 | 3 | 4 |
| 56. 폐출혈/폐혈관염 | 0 | 1 | 2 | 3 | 4 |
| 57. 간질폐포염/간질폐렴 | 0 | 1 | 2 | 3 | 4 |
| 58. 폐위축 증후군 | 0 | 1 | 2 | 3 | 4 |
| 59. 대동맥염 | 0 | 1 | 2 | 3 | 4 |
| 60. 관상동맥염 | 0 | 1 | 2 | 3 | 4 |
| Grade | | | | | |

**위장관계 증상(GASTROINTESTINAL)**

| | 0 | 1 | 2 | 3 | 4 |
|---|---|---|---|---|---|
| 61. 복막염 | 0 | 1 | 2 | 3 | 4 |
| 62. 복부장막염 또는 복수 | 0 | 1 | 2 | 3 | 4 |
| 63. 루푸스장염 | 0 | 1 | 2 | 3 | 4 |
| 64. 흡수장애 | 0 | 1 | 2 | 3 | 4 |
| 65. 단백상실위장병 | 0 | 1 | 2 | 3 | 4 |
| 66. 가성 장폐쇄 | 0 | 1 | 2 | 3 | 4 |
| 67. 간염 | 0 | 1 | 2 | 3 | 4 |
| 68. 급성 담낭염(담석과 감염은 제외) | 0 | 1 | 2 | 3 | 4 |
| 69. 급성 췌장염 | 0 | 1 | 2 | 3 | 4 |
| Grade | | | | | |

**안 증상(OPHTHALMIC)**

| | 0 | 1 | 2 | 3 | 4 |
|---|---|---|---|---|---|
| 70. 안와 근염을 동반한 염증 또는 외안근 부종 또는 안검하수 | 0 | 1 | 2 | 3 | 4 |
| 71. 각막염-중증 | 0 | 1 | 2 | 3 | 4 |

| | 0 | 1 | 2 | 3 | 4 |
|---|---|---|---|---|---|
| 72. 각막염-경증 | 0 | 1 | 2 | 3 | 4 |
| 73. 전방 포도막염 | 0 | 1 | 2 | 3 | 4 |
| 74. 후방 포도막염 또는 망막 혈관염-중증 | 0 | 1 | 2 | 3 | 4 |
| 75. 후방 포도막염 또는 망막 혈관염-경증 | 0 | 1 | 2 | 3 | 4 |
| 76. 상공막염 | 0 | 1 | 2 | 3 | 4 |
| 77. 공막염-중증 | 0 | 1 | 2 | 3 | 4 |
| 78. 공막염-경증 | 0 | 1 | 2 | 3 | 4 |
| 79. 망막/맥락막 혈관 폐쇄성 질환 | 0 | 1 | 2 | 3 | 4 |
| 80. 단순 면화반(isolated cotton-wool spots)(세포양 소체: cytoid bodies) | 0 | 1 | 2 | 3 | 4 |
| 81. 시신경염 | 0 | 1 | 2 | 3 | 4 |
| 82. 전방 허혈성 시신경병증 | 0 | 1 | 2 | 3 | 4 |

Grade

## 신 증상(RENAL)

| | | |
|---|---|---|
| 83. 수축기 혈압(mmHg) | ( ) | □ not due to lupus |
| 84. 이완기 혈압(mmHg) | ( ) | □ not due to lupus |
| 85. 가속성 고혈압 | □ Yes | □ No |
| 86. 소변 dipstick 검사(=0; +=1; ++=2; +++=3) | ( ) | □ not due to lupus |
| 87. 소변 알부민-크레아티닌 비(mg/mmol) | ( ) | □ not due to lupus |
| 88. 소변 단백-크레아티닌 비(mg/mmol) | ( ) | □ not due to lupus |
| 89. 24시간 소변 단백량(g) | ( ) | □ not due to lupus |
| 90. 신증후군 | □ Yes | □ No |
| 91. 혈장/혈청 크레아티닌 | ( ) | □ not due to lupus |
| 92. 사구체 여과율(mL/min) | ( ) | □ not due to lupus |
| 93. 활성 요침전물(active urinary sediment) | □ Yes | □ No |
| 94. 3개월 이내 신염을 앓은 조직학적 증거 | □ Yes | □ No |

Grade

## 혈액학적 소견(HEMATOLOGIC)

| | | |
|---|---|---|
| 95. 혈색소(g/dL) | ( ) | □ not due to lupus |
| 96. 백혈구수(x $10^9$/L) | ( ) | □ not due to lupus |
| 97. 호중구수(x $10^9$/L) | ( ) | □ not due to lupus |
| 98. 림프구수(x $10^9$/L) | ( ) | □ not due to lupus |
| 99. 혈소판수(x $10^9$/L) | ( ) | □ not due to lupus |
| 100. 용혈반응의 증거 | □ Yes | □ No |
| 101. Coombs' 검사 양성(단독) | □ Yes | □ No |

Grade

#전신홍반루푸스에 의한 증상만을 기록하고, 이전의 4주간과 비교하여 최근 4주간의 증상 변화를 표시할 것
항목 점수평가: 0=없음; 1=호전; 2=동일; 3=악화; 4=새로운 병변
시스템별 등급 평가
A 등급(Grade A, very active disease)
B 등급(Grade B, moderate disease activity)
C 등급(Grade C, mild stable disease)
D 등급(Grade D, no disease activity but the system had previously been affected)
E 등급(Grade E, no current or previous disease activity = system never active)

질병활성도와 질병중증도를 감별할 수 있고 환자 상태의 변화에 대한 민감도가 높기 때문에 임상시험에 가장 적합한 평가지표이다. 그러나, 실제 임상에서 사용하는 경우, 평가항목이 많고 평가항목에 대한 해설 목록이 복잡하다는 단점이 있다.

### 3) 이외 질병활성도 지표들

Systemic Lupus Activity Measure (SLAM)은 최근 한 달 동안의 질병활성도를 측정하는 평가지표이며 2001년에 개정된 SLAM-R이 사용되고 있다. 9개 장기 시스템에 대한 평가항목과 7개 검사실 소견을 종합하여 평가하며, 특정 항목은 중증도에 따라 0-3점을 줄 수 있다. 총점은 0-81점이다. 이 외에 European Consensus Lupus Activity Measurement (ECLAM), Lupus Activity Index (LAI), 그리고 Systemic Lupus Erythematosus Activity Questionnaire (SLAQ)가 있으며 SLAQ는 환자가 작성하는 설문지 형식의 지표이다.

## 손상 정도 평가

루푸스의 치료법이 개선되고 환자의 생존율이 증가함에 따라 질병 자체로 인한 만성 손상, 동반질환(co-morbidity), 치료에 의한 손상이 증가하고 있으며, 이로 인한 사망률도 증가하고 있다. 이러한 만성 장기손상을 평가하는 지표들로는 Systemic Lupus International Collaborating Clinics/American College of Rheumatology-Damage Index (SLICC/ACR-DI, SLICC/ACR 손상지표), Lupus Damage Index Questionnaire (LDIQ), 그리고 Brief Index of Lupus Damage (BILD)가 있으며 LDIQ와 BILD는 환자가 직접 작성하는 설문지 형식의 평가지표이다. 이 중에서 SLICC/ACR 손상지표가 대표적으로 사용되고 있다.

### Systemic Lupus International Collaborating Clinics/American College of Rheumatology-Damage Index: SLICC/ACR-DI (SLICC/ACR 손상지표) (표 69-3)

1996년 Systemic Lupus International Collaborating Clinics (SLICC) 연구 그룹은 미국류마티스학회(ACR)와 공동연구를 통

하여 전신홍반루푸스의 만성 손상에 대한 평가기준인 SLICC/ACR 손상지표를 개발·발표하였다. SLICC/ACR 손상지표에서 '손상'이란 최소한 6개월 이상 지속되거나 심근경색이나 뇌졸중과 같이 병리학적 반흔이 동반된 비가역적 증상을 일컫는다. 전신홍반루푸스 발병 후 동반된 손상만을 평가하게 되며, 폐섬유증, 만성 신부전 등 질병 자체로 인한 영구적 장기손상, 조기 심·뇌혈관질환 등과 같은 동반질환, 그리고 글루코코티코이드 장기 복용으로 인한 백내장 등 치료약제로 인한 손상 등을 모두 포함한다. SLICC/ACR 손상지표는 12개 장기 시스템에 대한 41개 평가항목으로 구성되어 있다. 평가항목당 1점씩 배점되어 있으나 심근경색, 뇌혈관질환, 무혈성골괴사, 악성 종양을 포함하는 6항목은 재발하거나 2군데 이상을 침범하는 경우 2점을 주며, 말기 신부전의 경우에는 3점을 배점한다. SLICC/ACR 손상지표의 총점은 0-46점이다.

전신홍반루푸스의 이환 기간이 길어질수록 만성 손상은 축적되기 때문에 SLICC/ACR 손상지표의 점수도 증가하게 되며, 지속적이거나 반복적인 질병활성도를 가지는 경우에 SLICC/ACR 손상지표는 더욱 증가하게 된다. SLICC/ACR 손상지표는 전신홍반루푸스 사망률을 예측하는 데 도움이 되는데, 질병 조기에 손상지표가 증가되면 나쁜 예후를 의미하며 사망률도 증가한다. SLICC/ACR 손상지표는 전신홍반루푸스 연구와 임상에서 만성 손상의 정도를 결정하는 가장 중요한 기준으로 사용되고 있으며, 질병활성도 평가지표를 보완하는 중요한 임상 평가지표로 사용되고 있다.

📑 참고문헌

1. Bombardier C, Gladman DD, Urowitz MB, Caron D, Chang CH. Derivation of the SLEDAI. A disease activity index for lupus patients. The Committee on Prognosis Studies in SLE. Arthritis Rheum 1992;35:630-40.

2. Castrejón I, Tani C, Jolly M, Huang A, Mosca M. Indices to assess patients with systemic lupus erythematosus in clinical trials, long-term observational studies, and clinical care. Clin Exp Rheumatol 2014;32(5 Suppl 85):S-85-95.

3. Gladman DD, Goldsmith CH, Urowitz MB, Bacon P, Bombardier C, Isenberg D, et al. Crosscultural validation and reliability of 3 disease activity indices in systemic lupus erythematosus. J Rheumatol

표 69-3. SLICC/ACR 손상지표

| 항목 | Score | | | Not recorded |
|---|---|---|---|---|
| **안구(임상의의 평가)** | | | | |
| 백내장 | ⓪ | ① | | ☐ |
| 망막 변성 또는 시신경위축 | ⓪ | ① | | ☐ |
| **신경정신** | | | | |
| 인지장애(기억력 저하, 계산 능력 저하, 집중력 저하, 듣거나 읽고 이해하는 능력의 저하, 수행능력 저하) | ⓪ | ① | | ☐ |
| 정신병 | ⓪ | ① | | ☐ |
| 6개월 동안의 치료를 필요로 하는 발작 | ⓪ | ① | | ☐ |
| 뇌혈관 질환(2회 이상이면 2점) 또는 악성종양 이외의 원인으로 실시한 절제 | ⓪ | ① | ② | ☐ |
| 뇌신경병증 또는 말초신경병증(시신경장애 제외) | ⓪ | ① | | ☐ |
| 가로방향척수염(transverse myelitis) | ⓪ | ① | | ☐ |
| **신장** | | | | |
| 예상된 또는 측정된 사구체여과율 <50% | ⓪ | ① | | ☐ |
| 단백뇨 ≥3.5 g/일  또는 | ⓪ | ① | | ☐ |
| 말기신질환(투석이나 신이식 여부와 상관없이) | ⓪ | ③ | | ☐ |
| **폐** | | | | |
| 폐 고혈압(right ventricular prominence, or loud P2) | ⓪ | ① | | ☐ |
| 폐 섬유증(이학적 및 영상학적으로) | ⓪ | ① | | ☐ |
| 폐 위축(영상학적으로) | ⓪ | ① | | ☐ |
| 흉막섬유증(영상학적으로) | ⓪ | ① | | ☐ |
| 폐 경색증(영상학적으로) 또는 악성종양 이외의 원인으로 실시한 절제술 | ⓪ | ① | | ☐ |
| **심혈관** | | | | |
| 협심증 또는 심장동맥우회로 수술 | ⓪ | ① | | ☐ |
| 심근경색(2회 이상이면 2점) | ⓪ | ① | ② | ☐ |
| 심근병증(심실 기능장애) | ⓪ | ① | | ☐ |
| 판막질환(확장기 잡음 또는 수축기 잡음 >3/6) | ⓪ | ① | | ☐ |
| 6개월간의 심낭염 또는 심장막절제 | ⓪ | ① | | ☐ |
| **말초혈관** | | | | |
| 6개월간의 파행(claudication) | ⓪ | ① | | ☐ |
| 소규모의 조직손상(손가락 속질, pulp space) | ⓪ | ① | | ☐ |
| 중요한 조직손상(손가락 또는 팔다리 소실로서 악성종양 이외의 원인으로 인한 절제술도 포함)(2군데 이상이면 2점) | ⓪ | ① | ② | ☐ |

| | 0 | 1 | 2 | |
|---|---|---|---|---|
| 부기, 궤양 또는 정맥울혈을 동반한 정맥혈전 | ☐0 | ☐1 | | ☐ |
| **위장관** | | | | |
| 십이지장 하방의 장/비장/간/담낭의 경색증 또는 장절제술(2군데 이상이면 2점) | ☐0 | ☐1 | ☐2 | ☐ |
| 장간막부전증(mesenteric insufficiency) | ☐0 | ☐1 | | ☐ |
| 만성 복막염 | ☐0 | ☐1 | | ☐ |
| **근골격계** | | | | |
| 근 위축 또는 근 쇠약 | ☐0 | ☐1 | | ☐ |
| 변형 또는 미란성 관절염(환원 가능한 변형도 포함. 무혈성괴사 제외) | ☐0 | ☐1 | | ☐ |
| 골절이나 척추붕괴를 동반한 골다공증(무혈성괴사 제외) | ☐0 | ☐1 | | ☐ |
| 무혈성괴사(2군데 이상이면 2점) | ☐0 | ☐1 | ☐2 | ☐ |
| 골수염 | ☐0 | ☐1 | | ☐ |
| 인대파열 | ☐0 | ☐1 | | ☐ |
| **피부** | | | | |
| 흉터를 동반한 만성 탈모 | ☐0 | ☐1 | | ☐ |
| 두피와 손가락 속질(pulp space)을 제외한 광범위한 흉터 또는 지방조직(panniculum) | ☐0 | ☐1 | | ☐ |
| 6개월 이상 지속되는 피부궤양(혈전증 제외) | ☐0 | ☐1 | | ☐ |
| 조기 생식샘 부전 | ☐0 | ☐1 | | ☐ |
| 당뇨(치료와 관계없이) | ☐0 | ☐1 | | ☐ |
| 악성종양(이형성은 제외)(2군데 이상이면 2점) | ☐0 | ☐1 | ☐2 | ☐ |

4. Gladman DD, Ibanez D, Urowitz MB. Systemic lupus erythematosus disease activity index 2000. J Rheumatol 2002;29:288-91.

5. Gladman DD, Urowitz MB, Goldsmith CH, Fortin P, Ginzler E, Gordon C, et al. The reliability of the Systemic Lupus International Collaborating Clinics/American College of Rheumatology Damage Index in patients with systemic lupus erythematosus. Arthritis Rheum 1997;40:809-13.

6. Griffiths B, Mosca M, Gordon C. Assessment of patients with systemic lupus erythematosus and the use of lupus disease activity indices. Best Pract Res Clin Rheumatol 2005;19:685-708.

7. Isenberg DA, Rahman A, Allen E, Farewell V, Akil M, Bruce IN, et al. BILAG 2004. Development and initial validation of an updated version of the British Isles Lupus Assessment Group's disease activity index for patients with systemic lupus erythematosus. Rheumatology (Oxford) 2005;44:902-6.

8. Petri M, Kim MY, Kalunian KC, Grossman J, Hahn BH, Sammaritano LR, et al. Combined oral contraceptives in women with systemic lupus erythematosus. N Engl J Med 2005;353:2550-8.

9. Romero-Diaz J, Isenberg D, Ramsey-Goldman R. Measures of adult systemic lupus erythematosus: updated version of British Isles Lupus Assessment Group (BILAG 2004), European Consensus Lupus Activity Measurements (ECLAM), Systemic Lupus Activity Measure, Revised (SLAM-R), Systemic Lupus Activity Questionnaire for Population Studies (SLAQ), Systemic Lupus Erythematosus Disease Activity Index 2000 (SLEDAI-2K), and Systemic Lupus International Collaborating Clinics/American College of Rheumatology Damage Index (SDI). Arthritis Care Res (Hoboken) 2011;63 Suppl 11:S37-46.

10. Touma Z, Gladman DD, and Urowitz MB. Clinical measures, metrics, and indices. In: Walleance DJ, Hahn BH, eds. Dubois' lupus erythematosus, 8th ed. China: Elsevier; 2013. pp. 563-81.

11. Yee CS, Cresswell L, Farewell V, Rahman A, Teh LS, Griffiths B, et al. Numerical scoring for the BILAG-2004 index. Rheumatology (Oxford) 2010;49:1665-9.

# 70

# 치료

서울의대 **이윤종**

## KEY POINTS 🔒

- 전신홍반루푸스 치료는 질병 활성도를 조절하고 약물 독성 및 병발 질환 발생을 최소화하여 삶의 질을 향상, 장기 손상을 예방하고, 장기 생존을 연장하여야 한다.
- 전신홍반루푸스 치료 전략으로 관해 혹은 낮은 질병 활성도를 목표로 한 목표 지향적 치료가 제시되었다.
- 전신홍반루푸스는 질병 활성도, 임상상 및 중증도에 따라 개별화된 치료를 하며 개인별 병발 질환 및 약물 독성 발생에 대하여 적절한 감시 및 관리를 하여야 한다.
- 항말라리아제는 금기가 되지 않는 한 모든 전신홍반루푸스 환자에게 투약하여야 한다.
- 글루코코티코이드제제는 전신홍반루푸스가 장기 기능 혹은 생명을 위협할 때 가장 핵심적인 치료 약물이지만 용량 최소화에 노력하여야 한다.
- 면역억제제는 중증도, 침범 장기, 임신 계획, 약물 독성 등을 고려하여 결정하며, 중증 임상상에서는 관해 유도 및 유지 단계에 적합한 약물을 선택한다.

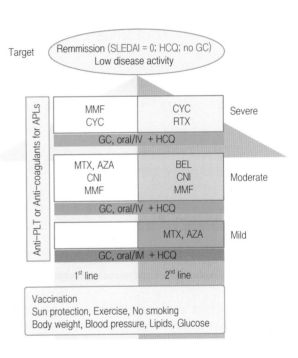

그림 70-1. 2019년 유럽류마티스학회 루푸스 치료지침에 따른 목표 지향적 치료전략

GC, glucocorticoids; IM, intramuscular; IV, intravenous; HCQ, hydroxychloroquine; PLT, platelet; APLs, antiphospholipid antibodies; MTX, methotrexate; AZA, azathioprine; MMF, mycophenolate mofetil; CNI, calcineurin inhibitor; BEL, belimumab; CYC, cyclophosphamide; RTX, rituximab; SLEDAI, Systemic Lupus Erythematosus Disease Activity Index.

## 서론

전신홍반루푸스(systemic lupus erythematosus, 이하 루푸스)는 환자마다 다양한 임상상을 보이고, 약 70% 환자가 호전과 악화를 반복하며 만성 활동기, 비활동기 및 급성 악화 등의 상태 변화를 예측하기 어렵다. 하지만, 최근의 루푸스 치료는 환자의 장기 생존율을 확보하고 장기 손상을 예방하며 삶의 질을 최적화하여야 하고, 이를 위하여 관해 상태 도달 혹은 낮은 질병 활성도 유지를 치료 목표로 한다(그림 70-1). 또한, 장기 손상, 치료 부작용 및 병발 질환도 환자 개인마다 다르므로 개별화된 치료 전략이 필요하다.

## 루푸스 치료 계획을 위한 중증도평가

루푸스의 적절한 치료를 위하여 환자의 질병활성도, 침범 장기 및 중증도에 대한 평가가 중요하다. 질병활성도는 조절되지 않은 질병에 의하여 지속되는 염증의 정도를 의미하고, 중증의 루푸스는 생명을 위협하거나 장기의 기능장애 발생 위험이 높아 불량한 예후를 갖는 임상상이 존재함을 의미한다. 루푸스 임상상을 중증도에 따라 분류한 예는 표 70-1과 같다

중증 임상상은 염증 조절 후에도 존재할 수 있는데, 심한 단백뇨 및 신기능장애는 활동성 사구체염 없이 사구체 손상만으로도 지속될 수 있다. 따라서 질병활성도와 손상에 의한 임상상을 구별하는 것은 치료 강화를 결정할 때 중요하다.

질병활성도의 평가는 일반적으로는 환자 증상, 신체진찰, 장기 특이 검사, 항dsDNA항체 및 혈중 보체(CH50, C3, 및 C4) 등을 포함한 혈청학적 검사를 이용한다. 치료약제의 반응 평가를

위한 질병활성도 평가도구로 SLEDAI, BILAG, ECLAM, SLAM 등이 있으며(Chpater 69. 질환의 활성도와 손상도 평가 참고), 최근 루푸스의 목표지향(treat-to-target, T2T) 치료 전략은 SLEDAI 등을 정기적으로 이용하도록 권고하고 있다.

## 루푸스의 목표지향적 치료전략과 관해의 정의

류마티스관절염에서 목표지향적 치료 개념은 성공적으로 확립되어 장기적인 치료결과를 향상시켰다. 이후 루푸스에서도 목표지향 치료개념이 적극 논의되고 있다. 주로 관절에 국한된 평가를 하는 류마티스관절염과 비교하여 루푸스는 주요 침범 장기가 복수이므로 하나의 도구로 질환 상태를 평가하기 쉽지 않다. 또한, 염증성 임상상뿐 아니라 현재의 손상 자체가 향후 손상 및 사망 위험 증가와 관련이 있고 루푸스 치료의 주축인 글루코코

표 70-1. 중증도에 따른 루푸스 임상상의 예

| 경도 | 중등도 | 중증 |
|---|---|---|
| 전신증상 | 류마티스관절염 유사 관절염 | 주요 장기 침범(신염, 뇌염, 척수염, 폐렴, 장간막 혈관염) |
| 경한 관절염 | 피부발진 체표면적의 9-18% | |
| 피부발진 체표면적의 9% 이하 | 피부혈관염 체표면적의 18% 이하 | 혈소판 20,000/mm$^3$ 미만 |
| 혈소판 50,000-100,000/mm$^3$ | 혈소판 20,000-50,000/mm$^3$ | 혈전혈소판감소자반병 유사 임상상 |
| SLEDAI* 점수 ≤6 | 장막염 | 급성 적혈구포식증후군 |
| BILAG† 지수 등급 C에 해당하는 임상상 | SLEDAI* 점수 7-12 | SLEDAI 점수* >12 |
| BILAG† 지수 등급 B에 해당하는 임상상이 1개 이하 | BILAG† 지수 등급 B에 해당하는 임상상이 2개 이상 | BILAG† 지수 등급 A에 해당하는 임상상이 1개 이상 |

*, Systemic Lupus Erythematosus Disease Activity Index; †, British Isles Lupus Assessment Group.

표 70-2. 루푸스의 목표지향적 치료전략

| 중대원칙 | 권고사항 |
|---|---|
| 환자와 공유의사결정이 중요하다. | 관해(혹은 낮은 질병활성도)를 목표로 하여야 한다. |
| 루푸스 질병활성도 및 약물 부작용을 조절함으로써 사망, 손상, 삶의 질을 최적화하여야 한다. | 질병 악화를 예방하여야 한다. |
| | 무증상환자에서 혈청학적 검사의 비정상적인 소견만으로는 치료하지 않는다. |
| 루푸스 치료는 질병에 대한 다학제적 이해를 기반으로 하여야 한다. | 손상을 예방하여야 한다. |
| 루푸스 환자가 호전되어도 질병 감시 평가가 필요하다. | 루푸스 질병활성도뿐 아니라 삶의 질도 다루어야 한다. |
| | 루푸스신염은 조기에 진단하고 치료하여야 한다. |
| | 루푸스신염은 최소한 3년간 치료하여야 한다. |
| | 글루코코티코이드제제는 가능한 최소 용량으로 감량한다. |
| | 항인지질항체증후군은 항응고제 및 아스피린으로 치료한다. |
| | 항말라리아약제를 투약하여야 한다. |
| | 면역조절제 외의 다른 약제도 적절하게 이용하여야 한다. |

티코이드제제도 손상과 사망의 원인이므로, 목표지향 치료 전략을 수립하기 쉽지 않다. 루푸스 목표지향 치료전략을 위한 국제적인 위원회에서 2014년 첫번째 권고안을 발표하였다. 이후 여러 치료지침이나 권고안에서 장기적 생존, 장기 손상의 예방, 삶의 질 최적화를 루푸스 치료의 궁극적 목표로 설정하고, 관해와 낮은 질병활성도 상태를 최종 목표를 이루기 위한 중장기적 목표로 기술하고 있다(표 70-2).

### 1) 루푸스의 관해

루푸스에서 치료 목표로서의 관해를 정의하기는 쉽지 않다. 위험을 초래하지 않는 혈구감소증이나 무증상 항인지질항체 양성은 치료가 필요하지 않다. 피로감, 섬유근육통, 우울 등의 증상은 루푸스 질병활성도와 관련이 있을 수도 있고 없을 수도 있다. 루푸스에서 혈청학적 활성을 보이나 임상적으로 비활성 상태는 향후 손상 증가와 관련이 없다고 알려져 있다. 또한 모든 약제를 중단하고 완전 관해에 도달하는 것은 2% 미만으로 매우 드물기 때문에 관해의 정의에 약물 중단을 포함시키면 대부분의 환자에서 도달 불가능한 목표가 된다.

국제적인 전문가 그룹인 Definition of Remission in SLE (DORIS)는 약물 사용과 혈청학적 활성도에 따라 완전 관해 및 치료 중 임상적 관해 등으로 구분한 정의를 2015년에 제시하였으나, 2021년에 루푸스 관해를 통합하여 수정된 정의를 발표하였다; 혈청학적 검사소견 고려하지 않고 (1) 임상 SLEDAI 점수가 0점, (2) 의사전반적 평가 시각아날로그척도 0-3 중 0.5 미만 (3) 항말라리아제, 저용량 프레드니졸론 5 mg/일 이하 혹은 안정된 용량의 면역억제제(생물학적제제 포함)는 복용 가능함. 관해에 도달하지 않은 환자에 비교하여, 임상적 관해 상태에 도달한 환자는 누적 손상의 증가 및 삶의 질에서 유의하게 향상된 결과를 보인다.

### 2) 루푸스의 낮은 질병활성도 상태

관해에 도달할 수 없는 경우에도 가능한 낮은 질병활성도를 목표로 치료를 하여야 한다. Asia-Pacific Lupus Collaboration에서 2016년 루푸스의 낮은 질병활성도 상태(Lupus Low Disease Activity State, LLDAS)의 정의를 제안한 바 있다; (1) SLEDAI 점수 4점 이하이고 주요 장기에 질병활성도가 없으며 용혈빈혈과

위장관 질환 활성도 없음, (2) 이전 평가와 비교하여 새로운 루푸스 질병활성도 발생 없음, (3) 의사 전반적 평가 시각아날로그척도 0-3 중 1.0 이하, (4) 현재 프레드니솔론 용량 7.5 mg/일 이하 및 (5) 표준적인 유지 용량의 면역억제제와 승인된 생물학적제제를 안정적으로 투약. 비록 관해 상태에 도달하지 못하여도, 낮은 질병활성도 상태를 유지한 루푸스 환자는 누적 손상 증가 및 질병 악화 위험이 유의하게 감소하고 삶의 질도 우월한 결과가 여러 연구에서 확인되었다.

### 3) 루푸스신염의 관해

현재까지 특정 장기 침범마다 관해 상태가 정의되어 있지는 않다. 또한, 루푸스신염 관해의 정의는 제시된 바가 있으나, 류마티스학 혹은 신장학 전문가 그룹마다 정의가 다소 다르다. 대체로 완전 관해는 24시간 요단백 배설량이 500 mg 미만이며 혈청 크레아티닌 농도가 기저 수준으로 회복 혹은 정상 수준으로 유지된 상태이다. 또한 부분 관해는 단백뇨 수준이 신증후군 수준 이하인 동시에 기저보다 50% 이상 감소하고 혈청 크레아티닌 농도가 기저 수준의 10-25% 내외로 안정 혹은 호전된 상태로 정의하고 있다.

## 루푸스의 비약물요법

### 1) 일광차단

광과민증은 일부 환자에서만 관찰되지만, 자외선이 루푸스 발병기전과 관련이 있으므로 모든 환자에서 적절한 일광차단을 권고한다. 일광욕이나 선탠 등 직접 자외선 노출을 피하고 간접 일광 노출 차단을 위하여 일광차단크림(자외선 차단지수 15이상), 모자, 일광차단 의복을 이용한다.

### 2) 금연

비흡연자에 비하여 흡연자에서 질병활성도가 높고 흡연이 항말라리아제의 효과를 감소시킬 수 있어 금연을 권고한다.

### 3) 영양과 운동

특정 식이가 효과적이라는 근거는 없으며 균형 잡힌 식사를

권고한다. 활동성 염증과 발열이 있을 때 열량을 증가시켜야 하지만, 글루코코티코이드제제로 인한 체중 증가의 위험이 있으므로 열량 섭취를 조절하고 저염식이를 한다. 장기간 글루코코티코이드제제를 복용하고 자외선 노출도 제한되므로 칼슘과 비타민D 보충이 추천된다. 근육량을 유지하기 위하여 규칙적인 운동하여야 하며 휴식과 활동 간의 적절한 균형으로 피로감을 조절하여야 한다.

## 4) 예방접종

글루코코티코이드와 면역억제제 투약으로 항체 농도가 낮게 형성될 수 있지만 인플루엔자와 폐렴구균 백신접종은 안전하다. 반면에 면역억제제 투약 도중 생백신 접종은 일반적으로 금기이다.

# 루푸스의 약물요법

루푸스 치료에 이용하는 약제는 비스테로이드소염제, 항말라리아제, 글루코코티코이드제제 및 면역억제제 등이 있다. 또한 루푸스에서 승인된 생물학적제제로 B-lymphocyte stimulator (BLyS, BAFF)에 대한 항체인 belimumab와 제1형 인터페론 수용체 소단위 1 (type I IFN receptor subunit 1)에 대한 항체인 anifrolumab이 있다.

## 1) 비스테로이드소염제

비스테로이드소염제가 루푸스의 치료 결과를 향상시킨다는 증거는 없지만 비스테로이드소염제는 다발관절염/관절통을 조절하기 위하여 흔히 처방되며 발열, 두통 및 경한 장막염에도 유용하다. 비스테로이드소염제를 글루코코티코이드제제와 같이 투여하는 경우 위장관 출혈 위험이 증가하므로 cyclooxygenase-2 (COX-2) 선택제를 이용하거나 양성자펌프억제제를 병합하는 것이 권고된다. 장기적인 투약을 하는 경우 신기능장애 발생 위험이 있으므로 혈청 크레아티닌을 정기적으로 확인하여야 한다.

## 2) 항말라리아제

Hydroxychloroquine은 국내에서 사용할 수 있는 유일한 항말라리아제이다. 항말라리아제는 비스테로이드소염제에 충분히

반응하지 않는 관절 증상과 피부 침범에서 효과적이며, 전신홍반루푸스의 악화를 억제한다. 항말라리아제는 장기적인 손상 발생을 감소시켜 생존율도 향상시킨다. 또한 혈관 및 혈전사건을 감소시키고 혈중지질상태를 개선하는 효과도 알려져 있다. 따라서 최근의 루푸스 치료 지침 혹은 권고에서는, 항말라리아제는 부작용이 없는 한 모든 전신홍반루푸스 환자에서 사용하도록 권고하고 있다.

장기적인 항말라리아제 투약에 대한 강조와 함께, 망막질환 진단 도구의 발전에 따라 항말라리아제 유발 망막병증에 대한 관심이 높아졌다. 망막병증 발생 위험은 투약기간과 하루 용량에 비례하며, 실체중으로 계산하여 5 mg/kg/일 용량을 투약할 때 미국안과학회는 5년까지 1% 미만, 10년까지 2% 미만, 20년 이후에 20%의 발생 위험이 있다고 평가하였다. 또한, 빛간섭단층촬영(optical coherence tomography, OCT)으로 조사한 국내 연구에서는 항말라리아제 관련 망막병증 유병률을 2.9%로 보고하였다. 2016년 미국 안과학회는 투여 전에 망막병증 여부를 평가하고 5년 후부터 매년 안과검진을 하며, 기존의 황반질환, 사구체여과율 감소 혹은 tamoxifen 투여 등 위험인자가 있으면 안과 검진 간격을 줄일 것을 권고하고 있다. 과거보다 낮은, 항말라리아약제의 권고 용량을 투약하여도 루푸스 관련 단기 및 중장기적 결과는 유의한 차이가 없다는 연구결과가 있지만, 장기적인 효과에 대한 자료는 아직 충분하지 않다.

## 3) 글루코코티코이드제제

글루코코티코이드제제는 다른 면역억제제 혹은 면역조절제와 병합 투여함을 원칙으로 한다. 근골격계 혹은 피부침범 등 중증도가 낮은 환자는 항말라리아제나 면역억제제의 효과가 나타날 때까지 저용량(5-15 mg/일 이하)으로 사용한다. 고용량(1-2 mg/kg/일 프레드니솔론)이나 간헐적인 메틸프레드니솔론 충격요법(3일간 250-1,000 mg/일)은 신장과 중추신경계 등 심각한 장기침범에서 이용한다. 질병활성도를 조절하는 목표 측면에서, 글루코코티코이드는 국소 및 전신 염증을 빠르게 억제하여 단기간의 장기 손상을 최소화할 수 있다.

글루코코티코이드제제의 부작용은 용량 의존적이다. 장기간 투약시 근병증, 골다공증, 뼈괴사, 고혈압, 당뇨, 죽상경화 혈관질환 및 감염 위험을 증가시키는데, 이러한 합병증은 루푸스의

비가역적 누적 손상과 사망 위험에 기여한다. 더욱이 글루코코티코이드제제 사용은 질병활성도가 없는 상태에서도 누적 손상을 증가시킨다. 따라서 질병활성도에 따라 글루코코티코이드제제는 감량하여야 하고, 치료 목표에 도달한 뒤에는 가능하면 중단을 고려한다. 만약 중단할 수 없다면 최대한 낮은 유지용량(프레드니솔론 1일 7.5 mg 이하)을 사용하여야 한다. 글루코코티코이드제제 중단 후에는 일반적으로 루푸스의 악화 위험이 증가하므로 질병활성도 감시는 지속적으로 필요하다.

## 4) 면역억제제

루푸스에서 면역억제제는 글루코코티코이드제제 반응이 부족하거나 장기 혹은 생명을 심각하게 위협하는 경우에 사용한다. 루푸스 환자에서 면역억제제의 근거는 대부분 루푸스신염 연구를 바탕으로 하고 있는데, 신장 외 장기 침범인 경우 전문가 그룹의 경험과 의견에 따라 1차 및 대체 약제 선호도가 다를 수 있다. 미코페놀레이트(mycophenolate, MMF), 아자싸이오프린(azathioprine), 메토트렉세이트(methotrexate, MTX) 및 중증 임상상에서 사용하는 사이클로포스파마이드(cyclophosphamide) 등이 주로 사용하는 면역억제제이다. 또한 칼시뉴린(calcineurin) 억제제로 사이클로스포린(cyclosporine)과 tacrolimus이 사용되고 있고 voclosporin도 최근 신장 침범에서 시도 중이다.

### (1) 사이클로포스파마이드

사이클로포스파마이드는 증식 루푸스신염을 포함한 중증 환자에게 투여하고 투여 방법으로 경구, 전통적인 충격요법(미국 NIH 요법; 500-1,000 mg/m$^2$을 1달 간격으로 6회) 및 저용량 충격요법(Euro-Lupus Nephritis Trial 요법; 500 mg을 2주 간격으로 6회 투여) 등이 있다. 일반적으로 간헐적 정맥주사 투여법이 매일 경구 투여하는 방법보다 부작용이 적다. 또한 루푸스신염 환자를 대상으로 한 10년 추적 연구에서 저용량 사이클로포스파마이드 충격요법은 사망률과 말기신부전 발생률이 전통적인 고용량 충격요법보다 좋은 결과를 보고한 바 있다. 사이클로포스파마이드는 생식선 독성이 있으므로 생식선 기능 유지를 위하여 성전자극호르몬분비호르몬 유도체 혹은 테스토스테론을 같이 이용하거나 난자 및 정자 냉동 보관을 이용한다. 충격요법을 이용할 때 방광독성을 줄이기 위하여 mercapto-ethanesulphonic acid (mesna)를 투여한다.

### (2) 아자싸이오프린

아자싸이오프린(50-150 mg/일)은 루푸스신염을 포함하여 중등도 및 중증 루푸스 환자의 유지요법에 주로 이용하고 막 루푸스신염에서는 첫 번째 선택제로 사용되기도 한다. 다른 면역억제제보다 임신 기간 중 상대적으로 안전하므로 임신 계획 중인 여성에서 선호된다. 아자싸이오프린의 활성 대사체 6-mercapto-purine의 대사 과정에 xanthine oxidase (XO)가 관여하므로, 알로퓨리놀(allopurinol) 혹은 febuxostat와 같은 XO억제제를 같이 사용할 때 부작용이 증가하므로 용량에 주의하여야 한다.

### (3) 미코페놀레이트

미코페놀레이트(MMF, 1-3 g/일)은 최근 루푸스신염의 유도 및 유지 요법의 주된 약제이다. 여러 연구에서 증식루푸스신염의 관해 유도 치료에서 전통적인 사이클로포스파마이드 충격 요법과 유사한 효과를 보고하였고 사이클로포스파마이드보다 독성이 낮은 것으로 생각하고 있다. 하지만 2가지 약제의 부작용 발생 빈도가 유사하다는 메타분석 연구도 있다. MMF와 사이클로포스파마이드 중 어떤 약제를 선택할 지는 생식선 보호 필요 여부, 약제 접근성, 환자와 의사 간의 공유결정에 따라 정한다. 루푸스신염의 유지 요법에서 MMF가 아자싸이오프린에 비하여 루푸스신염 악화 예방 효과가 더 큰 것으로 보고된 바 있다. 또한 공개 무작위 대조군 연구에서 글루코코티코이드제제에 반응이 없는 신장 외 침범 환자에서도, MMF는 아자싸이오프린에 비하여 우월한 효과가 관찰되었다. 하지만 MMF는 임신 중 금기인 약이므로 임신 계획이 있는 여성은 아자싸이오프린이 유용하다.

### (4) 메토트렉세이트

메토트렉세이트는 글루코코티코이드제제의 감량이 어려운 관절과 피부침범 환자에게 주로 투약하여 글루코코티코이드제제 용량을 줄이고 질병활성도를 감소하는 데 이용한다. 관절침범이 주된 환자에서 leflunomide를 대체 약제로 사용할 수 있다.

### (5) 칼시뉴린 억제제

사이클로스포린(cyclosporine)은 막성루푸스신염, 피부염 및 골수형성저하 환자에서 사용할 수 있으며 tacrolimus는 치료 저항성 루푸스신염 환자에게 시도할 수 있다. 루푸스신염에서 tacrolimus와 MMF 복합치료 혹은 voclosporin과 MMF 복합치료가 사이클로포스파마이드 충격요법 혹은 MMF 단독 치료보다 완전 관해율이 더 높다는 보고가 있다. 국소 칼시뉴린 억제제는 루푸스의 피부발진에 이용할 수 있다.

### (6) 생물학적제제 포함 표적치료제

루푸스의 주요한 병인적 신호전달에 대한 이해가 확장되면서 면역학적 기전을 바탕으로 한 표적치료제들이 시도되고 있다(그림 70-2). 하지만 루푸스 치료 현장에서 생물학적제제의 역할과 위치는 아직 명확하지 않은 부분이 많다. 현재 미국 식품의약안전청에서 승인한 루푸스 치료용 생물학적제제는 belimumab과 anifrolumab이 있다.

### (7) B세포 표적치료제

루푸스에서 가장 많이 시도된 생물학적제제는 B세포 표적치료제이다. 항CD20항체인 rituximab(키메라항체) 및 ocrelizumab(인간화 항체), 항B세포 활성인자 항체(B-cell activating factor, BAFF)인 belimumab 및 tabalumab, 항CD22항체인 epratuzumab이 시도되었다. Rituximab은 루푸스 임상시험에서 주요결과변수를 만족하지 못하여 치료제로 승인받지 못하였지만, 신장이나 중추신경계 침범 등 중증 임상상이 기존 치료에 반응을 보이지 않을 때 고려할 수 있다. Belimumab은 기존 치료

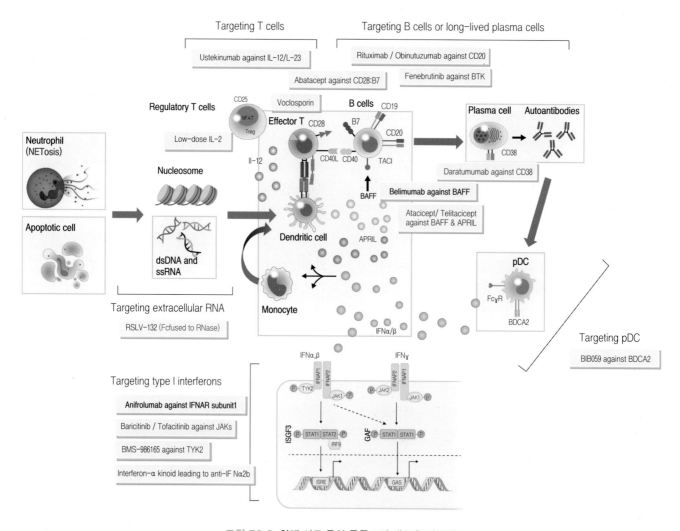

그림 70-2. 현재 시도 중인 루푸스의 새로운 치료제

에 반응하지 않는 피부 및 관절 침범 환자에서 유효성 확인되었다. 하지만, 중증 임상상 환자가 임상연구에서 배제되어 주요 장기 침범 치료에서의 근거는 제한되어 있다. 최근의 2년간의 무작위 대조군 연구는 활동성 루푸스신염 환자에서 기존 치료약제에 belimumab을 추가할 때 신장반응지표와 함께 신장관련 사건 및 사망이 향상된다고 보고하였다. 그런데, 신장 외 침범으로 belimumab 투여 중 새로운 루푸스신염 발생이 증가한다는 관찰 연구도 있어 루푸스 환자의 전반적 치료 알고리즘에서 belimumab 활용은 추가 연구가 필요하다. 국내에서 belimumab은 2013년에서 승인되었고 2021년에 건강보험 급여 적용되었다.

### (8) 제1형 인터페론 차단제

제1형 인터페론이 루푸스 발생과 악화에 관여하기 때문에 인터페론 신호를 차단하는 인터페론-α와 인터페론-α 수용체에 대한 단클론항체가 시도되었다. 현재까지 제 1형 인터페론 수용체에 대한 인간화 단클론항체인 anifrolumab이 제3상 연구에서 효과를 보인 유일한 약제이다. Anifrolumab군이 위약군에 비하여 글루코코티코이드제제를 감량한 환자가 더 많았고 피부병변에 대한 반응 효과가 더 빨리 나타나고 오래 지속되었다. 아직 주요 장기 침범에 대한 임상 연구는 없는 상태이지만 루푸스의 2번째 생물학적제제로 2021년 미국에서 승인되었다.

## 루푸스 임상상에 따른 치료

루푸스 임상연구를 통한 근거가 축적되면서 근거와 함께 전문가 합의를 기반으로 여러 그룹에서 전신홍반루푸스 치료 지침 혹은 권고를 발표하였다. 하지만, 전문가 합의에 의한 치료지침을 완전하게 적용하기 어려운 여러 증례가 임상 현장에 존재한다. 또한 루푸스신염을 제외하고 특정 장기 침범에서 수준 높은 근거가 거의 없기 때문에, 특정 장기에 대한 치료에 대한 합의가 치료 권고마다 다를 수 있다. 예를 들어, 주요 장기 침범이 있을 때 면역억제제 사용은 동의하나, 면역억제제 선택 범위나 순서가 다양하다. 따라서 2018년 이후 발표된 주요 치료 권고를 **표 70-3**에 간략하게 정리 비교하였다. 또한, 루푸스신염 및 신경정신루푸스(Chapter 71, 72 참고) 부분에서 해당 임상상에 대한 치

료를 자세히 확인할 수 있다.

## 루푸스 환자의 동반질환 조절

조기 죽상경화는 루푸스 환자 사망의 주요 원인이며, 일반인과 비교하여 심혈관 및 뇌혈관질환 발생 위험이 5-10배 높다. 고혈압, 이상지질혈증, 흡연 등 전통적 위험인자뿐 아니라 질병활성도, 이환기간, 누적 손상, 항인지질항체, 신질환, 글루코코티코이드제제 등 질병과 관련된 요인도 위험을 증가시킨다. 루푸스신염 환자는 혈압 130/80 mmHg 이하를 유지하고, 저밀도지단백질 콜레스테롤이 100 mg/dL 초과하는 경우 콜레스테롤저하제를 투여하도록 미국류마티스학회는 권고하고 있다.

루푸스 환자는 글루코코티코이드제제 유발 골다공증 발생 위험이 증가하고 자외선 차단에 따라 비타민D 결핍 발생 위험이 증가한다. 2017년 미국류마티스학회 권고에서 프레드니솔론 2.5 mg/일 이상을 3개월 이상 투여할 때는 칼슘(800-1,000 mg/일)과 비타민D (600-800 IU/일)를 보충하도록 하고 있다. 또한 FRAX (Fracture Risk Assessment Tool)을 이용한 골절 예측 위험이 척추 10% 이상 혹은 엉덩관절 1% 초과인 경우와 40세 이전이라도 골절 위험인자(6개월 이상 프레드니솔론 7.5 mg/일 투여하고 엉덩관절 및 척추 골밀도 Z 점수 -3 미만 혹은 1년에 골밀도가 10% 이상 감소)가 있는 환자는 경구 비스포스포네이트(bisphosphonate)를 복용하도록 권고하고 있다.

루푸스 환자는 악성종양 발생 위험이 전반적으로 증가하는 것으로 알려져 있는데, 한 국내 연구에서 비호지킨림프종, 자궁경부암, 방광암의 발병이 유의하게 증가함이 관찰되었다. 하지만 루푸스 환자에서 악성 종양에 대한 감시 프로그램은 일반인과 동일하다.

## 루푸스 환자의 임신

### 1) 임신 성공 가능성에 대한 평가

루푸스 환자는 임신 전에 질병활성도를 평가하기 위한 검사를 시행하여야 하며, 항인지질항체과 항SS-A/Ro 및 항SS-B/La

표 70-3. 최근 5년간 발표된 주요 전신홍반루푸스 치료지침의 권고안 비교

| 침범 장기 | 치료 권고 내용 | 2018 BSR | 2018 PANLAR | 2019 EULAR | 2021 APLAR |
|---|---|---|---|---|---|
| 일반 | 모든 환자에서 자외선 차단 권고 | O | O | O | |
| | 금기가 없으면 모든 환자에서 HCQ 투약 | O | O | O | O |
| | HCQ는 실제 체중 당 5 mg/kg/일 미만을 유지 | | | | O |
| | 고위험 항인지질항체 특성이 있으면 저용량 ASA를 일차 예방 목적으로 고려 | | | | O |
| | 표준치료 불응하는 활동성 전신홍반루푸스 임상상 치료에 BEL 고려 | | | | O |
| 피부 | 1차 치료는 GC 국소 제제이며 TAC 제제를 대체 약제로 사용 | O | | O | |
| | 전신 치료제는 HCQ ± GC가 1차 치료 | O | O | O | |
| | HCQ 투여에 반응이 없으면 MTX 혹은 AZA 투약 | O | O | O | O |
| | 치료 불응 환자에서 CsA 혹은 CYC 고려 | O | O | O | |
| | 치료 불응 환자에서 MMF 혹은 BEL 고려 | O | O | O | |
| | 치료 불응 환자에서 LEF, dapsone, retinoids 고려 | O | | | |
| | 중등도 혹은 중증 피부점막병변에서 RTX 고려 | O | | O | |
| 관절 | 필요하면 저용량 GC 사용할 수 있음 | O | | O | |
| | 조절되지 않는 관절염은 MTX를 추가 | O | O | O | O |
| | MMF는 2차 혹은 3차 치료제로 사용 가능 | | | O | |
| | CNI, LEF, CYC는 3차 치료제로 고려할 수 있음 | O | | | |
| | BEL은 3차 치료제로 이용 | O | | O | |
| | RTX는 4차 치료제로 권고 | O | | | |
| | 다발관절염으로 발현한 환자는 abatacept를 고려 | | O | | |
| 신장 일반 | 루푸스신염 치료는 조직학적 분류에 따라 시행 | O | | O | O |
| | 루푸스신염의 유지요법은 최소한 5년 이상 지속 | | | | O |
| III/IV형 신염 | GC와 비생물학적 면역억제제로 복합 치료를 시작 | O | O | O | O |
| | 관해 유도를 위한 치료는 MMF 혹은 CYC를 권고 | O | O | O | O |
| | TAC를 1차 면역억제제로 사용 가능 | | | O | O |
| | 저용량 정맥 CYC 충격요법과 중간 용량 GC 복합치료는 2차 유도요법 | | | | O |
| | 표준치료제 금기 혹은 불내성인 경우, 불량한 예후가 없다면 AZA를 대체제제로 고려 | O | | O | |
| | MMF 혹은 AZA는 유지요법을 위한 제제로 권고 | O | O | O | O |
| | MMF와 AZA가 금기 혹은 불내성인 경우, 저용량 CNI 유지요법이 대체요법 | | | | O |
| | 초기 methyl-PD 충격(250-1,000 mg/일) 후 경구 PD로 교체하여 7.5-10 mg/일로 감량 | O | | O | |
| | 초기 면역억제제 반응이 없다면 CYC는 MMF로, MMF는 CYC로 교체 | O | O | O | |
| | MMF와 CYC에 반응이 없으면 RTX를 투약 | O | | O | O |
| | MMF와 CYC에 반응이 없으면 MMF 및 CNI 복합요법을 이용 | O | | O | O |
| 순수 V형 신염 | 단백뇨가 2 g/일 이상이면 PD와 MMF 복합요법을 투여 | O | | O | |
| | 치료 반응이 없는 경우 CYC, CNI 혹은 RTX를 2차 약제로 사용 | O | | O | |

| | | | | | |
|---|---|---|---|---|---|
| 신경정신 | 1차 치료는 고용량 GC와 CYC 복합을 기반으로 함 | O | O | O | O |
| | RTX는 치료 불응 환자에게 고려 | O | O | O | O |
| | 초기 고용량 GC와 CYC 치료 후 AZA 유지요법을 이용 가능 | O | | | |
| | 항인지질항체 양성 신경정신 전신홍반루푸스 환자에서 비타민 K길항체가 필요 | | | | O |
| 혈소판감소증 | 고용량 GC가 1차 치료 | O | O | O | |
| | RTX은 불응 환자에서 고려 | O | O | O | |
| | G면역글로불린은 불응 환자에서 고려 | O | O | O | O |
| | Thrombopoietin 수용체 길항체와 비장절제술은 일부 선택적인 환자에서 고려 | | | O | |
| | 혈장교환은 폐포출혈 혹은 일부 혈액학적 임상상(혈전혈소판감소자반병, 적혈구포식증 등)에서 고려 | | | O | O |

BSR, British Society for Rheumatology; PANLAR, Pan American Congress of Rheumatology; EULAR, European League Against Rheumatism; APLAR, Asia Pacific of Associations for Rheumatology; HCQ, hydroxychloroquine; ASA, aspirin; BEL, belimumab; MTX, methotrexate; GC, glucocorticoids; TAC, tacrolimus; CsA, cyclosporine A; CYC, cyclophosphamide; MMF, mycophenolate mofetil; LEF, leflunomide; RTX, rituximab; CNI, calcineurin inhibitor; AZA, azathioprine; PD, prednisolone.

항체 존재 여부를 확인한다. 6개월 이상 관해 상태가 유지되고 과거 신질환, 고혈압, 혈소판감소증 혹은 항인지질항체가 없는 루푸스 환자는 성공적인 임신 가능성이 높다. 하지만 수축기폐동맥압 50 mmHg 초과 혹은 유증상성 폐동맥고혈압, 노력성 폐활량(FVC) 1L 미만의 심각한 제한성 폐질환, 심부전, 혈청 크레아티닌 2.8 mg/dL 이상의 만성 신부전, 항혈소판제 및 항응고제 치료에도 불구하고 발생한 전자간증 과거력, 6개월 이내 뇌졸중, 6개월 이내 심각한 질병 악화 등이 있는 환자는 임신을 피하도록 권고한다.

## 2) 임신 계획 중인 환자의 약물치료

프레드니솔론, 아자싸이오프린, 항말라리아제 및 저용량 아스피린은 루푸스 환자가 임신 중 사용 가능한 약물이다. Hydroxychloroquine을 중단하면 임신 중 루푸스 악화 위험이 증가한다. 또한 tacrolimus도 임신 중 사용 가능하므로 안전 용량을 임신 기간 중 지속 투여하도록 유럽류마티스학회는 권고하고 있다. 경구 항응고제인 와파린(warfarin)은 임신 시도 전에 헤파린으로 교체한다. 미코페놀레이트, 사이클로포스파마이드, 메토트렉세이트, 안지오텐신전환효소억제제는 태아 기형 위험이 있어 중단하여야 한다.

## 3) 임신 중 전신홍반루푸스 악화의 판단

임신에 의한 생리학적 변화가 나타나며 전자간증은 루푸스 임상상과 유사하므로 임신 중에는 루푸스 악화를 판단하기 쉽지 않다. 루푸스의 특징적인 임상상 발생, 항dsDNA항체 농도 증가, 보체 농도 감소, 임신 제2기에 단백뇨 증가(정상 범위 단백뇨 환자에서 단백뇨 500 mg/일 이상 증가 혹은 기저 단백뇨 500 mg/일 이상 환자에서 단백뇨 2배 이상 증가), 활동성 신질환을 의미하는 요침사소견(적혈구 혹은 백혈구 원주) 등이 있을 때에는 루푸스의 악화를 시사한다.

## 4) 특정 루푸스 상황의 임신

### (1) 항인지질항체 양성인 루푸스 환자

과거 산과적 합병증이 없는 항인지질항체 양성 환자에서 자간전증의 위험 감소를 위하여 저용량 아스피린이 권고된다. 산과적 합병증이 있었던 항인지질항체 양성인 환자에서는 저용량 아스피린과 헤파린 복합요법이 효과적이다. 혈전증 과거력이 있는 경우에도 치료 용량의 헤파린을 투여한다. 또한 분만 후 혈전증 발생 위험이 있으므로 분만 4-6주 후까지 적절한 혈전 예방 치료를 하도록 한다. (Chapter 75 참고)

### (2) 항Ro/SS-A 및 항La/SS-B 양성인 전신홍반루푸스 환자

항SS-A/Ro 및 항SS-B/La항체 양성인 산모의 태아 중 15%에서 아급성 피부홍반루푸스와 유사한 발진이 발생하나 6-8개월에 걸쳐 사라진다. 반면에 심각한 손상을 유발하는 선천성 심차단은 자가항체에 노출된 태아의 2%에서 발생하며 신생아루푸스 병력이 있는 경우 15%로 위험이 증가한다. 따라서 임신 제 2기 및 3기 동안 정기적인 태아 심초음파검사를 시행하며 태아에서 제 1도 혹은 제 2도 심차단에 해당하는 PR 간격 연장이 확인되면 덱사메타손(dexamethasone)을 즉시 투여한다. (Chapter 151. 류마티스 질환과 임신 참고)

## 참고문헌

1. Buckley L, Guyatt G, Fink HA, Cannon M, Grossman J, Hansen KE, et al. 2017 American College of Rheumatology Guideline for the Prevention and Treatment of Glucocorticoid-Induced Osteoporosis. Arthritis Care Res (Hoboken) 2017;69:1095-110.

2. Chang SH, Park JK, Lee YJ, Yang JA, Lee EY, Song YW, et al. Comparison of cancer incidence among patients with rheumatic disease: a retrospective cohort study. Arthritis Res Ther 2014;16:428.

3. Eo DR, Lee MG, Ham DI, Kang SW, Lee J, Cha HS, et al. Frequency and Clinical Characteristics of Hydroxychloroquine Retinopathy in Korean Patients with Rheumatologic Diseases. J Korean Med Sci 2017;32:522-7.

4. Fanouriakis A, Kostopoulou M, Cheema K, Anders HJ, Aringer M, Bajema I, et al. 2019 Update of the Joint European League Against Rheumatism and European Renal Association-European Dialysis and Transplant Association (EULAR/ERA-EDTA) recommendations for the management of lupus nephritis. Ann Rheum Dis 2020;79:713-723.

5. Franklyn K, Lau CS, Navarra SV, Louthrenoo W, Lateef A, Hamijoyo L, et al. Definition and initial validation of a Lupus Low Disease Activity State (LLDAS). Ann Rheum Dis 2016;75:1615-21.

6. Gordon C, Amissah-Arthur MB, Gayed M, Brown S, Bruce IN, D'Cruz D, et al. The British Society for Rheumatology guideline for the management of systemic lupus erythematosus in adults. Rheumatology (Oxford) 2018;57:1-45.

7. Hahn BH, McMahon MA, Wilkinson A, Wallace WD, Daikh DI, Fitzgerald JD, et al. American College of Rheumatology guidelines for screening, treatment, and management of lupus nephritis. Arthritis Care Res (Hoboken) 2012;64:797-808.

8. Marmor MF, Kellner U, Lai TY, Melles RB, Mieler WF; American Academy of Ophthalmology. Recommendations on Screening for Chloroquine and Hydroxychloroquine Retinopathy (2016 Revision). Ophthalmology 2016;123:1386-94.

9. Mok CC, Hamijoyo L, Kasitanon N, Chen DY, Chen S, Yamaoka K, et al. The Asia-Pacific League of Associations for Rheumatology consensus statements on the management of systemic lupus erythematosus Lancet Rheumatol 2021;3:517-31.

10. Pons-Estel BA, Bonfa E, Soriano ER, Cardiel MH, Izcovich A, Popoff F, et al. First Latin American clinical practice guidelines for the treatment of systemic lupus erythematosus: Latin American Group for the Study of Lupus (GLADEL, Grupo Latino Americano de Estudio del Lupus)-Pan-American League of Associations of Rheumatology (PANLAR). Ann Rheum Dis 2018;77:1549-57.

11. van Vollenhoven RF, Mosca M, Bertsias G, Isenberg D, Kuhn A, Lerstrøm K, et al. Treat-to-target in systemic lupus erythematosus: recommendations from an international task force. Ann Rheum Dis 2014;73:958-67.

12. van Vollenhoven R, Bertsias G, Doria A, Isenberg D, Morand EF, Petri MA et al. The 2021 DORIS definition of remission in SLE - Final recommendations from an international task force. Ann Rheum Dis 2021;80(Suppl 1):181 [Abstract]

# 71

# 루푸스신염의 치료

아주의대 **서창희**

## KEY POINTS 🔒

- 소변검사는 루푸스신염의 질병 활성도와 치료 반응을 평가하는 데 중요한 검사이다.
- 중등증 증식성 루푸스신염은 미코페놀레이트모페틸과 글루코코티코이드를 사용하여 치료한다. 저용량 정주 사이클로포스파마이드를 사용할 수도 있다.
- 심한 증식성 루푸스신염은 정주 메틸프레드니솔론과 고용량 사이클로포스파마이드로 유도치료하며, 유지치료는 미코페놀레이트를 사용하거나 정주 사이클로포스파마이드를 지속한다.
- 막성 루푸스신염은 글루코코티코이드 단독 또는 미코페놀레이트, 타크로리무스, 또는 사이클로포스파마이드와 병합하여 치료한다.
- 단백뇨가 있는 환자에서 고혈압과 고지혈증을 조절하는 것이 중요하다.

## 루푸스신염의 증상

루푸스신염(lupus nephritis, LN) 환자의 약 50%에서 무증상의 혈뇨나 단백뇨가 관찰이 된다. 지속적인 사구체성 혈뇨는 흔히 관찰되며 대부분 단백뇨를 동반한다. 약 30-40%의 환자에서 신증후군을 보이며, 드물게 10% 미만의 환자에서는 급속진행사구체신염으로 나타난다. LN은 주로 루푸스 진단 후 처음 5-10년에 발생한다.

## 루푸스신염의 질병활성도 평가

### 1) 소변검사

소변검사는 LN의 진단과 질병 활성도를 판단하는 데 중요한 검사이다. 소변은 이른 아침에 신선한 중간뇨를 모아야 한다. 혈뇨와 세포원주(cast)는 사구체 및 세뇨관간질의 염증을 나타낸다. 단백뇨는 사구체 모세혈관의 염증을 잘 반영하므로 단백뇨의 양이 많을수록 신생검에서 증식성 신염(3형과 4형)으로 진단될 가능성이 높다.

### 2) 신생검

신생검은 LN의 조직형이나 중증도를 평가하는 데 필수적인 검사이다. 하루에 500 mg 이상의 단백뇨가 있으면 신생검을 해야 한다. 지속적인 사구체성 혈뇨나 백혈구뇨 그리고 이유 없는

표 71-1. 루푸스신염 조직학적 분류(2003년 국제신장학회/신장병리학회 분류기준)

| | |
|---|---|
| 1형(class I) | 최소 메산지얼 루푸스신염(minimal mesangial lupus nephritis) |
| 2형(class II) | 메산지얼 증식성 루푸스신염(mesangial proliferative lupus nephritis) |
| 3형(class III) | 국소 루푸스신염(focal lupus nephritis) |
| 4형(class IV) | 미만 루푸스신염(diffuse lupus nephritis) |
| 5형(class V) | 막성 루푸스신염(membranous lupus nephritis) |
| 6형(class VI) | 진행 경화 루푸스신염(advanced sclerotic lupus nephritis) |

신기능의 감소가 있는 때에도 시행할 수 있다. 2003년 국제신장학회/신장병리학회 분류기준에 따라 LN을 분류한다(표 71-1). 4형 LN이 가장 흔하고(약 40%), 다음으로 3형 LN (25%)과 5형 LN (15%)이 흔하다.

### 3) 단백뇨

24시간 소변 단백검사가 가장 정확한 검사이나, 소변을 모으기가 불편한 단점이 있다. 그래서 첫 소변을 이용한 소변 단백-크레아티닌율(protein-to-creatinine ratio)이 유용하고 반복적으로 측정할 수 있는 장점이 있으나, 단백뇨가 하루에 1g 이하에서는 정확하지 않을 수 있다.

### 4) 혈액검사

신기능은 혈청 크레아티닌으로 평가하나, 초기의 신기능 감소에 예민하지 않으며, 근육량이나 나이에 영향을 받을 수 있다. 항DNA항체의 높은 역가나 보체의 감소가 LN의 활성과 나쁜 예후에 연관이 있다. 절대적인 수치보다는 이들 수치의 변화가 임상적으로 보다 유용하다. 항DNA항체가 증가하거나 보체가 감소하는 경우에 LN의 악화의 가능성을 고려해야 한다.

## 루푸스신염의 치료 원칙

신생검에 의한 조직형과 중증도(표 71-2) 그리고 환자의 선택에 따라 치료가 결정이 된다. LN의 치료는 질병활성도를 현저히

### 표 71-2. 증식성 루푸스신염의 중증도

| 경증 | 3형, 5형; 정상 신기능이며 비신증후군 단백뇨이며 심한 조직소견*이 없음 |
|---|---|
| 중등증 | 3형; 신기능이 10% 이하 감소하거나 신증후군 단백뇨 |
| | 4형, 5형; 정상 신기능이며 신증후군 단백뇨 |
| 중증 | 3형, 4형; 신기능이 10%이상 감소하거나, 심한 조직소견*이 있음 |
| | 5형; 신기능이 10%이상 감소하면서 신증후군 단백뇨 |
| | 3형, 4형이 5형과 동반 |

*심한조직소견; 크레센트(crescent), 섬유소모양 괴사(fibrinoid necrosis), 높은 만성지수나 활성지수

감소시키기 위한 초기(유도)치료(3-6개월)와 치료효과를 극대화하고 치료반응을 강화하는 유지치료(3-5년)로 이루어진다.

### 1) 비증식성 루푸스신염의 치료

1형과 2형 LN는 예후가 좋으므로 면역억제제 치료를 요하지 않으며, 신염 이외의 증상에 따라 치료를 한다. 하이드록시클로로퀸(hydroxychloroquine)은 LN의 치료 반응을 증가시키고 악화를 예방하며 신손상의 진행을 억제하는 것으로 알려져 있어 단백뇨가 있을 때 기본적으로 사용해야 한다. 안지오텐신전환효소억제제나 안지오텐신수용체차단제를 이용한 혈압의 조절이 중요하다.

### 2) 증식성 루푸스신염의 치료(그림 71-1)

#### (1) 초기 치료

경증의 증식성 LN는 고용량 경구 글루코코티코이드(glucocorticoid, GC; 0.5-1 mg/kg/d)로 4-6주 사용 후에 점진적으로 감량하여 저용량 GC (7.5-15 mg/d)로 2일에 한 번 복용하도록 한다. 필요하다면 아자싸이오프린(azathioprine, AZ; 1-2 mg/kg/d)을 추가한다.

중등증의 증식성 LN는 미코페놀레이트모페틸(mycophenolate mofetil, MMF; 2-3 g/d)과 GC를 함께 사용한다. 왜냐하면 효과는 사이클로포스파마이드(cyclophosphamide, CYC)와 비슷하거나 좋으며, 부작용이 적기 때문이다. 고용량 경구 GC (1mg/kg/d)보다는 메틸프레드니솔론(methylprednisolone, MP) 충격요법(500-750mg)과 중용량 경구 GC (0.5mg/kg/d)가 선호된다. 유로루푸스신염 연구의 결과로 저용량 CYC (500 mg/2w, 6번) 주사치료도 사용할 수 있다. 아시아인에서는 타크로리무스(tacrolimus, TAC)를 단독 또는 저용량의 MMF와 함께 사용하는 것이 효과가 있다.

중증의 증식성 LN는 3일간의 MP 충격요법 후에 고용량 CYC (0.75-1 g/m$^2$) 충격주사치료를 한 달 간격으로 7번 사용하면서 중용량 경구 GC로 시작하여 줄여 나간다. 환자가 CYC를 원하지 않거나 사용할 수 없는 상황이면 MMF를 사용할 수도 있다.

## (2) 유지치료

경증이나 중등증은 저용량 경구 GC와 AZA (2 mg/kg/d) 또는 MMF (2 g/d)를 사용한다. 중증에서는 MMF를 최소한 3-5년간 유지해야 한다. 심한 조직형이나 나쁜 예후인자가 있으면 3개월에 한번 CYC 충격주사치료를 관해가 오고 1년까지 유지할 수도 있다.

## 3) 막성 루푸스신염의 치료

막성 LN은 만성 신부전으로의 진행은 낮다(10년에 6-18%). 신증후군의 단백뇨가 있을 때는 MMF와 경구 GC (0.5mg/d)를

함께 사용한다. TAC는 아시아인에서 효과가 있었다. 신증후군 미만의 단백뇨는 저용량 경구 GC를 사용한다. 유지치료는 AZA나 저용량의 TAC를 사용한다.

## 루푸스신염 치료약제

## 1) 글루코코티코이드

GC는 루푸스신염의 빠른 조절을 유도하는 기본적인 치료약제이다. MP 충격요법(500-1,000 mg)은 보다 빨리 증상을 호전

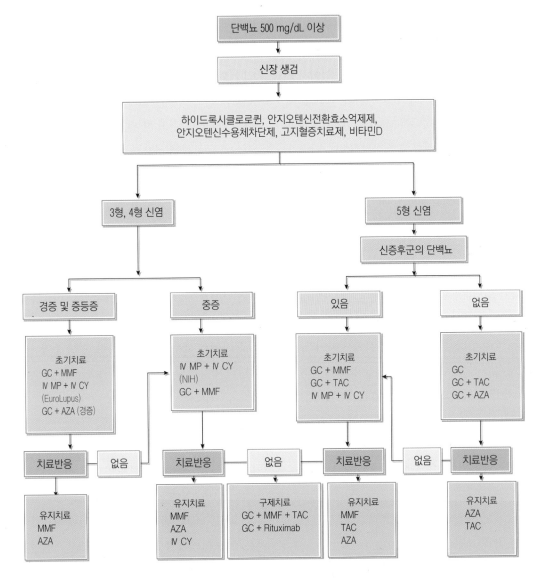

그림 71-1. 루푸스신염 치료 가이드라인

GC, glucocorticoid; MMF, mycophenolate mofetil; IV, intravenous; MP, methylprednisolone; CYC, cyclophosphamide; AZA, azathioprine; NIH, national institute of health; TAC, tacrolimus.

시키고 중용량 경구 GC (0.5 mg/kg/d)와 함께 사용하면 GC의 총량을 줄여서 부작용을 줄일 수 있다.

## 2) 미코페놀레이트모페틸

미코페놀레이트모페틸(mycophenolate mofetil, MMF)은 퓨린 합성을 억제하여 T세포와 B세포의 활성을 억제하는 선택적인 면역억제제이다. 용량의존적으로 백혈구감소증, 구역, 설사, 감염 등의 부작용이 나타날 수 있다.

### (1) 초기치료

MMF는 1 g/d로 시작해서 3 g/d로 증량하나, 아시아인에서는 2 g/d로 사용된다. 3형과 4형 LN 환자 370명을 대상으로 한 무작위대조연구(Asperva Lupus Management Study)에서 MMF는 CYC 주사치료와 유사한 효과를 보였고, 부작용에 있어서도 차이가 없었다. 하지만 흑인이나 히스패닉 환자에서는 CYC보다 효과가 있었다. 임상연구의 메타분석에서 MMF는 증식성 LN의 초기치료에서 CYC 주사치료와 유사한 효과를 보였으며, 난소기능부전이나 탈모 등의 부작용은 훨씬 낮게 관찰되었다. 그러므로 MMF는 중등도의 3형, 4형 LN 환자에서 일차치료제로 추천된다.

### (2) 유지치료

LN의 유지치료로 MMF와 AZA을 비교한 2개의 무작위대조연구가 진행되었다. 유럽환자 105명을 대상으로 한 MAINTAIN 연구에서 3년간 두 약제의 LN 악화와 조직검사에서 차이가 없었다. 하지만 227명의 환자(44% 비백인)를 대상으로 한 ALMS 유지연구에서는 MMF가 AZA보다 치료 실패나 LN 악화를 줄였다. 임상연구의 메타분석에서도 AZA 치료 환자에서 LN 재발이 다소 높았으나 신부전으로 진행과 부작용에는 차이가 없었다. 중등도나 심한 LN의 유지치료로 MMF와 AZA을 사용할 수 있다.

## 3) 사이클로포스파마이드

사이클로포스파마이드(cyclophosphamide, CYC) 충격주사치료는 중등도 또는 중증 LN 치료에 효과적인 치료이다. 미국국립의료원(national institute of health, NIH) 프로토콜은 CYC를 0.75-1 g/m²로 한 달에 한 번씩 정맥주사로 7번 투여하는 초기치료와 3개월에 한 번씩 2년간 치료하는 유지치료로 구성되어 있다. 증식성 LN의 무작위대조연구의 메타분석에서 NIH 프로토콜 치료는 GC 치료에 비해서 신기능의 감소를 41% 줄였으나 사망률에서는 차이가 없었다.

CYC의 부작용을 줄이기 위해서 충분한 수액치료(3L/d)와 항구토제의 사용이 필요하고, 백혈구수치를 1,500/mm³ 이상 유지해야 한다. MP 충격요법을 CYC 투여 전에 사용하면 보다 빠른 효과와 항구토효과를 얻을 수 있다. 가장 심각한 부작용은 생식독성이다. 지속적인 무월경은 환자의 나이와 누적 CYC의 양에 의해 증가한다. 장기간 사용하면(≥15회), 25세 이하 17%, 26-30세 43%, 31세 이상 100%에서 무월경이 발생하며, 단기간 사용하면(≤7회), 25세 이하 0%, 26-30세 12%, 31세 이상 25%로 빈도가 감소된다.

CYC의 부작용을 줄이기 위한 유로루푸스신염 연구에서 저용량(500 mg, 2주에 한 번, 6번)으로도 고용량 CYC (NIH 프로토콜)와 동등한 치료효과를 보였다. 10년간의 연장연구에서도 사망이나 만성신부전으로의 진행에 차이가 없었다.

## 4) 아자싸이오프린

아자싸이오프린(azathioprine, AZA)은 장기간을 사용하더라도 안전하며 감염을 증가시키지 않는다. 백혈구 감소와 간독성이 일부에서 생기나, 암 발생의 증가는 미미하다. LN의 초기 치료 후에 관해나 호전된 후에 유지치료로 흔히 사용된다. 신장이식 환자에서 사용 경험에 의하면, 임신 중에 사용하여도 기형을 유발하지 않아 임신 중 LN의 치료에 안전하게 사용할 수 있다.

## 5) 칼시뉴린억제제

T세포에 의한 면역반응을 감소시키는 사이클로스포린(cyclosporine A, CsA)과 TAC가 있으며, 처음에는 이식치료에 사용이 되었으며 LN에도 효과가 증명되었다.

CsA (5 mg/kg/d)는 증식성 LN의 유지요법으로 사용이 되거나 스테로이드의 용량을 줄이기 위해서 사용이 된다. 막성 LN에서는 스테로이드에 비해 단백뇨를 줄이는 데 보다 효과적이었으나, 치료를 중단하면 재발이 잘 되는 단점이 있다.

TAC는 CsA에 비해 10-100배 강력하여, 혈압상승, 고지혈증, 미용상의 부작용의 빈도가 낮다. 하지만 신경독성이 생길 수 있으므로 주의해야 한다. 아시아인에서 LN의 초기치료와 유지치료로 사용이 되고 있다. 증식성 및 막성 LN 환자에서 TAC (4 mg/d)를 MMF (1 g/d)와 GC를 병용하였을 때(multitarget 치료) 고용량 CYC 주사치료보다 우수한 결과를 보였다.

### 6) 리툭시맙

리툭시맙(rituximab)은 CD20 (형질세포를 제외한 모든 B 세포에 발현)에 대한 키메라 단클론성 항체. 리툭시맙은 CD20 양성인 B세포만을 제거해, 형질세포에 의한 항체의 생성은 유지되고 말초 B세포는 8-12 개월 후에 회복이 된다. 리툭시맙은 면역억제제를 사용하고도 반응이 없거나 재발한 환자의 증례나 관찰연구에서 효과를 보였다. 하지만 3형과 4형 LN 환자의 임상연구에서 유의한 치료효과를 보이지 않았다. 다른 치료에 반응하지 않을 때 선별적으로 사용해 볼 수 있다.

### 7) 벨리무맙

벨리무맙(belimumab)은 항BLyS (B-lymphocyte stimulator) 항체이며, 2개의 3상 대단위 무작위대조연구에서 참여한 루푸스 환자의 20%에서 단백뇨(>0.5 g/d)가 있었다. 이들 환자를 대상으로 한 사후 분석에서 위약에 비해 LN의 악화를 줄이는 경향을 보였다. 최근 증식성 LN 환자를 대상으로 한 3상 임상연구에서 벨리무맙을 표준치료에 추가했을 때 통계적으로 유의한 치료반응을 보여(43% vs. 32%, p=0.03), LN 치료제로 승인을 받았다.

## 루푸스신염 치료의 반응평가

### 1) 관해

LN의 치료 목표는 완전관해이며, 이는 소변에 침사(sediment)가 없으며, 단백뇨가 0.5 mg/d 이하이고, 정상이거나 안정된 신기능(신기능의 10% 이내 감소)을 유지하는 것이다. 부분관해는 단백뇨가 50% 이상 감소하고 소변에 침사가 없으며, 정상이거나 안정된 신기능이 유지되는 것이다. 6개월 이내에 면역억제제 치료에 대한 반응은 장기적인(10년) 신기능 유지의 강력한 예측인자이고, 부분관해는 완전관해에 비해 만성신부전으로 진

행 위험이 높으므로 초기에 완전관해를 이루어야 한다.

### 2) 재발

부분 또는 완전 관해를 보인 증식성 LN의 30-50%가 재발을 한다. 신장염 악화(nephritic flare)는 활성 요침사와 30% 이상의 크레아티닌의 상승이 있는 경우로 신기능이 악화될 위험이 높으며, 단백뇨 악화(proteinuric flare)는 신기능이 악화될 위험이 높지 않다. 심한 신장염 악화에는 CYC 주사치료와 GC를 우선적으로 사용하며, MMF도 사용될 수 있다. 단백뇨 악화나 경증이나 중등증의 신장염 악화에는 GC 단독치료를 하거나, AZA나 MMF, TAC를 추가해 볼 수 있다.

## 루푸스신염 동반질환의 치료

### 1) 고혈압

LN에서 고혈압은 신기능의 악화와 심혈관질환의 중요한 위험인자이므로 적극적으로 치료해서 130/80 mmHg 이하로, 단백뇨가 하루에 1 g이 넘는 경우에는 125/75 mmHg 이하로 유지해야 한다. 혈압을 조절을 위한 우선 사용되는 치료제는 안지오텐신전환효소억제제나 안지오텐신수용체차단제이며, 혈압 조절뿐만 아니라 단백뇨를 줄이고, 만성 신부전으로 진행을 감소시킨다.

### 2) 고지혈증과 심혈관 합병증

루푸스는 동맥경화증의 위험인자이며, 많은 LN 환자는 다양한 심혈관질환의 위험인자(고혈압, 당뇨, 고지혈증, GC 사용, 항인지질항체)를 동반하고 있다. 그러므로 고지혈증을 치료하여 저밀도 콜레스테롤을 <100 mg/dL, 중성지방을 <150 mg/dL 이하로 유지해야 한다.

### 3) 혈전증 및 신장혈관병증

신증후군은 응고인자의 생성을 증가시키고 소변으로 섬유소 용해 단백질의 소변으로 소실을 증가시켜 혈전증의 위험성이 증가하며, 항인지질항체가 있으면 더욱 악화된다. 신정맥 혈전증은 옆구리통증, 혈뇨, 악화된 단백뇨 등으로 나타날 수 있다. 항

인지질항체를 동반한 LN 환자에서 혈전성 소혈관병증을 보이는 항인지질증후군 신장병증이 나타날 수가 있다.

## 특수한 상황에서 루푸스신염의 치료

### 1) 임신 중 루푸스신염

루푸스 환자에서 6개월 이상 루푸스가 잘 조절되고 단백뇨가 하루에 500 mg 이하로 유지될 때 임신을 시도해 볼 수 있다. 임신 중에 단백뇨가 생기거나 악화될 때 LN의 악화와 전자간증을 구별하는 것은 쉽지 않으나, 보체가 감소하고 크레아티닌과 요산수치가 증가하는 것은 LN의 악화를 시사한다. 뿐만 아니라 혈뇨와 세포성 원주도 LN을 암시한다. 임신 중의 안정된 LN은 하이드록시클로로퀸과 저용량 GC가 주된 치료제이며, AZA나 TAC가 사용될 수 있다.

### 2) 소아 루푸스신염

소아에서는 성인에 비해 루푸스가 보다 심하며, LN이 매우 흔히 생긴다(60-80%). 소아 LN을 대상으로 한 대규모의 임상연구는 없지만, 치료의 반응에 있어서는 성인과 큰 차이가 없다고 생각되고 있다. 경증의 증식성 LN은 고용량 GC로 치료한다. 중등도 이상의 증식성 LN은 MP 충격요법(30 mg/kg/day, 3일간)과 정주 CYC (NIH 프로토콜)나, MMF를 사용한다. 이들 치료에 반응하지 않으면, MMF와 CsA/TAC를 함께 사용해 볼 수 있다.

### 3) 만성 신부전

신부전으로 진행되면 강력한 면역억제 치료를 필요하지 않으며, 신 손상이나 합병증을 예방해야 한다. 신독성 약제나 조영제를 피하고, 탈수되지 않게 하고, 빈혈과 대사산증을 조절하고, 단백과 염분의 섭취를 줄인다. LN 환자의 10-20%가 말기신질환(end-stage renal disease)으로 진행한다. 신대체 치료로 감염의 위험성 때문에 복막투석보다는 혈액투석이 우선적으로 추천이 되나, 항인지질항체가 동반되면 혈관혈전증의 위험이 증가된다. LN 환자에서 신장이식은 다른 질환의 신장이식과 동등한 결과를 보여 추천되는 치료법이다. 신장이식은 최소한 3-6개월간 루푸스가 잘 조절되고 진행하여야 한다. 항인지질항체를 동반한 환자는 혈전증의 위험과 동종이식신 소실을 막기 위해서 수술 전후에 항응고 치료를 하여야 한다.

참고문헌

1. Bertsias G, Fanouriakis AC, Boumpas DT. Management of renal lupus. In: Hochberg MC, Gravallese EM, Silman AJ, Smolen JS, Weinblatt ME. Rheumatology. 7th ed. Mosby. 2019:1183-99.
2. Fanouriakis A, Bertsias G, Boumpas DT. Treatment of systemic lupus. In: Firestein GS. Firestein and Kelly's textbook of rheumatology. 11th ed. Elsevier. 2021: 1437-59.

# 72

# 신경정신루푸스의 치료

인하의대 **정경희**

---

## KEY POINTS 🔒

- 신경정신루푸스는 치료 전 감별진단을 통한 확진 과정이 매우 중요하며, 신경영상검사와 인지기능의 평가를 포함한 진단적 검사가 임상적 평가에 대한 결과를 뒷받침하는 데 사용된다.
- 신경정신루푸스의 치료는 면역병원성기전을 바탕으로 선택되는데, 염증 손상과 혈관 손상의 우세 정도에 따라 다르다. 증상의 조절, 면역억제치료 그리고 항응고제 등의 다각적인 접근이 필요하며 환자의 증상과 중증도에 따라 개별화된 치료를 요한다.

---

## 신경정신루푸스의 일차적인 치료

최근 대규모 코호트 연구에 의하면 신경정신루푸스(neuropsychiatric systemic lupus erythematosus)의 유병률은 전신홍반루푸스(systemic lupus erythematosus, 이하 루푸스) 환자에서 30-40%에 달하며, 높은 이환율과 사망률의 주요 원인 중 하나이다. 신경정신루푸스의 유병률은 증가하고 있으나 생존율의 개선은 아직 없으며 장기 손상의 빈도가 높고, 삶의 질을 떨어뜨린다. 특히, 심혈관질환, 심한 인지 장애, 척수병, 시신경염과 같은 중증의 질환들은 높은 사망률과 기능 저하를 가져온다. 그러므로, 면역제제와 증상조절제의 빠른 시작은 장기적 예후를 개선시킬 수 있다. 신경정신루푸스 환자의 치료에서 첫 단계는 진단을 확실히 하는 것이다. 루푸스에 의한 것이 맞는지, 질환의 합병증이나 치료제의 부작용에 의한 것은 아닌지, 병발된 질환은 아닌지 감별이 필요하다. 치료는 임상양상, 검사실 검사, 영상 검사를 종합하여 증례별로 면밀히 분석한 후 결정하여야 한다(표 72-1). 루푸스가 아닌 환자에서의 신경 정신병 치료와 같은 일반적인 치료도 반드시 필요한데, 악화 인자의 교정과 증상 조절, 비약물적 치료를 포함한다.

### 1) 악화 인자의 교정

우선적으로 고혈압, 감염 및 대사 이상 등의 악화 인자를 확인하고 치료하며 급성 혼수나 발작 증상이 있는 환자에서 중증의 감염이나 대사 이상을, 혈관성 신경정신루푸스 환자에서는 심혈관계 위험인자를 확인해야 한다.

### 2) 증상 조절

적절한 시기에 항정신병 약물, 항불안제, 항우울제 같은 증상 치료제를 사용해야 한다. 간질의 위험이 높은 환자(두 번째 발작, 심각한 뇌 손상, 뇌의 구조적 이상, 국소적인 신경증상, 간질성 뇌파 소견)에서는 항경련제를 시작한다. 일반 발작의 치료에는 페니토인 또는 바비튜레이트, 부분 복합 발작에는 카바마제핀, 클로나제팜, 발프로산, 가바펜틴을 사용한다. 운동 장애에서의 증상 치료는 도파민작용제(dopamine agonist)를 쓴다.

### 3) 항말라리아제

항말라리아제는 루푸스의 기본 치료제 중 하나이다. 신경정신 증상에 미치는 영향에 대한 연구는 없지만, 신경정신루푸스에서 예방적 역할로 사용되고 있다. 여러 코호트 연구에서 항말라리아제 치료를 받은 루푸스 환자의 사망률 감소와 손상 발생률 감소를 보고하였다. 또한, 이상지질혈증의 개선, 당뇨병 예방 및 항인지질항체의 역가 감소와 같은 심혈관계 위험도 개선과 항혈전증 효과가 있었다.

### 4) 스타틴

스타틴은 심혈관질환의 예방 및 이환율, 사망률 감소뿐 아니라, 염증사이토카인 및 접착분자의 감소, 항인지질항체에 의한 내피세포 활성의 예방, T세포 기능 억제 및 죽상경화반 염증 세포의 수 및 활성도 감소와 같은 면역 조절 효과를 가진다. 그러나 현재까지 루푸스 환자를 대상으로 스타틴의 일차 또는 이차 심혈관 예방의 효과를 입증한 연구는 없다. 심혈관질환이 없는 루푸스 환자 200명을 대상으로 2년간 진행된 Lupus Atherosclerosis Prevention Study에서 아토바스타틴의 일차성(관상 동맥 칼슘) 또는 이차성(경동맥 내막 두께 및 경동맥판) 죽상 경화증 예방 효과를 얻지 못했다. 그러나 루푸스 환자에서 스타틴은 이미 광범위하게 일차 예방을 위해 사용되고 있다. 뇌졸중이나 일과성 허혈성 발작이 생긴 루푸스 환자는 미국뇌졸중협회지침에 따라 LDL 콜레스테롤이 100 mg/dL 이상일 때 스타틴의 사용이 권장된다.

### 5) 비약물적 치료

루푸스 환자에서 인지기능 이상은 흔하게 나타나며, 17-66%까지도 보고되었다. 대개의 인지 기능 이상은 피로, 불면, 통증, 우울감, 불안과 같은 심리적 요인들과 연관되어 있다. 불안과 우울증의 완화, 수면 위생의 개선, 정상적 혈압의 유지는 인지 장애의 호전에도 도움이 된다. 인지 손상의 유무, 특성 및 중증도는 신경 심리 평가로 먼저 확인되어야 한다. 루푸스 환자 대상의 체계적인 연구는 아직 없으나, 약물치료와 인지 재활의 두 가지 접근법을 고려할 수 있다. 항인지질항체 양성이나 혈전색전증이 없는 루푸스 환자에서 인지 기능 장애 치료를 위해 항혈소판제 또는 항응고제를 사용하는 것의 근거는 아직 없다. 인지 재활치료는 일반적으로 인지 능력의 집중적 재교육을 통해 인지 결핍에 기능적으로 적응하도록 돕는다. 루푸스 환자를 대상으로 한 연구에서는 인지 능력과 연관된 기억과 삶의 질의 향상이 보고되었다(표 72-1).

## 신경정신루푸스의 주요 약물치료

루푸스가 유일하거나 가장 중요한 원인인 신경정신루푸스의 치료는 면역병원성기전을 바탕으로 선택되는데, 염증 손상과 혈관 손상의 우세 정도에 따르며 개별 환자의 필요에 맞게 조정되어야 한다. 실제 임상에서 이 두 가지의 면역병원성기전은 반드시 구별되지는 않으며 두 개가 공존하기도 한다(그림 72-1).

### 1) 염증성 신경정신루푸스의 치료(표 72-2)

염증성 손상은 혈액뇌장벽의 투과성 증가, 면역 복합체의 척수강 내 형성과 인터페론-α 및 다른 염증 매개체에 의하며 정신

표 72-1. 신경정신루푸스의 진단과 치료전략

| 전략 | 예시 |
|---|---|
| 이차적인 원인 배제 | 감염, 호르몬/대사 이상, 비타민 결핍, 약 부작용 |
| 신경정신루푸스의 확진 | 뇌척수액 검사, 자가항체(항인지질항체, 항리보솜P단백항체), 신경 영상검사, 신경 심리검사 |
| 위험 인자의 확인<br>– 전신홍반루푸스 관련<br>– 전신홍반루푸스 비관련 | <br>전신홍반루푸스 활성도 또는 손상 정도, 신경정신루푸스의 과거력, 항인지질항체<br>나이, 동맥경화 위험인자, 판막 질환, 만성 심방세동, 고용량 글루코코티코이드 |
| 증상 조절 | 항경련제, 항정신제, 항불안제 |
| 인지 장애 치료 | 인지재활 |
| 면역 억제 | 글루코코티코이드, 아자싸이오프린, 사이클로포스파마이드, 미코페놀레이트모페틸, B세포 제거제 |
| 항응고제 | 헤파린, 와파린 |

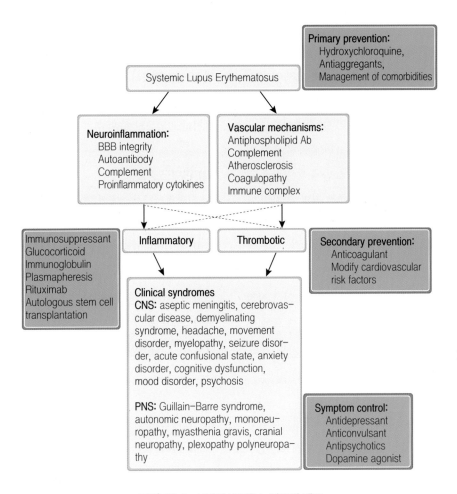

그림 72-1. 신경정신루푸스 치료의 개요

표 72-2. 염증성 신경정신루푸스의 치료

| 급성 치료 | 만성(유지) 치료 | 난치 치료 |
| --- | --- | --- |
| 고용량 글루코코티코이드 | 저용량 글루코코티코이드 | 혈장교환술 |
| 정맥 글루코코티코이드 충격요법 | 하이드록시클로로퀸 | 정맥 면역글로불린 주사 |
| 시클로포스파마이드 정맥 요법 | 아자싸이오프린<br>미코페놀레이트모페틸 | Rituximab<br>자가조혈모세포이식 |

병 및 급성 혼란 상태와 같은 미만성 신경정신질환을 일으킨다. 임상적 증거가 상대적으로 부족하지만, 신경정신루푸스의 자가면역 매개 염증성 손상의 치료는 루푸스신염과 같은 중증의 루푸스 치료를 따른다.

### (1) 글루코코티코이드

중증의 신경정신루푸스의 치료로 메틸프레드니솔론 충격요법(1 g씩 3일간 정주요법)이 사용되며 이후 경구 글루코코티코이드(1 mg/kg/day)로 유지하다가 대개 3-12개월에 걸쳐 감량한다. 중등도에서는 글루코코티코이드 0.5-1 mg/kg/day로 대부분 시작하여 다양하게 감량한다. 급성기에 글루코코티코이드 치료는 필수적이나 장기간 고용량의 사용은 주의를 요한다. 치료 중 글루코코티코이드에 의한 신경정신병증이 생기기도 하는데 대개 글루코코티코이드 치료 시작 8주 이내, 글루코코티코이드의 증량 후 증상이 생기고 글루코코티코이드의 감량 후 증상의 거의 완벽히 호전되는 것이 신경정신루푸스와의 감별점이다.

## (2) 시클로포스파마이드

임상적 증거가 부족하긴 하나 시클로포스파마이드(500-750 mg/m²/month)와 고용량 글루코코티코이드의 병용 요법이 중증 신경정신루푸스의 치료로 일반적으로 사용되고 있다. 6개월 치료 이후에는 18개월에 걸쳐 3개월마다 시클로포스파마이드를 유지하는 치료나 아자싸이오프린 같은 약제로 1년에 걸친 유지 치료를 하기도 한다. 유지 요법의 결정은 유도 요법에 대한 반응 정도, 신경정신루푸스의 타입, 다른 장기의 루푸스 침범, 환자의 나이, 향후 임신 가능성 등을 고려한 전문가의 판단을 필요로 한다.

## (3) 아자싸이오프린

글루코코티코이드의 감량 효과와 부작용이 심하지 않은 장점으로 인해 아자싸이오프린은 신경정신루푸스의 유지 치료에 이용되고 있다.

## (4) 미코페놀레이트모페틸

대부분의 보고에서 고용량 글루코코티코이드, 면역글로불린 또는 다른 면역억제제와 병용되어 미코페놀레이트모페틸(myco-phenolate mofetil, MMF)의 효과를 단독으로 설명하기는 어려우나 신경정신루푸스환자에서 MMF의 효과는 보통(modest) 정도로 알려져 있다.

## (5) 메토트렉세이트

신경정신루푸스에서 메토트렉세이트의 사용에 대한 보고는 매우 드물다. 척수강 내 주사에 대한 보고가 있긴 하나 일반적인 치료는 아니다.

## (6) 사이클로스포린

신경정신루푸스 환자에서 사이클로스포린 효과를 입증한 연구는 없다. 기질성 뇌 증후군과 정신병이 동반된 18명의 신경정신루푸스 환자에서 혈장교환치료와 함께 사이클로스포린을 사용하여 빠른 증상 개선을 보고한 연구는 있으나 사이클로스포린의 효과인지는 아직 결론 내리기 어렵다.

## (7) Rituximab

Rituximab의 효과가 평가된 연구는 없으나 난치성 신경정신 루푸스 환자 대상의 상당수의 증례와 open-label 연구에서 좋은 효과를 보였다. 가장 많이 사용되는 방법은 1,000 mg rituximab의 15일 간격 2회 주사이다. 현재까지의 연구들은 중증의 불응성 신경정신루푸스 환자의 이차적인 치료로 rituximab의 사용을 뒷받침하고 있으나 향후 추가적인 대조군 연구가 필요하다.

## (8) 면역글로불린

신경정신루푸스에서 면역글로불린은 증례 보고와 후향적 연구를 바탕으로 중추신경계 증상(급성혼수증후군, 발작, 두통, 무도병, 정신병), 말초신경계 증상(만성 염증성 탈수초성 다발성 신경병증, Guillain-Barre 증후군, 혈관염 연관 말초신경병증), 정신병적 증상(정신병, 우울증, 기분장애)에 사용되고 있다. 기존의 면역억제제에 반응하지 않는 심각한 난치성 신경정신루푸스 환자나 임신, 감염이 동반되어 있는 경우에 유용하게 사용할 수 있다.

## (9) 혈장교환술

혈장교환술은 자가항체나 면역복합체를 제거하여 체액성 면역반응을 조절하는 것으로 알려져 있으며 중증의 신경정신루푸스 환자에서 보조적인 치료로 이용된다. ASFA (American Society For Apheresis) 가이드라인에서는 루푸스 신경염 환자의 반응에 따라 매일 또는 격일로 3~6회를 적용하도록 제안한다. 혈장교환술은 루푸스와 연관된 중증근무력증이나 Guillain-Barre증후군에서도 사용된다.

## (10) 자가조혈모세포이식

자가조혈모세포이식은 표준 면역억제 요법으로 해결되지 않는 중증의 신경정신루푸스 환자를 위한 구제요법으로 사용되었다. 좋은 치료 성과를 보인 보고들이 있으나, 대상 환자의 선택과 치료의 역할을 정하기 위해서는 더 많은 연구가 필요하다.

## 2) 허혈성 신경정신루푸스의 치료와 이차 예방

신경정신루푸스의 혈관성 허혈손상은 항인지질항체, 면역 복합체 및 백혈구 응집체에 의해 매개된다. 임상 후유증은 뇌졸중과 같은 국소적인 신경정신질환과 인지 기능 장애와 같은 미만성 신경정신질환을 초래한다. 신경과 전문의와의 협진은 혈전

용해제 또는 기타 특수한 관리가 필요한 환자를 확인하는 데 필요하다.

## (1) 항혈소판제

죽상동맥경화증은 루푸스 환자에서 조기에 발생하며 대조군에 비해 혈소판의 활성화가 증가되어 있다고 알려져 있다. 루푸스 환자에서 항인지질항체의 동반은 혈전증의 위험도 상승과 연관되어 있으며 항인지질항체 양성인 루푸스 환자에서는 저용량 아스피린이 금기가 없는 한 일차적 혈전 예방약으로 권고되고 있다. 이차적 혈전예방요법은 항인지질항체증후군 동반 유무에 따라 결정된다. 항인지질항체가 없거나 항인지질항체증후군 기준을 만족시키지 못하는 환자에서는 아스피린(50-325 mg/일) 단독 요법, 아스피린과 서방형 디피리다몰(dipyridamole) 병용요법, 클로피도그렐 75 mg 단독 요법이 가능하다. 아스피린을 복용하고 있던 중에 생긴 뇌혈관질환에 대해서는 클로피도그렐과 같은 항혈소판제가 고려된다. 항인지질항체증후군의 기준을 만족시키는 루푸스 환자의 뇌경색 치료는 아직 의견이 다양하다.

## (2) 항응고제

항인지질항체나 항인지질항체증후군을 동반한 루푸스 환자에서 뇌혈관 질환의 일차적, 이차적인 예방을 위한 항응고제의 치료도 논쟁의 여지가 있다. 유럽류마티스학회의 신경정신루푸스 가이드라인에서는 항인지질항체증후군의 뇌혈관질환의 이차적 예방 효과에 있어서 항응고치료가 항혈소판치료보다 우월하다고 하였다. 뇌 정맥 및 부비동 혈전증이 있는 루푸스 환자의 경우 경구 항응고제가 권장되는데 급성기 이후 경구 항응고제의 유지 기간은 정해져 있지 않다. 가이드라인에서는 3-6개월간 INR 2.0-3.0을 권장하며 확실한 항인지질항체증후군 환자에서는 장기간의 항응고 치료를 반드시 고려해야 한다. 척수병증, 무도병, 경련과 같은 뇌혈관질환 이외의 신경정신루푸스에서 항응고제를 사용하기도 한다.

스 및 루푸스 이외의 원인에 대한 정확한 판단이 중요하며 올바른 진단을 위해 환자의 신중한 임상적 평가와 적절한 조사를 요구한다. 신경정신루푸스의 면역병리학적 기전과 임상 결과에 대한 깊은 통찰이 앞으로의 치료나 임상 시험의 설계와 실행에 필요하다.

## 참고문헌

1. Bertsias GK, Ioannidis JP, Aringer M, Bollen E, Bombardieri S, Bruce IN, et al. EULAR recommendations for the management of systemic lupus erythematosus with neuro psychiatric manifestations: report of a task force of the EULAR standing committee for clinical affairs. Ann Rheum Dis 2010;69:2074-82.

2. Fanouriakis A, Boumpas DT, Bertsias GK. Pathogenesis and treatment of CNS lupus. Curr Opin Rheumatol 2013;25:577-83.

3. Govoni M, Bortoluzzi A, Padovan M, Silvagni E, Borrelli M, Donelli F, et al. The diagnosis and clinical management of the neuropsychiatric manifestations of lupus. J Autoimmun 2016;74:41-72.

4. Hanly JG. Diagnosis and management of neuropsychiatric SLE. Nat Rev Rheumatol 2014;10:338-47.

5. Hochberg MC, Silman AJ, eds. Rheumatology. 7th ed. Philadelphia: Elsevier Mosby; 2018:1180-85.

6. Magro-Checa C, Zirkzee EJ, Huizinga TW, Steup-Beekman GM. Management of Neuropsychiatric Systemic Lupus Erythematosus: Current Approaches and Future Perspectives. Drugs 2016;76:459-83.

7. Noa Schwartz, Ariel D Stock, Chaim Putterman. Neuropsychiatric lupus: new mechanistic insights and future treatment directions. Nat Rev Rheumatol 2019;15:137-52.

8. Marcello Govoni, John G Hanly. The management of neuropsychiatric lupus in the 21st century: still so many unmet needs? Rheumatology (Oxford) 2020;59:v52-v62.

9. Fanouriakis A, Kostopoulou M, Alunno A, Aringer M, Bajema I, Boletis JN, et al. 2019 update of the EULAR recommendations for the management of systemic lupus erythematosus. Ann Rheum Dis 2019;78:736-45.

## 결론

신경정신루푸스는 아직 진단과 치료에 어려움이 많다. 루푸

# 73

# 증례

가톨릭의대 **이주하**

## 증례 1

37세 여성이 3주 전부터 피곤하고 운동 시 숨이 차서 방문하였다. 진단받은 질환이나 복용중인 약은 없었다.

신체검사에서 혈압 167/115 mmHg, 맥박수 113회/분, 호흡수 22회/분, 체온은 36.4도였으며, 내원 당시에는 숨이 찬 증상은 없었고, 산소포화도는 98%였다. 발진은 관찰되지 않았으나, 하지 부종 동반되었다. 그 외의 신체검사에서 특이 소견은 관찰되지 않았다.

말초혈액검사에서 혈색소 6.5 g/dL, 백혈구 3,960/μL(림프구 20.0 %), 혈소판 99,000/μL였다. 총단백 6.2 g/dL, 알부민 3.1 g/dL, 혈액요소질소 30.6 mg/dL, 크레아티닌 2.39 mg/dL, 총지질 147 mg/dL, 중성지방 156 mg/dL, 저밀도지단백 87 mg/dL였고, 기타 일반화학 검사에서 요산 10.1 mg/dL, 철 48 ug/dL, 총 철 결합능 172ug/dL였다. 요분석 검사에서 단백뇨 4+, 혈뇨 3+, 요침사 검사에서 적혈구 20-29/HPF 관찰되었으며 소변 단백/크레아티닌 비는 4.407였다. 24시간 단백뇨는 4,510 mg으로 측정되었다. 면역 검사에서 항핵항체 1:2560 (speckled), C3 38 mg/dL(참고치 90-180), C4 5이하 mg/dL(참고치 10-40), CH50 18.5 U/mL(참고치 31.6-57.6), 항dsDNA항체 IgG 191 IU/mL(참고치 0-7), 항Sm항체 양성, 항ribosomal P항체 음성, 항RNP항체 양성, 항Ro/SS-A항체 양성, 항La/SS-B항체 음성이었다. 직접 쿰스 검사 양성(3+), 합토글로빈 10 이하 mg/dL (참고치 30-200) 이었으며, MAHA 0-1/HPF였다.

호흡곤란 원인 감별을 위해 시행한 동맥혈 가스분석에서 pH 7.366, pCO2 30.0 mmHg, pO2 104 mmHg, HCO3 16.7 mmol/L로 나왔고, 흉부 전산화 단층 촬영에서 양측 흉막삼출과 심낭삼출 소견을 보였다.

신장 조직 검사를 시행하였고, 총 40개의 사구체를 얻었다. 대부분의 사구체에서 혈관내피세포 및 메산지움 세포의 증식과 함께 염증세포의 침윤이 관찰되었으며(그림 73-1A), 6개(15%)의 사구체에서 반월형성이 관찰되었다. 전자현미경 검사에서 외피세포 족세포의 소실, 전자고밀도 물질의 메산지움, 내피하 침착이 관찰되었고(그림 73-1B), 면역 형광 검사에서 IgG, IgM, IgA, C3, C1q, Kappa, Lambda의 면역복합체 침착이 관찰되어 루푸스신염 IV-G형(A/C)(활동성 지수 10/24, 만성화 지수 7/12)에 합당한 소견을 보였다.

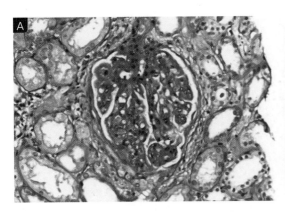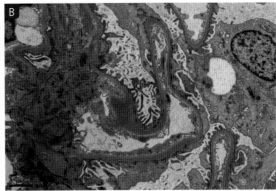

그림 73-1. **Microscopic examination of the glomerulus** **(A)** PAS (x400), **(B)** Electron microscopy (X5000)

## 1) 질문

(1) 이 환자의 적절한 진단명은 무엇이며 어떠한 근거들을 기준으로 진단이 가능하겠는가?
(2) 이 환자의 적합한 치료는 무엇인가?

## 2) 증례 설명

환자는 용혈성 빈혈, 심낭삼출, 루푸스신염의 임상양상을 보였고, 전신홍반루푸스로 진단받았다. 요 검사에서 500 mg/일 이상의 단백뇨를 보이거나 단백뇨와 함께 사구체 혈뇨 혹은 세포 원주가 동반된 경우에는 신장의 침범 정도를 평가하기 위해 신생검이 필요하다. 결과에 따라 루푸스신염의 치료 방향이 결정되며 심한 증식성 병변을 보일수록 더욱 적극적인 면역억제 치료가 필요하다.

## 3) 정답과 해설

| 1997년 미국류마티스학회 분류기준 충족 여부 | | |
|---|---|---|
| 기준 | 충족 여부 | 비고 |
| 뺨발진 | | |
| 원반형 발진 | | |
| 광과민성 | | |
| 구강궤양 | | |
| 관절염 | | |
| 장막염 | (+) | 심낭삼출 |
| 신질환 | (+) | 단백뇨 4g/d |
| 신경학적 질환 | | |
| 혈액학적 질환 | (+) | 백혈구감소증, 림프구감소증 |
| 면역학적 질환 | (+) | 항dsDNA항체, 항sm항체 양성 |
| 항핵항체 양성 | (+) | 항핵항체 1:2,560 |

## 2019 미국류마티스학회/유럽류마티스학회 분류기준 충족 여부

| 진입 기준 | | | | | 충족 여부 |
|---|---|---|---|---|---|
| 항핵항체 ≥ 1:80 | | | | | (+) |
| 임상 기준 | | | 면역 기준 | | |
| 기준 | 가중치 충족 여부 | 비고 | 기준 | 가중치 충족 여부 | 비고 |
| 전신 증상 | 2 | | 항인지질항체 | | |
| 발열 | 2 | | 항 카디오리핀 항체 혹은 항 B2GP1 항체 혹은 루푸스항응고항체 | 2 | |
| 혈액학적 | | | 보체 | | |
| 백혈구감소 | 3 (+) | | C3 혹은 C4 감소 | 3 | |
| 혈소판감소 | 4 | | C3 와 C4 감소 | 4 (+) | |
| 자가면역 용혈성 빈혈 | 4 (+) | | 루푸스 특이 항체 | | |
| 신경학적 | | | 항dsDNA 항체 혹은 항 Smith 항체 | 6 (+) | |
| 섬망 | 2 | | | | |
| Psychosis | 3 | | | | |
| 경련 | 5 | | | | |
| 피부점막 | | | | | |
| 탈모 | 2 | | | | |
| 구강궤양 | 2 | | | | |
| 아급성발진 혹은 원반형 발진 | 4 | | | | |
| 급성 루푸스발진 | 6 | | | | |
| 장막 | | | | | |
| 흉막 혹은 심낭 삼출 | 5 (+) | | | | |
| 급성심낭염 | 6 | | | | |
| 근골격 | | | | | |
| 관절 이환 | 6 | | | | |
| 신장 | | | | | |
| 단백뇨 >0.5g/24시간 | 4 (+) | 단백뇨 4g/d | | | |
| 조직검사에서 II형 혹은 V형 루푸스신염 | 8 | | | | |
| 조직검사에서 III형 혹은 IV형 루푸스신염 | 10 (+) | IV형 루푸스신염 | | | |
| 총 점수 | 4+5+10+4+6 = 29 | | | | |

(1) 이 환자는 위 표에서 보듯이 1997년 미국류마티스학회 전신홍반루푸스 분류기준을 5가지 충족하였다. 2019년 미국류마티스학회/유럽류마티스학회 분류 기준에는 항핵항체 1:2,560 양성으로 진입기준을 충족하였고, 임상 기준 세 가지(자가면역용혈성 빈혈, 심낭삼출액, IV형 루푸스신염)와 면역학적 기준 두 가지(보체 감소, 루푸스 특이 항체 양성)를 충족하여, 가중치 점수 합계 29으로 10점 이상이면 만족하는 전신홍반루푸스 분류기준을 충족하였다. 또한, 신장조직검사 결과 국제신장학회/신장병리학회 분류 기준에 따라 전체 사 구체의 50% 이상이 침범된 활동성 미만성 루푸스신염(IV형)에 속하며, 초승달(crescent) 소견이 보이는 중증 중식성 루푸스신염 소견을 보였다.

(2) 이 환자는 IV형 루푸스신염으로 우선적으로 메틸프레드니솔론 정맥내 충격 주사 요법을 시행하는 것을 선호하며(총 용량 500-2,500 mg), 이후에 중용량 경구 프레드니손(0.3-0.5 mg/kg/d, 4주까지)을 투약한 후 3-6개월에 걸쳐 7.5 mg/d 이하로 감량한다. 글루코코티코이드와 함께 미코페놀레이트모페틸(mycophenolate mofetil) (2-3g/d) 혹은 저용량 정맥 사이클로포스파마이드(cyclophosphamide) 투여[(500 mg을 2주 간격으로 총 6회 투약하는 유럽의 프로토콜(Euro-Lupus Nephritis trials)]를 병용한다. 신기능 저하 위험이 높은 환자에서는 고용량 정맥 사이클로포스파마이드(cyclophosphamide) [0.75-1 g/m$^2$을 한 달 간격, 6개월, 총 7회 투약하는 미국국립의료원(NIH)의 프로토콜] 요법을 고려할 수 있다. 상기 환자는 더 이상의 임신 계획이 없었고, 자가면역용혈성 빈혈도 초기 스테로이드 치료에 충분한 반응을 보이지 않았으며, 사구체여과율 감소를 보이는 고위험군 환자로 사이클로포스파마이드를 선택하였고, 비교적 부작용이 적은 저용량 요법으로 투약하기로 결정하였다. 이외에 하이드록시클로로퀸과 안지오텐신전환효소억제제, 아토바스타틴도 사용하였다. 1회 투여 후 사이클로포스파마이드의 부작용에 대한 우려로 미코페놀레이트모페틸로 변경 투약하였다. 미코페놀레이트의 유지 기간은 명확하게 정해진 바는 없으나, 적어도 3-5년 투약 유지 후 임상적 관해 소견을 보일 때 글루코코티코이드를 먼저 중단한 이후에 점진적 중단을 고려할 수 있다.

## 증례 2

30세 여성이 일주일 동안 지속된 발열과 얼굴의 발진, 부종으로 왔다. 기저 질환은 없었고 계통 문진에서 기침, 경미한 두통 외에 특이 호소는 없었다. 신체검사에서 혈압 119/71 mmHg, 맥박수 102회, 호흡수 16회, 체온 39.9도였다. 신경학적검사에서 국소적인 신경학적 이상은 보이지 않았다.

말초혈액검사에서 혈색소 9.8 g/dL, 백혈구 2,090/mL(림프구 24.9%), 혈소판 52,000/mL였다. 적혈구침강속도 2 mm/hr, C반응단백질 2.6 mg/dL, 크레아티닌 0.49 mg/dL, 알부민 3.1 g/dL, AST 252 U/L, ALT 96 U/L, 총빌리루빈 0. 3mg/dL, 젖산탈수소효소 1586 U/L, 중성지방 134 mg/dL, 페리틴 15,878 ng/mL(참고치 13-150), 피브리노겐 122 mg/dL(참고치 160-350)이었고, 소변 검사는 특이 소견 없었다. 면역검사에서 항핵항체 1:320 (speckled), C3 37 mg/dL(참고치 90-180), C4 9.1 mg/dL(참고치 10-40), CH50 33.8 U/mL(정상 31.6-57.6), 항dsDNA항체 14.09 IU/mL(참고치 0-7.00), 항Sm항체 음성, 항ribosomal P항체 음성, 항RNP항체 음성,

항Ro/SS-A항체 양성, 항La/SS-B항체 음성이었고 항인지질항체는 모두 음성이었다. 범혈구감소증에 대해 골수 검사 시행하였고, 활성 조직구탐식증이 확인되었다. 혈액 및 객담, 소변 배양 검사에서 동정되는 균은 없었다.

흉부 엑스선 검사에서 다수의 반점상의 경결보여 저선량 흉부전산화단층촬영 시행하였고(그림 73-2), 이후 기관지 내시경 검사에서 국소 점막 출혈 소견 발견되었으며, 기관지내시경 세척액에서 동정되는 균은 없었다. 중추 신경계 감염을 배제하기 위해 시행한 뇌척수액 검사에서 압력은 110 mmH$_2$O(정상 90-180)였고 백혈구 1/mL, 적혈구 0/mL였으며 동정되는 균은 없었으나 뇌 자기공명영상에서 우측 후측두엽에 T2 고신호강도 소견, diffusion에서 ADC 수치 증가 소견, T1 조영증강소견을 보였다(그림 73-3).

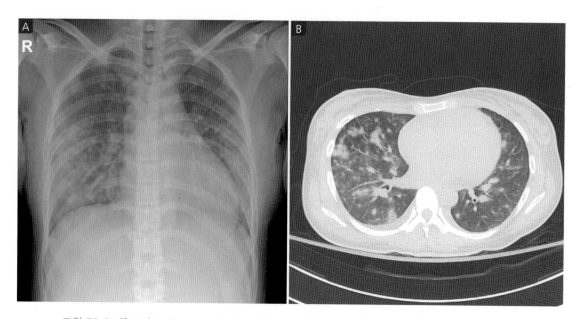

그림 73-2. **Chest imaging examination (A)** x-ray, **(B)** low dose chest computed tomography

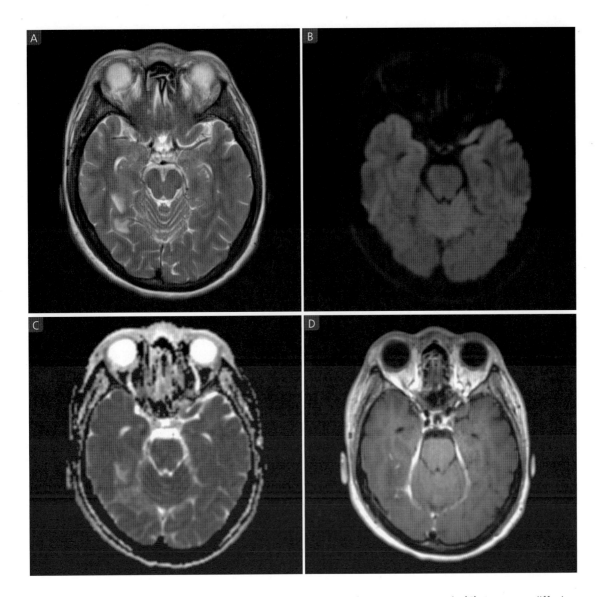

그림 73-3. **Brain MRI (A)** T2-weighted, **(B)** Diffusion weighted (b=1,000 sec/mm2), **(C)** Apparent diffusion coefficient map, **(D)** Contrast enhanced T1-weighted

## 1) 질문

(1) 이 환자의 적절한 진단명은?

(2) 적합한 치료는?

## 2) 증례 설명

이 환자는 발열 외에 특별한 증상을 호소하지 않던 자로, 발열 원인을 감별하는 검사 중에 발견된 혈액검사, 영상검사에서 전신홍반루푸스에 해당하는 소견이 발견되어 진단된 증례이다. 중증의 장기 침범(신경정신루푸스, 대식세포 활성화 증후군, 폐 출혈) 소견으로 고용량 글루코코티코이드와 면역억제제로 치료하였다.

## 3) 정답과 해설

### (1) 전신홍반루푸스(신경정신루푸스, 대식세포활성증후군, 폐출혈 동반)

이 환자는 1997년 미국류마티스학회 전신홍반루푸스 분류기준을 네 가지(뺨 발진, 혈액학적 질환, 면역학적 질환, 항핵항체 양성)를 충족하였다. 2019년 미국류마티스학회/유럽류마티스학회 분류 기준에는 항핵항체 1:320 양성으로 진입기준을 충족하였고, 임상 기준 세 가지(발열, 혈소판 감소, 급성루푸스발진)와 면역학적 기준 두 가지(보체 감소, 루푸스 특이 항체 양성)를 충족하여, 가중치 점수 합계 22점으로 10점 이상이면 만족하는 전신홍반루푸스 분류기준을 충족하였다. 환자는 분류기준의 항목 외에도 전신홍반루푸스에서 동반될 수 있는 중증 장기침범 소견을 보였다.

중추신경계 감염 감별을 위해 시행한 뇌척수액 검사에서는 이상 소견 보이지 않았으나, 뇌 자기공명영상에서 혈관염에 합당한 소견을 보였다. 신경정신루푸스의 증상은 경미한 인지장애, 두통 같은 비특이적이고 경미한 증상으로부터 경련, 정신 착란 등의 중한 증상까지 매우 범위가 넓어 정확한 진단과 치료에 어려움이 있다. 이 환자는 항인지질항체 음성이며 국소신경학적 증상도 없는 상태로 허혈성 원인보다는 기저질환에 의한 염증성 기전이 작용하였을 것으로 판단된다.

대식세포증후군의 경우 자가면역질환에서 동반되는 조직구탐식증으로 정의되며, 소아류마티스관절염에서 호발하여 분류기준이 제시된 바 있고, 조직구탐식증의 기준을 주로 차용한다.

| 조직구탐식증 진단 기준 – HLH-2004 | |
|---|---|
| **항목** | **충족여부** |
| 조직구탐식증의 분자적 진단 | |
| 아래 8개 항목 중 5개 이상 충족 | (+) |
| 발열 38.5도 이상 7일 이상 | (+) |
| 비장 비대 | |
| 혈구 감소 | (+) |
| 고중성지방혈증(≥265 mg/dL), 저피브리노겐혈증(≤1.5 g/L) | (+) |
| 골수, 비장, 림프절에서 조직구탐식증 확인 | (+) |
| NK cell 활성도 감소 | (+) |
| Ferritin ≥ 500 mcg/L | (+) |
| Soluble CD25 ≥ 2,400 U/mL | |

환자의 경우 위와 같이 임상기준 6개를 충족하여 진단되었다.

폐 침범의 경우 감염성 원인과 루푸스 폐렴, 폐출혈 등을 감별하여야 하는데, 환자의 경우 특별한 감염성 원인이 밝혀지지 않았고, 기관지 내시경에서 발견된 출혈 소견을 바탕으로 폐출혈 양상으로 판단하였다.

## (2) 글루코코티코이드 + 면역억제제

환자는 특이 증상을 호소하지는 않았으나, 검사에서 중증 장기침범이 발견되어 고용량 글루코코티코이드와 면역억제제 사용의 적응증이었다. 고용량 메틸프레드니솔론 주사요법(125 mg/d)을 2주간 시행하였고, 이후 점진적으로 감량하여 3주차부터 경구 메틸프레드니솔론 40 mg/d로 변경하였다. 사이클로포스파마이드(cyclophosphamide)의 투여를 권유하였으나 환자 가임기 여성으로 생식 독성에 대한 우려로 거부하여 투약하지 못하였고, 보조 치료로서 혈장 교환술을 4회 시행하고, 정맥면역글로불린을 투약하였으며, 하이드록시클로로퀸을 병용투여하였다. 대식세포 활성화증후군의 치료로 글루코코티코이드와 함께, 사이클로스포린을 투여하고, 적절한 반응이 없을 시에는 에토포시드(etoposide)를 투여하는 HLH-프로토콜의 적용이 필요할 수 있다. 환자는 치료에 좋은 반응을 보여 추가 약제 투여는 진행하지 않았다. 이후 환자는 증상 호전된 상태로 외래에서 유지요법으로 아자싸이오프린, 글루코코티코이드, 하이드록시클로로퀸 등 경구 약제 유지하며 경과 관찰 중이다.

류 마 티 스 학
RHEUMATOLOGY

# 74

# 역학과 병인

아주의대 **김현아**

## 정의

항인지질항체증후군(antiphospholipid syndrome, APS)은 항인지질항체(antiphospholipid antibody, aPL)와 관련하여 혈전 형성과 임신 이환을 특징으로 하는 질환이다. APS는 1980년대에 반복되는 혈전과/또는 임신 합병증이 발생하며 인지질 또는 인지질과 결합하는 단백질에 대한 항체가 지속적으로 양성 소견을 보이는 환자들에서 처음 보고되었다. 이후 40여 년간 이 질환에 대한 이해가 높아지면서 aPL과 관련된 혈전과 임신 합병증 외에도 혈소판감소증, 콩팥병증, 용혈빈혈 등의 다양한 임상증상

이 발현한다는 것을 알게 되었다. aPL은 카디오리핀(cardiolipin), 베타2당단백-I ($\beta_2$-glycoprotein-I, $\beta_2$GPI), phosphatidylserine, phosphatidylcholine 등과 같은 인지질에 대한 항체와 프로트롬빈(prothrombin), 아넥신V (annexin V), C단백질(protein C), S단백질 (protein S), 인자 XII, C4b 결합 단백질 등과 같은 인지질 결합 단백질에 대한 항체를 포함한다. 대표적인 aPL은 루푸스항응고인자(lupus anticoagulant), 항카디오리핀항체(anticardiolipin antibody), 항$\beta_2$GPI항체가 있다. APS는 단독(일차 APS)으로 또는 전신홍반루푸스(systemic lupus erythematosus, SLE)와 같은 다른 자가면역질환과 동반하여(이차 APS) 발생한다.

## 역학

aPL의 양성 소견에 따르는 임상양상은 무증상 aPL 보유자 (asymptomatic carrier), 반복적인 혈전을 보이는 전형적 APS, 임신 이환에 국한된 APS, 혈전이나 임신 이환 이외의 증상을 보이는 4가지 양상으로 분류할 수 있다. 건강인에서 aPL 양성률은 1-5%이며 나이가 들수록 양성률도 함께 증가한다. 또한, 류마티스관절염, 전신경화증 등의 자가면역질환 및 악성 종양, 감염 질환이 있거나, procainamide, phenytoin과 같은 약제 노출 시에도 증상 없이 aPL 양성 소견을 보일 수 있다.

APS의 유병률은 아직 잘 알려져 있지 않으나, aPL 양성 보유자 중 일부만이 APS로 발현된다고 알려져 있다. 인종 간에 차이가 있기는 하지만, 인구 100,000명당 5명 정도의 발생률을 보이

고, 유병률은 대략 100,000명당 20-50명 정도로 보고된 바 있다. APS는 85%의 경우 15세에서 50세 사이의 성인에서 호발하며, 여성에서 더 흔히 발생한다. 남녀 비율은 일차 APS는 1:3.5, 이차 APS는 1:7이다.

aPL은 뇌졸중 환자의 13%, 심근경색 환자의 11%, 심부정맥 혈전증 환자의 15%에서 양성을 보이며, 임신 이환을 보이는 환자의 10-15% 정도에서 APS를 진단받는 것으로 알려져 있다. 일반적으로 aPL은 재발성 유산 또는 임신 합병증을 유발하는 치료 가능한 가장 흔한 원인으로 받아들여지고 있다. SLE 환자에서는 약 30-40% 정도에서 aPL이 양성이며, 이 중 40% 미만에서 APS가 발생한다.

## 병인

aPL과 혈전 발생 사이의 강한 연관성이 있음에도 불구하고 아직 APS의 발병기전은 잘 밝혀져 있지 않다. 유전적 요인과 함께 바이러스 및 세균 감염, 약제의 노출과 같은 환경적 요인 등 여러 요인이 관여한다고 추측되고 있다. aPL은 혈전의 발생에 중요한 역할을 하지만 aPL이 양성인 모든 환자에서 혈전이 발생하지는 않으므로 다른 요인들이 APS의 혈전 발생에 관여하는 것으로 추측된다. 대표적으로 혈액응고 연쇄 반응에 관여하고 있는 구성요소 방해, 섬유소용해 억제, 혈액 응고에 관여하는 내피세포, 혈소판, 단핵구, 중성구의 활성화, 보체 활성화를 통해 혈전 형성을 촉진시키는 것으로 알려져 있다(그림 74-1). APS에서 혈전 형성을 설명하는 기전으로 2 히트(two hit) 모델이 제시되

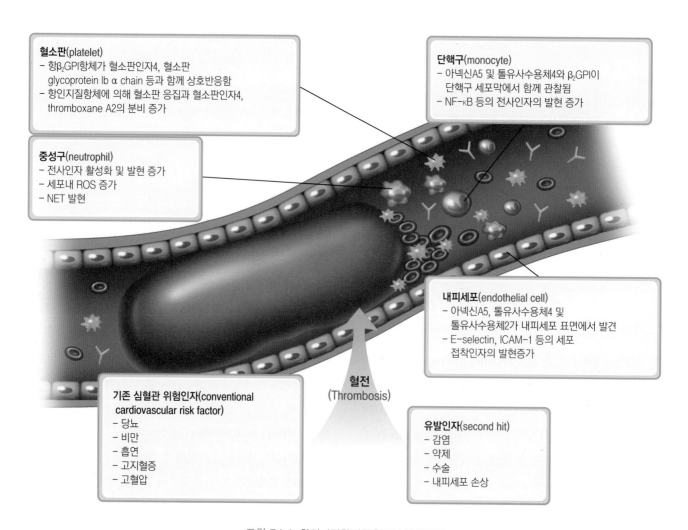

**혈소판**(platelet)
- 항$\beta_2$GPI항체가 혈소판인자4, 혈소판 glycoprotein Ib α chain 등과 함께 상호반응함
- 항인지질항체에 의해 혈소판 응집과 혈소판인자4, thromboxane A2의 분비 증가

**단핵구**(monocyte)
- 아넥신A5 및 톨유사수용체4와 $\beta_2$GPI이 단핵구 세포막에서 함께 관찰됨
- NF-κB 등의 전사인자의 발현 증가

**중성구**(neutrophil)
- 전사인자 활성화 및 발현 증가
- 세포내 ROS 증가
- NET 발현

**내피세포**(endothelial cell)
- 아넥신A5, 톨유사수용체4 및 톨유사수용체2가 내피세포 표면에서 발견
- E-selectin, ICAM-1 등의 세포 접착인자의 발현증가

**혈전**(Thrombosis)

**기존 심혈관 위험인자**(conventional cardiovascular risk factor)
- 당뇨
- 비만
- 흡연
- 고지혈증
- 고혈압

**유발인자**(second hit)
- 감염
- 약제
- 수술
- 내피세포 손상

그림 74-1. 항인지질항체증후군의 병인기전

고 있다. aPL에 의해 혈전이 잘 생길 수 있는 상태(첫 번째 히트)에서 추가적인 유발인자(두 번째 히트)가 있어야 혈전이 발생한다는 것이다. aPL이 세포 표면의 $\beta_2$GPI에 결합할 경우 E-selectin, 조직인자와 같은 혈전 유발성 세포 접착 분자(prothrombotic cellular adhesion molecules)의 발현을 촉진하고 조직인자 경로 억제제(tissue factor pathway inhibitor)의 활성을 억제하며, 활성화된 단백C의 활성을 감소시켜 혈전이 잘 생길 수 있는 환경을 조성한다. 추가적인 유발인자로 감염, 내피세포 손상, 에스트로젠이 포함된 약제, 수술 등과 같은 비면역적 응고전구 인자(procoagulant factor) 등이 제시되었다. 또한, 고혈압, 당뇨, 비만 등과 같은 기존의 심혈관 위험인자들도 혈전 발생에 기여한다고 알려져 있다. 하지만 APS에서 나타나는 태아 손실은 2 히트 모델로 설명할 수 없는 부분도 있다. 동물 실험에서 aPL 활성도를 나타내는 면역글로불린 G를 건강한 임신 쥐에 투여하면 두 번째 히트 없이 태아 손실이 발생한다는 보고가 있다. 또한, 이러한 결과는 혈전 형성의 기전과 임신 이환의 기전이 다를 수 있음을 보여준다.

## 혈전 발생의 기전

aPL은 프로트롬빈, 인자 X, C단백질, 조직인자(tissue factor) 억제제, 아넥신A5와 결합하여 혈전 형성을 촉진시킨다. 세포막을 구성하는 인지질인 phosphatidylserine은 단핵구 내피세포, 혈소판이 활성화될 때, 또는 세포자멸 시 세포막 바깥쪽으로 노출된다. 인지질 결합 단백질인 아넥신A5는 phosphatidylserine과 결합하여 보호막을 형성하여 응고전구 복합체 형성을 막아 응고반응의 발생을 억제하는 작용을 하는데 항$\beta_2$GPI항체와 $\beta_2$GPI 면역복합체는 아넥신A5의 보호막 기능을 손상시켜 혈전 발생을 촉진시킨다. APS 환자에서는 제1형 플라스미노겐 활성인자(plasminogen activator inhibitor)의 증가, 조직 플라스미노겐 활성인자의 감소, 인자 XII 감소, 조직 플라스미노겐 활성인자, 플라스미노겐, 플라스민(plasmin), 아넥신A2와 aPL의 결합 등을 통해 섬유소 용해가 억제된다. aPL은 내피세포, 단핵세포, 혈소판에 있는 $\beta_2$GPI과 결합하여 nuclear factor κB, p38 mitogen-activated protein kinase (MAPK)를 통해 세포 내 신호전달을 유도한다. 항$\beta_2$GPI항체는 단핵세포, 내피세포에서 조직인자, 플라스미노겐

활성인자 억제제, 종양괴사인자-α, endothelin-1 등의 발현을 증가시키고, 혈소판에서 glycoprotein IIb/IIIa 및 thromboxane A2 생성을 유도하여 혈소판 응집을 촉진시킨다. aPL에 의해 보체의 전형적 경로(classic pathway)가 직접 활성화되면서 C5a가 만들어져 중성구와 결합하면 조직인자 생성이 증가된다.

미립자(microparticle)나 엑소좀(exosome)과 같은 세포 방출 소포(cell-released vesicle)가 세포 사이의 상호작용에 중요한 역할을 한다. APS 환자의 혈액 내 혈소판, 내피세포, 단핵구 등에서 미립소포(microvesicle)가 증가되어 있으며, phosphatidylserine, 조직 인자와 연관되어 응고전구 상태를 유발한다고 보고되었다. 또한, 최근 연구에서 조직 인자의 발현 및 호중구세포외트랩(neutrophil extracellular traps, NET)의 분비 등으로 보이는 중성구의 활성화가 APS에서 혈전 생성에 중요한 인자로 작용한다고 보고되고 있다. APS 환자의 호중구는 NET 분비에 대한 역치가 낮으며, 항$\beta_2$GPI항체는 호중구의 $\beta_2$GPI에 결합하여 NETosis (NET의 방출을 특징으로 하는 세포 사멸)를 유발하고 트롬빈을 촉진한다. 일부 APS 환자에서 NET을 분해하고 제거하는 능력이 저하되었다고 보고되었다.

## 태아손실의 기전

APS 환자에서 태아손실은 항$\beta_2$GPI항체가 내피세포, 단핵세포, 혈소판의 활성화, 아넥신V에 의한 보호막 형성 억제 등을 통해 생성된 혈전에 의해 발생한다. 아넥신V는 일반적으로 영양막(trophoblast)에 결합하여 프로트롬빈과 인자 X의 결합을 방해함으로써 항응고 기능을 하여, 정상적인 모태반 순환이 발달하는 동안 혈전증을 예방하는 역할을 한다. APS를 가진 여성에서 융모막 사이 공간(intervillous space)의 영양막에 아넥신V의 결합이 감소되어 있다고 보고되었다. 태아손실은 혈전과 관련이 없는 기전에 의해서도 유발될 수 있는데, 예를 들면, 항$\beta_2$GPI항체는 영양막의 표면에 있는 $\beta_2$GPI과 결합하여 영양막의 증식과 분화를 억제하고 항$\beta_2$GPI항체는 탈락막에 있는 자궁내막세포와 반응하여 염증 반응을 일으켜 착상을 억제한다. 특히 aPL에 의해 생성된 C5a는 중성구와 반응하여 조직인자를 발현하게 하며 이는 탈락막에 염증을 일으킨다. 또한, 항$\beta_2$GPI항체는 사람 융모생

표 74-1. 항인지질항체증후군의 태아손실의 병인기전

| 기전 | 뒷받침하는 근거 |
| --- | --- |
| 태반 내 혈전 형성 | 동물 실험에서 항인지질항체의 수동 전달로 건강한 임신 쥐에서 태아 손실 및 태반 혈전 형성.<br>실험관내(in vitro) 실험에서 aPL은 영양막 및 탈락막 세포 기능을 억제함 |
| 염증 유발 | 실험관내 실험에서 β₂-glycoprotein-I에 반응하는 aPL이 탈락막 세포와 반응하여 전염증성 표현형으로 발현을 도움 |
| 아넥신V의 기능 방해 | 아넥신V의 기능 방해를 통해 정상적인 모체-태반 순환의 발달 시 혈전증을 발생시킴<br>APS를 가진 여성에서 융모막 사이 공간의 영양막에 아넥신V의 결합이 감소되어 있음 |
| 영양막의 증식과 분화를 억제하고 세포자멸사 유발 | aPL은 영양막에 결합하여 여러 세포의 기능에 영향을 미침. 특히 세포 손상 및 세포자멸사 유도, 융모막 형성 및 증식 억제 등으로 태반에 문제가 발생함 |
| 보체 활성 | aPL에 의해 생성된 C5a는 중성구와 반응하여 조직인자를 발현하게 하며 이는 탈락막에 염증 유발<br>C3가 결핍된 동물모델에서 aPL에 의해 유도되는 태아 손상에 내성이 발생함을 확인함 |

표 74-2. 항인지질항체증후군 임상증상

| | |
| --- | --- |
| **혈관혈전증** | 심부정맥혈전증, 상·하지 동맥, 정맥혈전증, 쇄골하정맥혈전증, 경정맥혈전증, 폐혈전색전증, 폐동맥혈전증, 심근경색, 버드-키아리증후군 |
| **산과적 합병증** | 산모: 자간전증, 자간증, 양수과소, HELLP증후군, 태반부전, 산후심폐증후군<br>태아: 태아 소실, 조산, 자궁내성장지연, 태아절박가사 |
| **혈액** | 혈소판감소증, 용혈빈혈, Evans증후군, 골수괴사, 혈전미세혈관병증 |
| **피부** | 그물울혈반, 가성혈관염양상병변, 말단청색증, 반피부위축증, 괴사하지궤양, 표재정맥염 |
| **비혈전성 심장 및 폐 침범** | 대동맥판 비후, 승모판 결절, Libman-Sacks 심내막염, 성인호흡곤란증후군, 섬유화폐포염, 폐포출혈 |
| **신경** | 뇌졸중, 두통, 편두통, 경련, 무도병, 인지장애, 횡단척수염 |
| **신장** | 신동맥혈전, 신동맥경색, 혈전미세혈관병증, 피질허혈 또는 경색 등으로 인한 단백뇨, 신기능저하, 고혈압, 말기 신부전 |

식샘자극호르몬(human chorionic gonadotropin)의 분비를 억제한다(표 74-1).

## 임상증상

혈관 혈전 및 임신 이환이 대표적 임상양상이나, 그 외의 다양한 임상증상들이 발생할 수 있으며 단순히 응고전구상태로 설명할 수 없는 증상이 발생하는 경우가 흔하다. 혈전은 혈관 크기에 관계없이 동맥 또는 정맥에 생기며 재발성으로 발생하는 경향이 있다. 정맥 혈전의 발생이 가장 흔하며 하지의 깊은 정맥에서 주로 발생하며 흔히 폐색전증이 동반된다. 동맥 혈전은 드물긴 하나 뇌졸중이나 일과성허혈발작이 발생하면 생명을 위협할 수 있다. 임신 이환은 APS의 두 번째로 주요한 임상양상이다. 가장 일반적인 산과적 합병증은 임신 10주 이전의 3회 이상의 연속적인 임신 손실로 정의되는 재발성 유산이다. 기타 산과적 합병증으로 다른 원인으로 설명되지 않는 임신 10주 이상의 태아 사망과 자궁내성장지연, 임신과 관련된 산모혈전증, 태반부전으로 인한 34주 이전의 조산, 자간증 및 자간전증이 있다. 혈액학적 이상소견으로는 혈소판감소증이 가장 흔하며 환자의 30-40%에서 동반되는 것으로 알려져 있다. APS와 관련된 혈소판감소증은 증상 없이 50,000/mL 이상의 경미한 양상을 보이며 대부분 치료가 필요하지 않다. APS 환자의 약 6-10%에서 용혈빈혈을 보인다. 그 외에 골수괴사, 혈전미세혈관병증 등이 동반될 수 있으나 드물게 발현한다. 피부 합병증으로 그물울혈반(livedo reticularis)이 흔하며 기타 피부 증상으로는 가성혈관염양상병변(pseudovasculitic lesion), 말단청색증(acrocyanosis), 반피부위축증(anetoderma), 괴사성하지궤양(necrotic skin ulcer), 표재정맥염

(superficial phlebitis) 등이 있다. 이외에 침범 장기에 따라 다양한 임상증상이 보고되고 있다(표 74-2).

파국항인지질항체증후군(catastrophic APS, CAPS)은 다수의 작은 혈관에 혈전이 발생하여 여러 장기에 손상이 발생하는 경우로 APS의 1% 미만에서 발생하는 매우 드문 질환이지만 사망률이 50% 이상인 매우 치명적인 질환이다. 2003년 제안된 CAPS의 예비분류기준에 따르면 1주 이내에 발병한 3개 이상의 장기를 침범하는 작은 혈관폐색(조직 병리학적으로 확인된)과 함께 aPL 양성 소견을 보이는 경우 진단할 수 있다. 감염이 CAPS의 가장 흔한 유발인자로 알려져 있으며, 이외에 수술, 외상, 종양, SLE의 악화 등도 유발인자로 알려져 있다. 임상증상은 혈전이 생성된 장기와 혈전 생성 정도에 따른 증상과 손상된 장기로부터 사이토카인이 과다하게 방출되어 나타나는 전신염증반응증후군에 따른 증상이 나타난다. 신장, 부신, 비장, 장간막, 췌장과 같은 복부 내부 장기의 혈전증에 의한 증상으로 복통과 복부 불쾌감을 호소하는 경우가 흔하다. 혈전혈소판감소자색반병(thrombotic thrombocytopenic purpura), 파종혈관내응고(disseminated intravascular coagulation) 등과의 감별이 필요하다.

## 참고문헌

1. Arachchillage DRJ, Laffan M. Pathogenesis and management of antiphospholipid syndrome. Br J Hematol 2017;178:181-95.
2. Giannakopoulos B, Krilis SA. The pathogenesis of the antiphospholipid syndrome. N Engl J Med 2013;368:1033-144.
3. Ruiz-Irastorza G, Crowther M, Branch W, Khamashta MA. Antiphospholipid syndrome. Lancet 2010;376:1498-509.
4. Schreiber K, Sciascia S, de Groot PG, Devreese K, Jacobsen S, Ruiz-Irastorza G, et al. Antiphospholipid syndrome. Nat Rev Dis Primers 2018;4:17103.
5. Tambralli A, Gockman K, Knight JS. NETs in APS: Current Knowledge and Future Perspectives. Curr Rheumatol Rep 2020;22:67.

# 75

# 진단과 치료

차의대 **최진정**

항인지질항체증후군(antiphospholipid syndrome, APS)은 항인지질항체(antiphospholipid antibody, aPL)가 지속적으로 존재하면서 동맥이나 정맥의 반복적인 혈전증 및 임신 합병증을 동반하는 전신 자가면역질환이다. aPL은 응고검사를 바탕으로 하는 루푸스항응고인자(lupus anticoagulant, LA)와 효소면역측정법(ELISA)을 이용한 항카디오리핀항체(anticardiolipin antibody, aCL) 및 항베타$_2$당단백-I (anti-$\beta_2$-glycoprotein-I, 항$\beta_2$GPI)항체가

있다. aPL는 인지질이나 인지질에 부착된 단백질을 주로 표적으로 하는 다양한 이질적 항체이다. 이런 자가항체들의 존재가 진단에 필수적이지만, 과응고 상태를 유발하는 명확한 기전은 아직 알려져 있지 않다.

## 진단 및 진단적 검사

### 1) 분류기준

1998년에 일본의 삿포로에서 처음으로 APS의 진단적 분류기준(Sapporo classification criteria)이 제시되었다. 이 분류기준에 따르면, APS는 적어도 한 가지 이상의 임상소견(산아 손실 혹은 혈전 형성)과 aPL 양성(LA 또는 aCL)의 검사소견이 적어도 6주 간격으로 2번 이상 검출되는 경우에 진단할 수 있었다. 2006년에 수정된 진단기준(Sydney APS classification criteria)에서는 임상적 진단기준은 그대로이나 검사기준에서 2가지 사항이 변경되었다(표 75-1). 2회의 항체 양성소견 사이의 최소간격이 6주에서 12주로 변경되었고, 항$\beta_2$GPI항체(IgG 및 IgM) 양성 소견이 검사 기준에 포함되었다. 각각의 aPL의 임상적 중요도나 역할의 차이점은 명확히 밝혀져 있지 않다.

### 2) 분류기준 외 임상양상

APS의 개정된 진단분류기준에는 새로운 임상증상을 포함시키지 않았지만 분류기준에 외의 임상소견을 별도로 기술하고 있다. 분류기준 외 임상소견은 혈소판감소증, 인지기능 장애와 같

**표 75-1. 항인지질항체증후군의 개정된 진단분류기준**

I. 임상 기준(1개 이상)
 1. 혈전: 동맥, 정맥 또는 작은 혈관의 혈전이 어떤 조직이나 장기에
   서든지 한 번 이상 발생된 경우로, 혈전은 객관적 검사로 확인되어
   야 함
 2. 임신 합병증:
   ① 임신 10주 이후에 형태학적으로 정상인 태아의 유산이 원인 모
     르게 한 번 이상 발생하거나
   ② 임신 34주 이전에 자간, 전자간증 또는 태반기능부전으로 인해
     형태학적으로 정상인 태아의 조산이 한 번 이상 발생하거나
   ③ 임신 10주 이전의 원인을 알 수 없는 자연 유산이 연속적으로 3
     회 이상 발생한 경우

II. 검사 기준(적어도 12주 이상의 간격을 두고 시행한 검사에서 두 번 이
 상 양성일 때)
 1. 루푸스 항응고인자(lupus anticoagulant, LA): 국제 혈전 · 지혈
   학회(International Society on Thrombosis and Haemostasis,
   ISTH) 기준에 따라 양성
 2. 항카디오리핀항체(aCL) IgG 및/또는 IgM 동종(isotype): 표준화된
   ELISA에 의해 중등도 및 고역가 양성(40 GPL 또는 MPL 이상이거
   나 99 백분위수 이상)
 3. 항β2GPI항체 IgG 및/또는 IgM 동종: 표준화된 ELISA에 의해 99백
   분위수 이상의 양성

**표 75-2. 파국항인지질항체증후군의 예비분류기준**

1. 세 개 이상의 장기, 기관 혹은 조직을 침범한 증거
2. 동시에 혹은 1주 이내에 발병
3. 최소 1개 이상의 장기 혹은 조직에서 소혈관 폐쇄의 조직병리학적 확진
4. 항인지질항체(LA 또는 aCL 또는 항β2GPI항체) 양성
 • 분명한(Definite) 파국항인지질항체증후군:
   – 기준항목 4가지 모두 충족
 • 가능한(Probable) 파국항인지질항체증후군:
   – 기준항목 2~4 충족 및 2개 이상 장기, 기관 혹은 조직을 침범한
     경우
   – 기준항목 1~3 충족, 단 6주 간격으로 미확인된 경우 예외(파국
     적 발병 전에 검사가 시행되지못한 환자의 조기 사망으로 인함)
   – 기준항목 1, 2 및 4 충족
   – 기준항목 1, 3 및 4 충족과 항응고 치료에도 불구하고 첫 발병
     후 1주이상에서 1개월 이내에 3번째 혈전성 사건발생

tidylethanolamine 등에 대한 항체가 검출될 수 있지만 현행 검사
로는 이런 항원에 대한 항체를 검출하지 못하고 있다. SN-APS환
자들을 APS로 진단하기 위해서는 현재 분류기준의 검사실 기준
을 보완할 수 있는 기술의 발전이 필요하다.

## 4) 파국항인지질항체증후군

파국항인지질항체증후군(Catastrophic APS, CAPS)은 갑작
스럽게 중간 및 소동맥에 다수의 혈전을 일으켜서 생명을 위협
하는 드문 합병증이다. 특히 APS의 과거력이 없는 환자들에서
조기진단이 어려울 수 있다. 분명한("definite") 및 가능한("prob-
able") CAPS는 예비분류기준(preliminary classification criteria)에
근거해서 정의되었다(표 75-2). 그렇지만 실제 임상상황에서 다
수 장기의 혈전 및/또는 혈전성 미세혈관병을 보이는 aPL 양성
환자들은 이런 기준을 충족시키지 못하는 경우도 있다. 이전에
APS가 진단되었거나 임상적으로 의미있게 지속적인 aPL 양성
소견이 CAPS 진단에 매우 중요하다.

## 5) 검사소견

APS의 진단은 LA 양성 그리고/또는 중등도-고역가의 aCL
(40 GPL 또는 MPL 이상이거나 99백분위수 이상) 및 항β2GPI항
체(99백분위수 이상)와 같은 aPL의 양성 소견이 필요하다. aPL
양성 결과를 보이면 12주가 지나서 반복 검사를 해야 한다. 왜냐
하면 감염 혹은 급성 혈전증 동안 일시적이고 임상적 의미가 없

은 비혈전성 중추신경 증상, 그물울혈반(livedo reticularis), 항인
지질항체 신장병증(APS nephropathy), 심장 판막 침범 등이 있
다.

## 3) 혈청음성 항인지질항체 증후군

APS의 진단은 삿포로 분류기준에 근거하여, 각각 최소 하나
이상의 임상 기준과 검사실 기준(LA, aCL 혹은 항β2GPI)이 요구
된다. 그렇지만 간혹 APS가 강력히 의심되는 전형적인 임상소견
을 갖고 있지만 aPL이 지속적으로 음성인 혈청음성(seronegative
APS, SN-APS) 환자의 경우 진단이 매우 어렵다. SN-APS는 실제
로 aPL이 존재하나 현행 검사방법에서 자가항체들을 검출하는
기술적 한계성이 원인으로 생각되고 있다. aPL은 다양한 종류로
이루어진 이질적 항체이기 때문에 인지질과 결합된 보조인자단
백질(phospholipid-binding cofactor protein)로 알려진 β2GPI뿐만
아니라 다른 음이온성 인지질, 단백질 또는 인지질-단백질 복합
체 등과 반응할 수 있으므로 프로트롬빈, S단백질, C단백질, 아
넥신 V (annexin V), vimentin/cardiolipin 복합체 또는 phospha-

는 항체 양성 또는 위양성을 배제하기 위해서이다. 건강인구에서 aPL 양성율은 10%까지 보일 수 있지만, 지속적인 LA 혹은 중등도-고역가의 aCL 및 항β₂GPI항체 양성은 흔하지 않다.

LA 검사는 혈전증에 대해 aCL 검사보다 더 특이적이지만, 덜 민감한 예측자이다. 따라서 LA 검사는 aPL와 관련된 임상소견들과 더 밀접한 관련성을 갖는다. aPL 중에 LA가 임신 합병증을 예측하는데 가장 강한 연관성을 갖는다. LA의 유무를 확인하기 위해서는 4단계가 필요하다. 즉 (1) 인지질에 의존적인 응고선별검사인 활성화부분트롬보플라스틴 시간(activated partial thromboplastin time, aPTT) 또는 dilute Russel viper venom time (dRVVT)의 지연; (2) 혼합검사(환자의 혈장과 정상인의 혈소판을 제거한 혈장과 혼합시킴)에서 지연된 응고검사의 교정 실패; (3) 다량의 인지질을 추가 후, 지연된 응고검사의 단축 또는 교정(인지질 의존성을 보여줌); (4) 다른 억제자들의 존재를 배제한다.

LA 검사에서 양성을 갖는 환자들 중 약 80%가 aCL를 가지며, aCL 검사에서 양성을 갖는 환자의 20%가 LA 검사 양성을 보인다고 보고된다. aCL ELISA는 APS의 진단에 대해 민감도는 높지만 특이도는 낮다. IgG 및 IgM aCL를 측정하는 데 ELISA가 상용화되어 있지만 검사실 간에 상당한 차이가 존재한다. 저역가의 aCL 또는 항β₂GPI항체 및 일시적인 aPL들은 APS과 관련성이 대부분 없는 것으로 알려져 있다. aCL과 항β₂GPI항체 이외에 다른 ELISA 검사들은 임상적 APS의 예측자로서 역할이 명확하게 입증되어 있지 않아서 개정된 APS의 분류기준에 포함되어 있지 않다.

매독에 대한 검사가 위양성 소견을 보이는 경우 분류기준에 포함되어 있지 않지만 APS의 가능성을 평가하여 aPL 검사를 고려해야 하고, 특히 aPL과 관련된 임상증상의 과거력을 갖는 환자라면 반드시 aPL 검사를 시행해봐야 한다.

항핵항체와 항-DNA 항체는 일차 APS로 진단된 환자의 약 45%에서 발견된다. 이런 항체가 검출되어도 환자가 전신홍반루푸스(systemic lupus erythematosus, SLE)의 임상적 소견들을 갖지 않는다면 SLE의 진단은 추가되지 않는다. APS에서 동반되는 혈소판감소증은 보통 경미하다(>50,000/mm³). 단백뇨 및 신기능부전은 aPL로 인한 신질환 환자에서 보일 수 있다. 병리검사에서 소동맥 및 사구체 혈전 그리고 혈관재개통(recanalization)이 관찰된다. 저보체혈증, 적혈구 원주 및 농뇨는 신장의 혈전성 미세혈관병(renal thrombotic microangiopathy)의 특징은 아니며, 만일 관찰된다면 루푸스 사구체신염을 시사한다. 적혈구침강속도(erythrocyte sedimentation rate, ESR), 헤모글로빈, 백혈구수는 합병증 없는 일차 APS 환자에서 대부분 정상이다. 단, 급성 혈전증이 발생한 경우 예외일 수 있다.

### 6) 감별진단

C단백질, S단백질 및 항트롬빈 III의 유전적 결핍, 또한 factor V Leiden (A506G), 프로트롬빈(G20210A) 및 methylene tetrahydrofolate reductase (MTHFR, C677T) 변이 등과 같은 유전적 과응고성 조건과 감별해야 한다. 또한 임신 및 산욕기, 경구용 피임약 복용, 에스트로젠 대체요법, 신증후군, 당뇨병, 비만, 수술, 혈관염 그리고 악성종양 등과 같은 후천적인 과응고성 조건과도 감별이 필요하다.

CAPS는 패혈증, 파종성 혈관 내 응고, 혈전성 혈소판감소성 자반, 용혈성 요독증후군, 헤파린 유도 혈소판감소증, 점액종에 의한 산재성 색전증(disseminated embolization from myxoma), 심방색전 혹은 동맥경화성 플라크(atherosclerotic plaque) 등과 감별이 필요하다.

## 치료

APS 치료의 목표는 혈전증의 예방이다. 급성 혈전증의 치료는 APS가 없는 환자의 치료 원칙과 동일하므로, 헤파린을 사용하는 항응고요법이다. 2019년 유럽류마티스학회(EULAR) 권고안에서 제시하고 있는 치료원칙은 다음과 같다. 첫째, 혈전과 임신합병증 발생의 위험 요인의 확인이다. '고위험 aPL 프로파일'은 12주 간격으로 2번 이상 측정한 LA 양성이거나 LA, aCL, 항β₂GPI항체 중 두 개 또는 세 개 aPL 양성을 보이거나 고역가의 aPL이 지속되는 경우로 정의되고, 이 중 하나라도 있으면 고위험 aPL 프로파일로 평가된다(표 75-3). 그 외에 위험인자는 SLE와 같은 전신 자가면역질환들의 동반된 경우, 혈전성 또는 산과적 APS 과거력, 전통적인 심혈관계 위험인자를 가지고 있는 경우이다. 둘째, 일반인구에 적용되고 있는 심혈관질환 예방의 가이드라인을 따른다. 정맥혈전증의 위험인자들을 찾는 선별검사 또

**표 75-3. 중등도-고역가 항인지질항체의 정의 및 고위험과 저위험 항인지질항체 프로파일**

- 중등도-고역가 항인지질항체(aPL):
  혈청 또는 혈장 내 aCL (IgG 및/또는 IgM)의 역가가 40 이상 IgG phospholipid (GPL) 또는 40 이상 IgM phospholipid (MPL) units, 또는 99백분위수 이상; 항β₂GPI (IgG 및/또는 IgM)의 역가가 99백분위수 이상으로 상승; 각각은 표준화된 ELISA에 의해 측정함.
- 고위험 aPL 프로파일:
  LA의 존재(최소 12주 간격으로 2회 이상 양성) 또는 aPL의 이중 양성(LA, aCL 또는 항β₂GPI 중 2가지) 또는 삼중 양성(3종류의 aPL 모두 존재) 또는 지속적으로 높은 aPL의 역가
- 저위험 aPL 프로파일:
  aCL 또는 항β₂GPI 중 하나가 저-중등도 역가로 존재, 특히 일시적으로 양성

한 권장되고, 예방적 용량의 저용량 헤파린(low molecular weight heparin, LMWH)이 수술, 장기간 부동 및 산욕기와 같은 고위험 상태에서 사용되어야 한다. 셋째, 비타민K 억제제(vitamin K antagonist, VKA)로 치료받는 모든 환자들에게 투약의 순응도 유지와 international normalized ratio (INR) 모니터링의 필요성에 관한 상담을 시행해야 한다. 여성 APS 환자들은 피임약 복용, 임신계획 및 폐경 후 호르몬치료에 관한 상담이 필요하다. 심혈관 질환 예방을 위한 식이요법 상담도 필요하다.

## 1) 일차 혈전예방

무증상 aPL양성자(carrier)일 경우, 고위험 aPL 프로파일을 갖고 있다면 저용량 아스피린 75-100 mg/일로 예방적 치료를 권고하고 있다. 혈전증이나 임신합병증의 과거력이 없는 SLE 환자의 경우, 고위험 aPL 프로파일을 갖고 있다면 저용량 아스피린의 사용이 권고되고, 저위험 aPL 프로파일일 경우에는 저용량 아스피린을 사용 여부를 고려한다. 산과적 APS의 과거력만 갖고 있고 비임신 여성일 경우, 루푸스 유무와 관계없이 위험성/유익성을 평가한 후 예방 목적으로 저용량 아스피린을 사용한다.

## 2) 이차 혈전예방

APS진단이 되었고(definite APS), 정맥혈전증이 처음 발생한 환자의 경우, VKA을 사용하여 INR 2-3을 목표로 유지하도록 한다. 새로운 직접경구항응고제(direct oral anticoagulant, DOAC)

인 리바록사반은 혈전증 재발의 고위험성 때문에 삼중 aPL 양성을 갖는 환자에서 사용되어서는 안된다.

정맥혈전증이 특별한 유발요인이 없이 처음 발생된 환자의 경우, VKA치료가 장기간 지속되어야 한다. 만약 유발요인이 분명히 있었던 경우에는 동일한 치료가 국제적 가이드라인에 따라 권장 기간 동안 유지되어야 하고, 고위험 aPL 프로파일을 갖고 있는 환자들의 경우라면 더 긴 기간의 항응고 치료가 권장된다. VKA를 사용하여 INR 2-3을 목표로 했음에도 불구하고 혈전증이 재발되는 APS환자의 경우, INR을 자주 측정하면서 VKA의 복약 순응도를 조사하고 교육을 시행한다. 만일 목표로 하는 INR 2-3이 지속적으로 유지되어 왔다면, 저용량 아스피린의 추가하거나 목표 INR을 3-4로 높이거나 저분자량 헤파린으로 변경할 것을 고려한다.

동맥혈전증이 처음 발생된 APS 환자의 경우, 출혈 및 재발성 혈전증의 위험을 고려하면서 목표 INR 2-3 또는 3-4로 VKA를 사용한다. 또는 INR 2-3을 목표하면서 저용량 아스피린 병용투여를 고려한다. 동맥혈전증이나 삼중 aPL 양성 환자에서 재발성 혈전증의 고위험 때문에 리바록사반이나 다른 DOAC의 사용은 권장되지 않는다. 적절한 VKA 사용하였음에도 불구하고 동맥혈전증이 자주 재발된다면, 다른 잠재적 유발요인들을 평가해야 하고 목표 INR을 3-4로 올리거나 저용량 아스피린을 추가 또는 저분자량 헤파린으로 변경할 것을 고려해본다.

## 3) 산과적 항인지질항체증후군

혈전증이나 임신합병증의 과거력은 없지만 고위험 aPL 프로파일을 갖고 있는 여성의 경우, 임신기간 동안에 저용량 아스피린의 사용은 고려한다. 이전에 혈전증은 없었지만 산과적 APS (재태연령 10주 이내에 3회 이상의 반복적 자연유산 또는 10주 이후 태아손실)의 과거력을 갖는 환자의 경우, 임신기간 동안에 저용량 아스피린과 예방적 용량의 헤파린 치료가 권장된다.

34주 미만에서 조산 과거력(자간증, 중증 전자간증 또는 태반부전)이 있는 환자의 경우, 개인적 위험도를 고려하여 저용량 아스피린을 사용하거나, 저용량 아스피린과 예방적 용량의 헤파린 병용투여를 할 수 있다. 임상적으로 분류기준을 충족시키지 못하는 산과적 APS일 경우, 저용량 아스피린의 단독투여 또는 헤파린과의 병용치료를 고려할 수 있다. 산모의 혈전증 위험을 낮추기

위해 분만 이후에도 최소 6주 이상 치료가 지속되어야 한다. 이런 치료에도 불구하고 임신 합병증들이 재발된다면 임신 첫 3개월 내에 헤파린 용량을 치료용량으로 증가시키거나 하이드록시클로로퀸 혹은 저용량 프레드니솔론을 추가해 볼 수 있다. 증례의 상태에 따라 면역글로불린의 사용도 고려해 볼 수 있다.

혈전성 APS의 과거력을 갖는 산모의 경우에는 임신 기간 중에 저용량 아스피린과 치료적 용량의 헤파린의 병용투여가 권장된다.

## 4) 파국인지질항체증후군

CAPS를 발생시키는 가장 흔한 유발인자들은 APS 환자의 항응고 치료중단, 감염 그리고 외과적 시술이다. CAPS의 치료는 스테로이드, 헤파린, 혈장교환 또는 면역글로불린의 병합치료가 일차치료로 권장된다. 동시에 감염, 괴저, 악성종양과 같은 유발인자들의 치료가 병행되어야 한다. 치료에 불응하는 경우에는 rituximab 혹은 eculizumab 사용을 고려해 볼 수 있다.

# 예후

폐동맥고혈압, 신경학적 이상, 심근허혈, 신장병, 사지의 괴저 그리고 CAPS는 불량한 예후와 관련된다. 혈관성 사건을 경험하였거나 진단과 치료가 지연된 일차 APS 환자들의 장기적 예후는 불량하다. 즉, 10년째 환자들 중 1/3이 영구적인 장기손상을 일으키고, 1/5이 일상활동을 수행할 수 없다. 장기화된 APS 환자 중 다수에서 심한 심장판막질환의 발생으로 판막교체가 필요하다. 소수의 환자들에서 혈전성 미세혈관병으로 인한 신부전이 발생된다. aPL 양성 소견은 SLE 환자에서 신장이식 후 이식편의 불량한 생존율과 관련된다. aPL 양성 환자에서 예방적 조치에도 불구하고 중대한 수술 전후 합병증이 발생될 수 있다. 외과적 시술을 받게 되면 혈전증의 추가적인 위험이 가해지기 때문에, 어떤 외과적 시술이든 시행되기 전에 수술 전후 치료적 전략이 분명히 세워져야 한다. 산과적 APS 환자에서 출생된 아이들의 장기적인 결과는 알려져 있지 않다.

## 참고문헌

1. Asherson RA, Cervera R, de Groot PG, Erkan D, Boffa MC, Piette JC, et al. Catastrophic antiphospholipid syndrome: international consensus statement on classification criteria and treatment guidelines. Lupus 2003;12:530-4.
2. Garcia D, Erkan D. Diagnosis and Management of the Antiphospholipid Syndrome. N Engl J Med 2018;378:2010-21.
3. McInnes IB, O'Dell JR, Gabriel SE, Firestein GS, Budd RC. Firestein & Kelley's Textbook of Rheumatology. 11th ed. Philadelphia: Elsevier; 2021.
4. Miyakis S, Lockshin MD, Atsumi T, Branch DW, Brey RL, Cervera R, et al. International consensus statement on an update of the classification criteria for definite antiphospholipid syndrome (APS). J Thromb Haemost 2006;4:295-306.
5. Ruiz-Irastorza G, Crowther M, Branch W, Khamashta MA. Antiphospholipid syndrome. Lancet 2010;376:1498-1509.
6. Tektonidou MG, Andreoli L, Limper M, Amoura Z, Cervera R, Costedoat-Chalumeau N, et al. EULAR recommendations for the management of antiphospholipid syndrome in adults. Ann Rheum Dis 2019;78:1296-1304.
7. Wilson WA, Gharavi AE, Koike T, Lockshin MD, Branch DW, Piette JC, et al. International consensus statement on preliminary classification criteria for definite antiphospholipid syndrome: report of an international workshop. Arthritis Rheum 1999;42:1309-11.

# 76

# 증례

부산의대 이승근

## 증례

35세 여성이 양쪽 옆구리 통증으로 응급실로 내원하였다.

3년 전부터 왼손 피부 색이 하얗게 되고 차가워지는 증상이 자주 있어서 간헐적으로 혈액 순환제를 복용한 적이 있다고 했다. 5년 전 임신 12주에 특별한 원인 없이 유산한 병력이 있었고 현재 자녀는 없는 상태이다. 내원 일주일 전부터 오른쪽 옆구리가 당기고 찌르는 듯한 통증이 발생해서 근처 약국에서 자의로 진통제를 복용했으나 호전이 없었고 내원 2일 전부터 비슷한 양상으로 좌측 옆구리 통증도 발생했다. 구역, 구토, 설사, 호흡곤란은 없었다. 내원 당시 혈압 150/100 mmHg, 맥박 96회/분, 호흡수 20회/분, 체온 37.1℃였다. 다리에 보랏빛 레이스 모양의 발진이 관찰되었으며(그림 76-1), 왼손 3,4,5번째 손가락과 손바닥 부위 피부 색이 하얗게 변해 있었다.

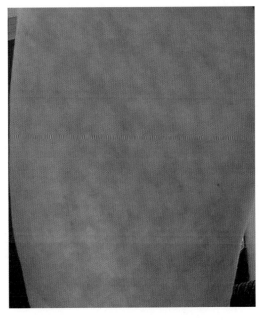

그림 76-1. Livedo reticularis (출처: 성균관의대 안중경 교수)

양쪽 갈비척추각 압통이 관찰되었으나 복부 압통이나 반발통은 없었고, 호흡음과 심음은 정상이었다. 신경학적 검사에서 이상 소견은 관찰되지 않았다. 검사소견은 혈색소 12.3 g/dL, 백혈구 11,240/mL, 혈소판 98,000/mL, 적혈구침강속도 45 mm/h (정상, <15 mm/h), C반응단백질 2.52 mg/dL(정상, 0-0.5), 젖산탈수소효소 664 U/L(정상, 135-214)이었으나, 혈액응고검사, 간기능검사, 전해질검사, 소변검사는 정상이었다. 항핵항체 1:160 양성, 항dsDNA항체 음성, 항Sm항체 음성, 항SS-A항체 음성, 항SS-B항체 음성, 항동원체항체 음성, 항topoisomerase I항체 음성, 항RNP항체 음성, 항카디오리핀항체(anticardiolipin antibody, aCL) IgG 87 GPL(정상, <10), aCL IgM 18 MPL(정상, <10), 항베타$_2$당단백-I (항$\beta_2$GPI)항체IgG 18 U/mL(정상, <10), 항$\beta_2$GPI 항체IgM 5 U/mL(정상, <10), 루푸스항응고인자(lupus anticoagulant, LA) 양성이었다. 복부컴퓨터단층촬영에서 복부대동맥의 신장동맥 구멍 부위에 혈전과 양쪽 신장경색이 관찰되었다(그림 76-2). 상지컴퓨터단층촬영 혈관조영에서 왼쪽 원위 척골동맥의 혈전과 혈류 감소가 관찰되었다(그림 76-3).

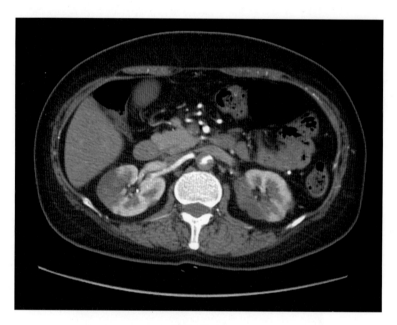

그림 76-2.

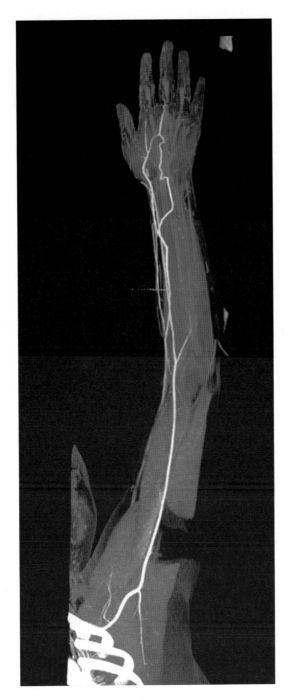

그림 76-3.

## 1) 질문

(1) 진단은?

(2) 치료는?

(3) 추후 임신을 원할 경우 치료는?

## 2) 정답 및 해설

(1) 임신 10주 이상에서 발생한 특별한 원인이 없는 유산 병력과 신장동맥과 척골동맥의 혈전증, aCL IgG 양성, LA 양성 소견으로 항인지질항체증후군(antiphospholipid syndrome, APS)이 가장 가능성이 높은 질환으로 고려할 수 있다. APS는 항인지질항체(antiphospholipid antibody, aPL)와 관련하여 혈관혈전증과 산과적합병증을 특징으로 하는 전신자가면역질환이다. 진단은 개정된 삿포로 분류기준(또는 시드니 분류기준)을 사용하는데, 혈전증과 임신합병증의 임상증상 중 하나와 aCL, 항$\beta_2$GPI항체, LA가 적어도 12주 이상 간격을 두고 시행한 검사에서 두 번 이상 양성일 때 진단할 수 있다. 분류기준 외 증상으로는 혈소판감소증, 인지기능장애와 같은 혈전 외 중추신경계 증상, 그물울혈반(livedo reticularis), aPL 신장병증, 심장판막질환 등이 동반될 수 있다. 12주 후 다시 측정한 aPL이 지속적으로 양성일 경우 APS로 확진할 수 있다.

(2) APS에 의한 동맥혈전증에 대해서 international normalized ratio (INR) 3-4를 목표로 비타민K 길항제인 와파린으로 항응고 치료를 시작한다. APS에 동반된 혈전증의 치료는 장기간의 항응고 치료가 원칙이다. 항응고 치료제의 선택은 임상 상황에 따라 다른데, 처음 발생한 정맥혈전의 경우 INR 2-3을 목표로 와파린을 처방한다. 동맥의 혈전은 저용량 아스피린과 INR 2-3을 목표로 와파린을 같이 처방하거나, INR 3-4를 목표로 와파린 단독으로 치료한다. 재발성 혈전일 경우 INR 3-4를 목표로 와파린을 투여하는 고강도 항응고 치료를 시행한다. 직접경구항응고제인 rivaroxaban은 혈전 재발의 위험 증가로 현재의 근거로는 치료 적응증이 확립되어 있지 않다.

(3) 임신 10주 이전 3회 이상의 자연유산이 있거나, 임신 10주 이후 1회 이상의 자연유산이 있는 경우, 임신 34주 이전에 자간, 전자간증 또는 태반기능부전으로 인해 형태학적으로 정상인 태아의 조산이 한 번 이상 발생한 경우 임신합병증을 동반한 APS로 분류한다. 임신합병증을 동반한 APS의 경우 저용량 아스피린과 예방용량의 헤파린을 임신 전 기간 동안 사용한다. 산과적 합병증 유무와 관계없이 증례의 환자처럼 혈전증 병력이 있으면 저용량 아스피린과 치료용량의 헤파린을 사용한다. 와파린은 태아기형을 유발하는 약물이므로 임신 시 사용할 수 없는 약물이다. 따라서 임신을 계획하고 있는 경우 헤파린으로 교체 투여해야 하며, 분만 48시간 전에 중단하고 분만 후 시기(postpartum period)에는 혈전증의 위험이 높기 때문에 분만 후 재시작하여 8-12주간 유지하다가 와파린으로 교체한다. 헤파린과 와파린 모두 모유수유가 가능하다.

류 마 티 스 학
RHEUMATOLOGY

# PART 11 전신경화증

책임편집자 **전재범**(한양의대)
부편집자 **김현숙**(순천향의대)

# 77

# 분류

**한양의대 전재범**

## KEY POINTS 🔒

- 전신경화증은 혈관병증, 자가면역, 그리고 피부와 내부장기의 섬유화를 특징으로 하는 결합조직병이다.
- 전신경화증은 피부침범의 범위에 따라 광범위전신경화증과 제한전신경화증으로 분류할 수 있는데, 특징적인 임상양상과 자가항체를 보이며 예후와도 관련이 있다.

## 개요

흔히 피부경화증(scleroderma)으로 불리는 전신경화증(systemic sclerosis)은 만성적이고 다양한 임상경과를 겪으며 상당한 장애와 사망률을 보이는 아주 드문 자가면역성 결합조직병이다.

질병의 초기에는 뚜렷한 염증소견과 혈관손상에 따른 혈관병증을 보이고, 점차 자가면역의 활성화에 따라 피부와 전신 장기를 침범하는데, 특히 폐, 위상관, 심상, 그리고 신상의 섬유화가 진행되는 것이 특징이다(그림 77-1).

비록 피부가 두꺼워지는 피부경화가 전신경화증의 아주 중요한 특징이지만 피부경화는 국한형태의 피부경화증과 이외의 다른 질환에서도 일어날 수 있다(표 77-1).

## 분류

질병을 분류하는 목적은 정확한 진단을 촉진하고, 임상연구

에 포함될 대상의 합리적인 동질성을 부여하며, 예후를 확실하게 예측하기 위한 것인데, 전신경화증은 이 세 가지의 모든 면에서 어려움이 따른다. 1980년 미국류마티스학회에서는 전신경화증의 예비적인 진단기준을 발표한 바 있다. 하지만 이 기준은 높은 특이도에 비해 아주 낮은 민감도를 가지고 있어서 초기단계

**표 77-1. 피부경화(skin induration)와 연관된 질환**

| |
|---|
| 전신경화증 |
|    제한 전신경화증 |
|    광범위 전신경화증 |
| 국한피부경화증 |
|    반상피부경화증 |
|    선피부경화증 |
| 반상 전경화증(pansclerotic morphea) |
| 중복증후군(overlap syndrome) |
|    혼합결합조직병(mixed connective tissue disease) |
|    전신경화증/다발근육염 |
| 당뇨병성 경화부종과 Buschke 경화부종 |
| 경화점액수종(scleromyxedema); 구진점액증(papular mucinosis) |
| 만성이식편대숙주병(chronic graft-versus-host disease) |
| 호산구증다증을 동반한 미만근막염(Shulman's disease, eosinophilic fasciitis) |
| 피부강직증후군(stiff skin syndrome) |
| 피부골막비후증(pachydermatoperiostosis); 일차비후골관절병증 (primary hypertrophic osteoarthropathy) |
| 화학물유발, 그리고 약물연관 전신경화증 유사질환 |
|    비닐클로라이드(vinyl chloride) 유발병 |
|    호산구증가-근육통 증후군(eosinophilia-myalgia syndrome); L-트립토판과 연관된 |
|    콩팥발생전신섬유증(nephrogenic systemic fibrosis); 가돌리늄과 연관된 |
| 부신생물 증후군(paraneoplastic syndrome) |

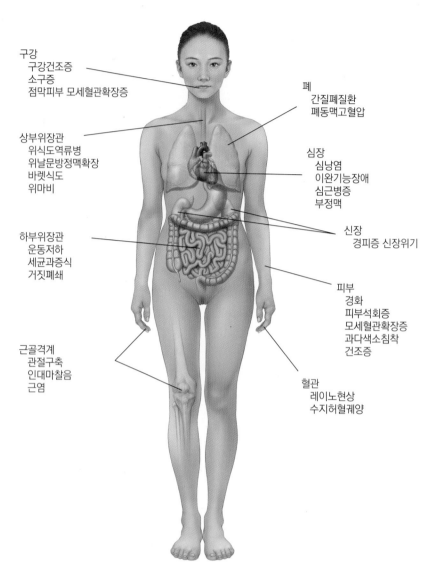

그림 77-1. 전신경화증에서 다기관 침범양상

구강
  구강건조증
  소구증
  점막피부 모세혈관확장증

상부위장관
  위식도역류병
  위날문방정맥확장
  바렛식도
  위마비

하부위장관
  운동저하
  세균과증식
  거짓폐쇄

근골격계
  관절구축
  인대마찰음
  근염

폐
  간질폐질환
  폐동맥고혈압

심장
  심낭염
  이완기능장애
  심근병증
  부정맥

신장
  경피증 신장위기

피부
  경화
  피부석회증
  모세혈관확장증
  과다색소침착
  건조증

혈관
  레이노현상
  수지허혈궤양

의 피부경화증과 약 20% 정도의 제한전신경화증 환자가 이 기준에 부합하지 않는다. 이에 따라 초기의 질병양상을 포함하는 분류기준이 필요하게 되었고, 미국류마티스학회와 유럽류마티스학회가 합동위원회를 조직하여 연구한 후, 2013년 새로운 분류기준을 발표하였다(표 80-2).

## 아형

전신경화증은 임상 발현이 매우 이질적이므로 연구 목적이나 임상진료 목적에 의해 몇 개의 아형으로 분류하는 것이 유용하

다. 전통적인 분류방법은 피부침범의 정도에 따른 것이다.

전신경화증은 아래 그림과 같이 피부침범 정도에 따라 광범위(diffuse)전신경화증과 제한(limited)전신경화증으로 분류하는 방법을 가장 많이 사용한다(그림 77-2). 광범위전신경화증과 제한전신경화증은 피부침범의 정도, 임상양상, 자가항체, 그리고 예후에서도 특징적인 차이를 보인다(표 77-2).

피부변화가 팔꿈치 또는 무릎의 근위부, 몸통에서까지 발견될 때 광범위전신경화증을 고려하게 된다. 이런 환자들은 다기관질병의 위험성이 높고 나쁜 예후를 갖는 경향이 있다.

피부변화가 팔꿈치 또는 무릎의 말단부에서 발생하고 몸통에서는 나타나지 않을 때 제한전신경화증을 고려하게 된다. 얼굴

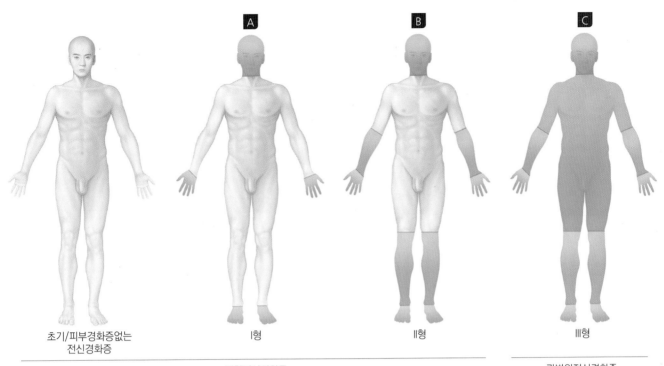

초기/피부경화증없는
전신경화증

I형

II형

III형

제한전신경화증

광범위전신경화증

그림 77-2. **피부침범에 따른 전신경화증의 분류와 임상 아형.** 대부분의 전문가들은 전신경화증을 2개의 주요그룹으로 분류한다: 제한과 광범위. 제한전신경화증은 피부변화가 없는 환자(초기 전신경화증 또는 피부경화증이 없는 전신경화증), **(A)** 1형(섬유화가 손가락과 발가락만 침범), 그리고 **(B)** 2형(섬유화가 팔꿈치 또는 무릎까지만 침범)으로 구성된다. **(C)** 광범위피부전신경화증(3형)은 근위부 사지 또는 몸통(얼굴 제외)을 침범한다.

표 77-2. 전신경화증의 아형: 제한전신경화증과 광범위전신경화증의 특징

| 특징적 소견 | 제한전신경화증 | 광범위전신경화증 |
|---|---|---|
| 피부침범 | 서서히 발생. 손가락, 팔꿈치 말단, 얼굴에 국한; 서서히 진행 | 빠른 발생, 광범위: 손가락, 사지, 얼굴, 몸통; 빠른 진행 |
| 레이노현상 | 피부침범에 앞서서 발생, 간혹 몇 년 전 발생; 심각한 허혈과 연관됨 | 피부침범과 동시에 발생; 심각한 허혈은 드물다 |
| 근골격계 | 경미한 관절통 | 심한 관절통, 수근터널증후군, 인대마찰음; 소관절 및 대관절 구축 |
| 간질폐질환 | 서서히 진행, 일반적으로 경미한 | 빈번한, 초기발생 및 진행, 심할 수 있음 |
| 폐동맥고혈압 | 빈번한, 후기, 독립된 합병증으로 발생 | 종종 간질성폐질환과 연관되어 발생 |
| 경화증신장위기 | 매우 드문 | 15%에서 발생, 급격히 발생가능, 초기발생(질병발생 4년 이내) |
| 피부석회증 | 빈번한, 현저한 | 흔하지 않은, 경미한 |
| 자가항체 | 항중심체(anti-centromere)항체 | 항topoisomerase (Scl-70), 항RNA polymerase III 항체 |

피부 경화는 제한형에서도 나타날 수 있다. 일부 임상의들은 크레스트(CREST)증후군이라는 용어는 없어져야 한다고 주장하며 이 환자들은 국한피부경화증으로 분류되어야 한다고 한다. 하지만 다른 임상의들은 다양한 형태의 국한피부경화증 내에서 독특한 아형으로 믿기도 한다.

덜 알려진 분류법은 환자를 피부변화에 따라 세 개의 그룹으로 분류한다: 제한(손가락만 침범), 중간(팔꿈치 또는 무릎까지만 침범) 그리고 광범위(팔꿈치 또는 무릎위와 몸통을 침범). 이러한 분류법을 이용한 연구에서는 중간형이 생존율이 가장 높은 제한전신경화증과 가장 낮은 광범위전신경화증의 중간의 생존

율을 보이고 있다. 피부섬유화가 없는 질병의 형태는 '피부경화증이 없는 전신경화증(systemic sclerosis sine scleroderma)'으로 부르고 있다.

특이적인 자가항체의 존재는 질병의 임상양상을 예측할 수 있다.

초기 또는 부분적인 증상을 보이는 경우, 예를 들면 레이노현상과 손톱주름 모세혈관의 이상소견만을 보이는 경우는 종종 미분류(undifferentiated)결합조직병으로 진단된다. 대개 2-4년 내에 이러한 환자의 약 20%에서 전신경화증의 임상특징이 발생한다.

전신경화증 환자는 종종 다른 류마티스 또는 자가면역질환의 특징을 보이기도 한다. 이런 환자를 중복증후군(overlap syndrome)이라고 한다. 가장 흔한 복합증후군은 다발성관절염, 근염, 건성복합(sicca complex), 그리고 갑상선기능저하증이다. 전신경화증은 일차담관성간경화증, 자가면역간염, 혈관염, 류마티스관절염, 그리고 ANCA연관 면역침착없는 사구체신염(ANCA-associated pauci-immune glomerulonephritis)과 동반되기도 한다. 혼합결합조직병(mixed connective tissue disease)은 전신경화증, 다발성근염, 루푸스와 유사한 발진, 그리고 류마티스관절염과 유사한 다발관절염의 특징을 보이는 복합증후군이다.

## 참고문헌

1. Varga J. Systemic sclerosis(scleroderma) and related disorders. In: Kasper DL, Hauser SL, Jameson JL, Fauci AS, Longo DL, Loscalzo J, ed. Harrison's principles of internal medicine. 19e, 21e eds. New York: McGraw-Hill; 2015. pp. 2154-65.
2. Wigley FM and Boin F. Clinical Features and Treatment of Scleroderma. In: Firestein GS, Budd RC, Gabriel SE, McInnes LB, and O'Dell JR. eds. Firestein and Kelley's Textbook of Rheumatology. 11th. Elsevier; 2021. pp. 1499-538.

# 78

# 역학과 병인

서울의대 **이은봉**

## KEY POINTS 🔒

- 전신경화증은 주로 중년 이상의 여성에서 발생하는 대표적인 희귀난치 질환이다.
- 전신경화증의 발병에는 유전적 요인과 환경적 요인이 관여하며, 미세혈관장애와 자가면역에 따른 섬유화가 주된 발병기전이다.

## 역학

전신경화증은 매우 드문 질환이며, 유병률 및 발병률은 지역에 따른 차이를 보인다. 인구 10만 명당 유병률은 북미의 경우 25.9명, 유럽 14.8명, 아시아 6.8명 정도이고, 인구 10만 명당 발병률은 북미 2.0명, 유럽 1.6명, 아시아 0.9명으로 알려져 있다. 한국인의 경우 인구 10만 명당 유병률은 7.8명, 발병률은 0.8명으로 보고되었다. 전신경화증은 남성보다 여성에서 더 흔히 발생해서, 전 세계적으로는 남녀비가 1:5로 보고되어 있다. 질병경과가 인종에 따른 차이가 있어서 아프리카계 미국인은 백인에 비해서 전신경화증이 보다 일찍 발생하며, 좀 더 심한 경과를 보인다.

전신경화증 환자는 일반인에 비해 사망률이 높아서 기대수명 역시 낮다. 한국인 환자의 경우 5년 생존율은 85.4%, 10년 생존율은 80.1%이다. 유럽에서 진행된 메타연구에 의하면, 전신경화증 환자의 표준 사망비(standardized mortality ratio)는 일반인 대비 3.5 (95% 신뢰구간, 3.03-4.11)이고, 폐섬유증(19%), 폐동맥고혈압(14%), 부정맥을 포함한 심장질환(14%) 및 신장질환(4%)이 주요 사망 원인이었다. 한국인 환자 230명을 대상으로 한 연구결과에서는 고령, 광범위피부형, 항Scl70항체, 심장질환, 폐질환이 사망의 주요 위험요인이었다.

## 발병기전

전신경화증은 아직 정확한 발병기전이 알려져 있지 않으나 (1) 혈관내피세포의 손상, (2) 자가면역 기능의 활성화 및 (3) 섬유화 과정을 통해서 발병하는 것으로 이해되고 있다(그림 78-1).

### 1) 유전학적 요인

대표적인 유전학적 요인으로는 주조직적합복합체(major histocompatibility complex)가 거론된다. 백인을 대상으로 한 연구에서는 HLA-DRB1*0404, HLA-DRB1*1104, HLA-DQA1*0501, HLA-DQB1*0301, HLA-DPB1*1301이 전신경화증과 유의한 상관관계를 보였으며, 한국인을 대상으로 한 연구에서는 HLA-DPB1*0901, HLA-DPB1*1301이 가장 유의한 관계를 보였다. 주조직 적합 항원 이외에도 *ANK1, C8orf13- BLK, IL-23R, IRF5, STAT4, TBX21, TNFSF4* 등이 전신경화증과 관련이 있었다. 하지만 유전적 관련성이 인종에 따라서 상당한 차이를 보인다는 점, 그리고 일란성 쌍생아의 일치율(4.2%)이 이란성 쌍생아의 일치율(5.6%)과 큰 차이가 나지 않는 점 등은 유전학적 요인이 타 요인에 비해서 중요하지 않을 가능성도 시사

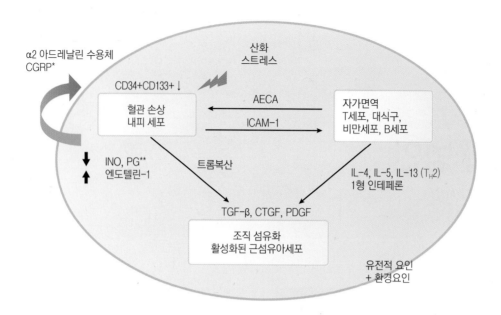

그림 78-1. 전신경화증의 발병기전

AECA, anti-endothelial cell antibody; CGRP, calcitonin gene related peptide; NO, nitrous oxide; PG, prostaglandin; TGF, transforming growth factor; CTGF, connective tissue growth factor; PDGF, platelet derived growth factor; ICAM-1, intercellular adhesion molecule 1.

한다.

## 2) 환경적 요인

환경적 요인으로서 가장 널리 알려진 물질은 비닐 클로라이드, 규진(silica dust), 유기 용제 등이다. 이외에도 독성오일증후군(toxic oil syndrome)을 일으켰던 가공 유채꽃 오일(adulterated rapeseed oil), 호산구증가근통증증후군(eosinophilia-myalgia syndrome)을 일으킨 L-트립토판(L-tryptophan) 등이 경피증의 원인 물질로 제시되었다. 바이러스로는 거대세포바이러스, 파보바이러스 등이 원인균으로 거론되나 아직 객관적인 증거는 확실하지 않다.

## 3) 미세혈관기능장애

미세혈관의 이상은 전신경화증의 병태생리에서 가장 중요한 부분이다. 대부분의 전신경화증 환자는, 가역적 혈관 수축 현상인 레이노현상을 보이고, 손톱주름 모세혈관에서도 미세혈관의 이상 소견을 보인다. 항내피세포항체(anti-endothelial antibody) 또는 거대세포바이러스 등에 의해서, 혈관내피세포의 손상이 발생하면, 엔도텔린-1 (endothelin-1, ET-1)과 같은 혈관 수축 물질의 분비가 촉진되고, 아산화질소(nitrous oxide, NO), 프로스타

사이클린(prostacyclin, PGI-2)과 같은 혈관확장물질의 분비가 저해되어서, 혈관이 수축되고, 말단 조직의 허혈이 발생한다(그림 78-2). 또한 혈소판(platelet)이 활성화되어, 혈액응고를 촉진함으로써, 혈관의 폐색을 유발한다. 혈관 내피의 손상은 또한 세포 부착분자(adhesion molecule)의 발현을 증가시킴으로써 염증세포가 혈관주위로 모이게 하고, 자가면역 반응을 촉발한다. 전신경화증 환자에서는, 손상된 미세혈관을 재건하는 혈관형성(angiogenesis) 과정에도 문제가 발생한다. 전신경화증 환자에서는 혈관형성과 관련된 물질인 혈소판유래성장인자(platelet derived

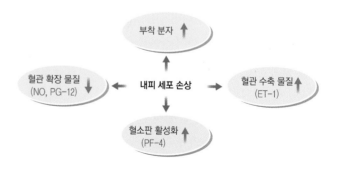

그림 78-2. 혈관 내피 손상에 따른 이차 현상들

NO, nitrous oxide; ET-1, endothelin -1; PF-4, platelet factor 4; PG-I2, prostacyclin.

growth factor, PDGF), 혈관내피성장인자(vascular endothelial growth factor, VEGF), 전환성장인자(transforming growth factor-β, TGF-β), 엔도텔린-1(endothelin-1, ET-1)과 CCL-2도 증가되어 있으나, 역설적으로, 혈관 형성을 억제하는 혈관생성억제인자(angiostatin), 엔도스타틴(endostatin), 혈소판 인자-4(platelet factor-4), 트롬보스폰딘(thrombospondin)도 오히려 더 증가되어 있어서 전체적으로는 혈관형성이 효과적으로 일어나지 못한다. 또한, 전신경화증 환자에서는 혈관을 신생하는 세포인 내피세포전구세포(endothelial progenitor cell) 및 VEGFR2(1) 중간엽줄기세포나, 내피양중간엽줄기세포(endothelia-like mesenchymal stem cell)가 감소되어 있어서 혈관 신생(vasculogenesis)의 장애로, 혈관형성이 효과적으로 일어나지 못한다.

## 4) 면역 기능 장애

자가항체발현으로 대표되는 자가 면역 현상은 대부분의 전신경화증 환자에서 발견된다. 하지만 자가 면역 현상이 전신경화증을 유발하는 근본 원인인지, 아니면 전신경화증에 따른 이차적 현상인지에 대해서는 아직도 논란이 있는 상태이다. T세포는 전신경화증에서 면역학적으로 가장 중요한 역할을 하는 세포로서, 초기 피부 병변에는 T세포의 침윤이 현저하게 관찰된다. T세포 중에서도 $T_H2$ 아형의 CD4 T세포가 중요한 역할을 한다. $T_H2$ 아형의 T세포는 주로 IL-4, IL-5, IL-13을 분비하며, IL-4와 IL-13은 직접 또는 염증세포로부터 TGF-β 분비를 촉진함으로써, 섬유세포를 활성화시켜서 섬유세포의 증식을 촉진하고, 콜라겐 분비를 증가시킴으로써, 피부의 섬유화에 기여한다. 일부 연구에 의하면, 말초혈액 및 폐포 내의 T세포에는 IL-13을 생산하는 CD8 T세포가 다수 존재하고, 폐기능이 저하와도 관련이 있어서 전신경화증의 발병에 어떤 역할을 할 것으로 추정된다. 또한, 말초혈액 및 기관지폐포 세척액에는 IL-17을 분비하는 $T_H17$ 아형 CD4 T세포가 다수 존재해서 전신경화증의 병태생리와 관련이 있을 것으로 추정된다. B세포도, 전신경화증에서 중요한 역할을 해서 거의 모든 전신경화증 환자에서는 자가항체가 존재한다. 실제로 B세포는 전신경화증 환자의 간질 폐렴 조직에서 림프구 무리(lymphoid aggregate) 형태로 존재하며, 말초혈액 내의 B세포는 CD80, CD86, CD95와 같은 활성화 지표가 증가되어 있다. 전신경화증에서는 T세포, B세포와 같은 후천 면역이 중요한 역할

을 담당하나, 블레오마이신에 의한 전신경화증 동물모델 연구에 의하면, NALP3와 같은 염증조절복합체(inflammasome)가 섬유화에 중요한 역할을 하는 것으로 밝혀져서 선천면역(innate immunity)도 전신경화증의 발병에 일정 역할을 할 것으로 추정된다. 면역 기능의 장애에는 세포의 변화뿐만 아니라 사이토카인의 변화도 관여한다. 유전자 발현 연구 결과에 의하면, 전신경화증 환자의 말초혈액세포는 정상인의 세포에 비해서 인터페론-α나 인터페론-γ에 의한 시그널이 증가되어 있다. 전신경화증에서 자가항체의 역할은 아직 명확하지 않으나 항topoisomerase-I과 같은 자가항체는 항원과 면역복합체를 형성하고, 이들 면역복합체가 톨유사수용체(toll-like receptor) 등을 통해서 단핵구 및 B세포로부터 인터페론을 분비시킴으로써 후천면역을 자극할 것으로 추정된다.

## 5) 섬유화

피부를 비롯한 다양한 조직에서의 섬유화는 전신경화증을 특징짓는 가장 중요한 변화이다. 섬유화는 콜라겐과 같은 세포외바탕질(extracellular matrix)이 과도하게 침착되어 발생하는 현상으로, 세포외기질은 주로 섬유모세포와 근섬유모세포(myofibroblast)에서 분비된다. 근섬유모세포는 활성화된 섬유아세포로서, 표면에 α-SMA과 같은 평활근 세포의 표지자를 발현하고, 다양한 세포외기질을 분비하며, 수축기능을 지님으로써, 전신경화증의 섬유화 과정에서 가장 중요한 역할을 한다. 정상 상태에서는, 조직 손상 시 상처 치유에 핵심적인 역할을 하나, 전신경화증에서는 근섬유모세포가 과도하게 만들어져서, 피부조직의 섬유화에 기여한다. 전신경화증 환자에서 근섬유모세포는 국소에 있는 섬유아세포, 내피세포, 외피세포 및 혈관주위세포(pericyte) 및 혈중의 섬유세포와 같은 다양한 세포에서 유래된다. 전신경화증 환자와 정상인에서 유래한 섬유아세포의 유전자 발현을 마이크로어레이 등을 이용해서 비교한 연구결과에 의하면, 전신경화증 환자에서 유래한 섬유아세포는 정상인에서 유래한 섬유아세포에 비해서 세포외기질의 침착, 림프구의 이동 및 메탈로싸이오닌(metallothionein)과 같은 유전자의 발현이 증가되어 있어서 섬유아세포의 이상이 발병에 중요한 역할을 할 것을 시사한다. 섬유아세포의 활성화에는 사이토카인이 중요한 역할을 한다. TGF-β는 섬유아세포, 근섬유모세포, 단핵구, 대식구, 혈소판, T

세포 등 다양한 세포에서 생산되어 섬유아세포 및 근섬유모세포를 자극하여 콜라겐 합성을 촉진하는 대표적인 사이토카인이다. 전신경화증 환자의 섬유아세포는 TGF-β 수용체를 과량 발현하여 TGF-β 자극에 민감하게 반응한다. TGF-β 자극은 전통적인 SMAD 경로나 또는 비SMAD 경로를 통해서 세포 내 신호전달이 이루어지는데, 전신경화증 환자에서는 TGF-β의 신호전달 체계가 항진되어 있다. 전신경화증의 섬유화 과정에는 TGF-β 이외에도 PDGF, CTGF, ET-1 등 다양한 사이토카인이 관여한다.

## 6) 병리 소견

전신경화증 환자의 피부에서 보이는 중요한 변화로는 (1) 콜라겐의 침착, (2) 혈관의 이상, (3) 염증 세포의 침윤이다. 콜라겐은 진피층, 피하층에 광범위하게 침착하며, 병이 진행하면 땀샘(eccrine gland)도 위축된다. 하부 진피층 및 피하층의 미세혈관 주위로, 림프구, 단핵구로 주로 구성된 염증세포가 침윤되어 있으나, 전신홍반루푸스 등 다른 자가면역 질환에 비해서는 침윤 정도가 심하지 않다. 전신경화증 환자에서 폐, 폐동맥, 심장, 위장관 및 신장, 심장과 같은 내부장기에 침범이 일어나며, 폐에서는 림프구, 호산구, 대식구 등이 초기에는 폐포벽을 침범하고, 차차 섬유화를 일으킴으로써 주로 비특이적간질폐렴(nonspecific interstitial pneumonia)을 발생시킨다. 폐동맥고혈압에서는 폐동맥 내막의 증식이 관찰되며, 위장관은 구강에서 항문까지 모든 위장관에서 변화가 나타날 수 있는데 평활근세포의 위축과 섬유화가 특징적인 변화이다. 신장의 경우는 활꼴동맥(arcuate artery)과 소엽사이동맥(interlobular artery)에 주로 변화가 나타나며, 경화증콩팥신장위기(scleroderma renal crisis)의 경우 탄력판(elastic lamina)의 중복현상과 혈관내막증식에 의한 혈관 폐쇄 소견을 관찰할 수 있다. 심장에서는 반복적인 허혈-재관류 현상에 의해서 특정적인 수축띠괴사(contraction-band necrosis) 소견을 보이게 된다.

## 📑 참고문헌

1. Asano Y. The pathogenesis of systemic sclerosis: an understanding based on a common pathologic cascade across multiple organs and additional organ specific pathologies. J Clin Med 2020;9:2687.
2. Bairkdar M, Rossides M, Westerlind H, Hesselstrand R, Arkema EV, Holmqvist M. Incidence and prevalence of systemic sclerosis globally: a comprehensive systematic review and meta-analysis. Rheumatology (Oxford) 2021;60:3121.
3. Denton CP. Pathogenesis of systemic sclerosis (scleroderma). Uptodate. 2021.
4. Kim J, Park SK, Moon KW, Lee EY, Lee YJ, Song YW, Lee EB. The prognostic factors of systemic sclerosis for survival among Koreans. Clin Rheumatol 2010;29:297.

# 79

# 임상증상

순천향의대 **전찬홍**

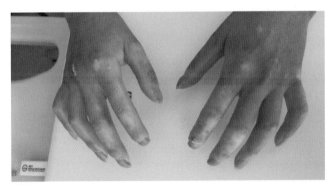

그림 79-1. 가락피부경화증 (출처: 중앙의대 송정수 교수)

## 피부

피부 침범은 전신경화증 환자 대부분에서 나타난다. 대칭으로 말단부터 몸통 방향으로 일어나는 피부 경화가 특징이며, 손가락, 손, 앞팔, 하지 원위부, 발과 안면은 초기에 가장 먼저 침범되는 부위이다. 피부 경화는 보통 제한피부전신경화증과 광범위피부전신경화증으로 구분하는데, 제한피부전신경화증은 경화가 안면과 팔꿈치, 무릎 이하의 사지에 국한될 때를 말하며, 광범위피부전신경화증은 사지 근위부, 몸통까지 침범한 경우이다.

피부 경화 과정은 3단계로 나눌 수 있다. 첫 단계는 부종기(edematous phase)로 함몰이 없는 부종(non-pitting edema)이 특징이다. 이환된 부위는 붓고 주름이 없어지며, 홍반과 가려움증, 피부 통증 등 염증 증상을 동반한다. 털집(hair follicle), 땀샘, 에크린샘(eccrine gland), 피부기름샘 등 피부 부속기가 소실되면서 탈모, 땀 감소 및 피부 건조증을 유발한다. 이 단계는 수주간 지속되며, 이어서 수개월에서 수년간 지속되는 섬유화기(fibrotic phase)로 진행한다. 이 시기에 피부 염증은 줄어들면서 과량의 콜라겐이 진피에 침착되어 피부는 두꺼워진다. 시간이 더 지나면 섬유화가 더 깊이 진행하여 피하 지방조직의 소실이 일어나고(lipoatrophy), 피부는 위축되고 피하의 섬유화된 조직에 단단히 붙게 되며, 심부 조직의 섬유화는 관절 주변을 구축시킨다. 손가락 굴곡구축(flexion contracture)을 가락피부경화증(sclerodactyly)이라 부른다(그림 79-1).

뼈가 튀어나온 부위(팔꿈치, 근위지관절 등의 표면) 피부는 손상받기 쉽고, 섬유화에 따른 혈관 감소와 위축으로 치유도 더뎌 피부 궤양이 동반하기 쉽다. 손가락 끝 허혈괴사 부위는 치유되면서 손가락 오목증(digital pit)을 남긴다(그림 79-2).

그림 79-2. 손가락 오목증 (출처: 중앙의대 송정수 교수)

색소 과다 침착 또는 부분 탈색이 발생할 수 있다. 모근 주위 색소는 보존되면서 주위 피부는 탈색되면 'salt and pepper'라고 부르는 특이한 점상 피부 탈색을 만든다. 시간이 지나면서 탈색 부위가 커지고 서로 융합하는 모양을 보인다. 두피, 등, 가슴 부위에 가장 심하다.

피부 변화의 활성은 12-18개월간 지속된 후 점차 염증과 피부섬유화는 멈추게 된다(회복기). 이 시기 피부는 점차 회복되고 원래 상태로 돌아오게 되나 심하게 이환되었던 부위는 얇고 퇴축된 채 남게 된다.

모세혈관확장증(telangiectasia)은 모세혈관 후 소정맥의 확장으로 인해 발생한다. 얼굴, 손가락, 손바닥, 손등 피부에 흔하나, 혀, 입술 점막에도 생긴다. 제한전신경화증에서 더 빈번하다(그림 79-3).

안면은 피부 주름이 소실되고 얼굴 표정이 굳어지며 코는 부리 모양으로 보이게 된다(beak-shaped nose). 입을 크게 벌리기 어려워지며(작은입증, microstomia), 입가에 방사상 주름(radial furrowing)이 늘어나고 입술이 얇아지며 앞니가 도드라져 보여서 얼굴이 쥐 모양처럼 보이게 된다(mauskopf) (그림 79-4).

'Barnett징후'는 목 부위 피부 경화로 인해 넓은 목근(platysma) 위로 세로 방향 피부 융기가 형성된 상태를 말하며, 목 신전을 방해한다.

석회증(calcinosis)은 특히 항중심체항체 양성인 제한전신경화증에서 더 흔하며, 외상이 일어나기 쉬운 부위인 손(특히 중수지절관절 밑 손끝), 관절 주위, 뼈의 돌출 부위(무릎, 손목 신전근 부위) 피하 조직에 칼슘 침착이 일어나 종괴를 형성한다. 석회증은 관절 운동을 제한하고 때로는 국소 급성 염증을 일으킬 수 있다. 종괴를 덮고 있는 피부는 약해져 궤양과 이차 감염이 발생하기도 한다.

피부 침범 정도는 질병 진행을 예측하는 인자로서 유용하며, 수정 Rodnan 피부점수(modified Rodnan's skin score)는 피부 경화 정도를 점수화한 것으로 임상연구에서 치료 성적을 평가하는 척도로 가장 많이 사용되고 있다. 측정 방법은 전신의 17개 부위에 촉진으로 피부 두께를 측정하고 각각 0(정상), 1(경도), 2(중등도), 3(중증)으로 점수를 부여한 후 그 총합(0-51)을 구한다. 점수가 높을수록 피부 경화가 심하다고 간주한다(그림 79-5).

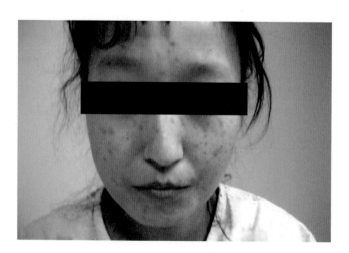

그림 79-3. 모세혈관확장증 (출처: 중앙의대 송정수 교수)

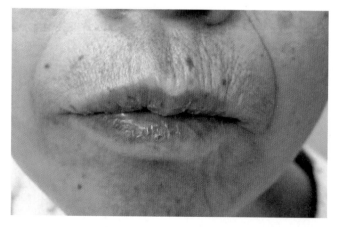

그림 79-4. 작은입증과 입가 방사상 주름 (출처: 중앙의대 송정수 교수)

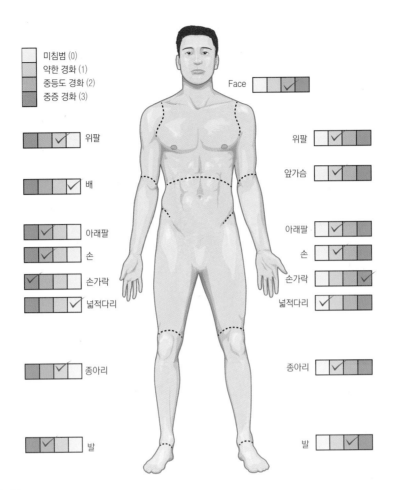

미침범 (0)
약한 경화 (1)
중등도 경화 (2)
중증 경화 (3)

Face

위팔
배
아래팔
손
손가락
넓적다리
종아리
발

위팔
앞가슴
아래팔
손
손가락
넓적다리
종아리
발

**그림 79-5. 수정Rodnan피부점수**

**피부 경화 정도의 정의**

미침범: 검사자가 미세한 피부 주름(wrinkle)을 관찰할 수 있지만 피부 경화는 없다.

경한 경화: 검사자가 두 손가락 사이로 집어 피부 접힘(fold)을 쉽게 만들 수 있으며 미세한 피부 주름이 관찰된다.

중등도 경화: 피부 접힘을 만들기 어렵고 미세한 피부 주름이 관찰되지 않는다.

중증 경화: 검사자가 두 손가락 사이로 집어 피부 접힘을 만들 수 없다.

**실제 계산 예:** 얼굴(2) + 우측위팔(1) + 좌측위팔(1) + 가슴(1) + 배(0) + 우측아래팔(2) + 좌측아래팔(1) + 우측 손(2) + 좌측 손(1) + 우측 손가락(3) + 좌측 손가락(3) + 우측 넓적다리(0) + 좌측 넓적다리(0) + 우측 종아리(1) + 좌측 종아리(1) + 우측 발(2) + 좌측 발(2) = 23점

# 레이노현상

레이노현상(Raynaud's phenomenon)은 손, 발가락 동맥과 피부세동맥의 국소 혈관조절 기능 이상에 의한 혈관연축(vaso-spasm)에 의해 일어난다. 증상은 추위, 심리적 스트레스에 노출되었을 때 손가락, 발가락 끝이 창백해지고(pallor), 시간이 경과하면 청색증(cyanosis)을 보이는데(그림 79-6), 이상 부위를 따뜻하게 해 주면 발적(rubor)되면서 회복되며 이때 통증, 저림, 감각 저하, 동작 시 불편감 등 증상이 동반된다. 손가락의 창백은 수지 동맥의 혈관 수축에 의해 일어나며, 청색증은 탈산소 상태

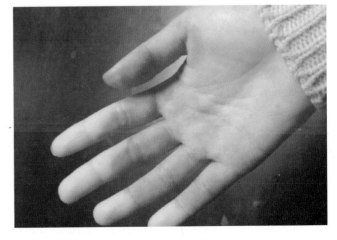

그림 79-6. 레이노현상 (출처: 중앙의대 송정수 교수)

(deoxygenation) 정맥혈의 느린 흐름에 기인한다. 발적은 정상 혈류가 회복되면서 생기는 반응 충혈(reactive hyperemia)의 결과이다. 손가락 일부 또는 전체를 침범하지만, 손 전체에 생기는 경우는 드물고, 주위 정상 피부와 경계가 명확하게 지어지는 특징이 있다. 심하면 귀, 코, 혀에도 발생할 수 있다. 진단을 위해 3가지 색 변화가 반드시 있을 필요는 없다.

특별한 기저 질환 없이 발생하는 경우를 일차 레이노현상 또는 레이노병(Raynaud's disease)이라고 하고, 다른 질환이 동반된 경우를 이차 레이노현상이라고 한다. 일차 레이노현상은 전체 인구의 3-5%에서 관찰되고, 젊은 나이에 발생하며(15-30세), 여성, 가족력이 있는 경우가 많다. 증상은 대칭적으로 발생하고, 이차에 비해 경하다. 혈관 구조 변화는 없으므로 수지궤양, 수지괴사 등 허혈 조직손상으로 진행하지는 않는다. 이차 레이노현상은 전신경화증을 비롯한 여러 류마티스 질환이나 폐쇄성혈관질환, 한랭글로불린혈증(cryoglobulinemia), 저온응집병(cold agglutinin disease), 형질세포질환(paraprotienemia), 포엠스증후군(POEMS syndrome), 저온섬유소원혈증(cryofibrinogenemia) 등 혈액 질환, 갑상선기능저하, 혈관 손상을 일으킬 수 있는 직업, 환경 요인(망치 및 진동 공구, 동상, 손목굴증후군)에서 동반할 수 있으며, 베타 차단제 및 cisplatin, bleomycin 등 약물에 의해서도 유발될 수 있다. 일차에 비해 환자는 나이가 더 많고(30세 이후), 증상 빈도와 지속 기간, 통증 정도가 더 심하며, 허혈조직손

상이 동반될 수 있다. 류마티스 질환에 연관된 레이노현상을 의심하는 상황에서는 혈청검사로 항핵항체를 확인하거나 손발톱바닥모세관현미경(nail bed capillaroscopy) 또는 검안경(ophthalmoscope)으로 손톱주름모세혈관을 관찰하면 감별에 도움이 된다. 이때, 이차 레이노현상 환자의 손톱주름모세혈관은 확장되거나 불규칙한 고리를 형성하며, 일부에서는 미세출혈(microhemorrhage), 혈관탈락(drop-out)을 보이기도 한다(그림 79-7).

레이노현상의 장기 합병증으로 손가락 오목(pitting), 수지궤양, 수지괴사가 발생할 수 있다. 손가락 오목은 허혈궤양과 연부조직 소실에 의해 발생한다. 지속적인 허혈상태는 궤양을 형성하고 여기에 이차 감염에 의해 괴사가 발생하면 자가절단(autoamputation)을 일으킬 수 있다.

레이노현상은 거의 모든 전신경화증 환자에서 발생하며, 가장 먼저 나타나는 증상이다. 그러나 광범위 전신경화증 환자 일부에서는 피부경화가 시작된 이후에 레이노현상이 발생하기도 한다. 광범위 전신경화증에서는 레이노현상이 발생하면서 수주에서 수개월에 걸쳐 빠르게 피부경화가 진행하며, 피부병변이 빠르게 진행하는 초기에 폐, 신장 등 내부 장기 손상도 대부분 시작된다. 이에 비해 제한 전신경화증은 레이노현상이 발생한 후 피부경화와 내부 장기 침범이 발생하기까지 수년이 경과되기도 한다.

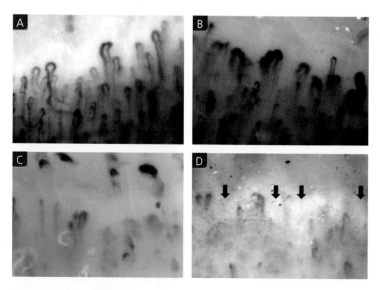

그림 79-7. **전신경화증에서 전형적인 손톱주름모세혈관 소견 (A, B)** 전신경화증 조기변화로 혈관이 전반적으로 확장되고 거대혈관이 보인다. **(C)** 전신경화증 활성기에는 거대혈관 상방의 미세출혈이 증가한다. **(D)** 전신경화증 후기에는 가늘고 경계가 불명확한 모세혈관들과 더불어 무혈관지역(화살표)이 다수 보인다. (출처: 순천향의대 김현숙 교수)

## 근골격계

초기에는 전신적인 관절통과 경직이 주된 증상이다. 힘줄과 관절 주변 구조의 섬유화가 진행하면서 운동장애와 관절 구축이 발생한다. 손목굴증후군이 초기 증상인 경우도 있다. 염증관절염은 흔하지 않은데, 활막 염증과 파누스 형성은 심하지 않고 주로 다발성으로 발생한다. 작은 관절을 침범하는 미란다발관절염을 보이며 항CCP항체가 양성인 경우에는 전신경화증과 류마티스관절염의 중복 증후군을 고려하여야 한다. 손, 발 또는 다른 대관절의 구축은 중증 전신경화증의 특징으로, 항RNA polymerase III항체와 연관이 있다.

힘줄마찰음(tendon friction rub)은 주로 광범위전신경화증, 항RNA polymerase III항체가 양성인 환자에서 자주 관찰된다. 수동 운동에 대한 경직과 저항과 함께 때로는 거친 마찰음을 촉진하거나 청진기로 들을 수 있다. 힘줄집(tendon sheath)과 근막의 섬유화와 유착으로 인해 발생하는 것으로 손가락, 손목, 팔꿈치, 무릎, 발목 등에 흔하며, 힘줄마찰음이 있는 경우는 내부 장기가 침범될 가능성이 더 높다.

손가락 원위부 뼈의 흡수와 용해(acrolysis)는 주로 수지 원위부에 발생하며 손끝 연부조직 소실을 초래한다. 이는 말초 혈관의 이상과 영양 혈류의 감소에 기인하는 것으로 보인다.

근무력이 흔하며 주로 전신 상태의 악화, 불사용, 위축, 영양 실조에 의한다. 드물게 다발근염과 유사한 염증근병증이 발생할 수 있다. 말기 환자에서는 비염증만성근병증이 발생하기도 하는데 근위축과 섬유화가 주된 특징으로 근육효소의 증가는 동반하지 않는다.

대부분 환자가 폐경이거나 폐경이 임박한 여성 환자로 골다공증에 취약하다. 전신 염증의 영향, 당질부신피질호르몬, proton pump inhibitor의 사용, 위장관 흡수장애에 따른 칼슘과 비타민D 결핍이 골다공증의 위험도를 더 증가시킨다.

## 소화기

소화기 침범은 전신경화증에서 가장 흔히 동반되는 내부 장기 합병증으로 위장관의 모든 부위가 침범될 수 있다. 소화기 이상의 기전은 아직까지 잘 알려져 있지 않으나 초기에는 혈관 이상, 콜라겐 섬유 침착, 자가면역기전에 의해 신경 이상(neural dysfunction)이 발생하고, 이에 따라 평활근의 위축, 섬유화가 발생하는 것으로 추측하고 있다.

입 주위 피부, 혀의 경화와 결체 조직의 감소로 입을 벌리기 어렵고, 씹기와 삼키기에 장애가 생긴다. 쇼그렌증후군이 동반되면 구강건조로 인해 음식을 삼키기가 더 힘들어진다. 치아 우식증과 치주염, 치은염이 증가하며, 치주 인대(periodontal ligament)의 소실과 치조골(alveolar bone)의 골흡수로 인하여 치아는 쉽게 흔들리고 음식을 씹기 더욱 어려워진다. 점막의 혈관확장증은 구강 출혈을 일으킬 수 있다.

식도 질환은 대부분의 전신경화증 환자에서 나타나는 합병증이다. 식도 연동 운동 감소와 하부 식도 괄약근 압력 감소에 의한 역류, 위 내용물 배출 지연으로 인해 위식도역류질환(gastroesophageal reflux disease, GERD)이 발생한다. 속쓰림(heartburn)과 역류, 연하곤란이 위식도역류질환의 가장 흔한 증상이다. 오래 되면 반흔에 의한 식도 협착, 식도 점막의 장상피화생으로 인한 바렛식도(Barrett's esophagus)가 발생할 수 있다. 위식도역류질환의 식도 외 증상으로는 만성 기침, 쉰 목소리, 흡인 폐렴이 생길 수 있다. 한편, 지속적인 위내용물의 흡인이 폐실질의 손상을 유발할 수 있다는 점에서 위식도역류는 간질폐질환의 한 위험요인으로 추정된다. 식도 기능은 압력측정검사(manometry)를 통해 평가할 수 있으며, 하부식도괄약근 부전, 원위식도부 평활근의 수축력 감소, 상부 식도 횡문근 연동운동 감소가 관찰된다. 바렛식도는 샘암종(adenocarcinoma)의 위험을 증가시키므로 정기 식도 위내시경 검사와 조직 검사가 필요하다. 흉부 컴퓨터단층촬영에서는 식도의 확장과 내강 공기 소견(intraluminal air)을 보인다.

위 침범은 식도와 소장 침범에 비해 빈도는 낮다. 가장 흔한 증상은 위장 배출 지연이다. 위마비(gastroparesis)는 위식도역류를 악화시키며 조기포만감(early satiety), 복부 팽만감, 구역, 구토, 입맛 상실 및 체중 저하를 동반한다. 위장 배출 지연은 방사선핵종을 이용한 위배출시간(gastric emptying time) 측정으로 진단한다. 위염, 위궤양과 위날문방정맥확장(gastric antral venous ectasia, GAVE)에 의한 위장관출혈과 철결핍성빈혈이 생긴다. GAVE는 위점막 혈관의 확장, 동정맥기형으로 인해 위점막에 종

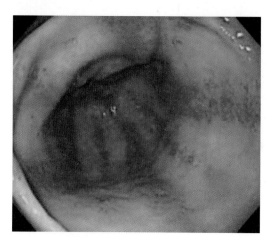

그림 79-8. 위날문방정맥확장(gastric antral venous ectasia, GAVE)

방향으로 유문까지 이어지는 붉은 선 모양 병변을 형성하며, 내시경에서 마치 수박 껍질 같은 점막 모양(watermelon stomach)을 보이는 상태로(그림 79-8), 빈혈과 함께 심한 피로감과 쇠약을 동반할 수 있다. 위와 식도에 칸디다 감염이 되면 통증을 동반한 연하 장애가 생길 수 있다.

소장과 대장의 장관 운동에 장애가 생기면 장내 세균이 과도하게 증식하여 만성설사, 흡수장애 증후군을 초래하여 지방과 단백질, 비타민 B$_{12}$, 비타민D 등의 영양 결핍을 일으킬 수 있다. 장간막 혈관 혈류 저하, 췌장 외분비선 기능 이상도 설사의 원인이 될 수 있다. 장관 운동이 더 심하게 저하되면 복부 팽만과 복통, 구토 등 장폐쇄와 유사한 증상을 일으킬 수 있으며, 이를 거짓폐쇄(pseudo-obstruction)라 하며 외과적 응급으로 오인될 수 있다. 또한, 대장의 근육층이 얇아지면서 장간막면 반대편(antimesenteric border)에 입구가 넓은 게실이 발생할 수 있다. 공기창자낭종(pneumatosis cystoides intestinalis)은 공기가 장관벽으로 새어 들어 장간막, 복강까지 이어지는 상태로 장관 천공으로 오인될 수 있다. 이는 전신경화증 외에 전신홍반루푸스, 근염 등에서도 발생하는 드문 합병증으로 보존적 치료로 호전되고 예후는 양호하다. 항문괄약근의 위축과 섬유화로 인한 기능저하에 의해 대변실금(fecal incontinence)이 발생할 수 있다.

전신경화증이 직접 간을 침범하는 경우는 드물지만, 일차담관성간경화증(primary biliary cirrhosis), 자가면역간염이 전신경화증에 동반할 수 있다. 일차담관성간경화증은 2-2.5%의 전신경화증 환자에서 동반하며, 특히, 항중심체항체가 양성인 제한전신경화증에서 잘 발생한다.

## 폐

전신경화증에서 폐침범은 가장 흔한 사망 원인이다. 폐침범은 주로 간질폐질환(interstitial lung disease)과 폐혈관질환(폐동맥고혈압) 형태로 나타난다. 기타 폐 침범으로는 반복된 식도역류로 인한 흡인성 폐렴, 기관지 내 혈관확장증에 의한 폐출혈, 폐쇄성기관지염(obliterative bronchiolitis), 늑막 삼출, 자연기흉, 흉벽 섬유화에 의한 제한성 환기 장애, 약에 기인한 폐독성 등이 발생할 수 있으며 폐암의 위험도 증가한다.

상기도에서는 건조 증상과 만성 역류로 인해 인두의 염증이 발생할 수 있고 이로 인해 쉰 목소리, 만성 기침이 유발될 수 있다.

폐섬유증 또는 간질폐질환은 전신경화증 환자 중 80%에서 발생한다. 광범위피부경화가 있는 경우, 항topoisomerase-1, 항U3-RNP, 또는 항Th/To항체가 양성인 경우는 심각한 간질폐질환의 위험 요인이다. 제한피부경화, 항중심체항체, 항RNA polymerase III항체가 양성이면 위험도는 감소한다. 병리기전은 폐 실질에서는 섬유화폐포염(fibrosing alveolitis)이 생겨 간질섬유화(interstitial fibrosis)로 진행하고, 폐혈관에서는 혈관평활근과 내피가 증식하면서 산소 교환 장애를 초래한다. 간질폐렴은 광범위전신경화증에서 제한전신경화증보다 흔하게, 더 이른 시기에 발생하고 더 불량한 경과를 보인다. 조직 소견은 비특이간질폐렴(nonspecific interstitial pneumonia, NSIP)과 통상간질폐렴(usual interstitial pneumonia, UIP)이 가장 흔하며 소수에서 기질화폐렴(organizing pneumonia), 늑막-기질성탄력섬유증(pleuroparenchymal fibroelastosis)의 양상을 보이기도 한다. 전신경화증에 동반된 간질폐렴에서는 특발폐섬유증(idiopathic pulmonary fibrosis)과 달리 비특이간질폐렴의 비율이 높고, 예후는 좀 더 양호하다.

간질폐렴은 무증상으로 경과하는 경우가 많고 상당히 진행이 되어서야 증상이 나타난다. 따라서 조기, 적극적 선별 검사가 필요하다. 가장 흔한 초기 증상은 운동 시 호흡곤란과 마른 기침이다. 청진 시 특징은 양측 하엽에서 들리는 미세한 흡기말기수포음(late inspiratory crackle, velcro rale)이다.

폐기능검사는 간질폐렴 선별검사에 있어 가장 적합한 검사이다. 폐기능검사에서는 강제폐활량(forced vital capcity, FVC), 전폐용량(total lung capacity, TLC)이 감소되는 제한변화(restrictive pattern)를 보이며, 폐확산능(diffusion capacity for carbon monoxide, DLCO) 감소가 관찰된다. 폐용적 감소를 고려했을 때 폐확산능 감소가 예측보다 심하게 일어난 경우에는 폐혈관질환을 의심해야 한다.

단순 흉부 촬영에서는 양측 폐 하엽의 망상음영(reticular opacity)이 특징적인 소견이지만 간질폐질환에 대한 민감도는 떨어지며 실제로 병변이 있는데도 정상으로 나오는 경우도 있다. 고해상컴퓨터단층촬영(high-resolution computed tomography, HRCT)은 단순 방사선에서 발견할 수 없는 미세한 변화를 관찰할 수 있어 초기 병변도 발견할 수 있으며, 간질폐질환의 유형과 범위를 평가하는 데도 유용하여 현재는 간질폐렴의 표준 검사로 사용된다. HRCT에서 비특이간질폐렴은 주로 폐 기저부와 늑막 하부에 양측성, 대칭성으로 분포하는 균일한 간유리음영(ground glass opacity)이 특징이며 폐구조는 비교적 보존되는 양상을 보인다. 이에 비해 통상간질폐렴은 폐기저부에 나타나는 벌집모양 음영(honeycombing)과 폐 상부에 나타날 수 있는 망상음영(reticulation)을 특징으로 한다. 통상간질폐렴은 더 조밀한 섬유화와 공동화(cavitation), 낭성 변화(cystic change)로 인해 폐구조의 파괴가 더 심하게 일어난다(그림 79-9).

기관지폐포세척은 간질폐질환의 기본 검사로 시행되지는 않고, 감염성 질환의 감별이 필요한 경우 및 연구를 위한 목적으로 고려된다. 폐생검이 진단을 위해 반드시 필요하지는 않다. HRCT상 폐병변이 비특이적인 경우, 면역억제제를 사용하는 환자에서 감염성 폐질환의 감별이 필요한 경우에 생검을 고려한다.

전신경화증은 폐고혈압의 위험인자로, 선별검사를 받는 전신경화증 환자 중 매년 1-2%에서 폐고혈압이 발생한다. 폐고혈압의 대부분은 폐고혈압 분류상 1군에 해당하는 폐동맥고혈압(pulmonary arterial hypertension)이고 나머지는 좌심실 부전(2군)이나 심한 폐섬유증에 의한 폐고혈압(3군)이다. 드물지만 폐정맥폐쇄질환(pulmonary venooclusive disease, PVOD) 또는 폐모세혈관종증(pulmonary capillary angiomatosis)이 폐고혈압의 다른 원인일 수 있다. 이들은 모세혈관이후 혈관구조(post capillary vasculature)를 침범하며 전형적인 폐동맥고혈압과 혼합될 수 있으며, 혈관확장제 치료 후 오히려 악화되는 폐동맥고혈압에서 원인으로 고려된다.

폐동맥고혈압은 폐모세혈관 내피세포의 증식으로 혈관 내경이 좁아지면서 발생하고, 폐혈관의 저항이 증가되며 우심실의 과부하와 심부전을 유발하게 된다. 폐동맥고혈압은 제한전신경화증에서 더 흔하다. 광범위전신경화증에서는 피부경화와 함께 빠르게 나타날 수 있고, 제한전신경화증에서는 피부 증상이 발생한 후 수년 뒤 발생한다.

폐동맥고혈압은 혈관계의 이상이 천천히 진행하면 초기에는 증상이 없는 경우가 많다. 가장 흔한 증상은 피곤감이고, 운동 시 호흡곤란이 발생한다. 더 진행하면 어지러움, 흉통, 실신과 함

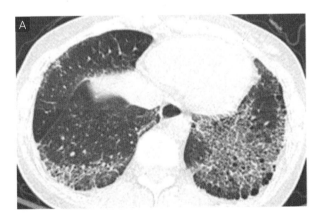
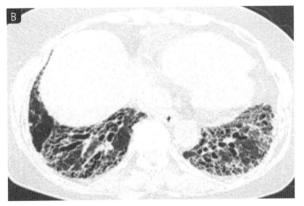

그림 79-9. **전신경화증에서 간질폐질환의 HR CT소견** (A) 비특이간질폐렴의 간유리음영, (B) 통상간질폐렴의 벌집모양 음영

께 우심실 부전에 의한 부종, 간비장비대, 복수 등 증상이 발생한다. 주 사망원인은 심부전, 부정맥이다. 신체검사에서는 제2심음의 분리가 늘어나면서 폐동맥판음이 증가하고 우심실의 거상(heave)이 촉진되며, 삼첨판, 폐동맥판부전에 의한 심잡음이 청진된다. 우심실부전에 의해 경정맥의 상승이 일어나고, 하지의 함몰부종이 발생한다.

폐동맥고혈압은 한 때 중앙생존(median survival)이 진단 후 1년에 불과할 정도로 치명적인 합병증이었으나 조기 진단으로 예후는 점차 개선되고 있다. 전신경화증 환자에서는 매년 폐기능검사와 심초음파를 통한 폐동맥고혈압의 선별 검사가 추천된다. 폐기능 검사에서 폐용적에는 변화가 없으면서 폐확산능만 감소된 소견은 폐동맥고혈압의 발생을 의미한다. 심초음파로 측정한 평균폐동맥압이 ≥40 mmHg인 경우 폐동맥고혈압의 가능성이 높다. 그러나 심초음파 결과는 실제보다 과평가되었을 가능성이 있으며 확진을 위해서는 우심실 도관삽입(right heart catheterization)을 통한 평균폐동맥압 측정이 반드시 필요하다. 우심실 도관삽입 시 평균폐동맥압 ≥20 mmHg, 폐동맥쐐기압(pulmonary wedge pressure) ≤15 mmHg, 그리고 폐혈관저항(pulmonary vascular resistance, PVR) ≥3wood units이면서 허파심장증(cor pulmonale), 좌심실부전, 혈전색전증을 배제할 수 있으면 폐동맥고혈압으로 확진할 수 있다. 우심실 도관 삽입은 진단뿐만 아니라 약물에 대한 폐 혈관계 반응을 검사 중에 같이 평가할 수 있으므로 향후 치료 계획을 수립하기 위해서도 유용하다. 뇌나트륨이뇨펩티드(brain natriuretic peptide, BNP), NT-proBNP (N-terminal proBNP)는 우심실 부전을 평가하고 예후를 예측하는 데 이용되는 생화학적 표지자이다. 6분걷기산소포화도검사는 예후 예측 및 치료 효과 평가를 위해 사용된다. 그러나 전신경화증에서는 호흡곤란 외에 근골격계증상이나 혈관 이상으로 인한 운동능력감소가 검사 결과에 영향을 줄 수 있다는 점을 고려해야 한다.

## 심장

심장 침범은 단독으로, 또는 폐동맥고혈압, 간질폐렴, 신장 침범의 결과로 발생하며, 광범위 전신경화증에서 제한전신경화증

에 비해 더 흔하다. 심내막, 심근, 심장막을 각각 또는 동시에 침범할 수 있다. 심장막 침범은 무증상 심장막삼출, 급성심장막염, 협착심장막염(constrictive pericarditis)으로 발현할 수 있으나 심장눌림증(tamponade)은 드물다. 반복적인 허혈과 재관류에 의해서 발생하는 심근섬유화(myocardial fibrosis), 심근염으로 인해 심부전이 발생할 수 있다. 섬유화와 함께 전도 장애로 인해 심실조기수축(ventricular premature contraction)이 흔하게 일어나며 이로 인한 발작성 지속 빈맥이 속발할 수 있다.

전신경화증에서 심장 침범의 빈도는 과소평가되는 경향이 있는데, 환자는 심장 침범이 있더라도 무증상으로 경과하다가 갑자기 심한 증상을 보일 수 있으며, 임상적으로 발현된 이후의 예후는 불량하다. 심장초음파는 무증상 심장 침범을 발견하기에는 충분히 민감하지 못하며 조직도플러초음파(tissue doppler echocardiography), 자기공명영상, 탈륨관류스캔, SPECT 검사가 도움이 된다. BNP, NT-proBNP는 우심실과 좌심실의 용적이나 압력 과부하를 반영, 심부전을 관찰하고 예후를 평가하는 데 유용하다.

## 신장

혈전미세혈관병증(thrombotic microangiopathy), 가속고혈압(accelerated hypertension), 진행하는 급성신장손상이 동반된 상태를 신장위기(scleroderma renal crisis)라고 한다. 병리 소견은 내막증식(intimal hyperplasia)이나 내강이 좁아지는 현상이 활꼴동맥(arcuate artery)과 엽사이동맥(interlobular artery)에서 주로 관찰되는데 이러한 소견은 신장위기가 없는 전신경화증환자에서도 관찰될 수 있다. 병인은 밝혀져 있지 않지만 내재된 신장의 혈관병에 강력한 혈관수축이 합병되면서 신장 혈류가 감소되어 많은 양의 레닌 분비를 유발하고, 이는 다시 안지오텐신을 활성화하여 신장 혈관의 수축을 더욱 가중시켜 악성고혈압을 초래한다고 생각되고 있다.

신장위기는 전신경화증 환자의 10%에서 발생하고 광범위 전신경화증에서 주로 나타나며, 제한 전신경화증에서는 드물다. 전신경화증 초기에 주로 발생하며, 위험인자는 남성, 광범위전신경화증에서 피부 침범이 빠르게 진행하는 경우이다. 또한, 항

RNA polymerase III항체가 양성인 환자의 25%에서 신장위기가 발생한다. 항topoisomerase-1항체 양성인 환자에서는 약 10%에서 신장위기가 발생하여 유용한 예측인자는 아니다. 항중심체항체는 신장위기에 대해서는 예방 인자로 보인다. 힘줄마찰음, 심막삼출, 원인을 알 수 없는 빈혈이 새로 생긴 경우와 혈소판감소증은 신장위기가 임박했음을 알리는 전조이다. 고용량 글루코코티코이드 사용과 신장위기의 발생 간에 연관 관계가 있다고 알려져 있으며, 따라서 고위험 환자에서는 글루코코티코이드의 사용은 가능한 피하고 필요한 경우에도 프레드니솔론 기준 하루에 10 mg 미만으로 사용하도록 권고하고 있다.

신장위기의 전형적인 증상은 이전에 혈압이 정상이었던 환자에서 갑자기 가속고혈압이 발생하면서 두통, 병감(malaise), 고혈압성망막병증, 뇌병증, 폐부종이 발생한다. 검사소견은 미세혈관병증용혈빈혈(microangiopathic hemolytic anemia), 혈소판감소, 가속화된 신장 기능 상실과 함께 현미경적혈뇨와 단백뇨, 때로는 적혈구원주가 소변에서 관찰되고, 혈액 내 레닌(renin) 수치가 매우 증가한다.

고령, 남성, 심장 침범이 있을 때, 치료 시작 시점의 혈청 크레아티닌이 높을 때 예후가 나쁘며 영구적 투석이 필요하거나 사망에 이를 수 있다. 일부 신장위기 환자에서는 혈압이 정상인 경우에 더 나쁜 예후를 보이는데, 그 이유는 명확하지 않으나 좌심실 기능의 저하로 혈압을 증가시키는 반응이 충분히 생기지 않는 것으로 풀이하기도 한다.

신장위기 이외의 신장 침범 양상으로는 드물게 초승달사구체신염(crescentic glomerulonephritis)이 항중성구세포질 항체와 연관되어 발생할 수 있고 D-penicillamine 사용에 의해 막성사구체신염이 발생하기도 한다.

## 기타

남성에서는 발기 장애를 유발할 수 있으며 여성에서는 질 분비물의 감소, 질구협착에 따른 성교통(dyspareunia) 등 성기능 장애가 발생할 수 있다.

내분비계 합병증 중 가장 흔한 것은 갑상선 질환으로, 갑상선 섬유화, 자가면역갑상선염에 의한 갑상선 기능 저하와 그레이브씨병에 의한 갑상선항진증이 발생할 수 있다.

말초신경과 자율신경계 증상은 자주 간과되는 합병증으로 근육병증, 삼차신경신경병증(trigeminal neuropathy), 말초신경운동계다발성신경병증(sensorimotor polyneuropathy), 손목굴증후군 등이 나타날 수 있다.

전신경화증에서 악성종양의 위험성이 증가된다는 다수의 보고가 있으며, 가장 강한 관련성이 보이는 것은 폐암으로 전신경화증 환자에서 발생하는 암의 1/3을 차지한다. 식도암과 구인두암 위험이 높다는 보고도 있다. 전신경화증 환자에서 악성종양 빈도가 높은 이유는 아직 밝혀져 있지 않다.

## 참고문헌

1. Denton CP, Khanna D. Systemic sclerosis. Lancet 2017; Epub ahead of print.
2. Denton CP, Ong WH. Clinical and serologic features of systemic sclerosis. In: Marc C. Hochberg, Gravallese EM, Silman AJ, Smolen JS, Weinblatt ME, and Weisman MH, eds. Rheumatology (Hochberg). 7th ed. Elsevier; 2019. pp. 1238-47.
3. Elhai M, Avouac J, Kahan A, Allanore Y. Systemic sclerosis: recent insights. Joint Bone Spine 2015;82:148-53.
4. Parks JL, Taylor MH, Parks LP, Siver RM. Systemic sclerosis and the heart. Rheum Dis Clin N Am 2014;40:87-102.
5. Steen VD. Kidney involvement in systemic sclerosis. Presse Med 2014;43:e305-e314.
6. Varga J. Clinical manifestations and diagnosis of systemic sclerosis (scleroderma) in adults. In: UpToDate, Post, TW(Ed), UpToDate, Waltham, MA, 2020.
7. Varga J. Systemic sclerosis(scleroderma) and related disorders. In: Jameson JL, Fauci AS, Kasper DL, Hauser SL, Longo DL, and Loscalzo J, eds. Harrison's Principles of Internal Medicine, 20thh ed. McGraw Hill; 2018.
8. Wells AU. Interstitial lung disease in systemic sclerosis. Presse Med 2014;43:e329-e343.
9. Wigley FM and Boin F. Clinical Features and Treatment of Scleroderma. In: Firestein GS, Budd RC, Gabriel SE, McInnes LB, and O'Dell JR. eds. Firestein and Kelley's Textbook of Rheumatology. 11th ed. Elsevier; 2021. pp. 1499-538.

# 80

# 검사소견과 진단

강원의대 문기원

## KEY POINTS 🔒

- 전신경화증 관련 자가항체와 손톱주름 모세혈관경 검사는 예후와 장기 침범 예측 및 조기진단에 도움이 되어 2013년 미국류마티스학회/유럽류마티스학회의 전신경화증 분류기준 항목으로 추가되었다.
- 전신경화증 진단에 의미가 있는 자가항체는 항중심체항체, 항 topoisomerase I항체, 그리고 항RNA 중합효소 III항체이다.
- 2013년 미국류마티스학회/유럽류마티스학회의 전신경화증 분류기준은 조기 치료를 위한 조기 진단과 혈관병증/면역학적 이상/섬유화의 병인을 모두 반영하는 데 중점을 두었다.

## 검사소견

전신경화증(systemic sclerosis, SSc)의 초기 검사소견은 비특이적이지만 혈액검사에서 자가항체가 검출되고 손톱주름 모세혈관경 검사에서 이상 소견이 관찰될 수 있다.

### 1) 혈액검사소견

전신경화증은 모든 장기를 침범 가능하므로 혈액검사소견은 침범 장기나 중증도에 따라 다양한 소견을 보인다. 예를 들어 빈혈의 원인으로 만성 염증으로 인한 정상색소 빈혈이나 소적혈구 빈혈이 가장 흔하지만, 위점막 혈관확장증에 의한 출혈이 있으면 철분결핍빈혈이 보이기도 하고, 콩팥 위기에서는 미세혈관병증 용혈빈혈이 관찰될 수 있다. 혈소판감소와 백혈구감소는 드

표 80-1. 전신경화증에서 나타날 수 있는 자가항체와 관련 임상양상

| 표적 항원 | 전신경화증 아형 | 연관된 임상증상 |
|---|---|---|
| Topoisomerase1 (Scl70) | 광범위 | 폐섬유화, 심장침범 |
| Centromere (protein B, C) | 제한 | 심한 레이노현상, 손가락허혈, 폐동맥고혈압, 건조증후군, 석회증 |
| RNA polymerase III | 광범위 | 광범위 피부경화, 힘줄마찰음, 콩팥위기 |
| U3-RNP (fibrillarin) | 광범위 혹은 제한 | 일차폐동맥고혈압, 식도, 심장, 신장침범, 근육질환 |
| Th/T0 | 제한 | 폐섬유화, 폐동맥고혈압 |
| PM/Scl | 중복증후군 | 근육염, 폐섬유화, 말단뼈용해 |
| U1-RNP | 중복증후군 | 루푸스, 염증관절염, 폐섬유화 |
| Cardiolipin, $\beta_2$GPI | 제한 | 폐동맥고혈압, 폐질환 |

물게 나타나며 감소된 소견을 보이면 약물독성을 의심할 수 있다. 항핵항체(antinuclear antibody)는 거의 모든 환자에서 양성이며 질환 초기부터 관찰 가능하다. 전신경화증 관련 특이 자가항체는 장기 침범 종류와 예후를 예측하는 데 도움을 줄 수 있다(표 80-1).

진단적 가치가 있는 전신경화증 특이항체는 항중심체항체(anticentromere antibody), 항topoisomerase I항체(antitopoisomerase I antibody), 그리고 항RNA 중합효소 III항체(anti-RNA polymerase III antibody) 세 종류이다. 항중심체항체는 제한전신경화증 환자의 38%에서 확인되며 광범위전신경화증에서는 5%에서 양성 소견을 보인다. 항중심체항체는 제한전신경화증과 폐동맥고혈압 발생과 관련이 있고 간질성폐질환이 나타나는 경우는 드물다. 항topoisomerase I (Scl70)항체는 광범위전신경화증 환자의 31%에서 관찰되며 제한전신경화증 환자에서는 13% 정도만 확인된다. 간질폐질환, 광범위 피부경화, 신장위기와 관련되어 있어서 나쁜 예후와 높은 사망률의 예측인자이다. 항RNA polymerase III항체는 일반적으로 신장위기와 높은 연관성을 보이지만 국내에서 양성률은 해외보다 낮은 편이다. 면역형광염색에서 U3-RNA, Th/To 또는 PM/Scl 연관 염색 패턴과 더불어 작은 반점 형태의 형광염색 소견을 보이며, 관절구축과 힘줄마찰음(tendon rubs)이 흔하게 나타난다. 항Th/To항체는 심각한 간질폐질환 및 폐동맥고혈압과 연관되어 있다. 항PM/Scl항체, 항Ku항체, 항U1-RNP항체는 주로 중복증후군(overlap syndrome) 환자에서 관찰된다. 특히 U1-RNP항체는 중복증후군에서 특이적이다. 항PM/Scl항체는 염증근염으로 인한 근력약화가 급성으로 발생하고 간질폐질환과도 연관이 있다. $\beta_2$GPI에 대한 항체는 손가락의 허혈과 연관이 있다.

## 2) 손톱주름 모세혈관경 소견

전신경화증 환자의 거의 대부분에서 피부경화가 나타나기 수주에서 수년 전부터 레이노현상이 선행된다. 그러므로 레이노현상이 있는 환자 중에서 어떤 경우가 전신경화증으로 진행할지 여부에 대한 예측이 필요하다. Maricq 등은 손톱주름 모세혈관경(nailfold capillaroscopy, NFC)에서 쉽게 구별 가능한 특징적인 손톱주름 모세혈관의 이상소견들을 '피부경화양 패턴(scleroderma-like pattern)'으로 기술하였다. 전신경화증에서 보이는 모세혈관경의 '피부경화양 패턴'은 조기(early phase)에 모세혈관의 지름이 팽창하는 확장과 정상의 10배 정도 크기의 거대혈관이 보이고, 활성기(active phase)에는 거대혈관과 미세출혈이 증가하며 혈관의 빈도가 감소한다. 후기(late phase)에는 거대혈관은 사라지고 모세혈관의 배열이 불규칙해지면서 신생혈관과 무혈관지역이 관찰되는 전형적인 일련의 변화가 특징이다(그림 79-7).

여러 연구에서 손톱주름 모세혈관경의 특징적인 소견이 특이 자가항체와 더불어 전신경화증으로의 진행을 강하게 예측한다는 것을 보여주었다.

## 3) 조직검사소견

다른 질환과 구분되는 전신경화증의 병리적 특징은 전반적인 모세혈관 감소와 폐쇄로 인한 미세혈관병증 및 피부와 내부 장기의 섬유화이다. 질환 조기에 혈관 주변으로 염증 세포의 침윤이 관찰되며, 염증세포는 T세포, 단핵구, 대식세포, 형질세포, 비만세포, 그리고 종종 B세포로 이루어진다. 질환의 후기에는 비염증성 폐쇄가 이루어진 혈관병증이 심장, 폐, 신장 그리고 소장에서 확인된다. 섬유화는 피부, 폐, 위장관계, 심장, 인대, 골격계를 둘러싸고 있는 섬유 주변과 몇몇 내분비 기관에서 관찰되는데 콜라겐, 피브로넥틴, 당단백질, tenascin, cartilage oligomeric matrix protein (COMP) 그리고 구조적인 거대 분자가 점진적으로 침윤되어 장기의 기능 이상을 일으킨다.

# 진단

## 1) 2013년 미국류마티스학회/유럽류마티스학회의 전신경화증 분류기준

1980년에 제시되었던 미국류마티스학회 예비 분류기준의 낮은 민감도를 보완하고 이전의 여러 분류기준을 바탕으로 조기 전신경화증의 개념을 반영하는 새로운 분류기준이 2013년에 제시되었다. 분류기준을 재정비하는 목적은 명확한 임상 특징이 다 발현된 전신경화증뿐 아니라 조기의 혈관병증/면역학적 이상/섬유화의 병인을 모두 반영하면서, 임상에서 쉽게 접근하여 사용가능하고 여러 임상연구에도 활용 가능하게 하기 위함이다.

국제전문가위원들이 이전의 연구와 발표 기록들을 기반으로 분류기준에 들어갈 168개 항목을 선정하여 보정을 거친 후 9개 항목으로 정리하였다. 이 중 가락피부경화증과 손가락 부종은 손가락 피부경화로 통합하여 여덟 가지 항목으로 최종 정리하고 각각의 항목은 중요도에 따른 점수를 정하였다. 같은 항목에 해당되는 세부항목 중에서는 점수가 높은 한 항목의 점수만을 합산하여 총 9점이 넘으면 명확한 전신경화증으로 분류하였다(표 80-2).

각 항목의 최대점수를 더해서 9점 이상이면 전신경화증으로 분류할 수 있다.

일부 환자에서는 피부경화 없이 레이노현상이나 다른 전형적인 장기 침범만 보이는데 이를 피부경화증이 없는 전신경화증(systemic sclerosis sine scleroderma)이라고 부른다. 이러한 경우 레이노현상, 특이 자가항체 양성, 손톱주름 모세혈관경의 특이 이상이 있으면서 폐동맥고혈압이나 폐섬유화가 있으면 2013년 분류기준에 의하여 10점으로 진단이 가능하나, 내부 장기 침범이 관절, 근육, 위식도 기능 이상, 혹은 신장이상으로 나타나면 분류기준에서 제외된다. 이러한 문제는 추후 개선해야 할 점으로 언급되었다.

## 2) 감별진단

피부경화 소견은 전신경화증 외에 다른 질환에서도 관찰될 수 있다. 특정한 약물이나, 독소, 환경적 인자, 당뇨, 갑상선기능저하증, 신장질환, 아밀로이드증에서도 전신경화증과 유사한 피부 증상을 나타낼 수 있다. 이중 감별해야 할 대표적인 질환은 다음과 같다.

### (1) 경화부종

경화부종은 대칭적인 피부경화 소견이 주로 몸통, 목덜미, 어깨, 등의 윗부분에 나타나는 질환이다. 얼굴도 침범할 수 있으나 손가락은 잘 침범하지 않는다. 감염 혹은 당뇨와 연관되어 나타날 수 있다. 레이노현상이 없고 손톱주름 모세혈관 검사에서 정상 소견을 보이며 자가항체가 검출되지 않는다는 점에서 전신경화증과 감별할 수 있다.

### (2) 경화점액수종

경화부종보다 넓은 부위에서 피부경화가 발생하고 중년 환자에서 호발한다. 피부 조직 검사가 진단에 도움이 될 수 있다. 혈청과 소변에서 람다 타입의 면역글로불린(immunoglobulin G lamda)이 관찰된다. 흔히 면역글로불린 경쇄아밀로이드증이나 다발골수증과 연관되어 발생한다.

**표 80-2.** 전신경화증의 2013년 미국류마티스학회/유럽류마티스학회의 분류기준

| 항목 | 소항목 | 점수 |
|---|---|---|
| 1. 근위부 피부침범: 손허리손가락관절의 근위부 피부가 두꺼워지는 증상 | | 9 |
| 2. 손가락 피부경화(더 높은 점수만 셈한다) | 손가락 부종 | 2 |
| | 가락피부경화증 | 4 |
| 3. 손가락 끝 병소(더 높은 점수만 셈한다) | 수지궤양 | 2 |
| | 함요반흔 | 3 |
| 4. 모세혈관확장증 | | 2 |
| 5. 전신경화증 특이 손톱주름 모세혈관경 소견 | | 2 |
| 6. 폐동맥고혈압 그리고/또는 간질폐렴(최대점수 2) | 폐동맥고혈압 | 2 |
| | 간질폐렴 | 2 |
| 7. 레이노현상 | | 3 |
| 8. 전신경화증 특이 자가항체(최대점수 3) | 항중심체항체 | |
| | 항topoisomerase I항체 | 3 |
| | 항RNA polymerase III항체 | |

피부경화를 일으킬 만한 다른 원인이 배제되어야 하고 소항목의 점수를 합하지 않고 각 항목에서 큰 점수만을 합하여 9점이 넘으면 전신경화증으로 분류

## (3) 신장기원 전신섬유증

흔히 만성신부전으로 투석 중인 환자에서 발생하며 자기공명영상(magnetic resonance imaging, MRI)에서 사용되는 가돌리늄(gadolinium)이 포함된 조영제에 노출된 후에 발생할 수 있다. 사지와 몸통에 피부 경화 소견이 나타나며 피부 조직검사에서 CD34 양성의 섬유아세포(CD34 positive fibroblast)의 침착이 관찰된다. 레이노현상이 없고 자가항체가 발견되지는 않는다는 점에서 전신경화증과 감별할 수 있다.

## (4) 호산구근막염

오렌지껍질 모양의 피부 경화를 보이며 침범된 피부와 근막까지 두꺼워지는 것이 특징이다. 흔히 손목과 발목의 근위부의 피부를 침범하며 손과 발은 침범하지 않는다. 혈액검사에서 호산구의 증가가 관찰되며 조직검사에서 호산구를 포함한 염증세포의 침윤이 관찰된다.

## (5) 약물 및 독소

항암제로 사용되는 bleomycin, docetaxel, paclitaxel과 같은 약물이 전신경화증과 유사한 증상을 유발할 수 있으며 비타민 K, 비타민 $B_{12}$, pentazocin과 같은 약제도 이러한 증상을 유발할 수 있는 것으로 알려져 있다. 트리클로로에탄(tricholoroethane)과 같은 석유증류물, 이산화규소(silica), 염화비닐(vinyl chloride), L-트립토판(tryptophan), 오염된 유채씨유와 같은 물질도 전신경화증과 유사한 증상을 일으킬 수 있다.

## 결론

전신경화증은 피부경화를 포함한 섬유화가 시작되기 이전에 손가락부종, 비특이적인 혈관확장이나 레이노현상이 선행되나 이를 조기에 분류, 진단하고 치료에 적용하기가 어려웠다. 이상적인 분류기준이란 질병의 초기 발견이 가능하며 질환의 경과를 예측 가능한 세 분류에 도움이 되고, 이를 뒷받침할 실험실적 검사 결과를 포함하며 쉽게 사용하고, 여러 국가에서 유효성이 검증되어야 한다. 2013년 미국류마티스학회/유럽류마티스학회의 전신경화증 분류기준은 위의 조건을 만족하면서 조기진단이 가능하고 임상에서 쉽게 활용할 수 있는 분류기준이다. 최근에는 이보다 더 이른 시기의 초기 전신경화증(very early systemic sclerosis) 환자를 찾기 위한 노력도 지속되고 있다.

### 참고문헌

1. 홍연식. 전신경화증의 검사소견과 진단. In: 대한류마티스학회. 류마티스학. 군자출판사; 2014.
2. Kim HS. The Clinical Efficacy of Nailfold Capillaroscopy in Rheumatic Diseases. Korean J Med 2016;90:494-500.
3. Kim HS. The Efficacy of Nailfold Capillaroscopy in Patients with Raynaud's Phenomenon. J Rheum Dis 2015;22:69-75.
4. Kim HS. Updated Classification Criteria for Systemic Sclerosis: the Concept of Early Diagnosis. Korean J Med 2014;87:395-400.
5. Maricq HR, LeRoy EC, D'Angelo WA, Medsger TA, Rodnan GP, Sharp GC, et al. Diagnostic Potential of In Vivo Capillary Microscopy in Scerolderma and Related Disorders. Arthritis Rheum 1980;23:183-9.
6. Minopoulou I, Theodorakopoulou M, Boutou A, Arvanitaki A, Pitsiou G, Doumas M, et al. Nailfold Capillaroscopy in Systemic Sclerosis Patients with and without Pulmonary Arterial Hypertension: A Systematic Review and Meta-Analysis. J Clin Med 2021;10:1528.
7. Moon KW, Lee SS, Lee YJ, Jun JB, Yoo SJ, Ju JH, et al. Clinical and Laboratory Characteristics and Mortality in Korean Patients with Systemic Sclerosis: A Nationwide Multicenter Retrospective Cohort Study. J Rheumatol 2018;45:1281-8.
8. Smith V, Herrick AL, Ingegnoli F, Damjanov N, De Angelis R, Denton CP, et al. Standardisation of nailfold capillaroscopy for the assessment of patients with Raynaud's phenomenon and systemic sclerosis. Autoimmun Rev 2020;19:102458.
9. Sobolewski P, Maslinska M, Wieczorek M, Lagun Z, Malewska A, Roszkiewicz M, et al. Systemic sclerosis-multidisciplinary disease: clinical features and treatment. Reumatologia 2019;57:221-33.
10. van den Hoogen F, Khanna D, Fransen J, Johnson SR, Baron M, Tyndall A, et al. 2013 classification criteria for systemic sclerosis: an American college of rheumatology/European league against rheumatism collaborative initiative. Ann Rheum Dis 2013;72:1747-55.

# 81

# 치료와 예후

순천향의대 **김현숙**

- 신속하고 정확한 진단으로 극초기에 적극적 치료를 설정하는 것이 중요하다.
- 장기 침범 여부를 평가하여 치료 계획에 반영한다.
- 간질폐질환이 진단되면 면역억제제나 항섬유화 치료를 고려한다.
- 폐동맥고혈압이 진단되면 중증도에 따라 엔도텔린수용체길항제, 포스포디에스터레이즈타입-5 차단제, 그리고 프로스타노이드 등의 단일 혹은 병합치료를 하고 이를 위한 다학제 치료를 고려한다.
- 신장위기가 진단되면 가능한 빨리 안지오텐신전환효소 억제제를 투여하여 혈압을 조절한다.

요하고 진단 이후에도 지속적으로 정기적인 평가를 설정하여 지연 없이 확인하는 것이 필요하다. 장기 침범의 위험 등 불량한 예후가 예상되는 환자를 예측하여 적절한 평가 기간과 치료를 설정하는 적극적 치료가 예후 개선에 도움을 줄 수 있다. 기본 치료 개념은 전신경화증의 병태생리학 기전인 면역학적 이상, 혈관병증, 그리고 섬유화에 맞는 면역억제제, 혈관병증 치료 그리고 항섬유화 치료로 나눠지나 새로운 기전의 치료제 도입 시도가 계속되고 있으므로 최신 치료가이드라인의 변화를 숙지한다.

## 치료

### 1) 면역억제치료

전신경화증은 침범 장기별로 치료를 하는 것이 일반적이나 초기의 광범위전신경화증(diffuse cutaneous systemic sclerosis)에서 광범위 피부경화, 간질폐질환, 심근염 그리고 심한 염증근염이 동반된 경우, 증상을 완화시키고 진행을 막기 위해 면역억제제 투여가 권장된다. 주로 메토트렉세이트, 마이코페놀레이트모페틸, 사이클로포스파마이드 등이 사용되나 효과가 일관되지 않으므로 부작용과 효과 측면을 고려해 투여 여부 및 용량을 결정한다.

사이클로포스파마이드가 전신경화증과 연관된 간질폐질환의 진행을 막고 폐기능을 유지하는 데 도움을 줄 수 있다는 임상 연구가 있고, 피부경화도 호전시키는 것으로 보고되고 있다. 하지만, 치료 중단 시 그 효과는 서서히 사라지고 치료 중 여러 부

전신경화증(systemic sclerosis, SSc)은 아직 그 원인과 발병기전이 명확히 알려져 있지 않아 근본적인 치료나 질병 경과를 완화시키는 치료가 부족하다. 주로 장기 침범여부와 대규모 임상시험 결과에 따른 치료가 이루어지며 이를 통해 일부에서는 진행을 늦추는 것도 기대해 볼 수 있어 과거보다는 효과적인 치료와 경과 개선이 가능해졌다.

다양한 임상양상을 보일 수 있고 환자별로 장기 침범과 그 중증도 및 경과가 다르므로 적절한 개별치료가 필요하다. 비가역적인 손상이 발생하기 전 가능한 조기에 진단하여 치료를 시작하는 것이 가장 중요한 치료 원칙으로 경화가 시작되기 전 염증단계 혹은 혈관병증(vasculopathy)의 극초기에 적절한 치료를 시작하여야 한다. 이를 위해 장기 침범을 조기에 발견하는 것이 중

작용이 동반될 우려가 있으므로 기대되는 효과와 함께 잠재적인 부작용을 고려하여 치료 결정을 하는 것이 필요하다. 마이코페놀레이트모페틸은 최근 연구에서는 피부경화와 간질폐질환을 호전 및 안정시킨다는 보고가 있어 2020년 10월부터 국내에서도 급여대상 범위에서 보험적용이 가능하다. 리툭시맙(rituximab)이 피부경화와 간질폐질환 치료에 효과가 있다는 보고가 있었고 자가조혈모세포이식이 광범위 피부경화에 효과적이라는 대규모 임상연구가 있으며 초기 사망률 증가 이후에는 간질폐질환 호전 및 장기 생존율 개선을 보였다(표 81-1).

글루코코티코이드는 중등도 용량 이상 사용 시, 신장위기(scleroderma renal crisis, SRC) 발생의 위험도가 증가하므로, 피부경화나 장기침범의 치료를 위해 처방할 때, 전문의가 신중하게 최소 용량을 사용하여야 한다.

## 2) 혈관병증 치료

레이노현상, 폐동맥고혈압(pulmonary arterial hypertension), 신장위기(renal crisis) 등이 전신경화증에서 나타날 수 있는 대표적인 혈관병증으로 치료의 목표는 혈관 확장과 회복을 촉진시키고 폐색혈관병증의 진행을 늦춰 비가역적 허혈 손상을 방지하는데 있다.

### (1) 레이노현상

레이노현상은 초기 미세혈관병증으로 가장 중요한 치료는 말초뿐 아니라 심부 체온을 따뜻하게 유지하는 것이 중요하여 장갑이나 보온기를 이용하여 손발을 따뜻하게 하고 흡연, 혈관수축 작용이 있는 약물, 스트레스, 그리고 추위와 같이 레이노현상을 악화시킬 수 있는 인자들을 피하는 것이다. Dihydropyridine형 칼슘통로차단제(calcium-channel blocker, CCB)가 일차 약제로 추천되며 혈관 확장을 위해 장시간 방출형 제제인 니페디핀(nifedipine)을 권고한다. 로살탄(losartan)과 같은 안지오텐신수용체차단제(angiotension receptor blocker, ARB)도 효과가 있는 것으로 알려져 있으나 안지오텐신전환효소(angiotension converting enzyme, ACE) 억제제는 효과가 적게 나타났다. 포스포디에스터레이즈 타입5(phosphodiesterase type 5, PDE-5) 차단제인

**표 81-1.** 전신경화증의 장기 침범에 따른 최신 치료 권고사항 요약

| 장기 침범 | 일차 치료 | 대체/이차 치료 |
|---|---|---|
| 레이노현상 | 혈관확장제(CCB 혹은 PDE5억제제) 항혈소판제 | PDE5억제제, 프로스타사이클린, ERA 보톡스주사, 교감신경절제술 |
| 신장위기 | ACE억제제 | ARB, CCB, 프로스타사이클린, 신장이식(12개월 이상 경과 관찰 후 결정) |
| 위장관 | 상부위장관 치아, 잇몸관리, 생활습관 교정, 프로톤펌프억제제, 위장관 운동촉진제 | 협착에 대한 내시경적 시술 항생제 교체 투여 |
| | 하부위장관 유산균제, 항생제 교체 투여 | 위장관운동촉진제, 완전비경구영양법 |
| 피부 | MMF, 사이클로포스파마이드 | IVIG, ATG, HSCT(중증의 진행성인 경우), 임상연구 시도 |
| 간질폐질환 | MMF, 사이클로포스파마이드 | 임상연구 시도, 항섬유화 치료 |
| 폐동맥고혈압 | PDE5억제제, ERA, 프로스타사이클린계열제, riociguat | 2제/3제 병합투여, 심방중격개술, 임상연구 시도, 폐이식 |
| 심장 침범 | 심부전치료, 이뇨제, CCB | 면역억제제, IVIG(심근염이 있을 때) |
| 관절 | 글루코코티코이드, 메토트렉세이트, rituximab, tocilizumab | IVIG(위축과 힘줄마찰음이 있을 때), 물리치료/직업치료 |
| 근육 | 글루코코티코이드, 메토트렉세이트, 아자싸이오프린 | IVIG |
| 정신사회적측면 | 항우울제, 통증 조절, 수면 조절 | 지지요법 |

CCB, calcium-channel blocker; PDE5, phosphodiesterase type 5; ERA, endothelin receptor antagonist; ACE, angiotension converting enzyme; ARB, angiotension receptor blocker; MMF, mycophenolate mofetil; IV, intravenous; IVIG, iv immunoglobulin; ATG, anti-thymocyte globulin; HSCT, hematopoietc stem cell transplantation.

실데나필(sildenafil)이 레이노현상의 빈도나 강도를 줄일 수 있어 칼슘통로차단제에 충분한 효과가 없는 경우 사용을 고려해 볼 수 있다. 프로스타노이드(prastanoids)인 일로프로스트(iloprost) 정맥투여 또한 레이노현상의 빈도나 강도를 줄인다고 보고되어 있어 다른 치료에 효과가 없고 증상이 심한 경우에 사용을 고려해 볼 수 있다. 세로토닌흡수억제제(serotonin-specific reuptake inhibitor)인 플루옥세틴(fluoxetine)도 레이노현상에서 효과가 있음을 보고한 연구가 있었고, 그 외 혈소판 응집을 억제하는 저용량 아스피린(aspirin)이나 디피리다몰(dipyridamole) 같은 항혈소판제도 보조적으로 사용할 수 있다.

만성적인 조직의 허혈로 발생한 손가락 또는 발가락 궤양은 따뜻하게 유지하며 가능한 빨리 혈관확장제 투여를 시작하여야 한다. 소독과 함께 항생제의 국소 도포 및 아스피린이 도움이 될 수 있으나 부가적 효과는 입증되어 있지 않다. 급성기 때 헤파린(heparin) 투여를 고려해 볼 수 있으나 지속적인 항응고요법 유지는 권장되지 않는다. 일로프로스트 정맥투여에 대한 손가락 또는 발가락 궤양의 치료 효과가 보고되어 있고, PDE-5 차단제도

불응성 궤양의 치료 효과와 예방적 효과를 보였다. 대규모 전향 연구에서 엔도텔린수용체길항제(endothelin receptor antagonist, ERA)인 보센탄(bosentan)은 이미 생겨 있는 궤양의 치료에는 유의한 효과가 없었으나 새로운 궤양 발생의 위험을 감소시켰다. 이러한 약물치료에도 재발하는 경우 보톡스주사나 교감신경절제술이 일부 도움이 될 수 있다(표 81-1).

### (2) 폐동맥고혈압

치료와 약물 선택의 원칙은 일차 폐동맥고혈압(pulmonary arterial hypertension, PAH) 치료와 동일하며 전문센터 및 다학제 치료를 고려한다. ERA[보센탄, 암브리센탄(ambrisentan), 마시텐탄(macitentan)], PDE-5 억제제[실데나필, 타다라필(tadalafil)], 리오시구앗(riociguat) 그리고 프로스타노이드를 PAH 중증도와 동반 질환을 고려하여 선택한다. 과거에는 칼슘통로차단제를 기본 치료제로 사용되었으나 전신경화증 관련 PAH에서 단독으로 효과적인 경우는 매우 드물다. 산소공급, 이뇨제, 디곡신(digoxin) 등의 기본적인 PAH의 약물 처방을 결정하고 초기 중

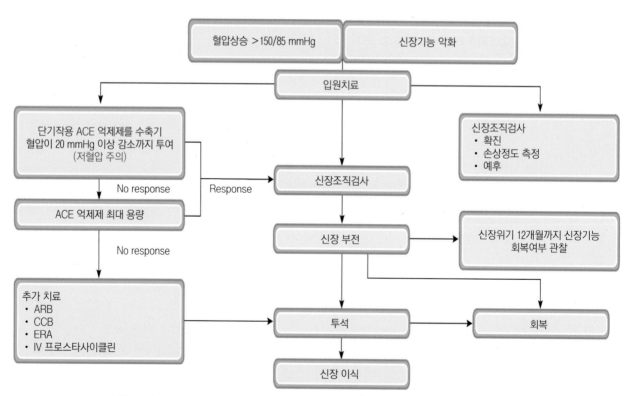

ACE, angiotension converting enzyme; ARB, angiotension receptor blocker; CCB, calcium-channel blocker; ERA, endothelin receptor antagonist; IV, intravenous.

그림 81-1. 신장위기(scleroderma renal crisis)의 치료

증도가 심각하거나 3개월 치료에도 증상 호전이 없는 경우 적극적인 2제 혹은 3제 병합치료를 고려한다. 지속적인 에포프로스테놀(epoprostenol) 정맥투여가 증상개선과 생존율 향상에 도움이 된다는 연구결과가 있다. 약물치료에 반응이 없는 PAH 환자에서는 폐이식을 고려할 수 있다(표 81-1).

### (3) 신장위기

신장위기(scleroderma renal crisis)는 국내를 포함한 아시아계에서의 발생은 상대적으로 낮으나 신부전으로 이어질 수 있는 응급상황으로 조기 진단과 적극적인 대응이 중요하다. 이를 위해 항RNA polymerase III항체 양성을 포함한 신장위기 발생의 고위험군 환자들은 정기적인 혈압 측정 등 관리가 필요하며, 글루코코티코이드 고용량 투여가 위험인자이므로 가능한 피하고, 꼭 필요한 경우 신중하게 사용한다. 신장위기가 의심되면 즉시 ACE 억제제를 투여하고 혈압을 조절하여 이를 통해 신장위기로 인한 사망률을 현격히 낮추었다. 하지만 신장위기를 예방하기 위해 ACE 억제제 투여를 권고하지는 않는다. 신장 기능 악화로 투석이 필요한 경우도 있으나 많은 경우 신기능 회복이 이루어지고 투석을 중단할 수 있다. 투석을 중단할 수 없는 경우 신이식을 고려해 볼 수 있다(그림 81-1).

### 3) 항섬유화 치료

섬유화로 인해 장기 손상이 이루어지므로 이의 억제를 통해 질병경과 완화를 기대할 수 있다. 하지만 아직 효과가 입증되어 있는 약제는 없는 상태로 그동안 d-penicillamine은 후향적 연구에서 효과가 보고되어 사용되었으나 무작위 대조 연구에서 개선 효과가 없었다. 항섬유화에 근거한 새로운 약제들이 연구되고 있고 전신경화증관련 간질폐질환에서 타이로신 키나제(tyrosine kinase) 수용체 차단제인 닌테다닙(nintedanib)이 폐섬유화의 진행을 늦추는 것으로 보고되어 전신경화증 관련 진행성 폐섬유화에서 국내 적응증을 득하였다.

### 4) 기타 장기 합병증의 관리

#### (1) 위장관 합병증

진단기준에는 없으나 전신경화증에서 위장관 침범은 광범위하다. 위식도역류가 흔히 발생하며 이의 치료를 위해 역류를 피하기 위한 생활습관을 유지하는 것이 중요하다. 가능한 소량의 식사를 자주하고, 자극적인 음식을 피하고, 식사 후 충분한 시간 뒤에 잠자리에 드는 것이 권장된다. 히스타민 2 차단제(histamine 2 blockers)보다는 프로톤펌프억제제(proton pump inhibi-

**표 81-2. 전신경화증의 위장관 침범 양상과 이의 치료**

| 위치 | 임상양상 | 치료 |
|---|---|---|
| 구강인두(oropharynx) | 입주위 견고한 피부, 입크기 감소, 잇몸질환 구강건조 | 규칙적인 치아와 잇몸 관리 인공 타액 |
| | 삼킴장애, 기침, 흡인 | 삼킴 재활운동 |
| 식도 | 위산역류(가슴통증) 연하곤란(dysphagia) | 생활습관 교정 프로톤펌프억제제, 위장관운동촉진제, 제산제 |
| | 식도 협착(stricture), 바렛식도 | 내시경 시술 |
| 위 | 위마비(gastroparesis), 소화불량 | 위장관운동촉진제, 프로톤펌프억제제 |
| | 위날문방정맥확장(gastric antral vascular ectasia) | 철분투여, 내시경 시술, 냉동시술, 수혈, 수술 |
| 소장과 대장 | 운동저하, 변비 | 약한 설사제, 위장관운동개선제(promotility agent) |
| | 세균 과다증식, 설사 가성장폐색, 장벽낭기종(pneumatosis intestinalis) 흡수장애 만성 가성게실 | 저 포드맵(FODMAP) 식이, 항생제 교체 투여 Octreotide 수술을 가능한 피한다 완전비경구영양법 |
| 항문 | 괄약근 기능부전(incompetence) | 바이오피드백, 천골신경 자극, 수술 |

FODMAP: 발효당(Fermentable), 올리고당(Oligosaccharide), 이당류(Disaccharides), 단당류(Monosaccharides), 당알코올(Polyols)

tor, PPI)의 효과가 좋은 것으로 알려져 있고, 일반적으로 고용량을 장기간 사용해야 하는 경우가 많다. 연하곤란이나 위배출 지연 소견이 있는 경우 위장관운동촉진제 투여가 도움이 될 수 있다. 장운동 저하로 세균 과증식이 발생하면 흡수장애로 이어져 영양실조가 나타날 수 있어 이러한 경우에는 광범위 항생제를 단기간 동안 교체하며 투여하는 치료가 도움이 될 수 있다. 약물치료에 반응하지 않는 심한 장질환의 경우에는 완전비경구영양법을 시행이 필요한 경우도 있다(표 81-2).

### (2) 피부 및 근골격계 합병증

피부의 건조감과 가려움은 대증 치료로 친수성 피부 연화제를 도포하고 깨끗하게 유지한다. 감염의 소견이 있는 경우 국소 항생제 도포가 도움이 될 수 있으며 허혈궤양이 발생한 경우 회복을 촉진시키고 감염을 예방하기 위한 폐쇄드레싱이 도움이 될 수 있다. 위약 대조군과 30명의 전신경화증을 대상으로 한 임상 연구에서 메토트렉세이트 사용이 피부 경화도 호전에 유의한 효과가 있다고 보고되어 있어 초기 광범위전신경화증의 피부 치료에 고려해 볼 수 있으나 대규모 연구에서 일관된 호전 효과는 미약했다. 신장위기의 빈도가 적은 아시아 국가를 중심으로 전신경화증의 피부 치료에 당질부신피질호르몬 사용을 조심스럽게 논의하고 일본의 전신경화증 치료 가이드라인에도 포함이 되어 있으나 글루코코티코이드 사용시에는 신장위기의 위험도 평가나 모니터링이 필요하다.

관절통은 흔히 나타나는 증상으로 특히 질병 초기에 흔히 나타난다. 비스테로이드소염제 투여를 고려해 볼 수 있으나 효과가 부족한 경우가 많고 메토트렉세이트 투여도 고려해 볼 수 있으나 당질부신피질호르몬 사용은 꼭 필요한 경우에 저용량을 사용하여야 한다(표 81-1).

## 경과와 예후

### 1) 경과

전신경화증의 자연경과는 매우 다양하지만 서서히 진행하고 악화된다. 광범위전신경화증이 제한전신경화증(limited cutaneous systemic sclerosis)에 비해 더 빠르게 여러 장기를 침범하는 경우가 많아 예후가 더 불량하다. 초기는 염증기로 부종, 가려움증, 피로 증의 증상과 함께 장기 침범이 주로 나타나는 시기이다. 그 후 염증기 증상들은 호전되고 새로운 장기 침범은 드물게 되나 간질폐질환의 진행은 계속되는 경우가 많다. 6년 이상을 경과하면 피부는 침범이 시작되었던 순서와 반대로 호전되어 부드러워지고 위축성 변화를 보이게 된다. 제한전신경화증의 경과는 광범위전신경화증과 달리 주로 레이노현상으로 시작하고 장기 침범은 서서히 진행하지만 폐동맥고혈압의 동반 빈도는 더 높다.

### 2) 예후

폐동맥고혈압과 폐섬유화가 사망 원인으로 가장 많고, 심장질환, 위장관 침범, 신장위기, 악성종양의 병발 등이 주요 사인이다. 제한전신경화증의 경우 심한 폐동맥고혈압만 없다면 사망률이 크게 증가하지 않는다. 광범위전신경화증의 경우 일반 인구에 비해 사망률이 높아 광범위전신경화증의 경우 5년과 10년 생존율은 각각 70%, 50%이고 제한전신경화증은 각각 90%, 75%이지만 최근 치료방법 등으로 생존율 개선이 기대된다. 불량 예후 인자로는 남성, 미국 흑인, 흡연, 고령에서 발병, 광범위한 피부 침범, 힘줄마찰음, 광범위한 장기 침범, 항topoisomerase I항체 양성 등이 있다. ACE 억제제 사용 전에는 신장위기는 항상 치명적이었으나 ACE 억제제 사용으로 신장기능 유지와 양호한 경과를 가져왔다. 최근 많은 연구에서 다장기침범의 전신경화증의 치료결정과 관리를 위하여 다학제치료를 제안하고 있다.

📖 **참고문헌**

1. 최찬범. 전신경화증의 치료와 예후. In: 대한류마티스학회. 류마티스학. 제2판. 범문에듀케이션; 2018.
2. de Vries-Bouwstra JK, Allanore Y, Matucci-Cerinic M, Balbir-Gurman A. Worldwide Expert Agreement on Updated Recommendations for the Treatment of Systemic Sclerosis. J Rheumatol 2020;47:249-54.
3. Del Papa N, Zaccara E. From mechanisms of action to therapeutic application: A review on current therapeutic approaches and future directions in systemic sclerosis. Best Pract Res Clin Rheumatol 2015;29:756-69.
4. Denton CP, Hughes M, Gak N, Vila J, Buch MH, Chakravarty K, et al. BSR and BHPR guideline for the treatment of systemic sclerosis. Rheumatology 2016;55:1906-10.

5. Dyer GS, Simmons BP. The wrist and hand. In: Hochberg MC, Gravallese EM, Silman AJ, Smolen JS, Weinblatt ME, Weisman MH, eds. Rheumatology. 7th ed. Elsevier; 2019. pp. 1270-9.

6. Jeong SO, Uh ST, Park S, Kim HS. Effects of patient satisfaction and confidence on the success of treatment of combined rheumatic disease and interstitial lung disease in a multidisciplinary outpatient clinic. Int J Rheum Dis 2018;21:1600-8.

7. Kowal-Bielecka O, Fransen J, Avouac J, Becker M, Kulak A, Allanore Y, et al. Update of EULAR recommendations for the treatment of systemic sclerosis. Ann Rheum Dis 2017;76:1327-39.

8. Lee JS, Kim HS, Moon JR, Ryu T, Hong SJ, Cho YS, et al. Esophageal Involvement and Determinants of Perception of Esophageal Symptoms Among South Koreans With Systemic Sclerosis. J Neurogastroenterol Motil 2020;26:477-85.

9. Lee KA, Kim BY, Choi SJ, Kim SK, Kim SH, Kim HS. A Real-World Experience of Mycophenolate Mofetil for Systemic Sclerosis: A Retrospective Multicenter Observational Study Arch Rheumatol 2020;35:366-75.

10. McInnes IB, O'Dell JR, Gabriel SE, Firestein GS, Budd RC. Firestein & Kelley's Textbook of Rheumatology. 11th ed. Philadelphia: Elsevier; 2021. pp. 1499-538.

# 82

# 중복증후군과 혼합결합조직병

**가톨릭의대 홍연식**

## KEY POINTS 🔒

● 많은 결합조직병은 다양한 임상증상이 중복되고, 특징적인 자가항체는 임상징후, 증상, 예후와 관련이 있어서 중복되는 환자의 임상특성을 유추할 수 있다.

● 혼합결합조직병은 전신경화증, 전신홍반루푸스, 염증근염, 류마티스관절염의 임상증상을 수년에 걸쳐서 연속적으로 보이며 동시에 항U1-RNP항체가 고역가로 존재한다.

● 혼합결합조직병은 심각한 신장병이나 중추신경계 질환은 드물지만 류마티스인자 양성, 항CCP항체 양성, 미란관절염을 보이는 경우가 흔하고, 폐동맥고혈압이 잘 동반되며 이것은 가장 흔한 사망원인이다.

● 혼합결합조직병이나 중복증후군의 치료는 표준화된 치료지침보다는, 특정 장기 침범과 중증도에 따라서 결정한다.

## 중복증후군

### 1) 미분화결합조직병

질병 발생 시 확실한 진단명 없이 결합조직병을 시사하는 증상과 징후를 보이는 환자가 있는데, 이들은 대개 항핵항체 양성이고 특정 결합조직병 분류기준은 만족하지 못하지만 최소한 한 개의 임상특징은 가지고 있다. 이 환자들 중 10-35%는 발병 후 3-10년 사이에 전형적인 류마티스 질환으로 진행되기도 하지만, 대다수는 여전히 진단되지 않은 채로 있는데, 이 경우를 미분화결합조직병(undifferentiated connective tissue disease, UCTD)이라 한다. 어떤 환자들은 2개 이상의 분명한 질환이 동시에 나타나는데 이를 중복증후군(overlap syndrome)이라 한다. UCTD는 일반적으로 레이노현상, 염증관절염, 비특이적 발진, 간질폐질환 혹은 비특이간질폐렴등의 증상이 한 개 이상 나타난다.

UCTD나 중복증후군은 3차기관으로 전원된 환자의 15-25% 정도된다. 이런 질환을 확실하게 진단하기 어려운 이유는, 이런 환자에서 흔하게 보이는 레이노현상, 염증관절염, 간질폐질환, 흉막염, 혹은 심장막염과 소혈관염 등의 증상은 류마티스관절염, 쇼그렌증후군, 전신홍반루푸스, 전신경화증, 염증근병에서 공통적으로 나타날 수 있고, 혈액학적으로 항핵항체, 류마티스인자, 항Ro항체, 항La항체 역시 이런 질환에서 양성으로 관찰될 수 있기 때문이다.

전신경화증은 발병 시 전형적인 임상증상이 모두 나타나지 않는 경우가 흔하고, 사실상 항핵항체 양성이면서 레이노현상만 있는 경우가 대부분이다. 만약 레이노현상이 단기간에 전신경화증의 다른 증상으로 진행된다면 질병 경과가 매우 공격적인 것을 시사한다. 레이노현상이 있는 대다수의 환자가 전신경화증이나 다른 결합조직병으로 진행되는 것은 아니며, 고역가의 항핵항체, 항topoisomerase I항체와 같은 전신경화증 특이 항체가 있거나 손발톱주름모세혈관 이상소견이 있는 환자는 미분화상태에서 전신경화증으로 진행될 가능성이 높다.

### 2) 전신경화증 중복증후군

전신경화증은 다른 자가면역질환과 중복되는 임상증상을 공유하고, 어떤 경우에는 두 개 이상의 별개의 질환이 동시에 발생한다. 전신경화증의 14-17%에서 염증근병이 관찰되며, 근병증을 어떻게 정의하느냐에 따라 수치가 다양하다. 전신경화증-근염 중복증후군은 제한전신경화증보다 광범위전신경화증에서 더 흔하고, 보통 전신경화증이나 근염 자체의 특징적인 자가항체는 없다. 일부 환자는 PM/Scl항원에 특이한 nucleolar패턴의 항핵항체를 보이고, 항중심체항체가 양성인 환자에서는 거의 관찰되지 않는다. 이 환자들은 간질폐섬유화 유병률이 더 높고, 울혈심부전과 심장 관련 사망을 포함한 심근 침범이 더 흔하며, 전신경화증만 있는 환자보다 사망률이 높았다.

자가면역간담도질환은 전신경화증과 일차쇼그렌증후군 모두와 관련이 있는 질환으로 1,572명의 전신경화증 환자를 분석한 연구에서 7.5%가 간담도질환이 있었으며, 이 중 60% 이상이 일차담관성간경화증(primary biliary cirrhosis, PBC)이었다. 전신경화증-PBC 중복 환자 대부분은 제한전신경화증이었고, 항중심체항체 양성, 항미토콘드리아항체 양성(92%)이었다.

## 3) 쇼그렌증후군과 자가면역갑상선질환

쇼그렌증후군과 일치하는 증상들은 다양한 자가면역질환에서 흔하게 나타난다. 이러한 환자들은 일차쇼그렌증후군보다 혈청음성인 경우가 더 흔하고, 샘외 침범 위험이 더 낮다. 일차 또는 이차쇼그렌증후군 환자 모두 임상적인 증상은 유사하며, 보통 조직학적으로 이차 환자에서 외분비샘의 염증 침범 정도가 경미하다.

자가면역갑상선질환도 다양한 자가면역질환에서 자주 관찰된다. 일부 환자는 갑상선질환이 류마티스 질환 발병 전에 시작될 수 있다. 환자들은 무증상이면서 자가항체만 양성인 경우부터 점액부종(myxedema)이나 갑상선중독을 포함하는 갑상선호르몬 과다 또는 부족 증상이 뚜렷하게 나타날 수 있다.

**표 82-1. 중복증후군에서 나타날 수 있는 자가항체 특이성**

| 표적항원 | 관련된 결합조직병 | 임상증상 |
| --- | --- | --- |
| Ro (52 kDa) | 쇼그렌증후군, 전신홍반루푸스, 전신경화증, 염증근염 | 근염, 간질폐질환, 일차담관성간경화증, 자가면역간염 |
| Ro (60 kDa) | 쇼그렌증후군, 전신홍반루푸스, 전신경화증, 염증근염 | 건성각결막염 |
| U1RNP | 전신홍반루푸스, 혼합결합조직병 | 관절염, 레이노현상, 근염, 피부섬유화, 간질폐질환 |
| Scl 70 | 전신경화증 | 광범위 피부와 내부장기 침범, 간질폐질환 |
| RNA polymerase III | 전신경화증 | 광범위피부섬유화, 신장위기 |
| centromere | 전신경화증 | 제한피부경화증, 레이노현상, 폐동맥고혈압, 일차담관성간경화증 |
| Th/To | 전신경화증 | 제한피부경화증 |
| U3RNP/fibrillarin | 전신경화증 | 광범위질환 |
| PM/Scl | 전신경화증, 염증근염 | 전신경화증–근염 중복 |
| mitochondria | 전신경화증, 쇼그렌증후군 | 담관간경화증 |
| SRP | 염증근염 | 괴사근육염, 골격외 근육 침범 |
| HMG CoA reductase | 염증근염 | 면역매개괴사근육병 |
| amino acyl tRNA synthetase | 염증근염 중복 | Mechanic's hands, 레이노현상, 발열, 관절염, 간질폐질환, 근염 |
| TIF 1 gamma | 염증근염 | 피부근염, 암관련근염 |
| NXP 2 | 염증근염 | 소아피부근염, 암관련근염, 원위부근육병 |
| Mi 2 | 염증근염 | 피부근염 |
| MDA 5 | 염증근염 중복 | 무근육병피부근염, 피부궤양, 간질폐질환 |
| Ku | 염증근염 중복 | 근염, 간질폐질환, 폐동맥고혈압 |
| endothelial cell | 혼합결합조직병 | 폐동맥고혈압 |

### 4) 중복증후군의 자가항체

자가항체 생성은 혼합결합조직병(mixed connective tissue disease, MCTD)을 포함한 결합조직병이 중복된 환자의 중요한 특징이며, 이 환자들은 각각의 특정 류마티스 질환과 동일한 자가항원에 반응한다. MCTD는 모든 환자에서 항핵항체가 양성이고, UCTD는 58-100%에서 관찰된다. UCTD 환자에서 자가항체의 특이성은 특정 장기 침범 유무를 포함한 질환의 속성과 중증도 그리고 예후에 대한 정보를 제공한다(표 82-1). 염증근염 중복증후군 환자에서 항PM/Scl항체는 전신경화증과 간질폐질환의 임상 특징을 보인다. 항Ku항체를 보이는 근염환자는 폐섬유화와 폐동맥고혈압이 중복되고, 항MDA5 (melanoma differentiaion associated gene 5)항체는 무근육병피부근염(amyopathic DM)과 간질폐질환이 나타나는데, 이때 피부발진은 궤양이 흔하게 발생하고 간질폐질환은 매우 빠르게 진행되면서 치료에 불응하는 경과를 보인다.

## 혼합결합조직병

MCTD는 1972년 Sharp 등이 전신홍반루푸스, 전신경화증, 다발근염의 임상증상이 중복되면서 리보핵산분해효소(ribonuclease, RNAse)에 민감한 추출성핵항원(extractable nuclear antigen, ENA)에 대한 항체가 고역가로 검출되는 질환을 처음 기술했다. 이후에 많은 환자에서 류마티스관절염과 유사한 관절염이 발생하는 것이 관찰되어, 현재는 전신홍반루푸스, 전신경화증, 염증근염, 류마티스관절염의 임상증상을 병의 초기 혹은 경과 중에 연속적으로 보이며 동시에 항U1 RNP항체가 고역가로 존재하는 질환으로 정의한다. 고역가의 항U1 RNP항체는 MCTD의 특징이고, 이로 인해 독특한 임상적 특성을 보인다. 미만증식성사구체신염, 정신병, 발작 등의 심각한 신장병이나 중추신경계 침범은 드물고 레이노현상이 조기에 발생하며, 전신경화증과 동일한 손발톱주름모세관현미경 소견을 보인다. 류마티스인자 양성, 항CCP항체 양성, 미란관절염을 보이는 경우가 흔하며, 폐동맥고혈압이 흔하게 동반된다.

### 1) 임상증상

MCTD는 전신홍반루푸스, 전신경화증, 염증근염, 류마티스관절염의 증상이 동시에 존재하는 것이 아니라, 시간이 경과하면서 각 질환의 특징이 순차적으로 나타난다. 초기 증상은 비특이적으로 전신권태, 관절통, 근육통, 레이노현상, 손가락부종, 미열 등이 나타나기 때문에 이 시기에는 다른 류마티스 질환의 초기 단계로 생각될 수 있다. 시간이 지나면서 거의 모든 기관을 침범할 수 있으며, 피부에서는 레이노현상이 가장 흔하고 손가락과 손의 부종이 매우 특징적이다. 가락피부경화증, 루푸스와 유사한 원반판(discoid plaque), 뺨발진을 보일 수 있고 구강과 성기에 궤양, 건조증이 발생할 수 있다. 모서리 미란과 변형을 동반하는 심한 관절염이 약 60%에서 발생하고, 염증근염, 심장막염, 심근침범, 전도장애가 나타날 수 있다. 간질폐질환은 50-66%까지 발생하고 폐확산능 감소가 가장 초기에 관찰되는 검사소견이다. 폐동맥고혈압은 약 20-30%에서 나타나며 주요 사망원인이기 때문에 질병 초기에 선별검사를 시행하는 것이 바람직하다. 위장관은 상부위장관 운동장애로 인한 다양한 증상인 세균 과도증식과 흡수장애가 발생한다. 심한 신장병이 없는 것이 MCTD의 특징이지만 약 25%에서 신장을 침범하며 막성사구체신염이 가장 흔하다. 중추신경계도 심한 합병증은 발생하지 않지만 삼차신경병(trigeminal neuropathy), 두통, 감각신경성청력소실 등은 약 25%에서 관찰된다. Burdt 등이 47명의 환자를 대상으로 보고한 진단 시 가장 흔한 소견은 레이노현상(89%), 관절통/관절염(85%), 손부종(60%), 식도기능이상(47%)이었다.

### 2) 검사소견

항U1 RNP항체가 고역가로 검출되고, 항핵항체는 고역가의 speckled 패턴을 보인다. 빈혈, 백혈구감소, 고감마글로불린혈증이 관찰되고, 류마티스인자는 약 50-70%, 항CCP항체는 약 50%에서 양성을 보인다.

### 3) 진단

MCTD는 전형적인 특징이 나타나기까지 수 년이 걸리기 때문에 질병발생 초기에 MCTD를 진단하는 것은 매우 어렵다. 진단하기 위한 분류기준은 Sharp, Alarcon-Segovia, Khan, Kasukawa의 4가지 기준이 알려져 있다(표 82-2). 4가지 분류기준을 비교한

표 82-2. MCTD의 3가지 진단기준

| Alarcon-Segovia 기준 | Kahn 기준 | Kasukawa 기준 |
|---|---|---|
| • 혈청학적 기준<br>항RNP항체≥1:1,600<br>(혈구응집소 분석법) | • 혈청학적 기준<br>고역가 항RNP항체<br>(speckled 패턴≥1:1,200) | • 혈청학적기준<br>항RNP항체 양성 |
| • 임상기준<br>1. 레이노현상<br>2. 손가락부종<br>3. 가락피부경화증<br>4. 근염<br>5. 활막염 | • 임상기준<br>1. 레이노현상<br>2. 손가락부종<br>3. 근염<br>4. 활막염 | • 공통증상<br>1. 레이노현상<br>2. 손가락부종<br><br>• 전신홍반루푸스 유사소견<br>1. 다발관절염<br>2. 림프절병<br>3. 얼굴발진<br>4. 심장막염 혹은 흉막염<br>5. 백혈구감소 혹은 혈소판감소<br><br>• 전신경화증 유사소견<br>1. 가락피부경화증<br>2. 폐섬유화, 폐기능검사에서 제한패턴 혹은 폐확산능 감소<br>3. 식도 운동저하 혹은 식도확장<br><br>• 다발근염 유사소견<br>1. 근육쇠약<br>2. 크레아티닌키나아제 상승<br>3. 근전도상 근육성패턴 |
| • 진단<br>혈청학적 기준을 만족하고 3개 이상의 임상기준을 만족할 때 진단(1, 2, 3, 3개의 기준을 만족할 경우는 4, 5 중 한 가지를 추가로 만족시켜야 한다) | • 진단<br>혈청학적 기준을 만족하고 레이노현상이 있으면서 나머지 임상기준 3가지 중 2개 이상을 만족시킬 때 진단 | • 진단<br>혈청학적 기준을 만족하고 공통증상에서 1개 이상 그리고 3개의 질환중복 중 2개 질환에서 각각 1개 이상의 징후가 양성이면 진단 |

연구에서 Alarcon-Segovia와 Kasukawa 기준이 민감도가 가장 높았고, 반면 Sharp 기준은 민감도가 가장 낮았다. 그러나 어떤 기준도 우월성이 증명되지 않아 현재는 4가지 기준이 모두 사용되고 있다.

## 혼합결합조직병과 중복증후군의 치료 및 예후

MCTD 혹은 중복증후군 환자의 치료는 무작위 대조연구가 없기 때문에 독립적인 치료지침은 없고 임상증상의 발현 양상이나 특정 장기 침범에 따라 전신홍반루푸스, 전신경화증, 류마티스관절염, 염증성근염의 치료지침을 따른다(표 82-3). 폐침범과 폐

동맥고혈압은 무증상으로 시작될 수 있는 심각한 소견이기 때문에 MCTD 환자는 HRCT, 폐기능검사, 심장초음파를 정기적으로 시행해야 한다. MCTD와 다른 중복증후군은 일반적으로 전형적인 각각의 류마티스 질환보다 예후가 좋고 글루코코티코이드에 잘 반응한다고 생각됐지만 많은 관찰연구들은 이와 상반되는 소견으로, 특히 폐동맥고혈압이 발생한 환자는 예후가 좋지 않다. 주요 사망 원인은 폐동맥고혈압과 그로 인한 심장합병증, 심근염, 신장혈관성고혈압, 뇌출혈이었다.

📑 참고문헌

1. 홍연식. 전신경화증 중복증후군과 혼합결합조직병. In: 대한류마티

표 82-3. 결합조직중복증후군의 치료 알고리즘

| | 1차 | 2차 | 3차 |
|---|---|---|---|
| 폐포염(alveolitis) | GC | MMF<br>AZA | CYC |
| 폐동맥고혈압 | CCB | Prostacyclin analogs, endothelin receptor antagonists, PDE5 inhibitors | Choose different agent from above |
| 관절염 | L-GC<br>HCQ | MTX | MMF<br>AZA |
| 근염 | GC | IVIG<br>MTX<br>AZA | CYC<br>Rituximab |
| 피부염 | T-GC/L-GC<br>HCQ | Switch to chloroquine or add quinacrine | MMF |
| 신장염 | GC | MMF | CYC |
| 레이노현상/수지궤양 | CCB | PDE5 inhibitor | Endothelin antagonists (digital ulcerations)<br>Prostacyclin analogs |

AZA, azathioprine; CCB, calcium channel blocker; GC, glucocorticoids (moderate to high dose); CYC, cyclophosphamide; HCQ, hydroxchloroquine; Ivlg, intravenous immune globulin; L-GC, low dose glucocorticoids; MMF, mycophenolate mofetil; MTX, methotrexate; PDE5, phosphodiesterase 5; T-GC; topical glucocorticoids.

스학회. 류마티스학. 제2판. 범문에듀케이션; 2018.

2. Alarcon-Segovia D, VM. Classification and diagnostic criteria for MCTD. Amsterdam: Elsevier; 1987. pp. 33-40.

3. Bennett RB. Overlap syndromes. In: Firestein GS, Budd RC, Gabriel SE, McInnes IB, O'dell JR, eds. Textbook of Rheumatology. 10th ed. Elsevier; 2017. pp. 1489-506.

4. Burdt MA, Hoffman RW, Deutscher SL, et al. Long-term outcome in mixed connective tissue disease. Arthritis & Rheum 1999;42:899-909.

5. Graf J. Overlap syndromes. In: Firestein GS, Budd RC, Gabriel SE, Koretzky GA, McInnes IB, O'dell JR, eds. Textbook of Rheumatology. 11th ed. Elsevier; 2021. pp. 1519-83.

6. Hajas A, Szodoray P, Nakken B, et al. Clinical course, prognosis, and cause of death in MCTD. J Rheumatol 2013;40:1134-42.

7. Kasukawa R, Tojo T, Miyawaki S. Preliminary diagnostic criteria for classification of MCTD. In: Kasukawa R, Sharp GC, eds. Mixed connective tissue disease and antinuclear antibodies. Amsterdam: Elsevier 1987;41-7.

8. Mari-Alfonso B, Simeon-Aznar CP, Guillen-Del Castillo A, et al. Hepatobiliary involvement in systemic sclerosis and the cutaneous subsets: characteristics and survival of patients from the Spanish RESCLE Resistry. Semin Arthritis Rheum 2018;47:849-57.

9. Panush RS, Kramer N, Rosenstein ED. Undifferentiated systemic rheumatic (connective tissue) diseases and overlap syndromes. 2021 UpToDate.

10. Sharp GC. Diagnostic criteria for classification of MCTD. In: Kasukawa R, Sharp GC, eds. Mixed connective tissue disease and antinuclear antibodies. Amsterdam: Elsevier; 1987. pp. 23-32.

# 83

# 증례

**한림의대 유종진**

45세 여성이 1달 전부터 발생한 마른기침과 점차 악화되는 호흡곤란(WHO class III)으로 내원했다. 1년 전부터 레이노현상이 있었고 3달 전부터 손과 발에 부종과 함께 얼굴, 목, 앞가슴을 포함한 전신의 피부가 단단해지는 증상으로 전신경화증이 진단되었다.

특별한 기저 질환 없는 주부로 흡연한 적은 없었다.

## 1) 신체검사

발열은 없이 실내 산소포화도는 93%, 전신의 피부경화(Modified Rodnan Skin Score, mRSS; 18점), 곤봉지가 관찰되었다. 양측 폐의 청진에서 흡기 시 가는 수포음(fine crackle)이 들렸다.

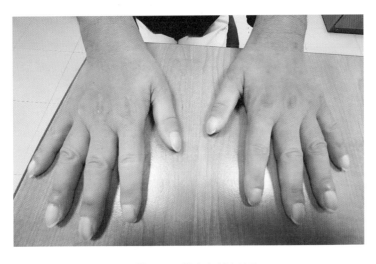

그림 83-1. 환자의 수부 사진

## 2) 검사실 소견

### (1) 혈액검사: 백혈구 8,800/mm$^3$, 혈색소 14.1 g/dL, 혈소판 354,000/mm$^3$, ESR 25 mm/hr, CRP 8.7 mg/L (정상 <5.0), 그 외 간기능과 신장기능은 정상

항핵항체(ANA) > 1:1,280 양성(nucleolar pattern), 항topoisomerase I항체(항Scl-70항체) 양성, 항RNP항체 음성

### (2) 영상검사

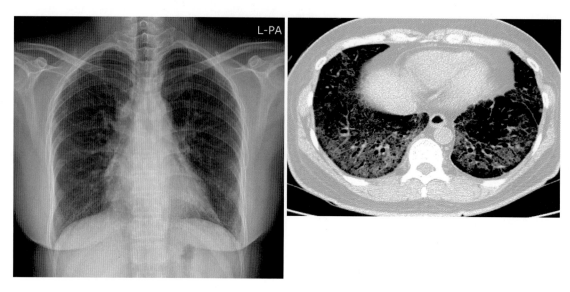

그림 83-2. 흉부 X-ray와 흉부 CT

### (3) 폐기능검사

FVC 65%, FEV$_1$ 69%, FEV$_1$/FVC 89%, DLCO 38%

### (4) 기관지폐포세척액

백혈구 220/mm$^3$ (림프구 46%), 동정된 균은 없음

### (5) 심초음파

수축기폐동맥압 36.7 mmHg, 최대 삼첨판역류속도(peak tricuspid regurgitation velocity) 2.68 m/s, 삼천판륜 수축기 이동거리(tricuspid annular plane systolic excursion, TAPSE) 21.2 mm

## 3) 질문

(1) 진단은?

(2) 치료는?

(3) 환자는 3년 뒤 호흡곤란이 악화되어 , 시행한 심초음파에서 최대 삼첨판역류속도 3.52 m/s로 증가되었고 BNP 576.51 pg/mL로 증가되었다. 우심도자술을 시행하였고 결과는 다음과 같다.

> 평균폐동맥압(mean pulmonary arterial pressure, mPAP) 34 mmHg, 폐동맥쐐기압(pulmonary arterial wedge pressure, PAWP) 5 mmHg, 폐혈관저항(pulmonary vascular resistance, PVR) 7.6 Wood units (WU)

진단과 치료는?

## 4) 정답과 해설

(1) 폐기능검사와 흉부영상검사로 간질폐렴(interstitial pneumonia)을 동반한 광범위전신경화증(diffuse cutaneous systemic sclerosis)으로 진단된다.

(2) 전신경화증환자의 간질폐렴 치료의 적응증은 명확하게 정립되어 있지 않지만 비교적 짧은 유병 기간, 광범위형(diffuse type), FVC<65%, DLCO<55%, >20% 폐침범, 항topoisomerase I항체 양성 등의 소견이 있으면 간질폐렴의 진행가능성이 올라갈 수 있는 것으로 되어 있어 치료효과와 약물 독성 등을 고려하여 치료를 결정하는 것이 필요하다. 상기 환자는 cyclophosphamide IV 치료를 한 달 간격으로 2회 시행한 뒤 AST/ALT 351/499 IU/L로 간기능 악화가 있어 이후 mycophenolate mofetil로 변경하여 유지하면서 3년 동안 간질폐렴은 별다른 악화 없이 비교적 안정적으로 유지되었다(Arthritis Rheumatol, 2014).

(3) 폐동맥고혈압에 대한 선별검사로 심초음파가 유용하다. 심초음파에서 수축기 폐동맥압(pulmonary artery systolic pressure, PASP)이 높으면 폐동맥고혈압 가능성이 올라간다. PASP는 최대 삼천판역류속도(peak TR velocity)를 이용해 수식을 통해 계산한 우심실-우심방 간 압력 차에 우심방압(5-10 mmHg)을 더해서 구하는데 이때 우심방압의 중간 값인 8 mmHg를 권장하기도 하나 이러한 추정이 부정확 할 수 있어 최대 삼천판역류속도(>2.9 m/s일 경우 폐동맥고혈압의 가능성이 높음)의 이용이 권장하기도 한다. 이러한 방법으로 구한 PASP를 계산식을 이용해 평균폐동맥압(mPAP)을 추정해볼 수는 있으나 부정확할 수 있다. 폐동맥고혈압의 확진과 치료방침을 결정하는 데는 우심도자술이 반드시 필요하고 평균폐동맥압 >20 mmHg, 폐동맥쐐기압 ≤15 mmHg, 폐혈관저항 ≥3 WU일 경우 진단한다. 심전도 검사에서도 우축편위(right axis deviation), 우심실비대 등의 소견을 보일 수 있으나 정상인 경우도 있다. 대부분의 폐동맥고혈압 환자는 일산화탄소폐확산능(DLCO)이 낮아져 있으며, 폐확산능이 정상 예측치의 45% 이하로 낮은 환자의 경우 예후가 좋지 않다(J Am Coll Cardiol, 2020).

환자의 우심도자술 결과가 폐동맥 고혈압의 진단기준인 평균폐동맥압 > 20 mmHg, 폐동맥쐐기압(PAWP)≤ 15 mmHg 폐혈관저항(PVR)≥3 WU에 합당한 소견을 보여 전신경화증에 동반된 폐동맥고혈압으로 확진되어 macitentan (ERA계), furosemide, spironolactone 등의 약물을 투여하면서 호흡곤란은 약간 호전되었고, 6분 보행 검사에서 약물 투여 전 139 m에서 치료 후 165 m로 호전되었다. 폐동맥고혈압의 진단은 증상과 신체진찰을 바탕으로 질환을 의심하는 것으로 시작해서 확진을 위해 우심도자술을 시행하는 것이 핵심이다. 환자의 기능적 분류, 운동능력, 심초음파소견, 혈액검사 및 혈역학적 상태를 종합적으로 평가하는 것이 필요하기 때문에 순환기 내과, 호흡기내과 등과의 다학제 접근이 필요하다.

류 마 티 스 학
Rheumatology

# PART 12 쇼그렌증후군

책임편집자 **박성환**(가톨릭의대)
부편집자 **곽승기**(가톨릭의대)

# 84

# 역학과 병인

가톨릭의대 **곽승기**

## KEY POINTS 🔒

● 쇼그렌증후군은 중년 여성에서 호발하는 전신 자가면역질환으로, 침샘, 눈물샘 등의 외분비샘에 림프구 침윤 및 염증으로 인한 외분비샘의 파괴 및 기능 저하를 특징으로 한다.

● 발병기전에 많은 요인들이 관여하는 것으로 알려졌으나 질병의 분류 기준에 포함되는 특징적인 자가항체(항Ro항체)의 생성 및 표적 장기인 침샘에 림프구의 침윤 소견 등으로 보아 T세포, B세포 조절 장애가 중요한 핵심 병인으로 생각된다.

● 최근 쇼그렌증후군 발병기전에 상피세포가 중요한 역할을 한다는 근거들이 밝혀지고 있다.

## 역학

쇼그렌증후군(Sjogren's syndrome)은 전신 자가면역질환으로 천천히 진행하는 외분비샘의 림프구침윤 및 파괴로 인한 기능 저하를 특징으로 한다. 동반된 자가면역질환이 없는 일차 쇼그렌증후군(primary Sjogren's syndrome)의 경우 40-50대 중년 여성에서 호발하며 남성보다 여성에서 10배 이상 높다. 국내 쇼그렌증후군의 발생률을 근거로 한 연구에서 남녀 비율은 14.5:1로 보고되었다. 쇼그렌증후군의 유병률은 전 세계적으로 0.1-4.6%로 다양하게 보고되고 있는데 이러한 유병률은 인종, 지리적인 차이뿐 아니라 각각의 연구마다 서로 다른 분류 기준을 적용했기 때문일 수 있다. 이차성 쇼그렌증후군의 유병률은 동반 자가면역질환의 종류에 따라 다양하게 보고되고 있으며, 류마티스관절염에서는 4-31%, 전신홍반루푸스에서는 6-19%, 전신경화증

에서는 14-21%의 유병률을 각각 보인다. 국내 유병률에 관하여는 정확히 알려진 바 없으나 50-60대 중년 여성에서 호발하는 쇼그렌증후군의 특성과 고령화된 대한민국 사회의 상황을 고려해볼 때 앞으로 유병률이 점점 증가할 것으로 예측된다. 이후 이 장의 내용은 이차성 쇼그렌증후군을 배제한 일차성 쇼그렌증후군을 쇼그렌증후군이라 명명한다.

## 병인

만성 자가면역질환의 발병기전은 어떤 한 가지 원인으로 설명할 수 없고 유전적 요인, 환경적 요인, 면역학적 요인 등이 복합적으로 관여하는 것으로 알려져 있다. 쇼그렌증후군의 발병기전도 다른 자가면역질환과 마찬가지로 다양한 요인들이 관여하고 있다. 쇼그렌증후군의 특징적인 병리 소견은 표적 장기인 침샘의 림프구 침윤으로(그림 84-1) 이는 분류 기준에 포함된다. 침윤된 세포는 거의 대부분 T세포와 B세포이며 그 외에 수지상세포, 형질세포, 대식세포 등도 발견된다. 쇼그렌증후군 환자의 70-90% 이상이 질환 특징적인 자가항체가 혈액에서 검출된다. 따라서 표적장기인 외분비샘의 조직학적 소견과 질환 특이적인 자가항체의 검출 등의 소견으로 미루어 볼 때 자가항원에 대한 면역관용의 소실과 이로 인한 자가면역 반응에 의한 조직 파괴가 쇼그렌증후군의 발병기전을 설명하는 가장 유력한 이론이다.

쇼그렌증후군에서 검출되는 자가항체가 직접적으로 병인에 관련한다는 증거는 희박하다. 그러나 몇몇 자가항체는 질병

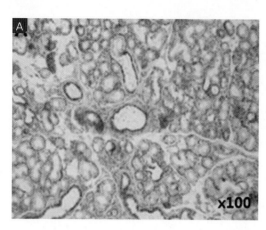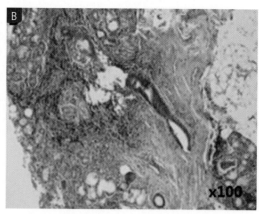

그림 84-1. 정상인과 일차성 쇼그렌증후군 환자의 작은 침샘 조직 소견(H&E 염색) **(A)** 정상인의 경우 침샘에 염증세포의 침윤이 없고 침샘 조직의 구조물이 잘 관찰된다. **(B)** 일차쇼그렌증후군 환자의 침샘 조직은 염증세포의 침윤으로 인한 광범위한 침샘 조직의 파괴가 관찰된다.

의 진단 및 예후에 중요하다. 그 중에서 진단에 가장 중요한 것은 항 Ro(SSA)항체이다. 항Ro항체는 거의 모든 분류 기준에 포함될 만큼 의미 있는 자가항체로서 쇼그렌증후군 환자의 약 70-90% 이상에서 발견된다. 주로 IgG1 subclass로서 RNA와 결합하는 두 종류의 폴리펩타이드, 즉 52kD과 60kD 폴리펩타이드에 대한 항체이다. 그 외에 항La (SSB)항체, 항핵항체, 류마티스인자가 상당수의 환자에서 발견된다. 항Ro항체, 항La항체는 보통 진단 당시에 발견되며 질병의 조기 발생, 긴 유병기간, 침샘 종대 및 침샘 조직에 림프구의 침윤이 심한 경우와 연관된다. 이외에도 제3형 무스카린수용체에 대한 자가항체와 쇼그렌증후군과의 연관성이 제시되고 있으며, 이는 해당 자가항체와 외분비샘의 기능 저하와의 연관성을 발표한 연구 결과에서 기인한다. 그 밖에도 α-fodrin, polyribose polymerase, carbonic anhydrase 등에 대한 항체 역시 쇼그렌증후군과 연관된 자가항체로 제시되고 있으나, 진단에서의 민감도, 특이도 및 질병 예후와의 연관성 측면에 있어서는 아직 충분히 증명되지 않았다.

쇼그렌증후군 환자의 침샘에 침윤되는 염증세포의 90% 이상이 T세포와 B세포이다. 침윤된 T세포의 대부분은 CD4+ T세포이다. CD4+ T세포 분획 중 염증을 유발하는 것으로 알려진 $T_H1$ 및 $T_H17$ 세포와 연관 사이토카인이 쇼그렌증후군 환자의 침샘 조직에서 증가되어 있어 쇼그렌증후군의 병인에 $T_H1$ 및 $T_H17$ 세포가 관련 있을 것으로 추정된다. $T_{FH}$세포(follicular helper T cell)는 CD4+ T세포 분획 중 하나로 항체 생성 및 전반적인 체액면역반응을 촉진한다. 쇼그렌증후군 환자 및 동물 모델에서 $T_{FH}$세포 및 $T_{FH}$세포의 핵심 사이토카인인 IL-21이 증가되어 있다. 쇼그렌증후군 환자 침샘 조직 내 B세포의 침윤은 질병이 심할 때 증가되는 것으로 알려져 있다. 배중심(germinal center)은 T세포, B세포 및 일부 수지상세포가 빽빽하게 모여 있는 구조물로 정상인에서는 림프절이나 비장 등의 2차 림프기관에서 관찰되며 체액면역반응에 매우 중요하다. 만약 쇼그렌증후군 환자의 침샘에서 배중심이 관찰되는 경우 악성림프종의 위험도가 증가하는 것으로 알려져 있다.

여러 가지 염증사이토카인 및 염증세포의 이동을 촉진하는 케모카인(chemokine)이 쇼그렌증후군의 발병기전에 관여하는 것으로 보고되었다. 사이토카인 중에서 Type 1 인터페론(IFN-α), B cell-activating factor (BAFF), IL-21, IL-17 등이 중요하다. 주로 T세포의 이동을 촉진하는 케모카인으로는 CXCL10 (IP-10)과 CXCL13 등이 알려져 있는데 CXCL13은 B세포 및 $T_{FH}$세포의 이동을 촉진하는데, 쇼그렌증후군 환자의 혈청 및 타액에서 CXCL13은 증가되어 있으며 림프종 발생의 예측 인자 중 하나이다. CXCL13을 억제할 경우 쇼그렌증후군 동물 모델에서 치료 효과가 있다.

상피세포는 침샘, 눈물샘을 구성하는 세포로서 샘꽈리 상피세포(acinar epithelial cells) 및 침샘관 상피세포(ductal epithelial cell)가 있다. 침샘 및 눈물샘 내의 상피세포는 MHC class II molecule, CD 80/86 costimulatory molecule을 발현하며 쇼그렌증후군의 병인에 관련되는 여러 가지 사이토카인 및 케모카인을 생산한다. 또한 선천 면역에 가장 중요한 톨유사수용체(toll-like

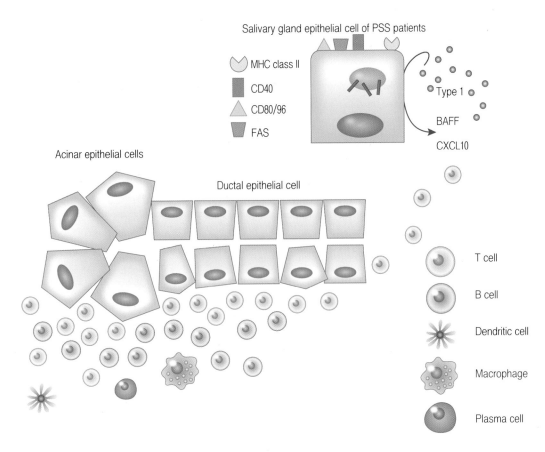

그림 84-2. 쇼그렌증후군의 병리 기전을 나타내는 모식도 및 상피세포의 역할

receptor)를 발현하는 등 질병의 병인에 직접적으로 관여함이 밝혀지고 있다(그림 84-2).

쇼그렌증후군의 특징적인 병리 소견은 침샘 조직 내 림프구의 침윤으로 인한 조직 파괴이며 침윤된 세포의 거의 대부분은 T세포 및 B세포이다. 쇼그렌증후군은 Type 1 인터페론 signature가 증가되는 질환으로, Type 1 인터페론의 자극에 의하여 침샘 내 상피세포는 BAFF, CXCL10 등의 발병에 관여하는 사이토카인, 케모카인을 분비한다. 또한 상피세포는 MHC class II, CD40, CD80/96, FAS 등의 분자들을 표현하여 질병 발병에 직접적인 역할을 할 것으로 추정된다.

임상적으로는 한 가족에서 쇼그렌증후군 및 다른 자가면역질환들이 자매, 모녀에서 발생하는 경우를 경험하게 되지만 실제로 현재까지 연구에 의하면 일차성 쇼그렌증후군의 경우 유전적 소인이 질병 발생에 미치는 영향은 다른 자가면역질환에 비하여 크지 않다. 대표적인 유전적 소인으로 HLA의 특정 대립 유전자

나 Type 1 인터페론의 세포 내 신호전달 연관 단백질인 STAT4, IRF5의 유전적 다형성이 알려져 있다. 최근에는 일차성 쇼그렌증후군의 병인에 후성유전체 및 microRNA 역할에 관한 연구가 이루어지고 있으며, 특히 최근 쇼그렌증후군 환자의 침샘에 대한 연구 결과에 따르면 정상인과는 다른 microRNA의 발현 양상과 B세포에서의 DNA 메틸화 감소 등이 확인되고 있어 이에 대한 후속 연구가 진행 중이다. 그 밖의 환경적인 요인으로 엡스타인-바바이러스(EBV), 거대세포바이러스(CMV), human T-lymphotropic virus type 1 (HTLV-1), coxsackievirus, B형간염바이러스, C형간염바이러스 등의 바이러스 감염이 쇼그렌증후군의 발생과 연관된 것으로 제시되고 있으나 아직까지 이에 대한 직접적인 기전은 밝혀져 있지 않다.

### 📑 참고문헌

1. 곽승기. 쇼그렌증후군. In: 대한류마티스학회. 류마티스학. 제2판. 범문에듀케이션; 2018. pp. 443-5.

2. Alevizos I, Alexander S, Turner RJ, et al. MicroRNA expressionProfiles as Biomarkers of minor salivary gland inflammation and dysfunction in Sjogren's syndrome. Arthritis Rheumatol 2011;63:535-44.

3. Gabriel SE, Michaud K. Epidemiological studies in incidence, prevalence, mortality, and comorbidity of the rheumatic diseases. Arthritis Res Ther 2009;11:229.

4. Haugen AJ, Peen E, Hultén B, Johannessen AC, Brun JG, Halse AK, et al. Estimation of the prevalence of primary Sjögren's syndrome in two age-different community-based populations using two sets of classification criteria: the Hordaland Health Study. Scand J Rheumatol 2008;37:30-4.

5. Imgenberg-Kreuz J, Sandling JK, Almlof JC, et al. Genome-wide DNA methylation analysis in multiple tissues in primary Sjogren's syndrome reveals regulatory effects at interferon-induced genes. Ann Rheum Dis 2016;75:2029-36.

6. Kim HJ, Kim KH, Hann HJ, Han S, Kim Y, Lee SH, et al. Incidence, mortality, and causes of death in physician-diagnosed primary Sjögren's syndrome in Korea: A nationwide, population-based study. Semin Arthritis Rheum 2017;47:222-7.

7. Kramer JM, Klimatcheva E, Rothstein TL. CXCL13 is elevated in Sjögren's syndrome in mice and humans and is implicated in disease pathogenesis. J Leukoc Biol 2013;94:1079-89.

8. Kwok SK, Lee J, Yu D, Kang KY, Cho ML, Kim HR et al. A pathogenetic role for IL-21 in primary Sjögren syndrome. Nat Rev Rheumatol 2015;11:368-74.

9. Nocturne G, Seror R, Fogel O, Belkhir R, Boudaoud S, Saraux A et al. CXCL13 and CCL11 Serum Levels and Lymphoma and Disease Activity in Primary Sjögren's Syndrome. Arthritis Rheumatol 2015;67:3226-33.

10. Patel R, Shahane A. The epidemiology of Sjogren's syndrome. Clin Epidemiol 2014;6:247-55.

11. Robinson CP, Brayer J, Yamachika S, et al. Transfer of humanserum IgG to nonobese diabetic Igmu null mice reveals a role for autoantibodies in the loss of secretory function of exocrine tissues in Sjogren's syndrome. Proc Natl Acad Sci USA 1998;95:7538-43.

12. St Clair EW, Lackey VD. Sjogren's Syndrome. In: Firestein GS, Budd RC, Gabriel SE, Mcinnes IB, O'dell JR. Kelley and Firestein's Textbook of Rheumatology. 10th ed. Elsevier; 2017. pp. 1225-31.

13. Voulgarelis M, Tzioufas AG. Pathogenetic mechanisms in the initiation and perpetuation of Sjögren's syndrome. Nat Rev Rheumatol 2010;6:529-37.

# 85

# 임상증상, 검사소견과 진단

가톨릭의대 **주지현**

## KEY POINTS 🔒

- 쇼그렌증후군은 외분비샘의 기능 저하로 인한 안구건조, 구강 건조증상이 흔하고, 피로감, 관절통, 근육통, 레이노증후군 등의 다양한 샘외증상도 동반할 수 있다.
- 주관적인 건조증상 외에 객관적인 검사로는 항Ro/La항체 등의 자가항체검사, 안구염색검사, 쉬르머검사, 타액 유량 검사, 침샘조직검사 등을 통해 쇼그렌증후군을 진단한다.
- 쇼그렌증후군에서는 지속적인 침샘비대, 자색반, 백혈구감소증, C4보체 저하, 한랭글로불린혈증, 침샘조직 내 ectopic germinal center 등이 동반될 때에는 림프종의 위험성을 고려해야 한다.

## 임상증상

쇼그렌증후군 환자의 주요 임상증상인 건조증상은 외분비샘인 눈물샘이나 침샘의 기능저하 때문이다. 건조증상은 대부분 8-10년 동안 느리게 진행하며 질병 초기에는 점막의 가벼운 건조감으로 시작하지만 후기에는 심한 건조증상으로 인해 고통을 호소하는 경우도 많다. 주로 만성적인 염증으로 인한 외분비샘의 조직손상 및 그로 인한 기능의 저하가 눈마름, 입마름을 유발하지만, 이외에도 피로, 관절통, 근육통, 피부증상 등의 비특이적인 샘외증상(extraglandular symptom)들이 동반될 수 있다(표 85-1).

이와 같은 건조증상과 다양한 전신증상은 다른 자가면역질환

표 85-1. 쇼그렌증후군의 전신침범

| 임상증상 | 비율 | 특징 |
| --- | --- | --- |
| 피로 | 70% | 우울증, 섬유근육통 등 동반 가능함 |
| 혈액이상소견 | 45% | 경도의 빈혈/백혈구감소증/혈소판감소증 |
| 레이노증후군 | 29% | 건조증상 발생 수년 전 선행함 |
| 관절통 | 45% | 진단보다 선행 가능함 |
| 관절염 | 15% | 비미란성 관절염 형태 |
| 폐침범 | 11% | 간질성폐질환, 세기관지염 |
| 림프절병증 | 6% | 림프종과의 감별이 필요 |
| 신장이상소견 | 4% | 간질성신염, 원위신세관산증, 사구체신염 |
| 혈관염 | 4% | 피부 자색반 형태의 혈관염이 흔함 |
| 림프종 | 2% | 침샘의 점막연관림프종이 가장 흔함 |

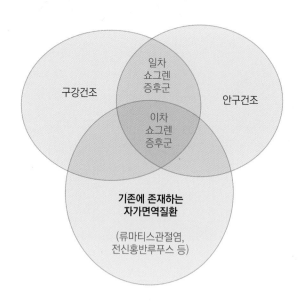

일차
쇼그렌
증후군

구강건조

안구건조

이차
쇼그렌
증후군

**기존에 존재하는
자가면역질환**

(류마티스관절염,
전신홍반루푸스 등)

그림 85-1. 쇼그렌증후군의 원인에 따른 분류

에서 흔하게 관찰되는 소견이다. 그렇기 때문에 다른 자가면역질환의 유무에 따라, 원발성으로 나타나는 일차 쇼그렌증후군과 류마티스관절염이나 전신홍반루푸스와 같은 자가면역질환에서 동반되는 이차 쇼그렌증후군으로 나눈다(그림 85-1).

## 1) 샘증상

대표적인 외분비샘인 눈물샘과 침샘의 염증 및 이로 인한 구조적인 파괴는 샘 자체의 분비기능을 감소시켜 다양한 샘증상(glandular manifestation)을 유발시킬 수 있다. 먼저, 눈물의 분비 감소는 각막과 결막 상피의 파괴를 일으켜 임상적으로는 건성각막결막염(keratoconjunctivitis sicca)의 형태로 나타난다. 이는 각막결막 혈관의 확장, 각막주위 충혈, 각막상피 표면의 불규칙한 변화, 눈물샘의 비대 등을 보이게 되는데 환자는 눈이 뻑뻑하고 모래 같은 이물감이 있거나 가렵고 충혈되며 때때로 광과민성을 호소하기도 한다. 한편, 침 분비 감소는 구강건조증을 일으키고 이로 인한 여러 임상증상을 유발하게 되는데, 환자는 건조한 음식을 삼키기 어렵거나 말을 오래 할 수 없으며 입맛의 변화나 입안이 타는 듯한 작열감 등을 호소하기도 한다. 이러한 구강건조증은 결국 치아 우식의 발생 빈도를 증가시키고, 그 진행 정도 역시 촉진시켜 결국 의치가 필요할 수도 있다. 신체 검사에서는 구강 점막의 건조 및 충혈, 치아 우식증, 구순구각염, 혀의 사상유두의 위축 등이 보일 수 있다. 귀밑샘 및 기타 다른 큰침샘의 비

대는 환자의 60%에서 일어날 수 있다. 대부분의 환자들에서 이러한 침샘의 비대는 일과성으로 나타나나, 일부에서는 만성적이고 지속적인 비대를 보이기도 하며 이럴 경우 악성 종양 등과 같은 다른 원인을 감별해야 한다. 건조 증상은 상기도뿐만 아니라 인후두에도 영향을 주어 쉰 목소리가 나거나 재발성 기관지염과 폐렴증(pneumonitis)을 일으킬 수도 있다. 그 외에도 소화기관의 분비 기능 저하로 인해, 식도점막의 위축, 위축성 위염, 췌장기능 감소와 위산 감소도 일어난다. 환자는 피부 건조증과 질 분비물 감소로 인한 성교통을 호소하기도 한다.

## 2) 샘외증상

일차 쇼그렌증후군 환자의 대략 절반에서 샘외증상이 발생한다. 피로, 발열, 레이노증후군, 근육통, 관절통 등의 전신증상이 흔하게 발생한다. 쇼그렌증후군에서 관절침범은 류마티스관절염과는 달리 손의 방사선학적 검사에서 미란성 변화는 잘 나타나지 않는다. 레이노증후군은 흔한 피부 증상이며 본격적인 건조 증상보다 수년 전에 미리 나타나기도 한다. 쇼그렌증후군 환자의 혈관염은 피부의 소혈관이나 중간크기의 혈관을 주로 침범하며 주로 자색반, 반복적인 두드러기, 피부궤양, 다발성 홑신경염으로 나타난다. 인두나 식도가 너무 건조하여 식도 운동장애로 인한 삼킴 곤란 증상이 발생할 수 있다. 호흡기침범은 비교적 흔하게 보고되지만 임상적으로 위중한 경우는 드물다. 급성 또는 만성 췌장염이 드물게 나타나지만 무증상의 췌장질환이 흔하다. 환자에서 간조직검사를 하면 일차담관성간경화증(primary biliary cirrhosis)에서 보이는 경한 간내담도 염증 소견을 보이기도 한다. 임상적으로 의미 있는 신장침범 증상은 간질성신염이나 사구체신염의 형태로 발생한다. 원위신세관산증(distal renal tubular acidosis)은 무증상일 수 있으나 치료하지 않을 경우 신장결석이나 신장석회증(nephrocalcinosis) 또는 신기능 장애를 초래할 수 있다. 중추신경계의 침범은 흔하지 않지만, 아쿠아포린4(aquaporin 4) 항체와 연관하여 시신경척수염 등이 보고된 바가 있다. 갑상선질환과 쇼그렌증후군과의 연관성은 널리 알려져 있으며, 쇼그렌증후군 환자의 대략 절반에서 항갑상선 항체가 양성이거나 TSH가 상승하는 갑상선 기능 이상 소견이 확인된다. 자가면역성 갑상선염 환자의 1/3에서도 건조증상을 보이며 항핵항체양성 갑상선염 환자의 약 10%에서 쇼그렌증후군이 동반된다.

### 3) 림프종

림프종은 쇼그렌증후군 환자의 예후를 결정하는 가장 중요한 합병증 중에 하나이다. 쇼그렌증후군 진단 이후 약 7.5년이 경과한 시점에서 가장 흔하게 발견되며, 연령, 성별, 인종을 보정한 대조군에 비해서도 림프종의 발병률이 대략 5배 이상 높다. 쇼그렌증후군에서 림프종 발생의 위험인자는 지속적인 침샘비대, 자색반, 백혈구감소증(CD4$^+$ T cell 림프구감소증), 비장비대와 림프절병증, C4 감소, 한랭글로불린혈증, 침샘조직검사에서 발견된 ectopic germinal center, EULAR Sjögren's Syndrome Disease Activity Index (ESSDAI) 점수 >5, CD4$^+$ T cell 림프구감소증, 포커스 점수 >3 등이 알려져 있다. 림프절외 변연부(extra-nodal marginal zone) B세포 림프종의 하나인 점막연관림프조직(mucosa-associated lymphoid tissue, MALT) 림프종이 가장 흔한 형태로 알려져 있으며, 침샘조직검사를 통해서 우연히 발견되는 경우도 많다. 침샘에 발생하는 경우가 가장 흔하며, 그 밖에 폐나 위장관에서 발생하는 경우도 있다.

## 검사소견

### 1) 혈액검사

환자의 5-15%에서 백혈구감소증, 혈소판감소증 등의 혈액검사 이상소견이 보일 수 있다. 적혈구침강속도(ESR) 증가는 흔히 볼 수 있지만 C반응단백질(CRP)은 대개 정상이다. 고감마글로불린혈증은 쇼그렌증후군 환자의 80%에서 나타난다. 대부분의 환자에서 항핵항체가 검출되며, 항Ro/SS-A항체와 항La/SS-B항체가 가장 흔하게 발견되는 자가항체이며 항Ro/SS-A항체는 분류기준에 포함된다. 류마티스인자도 환자의 약 절반에서 양성소견을 보이며 그 밖에 항미토콘드리아항체, 항무스카린3수용체항체, 항중심체항체 등이 검출되는 것으로 알려져 있으며, 갑상선질환과 연관된 자가항체들도 발견된다.

### 2) 눈검사

Schirmer검사는 눈물샘의 분비능을 평가하는 검사이다. 30 mm 길이의 필터 종이를 아래 눈꺼풀 밑에 붙여 늘어뜨리고 5분 후에 종이의 젖은 부분의 길이를 측정한다. 5 mm 이하인 경우

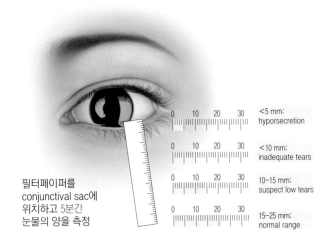

필터페이퍼를 conjunctival sac에 위치하고 5분간 눈물의 양을 측정

<5 mm: hyposecretion

<10 mm: inadequate tears

10-15 mm: suspect low tears

15-25 mm: normal range

그림 85-2. Schirmer검사

눈물 분비능이 감소되어 있음을 시사한다(그림 85-2).

안구건조를 확인할 수 있는 안구표면염색 검사로서 rose bengal검사, fluorescein염색, lissamine green 염색법 등이 있다. 눈물 분비 저하의 합병증인 건성각막결막염은 각막 및 결막 상피의 다양한 염색법을 통해 진단할 수 있다. Rose bengal검사는 아닐린 염료를 이용하여 손상된 각막과 결막 상피를 염색하고 이를 세극등으로 관찰하면 반점이나 실 모양(filamentary)의 결막염 소견을 확인할 수 있다. 하지만 안구건조가 심한 환자에서는 통증을 유발할 수 있어 현재는 많이 사용되지 않는다. 안구염색점수(ocular staining score)는 fluorescein염색(각막) 및 lissamine green 염색(결막)을 통해 안구건조의 정도를 확인하여 3부위의 점수를 합산하고 patch나 filament 등의 유무에 따라서 점수를 추가하여 객관적으로 안구건조를 증명하게 된다(그림 85-3).

눈물막파괴시간(tear film breakup time) 측정은 형광물질을 눈에 점안한 후 마지막 눈을 깜박인 시점부터 눈물막에 어둡고 비형광인 부분이 나타나는 시간을 측정한다. 너무 빠른 눈물막의 파괴는 눈물막의 점액층이나 지질층의 이상을 의미한다.

### 3) 침샘검사

침샘분비측정법(sialometry)은 침샘의 분비 속도를 측정하는 방법으로 자극을 주는 방법과 주지 않는 방법이 있다. 연령, 성별, 복용중인 약물, 검사 시간대 등의 많은 인자에 대해서 영향을 받기 때문에 정상인에서도 다양한 결과가 나타날 수 있으며

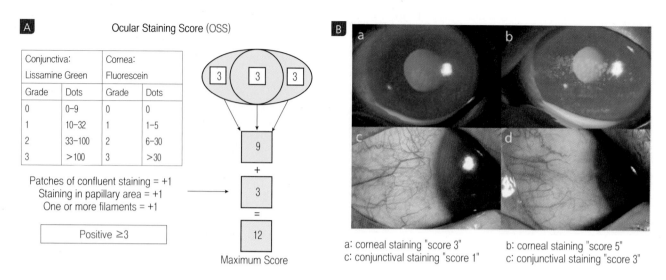

a: corneal staining "score 3"　　b: corneal staining "score 5"
c: conjunctival staining "score 1"　　c: conjunctival staining "score 3"

**그림 85-3. 안구염색(ocular staining score)검사 (A) 검사방법, (B) 염색에 따른 건조등급** 안구표면염색점수는 Fluorescein 염색약으로 각막, lissamine green 염색약으로 결막을 염색하여 각결막에 염색되는 점상의 미란 정도에 따라 총 0-12점으로 점수를 매긴다. 안구의 3부위에서 Dot 수를 기준으로 점수를 매기고 patch나 filament등의 소견이 있을 때 점수를 추가하여 총 12점까지 최대점수를 매길 수 있다.

한 번의 측정으로는 쇼그렌증후군을 진단할 수는 없다. 침샘관 조영(sialography)은 침샘관(salivary gland duct) 계통의 해부학적 이상을 검사하기 위한 방법으로 쇼그렌증후군 환자의 침샘관조영에서는 침샘확장증(sialectasis)이 나타나는 빈도가 높다. 침샘관조영은 일차성 쇼그렌증후군 진단에서 작은침샘생검(minor salivary gland biopsy)처럼 민감도와 특이도가 높은 검사법이다. 침샘스캔(scintigraphy)은 $^{99m}Tc$ pertechnetate을 정맥주사한 후 60분 동안 구강 내 흡수와 발현 시간의 속도와 밀도를 측정하여 침샘의 기능을 평가하는 검사법이다. 쇼그렌증후군 환자에서는 그 흡수와 분비가 저하되거나 결여된 것을 볼 수 있다. 침샘스캔은 민감도는 높지만 특이도는 낮다. 아랫입술에서의 작은침샘생검을 통해 림프구 침윤이 확인되면 쇼그렌증후군 진단에 도움을 받을 수 있다. 작은침샘생검은 침샘 내 림프구 침윤을 확인할 수 있다는 장점이 있지만 조직검사 과정에서 환자에게 통증 등의 불편감을 일으킬 수 있으며, 검사 후 드물지만 신경 손상에 의한 아랫입술의 감각 저하와 같은 합병증이 발생할 수 있다. 조직검사를 대체할 수 있는 영상학적 검사로 최근 침샘 초음파검사의 유용성이 연구되고 있으며 앞으로 분류기준에 적용될 가능성이 높다.

## 진단

### 1) 쇼그렌증후군 진단 및 분류기준

1980년대 이후에 쇼그렌증후군의 분류기준으로 여러 가지가 제안되고 논의되어 왔지만 2002년 개정된 미국-유럽 합의그룹(American-European Consensus Group, AECG)의 공동 제안이 가장 널리 사용되어 왔다. 이 기준은 주관적인 건조증상에 많이 의존하고, Schirmer검사나 rose bengal검사와 같이 민감도와 특이도가 차이가 나는 검사를 모두 한 항목에 포함시키는 등의 문제점이 있었다. 이에 2012년 미국류마티스학회(American college of rheumatology, ACR)에서는 새로운 분류기준을 발표하였는데, 건성각막결막염, 림프구성 침샘염, 자가항체양성의 세 가지 기준 중에 2개 이상이 해당되면 쇼그렌증후군으로 분류하도록 하였다. 이 분류기준은 주관적인 건조 증상을 배제하고 침샘 침범 여부를 조직검사소견으로만 판단하고 있으며 건성각막결막염을 판단을 위하여 안구염색점수만을 채택하고 있는 점이 특징이다. 이 분류기준 또한 일차와 이차 쇼그렌증후군을 감별할 수 없다는 점과 안구 건조나 구강 건조와 같은 외분비샘 기능저하에 따른 증상을 기준에 포함시키지 않은 점, 그리고 질병 초기에 안구염색점수 기준을 만족시키지 못하거나 침샘의 조직학적 변화가 없는 환자를 진단할 수 없는 문제점이 있다.

표 85-2. 2016년 ACR/EULAR 쇼그렌증후군 분류기준

| 항목 | 점수 |
|---|---|
| 작은침샘생검에서 국소 림프구침샘염증 소견과 초점점수 (focus score) 1 foci/4 mm$^2$ 이상 | 3 |
| 항Ro/SS-A항체 양성 | 3 |
| 적어도 한쪽 눈에서 안구염색점수 5점 이상(또는 van Bijsterveld 점수 4점 이상) | 1 |
| 적어도 한쪽 눈에서 Schirmer검사 5 mm/5분 이하 | 1 |
| 비자극 침 배출량 0.1 ml/분 이하 | 1 |
| *점수 합계가 4점 이상이 될 때 쇼그렌증후군의 분류기준에 합당함(민감도 96%, 특이도 95%). | |

* 분류기준 적용조건: 이 기준을 적용하기 위해서는 적어도 구강 건조 및 안구 건조, 두 가지 증상 중에서 적어도 한 개의 증상을 가져야 함. 증상의 유무는 다음 질문에 대해 긍정 답변을 할 경우로 간주함. 1) 3개월 이상 매일 지속되는 안구 건조감이 있었는가? 2) 안구에서 모래가 들어간 것 같은 불편감이 반복되는가? 3) 하루에 3번 이상 인공눈물을 사용하는가? 4) 3개월 이상 구강건조감이 있었는가? 5) 건조한 음식을 먹을 때 물을 자주 마셔야 음식 넘길 때 편한가? 또는 European League Against Rheumatism Sjogren's Syndrome Disease Activity Index 중 적어도 하나의 domain에서 양성으로 쇼그렌증후군이 의심될 때 적용 가능함.
* 배제기준: 1) 두경부에 방사선치료의 과거력, 2) PCR검사에 의해 확진된 활동성 C형간염, 3) 후천면역결핍증후군, 4) 유육종증, 5) 아밀로이드증, 6) 이식편대숙주병, 7) IgG4 연관 질환
* 항콜린제를 복용중인 사람은 건조증상에 대한 신뢰할 만한 객관적인 검사결과를 위해서 약제를 충분히 중단한 후에 검사를 시행해야 함.

이러한 문제점들을 해결하기 위해서 2012년부터 SICCA 연구팀과 유럽류마티스학회(European League against Rheumatism, EULAR)의 쇼그렌연구팀이 분류기준 제정을 위한 공동연구팀을 구성하였다. 2016년에 새로이 발표된 쇼그렌증후군 분류기준은 2002년 AECG 분류기준과 2012년 ACR 분류기준의 요소를 통합하여 제작되었다(표 85-2).

2016년 기준에 따르면 5개의 항목이 있다. 3점에 해당하는 항목은 "(1) 작은침샘생검에서 국소 림프구침샘염증 소견과 초점점수(focus score) 1 foci/4 mm$^2$ 이상, (2) 항Ro/SS-A항체 양성"이다. 1점에 해당하는 항목은 "(3) 적어도 한쪽 눈에서 안구염색점수 5점 이상, (4) 적어도 한쪽 눈에서 Schirmer검사 5 mm/5분 이하, (5) 비자극 침 배출량 0.1 ml/분 이하"이다. 건조증상이 있는 환자에서 5개 항목의 점수를 합산하여 4점 이상일 때 쇼그렌증후군의 분류기준에 합당하다고 제시하였다.

## 2) 감별진단

안구 건조를 초래할 수 있는 여러 가지 원인 중에서는 안과적 질환이 많으므로 안과 전문의와의 협진을 통해 접근하는 것이 필요하다. 감별해야 할 사항으로는, 자가면역질환이 아닌 원인에 의한 눈물샘 침범 및 눈물의 분비 저하, 외상이나 신경학적 질환으로 인한 눈의 깜박거림 장애, 라식수술과 같은 안구 관련 수술로 인한 영향, 그리고 만성 눈꺼풀염이나 각막염으로 인한 영향 등이 있다. 또한, 항콜린작용이 있는 약제를 복용하는지, 모니터를 장시간 보면서 작업하는 환경에서 일하는지 등을 고려해야 하고, 폐경 여성에서 에스트로겐이 낮은 경우나 비타민 A가 부족한 경우에도 점액눈물 생성이 감소하므로 이에 대한 고려가 필요하다. 구강 건조를 일으키는 원인으로는 항콜린작용 약물이 가장 흔하며, 만성적인 폐쇄로 인한 침샘염, C형간염이나 HIV 감염과 같은 바이러스 질환, 두경부 종양으로 인한 방사선 치료의 영향, IgG4 관련 질환 등을 배제해야 한다.

### 참고문헌

1. 주지현. 쇼그렌증후군. In: 대한류마티스학회. 류마티스학. 제2판. 범문에듀케이션; 2018. pp. 446-50.
2. Beckman KA, Luchs J, Milner MS, Ambrus JL Jr, The Potential Role for Early Biomarker Testing as Part of a Modern, Multidisciplinary Approach to Sjögren's Syndrome Diagnosis. Adv Ther 2017;34:799-812.
3. Billings M, Dye BA, Iafolla T, Baer AN, Grisius M, Alevizos I. Significance and Implications of Patient-reported Xerostomia in Sjögren's Syndrome: Findings From the National Institutes of Health Cohort. EBioMedicine 2016;12:270-9.
4. Brito-Zeron P, Baldini C, Bootsma H, et al. Sjögren syndrome. Nat Rev Dis Primers 2016;7:16047.
5. Fayyaz A, Kurien BT, Scofield RH. Autoantibodies in Sjögren's Syndrome. Rheum Dis Clin North Am 2016;42:419-34.
6. Mariette, X., & Criswell, L. A. Primary Sjögren's Syndrome. N Engl J Med 2018;378:931-9.
7. Shiboski CH, Shiboski SC, Seror R, et al. 2016 American College of Rheumatology/European League Against Rheumatism classification criteria for primary Sjögren's syndrome: A consensus and data-driven methodology involving three international patient cohorts. Ann Rheum Dis 2017;76:9-16.

# 86

# 치료와 예후

**경상의대 김현옥**

## KEY POINTS 🔒

- 쇼그렌증후군은 침샘과 눈물샘 등 외분비샘 이상뿐만 아니라, 다양한 샘외증상과 합병증을 유발하는 만성질환으로 치료를 위해서는 안과 및 이비인후과를 포함한 여러 전문분야의 다학제적 접근이 필요하다.
- 쇼그렌증후군은 피로, 근골격계 증상 및 신경학적 증상과 같은 다양한 전신 증상이 동반될 수 있으며 폐, 간, 신장과 같은 중요 장기를 침범하기도 하며 림프종과 같은 합병증도 동반되는 질환이다. 따라서 이러한 합병증에 대한 조기 진단과 치료가 함께 시행되어야 한다.
- 쇼그렌증후군으로 인한 사망률은 정상인에 비해 일반적으로는 증가되지 않으나 림프종 혹은 혈관염이 동반되거나 폐, 간, 신장과 같은 중요 장기를 침범하는 경우에는 사망률이 증가될 수 있다.

## 서론

쇼그렌증후군의 치료는 샘증상 및 샘외증상의 유무와 침범 정도, 질환 활성도에 따라 결정된다. 따라서 쇼그렌증후군의 치료의 목표는 샘증상 및 샘외증상을 조절하며 림프종을 포함한 동반 가능한 다양한 합병증을 조기 진단하고 치료하면서 삶의 질을 향상시키는 것이다. 이러한 이유로 쇼그렌증후군의 치료를 위해서는 류마티스내과, 이비인후과, 안과 및 치과를 포함한 여러 전문분야의 다학제적 접근과 함께 침범되는 장기에 따른 전문가와의 협진도 필요하다.

## 샘증상

### 1) 구강 건조 및 침샘 증상

타액은 윤활, 완충 및 항균 효과가 있으며, 부적절하게 감소가 되는 경우에는 구강 위생에 부정적인 영향을 미친다. 따라서 쇼그렌증후군 환자의 경우 주기적인 구강 위생 감시 그리고 치주질환의 예방 및 금연에 관한 교육과 함께 치아우식을 예방하기 위해 불소가 함유된 치약 혹은 국소 불화물(topical fluoride)을 사용하는 것을 권유하고 있다. 또한 적절하게 수분 섭취를 유지하는 것도 중요하다. 유럽류마티스학회에서는 구강 건조에 대한 약물치료를 자극 침샘 유량검사(stimulated whole salivary flows, SWSF)를 바탕으로 결정하도록 권장하고 있다. 경미한 구강 건조(SWSF >0.7 mL/min)가 있는 경우 무가당 사탕, 무가당 껌 혹은 자일리톨을 함유한 사탕을 활용하여 침샘에 기계적인 자극을 가하는 비약물치료를 권고하고 있다. 중등도의 구강 건조(SWSF 0.1-0.7 mL/min)가 있는 경우 기계적인 자극 치료와 약물치료를 병행하는 것을 권장하고 있다. 약물적 치료로는 콜린성 부교감신경절 촉진제인 pilocarpine과 cevimeline을 사용할 수 있다. 하지만 아직까지 국내에서는 pilocarpine만 처방이 가능하다. 투약 시에 흔하게 동반될 수 있는 부작용으로는 발한, 홍조가 있으며 그 외에도 시야장애, 배뇨 증가, 오심, 복통 및 설사 등이 있다. 그리고 약제에 대한 과민 반응이 있는 경우, 좁은앞방각녹내장(narrow-angle glaucoma)과 조절되지 않는 천식이 있는 경우에는 투약의 금기이며 베타차단제를 투약하는 경우에는 병용 투여 시 주의가 필요하다. Pilocarpine에 불응성이거나 부작용으로

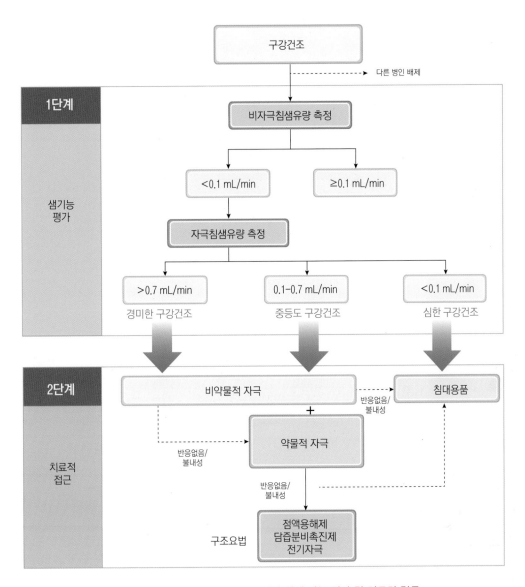

그림 86-1. 일차성 쇼그렌증후군에서 침샘 기능 평가 및 치료적 접근

사용이 어려운 환자는 아세틸시스테인(N-acetyl-cysteine)을 사용해 볼 수 있다. 심한 구강건조(SWSF<0.1 mL/min)가 있는 경우 침샘의 잔존 기능이 없고 비약물적 및 약물적 자극치료에도 반응이 없기 때문에, 침대체품(saliva substitute)을 사용하는 것을 권장하고 있다. 그 외에도 침샘에 부종이 동반되는 경우에는 비스테로이드소염제와 단기간의 글루코코티코이드 제제를 투약하며 원인과 증상에 따라서는 항생제 투약도 고려할 수 있다. 장기간의 글루코코티코이드 제제의 사용은 구강칸디다증을 포함한 다양한 부작용으로 피하고 있으며 만약 구강칸디다증이 발생한 경우에는 경구 플루코나졸(fluconazole)을 우선적으로 투여한다(그림 86-1).

## 2) 안구 건조 증상

안구 건조 증상이 심하지 않은 경우에는 눈이 건조하지 않게 주위 환경을 조절하는 것이 중요하다. 또한 눈물 분비를 감소시킬 수 있는 약물의 섭취를 제한하고 눈꺼풀 주변을 청결하게 유지하는 것이 증상호전에 도움이 된다. 따라서 너무 건조하거나 먼지 혹은 바람이 많이 부는 장소를 피하고, 장시간 컴퓨터 모니터를 보는 것과 같은 눈 깜박거림을 줄일 수 있는 일을 조절해야 한다. 그리고 항히스타민제 및 항콜린성 신경안정제와 같은 약물의 섭취도 제한한 이후에 안구 건조 증상의 호전 여부를 평가한다. 이러한 방법에도 적절한 효과가 없다면 하이알유론산염(hyaluronate) 혹은 카르복시-메틸셀룰로오스(carboxy-

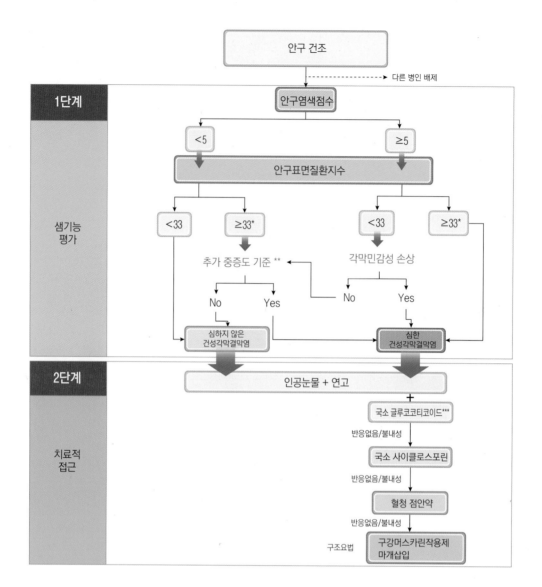

그림 86-2. 일차성 쇼그렌증후군에서 눈물샘 기능 평가 및 치료적 접근
*만약 안구염색점수 <1인 경우 신경병증통증 고려
** 추가중증도기준
(1) 시각기능장애(눈부심, 시력변화 혹은 낮은대조민감성); (2) 안구염증에 의한 이차적 눈꺼풀연축; (3) 심한 마이봄샘질환 혹은 눈꺼풀 염증
***단기적응증(2-4주)

methylcellulose)를 함유한 보존제가 포함되지 않은 인공눈물을 사용하는 것을 권유하며 윤활 안연고는 작용 시간이 길고 시야를 방해할 수 있어서 주로 자기 전에 사용한다. 건성각막결막염 (keratoconjunctivitis sicca)은 안구 표면에 염증반응이 동반된 상태이므로 국소 글루코코티코이드 제제와 같은 항염증제를 사용하여 염증반응을 조절하게 되면 증상이 호전된다. 하지만 글루코코티코이드 제제를 장기간 사용하는 경우에는 백내장, 녹내장 및 감염과 같은 부작용이 동반될 수 있어 2-4주 정도의 짧은 기간 동안에만 사용하는 것을 권유한다. 국소 스테로이드에 불응성 또는 불내성 환자에서는 국소 사이클로스포린을 사용해볼 수 있다. 국소 사이클로스포린은 중등도 이상의 심한 안구 건조 증상 호전에 도움이 될 수 있지만 효과가 지속되는 기간은 6개월 이내로 알려져 있다. 사이클로스포린 안약에 반응이 어렵거나 사용이 어려운 환자는 자가혈청안약을 고려할 수 있다. 이러한 약물요법에 반응이 없다면 마지막 치료 방법으로 눈물점 폐쇄(punctal occlusion)와 같은 시술을 시행하기도 한다(그림 86-2).

# 전신증상

## 1) 피로

피로에 대해서는 수면장애, 우울증 그리고 섬유근육통과 같이 쇼그렌증후군에 동반 가능한 다양한 증상에 대한 치료가 함께 병행되어야 한다. 비약물적요법으로는 규칙적인 운동에 대한 교육이 필요하다. 그리고 약물치료는 연구결과에 따라 논란은 있으나 하이드록시클로로퀸을 사용하는 것을 고려할 수 있다. 생물학적제제 가운데는 rituximab이 소규모 무작위대조시험에서 피로를 호전시켰다는 보고가 있지만 대규모 무작위대조시험에서는 그 효과가 입증되지 않았다. 디하이드로에피안드로스테론(dehdyroepiandrosterone) 및 항TNF 제제의 사용은 추천하지 않고 있다.

## 2) 관절통과 관절염

급성 근골격계 통증을 호소하는 경우 아세트아미노펜이나 비스테로이드소염제를 증상 조절을 위해 7-10일간 사용하는 것을 권장하고 있다. 국소 비스테로이드소염제도 국소적 통증 호전 및 적은 부작용 빈도를 고려하여 사용해 볼 수 있다. 자주 발생하는 근골격계 증상에는 하이드록시클로로퀸을 우선적으로 추천하고 있다. 하이드록시클로로퀸은 급성기반응물질의 증가와 고감마글로불린혈증(hypergammaglobulinemia)이 동반되어 있는 경우 관절통과 근육통을 호전시킨다는 소규모 개방표지시험과 관찰연구가 있다. 하지만 무작위대조시험에서는 통증 감소 효과를 입증하지 못했다. 만약 하이드록시클로로퀸 단독으로 증상이 조절되지 않는 경우에는 메토트렉세이트를 단독 혹은 하이드록시클로로퀸과 병용해서 투약할 수 있으며, 레플루노마이드를 투약해볼 수도 있다. 이외에도 설파살라진, 아자싸이오프린, 사이클로스포린도 투약을 고려해 볼 수 있으며 특히 사이클로스포린은 한 개방연구에서 관절 증상이 호전되었다고 보고하였다. 또한 하이드록시클로로퀸과 메토트렉세이트에 반응이 없는 경우, 글루코코티코이드의 투약을 고려할 수 있으나 부작용을 고려하여 가능한 1개월 이내의 단기간 투약을 권유하고 있다. 만성 근골격계 통증 환자에서는 항우울제가 고려된다. 만성적인 신경병성통증 환자에서는 가바펜틴이나 프리카발린, 아미트립틸린 등을 사용해 볼 수 있으나 아미트립틸린의 경우 건조증상을 악화시킬 수 있다. 통증 조절을 위한 마약성 진통제 사용은 권장하지 않는다.

## 3) 피부 증상

피부 건조 증상 및 소양감은 다른 질환에서 동반되는 건조증의 치료와 유사하게 치료한다. 고리홍반(annular erythema)은 약 10%의 쇼그렌증후군 환자에서 동반되며 일차적으로 국소 글루코코티코이드로 치료한다. 증상이 심한 경우에는 전신 치료를 하게 되며 우선적으로 하이드록시클로로퀸을 사용하고 이차 약제로는 메토트렉세이트를 고려한다. 증상의 호전이 없다면 전신 글루코코티코이드, 아자싸이오프린, 답손, 탈리도마이드 및 미코페놀레이트모페틸과 같은 약제도 사용할 수 있다. 혈관염 역시 약 10% 정도에서 동반되며 자색반이 가장 흔한 증상이다. 피부 혈관염은 증상이 경미하면 경과를 관찰할 수 있으나 심한 증상 혹은 궤양이 진행하는 경우에는 전신 글루코코티코이드가 가장 흔히 사용되며 그 외에 아자싸이오프린, 미코페놀레이트모페틸 및 메토트렉세이트 등의 경구 면역억제제나 리툭시맙, 사이클로포스파마이드를 사용할 수 있다. 또한 압박스타킹도 증상 호전에 도움이 될 수 있으며, 통증을 조절하기 위해서 진통제, 항히스타민제, 비스테로이드소염제 등을 병용할 수 있다. 이러한 약제 이외에도 콜히친, topical tacrolimus도 쇼그렌증후군에 동반되는 피부증상에 대해 부가적인 치료제로 사용할 수 있다.

## 4) 폐 증상

기관지 증상을 조절하기 위해 진해제가 사용되고 있으나 무작위대조시험에서 그 효과가 입증된 것은 없다. 세기관지염의 경우 고용량 글루코코티코이드 단독으로 호전을 보이나 재발의 여부를 잘 확인해야 한다. 간질폐질환은 증상이 심하지 않은 경우(NYHA I), 노력성 폐활량 > 80%, 폐확산능이 >70%이고 전산화단층촬영술에서 이상 소견이 <10%인 경우에는 치료를 바로 시행하지 않고 주기적인 경과 관찰을 우선적으로 고려한다. 하지만 중등도 이상의 증상(NYHA II 이상), 노력성 폐활량, 폐확산능의 감소 및 전산화단층촬영에서 악화소견이 있는 경우 고용량의 글루코코티코이드로 치료한다. 유럽류마티스학회에서는 유럽류마티스학회 쇼그렌증후군 질병활성도 지표(EULAR Sjögren's syndrome disease activity index ESSDAI)를 기준으로 중

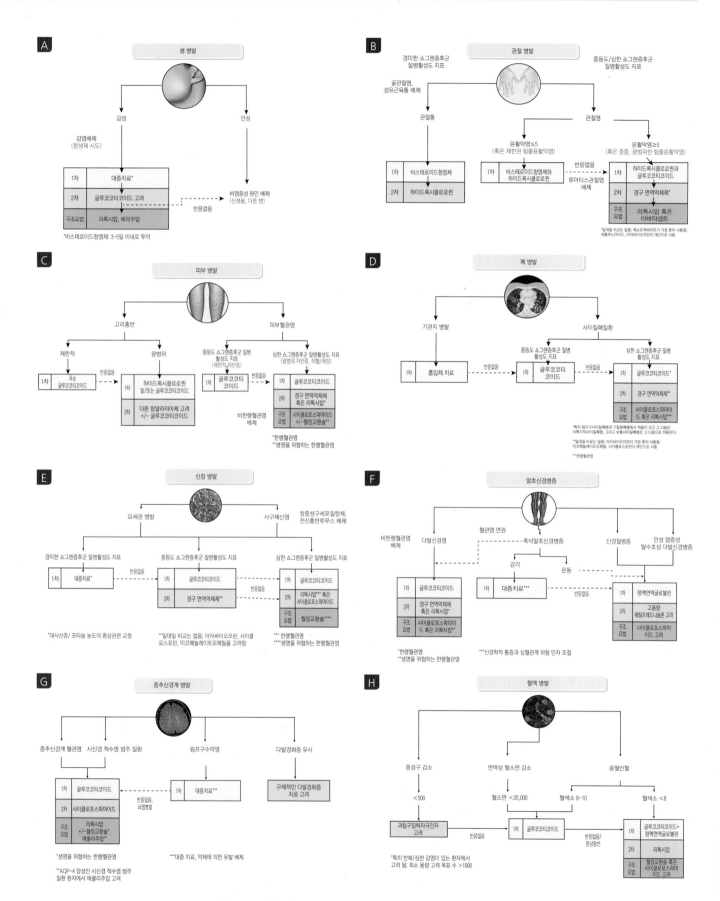

그림 86-3. 일차성 쇼그렌증후군에서 각 장기 침범에 따른 치료적 접근

등도(5-13점)이나 중증(14점 이상)인 경우 글루코코티코이드 치료를 권장하고 있다. 이차 약제로 아자싸이오프린, 미코페놀레이트모페틸 등의 경구 면역억제제를 사용할 수 있다. 불응성이거나 빠르게 진행하는 간질폐질환의 경우 사이클로포스파마이드나 리툭시맙을 사용해볼 수 있다. 그리고 최근에는 항섬유화제제(antifibrotic agent)인 nintedanib으로 치료한 군에서 대조군에 비해 간질폐질환의 진행을 늦췄다는 보고가 있다(그림 86-3).

## 5) 신장 증상

신장 증상에 대해서 잘 정립된 치료 방안은 아직까지 제시된 것이 없다. 원위신세관산증은 중탄산염 혹은 구연산염으로 치료하면서 산증을 조절하고 신장결석의 형성을 예방한다. 그리고 신장 기능의 손상이 동반되거나 현저한 단백뇨가 나오는 경우에는 조직검사를 시행한다. 조직검사에서 간질성신염 혹은 사구체신염이 진단되는 경우에는 글루코코티코이드가 가장 중요한 치료제로 사용되며, 이차 약제로 아자싸이오프린, 미코페놀레이트모페틸, 사이클로스포린 A 등을 사용해 볼 수 있다(그림 86-3).

## 6) 특수한 상황에서의 치료

쇼그렌증후군에서 생명을 위협하는 증상으로는 한랭글로불린혈증 혈관염, 림프종 및 중추신경계 침범 등이 해당된다. 침범된 장기의 특성에 따라 치료를 하게 되며 주된 치료제는 고용량의 글루코코티코이드와 면역억제제이다. 심한 혈관염 혹은 중추신경계 침범이 있는 경우는 메틸프레드니솔론과 사이클로포스파마이드가 사용되며 더 심한 경우는 정맥면역글로불린주사 혹은 혈장교환술도 시행한다. Rituximab은 다른 면역억제제 치료에 반응이 없는 심각한 전신 증상 및 혈관염, 한랭글로불린혈증, 면역혈소판감소증 및 림프종과 같은 경우에 사용되고 있으며 일부 연구에서는 효과가 있다는 보고도 있다. 또한 임신 시에는 태반 착상(placental implantation)을 향상시키기 위해 저용량의 아스피린을 복용하는 것을 고려할 수 있다. 그리고 하이드록시클로로퀸은 임신 및 수유 기간에 유지하는 것을 추천하고 있다.

## 7) 생물학적제제의 사용

항TNF제제인 infliximab과 etanercept는 일차성 쇼그렌증후군 환자를 대상으로 시행한 무작위대조시험에서 효과를 입증하지 못했다. 이러한 연구 결과를 바탕으로 항TNF제제는 쇼그렌증후군의 치료에는 효과가 없을 것으로 판단하고 있다. Rituximab의 경우 일부 연구에서는 피로와 침샘 분비의 호전을 보였으나 연구마다 상반된 결과를 보이고 있다, 하지만 최근에 시행된 대규모 연구에서는 피로와 건조 증상을 호전시키는 효과를 입증하지 못했다. Abatacept 역시 구강 건조 증상과 침 분비를 호전시킬 수 있다는 소규모 연구가 있었지만 최근에 시행된 이중맹검 연구에서는 효과가 없는 것으로 발표되었다. Belimumab은 침과 눈물 분비의 호전은 입증하지 못했으며 비악성 귀밑샘(non-malignant parotid gland)의 부종, 관절 증상에 대해서는 호전을 보인다고 보고되었다.

## 예후

쇼그렌증후군은 일반인과 비교하여 전반적인 사망률의 증가는 없다고 알려져 있다. 하지만 쇼그렌증후군 환자에서 보체 감소 및 한랭글로불린혈증이 동반된 경우, 샘외침범으로 예를 들면 폐 혹은 신장을 침범해서 말기장기손상(end stage organ damage)까지 진행하거나 혈관염 혹은 림프종이 합병증으로 나타나는 경우에는 고위험 환자로 분류할 수 있으며 이러한 경우에는 사망률이 증가할 수 있다.

### 참고문헌

1. Baer AN, Alevizos I. Sjogren's syndrome. In: Hochberg MC, Silman AJ, ed. Rheumatology. 7th ed. Philadelphia: Morsby; 2019. pp. 1216-7.

2. Carsons SE, Vivino FB, Parke A, Carteron N, Sankar V, Brasington R, et al. Treatment Guidelines for Rheumatologic Manifestations of Sjogren's syndrome: Use of Biologic Agents, Management of Fatigue, and inflammatory Musculoskeletal pain. Arthritis Care Res (Hoboken) 2017;69:517-27.

3. Foulks GN, Forstot SL, Donshik PC, Forstot JZ, Goldstein MH, Lemp MA, et al. Clinical guidelines for management of dry eye associated with Sjogren disease. Ocul Surf 2015;13:118-32.

4. Fox RI, Fox CM, Gottenberg JE, Dörner T. Treatment of Sjogren's syndrome: current therapy and future directions. Rheumatology (Oxford) 2021;5:2066-74.

5. Lee AS, Scofield RH, Hammitt KM, et al. Consensus Guidelines for Evaluation and Management of Pulmonary Disease in Sjögren's. Chest 2021;159:683-98.

6. Plemons JM, AI-Hashimi I, Marek CL. Managing xerostomia and salivary gland hypofunction: executive summary of a report from the American Dental Association Council on Scientific Affaris. J AM Dent Assoc 2014;145:867-73.

7. Ramos-Casals M, Brito-Zerón P, Bombardieri S, et al. EULAR recommendations for the management of Sjögren's syndrome with topical and systemic therapies. Ann Rheum Dis 2020;79:3-18.

8. Ramos-Casals M, Brito-Zeron P, Siso-Almirall A, Bosch X, Tzioufas AG. Topical and systemic medications for the management of primary Sjogren's syndrome. Nat Rev Rheumatol 2012;8:399-411.

9. Ramos-Casals M, Tzioufas AG, Stone JH, Siso A, Bosch Xe. Treatment of primary Sjogren's syndrome: a systemic review. JAMA 2010;304:452-60.

10. Saraux A, Pers JO, Devauchelle-Pensec V. Treatment of primary Sjogren's syndrome. Nat Rev Rheumatol 2016;12:456-71.

11. Seror R, Nocturne G, Mariette X. Current and future therapies for primary Sjogren syndrome. Nat Rev Rheumatol 2021;21:475-86.

12. St Clair EW, Leverenz DL. Sjogren's syndrome. In: Firestein GS, Budd RC, ed. Firestein and Kelley's Textbook of Rheumatology. 11th ed. Philadelphia: Elsevier; 2020:1301-3.

13. Stefanski AL, Tomiak C, Pleyer U, Dietrich T, BurmesterGR, Dörner T. The Diagnosis and Treatment of Sjogren's syndrome. Dtsch Arztebl Int 2017;20:354-61.

14. Verstappen GM, van Nimsegen JF, Vissink A, Kroese FM, Bootsma H. The value of rituximab treatment in primary Sjogren's syndrome. Clin Immunol 2017;3:S1521-6616.

# 87

# 증례

인하의대 **임미진**

　53세 여성이 1년 전부터 재발해서 생기는 경구개(hard palate) 종괴때문에 내원하였다. 5년 전부터 점점 진행되는 안구 건조와 구강 건조가 있어 타 병원 방문하여 쇼그렌증후군을 진단받았으나 이후 특별한 약물치료를 받지 않았다. 손가락 관절통을 호소하였으나 특별히 관절 부종은 보이지 않았고, 피부 발진, 구강 궤양, 레이노현상 등의 증상은 없었다. 과거력에서 특별한 병력은 없었고, 비흡연자이고 회사원이며, 가족력에서 특이 소견은 없었다.

　활력 징후는 혈압 110/75 mmHg, 맥박 71회/분, 호흡 20회/분, 체온 36.5도이었다. 신체검진에서 입천장 경구개 부기가 있으며 대략 지름 2.5 cm의 종괴가 관찰되었다. 침샘 비대 소견은 관찰되지 않았다. Schirmer검사에서 0 mm/0 mm, ocular staining score에서 5/5점이 관찰되었다. 침샘분비측정법에서 비자극 시에 0.3 mL/5 min, 자극 시에 0.4 mL/5 min 소견을 보였다.

　검사실 소견은 혈색소 12.3 g/dL, 백혈구 4,190 /μL, 혈소판 193,000/μL, 적혈구침강속도 22 mm/hr, C반응단백질 0.04 mg/dL, 류마티스인자 70 IU/ml, 항CCP항체는 음성이었다. 간 기능, 신장 기능 및 갑상선 기능은 모두 정상이었다. B형간염 항원은 음성이었고 C형간염 항체도 음성이었다. 항핵항체는 고역가(1:320), speckled type이었으며 항Ro/SS-A항체 강양성, 항La/SS-B항체 음성이었다. 보체 C3 76 mg/dL(참고치 76-139), C4 7.0 mg/dL(참고치 12-37)였으며 Immunoglobulin G 수치가 2044 mg/dL(참고치 870-1,700)로 상승되어 있었다. IgG4 수치는 10.6 mg/dL(참고치 3.9-86.4)로 정상이었다. 소변 검사에서 특이 소견은 없었으며, 흉부X선 검사에서도 이상 소견은 보이지 않았다.

　입천장 경구개에서 종괴와 작은 침샘(minor salivary gland)에서 절제생검을 시행하였다. 조직검사에서 배중심이 있는 이소성(ectopic)의 림프소포(lymphoid follicle)소견과 림프상피성 병변(lymphoepithelial lesion)을 확인하였고 전반적으로 침샘염 소견이 있으면서 일부에서는 단형의 악성세포 침윤을 보였다. 조직검사소견이다.

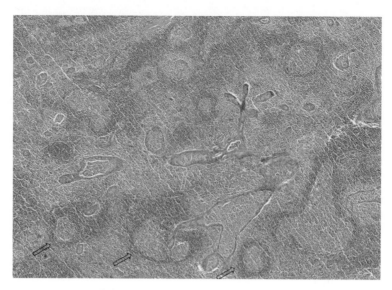

**그림 87-1. 작은 침샘의 조직검사**  배중심이 있는 이소성(ectopic)의 림프소포(lymphoid follicle)가 여러 개 보이고(검은색 화살표), 침샘 도관 상피세포들의 과다증식과 림프구들의 침윤이 있는 림프상피성 병변(lymphoepithelial lesion, 노란색 화살표)이 보인다(x40, hematoxylin eosin staining).

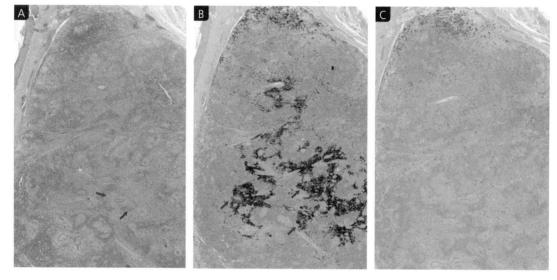

**그림 87-2. 변연부 림프종의 조직검사 (A)** 전반적으로 침샘염 소견이 있으면서 B세포들이 광범위하고 융합적으로 침윤한 소견(붉은색 화살표)을 보인다. B세포들은 **(B)** 카파(kappa) 가벼운 사슬(light chain) 제자리부합법(in situ hybridization)에서는 강양성(붉은색 화살표)이나, **(C)** 람다 가벼운 사슬 제자리부합법에서는 거의 보이지 않아 단형의 세포 침윤을 시사하였다.

## 1) 질문

(1) 진단은?

(2) 환자의 임상 경과 중 임파선 종대나 종괴가 있는 경우 림프종의 위험도가 증가와 관계 있는 인자는?

## 2) 증례 설명

상기 여자 환자는 기존에 쇼그렌증후군을 진단받고 별다른 약물 투여 없이 지내다 점막관련림프조직(muco-sa-associated lymphoid tissue) 변연부 림프종(marginal zone lymphoma)이 발병한 증례이다. 조직검사상 전반적으로 침샘염 소견이 보이고 있으나 일부에서는 카파 가벼운 사슬 B세포가 광범위하고 융합적으로 침윤하여 악성종양 소견을 보였다. 림프종 진단 당시에도 면역글로불린상승과 보체 감소, 조직검사 상 배중심이 보여 림프종의 위험성이 높았던 환자였다.

## 3) 정답과 해설

(1) 쇼그렌증후군과 연관된 점막관련림프조직 변연부 림프종(marginal zone lymphoma)

(2) 쇼그렌증후군 환자에서 림프절 종대가 관찰되는 경우 림프종 동반에 대한 특별한 관심이 필요하며 특히 침샘비대, 자색반, 백혈구감소증(CD4+ T cell 림프구감소증), 비장비대와 림프절병증, C4 감소, 한랭글로불린혈증, 침샘조직검사에서 발견된 ectopic germinal center, EULAR Sjögren's Syndrome Disease Activity Index (ESSDAI) 점수 >5, CD4+ T cell 림프구감소증, 포커스 점수 >3 등이 있는 경우 림프종의 위험도가 높다.

류 마 티 스 학
Rheumatology

# PART 13 염증근염

책임편집자 **차훈석**(성균관의대)
부편집자 **박성훈**(대구가톨릭의대)

# 88

# 분류

고려의대 **송관규**

## KEY POINTS 🔒

- 면역 기전으로 근육이 손상되어 근력 저하를 초래하는 원인불명의 전신 류마티스 질환이다.
- 근육 이외에 피부, 관절, 식도, 폐, 심장 등이 침범되고 일부에서 악성종양이 동반된다.
- 피부근염, 면역매개괴사근염, 봉입소체근염, 항합성효소증후군, 중복근염, 다발근염으로 분류된다.
- 근염특이자가항체 및 근염연관자가항체 검사는 진단과 치료방침 설정에 도움이 된다.

염증근염은 면역 기전에 의하여 주로 골격근의 염증과 근력의 저하를 초래하는 원인 불명의 전신 자가면역질환이다. 매우 이질적인 질환군으로 구성되어 있으며, 통상 근력 저하와 함께 근육효소 상승 및 근전도 이상이 관찰되지만 근력 저하가 없는 경우도 있고, 근육 이외 장기를 침범해 다양하면서도 특이한 임상 소견을 보이는 경우도 있다. 일부 환자에서는 악성종양이 동반되기도 한다.

## 분류

1975년 발표된 Bohan과 Peter의 분류기준을 시작으로 임상연구, 자가항체 발견 및 조직병리 소견의 발전에 따라서 많은 분류기준이 발표되었다(그림 88-1). 1975년에 Bohan과 Peter는 염증근염을 (1) 특발성 원발 다발근염, (2) 특발성 원발 피부근염,

(3) 종양관련 피부근염(또는 다발근염), (4) 혈관염관련 소아피부근염(또는 다발근염), (5) 교원혈관질환관련 피부근염(또는 다발근염)으로 분류하였다. 이 기준은 최초로 피부근염과 다발근염을 구분하였으나 봉입소체근염이 포함되지 않은 점, 그리고 근염을 초래하는 다른 질환을 배제하기 위한 명확한 기준이 없는 점 등이 문제점으로 인식되었다. 1991년 Dalakas는 염증근염의 진단기준을 발표하면서 다발근염, 피부근염에 봉입소체근염을 추가하여 Bohan과 Peter의 분류기준을 보완하였다. 그러나 이러한 임상소견(근육 및 피부 침범 여부)에 근거한 임상적 분류는 염증근염의 다양한 임상상을 충분히 반영하지 못하는 한계가 있다.

1976년 항Mi항체가 처음으로 확인된 이래 다양한 근염특이자가항체가 발견되면서, 1991년 Love 등은 자가항체에 근거한 혈청학적 분류를 시도하였고 항합성효소항체 양성 집단의 특징을 구체적으로 기술하였다. 또한 조직 병리에 대한 이해가 축적되면서 1995년 Griggs 등은 조직 병리 소견에 근거한 봉입소체근염의 진단기준을 발표하기도 하였다. 2003년 유럽신경근육센터(European Neuromuscular Center, ENMC)는 임상소견과 조직병리 소견을 바탕으로 한 염증근염의 새로운 분류법을 발표하면서, 염증근염을 봉입소체근염, 다발근염, 피부근염, 면역매개괴사근염(괴사자가면역근염) 및 비특이적근염으로 분류하였고 또한 면역매개괴사근염의 정의를 처음으로 발표하였다. 2011년 ENMC는 임상소견과 병리소견을 모두 반영하는 봉입소체근염의 진단기준을 새로이 발표하였다.

2017년 유럽류마티스학회/미국류마티스학회에서 염증근염

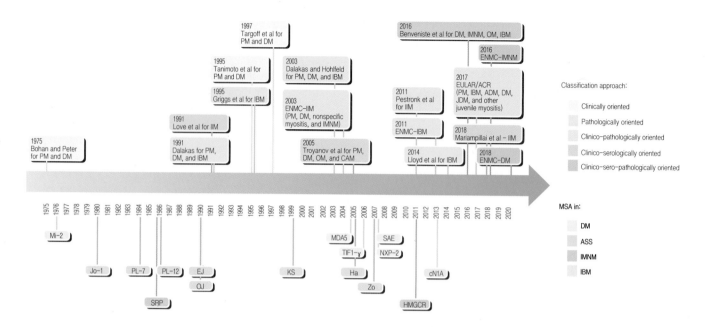

그림 88-1. 염증근염 분류의 변천 및 근염특이자가항체의 발견

SRP, signal recognition particle; HMGCR, 3-hydroxy-3-methylglutaryl-coenzyme A reductase; TIF1-ɣ, transcription intermediary factor 1; NXP2, nuclear matrix protein 2; MDA5, melanoma differentiation-associated gene 5; SAE, small ubiquitin-like modifier activating enzyme; 5NT1A, cytosolic 5'nucleotidase 1A; Mi-2, nucleosome-remodelling deacetylase complex; Jo-1, histidyl tRNA synthetase; PL7, threonyl tRNA synthetase; PL12, alanyl tRNA synthetase; OJ, isoleucyl tRNA synthetases; EJ, glycyl tRNA synthetase; KS, asparaginyl tRNA sythetase; Zo, phenylalanyl tRNA synthetase, Ha; tyrosyl tRNA synthetase; snRNP, small nuclear ribonucleic protein.

의 새로운 분류 기준을 발표하였다. 이 기준은 환자 자료를 바탕으로 작성되어 기존의 분류 기준에 비하여 민감도와 특이도가 모두 높고 근육조직 검사가 없어도 진단이 가능하다는 장점이 있다. 그러나 염증근염의 다양한 피부소견 중 연보라발진(heliotrope rash), 고트론구진(Gotron's papule), 고트론징후(Gotron sign)만이 채택되고, 항Jo-1항체 이외의 다른 자가항체가 배제되어 아형의 분류가 어려운 것이 여전히 문제점으로 남아 있는 실정이다. 2016년 ENMC는 면역매개괴사근염을 자가항체 유무에 따라 3개의 아형으로 분류하였고, 2018년에는 피부근염의 분류기준을 정의하고 근염특이자가항체의 종류와 유무에 따라 6개의 아형으로 분류하였다. 또한 항합성효소항체(antisynthetase Ab), 항HMGCR항체, 항SRP항체 양성 환자에서 피부근염의 전형적인 피부발진이 관찰되어도 피부근염으로 분류하지 않음을 명기하였다.

최근에는 다발근염의 존재 자체에 의문이 제기되어 피부근염, 면역매개괴사근염, 봉입체근염, 항합성효소증훈군으로 분류

하자는 제안과 함께 특정한 임상소견과 자가항체가 확인된 경우에는 조직검사가 필요하지 않다는 의견이 개진되고 있다. 현재로서는 임상소견, 자가항체, 조직검사소견을 종합하여 염증근염을 피부근염, 면역매개괴사근염, 봉입체근염, 항합성효소증군(항합성효소항체 양성), 중복근염(근염연관자가항체 양성), 다발근염으로 분류하고 향후 염증근염의 병인 및 발병기전에 대한 새로운 이해에 맞추어 분류 기준을 수정 보완하는 것이 필요할 것이다.

새로운 분류기준의 지속적인 발표는 근염특이자가항체와 근염연관자가항체의 발견에 힘입은 바가 크며, 자가항체의 존재는 실제 임상에서 환자의 진단에도 큰 영향을 미친다. 근염이 의심되는 증상을 보이는 환자가 피부 발진 또는 항합성효소증후군이나 다른 교원병의 임상소견을 보이면서 자가항체가 검출될 경우 염증근염으로 진단하게 되며, 만약 이러한 임상증상을 보이는 환자에서 자가항체가 검출되지 않는다면 자가항체 음성 염증근염 또는 염증근염을 모방하는 다른 원인에 의한 근병증으로 진

단하게 된다. 근육 조직검사가 진단에 도움이 될 수도 있다. 그러나 염증근염 환자의 40%에서 자가항체가 음성으로 나타나며 이러한 자가항체 검사 결과 역시 검사 방법에 따라 차이가 있다는 현실을 감안할 때, 아직까지 염증근염과 염증근염을 모방하는 많은 질환을 감별하고 비전형적인 염증근염을 진단하여 시의 적절한 치료를 시작하는 것은 여전히 어려운 문제로 남아 있다.

이러한 문제를 해결하기 위해, 새로운 자가항체를 지속적으로 발견하고자 하는 노력과 함께 자가항체 검사 방법의 표준화와 관련된 논의가 계속되고 있다. 근염의 진단 및 분류에 있어 MRI 등 영상 검사의 역할 및 임상적 의의에 관한 연구 역시 발전하고 있으며, 유전체, 후성유전체, 전사체, 단백체, 대사체, 마이크로바이옴 등을 망라한 다중오믹스 연구 역시 현재 활발하게 진행되고 있다. 새로운 연구 성과를 기존의 임상적, 병리학적, 전기생리학적 소견과 통합하는 과정을 통하여 병인과 발병기전에 대한 이해가 높아지면 정확한 진단과 환자의 개별 특성에 맞는 정교한 치료가 가능하게 될 것으로 기대된다.

📑 **참고문헌**

1. Allenbach Y, Mammen AL, Benveniste O, Stenzel W. 224th ENMC International Workshop:: Clinico-sero-pathological classification of immune-mediated necrotizing myopathies Zandvoort, The Netherlands, 14-16 October 2016. Neuromuscul Disord 2018;28:87-99.

2. Hoogendijk JE, Amato AA, Lecky BR, Choy EH, Lundberg IE, Rose MR, et al. 119th ENMC international workshop: trial design in adult idiopathic inflammatory myopathies, with the exception of inclusion body myositis, 10-12 October 2003, Naarden, The Netherlands. Neuromuscul Disord 2004;14:337-45.

3. Lundberg IE, Tjärnlund A, Bottai M, Werth VP, Pilkington C, Visser M, et al. 2017 European League Against Rheumatism/American College of Rheumatology classification criteria for adult and juvenile idiopathic inflammatory myopathies and their major subgroups. Ann Rheum Dis 2017;76:1955-64.

4. Mammen AL, Allenbach Y, Stenzel W, Benveniste O. 239th ENMC International Workshop: Classification of dermatomyositis, Amsterdam, the Netherlands, 14-16 December 2018. Neuromuscul Disord 2020;30:70-92.

5. Mariampillai K, Granger B, Amelin D, Guiguet M, Hachulla E, Maurier F, et al. Development of a New Classification System for Idiopathic Inflammatory Myopathies Based on Clinical Manifestations and Myositis-Specific Auto antibodies. JAMA Neurol 2018;75:1528-37.

6. McHugh NJ, Tansley SL. Autoantibodies in myositis. Nat Rev Rheumatol 2018;14:290-302.

7. Rose MR. 188th ENMC International Workshop: Inclusion Body Myositis, 2-4 December 2011, Naarden, The Netherlands. Neuromuscul Disord 2013;23:1044-55.

8. Tanboon J, Uruha A, Stenzel W, Nishino I. Where are we moving in the classification of idiopathic inflammatory myopathies? Curr Opin Neurol 2020;33:590-603.

# 89

# 역학과 병인

대구가톨릭의대 **박성훈**

## KEY POINTS 🔒

- 염증근염은 근섬유의 만성적인 염증으로 인해 기능과 구조의 악화를 초래하는 자가면역질환으로, 조직학적으로 피부근염, 다발근염, 봉입체근염 등으로 구분한다.
- 유전적, 환경적, 면역학적 요인 등 다양한 요소가 근염의 병리학적 기전에 관여한다.
- T세포, B세포, 대식세포, 수지상세포 등 선천면역과 적응면역에 관여하는 다양한 면역세포와 염증사이토카인이 염증근염의 면역학적 요인을 구성한다.
- 근염특이자가항체는 특이한 임상양상을 나타내는 염증근염을 진단하고 분류하는 데 도움을 준다.

## 서론

염증근염은 다른 자가면역질환들과 마찬가지로 유전적, 환경적 요인과 면역학적인 요인의 다양한 상호작용에 의해 발병한다. 근육의 염증과 약화를 초래하는 공통적인 기전이 관여하기도 하고, 피부근염(dermatomyositis), 다발근염(polymyositis), 봉입체근염(inclusion body myositis) 등 몇 가지의 특징적인 형태의 근염으로 구분할 수 있도록 하는 개별적인 병리 소견이 관찰되기도 한다. 피부나 폐와 같이 근육 이외의 장기를 침범하는 아형이 존재하는 것으로 보아 전신적인 결체조직 질환으로서의 근병증(myopathy)에 대한 병태생리적 접근이 필요하다. 본 장에서는 현재까지 밝혀진 염증근염의 역학과 병리 기전을 알아보고 향후 연구의 방향을 가늠해 보고자 한다.

## 역학

염증근염의 역학연구는 낮은 유병률 및 발생률과 더불어, 진단이 어렵고 정확한 임상아형의 구분이 어려운 경우가 있어 제한적으로 시행되어지고 있다.

미국에서 보험가입자를 대상으로 시행된 연구에서 2008년 기준 피부근염의 발생률은 1.52 (95% 신뢰구간 1.42-1.63)/100,000인년이고, 다발근염의 발생률은 2.56(95% 신뢰구간 2.33-2.56)/100,000인년이었다. 20대-70대로 연령대가 높아질수록 발생률이 증가하며 남성보다 여성에서 약 1.8배 호발하였다. 유병률은 피부근염의 경우 9.17/100,000인년(여성 13.7, 남성 4.03), 다발근염의 경우 11.19/100,000인년(여성12.2, 남성 8.9)로 보고되었다.

국내에서 건강보험공단 청구자료를 추출하여 분석한 연구를 살펴보면, 2014년 기준 피부근염의 유병률은 19.63/100,000인년(여성 26.21, 남성 13.04)이고 다발근염의 유병률은 43.05/100,000인년(여성54.22, 남성 31.87)이었다. 2002년에 비해 매년 유병률이 지속적으로 증가하고 미국과 마찬가지로 여성에서 더 호발하며, 연령대가 높아질수록 증가함을 확인할 수 있다(그림 89-1). 발생률은 2004년부터 2010년까지 정체되다가 이후 지속적으로 증가하는 등 변화가 큰 양상을 보였다.

악성종양의 발생과 관련하여 위의 공단자료에서 피부근염 환자 4,103명의 평균 나이는 48.7세였고, 평균 경과 관찰 기간은 3.8년으로 전체 15,625.8인년을 분석한 결과, 173명(4.2%)이 암으로 진단되었고 표준발생비는 2.0이었다. 소화기관의 암(C15-

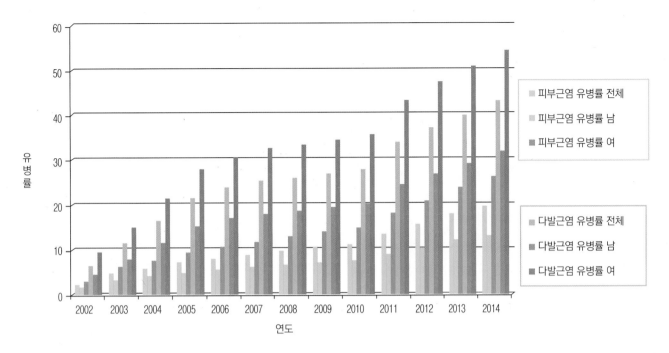

그림 89-1. 국내 피부근염, 다발근염의 유병현황 변화

C26)이 63명(표준발생비 1.8)으로 가장 빈도가 높았고, 그 다음으로 호흡기 및 흉곽 내 장기(C30-C39)가 24명(표준발생비 2.6), 갑상선 및 기타 내분비선(C73-C75)이 19명, 유방암(C50)이 17명으로 확인되었다. 45세 미만의 젊은 연령층에서 표준발생비가 높게 나타났고, 여성에 비해 남성이 암 발병 위험이 1.66배 높은 것으로 보고되었다. 대만의 연구에서는 아시아인은 서양인과 달리 비인두암이 가장 많이 발생하는 암이라고 보고되었으나, 국내 공단 자료에서는 빈도순으로 위암, 폐암, 갑상선암, 유방암으로 확인되고 비인두암은 표준발생비는 20.8로 상당히 높았으나 빈도는 3명뿐으로 인종 간, 국가 간의 차이를 확인할 수 있다.

## 병인

### 1) 유전적 요인

유전적 요인과 환경적 요인의 상호작용이 염증근염의 발병에 중요한 역할을 하는 것으로 알려져 있다. 그러나 질환 자체의 드문 발병 빈도 때문에 가족 내에서의 연관분석이나 쌍생아 연구는 수행되기가 어렵고, 유전 가능성도 알려져 있지 않다.

### (1) 사람백혈구항원 후보 유전자 연구

여러 면역유전학적 요인 중 염증근염의 병인과 가장 관련이 있는 것으로 알려진 것은 주조직적합복합체(major histocompatibility complex)이다. 최근 외국에서 실시된 대규모 GWAS 연구에서 HLA-DRB1*0301, HLA-B*0801이 다발근염, 혹은 피부근염과 연관성이 있는 것으로 밝혀졌다. 백인에서 8.1 주조직적합복합체의 공통적인 일배체를 구성하는 대립유전자인 HLA-A1-B8-Cw7-DRB1*0301-DQA1*0501-C4A*Q0가 중요한 위험인자로 알려져 있다. 그러나, Song 등이 국내와 외국의 근염 환자를 대상으로 한 연구에 따르면, 백인에서는 이 유전자 서열이 근염 발병의 중요한 위험인자로 확인되었으나, 우리나라 환자에서는 DRB1이나 DQB1 모두 위험인자가 아닌 것으로 나타나 비슷한 임상양상과 표현형을 가진 근염의 경우일지라도 인종에 따라 유전자가 미치는 영향이 다름을 확인할 수 있다. Kang 등의 후속연구에 따르면 백인에서는 드문 HLA-DRB1*12:02는 피부근염과 항MDA5 항체, HLA-DRB1*14:03은 다발근염과 연관이 있음을 확인하여, 이런 HLA와 항Mi2항체, 항Jo-1항체와 같은 근염특이자가항체와의 연관성 역시 인종적인 차이에 따라 영향을 받는 것으로 밝혀졌다.

이 밖에 주조직적합복합체 class III 부위에 위치하는 종양괴사인자(tumor necrosis factor)-α 유전자의 -308 다형성이 근염 환자에서 종양괴사인자-α와 같은 염증사이토카인의 혈중 농도와 관계가 있음이 연구되었고, HLA-DPB1*01, *03도 근염특이자가항체와 연관된 근염 발생의 감수성과 관련 있는 유전자로 연구되었다. 봉입체근염 환자에서는 HLA-DR3/DR1 이형접합체가 더 많은 것으로 나타났고, 비정상 단백질의 축적과 관련된 퇴행성 질환의 관점에서 APOE 유전자의 발현 정도가 연구되었다.

### (2) 주조직적합복합체 이외의 유전자 연구

피부근염 환자에서 mannose-binding lectin 유전자의 다형성이 많이 관찰되는 것으로 보고되었고, protein tyrosine phosphatase N22 다형성과 근염특이항체와의 연관성, 인터루킨(interleukin)-1, 인터페론(interferon)-γ, 케모카인(chemokine) 수용체 유전자와 같은 후보 유전자와의 연관성도 연구되고 있다.

### 2) 환경적 요인

정확한 기전은 밝혀지지 않았으나 근염의 발생에 여러 가지 환경적인 요인들이 작용하는 것으로 추정되고 있다. 감염성 원인으로는 Coxsackie B 바이러스, 제I형 human T-lymphotropic 바이러스, influenza 바이러스, echo 바이러스, adeno 바이러스, B형 간염 바이러스, human immunodeficiency 바이러스 등이 근염 환자에서 발견되어 유전적 감수성이 있는 환자에서 질환을 유발시키는 인자로서의 가능성이 있다고 알려져 있다. 글루코코티코이드, chloroquine, statin계 약물, 에탄올, rifampicin, sulphonamide, zidovudine, D-penicillamine, L-tryptophan 그리고 항암제 중 일부의 약제(hydroxyurea)가 염증근질환을 유발시키는 것으로 알려져 있어 감별진단을 요한다. 최근 항PD1항체와 같은 종양표적치료제의 투여 후 면역성 근염이 발생하는 경우가 보고되고 있다. DTP (diphtheria-typhoid- pertussis), MMR (measles-mumps-rubella), BCG (Bacillus Calmette-Guerin), influenza, hepatitis A/B와 같은 백신과의 관련 가능성도 제기되었다. 그 밖에 자외선(ultraviolet-B)이나 silica, 흡연에 노출 시 특정 유전자나 면역과정에 작용하여 근염의 발생에 관여한다는 보고가 있다.

### 3) 면역학적 요인

최근 근염의 병인에 대한 다양한 분자생물학적 연구들이 진행되면서, 선천면역과 적응면역계를 구성하는 다양한 세포와 사이토카인들이 상호작용을 하고 있음이 밝혀지고 있다. 염증근질환의 면역학적 병리기전과 조직 소견을 살펴보면 다음과 같다.

### (1) 선천면역

근염과 같은 전신적인 염증 상황에서 분비되는 사이토카인이나 케모카인은 근육 조직에 영향을 미칠 뿐 아니라, 면역세포의 작용과 분화에도 영향을 미친다. 염증사이토카인인 인터루킨-1α, 인터페론-α, granulocyte macrophage-colony stimulating factor, 인터루킨-10와 CCL3, CCL4와 같은 케모카인이 건강대조군에 비해 근염 환자에서 증가되어 있다. 인터루킨-17, B세포 활성화 인자(B cell activating factor, BAFF) 역시 정상군에 비해 근염 환자군에서 증가되어 있음이 확인되었고, 특히 BAFF의 경우, 항Jo1항체를 가진 피부근염 환자에서 더 증가하며 혈중 creatine kinase의 정도와 상관관계가 있다. 사이토카인의 분비와 항원제시세포의 성숙에 관여하는 톨유사수용체(toll-like receptor, TLR)에 대한 연구도 시행되었는데, 근염 환자의 이환된 근육조직에서 TLR3와 TLR7의 발현이 정상 근육조직에 비해 증가되어 있고, 활성화된 TLR에 의해 인터페론-γ와 인터루킨-17이 생성되어 근육 조직에 손상을 초래하는 것으로 생각되어진다. 최근에는 환자의 근육 조직과 혈액 내에서 제I형 인터페론(인터페론-α, -β) 유전자 각인이 증가됨이 밝혀져 병인과의 관련성에 대한 연구들이 행해지고 있다.

### (2) 적응면역

근염의 발병에는 세포성, 체액성 면역이 모두 관여한다. 따라서, 근염 환자의 근육 조직 내에는 다양한 종류의 면역세포들이 존재하며, 각 표현형에 따라 조직학적으로 차이를 보이는 경우가 많다.

피부근염에서는 외부 혹은 내부의 항원에 의해 보체가 활성화되고 C5b-9 membrane attack complex (MAC)가 근내막(endomysium) 모세혈관에 침착되어 혈관 내피세포와 근육조직을 파괴시킨다. 이런 혈관의 파괴에 의한 조직의 허혈성 변화가 근육다발(fascicle)의 바깥층부터 시작됨으로써 저혈류에 의한 근육다발주위위축(perifascicular atrophy)을 나타낸다. 이 소견은 피부근염 환자의 특이한 병리소견이지만 민감도는 25-50%로 높지 않다. 따라서 제1형 인터페론 유발 단백질인 myxovirus resistance protein A와 같은 물질을 조직염색에서 확인하고자 노력하였다. 보체와 MAC가 염증사이토카인이나 케모카인을 활성화시키고, 부착물질(adhesion molecule)과 손상된 내피세포가 염증부위로 CD4⁺ T세포, CD8⁺ T세포, B세포, 대식세포 등의 면역세포를 이동시킨다. 이들 면역세포들이 인터루킨-6 등의 사이토카인과 제I형 인터페론 유전자 각인을 활성화시켜 전신적인 염증반응과 국소적인 근육의 파괴 및 섬유화를 진행시킨다.

다발근염에서는 CD8⁺ T세포가 MHC class I 항원을 가진 비괴사성 근내막을 직접적으로 파괴한다. 이런 CD8⁺/주조직적합복합체 class I 복합체는 직접 perforin, granzyme을 분비하여 근섬유를 파괴하기도 하고, 근섬유와 활성화된 CD8⁺ T세포 사이에서 면역적 연접을 형성하기도 한다. 이 과정에서 근섬유내에서 T세포 수용체의 재배열, 근섬유의 B7 co-stimulatory 분자와 T세포의 CD28, CTLA4 수용체와의 결합, 염증사이토카인의 증가와 같은 면역학적 현상들이 일어난다. 드물지만 B세포와 수지상세포 등도 역시 근육 조직 내에 침윤되어 면역 활성화에 관여한다.

봉입체근염에서는 상기의 면역학적인 기전 이외에, 세포내에서 베타 아밀로이드나 apolipoprotein E처럼 congo red에 염색이 되는 물질들이 축적되고, 공포(vacuole)를 가지는 퇴행성 변화를 관찰할 수 있으며, 장기간의 염증성 자극이 근섬유의 퇴행성 변화를 유도하는 것으로 추정하고 있다.

다수의 근염 환자에게서 근염특이자가항체(myositis-specific autoantibody)가 발견된다. 대표적인 자가항체로 히스티딜-tRNA 합성효소(synthetase)에 대한 항Jo1항체가 피부근염 혹은 다발근염 환자에서 발견되고, helicase에 대한 항 Mi2항체가 피부근염 환자에서 발견된다. WDFY4 유전자 다형성과 항MDA5항체는 CADM (clinically amyopathic dermatomyositis)과 연관이 있는 것으로 보고되었다. 또한 항TIF-1γ항체는 악성종양과 연관된 피부근염과 연관이 있는 것으로 보고되었다. 이런 근염특이자가항체들은 질병의 활성도와 관련이 있고, 간질폐질환 같은 특이한 임상소견과 관련이 있어 진단과 분류에 도움을 준다. 다발근염의 한 형태로 생각되는 괴사근병증 환자의 근 조직 검사에서는 염증세포의 침윤이 별로 나타나지 않으며, 조직괴사가 주된 소견이다. 이런 환자에서 나타나는 3-hydroxy-3 methylglutaryl- coenzyme-A reductase에 대한 항체(항HMGCR

항체)나 signal recognition particle에 대한 항체(항SRP항체)도 면역학적 병리기전을 연구하는 데 도움이 된다.

## 4) 기타 요인

### (1) 전사인자 조절

전사 후 조절의 중요한 기전중의 하나인 마이크로RNA(miR)와 염증 근염과의 관계에 대한 연구 결과들이 보고되고 있다. 근염환자에서는 miRNA-1, miRNA-133a, miRNA-133b와 같이 염증유발성 사이토카인의 mRNA 코딩을 억제시키는 마이크로RNA가 감소되어 nuclear factor-κB 경로를 활성화시킬 수 있음이 보고되었다. 또한, 인터루킨-1, 인터페론-α에 의해 STAT4가 활성화되고 T$_H$1, T$_H$17 반응을 촉진한다.

### (2) 세포질그물 스트레스

세포질그물(endoplasmic reticulum) 내에 비정상 단백질들이 축적됨으로써 스트레스가 유발되고 비정상 단백질 반응(unfolded protein response)을 유발하고, nuclear factor-κB를 활성화시켜 염증반응을 유발한다. 골격근 내의 근육세포질 그물에는 칼슘을 조절하는 단백질들이 있으며 이러한 단백질의 변형으로 스트레스가 유발되어 근육의 기능에 영향을 미친다. 근염에서는 활성화된 주조직적합복합체나 바이러스 감염 등에 의해 세포질그물 스트레스가 유발될 수 있다.

### (3) 자가포식

자가포식 작용에 의해 세포내에서 손상된 비정상 단백질이 리소좀을 통해 제거된다. 이 정상적인 과정에 문제가 생기면 과항진된 자가포식에 의해 근세포들이 사멸하게 되며, 이런 현상은 특히 비정상 단백질이 축적되는 봉입체근염을 유발하는 하나의 병인이 될 수 있다.

### (4) 저산소증

근육 조직 내에서 모세혈관의 파괴 등으로 저산소증(hypoxia)이 유발되면 인터루킨-1, 전환성장인자(transforming growth factor)-β 등의 사이토카인과 혈관부착물질이 활성화되고, 근육내 대사에 영향을 끼쳐 근섬유의 손상을 가져온다.

## 참고문헌

1. 허호, 이찬희 외. Dermatomyositis 및 Polymyositis와 암 발생과의 관련성 연구. 국민건강보험공단 일산병원 연구소. 연구보고서. 2015.

2. Akinori Uruha, Hans-Hilmar Goebel, Werner Stenzel. Updates on the Immunopathology in Idiopathic Inflammatory Myopathies. Curr Rheumatol Rep 2021;23:56.

3. Alessandra Tripoli et al. One year in review 2019: idiopathic inflammatory myopathies. Clin Exp Rheumatol 2020;38:1-10.

4. Kang EH, et al. Novel susceptibility alleles in HLA region for myositis and myositis specific autoantibodies in Korean patients. Semin Arthritis Rheum 2019;49:283-87.

5. Karen E Smoyer-Tomic, Anthony A Amato, Ancilla W Fernandes. Incidence and prevalence of idiopathic inflammatory myopathies among commercially insured, medicare supplemental insured, and medicaid enrolled populations: an administrative claims analysis. BMC Musculoskelet Disord 2012;13:103.

6. KEN Clark, DA Isenberg. A review of inflammatory idiopathic myopathy focusing on polymyositis. Eur J Neurol 2018;25:13-23.

7. Lago Pinal-Fernandez, Andrew L Mammen. Dermatomyositis etiopathogenesis: a rebel soldier in the muscle. Curr Opin Rheumatol 2018;30:622-29.

8. Marinos C Dalakas. Inflammatory myopathies: update on diagnosis, pathogenesis and therapies, and COVID-19-related implications. Acta Myol 2020;39:289-301.

9. Simon Rothwell, Hector Chinoy, Janine A Lamb. Genetics of idiopathic inflammatory myopathies: insights into disease pathogenesis. Curr Opin Rheumatol 2019;31:611-16.

# 90

# 임상증상

제주의대 **김진석**

## KEY POINTS 🔒

- 염증근염은 골격근 및 피부의 만성 염증을 특징으로 하는 질환군이다.
- 대개 서서히 진행하며 통증이 동반되지 않는 근위부 근육의 위약이 발생하고, 피부근염은 특징적인 피부발진을 보인다.
- 피부근염의 경우 악성 종양이 동반되는 경우가 있으므로, 환자의 증상, 가족력 및 해당 나이에 상응하는 악성 종양에 대한 선별검사가 필요하다.
- 염증근염은 특정 자가항체 유무에 따라 특징적인 임상증상이 무리로 나타난다.

## 서론

염증성근염의 임상 증후 및 빈도는 표 90-1과 같다.

표 90-1. **다발근염-피부근염의 임상 증후 증상 및 빈도**

| 임상 증후 | 빈도 (%) |
|---|---|
| 무통성의 근위부 근력 저하(3-6개월 이상) | 55 |
| 급성 혹은 아급성의 근위부 근골격의 통증과 위약 (수주-2개월) | 30 |
| 잠행성의 근위부와 원위부 근력 저하(1-10년) | 10 |
| 근위부 근골격 통증만 있는 경우 | 5 |
| 피부근염의 피부 증상만 있는 경우 | < 1 |

## 침범된 장기에 따른 임상증상

### 1) 전신증상

염증근염은 만성 염증질환이기 때문에 피로감, 발열, 체중 감소 등의 전신증상을 보인다. 피로감은 염증근염 환자들이 두드러지게 호소하는 증상이며, 발열은 소아피부근염(juvenile dermatomyositis, JDM)과 항합성효소증후군(antisynthetase syundrome)에서 관찰된다. 체중 감소는 전신 염증질환의 일반적인 양상일 수 있지만, 체중 감소가 지속되고 그 정도가 심할 경우에는 반드시 악성종양을 고려해야 한다. 그 외 인두근 기능장애나 식도운동이상으로 인한 식이섭취량 감소로 인해 체중감소가 발생할 수 있다.

### 2) 근골격계

다발근염과 피부근염에서는 대칭적인 무통성의 근위부 근력약화가 대개 수주에서 수개월에 걸쳐 서서히 아급성으로 진행한다. 반면 봉입체근염은 비대칭적인 원위부 근력약화와 근위축이 근위부 근력약화와 비슷한 빈도로 나타날 수 있고, 수년에 걸쳐 아주 서서히 느리게 진행한다. 염증근염 환자들은 의자나 변기에서 일어나기, 계단 오르기, 머리 빗기 등의 근위부 근육을 이용하는 일상 동작에서 점차 어려움을 느낀다. 단추 잠그기, 바느질, 뜨개질, 글씨 쓰기 등의 원위부 근육을 사용하는 섬세한 동작은 다발근염이나 피부근염이 진행된 말기에서나 이상을 나타낸다. 하지만 봉입체근염에서는 이른 시기부터 원위부 근력약화를 보일 수 있다. 안구근육은 염증근염이 아주 진행된 경우에도 침범되지 않기 때문에 이 근육이 침범되었다면 염증근염의 진단을 재고하여야 한다. 얼굴근육은 다발근염과 피부근염에서는 침범되지 않으나, 봉입체근염에서는 경미한 근력약화가 흔하게 보일 수 있다. 모든 형태의 염증근염에서 인두근육과 목굽힘근육(neck-flexor muscle)이 흔히 침범되기 때문에 음식을 삼키거나 고개를 들고 있는 데 어려움을 나타낼 수 있다. 호흡근육 침범은 주로 진행된 환자에서 나타나지만 드물게 급성기 환자에서도 나타날 수 있다. 염증근염 환자의 감각기능은 정상으로 유지된다. 건반사는 보존되나 간혹 근력약화가 심한 근육이나 혹은 심하게 위축된 근육에서 소실될 수 있는데, 특히 대퇴사두근과 원위부 근육 위축이 흔한 봉입체근염에서 건반사 소실이 관찰될 수 있다.

근육통은 괴사성근염 환자에서 두드러지며 보통 항SRP (signal recognition particle)항체와 항HMGCR항체와 관련이 있다.

발진이 나타나서 질병을 일찍 발견하게 되는 피부근염과 다르게 다발근염의 경우, 근력약화만 나타나므로 진단이 늦어져 치료가 지연되는 경향이 있다. 무엇보다 다발근염은 다른 근육병증과 유사하므로 이들을 제외함으로써 진단할 수 있다. 다발근염은 소년기 침범은 거의 없으며, 발진, 외안근이나 안면근 침범, 신경근육질환(neuromuscular disorder)의 가족력, 근육 독성 약물이나 독소에의 노출, 내분비병증, 근이양증, 봉입체근염 같

은 것들이 배제되어야 한다. 간혹 근력이 정상처럼 보일 경우가 있어 이런 경우 근염이 없는 피부근염(dermatomyositis sine myositis)이라고 한다. 그러나 이 경우에도 근생검을 시행하며 의미 있는 혈관주위 혹은 근육다발막 염증세포 침윤을 볼 수 있다.

## 3) 피부

염증근염은 특징적인 피부 발진을 보이며, 근력약화에 선행하거나 동시에 혹은 이후에 발생할 수 있다. 윗눈꺼풀에 부종과 함께 나타나는 연보라발진(heliotrope rash; 그림 90-1)과 보랏빛 혹은 붉은 비늘모양의 발진(scaly eruption)이 동반되는 중수지관절과 지관절의 홍반인 고트론구진(Gottron's papule; 그림 90-2)은 피부근염에서 진단적 의미가 있는 피부소견이다. 손관절을 포함한 팔꿈치, 무릎, 발목의 폄쪽에 발생하는 같은 양상의 발진을 고트론 징후라고 한다. DM 환자의 약 60-80%에서 이들 피부 소견 중 적어도 하나의 피부 발진을 보인다. 또한 코입술주름(nasolabial fold)을 침범하는 얼굴 홍반, 목과 전흉부(V 징후; V sign, 그림 90-3), 어깨와 견갑부(어깨걸이 징후; shawl sign)에 나타나며 태양광선 노출 시 악화된다. 손톱 기저부의 모세혈관 확장 또한 특징적인 소견이다. 피부 발진은 가려움을 동반하는데 이것이 전신홍반성루푸스의 피부병변과의 차이점이다.

**표 90-2. 근력평가 등급**

| 등급 | | 정의 |
|---|---|---|
| 0 | Zero | 근육의 수축이 전혀 느껴지거나 보이지 않음 |
| 1 | Trace | 약간의 근육의 수축은 느껴지나 움직임은 없음 |
| 중력제거 위치(수평면)에서 움직임 | | |
| 2- | Poor- | 부분적으로 관절가동범위를 움직일 수 있음 |
| 2 | Poor | 전 관절가동범위를 움직일 수 있음 |
| 중력에 저항하여 | | |
| 2+ | Poor+ | 부분적으로 관절가동범위를 움직일 수 있음 |
| 3- | Fair- | 저항이 없는 상태에서 테스트 위치에서 서서히 내려옴 |
| 3 | Fair | 저항이 없는 상태에서 테스트 위치 유지 |
| 3+ | Fair+ | 약한 저항에서 테스트 위치 유지 |
| 4 | Good | 약한~중등도 미만의 저항에서 테스트 위치 유지 |
| 4+ | Good+ | 중등도의 저항에서 테스트 위치 유지 |
| 5 | Normal | 강한 저항에서 테스트 위치 유지 |

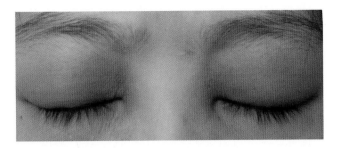

그림 90-1. Heliotrophe rash

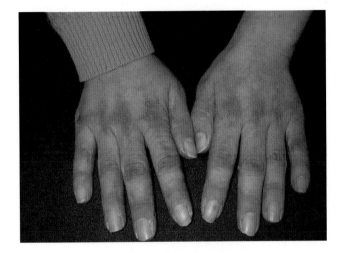

그림 90-2. Gottron's papule

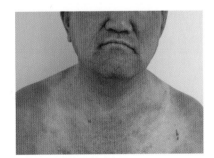

그림 90-3. V sign

그 밖에 각피(cuticle)가 불규칙하게 비후되고, 손가락의 옆쪽과 손바닥 부분이 거칠어지면서 지저분한 수평의 금(crack)이 나타나 기계공의 손(mechanic's hand; 그림 90-4)처럼 보이는데, 이는 항tRNA sythetase 항체 혹은 항PM/Scl 항체를 가진 다발근염 환자에서 가장 흔하다.

그림 90-4. mechanic's hand

## 4) 석회화

연조직의 석회화는 특히 소아피부근염에서 흔하게 나타나며 성인의 피부근염에서는 상대적으로 빈도가 낮다. 석회화는 보통 만성적으로 활동적인 환자 혹은 초기 치료가 지연된 피부근염 환자에서 흔하지만, 드물게는 질환이 안정적인 상태에서도 보일 수 있다. 최근에 연조직의 석회화를 동반한 소아피부근염 환자에서 140-kDa의 자가항원에 대한 자가항체가 발견되었다. 석회화는 팔꿈치나 무릎 같은 마찰이 많거나 미세 외상이 잦은 부위에 주로 발생한다. 대부분의 경우 피하조직에 국한되지만 피부, 근막 또는 근육에서도 발생할 수 있으며 심한 경우 피부괴사나 이에 동반되어 이차감염이나 관절구축이 발생할 수도 있다.

## 5) 관절

다발관절통 및 다발관절염이 비교적 질환의 초기에 나타나는데, 류마티스관절염과 유사한 관절 분포를 보이나 증상은 경하다. 특히 중복증후군(overlap syndrome)과 항synthetase항체증후군에서 흔하게 나타나는데, 항Jo-1항체와 항synthetase항체를 지닌 일부 다발근염과 피부근염 환자에서 관절통, 활막염, 혹은 손가락사이 관절의 부분 탈구를 동반하는 변형관절병증이 나타날 수 있다.

## 6) 폐

간질폐질환은 염증근염의 근골격계 이외의 증상 중 가장 흔한 소견으로 다발근염이나 피부근염의 10% 정도에서 관찰된다. 근육염에 선행할 수 있으며 발병 초기부터 동반 가능하다. 이들 환자들의 대부분은 t-RNA synthetase에 대한 항체를 가진다. 폐침범은 다발근염과 피부근염환자들의 사망과 관련된 주요 위험인자로 호흡곤란과 기침 등의 증상이 흔하게 나타나며, 고령에서의 발병, 항Jo-1항체의 존재 그리고 관절증상이 폐침범 발생과 관련이 있다. 고해상컴퓨터단층촬영(high-resolution computed tomography, HRCT)에서 폐실질에 젖빛유리모양(ground glass appearance)을 보이는 경우 치료에 반응이 있을 것을 암시하며, 반대로 벌집모양(honeycomb appearance)을 보이는 경우는 섬유화가 진행되었음을 의미하며 면역억제치료에 반응이 좋지 않을 것을 예상할 수 있다. 간질폐질환의 경과는 예측할 수 없으나, 조직 소견에 따른 분류로 비특이간질폐렴(nonspecific interstitial pneumonitis, NSIP)과 기질화폐렴(organizing pneumonia)이 예후가 좋고, 비전형간질폐렴(unusual interstitial pneumonitis, UIP) 혹은 미만폐포 손상(diffuse alveolar damage, DAD)은 불량한 예후를 보인다. 호흡곤란은 폐실질의 병변 혹은 가슴근육의 근력저하, 심기능의 이상 때문일 수 있다. 폐기능 검사에서는 폐용적, 총폐용량, 강제폐활량의 저하 및 확산능의 저하와 같은 제한성 폐기능 장애를 보인다.

## 7) 심장

심장 침범은 염증근염에서 비교적 흔하나, 보통 증상을 나타내지는 않는다. 가장 흔한 증상은 전도장애와 부정맥으로 심장 전도계의 염증이나 섬유화에 의해 발생한다. 아주 드물게 울혈성 심부전, 심장 눌림증, 제한성 심근병증이 발생하기도 한다. 특히 항SRP항체를 가진 표현형에서 심장 침범 및 불량한 예후를 보인다.

## 8) 위장관계

인두 및 상부식도 골격근을 침범하여 삼킴 장애가 발생할 수 있는데, 이 경우 예후가 좋지 않으며, 특히 피부근염과 봉입체근염에서 흔하다. 심한 경우 음식물의 흡인으로 인한 흡인성 폐렴이 발생할 수 있다. 간혹 위장관계의 민무늬근육을 침범할 수도 있는데, 식도체부와 위식도조임근(gastroesophageal sphincter)을 침범했을 경우 역류증상을 호소할 수 있다. 이외에도 드물게 자

가면역성 위장관질환, 일차담관성간경화증(primary biliary cirrhosis), 경화담관염(sclerosing cholangitis), 복강병(celiac disease) 등이 발생할 수 있다.

## 9) 말초혈관

레이노증후군이 악성종양과 관련된 염증근염을 제외한 모든 염증근염에서 나타날 수 있다. 전신성 혈관염은 소아피부근염에서 흔하나 성인에서 발생하는 경우는 드물다. 또한, 피부근염에서 압통이 있는 피부와 피하 결절, 손톱주변의 경색이나 손가락 궤양이 생기기도 한다.

## 10) 악성종양

모든 염증근염은 악성종양이 동반될 수 있는데 특히 피부근염에서 빈도가 가장 높다. 악성종양의 발생 위험은 염증근염 진단 약 3년 후까지가 가장 높으나, 그 이후에도 질환의 경과 중에 언제든지 발생할 수 있으므로 지속적인 감시가 필요하다. 암 발생 부위는 해당 나이에 따라 달라지는데, 가장 흔한 종양은 난소암, 유방암, 흑색종, 대장암 그리고 비호지킨림프종이다. 악성종양 발생여부를 예측할 수 있는 명확한 인자가 밝혀진 것은 아니나, 문헌 보고에 따르면 적혈구침강속도가 높거나, 표피괴사, 피부 혈관염을 보이는 피부근염이나 무근육병피부근염(amyopathic dermatomyositis)의 경우 빈도가 높은 것으로 나타났다. 반면, 폐섬유화가 있거나, 다른 결체조직질환을 가지고 있는 경우, 염증근염과 관련된 자가항체를 가지고 있는 경우에 악성종양 발생률이 낮은 것으로 나타났다. 피부근염이 진단된 환자에서 악성종양 여부는 우선 병력청취나 진찰을 통하여 필요한 검사를 시행해야 하며, 추정되는 종양이 없다면 해당 연령에 따라 골반, 유방(의심되는 병변이 있으면 유방촬영), 직장검사(가족력이나 연령에 따라 대장내시경 선별검사)를 포함한 신체검사, 단층촬영 및 내시경 검사 등을 시행해야 한다. 아시아계에서는 nasopharyngeal cancer가 흔한 것으로 알려져 있어 이비인후과적 검진도 주의 깊게 행해져야 한다. 만일 임상적으로 종양이 의심이 되면 선별검사로 전신 PET 스캔을 고려해야 한다.

## 봉입체근염

다발근염 및 피부근염과 다르게 봉입체근염은 상이한 임상 증상을 나타내는 경우가 있으므로 따로 기술하고자 한다. 봉입체근염은 다발근염이나 피부근염과 달리 남성에서 더 많이 발생하며 50세 이상에서 가장 흔한 염증근염으로 다발근염으로 오인되는 경우가 많다. 봉입체근염은 글루코코티코이드나 다른 면역억제제에 반응하지 않기 때문에 다발근염이라고 진단하였다가 치료에 반응하지 않는 경우에는 봉입체근염을 의심하여야 한다. 특히 족부폄근(foot extensor)이나 심부 손가락굽힘근(deep finger flexor muscle)과 같은 원위부 근육의 위축과 근력약화는 거의 대부분의 봉입체근염 환자에서 관찰되는데 조기진단에 중요한 단서가 된다. 일부 환자에서는 대퇴사두근의 조기 침범으로 무릎이 자주 꺾이게 되어 넘어지는 증상이 나타난다. 어떤 경우에는 특히 손가락 굽힘근 같이 손의 작은 근육들의 근력이 저하되어 물체를 쥐거나 매듭을 짓는 것과 같은 동작을 수행하는 데 어려움을 호소한다. 때때로 근력약화와 동반되는 근육위축이 비대칭적일 수 있고, 대퇴사두근, 엉덩허리근, 위팔세갈래근, 위팔두갈래근, 손가락 굽힘근이 선택적으로 침범되기도 하여 아래운동신경세포병(lower motor neuron disease)과 비슷하게 보이기도 한다. 삼킴 곤란은 흔하고 조기에 나타날 수 있는 증상으로, 봉입체근염의 60% 정도에서 관찰되며 간간히 질식으로 이어진다. 감각기능은 일반적으로 정상이다. 하지만 원위부 근력약화가 단순히 말초신경병이나 운동신경세포병을 의미하는 것은 아니며, 원위부 근육을 선택적으로 침범하는 근육질환에서도 관찰된다는 것을 간과해서는 안된다. 질병의 진행은 느리지만 꾸준하게 진행하여 대부분 환자에서 발병 수년이 지나면 지팡이, 보행기, 휠체어 같은 보조기가 필요하다. 봉입체근염의 약 20% 정도는 자가면역질환이나 결합조직병과 연관되어 있다. 전형적인 봉입체근염은 가족성향을 보이는 경우가 있는데, 이를 가족염증봉입체근염(familial inflammatory IBM)이라고 부른다. 하지만 이와 같은 경우는 보통염색체 열성 유전, 드물게 우성 유전 방식을 취하는 유전봉입체근염(hereditary inclusion body myopathy, h-IBM)과는 다르다. 유전봉입체근염은 비염증 근육병증으로, 이란계 유대인에서 처음 기술되었는데, 현재는 여러 인종에서 관찰되며, 9p1 염색체와 연관되어 UDP-N-acetylglucosamine 2-epimerase/N-acetylmannosamine kinase (GNE) 유전자의 돌연변이에 의한다.

## 면역매개괴사근염

이 질환은 종종 다발근염으로 분류됨에도 불구하고 최근 들어 점차 특징적인 양상을 가지는 질환군으로 인정받고 있다. 이들은 항SRP항체, 항HMG-Co A 환원효소항체 같은 자가항체의 존재 그리고 다른 염증근염의 근육 조직검사에서 전형적으로 관찰되는 림프구의 침윤이 없이 근육 섬유의 괴사가 나타나는 것이 특징이다. 증상은 급성 혹은 아급성의 대칭적인 근력약화로 나타나며 크레아틴키나아제 수치가 전형적으로 매우 높게 상승하고 매우 심한 근력약화도 나타날 수 있으며 간질폐질환과 심장근육병증이 동반되는 경우도 있다. 이 질환은 암과 연관되거나 바이러스 감염 후 발생할 수 있고, 스타틴(statin)을 복용하는 환자에서 스타틴을 끊은 후 근육염이 더 심해질 수 있다. 몇몇의 환자들은 SRP, 혹은 스타틴의 약리학적 표적으로 생각되는 100-kDa 단백질인 3-hydroxy-3-methylglutaryl-coenzyme A reductase (HMGCR)에 대한 항체를 가지고 있다. 자가항체의 존재는 근섬유 내 class I MHC의 상향조절 그리고 모세혈관 내 보체의 침착과 함께 괴사성근육병증의 자가면역 병인을 암시하지만 항synthetase 증후군이나 피부근염에서도 나타날 수 있다. 괴사성근육 생검은 갑상선기능저하증, 유전근육병증 그리고 독성근육병증이나 암 관련 근육병증에서도 나타날 수 있다. 대부분 환자들에서 면역치료에 반응이 있으나 일부 환자들의 경우에는 치료에 반응이 없다.

## 항합성효소증후군

근염특이항체들은 근염 질환 스펙트럼에 매우 특이적이며 뚜렷한 임상 표현형과 밀접하게 연관되어 있으므로 근염의 임상 하위 그룹을 식별하는 데 도움이 된다. 가장 흔한 근염특이항체는 항aminoacyl-tRNA synthetase에 대한 항체인 항합성효소 항체들로 anti-Jo-1, anti-EJ, anti-PL-7, anti-PL12, anti-KS, anti-OJ, anti-Ha, and anti-Zo 가 있으며 이 중 가장 흔한 것이 anti-Jo-1항체이다. 이 항체들과 관련된 근염의 임상적 하위분류 중 하나가 항합성효소 증후군이다. 항Jo-1항체는 histidyl-tRNA합성효소에 대한 항체로 피부근염과 다발근염의 20-30%에서 나타난다. 항합성효소 증후군은 항합성효소항체가 있고, 간질폐질환(가장 흔함), 근염, 레이노현상, 발열, 작은 관절의 비침식성 대칭성 다발관절염 그리고 기계공의 손의 증상을 임상적 특징으로 가진다. 특히 일부 항합성효소항체(항PL7항체, 항PL12항체)는 주로 간질폐질환과 관련이 있는데 이 환자들은 근육 및 관절증상이 없는 항합성효소 증후군으로 간과될 수 있다.

부생검에서 피부근염에 합당하며, 6개월 이상 근염에 대한 임상적 혹은 검사실 소견이 없는 경우에 무근병증피부근염이라 정의한다. 하지만 일부에서는 객관적 혹은 주관적인 근력약화는 없으나 근효소의 약간의 상승 혹은 MRI나 EMG에서 무증상 근염(subclinic myositis) 소견을 보이기도 한다.

CADM (clinically amyopathic dermatomyositis) 환자에서 폐섬유화 같은 근육 외 증상이 나타나는 경우가 있다. 특히 anti-MDA5 항체와 연관된 경우 손바닥 구진, 피부궤양, 손가락 괴사가 나타나고, 폐섬유화가 급속하게 진행되어 나쁜 예후를 보인다.

## 근염이 없는 피부근염 혹은 임상적 무근병피부근염

피부근염의 전형적인 피부증상이 있으나 근침범의 임상증상이 없는 경우이다. 전형적인 피부근염의 피부증상이 있고 피

## 소아피부근염

소아피부근염의 발병률은 백만 명당 1.7-3명이며 유년기 특발성 염증근염의 85%를 차지한다. 다발근염과 중복증후군은 드

표 90-3. 근염의 분류에 따른 임상양상 요약

| | 피부근염 | 다발근염 | 봉입체근염 | 면역매개괴사근염 | 항합성효소증후군 |
|---|---|---|---|---|---|
| 성별 | 여성 | 여성 | 남성 | 동등 | 여성 |
| 발병 연령 | 소아, 성인 | 성인 | 성인(>45세) | 소아, 성인 | 소아, 성인 |
| 발진 | 있음 | 없음 | 없음 | 없음 | 때때로 |
| 근력약화 양상 | 근위부>원위부, 대칭 | 근위부>원위부, 대칭 | 근위부, 원위부, 비대칭 | 근위부>원위부, 대칭 | 근위부>원위부, 대칭 |
| 혈청 CK 상승 | 정상-50배 | 10-50배 | 정상-10배 미만 | 때때로 50배 이상 | 10배 이상 |
| 관련 항체 | Anti-Mi-2, anti-MDA5, anti-TIF1-Υ, anti-NXP2 | 비특이적 | Anti-cN-1A | Anti-SRP, anti-HMGCR | Antisynthetase antibodies: anti-Jo-1, anti-PL-7, anti-KS, anti-OJ, anti-EJ, anti-PL-12, anti-Zo, anti-Ha, anti-SC, anti-JS |
| 관련 임상양상 | 심근염, 간질폐질환, 혈관염, 기타 결체조직질환 | 심근염, 간질폐질환, 기타 결체조직질환 | 쇼그렌증후군, 구강건조, 안구건조, 유육종증, MGUS, 과립형 림프구성 밸혈병/림프구증가증 | 악성종양, 결체조직질환, 심장염, 스타틴복용력 | 발열, 관절염, 간질폐질환, 레이노현상, 기계공손 |

물고 더 나쁜 예후를 보인다. 악성종양과 관련된 근염은 소아에서는 매우 드물며 전체 특발성 염증근염의 1% 미만을 차지한다. 소아피부근염의 발생시기는 6세와 11세에 가장 많이 발병한다. 소아피부근염은 유럽과 북아메리카에서는 남아에서 더 흔하게 발생하나 일본과 사우디아라비아에서는 남녀의 발생률의 차이가 덜 두드러진다. 대부분의 어린이들이 근전도 또는 근육생검을 받지 않기 때문에 진단은 임상증상과 혈액검사를 바탕으로 이루어진다. 항 TIF-1γ항체와 항MJ항체는 성인의 다발근염보다는 소아피부근염에서 흔하게 발견된다. 질병 발생 시 가장 흔한 임상증상은 근력저하, 피로감, 피부발진, 불쾌감이며 때때로 발열이 발생하기도 한다. 크레아틴키나아제(creatine kinase) 수치는 약간 증가되는 경향이 있다. 피부 발진은 보통 진단적 의미가 있으며 성인의 피부근염과 비슷한 양상을 보인다. 가장 흔한 피부증상은 윗눈꺼풀의 연보라발진, 고트론구진, 손발톱주위홍

반(periungual erythema)과 모세혈관 루프의 이상이다. 석회화증, 피부궤양 및 지방이상증은 성인보다 유년기에 더 흔하다. 석회화증은 소아피부근염의 30-70%에서 나타나며, 항NXP2항체의 존재는 석회화증의 위험을 증가시키고 더 공격적인 진행과 관련이 있다. 또한, 진단의 지연, 심장침범 그리고 긴 질병 이환기간은 석회화증의 위험을 증가시킨다. 위장관의 궤양, 천공, 출혈을 일으키는 혈관병증은 드물지만 성인에서보다는 더 흔하게 발생한다. 혈관별증은 심각한 결과를 유발할 수 있으므로 소아피부근염 환자를 평가할 때 위장관 침범에 대한 검사를 포함시켜야 한다. 간질성 폐질환은 소아피부근염에서는 거의 발생하지 않는다.

최근 Childhood Arthritis and Rheumatology Research Alliance (CARRA)에서는 소아피부근염의 치료에 대한 합의 치침을 발표하였는데 이에 따르면 일차치료로 2 mg/kg/day의 프레드니솔론, 정맥내 메티프레드니솔론, 메토트렉세이트 및 IVIG를 사용할

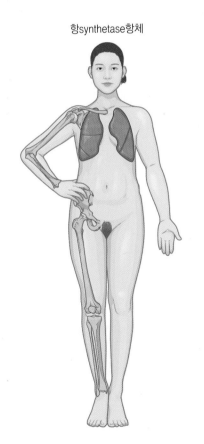

항synthetase항체

- 간질폐렴, 관절염, 발열, 기계공의 손(mechanic's hand)
- 다발근염 > 피부근염
- 5년 생존율 75%

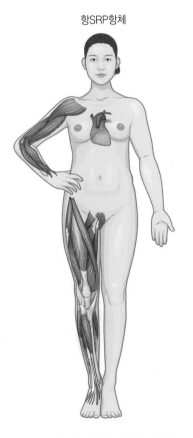

항SRP항체

- 다발근염환자에서 나타나는 급성의 심한 근위약, 심장 침범, 근육통
- 5년 생존율 20%

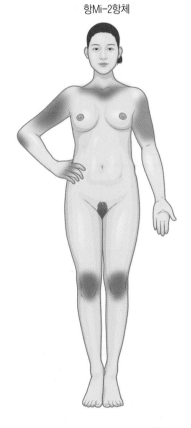

항Mi-2항체

- 전형적인 피부근염, V 징후, 어깨걸이 징후, 각피 비후
- 5년 생존율 100%

그림 90-5. 특징적인 자가항체에 따른 임상증상 및 예후

수 있는 것으로 되어있다. 마이코페놀레이트모페틸, 타크롤리무스 및 리툭시맙은 난치성 질환에 사용할 수 있고 정맥 내 싸이클로포스파마이드는 난치성으로 생명을 위협하는 상황에서 사용할 수 있다. 사망률은 2-3% 정도이며, 2년 내 24-40%의 환자가 관해 상태에 도달하여 면역억제 치료를 중단해 볼 수 있다. 그러나 대부분의 환자들은 만성적인 경과를 보인다(표 90-3).

## 자가항체 표현형에 따른 임상증상

염증근염의 경우 특징적인 자가항체 유무에 따라 특징적인 임상증상이 무리로 나타난다(그림 90-5). 항Jo-1항체를 포함한 항 aminoacyl-tRNA synthetase항체가 있는 환자들의 경우 발열, 레이노증상, 기계공의 손, 다발근염, 간질폐질환을 동반하는 염증근염을 보이며, 예후는 비교적 좋다. 반면, 항SRP 항체를 가진 환자들은 근력 저하가 급격하고 심하며, 심장 침범을 보여 예후가 가장 불량하다. 항Mi2항체는 전형적인 피부근염의 피부병변을 보이며 예후가 가장 좋아 5년 생존율이 100%에 이른다. 각 표현형의 임상증상 및 예후는 아래 그림과 같다(그림 90-5).

## 중복증후군

중복증후군이란 결합조직병과 염증근염이 같이 동반되어 발생한 경우를 말한다. 이 경우, 경화된 피부 비후, 구축, 식도운동 저하, 미세혈관병증, 칼슘침착을 보이는 전신경화증이나 혼합결합조직병의 임상양상이 피부근염과 동반하여 나타날 수 있다. 이에 반하여 류마티스관절염, 전신홍반루푸스 혹은 쇼그렌증후군의 양상은 피부근염에서는 아주 드물다. 피부근염과 전신경화증의 중복증후군에서 항핵항체(antinuclear antibody), 핵-단백질항체(necleolar-protein antibody)에 대한 특이 항체인 항PM/Scl항체가 관찰될 수 있다.

참고문헌

1. Chester V. Oddis and Dana P. Ascherman. Clinical features, classification, and epidemiology of inflammatory muscle disease. In: Marc C. Hochberg, Alan J. Silman, Josef S. Smolen, Michael E. Weinblatt, Michael H. Weisman eds. Rheumatology. 6th ed. Philadelphia: Elsevier; 2015. pp. 1224-36.

2. Greenberg SA, Amato AA. Inflammatory myopathies. In: Dennis L. Kasper, Anthony S. Fauci, Stephen L. Hauser, Dan L. Longo, J. Larry Jameson, Stephen L. houser, Joseph Loscalzo eds. Harrison's principles of internal medicine. 20th ed. McGraw-Hill Education; 2018. pp. 2590-97.

3. Kendall FP, McCreary EK, Provance PG. Muscles: Testing and Function, 4th ed. Baltimore: Williams & Wilkins; 1993.

4. McGrath ER, Doughty CT, Amato AA. Autoimmune Myopathies: Updates on Evaluation and Treatment. Neurotherapeutics 2018;15:976-94.

5. Nagaraju K, Aggarwal R, Lundberg IE. Inflammatory diseases of muscle and other myopathies. In: Gary S. Firestein, Ralph C. Budd, Sherine E. Gabriel, Iain B. Mcinnes, James R. O'dell, Gary Koretzky, eds. Kelly and Firestein's Textbook of Rheumatology. 11th ed. Philadelphia: Elsevirer; 2020. pp. 1547-53.

# 91

# 검사소견과 진단

고신의대 **김근태**

## KEY POINTS 🔒

- 임상적으로 염증근염이 의심되는 경우 근육 효소와 같은 생화학검사, 근전도검사 및 근육 조직검사가 진단에 있어서 매우 중요하다.
- 일부 염증근염 환자에서는 단백합성에 관여하는 분자에 결합하는 자가항체를 가지고 있으며, 이러한 자가항체는 독특한 임상 표현형과 관련이 있다.
- 초음파나 자기공명영상과 같은 영상의학검사 등이 다른 질환을 감별하거나, 침범 위치와 정도를 파악하는 데 도움이 된다.
- 최근 환자 데이터를 기반으로 하는 EULAR/ACR 분류기준이 개발되어, 근염 및 근염 하위 그룹을 정의하는 데에 적용되고 있다.

## 검사소견

### 1) 검사실 검사

골격근이 손상될 경우 근육 세포 내의 여러 효소들이 혈액으로 누출되는데, 이는 근육 실질의 지속적인 손상을 반영한다. 근육에서 유래된 대표적인 효소들로는 크레아틴인산화효소(creatine kinase, CK), 아스파트산아미노기전달효소(aspartate aminotransferase, AST), 알라닌아미노기전달효소(alanine aminotransferase, ALT), 젖산탈수소효소(lactate dehydrogenase, LDH), 알돌분해효소(aldolase)가 임상에서 많이 사용되고 있으며, 혈청 내 이러한 효소들의 변화는 질병 활성도 평가 및 글루코코티코이드 근육병증과 같은 다른 질환들을 감별하는 데 도움이 될 수

있다. 하지만 이러한 검사실 검사는 염증근염에서만 볼 수 있는 특이적인 소견은 아니기 때문에 임상적 맥락을 고려해서 해석하는 것이 필요하다.

### (1) 생화학적 검사

#### ① 크레아틴인산화효소

크레아틴인산화효소(CK)는 혈청의 근육 유래 효소들 중에 염증근염에 가장 신뢰할 수 있고, 또한 가장 흔히 시행되는 검사이다. 다른 혈청 근육 효소와 비교하여, CK는 근육 섬유 손상의 정도에 대해 상대적으로 특이적이고 민감한 지표이다. 활동성 질환에서는 정상 상한치의 50배 이상 증가될 수 있으며, 질병활성도를 잘 반영하기 때문에 진단뿐만 아니라 치료에 대한 반응을 평가할 때 많이 사용된다. 혈청 CK는 보통 근육의 약화가 나타나기 몇 주 전에 증가하기 시작하고, 반면에 치료에 반응하는 경우 증상이 뚜렷이 호전되기 이전에 정상 수준으로 감소하게 된다. CK의 상승은 일반적으로 시간 경과에 따른 전반적인 질병 활동성과는 연관 있지만, 특정 시점의 질병 활동성의 강도 또는 기능적 척도와는 관련이 없다.

다발근염에서는 혈청 CK 상승이 흔히 관찰되지만, 봉입소체근염, 피부근염, 중복증후군 환자에서는 정상이거나 약간만 상승될 수 있다. 또한 CK는 근이영양증, 횡문근융해증, 갑상샘기능저하증 및 약물유발 근병증과 같은 다른 근육질환에서도 상승될 수 있기 때문에 임상적 해석에 주의가 필요하다.

### ② 그 밖의 다른 근육 효소

CK와 함께 알돌분해효소, AST, ALT, LDH와 같은 다른 혈청 근육 효소들을 측정하는 경우 근염의 진단 가능성을 현저히 향상시킬 수가 있다. 한편, AST, ALT, LDH는 간효소로도 많이 알려져 있는데, 근육 손상으로 인한 이러한 효소들의 혈중 농도 상승이 때로는 간질환으로 잘못 오인되어 근육생검 대신 간조직 검사를 받게 되기도 한다. 근염에서 혈청 알돌분해효소의 상승은 근막을 침범할 경우 좀 더 뚜렷이 관찰된다. 알돌분해효소, LDH 및 AST는 소아 피부근염 환자에서 질병 활성과 더 잘 관련되어 있다.

혈청 근색소(myoglobin)는 근섬유막 통합성을 나타내는 민감한 지표로, 근육 손상이 발생될 경우 혈청 CK만큼 흔히 상승될 수 있다. 하지만, 일중 변동이 심하기 때문에 근염 환자에서 CK 보다는 유용성이 떨어진다.

트로포닌 I (troponin I)은 심근 침범의 지표로서 가장 높은 특이성을 가지며, 염증근염 환자에서 심근 손상을 추정하는 가장 신뢰할 수 있는 혈청 검사이다.

### (2) 면역학 검사

자가항원에 대한 면역반응은 여러 자가면역질환의 공통적인 특징이다. 혈청 자가항체들은 염증근염 환자들을 임상적으로 공통된 특징을 가지는 소집단으로 분류하는 데 도움이 될 수 있다. 항핵항체는 염증근염 환자의 약 60-70%에서 관찰되며, 주로 간접면역형광반응검사에서 반점모양 패턴(speckled pattern)을 보인다. 다발근염과 피부근염 환자, 특히 중복증후군이 있는 환자에서 더 자주 발견되는 반면에, 봉입소체근염 환자 또는 악성종양 근염을 가진 환자에서는 그 빈도가 낮다. 또한, 고역가의 항핵항체는 염증근염과 근육퇴행위축을 감별하는 데 도움을 줄 수가

**표 91-1. 특발염증근염에서의 근염특이자가항체와 근염관련자가항체**

| 자가항체 | 자가항원 | 근염에서의 빈도(%) | 임상양상 |
|---|---|---|---|
| 근염특이자가항체(myositis-specific antibodies, MSA) | | | |
| 항Jo-1항체 | Histidyl-tRNA synthetase | 20~30 | 발열, 레이노현상, 기계공의 손, 근염, 다발관절염, 간질폐질환 |
| 항SRP항체 | Signal recognition particle | <4 | 심한 괴사근염, 주로 다발근염에서 |
| 항Mi-2항체 | Helicase | 5-10 | 피부근염(성인>소아), 'shawl' 징후와 다른 피부근염 발진 |
| 항SUMO-1항체 | Small ubiquitin-like modifier enzyme | <4 | 성인 피부근염, 간질폐질환 |
| 항p155항체 | Transcriptional intermediary factor 1-γ | 20 (DM) | 암 위험 증가, 성인의 악성종양 관련근염, 소아피부근염의 20% 빈도, 성인과 소아 모두에서 심한 피부 양상과 관련 |
| 항MDA5항체 | Melanoma differentiation antigen 5 | | 중증 손바닥 발진, 수지궤양, 빠르게 진행하는 간질폐질환이 동반된 피부근염 |
| 항MJ항체 | Nuclear matrix protein (NXP-2) | <23 | 암 위험 증가, 소아피부근염의 20-25%, 석회증, 위축/구축 등의 심한 질환 |
| 항CADM-140항체 | RNA helicase | 50 (C-ADM) | 무근육병피부근염, 간질폐질환, 손바닥 구진, 피부궤양 |
| 근염 관련 자가항체(myositis-associated antibodies, MAA) | | | |
| 항U1RNP항체 | Small nuclear ribonucleoprotein | 10 | 중복증후군, 혼합결합조직병 |
| 항SS-A/Ro항체 | Ro-52/TRIM21 and Ro-60 proteins | ≥35 | 간질폐질환 |
| 항Ku항체 | DNA-PK regulatory subunit | 20-30 | 미분화결합조직병, 중복증후군(레이노현상, 간질폐질환, 근염, 관절염) |
| 항PM-Scl항체 | Nucleolar macromolecular complex | 10-15 | 근염과 전신경화증의 중복양상, 기계공의 손 |

있다.

항핵항체와 함께 항세포질항체까지 포함할 경우 자가항체는 근염 환자의 90% 이상에서 관찰된다. 이러한 자가항체들은 근염특이자가항체(myositis-specific autoantibodies, MSA)와 근염관련자가항체(myositis-associated autoantibody, MAA)로 분류될 수 있다(표 91-1).

### ① 항합성효소 항체

항Jo-1은 항합성효소항체로 가장 흔한 MSA이지만, 근염 환자의 20-25%에서만 나타나며, 다발근염에서 더 흔히 관찰된다. 이 항체는 간질폐질환, 관절염, 레이노현상, 발열 및 기계공의 손과 같은 임상상과 관련 있다.

### ② 항SRP항체

MSA 중의 하나인 신호인식입자(signal recognition particle, SRP)에 대한 항체는 순수 다발근염이나 중증의 난치질환에서 더 흔히 관찰되며, 혈청 CK의 현저한 상승, 심한 근력 약화 및 위축과 관련 있다. 또한, 이 항체가 양성인 경우 심장질환 발병 빈도와 사망률이 높다.

### ③ 항Mi-2항체

Mi-2는 염색체 수준에서 전사의 조절에 관여하는 다중 단위 단백질 복합체이다. 항Mi-2항체는 피부근염에서 더 빈번하게 나타나며, 발진 및 면역억제제 치료에 대한 좋은 반응과 관련이 있다. 또한 항Mi-2항체는 소아피부근염과 악성종양근염에서 볼 수도 있는데, 이 경우 심한 발진과 관련있다.

### ④ 항PM-Scl항체

항PM-Scl항체는 전신경화증의 특징을 가지는 근염 환자를 감별하는 데 도움이 되는 항핵항체이다.

### ⑤ 항U1-RNP항체

항U1-RNP항체는 MSA는 아니지만, 고역가인 경우 혼합결합 조직병을 의심할 수 있다. 이 경우 레이노현상, 전신홍반루푸스, 다발근염, 피부근염 또는 전신경화증의 다양한 임상증상들이 동반된다.

## 2) 근전도 검사

근전도 소견은 활동성 근염 환자의 90% 이상에서 비정상적이며, 질병의 단계에 따라 다양한 이상이 발견될 수 있다. 근육병증에서의 염증은 흔히 반점 형태로 존재하기 때문에, 근전도는 근육 생검 부위를 결정하는 데 도움이 될 수 있다. 주의해야 할 점은 근전도 검사 자체로 유발된 조직병리학적 변화로 인한 혼란을 피하기 위해서는 반대쪽의 동일한 근육에서 생검을 하는 것이 가장 바람직하다.

근전도의 변화는 일반적으로 비특이적이지만 근염 변화의 유용한 지표가 된다. 주요 이상 소견들로는 비정상적인 전기적 과민성, 운동단위전위의 평균 지속 시간 감소 또는 다상활동 전위의 비율 증가, 활동 레벨과 관련된 운동단위전위의 신속한 출현 등이 있다.

삽입활동성(insertional activity) 증가, 양성 뾰족파(positive sharp waves) 및 세동전위(fibrillation potentials)와 같은 비정상적인 전기적 과민성은 피부근염과 다발근염에서 흔히 보이며, 만성 경과와 근섬유 재생을 나타내는 혼합전위는 봉입소체근염에서 잘 관찰된다. 근전도 이상은 근력 및 혈청 근육 효소의 변화와 관련이 있기 때문에, 혈청 효소와 근육강도를 해석하기 어려운 경우에 유용한 평가법이 될 수 있다. 또한 활동성 또는 만성 근육병증의 존재를 확인하고 신경성 질환들을 배제하는 데에도 유용하다.

## 3) 조직학적 검사소견

### (1) 근육 생검

근육 조직검사는 염증근염을 진단하고 다른 신경근육 질환들을 배제하는 데 민감도와 특이도가 가장 높은 검사이며, 염증이 조직학적으로 가장 중요한 소견이다. 개방생검이 염증근염 진단에서 표준이지만, 경피 바늘생검도 편리하고 저렴하며 높은 진단 수율을 가지고 있으며, 여러 근육의 샘플을 취할 수 있는 장점을 가지고 있어 좋은 선택이 될 수 있다. 염증근염에서 일반적인 조직학적 특징으로는 근육섬유의 괴사, 재생, 퇴화, 섬유 직경의 다양화 그리고 결합조직의 증가 및 염증 등이 관찰될 수 있는데, 특히, 혈관 주위 및 간질 주위의 만성 염증세포는 염증근염의 80%에서 관찰되며, 림프구 외에도 조직구, 형질세포, 호산구 및 다형핵백혈구를 비롯한 다른 세포도 존재할 수 있다.

### ① 다발근염의 근육 조직 소견

다발근염에서의 염증은 근육다발 내에 대식세포와 활성화된 CD8⁺ T세포가 침윤되고, 이들에 의해 포식작용과 괴사가 유발되며, 그 주위에는 정상적인 근육섬유들로 둘러싸여 있다(그림 91-1, 91-4). 근육섬유에서의 MHC-1 분자는 근육세포막(sarcolemma)에 광범위하게 발현되는 특징을 나타낸다. CD8/MHC-I 병변은 확진하는 데 필수적인 소견으로 근육 퇴행위축과 같은

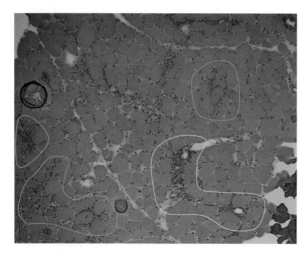

그림 91-1. **다발근염의 조직소견** 근섬유 사이의 근섬유막에 염증세포 침윤이 뚜렷하며(blue lines), 혈관주위에도 염증세포 침윤이 관찰된다(yellow line)(haematoxylin & eosin stain, 100배). (출처: 부산 의대 신진홍 교수)

다른 질환들의 감별에도 도움이 된다.

### ② 피부근염의 근육 조직 소견

피부근염에서 근육내막(endomysium) 염증은 근육다발(muscle fascicle)보다는 주로 혈관 주위 또는 다발사이막(interfascicular septae) 주위에 잘 발생하는데, 주로 CD4⁺ T세포와 대식세포가 높은 비중을 차지하고 일부 B세포도 관찰된다(그림 91-2). 특징적인 조직학적 소견들로는 모세 혈관의 손실과 형태의 변화, 혈관벽에 보체생성물(예: C5b-C9, membrane attack complex)의 침착에 의한 모세혈관 괴사 및 드물게 근육 경색 등이 나타날 수 있다. 또한, 근육 내의 미세경색에 의해 근육다발의 가장자리 부위에 위치한 근육섬유들의 괴사와 퇴행성 변화가 진행되고, 그 결과 근육다발 가장자리에 있는 2-10층 정도의 근육섬유의 위축을 특징으로 하는 근육다발주위위축(perifascicular atrophy)이 초래된다(그림 91-2, 91-4). 이러한 근육다발주위위축 소견은 피부근염에 있어서 염증이 없더라도 진단적 가치를 가지는 매우 중요한 소견이다.

### ③ 봉입소체근염의 근육 조직 소견

봉입소체근염은 다발근염과 조직학적으로 유사하지만, 테두리모양공포(rimmed vacuoles)라 불리는 호염기과립침착물, 세포질 또는 핵 포함체(inclusions), 콩고레드 염색에서 공포 내부 또는 옆에 위치한 아밀로이드 침착물과 같은 독특한 특징들을 보

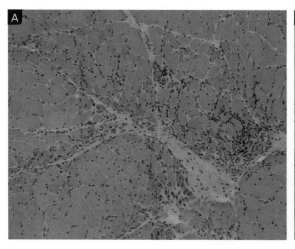
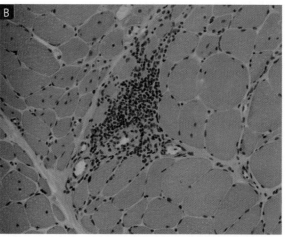

그림 91-2. **피부근염의 조직소견 (A)** 근육다발 가장자리에 근섬유의 위축(perifascicular atrophy)이 관찰된다(haematoxylin & eosin stain, 100배). **(B)** 다른 형태의 근염보다 혈관주위에 염증세포 침윤(perivascular inflammation)이 두드러진다(haematoxylin & eosin stain, 200배).

인다(그림 91-3, 91-4). 전자 현미경 검사는 테두리모양공포 근처에 피부근염이나 다발근염에서는 볼 수 없는 15-21 nm의 세포질 및 핵내 대롱잔섬유(tubulofilaments)가 관찰될 수 있다. 봉입소체근염의 전형적인 임상적 표현형을 지닌 환자의 15%에서 테두리모양공포와 tubulofilamentous inclusions과 같은 특징적인 소견이 없을 수도 있기 때문에 다발근염으로 오진되기도 한다. 이런 경우에는 글루코코티코이드 치료를 먼저 시행해 보고 반응이 없으면 봉입소체근염으로 추정 진단을 할 수도 있다. 그러므로 임상적으로 봉입소체근염이 의심되는 경우에는 임상-병리학적 상관관계를 면밀하게 검토해야 하며, 애매한 경우 다른 부위의 반복적인 근육 생검도 고려해야 한다.

피부근염, 다발근염, 봉입소체근염 사이의 중요한 면역-병리학적 차이를 다시 한번 요약하면, 피부근염에서는 B세포, 보체(C5b-C9, membrane attack complex), CD4⁺ T세포, 대식세포 및 수지상 세포가 혈관 주변 및 다발사이막 부위에서 우세하다. 근육다발주위위축, 혈관의 내피세포 증식, 혈관 내 면역복합체의 침착 등이 관찰된다. 대조적으로, 다발근염과 봉입소체근염에서는 근섬유로 세포독성 T세포가 침범하는 소견이 특징적이다. 피부근염과는 달리 혈관 침범이 미미하며, B세포는 거의 관찰되지 않는다(표 91-2).

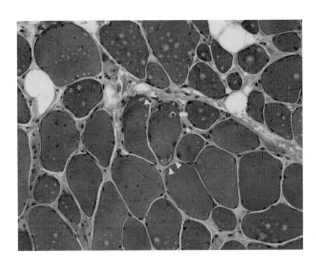

그림 91-3. **봉입소체근염의 조직소견** 근섬유 내에 봉입소체근염의 전형적인 소견인 보라색 과립으로 둘러싸인 rimmed vacuoles (화살표 머리)과 inclusion body(화살표)가 관찰된다(modified Gomori trichrome stain, 200배). (출처: 부산의대 신진홍 교수)

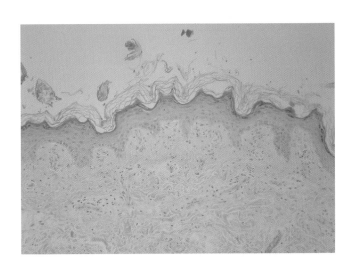

그림 91-5. **Gottron 구진의 조직소견**
각질층에는 각화과다증과 불규칙한 가시세포증이 보이며, 망상진피에 염증세포 침윤과 점액침착소견이 관찰된다. (출처: 고신의대 장민수 교수)

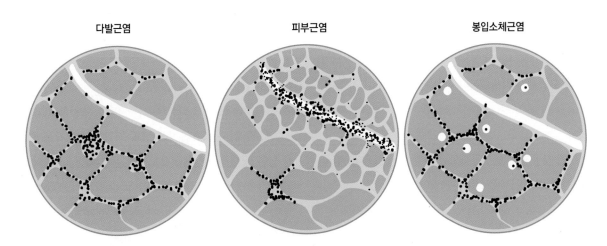

그림 91-4. 다발근염-피부근염-봉입소체근염 조직을 비교한 도식 (출처: 고신의대 최영 교수)

표 91-2 특발염증근질환에서의 면역조직학적인 양상

| 면역조직학적인 양상 | 피부근염 | 다발염 | 봉입소체근염 |
|---|---|---|---|
| 항핵항체 | + | + | + |
| 항Jo 1항체 | + | + | ± |
| 항signal recognition particle항체 | ± | + | ± |
| 항Mi-2항체 | + | ± | ± |
| 항PM-Scl항체 | + | + | − |
| 혈관주위 및 근육다발막 염증 | + | ± | ± |
| 근내막 염증 | ± | + | + |
| 근육다발주위위축 | + | − | − |
| 비정상적으로 확장된 모세혈관 | + | ± | − |
| 혈관벽에 면역글로불린 침윤 | + | − | − |
| 혈관벽에 보체 침윤 | + | ± | − |
| 미세경색 | + | − | − |
| 세포독성 T 림프구와 대식세포에 의한 비괴사성 근섬유 침범 | − | + | + |
| 근섬유에 MHC class I 발현 | ± | + | + |
| Rimmed vacuoles, 봉입체 | − | − | + |

### (2) 피부 생검

피부근염의 특징적인 피부 조직 소견으로는 표피 기저층의 액포변화, 세포사멸을 나타내는 괴사된 각질세포, 혈관확장 및 혈관주위 림프구침윤이 관찰된다(그림 91-5). 이러한 표피진피 경계면피부염 소견들은 전신홍반루푸스나 만성이식편대숙주 반응에서의 피부 조직에서도 볼 수 있다. 피부근염의 다른 피부 특징이 없는 경우, Gottron 병변의 생검은 진단적으로 유용할 수 있다. 따라서 피부 조직검사는 피부소견이 우세하지만 전형적이지 않는 환자들에 국한해서 시행되어야 한다.

### (3) 영상검사

근육 평가에 사용되는 영상검사로는 단순X선, 초음파, 컴퓨터단층촬영, 자기공명영상이 사용될 수 있다.

### ① 단순X선 촬영

연부조직의 석회화 및 간질폐질환과 같은 폐침범을 확인하는 데 도움이 된다.

### ② 초음파 검사

초음파 검사는 비정상적인 혈관형성 및 연부조직의 석회화를 감지하는 데 유용하다. 초음파 검사는 안전하고 비침습적이며 휴대가 간편하고 검사 비용이 상대적으로 저렴한 장점들을 가지고 있지만, 심층부위의 근육을 보기 어렵고 MRI보다 주관적이며, 검사자의 경험과 능력에 영향을 많이 받는 단점이 있다.

### ③ 컴퓨터단층촬영

CT는 연부조직의 석회화 및 간질폐질환과 같은 폐침범을 평가하기에는 단순X선 촬영보다 우수하며, 가슴, 복부 및 골반 등에서 관련 악성종양 유무를 확인하는 선별검사로 유용하다. 하지만 근육 조직의 염증성 변화를 확인하는 데는 적절하지 않다. 간질폐질환의 고위험 관련 자가항체(항-synthetase & 항-MDA5 항체)를 가지고 있는 환자의 경우 호흡기 증상이 없더라도 고해상컴퓨터단층촬영(HRCT)을 기준영상으로 촬영하는 것이 권장된다.

### ④ 자기공명영상

허벅지와 같은 근육의 넓은 영역을 시각화 할 수 있으므로 생검을 위한 위치선정에 도움을 주며, 이를 통해 진단율을 높일 수 있다. 하지만 모든 환자들에서 MRI를 시행할 필요는 없으며, 근육효소, 근전도 또는 생검 결과가 정상인 환자에서 근염이나 질병 악화를 증명할 때, 무근육병피부근염(amyopathic dermatomyositis) 진단에서 MRI상 염증이 없다는 것을 증명하고자 할 때, 비전형적인 염증근질환을 다른 비염증근질환과 감별하고자 할 때 고려할 수가 있다.

## 4) 폐기능검사

폐기능검사는 호흡기 침범의 객관적인 평가에 중요하다. 염증근염 환자들은 전형적으로 전폐용량(total lung capacity), 기능적잔기용량(functional residual capacity), 잔기량(residual volume), 1초 내 강제날숨량(forced expiratory volume in 1 second, FEV₁), 강제폐활량(forced vital capacity, FVC), 및 일산화탄소폐확산능(diffusing capacity of the lungs for carbon monoxide, DLco)은 감

소하지만, FEV$_1$/FVC 비율은 정상이거나 상승된 제한성 환기장애의 소견을 보인다. 또한 폐기능검사는 영상검사와 병행하여 질병 중증도 및 치료 반응 평가에도 도움이 된다.

## 5) 기타 검사

악성종양의 병발 유무를 확인하기 위해 유방촬영술, 뼈스캔, 상부 및 하부 위장관 내시경검사 등이 필요할 수 있다. 손발톱주름모세혈관 현미경검사는 많은 결합조직질환에서 유익한 정보를 제공하는데, 특히 소아 피부근염에서 유용하다. 소아피부근염에서는 중증도 및 임상 경과를 예측하는 데 도움이 된다.

# 진단

근력약화(muscle weakness)나 근육통 등의 근병증이 의심되는 경우 첫 번째 단계는 자세한 병력청취와 임상적 소견을 통해 병변 부위를 파악하는 것이다. 이러한 근쇠약은 대뇌, 척수, 말초신경, 신경근접합부, 또는 근육 자체의 이상으로 발생될 수 있다. 과거력, 약물사용력, 가족력, 근육 침범 패턴 및 상세한 신체진찰을 통해 여러 형태의 질환들을 감별하는 것이 중요하다. 염증근염의 경우 근육통, 근위부 근쇠약과 함께 혈청 근육효소가 상승되는 경우 의심할 수가 있으며, 근전도, 근육조직 검사, 자기공명영상 등의 추가 검사를 통해 진단하게 된다.

## 1) 병력청취

### (1) 근쇠약의 발병 양상 및 진행 - 급성, 아급성 및 만성 진행성

원인 질환에 따라 발병 양상의 차이를 보이며, 급성 발병인 경우 감염증이나 뇌졸중, 아급성 발병인 경우 약물, 전해질 이상, 또는 염증성이나 류마티스 질환, 만성적으로 진행하는 경우에는 유전적 또는 대사근병증 등을 의심할 수 있다.

### (2) 근쇠약 증상의 분포 - 전신성 및 국소성

근쇠약이 전신성인지 국소성인지를 파악해야 하며, 국소성인 경우 그 분포가 편측이거나, 특정신경이나 뇌혈관 구역과 증상이 일치하는 경우 신경학적 질환을 의심할 수 있다.

**표 91-3 주요 근쇠약증의 병력**

| 유발 원인 | 근쇠약 부위 | 호발 연령 | 관련 증상 |
|---|---|---|---|
| 알코올 | 근위부 | 다양 | 정신상태 변화<br>모세혈관확장증<br>말초신경병증 |
| 갑상샘기능항진증 | 근위부/구부 | 40-49세 | 체중감소<br>빈맥<br>다한증<br>진전 |
| 갑상샘기능저하증 | 근위부 | 30-49세 | 월경과다증<br>서맥<br>심부건반사 지연<br>갑상샘종대 |
| 부갑상샘기능항진증 | 근위부/하지 | 다양/고령 | 동반질환 |
| 쿠싱증후군 | 근위부 | 다양 | 들소형육봉(buffalo hump)<br>선조<br>골다공증 |
| 부신기능부전 | 전신성 | 다양 | 저혈압<br>저혈당<br>피부색소침착 |
| 피부근염 | 근위부 | 다양 | 고트론구진<br>연보라발진<br>석회증<br>간질폐질환<br>소화기 운동기능 장애 |
| 다발근염 | 근위부 | 다양 | 간질폐질환<br>소화기 운동기능 장애<br>중첩 증상 |
| 봉입소체근염 | 원위부/상지 | >50세 | 연하곤란<br>근육 외 증상 |
| 전신홍반루푸스 | 근위부 | 성인 | 나비형 뺨발진<br>신장염<br>관절염 |
| 베커근디스트로피(Becker muscular dystrophy) | 둔부, 근위부 | 학령기 아동 | 정신지체<br>심근병증 |
| 사지대근디스트로피(limb-girdle muscular dystrophy) | 근위부 | 다양 | 심장 이상 |
| 근긴장디스트로피(myotonic dystrophy) | 원위부 | 청소년기 | 백내장<br>정신지체<br>인슐린 내성 |
| 당원축적병(glycogen storage disease) | 근위부 | 다양 | 다양 |
| 지질축적병(lipid storage disease) | 근위부 | 다양 | 다양 |
| 사립체질환 | 근위부 | 다양 | 다양 |

### (3) 전신 근쇠약 - 근위성 및 원위성

전신 근쇠약을 보이는 경우, 근위성 또는 원위성 근기능 저하를 구분하여야 한다. 환자가 의자에서 일어나기가 어렵다거나, 머리를 빗는 것이 힘들다는 증상을 호소하는 경우 근위성 근쇠약을 의심할 수 있다.

### (4) 동반증상, 가족력 및 약물 복용력

동반증상이나 가족력 및 복용 중인 약물 등을 확인함으로써 감별진단이 용이할 수 있다. 연하곤란이나 통증은 봉입소체근염, 전신경화증에 동반될 수 있으며, 월경과다 등은 갑상샘기능

저하증에 합병되어 나타날 수 있다. 유전적 근병증인 경우 대부분 가족력이 있으며, 전신홍반루푸스, 류마티스관절염, 피부근염이나 칼륨관련마비 등에서도 가족력을 확인할 수 있다.

## 2) 신체검사

### (1) 근육 소견

환자가 호소하는 근쇠약증의 분포와 정도를 객관적으로 확인하기 위해 각 근육의 상태, 운동성 및 활동 기능을 신체검사로 평가하며, 근력 측정을 위한 medical research council (MRC) 척도 등이 있다(표 91-4). 기능저하의 패턴과 관련성을 파악함으로써 뇌혈관질환, 신경근병증, 포착증후군, 단신경염 등의 중추 또는 말초신경질환을 감별진단할 수 있다.

### (2) 근육 외 소견

심근증이나 심낭염이 동반된 경우 감염증 및 류마티스 질환

**표 91-4. 근력 측정을 위한 medical research council (MRC) 척도**

| 환자의 노력에 따른 척도 (0-5) | 설명 |
| --- | --- |
| Grade 5 | 건측이 이겨낼 수 있는 최대 저항에 대항하는 정상적인 근수축 및 움직임이 가능 |
| Grade 4 | 근력저하로 인해 건측이 이겨낼 수 있는 최대 저항보다 낮은 저항에 대항하여 근수축 및 움직임이 가능 |
| Grade 3 | 중력에 대항하는 근수축 및 움직임만이 가능 |
| Grade 2 | 중력이 제거된 경우에만 근수축 및 움직임만이 가능 |
| Grade 1 | 촉지 가능한 근수축과 미약한 움직임만이 가능 |
| Grade 0 | 근육의 수축과 움직임이 없음 |

| 기능적 평가를 위한 임상적 척도 | 설명 |
| --- | --- |
| Grade 0 | 정상 |
| Grade 1 | 기능 장애는 없으나 미약한 감각과 반사의 소실이 동반된 경우 |
| Grade 2 | 중간정도의 기능장애 |
| Grade 3 | 중등도의 기능장애 |
| Grade 4 | 심한 기능장애 |
| Grade 5 | 5 m 보행에 지지가 필요한 경우 |
| Grade 6 | 5 m 보행이 불가능한 경우 |
| Grade 7 | 최대 MRC 척도가 30이며, 일어나지 못하고 누워만 있는 경우 |
| Grade 8 | 최대 MRC 척도가 20이며, 호흡보조가 필요하거나 사지마비가 있는 경우 |
| Grade 9 | 호흡보조가 필요하며 사지마비가 있는 경우 |
| Grade 10 | 사망 |

**표 91-5. Bohan & Peter 진단기준**

First, rule out all other forms of myopathies

Individual criteria
1. Symmetrical weakness, usually progressive, of the limb-girdle muscles with or without dysphagia and respiratory muscle weakness
2. Muscle biopsy evidence of myositis
   Necrosis of type I and type II muscle fibers; phagocytosis, degeneration, and regeneration of myofibers with variation in myofiber size; endomysial, perimysial, perivascular, or interstitial mononuclear cells.
3. Elevation of serum levels of muscle-associated enzymes (CK, LDH, transaminases, aldolase)
4. EMG triad of myopathy
   a. Short, small, low-amplitude polyphasic motor unit potentials
   b. Fibrillation potentials, even at rest
   c. Bizarre, high-frequency repetitive discharges
5. Characteristic rashes of dermatomyositis

Polymyositis
Definite PM: all first four elements
Probable PM: 3 of first 4
Possible PM: 2 of first 4.

Dermatomyositis
Definite DM: rash *plus* 3 others
Probable DM: rash *plus* 2 others
Possible DM: rash *plus* 1 other

에 의한 근쇠약을 시사하는 소견이 될 수 있다. 수포음과 제한성 환기 장애를 보이는 폐질환은 염증 또는 류마티스근병증 등과 동반되어 나타날 수 있다. 간비대가 나타나는 경우 대사축적병이나 아밀로이드증 등을, 고트론구진(Gottron's papule)이나 연보라발진(heliotrope rash)이 있는 경우에는 피부근염을, 결절홍반이 나타나는 경우 유육종증을 의심할 수 있다.

## 3) 염증근염의 진단 및 분류

염증근염에 대해 많은 분류 시스템이 제안되었지만, 근염에 대한 전향적으로 검증된 진단 또는 분류 기준이 부족한 실정이다. 1970년 Medsger 등의 연구로부터 DeVere-Bradley (1975), Bohan-Peter (1975), Dalakas (1991), Griggs 등(1995), Tanimoto 등(1995), Targoff 등(1997), Mastaglia-Phillips (2002), Van der Meulen 등(2003), Dalakas-Hohlfeld (2003), Hoogendijk, Amato

**표 91-6.** 성인 및 소아 특발염증근염에 대한 EULAR/ACR 분류기준

| EULAR/ACR 분류기준 | 점수 | |
|---|---|---|
| 변수 및 정의 | 근생검 없는 경우 | 근생검 있는 경우 |
| **발병 연령** | | |
| 질병과 관련된 것으로 추정되는 첫 증상의 발병 연령: 18세 이상 & 40세 미만 | 1.3 | 1.5 |
| 질병과 관련된 것으로 추정되는 첫 증상의 발병 연령: 40세 이상 | 2.1 | 2.2 |
| **근력 약화(도수근력검사 또는 기타 객관적인 근력검사에 의해 측정)** | | |
| 근위 상지의 객관적인, 점진적 대칭 쇠약 | 0.7 | 0.7 |
| 근위 하지의 객관적인, 점진적 대칭 쇠약 | 0.8 | 0.5 |
| 목 굴근이 목 신근보다 상대적으로 약한 경우 | 1.9 | 1.6 |
| 다리에서 근위 근육이 원위 근육보다 상대적으로 약한 경우 | 0.9 | 1.2 |
| **피부증상** | | |
| 연보라발진(Heliotrope rash) | 3.1 | 3.2 |
| 고트론구진(Gottron´s papules) | 2.1 | 2.7 |
| 고트론징후(Gottron's sign) | 3.3 | 3.7 |
| **기타 임상증상** | | |
| 연하곤란 또는 식도운동장애 | 0.7 | 0.6 |
| **검사실검사** | | |
| 항-Jo-1 (anti-histidyl-tRNA synthetase) 자가항체 양성 | 3.9 | 3.8 |
| 혈청 근육효소의 상승(CK 또는 LDH 또는 AST 또는 ALT) | 1.3 | 1.4 |
| **근육생검 양상** | | |
| 단핵세포의 근육내막 침윤(근섬유 침범은 없음) | | 1.7 |
| 단핵세포의 근육다발막 및 혈관주위 침윤 | | 1.2 |
| 다발주위 위축 | | 1.9 |
| 테두리모양 공포(Rimmed vacuoles) | | 3.1 |
| **분류기준점(총점)**<br>Definite IIM (확률≥90%):<br>Probable IIM (확률≥55% 그리고 <90%)*<br>Possible IIM (확률≥50% 그리고 <55%) | ≥7.5<br>≥5.5<br>≤5.3 | ≥8.7<br>≥6.7<br>≤6.5 |

*민감도와 특이도 사이의 최상의 균형은 근생검이 없는 경우 55-60%, 근생검이 있는 경우 55-75%에서 관찰된다. 그러므로 염증근염으로 분류하기 위한 최소 기준으로 확률 55% (총점수: 생검이 없는 경우 5.5, 생검이 있는 경우 6.7)로 한다.

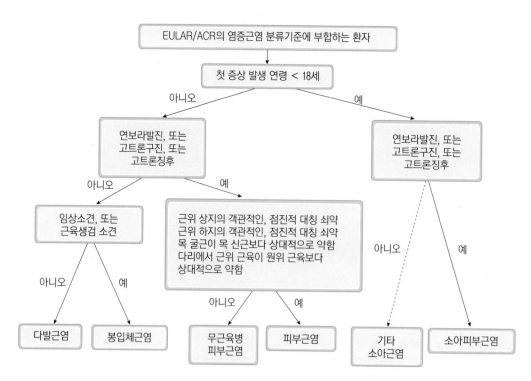

그림 91-6. 특발염증근염의 하위 그룹에 대한 분류 트리

## 표 91-7. 다양한 진단 및 분류 기준의 비교

| | 기준 형태 | 민감도(%) | 특이도(%) | 검사 EMG | BX | MSA | MRI | 적용 하위 유형 |
|---|---|---|---|---|---|---|---|---|
| Bohan and Peter | 진단/분류 | 94–98 | 29–55 | ✓ | ✓ | | | DM, PM<br>Childhood DM/PM with vasculitis<br>DM/PM with neoplasia or CTD. |
| Tanimoto | 분류 | 89–96 | 29–31 | ✓ | ✓ | ✓ | | DM, PM |
| Targoff | 진단/분류 | 93–97 | 29–89 | ✓ | ✓ | ✓ | ✓ | DM, PM<br>Childhood DM/PM with vasculitis<br>DM/PM with neoplasia or CTD<br>IBM |
| Dalakas | 진단 | 6–77 | 99 | ✓ | ✓ | | | DM, PM, ADM |
| ENMC | 분류 | 52–71 | 82–97 | ✓ | ✓ | ✓ | ✓ | DM, PM, ADM<br>DM sine dermatitis<br>Non-specific myositis<br>IMNM<br>IBM |
| EULAR/ACR | 분류 | 생검X<br>87<br>생검O<br>93 | <br>82<br><br>88 | | ✓ | | ✓ | DM, PM, ADM<br>JDM<br>IBM |

ENMC, European Neuromuscular Center; EULAR/ACR, European League Against Rheumatism and American College of Rheumatology; EMG, electromyography; BX, muscle biopsy; MSA, myositis-specific autoantibodies; MRI, magnetic resonance imaging; DM, dermatomyositis; PM, polymyositis; ADM, amyopathic dermatomyositis; CTD, connective tissue disease; IBM, sporadic inclusion body myositis; IMNM, immune-mediated necrotizing myopathy; JDM, juvenile dermatomyositis

a"Definite" and "probable" diagnoses were considered positive cases, and "possible" diagnoses, negative cases. Specialist diagnosis represented the gold standard.

표 91-8. 주요 근쇠약증의 특징

| 유발 원인 | 검사실 및 혈액검사 | CPK | 근전도 검사 | 근육생검 |
|---|---|---|---|---|
| 알코올 | AST/ALT 증가<br>GGT 증가<br>빈혈<br>vit B12 감소 | 정상/증가 | 정상 | Myopathic changes<br>Type II muscle atrophy |
| 갑상샘기능항진증 | T3, T4 증가<br>Variable TSH | 정상/증가 | Myopathic MUAPs 1/2 fibrillation potential | Usually normal |
| 갑상샘기능저하증 | Low T3, T4 감소<br>TSH 다양 | 증가 | Variable | Myopathic changes<br>Glycogen 축적 |
| 부갑상샘기능항진증 | 저칼슘혈증<br>요독증 | 정상 | Myopathic MUAPs | Type II muscle atrophy<br>Lipofuscin 증가<br>Calcium deposit in muscle |
| 쿠싱증후군 | 코티솔 증가<br>ACTH 이상 | 정상 | Myopathic MUAPs | Type II muscle atrophy |
| 부신기능부전 | 저나트륨혈증<br>고칼륨혈증<br>ACTH 이상 | 정상 | Myotonic discharges | Low glucose content |
| 류마티스관절염 | RF 검출 | 정상/증가 | No data | Type II muscle atrophy |
| 전신홍반루푸스 | 항핵항체<br>항dsDNA항체<br>C3, C4 감소 | 정상/증가 | No data | Type II muscle atrophy<br>Lymphocytic vasculitis myositis |
| 베커근디스트로피 | none | 증가 | Myopathic MUAPs fibrillation potential | Myopathic changes<br>Decreased stain of dystrophin |
| 사지대근디스트로피 | none | 다양 | Myopathic MUAPs 1/2 fibrillation potential | Myopathic changes<br>Decreased stain of myoproteins |
| 근긴장디스트로피 | none | 정상/증가 | Myopathic MUAPs<br>Myotonic discharges | Necrosis and remodeling<br>Type II muscle atrophy<br>Ring fibers |
| 당원축적병, 지방축적병, 사립체질환 | Glycogenoses with abnormal FIET | 다양 | Normal or Myopathic MUAPs 1/2 fibrillation potential | Myopathic changes with glycogen/lipid deposits<br>Ragged red fiber |

MUAP, motor unit action potential; AST, aspartate aminotransferase; ALT, alanine aminotransferase; GGT, gamma(γ)-glutamyl transferase; T3, triiodothyronine; T4, thyroxine; TSH, thyroid-stimulating hormone; ACTH, adrenocorticotropic hormone; ANA, antinuclear antibody; RF, rheumatoid factor; Ab, antibody; FIET, forearm ischemic exercise test.

등이 2003년 ENMC (European Neuromuscular Center) 등 다양한 분류 및 진단 기준이 전통적으로 사용되어 왔다. 이 중에서 Bohan-Peter기준(1975)이 봉입소체근염을 진단할 수 없다는 점과, 다발근염을 과잉진단하게 된다는 뚜렷한 한계에도 불구하고 지난 30년 동안 연구목적으로 환자를 진단하고 정의하는 데 가장 널리 사용되어 왔다(표 91-5). 하지만 임상 연구의 발전으로 인해 근염의 일부 임상 표현형과 관련된 특정 자가항체가 확인되었고, 특징적인 조직병리학적 및 면역조직화학적 검사 및 MRI와 같은 영상 기술의 개발되어 이를 반영한 새로운 기준의 필요성이 대두되었다. 최근 미국과 유럽 류마티스학회에서는 지난 10여 년 동안 염증근염에 대한 연구결과들에 기반하여 2017년에 'EULAR/ACR Classification Criteria for adult and juvenile IIM'을 두 개의 모델 형태로 개발하였으며, 근조직검사가 있는 경우와 근조직검사가 없는 경우로 구분하고 있다(표 91-6). 각 개별 변수에 다른 가중치를 두고, 확률 계산을 기반으로 하기 때문에 민감도와 특이도가 많이 개선되었다(표 91-7). 근염으로 정의된 이후에는 분류 트리를 이용하여 피부근염, 소아피부근염, 다발근염, 봉입소체근염 및 무근육병피부근염의 하위 그룹을 정의하는 데 매우 유용한 것으로 보고되고 있다(그림 91-6).

## 4) 감별진단

염증근염 이외에도 다양한 질환들에서 근쇠약이 동반될 수 있으며, 감별해야 할 질환들은 다음과 같다(표 91-8).

📑 참고문헌

1. Bombardieri S, Clerico A, Riente L, et al. Circadian variations of serum myoglobin levels in normal subjects and patients with polymyositis. Arthritis Rheum 1982;25:1419-24.

2. Brouwer R, Hengstman GJ, Vree Egberts W, et al. Autoantibody profiles in the sera of European patients with myositis. Ann Rheum Dis 2001;60:116-23.

3. Christen-Zaech S, Seshadri R, Sundberg J, et al. Persistent association of nailfold capillaroscopy changes and skin involvement over thirty-six months with duration of untreated disease in patients with juvenile dermatomyositis. Arthritis Rheum 2008;58:571-6.

4. Gary S. Firestein, Ralph. C. Budd, et al. Kelley and Firestein's Textbook of Rheumatology. 10th ed. Philadelphia: Elsevier; pp. 1461-88.

5. Helfgott SM, Karlson E, Beckman E. Misinterpretation of serum transaminase elevation in "occult" myositis. Am J Med 1993;95:447-9.

6. J. Larry Jameson, Anthony S. Fauci, et al. Harrison's Internal Medicine. 20th ed. McGraw-Hill; 2018. pp. 2590-7.

7. Kao AH, Lacomis D, Lucas M, et al. Anti-signal recognition particle autoantibody in patients with and patients without idiopathic inflammatory myopathy. Arthritis Rheum 2004;50:209-15.

8. Lee Goldman, Andrew I. Schafer. Goldman's Cecil Medicine. 26th ed. Philadelphia: Elsevier; 2020. pp. 1745-50.

9. Mahler M, Raijmakers R, Dahrich C, et al. Clinical evaluation of autoantibodies to a novel PM/Scl peptide antigen. Arthritis Res Ther 2005;7:R704-13.

10. Marc C. Hochberg, Josef S. Smolen, et al. Rheumatology. 7th ed. Philadelphia: Elsevier; pp. 1293-328.

11. Matteo Bottai, Anna Tjärnlund, Giola Santoni. EULAR/ACR classification criteria for adult and juvenile idiopathic inflammatory myopathies and their major subgroups: a methodology report. RMD Open 2017;3(2):e000507.

12. Olsen NJ, Qi J, Park JH. Imaging and skeletal muscle disease. Curr Rheumatol Rep 2005;7:106-14.

13. Sandstedt PE, Henriksson KG, Larrsson LE: Quantitative electromyography in polymyositis and dermatomyositis. Acta Neurol Scand 1982;65:110-21.

14. Santmyire-Rosenberger B, Dugan EM. Skin involvement in dermatomyositis. Curr Opin Rheumatol 2003;15:714-22.

15. Schulze M, Kotter I, Ernemann U, et al. MRI findings in inflammatory muscle diseases and their noninflammatory mimics. AJR Am J Roentgenol 2009;192:1708-16.

16. Studynkova JT, Charvat F, Jarasova K, Vencovsky J. The role of MRI in the assessment of polymyositis and dermatomyositis. Rheumatology 2007;46:1174-9.

17. Targoff IN, Mamyrova G, Trieu EP, et al: Childhood Myositis Heterogeneity Study Group; International Myositis Collaborative Study Group: A novel autoantibody to a 155-kd protein is associated with dermatomyositis. Arthritis Rheum 2006;54:3682-9.

18. Targoff IN. Idiopathic inflammatory myopathy: autoantibody update. Curr Rheum Rep 2002;4:434-41.

19. Targoff IN. Laboratory testing in the diagnosis and management of idiopathic inflammatory myopathies. Rheum Dis Clin North Am 2002;28:859-90.

20. Targoff IN. Update on myositis-specific and myositis-associated autoantibodies. Curr Opin Rheumatol 2000;12:475-81.

21. Valérie Leclair, Ingrid E. Lundberg. New Myositis Classification Criteria-What We Have Learned Since Bohan and Peter. Curr Rheumatol Rep 2018;20:18.

# 92

# 치료와 예후

동아의대 **정원태**

## KEY POINTS 🔒

- 염증근염의 치료 목표는 근력을 회복하여 정상적인 생활을 영위하게 하는 것이다.
- 염증근염의 치료 약제 중 가장 중요한 것은 글루코코티코이드이다.
- 재발 방지를 위해 면역억제제의 중지는 신중히 고려해야 한다.
- 근육효소 수치가 호전을 보이더라도 반드시 임상증상이 호전을 보이는 것은 아니다.
- 조기 진단 후 치료 시 비교적 예후는 양호한 편이다.
- 봉입소체근염은 효과적인 치료가 없으며 치료에 대한 이견들이 많은 실정이다.

## 서론

염증근염의 주된 치료 목적은 근육의 염증을 감소시켜 근력을 향상시키는 데 있으며, 이로 인하여 삶의 질을 향상시키고 발적, 연하곤란, 호흡곤란, 열감 등 근육 이외 다른 증상에 대한 호전에 있다. 치료 중에 근력의 회복이 있는 경우에 혈청 내 근육효소 수치가 호전을 보이지만, 근육효소 수치의 호전을 보이더라도 반드시 근력이 회복되는 것은 아니다. 간혹 근력의 약화 소견보다 근육효소 수치의 감소를 보이지 않아서 지속적으로 불필요한 면역억제제를 사용하는 경우가 있다. 명확한 근력의 향상 혹은 근육효소 수치의 감소없이 치료 중에 면역억제제의 중단은 신중을 기해야 한다.

## 염증근염의 약물치료

과거에는 스테로이드 치료에 실패하거나 스테로이드 부작용으로 인하여 투약이 어려울 경우에 면역억제제를 투약하였으나, 최근에는 예후가 나쁜 소견이 있는 경우 조기에 스테로이드와 동시에 면역억제제들을 더 흔히 사용하고 있다. 더 적극적인 치료로 스테로이드의 부작용을 최소화하고 더 좋은 치료효과를 얻을 수 있다.

### 1) 글루코코티코이드

경구 프레드니솔론이 근염의 치료를 위해서 사용되는 기본적인 초기 치료 약제이며, 대조군에 대한 연구가 부족한 실정이지만 대부분의 연구에서 가장 효과적인 치료제로서 이 약제의 반응과 부작용에 따라서 향후 치료의 방향이 결정된다. 고용량의 프레드니솔론을 초기 하루에 1 mg/kg(최대 일일 2 mg/kg)로 시작을 한다. 부작용을 적게 하기 위해서 종종 하루에 한 번 아침 복용 용법으로 투여하지만 적절한 반응이 없는 경우에는 분복하기도 한다. 근염이 심하고 진행이 빠르거나, 폐, 심장 또는 소화기계 침범이 있거나 불량한 예후 인자들이 있는 염증근염 환자에게는 고용량의 메틸프레드니솔론(1 g/일, 3일 연속)을 정맥으로 주사할 수도 있다.

1-3개월 정도 고용량의 프레드니솔론 치료를 시행한 후 근육의 힘이 정상으로 되고 근육효소 수치가 정상으로 된 이후 서서히 한 달에 10 mg이나 한 달에 용량의 25% 정도로 프레드니솔론을 감량하여 유지 용량으로 5-10 mg/일 투약한다. 또는 약제

의 부작용이나 근염의 재발이 없이 근육효소 수치가 정상이면 3-4주 간격마다 5-10 mg의 프레드니솔론을 감량하여 근염의 재발이 없는 최소한의 용량으로 줄여나간다. 프레드니솔론의 효과는 3개월 간격으로 근력의 객관적인 향상이나 매일의 생활활동도 등으로 평가하며, 단순히 환자가 기분상 호전을 보인다던지, 근력의 향상 없이 근육효소 수치의 저하를 보이는 것은 질병 향상의 지표가 되지 못한다. 3개월 이상 고용량의 프레드니솔론 치료에도 불구하고 약제에 반응이 없는 경우 약제를 빨리 줄이고, 다른 면역억제제 투여를 고려한다. 증명되지는 않았지만 염증근염 환자에서 글루코코티코이드에 대한 치료반응은 어느 일정 부분만 있으며 또한 일정 기간만 반응이 있는 것으로 알려져 있다. 일반적으로 피부근염이 다발근염에 비해 치료에 더 반응이 좋은 것으로 알려져 있다.

초기 임상반응과 근육효소 수치가 정상으로 되고 난 뒤 얼마 동안 장기간 글루코코티코이드를 유지하는가에 대한 정보는 거의 없는 실정이나 신중하게 접근하자면 임상적인 관해가 이루어지고 난 뒤 6개월 동안 프레드니솔론을 하루에 5-10 mg을 유지한다. 장기간 프레드니솔론의 치료로 근육효소 수치의 변화를 동반하지 않거나 정상 근육효소 수치에도 불구하고 근력의 약화를 초래하는 경우도 있다. 이러한 스테로이드유발근염의 경우는 고용량의 글루코코티코이드 용법을 받았던 환자에서 새로운 근력의 약화나, 고용량의 글루코코티코이드 치료에도 반응하지 않는 질병의 활성도가 생기든지 아니면, 글루코코티코이드 치료에 저항이 생기는 경우에 의심해 볼 수 있다. 장기간의 글루코코티코이드 치료에 의하여 발생할 수 있는 대표적인 부작용으로는, 척추압박골절을 동반한 골다공증, 골괴사, 고혈압, 당뇨병, 쿠싱증후군, 백내장, 빈번한 감염, 스테로이드근병증 등이 있으며, 그 중에서 가장 흔한 부작용은 골다공증으로 이를 치료하기 위해서 비타민D와 칼슘 그리고 비스포스포네이트 제제가 추천된다.

## 2) 정맥면역글로불린

잘 통제된 연구결과에서 정맥면역글로불린 사용은 치료에 불응하는 피부근염에서 근력의 향상과 피부 발진 그리고 면역학적으로도 효과가 있는 것으로 보고되었다. 약효가 빨리 나타나며 면역억제 효과가 미미하기 때문에 정맥 면역글로불린이 피부근염 환자 그리고 중증의 다발근염이나 중증의 감염이 동반된 환자에서 가교치료(bridging therapy)로 유용한 것으로 보고되고 있다. 그리고 프레드니솔론과 최소한 1개 이상의 면역억제제에 치료되지 않은 환자에게 투약한다. 사용 용량은 2 g/kg을 2-5일간 나누어 연속적으로 정맥으로 투여한다. 그리고 매달 투여하며 3-6개월간 투약한다. 사용상 어려움으로는 가격이 비싸며, 빠른 내성, 효과가 다양하게 나타나며, 부작용으로 두통, 무균뇌수막염, 인플루엔자와 같은 증상들, 발진, 혈압변동, 혈전 등이 생길 수도 있다. 최근에는 anti-HMGCR 근질환에서 효과적인 단일치료제로 사용된다. 혈장교환술이나 혈구교환술 등은 염증근염 치료에 도움이 되지 않는다.

## 3) 다른 면역억제제들(2차 약제들)

대부분 염증근염 환자의 75%에서 다른 면역억제제의 치료를 요한다. 글루코코티코이드 치료 시작 후 3개월 정도 지나면 글루코코티코이드 저항이나 글루코코티코이드 부작용이 나타나게 되고, 이런 이유로 글루코코티코이드를 빨리 줄이게 되면 근염이 재발하거나 근염의 합병증이 발생한다. 다음은 글루코코티코이드 이외 염증근염 치료에 사용되는 이차 치료제인 면역억제제들이다.

### (1) 메토트렉세이트

염증근염 환자에서 글루코코티코이드 감량을 위한 치료법으로 가장 먼저 선택할 수 있는 약제가 메토트렉세이트로, 아자싸이오프린보다 더 빨리 2-3개월 이내에 효과가 나타나고, 남성과 항합성효소항체가 있는 경우에 더 효과적이며, 보통 경구로 주 1회 5 mg에서 15 mg을 투여하고 매월 주당 5 mg씩 증량하여 25 mg에서 30 mg까지 증량할 수 있다. 피하주사요법도 가능하다. 투약은 프레드니솔론 일일 60 mg과 함께 메토트렉세이트를 주마다 7.5 mg을 동시에 투여할 수도 있다. 부작용으로는 용량의존적으로 발생하는 위장관 장애, 투약 후 며칠 동안 피곤함이나 노곤함, 탈모, 감염 위험성 증가, 기형발생, 혈구감소증 및 간독성이 있다. 드문 부작용으로 메토트렉세이트 유발 폐렴이 발생할 수 있는데 이는 항Jo-1항체와 관련된 간질폐렴과 감별진단이 어렵다. 단독요법으로 충분한 효과가 부족할 경우 메토트렉세이트와 아자싸이오프린 병합요법이 효과적이라는 보고도 있다.

## (2) 아자싸이오프린

글루코코티코이드에 치료되지 않는 다발근염을 치료하는 데 메토트렉세이트 만큼이나 효과적인 약제로 생각되며, 효과가 나타날 때까지 걸리는 시간은 메토트렉세이트보다 오래 걸리는 것으로 보이며 보통 6-18개월이 걸리기도 한다. 사용되는 용량으로는 2-3 mg/kg/day로 사용된다. 가장 흔한 부작용으로는 위장관 장애, 백혈구감소증 및 간독성이다. 약 12%에서 전신반응으로 발열, 복통, 오심, 구토, 전신쇠약이 생겨서 중단하기도 한다.

## (3) 미코페놀레이트모페틸

일부 글루코코티코이드에 치료되지 않는 다발근염이나 피부근염 환자가 미코페놀레이트모페틸(mycophenolate mofetil, MMF)에 반응한다고 하며, 아자싸이오프린보다 약효가 더 빨리 나타난다. 대부분 메토트렉세이트와 아자싸이오프린으로 치료를 시도한 후에 사용하는 약제로 하루에 500 mg을 두 번 복용하며, 1 g 두 번까지 증량한다. 일부에서는 3 g까지 증량하여 나누어 복용하기도 한다. 1-2개월 이내에 근효소 수치가 호전된다. 부작용으로는 위장장애, 설사, 혈구감소증 및 감염의 위험성이 증가하는 것이다. 신장으로 배설되기 때문에 총 하루에 1 g 이상 투약하는 경우에 신장기능이 저하된 환자에서는 감량을 하여야 한다.

## (4) CD20에 대한 단클론항체(리툭시맙)

일련의 증례 보고에 따르면 성인과 소아의 피부근염과 다발근염에서 리툭시맙이 효과가 있다는 보고가 있다. 대부분 권위자들은 프레드니솔론과 한 개 이상의 면역억제제에 치료되지 않는 경우의 일부 환자에게 효과가 있으리라 추정하며, 용량으로는 750 mg/m$^2$ (1 g까지) 정맥 투약 후 2주 뒤에 추가로 투약하며, 6-18개월마다 재투약이 필요하다. 추가적인 연구들이 필요한 실정이다.

## (5) 사이클로포스파마이드

메토트렉세이트나 아자싸이오프린보다는 덜 효과적이면서 부작용이 더 심한 약제로 혈관염이나 간질폐질환이 동반된 경우에 유용하게 사용될 수 있다. 경구 용량으로는 하루 용량이 150 mg을 초과하지 않는 1-2 mg/kg/일이 보통 사용되며, 정맥주사로

한 달 간격으로 0.5-1 g/m$^2$의 용량을 6개월간 치료한 군에서 부작용에도 불구하고 제한적으로 효과를 보였다는 보고도 있다.

## (6) 사이클로스포린

활성도가 적은 염증근염에 있어 도움이 된다는 보고가 있다.

## (7) 타크로리무스

염증근염 중 다발근염에서 효과를 보였다는 보고가 있다. 특히 간질폐질환을 동반한 다발근염에 효과가 있다. 사이클로스포린과 유사하게 CD4$^+$ T세포의 활성을 억제하여 작용하는 약제로 신장기능장애, 고혈압 등의 부작용이 있으며, 좁은 치료 약물농도로 인하여 혈중 약물농도를 세심하게 관찰하면서 투약해야 한다.

## (8) 항말라리아제 및 썬크림

피부근염의 피부 병변은 광과민성이 있어 자외선을 피하고 썬크림을 사용하면 적어도 부분적인 효과가 있다. 광범위한 경험에 따라 항말라리아제가 다양한 피부근염 환자에게 사용되었다. 다발근염이나 피부근염 환자의 근육 외 증상인 관절염, 피곤함, 피하염증(지방층염)이 있는 경우에 효과가 있을 수 있으며, 피부근염 환자에서 피부의 증상 호전을 위해 사용된다. 보통의 용량은 하이드록시클로로퀸으로 하루 200-400 mg을 투약한다.

## (9) 항TNF제제

Infliximab (3 mg/kg)을 피부근염과 다발근염에 사용하여 약 30%에서 효과를 보였다는 보고가 있으나 추가적인 연구가 더 필요하다.

## 염증근염의 치료단계

염증근염의 치료는 보통 다음과 같이 4단계로 나누어 치료를 한다(표 92-1).

환자들 중에서 간질폐렴이 동반된 경우는 고용량의 정맥 글루코코티코이드, 정맥 사이클로포스파마이드, 사이클로스포린이나 타크로리무스와 같은 약제로 적극적인 치료가 필요하다.

염증근염 환자들 중에서 면역억제제 치료에 반응하지 않는 경우 봉입체근염이나 대사근염, 근위축증, 약물유발근염 등을 의심할 수 있다. 이런 경우 근육 생검을 다시 시행하거나, 근질환의 다른 원인에 대한 검사나 확인이 필요하다.

석회증(calcinosis)은 피부근염의 한가지 증상으로 치료하기가 어렵다. 그러나 이용 가능한 치료로써 질환 자체가 호전되면 새롭게 칼슘이 침착되는 것이 예방되기도 한다. 비스포스포네이트, aluminum hydroxide, probenecid, 콜히친, 저용량의 와파린, 칼슘체널억제제 등 약물과 수술적인 치료가 시도되었으나 성공적이지는 않다.

봉입체근염의 치료에 효과적인 것이 없는 상태로, 낙상을 예방하고 발목지지대를 이용하며, 걷는데 보조기구를 사용하는 보조적인 치료만 하고 있다. 기능을 유지하기 위하여 물리치료와 직업치료를 하며 연하곤란이 있는 경우 삼킴치료도 같이 한다. 그리고 일반적으로 면역억제제 치료에 저항이 많다. 프레드니솔론과 아자싸이오프린이나 메토트렉세이트를 복합하여 수개월간 치료하였지만 효과가 없다는 보고가 있으며, 일부의 환자들은 이러한 약제를 중단한 후 증상 악화를 호소하였다. 그래서 소수의 연구자들은 글루코코티코이드의 사용을 저용량이나 이틀에 한 번씩으로 미코페놀레이트모페틸과 병용요법을 권유하기도 한다. 2개의 보고에서 봉입체근염에 정맥 면역글로불린주사치료가 시도되었으며 약 30%의 환자에서 일부 효과가 있었다고 보고되었으나, 다른 보고에서는 효과가 없다고 보고되었다. 그러나 많은 전문가들은 정맥면역글로불린 주사요법을 2-3개월간에 걸쳐서 투여하면 일부 환자들에서 효과가 있을 것이라고 믿고 있다.

## 표 92-1. 염증근염의 치료단계

|  |  |
| --- | --- |
| 1단계 | 고용량의 프레드니솔론 |
| 2단계 | 메토트렉세이트, 아자싸이오프린, 미코페놀레이트모페틸을 글루코코티코이드 감량을 위해 이용 |
| 3단계 | 정맥면역글로불린 |
| 4단계 | Rituximab, 사이클로스포린, 사이클로포스파마이드, 타크로리무스 중에 한가지 약제를 환자의 나이, 장애의 정도, 내성, 약제의 경험, 전신상태 등에 따라서 사용할 수 있다. |

## 염증근염의 비약물치료

면역억제제로 치료를 시행한 환자들 중 거의 75% 정도가 호전을 보이며, 근육의 염증이 없어지고 정상적인 근육 기능에 이르는 환자는 일부에 그친다. 지난 수십 년 동안 근육손상과 염증이 악화될 가능성으로 인하여 운동요법을 조심하였다. 그러나 최근의 보고들에 따르면 운동요법과 면역억제제를 동시에 병합하여 치료하는 것이 안전하며 근육의 기능 회복에도 명백히 효과가 있다고 한다. 재활치료의 목적은 근육기능을 회복시키는 것으로 물리치료는 가능한 빨리 시작하는 것이 좋다. 심한 염증으로 근염이 악화된 시기에는 침상 안정이 중요하지만 구축을 예방하기 위해서 피동적인 운동요법은 필요하며 근력유지는 중요하다. 운동요법은 개인에 따라서 적합한 정도로 시행하며 과도한 운동을 피하기 위해서 물리치료사의 도움이 필요하다. 마사지와 보조기 등도 도움이 되며, 치료경과에 따라 재활치료를 조절하는 것이 중요하다.

## 예후

다발근염이나 피부근염의 예후에 대한 연구들은 적은 상태이나, 현재까지 알려지기로는 각 임상적 및 혈청학적인 군에 따라서 치료반응과 치료결과가 다른 것으로 생각된다(표 92-2). 치료받은 피부근염과 다발근염 환자의 5년 생존율은 95%이고, 10년 생존율은 84%이다. 다른 결체조직질환을 가지고 있는 중복증후군에서 발생한 근염이 가장 경한 근염의 소견을 나타내며, 치료효과도 우수할 뿐만 아니라 악화되는 경우도 가장 적다. 혈청학적인 군에 따라서 질병의 경과와 예후가 차이가 있는데, 항Mi-2항체가 있는 환자는 경한 근염을 나타내고 치료반응도 좋으며 치료 약제를 줄이는 과정에서 재발도 가장 적다. 항합성효소항체를 가지는 환자는 좀 더 중하게 나타나며, 치료를 중단해가는 과정에서 재발이 흔히 나타난다. 항SRP항체가 있는 환자가 가장 급성으로 발병하고, 가장 중증의 근염을 나타내며, 치료에 가장 반응이 나쁘고, 가장 지속적인 병으로 나타난다.

사망의 원인은 심장, 폐 혹은 다른 전신적인 합병증으로 사망한다. 처음 진단 시 증상이 심하거나, 치료가 늦게 시작된 경우,

**표 92-2. 염증근염의 불량한 예후 인자들**

고령
진단과 치료가 지연된 경우
심한 근염
심각한 폐, 심장, 위장관 침범, 석회증이 있는 경우
면역억제제 치료에 반응이 없는 경우
다발근염(피부근염에 비해)
악성 종양이 동반된 근염
봉입체근염
항합성효소항체, 항SRP항체, anti-TIF1 Ab, anti MDA5 Ab

**참고문헌**

1. Dennis L. Kasper, et al. Harrison's principles of Internal Medicine. 20th ed. McGraw-Hill; 2018. pp. 2595-7.
2. Gary S. Firestein, et al. Firestein & Kelley's Textbook of Rheumatology. 11th ed. Elsevier; 2021. pp. 1562-5.
3. Lee Goldman, et al. Goldman-Cecil Medicine. 26th ed. Elsevier; 2020. pp. 1749-50.
4. Marc C. Hochberg, et al. Rheumatology. 7th ed. Elsevier; 2019. pp. 1322-6.

심한 연하곤란 장애가 있거나, 호흡곤란이 있는 경우에 예후가 불량하다. 면역억제제 치료에 반응이 없는 경우, 고령에서, 암이 동반되어 발생하는 경우 또한 예후가 불량하다.

일반적으로 피부근염이 다발근염에 비하여 예후가 좋은 것으로 알려져 있고, 대부분의 환자들에서 적절한 치료와 유지요법에 의하여 충분히 일상 생활이 가능하다. 하지만 약 30%의 환자에서 근력의 약화소견이 남아 있으며, 재발은 어느 때든지 가능하다. 봉입체근염의 경우는 서서히 점진적으로 진행하여 예후가 좋지 못한 편이며 대부분의 환자들이 발병 5-10년 이내에 보조기를 사용해야만 하는 경우가 많으며 일반적으로 고령의 환자인 경우는 질병의 경과가 매우 빠른 편이다.

# 93

## 증례

**한양의대 조수경**

## 증례

52세 남성이 두 달 전부터 서서히 시작된 양쪽 팔과 다리의 통증으로 내원하였다. 환자는 평소 주말에 근처 공원을 1시간 정도 걷는 운동을 하면서 지냈는데, 최근 다리 근육통이 조금씩 심해지면서 계단 오르기가 힘들어지고, 머리를 빗는 데 어려움을 호소하였다. 최근 1년간 8 kg의 체중감소가 있었고 눈 주위, 팔꿈치, 무릎의 신전 부위, 손가락 등에 발진이 발생하였다. 호흡곤란을 느끼지는 않았다.

신체검사에서 활력증후는 정상이었다. 상지 및 하지의 근위부 근력은 등급 III 정도로 떨어져 있었으나 주먹을 쥐는 근력과 발목의 신전 및 굴곡의 근력은 정상이었다. 양측 안검과 팔꿈치, 무릎, 손가락(그림 93-1)의 신전면에 발진이 관찰되었다. 관절의 압통이나 부기는 없었다. 그 외의 신체검사에서 특이 소견은 관찰되지 않았다.

검사실 검사소견으로는 백혈구 12,500/mL, 혈색소 12.5 g/dl, 혈소판 320 X 10³/mL, AST 145 U/L, ALT 107 U/L, ALP 69 U/L, Cr 0.58 mg/dL, CK 2,020 IU/L, LD 593 IU/L, ESR 61 mm/hr, CRP 0.52 mg/dL, 항핵항체 음성, 류마티스인자 음성이었다.

좌측 삼각근과 외측광근에서 시행한 근전도 검사에서 positive sharp wave, fibrillation, 근 수축 시 low amplitude, polyphasic potentials가 나타났다.

하지의 자기공명영상은 그림 93-2와 같으며, 우측 외측광근에서 시행한 근육 생검 결과는 그림 93-3과 같다.

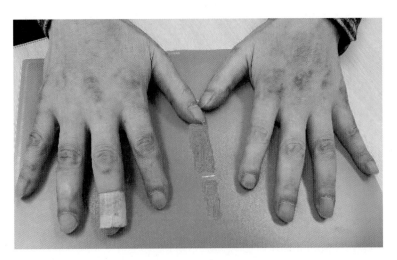

그림 93-1. 환자의 손

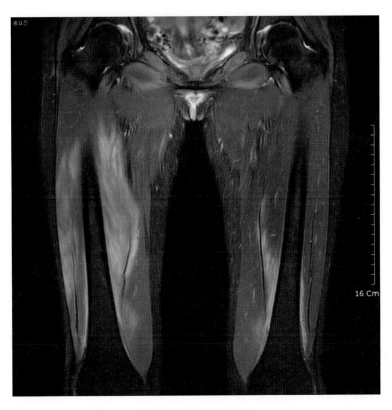

그림 93-2. 자기공명영상

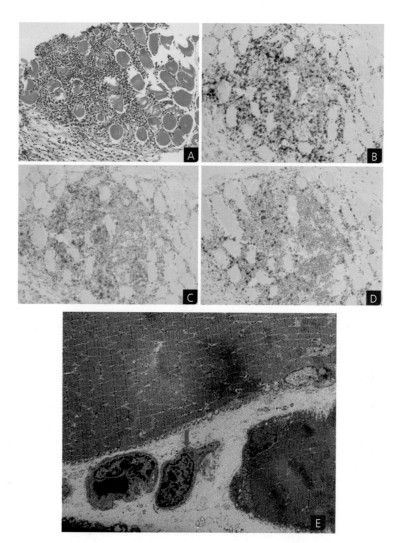

그림 93-3. **근육생검의 병리소견** **(A)** H&E 염색(x200), **(B)** CD3 항체에 대한 면역조직화학염색(x200), **(C)** CD4 항체에 대한 면역조직화학염색(x200), **(D)** CD8 항체에 대한 면역조직화학염색(x200), **(E)** 전자현미경사진(x2500) (출처: 한양대학교 백승삼 교수)

## 1) 질문

(1) 진단은?

(2) 고려해야 할 동반질환은?

(3) 적합한 약물치료는?

## 2) 증례 설명

이 증례는 근위부 쇠약감으로 내원하여 피부근염으로 진단된 환자이다. (1) 대칭적인 근위부 근쇠약, (2) 특징적인 근전도 소견, (3) 혈청 CK의 상승, (4) 피부근염의 전형적인 근육생검 소견, (5) 고트론구진의 피부병변

(그림 93-1)으로 피부근염에 대한 Bohan-Peter의 5가지 진단기준 모두를 충족한다. 자기공명영상에서는 STIR 영상에서 하지 근육의 전반적인 신호증강 소견을 보여 근육의 손상에 의한 부종이 있음을 알 수 있다(그림 93-2). 근육생검의 병리소견에서는 헤마톡실린-에오신 염색소견에서 근섬유의 현저한 위축이 관찰되고 위축된 근섬유 사이로 많은 염증세포의 침윤이 관찰된다(그림 93-3A). 면역조직화학염색에서 침윤하고 있는 염증세포는 CD3(그림 93-3B)에 양성으로 나타나 T-림프구인 것을 알 수 있고, 이들은 주로 CD4(그림 93-3C)에 양성으로 나타나고 일부 세포들이 CD8(그림 93-3D)에 양성으로 나타나 침윤한 염증세포들이 주로 CD4에 양성인 T 림프구임을 알 수 있다. 전자현미경검사에서는 근육세포 사이에 침윤하고 있는 단핵구세포인 림프구(화살표)를 관찰할 수 있다(그림 93-3E).

염증근염 환자들에서는 악성종양이 동반될 수 있으므로 피부근염으로 진단된 환자에서는 숨은 악성종양의 가능성을 반드시 염두에 두고 자세한 병력청취 및 진찰을 통하여 필요한 검사를 시행해야 하며, 연령과 성별에 따라 부인과검사, 유방검사, 내시경 및 컴퓨터단층촬영 등을 시행하여야 한다. 간질성 폐질환이 염증근질환의 근골격계 이외의 증상 중 가장 흔한 소견이므로 고해상컴퓨터단층촬영을 통해 확인한다.

약물치료는 글루코코티코이드의 투여가 중요하다. 일반적으로 경구용 프레드니솔론 1 mg/kg/일의 용량으로 시작하여 3-4주간 치료 후 근육효소수치 감소와 근력이 회복됨에 따라 서서히 감량한다. 고용량 글루코코티코이드 사용에도 불구하고 호전을 보이지 않거나 글루코코티코이드 감량 중 근염이 악화되는 경우 면역억제제를 병용 투여한다. 사용되는 면역억제제는 메토트렉세이트, 아자싸이오프린, 사이클로스포린, 미코페놀레이트 모페틸 등이 있다.

## 3) 정답

(1) 피부근염
(2) 악성종양, 간질폐질환
(3) 글루코코티코이드 투약 시작 및 면역억제제 고려

류 마 티 스 학
RHEUMATOLOGY

PART

# 14 혈관염

책임편집자 **유빈**(울산의대)
부편집자 **유인설**(충남의대)

# 94

# 개요와 분류

울산의대 **유빈**

## KEY POINTS 🔒

● 혈관벽의 염증으로 혈관이 손상되고 혈류가 차단되어 조직손 상이 유발되는 공통적인 임상소견, 검사소견 및 병태생리를 가지고 있는 다양한 질환군이다.

● 혈관염은 전통적으로 침범된 혈관의 크기로 분류하나 항중성 구세포질항체의 유무도 분류에 포함되었다.

● 혈관염의 진단은 병력과 진찰로 시작하나 확진은 항상 조직 소견에 의한다.

● 혈관염의 분류기준은 역학적 임상 연구에만 도움이 되며 임상 적 진단에는 유용하지 않다.

● 혈관염을 모방하는 여러 질환들이 존재함을 인식해야 한다.

## 혈관염의 분류

혈관염은 임상소견이 다양하고 질환별로 중복되는 소견이 있 어 이들 질환의 분류는 매우 어렵다. 발병기전에 대한 이해 부족 과 더불어 임상양상의 다양성과 중복성은 질병의 일관성 있는 분류체계의 발달에 주요한 저해 요인이 되었다. 표 94-1에 주요 혈관염을 기술했다. 이러한 증후군의 구분되는 소견과 중복되는 소견은 해당 장에 기술했다. 전통적으로 혈관염은 그 혈관염 환 자에서 주로 침범되는 혈관의 크기 및 유형에 의해 분류된다. 최 근에는 항중성구세포질항체(anti-neutrophil cytoplasmic antibod- ies, ANCA)의 유무가 분류에 추가되었다.

## 서론

혈관염은 혈관벽의 염증과 손상을 특징으로 하는 임상적 병 리과정이다. 혈관 내강이 막히거나 혈관벽이 약해져 출혈이 초 래되며, 혈관이 막히면 침범된 혈관이 공급하는 조직에 허혈을 일으킨다. 다양한 종류, 크기, 위치의 혈관을 침범하므로 광범위 하고 다양한 증후군이 발생할 수 있다. 혈관염과 이로 인한 합병 증은 일차적으로 즉 질환의 단일 증상으로 나타날 수 있으며, 혹 은 다른 원인 질환에 동반되어 이차적으로 발생할 수 있다. 혈관 염은 피부 등의 단일 장기에 국한될 수 있으며, 여러 장기를 동시 에 침범할 수도 있다.

표 94-1. **혈관염의 분류**

| 일차혈관염 | 이차혈관염 |
|---|---|
| 육아종증다발혈관염 | 약물유도혈관염 |
| 호산구육아종증다발혈관염 | 혈청병 |
| 결절다발동맥염 | 다른 일차질병과 관련된 혈관염 |
| 현미경다발혈관염 | 감염 |
| 거대세포동맥염 | 악성종양 |
| 타카야수동맥염 | 류마티스 질환 |
| 헤노흐-쇤라인자반증 | |
| 특발피부혈관염 | |
| 한냉글로불린혈증혈관염 | |
| 베체트병 | |
| 고립중추신경계혈관염 | |
| 코간증후군 | |
| 가와사키병 | |

## 1) 큰혈관 혈관염

### (1) 타카야수동맥염

대동맥과 일차 가지를 주로 침범한다. 염증은 흉부 혹은 복부 대동맥의 일부분에 국한되기도 하며 전장전신 혈관을 침범하기도 한다.

### (2) 거대세포동맥염

큰 혈관(large vessel) 및 중간크기 혈관의 만성 염증이다. 전신을 침범하기도 하지만 주로는 대동맥궁(aortic arch)에서 나오는 대뇌가지(cranial branch)를 침범한다.

## 2) 중간크기 혈관염

### (1) 결절다발동맥염

중간크기 및 소혈관(small vessel)을 침범하는 전신괴사혈관염(systemic necrotizing vasculitis)이다.

### (2) 가와사키병

중간크기 및 소혈관의 동맥염으로서 특히 관상동맥을 침범한다. 보통 어린이에서 발생하고 점액피부림프절(mucocutaneous lymph node) 증후군과 관련된다.

### (3) 원발중추신경계혈관염

중추신경계의 중간크기 및 소혈관을 침범하며 대뇌외(extra-cranial) 혈관은 침범이 없다.

## 3) 소혈관 혈관염

### (1) 호산구육아종증다발혈관염

EGPA로 약하기도 하며 중간 크기 및 소형의 근육형동맥의 혈관염이고 종종 혈관 및 혈관 밖의 육아종증이 공존한다. 피부와 폐를 잘 침범하나 전신성이기도 하다. 3가지 AAV (ANCA-associated vasculitis) 중 하나이다.

### (2) 육아종증다발혈관염

GPA로 약하기도 하며 상기도를 포함한 호흡기계를 잘 침범하며 3가지 AAV (ANCA관련혈관염) 중 하나이다.

### (3) 현미경다발혈관염

MPA로 약하기도 하며 3가지 AAV (ANCA관련혈관염) 중 하나이다.

### (4) 헤노흐-쉔라인자반증

IgA혈관염으로도 불리며 복통, 혈변, 피부자색반을 특징으로 한다.

### (5) 한냉글로불린혈증혈관염

### (6) 과민혈관염

### (7) 류마티스 질환 관련 이차혈관염

### (8) 바이러스 감염 관련 이차혈관염

## 4) 다양 혈관 혈관염

### (1) 베체트 증후군

### (2) 코간 증후군

# 병태생리와 발병기전

대부분의 혈관염은 적어도 부분적으로는 어떤 항원 자극에 반응하여 발생하는 면역발병기전에 의해 매개되는 것으로 추정된다(표 94-2). 그러나 이러한 면역발병기전은 간접적인 증거만 있으며, 직접적인 원인이기보다는 부수현상(epiphenomenon)으로 이해되고 있다. 게다가 일부 사람은 어떤 항원 자극에 반응하여 혈관염이 발생하지만 다른 사람들은 아닌 경우가 있다. 혈관염의 궁극적인 발현에는 다양한 요소가 관여하는 것 같다. 이들

**표 94-2. 혈관염에서 혈관손상의 기전**

**병적 면역복합체의 형성 또는 침착**

헤노흐-쉔라인자반증
결합조직병(collagen vascular disease)과 관련된 혈관염
혈청병 및 피부혈관증후군
C형간염과 연관된 한냉글로불린혈증혈관염
B형간염과 연관된 결절다발동맥염

**항중성구세포질 항체의 생성**

육아종증다발혈관염
호산구육아종증다발혈관염
현미경다발혈관염

**병적 T세포 반응과 육아종 형성**

측두동맥염
타카야수동맥염
육아종증다발혈관염
호산구육아종증다발혈관염

은 유전적 성향, 환경적 노출, 그리고 특정 항원에 대한 면역 반응과 관련된 조절기전이 포함된다.

## 1) 병원성 면역복합체 형성

혈관염은 일반적으로 혈청병(serum sickness)이나 전신홍반루푸스(systemic lupus erythematosus)와 같은 결체조직병들을 포함하는 면역복합체질환(immune-complex diseases)의 큰 범주 안에 속한다. 혈관벽에 면역복합체의 침착이 혈관염의 발병기전으로 가장 널리 받아들여지고 있지만, 대부분의 혈관염에서 면역복합체의 원인적 역할은 확실히 규명되지 않았다. 순환하는 면역복합체가 반드시 혈관에 침착하여 혈관염을 일으키지는 않으며, 대부분의 활동성 혈관염 환자에서 순환하거나 침착된 면역복합체가 관찰되지 않는다. 혈관염에서 면역복합체 내에 존재하는 항원이 확인되는 경우는 극히 드물다. 이 점에 있어서는 결절다발동맥염과 같은 전신혈관염 환자의 일부에서 순환하는 면역복합체와 침착된 면역복합체에서 B형간염 항원이 확인된 바 있다. 한냉글로불린혈증혈관염(cryoglobulinemic vasculitis)은 C형 바이러스 간염과 관련되는 것으로 나타났으며, C형간염 바이러스입자와 C형간염 항원-항체 복합체가 이들 환자의 동결침전물에서 발견되었다. 면역복합체 매개성 혈관염에서 조직손상의 기전은 혈청병에서 기술된 바와 유사하다. 혈청병 모델에서 항원-

항체 복합체는 항원 과다상태에서 형성되어 혈관벽에 침착되고, IgE 유발기전의 결과로 혈소판 또는 비만세포에서 분비되는 히스타민(histamine), 브라디키닌(bradykinin)과 류코트리엔(leukotriene)과 같은 혈관활성(vasoactive)아민이 증가되어 혈관벽의 투과성을 증가시킨다. 면역복합체의 침착은 호중구의 강력한 화학주성인자인 C5a와 같은 보체를 활성화시킨다. 호중구는 혈관벽에 침윤하여 면역복합체를 탐식하고 세포질 내의 효소를 방출시켜 혈관벽의 손상을 초래한다. 이 과정이 아급성 또는 만성으로 진행되면서 단핵구가 혈관벽에 침윤된다. 이 증후군의 공통된 소견은 침범된 혈관이 공급하는 조직에 혈관 내강 손상으로 허혈성 변화를 초래한다는 것이다. 특정 면역복합체가 혈관염을 일으키고 또 각각의 환자에서 단지 몇몇 특정 혈관들만 침범되는지는 여러 가지 변수들로 설명할 가능성이 있다. 이러한 변수들에는 혈액으로부터 순환하는 복합체를 제거하는 세망내피계(reticuloendothelial system)의 능력, 크기 그리고 면역복합체의 생리화학적 특징, 혈류 와류의 상대적 정도, 특정 혈관에서의 혈관내 수압, 그리고 혈관 내피의 통합성 등이 있다.

## 2) 항중성구세포질항체

ANCA는 중성구와 단핵구의 세포질 과립에 존재하는 특정 단백질에 대한 항체이다. 이러한 자가항체는 활동성 육아종증다발혈관염(granulomatosis with polyangiitis, Wegener's granulomatosis), 현미경다발혈관염(microscopic polyangiitis) 환자에서 높은 비율로 발견되며 호산구육아종증다발혈관염(eosinophilic granulomatosis with polyangiitis, Churg-Strauss syndrome) 환자에서는 비교적 낮게 발견된다. 이러한 질환은 ANCA와 소혈관염이 공존하므로 일부 연구자는 집합적으로 'ANCA 관련혈관염'으로 부르게 되었다. 그러나 이러한 질환들은 ANCA가 없더라도 고유의 임상상을 보이므로 육아종증다발혈관염, 현미경다발혈관염, 호산구육아종증다발혈관염이 개별의 질환으로 남아 있어야 한다는 것이 주된 의견이다.

ANCA는 표적항원에 따라 크게 두 가지로 분류된다. 세포질(cytoplasmic) 혹은 cANCA는 면역형광현미경검사에서 혈청의 항체가 중성구의 특이 세포질 조성인자와 결합하여 미만성의 과립형 세포질의 염색 형태를 보인다. 중성구의 아주르친화과립(azurophilic granule) 내에 존재하는 neutral serine proteinase

인 proteinase-3이 가장 중요한 cANCA의 항원이다. 전형적인 육아종증다발혈관염과 활동성 사구체신염 환자의 90% 이상에서 cANCA의 양성반응을 보인다. 핵주위(perinuclear) 혹은 pANCA는 중성구의 핵 주위 또는 핵에 국소적인 염색 형태를 보인다. pANCA의 주 표적효소는 골수세포형과산화효소(myeloperoxidase)이며, 이외에도 엘라스타제(elastase), 카텝신 G (cathepsin G), 락토페린(lactoferrin), 라이소자임(lysozyme), bactericidal/permeability-increasing protein 등이 있다. 그러나 골수세포형과산화효소에 대한 항체가 혈관염과 주로 관련성이 있다. 항골수세포형과산화효소(anti-myeloperoxidase) 항체는 현미경다발혈관염, 결절다발동맥염, 호산구육아종증다발혈관염, 초승달사구체신염, 굿파스처증후군(Goodpasture's syndrome), 육아종증다발혈관염뿐만 아니라 류마티스 또는 비류마티스 자가면역질환, 염증장질환, 일부 약물, 심내막염과 같은 감염에 관련된 비혈관질환, 그리고 낭성 섬유화증 환자에서의 박테리아성 호흡기 감염에서 다양한 정도로 나타난다. 이렇게 혈관염 환자에서 myeloperoxidase나 proteinase-3에 대한 항체가 생성되는 반면에 다른 염증질환과 자가면역질환에서는 이런 항체가 드문 이유는 확실하지 않다. ANCA가 혈관염의 발병기전에 기여할 것이라는 기전을 제시하는 시험관 내 소견들이 있다. Proteinase-3와 myeloperoxidase는 아주르친화과립과 휴지기의 중성구와 단핵구의 라이소좀에 존재하며, 이들에게는 분명히 혈청 항체들이 접근할 수 없다. 그러나 중성구와 단핵구가 종양괴사인자(tumor necrosis factor alpha, TNF)-α 또는 인터루킨(interleukin, IL)-1에 의해 활성화되면, proteinase-3과 myeloperoxidase는 세포막으로 전위되어 세포 외의 ANCA와 반응하게 된다. 이로 인해 중성구는 탈과립화되면서 반응성 산화물질을 생산하여 조직손상을 일으킨다. ANCA에 의해 활성화된 중성구는 시험관 내에서 내피세포에 유착할 수 있고 내피세포를 죽일 수도 있다. 또한 ANCA에 의한 중성구와 단핵구의 활성화는 IL-1과 IL-8과 같은 염증사이토카인의 방출을 유도한다. 유전자 조작 쥐를 이용한 양자 전이 실험(adoptive transfer experiment)은 생체 내에서 ANCA가 이들 혈관염의 직접적인 발병기전으로 역할을 하는 증거를 보여준다. 그러나 일부 환자들에서는 ANCA가 없는 활성적인 육아종증다발혈관염이 발생할 수도 있다. 항체 역가의 절대적 수치가 질병의 활동성과 관련성이 적으며, 육아종증다발혈관염과 같은 혈관염을 앓는 환자에서 관해 후에도 수년 동안 높은 anti-proteinase-3 (cANCA)의 역가가 유지되기도 한다. 그러므로 전신혈관염의 발병기전에 ANCA의 역할에 대해서는 많은 의문점이 있다.

### 3) 병적 T세포 반응과 육아종 형성

육아종성 혈관염의 특징적인 조직병리 소견은발병기전에서 병적 T세포 반응과 세포-매개면역반응 손상의 역할을 지지한다. 그러나 면역복합체 자체도 육아종성 반응을 일으킬 수 있다. 혈관 내피세포는 인터페론-감마(IFN-γ)와 같은 사이토카인의 활성화로 제2형 사람백혈구항원(HLA class II)을 발현할 수 있다. 이들 세포들은 항원제시세포(antigen presenting cell)로서 CD4 T세포와 상호작용을 하는 면역반응이 일어나도록 한다. 내피세포는 IL-1을 분비할 수 있으며, 이는 T세포를 활성화시키고 혈관벽에서 면역학적 과정을 일으킨다. 또한, IL-1과 TNF-α는 내피세포백혈구유착분자-1 (endothelial leukocyte adhesion molecule-1, ELAM-1)과 혈관세포유착분자-1 (vascular cell adhesion molecule-1, VCAM-1)의 강력한 유발인자로 백혈구가 혈관벽의 내피세포에 유착하는 것을 강화시킨다.

## 혈관염 진단의 일반적 원리

혈관염의 진단은 원인 불명의 전신질환을 가진 환자에서 생각해 볼 만하다. 그러나 몇몇 특징적인 임상적 증상이 혈관염을 진단하는 데 도움을 준다. 혈관염에 특징적인 임상적 증상으로는 만져지는 자반병, 폐침윤, 미세혈뇨, 만성염증부비동염, 다발홑신경염(mononeuritis multiplex), 원인 미상의 허혈 증세, 다발성 장기질환의 증거를 수반하는 사구체신염 등이 있다. 혈관염이 아닌 여러 질환에서도 이러한 증상이 몇 개 또는 모두 나타날 수도 있다. 그러므로 혈관염이 의심되는 환자를 검사할 때 첫 번째 단계는 혈관염과 비슷한 임상적 증상을 나타내는 다른 질병을 배제하는 것이다(표 94-3). 특히 환자의 상태가 급속히 나빠지고 경험상 면역억제치료가 예상된다면 혈관염 증상과 유사한 증상을 가진 감염질환을 배제하는 것은 매우 중요하다. 일단 혈관염과 유사한 비혈관염 질환이 배제되면 그 다음 진단과정으로서 혈관염을 진단하는 일련의 점진적인 과정을 따르고 가능하

## 표 94-3. 혈관염을 모방할 수 있는 상태

**감염질환**
박테리아심내막염
범발임균감염
폐성 히스토플라스마
콕시디오이데스진균증
매독
라임병
록키마운틴 발열
위플병

**응고장애/혈전미세혈관병증**
항인지질항체증후군
혈전혈소판감소자색반병

**신생물**
심방점액종
림프종
유암종

**약물 독성**
코카인
암페타민
에르고트 알칼로이드
Methysergide
비소

**유육종증**

**콜레스테롤색전증**

**굿파스처증후군**

**아밀로이드증**

**편두통**

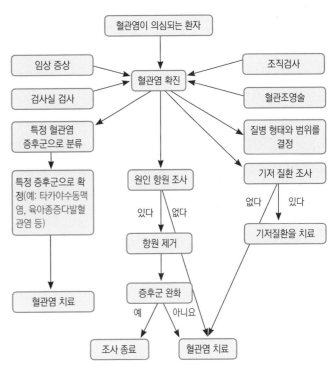

그림 94-1. 혈관염 환자에 대한 접근 과정

면 혈관염의 종류를 결정해야 한다(그림 94-1). 몇몇 혈관염에서는 글루코코티코이드나 면역억제제로 강력한 치료가 필요하지만, 일부 혈관염에서는 질병이 자연 소실되거나 단지 증상치료만을 필요로 하기 때문에 이 접근법은 매우 중요하다. 혈관염의 확진은 침범된 조직의 조직검사로 이루어진다. 침범에 대한 주관적 또는 객관적 증거가 없는 장기에서의 맹목적 조직검사는 진단율이 매우 낮고 따라서 이는 피해야 한다. 전형적 결절다발동맥염, 타카야수동맥염, 원발성 중추신경 혈관염(primary CNS vasculitis)과 같은 증후군이 의심될 때는 침범이 의심되는 장기의 혈관조영술을 실시해야 한다. 그러나 장기침범의 임상적인 근거 없이 단지 국소적 피부혈관염만 보이는 환자에서 상례적으로 혈관조영술을 시행해서는 안 된다.

## 혈관염 치료의 일반적 원리

임상증상, 검사소견, 조직검사 및 방사선학적 소견을 종합하여 특정 혈관염으로 분류되면, 진단에 따른 적절한 치료가 시작되어야 한다(그림 94-1). 혈관염을 촉발시키는 항원이 발견되면 가능하면 항원을 제거해야 한다. 혈관염이 감염, 종양 또는 결합조직병 등의 기저질환이 관련된 경우에는 기저질환을 치료해야 한다. 원발혈관염이라면 혈관염의 분류에 따라 치료가 시작되어야 한다. 각각의 혈관염에 대한 특정 치료는 다음 각 장에서 기술될 것이나 아래에 기술하는 일반적인 치료원칙이 고려되어야 한다. 치료 방법의 결정은 특정 혈관염 질환에 대해 효과를 보인 문헌에 근거해야 한다. 어떤 치료요법은 중대한 독성 부작용을 갖고 있으므로, 치료요법들의 위험-이익 비율을 조심스럽게 검토하여야 한다. 다른 한편으로 글루코코티코이드와 세포독성 치료는 비가역적인 기관부전이나 높은 사망률과 치사율이 알려진 경우에는 즉시 시작해야 한다. 육아종증다발혈관염은 이런 치료법을 필요로 하는 심각한 전신혈관염의 하나이다. 다른 한편으로는 이러한 적극적인 치료는 비가역적 장기부전이 거의 없거나 이런 치료법에 잘 반응하지 않는 경우에는 가능한 한 피해야 한다. 예를 들어 특발피부혈관염은 보통 증상 치료만으로 호전되며, 글루코코티코이드의 장기요법으로 임상적 효과를 본 경우는 흔하지 않다. 특발피부혈관염에서 세포독성 치료의 효과는 증명되지 않았으며, 독성 부작용이 효과보다 더 많다. 글루코코티코이드는 특정 질환군으로 분류되지 못한 경우나, 정립된 표준 치료법이 없는 전신혈관염에서 사용해야 하며, 세포독성 요법은 이런 질환에서 글루코코티코이드에 적절한 반응이 없거나 관해를 유도하거나 유지하기 위해 독성을 유발할 수 있을 정도로 많은 용량의 글루코코티코이드가 필요한 경우에 부가적으로 사용해야 한다. 관해에 도달되면, 글루코코티코이드는 격일요법으로 점차 줄여서 가능하면 중단해야 한다. 그리고 세포독성 요법을 하는 경우에도 관해의 유도와 유지에 필요한 정도만큼으로 약물을 줄여나가거나 중단해야 한다.

의사들은 사용하는 치료약물의 급성 및 장기 합병증을 포함한 독성 부작용을 자세히 알고 있어야 한다. 치료 때문에 질병과 사망이 발생할 수 있으므로 독성을 감시하고 예방하기 위한 전략이 치료에 필수적으로 고려되어야 한다. 글루코코티코이드는 대부분의 혈관염 치료에 있어서 중요한 역할을 하나 상당한 독성과 연관된다. 글루코코티코이드유발골다공증을 감시하고 예방하는 것이 모든 환자에서 중요하다. 사이클로포스파마이드를 매일 사용한다면 방광독성을 최소화하고 백혈구 감소 예방을 위한 전략이 중요하다. 희석된 소변을 유지하기 위해서 하루에 많은 양의 수액과 함께 아침에 한 번씩만 사이클로포스파마이드를 복용한 환자는 방광손상의 위험을 줄일 수 있다. 방광암은 사이클로포스파마이드의 치료가 끝난 수년 후에도 발생할 수 있으므로 매일 사이클로포스파마이드를 복용한 환자에서는 방광암에 대한 검사를 지속적으로 시행해야 한다. 골수 억제는 사이클로포스파마이드의 중요한 독성이고 글루코코티코이드를 점점 끊는 도중이나 그 이후에 심지어 안정되게 혈구가 측정된 후에도 나타날 수 있다. 환자가 사이클로포스파마이드를 복용하는 한 매주 1-2회 전체 혈구 수를 조사해야 효과적으로 혈구 감소증을 방지할 수 있다. 백혈구 수를 3,000/mL 이상으로, 중성구 수를 1,500/mL 이상으로 유지하는 것이 치명적인 감염의 위험을 줄이는 데 필수적이다. 메토트렉세이트와 아자싸이오프린 역시 골수억제와 관련되므로 처음 치료 1-2개월은 매 1-2주마다 전체 혈구 수를 검사하고 이후에는 매달 시행해야 한다. 메토트렉세이트 독성을 줄이기 위해 하루 1 mg의 엽산을 주거나 메토트렉세이트 투여 24시간 후에 폴리닌산(folinic acid) 5-10 mg을 일주일에 한 번 투여하기도 한다. 아자싸이오프린 투여 전에 대사에 중요한 효소인 TPMT (thiopurine methyltransferase) 효소를 측정해야 하는데, 이는 부적절한 혈중 약물 농도가 심한 혈구 감소증을 유발할 수 있기 때문이다. 리툭시맙(anti-CD20)은 주입반응을 유발할 수 있다. 이는 전문주입센터를 이용하거나 예비투약으로 줄일 수 있다. B형간염의 재활성 위험이 있어 모든 환자는 투여 전 B형간염 검사를 받아야 한다. 면역억제제로 치료받는 모든 혈관염 환자에게 감염은 심각한 독성이다. 특히 글루코코티코이드을 투여 받는 환자에서는 *Pneumocystis jiroveci*와 다른 진균들에 의한 감염이 백혈구가 정상 범위에 있을 때도 발생할 수 있다. 면역억제제와 글루코코티코이드를 투여하는 모든 혈관염 환자는 *P. jiroveci* 감염의 예방을 위해 trimethoprim-sulfamethoxazole 혹은 다른 예방치료를 해야 한다.

마지막으로 각 환자마다 독특한 증상을 보이므로 개별적인 결정을 내리는 것이 필요하다. 위의 지침이 치료법을 결정하는 데 기초가 될 수 있지만, 각 환자에서 최소의 부작용으로 최대의 치료효과를 얻기 위해서는 치료에 대한 유연한 접근이 필요하다.

## 감별진단

실제로는 혈관염이 아닌 환자가 각종의 혈관염 환자와 유사한 증상으로 발현할 수 있다. 가장 흔하게는 전신홍반루푸스 같은 전신류마티스 질환들이다. 다른 고려 질환들은 표 94-3에 나열하였다. 가끔 어렵긴 하지만 정확한 진단이 혈관염 환자에서는 매우 중요한데 감염질환자에게 혈관염으로 잘못 진단하여 면역억제제를 투여하게 되면 치명적일 수 있기 때문이다.

📑 참고문헌

1. Bateman H, Rehman A, Valeriano-Marcet J. Vasculitis-like Syndromes. Curr Rheumatol Rep 2009;11:422-9.

2. Carol A. Langford, Anthony S. Fauci. The vasculitic syndromes (Chapter 356.1). Harrison's Principles of Internal Medicine. 20th ed. McGraw-Hill; 2018.

3. Jennette JC, Falk RJ, Bacon PA, Basu N, Cid MC, Ferrario F, et al. 2012 revised International Chapel Hill Consensus Conference Nomenclature of Vasculitides. Arthritis Rheum 2013;65:1-11.

4. Peter A Merkel. Overview of and approach to the vasculitides in adults. 2021 Uptodate. [Available from] http://www.uptodate.com.

5. Sneller MC, Fauci AS. Pathogenesis of vasculitis syndromes. Med Clin North Am 1997; 81:221-42.

6. Watts R, Lane S, Hanslik T, Hauser T, Hellmich B, Koldingsnes W, et al. Development and validation of a consensus methodology for the classification of the ANCA-associated vasculitides and polyarteritis nodosa for epidemiological studies. Ann Rheum Dis 2007;66:222-7.

# 95

# 타카야수동맥염

연세의대 **박용범**

## KEY POINTS 🔒

- 타카야수동맥염은 대형 혈관에 염증을 유발하여 혈관의 협착, 폐색 및 동맥류를 일으키는 혈관의 만성 염증 질환이다.
- 타카야수동맥염은 사지나 주요 장기에 허혈 증세가 나타날 수 있으며, 뇌혈관질환, 허혈성 심질환, 심부전, 고혈압, 신기능 저하 등 합병증을 초래할 수 있다.
- 질병을 조기 진단하여 적절한 약물치료를 통해 비가역적인 혈관 병변으로 진행을 막는 것이 중요하다.
- 질병을 조기 진단하고 질병활성도를 잘 반영하는 질병 표지자의 발굴이 필요하다.

## 서론

타카야수동맥염(Takayasu's arteritis, TA)은 대형 혈관을 침범하며 병리적으로 육아종(granuloma)을 형성하는 혈관염이다. 대동맥과 주요 분지들이 침범되며, 폐동맥, 관상동맥도 침범될 수 있는데, 침범된 동맥의 협소(narrowing), 협착(stenosis), 폐색(occlusion) 및 동맥류(aneurysm)를 일으킨다. 희귀 질환으로 연간 100만 명당 1.2-2.6명에서 발생하고, 젊은 여성에게 호발하며, 미국이나 유럽에 비해 일본, 인도, 한국 등의 동양권에서 보다 높은 발병률을 보인다. 혈관벽의 염증반응에 의해 동맥의 협착과 폐쇄가 유발되고 이로 인해 중추신경계, 심혈관계, 상하지의 혈액공급이 차단되어 다양한 임상증상들이 나타나며, 뇌혈관질환, 허혈성 심질환, 심부전, 고혈압 등의 심각한 합병증이 동반될 수 있다. 타카야수동맥염 환자의 대동맥 조직에서 세포 매

개 면역반응(cell-mediated immune mechanism)에 관여하는 다양한 염증세포들의 침윤과 염증매개 물질들이 증가되고 다양한 자가항체들과 면역 복합체의 존재가 관찰되면서 이 질환의 발병에 있어서 면역체계의 이상이 중요한 원인으로 생각되고 있다. 또한, 타카야수동맥염 환자들에게서 특정한 주조직 적합성 복합체(major histocompatibility complex)가 발견되어 면역학적 기전에 의한 발병기전을 뒷받침하고 있지만, 타카야수동맥염의 정확한 원인과 그 병인은 아직 밝혀져 있지 않으며 면역기전의 이상을 초래하게 하는 원인 항원에 대한 연구 역시 충분히 이루어지지 않았다.

타카야수동맥염의 경우, 대부분의 환자들이 질병의 진행으로 인한 혈관 변화가 발생된 이후에 진단을 받게 되며, 신체의 여러 장기에 심각한 합병증을 유발할 수 있는 질환임에도 불구하고, 드문 질환이기에 현재까지 활발한 기초 및 임상 연구가 진행되지 못하고 있는데, 타카야수동맥염에서 혈관 폐쇄가 일어나기 전에 혈관염을 조기에 진단하여 적절하게 치료한다면 향후 발생할 수 있는 합병증을 최소화할 수 있을 것이다.

## 병인 및 병리소견

타카야수동맥염의 원인에 대해서는 현재 뚜렷이 밝혀지지 않았다. 그동안의 연구에 의하면, 타카야수동맥염의 원인으로 세균 혹은 바이러스 감염이 제안되기도 하였으나 증명되지 못했다. 결핵과 타카야수동맥염이 시간적으로 연관되어 있었다는 보

고도 다수 있었으며, 지역적으로도 결핵의 빈도가 높은 나라에서 타카야수동맥염의 발생이 증가하는 경향도 관찰되었다. 결핵균의 heat shock protein (HSP)과 인간 HSP 간의 교차반응이 질병 발생에 중요한 작용을 한다는 보고도 있었지만, 아직까지 타카야수동맥염의 발생과 결핵의 뚜렷한 연관성은 밝혀지지 않았다. 지리적으로 인종적으로 타카야수동맥염의 유병률이 다르기에 유전적 요인에 의한 질병의 발생이 제안되었다. 인간백혈구항원(human leukocyte antigen, HLA) 유전자와의 연관성으로는 일본인에서 Bw52와 DRw12, 미국인에서 DR4/DQw3, 한국인에서 A*3001, B*5201, DRB1*1502이 관련 있음이 보고되었다. 또한 전신홍반루푸스, 성인형스틸병, 염증장질환 등 다른 자가면역질환과 동반된 경우가 보고되어 자가면역 반응에 의해 타카야수동맥염이 발생한다는 주장도 있었다. 항핵항체, 항중성구세포질항체, 항인지질항체 등은 타카야수동맥염과 의미 있는 관련은 없었다. 혈관 내피세포에 대한 자가항체(antiendothelial cell antibody, AECA)인 IgM AECA와 IgG AECA가 타카야수동맥염 환자와 연관이 있으며, 특히 IgM AECA 역가가 질병활성도와 관련 있음이 보고되었다. 혈청 IL-6와 IL-18가 타카야수혈관염 환자에서 상승되어 있어 병인과의 관련성이 보고되었으며, 특히 혈청 IL-18은 질병활성도와 관련이 있었다.

동맥염의 병변 부위에서 CD8+T세포의 침착이 발견되거나 혈중 CD4+T세포의 증가가 증명되어 면역학적 이상에 의한 동맥염의 발생이 제안되고 있으나, 림프구 침착을 유발하는 주요 항원의 존재나 염증반응의 기전에 대해서는 아직 밝혀진 것이 많지 않다. 병리조직학적으로 육아종이 관찰된다. 타카야수동맥염의 급성기 조직학적 특징은 대동맥과 대동맥 분지에 존재하는 맥관벽혈관(vasa vasorum)에서 염증이 시작된다는 것이다. 급성기 조직 소견은 맥관벽혈관을 따라서 단핵구나 호중구의 침윤이 증가되고, 염증이 진행됨에 따라 동맥의 중간막(tunica media)과 바깥막(tunica adventitia)이 파괴되는 양상을 보인다. 타카야수동맥염의 원인 항원은 비만세포(mast cell)를 자극해서 TNF-α를 분비하게 하고, 호중구와 단핵구 등의 염증 세포들을 맥관벽혈관(vasa vasorum) 주위 조직으로 침윤하게 한다. 동시에, 원인 항원은 자연살해세포를 자극해서 인터페론(interferon, INF)-γ를 분비하게 하고, 분비된 INF-γ는 수지상세포에서 IL-12을 분비하게 하여, T$_H$1 세포를 항원 특이적 성향을 갖게 한 뒤, 침윤된 세포들

을 다핵 거대세포로 변화시키고, 결국 성숙된 육아종을 형성하게 한다. 만약 손상에 따른 변화가 동맥벽의 바깥쪽에 주로 생기면, 동맥류와 같은 혈관의 확장을 유발하고, 반대로, 내막(tunica intima)의 비후가 주로 발생하면 동맥의 협착이나 폐색을 유발한다. 만성적인 혈관손상은 동맥경화증에 의한 대동맥류나 동맥의 협착과 유사한 조직소견을 보이기도 한다.

## 임상양상

타카야수동맥염은 다양한 전신적 또는 국소적인 증상을 나타낸다. 전신적 증상에는 피로감, 발열, 야간 발한, 관절통, 식욕부진, 체중 감소 등이 있으며, 혈관 침범 수개월 이전에 나타날 수도 있다. 주로 대동맥과 대동맥 분지 동맥을 침범하며 폐동맥이나 관상동맥 등도 침범하기 때문에 심부전증, 뇌혈관질환, 대동맥 파열 및 신장의 기능 저하 등 다양한 임상증상을 유발한다. 침범된 혈관의 맥박은 촉지되지 않거나 약하게 촉지되며, 특히 쇄골하동맥에서는 협착에 의한 잡음이 청취될 수도 있다. 고혈압도 상당 수의 환자에서 나타난다. 적혈구침강속도(erythrocyte sedimentation rate, ESR), C반응단백질(C-reactive protein, CRP)이 활성기에서 증가되고 경한 빈혈이나 면역글로불린의 증가 소견을 보이기도 한다. 환자마다 침범된 부위에 따라 다양한 임상 증상을 나타낸다. 한국인을 대상으로 조사한 연구결과에 따르면 타카야수동맥염 진단 시에 관찰되었던 임상양상 및 침범된 혈관 분포는 표 95-1과 표 95-2와 같았다. 40세 이하에서 진단된 환자는 76.9%이었고, 진단 시 연령은 주로 20대와 30대이었다. 질병활성도는 미국국립보건원(NIH) 평가 기준을 근거로 하면 84.3%의 환자에서 활성기에 있었고, 전신 증세로는 전신 쇠약, 두통, 어지럼증 등이 가장 흔했다(표 95-1). 대동맥은 복부대동맥이 가장 흔하게 침범되었고, 하행대동맥과 대동맥궁 순이었다. 대동맥의 주 분지 중에는 쇄골하동맥이 가장 흔하게 침범되었으며, 신동맥과 총경동맥의 순이었다(표 95-2).

질병의 임상 경과는 3개의 시기로 나눌 수 있는데, 1기는 맥박 촉지가 없어지기 전인 염증기(pre-pulseless, inflammatory period)로 발열, 피로, 관절통, 체중 감소 등의 비특이적 임상 증세가 주 증세이고, 2기는 혈관의 염증기(inflammation period)로 혈

표 95-1. 한국인 타카야수동맥염 환자에서 진단 시 관찰된 임상양상

| Characteristics | n (%) |
|---|---|
| Sex, men/women | 17 (15.7)/ 91 (84.3) |
| Age at disease onset (years) | |
| ≤ 10 | 7 (6.5) |
| 11–20 | 21 (19.4) |
| 21–30 | 25 (23.1) |
| 31–40 | 30 (27.8) |
| 41–50 | 19 (17.6) |
| ≥ 51 | 6 (5.6) |
| Systemic symptoms | |
| Malaise | 70 (64.8) |
| Headache | 61 (56.5) |
| Dizziness | 49 (45.4) |
| Weight loss | 11 (10.2) |
| Fever | 10 (9.3) |
| Vascular manifestations | |
| Vascular bruit | 78 (72.2) |
| Blood pressure difference | 69 (63.9) |
| Claudication | 41 (38.0) |
| Dyspnea on exertion | 29 (26.9) |
| Chest pain | 21 (19.4) |
| Carotodynia | 15 (13.9) |
| Visual disturbance | 5 (4.6) |
| Disease activity | |
| Active disease | 91 (84.3) |
| Stable disease | 17 (15.7) |
| Laboratory findings | |
| Elevated ESR | 90 (83.3) |
| Elevated CRP | 55 (50.9) |

표 95-2. 한국인 타카야수동맥염 환자에서 진단 시 관찰된 혈관침범 양상

| Anatomical distribution | Number of involved lesions | | |
|---|---|---|---|
| | Right | Left | Total |
| Site of involved aortic branches | | | |
| Subclavian artery | 52 | 32 | 84 (33.7) |
| Renal artery | 36 | 27 | 63 (25.3) |
| Common carotid artery | 33 | 21 | 54 (21.7) |
| Coronary artery | 7 | 3 | 23 (9.2) |
| Left main artery | 2 | 1 | 3 (1.2) |
| Left anterior descending artery | 1 | 1 | 9 (3.6) |
| Left circumferential artery | | | 7 (2.8) |
| Right coronary artery | | | 4 (1.6) |
| Vertebral artery | | | 10 (4.0) |
| Superior mesenteric artery | | | 5 (2.0) |
| Innominate artery | | | 3 (1.2) |
| Celiac artery | | | 3 (1.2) |
| Pulmonary artery | | | 2 (0.8) |
| Inferior mesenteric artery | | | 2 (0.8) |
| Total count of involved aortic branches | | | 249 (100) |
| Site of involved portions of aorta | | | |
| Abdominal aorta | | | 37 (37.4) |
| Thoracic descending aorta | | | 30 (30.3) |
| Aortic arch | | | 18 (18.2) |
| Thoracic ascending aorta | | | 14 (14.1) |
| Total count of involved aorta | | | 99 (100) |

관에 통증이 있고 촉지 시 압통을 관찰할 수 있는 시기이다. 특히 경동맥을 촉지했을 때 관찰되는 압통을 경동맥통증(carotodynia)이라고 한다. 3기는 염증을 앓고 지나간 시기(burnt-out 또는 fibrotic period)로 혈관 잡음(bruit)이나 허혈 증세 등이 관찰되는 시기이다. 1기나 2기에서 진단해서 적극적 치료를 통해 염증을 조절하여 3기로 진행되지 않도록 한다면 좋은 예후를 기대할 수 있을 것이다.

## 진단

타카야수동맥염은 혈관조영술을 비롯한 영상학적 검사를 통해 특징적인 대혈관의 협착 및 폐쇄 소견이 관찰되면 진단할 수 있다(그림 95-1). 대부분의 환자는 초기 증상이 비특이적이기 때문에 조기 진단이 어렵고 허혈 등의 증상이 나타날 정도로 혈관 변화가 상당히 진행된 뒤에야 비로소 진단되는 경우가 많아 치료에 어려움이 따른다. 이러한 혈관 손상을 예방하기 위해서는 혈관 변화가 발생하기 전에 질병을 진단하는 것이 무엇보다 중요하다.

타카야수동맥염의 진단은 미국류마티스학회에서 제시한 분류기준에 따라서 이루어지며, 동맥의 협착이나 확장을 확인하기 위해 컴퓨터단층촬영 혈관조영(computed tomography angiography, CT angiography), 자기공명 혈관조영(magnetic resonance angiography, MRA), 혈관조영술 등의 영상학적 검사를 시행한다. 혈관 병변의 위치와 동맥의 염증 소견은 진단에 중요한 정보를 제공한다.

타카야수동맥염의 진단은 1990년 미국류마티스학회에서 제시한 분류기준을 따르는데, (1) 40세 이전 발병, (2) 사지의 파행

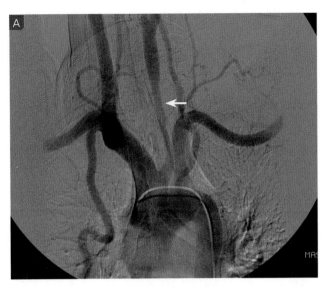
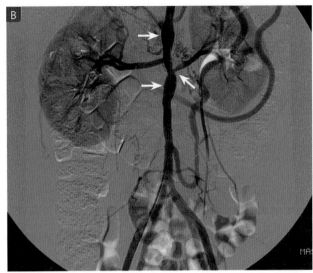

그림 95-1. **타카야수동맥염 환자의 혈관조영술 소견** (A) 좌측 경동맥의 협착소견이 관찰됨, (B) 복부 동맥의 동맥류와 좌측 신동맥의 협착소견이 관찰됨

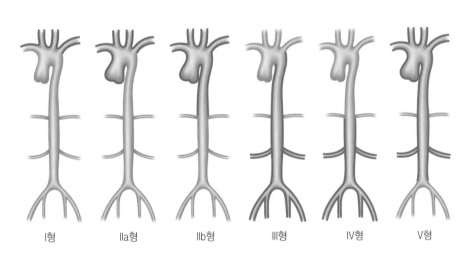

그림 95-2. **타카야수동맥염의 혈관 침범에 따른 분류** I형: 대동맥궁에서 기시된 주 분지만 침범, IIa형: 상행대동맥, 대동맥궁과 주 분지 침범, IIb형: 상행대동맥, 대동맥궁과 주 분지, 흉부 하행대동맥 침범, III형: 흉부 하행대동맥, 복부대동맥, 신동맥 침범, IV형: 복부대동맥, 신동맥 침범, V형: IIb형과 IV형의 결합된 형태

(claudication), (3) 상완동맥(brachial artery)의 맥박 감소, (4) 좌우 사지 간에 10 mmHg 이상의 혈압 차이, (5) 대동맥이나 쇄골하 동맥의 잡음, (6) 혈관조영술 소견 등 6가지 진단가지 중 3개 이상을 만족하면 진단할 수 있다(민감도 90.5%, 특이도 97.8%).

타카야수동맥염의 혈관 침범에 따른 분류는 I형에서 V형으로 분류하는데 I형은 대동맥궁에서 기시된 주 분지(main branch)만 침범, IIa형은 상행대동맥, 대동맥궁과 주 분지, IIb형은 상행대동맥, 대동맥궁과 주 분지, 하행흉부대동맥(descending thoracic aorta), III형은 하행흉부대동맥, 복부대동맥, 신동맥, IV형은 복부

대동맥, 신동맥, V형은 IIb와 IV의 결합된 형태이다(그림 95-2).

한국인을 조사한 보고에 의하면, I형이 36.1%, II형이 7.4%(IIa 2.8%, IIb 4.6%), III형이 7.4%, IV형이 15.8%, V형이 33.3%이었다(그림 95-3).

## 질병활성도

타카야수동맥염의 진단 및 질병활성도 측정을 위해서 현재

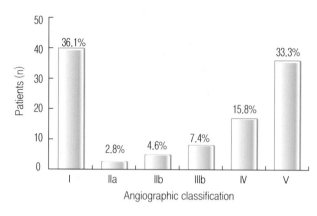

그림 95-3. 한국인 타카야수동맥염 환자에서 혈관 침범에 따른 분류

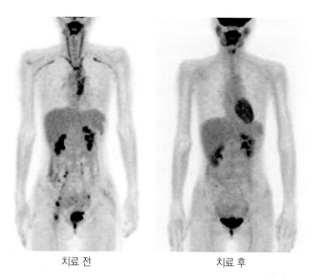

치료 전　　　　　　　　치료 후

그림 95-4. **타카야수동맥염 환자에서 면역억제 치료 전후 FDG-PET의 소견의 변화 양상** 면역억제제 치료 전 양측 총경동맥, 양측 쇄골하동맥, 완두동맥, 대동맥궁에 관찰되던 FDG-PET uptake가 치료 후 확연히 감소됨

임상에서는 ESR과 CRP 같은 염증 수치나 몇 가지 임상소견을 바탕으로 하는 NIH 평가 기준 등이 활용되고 있다. 그러나 이 방법들은 혈관의 실제 염증을 온전히 반영하지는 못하며, 혈관조영술, CT, MRI, 초음파 등의 영상 검사들을 통해 보여지는 혈관의 변화가 실질적 염증을 반영하는지에 대해서는 논란이 있다.

타카야수동맥염의 활성도를 측정하기 위해 가장 많이 하는 검사는 ESR, CRP이다. 하지만, ESR나 CRP는 감염, 종양 및 혈액학적 질환 등 다른 임상 조건들의 영향을 많이 받고, 혈관벽의 염증을 직접적으로 반영하지 못하기 때문에 타카야수동맥염의 정확한 활성도를 평가하는 데 어려움이 있다. IL-18과 IL-6가 질병활성도와 연관 있음이 보고되었다. 치료가 성공적일 경우, 전신 증상이 소실되고 염증반응을 반영하는 ESR이나 CRP와 같은 급성반응단백의 감소가 동반된다. 그러나 일부 연구에서 ESR, CRP 수치가 정상이고 임상증상이 새로이 나타나지 않는 환자에서 영상의학적인 진행소견이 60%에서 관찰되기도 하고, 수술 병리 소견 상 혈관의 염증이 44%에서 관찰된다는 보고도 있어, 현재 임상에서 관례적으로 이용하는 타카야수동맥염의 질병활성도 평가 방법은 제한점을 가지고 있다.

이러한 제한점을 극복하고자 최근에 타카야수동맥염의 질병활성도를 영상학적인 방법으로 평가하고자 하는 연구들이 많이 진행되었다. MRI, CT, 혈관조영술, 도플러 초음파 및 PET 등의 영상학적 기기들의 유용성이 보고되고 있으나, 이들을 이용해서 질병활성도를 평가할 때, 각각의 방법들마다 서로 다른 장단점이 있고, 방사선 노출의 위험성이 있으며, 반복적으로 시행하기에는 검사비용이 높다는 문제점이 있다. 향후 타카야수동맥염 질병활성도 평가에 ESR이나 CRP보다 더 특이적이고 예민한 표지자의 개발은 질병활성도를 보다 정확하게 평가함으로 질병의 예후를 향상시키며, 질병활성도 평가를 위해 시행하는 영상 검사의 시행 횟수를 줄임으로 의료비 지출과 방사선 노출을 줄일 수 있을 것이다.

$^{18}$F-fluorodeoxyglucose-positron emission tomography (FDG-PET)는 높은 대사활동을 보이는 조직을 찾아내는 영상 검사이다. 타카야수동맥염 환자에게서 관찰되는 대혈관의 염증 역시 대사 활동이 높은 조직이기 때문에 FDG-PET가 진단 및 질병활성도 측정에 있어 유용할 수 있다.

최근 FDG uptake는 임상적 질병활성도와 염증 표지자들과 연관성이 있고, 타카야수동맥염 환자의 임상적 질병활성도의 변화를 잘 반영하므로, FDG-PET이 타카야수동맥염 환자의 질병활성도 평가에 유용한 도구가 될 수 있음이 보고되었다(그림 95-4). 하지만 동맥벽의 비정상적 FDG uptake가 염증에만 특이적이지 않다는 제한점이 있다.

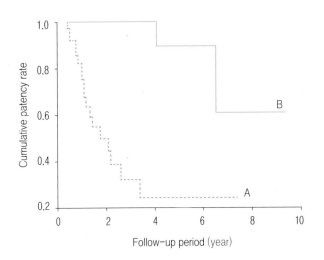

그림 95-5. **타카야수동맥염 환자에서 면역억제제 사용에 따른 수술이나 혈관 중재술 후 재협착률**
Patency of revascularized lesion
**(A)** without post-interventional immunosuppressive treatment
**(B)** with post-interventional immunosuppressive treatment
(P=0.015)

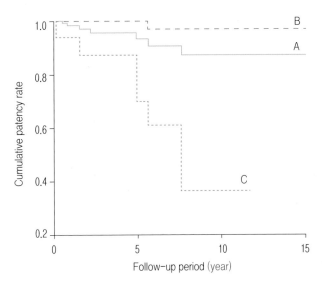

그림 95-6. **타카야수동맥염 환자에서 합병증 유무에 따른 예후**
**(A)** The overall survival rates: 98.1% at 1 year, 92.9% at 5 year, 87.2% at 10 year. **(B)** One complication and less: 100% at 5 year, 96.8% at 10 year. **(C)** Two or more complications: 69.9% at 5 year, 36.7% at 10 year.

## 치료

동맥염의 경과는 대부분 만성적이고 재발이 잘 일어나기 때문에 글루코코티코이드(glucocorticoid)와 면역억제제를 포함한 약물치료가 필요하다. 급성기 동맥염으로 진단되거나 동맥염 재발이 확인되면 고용량 글루코코티코이드를 사용하면서, 메토트렉세이트(methotrexate, 15-20 mg/week) 또는 아자싸이오프린(azathioprine, 2 mg/kg/day)을 병용하면 글루코코티코이드의 용량을 줄일 수 있다. 그 외 레플루노미드(leflunomide), 마이코페놀레이트모페틸(mycophenolate mofetil) 등의 효과가 보고된 바 있다. 불응성 타카야수동맥염에서 생물학적제제인 항TNF제제(infliximab, etanercept)와 토실리주맙(tocilizumab)의 효과가 보고되었다. 고혈압이 있는 환자에서는 혈압의 적절한 모니터링과 조절이 중요하다.

타카야수동맥염은 대형 혈관의 폐색을 유발하여, 말단의 장기 허혈을 일으킬 수 있는데, 이 경우 예후가 좋지 않다. 허혈성 사건을 막기 위해서 항혈소판제제나 항응고제도 사용된다. 이미 형성된 혈관의 폐색은 일반적으로 약물치료로 호전되지 않으므로, 허혈에 의한 증세가 심한 경우 수술 또는 혈관 중재술이 시행

될 수 있다. 하지만, 한번 시술한 혈관의 재협착이 흔하게 일어날 수 있다. 보고에 의하면 혈관 수술의 35%, 혈관 중재술의 57%에서 재협착이 발생했으며, 시술한 부위의 지속적인 염증이 이 현상을 일으키는 것으로 생각된다. 따라서, 타카야수동맥염 환자의 시술 후 재협착을 예방하는 것이 중요한데, 시술 후 적극적인 면역억제요법이 병변의 재협착을 줄일 수 있다고 보고되었다(그림 95-5).

## 예후

타카야수동맥염의 예후는 보고에 따라 차이가 있다. 1985년 이전의 보고에 의하면 5년 생존율은 85% 이하였으나, 질병에 대해 더 많은 이해와 치료법의 발전으로 인해 1985년 이후의 보고들은 5년 생존율을 90-96%으로 보고한다. 사망의 원인으로는 심부전, 뇌혈관질환, 심근경색, 동맥류 파열, 신장기능부전 등이 있다. 한국인에서 수행된 연구에서는 5년 생존율이 92.9%였고, 2개 이상의 합병증(허혈심질환, 심부전, 뇌혈관질환, 고혈압, 망막 병변, 대동맥판부전, 대동맥류)의 유무에 따라 뚜렷한 생존율

의 차이를 보였다(그림 95-6). 따라서 잠재적인 합병증에 대한 조기 발견 및 적절한 치료가 환자의 예후를 향상시키는 데 도움이 될 것이다.

## 참고문헌

1. Afueda AF, Monti S, Luqmani RA, et al. Management of Takayasu arteritis: a systematic literature review informing the 2018 update of the EULAR recommendation for the management of large vessel vasculitis. RMD Open 2019;5:e001020

2. Kerr GS, Hallahan CW, Giordano J, et al. Takayasu arteritis. Ann Intern Med 1994;120:919-29.

3. Kim ESH, Beckman J. Takayasu arteritis: challenges in diagnosis and management. J Heart 2018;104:558-65.

4. Lee KH, Cho A, Choi YJ, et al. The role of (18) F-fluorodeoxyglucose-positron emission tomography in the assessment of disease activity in patients with takayasu arteritis. Arthritis R heum 2012;64:866-75.

5. Lee SW, Kwon OJ, Park MC, Oh HB, Park YB, Lee SK. HLA alleles in Korean patients with Takayasu arteritis. Clin Exp Rheumatol 2007;25:S18-22.

6. Maz M, Chung SA, Abril A, et al. 2021 American College of Rheumatology/Vasculitis Foundation Guideline for the Management of Giant Cell Arteritis and Takayasu Arteritis. Arthritis Care Res 2021;73:1071-87.

7. Park MC, Lee SW, Park YB, Chung NS, Lee SK. Clinical characteristics and outcomes of Takayasu's arteritis: analysis of 108 patients using standardized criteria for diagnosis, activity assessment, and angiographic classification. Scand J Rheumatol 2005;34:284-92.

8. Park MC, Lee SW, Park YB, Lee SK, Choi D, Shim WH. Post-interventional immunosuppressive treatment and vascular restenosis in Takayasu's arteritis. Rheumatology (Oxford) 2006;45:600-5.

9. Park MC, Lee SW, Park YB, Lee SK. Serum cytokine profiles and their correlations with disease activity in Takayasu's arteritis. Rheumatology (Oxford) 2006;45:545-8.

10. Park MC, Park YB, Jung SY, Lee KH, Lee SK. Anti-endothelial cell antibodies and antiphospholipid antibodies in Takayasu's arteritis: correlations of their titers and isotype distributions with disease activity. Clin Exp Rheumatol 2006;24:S10-6.

# 96

# 거대세포동맥염

충남의대 **유인설**

## KEY POINTS 🔒

- 거대세포동맥염은 대형과 중형 동맥을 침범하는 염증혈관염으로 측두동맥과 대뇌혈관을 흔하게 침범한다.
- 측두동맥 조직검사가 거대세포동맥염 진단을 위한 표준 진단법이다.
- 거대세포동맥염 환자의 30-50%가 류마티스다발근육통의 증세를 가질 수 있다.
- 거대세포동맥염 치료의 근간은 글루코코티코이드로, 시력 손실이 의심될 때는 조속히 투여를 시작한다.

## 서론

거대세포동맥염(giant cell arteritis)은 대동맥궁(aortic arch)의 가지 중 대형과 중형 동맥을 주로 침범하는 염증혈관염이다. 측두동맥(temporal artery)을 흔히 침범하여 측두동맥염(temporal arteritis)으로도 알려져 있다. 거대세포동맥염은 혈관 병변 관련 부위의 허혈과 전신의 염증반응 등으로 인해 다양한 임상양상으로 나타난다. 흔하게는 두통, 저작근 파행, 시력변화, 측두동맥 이상, 류마티스다발근육통(polymyalgia rheumatica) 그리고 발열과 같은 전신 증상이 나타난다. 거대세포동맥염의 발생률은 50세 이상에서 매년 10만 명당 0.1-77명 정도로 다양하게 보고되며 인종에 따라 발생률의 차이가 있다. 특히 북유럽인을 조상으로 한 백인에서 높게 발병하는 것으로 보고되어 있으나, 한국에서는 드물게 보고되는 질병이다.

## 역학 및 병인

거대세포동맥염의 발생률은 50세 이후 점진적으로 증가한다. 지역 및 인종에 따라 매년 10만 명당 0.1-77명 정도로 다양한 발생률을 보인다. 특히 스칸디나비아반도 이주민의 후손이 많은 미국 미네소타주의 올름스테드 카운티(Olmsted County)의 50세 이상의 인구에서 발생률은 10만 명당 52.5명으로 보고되었다. 이에 비해 지중해, 중동 및 아시아 지역에서는 매우 드물다. 여성에서 발생률이 남성보다 2-3배 높은 것으로 알려져 있다.

거대세포동맥염은 여러 환경적인 인자와의 연관성이 알려져 있다. 특히 다양한 감염(Varicella-zoster virus, Mycoplasma pneumonia, Chlamydia pneumonia, Parvovirus 19, Parainfluenza virus type I)과의 연관성이 보고되었으며, 흡연은 여성에서 거대세포동맥염 발생을 약 6배 증가시키는 것으로 보고되었다. 유전적인 요인으로는, HLA-DRB1*04 alleles, 특히 DRB1*0401, *0404가 거대세포동맥염과 연관이 있다고 알려져 있다. 활성화된 T세포, 대식세포, 가지세포(dendritic cell)가 중요한 역할을 하는 질환임을 시사하는 연구결과들이 보고되며, $T_H1$과 $T_H17$ 세포가 중요한 역할을 한다는 증거들이 있다.

## 병리소견

거대세포동맥염에서는 염증세포의 혈관 내 침윤을 대동맥궁과 두개골로 향하는 대형 또는 중형 동맥의 분지에서 관찰할 수

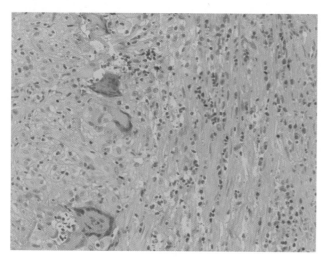

그림 96-1. **거대세포동맥염 환자의 측두동맥 병리소견** 육아종성, 다핵을 가진 거대세포들과 만성 염증세포들(림프구와 형질세포)의 침윤이 측두동맥의 외벽과 내벽에 관찰된다(H&E stain 3100).

있는 반면에 두개골 내에서는 관찰하기 힘들다. 조직구(histio-cyte)와 림프구, 특히 CD4⁺ T세포, 형질세포, 섬유모세포 등이 동맥벽의 전층과 육아종에서 관찰된다. 진단명과는 달리 거대세포는 약 절반의 검체에서만 관찰된다. 염증세포는 중막과 내부탄성막(internal elastic lamina)에 집중되어 있고, 내부탄성막의 분절(segmentation)과 탄성 섬유의 붕괴(disintegration)가 특징적인 소견이다(그림 96-1).

신증상을 한 가지 이상 경험하게 된다. 가장 흔한 증상은 두통으로 약 76%의 환자에서 나타난다. 가장 흔한 발생 부위는 측두부이지만 전두부나 후두부에서도 발생할 수 있다. 약 30%의 환자에서 간헐적인 하악파행(jaw claudication) 증상을 보인다. 하악파행은 거대세포 동맥염에서 비교적 특이하게 나타나는 증상으로서, 측두동맥의 혈류 감소에 의해서 발생한다. 그 외에도 상지, 혀와 연하 관련 근육의 파행 증상이 발생할 수 있다.

거대세포동맥염에서는 시력 상실이나 복시를 포함한 다양한 시각장애가 발생할 수 있다. 특히 시력 손실은 시신경의 주요한 혈류공급원인 후방 섬모체 동맥의 폐쇄성 혈관염으로 인해 발생하며, 전체 환자의 약 15-20%에서 실명이 발생할 수 있다. 대동맥이 침범되어 대동맥류가 발생하거나 대동맥 박리(aortic dissection)가 발생하기도 한다.

거대세포 동맥염은 류마티스다발근육통과 관련되어 발생하는 경우가 흔하다. 역학연구 결과에 의하면 류마티스다발근육통 환자의 약 16-21%에서 거대세포동맥염이 발생하며, 반대로 거대세포동맥염 환자 중 40-60%에서 류마티스다발근육통이 발생하는 것으로 보고되었다.

발열은 약 40%의 환자에서 나타나며 일반적으로 미열이지만 15% 정도의 환자에서는 39℃ 이상의 고열이 발생할 수도 있다. 거대세포동맥염은 전체 불명열 환자 중 약 2%를 차지하지만 65세 이상의 불명열 환자에서는 16%를 차지한다.

## 임상양상

대부분의 환자들이 피로감, 체중감소, 전신쇠약, 발열 등의 전

## 진단

거대세포동맥염은 주로 50세 이상의 노인에서 두통, 시력의

표 96-1. 1990년 미국류마티스학회 거대세포동맥염 분류기준

| 기준(criterion) | 정의(definition) |
| --- | --- |
| 발병연령≥50세 | 증상이나 징후가 50세 이상에서 발생 |
| 새로운 두통 | 새로 발생하거나 새로운 형태의 국소적인 두통 |
| 측두동맥의 이상 | 경동맥의 동맥경화증과 관련없이 발생한 측두동맥의 압통 또는 박동의 감소 |
| ESR의 상승 | Westergren 방법에 의한 ESR≥50 mm/Hr |
| 동맥생검의 이상 | 생검 상 다핵거대세포가 동반된 단핵구 침윤 또는 육아종성 염증에 의한 동맥염 |

변화, 근육통, 하악파행, 발열, 빈혈이 갑자기 발생하였고 적혈구 침강속도(erythrocyte sedimenation rate, ESR), C반응단백질(C-reactive protein, CRP)과 같은 염증지표의 증가가 관찰될 때 의심하게 된다. 거대세포동맥염의 진단은 미국류마티스학회에서 1990년 제시한 분류기준(표 96-1)에 따라서 이루어지며, 제시된 5가지의 기준 중 3가지 이상을 만족하면 거대세포동맥염으로 진단할 수 있다.

측두동맥의 생검이 가장 확실한 진단적 방법으로 다양한 단핵구 세포로 구성된 염증세포의 침윤 및 육아종성 염증소견을 확인할 수 있다. 병변은 도약 병변(skip lesion) 형태로 띄엄띄엄 존재할 수 있기 때문에 적어도 1.5-3.0 cm 이상 충분한 길이를 생검하여야 한다.

거대세포동맥염이나 타카야수동맥염과 같은 대혈관 동맥염의 진단에 이용되고 질병활성도 파악에 도움이 될 수 있는 검사법이 양전자 방출 단층 촬영법(¹⁸F-fluorodeoxyglucose positron emission tomography, ¹⁸F-FDG-PET)이다. ¹⁸F-FDG-PET이 초기 거대세포동맥염 환자의 질병활성도 파악과 치료 후 반응 평가에도 유용하다고 보고된 바 있다(그림 96-2). 또한 측두동맥 조직검사 결과가 음성인 경우, 류마티스다발근육통의 임상양상만을 가지고 있는 경우, 진단 기준을 만족시키지 못하는 비전형적인 증례의 경우 등에서 진단에 도움이 될 수 있다.

거대세포동맥염과 류마티스다발근육통에서 조직검사를 제외한 혈액검사소견은 유사하다. 질병활성도가 높을 때, 경도 또는 중등도의 정상색소빈혈(normochromic anemia)이 발생할 수 있다. 일반적으로 백혈구 수와 감별계산(differential counts)은 정상이다. ESR과 CRP의 현저한 상승이 특징적인 소견이나 거대세포동맥염 환자의 10.8%에서 ESR이 50 mm/hr 미만이며 3.6%에서는 30 mm/hr 미만의 소견을 보인다. 간기능 검사(liver function test)는 일반적으로 1/3의 환자에서 경도의 이상소견을 보인다. 알칼리성 포스파타제(alkaline phosphatase) 상승이 가장 흔한 이상 소견이며 아스파르테이트아미노전달효소(aspartate transaminase)의 상승이나 프로트롬빈시간(prothrombin time)의 연장도 관찰된다. 혈청 인터루킨(interleukin, IL)-6은 염증활성도를 잘 반영한다.

## 감별진단

거대세포동맥염은 다양한 형태의 두경부 증상(두통, 두피 압통, 하악파행, 인후, 잇몸, 혀의 통증)을 일으킬 수 있기 때문에 50세 이상에서 새롭게 발생한 두경부의 통증은 반드시 거대세포동맥염을 의심해야 한다(표 96-2).

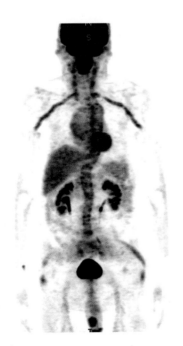

그림 96-2. 18F-FDG-PET의 uptake가 대동맥벽과 총경동맥, 완두동맥, 쇄골 하동맥에 관찰된다.

표 96-2. 거대세포동맥염의 감별진단

| 분류 | 세부 진단 |
| --- | --- |
| 다양한 감염 | 결핵, 세균심내막염, 사람면역결핍바이러스(human immunodeficiency virus) 감염 등 |
| 악성종양 | 림프종, 다발골수종 등 |
| 전신아밀로이드증(systemic amyloidosis) | |
| 전신혈관염 | 타카야수동맥염(Takayasu's arteritis), ANCA 관련혈관염(anti-neutrophil cytoplasmic antibody-associated vasculitis), 결절다발동맥염(polyarteritis nodosa) 등 |
| 기타 | 허혈성 시신경병증을 유발할 수 있는 다양한 혈관질환 |

표 96-3. 거대세포동맥염과 타카야수동맥염의 비교

| | 거대세포동맥염 | 타카야수동맥염 |
|---|---|---|
| 성비(남:여) | 1:2–3 | 1:7 |
| 발병연령 | 50세 이상 | 40세 이하 |
| 인종 | 백인(특히 북유럽인) | 아시아인 |
| 병리소견 | 육아종염증, 도약병변 | 육아종염증, 도약병변 |
| 주침범 혈관 | 측두동맥, 외경동맥 | 좌측 쇄골하동맥 |
| 특징적 임상소견 | 하악파행, 류마티스다발근육통 | 양측 상지 혈압 차 10 mmHg 이상 |
| 스테로이드의 치료효과 | 좋음 | 좋음 |
| 수술적 치료 | 드묾 | 약 20%에서 필요 |

한쪽 눈의 시력상실은 혈관염 이외에도 동맥경화에 의해 유발되는 혈전색전성 질환을 감별해야 한다. 피로감, 체중감소, 전신쇠약, 발열 등의 전신증상과 빈혈, ESR 상승 등은 다양한 감염(결핵, 세균심내막염, HIV 감염 등)이나 림프종, 다발골수종과 같은 악성종양에서 나타날 수 있어 이들과의 감별이 필요하다. 이들은 각각의 질환에 혈청검사나 영상학적 진단방법, 면역전기이동법(immunoelectrophoresis) 등에 의해 진단이 가능하다. 전신아밀로이드증(systemic amyloidosis) 역시 하악파행이 발생할 수 있는 극소수의 질환 중 하나로 이에 대한 배제가 필요하다. 다발관절염은 거대세포동맥염에서 2% 미만의 드문 증상으로 류마티스관절염 등의 진단을 먼저 고려해야 한다. 다양한 혈관염에서 거대세포동맥염과 유사한 임상소견을 보일 수 있는데, 특히 타카야수동맥염의 경우 두경부와 상지로 혈류를 공급하는 대동맥의 분지에 발생하여 거대세포동맥염과 매우 유사한 임상양상을 보기 때문에 반드시 감별이 필요하다(표 96-3).

## 치료

거대세포동맥염의 치료의 근간은 글루코코티코이드이다. 시력의 손상을 막는 것이 최우선 목표이기 때문에 임상적으로 의심이 되면 조직검사 결과가 나오기 전이라도 전신 글루코코티코이드 치료를 조속히 시작하도록 권고하고 있다. 즉각적인 치료를 통해서 시력의 상실이나 뇌경색, 대동맥류와 같은 혈관 합병증을 감소시킬 수 있다. 프레드니솔론 40-60 mg/일을 최소 2주

에서 4주간 사용하여야 하며, 증상의 호전이 있으면, 2주마다, 약 10%씩 감량해 나간다. 용량을 서서히 감량해서 10 mg/일까지 줄인다. 용량이 10 mg/일이 되면, 1 mg씩 매우 서서히 감량해서 총 9-12개월간 사용해야 한다.

갑자기 발생한 시력의 상실의 경우에는 메틸프레드니솔론(methylprednisolone) 하루 1,000 mg을 정맥주사로 3일간 충격요법을 시행한 후 감량하는 것이 필요하다. 또한, 거대세포동맥염으로 진단된 모든 환자는 아스피린 사용에 금기가 없으면 혈관 합병증의 빈도를 예방하기 위해 저용량 아스피린 사용이 권고된다. IL-6억제제인 tocilizumab은 스테로이드보존효과(steroid sparing effect)가 있으며 글루코코티코이드 저항성인 환자에서 효과가 있다고 알려져 있다. 하지만 항TNF제제는 효과가 없으며 또한 메토트렉세이트나 아자싸이오프린 같은 약제들의 스테로이드보존효과는 고무적이지는 않다.

참고문헌

1. Borchers AT, Gershwin ME. Giant cell arteritis: A review of classification, pathophysiology, geoepidemiology and treatment. Autoimmunity Rev 2012;11:A544-54.

2. Breuer GS, Nesher G, Nesher R. Rate of discordant findings in bilateral temporal artery biopsy to diagnose giant cell arteritis. J Rheumatol 2009;36:794-6.

3. Chew SS, Kerr NM, Danesh-Meyer HV. Giant cell arteritis. J Clin Neurosci 2009;16:1263-8.

4. David BH. Giant Cell Arteritis, Polymyalgia Rheumatica, and Takayasu's Arteritis. In: Firestein GS, Budd RC, Gabriel SE. Firestein

& Kelley's Textbook of Rheumatology. 10th ed. p. 1595-608, Elservier, 2020.

5.  Kermani TA, Warrington KJ. Polymyalgia rheumatic. Lancet 2013;381:63-72.

6.  Pipitone N, Salvarani C. Update on polymyalgia rheumatica. Eur J Intern Med 2013;24:583-9.

7.  Salvarani C, Pipitone N, Versari A, Hunder GG. Clinical features of polymyalgia rheumatic and giant cell arteritis. Nat rev Rheumatol 2012;8:509-21.

# 97

# ANCA관련혈관염

연세의대 이상원

- 항호중구세포질항체관련혈관염은 모세혈관 및 인접한 작은 동맥과 작은 정맥을 주로 침범하고, 중간 동맥을 때때로 침범하여 괴사혈관염을 유발한다.

- ANCA관련혈관염은 현미경다발혈관염, 육아종증다발혈관염, 그리고 호산구다발혈관염으로 분류된다.

- ANCA관련혈관염의 진단 및 분류는 2007년 유럽식약처 ANCA 관련 혈관염 분류 알고리즘과 2012년 CHCC혈관염 수정명 명법에 근거한다.

- ANCA관련혈관염의 흔한 임상증상은 신장 증상과 호흡기 증상이며 세 가지 타입에 따라서 신장 침범의 빈도와 예후 및 폐 실질병변의 양상이 다르다.

- 생명 및 장기 위협 ANCA관련혈관염의 유도치료는 글루코코 티코이드 기반의 사이클로포스파마이드 또는 리툭시맙을 포함하고 관해 상태에 이른 후 경구면역억제제를 통한 유지치료 는 2년 이상 지속한다.

과 작은 정맥(venules)을 주로 침범하고, 중간 동맥(arteries)을 때때로 침범하여 괴사혈관염(necrotising vasculitis)을 유발하며, 거의 모든 장기를 침범할 수 있다. ANCA관련혈관염은 임상증상 및 혈액검사, 소변검사, 영상검사, 조직검사 결과에 따라서 현미경다발혈관염(microscopic polyangiitis), 육아종증다발혈관염 [granulomatosis with polyangiitis; 이전 웨게너육아종증(Wegener's granulomatosis로 불림)], 그리고 호산구다발혈관염[eosinophilic granulomatosis with polyangiitis; 척스트라우스증후군(Churg-Strauss syndrome)과 동일하게 사용됨]의 세 가지 타입으로 분류된다. 현미경다발혈관염과 육아종증다발혈관염은 유사한 병인기전을 공유하기 때문에 비슷한 치료가 권고되지만, 호산구육아종증다발혈관염은 다른 두 가지 ANCA관련혈관염과 구별되는 병인기전을 갖기 때문에 치료제 선택의 폭이 더 넓다.

## 역학

항호중구세포질항체(antineutrophil cytoplasmic antibody, ANCA)는 자가면역 기전을 통해 호중구의 세포질 내 항원이 노출되고 이를 인지한 자가면역세포들에 의해서 형성된 항체이다. ANCA의 표적이 되는 대표적인 호중구세포질 항원은 myeloperoxidase (MPO)와 proteinase 3 (PR3)로 각 항원에 대한 항체를 MPO-ANCA와 PR3-ANCA로 표시한다. ANCA가 발병기전에 관여하는 전신혈관염을 'ANCA관련혈관염'이라 한다. ANCA관련혈관염은 모세혈관(capillaries) 및 인접한 작은 동맥(arterioles)

ANCA관련혈관염은 매우 드문 자가면역질환으로 낮은 발생률과 유병률을 보인다. 현미경다발혈관염과 육아종증다발혈관염의 발생률은 인종과 지역마다 약간의 차이를 보이지만, 대략적으로 백만 명당 13.1-18.3명으로 보고되고 있다. 호산구다발혈관염의 발생률은 백만 명당 2.3-2.7명으로 다른 두 ANCA관련혈관염보다는 드물다. 현미경다발혈관염과 육아종증다발혈관염은 남성에서 흔하게 발생하고, 호발연령대는 60-70대이다. 반면, 호산구다발혈관염은 남성과 여성에서 동일한 비율로 발생하고,

호발연령대는 40-60대로 상대적으로 낮은 연령에서 발생한다. 최근에는 20-30대의 ANCA관련혈관염 환자가 차지하는 비율이 점차 높아지고 있는 경향이다. 석면(silica) 노출은 세 가지 타입의 ANCA관련혈관염이 공유하는 환경요인으로 알려져 있다. 약물연관성은 현미경다발혈관염의 비율이 높고, 세균감염 특히 *Staphylococcus aureus*는 육아종증다발혈관염과 연관이 있는 것으로 알려져 있다.

## 항중성구세포질항체

### 1) ANCA 검출

ANCA는 면역형광검사(immunofluorescence assays)와 면역분석검사(immunoassays) 방법을 이용해서 검출한다. 면역형광검사는 정성적 검사로 형광의 위치에 따라 핵 주변(perinuclear, p)에 형광이 관찰되는 경우 pANCA로, 세포질(cytoplasmic, c) 내 형광이 관찰되는 경우 cANCA로 보고된다. pANCA의 90% 이상은 MPO에 대한 항체가 검출되지만, bactericidal/permeability increasing protein (BPI), elastase, cathepsin G, lysozyme, lactoferrin등의 단백에 대한 항체도 pANCA 패턴으로 검출될 수 있다. 또 pANCA는 약물연관ANCA관련혈관염과도 밀접한 관련성이 있으며, 류마티스관절염, 전신홍반루푸스, 크론병, 궤양대장염, 경화담도염 등의 자가면역질환에서도 검출될 수 있다. 반대로, cANCA의 대부분은 PR3에 대한 항체로 위양성의 비율이 매우 낮다. 한편, 면역분석검사는 MPO항원과 PR3항원을 직접적으로 반응하는 MPO-ANCA와 PR3-ANCA를 정량적으로 검출할 수 있기 때문에 현재는 면역분석검사를 1차 검사로 권고하고 있다. 면역형광검사는 검출 범위가 넓다는 장점이 있지만, 위양성의 비율이 높다는 단점이 있다. 반대로 면역분석검사는 항원 특이도가 높은 항체 검출의 장점이 있지만, 검출 범위가 작아서 위음성의 가능성이 있다는 단점이 있다.

### 2) 자연ANCA와 병적ANCA

건강한 사람에서도 MPO-ANCA와 PR3-ANCA가 검출될 수 있는데, 이를 자연ANCA라 부르며 항상성 유지를 통한 면역관용 조절 하에 있다. 하지만, 어떤 원인에 의해서 항상성 유지 조

절 기능이 소실되어 자가면역기전을 유도하는 경우, 이를 병적 ANCA라 부르게 된다. MPO-ANCA를 예를 들면, 병적MPO-ANCA에 비해서 자연MPO-ANCA는 혈중농도가 낮고, 친화력이 적으며, 하위-그룹 다양성이 적고, 호중구활성화 능력도 낮다. MPO 항원결정부위(epitope)는 약 20개가 알려져 있는데, 이중에서 아미노산 447-459에 해당하는 항원결정부위를 인식하는 MPO-ANCA가 가장 친화도가 높은 병적MPO-ANCA이다. 병적MPO-ANCA가 인식하는 항원결정부위는 자연MPO-ANCA에 의해서는 거의 인식되지 않으며, ANCA관련혈관염 환자에서 활성이 높을수록 MPO-ANCA에 의해서 잘 인식된다. 병적 ANCA는 3가지 경로를 통해서 자가면역반응을 유도한다. 첫 번째 경로는 T세포억제부전(impaired T cell suppression)이다. ANCA관련혈관염 환자에서 CD4$^+$CD25$^+$T세포의 수가 증가되어 있는 반면, CD4$^+$FoxP3$^+$ T세포의 수는 감소되어 있다. 또한 GPA환자에서 말초T세포의 표면에서 PD-1발현이 증강되어 있는 반면, 신장 조직 침투 T세포의 표면에는 PD-1발현이 감소되어 있다. 두 번째 경로는 B세포억제부전(impaired B cell suppression)이다. 인터루킨(interleukin, IL)-10을 유도하는 CD5$^+$ B세포는 일반적으로 염증을 조절하는 기능을 갖는 것으로 알려져 있다. 하지만, 활성도가 높은 ANCA관련혈관염 환자에서 CD5$^+$ B세포의 수는 오히려 감소되어 있고, 관해가 오면 다시 정상화된다. 세 번째 경로는 ANCA활성호중구를 통한 B세포 자극증가의 기전이다. ANCA가 결합한 활성화된 호중구는 B세포를 자극해서 ANCA의 생성과 B activating factor of TNF family (BAFF) 분비 촉진을 통한 B세포의 증식을 통해서 지속적인 B세포 자극의 고리를 형성하는 것이다.

### 3) ANCA 생성

ANCA형성의 대표적 2가지 기전을 소개한다. 첫째, 감염이나 약물 등의 유발항원은 항원제시세포가 항원을 처리해서 정제된 항원을 제시하게 한다. 이때 활성화된 항원제시세포는 IL-23을 분비하여 T$_H$17세포의 증식을 유도하고 IL-17분비를 촉진시켜 궁극적으로 대식세포(macrophage)를 활성화시킨다. 활성화된 대식세포는 종양괴사인자(tumor necrosis factor, TNF)-α와 IL-1β 등 여러 종류의 사이토카인을 분비하여 국소적 염증사이토카인 폭풍의 환경을 초래한다. 이러한 비정상적 면역 환경에

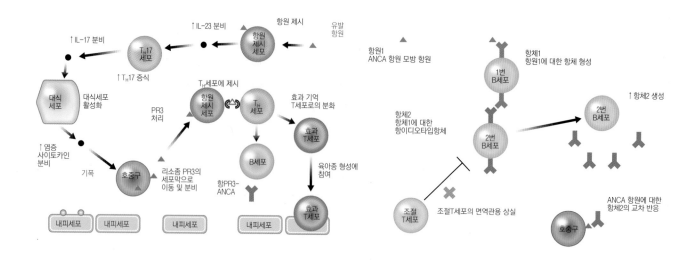

그림 97-1. ANCA 형성 기전

서 정상적인 면역세포들은 자가반응 면역세포로 변환한다. 호중구 세포질에 위치한 ANCA항원, 특히 PR3는 호중구 표면으로 이동하여 세포막에 위치하거나, 리소좀(lysosome)을 통해서 세포 밖으로 분비된다. 이를 호중구 장전(priming) 상태라 일컫는다. 분비된 ANCA항원은 자가반응 항원제시세포에 의해서 처리되어 $T_H$세포에게 전달되고 활성화된 자가반응 $T_H$세포는 B세포를 통해서 ANCA를 형성한다. 한편 활성화된 자가반응 $T_H$세포는 T 효과기억세포(T effector-memory cell)로 분화하여 육아종(granuloma) 형성에 참여한다. 둘째, ANCA항원과 유사한 ANCA항원 모방항원을 항원1이라 하면, 항원1을 인식하는 항체를 항체1이 라 할 수 있다. 항체1의 항원결합부위를 인식하는 항유전자형항체(anti-idiotypic antibody)를 항체 2라 한다면 항체2는 교차반응을 통해서 실제 ANCA항원을 인식하는 ANCA와 동일한 항체 역할을 하게 된다(그림 97-1).

정리하면, 유발 항원에 의해서 강한 면역반응이 유도, 염증사이토카인 폭풍을 통한 호중구 장전과 ANCA항원의 노출, 그리고 자가반응 면역세포들에 의한 ANCA의 형성이 하나의 축이라면, ANCA항원과 유사한 ANCA항원모방항원 및 항유전자형항체를 통한 ANCA의 형성이 다른 하나의 축이라 할 수 있다.

## ANCA관련혈관염 병인기전

더욱이, 최근에는 ANCA관련혈관염의 병인기전에서 MPO-ANCA 및 IL-18과 관련된 호중구세포외트랩(neutrophil extracellular traps, NET)의 임상적 역할도 밝혀지고 있다(그림 97-2).

## ANCA관련혈관염 분류기준

### 1) 1990년 미국류마티스학회 진단분류기준

1990년 미국류마티스학회(American College of Rheumatology, ACR) ANCA관련혈관염 분류기준은 육아종증다발혈관염과 호산구육아종증다발혈관염의 분류기준은 제시하고 있지만 현미경다발혈관염에 대해서는 언급하고 있지 않다. 1990년 미국류마티스학회 호산구육아종증다발혈관염 분류기준은 6개의 항목을 포함하고 있다: (1) 천식 또는 천식 병력, (2) 말초 호산구증다증(호산구 > 10%), (3) 전신혈관염과 관련된 단 또는 다 신경병증, (4) 이동-비고정폐침투, (5) 부비동염 그리고 (6) 조직검사에서 호산구 유출. 6개 항목 중 4개를 만족하면 호산구육아종증다발혈관염으로 분류할 수 있다. 1990년 미국류마티스학회 육아종증다발혈관염 분류기준은 (1) 코 또는 구강염, (2) 비정상 흉부방사선검사소견, (3) 요로 침전물 그리고 (4) 조직검사에서 육

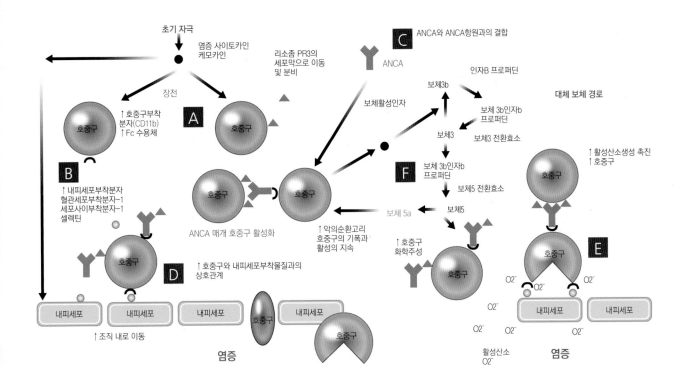

**그림 97-2. ANCA관련혈관염의 병인기전 (A)** ANCA관련혈관염 시작의 유발요인 또는 항원은 염증사이토카인과 케모카인의 생성과 농도를 증가시켜 호중구 장전(priming)을 촉진한다. 일단 장전된 호중구는 CD11b등의 호중구 부착물질의 발현이 증가되고 호중구 세포 표면에는 Fc gamma 수용체가 유의하게 늘어난다. 그리고 세포질 내 ANCA항원이 표면으로 이동하거나 리소좀을 통해서 방출된다. **(B)** 혈관세포접착분자1(vascular cell adhesion molecule-1, VCAM-1), 세포간접착분자-1(intercellular adhesion molecule-1, ICAM-1) 및 셀렉틴(selectin)과 같은 내피접착분자(endothelial adhesion molecules)의 발현을 강화한다. **(C)** 순환ANCA (circulating ANCA)는 세포 표면 또는 분비된 ANCA항원에 결합하고 ANCA매개호중구활성화를 유도한다. **(D)** 따라서, 호중구와 내피부착분자 사이의 상호작용이 강화되고, 호중구의 인접조직으로의 이동을 유도하게 된다. **(E)** 또한, ANCA매개호중구활성화는 활성산소와 생성과 호중구 과립 분해 및 분비를 유발하여 혈관에 큰 염증을 유발하는데, 혈관벽뿐만 아니라 혈관벽 너머의 조직까지 염증을 파급한다. **(F)** 보완보체경로(alternative pathway)는 또한 C5a 파편에 대한 보체활성인자 루프를 형성함으로써 ANCA매개호중구활성화를 악화시킬 수 있다.

아종 염증이며, 4개의 항목 중 2개를 만족하면 분류할 수 있다. 1990년 미국류마티스학회 호산구육아종증다발혈관염 분류기준은 현재도 사용할 만큼 정확도가 높은 반면, 조직검사에서 육아종 염증을 확인할 수 없는 경우, 육아종증다발혈관염에 대한 분류는 원칙적으로 불가능하다. 그럼에도 불구하고, 만약 조직검사소견의 부재를 묵인하고 분류를 강행한다면, 육아종증다발혈관염의 과분류를 초래할 수 있다.

## 2) 2007년 유럽식약처 알고리즘 및 2012년 Chapel Hill Consensus Conference 수정된 혈관염명명법

이러한 한계를 극복하기 위해 2007년 유럽식약처에서 제안한 알고리즘과 2012년 CHCC 혈관염명명법이 대두되었다.

2007년 EMA알고리즘은 호산구육아종증다발혈관염, 육아종다발혈관염, 현미경다발혈관염, 고전적 결절다발동맥염(polyarteritis nodosa, PAN) 및 분류불가능한 혈관염의 순서로 흐름도를 가지고 있다. 2012년 CHCC는 수정된 혈관염명명법을 발표하였다. 2012 CHCC명명법에 따르면 3가지 기준에 따라서 분류를 하였다. 첫째는 침범 혈관의 크기, 둘째는 침범 장기, 그리고 셋째는 기저 원인이다. 이중에서 침범된 혈관의 크기에 따라서는 큰혈관혈관염, 중간혈관혈관염, 작은혈관혈관염, 그리고 다양혈관혈관염으로 분류하였다. 작은혈관혈관염은 면역복합체침착 여부에 따라서 ANCA-관련혈관염과 면역복합체작은혈관혈관염으로 나뉜다(표 97-1).

표 97-1. 2012 CHCC 수정 혈관염 명명법

| 큰혈관혈관염 | 타카야수동맥염<br>거대세포동맥염 |
|---|---|
| 중간혈관혈관염 | 결절다발동맥염<br>가와사키병 |
| 작은혈관혈관염 | ANCA관련혈관염<br>　– 현미경다발혈관염<br>　– 육아종증다발혈관염<br>　– 호산구육아종증다발혈관염<br>면역복합체작은혈관혈관염<br>　– 항사구체기저막병<br>　– 한랭글로불린혈증혈관염<br>　– 면역글로불린A혈관염(헤노흐–쇤라인자반증)<br>　– 보체감소혈증두드러기혈관염(항C1q혈관염) |
| 다양혈관혈관염 | 베체트병<br>코간증후군 |
| 단일장기혈관염 | 피부백혈구파괴혈관염<br>피부동맥염<br>일차중추신경혈관염<br>고립대동맥염<br>기타 |
| 전신질환관련혈관염 | 루푸스혈관염<br>류마티스혈관염<br>사르코이드혈관염<br>기타 |
| 가능원인관련혈관염 | C형간염바이러스연관한랭글로불린혈증혈관염<br>B형간염바이러스관련혈관염<br>매독연관면역복합체혈관염<br>약물연관면역복합체혈관염<br>약물연관ANCA관련혈관염<br>종양관련혈관염<br>기타 |

## 3) 2007년 EMA알고리즘과 2012년 CHCC명명법의 보완 알고리즘

2007년 EMA알고리즘과 2012년 CHCC명명법을 합쳐서 보완하고 수정하여 표 97-2에서 기술된 바와 같이 임상 적용이 용이한 진단 분류 방법을 모색하였다. 이 보완된 진단분류기준은 2007년 EMA알고리즘과 동일한 육아종증다발혈관염-시사 표지(Granulomatosis with polyangiitis surrogate marker) 및 신장 혈관염 정의를 사용했다. 하부 호흡기 관련 육아종증다발혈관염-시사 표지에는 고정 폐 침투(fixed infiltrates), 결절(nodule) 또는 공동(cavitation), 기관지 협착 등이 포함되며, 상부 호흡기 육아종증다발혈관염-시사 표지에는 비강의 출혈, 궤양, 궤양, 만성 축농

증, 치료불응적중이염, 안구후방염증, 성문아래협착, 안창 코 변형, 파괴적비강질환 등이 포함된다. 또한 신장혈관염은 혈뇨(소변 적혈구 침전물 또는 소변 적혈구 변형 >10%) 또는 정성소견 검사(소변 스틱)에서 혈뇨 2+이면서 단백뇨 2+인 경우를 의미한다.

호산구육아종증다발혈관염의 1990년 미국류마티스학회 진단분류기준을 충족하면, 호산구육아종증다발혈관염으로 분류되고 알고리즘은 종결된다. 1990년 미국류마티스학회 진단분류기준을 토대로 호산구육아종증다발혈관염으로 분류되지 않는 경우, 육아종증다발혈관염의 분류기준을 적용한다. 단 2007년 EMA알고리즘에서 기술했던 육아종증다발혈관염의 1990년 미국류마티스학회 진단분류기준은 보완 알고리즘에서는 낮은 특이로 삭제하였다. 이에 3가지의 경우, 육아종증다발혈관염으로 분류할 수 있다. 첫째로, 조직검사 결과에서 작은 혈관의 괴사혈관염이 있으면서 육아종이 관찰되면 육아종증다발혈관염으로 분류하고 알고리즘은 종결된다. 둘째로, 조직검사 결과에서 작은 혈관의 괴사혈관염이 있지만, 육아종 소견이 없을 때, 육아종증다발혈관염-시사 표지가 있다면 육아종증다발혈관염으로 분류할 수 있다. 마지막으로, 조직검사를 시행하지 않은 경우, 육아종증다발혈관염-시사 표지와 ANCA 양성의 소견으로 육아종증다발혈관염으로 분류하고 알고리즘은 종결된다. 호산구육아종증다발혈관염과 육아종증다발혈관염으로 분류되지 않는 경우, 조직검사에서 작은 혈관의 괴사혈관염이 관찰되지만 육아종을 관찰할 수 없고 육아종증다발혈관염-시사 표지가 없다면 현미경다발혈관염으로 분류할 수 있다. 만약 조직검사를 시행하지 않은 경우, 육아종증다발혈관염-시사 표지가 있고, ANCA가 양성이며, 신장 혈관염 기준에 부합되면 현미경다발혈관염으로 분류할 수 있다. 새롭게 수정된 2012 CHCC명명법을 기반으로 하였을 때, 결절다발동맥염은 사구체신염을 유발하지 않으며, ANCA 검출은 희박하기 때문에, 사구체신염이 동반된 경우나 ANCA가 양성인 환자에서 결절다방동맥염염의 가능성은 매우 낮다.

## 4) 새로운 도전

최근 ANCA관련혈관염을 ANCA의 양성 혹은 음성 및 그 유형에 근거하여 MPO-ANCA혈관염, PR3-ANCA관련혈관염,

표 97-2. ANCA관련혈관염 분류
(출처: CB, Park YB, Lee SW. Antineutrophil Cytoplasmic Antibody-Associated Vasculitis in Korea: A Narrative Review. Yonsei Med J. 2019 Jan;60(1):10-21. doi: 10.3349/ymj.2019.60.1.10. PMID: 30554486; PMCID: PMC6298898.)

| Conditions | ACR for EGPA (1990 ACR) | Histology compatible with 2012 CHCC definition for GPA | Histology compatible with 2012 CHCC definition for MPA and GPA surrogate markers | No histology and GPA surrogate markers and PR3- or MPO-ANCA positivity | Clinical and Histology compatible with 2012 CHCC definition for MPA and No GPA surrogate markers | No histology No GPA surrogate markers and PR3- or MPO- ANCA positivity and renal vasculitis | Histology compatible with 2012 CHCC definition for cPAN or typical angiographic features of cPAN |
|---|---|---|---|---|---|---|---|
| Classified as | EGPA | GPA | GPA | GPA | MPA | MPA | cPAN |
| Comments | Necrotizing granuloma with eosinophil infiltrate 1) history of asthma 2) eosinophil>10% 3) mono- or poly-neuropathy 4) migratory non-fixed pulmonary infiltrates 5) paranasal sinusitis 6) extravasation of eosinophil on histology (4 of 6) | Necrotizing granuloma without eosinophil infiltrate | Necrotizing vasculitis without granuloma without eosinophil infiltrate with few immune deposit Upper respiratory markers or Lower respiratory markers | Upper respiratory markers or Lower respiratory markers | Necrotizing vasculitis without granuloma without eosinophil infiltrate with few or no immune deposit | | No GN Rare ANCA |

EMA, European Medicine Agency; CHCC, Chapel Hill Consensus Conference; ACR, American College of Rheumatology; EGPA, eosinophilic granulomatosis with polyangiitis; GPA, granulomatosis with polyangiitis; MPA, microscopic polyangiitis; PR3, proteinase 3; MPO, myeloperoxidase; ANCA, antineutrophil cytroplasmic antibody; cPAN, classic polyarteritis nodosa; GN, glomerulonephritis.

ANCA음성혈관염의 세 가지 범주로 재분류하는 새로운 개념이 제안되었다. 이러한 노력은 다음과 같은 필요성에 의해 추진되었다. 첫째, 1990년 미국류마티스학회 ANCA관련혈관염 진단분류기준에는 육아종증다발혈관염이나 호산구육아종증다혈관염에 비해 현미경다발혈관염은 명확한 분류기준이 없기 때문에 2007년 EMA알고리즘과 2012년 CHCC명명법에 의해 분류가 가능해졌다. 둘째, 육아종증다발혈관염이나 호산구육아종증다혈관염에 대한 1990년 미국류마티스학회 진단분류기준은 현재의 ANCA관련혈관염의 분류에 사용되기에는 너무 오래 되었다. 셋째, ANCA항원인 MPO와 PR3는 다른 유전자 위치와 다른 임상양상을 보임에도 불구하고 ANCA 유형은 실제 ANCA관련혈관염의 진단분류기준에 포함되어 있지 않았다. 더욱이 최근의 연구들은 MPO-ANCA혈관염, PR3-ANCA혈관염, ANCA음성혈관염 사이에 구별되는 임상적 특징을 지지하고 있다. 또한,

일차전신혈관염의 진단분류기준[Diagnostic and Classification Criteria for Primary Systemic Vasculitis (DCVAS)]은 최근 육아종증다발혈관염에 대한 2017년 미국류마티스학회/유럽류마티스학회(The European League Against Rheumatism) 잠정 진단분류기준을 제안하였다. 이 진단분류기준에는 9개 항목이 포함되며, 이 중 5개 항목은 임상 변수이고 4개 항목은 검사 결과이다. 표 97-3과 같이 각 항목에는 서로 다른 가중치가 할당된다. cANCA 또는 PR3-ANCA에 할당된 점수가 항목 중 가장 높다. 특히 비강용종(nasal polyp)과 전체 백혈구 대비 말초 호산구>10%은 육아종증다발혈관염 진단에 부정적인 영향을 미치는 주요 요인으로 각각 -5점과 -3점이 할당되었다. 점수 합계가 5 이상이면 육아종증다발혈관염으로 분류할 수 있다. 단, 이 잠정 진단분류기준은 ANCA관련혈관염이 의심되는 환자를 대상으로 진단을 위해서 적용되는 것이 아니라, 육아종증다발혈관염과 호산구육아종증

표 97-3. 육아종증다발혈관염에 대한 2017년 미국류마티스학회/유럽류마티스학회(The European League Against Rheumatism) 잠정 진단분류기준

| 항목 | 총점 | 비강출혈, 궤양, 막힘 | 비강 용종 | 청력 상 실 또는 감소 | 연골 침범 | 충혈 또 는 안구 통증 | cANCA or PR3-ANCA | 호산구 수 ≥ 1(x10⁹/L) | 폐실질병변 (결절, 동공) | 조직검사 결과 육아종 |
|------|------|------|------|------|------|------|------|------|------|------|
| 점수 | Sum ≥ 5 | 3 | - 4 | 1 | 2 | 1 | 5 | - 3 | 2 | 3 |

다발혈관염의 감별진단이 어려운 ANCA관련혈관염 환자에게 적용하는 것이다. 가까운 미래에 ANCA관련혈관염의 진단과 분류를 위한 새로운 점수 체계가 수립될 것으로 기대한다(표 97-3).

## 5) 호산구육아종증다발혈관염과 과호산구증후군

실제 임상에서 과호산구증후군과 호산구육아종증다발혈관염은 말초혈액 내 호산구증다증, 부비동염, 급성 또는 만성 호산구폐렴 등 유사한 임상 특징을 공유하기 때문에 감별이 쉽지 않다. 현재 사용되는 과호산구증후군의 진단은 2010년에 제안된 분류기준기준을 따른다. 2010년 과호산구증후군 진단분류기준은 2가지 항목으로 구성되어 있는데, 첫째는 적어도 2번의 분리된 시기에 측정된 말초 혈액 호산구 > 1,500/m³ 또는 조직 호산구 침윤이 확인된 조직 검과 결과이다. 단 호산구가 증가할 수 있는 다른 의학적 상태는 반드시 배제되어야 한다. 지금까지 천식 또는 천식의 병력은 과호산구증후군에 대한 2010년 진단분류기준 및 호산구육아종증다발혈관염에 대한 1990년 미국류마티스학회 진단분류기준에 근거하여 오히려 호산구육아종증다발혈관염을 지지하는 단서로 간주되어 왔다. 하지만, 최근 골수 증식-과호산구증후군, 림프구-과호산구증후군, 정의되지 않은-과호산구증후군, 중복-과호산구증후군, 연관-과호산구증후군 및 가족-과호산구증후군의 6가지 범주로 나누는 과호산구증후군의 새로운 분류법이 소개되었다. 이 중, 연관-과호산구증후군에는 염증자가면역질환이나 바이러스감염도 포함되며, 특히 호산구육아종증다발혈관염이 포함되었다. 또한, 과호산구증후군 치료제인 메폴리주맙과 같은 생물학적제제의 사용이 승인되면서 두 질병의 경계가 점차 모호해지고 있다. 이를 통해서도, 호산구육아종증다발혈관염은 ANCA관련혈관염의 카테고리에 속하지만 현미경다발혈관염이나 육아종증다발혈관염과는 다른 유전적, 면역학적 그리고 임상적 속성을 갖는 것으로 생각된다.

## ANCA관련혈관염 임상증상

### 1) 전신 증상

가장 흔한 전신 증상은 근육통과 관절통(관절염)이며 38도 이상의 고열이나 2kg 이상의 체중감소가 동반될 수도 있다. 비특이적 증상으로 ANCA관련혈관염 진단 분류에 도움이 되지 않는 반면 혈관염 활성도 평가에 기여한다.

### 2) 피부 증상

ANCA관련혈관염에서 피부 증상의 발생 빈도는 피부에 국한된 혈관염인 피부백혈구파괴혈관염과 피부동맥염 및 다른 전신혈관염 특히 면역복합체작은혈관혈관염의 발생 빈도보다는 낮다(최대 70% vs. 최대 95%). 피부 발진은 크기에 따라서 분류하는데, 지름이 2 mm 이하의 경우 점상출혈(petechiae), 2-10 mm인 경우 자반(purpura), 10 mm 이상의 경우 반상출혈(ecchymosis)라 명명한다. 하지만, 혈관염에 의해서 이차적으로 혈전이 발생하는 경우, 경색(infarct), 궤양, 괴저(gangrene)까지 발생할 수 있다.

### 3) 안구 및 점막 증상

점막 증상으로는 베체트병에서 관찰되는 구강궤양, 성기궤양이 관찰되기도 하지만, 한국의 인종적 지리적 상황에서는 베체트병을 먼저 의심해 보는 것이 좋다. 안구 증상은 주로 육아종증다발혈관염 환자에서 나타나는데 30-60%의 환자에서 관찰할 수 있지만, 현미경다발혈관염 및 호산구육아종증다발혈관염 환자의 경우에는 10% 미만으로 드물게 나타난다. 대표적인 안구 증상으로는 심각한 안구돌출, 공막염, 상공막염, 결막염, 흐린시야, 돌발시력상실 그리고 포도막염이 있다. 시신경염이나 망막동맥혈전증의 경우 돌발시력상실의 빈도가 높을 수 있다.

## 4) 귀, 코, 인두 증상

귀, 코, 인두 증상은 육아종증다발혈관염의 대표적인 시사 표적으로 육아종증다발혈관염 환자의 90%까지 보고가 되고 있지만 현미경다발혈관염 환자의 경우 30% 이하로 상대적으로 낮은 빈도를 보인다. 호산구육아종증다발혈관염의 진단분류기준에 부비동염이 포함되기에 약 80%까지 보고되기도 한다. 대표적인 귀, 코, 인두 증상에는 비강출혈, 비강궤양, 부비동염, 성문아래협착, 청력상실이 있다. ANCA관련혈관염, 특히 육아종증다발혈관염이 의심되지만, 조직검사가 가능한 곳이 부비동염뿐이라면 부비동에서 조직검사를 시행한다. 부비동염의 존재는 주로 컴퓨터단층촬영을 통해서 확인한다(그림 97-3A). 조직검사에서는 특징적인 괴사혈관염과 육아종이 관찰된다(그림 97-3B, C). 드물지만, 육아종증다발혈관염으로 오인된 곰팡이 감염이 있을 수 있기 때문에(그림 97-3D), 혈청검사에서 곰팡이 감염의 가능성을 시사하는 결과가 나왔다면 조직검사를 시행하는 것을 권고한다. 이외에도 중격천공이나 안창코 변형도 동반될 수 있다(그림 97-3E).

## 5) 호흡기 증상

약 80%의 육아종증다발혈관염 환자에서, 50% 이상의 현미경다발혈관염 환자에서 그리고 40-76%의 호산구육아종증다발혈관염 환자에서 호흡기 증상이 관찰된다. 호흡기 증상은 신장 증상과 더불어 ANCA관련혈관염에서 가장 흔한 침범 장기-관련 증상이며 3가지 ANCA관련혈관염마다 다른 특징적인 증상은 보인다. 먼저 육아종증다발혈관염의 특징적 호흡기 증상은 기관협착과 폐실질병변이다. 폐실질병병은 다음의 3가지 단어로 정리된다: 고정(fixed), 결절(nodule), 공동(cavitation)(그림 97-

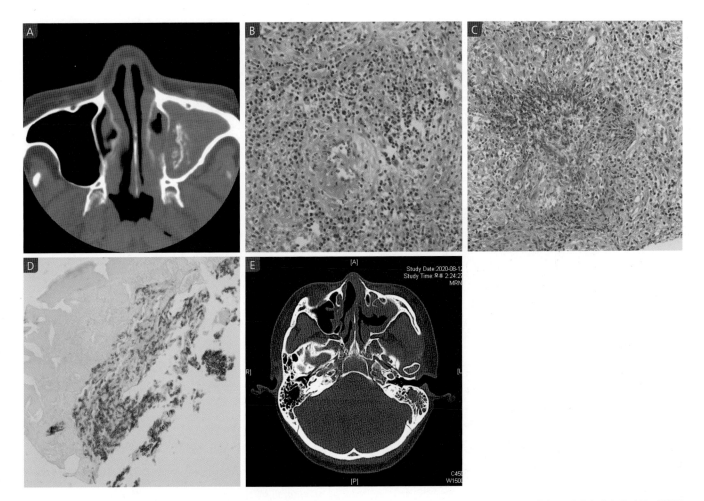

그림 97-3. **육아종증다발혈관염 환자** **(A)** CT에서 좌측 부비동염 관찰됨 **(B)** 조직검사에서 괴사성혈관염 관찰됨 **(C)** 조직검사에서 육아종 관찰됨 **(D)** 조직검사에서 곰팡이감염 관찰됨 **(E)** CT에 코중격 천공서.

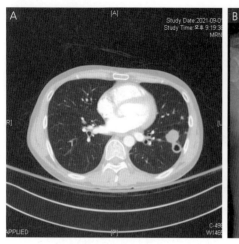
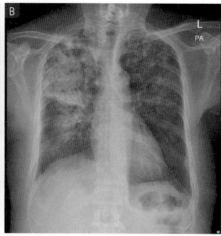
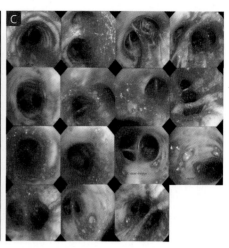

그림 97-4. **육아종증중다발혈관염 환자 (A)** 폐 CT에서 폐결절과 공동이 관찰됨 **(B)** 현미경다발혈관염 환자의 폐X선검사에서 미만폐음영 및 **(C)** 기관지내시경에서 폐출혈 관찰됨

4A). 호산구육아종증다발혈관염의 특징적 폐실질병변은 비고정(non-fixed) 또는 이동(migratory)이 특징이다. 이 두 가지 폐실질병변은 진단에 결정적 도움을 주지만, 현미경다발혈관염의 폐실질병변은 질환-비특이적이다. 특징은 경계가 뚜렷한 폐실질병변보다는 간유리질음영(ground glass opacity, GGO) 패턴이 더 뚜렷해서 간질폐렴(interstitial pneumonia)으로 병원에 오는 경우가 많다. 반면에, 미만폐포출혈의 빈도는 현미경다발혈관염에서 가장 높게 나타난다(그림 97-4B, C). 이 경우 호흡부전 위험이 높다.

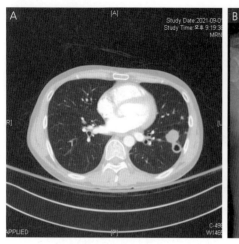

그림 97-5. **호산구육아종증다발혈관염 환자 심장 MRI** 심실중격의 심근염(화살표)

### 6) 심혈관 증상

심혈관 침범은 호산구육아종증다발혈관염 환자에서 가장 높은 빈도를 보이며(최대 49%), 현미경다발혈관염이나 육아종증다발혈관염 환자에서는 비교적 적게 관찰된다. 대표적인 심혈관 증상에는 심막염의 빈도가 가장 높고, 이외에도 심장판막질환, 허혈심장질환, 심부전 그리고 심근병증(cardiomyopathy)이 있으며, 심근병증의 원인으로는 심근염(myocarditis)이 흔하다(그림 97-5).

### 7) 위장관 증상

ANCA관련혈관염에서의 위장관 침범은 매우 드물다. 특히 간침범은 증례보고 수준으로 매우 낮기 때문에 간기능 및 구조 이상의 경우 다른 질환을 먼저 고려하는 것이 좋다. 대표적인 위장관 증상에는 복막염, 혈변 및 허혈복부통증이 있다. 호산구육아종증다발혈관염 환자에서는 드물지만, 전장벽이 두꺼워지는 장염이 발생할 수 있기 때문에 심한 복통을 호소하는 경우 컴퓨터단층촬영을 시행하는 것이 좋다(그림 97-6A, B).

### 8) 신장 증상

신장 침범 증상은 ANCA관련혈관염 환자에서 가장 흔하게 관찰되는 임상증상이다. 약 90% 이상의 현미경다발혈관염 환자와 약 50-80%의 육아종증다발혈관염 환자에서 신장 침범 증상이 나타난다. 반면, 호산구육아종증다발혈관염 환자에서는 비교

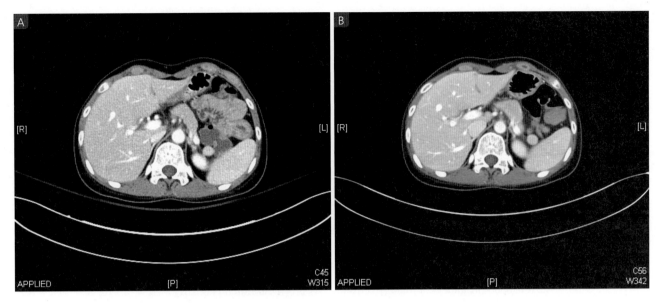

그림 97-6. 호산구육아종증다발혈관염 환자의 복부 CT검사 (A) 치료 전 전장벽이 두꺼워짐 (B) 치료 후 호전됨

적 낮은 빈도로 관찰된다. 대표적인 신장 증상에는 혈뇨, 단백뇨, 신장기능저하 및 악화, 신장유래고혈압이 포함된다. 신장조직검사결과를 토대로 ANCA연관사구체신염을 4개의 그룹으로 분류한다. 첫째, 50% 이상에서 정상 사구체가 관찰되는 경우 국소 ANCA연관사구체신염으로 분류하고, 둘째, 50% 이상에서 정상 사구체와 함께 세포초승달(cellular crescents)이 관찰되면 초승달 ANCA연관사구체신염으로 분류하며, 셋째, 50% 미만의 정상 사구체, 50% 미만의 초승달, 50% 미만의 경화가 관찰되면 혼합 ANCA연관사구체신염으로 분류된다. 넷째, 50% 이상의 사구체 경화가 관찰되면 경화 ANCA연관사구체신염으로 명명한다. 사구체 경화로 갈수록 신장기능의 저하가 빨라져서 말기신부전으로의 진행 빈도가 높아진다. ANCA연관사구체신렴의 분류는 ANCA관련혈관염 진단 시 추정사구체여과율(estimated glomerular filtration rate, eGFR)과 함께 말기신부전의 강력한 독립적 예측인자이다. ANCA관련혈관염 환자에서 신장 증상의 특징 2가지는 첫째, 신장 침범 초기 적극적인 치료(혈장교환술과 유도치료)로 다른 신장질환에 비해서 높은 빈도로 정상 신장기능으로 되돌릴 수 있다는 점과, 둘째, 신장이식 후 ANCA관련혈관염의 재발률이 매우 낮다는 점이다. 후자의 경우 신장이식 후 거부반응 방지를 위한 3제 면역억제요법의 효과에 기인한다고 생각된다.

## 9) 신경 증상

ANCA관련혈관염의 비교적 흔한 신경합병증은 단일신경염다중화(mononeuritis multiplex)이다. 진단은 신경전도검사(never conduction velocity)를 통해서 확인할 수 있으며, 신경손상을 최소화하기 위해서 사이클로포스파마이드와 같은 면역억제 치료를 최대한 빨리 시작해야 한다. 대표적인 신경 증상에는 두통, 뇌수막염, 뇌전증, 뇌졸중, 척수질환, 뇌신경마비가 있다. 뇌졸중이 아닌 ANCA관련혈관염의 충추신경침범은 매우 드물며, 뇌척수액검사, 뇌자기공명영상검사, 뇌혈관조영술 그리고 뇌조직검사에서 증거가 확보되어야만 진단이 가능하다.

## ANCA관련혈관염 평가

혈관염 활성도 평가에는 Birmingham vasculitis activity score (BVAS), BVAS for granulomatosis with polyangiitis, Disease extent index, Five factor score (5인자점수), Japanese vasculitis activity score, paediatric vasculitis activity score가 사용된다. 혈관염 손상 평가에는 vasculitis damage index (VDI), combined damage assessment가 사용된다. 한편, 혈관염 기능 평가에는 short form 36 (SF-36), EuroQol 5D, GPA-Patient reported outcome measure 등이 사용된다. 실제 임상에서는 ANCA관련혈관염 환자의 방문마

다 BVAS, VDI, SF-36을 시행한다.

## ANCA관련혈관염 치료

현미경다발혈관염과 육아종증다발혈관염 치료의 두 가지 큰 개념은 유도치료와 유지치료이다. 유도치료는 혈관염 활성을 최대한 감소시켜서 침범 장기의 기능을 유지하고 손상을 최소화하며, 재발을 예방하는 목적을 갖는다. 유도치료는 글루코코티코이드를 기반으로 생명 및 장기 위협적 질환 여부에 따라 면역억제제 종류를 선택한다. 생명 및 장기 위협적 질환의 유도치료에는 사이클로포스파마이드(cyclophosphamide)와 리툭시맙(rituximab)이 권고된다. 사이클로포스파마이드는 처음 부하(loading) 용량을 적용하기도 하지만, 보통 15 mg/kg의 용량을 3주 간격으로 6회에서 9회까지 시행한다. 사이클로포스파마이드의 용량은 나이와 신장기능에 따라서 용량 감량을 하는데, 60-70세까지는 12.5 mg/kg로 70세 이상의 경우 10 mg/kg로 감량을 한다. 혈청

크레아티닌 300 μmon/L (3.39 mg/dL)에서 500 μmon/L (5.65 mg/dL)사이의 경우 60세 미만은 12.5 mg/Kg로 60-70세까지는 10 mg/kg로 70세 이상의 경우 7.5 mg/kg로 추가 감량을 한다. 혈청 크레아티닌이 500 μmon/L의 경우에는 골수기능저하, 감염위험증가 등 부작용으로 투약을 고려하지 않는다. 이외에도 간경화, 심부전, 골수기능저하 등의 기저질환이 있는 경우에는 저용량으로 시작한 후 부작용이 없을 시 원래 용량으로 투여함을 권고한다. 유도치료 목적의 리툭시맙은 375 mg/body surface area ($m^2$)를 1주일 간격으로 총 4회 투약한다. 생명 및 장기 위협적 질환 중 미만폐출혈과 신장기능의 급격한 저하 시, 혈장교환술을 고려해야 한다. 혈장교환술은 부작용 발생이 없는 경우, 신성동결혈장(fresh frozen plasma)을 이용해서 일주일에 3회, 총 6회를 시행한다. 생명 및 자기 위협적 질환이 아닌 경우에는 글루코코티코이드를 기반으로 경구 면역억제제를 투약하는데, 현재까지는 미코페놀레이트모페틸(mycophenolate mofetil)과 메토트렉세이트(methotrexate)를 권고하고 있다.

관해(remission)를 성취한 직후부터 유지치료를 시작해야 한

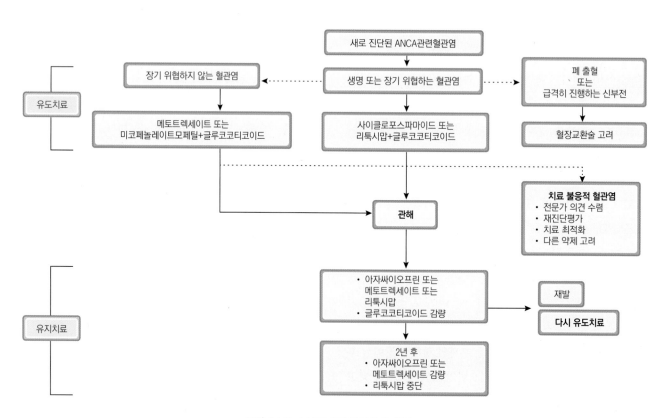

그림 97-7. ANCA관련혈관염의 치료

다. 유지치료를 목적으로는 아자싸이오프린(azathioprine), 메토트렉세이트(methotrexate), 리툭시맙이 권고된다. 아자싸이오프린과 메토트렉세이트의 용량은 환자의 상태에 따라서 조절이 가능하다. 유지치료를 위한 리툭시맙 용량은 유도치료 시 용량과는 차이가 있다. 권장되는 용량은 6개월 간격으로 500 mg 고정 용량으로 2주 간격으로 2번 투약을 시행한다. 이 외에도 마이코페놀레이트모페틸과 타크로리무스(tacrolimus)의 유지치료제로서의 효과가 입증되고 있어서 향후 유지치료제로서의 가능성이 충분히 있다. 유지치료 기간은 2년 이상으로 권고되고 있고, 실제 임상에서도 2-5년까지 유지하고 있다. 재발의 빈도는 호산구육아종증다발혈관염에서 가장 높고, 육아종증다발혈관염, 현미경다발혈관염 순서로 발생한다. 유지치료에도 불구하고, 재발이 되는 경우에는 다시 유도치료 시작을 고려해야 한다(그림 97-7).

　호산구육아종증다발혈관염은 일반적인 ANCA관련혈관염 치료 전략과는 조금 다른 양상을 보인다: 첫째, 알레르기 질환에 근거를 두고 있기 때문에, 알레르기 질환에 사용되는 약물의 효과를 기대할 수 있다. 둘째, ANCA양성-호중구육아종증다발혈관염과 ANCA음성-호중구육아종증다발혈관염은 다른 임상양상을 보인다. 셋째, 현미경다발혈관염이나 육아종증다발혈관염과 비교할 때, 사망과 같은 나쁜 예후의 빈도가 높지 않다는 점이다. 따라서 유도치료 시 리툭시맙의 비중이 높지 않고, 유지치료 시 ANCA의 양성 또는 음성에 따라서 선택하는 면역억제제의 종류가 다를 수 있다. 유도치료 불응적 호산구육아종증다발혈관염에는 2가지 약물의 투약이 시도될 수 있다. 하나는 메폴리주맙(mepolizumab)이다. 메폴리주맙은 IL-5에 대한 인간화 단클론항체로 호산구증다증 동반 천식에 효과적 약물이다. 다른 하나는 아바코판(avacopan)이다. 아바코판은 호중구 화학주성 기능을 가진 C5a수용체를 억제하는 약물이다.

## ANCA관련혈관염의 예후

　재발의 빈도는 호산구육아종증다발혈관염에서 가장 높고, 육아종증다발혈관염, 현미경다발혈관염 순서로 발생한다. 한국 ANCA관련혈관염에서 사망률은 10-15% 정도로 보고되고 있다. 사망의 위험인자는 연령, 남성, 진단 시 ANCA양성, 진단 시

ANCA관련혈관염 활성도(Birmingham vasculitis activity score), 진단 시 5인자점수(five-factor score) 및 동반질환(당뇨, 고혈압, 고지혈증)이 포함된다. 말기신부전의 위험인자는 연령, 진단 시 ANCA관련혈관염 활성도(Birmingham vasculitis activity score), 진단 시 5인자점수(five-factor score), 동반질환, 진단 시 검사실 소견으로 혈액요소질소(blood urea nitrogen, BUN), 혈청 크레아티닌, 혈청 알부민, 추정사구체여과율이 포함된다.

### 📑 참고문헌

1. Berden AE, Ferrario F, Hagen EC, et al. Histopathologic classification of ANCA-associated glomerulonephritis. J Am Soc Nephrol 2010;21:1628-36.

2. Choi CB, Park YB, Lee SW. Antineutrophil Cytoplasmic Antibody-Associated Vasculitis in Korea: A Narrative Review. Yonsei Med J 2019;60:10-21.

3. Choi CB, Park YB, Lee SW. Eosinophilic Granulomatosis with Polyangiitis: Experiences in Korean Patients. Yonsei Med J 2019;60:705-12.

4. Elefante E, Monti S, Bond M, et al. One year in review 2017: systemic vasculitis. Clin Exp Rheumatol 2017;35 Suppl 103:5-26.

5. Guillevin L, Pagnoux C, Seror R, et al. The Five-Factor Score revisited: assessment of prognoses of systemic necrotizing vasculitides based on the French Vasculitis Study Group (FVSG) cohort. Medicine (Baltimore) 2011;90:19-27.

6. Jennette JC, Falk RJ, Bacon PA, et al. 2012 revised International Chapel Hill Consensus Conference Nomenclature of Vasculitides. Arthritis Rheum 2013;65:1-11.

7. Jennette JC, Falk RJ. Pathogenesis of antineutrophil cytoplasmic autoantibody-mediated disease. Nat Rev Rheumatol 2014;10:463-73.

8. Kitching AR, Anders HJ, Basu N, et al. ANCA-associated vasculitis. Nat Rev Dis Primers 2020;6:71.

9. Mukhtyar C, Lee R, Brown D, et al. Modification and validation of the Birmingham Vasculitis Activity Score (version 3). Ann Rheum Dis 2009;68:1827-32.

10. Watts R, Lane S, Hanslik T, et al. Development and validation of a consensus methodology for the classification of the ANCA-associated vasculitides and polyarteritis nodosa for epidemiological studies. Ann Rheum Dis 2007;66:222-7.

11. Yates M, Watts RA, Bajema IM, et al. EULAR/ERA-EDTA recommendations for the management of ANCA-associated vasculitis. Ann Rheum Dis 2016;75:1583-94.

# 98

# 결절다발동맥염

을지의대 **임미경**

## KEY POINTS 🔒

- 결절다발동맥염은 작은 동맥과 중간크기 동맥을 침범하는 분절괴사혈관염으로 혈관 위치나 손상 정도에 따라 임상양상도 다양하다.
- 항중성구세포질항체와는 관련성이 적은 혈관염으로, 병인은 명백히 밝혀지지 않았으나, 바이러스(B형간염, C형간염, HIV, 파보바이러스 등), 약물, 악성 종양과의 관련성이 보고되고 있다.
- B형간염관련 결절다발동맥염(HBV-PAN) 혈장교환술 혹은 글루코코티코이드에 좋은 치료 효과를 보이며, B형간염 발생률의 감소로 PAN의 발생률과 유병률도 현격히 감소했다.
- B형간염이 원인이 아닌 경우는 글루코코티코이드와 사이클로포스파마이드를 병용 치료한다.
- 대표적인 증상으로는 체중 감소, 다발홑신경염을 동반한 피부 자반, 장간막 허혈 증상이 있고, 빈도는 적으나 무통의 고환염이 있다.
- 신사구체는 침범하지 않기 때문에 사구체신염을 시사하는 소견이 있으면 다른 질환을 생각하는 단서가 된다.

## 개요

결절다발동맥염(polyarteritis nodosa, PAN)은 작은 동맥과 중간크기 동맥의 괴사성혈관염으로, 1866년 Kussmaul과 Maier가 처음으로 보고하였으며, 세동맥, 모세혈관, 세정맥과 사구체는 침범하지 않는다.

## 병인

병인은 아직 명확하지 않으나, 일부에서 B형간염과 C형간염 바이러스의 감염과 연관된 것으로 알려져 있다. 바이러스 복사에 의한 혈관 내피의 직접적인 손상과 면역 복합체에 의한 염증 매개성 손상으로 그 기전을 추정하고 있다. 그 외에 바이러스 감염으로 HIV, 파보바이러스(parvovirus) 등이 있고, 일부에선 백신 주사나 약물 사용 후 혈관염 발생이 보고되기도 한다. 중이염 이후 PAN의 발병이 국내외에서 보고되었으며, 이는 박테리아 감염과도 연관성이 있을 것으로 추정된다. 일부 증례에서 털세포백혈병(hairy cell leukemia) 환자에서도 보고되었다.

## 역학

PAN은 드문 질환으로 B형간염관련 PAN (HBV-PAN)은 전체의 10% 이내를 차지하며, B형간염 백신의 성공적인 예방으로 그 유병률은 더욱 감소 추세이다. 연간 발생률이 영국과 미국에서는 백만 명 중 2-9명이며, B형간염의 연간 발생률이 높은 알래스카에서는 77명까지 보고되고 있다. 모든 연령대에서 발병하나, 40대에서 60대에서 가장 흔하고 성별 간에는 차이가 없다.

표 98-1. PAN의 임상양상

| 장기 | 빈도(%) | 임상증상 |
|---|---|---|
| 전신 증상 | 90 | 발열, 체중 감소 |
| 신장 | 60 | 신부전, 고혈압, 사구체 허혈로 경도의 단백뇨나 혈뇨가 나올 수 있으나, 사구체신염은 발생하지 않음. 적혈구원주가 검출되면 현미경 다발혈관염 등의 다른 질환을 생각하는 단서가 됨 |
| 근·골격계 | 64 | 관절염, 관절통, 근육통 혹은 근력저하(조직검사 위치) |
| 말초신경계 | 51 | 말초신경증, 다발성홑신경염(감각신경이 이상이 운동신경보다 선행하여 발생하며, 중추신경계 침범은 흔하지 않음) |
| 위장관 | 40 | 복통, 오심, 구토, 출혈, 장경색, 담낭염, 간경색, 췌장경색, 복막염 식후 배꼽 주위 통증은 장간막동맥 침범의 초기 증상이며, 간 기능 이상은 B형이나 C형간염이 원인인 경우를 제외하고는 드물며, 알칼리인산분해효소만 증가 소견을 보임 |
| 피부 | 50 | 발진, 자반, 결절, 경색, 그물울혈반, 소수포 발진 |
| 심장 | 36 | 울혈성심부전, 심근경색, 심낭염 |
| 비뇨생식계 | 25 | 고환통, 고환 부기 혹은 경결, 난소나 유방 침범은 희귀함 |
| 눈 | | 흔하지 않으나 시력 저하, 망막 출혈, 시신경 허혈 등 발생 |
| 호흡기 | 0 | 폐 침범은 없음, 폐 증상이 있는 경우 다른 질환을 의심 |
| 귀, 코, 목, | 0 | 침범하지 않으며, 증상이 있는 경우 다른 질환을 의심 |

## 임상양상

발열, 전신쇠약감, 체중감소, 관절통과 근육통(전체 환자의 65-80%에서 발생) 등 비특이적인 증상으로 발생하기 때문에 처음에 진단하기 쉽지 않다. 증상은 몇 주에서 몇 달까지 지속되며, 이후 혈관 염증으로 인한 장기 침범에 따른 특이적인 증상들이 발생하기 시작한다. ANCA관련 혈관염과 달리 사구체신염이나 폐의 침범은 없다(표 98-1).

## 검사실소견

ANCA와는 관련성이 없고, 적혈구침강속도, C반응단백질, 혈소판의 증가와 빈혈 등의 비특이적인 염증소견을 관찰할 수 있다. 소량의 단백뇨와 혈뇨는 관찰되나, 적혈구원주 등의 소변 침전물은 관찰되지 않는다.

## 병리

PAN은 큰동맥, 모세혈관과 정맥혈관계의 침범 없이, 중간크기와 작은 근육형 동맥에 분절성으로 혈관 전층에 염증을 일으키는 질환이다. 섬유소모양괴사, 림프구, 중성구, 호산구와 대식세포들이 침윤되나, 육아종염증은 관찰되지 않는다. 탄력층을 포함한 혈관벽의 정상적인 모양은 파괴되며, 병소에 혈전이나 동맥류 등이 관찰된다. 동맥류는 활성 병소에서 발생하며, 동맥류 모양 때문에 "결절"이라 명명한 근거가 된다. 동맥염은 치유되는 과정 중에 섬유조직이나 내피세포가 증식하면서 혈관 내강을 폐쇄시키며, 한 위치에서 진행중인 활성병소부터 치유병소까지 모든 단계가 관찰될 수 있다(그림 98-1). 특히 혈관이 분지되는 위치에 흔히 발생하며, 부검결과 신장이나 심장은 70%, 간이나

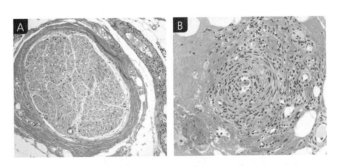

그림 98-1. **비복신경에서 결절다발동맥염의 조직소견 (A)** 신경외막 혈관에 단핵세포가 침윤되고, **(B)** 단핵세포의 침윤으로 두꺼워지고 섬유화된 혈관벽이 관찰됨

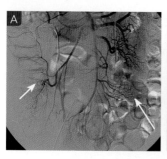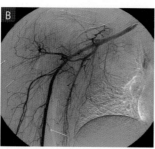

그림 98-2. **결절다발동맥염의 혈관조영술** 회결장동맥과 공장동맥에 다발성 주머니 모양의 동맥류가 관찰됨

표 98-2. 미국류마티스학회에서 정한 PAN의 분류 기준

10개 중 3개 이상
1. 체중 감소 ≥4kg
2. 그물울혈반
3. 고환 통증, 압통
4. 근육통, 쇠약, 다리 압통
5. 단일신경병증, 다발신경병증
6. 확장기 혈압 >90 mmHg
7. 혈액요소질소 증가 혹은 크레아티닌 증가
8. B형간염 양성
9. 혈관조영술의 이상소견
10. 작은 동맥과 중간크기 동맥에 다형핵중성구가 침윤된 조직소견

소화기는 50%, 말초신경은 50%, 장간막이나 근육은 30%, 중추신경에서 10% 정도 발생한다고 보고되고 있으며 피부는 50%까지 침범된 소견을 보였다.

## 방사선 소견

혈관조영술은 민감도와 특이도는 90%로 보고되며, 진단뿐 아니라 병의 진행에 따른 예후를 아는 데 유용한 검사이다. 혈관조영술에서 중간 크기 동맥이 주머니 혹은 방추상 모양으로 확장되거나 전반적인 협착이나 폐쇄가 혈관염을 시사하는 소견으로 특히 신장동맥과 장간동맥에서 관찰된다(그림 98-2). 조직 검사가 가능하지 않은 경우에 특히 혈관조영술은 유용한 검사이며 혈관염이 호전되면서 상기 소견들이 없어질 수 있다. 자기공명혈관촬영술, 컴퓨터단층혈관촬영술은 비침습적이며, 신장 경색 범위를 확인할 수 있는 장점은 있으나, 미세동맥류 발견에는 민감도가 떨어진다.

## 진단

조직검사나 혈관 촬영으로 미세동맥류의 확인이 필요하며, 혈관염관련신경병증의 증상이 있으면 신경이나 근육 조직검사에서 높은 진단율을 기대할 수 있다. 감각운동 거대축삭신경병증이나 다발홑신경염 소견이 신경전도속도검사에서 보인다. ANCA관련 혈관염, 한랭글로불린혈증, 전신홍반루푸스 등의 다른 혈관염과의 감별과 혈관염 유사 증상을 갖는 바이러스 간염, 세균심내막염, 색전증 등도 배제되어야 한다. 표 98-2는 다른 종류의 혈관염과 감별하기 위한 미국류마티스학회에서 정한 PAN의 분류 기준이다.

2012 Chapel Hill Consensus Conference (CHCC)에서는 원인이 C형간염과 B형간염인 경우를 C형간염관련 한냉글로불린혈관염(hepatitis C virus-associated cryoglobulinemic vasculitis)과 B형 간염관련 혈관염(hepatitis B virus-associated vasculitis)으로 각각 별개로 분류하였다.

## 예후

치료하지 않은 PAN은 5년 생존율은 10-20% 정도였으나, 글루코코티코이드 치료 이후 5년 생존율이 80%로 향상되었다. 주된 사인은 위장관 합병증(경색과 천공)과 심혈관계 침범에 의한 경우이다. 신장, 심장과 중추신경계 침범에 의한 조절되지 않는 고혈압도 주요한 사인이다. 치료 후 재발률도 B형간염에 의한 경우 10% 이내, 그 외의 경우 19-57%로 보고되었다. 진단 시 예후를 판단하고 약물을 선택하는 기준으로 5가지 요인 점수(Five Factor Score)가 사용되고 있다: 단백뇨(<1 g/day), 크레아티닌 상승(> 1.58 mg/dL), 위장관, 중추신경계와 심장 침범. B형간염 이외의 PAN은 노인에서 발생하는 경우 사망률이 높았으며, 피부 증상이 있는 경우는 예후가 불량하였다. 소아에서 발생하는 경우는 성인보다 발생 빈도와 사망률은 낮으나, 고혈압과 뇌신경 마비가 발생하는 경우는 향후 심각한 합병증을 야기할 수 있다. C형간염관련 PAN (HCV-PAN)은 치료에 대한 반응이 더 우수한 것으로 보고되었다.

## 치료

HBV-PAN은 만성 B형항원혈증, 특히 활동성 간질환 환자에게서 흔히 발생되며, 글루코코티코이드와 혈장교환술의 병용 치료가 효과적이다, 항바이러스제는 vidarabine, interferon, lamivudine이 사용되며, 글루코코티코이드를 수일간 치료 후 혈장교환술과 lamivudine (100 mg/day)을 병용 치료한다. B형간염 항체가 생성되는 혈청전환은 완전 관해를 유지하고 재발을 막을 수 있다. 혈장교환술은 혈관염의 활동성을 조절할 뿐 아니라 B형간염의 혈청전환을 촉진시켜 바이러스에 의한 이차 간 손상을 예방할 수 있다. 항체가 형성되면 혈장교환술은 중단한다.

HCV-PAN은 항바이러스제와 글루코코티코이드, 사이클로포스파마이드, rituximab로, HIV관련 PAN은 항바이러스제와 글루코코티코이드로 치료를 한다.

그 외의 PAN은 글루코코티코이드가 치료의 기본이며, 초기 용량인 몸무게당 1mg으로 시작하며 경한 상태인 경우 글루코코티코이드 치료만으로도 완치를 기대할 수 있다. 사이클로포스파마이드가 글루코코티코이드 치료에 병용하는 경우는 5가지 요인 점수에서 1개 이상을 갖는 경우, 중증의 말초신경병증과 다발홑신경염의 증상을 갖는 경우가 그 예이다. 관해가 되고 6개월에서 12개월 사이클로포스파마이드 치료하면 재발은 적은 것으로 보고된다. 최근 치료 경향은 사이클로포스파마이드를 6개월 정도 치료 후 관해 유지 치료로 다른 면역억제제인 아자싸이오프린과 메토트렉세이트의 사용을 권하며, 전체 치료 기간으로 18개월 정도 사용 후 유지 치료도 중단할 수 있다.

상기 약물들로 치료에 불응한 경우나 사용이 어려운 경우는 미코페놀레이트모페틸(mycophenolate mofetil, 2,000-3,000 mg daily)을 사용할 수 있으며, 일부 연구에서 생물학적제제를 사용한 증례들이 있다.

### 참고문헌

1. Jeong SM, Kang P, Choi HJ, et al. A Case of Polyarteritis Nodosa Preceded by Otitis Media, J Rheum Dis 2002;9:319-24.
2. Krusche M, Ruffer N, Kötter I. Tocilizumab treatment in refractory polyarteritis nodosa: a case report and review of the literature. Rheumatol Int 2019;39:337-44.
3. Lee DH, Han JH, Kim MK, Lee OJ, Kang KY. A Case of Polyarteritis Nodosa Manifesting as a Neuropathy Following Influenza Infection, J Rheum Dis 2012;19:163-7.
4. Lightfoot RW, Michel BA, Bloch DA, et al. The American College of Rheumatology 1990 criteria for the classification of Polyarteritis nodosa, Arthritis Rheum 1990;33:1088-93.
5. Matsuo S, Hayashi K, Morimoto E, et al. The Successful Treatment of Refractory Polyarteritis Nodosa Using Inf liximab. Intern Med 2017;56:1435-8.
6. Rimar D, Alpert A, Starosvetsky E, et al. Tofacitinib for polyarteritis nodosa: a tailored therapy. Ann Rheum Dis 2016; 75(12):2214-6.

# 99

# 국소 혈관염과 기타 혈관염

한양의대 **최찬범**

## 면역복합체유도혈관염

혈관염은 혈관벽의 염증과 이에 따른 조직 손상을 특징으로 하는 질환군이다. 이 중 면역복합체유도혈관염은 항원의 과형성으로 인한 항원-항체 반응의 결과로 발생하는 혈관염으로, 면역복합체(immune complex)가 조직에 침투하여 보체(complement) 활성화를 유발함으로써 광범위한 면역 반응에 의한 임상증상을 보이는 질환군이다. IgA혈관염(IgA vasculitis, Henoch-Schönlein purpura), 한랭글로불린혈증혈관염(cryoglobulinemic vasculitis), 저보체혈증두드러기혈관염(hypocomplementemic urticarial vasculitis, anti-C1q vasculitis), 과민혈관염(hypersensitivity vasculitis)

등이 있다.

### 1) IgA혈관염

IgA혈관염(IgA vasculitis, Henoch-Schönlein purpura)은 하지의 자색반, 복통, 관절통 및 신염 등의 다양한 임상양상을 보이는 전신 혈관염으로 소동맥 혈관 벽의 IgA 침착이 특징이다. 상기도 감염 후 흔히 발병되나 아직 관련된 병원(pathogen)이 규명되어 있지 않다. 또한 약제에 의해 유발될 수 있다고도 알려져 있다.

#### (1) 역학

주로 10세 이하 소아에서 발생 빈도가 높은 것으로 알려져 있고, 청소년기나 성인에서도 나타날 수 있다. 배 등이 보고한 한국인 성인 환자 대상 조사에 따르면 남녀 성비는 비슷하며 대부분 40세 미만에서 발병되었다. 또한 계절에 따른 발병률의 차이가 있었으며 봄, 가을, 여름, 겨울 순으로 호발하였다.

#### (2) 병태생리

혈청에서 IgA 및 IgA 포함 면역복합체의 농도가 증가되어 있고, 혈관벽과 신장의 사구체간질(mesangium)에 IgA 침착이 나타나기 때문에 IgA가 질환 발생에 중요한 역할을 하는 것으로 알려져 있다. 특히 IgA의 아형 중 IgA1이 면역복합체 형성에 주된 역할을 하는 것으로 보고되어 있다. IgA1은 영장류에서만 발견되는데, 상부 호흡기 감염에 의해 비정상적인 IgA1이 증가하고 이로 인해 증가된 면역복합체가 사구체에 침착함으로써 IgA 신장염이 발생한다는 주장이 있다. 하지만 신장염을 동반하지 않는

IgA혈관염 환자에서는 IgA1 농도가 증가하지 않으므로 일반적인 병태생리 기전으로 여겨지지는 않고 있다.

## (3) 임상양상

갑자기 발생한 열과 함께 하지의 촉지자색반(palpable purpura), 복통, 관절염, 혈뇨가 나타날 수 있다. 소아기에 발병한 경우 일반적으로 양호한 경과를 보이는 반면 성인에서 발생한 경우 나쁜 경과를 보일 수 있다. 성인에서는 반수 이상에서 피부의 물집과 괴사가 동반된다고 보고되었고, 배 등의 국내 단일 기관 연구에 따르면 거의 모든 환자에서 하지의 점상 출혈 및 자색반이 관찰되고 상지에도 약 25% 발생하였다(그림 99-1). 관절증상은 50%에서 나타나며 주로 큰 관절의 관절통 또는 관절염으로 나타난다. 위장관 증상도 약 40%에서 나타나며 자색반에 선행하여 나타나는 경우도 있어 진단에 혼란을 주기도 한다. 특징적으로 위장관 혈관염을 시사하는 급경련복통(colicky abdominal pain)을 보이며, 드물지만 위장관 출혈이 동반되기도 한다. 내시경 소견 상 상부 혹은 하부 위장관 점막 자색반이 관찰될 수 있으며 드물게 회맹부 궤양이 동반될 수 있다.

신장 침범은 가장 문제가 되는 증상으로 혈뇨와 단백뇨가 동반된 신장염은 약 50%에서 관찰된다. 복통이나 관절염이 자색반보다 선행하여 나타날 수 있는 것과 달리 신장침범은 항상 자색반 발생 이후에 나타난다. 혈뇨가 가장 특징적인 증상이고 사구체신염은 수주 이후에 발생하는 경우도 있으므로 피부, 관절,

그림 99-2. 신장 조직 면역형광염색에서 관찰된 사구체간질 및 사구체의 IgA 침착(출처: 서울아산병원 김용길교수)

복부 등의 증상이 소실된 이후에도 수주 이상 지속적으로 사구체신염 발생 여부를 확인하여야 한다. 소아의 경우 경증의 사구체신염이 흔하며 대부분 저절로 호전되나, 성인의 경우 약 10% 정도에서 만성 신장 질환으로 진행하는 것으로 보고되었다. 신장 침범이 있는 경우 신 조직검사 상 대부분 IgA 면역 형광염색 양성 소견으로 나타나며 IgA 신장염의 병리 소견을 보인다(그림 99-2). 하지만 IgA혈관염 환자에서 혈중 IgA 증가 소견은 약 40% 정도에서만 관찰될 수 있다.

## (4) 진단

성인에서 진단은 특징적인 증상을 보이는 경우에도 조직검사를 통해 면역형광염색검사를 시행하여야 한다. 진단은 임상증상에 의존하며 1990년 미국류마티스학회에서 제안한 분류기준(표 99-1) 혹은 2010년 EULAR/PRINTO/PRES 분류기준을 참고한다(표 99-2).

기존의 미국류마티스학회 기준에 비해 EULAR/PRINTO/PRES 기준에서는 자색반 분포가 전형적이지 않다면 반드시 피부조직 검사를 통해 IgA 침착을 증명하여야 함을 강조하였고 또한 관절 및 신장 증상을 분류기준에 추가하였다. 하지만 EULAR/PRINTO/PRES 기준은 주로 소아 환자 대상으로 진행된 연구 결과이므로 성인에서 향후 추가적인 검증이 필요하다.

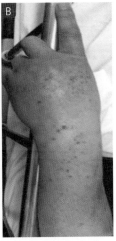

그림 99-1. (A) 하지 및 (B) 상지의 특징적인 자색반 및 점상 출혈 (출처: 서울아산병원 김용길교수)

**표 99-1.** 1990년 미국류마티스학회 분류기준(4개 중 2개 이상이 만족. 민감도 87%, 특이도 88%)

| 기준 | 정의 |
|---|---|
| 촉지자색반<br>(palpable purpura) | 혈소판감소증과 관련이 없는 약간 융기된 촉지되는 출혈성 피부 병변 |
| 연령 | 첫 증상이 20세 이전에 발생 |
| 복통(bowel angina) | 혈변을 포함한 허혈장염으로 진단된 경우 혹은 식사 후 악화되는 전반적인 복통 |
| 조직검사소견 | 조직검사에서 소동맥/소정맥 벽의 과립구 소견 |

**표 99-2.** 2010년 EULAR/PRINTO/PRES 분류기준(자색반이 있으면서 1-4 중 한 개 이상이 만족. 민감도 100%, 특이도 87%)

| 기준 | 정의 |
|---|---|
| 자색반(필수요건) | 혈소판감소증과 관련 없는 하지에 분포한 병변 |
| 1. 복통 | 급성으로 발생한 광범위한 경련통 |
| 2. 조직소견 | IgA침착 백혈구파괴혈관염 혹은 사구체신염 |
| 3. 관절염/관절통 | 급성으로 발생한 관절 부종 혹은 통증 |
| 4. 신장 침범 | 300 mg/일 이상의 단백뇨, 고배율 시야에서 5 RBC 이상 혹은 RBC casts 소견이 관찰되는 혈뇨 |

### (5) 치료 및 예후

IgA혈관염은 대부분 양호한 예후를 보인다. 경증의 경우 저절로 호전되는 경우가 많다. 비스테로이드소염제는 관절증상에 도움이 될 수 있으나 위장관증상은 악화시킬 수 있고 신장침범이 있는 경우 피해야한다. 글루코코티코이드는 관절증상과 위장관증상에 효과가 있는 것으로 알려져 있으나 피부증상에는 효과가 없고 신장증상에는 효과가 불확실하다. 하지만 심한 신장침범 소견을 보이는 경우 고용량의 글루코코티코이드와 미코페놀레이트모페틸 투여가 도움이 될 수 있다는 보고가 있다.

성인 IgA혈관염 환자를 대상으로 한 국내 연구에 따르면 혈변, 혈뇨, 신증후군 범위 단백뇨가 있는 경우 치료 반응이 좋지 않았으며, 만성신부전 진행과 관련된 위험인자로 신증후군 범위 단백뇨가 유의하게 확인되었다. 해외 보고에 따르면 5% 미만에서 만성신부전으로 진행한다고 알려졌으나 국내 연구에서는 약 10% 정도 진행한 것으로 보고되었다.

### 2) 한랭글로불린혈증혈관염

한랭글로불린(cryoglobulin)은 낮은 온도에서 침전되는 면역글로불린으로 주로 IgG와 IgM으로 구성되어 있다. 한랭글로불린혈증은 3가지로 분류된다(표 99-3). 제1형은 류마티스인자 음성과 IgG, IgM 혹은 IgA 단세포군감마글로불린병증(monoclonal gammopathy)을 특징으로 하며 Waldenströme's macroglobulinemia 혹은 다발골수종과 관련이 있고, 제2형과 제3형은 류마티스인자 양성이며 혼합 한랭글로불린혈증으로 IgG와 IgM이 혼합되어 있는 것을 특징으로 한다. 대부분의 제2형은 C형간염 감염과 관련이 있으며 단클론 IgM과 다클론 IgG를 특징으로 하며, 제3형은 자가면역질환 등의 만성 염증 환경에서 발생하는 것으로 다클론 IgG, IgM을 특징으로 한다.

혈관에 침전물이 침착하며 여러 증상을 유발할 수 있고 피부의 소혈관 혈관염이 가장 특징적이다. 제1형 한랭글로불린혈증혈관염은 말단 부위 괴사(그림 99-3A), 그물울혈반(livedo reticularis) 등이 나타날 수 있고, 혈액의 과다점도(그림 99-3B)와 관련된 침전물로 인해 뇌졸중, 의식 혼수 등의 심각한 신경학적 증상을 보이기도 한다. 제2, 3형은 자색반, 관절통, 근육통 등의 증상을 보이는 경우가 흔하다. 하지만 드물게 막증식사구체신염, 말초신경염, 피부 괴사 등이 발생할 수 있다.

진단은 침범된 장기의 조직검사 혹은 혈청 한랭글로불린 측정법(serum cryoglobulin assay)을 이용한 혈청학적 소견으로 확

**표 99-3.** 한랭글로불린혈증혈관염 분류

| 분류 | 면역글로불린 특징 | 대표적인 기저 질환 |
|---|---|---|
| 제1형 | Monoclonal IgG, IgM, IgA | Waldenströme's macroglobulinemia, multiple myeloma |
| 제2형 | Monoclonal IgM, polyclonal IgG | Hepatitis C virus infection |
| 제3형 | Polyclonal IgG, IgM | Rheumatoid arthritis, systemic lupus erythematosus |

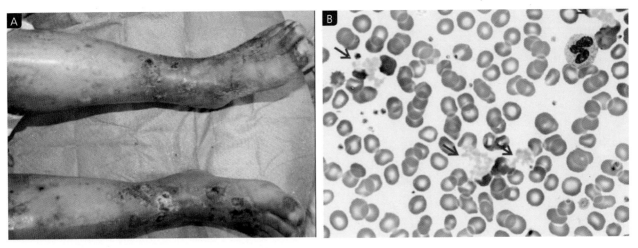

그림 99-3. **(A)** 다발성 골수종 관련 제1형 한랭글로불린혈증 환자의 피부 괴사 소견 및 **(B)** 분홍색의 침전물이 보이는 말초혈액도말 소견(화살표) (출처: Korean J Hematol 2011;46(4):215)

인할 수 있다. 하지만 혈청 한랭글로불린 측정을 위한 검체는 37°C에서 운반되어야 하고, 이 온도를 유지하며 원심분리 후 4°C에 보관되어야 하며, 그렇지 못한 경우 위음성이 흔하다. 제2, 3형 한랭글로불린혈증의 경우 혈액검사에서 C4 감소 및 류마티스인자 양성이 관찰될 수 있다. 2011년 이탈리아 연구진에 의해 제안된 한랭글로불린혈증혈관염 예비 분류기준이 표 99-4에 기술되어 있으며 진단을 위해서는 3개 항목 중 2개 이상을 만족시켜야 하고, 한랭글로불린혈증이 12주 이상 간격으로 2회 이상 확인되어야 한다.

쇼그렌증후군과 감별이 필요한데, 눈과 입마름 등의 임상증상과 류마티스인자, 보체 감소 등의 혈청학적 소견도 유사할 수 있어 항Ro와 항La 자가항체가 감별에 도움을 줄 수 있다. 루푸스와의 감별에는 항dsDNA 자가항체가 도움이 될 수 있다. 류마티스인자 양성으로 류마티스관절염으로 오인되는 경우도 있으나 활막염은 드물고 관절 손상을 유발하지 않는다. 그 외 혈관염과 유사한 임상증상을 보이는 경우가 많아 감별하는 것이 중요하다.

치료는 증상과 그 정도에 따라 이루어진다. C형간염 등 그 원인 있는 경우 원인 치료가 중요하고, 원인이 불명확한 상태에서 증상이 심한 경우 글루코코티코이드와 면역억제제를 고려해 볼 수 있다. B세포를 제거하는 항CD20 단클론항체(rituximab)의 효과도 보고되어 있다.

### 3) 저보체혈증두드러기혈관염

저보체혈증두드러기혈관염은 드문 질환으로 하루 이상 지속되는 두드러기(그림 99-4)로 나타난다. 다른 결체조직질환과 동

표 99-4. **한랭글로불린혈증혈관염 예비 분류기준**

| 질문 항목<br>(2개 이상 만족) | 1) 피부, 특히 하지의 점상 발진이 생겼던 경험이 있는가?<br>2) 발진이 가라앉고 갈색 색소 침착이 생겼는가?<br>3) 바이러스간염을 진단받은 적 있는가? |
| --- | --- |
| 임상 항목<br>(3개 이상 만족) | 1) 전신 증상: 피로감, 10일 이상 미열(37–37.9°C), 38°C 이상의 발열<br>2) 관절 증상: 관절염, 관절통<br>3) 혈관 증상: 자색반, 피부 궤양, 괴사혈관염, 과다점도 증후군, 레이노현상<br>4) 신경 증상: 말초신경염, 중추신경 증상 |
| 검사 항목<br>(2개 이상 만족) | 1) 혈중 C4 감소<br>2) 류마티스인자 양성<br>3) 혈중 M component 양성 |

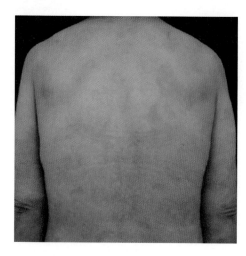

그림 99-4. 저보체혈증두드러기혈관염의 색소침착을 동반한 피부 소견 (출처: J Korean Med Sci 2009;24:184-6)

표 99-5. 저보체혈증두드러기혈관염과 두드러기

|  | 두드러기 | 저보체혈증두드러기혈관염 |
| --- | --- | --- |
| 통증 | − | + |
| 지속기간 | 3시간 이내 | 24시간 이상 |
| 회복 후 피부소견 | 병변 완전 소멸 | 색소 침착 |
| 혈관 부종 | − | 동반 가능 |
| 관절통/신장 이상 | − | 흔하게 동반 |

반되어 나타나는 경우가 흔하여 다른 혈관염이나 전신홍반루푸스 등의 감별이 필요하다. 두드러기는 일시적으로 수 분 혹은 수시간 후 완전히 소실되지만 저보체혈증두드러기혈관염은 두드러기 소견이 24시간 이상 지속되며, 가려움증보다는 통증이 나타나는 경우가 많고, 회복 후에도 갈색 색소 침착을 남기는 것이 특징이다(표 99-5).

보체(C3, C4)가 감소되어 있고 항C1q 항체가 양성일 수 있으나 루푸스 등의 질환에서도 보일 수 있는 소견으로 진단을 위해서는 피부조직검사가 필요하다. 피부 조직검사상 백혈구파괴혈관염(leukocytoclastic vasculitis) 소견이 보이고 면역형광염색에서 IgG, IgM, C3, C4, C1q 등에 강한 양성 소견을 보이면 진단할 수 있다.

글루코코티코이드 치료에 일반적으로 반응이 좋으며 필요시 메토트렉세이트, 아자싸이오프린, 사이클로스포린, 사이클로포

표 99-6. 1990년 미국류마티스학회 과민혈관염 분류기준(3개 이준 기준 만족. 민감도 71%, 특이도 83.9%)

1. 발병시 16세 이상
2. 증상과 관련된 약물 복용력
3. 촉지자색반(palpable purpura)
4. 반구진발진(maculopapular rash)
5. 소혈관 주위의 중성구 운집 피부조직 소견

스파마이드, 미코페놀레이트모페틸 등을 고려해 볼 수 있다 사구체신염 또는 다른 장기 침범이 있는 경우 고용량 글루코코티코이드와 면역억제제 투여가 필요하다.

## 4) 과민혈관염

과민혈관염은 다른 혈관염 질환이 없으며 소혈관을 침범하는 피부에 국한된 혈관염이다. 유발 원인이 되는 약제나 감염이 있는 경우가 있으나, 많은 경우 그 원인이 불명확하다. 백혈구파괴혈관염(leukocytoclastic vasculitis)으로 흔히 불리며, 이는 피부조직검사에서 확인할 수 있는 소견으로 면역복합체에 의한 손상으로 발생한다고 알려져 있다.

주로 하지의 피부에 자반, 구진, 두드러기, 다형홍반, 소수포, 궤양 등의 다양한 양상을 보이며 무증상인 경우도 있지만 일반적으로는 저리거나 화끈거리는 증상이 동반된다. 혈액검사에서는 급성반응기물질이 증가되는 경우도 있지만, 일반적으로 특별한 이상이 없다. 다른 혈관염과 감별하는 것이 중요하며 다른 증상이나 다른 장기의 침범 소견이 없는지 확인해야 한다. 특히 유발 요인이 없었는지 확인하는 것이 필요하다(표 99-6).

유발요인이 확인되었다면 제거하는 것이 가장 중요하며 이 경우 수주내 없어지는 경우가 많지만 유발요인을 확인할 수 없거나 증상이 지속되면 주로 대증적인 치료를 한다. 다리를 높게 올리는 것이 권장되며, 비스테로이드소염제나 항히스타민제를 사용할 수 있다. 아직 치료의 근거가 될 수 있는 연구결과는 부족한 상태로 증상이 지속될 경우 콜히친 사용을 고려해 볼 수 있고, 증상이 심한 경우 글루코코티코이드나 면역억제제를 사용할 수 있다.

# 중추신경계혈관염

## 1) 원발 중추신경계혈관염

원발 중추신경계혈관염은 원인이 불명확한 드문 질환으로 뇌와 척수에 국한된 혈관염이다. 여러 질환이 포함되어 있는 질환군으로 아직 잘 알려지지 않은 부분이 많다. 조직검사에 의해 확인된 형태와 혈관조영술에 의해 확인된 형태가 보고되어 있고 각기 다른 임상양상을 보인다. 후자의 경우 양성중추신경혈관병증(benign angiopathy of the CNS) 또는 가역뇌혈관연축증후군(reversible cerebral vasoconstriction syndrome)으로 분류하기도 한다.

### (1) 병리 소견

원발 중추신경계혈관염은 주로 소동맥 및 중소동맥 혈관벽을 침범하여 문제를 유발시킨다. 크게 3가지의 대표적인 병리 소견이 보고되었으며 육아종 형성, 림프구 침윤, 및 괴사 소견을 관찰할 수 있다. 이 중 육아종 형성이 가장 흔히 관찰되는 소견이다. 괴사혈관염 소견으로 결절다발동맥염에서 보이는 소견과 매우 흡사한 전층 섬유소 괴사(transmural fibrinoid necrosis)가 관찰될 수 있다.

### (2) 임상양상

중년 남성에서 가장 흔히 보고되어 있고 주로 서서히 시작되는 두통과 뇌병증(encephalopathy)으로 나타나며 뇌졸중(stroke)이 발생할 수 있다. 여러 신경학적 증상이 서서히 누적되며 의심하게 되는 경우가 일반적이며 두통, 인지 장애(cognitive dysfunction), 의식 변화, 국소 신경 이상 증상, 경련, 시야 장애, 복시, 사지 마비, 뇌출혈 등의 증상이 나타날 수 있다. 가역뇌혈관연축증후군의 경우 여성에 호발하며 뇌혈관조영술에서 비정상적인 소견이 관찰되나 신경학적 증상을 동반하지 않는 간헐적 두통 및 정상 뇌척수액 검사소견을 보일 경우 의심할 수 있고 일반적으로 신경학적 후유증을 남기지 않는 단발 경과를 보인다(표 99-7).

### (3) 진단

원발 중추신경계혈관염의 경우 늦지 않게 진단하고 치료하는 것이 영구 뇌 손상을 예방하는 데 중요하다. 뇌 자기공명영상은 가장 민감도가 높은 검사이나 특이도가 낮은 단점이 있다. 뇌 조직검사(그림 99-5A) 혹은 전형적인 뇌혈관조영술(그림 99-5B)로 진단이 이루어질 수 있다. 조직 검사가 확진을 위해 필요하며 특이도가 가장 높다는 장점이 있지만, 국소 병변의 경우 민감도가 떨어지는 단점이 있고 검사에 따른 위험도 높다. 뇌혈관조영술 역시 근위부의 동맥경화 소견이 없으면서 다혈관을 침범하는 분절 협착, 확장, 및 폐쇄 소견이 전형적인 소견으로 알려져 있지만, 감염, 혈관경련수축, 뇌색전증, 동맥경화증 등에 의해서도 보일 수 있어 특이도가 높지 않고 역시 검사에 따른 위험이 동반된다. 뇌척수액 검사 이상은 90% 이상의 환자에서 나타나며, 감염의 증거가 없으면서 세포증가증, 단백질 증가 소견이 있는 경우 의심할 수 있다.

다른 원인 없이 중추신경계혈관염 임상양상을 보이며 조직검사상 확인이 된 경우 확진이 가능하며 조직검사 없이 임상양상과 영상검사소견이 합당할 경우 확진할 수 없고 '가능성 있음'으로 분류하여야 한다.

표 99-7. 원발 중추신경계혈관염과 가역뇌혈관연축증후군 비교

| | 원발 중추신경계혈관염 | 가역뇌혈관연축증후군 |
|---|---|---|
| 선행 요인 | 미상 | 출산, 혈관작용약물 등 |
| 양상 | 만성, 서서히 진행하는 두통 | 단발성의 강한 갑작스런 두통 |
| 뇌척수액 소견 | 세포증가증, 단백질 증가 | 대부분 정상소견 |
| 자기공명영상 소견 | 대부분 비정상 | 대부분 정상소견 |
| 혈관조영술 소견 | 정상 혹은 미만 다발 협착 및 폐쇄 | 염주알 모양(strings of beads), 6-12주 내에 정상회복 |
| 조직검사소견 | 혈관염 | 정상 |

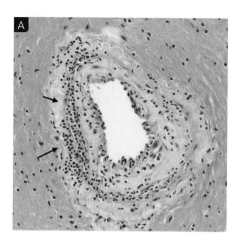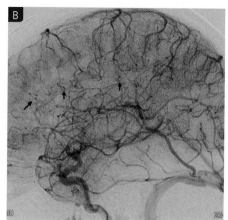

그림 99-5. **(A)** 원발 중추신경계혈관염 환자의 뇌조직검사에서 관찰되는 소동맥 주위 림프형질세포 무리 소견(화살표) 및 **(B)** 혈관조영술에서 다발성 혈관 확장을 동반한 협착 소견(화살표) (출처: J Korean Neurol Assoc 2011;29(3):257)

### (4) 치료 및 예후

진단이 되면 고용량 글루코코티코이드 치료가 권장된다. 아직 확실한 근거는 부족하지만 증상이 심하거나 글루코코티코이드에 불충분한 반응을 보이는 경우 사이클로포스파마이드 등의 면역억제제 투여가 권장된다. 치료 기간도 아직 근거가 부족하지만 일반적으로 3-6개월간의 관해유도치료 후 최소 1년 이상 아자싸이오프린 등으로 유지요법이 권고된다.

적절한 치료를 받지 못할 경우 대부분 사망하는 것으로 알려져 있으나 가역뇌혈관연축증후군 형태의 경우 대부분 호전을 보인다.

### 2) 이차 중추신경계혈관염

다양한 원인 질환에 의해 이차 중추신경계혈관염이 발생할 수 있으며(표 99-8), 기저 질환의 치료가 중요하다.

## 가와사키병

점액피부임파선증후군(mucocutaneous lymph node syndrome)으로 불리기도 하는 가와사키병은 소아기에 급성발열 증상을 보이는 혈관염으로, 원인은 명확하지 않으며, 5세 미만에서 발병하며, 대부분 수주 이내에 자연 소실되는 양호한 경과를 보인다. 드물게 성인에서 나타나기도 한다. 흔히 양측 비화농성 결막충혈(bilateral non-purulent conjunctival injection), 비화농성 경부선염(non-purulent cervical adenitis), 구강(그림 99-6A), 입술, 손바닥 발적 및 손바닥 표피 탈락, 다형 발진(그림 99-6B) 등을 관찰할 수 있다. 이러한 증상을 근거로 표 99-9에 진단기준이 마련되었다. 하지만 5% 미만에서 심장 및 대혈관을 침범하여 심근염, 심낭염, 관상동맥류, 심근경색 등이 나타나기도 하며, 특히 혈관염이 동반된 경우 예후가 불량한 것으로 알려져 있다.

표 99-8. 이차 중추신경계혈관염 원인

| 원인 | |
|---|---|
| 감염 | 바이러스: Varicella zoster virus, HIV, HCV, CMV 등<br>세균: Treponema, 결핵균, Mycoplasma, Rickettsia 등<br>기타: Aspergillosis, Mucormycosis, Candidiasis, Cysticercosis 등 |
| 전신 혈관염 | 베체트병, 결절다발동맥염, IgA혈관염, 타카야수동맥염, ANCA-관련혈관염 등 |
| 교원성질환 | 전신홍반루푸스, 류마티스관절염, 쇼그렌증후군, 피부근육염 등 |
| 분류되지 않은 질환 | 항인지질항체 증후군, 림프종, 신경 유육종증, 염증장질환, GVHD, 약물 유발성(cocaine, amphetamine, ephedrine, phenylpropanolamine 등) |

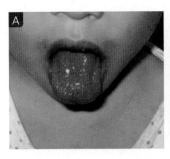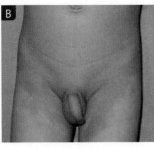

**그림 99-6.** 가와사키병 환아의 **(A)** 딸기혀와 **(B)** 체간의 다형 발진 (출처: 서울아산병원 김용길교수)

**표 99-9.** 가와사키병 진단기준

1. 5일 이상 지속되는 열
2. 삼출물을 동반하지 않는 양안의 결막충혈 소견
3. 다형성 발진
4. 구강 및 입술의 변화: 딸기혀, 구강점막 및 인두의 충혈, 입술의 발적 또는 갈라짐
5. 사지의 변화: 손발바닥 홍조, 손발의 경화성 부종, 손발 및 사타구니의 표피 탈락
6. 경부 림프절 종대

치료는 질병 초기에 고농도 정맥 내 감마글로불린 주사(2 g/kg, 10-12시간 동안 투여) 및 아스피린(30~50 mg/kg/day)을 병용하는 것이 추천되고 있다. 감마글로불린 주사에 불충분한 반응을 보일 가능성이 높은 경우 추가적인 치료를 고려해 볼 수 있다. 일본의 연구에서 글루코코티코이드가 효과가 있다는 보고가 있었지만 다른 연구들에서 일관성 있는 효과를 보여주지 못했고, 서맥(bradycardia) 발생 위험도 높아진다는 보고가 있어 주의가 필요하다.

### 참고문헌

1. Calabrese LH, Michel BA, Bloch DA, et al. The American College of Rheumatology 1990 criteria for the classification of hypersensitivity vasculitis. Arthritis Rheum 1990;33:1108.
2. Cho BH, Park ES, Kim DE, et al. Primary Angiitis of the Central Nervous System presenting tumefactive lesions and small arteriolar ectasias. J Korean Neurol Assoc 2011;29:257-60.
3. De Vita S, Soldano F, Isola M, et al. Preliminary classification criteria for the cryoglobulinaemic vasculitis. Ann Rheum Dis 2011;70:1183-90.
4. Ferri C, Cacoub P, Mazaaro C, et al. Treatment with rituximab in patients with mixed cryoglobulinemia syndrome: results of multicenter cohort study and review of the literature. Autoimmun Rev 2011;48-55.
5. Her MY, Song JY, Kim DY. Hypocomplemeteric urticarial vasculitis in systemic lupus erythematosus. J Korean Med Sci 2009;24:184-6.
6. Jara LJ, Navarro C, Medina G. et al. Hypocomplementemic urticarial vasculitis syndrome. CurrRheumatol Rep 2009;11:410-5.
7. Kolopp-Sarda MN, Miossec P.Cryoglobulinemic vasculitis: pathophysiological mechanisms and diagnosis. Curr Opin Rheumatol 2021;33:1-7.
8. Kraemer M, Berlit P.Primary central nervous system vasculitis – An update on diagnosis, differential diagnosis and treatment. J Neurol Sci 2021;424:117422.
9. McCrindleBW, Rowley AH, Newburger JW et al. Diagnosis, treatment, and long-Term management of Kawasaki Disease: A Scientific Statement for Health Professionals from the American Heart Association. Circulation 2017;135:e927-99.
10. Ozen S, Pistorio A, Iusan SM, et al. EULAR/PRINTO/PRES criteria for Henoch-Schölein purpura, childhood polyarteritis nodosa, childhood Wegener granulomatosis and childhood Takayasu arteritis: Ankara 2008. Part II: Final classification criteria. Ann Rheum Dis 2010;69:798-806.
11. Pillebout E, Sunderkötter C. IgA vasculitis.Semin Immunopathol. 2021;43:729-38.
12. Won D, Park CJ, Chang JW. Cryoglobulinemic vasculitis and monoclonal gammopathy in end-stage renal disease. Korean J Hematol 2011;46:215.

# 100

# 증례

관동의대 **박희진**

70세 남자가 양 하지의 피부 발진과 양 무릎, 손목의 동통으로 왔다. 폐결핵으로 인한 폐 손상 및 천식 이외 특이 소견 없는 분으로 양하지 전체에 자반증 소견 보였으며 양 무릎과 발목 관절의 부기 및 압통이 관찰되었다. 환자의 검사실 검사소견은 다음과 같다. 백혈구 12,200/mL, 혈색소 12.0 mg/dL, ESR 98 mm/hr, CRP 53.48 mg/dL이었으며, AST/ALT 18/12 U/L, BUN/Cr 30.2/1.08 mg/dL으로 간기능 및 신기능은 모두 정상 소견이었다. 소변검사상 단백뇨 3+, 혈뇨 3+였고 24시간 소변검사 상 5.351 g/day의 단백뇨를 보였다. 항핵항체는 1:80 이었고, 류마티스인자, MPO-ANCA, PR3-ANCA, anti-GBM Ab는 모두 음성이었다. Total IgE 1047kU/L, IgA 1015.2 mg/dL로 상승되어 있었다. 부비동 X-ray상 부비동염은 관찰되지 않았고 흉부CT상 우폐와 좌상엽에 중등도의 활성도가 있는 폐결핵 가능성 있다고 하였으며 기관지 확장증 및 좌하엽에 부분절 무기폐 및 섬유화가 동반되어 있었다. 검사 진행 중 양하지 전체 및 몸통까지 자반증이 번졌으며, 양하지 함요부종 Grade 3까지 진행하였고 호흡곤란을 호소하였다.

피부조직검사 결과에서 혈관 주변부 IgA 침윤이 동반된 백혈구파괴혈관염(leukocytocalstic vasculitis with IgA deposit around vessels) 소견을 보였고 신장 조직검사에서 헤노흐-쇤라인 자반병 신장염[Henoch-Schonlein purpura nephritis, ISKDC classification grade Ⅲa (Oxford classification: M0, E1, S0, T0)]과 경증의 만성 세뇨관-사이질성 변화(mild chronic tubulointerstitial change) 소견을 보였다. 기관지내시경통한 폐조직검사 상 결핵균은 음성 소견이었다. 아래 그림은 환자의 내원 당시 자반증 육안사진이다.

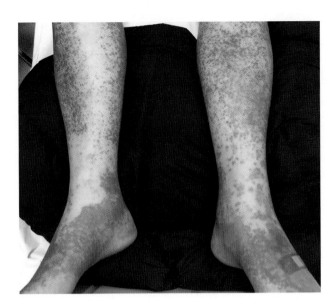

그림 100-1. 환자의 육안 사진

## 1) 질문

(1) 이 증례에 대한 진단 및 감별해야 하는 진단명은?

(2) 이 환자에서 적절한 일차치료는?

## 2) 증례 설명

천식 과거력이 있는 환자에서 혈뇨 및 단백뇨, 관절염, 자반증이 발생하였으며 혈청내 IgE 농도가 상승되어 있어 호산구육아종증다발혈관염(eosinophilic granulomatosis polyangiitis) 및 IgA 혈관염 감별이 필요하였다. 검사 결과상 ANCA(MPO Ab), ANCA(PR3 Ab) 모두 음성이었으며 시행한 피부 조직검사상 호산구 침윤이 관찰되지 않았다. 반면, 혈청 IgA 농도가 상승되어 있었고 피부 조직검사 및 신 조직검사상 IgA 침윤이 있으며 IgA nephritis에 합당한 소견을 보였다. 따라서 2020년 EULAR/PINTO/PRES 분류기준을 참고하면 자반증이 있으면서 복통, 관절통, 신장침범 및 조직검사상 전형적인 소견 중 한 가지 이상이 동반되는 경우 IgA 혈관염으로 진단할 수 있으며, 본 환자의 경우 임상적 증상 및 신장과 피부 조직검사상 IgA 침윤이 명확한 혈관염 및 신장염 소견을 보여 IgA 혈관염 진단기준을 충족하였다.

치료는 경중의 IgA 혈관염의 경우 저절로 호전되는 경우가 많으며 피부 증상 및 관절증상의 경우 소염진통제나 보조적 치료로 호전되는 경우가 많다. 신장 침범이 있는 경우 경증에는 글루코코티코이드 및 면역억제제 치료에 대해 아직 정립되어 있지 않으나, 신증후군 정도의 단백뇨가 동반된 경우에는 만성신부전으로 진행될 수 있다. 본 환자의 경우에는 3g 이상의 단백뇨가 지속되고 저알부민혈증이 동반되어 고용량의 글루코코티코이드 치료를 시작하였고 추가 면역억제제 사용없이 단백뇨 및 혈뇨가 호전되었으며, 피부 및 관절 증상이 모두 호전되었다.

## 3) 정답

### (1) 이 증례에 대한 진단 및 감별진단은?

① IgA혈관염(IgA vasculitis)

② 호산구육아종증다발혈관염(eosinophilic granulomatosis polyangiitis)

### (2) 이 환자에서 적절한 일차치료는?

고용량의 글루코코티코이드(0.5mg-1mg/kg prednisolone)

류 마 티 스 학
RHEUMATOLOGY

# PART 15 베체트병

책임편집자 **백한주**(가천의대)
부편집자 **최효진**(가천의대)

# 101

# 역학과 병인

서울의대 **이은봉**

## KEY POINTS 🔒

● 베체트병은 터키, 중동아시아, 한국, 일본 등 실크로드 지역에 서 주로 발생한다.
● 베체트병의 발병에는 HLA-B51과 같은 유전인자, 환경요인 이 중요하며, 선천면역과 후천면역체계의 이상이 모두 관여하 며, 혈관내피세포의 활성화도 중요한 역할을 한다.

## 역학

베체트병(Behcet's disease)은 북위 30-45도에 위치하는 유라 시아 지방을 따라서 발생빈도가 높다. 이 지역은 과거 실크로드 에 해당하는 지역으로, 터키를 비롯한 지중해 지역, 이란 등의 중 동 아시아, 중국, 한국, 일본과 같은 극동아시아 지역이 포함된 다. 베체트병의 유병률은 인종 및 국가에 따라서 큰 차이를 보이 며, 인구 10만 명당 유병률은 터키 20-602명, 일본 7-13.5명, 한 국은 35.7명, 미국은 0.38명, 영국은 0.64명 정도이다. 프랑스의 경우 전체 유병률은 10만 명당 7.1명인데, 프랑스 내의 유럽 인종 의 경우는 2.4명에 불과한 반면, 북아프리카 인종의 경우는 34.6 명, 아시아 인종의 경우는 17.5명으로, 베체트병의 발병에는 종 족에 따른 유전인자가 매우 중요한 역할을 할 것으로 추정된다.

베체트병은 모든 나이에서 발생할 수 있으나 10대에서 30대 에 주로 발생하며, 남녀 비는 일반적으로 비슷하나, 한국인의 경 우는 여성에서 좀 더 호발한다. 남성의 경우 여성보다 좀 더 심한 임상 경과를 밟는다. 메타분석 결과에 의하면 남성 환자의 경우

안 질환, 혈관 질환(표재, 심부정맥 혈전증 등), 구진농포 질환, 모 낭염이 흔한 반면에 여성 환자의 경우는 홍반결절, 성기부 궤양, 관절 질환이 보다 더 흔하다.

## 병인 및 병태생리

베체트병의 발병원인은 아직 정확히 알려져 있지 않다. 현재 까지의 연구 결과에 의하면 유전요인과 환경요인, 면역요인이 발병에 모두 관여하며, 혈관내피세포의 활성화를 통해서 혈관 또는 혈관주위에 염증이 발생한다(그림 101-1).

유전요인으로는 사람백혈구 항원(human leukocyte antigen, HLA)과의 관련성이 잘 알려져 있다. HLA-B51 양성인 경우, 음 성인 경우에 비해서 베체트병의 발병 위험성은 5-6배로 증가한 다. HLA-B51과 베체트병 간의 관련성은 한국인, 일본인뿐만 아 니라 터키인, 중동인 등 대부분의 인종에서 확인되었다. 분자유 전학적으로는 HLA-B51 중 HLA-B*5101과의 관련성이 가장 높 은 것으로 보고되었다. HLA-B51 유전자 이외에도, 인종에 따 라서 HLA-B52, -B57, -B15, HLA-A26과의 관련성도 알려져 있 다. HLA-B51이 어떤 기전을 통해서 베체트병을 일으키는지는 아직 확실하지 않으나, 항원제시세포가 림프구에 베체트병-유 발 펩티드를 보다 더 잘 제공하게 하거나, 자연살해세포(natural killer cell), gamma/delta T 림프구의 자연살해세포 수용체(natural killer cell receptor)를 활성화시키거나, 항원제시세포 내에서 단 백의 비정상적인 접힘에 의해서 선천면역체계를 활성화시키거

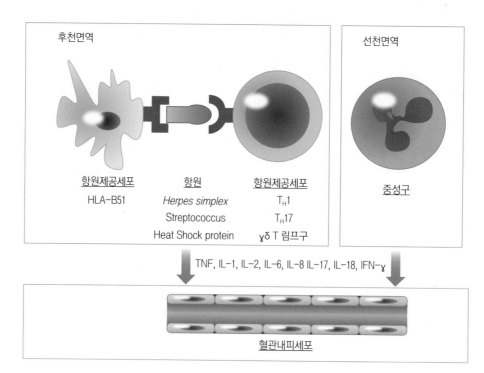

그림 101-1. **베체트병의 발병기전** 후천면역세포인 림프구는 항원제시세포에 의해서 제공된 항원에 의해서 활성화되어서 염증사이토카인을 분비하고, 선천면역세포인 중성구 또한 활성화되어 혈관내피세포를 활성화시킴으로써 베체트병이 발병되는 것으로 추정된다.

나, HLA-B51 분자와 생체 기관 간에 교차반응이 일어날 것으로 추정된다. 이외에도 연관(linkage disequilibrium) 관계에 있는 TNF (tumor necrosis factor) 유전자나 MICA (MHC Class I polypeptide-related sequence A) 유전자가 베체트병의 발병에 기여한다는 연구 결과도 있다. HLA 부위 이외에도 다수의 유전자가 베체트병과 관련이 있다고 보고되었으며 최근의 유전체 연구결과(genome-wide association study)에 의하면, IL-10, IL-23R, ERAP-1 (endoplasmic reticulum aminopeptidase), GIMAP (GTPase immune associated protein) 등의 유전자 변이가 베체트병과 관련이 있다고 보고되었다.

환경요인으로는 주로 감염요인이 제시되었으며, 세균으로는 연쇄구균류(Streptococcus sanguis, Streptococcus mutans), 바이러스로는 단순헤르페스 바이러스(Herpes simplex), 파보바이러스(parvovirus) 등이 제시되었다. 감염이 발병에 관여하는 기전은 분자모방(molecular mimicry) 설이 유력하다. 열충격 단백(heat-shock protein-60)은 세균의 구성 성분으로서, 인체 내에도 유사서열을 가지는 열충격 단백이 존재해서, 세균과 인체 내 열충격 단백 간의 분자모방에 의해서 면역체계가 활성되어 염증을 일으

킬 수 있다. 실제로 열충격 단백의 일부 펩티드들은 인간 면역세포를 활성화시킬 수 있다.

면역학 요인으로는 선천면역 및 후천면역계의 이상이 모두 관여한다. 구강궤양 등 임상양상의 주기적인 반복, 자극에 대한 과도한 염증 반응, 중성구의 활성화 및 병변 내 침투 소견 등은 베체트병이 선천면역계의 활성화에 따른 자가염증(autoinflammatory) 기전에 의해서 발병할 것을 시사하나, HLA-B51과의 뚜렷한 관련성은 후천면역계의 관련성을 시사한다. 선천면역으로는 만노스 결합 렉틴(mannose binding lectin)의 감소, 톨수용체(toll-like receptor) 패턴의 이상, 중성구의 과민 등이 그 증거로 제시되었다. 특히 중성구가 활성화되어 있어서, 화학주성, 탐식능, 과산화 생산이 증가되어 있고, myeloperoxidase도 증가되어 있다. 후천면역 요인으로는 T 림프구의 역할이 중요한 역할을 한다. 베체트병 환자의 T세포는 $T_H1$ 또는 $T_H17$ 세포가 우세하여서, IL-2, IL-6, IL-8, IL-12, IL-17, IL-18, TNF-alpha, INF-gamma와 같은 염증사이토카인을 분비함으로써 염증 병변을 일으킬 수 있다. 이외에도 IL-1, IL-23과 같은 사이토카인이 관여하기도 한다. 일부 연구에 의하면 $T_H2$ 세포도 일부 베체트병 환자에서 증가되

어 있어서, 질병의 경과에 따라서 $T_H1$, $T_H2$, $T_H17$ 세포가 달리 작용할 가능성도 있다. 베체트병 환자에서는 alpha/beta T세포 뿐만 아니라 gamma/delta T세포도 말초혈액에서 증가되어 있어서 gamma/delta T세포도 발병에 관여할 것으로 추정되고 있다. B 림프구도 일부 역할을 담당할 것으로 제안되고 있다. 베체트병 환자에서는 기억B세포가 증가되어 있고, Annexin V, Carbonic anhydrase 등 다양한 분자에 대한 자가항체가 정상인에 비해서 증가되어 있다.

혈관내피세포의 이상은 베체트병에서 보이는 중요한 특징이다. 베체트병 환자에서는 혈관내피 세포가 활성화되어 있으며, 혈관내피세포 의존 혈류에 의한 혈관 확장이 저하되어 있으며, endothelial nitric oxide synthase (eNOS) 유전자의 다형성으로 인한 nitric oxide 저하로 인해 혈전이 쉽게 형성될 수 있다.

## 베체트병의 병리

베체트병은 혈관염으로 분류되나, 전형적인 괴사 혈관염이 모든 환자에서 관찰되지는 않는다. 특히 점막이나 중추신경계 병변의 경우는 비특이적인 염증 소견만 관찰되는 경우가 더 흔하다. 베체트병 환자의 점막 병변은 염증세포의 침윤, 혈관내피 세포의 부기 및 섬유소 괴사(fibrinoid necrosis)를 동반하는 혈관 주위염 소견을 보인다. 초기에는 중성구의 침윤이 현저하며,

병변이 오래될수록 림프구나 조직구의 침범이 현저해진다. 구진 농포 병변이나 여드름양 피부 병변에서는 백혈구파괴혈관염(leukocytoclastic vasculitis)부터 단순 중성구 침윤까지 다양한 병변을 보인다. 결절홍반 병변은 중성구 중심의 염증세포가 피하조직의 소엽(lobule)부터 중격(septum)까지 침윤한다. 안 병변에서는 범포도막염이 가장 흔하며, 망막혈관계의 정맥계가 침범되어 있고, 망막의 출혈 괴사가 발생할 수 있다. 또한 정맥의 혈전증이 관찰되기도 한다.

## 참고문헌

1. 이은봉. 베체트병. In: 대한류마티스학회. 류마티스학. 제2판. 범문에듀케이션; 2018. pp. 543-8.

2. Demirkesen C, Oez B, Goeksel S. Behcet's disease: pathology. In: Yazici Y, Yazici H (Eds), Behcet's syndrome. New York: Springer Science Springer; 2010. pp. 215-42.

3. Kim JN, Kwak SG, Choe JY, Kim SK. The prevalence of Behcet's disease in Korea: data from Health Insurance Review and Assessment Service from 2011 to 2015. Clin Exp Rheumatol 2017;35 Suppl 108:38-42.

4. Nieto IG, Alabau JLC. Immunopathogenesis of Behcet Disease. Curr Rheumatol Rev 2020;16:12-20.

5. Oguz ID, Hizli P, and Gonul M. The Epidemiology of Behçet's Disease. In Göü M (Eds), Behcet's Disease. InTech; 2017. pp. 15-26.

6. Smith EL, Yazici Y. Pathogenesis of Behcet syndrome. In Uptodate 2021.

# 102

# 임상증상, 검사소견과 진단

가천의대 **최효진**

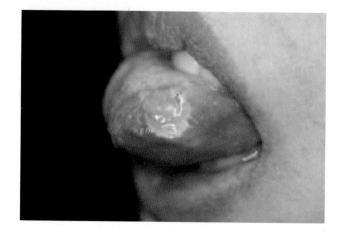

그림 102-1. 구강궤양: 혀에 생긴 경계가 분명한 둥근 궤양

## 임상증상

베체트병의 증상은 단독 또는 복합적으로 나타나며, 피부점막 증상(구강궤양, 성기궤양)이 가장 큰 특징이지만 포도막염과 같은 눈 침범이나 폐 출혈, 신경계 침범 등 중한 형태로 나타나기도 한다.

### 1) 구강궤양

아프타 궤양 형태로 발현되며 베체트병 환자에서 가장 흔한 첫 증상으로(97-100%), 대부분 다발성이고 반복하는 형태를 보인다. 볼 점막, 혀, 잇몸, 연구개 등 입안 여러 부위에서 발생할 수 있고 통증을 수반하나 수주 이내에 대부분 상처 없이 좋아진다. 궤양은 대부분 백색 또는 황색 바탕을 가지는 둥근 궤양이 흔하지만, 불규칙한 모양을 보일 수도 있고 궤양의 크기도 다양하게 발현한다(그림 102-1).

### 2) 성기궤양

남성의 경우 음낭이나 귀두 부분에, 여성의 경우 대음순(labium major)이나 음문(vulva) 부위에 잘 생기며, 심한 경우 항문 주위에도 발생할 수 있다. 요도염이나 배뇨장애는 대개 동반되지 않고 마찰에 의한 자극으로 통증이 유발된다(그림 102-2).

### 3) 피부 증상

결절홍반(erythema nodosum, 그림 102-3), 표재 혈전정맥염(superficial thrombophlebitis), 여드름양피부병변(acne-like skin lesion), 가성모낭염(pesudofolliculitis), 구진농포(papulopustular) 등이 있다. 결절홍반의 경우 대부분 하지에 잘 발생하며 눌렀을 때 압통을 동반한다. 표재 혈전정맥염의 경우도 결절홍반과 유사한 모양으로 주로 나타나며 심부정맥혈전증(deep vein throm-

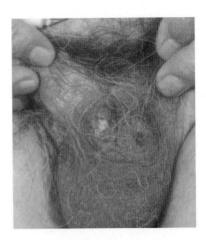

그림 102-2. **성기궤양** 고환에 생긴 경계가 분명한 궤양

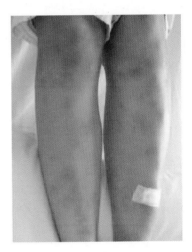

그림 102-3. **결절홍반** 피부 밑에 단단한 결절이 만져지는 홍반으로, 압통을 동반한다.

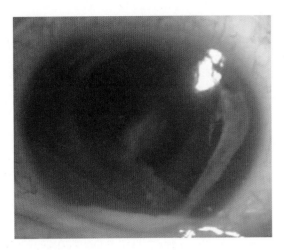

그림 102-4. **앞방고름(hypopyon)** 앞포도막염에 동반된 눈의 앞방의 백혈구 삼출액

### 4) 관절 증상

베체트병에서 발생하는 관절염은 50% 이상이 관절 미란이 없는 말초 단 관절염 또는 소수 관절염인 경우이다. 무릎이 가장 흔하게 침범되는 관절이며 발목, 손목, 팔꿈치, 팔목 관절이 주로 침범되고, 1% 내외의 환자에서 천장관절이 침범되기도 한다. 대부분 비대칭적인 관절 침범을 보이게 되며, 일부 환자에서는 관절 미란이 발생하기도 한다. 섬유근통이 발생할 수 있고 근육염도 드물게 발현한다.

### 5) 눈 증상

약 50-70%의 환자에서 발생하며 젊은 남성에서 더 흔하고 심하게 발병하는 경향이 있다. 만성적이고 재발하는 포도막염의 경우 대부분 양안에 발생하고 전안부 및 후안부를 모두 침범하는 포도막염인 경우가 많다(그림 102-4). 전안부를 침범한 경우 주로 눈이 빨개지고(red eye), 햇빛을 보았을 때 통증(photophobia)이 유발되고, 후안부를 침범한 경우에는 시력 상실로 이어질 가능성이 높다. 앞방고름(hypopyon) 연관 포도막염이 20%가량에서 발생할 수 있다. 이 외에도 망막혈관염(retinal vasculitis)이나 결막염, 상공막염, 공막염, 각막염, 시신경염 및 백내장, 녹내장도 발생할 수 있다.

### 6) 심/폐/혈관 증상

늑막 및 심낭 삼출, 폐결절이나 공동현상(cavitation), 폐동맥

bosis)과 연관되기도 한다. 여드름양피부병변, 가성모낭염, 구진농포는 주로 얼굴, 목, 앞가슴 등에 발생하지만, 여드름양피부병변은 일반적으로 발생하는 위치가 아닌 다리나 팔 등에 발생하기도 한다.

이상초과민(pathergy) 반응은 피부 자극에 대한 과민 반응 여부를 보는 검사로, 환자 팔에 주사 바늘로 피부에 자극을 준 후 각각 24시간과 48시간 후 피부에 구진이나 농포(papule or pustule) 형성 유무와 크기를 측정하는 검사이다. 베체트병에 특이도가 높은 검사이지만 민감도는 낮은 편이다. 인종별 차이가 커서 터키나 일본의 경우 40-70%의 양성률을 보이는 반면, 유럽이나 미국에서는 양성률이 낮은 것으로 알려져 있다.

고혈압이 발생하며, 드물지만 폐동맥류나 폐출혈이 발생한 경우 예후가 좋지 않아 심한 경우 사망에 이르기도 한다. 폐동맥류나 폐출혈 시, 반복되는 객혈이 주 증상으로 단순X선에서 비공동의 혼탁(noncavitating opacity)을 보이며 CT나 MRI로 확진할 수 있다.

베체트병은 다양한 크기의 혈관을 침범하는 혈관염의 일종으로, 혈관 침범은 약 1/3 환자에서 발생하는 것으로 보고되고 있다. 혈관 침범은 주로 젊은 남성에 더 흔하게 발생한다. 표재 혈전정맥염이나 심부정맥혈전증이 비교적 흔한 증상이나, 대정맥 협착(vena cava obstruction)이나 간상부정맥 폐색(occlusion of suprahepatic veins)으로 인한 Budd-Chiari syndrome과 같은 주요 혈관의 협착도 일어난다. 복부동맥이나 경동맥, 대퇴 및 다리오금(popliteal) 동맥의 동맥류 또는 폐색이 발생하기도 한다. 심낭염, 심근염, 관상동맥류가 드물게 발생한다.

## 7) 장 증상

지중해 지역의 낮은 장 침범에 비해 한국이나 일본 베체트병 환자에서 장 침범은 약 30%로 보고되고 있다. 회맹부(ileocecal)에 아프타성 궤양 형태로 가장 흔하게 발견되며, 급격한 복통, 설사, 장출혈 증상이 나타나기도 한다.

## 8) 신경 증상

베체트병 환자의 약 5-10%에서 발생하며, 신경 침범인 경우의 대부분은(80%) 뇌 실질을(parenchymal involvement) 침범한다. 뇌척수액 검사는 비특이적인 고단백 또는 세포수를 보이게 된다. 뇌 자기공명영상(MRI)은 베체트병의 뇌 실질 병변을 진단할 수 있는 유용한 영상 검사법이다. 뇌혈관의 침범은 주로 대뇌정맥의 혈전증 형태로 나타나고 이 외에 동맥류, 뇌동맥 협착이 발생하기도 한다. 말초신경계가 침범되는 경우는 매우 드물다.

# 진단

## 1) 진단 기준

대개 임상소견을 바탕으로 한 진단/분류 기준을 이용하여 진단하게 되는데, 국제 베체트병 연구 그룹에서 1990년 발표한 International Study Group (ISG) 분류 기준과 International Criteria for Behcet's Disease (ICBD)가 대표적인 기준이며, 이 외에도 이란(Iran's criteria), 일본(Japanese criteria) 그리고 한국 분류 기준(Jang's criteria) 등이 있다. 최근 소아 베체트병 환자를 대상으로 한 연구에서도 ISG는 특이도가 높고, ICBD는 민감도가 높은 분류 기준으로 보고되었다. ISG와 ICBD 분류 기준은 아래와 같다.

### (1) ISG (International Study Group in 1990) 분류 기준

| 반복 구강궤양 plus | 1년에 최소 3차례 이상 |
|---|---|
| 다음 중 2개 이상 | |
| 반복 성기궤양 눈 병변 피부 병변 이상초과민 반응 양성 | 포도막염, 망막염(retinitis) 결절홍반, 가성모낭염, 구진농포, 여드름양 피부병변 |
| (민감도 92%, 특이도 97%) | |

### (2) ICBD (International Criteria for Behcet's Disease in 2006-revised in 2013) 진단 기준

| 증상 | 점수 |
|---|---|
| 구강궤양 | 2 |
| 성기궤양 | 2 |
| 눈 병변 | 2 |
| 피부 병변 | 1 |
| 신경학적 증상 | 1 |
| 혈관 증상 | 1 |
| 이상초과민 반응 양성 | 1* |
| 점수≥4점 이상 시 베체트병으로 진단(민감도 94.8%, 특이도 90.5%, optional) | |

## 2) 혈액/영상 검사

베체트병에 특이도가 높은 혈청학, 영상학, 조직학 소견은 없는 실정으로, 혈액검사는 비특이적이며 빈혈, 백혈구 증가증, 경도의 급성 염증 표지자인 C-반응단백의 상승을 보이기도 한다. HLA-B51가 유전적 요인으로 제시되고 있으나 지역별/인종별 양성률의 차이가 있어 아직까지 진단적 가치에 대해서는 논란의 여지가 있다.

## 3) 질병 활성도 측정 검사

베체트병의 질병 활성도를 보는 도구는 아직까지 제한적이나 그 중에서 비교적 흔하게 사용되는 도구는 BDCAF (Behcet's Disease Current Activity Form)와 BSAS (Behcet's Syndrome Activity Score)로 한국어판 버전도 있다. 이 외에도 IBDDAM (Iranian BD Dynamic Activity Measure)과 눈, 장, 혈관 침범 정도를 측정하는 검사 도구 등이 보고되고 있다.

### 📑 참고문헌

1. Batu ED. Diagnostic/classification criteria in pediatric Behcet's disease. Rheumatol Int 2019;39:37-46.

2. Choi HJ, Seo MR, Ryu HJ, Baek HJ. Cross-cultural adaptation and validation of the Behcet's Disease Current Activity Form in Korea. Korean J Intern Med 2015;30:714-8.

3. Choi HJ, Seo MR, Ryu HJ, Baek HJ. Validation and reliability of a Behcet's Syndrome Activity Scale in Korea. Korean J Intern Med 2016;31:170-5.

4. Criteria for diagnosis of Behcet's disease. International Study Group for Behcet's Disease. Lancet 1990;335:1078-80.

5. G. Hatemi, E. Seyahi, I. Fresko, R. Talarico, V. Hamuryudan. Clin Exp Rheumatol 2020;38 suppl 127:3-10.

6. Hou CC, Guan JL. Risk factors of disease activity in patients with behcet's syndrome. Clin Rheumatol 2021;40:1465-71.

7. Kiafar M, Faezi ST, Kasaeian A, Baghdadi A, Kakaei S, Mousavi SA, et al. Diagnosis of Behcet's disease: clinical characteristics, diagnostic criteria, and differential diagnoses. BMC Rheumatol 2021;15:2.

8. Kurt T, Aydın F, Sezer M, Tekgöz PN, Tekin ZE, Çelikel E. Performance of diagnostic criteria in pediatric Behcet's disease. Rheumatol Int 2021;42:127-32.

9. Soejima Y, Kirino Y, Takeno M, Kurosawa M, Takeuchi M, Yoshimi R, et al. Changes in the proportion of clinical clusters contribute to the phyenotypic evolution of Behcet's disease in Japan. Arthritis Res Ther 2021;23:49.

10. The International Criteria for Behcet's Disease (ICBD): a collaborative study of 27 countries on the sensitivity and specificity of the new criteria. International Team for the Revision of the International Criteria for Behcet's Disease (ITR-ICBD). J Eur Acad Dermatol Venereol 2014;28:338-47.

# 103

# 치료와 예후

인제의대 **한성훈**

## KEY POINTS 🔒

- 베체트병은 피부점막, 관절, 눈, 혈관, 신경, 위장관을 침범하여 다양한 증상을 초래하는 전신혈관염으로 평가 및 치료를 위하여 침범한 장기를 담당하는 전문의와 다학제 진료가 필요하다.
- 베체트병은 재발과 악화를 반복하는 질병으로 치료 목적은 증상의 재발을 방지하고 중요장기를 침범하는 염증을 억제하여 심각한 장애나 죽음을 예방하는 데 있다.
- 환자의 증상, 재발률, 나이, 성별에 따라 개별화된 약물치료를 실시하며 중요장기를 침범할 경우에는 예후가 불량하므로 적극적인 치료가 필요하다.
- 눈, 혈관, 신경, 소화기관을 침범한 경우 예후가 불량하며 특히 나이가 젊고 남성인 경우에 예후가 나쁘다.

## 치료

베체트병은 여러 장기를 침범하기 때문에 초기 평가 및 치료를 위해서는 류마티스내과뿐만 아니라 침범한 장기를 담당하는 전문의와 다학제 진료가 필요하다. 침범 장기에 따라 약물 선택이 다르며 점막피부병변, 관절염, 포도막염에 대한 치료는 여러 연구에 의해 효과가 증명된 경우가 많지만 혈관, 신경, 소화기질환에 대한 효과는 아직 근거 자료가 부족하므로 경험적 치료에 의존하고 있다. 베체트병의 치료 목적은 재발 방지 및 중요장기의 염증을 억제하여 장애나 사망을 억제하는 데 있다. 치료 약물은 환자의 나이, 성별, 장기 침범 정도, 질병이환기간, 환자의 선

호도, 증상의 재발 정도에 따라 적절한 약물을 선택해야 한다.

### 1) 점막피부 병변

중요 장기의 침범 없이 구강궤양 혹은 성기궤양만 단독으로 발생하거나 경미한 경우에는 스테로이드 연고나 가글을 사용하며, 테트라사이클린(tetracycline), 슈크랄페이트(sucralfate 1 g, 4회/일), 클로르헥시딘(chlorhexidine), 리스테린(Listerine®) 가글도 도움이 된다. 국소요법은 구강궤양 및 성기궤양으로 인한 통증을 줄이고 궤양을 빨리 아물게 하는 효과가 있다. 국소요법으로 반응이 불충분할 경우나 심한 궤양에는 경구제로 콜히친(0.6-1.2 mg/일)을 사용하면 궤양의 크기와 재발 빈도를 줄일 수 있다. 콜히친은 용량에 주의해야 하며 위장관부작용, 혈구감소증이 나타날 수 있고 신장기능이 나쁜 경우에는 용량을 조절하여야 한다. 콜히친에 궤양이 조절이 되지 않을 경우에는 메토트렉세이트(2.5-25 mg/주)와 글루코코티코이드를 같이 사용해도 도움이 된다. 글루코코티코이드(예: 프레드니솔론 15 mg/일) 투여 후 궤양 정도에 따라 2-3주 동안 서서히 감량하여 중단한다. 메토트렉세이트는 간독성 및 백혈수 감소증이 나타날 수 있으므로 장기간 사용시 정기적인 혈액검사가 필요하다. Phosphodiesterase 4 inhibitor인 apremilast (20 mg, 3회/일)도 구강궤양의 재발을 막는 효과가 있어 2019년 미국식품의약국(FDA) 사용 승인을 받았으나 비용이 비싸고 약물 효과가 느리게 나타나는 단점이 있어 불응성인 구강궤양에 제한적으로 사용할 수 있다.

피부병변에는 콜히친(0.6-1.2 mg/일)이 일차적으로 추천되며, 결절홍반, 성기궤양에 효과가 좋다. 효과가 미약하거나 장기

침범이 동반되어 있으면 탈리도마이드, 아자싸이오프린, 인터페론-α (IFN-α)를 사용하며, 심한 경우에는 인프릭시맙(infliximab), 에타너셉트(etanercept), 아다리무맙(adalimumab)과 같은 항TNF제제를 사용하기도 한다.

## 2) 관절염

단기간의 글루코코티코이드와 비스테로이드소염제가 증상의 완화에 도움이 되며 콜히친도 관절염의 재발을 막는 효과가 있다. 아자싸이오프린은 새로운 관절염의 발생을 예방하고 관절염의 재발을 줄이는 효과가 있다. 아자싸이오프린은 50 mg/일에서 시작하여 2.5 mg/kg/일까지 서서히 증량한다. 아자싸이오프린 사용 전에 thiopurine methyltransfease에 대한 유전자 돌연변이 검사를 하면 약물부작용 위험을 줄일 수 있으나 아직 우리나라에서는 의료보험급여에 제한이 있다. 아자싸이오프린에 효과가 없는 경우 인터페론-α, 항TNF제제를 고려할 수 있으나 효과는 충분히 검증되지 않았다.

## 3) 눈 병변

약물 선택은 예후불량요인, 포도막염 형태 및 정도에 따라 선택한다. 전방포도막염은 scopolamine(0.25%), 글루코코티코이드 점안액을 먼저 사용하며 효과가 없으면 경구 글루코코티코이드(예: 프레드니솔론 40 mg/일)을 추가하며 1개월 이상 사용 후 서서히 감량한다. 후방포도막염, 망막혈관염은 처음부터 고용량의 글루코코티코이드(1 mg/kg/일)를 사용하며, 실명을 초래할 정도로 심한 경우에는 글루코코티코이드 충격요법(예: 메틸프레드니솔론 1 g/일, 3일간)을 사용하기도 한다. 고용량 글루코코티코이드는 단독요법보다는 아자싸이오프린(2-2.5 mg/kg/일)이나 사이클로스포린(3-5 mg/kg/일)과 같이 사용하며 장기간 사용 시 백내장, 녹내장을 유발할 수 있으므로 가능한 빨리 감량하여야 한다. 인터페론-α, 항TNF제제는 글루코코티코이드와 면역억제제에 반응이 없는 후방포도막염 환자에서 고려할 수 있다. 아자싸이오프린, 사이클로스포린과 같은 면역억제제는 전방축농이 있거나 또는 나이가 젊거나, 남성과 같은 예후불량요인이 있을 경우 추천되며, 위약에 비해 시력을 보존하고 새로운 안구병변을 예방하는 효과가 있다. 사이클로스포린은 5 mg/kg 이상 사용 시 신독성 및 고혈압이 나타날 수 있어 추적관찰이 필요하며, 약물을 중단하면 재발을 잘한다. 젊은 남성에서는 예후가 좋지 않으므로 적극적인 치료를 해야 하며 처음 증상이 나타난 후 2년간은 면역억제제를 사용하는 것이 좋다.

## 4) 혈관 병변

베체트병은 다양한 크기의 동맥 및 정맥을 침범하며 사망률을 증가시키는 주요한 원인이지만 혈관질환의 치료에 대한 근거자료는 부족하다. 급성 깊은정맥혈전증은 글루코코티코이드, 아자싸이오프린, 사이클로포스파마이드, 사이클로스포린을 사용하는데, 면역억제제는 혈전증의 재발을 줄이는 것으로 알려져 있다. 항응고제, 항혈소판제, 항섬유소 용해제는 혈전증의 재발을 막지 못하고 출혈의 위험성을 증가시킬 수 있어 단독요법으로는 추천되지 않는다. 동맥류에는 사이클로포스파마이드와 고용량 글루코코티코이드를 사용한다. 동맥류는 파열을 예방하기 위하여 수술을 시행하지만 수술 이후에도 면역억제제를 사용해야 하며, 폐동맥류는 수술 위험성이 높으므로 글루코코티코이드, 사이클로포스파마이드와 같은 약물치료를 우선 고려한다.

## 5) 신경 병변

중추신경질병변의 치료에 대한 근거자료가 부족하며 경험적 치료를 사용한다. 글루코코티코이드와 면역억제제를 사용하며, 급성기에는 글루코코티코이드 충격요법(1,000 mg/일)을 3-7일간 주사 후에 경구제로 변경하고 서서히 감량한다. 면역억제제는 아자싸이오프린(2-2.5 mg/kg/일)이 일차약으로 추천되며 심한 경우 인터페론-α, 사이클로포스파마이드, 메토트렉세이트, 항TNF제제를 사용한다. 사이클로스포린은 신경독성 때문에 중추신경병변에는 추천되지 않는다.

## 6) 위장관 병변

내시경으로 소장이나 대장에 궤양이 확인된 경우에는 5-아미노살리시릭산(5-ASA), 글루코코티코이드, 아자싸이오프린, 항TNF제제 사용을 권고하고 있다. 경증의 경우 5-아미노살리시릭산 유도체(메살라진 2-4 g/일, 설파살라진 3-4 g/일)를 1차 약으로 사용하며, 5-ASA에 반응이 없거나 중증인 경우에는 글루코코티코이드(0.5-1 mg/kg/일)를 5-ASA와 함께 사용한다. 5-ASA 대신 아자싸이오프린(2-2.5 mg/kg/일)을 사용하기도 한다, 글루코코티코이드는 1-2주 동안 사용 후 2-3개월 동안 서서히 감량하며, 아자싸이오프린은 최소 6개월 이상 사용한다, 설파살라진, 아자싸이오프린, 글루코코티코이드, 탈리도마이드, 항TNF제제는 궤양의 재발을 막는다. 장천공이나 심한 출혈이 있는 경우에는 수술이 필요하지만 수술 후에 재발률이 높다, 최근 인프릭시맙, 아다리무맙과 같은 항TNF제제 사용에 대한 긍정적인 연구결과가 보고되고 있어 수술 전 항TNF제제 사용을 우선 고려한다.

## 예후

베체트병은 증상의 악화 및 관해를 반복하며 다양한 임상경과를 보인다. 초기에는 피부점막에 주로 증상이 나타나기 때문에 조기진단이 어렵고 진단이 지연될 수 있다. 질병이 발현되는 나이가 빠를수록, 여성보다는 남성에서, 중요 장기를 침범할수록 예후가 나쁘다. 사망률은 연구에 따라 차이가 있지만 터키에서 높게 보고되며(9.8%), 중추신경계나 혈관을 침범한 경우에 급사의 위험성이 증가한다, 피부점막은 가장 흔히 침범되나 장애를 초래하지 않고 삶의 질을 떨어뜨리지만, 눈, 혈관, 신경을 침범하는 경우에는 장애를 초래하며 사망률이 증가하므로 적극적인 치료가 필요하다.

## 결론

베체트병은 다양한 임상증상을 보이며 치료를 위하여 다학제 진료가 필요하다. 치료는 장기침범및 예후를 고려하여 개인마다 차별화된 약물을 선택해야 하며, 특히 신경계, 중요혈관을 침범할 경우 예후가 나쁘고 장애를 초래할 수 있으므로 적극적인 치료가 필요하다.

## 참고문헌

1. Alibaz-Oner F, Sawalha AH, Direskeneli H. Management of Behcet's disease. Curr Opin Rheumatol 2018;30:238-42.
2. Alpsoy E, Leccese P, Emmi G, Ohno S. Treatmen tof Behcet's disease: An algorithmic multidisciplinary approach. Front Med 2021;28:8:624795.
3. Bettiol A, Prisco D, Emmi G. Behcet: the syndrome. Rheumatology 2020;59:iii101-iii107.
4. Hatemi G, Christensen R, Bang D, et al. 2018 update of the EULAR recommendations for the management of Behcet's syndrome. Ann Rheum Dis 2018;77:808-18.
5. Hatemi G, Melikoglu M, Tunc R, et. al. Apremilast for Behcet's syndrome–a phase 2, placebo-controlled study. N Engl J Med 2015;372:1510-8.
6. Karadag O, Bolek EC. Management of Behcet's syndrome. Rheumatology 2020;59:iii108-iii117.
7. Ozguler Y, Leccese P, Christensen R, et al. Management of major organ involvement of Behçet's syndrome: a systematic review for update of the EULAR recommendations. Rheumatology 2018;57:2200-12.
8. Park YE, Cheon JH. Updated treatment strategies for intestinal Behcet's disease. Korean J Intern Med. 2018;33:1-19.

# 104

# 증례

충북의대 **최인아**

## 증례 1

40세 남성이 이틀 전 시작된 무릎과 발목 통증으로 병원에 왔다. 5년 전부터 과로하거나 스트레스를 받으면 입 안이 헐어서 지역 이비인후과에서 종종 치료를 받았다고 하며, 최근 2개월 사이에는 빈도가 잦아지고 개수도 많아졌다고 한다. 1년 전에는 고환 통증으로 인근 비뇨기과의원을 방문하여 항생제 및 비스테로이드소염제 치료를 받은 적이 있다고 한다. 내원 시 환자의 활력징후는 정상 범위였다. 신체진찰에서 입천장과 잇몸, 혀의 구강궤양(그림 104-1) 및 발목의 부기(그림 104-2)가 관찰되었고, 발목 위쪽으로 피부발진(그림 104-3)이 관찰되었다. 환자의 혈액검사 결과는 다음과 같았다.

혈색소 13.5 g/dL, 백혈구 12,400/mL, Cr 0.7 mg/dL, AST 20 IU/dL, ALT 25 IU/mL, CRP 3.3 mg/dL, VDRL 음성, 항핵항체 음성

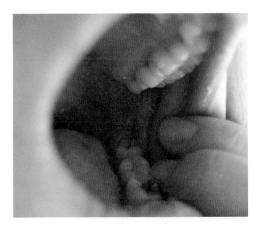

그림 104-1. 구강궤양

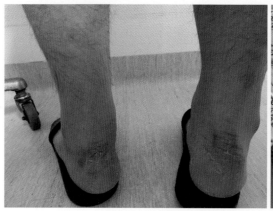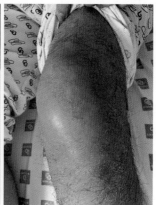

그림 104-2. 관절염

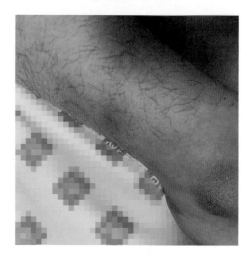

그림 104-3. 피부발진

## 1) 질문

(1) 진단을 위한 추가 검사는?

(2) 외음부 및 구강궤양 치료를 위해 써 볼 수 있는 약제는?

## 2) 정답과 해설

반복적인 구강궤양 및 결절홍반으로 베체트병이 의심되는 환자이다. 무릎과 발목의 관절염 및 고환통증의 과거력 역시 베체트병의 증상일 수 있다.

(1) 널리 사용되는 세계베체트병연구회(International Study Group for Behcet's disease)에서 제시된 진단기준에 따르면 구강궤양 외에 성기궤양, 눈 병변, 피부 병변, 이상초과민 반응 양성 중 2개 이상을 만족해야 베체트병으로 진단한다. 이 증례의 경우 진단을 위해서 이상초과민 반응 검사 추가가 필요하다. 눈 증상에 대한 언

급은 없지만 병변의 유무를 확인하기 위한 안과 진찰(slit lamp 검사)도 고려할 수 있다.

(2) 베체트병의 구강궤양에 대해서는 국소 글루코코티코이드 연고를 사용한다. 피부와 관절 증상을 조절하고 반복되는 구강병변을 예방하기 위해서는 경구용 콜히친을 먼저 시도한다. 콜히친에 반응이 없으면 저용량의 경구용 글루코코티코이드 치료를 고려할 수 있다. 급성 단일 관절염에서는 관절강 내 글루코코티코이드 주사도 도움이 된다.

## 증례 2

피부 질환으로 지역 피부과 의원에서 치료받던 35세 남성이 1주 이상 지속되는 설사 및 복통 때문에 응급실에 왔다. 환자는 20대부터 2-3달에 한 번씩 반복되는 구강궤양이 있었고, 작년에는 홍채염으로 안과에서 치료를 받았다고 했다. 1달 전부터 생긴 양하지의 발진 때문에 2주 전부터 콜히친을 복용하고 있었다. 활력징후에서 37.8°C의 미열 외 혈압, 맥박수, 호흡수는 모두 정상 범위였다. 신체진찰에서 압통을 동반한 종아리 발진(사진)이 확인되었고, 구강궤양이나 관절 부기는 관찰되지 않았다. 복부음은 감소되어 있었고, 배꼽 주변에 압통이 있었으나 반발통은 없었다. 환자의 혈액검사 결과는 다음과 같았다. 혈색소 11.0 g/dL, 백혈구 13,400/mL, Creatinine 1.0 mg/dL, AST 35 IU/mL, ALT 30 IU/mL, CRP 3.7 mg/dL, VDRL 음성, 항핵항체 음성, 항중성구세포질항체 음성. 대장내시경 검사를 시행하였다(그림 104-4).

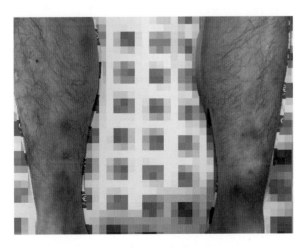

그림 104-4. 피부병변

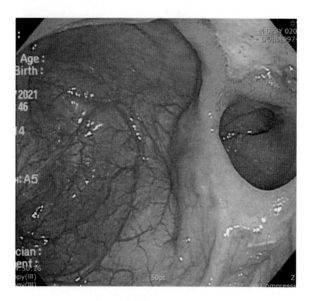

그림 104-5. 장 병변

## 1) 질문

(1) 진단 및 감별진단은?
(2) 향후 치료는?

## 2) 정답 및 해설

재발 구강궤양과 홍채염 과거력이 있었던 환자가 하지 결절홍반으로 콜히친 복용 후 복통과 설사가 생긴 증례이다. 재발 구강궤양, 홍채염, 하지 결절홍반 등은 베체트병을 의심할 수 있는 주요증상이다.

(1) 오심, 구토, 복통 및 설사 등은 콜히친의 흔한 부작용이기 때문에, 콜히친 복용 후 복통과 설사가 발생한 경우 약제 부작용을 의심할 수 있다. 또한, 이 환자의 경우에는 콜히친으로 조절되지 않는 베체트병의 장 침범도 감별진단에 포함되어야 한다.

베체트병의 위장관 침범은 내시경이나 영상검사로 확인하는 것이 원칙이며 비스테로이드소염제 관련 궤양이나 염증장질환, 결핵을 포함한 감염증의 감별이 필요하다. 대장내시경 소견에서 보인 회맹부에 주변과 경계가 명확한 둥글고 깊은 궤양은 베체트병의 장 침범의 전형적인 소견이다. 크론병이나 궤양대장염 같은 염증장질환도 구강궤양이나 피부 병변, 포도막염 같은 장 외 증상을 보이는 경우가 있지만, 대부분 내시경 소견으로 베체트병과 구별할 수 있다.

(2) 베체트병의 장 침범은 고용량의 글루코코티코이드와 5-ASA (5-aminosalicylate derivatives) 혹은 아자싸이오프린과 병용요법으로 치료한다. 장질환이 잘 조절되면 글루코코티코이드는 수개월 내로 감량해서 중단한다. 아자싸이오프린은 보통 최소 6개월 이상 유지한다. 이상의 약제에 반응이 없으면 단클론성 항TNF항체를 고려해 볼 수 있다.

류 마 티 스 학
Rheumatology

# PART 16 성인형스틸병

책임편집자 **심승철**(충남의대)
부편집자 **정승민**(가톨릭의대)

# 105

# 성인형스틸병

한양의대 **유대현**

## KEY POINT 🔒

- 성인형스틸병은 질병 특이적인 병리 소견이 없으므로 가능한 원인을 모두 배제한 다음 진단할 수 있는 대표적인 질환이다.
- 여러 가지 유전자가 발병에 관여하는 자가염증질환으로서 대표적인 증상은 발열, 관절염, 발진과 백혈구 증가이다.
- 발병기전상 임상증상과 관련된 염증사이토카인으로서 IL-1, IL-6, IL-17, IL-18, TNF-$\alpha$와 IFN-$\gamma$가 중요하다.
- 경과는 일과성인 환자와 달리 많은 환자가 만성질환을 보이며, 전신증상을 자주 나타내거나 만성관절염으로 발전할 수 있다.
- 질병활성도 평가는 확정적인 방법은 없으나, 임상증상과 검사 소견에서 일반적인 염증 지표들을 종합하여 판단한다.
- 치료는 글루코코티코이드, 메토트렉세이트를 포함한 질병조절항류마티스약제, 생물학적제제를 활용한다.
- 생물학적제제로는 환자의 주증상에 따라 IL-1억제제, IL-6억제제, 항TNF제제 등이 주로 사용된다.
- 생명을 위협하는 중증 증상을 보일 때는 고용량 글루코코티코이드와 면역억제제를 먼저 사용하고 생물학적제제 중 IL-1억제제가 가장 먼저 권장되며 가끔 고용량이 필요할 수 있다.

## 서론

성인형스틸병(adult onset Still's disease, AOSD)은 임상적으로 고열, 소실성 발진, 관절통 혹은 관절염, 백혈구증가증 및 전신의 장기 침범을 특징으로 하는 염증질환으로서 정확한 발병기전은 아직 명확하지 않다. 이 질환은 감염, 악성 종양, 다른 류마티스 질환 등 만성 발열을 동반하는 질환을 완전히 배제한 다음 진단

할 수 있는 대표적인 질환이다.

## 역학

발병 빈도는 정확히 알 수 없으나 일본의 연구에서는 유병률이 남녀 각각 10만 명당 0.73명과 1.47명이며 발생률은 각각 0.22명과 0.34명으로 보고하였다. 주 발병 연령은 16-35세 사이의 비교적 젊은 연령에서 발병하고 최근 아시아 지역의 여러 임상 연구에서 남녀 비가 1:3-4로 여성에서 많이 발생하고, 65세 이상의 고령에서도 상당 부분 발생할 수 있다고 알려졌다.

## 병인

발병기전은 확실치 않으나 감염, 면역의 이상, 유전적 요인들이 제안되고 있다. 급성 발병, 인후통, 고열, 일과성 발진, 림프절 종대, 비장비대, 백혈구증가증과 계절적인 발병 빈도의 차이 등은 감염과의 연관을 의심하게 하며, 다양한 바이러스와의 연관성이 증례 보고를 통해 제시되었다. 유전적 감수성은 한 가지 유전자가 아닌 다양한 유전자의 영향을 받아 결정된다고 생각된다. 성인형스틸병은 분류기준에서도 나타나듯이 자가면역질환과는 달리 자가항체가 거의 발견되지 않고 적응면역계보다 선천면역의 영향을 많이 받는다. 간헐적 발열, 피부발진, 관절염 등의 임상증상과 IL-1억제제에 반응을 보이는 점 등은 자가염증질환

과 유사하나 가족 내에서 발생한 보고가 없으며, 유전적 배경이 아직 명확하지 않고, 자가염증질환과 달리 늦은 나이에도 발병하고, 아밀로이드증이 잘 동반되지 않는 점과 관절염의 정도가 비교적 심하지 않은 점 등은 전형적인 자가염증질환과 다른 점이다.

유전적 감수성이 있는 환자에서 감염 등과 같은 외부 자극에 의해 활성화된 면역세포들에서 발현되는 염증사이토카인이 발병기전에서 중요한 인자로 작용하며, 그 중에서도 인터루킨(interleukin, IL)-1, IL-6, IL-17, IL-18, 종양괴사인자(tumor necrosis factor, TNF)와 인터페론(interferon, IFN)-γ가 환자의 혈청과 조직에서 증가되어 있다(그림 105-1). 발병에 관여하는 염증사이토카인들이 성인형스틸병 환자에서 나타나는 다양한 임상증상과 검사실 소견의 이상과의 연관성이 제시되었다.

## 임상증상

성인형스틸병은 전신 장기 침범을 특징으로 하나 발병 초기

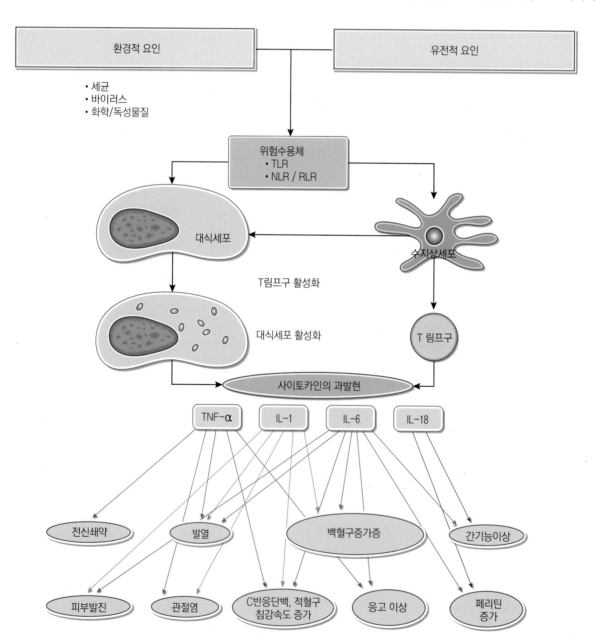

그림 105-1. 성인형스틸병의 발병기전: 임상증상과 주요 사이토카인의 연관성

**표 105-1. 성인형스틸병의 임상증상과 빈도**

| 임상양상 | 발생 빈도(%) | 임상양상 | 발생 빈도(%) |
|---|---|---|---|
| 관절통 | 95–100 | 비장비대 | 50 |
| 관절염 | 70 | 복통 | 52 |
| 열>39℃ | 82–100 | 간기능이상 | 40–60 |
| 인후통 | 35–90 | 간비대 | 42 |
| 스틸홍반 | 80–90 | 흉막염/심막염 | 20~30 |
| 근육통 | 40–80 | 폐렴증(pneumonitis) | 10–20 |
| 림프절병증 | 40–70 | 백혈구증가증 | 90–95 |

에 모든 임상증상이 한꺼번에 생기지 않고 수주, 수개월에 걸쳐 다양한 임상증상이 나타날 수 있다(표 105-1). 발열은 특징적으로 39℃ 이상의 고열이 주로 저녁 또는 밤에 있다가 대개 정상 체온으로 내려가는 것이 특징이지만, 하루에 수회 열이 나기도 하며 환자의 20%에서는 정상 체온으로 돌아가지 않을 수도 있다. 전형적인 스틸발진은 연어살색의 반점구진상의 발진이 대개 열이 나면 나타났다가 사라지며 체간과 상하지 근위부에 잘 생기지만 일부에서는 얼굴에서도 나타난다(그림 105-2). 간혹 심한 소양증이 동반되며 발열로 인하여 소염제나 항생제를 사용하는 경우가 많기 때문에 약물로 인한 발진으로 오인되기도 한다. 일부 환자에서는 혈관염, 두드러기, 소양증, 광범위 홍반, 피부근염과 유사한 발진 등의 다양한 피부 증상이 나타난다. 질환의 초기에 비감염성 인후통이 흔하게 나타나는데 림프절의 이상이나 윤상피열관절(cricoarytenoid joint)의 관절염 때문에 발생할 수 있다.

관절통은 발열이 있을 때 특히 심해지며, 질환의 초기에는 관절염이 일시적이고 몇 개의 관절만 침범하고 소실될 수 있으나, 만성으로 진행하면 다발관절염의 형태를 보인다. 주로 무릎관절 침범이 가장 흔하고 손목관절, 발목관절, 근위지관절, 팔꿈치관절 등을 침범한다. 전신적인 근육통이 관찰되며 관절통과 마찬가지로 열이 날 때 심해진다.

림프절병증은 경부림프절이 흔히 침범되며 약간의 압통이 동반될 수 있으며 비장비대나 간비대가 나타날 수 있지만 대부분 경하다. 흉막염이나 심낭염이 있는 경우 흉통이 있을 수 있다. 비감염성 폐렴증이 드물지 않게 생기며, 드물게 만성제한성 폐질환, 심근염 등으로 진행하기도 한다. 복통은 비교적 경하지만 때로는 외과적 복통과 감별이 필요하다. 전신증상으로 무균수막염, 일시적인 중추신경마비, 말초신경병증, 망막삼출물, 홍채염, 간질신장염, 사구체신염 등이 나타날 수 있다.

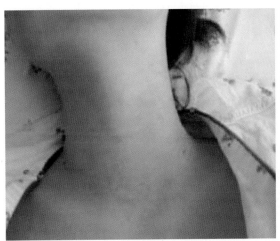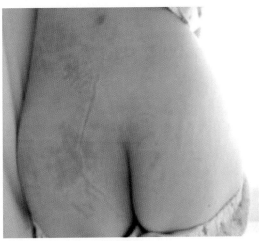

그림 105-2. 성인형스틸병의 전형적인 연어살색 반점구진상발진

## 심각한 전신합병증

생명을 위협하는 다양하고 심각한 전신증상이 발생할 수 있으며 가장 대표적인 것은 대식세포활성증후군(macrophage activation syndrome), 성인호흡부전증후군, 심장눌림증(cardiac tamponade), 혈전혈소판감소자반병(thrombotic thrombocytopenic purpura), 폐고혈압 등이다.

대식세포활성증후군의 발생기전은 아직 정확하게 규명되지 않았으나 자연살해세포를 포함한 세포독성림프구의 기능장애 때문에 T세포와 대식세포의 지나친 활성화와 증식의 결과로 염증사이토카인이 과도하게 증가하는 사이토카인폭풍(cytokine storm)이 나타난다. 여러 장기를 침범하여 간부전, 뇌병증(encephalopathy) 등 다장기부전, 범혈구감소증, 응고병증 등을 유발하고 약 30% 내외에서 사망에 이를 수도 있다. 골수검사에서 조혈세포를 탐식하고 있는 성숙조직구를 발견하는 것이 가장 특징적인 소견으로 진단할 수 있다. 검사소견상 C반응단백질과 페리틴이 상승하지만 섬유소원의 상승과 함께 적혈구침강속도가 정상 범위에 있을 때 대식세포활성증후군을 의심해야 하며, 혈중 중성지방의 상승 등이 동반된다.

## 질환의 경과

성인형스틸병의 경과는 임상에서 널리 사용되고 있는 분류로서 (1) 자연치유형(self-limited, monocyclic pattern), (2) 재발형(intermittent, polycyclic pattern), (3) 만성형(chronic articular pattern)으로 구별하고 있다. 자연치유형은 질환이 한 번 발현하고 지속적인 관해가 유지되는 형태이다. 재발형은 질환이 관해에 도달한 후 한 번 이상 다시 재발하는 경우이며, 재발 시기는 예측할 수 없다. 만성형은 질환의 활성이 지속되며 대개 만성관절염으로 관절의 손상을 초래한다. 자연치유형은 환자의 약 1/3에서 나타나고 보통 9개월 정도에 관해에 도달하고, 재발형은 환자의 1/4-1/3에서 나타난다. 최근 재발 또는 만성화되는 환자를 전신증상이 우세한 군과 다발관절염의 형태를 보이는 군으로 구분하려는 경향도 있으며, 전신증상이 우세한 군은 IL-1, IL-6, IL-18 등이 증가하는 반면 다발관절염 군은 IL-18의 농도가 상대적으로 낮고 IL-6, IL-17, IL-23 등이 증가한다.

## 검사소견

전신 염증질환에서 나타나는 비특이적 검사소견을 보인다. 백혈구증가증은 주로 다형핵백혈구가 증가되며, 백혈구감소증 또는 범혈구감소증은 혈구탐식증후군(hemophagocytic syndrome)과 동반될 때 나타난다. 50% 이상에서 혈소판증가증을 보이며, 만성질환으로 인한 빈혈이 동반된다. 적혈구침강속도가 증가하고 저알부민혈증도 흔히 나타난다. 간기능이상 소견은 직접적인 간 침범과 약물에 의한 간기능이상과 감별해야 한다. 혈청 페리틴은 질병의 활성도와 연관이 있으며 치료에 따라 변화하여 치료에 대한 반응도를 볼 수 있는 지표가 되지만 저하된 당화페리틴(glycosylated ferritin) 값은 치료에 따라 변화하지 않는다. 류마티스인자, 항핵항체를 비롯한 자가항체들은 대개 음성이거나 일부에서 양성으로 나타나도 대개 역가가 낮아 임상적 의미가 없다. 관절천자소견은 염증소견으로 백혈구와 다형핵백혈구가 증가한다. 흉막액이나 심낭액은 무균성 염증성 삼출액 소견이다.

침범한 조직이나 기관의 조직검사소견은 특징적인 소견이 없으므로 충분히 임상경과를 분석하여 불필요한 조직검사를 피해야 한다. 피부 발진은 혈관 주위에 다형핵백혈구와 림프구의 침윤 소견이 나타나는 비특이적인 소견을 보인다. 간 침범이 심할 때는 간조직에서 활성화된 대식세포와 IL-18의 발현이 증가하고, 심한 간세포괴사가 생길 수 있다. 림프조직검사는 형질세포와 다형핵백혈구가 침윤된 반응성 증식소견이 나타나며 괴사소견은 드물다.

## 방사선 소견

초기 관절의 방사선 소견은 대개 비특이적으로 연부조직 부기와 관절주위 골감소증만을 보이다가 시간이 경과하면서 관절강의 협소, 미란 등의 소견이 나타난다. 진행된 경우의 특징적인 방사선 소견은 손목손허리관절과 손목관절의 비미란성 관절강

**표 105-2.** 성인형스틸병 진단을 위한 Yamaguchi 진단 기준

### 대항목(major criteria)

1) 일주일 이상 지속되는 39℃ 이상의 고열
2) 2주 이상 지속되는 관절통
3) 전형적인 연어살색의 반점구진성 발진
4) 말초혈액 백혈구 10,000/mL 이상(중성구 80% 이상)

### 소항목(minor criteria)

1) 인후통
2) 림프절병증, 비장비대
3) 간기능이상
4) 류마티스인자와 항핵항체 음성

### 제외

감염(특히 패혈증, 전염단핵구증)
종양(특히 악성림프종)
류마티스 질환(특히 혈관염, 결절다발동맥염)

대항목 2개 이상을 포함한 5개 이상의 항목을 만족하고 감염, 종양 또는 다른 류마티스 질환들이 배제된 경우에 성인형스틸병으로 분류한다.

협착으로서 결국 골융합으로 진행한다. 엉덩관절의 침범이 일부에서 나타날 수 있다.

## 진단 및 감별진단

성인형스틸병의 진단은 확진을 위한 검사가 없고 다른 질환의 가능성을 모두 배제해야 한다. 우선적으로 감별해야 할 질환들은 감염(바이러스 감염, 심내막염, 결핵), 종양(백혈병, 림프종), 육아종성질환(유육종증), 혈관염 및 다른 류마티스 질환(전신홍반루푸스 등) 등이다. 현재까지 제안된 분류 기준 중 특이도, 민감도가 타 기준에 비해 높은 Yamaguchi의 분류 기준이 가장 널리 쓰이고 있다(표 105-2).

## 질병활성도의 판정

성인형스틸병의 질병활성도는 정확하게 측정하기 어려우며, 복합적인 결과 평가(composite outcome measure)는 아직 확정된 것은 없다. Pouchot 등이 제시한 12가지의 임상증상 및 검사소견, 즉 발열, 전형적 발진, 인후통, 근육통, 관절염 및 관절통, 폐

렴증, 늑막염, 심낭염, 간종대 또는 간 기능 이상, 비장종대, 림프절병증, 및 백혈구증가증(≥15,000/mL)을 주로 이용해 왔다. 최근 Rau 등은 Pouchot 점수에 혈청 페리틴을 추가한 새로운 활성도 평가안을 제시하였다. 급성기 반응물질로서 C반응단백질, 적혈구침강속도, 페리틴 등이 가장 흔히 활용되고 있으며 임상적 관해에 도달하여 그 값이 정상인 경우에도 IL-18과 유리 IL-18 (free IL-18) 등은 여전히 높은 환자들이 많으므로 보다 정확한 생물표지자의 개발이 필요하다.

## 치료

성인형스틸병의 초기 치료는 급성 증상의 조절이 주 치료 목적이며, 적극적인 치료로 관해에 도달하면 치료를 중단할 수 있지만 환자의 약 반 정도에서 재발한다. 성인형스틸병은 발병 빈도가 낮아서 전향적 무작위대조 임상연구는 매우 드물며 주로 소규모의 개방 연구나 증례보고 등의 단편적인 증거만 있으므로 임상 의사의 임상적 판단이 매우 중요하다. 치료는 단계적으로 환자의 질병활성도와 특성에 맞게 결정하는 것이 현명하다(그림 105-3).

### 1) 비스테로이드소염제

전체 환자의 20% 이하에서 비스테로이드소염제(nonsteroidal anti-inflammatory drug, NSAID)에 반응을 보이고, 대부분의 환자는 글루코코티코이드나 질환조절항류마티스약제의 병용과 같은 적극적인 치료가 필요하다.

### 2) 전신 글루코코티코이드

전신 글루코코티코이드는 급성 증상을 빨리 조절할 수 있으며, 초기에는 프레드니솔론 0.5-1.0 mg/kg을 투여하고 임상증상과 검사소견을 참고하여 적절하게 감량할 수 있다. 심근염, 심장눌림증, 간질폐렴, 혈관내응고증, 대식세포활성증후군, 폐고혈압, 생명에 위협이 되는 치명적인 합병증이 동반된 환자는 메틸프레드니솔론 충격요법을 사용할 수 있다.

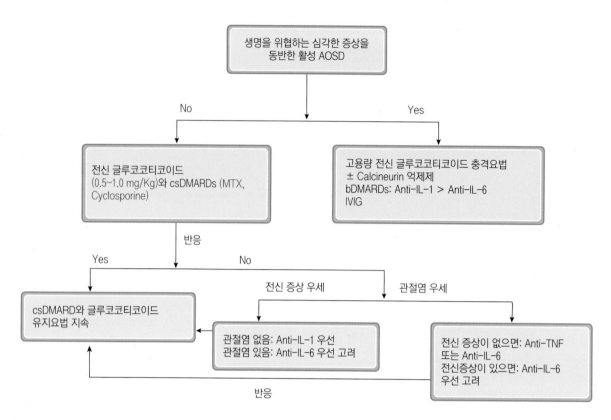

그림 105-3. 성인형스틸병 환자의 치료 전략

### 3) 질환조절항류마티스약제

글루코코티코이드에 반응이 불충분하거나 부작용이 있을 때, 약제를 감량하기 어려울 때에는 질환조절항류마티스약제 (disease-modifying antirheumatic drug, DMARD)의 단독, 또는 병합요법이 증상조절과 글루코코티코이드 용량을 줄이는 데 효과적이다. 그러나 설파살라진은 대식세포활성증후군을 유발하는 등 부작용의 빈도가 더 높기 때문에 사용하지 않는 것이 좋다. 가장 흔히 사용되는 약제는 메토트렉세이트이며 경험적으로 아자싸이오프린, 사이클로스포린, 타크로리무스 등의 면역조절제가 활용된다.

### 4) 생물학적제제

DMARD와 글루코코티코이드에 반응이 없는 환자는 생물학적제제가 효과적일 수 있다. 항TNF제제는 관해율이 낮고 대부분 부분 관해 효과를 보이므로 관절염이 주 증상인 환자에서 사용할 수 있다. IL-6 수용체 항체인 tocilizumab이 성인형스틸병 환자에서 치료 효과를 보고한 증례들이 많이 있으나 대규모 임상 연구는 없었다. IL-1 수용체 길항체인 anakinra는 전신 증상에 대한 치료 효과가 매우 빠르게 나타나지만, 관절염에는 효과가 서서히 나타난다. 따라서 전신형 재발군은 IL-1억제제, 관절염군에서는 항TNF제제 또는 tocilizumab을 고려하는 것이 좋다(그림 105-3). 최근 IL-1R1와 IL-1 수용체 부속단백(IL-1RAcP)의 복합체인 rilonacept나 IL-1 단클론항체인 canakinumab에 치료 효과를 보인 연구도 보고되었다. 이외에 재조합 IL-18 결합단백질 (recombinant IL-18 binding protein)인 Tadekinig-α를 활용한 임상연구가 있었고, Jak억제제도 향후 유용한 약제로 활용될 수 있다

## 예후인자

성인형스틸병이 매우 드문 질환이고 이 병이 독립적인 질환으로 간주된 것도 오래되지 않아 예후에 관한 연구가 매우 제한되어 있다. 다발관절염, 질환의 초기에 견관절 또는 엉덩관절의

침범 소견들은 만성관절염으로 가는 나쁜 예후 인자로 여겨지며 질환이 만성으로 진행하거나 관해로 접어들기까지 오랜 시간이 필요하다. 소아기에 발병 병력이 있었거나 엉덩관절 침범, 전신 글루코코티코이드 치료를 2년 이상 필요로 하는 경우는 나쁜 기능적 예후와 관련이 있다.

성인형스틸병으로 인한 사망은 흔치 않으나 감염, 간부전, 파종혈관내응고, 성인형호흡곤란증후군 등에 의해 발생할 수 있다. 아밀로이드증은 비교적 흔하지 않으며 그 외에도, 심근염, 간질지속증(status epilepticus), 혈전혈소판감소자반병, 대식세포활성증후군 등으로 인한 사망이 보고되었다.

## 참고문헌

1. Efthimiou P, Kadavath S, Mehta B. Life-threatening complications of adult-onset Still's disease. Clin Rheumatol 2014;33:305-14.

2. Gabay C, Fautrel B, Rech J, et al. Open-label, multicentre, dose-escalating phase II clinical trial on the safety and efficacy of tadekinig alfa (IL-18BP) in adult-onset Still's disease. Ann Rheum Dis 2018;77:840-7.

3. Gerfaud-Valentin M, Jamilloux Y, Iwaz J, et al. Adult-onset Still's disease. Autoimmun Rev 2014;13:708-22.

4. Jamilloux Y, Gerfaud-Valentin M, Martinon F, et al. Pathogenesis of adult-onset Still's disease: new insights from the juvenile counterpart. Immunol Res 2015;61:53-62.

5. Jung KH, Kim JJ, Lee JS, et al. Interleukin-18 as an efficient marker for remission and follow-up in patients with inactive adult-onset Still's disease. Scand J Rheumatol 2014;43:162-9.

6. Kaneko Y, Kameda H, Ikeda K, et al. Tocilizumab in patients with adult-onset still's disease refractory to glucocorticoid treatment: a randomised, double-blind, placebo-controlled phase III trial. Ann Rheum Dis 2018;77:1720-9.

7. Ortiz-Sanjuan F, Blanco R, Riancho-Zarrabeitia L, et al. Efficacy of anakinra in refractory adult-onset still's disease: multicenter study of 41patients and literature review. Medicine (Baltimore) 2015;94:e1554.

8. Park JH, Kim HS, Lee JS, et al. Natural killer cell cytolytic function in Korean patients with adul onset Still's disease. J Rheumatol 2012;39:2000-7.

9. Pouchot J, Arlet JB. Biological treatment in adult-onset Still's disease. Best Pract Res Clin Rheumatol 2012;26:477-87.

10. Yamaguchi M, Ohta A, Tsunematsu T, et al. Preliminary criteria for classification of adult Still's disease. J Rheumatol 1992;19:424-30.

11. Yoo DH. Biologics for the treatment of adult-onset still's disease. Expert Opin Biol Ther 2019;19:1173-90

12. Yoo DH. Treatment of adult onset Still's disease: up to date Expert Rev Clin Immunol 2017;13:849-66.

# 106

# 증례

가톨릭의대 **정승민**

## 증례 1

34세 여성이 5일 전 시작된 고열, 피부발진 및 관절통으로 응급실로 왔다.

16년 전 양쪽 손목 관절통, 발열, 피부발진이 시작되어 류마티스 질환으로 듣고 이후 1년에 2-3차례 주로 과로 후에 발생하다 특별한 치료 없이 저절로 호전되는 양상을 보였다. 내원 5일 전부터 발열, 피부발진, 양쪽 손목의 관절통, 인후통이 있어서 급성 인후염으로 진단받고 항생제 치료를 받았으나 증상 호전이 보이지 않아 전원되었다.

과거력상 여행이나 감염 환자 접촉은 없었으며 가족력에서 특이 소견은 없었다. 신체 검사에서 활력징후는 체온 39℃, 혈압 100/60 mmHg, 맥박 60회/분, 호흡수 20/분이었다. 얼굴, 몸통, 상지에 가려움을 동반하지 않는 연어살색의 피부발진이 관찰되었다(그림 106-1). 체중감소는 없었으며 간비대, 비장비대, 림프절종대는 관찰되지 않았다. 양측 발목과 무릎관절에 통증이 있었으며 압통이 있었으나 아침강직은 없었고 관절부기이나 운동제한은 관찰되지 않았다.

- 혈액검사: 백혈구 12,500/mL (호중구 80.8%), 혈색소 12.3 g/dL, 혈소판 479,000/mL, 적혈구침강속도 40 mm/hr, C반응단백질 10.8 mg/L
- 혈청 생화학 검사: AST/ALT 159/85 IU/L, LDH 1,453 IU/L, ferritin 1,101 ng/mL
- 자가항체 검사: 항핵항체(−), 류마티스인자(−), 항CCP항체(−), 항SS-A/Ro항체(−)
- 바이러스 검사: 간염 바이러스(−), 엡스타인-바바이러스 및 거대세포바이러스에 대한 항체(−/−)
- 배양검사: 혈액, 인후, 소변 모두 음성
- 혈액도말표본검사: 정상
- 영상검사:
  손 단순 촬영: 양측 손목 관절 미란
  복부 CT: 비장비대와 비장 주위의 림프절 종대
  흉부 단순 촬영, 흉부 CT, 경흉부 심장초음파: 이상 소견 없음

증례 출처: 대구가톨릭의대

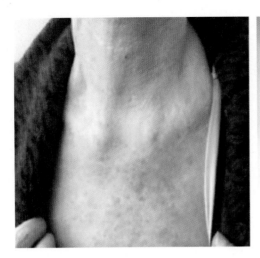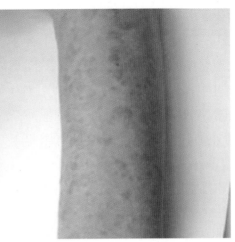

그림 106-1.
(출처: 한양의대)

## 1) 질문

(1) 이 환자의 감별진단은?
(2) 상기 환자에서 사용할 치료제는?

## 2) 증례 설명

상기 환자는 고열, 피부발진 및 관절통을 주증상으로 응급실을 방문하여, 유사한 증상을 보일 수 있는 다른 자가면역질환과 감염, 악성종양 등을 감별하고, 야마구치 분류기준에 따라 성인형스틸병으로 진단된 증례이다. 야마구치 분류기준은 성인형스틸병 진단에 가장 민감도가 높은 분류기준으로 상기 환자는 39℃ 이상의 고열, 2주 이상의 관절통, 전형적인 피부발진, 백혈구증가증 등의 주 진단 기준과 인후통, 간수치 증가, 항핵항체 음성, 류마티스인자 음성 등 부진단기준을 만족하여 성인형스틸병 진단하 비스테로이드소염제와 글루코코티코이드를 일차 치료제로 사용하였다.

## 3) 정답과 해설

(1) 성인형스틸병은 발병률이 극히 낮은 질환이므로 다른 질환을 배제하는 것이 가장 중요하다. 임상적으로 성인형스틸병을 의심해야 할 가장 중요한 임상증상은 발열, 피부발진, 관절통으로, 이는 감염, 자가면역질환, 악성종양 등에서도 나타날 수 있어 감별 포인트를 숙지하는 것이 중요하다. 성인형스틸병에서의 발열은 감염 질환과는 달리 고열이 저녁에는 심하다 아침에는 좋아지는 양상으로, 하루 중 악화와 호전을 반복하는 것이 감별점이다. 피부발진은 가렵지 않고 통증이 없는 연어살색 발진으로 발열이 있을 때 두드러지는 것이 특징이며 몸통과 팔, 다리 등에 나타난다. 관절통은 무릎, 손목, 발목 등에 주로 나타나며 손가락에서는 원위부

관절을 침범하기 때문에 류마티스관절염이나 전신홍반루푸스 등과 부위가 다르고 자가항체 검사상 항핵항체 음성, 류마티스인자 음성으로 감별된다. 본 증례에서는 관찰되지 않았으나 만성 관절염이 있을 때에는 손 단순 촬영 검사에서 손목손허리관절에 관절강 협착이 특징적으로 나타나기 때문에, 류마티스관절염과 감별이 필요하다. 감염과의 감별이 중요한데 이 환자에서는 인후, 혈액, 소변 배양검사와 바이러스 혈청 검사가 모두 음성이었고 다른 감염의 의심 소견이 없는 상태로 감염의 가능성을 배제하였지만, 환자에 따라서는 드문 감염에 대해서도 감별이 필요할 수 있다. 악성종양과 감별을 위해 시행한 흉부, 복부 영상 검사상 이상이 없었으며 혈액도말표본 검사가 정상이고, 말초혈액검사에서 혈액암 의심 소견을 보이지 않아 악성종양의 가능성을 배제하였다.

(2) 비스테로이드소염제를 일차 치료로 제안하는 경우도 있고 글루코코티코이드를 1차 치료제로 사용하는 경우도 있는데, 상기 환자에서는 비스테로이드소염제와 글루코코티코이드를 함께 사용하였으며 글루코코티코이드 용량은 대개 0.5-1 mg/kg로 제안되어 있으나 본 증례에서는 저용량 프레드니솔론(5 mg)을 사용하였다.

## 증례 2

상기 환자는 성인형스틸병으로 진단받고 프레드니솔론 5 mg과 비스테로이드소염제 투여 후 증상 호전을 보여 경과 관찰하던 중 입원 7일째 다시 고열과 함께 전신 근육통을 심하게 호소하면서 전신에 연어살색의 피부발진이 다시 발생하였다.

활력징후는 혈압 100/60 mmHg, 맥박은 98회/분, 호흡수 20회/분, 체온 40.4℃이었다.

- 혈액검사: 백혈구 800/mL (호중구 35%), 혈색소 8.9 g/dL, 혈소판 60,000/mL, 적혈구침강속도 44 mm/hr, C반응단백질 39.8 mg/L
- 혈청 생화학 검사: AST/ALT 1,111/271 IU/L, LDH 3,461 IU/L, total bilirubin 2.4 mg/dL, ferritin 781 ng/mL
- 배양검사: 혈액, 인후, 소변 모두 음성
- 영상 검사: 추적 복부 CT: 비장비대와 비장 주위에 림프선 종대 이외에 다른 소견 없음
- 경흉부 심장초음파검사: 특이 소견 없음
- 골수천자 검사: 양성 조직구(benign histiocyte) 증가, 혈구탐식(hemophagocytosis) 소견(그림 106-2).

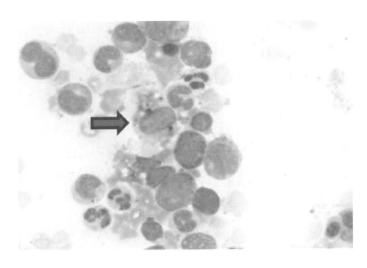

그림 106-1.
(출처: 대구가톨릭의대)

## 1) 질문

(1) 이 환자의 진단은?
(2) 상기 환자에서 치료제는?

## 2) 증례 설명

상기 환자는 성인형스틸병으로 치료받던 중 혈구감소증과 심각한 간기능장애를 보여 시행한 골수검사에서

이차성 적혈구포식성 림프조직구증식증(secondary hemophagocytic lymphohistiocytosis, sHLH)으로 진단되어 글루코코티코이드 충격요법과 면역글로불린 정주를 실시하고 임상증상 및 검사소견이 호전된 증례이다.

## 3) 정답 및 해설

(1) 적혈구포식성 림프조직구증식증은 대식세포와 림프구의 부적절한 증식 및 활동성 증가로 인해서 골수, 비장과 같은 세망내피계(reticuloendothelial system)의 대식세포가 혈구탐식을 보이는 질환으로, 이차성의 경우 자가면역질환이나 엡스타인-바바이러스(Epstein-Barr virus), 거대세포바이러스(cytomegalovirus) 등의 바이러스 감염, 약물, 악성종양 등에 의해 생길 수 있다. 임상양상이나 검사결과에서 이차성 적혈구포식성 림프조직구증식증이 의심될 경우 조직검사를 통해 확진한다. 자가면역질환인 성인형스틸병에서 이차성 적혈구포식성 림프조직구증식증은 동반 비율이 예상보다 높고, 치명적인 결과를 가져올 수 있기 때문에, 의심될 경우 조기에 조직검사를 시행하여 진단하는 것이 중요하다.

(2) 대규모의 전향적 이중맹검시험으로 연구된 치료법은 없지만 여러 연구에서 고용량의 글루코코티코이드 투여가 효과가 있다는 보고가 있고 면역글로불린 정주의 효과도 보고되고 있다. 본 증례에서는 예방적 항생제와 더불어 글루코코티코이드 1 g 경정맥 충격요법, 면역글로불린 정주(400 mg/kg/일)를 실시하였다. 치료 다음날부터 발열, 근육통, 피부발진 등의 증상이 호전되었고 혈액검사 이상 소견도 호전을 보였다. 또한, 사이클로스포린도 성인형스틸병에 동반된 이차성 적혈구포식성 림프조직구증식증에 효과가 있으므로, 본 증례에서는 치료 4일째부터 사이클로스포린을 추가 사용하였고 환자는 관해 상태에 도달하였다. 치료 6일째부터 면역글로불린 정주는 중단하고 글루코코티코이드 감량을 시작하였으며, 이후 프레드니솔론 2.5 mg/일, 사이클로스포린(2 mg/kg/일), 메토트렉세이트 7.5 mg/주를 사용하면서 안정적인 상태를 유지하고 있다.

류 마 티 스 학
RHEUMATOLOGY

# PART 17 소아특발관절염

책임편집자 **정대철**(가톨릭의대)
부편집자 **김영대**(인제의대)

# 107

# 역학과 병인

인제의대 **김영대**

## KEY POINTS 🔒

- 소아특발관절염은 16세 미만의 소아에서, 특별한 원인 없이 6주 이상 지속되는 관절염으로 정의한다.
- 소아특발관절염의 발생률은 100,000명당 2-23명으로 인종 및 국가에 따라 다양한 차이를 보인다.
- 소아특발관절염은 7개의 아형이 있으며, 소수관절형이 가장 많다.
- 소아특발관절염은 1-3세에서 가장 많이 발병하며, 여아에서 남아보다 2배 이상 더 많이 발병한다.
- 주된 병리기전은 소수관절염/다수관절염은 자가면역 이상, 전신형은 자가염증 반응이다.

## 서론

소아특발관절염(juvenile idiopathic arthritis, JIA)이란 소아에서 발생하는 만성관절염에 대한 포괄적인 용어로, 16세 미만의 연령에서 특별한 원인 없이 6주 이상 적어도 1개 이상의 관절에서 염증이 지속되는 것으로 정의한다. 소아에서 발생하는 가장 흔한 류마티스 질환이며, 성인의 류마티스관절염과 비교하여 큰 관절에도 잘 발생하고, 5개 이하의 소수관절에 국한되어서 발생하는 경우가 많고, 발열, 포도막염, 피부 발진과 같은 관절 이외 증상도 자주 동반하는 것이 차이점이다. 또한, JIA는 성인과 비교하여 관절 손상이 빠르게 진행하므로, 조기 진단을 통하여 관절 증상뿐 아니라 실명이나 다리 길이의 차이 등 동반되는 합병증을 예방하는 것이 중요하다. 1864년 소아의 염증성 다수 관절염에 대한 최초 보고가 있었으며, 1897년 영국의 소아과 의사 George Frederick Still이 처음으로 만성 소아 관절염에 대하여 체계적으로 보고하였다.

발병기전은 아직까지 잘 알려져 있지 않고, 확진 가능한 진단 검사가 없어, 유사 증상을 보이는 다른 질환들을 배제하여야 진단 가능하다.

현재까지 소아 만성관절염에 대한 진단과 분류법은 3가지가 있다. 소아류마티스관절염(juvenile rheumatoid arthritis, JRA)은 미국류마티스학회(American College of Rheumatology, ACR)에서 제안하였다. 진단은 관절염이 6주 이상 지속되는 경우이며, 발병 후 처음 6개월 이내에 나타나는 증상에 따라 전신형(systemic-type), 소수 관절형(oligoarticular or pauciarticular type), 다수 관절형(polyarticular type)으로 나눈다(표 107-1). 소아만성관절염(juvenile chronic arthritis, JCA)은 유럽류마티스학회

**표 107-1.** 미국류마티스학회의 소아류마티스관절염 진단과 분류 기준

1. 발병 나이 – 16세 미만

2. 1개 이상의 관절에서 관절염이 관찰
   관절염 – 관절 부종이나 삼출이 있거나, 관절운동범위가 감소하거나, 관절을 움직일 때 통증이 있거나 관절 부위에 발열감이 있는 경우

3. 6주 이상 발병이 지속

4. 발병 후 처음 6개월 이내에 나타나는 증상
   a. 다수관절형: 5개 이상 관절이 침범
   b. 소수관절형: 5개 미만의 관절이 침범
   c. 전신형: 특징적인 발열과 동반된 관절염

5. 다른 형태나 원인에 의한 소아 관절염은 제외

#### 표 107-2. 유럽류마티스학회의 소아만성관절염 진단과 분류 기준

1. 발병 나이 – 16세 미만

2. 1개 이상의 관절에서 관절염이 관찰

3. 3개월 이상 증상이 지속

4. 발병 시의 증상
   a. 소수관절형: 4개 이하 관절 침범
   b. 다수관절형: 5개 이상 관절 침범, 류마티스인자 음성
   c. 전신형: 특징적인 발열과 동반된 관절염
   d. 소아류마티스관절염: 4개 이상 관절 침범, 류마티스인자 양성
   e. 소아강직척추염
   f. 소아건선관절염

#### 표 107-3. 국제류마티스학회의 소아특발관절염 분류 기준

1. 전신형

2. 소수관절형
   a. 지속형(persistent) – 발병 6개월 이후에도 4개 이하 관절 침범
   b. 연장형(extended) – 발병 6개월 이후에 5개 이상 관절 침범

3. 다수관절형(류마티스인자 음성)

4. 다수관절형(류마티스인자 양성)

5. 건선관절염 – 관절염과 건선이 동시에 있거나 관절염과 아래에서 2개 이상의 증상이 동반된 경우
   a. 가락염(dactylitis)
   b. 손발톱박리증(onycholysis) 혹은 손발톱오목(nail pitting)
   c. 부모형제에서 건선이 있는 경우

6. 부착부염관련관절염(enthesitis related arthritis, ERA) – 관절염과 부착부염이 동시에 있거나 관절염이나 골부착부염과 아래에서 2개 이상의 증상이 동반된 경우
   a. 천장관절의 압통이 있거나 요천골의 염증성 통증
   b. HLA-B27 양성
   c. 6세 이후에 남자아이에서 발생한 관절염
   d. 급성 혹은 증상이 있는 앞포도막염(anterior uveitis)
   e. 부모형제에서 HLA-B27와 관련된 질환의 병력

7. 미분류형관절염(undifferentiated arthritis)
   a. 제시된 관절염 분류에 속하지 않는 경우(fits no other category)
   b. 관절염 분류 기준에서 두 개 이상이 중복되는 경우(fits more than one category)

(European League Against Rheumatism, EULAR)에서 제안한 것으로, 진단은 관절염이 3개월 이상 지속되는 경우이며, 전신형, 소수 관절형, 다수 관절형 이외에 류마티스관절염, 강직척추염, 건선관절염을 포함하고 있다(표 107-2). 그러나 ACR과 EULAR에서 제시한 기준들은 용어가 서로 모호하고, 질병군들 사이에 중복이 있고, 조기 진단을 할 수 없다는 등의 문제점들이 있어, 1997년 국제류마티스학회(International League of Associations

for Rheumatology, ILAR)에서 JRA와 JCA를 JIA라는 명칭으로 통일하고, 7개 아형으로 세분하였다(표 107-3). 현재는 JIA가 보편적으로 사용되는 명칭이나, 아직까지 JRA와 JCA도 혼용되어 사용되고 있다. 최근 JIA의 새로운 아형 분류에 대한 논의가 진행되고 있다.

## 역학

국내에서는 JIA에 대한 단일 기관에서의 역학 조사 보고는 있으나, 아직까지 발생률과 유병률에 대한 대규모의 조사는 이루어지지 않았으며, 현재 이에 대한 준비가 진행 중이다. JIA의 발생률과 유병률을 추정할 수 있는 외국의 보고들은 대부분 환자를 대상으로 한 연구(clinic-based study)들이며, 소수의 인구 집단을 대상으로 한 연구(population-based study)들과 비교할 때 발생률이나 유병률에서 큰 차이를 나타낸다. 그리고 진단할 때 ACR, EULAR, ILAR 기준 중에서 어떤 기준을 적용하여 진단을 하였는가에 따라 발생률이나 유병률의 차이가 나타나고, 인종이나 환자 수, 연구 설계 등에 따라서도 그 결과가 다양하게 보고된다.

### 1) 발생률과 유병률

JIA의 발생률은 100,000명당 2명에서 23명까지, 유병률은 100,000명당 4명에서 400명까지로 다양하게 보고되고 있다. 발생률과 유병률은 보고에 따라 그리고 지역 간, 인종 간에 큰 차이를 나타낸다. 많은 연구들이 미국이나 유럽의 환자들을 대상으로 한 연구이며, ACR이나 EULAR 기준을 적용하였다. ILAR 기

#### 표 107-4. 소아특발관절염의 발생률과 유병률

|  | 발생률(명/10만 명) | 유병률(명/10만 명) |
|---|---|---|
| 전체 | 7.8 | 20.5 |
| 여아 | 10.0 | 19.4 |
| 남아 | 5.7 | 11.0 |
| 전신형 | 0.6 | 3.1 |
| 소수관절형 | 3.7 | 16.8 |
| 류마티스인자 양성 다수관절형 | 0.4 | 1.0 |
| 류마티스인자 음성 다수관절형 | 1.0 | 5.1 |
| 부착부염관련관절염 | 2.0 | 4.9 |
| 건선관절염 | 0.5 | 1.3 |

표 107-5. 분류 기준에 따른 소아특발관절염의 발생률과 유병률

| | ACR | | EULAR | | ILAR | |
|---|---|---|---|---|---|---|
| | 발생률 | 유병률 | 발생률 | 유병률 | 발생률 | 유병률 |
| 전체 | 7.8 | 43.0 | 8.3 | 12.8 | 8.9 | 30.0 |
| 전신형 | 0.6 | 6.4 | 0.5 | 2.7 | 0.5 | 2.4 |
| 소수관절형 | 3.1 | 15.6 | 6.0 | 17.6 | 4.5 | 16.4 |
| 류마티스인자 양성 다수관절형 | 0.3 | 1.9 | 0.3 | 1.7 | 0.5 | 0.6 |
| 류마티스인자 음성 다수관절형 | 1.4 | 6.2 | | 8.1 | 0.7 | 4.2 |
| 부착부염관련관절염 | 2.6 | 13.8 | 0.4 | 1.5 | 0.7 | 3.1 |
| 건선관절염 | 0.5 | 4.1 | 0.3 | 1.1 | 0.4 | 1.1 |
| 미분류형관절염 | | | | | 1.3 | 2.7 |

준을 적용한 연구들에서는 유병률이 100,000명당 20명 정도로 보고되고 있다. JIA의 발생률과 유병률에 대한 메타분석(meta-analysis)에 의하면 JIA의 발생률은 100,000명당 7.8명이며, 유병률은 100,000명당 20.5명이었다(표 107-4). 진단 기준으로 구분하였을 때는 ACR 기준으로는 발생률은 7.8명, 유병률은 43명이었고, EULAR 기준으로는 발생률은 8.3명, 유병률은 12.8명이었다. ILAR 기준으로는 발생률은 8.9명, 유병률은 30명이었다(표 107-5). 그러나 환자가 아닌 인구 집단을 대상으로 조사한 연구들에서는 유병률이 100,000명당 200-400명으로 보고되고 있다.

## 2) 아형에 따른 발생률과 호발 연령 및 성별 차이

JIA 각각의 아형에 따른 발생률이나 유병률은 기준이나 보고에 따라 많은 차이를 보이지만 소수관절형이 가장 많고 다수관절형, 부착부염관련관절염(enthesitis related arthritis) 또는 전신형 순으로 많이 발병한다(표 107-5). 하지만, 아시아 지역의 여러 보고에서는 소수관절형의 비율이 낮고 전신형과 류마티스인자 음성 다수관절염 그리고 부착부염관련관절염의 빈도가 높았다. ACR 기준을 적용한 국내 연구에서는 전신형이 40.2%, 소수관절형이 34.5%, 다수관절형이 25.3%로 보고되었고, ILAR 기준을 적용한 다른 연구에서는 소수관절형이 42.6%, 다수관절형이 42.1%, 전신형이 15.3%로 보고되어 국내 연구에서도 아형의 비율에서 큰 차이를 보이고 있다.

JIA는 일반적으로 여아들에서 남아들보다 2배 이상 더 많이 발병하지만, 아형에 따른 남녀 비율과 호발 연령에서는 차이를

보인다(표 107-6). 전신형은 남녀에 따른 발생률의 차이가 없으나, 소수관절형이나 다수관절형은 여아에서 더 많이 발병한다. 특히 사춘기 연령에서 다수관절형은 여아에서 남아보다 훨씬 더 많이 발병한다. 그러나 부착부염관련관절염은 남아에서 더 많이 발병한다. 국내 보고들에서 부착부염관련관절염과 전신형은 남아에서, 소수관절형이나 다수관절형은 여아에서 더 많이 발병한다고 보고되고 있다.

소아특발관절염은 일반적으로 1-3세 연령에서 가장 많이 발병하지만, 아형에 따라서 호발하는 연령의 차이를 보인다. 전신형은 빈번하게 발병하는 호발 연령대가 없다고 알려져 있으나, 국내 연구에서는 1-5세 사이에 많이 발병한다. 소수관절형은 1-3세 사이에 호발하며, 류마티스인자 음성 다수관절형은 16세 이전 어느 연령대에나 발병할 수 있으나 1-3세 사이 그리고 소아 후기 연령인 사춘기에 많이 발병한다. 국내 보고들에서는 외국의 보고와 비교하여 아형에 따른 발병 연령의 차이는 크지 않았으

표 107-6. 소아특발관절염의 아형에 따른 발생 빈도, 호발 연령 및 성별 빈도

| | 호발 연령 | 성별 빈도 |
|---|---|---|
| 전신형 관절염 | 1-5세 | 남=여 |
| RF(-) 다수관절형 | 1-3세와 10대 | 여>남 |
| RF(+) 다수관절형 | 10대 | 여>남 |
| 소수관절형 | 1-3세 | 여>남 |
| 부착부염관련관절염 | 10대 | 남>여 |
| 건선관절염 | 10대 | 여>남 |

며, 발병 연령이 평균 7-9세로 상대적으로 높았다. 국내 환자에서 발병 연령이 높은 것은 JIA 환자들이 조기에 진단되지 않은 것과 관련이 있을 것으로 생각된다.

## 병인

JIA의 원인과 병리기전은 아직 완전히 규명되지 않았으나, 면역조절 작용의 이상과 유전적 원인이 주된 역할을 하고 그 이외에도 감염, 호르몬, 외상, 스트레스 등이 관여하는 것으로 알려져 있다. 병인에 있어서 소수관절염/다수관절염과 전신관절염 사이에는 큰 차이를 보인다.

소수관절염/다수관절염은 항핵항체와 류마티스인자가 양성인 경우가 많아서 자가면역(autoimmunity) 이상 때문으로, 전신형은 자가항체 없이, 대식세포, 단핵구, 중성구와 함께 사이토카인 증가 소견을 보여서 자가염증(autoinflammation) 반응이 주요 병리기전으로 알려져 있다.

소수관절염/다수관절염에서 보이는 자가면역 기전은 유전적으로 감수성이 있는 개인에게 환경적 요인이 특정 면역기전을 자극하고, 그 결과로 면역기능이 과도하게 활성화되어서 염증반응이 일어나는 것으로 생각된다. 유전적 요인에서 소수관절염은 HLA-A2, HLA-DRB1*11, HLA-DRB1*08과 관련이 있고 다수관절염은 HLA-DR4와의 연관성이 보고되었으며, 이것은 소수관절염/다수관절염이 적응면역에 의해 유발된 질병임을 알 수 있게 하는 근거가 된다.

전신형은 자가항체나 대립유전자와 관련이 없고, 대식세포, 중성구, 단핵구 등의 식세포계가 과도하게 활성화되어 IL-1, IL-6, IL-18 등과 같은 사이토카인을 과생산함으로써 발병이 진행된다고 알려져 있어 자가염증질환으로 간주된다. 식세포에서 분비된 IL-1, IL-6, IL-18과 S100 단백이 다른 아형과 비교하여 전신형 관절염 환아에서 의미있게 높은 혈중 농도를 보이면서, 다기관 염증을 일으키게 된다. IL-1은 골수에 작용하여 과립구 조혈을 촉진하며, 내피세포를 활성화시켜서 피부 발진을 일으키며, IL-1 수용체는 시상하부와 관련하여 발열을 야기한다. IL-6의 혈중 농도 증가는 발열 기간, 혈소판 증가, 소구성 빈혈, 성장 지연, 관절 파괴와 골감소증과 같은 전신 증상 및 임상적 지표와 연관

성을 보인다.

JIA 발생에 있어서 중요한 환경적 요인은 감염이다. 감염에 의해 유발된 염증이 항원전달세포(antigen presenting cell)를 활성화시켜서 자가항원(autoantigen)의 면역원성을 증가시키고 다클론성 림프구 활성화를 통해 자가면역 반응이 일어나게 한다. 다양한 병원체들이 발생 유발인자로 연구되었으며, 인플루엔자바이러스, 파보바이러스 B19, 풍진바이러스, 엡스타인-바바이러스 등의 바이러스 그리고 마이코플라즈마나 연쇄상구균 감염도 JIA 발병과 연관되어 있다고 보고되었다.

다른 환경적 요인으로는 스트레스나 심리적 요인, 모체의 흡연, 기후 변화, 예방 접종 등이 발병 원인이라는 주장도 있다. 스트레스가 교감신경을 자극하면 염증사이토카인(proinflammatory cytokine)이 증가하는데, 스트레스는 성인보다 소아에게 더 큰 역할을 하는 것으로 보고되었다. 태아기에 흡연에 노출되면 태아의 면역 발달에 영향을 주어서 감염성 병원체의 감수성을 증가시킨다고 하며, 임신 중 모체의 흡연이 출생 후 7년 동안 다수관절염의 발병을 증가시킨다는 보고가 있다.

현재 병인에 대한 보다 많은 연구가 진행되고 있다.

## 참고문헌

1. Cassidy JT, Petty RE, Laxer RM, Lidsley CB. Textbook of pediatric rheumatology. 6th ed. Philadelphia: Saunders; 2011:211-97.

2. Hahn YS, Kim JG. Pathogenesis and clinical manifestations of juvenile rheumatoid arthritis. Korean J Pediatri 2010;53:921-30.

3. Kim DS. Juvenile rheumatoid arthritis. Korean J Pediatr 2007;50:1173-9.

4. Kim KN. Chronic arthritis in childhood. J Rheum Dis 2012;19:307-15.

5. Kim YD, Job AV, Cho WJ. Differential diagnosis of juvenile idiopathic arthritis. J Rheum Dis 2017;24:131-7.

6. Lin YT, Wang CT, Gershwin ME, Chiang BL. The pathogenesis of oligoarticular/polyarticular vs systemic juvenile idiopathic arthritis. Autoimmune Rev 2011;10:482-9.

7. Palman J, Shoop-Worrall S, Hyrich K, McDonagh JE. Update on the epidemiology, risk factors and disease outcomes of Juvenile idiopathic arthritis. Best Pract Res Clin Rheumatol 2018;32:206-22.

8. Prakken B, Albani S, Martini A. Juvenile idiopathic arthritis. Lancet. 2011;377:2138-49.

# 108

# 임상증상

가톨릭의대 **임정우**

## KEY POINTS 🔒

- 소아특발관절염은 성인과 달리 큰 관절을 잘 침범하고, 진행 속도도 빠르다.
- 전신형은 2주 이상 지속되는 발열과 발진이 특징이다.
- 소수관절형은 4개 이하의 관절염이며, 주로 무릎이 이환된다.
- 다수관절형은 5개 이상의 관절을 침범하며, RF 양성군은 성인 류마티스관절염과 유사하다.
- 포도막염은 매우 중요한 합병증이며, 소수관절형에서 잘 발생한다.

## 관절증상

소아특발관절염(소아류마티스관절염)에서 관절 증상은 통증, 부기, 열감 그리고 기능의 소실과 같은 염증의 중요 징후가 다양하게 나타난다. 보통 수 주나 수개월에 걸쳐 관절과 근육의 뻣뻣한 경직 증상과 통증이 서서히 나타난다. 초기에는 관절이 뻣뻣해지는 것이 특징인데, 아침에 자고 일어나거나 오랫동안 움직이지 않고 한 자세를 취한 후에 다시 움직일 때 심하게 나타나며, 이러한 증상은 관절을 움직이면 풀어진다. 병의 활성도가 높을수록 풀어지는 데 걸리는 시간이 길다. 통증은 움직이지 않고 가만히 있을 때에는 없으나, 관절을 움직일 때, 특히 운동범위가 과도할 때 나타난다. 관절을 만지면 통증이 유발되며(압통), 관절선이나 염증이 있는 활막 부위에서 가장 심하다. 뼈 부위에서는 통증이나 압통이 잘 나타나지 않으며, 나타날 때에는 악성 종양의 가능성을 의심해야 한다. 어린아이는 통증을 말보다는 몸으로 표현한다. 즉 통증을 피하기 위해 절름거리거나 어리광스럽게 움직이거나 사지를 전혀 쓰지 않는 경우도 있다. 관절증상들은 날씨가 흐리거나, 비가 오는 날에 더 심하다.

부기는 관절 부위 연조직의 부종, 관절 내 삼출, 혹은 활막의 비대로 인해 나타난다. 관절에 열감은 자주 있지만, 발적은 항상 나타나지는 않는다. 소아특발관절염을 적절히 치료하지 않으면 관절의 연골과 뼈 그리고 주위 조직이 손상되어서 관절이 휘거나 굳어서 관절이 변형되고, 관절운동이 제한된다. 소아에서는 무릎, 발목, 손목 관절과 같이 큰 관절에서 많이 발생하지만, 손가락, 발가락과 같은 작은 관절까지 모든 관절에서 발생할 수 있다. 엉덩관절 침범은 부착부염관련관절염에서는 빈번하지만 소수관절형에서는 드물며, 엉덩관절 침범 시에는 내회전과 굽힘이 제한된다. 턱관절과 경추, 흉추, 요추에서도 발생할 수 있다.

활막의 작은 팽출(outpouching)이 흔하며, 특히 근위지관절, 손목 혹은 발목 주위에 활막 낭종이 생긴다. 큰 활막 낭종은 드문 합병증이나, 가끔 오금 부분에 생기며 이를 베이커낭종이라 하는데, 이는 무릎관절 안에 물이 많이 차게 되어 무릎관절의 뒤쪽으로 물이 빠져나와 마치 물혹처럼 보이는 것이다. 건초염은 흔하지만 심하지 않다. 주로 손등과 발등의 폄근힘줄집 그리고 발목 주위의 긴종아리근과 짧은종아리근 힘줄에서 발생한다. 굽힘근힘줄집의 협착성 활막염의 결과로 손가락 펴짐이 소실되고, 갈퀴손(claw-hand) 변형이 발생된다.

## 관절외증상

### 1) 일반적 징후와 증상

식욕부진, 체중감소 그리고 성장저하가 많은 소아들에서 나타난다. 심한 피로가 소수관절형에서는 드물지만, 다수관절형이나 전신형에서 특히, 발병시기나 병이 잘 조절되지 않는 시기에 흔하게 나타난다. 잠이 늘고 많이 민감할 수 있다. 야간 통증으로 숙면이 안 될 수 있다.

### 2) 성장장애

성장과 발달 이상은 관절염과 치료의 흔한 합병증이다. 활동성 시기에는 선형성장(linear growth)이 둔화된다. 반면에 치료에 의해 활동성이 억제된 시기와 관해의 시기에는 성장 가속 시기가 나타난다. 사춘기와 이차성징은 흔히 지연된다. 글루코코티코이드를 투여 받지 않은 환아들에서도 장기간의 질병 활동성으로 성장이 저하된다. 관해기 동안에 미성숙 골단 융합이 일어나지 않았다면, 신장은 2-3년 내로 정상화된다. 소아특발관절염을 앓았던 성인들에서 신장이 5백분위수 이하인 경우는 전신형 환자의 50%, 소수관절형 환자의 11%, 다수관절형 환자의 10%이다.

### 3) 국소적 성장장애

국소적 성장장애는 성장판의 파괴, 장골의 골화중심의 빠른 발달, 성장판의 조기 융합으로 발생한다. 병의 초기 활동성 시기에는 염증에 의한 충혈과 성장인자의 국소 생성으로 골화중심의 발달이 가속화된다.

## 발병형에 따른 임상증상

### 1) 전신형

전신형 소아특발관절염은 관절염과 더불어 최소 2주간 지속되는 발열이 나타나는데, 이는 다른 형태의 소아특발관절염과는 확연히 다른 특징이다. 전체 소아특발관절염 중에서 10-15% 정도를 차지하며, 남녀가 같은 비율로 발생하고 호발연령은 1세에서 5세까지이다. 병의 초반에는 피로감과 빈혈이 나타날 수 있

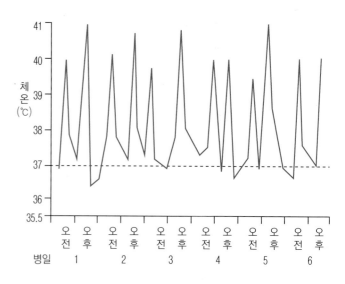

그림 108-1. 전신형 소아특발관절염의 전형적인 발열 양상

다. 발열 양상이 매우 특징적인데, 39℃ 이상의 고열이 하루 한 번 내지 두 번 정도 올랐다가 빠르게 정상이나 정상 이하로 떨어진다(그림 108-1). 발열은 늦은 오후나 저녁 때 나타난다. 환아는 열이 있는 동안에는 아파 보이지만, 열이 없을 때는 멀쩡해 보인다. 발진은 옅은 연어살색의 반점 형태이며, 열이 있을 때 나타난다. 발진은 소양감은 없으며, 몸통과 겨드랑이, 서혜부 같은 근위부 사지에 흔하다(그림 108-2).

관절외증상으로는 간비비대, 림프절병, 간질성 섬유화와 같은 폐질환, 심막염과 같은 장막염(serositis) 등이 있다. 대개는 발열 기간과 전신 증상이 관절염의 발생보다 수 주에서 수개월 선행한다. 혈액 검사 이상으로는 빈혈, 백혈구 증가증, 간효소 상

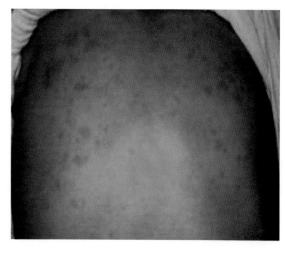

그림 108-2. 전신형 소아특발관절염 환아 몸통에 생긴 연어살색 발진

승, 적혈구침강속도, C반응단백질, 페리틴과 같은 급성기반응물질의 상승이 있다. 항핵항체는 음성이다.

합병증은 대식세포활성증후군(macrophage activation syndrome, MAS), 성장장애, 골다공증, 심장질환 등이다. 대식세포활성증후군은 전신형 소아특발관절염 환자 중에서 5-8%에서 발생하고, 지속되는 발열, 범혈구감소증, 간비비대, 간부전, 응고장애, 그리고 신경학적 증상이 특징이다. 골수 검사에서 대식세포에 의한 조혈세포의 포식작용이 보인다. 대식세포활성증후군은 바이러스 감염이나 특정 약물의 교체에 의해서도 유발된다. 검사소견은 범혈구감소증, 프로트롬빈시간과 부분트롬보플라스틴시간의 연장, 중성지방과 페리틴의 상승이 있다. 예상과는 달리 적혈구침강속도는 떨어지는데, 이는 소모성응고병과 간기능부전에 의한 낮은 섬유소원(fibrinogen) 때문이다. 사망률이 20-30%에 이르기 때문에 초기에 인지하고 코르티코스테로이드나 사이클로스포린 등으로 치료하는 것이 다기관 부전을 예방하는 데에 중요하다. 전신형 소아특발관절염은 감염, 암, 급성류마티스열과 같은 질환과 감별해야 하는데, 감염 시의 발열 양상은 전신형 소아특발관절염에서 나타나는 발열 양상보다 예측성이 떨어진다. 백혈병이 있는 소아는 대개 백혈구감소증, 혈소판감소증, 젖산탈수소효소(lactic acid dehydrogenase) 상승을 보인다. 전신형의 예후는 관절염의 중증도에 달려 있다. 대부분의 전신 증상은 수개월에서 수년에 걸쳐서 소실된다.

## 2) 소수관절형

소수관절형 소아특발관절염은 처음 6개월 동안에 4개 이하의 관절염으로 정의된다. 소수관절형은 소아특발관절염중에서 약 50%를 차지하며, 2가지 아형으로 나뉘는데, 병의 전체 경과 동안에 4개 이하의 관절만 이환되는 지속형(persistent)과 처음 6개월 이후에 4개를 초과하여 이환되는 확장형(extended)이 있다. 호발연령은 2-4세이며, 여아 대 남아 비율은 3:1 정도이다. 전형적으로 하지의 관절염이 잘 나타난다. 발병 시에 한 개의 관절만 이환된 경우는 30-50% 정도이며, 무릎이 가장 흔한 부위이다(그림 108-3). 관절이 붓고 열감이 있으며, 통증과 압통이 있다. 장기간의 관절염과 염증 부위 성장판의 혈류 증가에 따른 과도성장으로 성장장애가 초래될 수 있다. 특히 무릎이 이환된 경우에 다리 길이의 차이가 생길 수 있다.

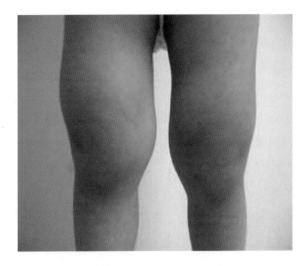

그림 108-3. 소수관절형 소아특발관절염 환아의 오른쪽 무릎 부기

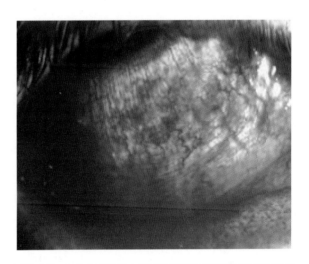

그림 108-4. 소수관절형 소아특발관절염 환아에서의 포도막염

포도막염(uveitis)은 가장 심각한 합병증 중 하나이며, 소수관절형 환아의 15-20%에서 발생한다(그림 108-4). 이는 홍채와 섬모체에 비육아종성 염증이 생긴 것이다. 항핵항체 양성이면서 어린 나이에 발병한 소수관절형 여아에서 잘 발생한다. 처음에는 별다른 증상 없이 서서히 발생하나, 환자의 반 이상에서 통증, 충혈, 두통, 눈부심, 시력저하 등과 같은 증상들이 점차 나타난다. 관절염이 나타나기 전에 발생하는 경우도 있으나(10%), 대부분의 경우 관절염 발생 후 나타나며, 대부분(70-80%)에서 양측성이다. 포도막염의 활동성은 관절염의 중증도와 비례하지는 않으며, 무증상인 경우도 있기 때문에 특히 소수관절형 환아들은 모두 정기적인 안과 검진이 필요하다. 예후는 조기 진단과 치

료 여부에 달려 있다. 소수관절형 소아특발관절염은 외상, 화농성관절염, 라임병, 감염후관절염, 종양 등과의 감별이 필요하다.

## 3) 다수관절형

첫 6개월 동안에 5개 이상의 관절을 침범하는 경우이다. 다수관절형은 RF 음성(혈청음성)군과 RF 양성(혈청양성)군으로 나눈다. RF 양성군은 전체 소아특발관절염 환자에서 5-10%를 차지하며, 여아가 더 많고, 늦은 소아기나 청소년기에 발병한다. RF 양성군은 성인 류마티스관절염과 유사한 관절염으로 발전하는 경향을 보이며, RF 음성군에 비해서 심한 경과를 갖는다.

### (1) 류마티스인자 음성

아침강직이나 비활동 후 뻣뻣함과 같은 급성 관절염을 시사하는 증상이 몇 시간 나타나며, 때로는 하루 종일 지속된다. 관절은 활막의 비후와 관절내액 때문에 붓고, 따뜻할 수 있지만, 대개 발적은 없다. 양쪽 무릎, 손목, 그리고 발목 관절이 흔하게 이환된다. 손과 발의 작은 관절도 침범하는데, 두 번째와 세 번째 중수지관절과 근위지관절이 가장 흔한 부분이다. 원위손가락뼈사이관절의 침범은 거의 없다. 턱관절의 침범이 RF 양성군보다 더 흔하다. RF 음성군은 RF 양성군보다 이환되는 관절 수가 더 적고, 비대칭적인 경향이 있다. 손목과 손의 작은 관절의 침범이 RF 양성군보다 적다. 엉덩관절 침범이 나타나는 경우는 20% 미만이다. 피로감은 다수관절형 환아에서 흔한 전신 증상이며, 통증과 스트레스, 근육량의 감소, 산소성 및 비산소성 운동 능력의 저하, 빈혈 등 때문에 생긴다. 다수관절형 소아들은 처음 몇 해 동안 성장속도가 줄어들지만 후기에는 정상속도로 돌아오는 경향을 보인다. RF 음성군은 RF 양성군에 비해서 성장속도가 줄어드는 폭이 적고 정상 속도로 돌아오는 기간도 짧은 편이다.

### (2) 류마티스인자 양성

상하지의 큰 관절과 작은 관절들이 이환되며, 경추와 턱관절도 이환될 수 있다. 흉추, 요추와 천장관절은 보존된다. 물론 큰 관절도 침범할 수 있지만, 손의 중수지관절과 근위지관절, 발의 중족지관절과 근위발가락뼈사이관절 등의 대칭적인 관절염이 전형적인 형태이다(그림 108-5). 손목관절에 초기에 운동 제한이 발생하며, 결국에는 쇠약과 변형이 초래된다. 손목과 중수지

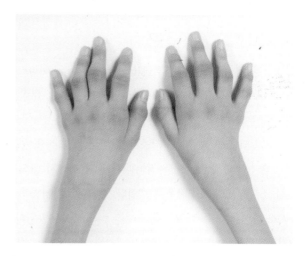

그림 108-5. 류마티스인자 양성 다수관절형 환아의 중수지관절과 근위손가락뼈사이관절의 대칭적 부기

관절의 변형은 척골측 이동(ulnar drift)을 초래하며 손가락 관절의 변형은 단추구멍 변형과 백조목변형을 일으킨다. RF 양성군에서 가장 흔한 관절외증상은 류마티스결절이다. 병의 첫 해에 약 30%에서 나타난다. 위치는 팔꿈치머리 부분이 가장 흔하며, 그 외에 뼈의 두드러진 부분이나 압력 받는 부분의 굽힘근힘줄초에서 생긴다. 이것은 단단하고 유동성이 있으며, 압통은 없지만 연조직이나 뼈로부터 압력을 받으면 아플 수 있으며, 나쁜 예후를 의미한다. 가속 결절증이 메토트렉세이트 치료를 받는 환아에서 나타날 수 있다. 이 경우에 여러 개의 결절이 빠른 시간에 발생하고, 메토트렉세이트를 끊으면 없어진다.

## 4) 건선관절염

소아 건선관절염은 소아 중기에 발병하고 큰 관절과 작은 관절을 모두 침범하는 비대칭적 관절염이 특징이다. 관절염과 전형적인 건선성 발진이 있거나, 발진이 없을 때는 다음 중 2가지 이상 나타날 때로 정의한다. (1) 직계가족 중에서 건선의 가족력, (2) 가락염(관절 경계를 넘어가는 손가락의 미만성 부종), (3) 손발톱의 함요. 건선관절염이 있는 소아는 포도막염이 발생할 수 있기 때문에 6개월마다 세극등 검사를 시행해야 한다. 특히 몸통뼈대에 염증이 있을 때에는 항핵항체와 *HLA-B27*이 양성일 수 있다.

## 5) 부착부염관련관절염

부착부염관련관절염은 뼈에서 힘줄, 인대 혹은 근막의 부착부위에서의 염증이 특징이며, 주로 8세 이상의 남아에서 발병한다. 부착부염은 부착부의 통증과 부종을 동반하며, 가장 흔한부위는 무릎인대 부착부, 족저근막과 아킬레스건의 종골(calcaneus) 부착부이다. 다른 형태의 소아특발관절염과는 다르게 발병시에 척추와 천장관절이 이환되어 있을 수 있고, 이로 인해서 요추부의 통증, 경직, 운동성 소실이 발생한다. 하지관절의 관절염도 나타날 수 있다. 대부분의 환아들은 *HLA-B27* 양성이다. 발적과 홍반성 결막, 눈부심과 통증이 특징인 급성 전측 포도막염을 겪는다. 많은 수의 환자들은 염증장질환, 건선, 강직척추염과 같은 *HLA-B27* 연관 질환의 가족력을 갖는다. 부착부염관련관절염 환자들은 강직척추염, 반응관절염 혹은 염증장질환 연관관절염과 같은 병으로 발전할 수 있다.

## 6) 미분화관절염

소아특발관절염 다른 형태에 속하지 않거나 2가지 이상 형태에 걸쳐서 만족하는 경우이다.

### 📑 참고문헌

1. Espinosa M, Gottlieeb BS. Juvenile idiopathic arthritis. Pediatr Rev 2012;33:303-13.
2. Giancane G, Consolaro A, Lanni S, Davì S, Schiappapietra B, Ravelli A. Juvenile iopathic arthritis: diagnosis and treatment. Rheumatol Ther 2016;3:187-207.
3. Petty RE, Laxer RM, Lindsley CB, Wedderburn L, Fuhlbrigge R, Mellins E. Textbook of Pediatric Rheumatology. 8th ed. Philadelphia: Elsevier; 2020.

# 109

# 검사소견과 진단

**연세의대 안종균**

## KEY POINTS 🔒

- 소아특발관절염의 진단은 임상증상을 토대로 이루어지며 다른 유사한 질환들을 배제하는 것이 매우 중요하다.
- 소아특발관절염은 성인과 달리 임상증상에 따라 여러 아형으로 분류하여 진단할 수 있다.
- 혈액검사와 영상검사는 소아특발관절염의 진단에 도움을 줄 수 있으며 예후와 치료의 반응을 평가할 때 유용하게 사용할 수 있다.
- 국제류마티스학회(International League of Associations for Rheumatology, ILAR)의 소아특발관절염 분류 기준이 현재 가장 많이 사용되고 있으나, 최근 ILAR 기준의 약점을 보완하기 위하여 유전 및 생물학적 특성을 기반으로 한 대체 분류법이 제안되고 있고, 검증 중에 있다.

## 검사소견

소아특발관절염(juvenile idiopathic arthritis, JIA)의 확진 검사는 없지만 검사소견은 염증의 존재를 증명하고 임상 진단을 보조해주며, 치료 결과를 예측하고 약물의 독성을 평가하는 데 유용하게 사용된다. JIA의 병태생리를 이해하기 위한 연구 수단으로도 이용될 수 있다. 또한, 류마티스인자(rheumatoid factor, RF)와 *HLA-B27* (human leukocyte antigen-B27)은 국제류마티스학회(International League of Associations for Rheumatology, ILAR)에 따라서 아형을 분류할 때 진단 기준 중에 포함되어 있는 검사 항목들이다.

## 1) 혈액검사

### (1) 혈액학적 지표

혈액학적 이상은 일반적으로 염증질환의 정도를 반영한다. 백혈구 증가와 혈소판 증가는 관절질환이 활성화되어 있을 때 급성 염증반응의 지표로 사용된다. 반면 혈소판감소는 드물게 나타나는데, 전신홍반루푸스(systemic lupus erythematosus, SLE)로의 전환, 약물 부작용, 또는 대식세포활성증후군(macrophage activation syndrome)의 발병에 대한 신호일 수 있으므로 임상양상을 주의 깊게 관찰하여야 한다. 만성질환에서 관찰되는 것처럼 대개 정구저색소 빈혈(normocytic hypochromic anemia)을 보이며, 혈청철(serum iron) 감소, 총 철결합능(total iron-binding capacity, TIBC) 감소, 트랜스페린 포화도(transferrin saturation) 감소를 동반하나, 철결핍빈혈이 같이 있는 경우도 있다.

### (2) 급성반응물질

적혈구침강속도(erythrocyte sedimentation rate, ESR)와 C반응단백질(C-reactive protein, CRP)은 JIA에서 염증의 존재를 나타내는 대표적인 급성반응물질로 이용되나 JIA를 평가하는 데 있어서 상대적 기준값이 아직까지 통일되지 않았다. ESR은 혈장 내의 피브리노겐, 적혈구, 기타 기계적인 요인들에 의해 영향을 받으므로 JIA의 진단에 있어서 특이도가 낮지만, 질환의 활동성을 평가하고 경과를 관찰하는 데 유용하다. CRP는 ESR에 비해 다른 요소에 의한 영향을 덜 받고 염증반응 후에 빨리 증가하고 반감기가 18시간에 불과하여, 치료 후에 염증이 조절되면 급격하게 떨어져 치료 후 염증을 평가하는 데 유용하게 사용된다.

### (3) 류마티스인자

류마티스인자(rheumatoid factor, RF)는 면역글로불린 G (immunoglobulin G, IgG)의 Fc 수용체에 대한 자가항체이다. RF는 7세 미만의 소아에서는 드물게 나타나므로, JIA의 발병 당시에 진단을 위해서는 거의 도움이 되지 않는다. 또한, RF는 SLE와 같은 다른 소아기 결합조직병이나 건강한 소아에서조차도 양성으로 나타날 수 있기 때문에 RF만으로 JIA를 진단하기는 어렵다. 하지만, RF는 ILAR 기준에 의한 JIA의 아형 분류 시 한 부분으로서 사용되며, RF 양성은 나쁜 예후를 나타낸다. RF는 늦은 나이에 발병하는 다수관절형에서 가장 흔하게 관찰되며, 질환이 오래되고 나이가 많을수록, 또 류마티스결절이 있거나 관절 부식이 있을 때 더 잘 나타난다. 또한, RF는 특히 *HLA-Dw4 (DRB1\*0401), Dw14 (DRB1\*0404)*의 존재 시 흔히 관찰된다.

### (4) 항CCP항체

시트룰린(citrulline)은 아르기닌(arginine)이 전사 후 변형되어 생성되는 물질로, 염증, 세포자멸사, 손상, 노화 등의 과정에서 발생한다. 시트룰린화된 단백질에 대한 자가항체를 anti-citrullinated protein antibody (ACPA)라고 하는데 성인 류마티스 관절염(rheumatoid arthritis, RA) 환자에서 높게 나타나는 것으로 알려져 있다. 하지만 ACPA를 검출하는 방법이 어려워서 한동안 상용화되지 못하다가 인공적으로 합성한 cyclic citrullinated peptide (CCP)를 이용하여 ELISA법으로 항CCP항체를 검출하는 방법이 개발되어 사용되고 있다. CCP는 ACPA와 반응하는 인공단백으로 항CCP항체는 RA에서 민감도가 67%, 특이도가 95% 정도로 RA 진단에 유용하게 사용될 수 있다. 항CCP항체는 RF와 마찬가지로 중증의 관절염 상태와 관련이 있는데, 방사선학적 관절 손상이 빠르게 진행되는 것을 예측하는 데 RF보다 우수한 인자로 알려져 있다. 하지만 RF와는 달리 항CCP항체는 관절 외 증상의 위험성을 증가시키지는 않는다. 최근 시행된 메타 연구는 JIA의 진단에 있어서 항CCP항체의 특이도는 성인 RA와 유사하게 98% 정도로 높았지만, 민감도는 RA보다 낮은 14% 정도였다. 항CCP항체는 JIA의 아형 중 주로 RF 양성 다수관절형에서 관찰된다. 334명의 JIA 환아와 50명의 건강한 소아 대조군을 대상으로 진행된 Tebo 등의 연구에서 항CCP항체는 RF 양성 다수관절형의 73%, 확장형 소수관절형의 19%, 전신형의 13%, RF 음성 다수관절형의 8%, 부착부염관련관절염 또는 지속형 소수관절형의 4%, 건강한 소아 대조군의 2%에서 양성 소견을 보였다. 아직 소아에서는 연구 결과가 적어서 JIA의 진단과 예후에서 항CCP항체의 역할이 정확히 규명되지는 않았으나 소규모 연구에서 항CCP항체는 나쁜 예후와 관련이 있다고 알려져 있다. 최근 제안된 JIA에 대한 개정된 분류 기준에서 RF 양성 JIA의 정의는 지속적인 RF 양성의 입증 또는 단일 양성 항CCP항체 검사가 포함되어 있다.

### (5) 항핵항체

항핵항체(antinuclear antibody, ANA)는 주로 발병 나이가 어린 여성에게 흔하게 나타나고, 특히 소수관절형에서 발견 빈도가 높으며, ANA가 있으면 만성포도막염의 위험이 높아진다. ANA는 나이가 많은 남아와 전신형 및 부착부염관련관절염에서 발견 빈도가 가장 낮고, 소수관절형과 포도막염을 가지는 어린 여아에서 가장 빈도가 높게 검출된다(65-85%). 하지만, 자가면역질환이 없는 경우나 관절염의 구체적인 증거가 없는 소아에서도 ANA가 양성일 수 있으므로 해석하는 데 주의해야 한다.

## 활액검사

활액검사상 관절액은 대개 염증 체액의 성상을 보인다(표 109-1). 다형핵 중성구와 단핵세포가 주를 이루지만, 백혈구 수가 질병의 활성도와 항상 일치하지는 않는다. 활액의 당 수치는 성인 RA처럼 낮은 편이나, 보체 수치는 성인에서처럼 특징적으로 저하되지는 않는다. 글리코사미노글리칸(glycosaminoglycan)이 정상보다 감소하여 관절액의 점도가 떨어진다.

## 영상검사

영상검사는 관절질환의 존재, 중증도, 관절 침범 정도를 밝히는 데 중요한 역할을 한다. 또한, 합병증 발생 및 치료 반응을 평

표 109-1. 류마티스 질환에서 활액검사의 특징

| 질환 | 관절액 보체 | 색과 성상 | 점성 | 점액응고반응 | 백혈구(/mL) | 다형핵 중성구(%) | 기타 특징 |
|---|---|---|---|---|---|---|---|
| 비염증성 | | | | | | | |
| 정상 | 정상 | 노랑, 깨끗 | 매우 높음 | 좋음 | <200 | <25 | |
| 외상관절염 | 정상 | 황변성, 탁함 | 높음 | 양호-좋음 | <2,000 | <25 | 파편(debris) |
| 골관절염 | 정상 | 노랑, 깨끗 | 높음 | 양호-좋음 | 1,000 | <25 | |
| 염증성 | | | | | | | |
| 전신홍반루푸스 | 낮음 | 노랑, 깨끗 | 정상 | 정상 | 5,000 | 10 | 루푸스 세포 |
| 류마티스열 | 정상-높음 | 노랑, 뿌염 | 낮음 | 양호 | 5,000 | 10-50 | |
| 만성관절염 | 정상-높음 | 노랑, 뿌염 | 낮음 | 나쁨 | 15,000-20,000 | 75 | |
| 반응관절염 | 높음 | 노랑, 혼탁 | 낮음 | 나쁨 | 20,000 | 80 | |
| 화농성 | | | | | | | |
| 결핵관절염 | 정상-높음 | 연노랑, 뿌염 | 낮음 | 나쁨 | 25,000 | 50-60 | 항산성균 |
| 패혈관절염 | 높음 | 점액혈액상, 탁함 | 낮음 | 나쁨 | 50,000-300,000 | >75 | 낮은 포도당, 세균 |

가하고 다른 질환을 감별하는 데 유용하게 사용된다. JIA에서는 염증세포들이 활막을 침범함으로써 활막 증식 및 비대, 활액 증가, 파누스(pannus) 조직형성의 소견을 보인다. 염증 변화는 힘줄(tendon)과 윤활낭(bursa)의 활막집(synovial sheath)까지 나타나고, 골막염(periostitis)을 일으킬 수 있다. 염증이 지속되면, 보다 광범위한 관절 변화가 일어나 연골파괴, 골미란(bone erosion), 부정렬(malalignment) 등으로 나타날 수 있다. JIA에서 사용되는 영상검사들은 각각 장단점이 있으므로 이 점을 고려하여 초기 평가에 있어 가장 합리적이고 효과적인 검사 방법을 선택해야 한다(표 109-2).

## 진단

JIA는 대부분의 류마티스 질환과 마찬가지로 확진을 위한 특정한 검사법은 없다. 따라서, 환자의 임상증상을 토대로 유사 증상을 일으킬 수 있는 다른 원인을 철저하게 배제하는 것이 필수적이다. 혈액검사와 영상검사는 진단에 도움을 줄 수 있으며 예후와 치료의 반응을 판단할 때 유용하게 사용될 수 있다. JIA는 임상양상에 따라 여러 가지 아형으로 분류하여 진단할 수 있는데, 각 아형마다 예후와 치료법이 조금씩 다르기 때문에 아형에 대한 분류법을 이해하는 것이 필요하다.

## 1) JIA 분류

JIA는 하나의 단일 질환이라기보다는 다양한 형태로 나타나는 만성면역염증관절염들을 말하며 여러 종류의 그룹과 그 안에 다른 형태의 아형들로 분류된다. 소아기의 만성관절염에 대한 명칭과 분류를 정의하는 데 있어서 지금까지 많은 혼란이 있어 왔다. 1970년대에 들어서 미국류마티스학회(American College of Rheumatology, ACR)에서는 소아류마티스관절염(juvenile rheumatoid arthritis, JRA)이라는 용어를 사용하기 시작하였고, 유럽류마티스학회(European League Against Rheumatism, EULAR)에서는 소아만성관절염(juvenile chronic arthritis, JCR)라는 용어를 사용하여 분류하기 시작하였으나 두 분류 사이에도 차이가 존재하여 논란의 여지가 있었다. 따라서 1994년 ILAR에서는 국제적으로 동의하는 종합적인 정의 체계를 만들기 위해 소아특발관절염(juvenile idiopathic arthritis, JIA)이라는 용어를 사용하여 분류하기 시작하였고, 이후 두 번의 개정을 통해 현재 사용되는 7가지 분류 체계를 만들었다. 이후로 최근에는 전세계적으로 ILAR 분류에 따른 JIA가 JRA나 JCA보다 더 널리 사용되고 있다(표 109-3).

표 109-2. 소아특발관절염에서 사용되는 영상검사

| 방법 | 장점 | 단점 | 특징 |
| --- | --- | --- | --- |
| 단순X선 | • 낮은 가격<br>• 쉽게 이용 가능<br>• 감별진단에 도움<br>• 합리적인 재현성<br>• 입증된 평가방법 | • 초기 골 및 연부조직 병변 발견에 있어서 감수성이 낮음<br>• 투영 중첩이 일어날 수 있음<br>• 이온화 방사선 조사 | • 골미란(bone erosion), 관절강 감소, 불완전탈구(subluxation), 부정렬(malalignment), 강직(ankylosis) 등을 포함하는 관절손상을 평가하기 위한 전통적인 방법으로 사용됨 |
| 초음파 | • 비침습적 방법<br>• 비교적 낮은 가격<br>• 방사선 조사가 없음<br>• 염증 및 파괴 질환 발현 모두를 시각화할 수 있음<br>• 쉽게 반복할 수 있음<br>• 한 세션에서 여러 관절 검사가 가능<br>• 중재술 사용 시 유도용으로 사용될 수 있음 | • 초음파로 접근할 수 없는 관절 영역은 검사할 수 없음<br>• 수행자의 능력에 의존적임<br>• 수행자의 시간 스케줄에 맞추어야 함 | • 염증 관절, 윤활낭(bursa), 또는 힘줄집(tendon sheath)의 활막이 두꺼워지는 것을 감지하여 관절 삼출액과 활막염을 진단할 수 있음<br>• 혈류는 도플러 초음파검사로 평가 가능<br>• 추적관찰 시에 활막염의 치료 경과를 보는 데 많이 사용됨<br>• 진단 및 치료를 위한 관절 천자 시 초음파 유도 하에 시행할 경우 성공률을 높일 수 있음 |
| 자기공명영상(magnetic resonance imaging, MRI) | • 다평면 단층 촬영이 가능.<br>• 연조직에 대한 대비 해상도가 매우 우수<br>• 방사선 조사가 없음<br>• 골수 부종, 연골 손상, 염증 연조직 변화, 조기 뼈 변화를 발견하는 데 신체검사나 다른 영상검사보다 민감 | • 조영제에 대한 알레르기반응이 생길 수 있음<br>• 높은 검사 비용<br>• 긴 검사 시간<br>• 여러 관절을 동시에 관찰하는 데 어려움<br>• 경우에 따라 수면과 마취가 필요할 수 있음<br>• 강자성(ferromagnetic) 물질에 대한 안전 문제 | • 관절염 질환의 염증 및 파괴 양상을 직접 시각화함<br>• 치료 효과를 정확히 모니터링 할 수 있음<br>• 활막, 관절 내외 체액의 분포, 연골, 골미란, 인대, 힘줄집을 포함한 관절염 질환의 모든 구조를 평가할 수 있음 |
| 컴퓨터단층촬영(computed tomography, CT) | • 골미란 및 국소 강직과 같은 초기 뼈 변화 감지에 유용<br>• 초음파 유도 영상이 더 자주 사용되지만, 염증 천장관절(sacroiliac joint) 내 글루코코티코이드 주입 시 유도용으로 사용될 수 있음 | • 천장관절염(sacroiliitis)의 진단에서 CT가 기존 방사선 사진보다 우수하지만, 건강한 대조군에 대한 연구에 따르면 경화증과 강직은 CT로 쉽게 과다 진단될 수 있음<br>• 초기 염증 발견에서 MRI보다 열등함<br>• 방사선 노출로 인하여 최근에는 다른 기술이 선호되고 있음 | • 척추관절염(spondyloarthritis)에서 초기 및 이미 시작된 뼈의 변화를 입증하는 데 매우 좋은 방법으로 사용됨 |
| 뼈스캔(bone scan) | • 다수성 염증관절염에서 전신의 관절들을 동시에 관찰할 수 있음 | • JIA 외에 다른 골질환에서도 비정상 소견을 보일 수 있어 진단의 특이도가 떨어짐 | • 관절통의 골성 원인과 다른 원인들(활막, 신경근, 또는 관절 주위 연조직 병변)을 구별하는 데 도움<br>• 골병변이 하나의 병변인지 여러 곳의 병변인지 평가할 수 있음<br>• 관절염이나 감염의 정도를 파악하는 데 도움 |

## 2) JIA 분류법의 비교

현재까지 JIA에 대하여 나온 문헌들을 해석하기 위해서는 기존의 분류법들에 대하여 이해하고, 각 분류법들의 차이점과 장단점을 파악하는 것이 필요하다(표 109-4).

ACR의 JRA 진단기준에 따르면 나이는 16세 미만이어야 하고 질병기간은 6주 이상으로 다른 원인이 배제된 특발성 관절염이 한 관절 이상에서 나타나야 진단할 수 있고 발병 후 처음 6개월 내에 나타나는 증상을 바탕으로 크게 3가지 형, 즉 전신형, 소수관절형, 다수관절형으로 분류하였다. 반면 EULAR에서 사용하는 JCA는 ACR의 진단 기준과 3가지 면에서 차이가 있는데 첫

표 109-3. 소아기만성관절염의 분류

| 미국류마티스학회 | 유럽류마티스학회 | 국제류마티스학회 |
|---|---|---|
| 소아류마티스관절염 | 소아만성관절염 | 소아특발관절염 |
| 전신형(systemic) | 전신형(systemic) | 전신형(systemic) |
| 다수관절형(polyarticular) | 다수관절형(polyarticular) 소아류마티스관절염(juvenile rheumatoid arthritis) | 다수관절형 RF 음성(polyarticular RF-negative) 다수관절형 RF 양성(Polyarticular RF-positive) |
| 소수관절형(pauciarticular) | 소수관절형(pauciarticular) 소아건선관절염(juvenile psoriatic arthritis) 소아강직척추염(juvenile ankylosing spondylitis) | 소수관절형(oligoarticular) -지속형(persistent) 또는 확장형(extended) 건선관절염(psoriatic arthritis) 부착부염관련관절염(enthesitis-related arthritis) 미분류관절염(undifferentiated arthritis) |

RF, rheumatoid factor.

표 109-4. 미국류마티스학회, 유럽류마티스학회 및 국제류마티스학회의 진단기준 비교

| 특징 | 미국류마티스학회 | 유럽류마티스학회 | 국제류마티스학회 |
|---|---|---|---|
| 발병 시 분류타입 | 3 | 6 | 6 |
| 경과별 아형 | 9 | 없음 | 1 |
| 발병 시 나이 | <16세 | <16세 | <16세 |
| 발병기간 | ≥6주 | ≥3개월 | ≥6주 |
| JAS 포함여부 | 아니오 | 예 | 예 |
| JPsA 포함여부 | 아니오 | 예 | 예 |
| IBD 포함여부 | 아니오 | 예 | 아니오 |
| 다른 질환 배제여부 | 예 | 예 | 예 |

JAS, juvenile ankylosing spondylitis; JPsA, juvenile psoriatic arthritis; IBD, inflammatory bowel disease.

째, 유병기간이 3개월이고, 둘째, JRA라는 용어는 관절 침범 수가 5개 이상이며 RF가 양성인 경우에 한해서만 제한되어 사용되며, 셋째, 아형 중에 소아강직척추염, 건선관절염, 염증장질환과 연관된 관절염이 포함되어 있다. 현재 보편적으로 사용 중인 ILAR에 의한 JIA 진단은 6개의 아형과 1개의 미분류형으로 총 7개의 카테고리로 분류된다(표 109-5).

## 3) 새로 제안된 JIA 분류법

ILAR 기준은 지난 25년 이상 모든 만성 소아 관절염 연구에 사용되어 코호트 간 비교를 가능하게 하였지만, 개정된 지 오래되어 최근 그동안 축적된 질병표현형, 병태생리, 유전학적 연구 결과를 토대로 새로운 분류기준이 제안되고 있다. ILRA 기준은 포함된 아형들의 임상양상 및 경과가 이질적이고, 제정 후 검증이 부족하였으며, 지나치게 많은 제외 기준과 임상적으로 완전히 평가되지 않은 포함 기준이 있는 점이 약점으로 제기되어 왔다. 또한 소아 시기의 만성 염증성 관절염과 성인 발병의 관절염이 많은 부분 유사한 임상 및 유전 정보를 공유함에도 불구하고 별도의 용어로 분류하여 둘을 완전히 다른 별개의 질병으로 인식하게 만드는 한계를 가졌다.

따라서, 이러한 ILAR 기준의 약점을 보완하기 위하여 유전 및 생물학적 특성을 기반으로 한 대체 분류법이 제안되고 있는데, 대표적인 것이 PRINTO (Pediatric Rheumatology International Trials Organization)에서 제안한 모델이다. 이 분류는 JIA를 (1) 전신 JIA, (2) RF 양성 JIA, (3) 부착부염/척추염 연관 JIA, (4) 조기 발병 ANA 양성 JIA의 4가지 주요 형태로 나눈다(표 109-6). RF양성 관절염은 소아와 성인에서 동일한 질환이고, 전신 JIA는 성인형스틸병(adult onset Still's disease)과 같은 질환일 가능성이 있다. 제안된 부착부염/척추염 연관 JIA와 조기 발병 ANA 양성

표 109-5. 국제류마티스학회에 의한 소아특발관절염 분류

| 분류 | 진단기준 |
| --- | --- |
| 전신형 | 최소 2주 이상의 발열(최소 3일간은 매일)과 1개 관절 이상의 관절염에 더하여 다음 항목 중 1가지 이상을 만족 시;<br>1. 홍반성 발진<br>2. 전신림프절병증<br>3. 간비대 그리고/또는 비장비대<br>4. 장막염<br>제외기준: a, b, c, d |
| 소수관절형 | 병의 첫 6개월 동안 4개 관절 이하를 침범한 관절염, 2개의 아형이 있다:<br>지속형 – 병의 전체 경과 중 4개 관절 이상은 절대로 침범하지 않을 때<br>확장형 – 병의 첫 6개월 후에 4개 관절 이상을 침범 시<br>제외기준: a, b, c, d, e |
| 다수관절형, RF 음성 | 병의 첫 6개월 동안 5개 관절 이상을 침범한 관절염<br>류마티스인자 음성<br>제외 기준: a, b, c, d, e |
| 다수관절형, RF 양성 | 병의 첫 6개월 동안 5개 관절 이상을 침범한 관절염<br>병의 첫 6개월 동안 최소 3개월의 간격을 두고 시행한 2회 이상의 류마티스인자 검사에서 양성<br>제외기준: a, b, c, e |
| 건선관절염 | 관절염과 건선 또는,<br>다음 중 최소 2가지 이상을 만족하는 관절염:<br>1. 가락염(dactylitis)<br>2. 손발톱함몰 또는 손발톱박리증<br>3. 부모 중 건선<br>제외기준: b, c, d, e |
| 부착부염관련관절염 | 관절염과 부착부염 또는,<br>최소 다음 2가지 이상을 만족하는 관절염 또는 부착부염:<br>1. 천장관절의 압통이나 압통의 과거력 그리고/또는 염증성 척추 통증<br>2. *HLA-B27*의 존재<br>3. 6세 이후 남아에서 관절염의 발병<br>4. 급성(증상) 앞포도막염<br>5. 부모 중 강직척추염, 부착부염관련관절염, 염증장질환을 동반한 천장관절염, 반응관절염, 또는 급성 앞포도막염 가족력<br>제외 기준: a, d, e |
| 미분류 관절염 | 어떤 아형 기준도 만족하지 않거나 2개 이상의 아형 기준을 만족하는 경우 |

ILAR 진단기준의 주요 목적 중 하나는 각 아형들을 상호적으로 배제하는 것이다. 따라서 다음의 항목들은 각 아형에 대하여 가능한 배제기준들을 정의한다.
a) 환자나 부모 중 건선 또는 건선의 과거력
b) 6세 이후 시작된 HLA-B27 양성 남자에서의 관절염
c) 부모 중 강직척추염, 부착부염관련관절염, 염증장질환을 동반한 천장관절염, 반응관절염, 또는 급성 전방 포도막염 또는 부모 중 이러한 질병 가운데 하나에 대한 과거력이 있을 때
d) 최소 3개월 간격의 2회 이상의 검사에서 IgM 류마티스인자의 존재
e) 전신형 소아특발성관절염의 존재

JIA는 아직 논쟁의 여지가 있으며 그 타당성에 대한 연구가 진행 중이다. 또한, 건선관절염은 정의에 대한 합의가 이루어지지 않았기 때문에 제안된 개정 기준에는 포함되지 않았는데, 이러한 범주를 벗어나는 관절염은 '기타 JIA' (어떤 아형 기준도 만족하지 않는 경우) 또는 '미분류 JIA' (두 가지 이상의 아형 기준을 만족시키는 경우)로 간주되어 분류하고 있다. 아직까지 PRINTO 기준은 잠정적인 것으로 타당성에 대한 평가가 진행되고 있다.

표 109-6. PRINTO에서 제안한 새로운 소아특발관절염 분류

| 분류 | 진단기준 |
|------|----------|
| 1. 전신 JIA | • 원인 불명의 발열이 최소 2주 이상(최소 3일간은 매일, 하루에 한 번 이상≥39℃까지 상승하고 발열 최고점 사이에 ≤37℃로 되돌아오는 발열 형태[quotidian fever]) 존재하고, 2개의 주요 기준 또는 1개의 주요 기준 및 2개의 부 기준이 수반되는 경우;<br>– 주요기준:<br>1) 홍반성 발진<br>2) 관절염<br>– 부 기준:<br>1) 전신 림프절 비대 및/또는 간비대 및/또는 비장비대<br>2) 장막염<br>3) 2주 이상 지속되는 관절통(관절염이 없는 경우)<br>4) 호중구 증가를 동반한 백혈구 증가증(≥15,000/mm3) |
| 2. RF 양성 JIA | • 6주 이상 관절염과,<br>• 최소 3개월 간격으로 RF에 대한 2번의 양성 결과 또는 항CCP항체에 대한 최소 1번의 양성 결과 |
| 3. 부착부염/척추염 연관 JIA | • 말초 관절염 및 부착부염,<br>또는<br>• 관절염 또는 부착부염+3개월 이상의 염증성 요통 및 영상 검사상 천장관절염,<br>또는<br>• 관절염 또는 부착부염 + 다음 기준 중 2가지가 만족하는 경우;<br>1) 천장관절 압통<br>2) 염증성 요통<br>3) HLA-B27 양성<br>4) 급성 전방 포도막염<br>5) 부모 중 척추관절병증(spondyloarthropathy) 병력 |
| 4. 조기 발병 ANA 양성 JIA | • 6주 이상 관절염과,<br>• 조기 발병(6세 이하) 및,<br>• 적어도 3개월 간격으로 1:160 이상의 역가(면역형광검사)를 갖는 2번의 ANA 양성 |
| 5. 기타 JIA | • 6주 이상 관절염과,<br>• 1-4의 기준에 맞지 않는 경우 |
| 6. 미분류 JIA | • 6주 이상 관절염과,<br>• 1-4의 기준 2개 이상을 만족 |

PRINTO, Pediatric Rheumatology International Trials Organization; CCP, cyclic citrullinated peptide; RF, rheumatoid factor; JIA, juvenile idiopathic arthritis; ANA, antinuclear antibody; HLA, Human leukocyte antigen.

## 감별진단

소아특발관절염은 '특발(idiopathic)'이라는 이름 자체에서도 알 수 있듯이 진단을 위해서는 소아기의 관절염을 일으킬 수 있는 다른 기저 질환들을 배제하는 것이 중요하다(표 109-7). 전신형이 의심되는 경우 다른 진단과의 감별이 종종 어려울 때가 많다. 특히 병의 초기에 환아가 고열과 함께 전신적인 염증의 소견은 있지만 관절염이나 다른 뚜렷한 진단에 도움이 되는 특이한 증상이 없을 때는 더욱 진단하기가 어렵다. 이러한 경우에는 악성종양, 염증장질환, 혈관염 또는 SLE 같은 다른 결합조직병 등

을 감별해야 한다. 또한 전신형의 환아들은 초기에는 급성감염병이나 패혈증이 있는 것으로 간주될 수도 있다. 전염단핵구증이나 다른 바이러스 질환도 전신형과 유사하지만 대부분 바이러스 질환에 이차적으로 오는 관절 병변은 일시적이다. 이에 반해 지속적인 관절염이나 전형적인 발진은 전신형을 진단하는 데 도움을 준다. 대부분의 경우 특별한 검사법이 없어서 다른 이상 소견이나 다른 진단이 완전히 배제된 후에야 진단할 수 있으므로 진단에 여러 시일이 걸릴 수 있다.

다수관절형의 경우 또한 다른 결합조직병, 라임병, 감염 후의 반응관절염(reactive arthritis), 악성종양, 다른 염증질환이나 대사

표 109-7. 소아기 관절염의 감별진단

| 전신형 | 다수관절염 | 단관절염 |
|---|---|---|
| • 전신형 소아기특발성관절염<br>• 감염(세균심내막염, 급성 류마티스열, 마이코플라즈마, 라임병, 묘소병, 브루셀라증, 기타 감염)<br>• 악성종양<br>• 염증장질환<br>• 결합조직병(전신홍반루푸스, 소아피부근염)<br>• 혈관염(가와사끼병, 결절다발동맥염, 헤노흐-쉔라인자반증)<br>• 자가염증성질환(가족성지중해열, PFAPA증후군, CINCA증후군)<br>• Hyper IgD증후군<br>• 기타 염증질환(캐슬만병, 유육종증, 혈청병) | • 다수관절형 소아특발관절염<br>• 결합조직병(전신홍반루푸스, 경피증, 소아피부근염)<br>• 감염(라임병, 임균, A군 사슬알균, 기타 반응관절염)<br>• 악성종양<br>• 염증장질환<br>• 기타 질환(유육종증, 점액다당류증, 과운동증후군) | • 급성<br> – 초기소아특발관절염(소수관절형, 부착부염관련관절염, 건선관절염)<br> – 감염관련관절염(패혈관절염, 반응관절염)<br> – 악성종양(백혈병, 신경모세포종)<br> – 혈우병<br> – 외상<br><br>• 만성<br> – 소아특발관절염(소수관절형, 부착부염관련관절염, 건선관절염)<br> – 융모결절활막염(villonodular synovitis)<br> – 유육종증<br> – 결핵관절염<br> – 혈우병 |

및 유전 질환과의 감별이 필요하다. 특히 소아 후기나 청소년기 여자 환아에서 다수관절염의 발병 시에는 SLE의 진단을 고려해야 한다. 진단에 도움을 주는 자가항체에 대한 검사가 반드시 필요하며 SLE의 다른 진단 기준에 맞는 증상의 여부를 잘 살펴야 한다.

소수관절형에서는 급성인 경우 패혈관절염, 외상, 혈우병과 악성종양을 포함한 혈액 종양 질환들을 반드시 고려해야 하고, 만성인 경우에는 다른 아형인 건선관절염, 부착부염관련관절염 등을 감별해야 한다. 만약 단기간 동안 통증을 동반한 관절 삼출액이 있는 경우에는 외상에 의한 가능성이 크므로 철저히 병력을 조사해야 한다. 하지만 만성적으로 소수 관절을 침범하는 병변이 있는 경우에는 소수관절형 JIA가 가장 흔한 원인이 된다. 이때 침범된 관절은 부종을 동반하고 종종 열감이 있으나 전형적으로 심한 통증, 압통, 또는 홍반을 동반하지는 않는다. 또한 전신적으로는 특별히 아파하지 않는다. 만약 관절 병변이 급성으로 통증과 홍반을 동반하거나 또는 환아가 전신적으로 열을 동반한다면 패혈관절염을 먼저 생각해야 하고, 이 경우에는 즉각적인 관절천자를 통하여 활액분석과 균 배양 검사를 필수적으로 시행하여야 한다. 소수관절형의 경우에는 엉덩관절은 거의 침범되지 않으므로 만약 나이가 어린 영아에서 엉덩관절 안에 관절염이 생겼을 경우에는 첫 번째로 패혈관절염이나 선천성 탈구를 먼저 생각해야 하며 나이가 많은 연장아에서는 대퇴골두무혈

괴사증(Legg-Calvé Perthes disease), 대퇴골두골단분리증(slipped capital femoral epiphysis) 같은 정형외과적 질환이나 다른 아형인 부착부염관련관절염, 또는 엉덩관절의 일과성활막염(transient synovitis) 등을 감별해야 한다.

국내 한 연구에서 1990년부터 2000년까지 JIA가 고려되었다가 제외된 51례를 보면 감염과 관련된 관절염이 31명(61%), 다른 류마티스 질환이 13명(26%), 골 종양 3명(6%), 면역결핍질환 2명(4%)의 순이었다.

📑 참고문헌

1. Ahn JG. Role of Biomarkers in Juvenile Idiopathic Arthritis. J Rheum Dis 2020;27:233-40.
2. Brewer EJ, Bass JC, Cassidy JT. Criteria for the classification of juvenile rheumatoid arthritis. Bull Rheum Dis 1972;23:712-9.
3. Cabral DA, Tucker LB. Malignancies in children who initially present with rheumatic complaints. J Pediatr 1999;134:53-7.
4. European League Against Rheumatism: EULAR Bulletin No. 4: nomenclature and classification of arthritis in children. Basel (Switzerland), National Zeitung AG, 1977.
5. Fink CW, Dich VQ, Howard J Jr, Nelson JD. Infections of bones and joints in children. Arthritis Rheum 1977;20:578-83.
6. Kim DS. Juvenile rheumatoid arthritis. Korean J Pediatr 2007;50:1173-9.
7. Kim KH, Kim DS. Juvenile idiopathic arthritis: Diagnosis and differ-

ential diagnosis. Korean J Pediatr 2010;53:931-5.

8. Martini A, Ravelli A, Avcin T, Beresford MW, Burgos-Vargas R, Cuttica R, et al. Toward new classification criteria for juvenile idiopathic arthritis. First steps. Pediatric International Trials Organization international consensus. J Rheumatol. 2019; 46:190-7.

9. Miller LC, Sisson BA, Tucker LB, Schaller JG. Prolonged fevers of unknown origin in children: patterns of presentation and outcome. J Pediatr 1996;129:419-23.

10. Nigrovic PA, Colbert RA, Holers VM, Ozen S, Ruperto N, Thompson SD, et al. Biological classification of childhood arthritis: roadmap to a molecular nomenclature. Nat Rev Rheumatol 2021;17:257-69.

11. Petty RE, Laxer RM, Wedderburn LR. Juvenile idiopathic arthritis: classification and basic concepts. In: Petty RE, Laxer RM, Lindsey CB, Wedderburn LR, eds. Textbook of Pediatric Rheumatology. 8th ed. Philadelphia: Elsevier; 2020. pp. 209-15.e2.

12. Petty RE, Southwood TR, Baum J, Bhettay E, Glass DN, Manners P, et al. Revision of the proposed classification criteria for juvenile idiopathic arthritis: Durban, 1997. J Rheumatol 1998;25:1991-4.

13. Ragsdale CG, Petty RE, Cassidy JT, Sullivan DB. The clinical progression of apparent juvenile rheumatoid arthritis to systemic lupus erythematosus. J. Rheumatol 1980;7:50-5.

# 110

# 치료

가톨릭의대 **정대철**

## 서론

소아특발관절염(juvenile idiopathic arthritis, JIA)의 치료는 가족 중심으로 진행되어야 하며 질환의 다양한 임상양상으로 인하여 다학제의 팀으로 접근하여야 한다. 소아특발관절염 치료는 조기에 진단을 하면서 전문가와 함께 다학제 간 협력이 필요하며, 질환의 정보와 치료 상황 등을 쉽게 접근할 수 있어야 한다. 또한, 환자와 돌보는 가족 간의 자율성을 존중하면서 성인 치료까지 계획된 치료 계획이 있어야 한다. 일반적으로 비스테로이드소염제(non-steroidal anti-inflammatory drug)는 성인과 유사하게 사용되고 있으며, 질환조절항류마티스약제(disease modifying anti-rheumatic drugs)도 성인과 유사하게 사용된다. 또한, 글루코코티코이드도 소아특발관절염에서 사용되고 있다. 생물학적제제에 대해서는 일부 소아에서 충분한 임상연구가 되지 않아 제

한적이기는 하지만, 많은 생물학적제제가 사용되고 있다.

소아에서는 현재 국제류마티스학회(International League of Associations for Rheumatology, ILAR)의 질환 분류에 근간을 두고 치료하고 있으나, 최근 유럽을 중심으로 새로이 질환을 분류하려는 과정이 있다. 소아 영역에서는 전신형소아특발관절염(systemic juvenile idiopathic arthritis)에 대해서는 다른 소아특발관절염과 달리 치료하는 경향이 있다.

최근 성인에서 치료의 방법에 목표 지향 치료(treat to target)의 개념이 도입되기 시작하면서 소아 영역에서도 초기 진단 시보다 적극적인 치료를 하려는 임상연구가 진행되고 있다.

## 비생물학적 치료약제

### 1) 비스테로이드소염제

비스테로이드소염제는 아라키돈산에서 프로스타글랜딘, 트롬복세인, prostacycline으로 전환되는 대사에 작용하는 고리산소화효소(cyclooxygenase)를 억제하여 항염증효과를 보인다. 비스테로이드소염제에 대한 약리 기전이나 부작용, 약물의 상호작용에 대해서는 Chapter 22에서 기술되어 있다. 다만, 소아 영역에서 사용되는 약제의 용량 및 사용에 대하여 표 110-1에 기술하였다.

표 110-1. 비스테로이드소염제와 소아 용량

| 약제 | 용량(mg/kg/day) | 최대 용량 (mg/day) | 분복 처방 방법 |
|---|---|---|---|
| **Salicylate** | | | |
| Acetylsalicylic acid (ASA) | 80-100 (<25 kg)<br>2,500 mg/m² (>25 kg) | 4,900 | 2-4 |
| **Propionic acid group** | | | |
| Naproxen | 10-20 | 1,000 | 2 |
| Ibuprofen | 30-40 | 2,400 | 3-4 |
| Ketoprofen | 2-4 | 300 | 3-4 |
| Fenoprofen | 35 | 3,200 | 4 |
| Oxaprozin | 10-20 | 1,200 | 1 |
| **Acetic acid derivatives** | | | |
| Indomethacin | 1.5-3 | 150 | 3 |
| Tolmetin | 20-30 | 1,800 | 3-4 |
| Sulindac | 4-6 | 400 | 2 |
| Diclofenac | 2-3 | 150 | 3 |
| Etodolac | 10-20 | 1,000 | 1 |
| **Oxicams** | | | |
| Meloxicam | 0.25 | 15 | 1 |
| Piroxicam | 0.2-0.3 | 20 | 1 |
| Nabumetone | 30 | 2,000 | 1 |
| **Pyrazole derivative** | | | |
| Celecoxib<br>(> 2 years old) | 100 mg/day (50 mg twice a day, 10-25 kg)<br>200 mg/day (100 mg twice d day, 25-50 kg) | 200 | 2 |

## 2) 질환조절항류마티스약제

가장 많이 사용되는 질환조절항류마티스약제는 성인과 같이 메토트렉세이트로서 JIA에서는 비스테로이드소염제를 사용하면서 첫 번째로 사용하는 약제이다. 소아에서도 메토트렉세이트, 하이드록시클로로퀸, 설파살라진, 레플루노마이드 등을 사용하며 약리작용과 부작용 등에 대해서 Chapter 24에 기술되어 있으며 표 110-2에서 치료 약제의 소아 용량과 임상적 추적관찰에 기술하였다.

## 3) 생물학적제제

소아특발관절염에서 사용되는 생물학적제제는 성인과 유사하며, Chapter 26에 약리 기전과 사용법에 대하여 기술되어 있다. 소아특발관절염에 처방되는 생물학적제제는 질환의 병리 기전에 관여하는 면역물질의 신호전달 차단 또는 면역세포를 비활성화시키거나 사멸시키는 기전이다. 소아특발관절염 치료에 사용되는 생물학적제제는 다음과 같이 분류할 수 있다.

(1) TNF 억제제(etanercept, infliximab, adalimumab, golimumab, certolizumab)

(2) Interleukin 1 억제제(anakinra, canakinumab, riloncept)

(3) Interleukin 6 억제제(tocilizumab)

(4) 세포의 기능에 직접 작용하는 생물학적제제(rituximab, abatacept)

소아특발관절염에 사용되는 생물학적제제는 소아특발관절염의 아형이나 기존의 질환조절항류마티스약제 치료에 사용에

표 110-2. 소아에서 사용되는 질환조절항류마티스약제

| | 용량과 투여방법 | 임상적 추적 | 검사실 추적 |
|---|---|---|---|
| 하이드록시클로로퀸 | <5 mg/kg/day (최대: 400 mg/day) 경구 | 기초적인 안과 검사와 매년 시야 검사 및 OCT로 선별검사 | 없음. |
| 메토트렉세이트 | 10-15 mg/m², 일주일에 한번 경구 복용 또는 피하주사 | 6-12주에 호전 양상 확인 2-4주에 첫 평가 이후 매 3-6개월마다 평가 | 약물 투여 시작 시점 CBC with WBC, differential and platelets, MCV, AST, ALT, Cr, albumin 이후 초기에는 4-8주후에 검사하면서 용량 조절 이후 임상적으로 안정되었다면 3개월마다 |
| 설파살라진 | 초기: 10-15 mg/kg/day (최대: 500 mg) 2-3번 경구로 분복 4주 이상의 간격으로 용량 증량하여 30-50 mg/kg/day까지 하루에 2번 분복(최대: 2 g/day) | 4-8주에 호전 양상 확인 2-4주에 초기 평가하면서 2-4개월마다 평가 발진이 있을 경우 약제 중단 | 약물 투여 시작 시점 CBC with WBC, differential and platelets, MCV, AST, ALT, Cr, UA, 이후 초기에 1-2주 후에 용량을 조절 유지 용량일 경우 매 3개월마다 매 6개월마다 면역글로불린 검사 |
| 레플루노마이드 | <20 kg: 10 mg 하루 걸러 20-40 kg: 10 mg 매일 >40 kg: 20 mg 매일 | 6-12주에 호전 양상 확인 2-4주에 초기 평가하고 매 3-6개월마다 평가 | 약물 투여 시작 시점 CBC with WBC, differential and platelets, MCV, AST, ALT, Cr, 이후 초기에 2-4주 후에 용량 조절 유지 용량일 경우 매 3개월마다 |

CBC, complete blood counts; WBC, white blood cell count; AST, aspartate aminotransferase; ALT, alanine aminotransferase; MCV, mean corpuscular volume; OCT, optical coherence tomography.

대한 반응 또는 이전에 처방되었던 생물학적제제의 임상양상에 따라 다르게 사용된다. 소아연령에서 사용하는 생물학적제제들의 용량과 적응 질환에 대하여 다음과 같이 기술하였다(표 110-3).

### 4) 글루코코티코이드

글루코코티코이드에 대한 약리작용 및 류마티스 질환에 대한 적용에 대하여 Chapter 23에 자세히 기술되어 있다. 소아는 성장기에 있는 상태이기 때문에 글루코코티코이드 치료는 골대사와 밀접한 관계가 있고 이에 따라 성장과도 매우 밀접한 관계가 있어 JIA치료에 있어 주의를 기울여야 한다.

소아 연령에서 유럽류마티스학회에서 글루코코티코이드의 용량과 관련된 용어 정의는 프레드니솔론을 기준으로 7.5 mg 이하를 저용량, 7.5 mg 이상을 중증도 용량, 30-100 mg을 고용량으로 규정하였다. 예방접종을 하는 소아기에 스테로이드 용량에 대하여 허용하는 범위는 0.5-2 mg/kg/day로 투여할 경우는 예방접종을 허용하고 있다. 생백신이 아닌 경우에도 2주 이상 20 mg/day 또는 2 mg/kg/day에서도 예방접종을 하여도 면역원성에는 문제가 없지만, 생백신의 경우 고용량에서는 예방접종을 고려하

지 않고 저용량에서도 체내 잔류하는 백신 때문에 2-4주간 환아의 상태를 파악하여야 한다.

소아에서 전신적인 글루코코티코이드의 사용은 대식세포활성증후군, 심근염이나 심막염과 같은 소아특발관절염과 연관된 심각한 합병증에서 초기에 고용량 메틸프레드리소론(10-30 mg/kg/day)을 1-3일간 투여하고 이후 경구로 프레드니솔론 1-2 mg/kg/day(최대: 60 mg)으로 투여하면서 3개월에 걸쳐 감량한다. 또한, 최근 치료에서 질환조절항류마티스약제의 치료 효과가 나타날 때까지 가교치료로서 사용할 수 있으며 특히, 전신형소아특발관절염이나 다수관절형 소아특발관절염에서 0.5 mg/kg/day의 용량으로 2주에 걸쳐 투여할 수 있다. 이외에 소아특발관절염과 관련된 포도막염(uveitis)에서 국소적인 글루코코티코이드를 투여하여도 반응이 없을 경우 경구로 1-2 mg/kg/day의 용량으로 사용할 수 있다. 또한, 관절에 직접 주사하는 방법은 최소한 4개월 이상의 간격으로 모든 소아특발관절염에서 사용할 수 있으나 4개월 이내에 임상적 반응이 없다면 전신적 투여를 고려한다. 큰 관절의 경우 triamcinolone hexacetonide를, 작은 관절의 경우 methylprednisolone acetate를 투여할 수 있다.

전신형소아특발관절염에서는 글루코코티코이드를 투여하

표 110-3. 소아특발관절염에서 사용되는 생물학적제제

| 기전 | 약제 | 적응 | 투여 경로 | 용량 | 임상적 추적 | 검사 추적 |
|---|---|---|---|---|---|---|
| TNF 억제제 | etanercept (Enbrel®) | JIA, PsJIA, ERA | 피하 주사 | 0.4 mg/kg twice weekly 0.8 mg/kg per week Max: 50 mg | 약제 투여 전 잠복 또는 활동성 결핵과 B형 간염 확인 감염시 잠정 중단 3, 4번째 투여이후 호전양상 초기 매 1-2개월마다 추적관찰, 이후 질환 경과에 따라 3-6개월마다 추적관찰 | CBC with differential counts, AST, ALT, albumin (시작 시점과 매 12주마다) |
| | Adalimumab (Humira®) | JIA, PsJIA, ERA | 피하 주사 | 24 mg/m² every 2 weeks, (up to a maximum of 40 mg) | 약제 투여 전 잠복 또는 활동성 결핵과 B형 간염 확인 감염시 잠정 중단 2-4개월 이후 호전양상 초기 매 1-2개월마다 추적관찰, 이후 질환 경과에 따라 3-6개월마다 추적관찰 | CBC with differential counts, AST, ALT, albumin (시작 시점과 매 12주마다) 치료 중 결핵과 감염성 간염에 대한 평가 필요 임신에 대한 추적관찰 필요 |
| | Infliximab (Remicade®) | JIA related uveitis [off label] pJIA [off label] | 정맥 주사 | 6-10 mg/kg at 0, 2, 6주 이후 6-8주마다 | 감염시 잠정 중단 3-4번째 호전 양상 초기 매 1-2개월마다 추적관찰, 이후 질환 경과에 따라 3-6개월마타 추적관찰 | CBC with differential counts, AST, ALT, albumin (시작 시점과 매 12주마다) 치료 중 결핵과 감염성 간염에 대한 평가 필요 임신에 대한 추적관찰 필요 |
| | Golimumab (Simponi®) | pJIA (>40 kg) | 정맥 주사 피하 주사 | 정맥주사시 80 mg/m² at 0 , 4주, 이후 8주마다 피하주사 30 mg/m² (최대용량: 50 mg/dose) | 약제 투여 전 잠복 또는 활동성 결핵과 B형 간염 확인 감염시 잠정 중단 투여 1-2개월 이후 호전 양상 초기 매 1-2개월마다 추적관찰, 이후 질환 경과에 따라 3-6개월마다 추적관찰 | CBC with differential counts, AST, ALT, albumin (초기와 methotrexate가 필요할 경우) 치료 중 결핵과 감염성 간염에 대한 평가 필요 임신에 대한 추적관찰 필요 |
| IL-1 억제제 | Anakinra (Kineret®) | sJIA pJIA | 피하 주사 | 1-2 mg/kg 매일 (최대: 100 mg) Methotrexate와 병용은 가능하지만, TNF억제제와 병용하지 말 것 | 치료 시작 전 PPD 음성 확인 필요 2주안에 호전 양상 초기에는 1달간격으로 이후에는 분기별로 추적관찰 | CBC with differential counts, AST, ALT, albumin (시작 시점과 매 12주마다) 치료 중 결핵과 감염성 간염에 대한 평가 필요 임신에 대한 추적관찰 필요 2-3개월마다 혈중 지질 상황은 추적관찰 |
| | Canakinumab (Ilaris®) | sJIA | 피하 주사 | > 7.5 kg: 4 mg/kg (최대: 300 mg) 4주마다 | 치료 시작 전 PPD 음성 확인 필요 2주 안에 호전 양상 초기에는 1달 간격으로 이후에는 분기별로 추적관찰 | CBC with differential counts, AST, ALT, albumin (시작 시점과 매 12주마다) 치료 중 결핵과 감염성 간염에 대한 평가 필요 임신에 대한 추적관찰 필요 2-3개월마다 혈중 지질 상황은 추적관찰 |

| IL-6 억제제 | Tocilizumab (Actemra®) | sJIA(> 2years) pJIA(> 2years) | 정맥 주사 | sJIA 체중<30 kg 12 mg/kg 체중> 30 kg 8 mg/kg every 2 weeks pJIA 체중<30 kg 10 mg/kg 체중>30 kg 8 mg/kg every 4 weeks | 약제 투여 전 잠복 또는 활동성 결핵 확인 절대 호중구 수가 500/uL 이하, 혈소판<100,000/uL 이하, AST or ALT가 정상의 1.5배 이상일 경우, 투여하지 않는다. 아나필락시스가 있을 경우 더 이 상 투여하지 않는다. | AST, ALT, 절대호중구 수를 시작 시점과 두 번째 투여 시 확인하고 이후 매 2-4주 마다 확인 필요 투여 후 4-8주에 혈중 지질 상태 확인하고 이후 6개월마 다 확인한다. |
| 세포 기능에 직접 작용하는 생물학적 제제 | Abatacept (Orencia®) | pJIA(>6 years) | 정맥 주사 피하 주사 | 정맥주사 시 <75 kg: 10 mg/kg 75-100 kg: 750 mg >100 kg: 1,000 mg 피하주사 시 (매주) 20-25 kg: 50 mg 25-50 kg: 87.5 mg >50 kg: 125 mg | 약제 투여 전 잠복 또는 활동성 결핵과 B형 간염 확인 감염시 잠정 중단 2-4개월 이후 호전 양상 투여 시작 이후 1-2개월마다 질환 평가, 이후 경과에 따라 3-6개월마다 평가 | CBC with differential, AST, ALT, albumin을 초기와 12주마다 확인 당뇨환자의 경우 혈당 확인 치료 중 결핵과 감염성 간염 상태 확인 |

TNF, tumor necrosis factor; IL, interleukin; JIA, juvenile idiopathic arthritis; PsJIA, Psoriatic juvenile idiopathic arthritis; ERA, enthesitis related arthritis; pJIA, polyarticluar juvenile idiopathic arthritis; sJIA, systemic juvenile idiopathic arthritis; CBC, complete blood counts; AST, aspartate aminotransferase; ALT, alanine aminotransferase; PPD, purified protein derivative.

면서 감량하는 기준으로 3일 이상 발열이 없고, 신체기능에서 불편함이 없으면서 페리틴(ferritin)이 2,500ng/mL 이하, 혈소판이 80,000/μL 이상, 섬유소원(fibrinogen)이 정상, 백혈구 수치가 정상이면서 혈색소가 7.5g/dL 이상이어야 고려하게 된다. 감량은 매 2주마다 일일용량을 20%씩 감량하게 된다.

소아에서 글루코코티코이드 사용에 따라 성장 장애가 올 수 있으며 필요시 성장호르몬 치료를 할 수 있지만, 성장호르몬에 의한 전염증사이토카인으로 인하여 질환이 재활성화될 수 있다.

## 식이요법과 운동요법

식이요법에 대해서는 최근 마이크로바이옴(microbiome)과 관련되어 식이요법에 대한 초기 연구가 있었으나 임상적 장점은 없었지만, 염증과 관련된 사이토카인이 감소한다는 보고가 있다. 아직 식이요법이 소아특발관절염을 임상적으로 호전시킨다는 객관적인 근거는 없지만, 마이크로바이옴 연구에 대한 이론적 근거가 제시되고 있다.

운동요법은 체계적인 운동이나 작업 치료가 관절염을 악화시킨다는 증거가 없다. 일부 재활치료에서 임상적 증상이 호전된다는 결과가 있으나 최소한 체계적인 운동 요법이 소아특발관절염을 악화시키지는 않는다.

### 참고문헌

1. Arvonen M, Vänni P, Sarangi AN, Tejesvi MV, Vähäsalo P, Aggarwal A, et al. Microbial orchestra in juvenile idiopathic arthritis: sounds of disarray? Immunol Rev 2020;294:9-26.

2. Batu ED. Glucocorticoid treatment in juvenile idiopathic arthritis. Rheumatol Int 2019;39:13-27.

3. Gowdie PJ, Tse SML. Juvenile idiopathic arthritis. Pediatr Clin N Am 2012;59:301-27.

4. Klein-Wieringa IR, Brinkman DMC, Cate RT, Muller PACEH. Update on the treatment of nonsystemic juvenile idiopathic arthritis including treatment-to-target: is [drug-free] inactive disease already possible? Curr Opin Rheumatol 2020;32:403-13.

5. Martini A, Ravelli A, Avcin T, Beresford MW, Burgos-Vargas R, Cuttica R, et al. Toward new classification criteria for juvenile idiopathic arthritis: First steps, Pediatric Rheumatology International

Trials Organization international consensus. J Rheumatol 2019;46:190-7.

6. Poddighe S, Romano M, Gattinara M, Gerloni V. Biologics for the treatment of juvenile idiopathic arthritis. Curr Medi Chem 2018;25:5860-93.

7. Takken T, Van Brussel M, Engelbert RH, van der Net JJ, Kuis W, Helders PPJM. Exercise therapy in juvenile idiopathic arthritis. Cochrane Database Syst Rev 2008;16:CD005954.

# 111

# 예후

가톨릭의대 이수영

## 서론

최근 캐나다의 대규모 전향적 연구에 따르면, 소아특발관절염 환자의 대부분은 진단 2년 이내 질병활성도가 조절되었고 다수관절형 환자를 제외한 소아특발관절염 환자의 약 50%는 진단 5년 이내 관해되었다. 하지만, 예후가 상대적으로 양호하다고 알려진 소수관절형 소아들이 성인이 되어서도 관절염 증상을 나타낼 수 있다. 소아특발관절염의 예후는 아형별로 심한 정도와 지속 기간에 큰 차이를 보이기 때문에, 질병 초기에는 관해 가능성이나 관절의 기능장애 여부를 예측하기 어렵다. 따라서, 6개월 정도 질병의 경과를 충분히 관찰하여 아형을 진단함으로써 환자 질병의 예후를 전망할 수 있다.

소아특발관절염 환자의 예후를 향상시키기 위하여 조기에 진단하고 적극적으로 치료하여 단기간 내에 관해에 도달하는 것이 가장 중요하다. 성인의 류마티스관절염과 마찬가지로, 생물학적 제재를 포함한 새로운 치료방법 도입 후 소아특발관절염의 전반적 예후는 크게 호전되었고 알려져 있다. 지금까지 소아특발관절염의 예후에 대한 자료는 환자 및 보호자에게 질병 경과에 대한 일반적 설명에는 도움되지만, 각 환자의 예후를 예측하기는 충분하지 못하다. 소아특발관절염의 예후를 이해하기 위하여 아형별 특성과 질병활성도의 평가방법을 숙지해야 한다.

## 신체기능상태

소아특발관절염 환자는 관절의 기능장애(dysfunction)로 인하여 신체기능의 제한이 발생한다. 전반적 신체기능에 따라 환자 상태의 분류가 필요하며, Steinbroker 분류법을 가장 많이 사용한다. 이 방법은 환자의 신체기능상태를 일상생활 수행능력에 따라 class I(정상적 일상생활 수행능력), class II(운동 제한이 있으나 어느 정도의 일상생활 수행능력 보존), class III(일상생활 수행능력의 제한), class IV(누워 있어야 하거나 휠체어를 이용해야 하는 일상생활 수행능력 불가능)의 4단계로 구분한다.

소아 환자 신체기능상태의 평가를 위하여 성인의 질병활성도와 삶의 질 평가에 많이 이용되는 건강평가설문(Health Assessment Questionnaire, HAQ)을 소아 연령에 적합하게 수정 보완한 소아 건강평가설문(Childhood Health Assessment Questionnaire,

CHAQ)을 이용할 수 있다. CHAQ의 평가항목은 Dressing and Grooming(옷입기, 신발신기, 양말벗기, 손톱깎기), Arising(눕거나 앉은 상태에서 일어나기), Eating(음식 먹기, 음료 마시기), Walking(평지나 계단 걷기), Hygiene(세수, 양치, 목욕), Reach(높은 곳이나 낮은 곳에 있는 사물에 도달하기, 스웨터 벗기, 목을 돌려 뒤에 보기), Grip(연필로 글쓰기, 차문 열기, 병뚜껑 열기, 수도꼭지 열거나 잠그기, 방문 열기), Activities(장 보기, 차에 타기, 자전거타기, 접시닦기, 쓰레기버리기, 청소하기)의 8가지로 구분된다. 각각의 항목을 평가(0점, 전혀 힘들지 않았다; 1점, 약간 힘들었다; 2점, 매우 힘들었다; 3점, 할 수 없었다)하여 8개 항목의 평균으로 장애지수점수(disability index score)를 구한다. 점수가 높을수록 관절염 환자의 일상생활 장애정도가 심하다는 것을 의미한다. CHAQ은 소아의 신체기능상태의 평가에 유용하지만, 7세 이하 연령 소아에게 적용하기 어렵다는 단점이 있다.

## 전체적 소아특발관절염의 예후

소아특발관절염 소아들의 약 50%는 진단 5년 이내 관해되지만, 나머지 50%의 소아들은 성인이 되어서도 지속적 관절염 증상을 보인다. 또한 보고에 따라 차이를 보이지만, 관해 환자 중 상당수는 관절염의 재발이나 악화 과정을 겪는다. 따라서 관해 환자의 추적 기간과 이 기간 동안 필요한 검사항목을 결정하는 것은 전문가들 사이에서 중요한 논쟁 주제가 되었다. 일반적으로 적절한 치료를 받은 소아특발관절염 소아의 70-80%는 관절의 중대한 기능장애 없는 양호한 예후를 보인다. 하지만, 최근의 발달된 치료방법에도 불구하고 소아특발관절염 환자의 10-20%는 관절기형 또는 파괴를 포함한 기능장애를 동반한다. 불량한

**표 111-1. 소아특발관절염 환자의 불량한 예후와 연관된 인자**

1. 5세 이전 발병; 남자
2. 전신형 혹은 다수관절형
3. 질병 초기에 손목이나 엉덩관절 침범; 대칭적 관절 증상
4. 류마티스인자 양성
5. 조절되지 않은 질병활성도
6. 초기 영상의학적 비정상 소견

예후는 조기 진단과 이에 따른 적절한 치료가 시행되지 않았을 경우 초래될 가능성이 크다. 질병 초기에 손목이나 엉덩관절 침범, 대칭적 관절 증상, 발병시 어린 연령, 남자, 류마티스인자 양성, 질병활성도의 지속, 초기 영상의학적 비정상 소견 등은 불량한 예후와 연관되어 있다(표 111-1). 소수관절형의 경우 항핵항체가 양성이면 병이 지속되는 기간이 길어질 수 있다. 다수관절형 환자의 1/4 그리고 전신형 환자의 1/2 정도는 관절의 기능장애로 인해 학업에 지장을 초래할 수 있다.

소아특발관절염 환자의 사망률은 1970년대의 초기 연구에서 2-4% 정도로 높게 보고되었으나, 최근 연구의 사망률은 0.5% 미만이다. 사망률이 가장 높은 아형은 전신형이다. 소아특발관절염의 주요 사망원인은 유럽에는 아밀로이드증으로 보고하였고, 북미에는 글루코모티코이드 치료와 연관된 감염의 합병증이었다.

소아특발관절염 소아들은 성인이 되었을 때 관절의 기능장애, 관절통, 피로감, 건강에 대한 자신감 저하, 신체기능의 저하, 운동량 감소 등으로 인해 신체적, 사회심리적 장애를 겪을 가능성이 일반 소아들보다 높다. 따라서 소아특발관절염의 예후를 평가할 때 신체적 측면뿐만 아니라, 사회심리적 측면도 함께 고려해야 한다. 소아 자신이나 소아의 부모는 질병으로 인한 우울증, 분노, 스트레스를 겪을 수 있기 때문에, 환자와 보호자가 겪을 수 있는 다양한 문제에 어떻게 대처하는지에 대한 평가가 필요하다. 또한 질병의 관해 후에도 지속적으로 관절통을 호소하는 환자가 있으므로 이에 대한 평가도 필요하다.

## 아형별 소아특발관절염의 예후

### 1) 전신형

전신형 소아특발관절염에서 관찰되는 발열, 피부 발진, 심막염과 같은 전신 증상은 대부분 수개월 이내 호전되지만, 수년 동안 지속되기도 한다. 생물학적제제 도입 후 치료 성적이 향상되었으나, 전신형 소아특발관절염 환자의 약 절반은 10년 후에도 관절염 증상이 지속될 수 있다. 환자의 약 40%는 일정기간 후 완전히 관해되지만, 일부 환자는 증상의 완화와 악화가 반복되는 경과를 보인다. 장기간의 글루코코티코이드 치료로 인한 심각한

부작용을 나타내는 환자들도 보고된다. 전신형 소아특발관절염 환자의 최종적 예후는 동반되는 전신 증상보다는 침범된 관절의 개수와 관절염의 심한 정도에 따라 결정된다. 관절염 없이 전신 증상만 지속되어 영구적 장애를 초래하는 경우는 드물다.

비가역적 관절손상의 가장 중요한 위험인자는 다수 관절 혹은 초기 엉덩관절 침범, 혈소판증가증이나 지속적 발열의 동반, 발병 6개월 후에도 전신 글루코코티코이드 치료가 필요한 경우이다. Anakinra와 같은 생물학적제제를 조기에 치료하여 질병의 경과를 개선시킬 수 있고 글루코코티코이드 필요성을 줄일 수도 있다. 전신형 소아특발관절염이 생후 18개월 이전에 조기 발병하는 것은 심한 관절손상, 기능장애 및 성장부전의 위험인자이다. Macrophage migration inhibitory factor (MIF) 유전자의 다형성(polymorphism)은 예후와 연관된 예측인자로, 혈청과 관절액의 높은 수준의 MIF-173*C 대립유전자는 불량한 예후와 연관된다. 섬유소(fibrin)와 D-dimer 농도가 지속적으로 상승하는 것도 관절손상과 연관된 위험인자로 보고되었다.

미국 연구에서 전신형 소아특발관절염의 사망률은 0.6% 및 표준사망비율은 1.8로 보고하였다. 이는 성인 류마티스관절염보다는 낮은 것이지만, 소아특발관절염의 아형 중에는 가장 높은 것이다. 특히, 전신형 소아특발관절염 환자의 약 10%에서 대식세포활성증후군(macrophage activation syndrome, MAS)이 발생 가능한데, 이 경우 사망률은 7-13%로 높다고 알려져 있다. 따라서, 전신형 소아특발관절염 환자에서 MAS의 발생을 조기에 진단하기 위한 유용한 진단기준들이 제안되었다(표 111-2). 다른 아형과 마찬가지로 감염의 합병증으로 인해 사망이 초래될 수 있으며, 드물지만 신경계 혹은 심장 합병증이 사망의 원인이되기도 한다. 다행히 사망률은 2000년대 들어 크게 감소되는 추세를 보인다.

## 2) 소수관절형

소수관절형은 소아특발관절염 중 가장 좋은 예후를 보이는 아형이다. 소수관절형 환자의 절반 이상은 초기 치료 후 약물을 중단해도 6개월 이상 임상 및 검사소견에서 이상을 보이지 않는 관해에 도달한다. 관해율은 연구에 따라 차이를 보이지만, 전

**표 111-2.** 소아특발관절염 환자에서 발생한 대식세포활성증후군(MAS)의 진단기준

| HLH-2004 진단기준 | 2016 MAS에 대한 합의기준 | HScore (점수) |
|---|---|---|
| 1. 발열 | | 1. <38.4℃ (0); 38.4-39.4℃ (33); >39.4℃ (49) |
| 2. 비장비대 | | 2. 무 (0); 간비대/비장비대 (23); 간비장비대 (38) |
| 3. 혈구감소증 ≥2개<br>혈색소 <9.0 g/dL<br>중성구 <1,000/μL<br>혈소판 <100,000/μL | 1. 혈소판, AST, 중성지방, 섬유소원 중 비정상 값 ≥2개<br>1) 혈소판 ≤181,000/μL | 3. 혈구감소증, 1개 (0); 2개 (24); 3개 (34)<br>혈색소 <9.2 g/dL,<br>백혈구 <5,000/μL,<br>혈소판 <110,000/μL |
| | 2) AST >48 IU/L | 4. AST <30 U/L (0); ≥30 U/L (19) |
| 4. 중성지방 >265 mg/dL | 3) 중성지방 >156 mg/dL | 5. 중성지방 <133 mg/dL (0);<br>133-354 mg/dL (44); >354 mg/dL (64) |
| 혹은 섬유소원 <150 mg/dL | 4) 섬유소원 ≤360 mg/dL | 6. 섬유소원 >250 mg/dL (0); ≤250 mg/dL (30) |
| 5. 페리틴 >500 ng/mL | 2. 페리틴 >684 ng/mL | 7. 페리틴 <2,000 ng/mL (0);<br>2,000-6,000 ng/mL (35); >6,000 ng/mL (50) |
| 6. IL-2 수용체 >2,400 U/mL | | |
| 7. 자연살해세포 활성도 감소 | | |
| 8. 혈구탐식구증 | | 8. 혈구탐식구증, 무 (0); 유 (35) |
| | | 9. 알려진 면역저하 상태, 무 (0); 유 (18) |
| ≥5/8개 | ≥2/4개 + 페리틴 상승 | 총점 ≥169 |

HLH, hemophagocytic lymphohistiocytosis(혈구탐식조직구증후군); MAS, macrophage activation syndrome(대식세포활성증후군); AST, aspartate transaminase(아스파르트산 아미노기전달효소); HScore, hemophagocytic syndrome diagnostic score(혈구탐식증후군 진단 점수); IL-2, interleukin-2.

체 환자의 약 80%가 관해될 수 있고 16세 전에 관해되는 비율(94%)이 높다. 하지만 이와는 달리, 36% 및 47% 정도의 상대적으로 낮은 관해율에 대한 보고와 5년 이후 약 1/4 환자가 재발되었다는 보고도 있다.

조기 진단과 적극적 치료로 최근 들어 관절 구축과 다리길이 불균형(leg-length discrepancy) 등의 합병증 빈도가 크게 감소되었다. 소수관절형 예후를 결정하는 가장 중요한 요소는 발병 첫 6개월 이후 침범 관절 개수가 늘어나는, 확장형(extended oligoarthritis)으로 이환되는지 여부이다. 소수관절형 환자의 약 1/4-1/3 정도는 5년 이후 확장형으로 악화된다고 알려져 있다. 발병 시 어린 연령, 적혈구침강속도 상승, DRB1*01과 같이 관절손상 관련 유전자의 존재, 항핵항체 양성, 대칭적 관절 침범, 손목이나 발목 관절 침범 등은 불량한 예후와 연관된다. 포도막염이 주요 합병증이므로 안과적 정기검진이 필요하다. 일반적으로 침범 관절 개수가 4개 이상인 확장형은 4개 이하의 지속형(persistent oligoarthritis)보다는 예후가 좋지 않고 관해율도 낮지만, 다수관절형보다는 예후가 양호하고 관해율도 높다.

### 3) 다수관절형

다수관절형의 예후는 소수관절형에 비해 매우 불량하며, 관해율도 상대적으로 낮다. 류마티스인자 음성형은 다양한 임상경과를 나타낸다. 약물에 대한 초기 치료반응은 장기적 예후의 중요한 예측인자로, 진단 5년 이내 한 번이라도 질병 비활성 상태를 보인 환자는 관절손상이 심하지 않고 예후가 좋을 경우가 많다. 반면, 대칭적 관절염과 조기 손관절 침범은 불량한 예후를 시사한다. 대략적으로, 진단 5년 이내 14%, 8년이 내 28%, 30년 이내 52%의 류마티스인자 음성형 환자가 관해된다고 알려져 있다. 하지만, 치료 중단 2년 이내 39-52%의 환자가 재발되기도 한다.

생물학적제제 도입 후에도 류마티스인자 양성형은 소아특발관절염 중 가장 심한 관절 합병증을 보이는 아형이다. 류마티스인자 양성형 환자는 성인기에도 관절염 증상이 지속되어 좀더 적극적 치료가 필요한 경우가 많다. 최근 연구에서, 진단 5년 이내 적절한 치료로 대부분 환자의 질병활성도는 어느 정도 조절되었으나, 치료 약제를 완전히 중단하고 관해된 환자는 없었다. 30년의 장기 추적연구에서도 류마티스인자 양성형 환자의 단지 17%만 관해되었고 관해 2년 이내 절반 정도의 환자에서 관절염

의 재발이 보고되었다. 소아특발관절염의 9년 동안 추적연구에서, 아형별 영상의학적 비정상 소견은 류마티스인자 양성형에서 75%, 류마티스인자 음성형 39%, 전신형 63%, 소수형 25% 환자에서 확인되었다.

### 4) 부착부염관련형

소아 및 청소년에서 부착부염관련형(enthesitis-related)은 다양한 임상경과와 예후를 특징으로 한다. 진단 5년 이내 관해율은 20% 미만이지만, 최근 생물학적제제 도입으로 호전 추세를 보인다. 하지만 다른 아형 환자들과 비교하여, 부착부염관련형 환자들은 신체기능상태와 삶의 질이 불량하고 통증 점수와 질병활성도가 높은 경우가 적지 않다. 부착부염관련형의 나쁜 예후인자는 강직척추염의 가족력, 8세 이후 발병, HLA-DRB1*08나 HLA-B27 양성, 초기 6개월 이내 손목 및 엉덩관절의 침범, 발목뼈(tarsitis)의 동반이다. 많은 환자들은 중추 골격의 염증으로 척추의 운동 제한을 보이는 경우가 많고, 상지보다는 하지의 관절을 침범하는 경우가 흔하다. 부착부염관련형은 진단 10년 이내 강직척추염으로 진행할 수 있다.

### 5) 건선관절염

소아기 건선관절염은 이질적(heterogeneous) 질환군으로 환자에 따라 예후가 다양하다. 다수관절형(46%) 환자들과 비교하여 건선관절염(23%) 환자들의 관절손상 빈도는 높지 않지만, 관절염 증상과 신체기능 제약이 성인기까지 지속될 수 있다. 다행히 최근의 생물학적제제를 포함한 치료방법으로 예후가 호전되어, 적절한 치료를 받으면 낮은 질병활성도를 유지 가능하며 약 50%의 환자는 관해될 수 있다. 포도막염이 주요 합병증으로 정기적 안과검진이 필요하다.

## 예후에 영향을 미치는 주요 합병증

### 1) 포도막염

포도막염은 관절염의 심한 정도와 무관하게 소아특발관절염 환자의 약 20%에서 발생하는 중요한 합병증이다. 아형별 발생률은 소수관절형에서 가장 높고 류마티스인자 음성 다수관절형

표 111-3. 소아특발관절염 소아를 위한 안과적 정기검진 권고사항

1. 소수관절형, 류마티스인자 음성 다수관절형, 건선관절염 환자
   1) ANA (+), 6세 이하 – 초기 4년, 매 3개월; 4–7년, 매 6개월; 7년 후, 매 12개월
   2) ANA (+), 6세 이상 – 초기 2년, 매 6개월; 2년 후 매 12개월
   3) ANA (−), 6세 이하 – 초기 4년, 매 6개월; 4년 후 매 12개월
   4) ANA (−), 6세 이상 – 매 12개월
2. 그 외 아형 환자(전신형, 류마티스인자 양성 다수관절형, 부착부염관련형)
   ANA 유무, 연령, 질병 기간 무관하게, 매 12개월

ANA, antinuclear antibody(항핵항체).

표 111-4. 소아특발관절염 활성도 평가를 위한 핵심반응항목(core response variables)

1. 의사에 의한 전체적 평가(10-cm VAS)
2. 환자/부모에 의한 전체적 평가(10-cm VAS)
3. 소아 건강평가설문(CHAQ)로 평가한 신체기능상태의 평가
4. 활성 관절의 수
5. 운동제한 관절의 수
6. 적혈구침강속도(ESR) 혹은 C-반응 단백

VAS, visual analog scale (0=very well, 10=very poor); CHAQ, Childhood Health Assessment Questionnaire; ESR, erythrocyte sedimentation rate.

표 111-5. 소아특발관절염 활성도 평가를 위한 Juvenile Arthritis Disease Activity Score (JADAS)

1. 의사에 의한 전체적 평가(10-cm VAS)
2. 환자/부모에 의한 전체적 평가(10-cm VAS)
3. 활성 관절의 수
4. 적혈구침강속도(ESR) 혹은 C-반응 단백

VAS, visual analog scale (0=very well, 10=very poor); ESR, erythrocyte sedimentation rate.

과 건선관절염에도 높으며, 전신형이나 류마티스인자 양성 다수관절형에는 낮다. 국내 한 연구에서, 소아특발관절염 환자에서 포도막염의 발생률은 8.6% (13/149명)이었고 아형별로 발생에 차이는 없었으나 항핵항체(antinuclear antibody) 양성 환자에서 높았다. 포도막염이 어린 연령에 발생하거나 초기 심한 염증반응을 보이는 경우는 만성 포도막염으로 진행되어 백내장, 홍채후유착(posterior synechiae), 띠각막병증(band keratopathy) 등으로 시력저하를 유발할 수 있다. 포도막염은 관절염 증상이 심하지 않거나 전혀 없는 관해기에도 발생가능하기 때문에, 소아특발관절염 소아는 안과적 정기검진을 꾸준히 받아야 한다(표 111-3).

## 2) 성장장애

성장장애는 소아특발관절염 환자의 잘 알려진 합병증이다. 환자는 전신적 혹은 국소적 성장장애를 보일 수 있다. 증가된 염증 사이토카인(tumor necrosis factor, interleukin-1, interleukin-6)과 치료 목적으로 사용된 전신 스테로이드는 소아 및 청소년의 성장 호르몬의 작용을 방해하여 성장장애를 유발하고 성인이 되었을 때 환자들의 최종 키도 작다. 다행히 최근에 많이 사용하는 면역조절제들은 글루코코티코이드보다 성장에 끼치는 부작용이 적다. 가장 흔한 국소적 성장장애는 무릎관절염 후 발생하는 다리길이 불균형(leg-length discrepancy)이다. 성장장애는 소수관절형이나 부착부염연관형보다 전신형과 다수관절형에서 더 심하다.

## 3) 관절의 파괴와 장애

조절되지 않는 심한 관절염은 관절 구축, 관절운동 제한, 관절

변형, 그리고 영구적 관절 장애의 원인이 된다. 또한, 관절염이 만성으로 지속되면 관절이나 연골이 파괴될 수 있다. 소아에서 턱관절 손상은 소악증(micrognathia), 하악후퇴증(retrognathia), 비대칭 턱관절의 원인이 되며, 경부 척추관절염은 고리중쇠아탈구(atlantoaxial subluxation) 혹은 척추 융합을 일으킬 수 있다. 소아특발관절염 환자의 관절 파괴는 소수관절형보다 다수관절형에서 훨씬 흔하다고 알려져 있다.

## 소아특발관절염 활성도 평가

표준화된 방법으로 소아특발관절염 활성도를 평가하는 것은 환자에 대한 치료뿐만 아니라 임상 연구에 중요하며 여러 연구 결과를 비교하는 데 있어서도 필수적이다. 소아특발관절염 활성도에 대한 표준화되고 인증된 평가 방법 중 대표적인 것이 American College of Rheumatology (ACR)의 핵심반응항목(core response variables; 표 111-4)과 Pediatric Rheumatology International Trials Organization (PRINTO)의 소아관절염 질환활성도평가(Juvenile Arthritis Disease Activity Score, JADAS; 표 111-5)이다.

ACR의 핵심반응항목은 치료 후 호전 정도를 표기하는 데 유

표 111-6. 소수관절형 및 다수관절형 환자의 질병활성도 정의(JADAS)

| | JADAS10/71 | JADAS27 | cJADAS10 |
|---|---|---|---|
| **소수관절형** | | | |
| 관해 | ≤1 | ≤1 | ≤1 |
| 낮은 활성도 | 1.1–2 | 1.1–2 | 1.1–1.5 |
| 중간 활성도 | 2.1–4.2 | 2.1–4.2 | 1.51–4 |
| 높은 활성도 | >4.2 | >4.2 | >4 |
| **다수관절형** | | | |
| 관해 | ≤1 | ≤1 | ≤1 |
| 낮은 활성도 | 1.1–3.8 | 1.1–3.8 | 1.1–2.5 |
| 중간 활성도 | 3.9~10.5 | 3.9~8.5 | 2.51~8.5 |
| 높은 활성도 | >10.5 | >8.5 | >8.5 |

cJADAS, clinical Juvenile Arthritis Disease Activity Score.

표 111-7. 전신 JADAS에 포함되는 전신 임상양상 점수(systemic manifestation score)

| 임상양상 | 점수 |
|---|---|
| 1. 발열 | |
|   1) 37–38℃ | 1 |
|   2) 38–39℃ | 2 |
|   3) 39–40℃ | 3 |
|   4) >40℃ | 4 |
| 2. 피부 발진 | 1 |
| 3. 림프절 비대 | 1 |
| 4. 간비대 혹은 비장비대 | 1 |
| 5. 장막염(serositis) | 1 |
| 6. 혈색소<9.0 g/dL | 1 |
| 7. 혈소판>600,000/μL 혹은 페리틴 >500 ng/mL | 1 |

용하다. 예를 들어 ACR Pedi30반응은 6가지 항목 중 3가지 이상에서 기저치에 비해 30% 이상 호전이 관찰되고 1가지 이하에서만 30%를 초과하는 악화가 관찰되는 것을 의미한다. 마찬가지 방법으로 ACR Pedi50, 70, 90, 100반응은 6가지 항목 중 3가지 이상에서 기저치에 비해 50, 70, 90, 100% 이상 호전이 관찰되고, 1가지 이하에서만 30%를 초과하는 악화가 관찰되는 것을 의미한다. 반면에 6가지 항목 중 2가지 이상에서 40% 이상 악화가 관찰되고 1가지 이상에서 최소 30% 이상 호전이 관찰되지 않을 때 병의 악화로 정의한다. 그러나 ACR Pedi반응은 환자 개개인에 있어서 기저치 상태와 비교하여 얼마나 호전 또는 악화되었는지를 평가할 수 있지만 절대적 질병활성도나 환자들 간의 차이를 객관적으로 비교하기에는 유용하지 않다.

JADAS는 핵심반응항목의 이러한 단점을 보완한 평가도구이다. 성인의 질병활성도 점수(Disease Activity Score, DAS)를 응용한 것으로, 소아특발관절염의 질병활성도를 점수화한다. JADAS에는 관절염이 발생한 최대 관절 수를 표기하는 방법에 따라 JADAS10, JADAS27, JADAS71의 3가지 유형이 있으며, 급성기반응물질의 결과 없이 임상증상만으로 평가하는 임상 JADAS (clinical JADAS, cJADAS)가 있다. JADAS를 토대로 소수관절형과 다수관절형 환자를 관해(remission), 낮은 활성도, 중간 활성도, 높은 활성도로 구분할 수 있다(표 111-6). 소아특발관절염의 관해는 활성 관절염, 전신 증상, 포도막염이 관찰되지 않으며, 급성기반응물질이 정상 범위이고 의사가 비활성 상태라고 평가한 상태를 의미한다. 치료 중인 환자는 6개월 동안 관찰한 후, 치료

중단 환자는 12개월 동안 관찰한 후 관해 판정을 할 수 있다.

3세 이하 어린 소아의 질병 활성도는 평가하기 어렵다. 어린 소아의 통증의 경우, 환자의 얼굴(face), 다리의 모양(leg), 활동성(activity), 울음(crying), 달래주기에 대한 반응(consolability)의 정도를 이용하여 평가할 수 있다. FLACC (face, leg, activity, crying, consolability)의 5가지 양상은 각각 2점을 부여한다. 편안하고 울지 않으면서 정상적 운동 능력을 보이는 경우가 0점이고 10점이 가장 아픈 상태를 가리킨다.

JADAS는 소수관절형과 다수관절형 환자를 위한 평가방법으로, 전신형 소아특발관절염 환자 평가를 위한 전신 JADAS (systemic JADAS, sJADAS)가 개발되었다. 전신 JADAS는 원래의 JADAS 4개 항목에 전신 증상을 5번째 항목으로 추가한 것이다. 전신 임상양상 점수(systemic manifestation score)는 환자의 증상을 0-10점으로 구분하여 정량적으로 평가한다(표 111-7).

📄 참고문헌

1. Ahn JG. Role of biomarkers in juvenile idiopathic arthritis. J Rheum Dis 2020;27:233-40.
2. Conti F, Pontikaki I, D'Andrea M, Ravelli A, De Benedetti F. Patients with juvenile idiopathic arthritis become adults: the role of transitional care. Clin Exp Rheumatol 2018;36:1086-94.
3. Crayne CB, Beukelman T. Juvenile idiopathic arthritis: oligoarthritis and polyarthritis. Pediatr Clin North Am 2018;65:657-74.
4. Guzman J, Oen K, Tucker LB, Huber AM, Shiff N, Boire G, et al.

The outcomes of juvenile idiopathic arthritis in children managed with contemporary treatments: results from the ReACCh-Out cohort. Ann Rheum Dis 2015;74:1854-60.

5. Jeong DC. Assessment of disease activity in juvenile idiopathic arthritis. J Rheum Dis 2014;21:289-96.

6. Kwon SI, Baek SU, Park IW, Kim KN, Park CK. Clinical manifestation of juvenile idiopathic arthritis associated uveitis in Korea. J Korean Ophthalmol Soc 2013;54:1838-43.

7. Hahn YS. Enthesitis-related arthritis. J Rheum Dis 2018;25:221-30.

8. Petty RR, Laxer RM, Wedderburm LR. Juvenile idiopathic arthritis: classification and basic concept. In: Petty RE, Laxer RM, Lindsley CB, Wedderburn LR, Mellins ED, Funhlbrigge RC, eds. Textbook of Pediatric Rheumatology. 8th ed. Philadelphia: Elsevier Saunders; 2021. pp. 209-15.

9. Ravelli A, Minoia F, Davì S, Horne AC, Bovis F, Pistorio A, et al. 2016 Classification criteria for macrophage activation syndrome complicating systemic juvenile idiopathic arthritis: a European league against rheumatism/American College of Rheumatology/Paediatric Rheumatology International Trials Organisation Collaborative Initiative. Ann Rheum Dis 2016;75:481-9.

# 112

# 부착부염관련관절염

충북의대 한윤수

- 부착부염관련관절염은 주로 하지에 관절염과 부착부염이 발생하는 질환이며 척추와 천장관절이 침범되는 소아기강직척추염으로 진행할 수 있다.
- 부착부염관련관절염은 류마티스인자 음성, 낮은 항핵항체 양성률, *HLA-B27*과의 강한 연관성을 특징으로 한다.
- 소아특발관절염에서 부착부염관련관절염이 차지하는 비율은 한국인을 포함한 아시아인에서 백인에 비해 상대적으로 높다.
- 종양괴사인자억제제와 같은 생물학적제제는 비스테로이드소염제나 질환조절항류마티스약제가 효과가 없거나 금기인 환자들에서 중요한 치료제로 인정받고 있다.
- 현재의 부착부염관련관절염에 대한 치료 지침은 다른 아형의 소아특발관절염과 별도로 고려되고 있지 않기 때문에 질병의 예후를 개선시키기 위해 부착부염관련관절염에 특화된 새로운 치료 지침이 필요하다.

## 서론

부착부염관련관절염(enthesitis-related arthritis, ERA)은 International League of Associations for Rheumatology (ILAR)에 의한 소아특발관절염(juvenile idiopathic arthritis, JIA) 분류에서 사용된 용어이며, ILAR에서 제시한 포함 기준과 제외 기준에 근거한 분류 기준(표 112-1)을 이용하여 진단될 수 있다. 부착부염관련관절염은 하지에 발생하는 관절염과 부착부염을 특징으로 하며, 결국엔 천장관절(sacroiliac joint)과 척추가 침범되는 소아기강직척추염(juvenile ankylosing spondylitis, JAS)으로 진행할 수 있다.

부착부염관련관절염과 소아기강직척추염에서는 류마티스인자(rheumatoid factor, RF) 음성과 항핵항체(antinuclear antibody, ANA)의 낮은 양성률이라는 공통적인 특징이 관찰된다. Spondyloarthritis International Society (ASAS)에서는 부착부염관련관절염과 소아기 강직척추염을 각각 척추관절염(spondyloarthritis, SpA)의 말초형과 축형으로 구분하기도 하였으나, ILAR에서 제시한 분류 기준에서는 소아기강직척추염이 부착부염관련관절염에 포함되는 개념으로 기술되었다. 부착부염관련관절염은 남

표 112-1. International League of Associations for Rheumatology (ILAR)에서 제시한 부착부염관련관절염 진단분류기준

**포함기준**

관절염과 부착부염이 동시에 발생한 경우
또는
관절염이나 부착부염 중 하나가 발생하고 다음 중 2가지 이상이 관찰된 경우:
천장관절 압통 또는 염증성 척주 통증
*HLA-B27* 양성
6세 이상의 남아에서의 관절염 발병
한 명 이상의 직계가족(first-degree relative)에서 증명된 강직척주염, 부착부염관련관절염, 염증장질환을 동반한 천장관절염, 반응성관절염, 급성 전방포도막염 등의 가족력
급성 전방포도막염

**제외 기준**

본인이나 직계가족에서 건선 또는 건선의 기왕력이 확인된 경우
적어도 3달 이상 간격으로 시행한 검사에서 두 번 이상 IgM 류마티스인자가 양성인 경우
전신형 소아특발관절염으로 확인된 경우

성에서 주로 발병하는 것으로 알려져 있으나 여성에서도 *HLA-B27*이 양성인 경우가 있기 때문에 여성에서의 발병 가능성도 염두에 두어야 한다. 부착부염관련관절염으로 진단되는 평균 연령은 10-15세 사이로 보통 사춘기에 접어들면서 발병함을 알 수 있다. 전체 소아특발관절염에서 부착부염관련관절염이 차지하는 비율은 8.6-39.2%이며, 특히 한국인을 포함한 아시아인에서 백인에 비해 비율이 상대적으로 높다.

## 병인

부착부염관련관절염의 정확한 발병 원인은 알려져 있지 않다. 다만 장내 세균의 역할, *HLA-B27*과 같은 유전적 소인 등이 부착부염관련관절염 발생과 관련이 있을 것으로 생각되고 있다. 부착부염관련관절염이 발생한 소아들의 장내 세균이 정상 소아들의 장내 세균과 차이를 보인다는 사실은 부착부염관련관절염 발생과 장내 세균 사이의 연관성을 시사한다. 또한, 부착부염관련관절염이 발생한 소아들의 대변에서 장염증의 표식자로 생각되는 calprotectin의 증가가 관찰되었으며, 이는 세균성 장감염과 그에 따른 장내 세균의 변화가 부착부염관련관절염 발생을 초래할 가능성을 암시하는 소견이다. 흥미로운 점은 장내 세균과 *HLA-B27*이 복합적으로 부착부염관련관절염의 발병에 관여할 것으로 추정되고 있다는 점이다. 이는 *HLA-B27* 유전자 보유가 장내 세균총의 변화를 유도한다는 사실에 근거를 두고 있다. *HLA-B27* 유전자는 장내 세균과의 연관성을 고려하지 않더라도 그 자체로 부착부염관련관절염의 발병에 있어서 가장 중요한 유전 인자로 생각된다. *HLA-B27*에는 105가지 이상의 아형이 존재하는 것으로 알려져 있으며, 이 중 *HLA-B27\*04*과 *HLA-B27\*05* 아형이 부착부염관련관절염이 발병한 소아에서 가장 흔하게 관찰된다. 부착부염관련관절염의 발병과 *HLA-B27*의 연관성은 다음과 같은 세 가지 가설로 설명되고 있다. 첫째, *HLA-B27* 분자 또는 *HLA-B27*이 제시하는 항원과 세균 항원 사이의 유사성이 존재하고 이로 인해 관절이나 기타 조직에서 *HLA-B27* 제한성 세포독성 T세포 반응이 발생한다는 가설이다. 둘째, 중쇄(heavy chain)의 접힘 장애(misfolding)가 발생한 *HLA-B27*이 생성, 축적되어 IL-23/IL-17과 같은 염증사이토카인의 생성이 증가한다

는 가설이다. 셋째, β2 microglobulin이 중쇄로 대체되어 두 개의 중쇄만으로 이루어진 *HLA-B27*이 생성되고 그 결과 killer cell immunoglobulin-like receptors (KIRs)를 통한 자극에 의해 T$_H$17 생성이 증가하여 관절염이 발생한다는 가설이다. 이들 가설에서 보듯이 부착부염관련관절염의 발생에 T$_H$17 세포에서 생성되는 사이토카인이 관여할 것으로 생각된다. 부착부염관련관절염의 병인이 소아특발관절염의 다른 아형들에서의 병인과 구별되는 점은 자가 항원 특이 T세포와 B세포보다는 선천 면역계의 역할이 중요하다는 것으로, 이는 부착부염관련관절염 환자에서 자가 항체가 관찰되지 않고, 염증이 발생한 관절에서 채취한 관절액에서 단핵세포에서 생성되는 IL-1과 IL-6이 상승한다는 사실에 근거하고 있다.

## 임상양상

### 1) 일반적 양상

부착부염관련관절염은 보통 서서히 발병하지만 갑자기 시작될 수도 있다. 미열, 피로, 피부 발진 등의 비특이적 증상이 동반될 수 있으나 발병 시 자주 관찰되는 소견들은 아니다. 간헐적인 근골격계 통증이나 말초 관절의 경직이 무릎, 발목, 발바닥 부위에 발생한 부착부염에 동반되어 나타날 수 있다. 척추염과 천장관절염은 발병 초기에는 드물며, 병이 진행하면서 발생하는 것이 일반적이다.

### 2) 부착부염

부착부염은 힘줄, 인대 또는 관절낭이 뼈에 부착되는 부위, 즉 부착부에 발생하는 염증을 지칭하며, 부착부염관련관절염을 소아특발관절염의 다른 아형들과 구분하는 중요한 소견이 될 수 있다. 부착부염은 통증과 부종으로 발현되며, 환자는 부착부염이 발생한 하지 쪽으로 체중을 싣지 않으려고 하기 때문에 서있거나 보행 시 이와 같은 양상이 환자에서 나타내는지 관찰할 필요가 있다. 부착부염은 슬개하인대가 슬개골에 부착되는 부위, 발바닥 근막이나 아킬레스건이 종골(calcaneus)에 부착하는 부위, 발바닥 근막이 중족골 두부(metatarsal head)에 부착하는 부위에 자주 발생하기 때문에 부착부염을 진단하기 위해서는 무릎

주위, 발뒤꿈치, 발바닥을 특히 세밀하게 관찰하여야 한다. 또한 다른 아형의 소아특발관절염, 소아특발관절염 이외의 류마티스 질환, Osgood-Schlatter 증후군, 섬유근통 등을 갖고 있는 환자나 심지어 특별한 질환이 없는 경우에도 유사한 증상이 나타날 수 있기 때문에 부착부에서의 압통과 부종 여부를 세밀히 살펴서 부착부염의 존재를 결정하여야 한다.

### 3) 말초관절염

부착부염관련관절염에서의 말초관절염은 일반적으로 하지에 비대칭으로 발생하며, 보통 5개 미만의 관철이 침범되는 소수 관절형의 특징을 보인다. 주로 침범되는 관절은 엉덩이, 무릎, 발목 관절이며 발과 발가락의 작은 관절에도 관절염이 발생할 수 있다. 다른 아형의 소아특발관절염과 달리 부착부염관련관절염에서는 천장관절염과 발목뼈염(tarsitis)이 상대적으로 흔하다. 따라서 이와 같은 관절염이 사춘기에 접어드는 시기의 남성에서 발생하면 부착부염관련관절염을 의심해 보아야 한다. 반대로 부착부염관련관절염에서는 손의 작은 관절이 침범되는 경우는 드물기 때문에 손에 발생한 관절염이 있는 경우에는 부착부염관련관절염이 아닐 가능성이 높다.

### 4) 축 관절염

척추와 천장관절의 침범은 부착부염관련관절염 발병 초기에는 상대적으로 드물며, 발병 수년 후 발생하는 것이 일반적이다. 척추와 천장관절이 침범되면 증상이 없는 경우도 있지만 허리와 엉덩이 부위의 통증이나 척추의 강직과 운동 제한이 동반될 수 있으며, 이와 같은 증상들은 장기간 움직이지 않을 경우 더 악화되는 특징을 보인다. 축관절염의 발생 여부를 알 수 있는 이학적 검사로는 Patrick 또는 FABER 검사와 변형 Schober 검사가 있다. Patrick 또는 FABER 검사는 엉덩관절을 굴곡, 외전, 그리고 외회전 시켰을 때 발생하는 통증 여부를 관찰하는 검사로 천장관절이나 엉덩관절의 침범을 추정할 수 있다. 변형 Schober 검사는 요골과 천골 접합부라 할 수 있는 양쪽의 dimple of Venus를 연결하는 수평선을 기준으로 하단 5 cm와 상단 10 cm인 지점을 표시한 후 무릎을 굽히지 않은 상태에서 등을 최대한 전방으로 굴곡하였을 때 상단과 하단 지점 사이의 거리를 측정하여 요천골 척추의 이동성을 관측하는 검사로 측정 결과가 20cm 이상이면 정상

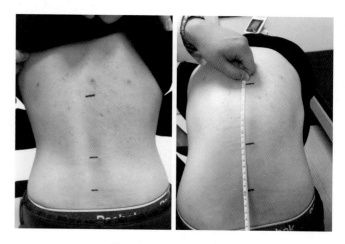

그림 112-1. 변형 Schober 검사

으로 간주한다(그림 112-1). 경추에서도 관절 부위의 손상이 동반된 관절염이 발생할 수 있으므로 목 부위에서의 증상 유무도 평가하여야 한다.

### 5) 포도막염

포도막염은 부착부염관련관절염에서 동반되는 관절 이외의 부위에서 발생하는 질환 중 가장 흔하며, 부착부염관련관절염 환자 중 7% 내외에서 발생한다. 부착부염관련관절염에서 동반되는 포도막염은 급성 전포도막염의 형태로 발생하며, 안구 통증, 눈의 충혈, 눈부심과 같은 증상을 초래한다. 또한 보통 단측성이며 반복적으로 발생할 수 있다. 다른 아형의 소아특발관절염에서 발생하는 포도막염에 비해 증상이 나타나는 경우는 더 흔하지만 심각한 후유증을 남기는 경우는 상대적으로 드물다. 포도막염은 부착부염관련관절염 진단 시 또는 관절염이 진행되는 도중에 발견될 수 있으나 관절염이 없는 환자에 대한 안과적 진찰에서 우연히 발견되는 경우도 있다.

## 검사소견

부착부염관련관절염에서는 경증의 빈혈이 동반되는 경우가 일반적이며, 백혈구 수는 정상이거나 약간 증가한 소견을 보인다. 백혈구 수가 증가한 경우에도 백혈구 감별계산은 보통 정상 범위이다. 염증 지표인 C반응단백질과 적혈구침강속도가 상승

되는 것이 일반적이나 관절염이 상당히 진행된 경우에도 정상이거나 경미한 상승 정도만 보이는 경우도 있다. 류마티스인자는 특징적으로 음성이며, 항핵항체의 양성률은 정상 소아들보다 높지 않다. 부착부염관련관절염을 갖고 있는 소아들은 다른 아형의 소아특발관절염으로 진단된 소아들에 비해 대변 calprotectin의 농도가 높다. 부착부염관련관절염으로 진단된 소아에서의 *HLA-B27* 양성률은 80% 내외로 강직척추염으로 진단된 성인과 비교할 때 더 낮은 것으로 보고되었다.

## 방사선 소견

### 1) 단순 방사선

단순 방사선검사에서 염증이나 연조직 변화가 제대로 관찰되지 않는 경우가 많지만 힘줄이나 인대의 비후나 힘줄이나 인대가 뼈에 부착되는 부위에서 발생하는 비정상적인 뼈 돌출이나 뼈의 미란성 변화와 같은 뼈 병변이 관찰될 수 있다. 천장관절염을 시사하는 방사선 소견은 보통 말초관절염 발병 수년 후에 관찰되는 것이 일반적이지만 단순 방사선검사에서 관찰된 천장관절염이 유일한 방사선 소견이 되는 경우도 있다. 따라서 천장관절염의 소견인 겉질뼈 경계부위에서의 혼탁이나 도려낸 모양, 연골하 뼈에서 발생한 미란, 조골세포 반응을 시사하는 관절 경화 등을 골반에 대한 표준 앞뒤방향촬영을 시행하여 관찰하는 것이 필요하다(그림 112-2). 천장관절염은 양측에 대칭적으로 관찰되는 것이 일반적이나 초기에는 한 쪽에서만 관찰되기도 한다. 단순 방사선검사에서 요천추 병변은 천장관절 병변이 관찰된 후 발견되는 경우가 일반적이며 천장관절 병변에 비해 흔하지 않다. 골막염으로 인한 신생골 형성으로 인해 척추체의 앞쪽 모서리가 밝게 보이는 shiny corner sign이 관찰될 수 있으며(그림 112-3A), 척주 부위의 염증이 지속되면 척추체의 앞쪽 가장자리가 오목한 정상 형태에서 편평하거나 사각형 형태로 변한다. 척

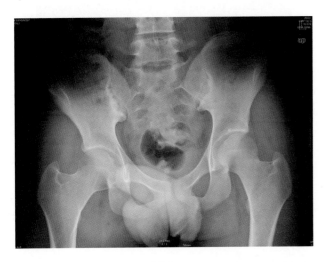

그림 112-2. 골반에 대한 앞뒤방향촬영 단순 방사선검사에서 관찰되는 천장관절염

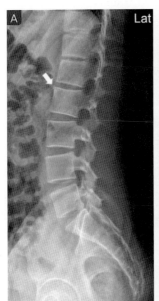
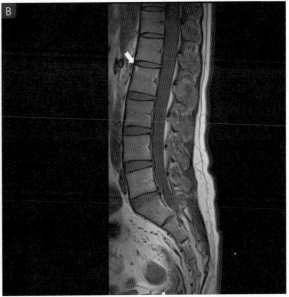

그림 112-3. (A) 척추에 대한 단순 방사선 검사와 (B) T1강조자기공명영상에서 관찰되는 L2 척추 앞쪽 모서리에서의 shiny corner sign

추 인대 또는 섬유테(annulus fibrosus) 내부에서 발생하는 인대골극(syndesmophyte), 석회화 또는 이소골화(heterotopic ossifications)는 소아 연령에서는 드물며 성인이 되면서 발생이 증가한다.

## 2) 도플러 초음파

도플러 초음파는 부착부염을 평가하는 데 주로 이용되며, 비침습적이고 외래에서도 시행이 가능하다는 장점이 있으나, 정확한 평가를 위해선 경험이 많고 숙련된 시술자에 의해 시행되어야 한다. 부착부염이 발생하면 초음파검사에서 에코가 감소한 두꺼워진 인대가 관찰되며, 도플러검사에서는 혈류 증가에 따른 신호 증가가 관찰될 수 있다. 또한, 부착부에서 골증식(enthesophyte)이나 미란과 같은 골 변화도 초음파검사에서 관찰될 수 있다.

## 3) 자기공명영상

자기공명영상은 천장관절과 척추에서 발생하는 초기 및 만성 염증을 확인하는 데 유용하며, 단순 방사선검사에서 정상인 경우에서도 자기공명 영상에서 이상 소견이 관찰되는 경우가 많다. 가돌리늄자기공명영상은 활막염을 관찰하는 데 유용한 반면, short-tau inversion recovery (STIR) 영상을 이용한 자기공명영상은 가돌리늄 사용 없이 골수부종을 확인하는 데 유용하다. 소아청소년에 대한 자기공명영상은 천장관절염 평가를 위해 시행하는 경우가 대다수이며, 천장관절염은 STIR 영상에서 연골하 또는 관절 주위에서 관찰된 골수부종이나 T1 가돌리늄자기공명영상에서 천장관절 부위의 골염으로 나타난다(그림 112-4). 천장관절 주위나 골반 내 여러 부위에서의 인대나 건의 비후, 연조직 부종, 활막염, 관절피막염 등이 자기공명영상에서 관찰되면 천장관절염을 의심하게 되나 천장관절염 진단에 있어서 가장 중요한 자기공명영상 소견은 골수부종이다. 소아청소년 시기에서는 척추 침범은 흔하지 않기 때문에 척추 침범의 가능성이 높지 않은 경우 척추에 대한 자기공명영상을 시행할 필요는 없다. 부착부염관련관절염으로 진단된 소아에서 척추에서 관찰되는 전형적인 자기공명영상 소견(그림 112-3B)은 척추 가장자리에서 나타나는 음영 증가 소견인 shiny corner sign으로 단순 방사선검사에서도 관찰될 수 있다.

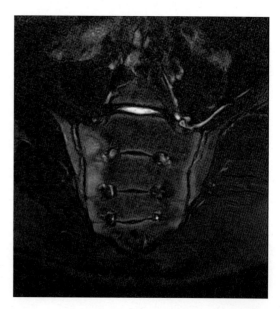

그림 112-4. T1강조자기공명영상에서 관찰되는 골수부종을 동반한 천장관절염

## 치료

부착부염관련관절염으로 진단된 소아에 대한 치료로써 교육, 약물치료, 물리치료, 심리사회적 지원 등이 여러 의료전문가들에 의해 제공되어야 한다. 또한, 치료의 목표에는 통증 완화, 관절 기능 보존, 관해 유도, 질병 자체나 치료에 의한 신체의 장기적인 손상 방지가 포함되어야 하며, 환자들을 중증도와 관절기능 장애에 따라 구분하여 치료하는 것이 최선의 치료 결과로 이어진다. 부착부염관련관절염에 대한 치료는 강직척추염이나 류마티스관절염으로 진단된 성인들이나 다른 아형의 소아특발관절염으로 진단된 소아들을 대상으로 시행된 연구에서 도출된 결과를 참조하는 경우가 많다. 그러나 이들 질병들과 부착부염관련관절염 사이에서 엄연한 차이가 존재하기 때문에 이런 방법은 최선이라고 할 수 없다. 따라서 부착부염관련관절염에 특화된 치료 대책을 마련하는 것이 필요하며, 그림 112-5에서는 최근까지 제시된 치료법들을 기반으로 부착부염관련관절염에 최대로 특화된 치료 알고리즘을 보여주고 있다.

## 1) 비스테로이드소염제

비스테로이드소염제는 말초 및 축관절염 치료에 일차적으로 선택되며, 부착부염에 대해서도 효과적일 수 있기 때문에 사용

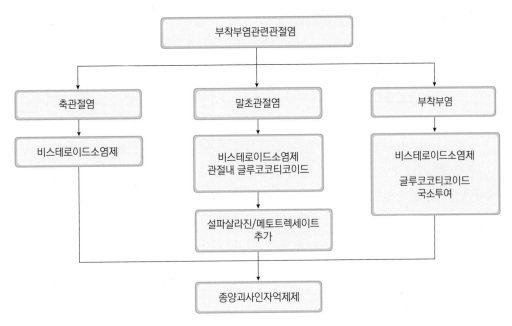

**그림 112-5.** 부착부염관련관절염으로 진단된 소아에 대한 치료 알고리즘

가능하다. 비스테로이드소염제 치료로 질병의 관해가 유도될 수 있지만, 2개월 이상 단독으로 사용하였을 때 원하는 효과가 나타나지 않을 경우 다른 약물로 대체한다. Naproxen은 독성이 비교적 적고 하루에 2회만 투여해도 되는 편리성 때문에 비스테로이드소염제 중에서 가장 많이 선택된다. 비스테로이드소염제를 사용할 경우 약물 독성 모니터링을 위해 일반혈액검사. 크레아티닌 측정, 간기능검사, 요검사를 초기에는 4-6주 간격으로 실시하며, 안정성이 확인되면 6-12개월 간격으로 시행한다.

## 2) 글루코코티코이드

글루코코티코이드는 급성 악화에 대한 치료로 경구 또는 주사로 투여될 수 있으며, 급성 포도막염 시에는 안약의 형태로 국소적으로 사용될 수 있다. 소수의 관절에 발생한 관절염을 치료하기 위해 관절 내로 글루코코티코이드를 주입하여 통증 완화, 관절 기능 회복 등의 효과를 기대할 수 있으며, 효과가 좋으면 전신적인 스테로이드 투여를 피할 수 있다. 관절 내로 투여하는 글루코코티코이드 제제로 triamcinolone hexacetonide가 사용되며, 용량은 큰 관절인 경우 1 mg/kg (최대용량 40 mg)을, 작은 관절인 경우 0.5 mg/kg (최대용량 20 mg)을 사용한다. 부착부염과 동반되는 통증을 감소시킬 목적으로 글루코코티코이드를 국소 투여할 수 있으며, 이 경우엔 인대 파열의 위험성이 있기 때문에 주

의를 요한다.

## 3) 질환조절항류마티스약제

질환조절항류마티스약제는 말초관절염에 대해 효과를 나타내지만 축 관절염이나 부착부염에 대해서는 효과가 입증되지 않았다. 따라서 말초관절염 없이 축관절염만 있을 때에는 질환조절항류마티스약제의 사용은 추천되지 않는다. 그러나 축관절염 치료에 마땅한 대안이 없는 경우 질환조절항류마티스약제를 시도해 볼 수 있다. 설파살라진은 부착부염관련관절염으로 진단된 소아에게 일차적으로 사용되는 약물이며, 하루 kg당 30-50 mg (최대용량 3 g)으로 사용하였을 때 유효성과 안정성이 입증되었으며, 효능은 보통 사용 수주 후부터 나타난다. 설파살라진 사용에 동반되는 주된 부작용은 골수 기능 저하와 간독성이기 때문에 주기적으로 일반혈액검사와 간기능검사를 실시한다. 설파살라진에 반응이 없는 말초관절염의 경우엔 메토트렉세이트 또는 leflunomide의 사용을 고려해 볼 수 있다. 특히 메토트렉세이트의 사용은 말초관절염에 포도막염이 동반되었을 때 우선적으로 고려해 볼 수 있다.

## 4) 생물학적제제

생물학적제제는 비스테로이드소염제나 질환조절항류마티

스약제에 대한 반응이 불량한 말초 및 축관절염을 치료하기 위해 사용되며, 이런 목적으로 사용되는 대표적 생물학적제제는 종양괴사인자억제제이다. 종양괴사인자억제제는 글루코코티코이드와 메토트렉세이트 병합 치료에 반응하지 않는 포도막염의 치료에도 사용될 수 있다. 종양괴사인자억제제가 부착부염관련관절염 치료에 탁월한 효과를 보이지만 관절염에 동반되는 구조적 손상도 줄여주는 효과를 갖는지에 대해서는 더 많은 연구 결과들이 필요하다. 관해에 도달한 환자에 대해서는 종양괴사인자억제제의 감량이 필요하지만 감량에 따른 병의 악화가 초래될 수 있기 때문에 주의가 필요하다. Etanercept, adalimumab, infliximab은 자주 사용되는 종양괴사인자억제제들이며 투여 방법은 다음과 같다. Etanercept는 kg당 0.8 mg (최대용량 50 mg)을 1주마다 1-2회 피하주사하며, adalimumab은 체중이 30kg 미만이면 20 mg을 30kg 이상이면 40 mg을 2주마다 1회 피하주사한다. Infliximab은 정맥으로 투여하며 kg당 5 mg을 0, 2, 6 주에 3회 투여한 후 같은 용량을 8주마다 투여한다. 종양괴사인자억제제 이외에 rituximab, anakinra, abatacept, tocilizumab, ustekinumab, secukinumab와 같은 생물학적제제가 사용될 수 있으나 부착부염관련관절염에서 이들 약물들에 대한 임상시험 결과는 아직 부족한 상황이다.

## 경과 및 예후

부착부염관련관절염은 다양한 경과와 예후를 보이며, 진단 후 5년 이내에 관해에 도달하는 비율이 20% 내외로 보고되고 있지만 질병에 대한 이해가 증진하고 생물학적제제와 같은 새로운 치료법이 도입되면서 예후는 점차로 좋아지고 있다. 일반적으로 부착부염연관관절염은 다른 아형의 소아특발관절염에 비해 신체기능, 삶의 질, 통증 점수, 초기 치료 후 활동성 질환의 지속성 등에 있어서 더 나쁜 경과를 보인다.

## 결론

부착부염관련관절염은 주로 하지에 발생하는 관절염과 부착

부염을 특징으로 하며, 척추와 천장관절이 침범되는 소아기강직척추염으로 진행할 수 있다. 부착부염관련관절염의 병인에 대한 이해가 증가함에 따라 염증사이토카인을 표적으로 하는 새로운 치료법이 개발되어 종양괴사인자억제제와 같은 생물학적제제는 비스테로이드소염제나 질환조절항류마티스약제가 효과가 없거나 금기인 환자들에서 중요한 치료제로 인정받고 있다. 현재의 부착부염관련관절염에 대한 치료 지침은 다른 아형의 소아특발관절염과 별도로 고려되지 않고 있기 때문에 질병 경과를 더욱 개선하기 위해서는 부착부염관련관절염에 특화된 새로운 치료 지침이 필요하다.

## 참고문헌

1. Aggarwal A, Misra DP. Enthesitis-related arthritis. Clin Rheumatol 2015;34:1839-46.
2. Bowness P. HLA-B27. Annu Rev Immunol 2015;33:29-48.
3. Gmuca S, Xiao R, Brandon TG, Pagnini I, Wright TB, Beukelman T, et al. Multicenter inception cohort of enthesitis-related arthritis: variation in disease characteristics and treatment approaches. Arthritis Res Ther 2017;19:84.
4. Hahn YS. Enthesitis-related Arthritis. J Rheum Dis 2018;25:221-230.
5. Mahendra A, Misra R, Aggarwal A. Th1 and Th17 predominance in the enthesitis-related arthritis form of juvenile idiopathic arthritis. J Rheumatol 2009;36:1730-6.
6. Minden K, Niewerth M, Listing J, Biedermann T, Bollow M, Schöntube M, et al. Long-term outcome in patients with juvenile idiopathic arthritis. Arthritis Rheum 2002;46:2392-401.
7. Mistry RR, Patro P, Agarwal V, Misra DP. Enthesitis-related arthritis: current perspectives. Open Access Rheumatol 2019;11:19-31.
8. Petty RE, Southwood TR, Manners P, Baum J, Glass DN, Goldenberg J, et al. International League of Associations for Rheumatology classification of juvenile idiopathic arthritis: second revision, Edmonton, 2001. J Rheumatol 2004;31:390-2.
9. Rosenthal A, Janow G. Enthesitis-Related Juvenile Idiopathic Arthritis. Pediatr Rev 2019;40:256-258.
10. Rudwaleit M, van der Heijde D, Landewé R, Akkoc N, Brandt J, Chou CT, et al. The Assessment of SpondyloArthritis International Society classification criteria for peripheral spondyloarthritis and for spondyloarthritis in general. Ann Rheum Dis 2011;70:1-3.
11. Saurenmann RK, Rose JB, Tyrrell P, Feldman BM, Laxer RM, Schneider R, et al. Epidemiology of juvenile idiopathic arthritis in a multiethnic cohort: ethnicity as a risk factor. Arthritis Rheum 2007;56:1974-84.

12. Saxena N, Aggarwal A, Misra R. Elevated concentrations of mono-cyte derived cytokines in synovial fluid of children with enthesitis re-lated arthritis and polyarticular types of juvenile idiopathic arthritis. J Rheumatol 2007;32:1349-53.

13. Stoll ML, Kumar R, Morrow CD, Lefkowitz EJ, Cui X, Genin A, et al. Altered microbiota associated with abnormal humoral immune responses to commensal organisms in enthesitisrelated arthritis. Arthritis Res Ther 2014;16:486.

14. Weiss PF, Xiao R, Chauvin NA. Sacroiliitis at diagnosis in children with juvenile spondyloarthritis. Arthritis Rheumatol. 2014;66:S834.

15. Weiss PF. Update on enthesitis-related arthritis. Curr Opin Rheuma-tol 2016;28:530-6.

# 113

## 증례

서울의대 **김성헌**

### 증례 1. **16세 여아**

#### 1) 주증상

수년간의 반복적인 손목 통증

#### 2) 병력

2-3년 전부터 우측 손목 통증이 발생하여 저절로 호전되었다가, 이후 악화와 호전을 반복하였고, 이후 왼쪽 손목과 손가락 관절이 붓는 증상이 한 번씩 발생하였다. 최근 6개월 전부터는 아침에 뻣뻣한 느낌이 들고 주먹 쥐기가 잘 안되며, 손에 힘이 손에 힘이 없고 2-3시간이 지나야 조금씩 호전된다.

#### 3) 가족력

건선, 포도막염, 강직척추염, 염증장질환 등 자가면역질환의 가족력 없음

#### 4) 신체 검사

양측 팔꿈치, 손목, 왼쪽 2,3번째 중수지관절과 근위지관절, 양측 무릎에 압통을 동반한 부기가 있으며, 왼쪽 손목이 가장 심하다. 발진, 임파선 비대, 간비종대는 없다.

#### 5) 검사 결과

WBC 11.6 x $10^3$/μL, Hb 13.2 g/dL, platelet 261 x $10^3$/μL, ESR 45 mm/Hr, CRP 0.1 mg/dL, AST/ALT 15/11 IU/L, FANA: negative, anti-CCP: positive, RF: positive

흉부 X-ray 정상

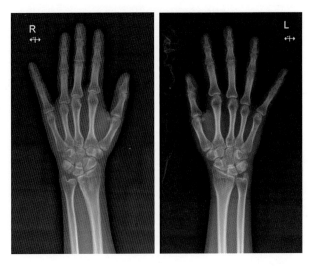

그림 113-1. 양쪽 손목 관절 및 손목뼈 관절에 공간협착이 있으며 왼손에서 더 뚜렷해 보임

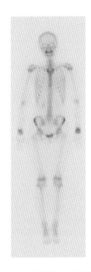

그림 113-2. 뼈스캔에서 양측 손목에 조영 증강을 보임

## 6) 진단

류마티스인자 양성 다수관절형 소아특발관절염

## 7) 치료

경구 비스테로이드소염제, 메토트렉세이트 치료를 시작하였고, 3-4개월의 치료에도 뚜렷한 호전을 보이지 않아 종양괴사인자 차단제(etanercept) 사용을 시작하였다. 이후 증상의 뚜렷한 호전을 보여 치료를 지속하였고, 호전된 상태를 유지하면서 정상적인 생활을 하고 있다.

## 증례 2. 27개월 여아

### 1) 주증상

우측 무릎 부종과 절뚝거림

### 2) 병력

병력 3개월 전부터 아침에 일어나서 잘 움직이지 않으려 하고, 일어나서 걸을 때 약간씩 절뚝거리는 모습을 보였다. 처음에는 어디가 불편한지 잘 몰랐고 잠시 절뚝거리다 곧 좋아져 잘 뛰어다녀서 큰 문제 아닌 것으로 생각하였으나, 최근 들어 아침에 절뚝거리는 시간이 길어지고, 한쪽 무릎이 많이 부어 보여서 내원하였다. 관절이 부어 보이는 것 이외의 다른 특이 증상(발진, 발열)들은 없었다.

### 3) 가족력

건선, 포도막염, 강직척추염, 염증장질환 등 자가면역질환의 가족력 없음

### 4) 신체 검사

우측 무릎 부위의 부종, 20° 정도의 굴곡 제한과 신전 제한이 있으나 근력 저하나 근 위축 소견은 뚜렷하지 않음. 발적과 압통은 뚜렷하지 않음. 무릎관절 이외의 관절은 이상 소견이 없음

### 5) 검사 결과

WBC 7.2 x 10³/μL, Hb 12.2 g/dL, platelet 252 x 10³/μL, ESR 4 CRP 0.01 mg/dL,

AST/ALT 20/23 IU/L, FANA: positive, RF: negative, anti-CCP: negative, ds DNA Ab: negative

흉부 X-ray 정상

안과 검사 : 포도막염 없음

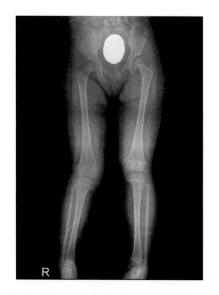

그림 113-3. 단순X선 검사에서 우측 무릎의 부종, 외반슬 소견과 양측 하지 길이의 차이를 보인다.

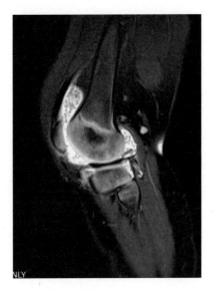

그림 113-4. 무릎 조영증강 MRI에서 활막 비후를 동반한 관절 삼출액 소견이 있고, 관절강 내에 많은 쌀소체들이 보인다.

## 6) 진단

소수관절형 소아특발관절염

## 7) 치료 및 경과

경구 비스테로이드소염제 치료를 시행하면서 무릎의 부종은 조금씩 호전되었으나, 2개월간의 치료에도 여전히 부종이 심하여 글루코코티코이드 관절내 주사 치료를 시행하고, 이후 메토트렉세이트 병용 치료를 시작함. 아울러 무릎관절의 구축을 호전시키기 위한 스트레칭 프로그램 등의 재활의학과적인 치료도 동시에 시행하였고, 치료 5-6개월에 관절의 부종 및 관절 운동 제한이 거의 다 호전되어 지속적인 치료 중임.

류 마 티 스 학
RHEUMATOLOGY

# 114

# 세균관절염

서울의대 **김남중**

## KEY POINTS 🔒

- 급격하게 진행하는 단일 관절의 부기, 통증, 발적이 생기면 세균관절염을 의심해야 한다.
- 세균관절염을 일으키는 가장 흔한 세균은 *Staphylococcus aureus*이다.
- 세균관절염을 의심할 때에는 항균제 투여 전에 혈액 및 관절액 배양검사를 시행해야 한다.
- 세균관절염 치료의 핵심은 관절액 배액과 항균제 투여이다. 세균관절염을 의심할 때에는 배양검사결과가 나오기 전이라도 경험적 항균제를 투여한다.

## 서론

관절을 침범하는 미생물은 다양하다. Hepatitis B virus, Human Immunodeficiency Virus, Parvovirus B19 등의 바이러스가 원인 미생물인 관절염을 바이러스관절염, Candida, Aspergillus 등의 진균이 원인 미생물인 관절염을 진균관절염, *Staphylococcus, Streptococcus* 등의 세균이 원인 미생물인 관절염을 세균관절염이라고 부른다. 이 글에서는 상대적으로 흔한 세균관절염만 다루고자 하며, 인공관절을 침범한 세균관절염을 제외하고 자연 상태의 관절에서 발생한 세균관절염에 대해서만 언급한다. 세균관절염의 발생률은 연간 대략 2-10명/100,000명 정도이다. 세균관절염을 조기에 진단하고 치료하는 것은 중요하며 그 이유는 세균관절염 환자의 30-50% 정도에서 관절기능 저하와 같은 후유증이 남을 수 있기 때문이다.

## 세균관절염의 병인 및 원인 미생물

### 1) 세균관절염의 병인

(1) 정상적으로 관절은 무균상태이다. 세균이 관절을 침범하는 경로는 3가지이다. 가장 흔한 경로는 혈행 전파로 균혈증이 선행하고 이어 세균관절염이 발생하는 경우이다. 관절 활액막(synovial membrane)에는 기저막(basement membrane)이 없기 때문에 상대적으로 균혈증을 일으킨 균이 활막을 침범하기 쉽다. 두 번째는 관절주위의 뼈나 연부조직에 발생한 감염병에서 균이 주위로 전파된 경우이고 세 번째는 수술이나 시술을 통해 외부에서 균이 들어간 경우이다.

(2) 세균이 관절을 침범하면 활막에서 증식하게 되고 중성구를 포함한 염증세포가 모이게 된다. 염증세포에서 단백분해 효소, 인터루킨(interleukin), 종양괴사인자(tumor necrosis factor) 등의 사이토카인이 나오면서 관절강 내 압력이 올라가 48시간 이내에 관절 연골 손상이 시작되고 연골밑 뼈손실(subchondral bone loss)이 일어난다. 시간이 경과하면 활막이 증식하게 되고 파누스(pannus)가 형성된다.

### 2) 세균관절염의 위험인자

세균관절염의 가장 흔한 위험인자는 선행한 관절질환이다. 세균관절염 환자의 40% 이상에서 이러한 선행 관절질환을 확인할 수 있는데, 류마티스관절염, 전신홍반루푸스, 골관절염, 통풍, 거짓통풍, 외상 등이 여기에 속한다. 또한 당뇨병, 만성 간질환, 만성 신질환, 면역억제제 투여, 고령 등도 흔한 위험인자이다. 류마티스관절염은 가장 흔한 선행 질환이며 류마티스관절염 환자에서 세균관절염이 병발하였을 때 기존 질병의 악화로 오인되어 진단이 늦어지는 경우가 흔하므로 주의해야 한다. 항TNF제제를 사용하면 세균관절염 발생빈도가 증가한다고 알려져 있다.

## 3) 원인 미생물

세균관절염의 가장 흔한 원인 미생물은 *Staphylococcus aureus*이다. 2009년-2018년 사이 우리 나라 대학병원에서 135명의 세균관절염 환자를 대상으로 원인균 분포를 조사한 연구에서 *S. aureus*는 61%의 환자에서 원인균이었고 *Streptococcus*는 22%에서, 그람음성간균(Gram-negative bacilli)는 14%에서 원인균이었다. 이러한 원인 미생물 분포는 505명의 세균관절염 환자를 대상으로 원인균 분포를 조사한 외국의 연구결과와 비슷하였다(표 114-1). 원인 미생물의 분포는 환자의 나이에 따라 다른데 청소년이나 성인에서는 *N. gonorrhoeae*가 상대적으로 흔한 원인균인 반면, 성인에서는 *S. aureus*가 흔한 원인균이다. *N. gonorrhoeae*가 일으키는 세균관절염의 발생은 최근 현저히 감소하였다. 그람음성간균 세균관절염의 위험인자는 신생아, 고령, 약물중독, 최근 요로감염 혹은 복강내감염의 병력, 면역기능저하이다. 우리나라 환자를 대상으로 세균관절염의 원인균 분포를 조사한 위의 자료에서 3명의 결핵관절염 환자가 진단되었으나 분석에서 제외되었다. 외국의 자료와 비교한 결과는 없으나 미국이나 유럽에 비해 우리나라의 결핵 유병률이 높기 때문에 우리나라 세균관절염 환자 중 결핵관절염 환자의 분율이 높을 것으로 추정할 수 있다.

**표 114-1. 세균관절염의 원인균 분포**

| 세균 | 환자 수(%) 총 135명 | 환자 수(%) 총 505명 |
| --- | --- | --- |
| Staphylococci | 83(61) | 282(56) |
|   methicillin-susceptible *S. aureus* (MSSA) | 27(20) | 214(42) |
|   methicillin-resistant *S. aureus* (MRSA) | 46(34) | 51(10) |
|   coagulase-negative staphylococci | 10(7) | 17(3) |
| Streptococci | 29(22) | 83(16) |
|   unspecified streptococcal species | | 56(11) |
|   viridans streptococci | | 7(1) |
|   *Streptococcus pneumoniae* | | 5(1) |
| other streptococcus | | 15(3) |
| 그람음성간균 | 19(14) | 30(6) |
|   *Pseudomonas aeruginosa* | 3(2) | 14(3) |
|   *Escherichia coli* | 7(5) | 5(1) |
|   Proteus species | 1(1) | 5(1) |
|   Klebsiella species | 0(0) | 5(1) |
|   others | 8(6) | 21(4) |
| 기타 | 4(3) | 62(12) |
|   여러 균 동시감염 | | 25(5) |
|   혐기균 | | 3(0.6) |
|   *Mycobacterium tuberculosis* | | 9(1.8) |
|   *Neisseria gonorrhoeae* | | 6(1.2) |
|   others | | 19(4) |

## 세균관절염의 임상상

### 1) 임상발현

전형적인 세균관절염은 수일 동안 급격하게 진행하는 발열, 관절통, 관절의 압통, 부기, 발적, 관절 운동제한으로 발현한다. 하지만 면역기능이 저하된 환자나 고령환자에서는 발열이나 관절통이 경미한 경우들이 있다. 발열은 세균관절염 환자의 50%에서 관찰되나 고열이나 오한은 드물게 관찰된다. *N. gonorrhoeae*가 일으키는 세균관절염은 상하지의 피부발진, 손가락, 팔목 등을 침범하는 건초염(tenosynovitis), 이동하는 다발관절염(migratory polyarthritis)으로 발현하는 특성이 있다. 진균관절염이나 결핵관절염은 세균관절염과 다르게 수 주에 걸쳐 서서히 악화되는 아급성 혹은 만성 관절염으로 발현한다. 우리나라에서 아급성 경과를 보이는 관절염 환자에서는 결핵관절염 가능성을 항상 염두에 두어야 한다.

### 2) 침범관절 분포

세균관절염 환자의 80-90% 정도는 관절 한 개만을 침범하고 10-20% 정도는 두 개 이상 관절의 관절염으로 발현한다. 가장 흔하게 침범하는 관절은 무릎관절이다. 세균관절염 환자의 45% 정도에서 무릎이 침범되고 15% 정도에서 엉덩관절, 9% 정도에서 발목관절, 8% 정도에서 팔꿈치관절, 6% 정도에서 손목관절, 5% 정도에서 어깨관절이 침범된다. 2개 이상의 관절을 침범하는 세균관절염은 원인미생물이 *N. gonorrhoeae, S. pneumoniae, group B streptococcus*, 그람음성간균 등인 경우, 기저 질병이 류마티스관절염, 전신홍반루푸스, 당뇨병인 경우 흔하게 발생한다.

## 3) 검사결과

### (1) 혈액 및 관절액검사

말초혈액검사에서 백혈구, 적혈구침강속도, C반응단백질(C-reactive protein, CRP) 증가가 동반된다. 관절액은 혼탁하며 심한 경우 고름형태를 보인다. 관절액의 백혈구 수, 단백농도, 젖산탈수소효소(LDH) 농도가 증가하며 포도당 농도는 감소한다. 우리나라에서 보고된 135명의 세균관절염 환자 조사 결과 말초혈액과 관절액 백혈구 수의 평균값은 각각 12,000/mm³ (± 5,679/mm³), 82,138 /mm³ (± 89,448/mm³)이었고 관절액 단백농도와 포도당농도의 평균값은 각각 4.3 g/dL (± 1.3 g/dL), 52.4 mg/dL (± 58.0 mg/dL)이었다.

### (2) 미생물검사

혈액배양 양성률은 50-70% 정도이다. 관절액의 그람염색에서 균이 관찰되는 경우는 그람양성균이 원인인 경우 70% 정도, 그람음성균이 원인인 경우 40-50% 정도이다. 관절액 배양검사 양성률은 80-90%이고 관절액을 혈액배양병에 넣으면 고체배지에서 배양을 하는 경우에 비해 양성률이 증가한다. 하지만 관절액을 혈액배양병에 넣기 전에 그람염색을 시행해야 배양된 균이 오염균인지 판단할 수 있다.

### (3) 영상검사

단순촬영에서 질병초기에는 주위 연조직이 부어 있는 것을 관찰할 수 있고 시간이 경과하면 관절강 협착, 관절주위 골감소, 미란(erosion) 등을 관찰할 수 있다. 관절초음파검사는 관절삼출 (effusion)을 찾는 데 매우 유용한 검사이다. CT 혹은 MRI 검사는 세균관절염의 조기 진단에 유용하며 세균관절염 이외에 인접한 뼈의 골수염 여부 또한 파악할 수 있다. 뼈스캔검사는 세균관절염 진단의 민감도가 높은 장점이 있으나 해부학적 해상도가 낮다는 단점이 있다.

## 4) 세균관절염의 진단

세균관절염의 치료를 위해서는 원인 미생물을 확인하는 것이 중요하다. 항생제를 투여하면 배양양성률이 떨어지기 때문에 항생제를 투여하기 전에 혈액배양과 관절액 세균배양검사를 시행한다. 아급성 혹은 만성 경과를 보이는 경우에는 마이코박테륨(*Mycobacterium*) 배양검사, 결핵균 PCR 검사, 진균 배양검사를 함께 시행한다. 관절액 천자에서 중성구 중심의 백혈구 증가, 단백농도 증가, 포도당농도 감소 소견이 관찰되나 이러한 소견은 세균관절염에서만 볼 수 있는 특이 소견은 아니다. 따라서 관절액을 천자하면 항상 통풍이나 거짓통풍에서 볼 수 있는 결정 (crystal)이 보이는지 관찰해야 한다. 관절액 백혈구수가 50,000 개/mm³를 넘으면 세균관절염을 의심해야 하지만 통풍과 같은 염증관절질환에서도 이러한 소견이 관찰될 수 있다. 관절액 백혈구수가 100,000개/mm³를 넘으면 세균관절염을 더 시사하지만 여전히 다른 질병에서도 관찰될 수 있는 소견이다. 또한 세균관절염 환자의 일부에서는 관절액 백혈구수가 50,000개/mm³ 미만으로 측정되기 때문에 관절액 백혈구수로 세균관절염을 진단하기는 어렵다. 관절액에서 미생물이 자라면 세균관절염을 확정할 수 있다.

## 5) 세균관절염의 치료

### (1) 관절액 배액

관절강 내 사이토카인과 같은 염증물질, 관절강 내 압력증가 등이 연골손상을 일으키므로 관절액을 배액하는 것이 필요하다. 관절액을 배액 하는 방법에는 반복적인 관절천자, 관절내시경을 이용한 배액, 수술을 통한 배액이 있다. 가장 효과가 우수한 관절액 배액 방법이 무엇인가는 밝혀지지 않았다. 일반적으로 무릎, 어깨를 침범한 경우에는 반복적인 관절천자보다 관절내시경을 통한 배액을 선호한다. 수술을 통한 배액은 엉덩관절의 세균관절염, 반복적인 관절천자로 호전되지 않는 세균관절염, 관절 주위 연조직까지 감염이 확산된 경우 필요하다.

## (2) 항균제 투여

### ① 항균제의 선정

　세균관절염은 급격하게 진행하므로 세균관절염을 의심한 경우라면 관절액 천자 후 미생물검사 결과가 나오기 전이라도 관절액 그람염색 결과에 따라 경험적 항균제를 투여하는 것이 적절하다. 가장 흔한 원인 미생물이 *S. aureus*이고 우리나라에서는 지역사회에서 분리된 *S. aureus*의 메티실린 내성률이 높지 않아 경험적 항균제로는 cefazolin과 같은 1세대 세팔로스포린, ampicillin-sulbactam과 같은 베타락탐-베타락탐차단제를 추천한다. 하지만 면역기능 저하 환자 혹은 의료기관에서 발생한 세균관절염의 경우 *S. aureus*의 메티실린 내성률이 높기 때문에 경험적 항균제에 vancomycin 포함을 고려해야 한다. 고령, 최근 요로감염이나 복강내감염 병력, 면역저하와 같은 위험요인이 있는 경우에는 ceftriaxone 혹은 cefepime과 같은 그람음성균을 겨냥한 항균제를 투여할 수 있다. 동물 물림 이후 발생한 세균관절염에 대해서는 ampicillin-sulbactam과 같은 베타락탐-베타락탐차단제를 투여하는 것이 적절하다. 성적으로 왕성하고 여러 관절을 침범한 경우는 *N. gonorrhoeae*를 겨냥한 ceftriaxone이 가장 적절한 항균제이다. 원인 미생물이 동정되면 감수성검사결과에 따라 항균제를 조정한다.

### ② 항균제 투여기간

　적절한 항균제 투여기간에 대해 연구가 이루어지지 않은 상태이나 전문가들은 2-4주 동안 항균제 투여를 추천하고 있다. 처음에는 정맥주사 항균제를 투여하고 호전된 후 경구 항균제로 전환할 수 있다. *N. gonorrhoeae*가 원인균인 경우는 2주 치료를 추천하며 *S. aureus*, 그람음성간균이 원인균인 경우는 4주 치료를 추천한다. 엉치엉덩관절(sacroiliac joint)이나 흉쇄관절(sternoclavicular joint)을 침범한 경우, 관절 주위 뼈의 골수염이 동반된 경우는 6주 이상 치료하는 것을 추천한다.

### ③ 재활치료

　관절구축, 근육위축을 막기 위해 통증이 좋아진 직후부터 적극적인 재활치료가 필요하다.

## 결론

　세균관절염의 진단이 늦어지면 관절손상을 초래하므로 초기에 의심하는 것이 중요하다. 급격하게 진행하는 단일 관절의 부기, 통증, 발적이 생기면 세균관절염을 의심해야 한다. 혈액검사와 관절액 검사를 시행하고 균이 입증되기 전이라도 경험적 항균제를 투여하는 것을 추천한다. 통풍, 거짓통풍과 같은 질병을 감별해야 하고 세균관절염에 합당한 검사결과를 보이면 항균제 투여와 함께 관절액을 배액하여 관절손상을 막아야 한다.

### 참고문헌

1. Cooper C, Cawley MI. Bacterial arthritis in an English health district: a 10year review. Ann Rheum Dis 1986;45:458-63.
2. Goldenberg DL, Reed JI. Bacteremic arthritis N Engl J Med 1985;312:764-71.
3. Kaandorp CJ, Dinant HJ, van de Laar MA, Moens HJ, Prins AP, Dijkmans BA. Incidence and sources of native and prosthetic joint infection: a community based prospective survey. Ann Rheum Dis 1997;56:470-5.
4. Lee Y, Cho YS, Sohn YJ, Hyun JH, Ahn SM, Lee WJ, et al. Clinical Characteristics and Causative Pathogens of Infective Arthritis and Risk Factors for Gram-Negative Bacterial Infections. Infect Chemother 2020;52:503-15.
5. Madoff LC. Infectious arthritis. In: Kasper D, Fauci A, Hauser D, Longo D, Jameson JL, Loscalzo J, ed. Harrison's Principles of Internal Medicine. 20th ed. McGraw-Hill; 2018. pp. 939-44.
6. Ohl CA, Forster D. Infectious arthritis of native joints. In: Bennett JE, Dolin R, Blaser MR, 9th ed. Mandell, Douglas, and Bennett's Principles and Practice of Infectious Diseases. Elsevier Health Sciences; 2020. pp. 1400-17.
7. Ross JJ. Septic arthritis of native joints. Infect Dis Clin N Am 2017;31:203-18.

# 115

# 결핵관절염

성균관의대 **강철인**

## KEY POINTS 🔒

● 결핵관절염은 엉덩관절, 슬관절 등을 침범하는 만성염증단관
절염 형태로 흔하게 발현한다.

● 진단을 위해서 관절천자로 활액 결핵균 배양검사, 결핵균
PCR검사 등을 시행하며 농양 또는 골수염을 동반한 경우 농
양, 골조직 등을 이용하여 검사를 진행할 수 있다. 조직병리 검
사에서 만성육아종염증이 특징적이다.

● 일차 항결핵제를 병합하여 6-9개월 치료를 시행하며, 약물치
료가 원칙이지만 약제에 반응이 없고 감염이 진행하는 증거가
있거나 신경손상 증상이 있으면 수술을 고려한다.

## 서론

전 세계적으로 관절결핵은 폐외결핵의 약 10-11%가량을 차
지하며, 모든 종류의 결핵의 1-3%가량을 차지한다. 결핵관절염
은 감염관절염의 형태로 발현하기도 하지만, 주위 뼈 조직을 침
범한 결핵골수염에 수반되는 형태로 발현하는 경우가 흔하다.
결핵 유병률이 높은 후진국이나 개발도상국에서는 어린이 또는
젊은 성인에서 흔하게 발생하지만, 선진국에서는 고령층 또는
면역저하 환자에서 흔하게 발생한다. 결핵관절염 발생의 위험인
자로는 65세 이상, 여성, 낮은 사회경제적 수준, 알코올 중독자,
면역억제제 사용, HIV 감염, 기저 관절질환 등이 알려져 있다.
원인균은 *Mycobacterium tuberculosis*이며, 만성육아종염증을 유
발한다. 관절결핵은 호흡기 초감염(primary infection) 부위에서
혈행성으로 전파된 병변이 다시 활성화되어 발생한다.

## 결핵관절염의 증상과 진단

결핵관절염은 염증단관절염의 형태로 주로 발현하며, 엉덩
관절, 슬관절, 발목관절 등을 흔하게 침범하지만 모든 관절 침범
이 가능하다. 다발관절염의 형태로 발현할 수도 있으나, 다발관
절염은 결핵균에 대한 반응성 면역학적 현상으로 발생하는 반
응관절염이나 결절홍반의 형태가 흔하다(Poncet병, tuberculous
rheumatism). 결핵관절염은 만성염증관절염의 형태로 주로 발현
하며, 다른 감염, 비감염만성관절염과 임상적으로 구분이 힘들
다. 임상증상이 발생하기 전 오랜 기간 동안 무증상 잠복 상태로
지속되기도 한다. 대부분의 관절결핵은 골 중 혈액공급이 가장
풍부한 부위인 뼈끝연골(epiphyseal cartilage) 주위 육아종 병소
에서 골수염으로 시작한다. 뼈끝연골이나 뼈몸통끝(metaphysis,
골간단)이 관절 근처 부위이기 때문에 감염은 관절공간 등 주위
로 퍼져 결핵관절염을 일으킨다. 골 및 관절 주위의 통증, 연조직
부기, 저온 농양 등이 나타나고 전신 증상은 비교적 흔하지 않다.
병이 진행하는 경우 활막액이 두꺼워지고 골관절 파괴가 진행한
다. 동반된 폐결핵 또는 다른 부위 결핵 침범 소견을 수반하는 경
우도 있으나, 반수 이상에서는 관절 침범 소견만 있다. 오랜 기간
동안 결핵관절염을 앓는 경우 관절-피부 누공이 발생하는 경우
도 있다.

관절 파괴의 진행을 막기 위해서 조기 진단이 중요한데, 임상
적으로 다른 만성 관절염과 감별이 어려우므로 임상적으로 의심
하는 것이 가장 중요하다. 세균배양음성 단일관절 감염관절염이
있으면 결핵을 의심하여 검사를 진행한다. 결핵관절염 환자에서

관절 천자로 활액 결핵균 배양검사를 시행할 경우 양성이 80%까지 보고되고 있다. 활막 생검으로 조직병리 및 배양 검사를 시행하는 것이 도움이 된다. 다제내성 결핵에 의한 골관절 감염도 국내에서 보고되고 있으므로 결핵균이 배양된 경우 약제감수성 검사를 의뢰해야 한다. 결핵균 배양에 시간이 오래 걸리므로(2-6주), 활액, 농양, 생검 검체 등을 이용한 결핵균 PCR검사가 진단에 도움이 된다. 전통적인 AFB 염색, 배양 검사만 시행한 경우에 비해 결핵균 PCR를 함께 시행할 경우 진단율을 향상시킬 수 있으나 결핵균 PCR 검사는 위양성, 위음성 가능성을 항상 고려해야 하므로 결과 해석에 주의를 요한다. 결핵골수염에서는 진단을 위해서 골생검이 필요할 수 있고 CT유도생검을 이용할 수 있다. 서서히 진행하는 특징이 있어 진단하는 데 시간이 많이 걸리고 영상의학적 검사는 비교적 비특이적이다. 병변의 범위 및 관절 파괴 정도를 확인하는 것에 MRI가 도움이 될 수 있다. 최근에 interferon-gamma release assays (IGRA) 검사가 만성 경과를 거치는 결핵 환자에서는 민감도가 높다는 보고가 있으므로 관절결핵이 의심되는 환자에서 진단을 배제하는 데 유용하게 활용될 수 있다. 하지만 IGRA 검사는 혈액을 이용해서 잠복 결핵을 진단하는 검사이므로 활동성 결핵 진단에 사용할 경우 해석에 주의를 요한다.

## 결핵관절염의 치료

결핵관절염의 치료는 다른 폐외결핵과 마찬가지로 약물치료가 근간을 이룬다. 결핵 초치료의 경우 항결핵 약제들을 적절히 병합하여 정해진 기간 동안 꾸준히 복용하면 대부분에서 완치가 가능하다. 그러나 초치료에 실패하여 내성이 증가하여 다제내성 결핵이 되면 치료가 매우 어려워질 뿐만 아니라 치료 성공률 또한 낮다. 그러므로 결핵환자를 치료하는 의사는 결핵균의 특성을 이해하고 치료원칙에 따라 철저히 치료하여 초치료에서 결핵을 완치하도록 최선을 다해야 한다. 항결핵제는 일반적으로 일차 항결핵제와 이차 항결핵제로 구분된다. 항결핵 효과가 좋을 뿐 아니라 부작용이 적어서 결핵 초치료에 사용되는 약제들을 일차 항결핵제라고 하며, 이에 비하여 항결핵 효과가 낮고 부작용이 많아 일차 항결핵제를 내성이나 부작용으로 사용할 수 없을 경우에만 주로 사용되는 약제들을 이차 항결핵제라고 부른다. 일차 항결핵제에는 이소니아지드(isoniazid, H), 리팜핀(rifampin, R), 에탐부톨(ethambutol, E), 피라진아미드(pyrazinamide, Z)가 포함된다(표 115-1). 결핵 초치료는 2개월의 초기 집중치료기와 4개월의 후기 유지치료기로 구분된다[2HREZ/4HR(E)]. 2개월의 초기 집중치료기에는 이소니아지드, 리팜핀, 에탐부톨, 피라진아미드(HREZ)를 동시에 복용하여 급속히 증식하는 대부분의 결핵균을 신속히 제거하여 균음전과 임상증상의 호전을 가져온다. 이어지는 4개월의 유지치료기

표 115-1. 일차 항결핵제의 용량과 부작용(대한결핵 및 호흡기학회, 질병관리청. 결핵 진료지침 4판, 2020)

| 항결핵제 | 용량(최대 용량) | 투여 방법 | 주요 부작용 |
|---|---|---|---|
| Isoniazid | 5 mg/kg (300 mg) | 하루 한 번, 공복 시 300 mg | 간독성, 말초신경병증, 피부과민반응 |
| Rifampin | 10 mg/kg (600 mg) | 하루 한 번, 공복 시<br>450 mg (< 50 kg)<br>600 mg (≥ 50 kg) | 간독성, 인플루엔자유사증후군(flu-like syndrome), 피부과민반응, 혈소판감소증, 위장장애, 체액색조변화 |
| Rifabutin | 5 mg/kg (300 mg) | 하루 한 번, 공복 시 또는 식후 300 mg | 간독성, 호중구 감소증 |
| Ethambutol | 15~20 mg/kg (1,600 mg) | 하루 한 번, 공복 시 또는 식후<br>800~1,200 mg | 시신경병증(시력저하 및 색각의 변화) |
| Pyrazinamide | 20~30 mg/kg (2,000 mg) | 하루 한 번, 공복 시 또는 식후<br>1,000 mg (<50 kg)<br>1,500 mg (50-70kg)<br>2,000 mg (≥70 kg) | 간독성, 관절통, 위장장애 |

에는 이소니아지드, 리팜핀, 에탐부톨(HRE)을 동시에 복용하여 천천히 간헐적으로 증식하는 결핵균의 집단을 제거하여 재발을 예방한다. 초치료 시 피라진아미드를 사용하지 못하는 경우 이소니아지드, 리팜핀, 에탐부톨을 9개월 동안 지속적으로 사용할 수 있다(9HRE). 6개월 표준치료로 미생물학적 및 임상적 완치가 될 수 있지만 장기간(9-12개월) 치료를 선호하는 경우가 있는데, 이는 치료반응에 대한 평가가 어렵고 골관절 조직 내 약제투과율이 낮을 수 있다는 우려 때문이다. 그러나, 현재까지 9개월 치료가 6개월 치료보다 우월하다는 증거는 부족하다. 그러므로, 관절결핵은 6-9개월의 치료가 권고된다. 그러나, 보다 장기 치료를 선호하는 의견도 있으므로 필요에 따라서 치료기간을 연장할 수 있다. 항결핵제에 반응이 없고 감염이 진행하는 증거가 있거나, 신경손상 증상이 있으면 수술을 고려한다. 침범된 관절이 불안정하거나 배농이 필요한 농양을 동반한 경우에도 수술적 치료를 고려한다. 약물치료 중에도 영상의학적 소견은 초기에 오히려 진행하는 것으로 보일 수 있으므로 영상의학적 소견만으로는 항결핵제를 조기에 바꾸지 말아야 하며 수술을 서둘러서 진행할 필요는 없다. 다제내성 결핵에 의한 관절염으로 진단된 경우 이차 항결핵제 치료가 필요하며 효과적인 약물치료에 제한이 있으므로 적극적인 수술적 치료를 고려해야 한다. 다제내성 결핵에 의한 골관절 감염의 경우 치료 경험이 많은 전문가에게 의뢰하는 것이 필요하다. 최근 다제내성 결핵에 대한 항균력이 우수한 신약들도 개발되어 사용되고 있다. Linezolid, delamanid, bedaquiline 등이 대표적인 약제이다.

### 참고문헌

1. 대한결핵 및 호흡기학회, 질병관리본부. 결핵 진료지침 4판. 2020.
2. 엄중식. 결핵. In: 대한감염학회, ed. 감염학. 제2판. 군자출판사; 2014. pp. 621-49.
3. Ohl CA. Infectious arthritis of native joints. In: Mandell, Douglas, and Bennett's Principles and practice of infectious diseases. 9th ed. Elsevier; 2020. pp. 1400-17.
4. Pattamapaspong N, Muttarak M, Sivasomboon C. Tuberculosis arthritis and tenosynovitis. Semin Musculoskelet Radiol 2011;15:459-69.
5. Pigrau-Serrallach C, Rodríuez-Pardo D. Bone and joint tuberculosis. Eur Spine J 2013;22:S556-S566.

# 116

# 바이러스관절염

고려의대 **이영호**

- 바이러스질환은 저절로 소실되는 급성, 만성 또는 잠복감염의 패턴을 보인다.
- 바이러스의 최근 감염을 진단하기 위해서는 혈청에서 바이러스 특이 IgM 항체를 증명하거나, 회복기 혈청에서 바이러스 특이 IgG 항체의 역가가 4배 이상 상승하는 것을 확인하여야 한다.
- 파보바이러스 B19는 류마티스관절염과 유사한 작은 관절의 다발관절염을 일으키지만 골미란을 일으키지는 않으며 대부분 1개월 이상 지속하지 않는다.
- 풍진은 미열, 권태, 코감기, 목, 귀 뒤쪽 및 뒤통수의 림프절병과 특징적인 반구진 발진을 일으키고 다발관절염과 연관이 있다.
- Hepatitis C 감염은 다양한 류마티스 증상과 연관이 있고 류마티스인자의 양성률이 높다.
- 급성 hepatitis B 감염은 두드러기 또는 반구진 발진이 동반된 급성 염증 다발관절염과 연관이 있다. Hepatitis B 감염에 의한 관절염은 황달이 생기기 수일에서 수 주 전에 생기고 황달이 나타나면 관절염은 사라진다.
- HIV 감염은 반응관절염, 건선관절염, 일반적인 경우와는 다른 염증관절염을 야기할 수 있다.

## 서론

바이러스는 관절염과 다양한 류마티스 질환을 일으킬 수 있다(표 116-1). 바이러스는 나이, 성별, 유전적 소인, 감염 과거력, 면역반응 등의 숙주요인(host factors)에 따라 다양한 기전으로 관절염을 일으킨다. 바이러스질환은 저절로 소실되는(self-limited) 급성, 만성 또는 잠복감염의 패턴을 보인다. 파보바이러스 B19 (parvovirus B19), 풍진(rubella) 등이 급성감염을 일으키고, B형 간염 바이러스(hepatitis B, HBV), C형간염 바이러스(hepatitis C virus, HCV), 사람면역결핍바이러스(human immunodeficiency viruts, HIV) 등이 만성감염을 일으키며 헤르페스바이러스는 잠복감염을 야기한다. 풍진, 엔테로바이러스(enterovirus), 파보바

표 116-1. 관절염과 연관된 바이러스

| 흔히 관절염을<br>일으키는 바이러스 | 때때로 관절염을 일으키는 바이러스 |
|---|---|
| 파보바이러스 B19<br>(parvovirus B19) | • 알파바이러스: Chikunguna, O'nyong-nyong, Igbo virus, Ross River Sinbis, Mayaro virus<br>• 뎅기열바이러스(dengue virus)<br>• 지카바이러스(zica virus) |
| C형간염(hepatitis C) | 볼거리(mumps) |
| B형간염(hepatitis B) | 아데노바이러스(adenovirus) |
| 풍진(rubella) | • 헤르페스바이러스(herpes virus): 거대세포바이러스(cytomegalovirus), 엡스테인-바바이러스(Epstein-Barr virus), 제1형 단순포진바이러스(Herpes simplex virus type 1), 수두 대상포진(varicella-zoster virus) |
| 사람면역결핍바이러스(HIV) | • 엔테로바이러스(enterovirus): 콕사키바이러스(coxsackievirus), 에코바이러스(echovirus), A형간염(hepatitis A)<br>• 림프구성 맥락뇌막염바이러스(lymphocytic choriomeningitis virus)<br>• 마마바이러스(smallpox virus) |

이러스는 관절을 직접 침범할 수 있으며, HBV, HCV, 파보바이러스, 알파바이러스(alphavirus) 등은 면역복합체를 형성하여 관절 및 피부에 침착하여 관절통, 관절염, 피부발진을 야기한다. 잠복감염 및 면역이상 조절을 야기하는 바이러스에는 수두대상포진바이러스(varicella-zoster virus), HBV, HCV, 엡스타인-바바이러스(Epstein-Barr virus) 등이 있다. 관절통과 관절염을 흔히 일으키는 바이러스는 파보바이러스 B19, HBV, HCV, 풍진, HIV 등이다. 알파바이러스, 뎅기열바이러스(Dengue virus), 지카바이러스(Zica virus) 등도 관절통을 자주 야기한다.

혈청학적 검사는 바이러스의 최근 감염여부를 진단하거나 특정바이러스에 대한 면역상태를 알기 위해서 사용된다. 바이러스의 최근 감염을 진단하기 위해서는 혈청에서 바이러스 특이 IgM항체를 증명하거나, 급성기에 비하여 회복기 혈청에서 바이러스 특이 IgG항체의 역가가 4배 이상 상승하는 것을 확인하여야 한다. 바이러스 특이 IgM항체는 감염 후 1주 이내에 혈액 내에 나타나며, 1-3개월에는 검출되지 않는다. 바이러스 특이 IgG항체는 감염 후 1-2주에 생성되어 4-8주에 최고치에 이르게 되고 이후 감소하여 낮은 역가로 유지된다. 최소 2주 간격으로 수행된 쌍체(paired) 혈청 테스트에서 IgM+/IgG- → IgM+/IgG+, IgM-/IgG- → IgM+/IgG+, 또는 IgM+/IgG- → IgM-/IgG+으로 변화는 최신 바이러스 감염을 시사한다. 그러나 지속적인 IgM 양성(역가 변동 없이 IgM+/IgG+를 둘 다 발생시키는 쌍체 테스트 결과)은 혈청전환이 있는 무증상인 사람과 이전에 감염이 있는 건강한 사람 모두에서 종종 발견되기 때문에 신뢰할 수 없는 혈청진단 소견이다. 또한, 쌍체 혈청 샘플에서 4배 이상의 역가가 증가된 경우 최근 감염을 시사한다.

최근 발병한 다관절염 환자군에서 HBV, HCV, HIV, 파보바이러스 B19의 혈청 양성률은 정상인에 비해 증가되지 않았다. 따라서 일상적인 바이러스 혈청검사는 최근 발생한 다발관절염 진단에 크게 기여하지 않으며 고위험 환자에서 시행하는 바이러스 선별검사가 일상적인 검사보다 효과적이다.

치료는 비스테로이드소염제(nonsteroidal anti-inflammatory drugs, NSAID)를 사용한 대증치료이며, 대부분의 바이러스관절염의 감염기간이 짧고 저절로 소실되므로 항바이러스제의 치료는 필요 없다.

## 파보바이러스 B19

Parvo는 작다는 뜻으로 parvovirus B19는 작은 DNA바이러스로서 류마티스관절염과 유사한 작은 관절의 다발관절염을 야기한다(표 116-2).

파보바이러스 B19는 호흡기 분비물에 의해 전파되며, 감염의 흔한 증상은 감염홍반(erythema infectiosum) 또는 제5병(fifth disease)으로 소아에서 흔한 피부발진이다. 건강한 성인의 50%에서 항B19 IgG항체가 양성이며 항B19 IgM항체는 음성으로 이는 과거 파보바이러스 B19에 무증상 감염된 것을 의미한다. 파보바이러스 B19가 일으키는 관절증상은 주로 급성으로 발생하는 다발관절통이며 다발관절염을 야기하기도 한다. 류마티스관절염과 유사한 양상을 보이지만 파보바이러스 B19에 의한 관절염은 단일관절 또는 소수의 관절에서 시작하여 부가적(additive)으로 퍼져나간다. 소아에서 흔히 관찰되는 뺨 맞은 모양(slapped cheek) 발진이 어른에서는 드물게 나타난다. 잠복기는 7-18일이며, 관절증상이 약 10일 정도 지속되나 통증과 경직은 더 오래 지속되고 재발하기도 한다. 그러나 류마티스관절염과 달리 관절증상이 1개월 이상 지속되는 경우는 드물고 관절미란도 발생하지 않는다. 파보바이러스 B19 관절염 환자에서 대부분 류마티스인

표 116-2. **파보바이러스 B19와 연관된 증상 및 관절질환**

**A. 파보바이러스 B19 관련증상**

발열
감염홍반[(erythema infectiosum), 제5병(fifth 병)]
골수무형성위기(aplastic crisis)
자궁내 감염
관절염
혈관염

**B. 파보바이러스 B19 연관 관절질환**

관절통: 소아 7%, 성인 89%
관절염: 소아 5%, 성인 50%
여성 우위
감염 후 1주: 열, 근육통, 코감기, 감염 후 17~18일; 피부반점, 관절염
대칭 다발관절염: 손가락, 무릎관절 자주침범
2-4주 이내 관절통, 관절염 호전
때때로 지속되거나 재발하는 관절염, 그러나 관절미란은 없음
경한 염증성 활액 염증

자는 음성이며 때때로 항핵항체나 항DNA항체가 양성으로 나오기도 하며 루푸스유사 증후군, 혈관염, 혈구감소증이 보고되기도 한다.

파보바이러스 B19 관절염의 진단은 파보바이러스 B19에 감염된 소아에 노출된 과거력이 있고, 임상적인 증상이 의심되며, 항B19 IgM항체가 양성일 때 가능하다. 항B19 IgG항체 양성은 단지 과거감염을 시사하므로 진단으로는 불충분하다. 급성 대칭 다발관절통과 다발관절염 환자에서 파보바이러스 B19 감염을 의심해보아야 한다. 파보바이러스 B19 관절염은 저절로 소실되므로 류마티스관절염과 혼돈하지 않는 것이 중요하다. 파보바이러스 B19에 특별한 치료나 백신은 없다. 치료는 비스테로이드소염제를 사용한 대증치료이며, 면역력이 저하된 환자에서 급성 파보바이러스 B19 감염 후 생긴 골수기능억제로 생긴 혈구감소증과 만성관절염에 정맥면역글로불린 주사가 효과적이었다는 보고가 있었다.

## 풍진

풍진은 코인두 분비물에 의해 전염되며 늦은 겨울과 봄에 호발한다. 감염은 무증상인 경우도 있으나 감염 2-3주 후에 미열, 권태, 코감기, 목, 귀 뒤쪽 및 뒤통수의 림프절병과 특징적인 반구진(maculopapular) 발진이 특징인 피진(exanthematous) 병변이 나타난다. 발진은 홍역모양 발진이 얼굴에 나타난 후 몸통과 상하지로 번지고 2-3일 짧은 기간 지속된다. 백신이 도입되기 이전에는 6-9년마다 소아에서 풍진 감염이 유행했으나 백신 도입 이후에는 소아에서의 감염은 줄어든 반면, 청년과 어른에서도 발생한다. 풍진 감염 시 류마티스관절염과 유사한 아침강직을 동반한 관절통과 관절염이 나타난다. 관절증상은 여성에서 흔하고 발진이 나타나기 1주일 전후에 생기고 파보바이러스 B19 관절염처럼 관절염보다는 관절통이 더 흔하다. 관절 침범은 대칭적 또는 이동성 패턴으로 관절 증상은 수일에서 2주간 지속된다. 손허리손가락(metacarpophalangeal), 근위사이손가락(proximal interphalangeal), 손목, 팔꿈치, 발목과 무릎관절을 자주 침범한다. 관절주위염(periarthritis), 건초염, 손목터널증후군 등도 보고되었다. 항풍진 IgM항체가 감염 수주 내에 나타나므로 항풍진

IgM항체 양성은 최근 풍진 감염을 의미한다.

풍진은 백신으로 예방될 수 있다. 그러나 생약화(live attenuated) 풍진백신 접종 후 성인의 15%에서 관절통, 관절염, 근육통, 감각 이상이 나타난다. 백신접종 2주일 후에 나타나고 1주일 이내에 소실된다. 소아에서 백신접종 후 허리 신경뿌리병증(radiculopathy)이 생길 수 있으며 1-2개월 지속되고 치료 없이 대개 좋아진다. 풍진 관절염은 비스테로이드소염제를 사용하여 대증치료를 한다. 중등도 용량의 글루코코티코이드를 사용하여 관절염증상과 바이러스혈증을 조절한 경우도 보고되었다.

## B형간염바이러스

HBV는 비경구(parenteral)와 성접촉 경로에 의해 전염된다. HBV는 바이러스 감염의 가장 흔한 원인으로, 인류의 1/3이 HBV 감염력이 있으나 대부분의 경우는 자연 치유되고 5-10%에서 만성으로 진행하여 간경화증, 간암 및 다양한 간 외 증상을 일으킨다. HBV 감염의 잠복기는 45-120일로, 황달이 생기기 수일에서 수주 전에 발열, 근육통, 권태, 식욕부진, 구역과 구토 등이 발생한다. 급성 HBV 감염은 류마티스관절염과 유사한 염증성 다발관절염을 일으킨다. 두드러기 또는 반구진(maculopapule) 발진이 종종 동반된다. 급성으로 생긴 관절염은 손의 작은 관절, 손목, 무릎 및 발목을 대칭으로 침범한다. 관절염은 바이러스혈증(viremia)의 전구기(prodromal phase)에 대개 생기며 황달이 나타나면 관절염은 가라앉으나 수 주간 지속되기도 한다. HBsAg, 항체, 보체 등을 포함한 면역복합체로 인해 HBV연관 관절염이 발생하는 것으로 여겨진다. 관절염은 대개 황달이 발생하기 전까지 지속되지만 만성 HBV 감염 시 반복적인 다발관절통, 다발관절염이 생길 수 있고, 결절다발동맥염이 만성 HBV감염과 연관이 있다. 관절염 발생 시 대부분의 경우 빌리루빈과 아미노전달효소(transaminases)가 증가되어 있다. 항 HBc IgM Ab 양성은 급성 HBV감염을 의미한다. 급성관절염의 경우는 자연 소실되므로 대증치료를 한다.

## C형간염바이러스

HCV는 수혈 후 생기는 감염의 가장 흔한 원인 바이러스로 비경구 경로로 감염되며, 성접촉으로 감염되는 경우는 흔하지 않다. 급성 HCV감염의 증상은 대개 양호하며 수혈 후 감염의 80%까지는 무증상이나 약 20% 환자들은 간경변증이나 간암으로 진행한다. HCV는 다양한 간외 증상 및 다양한 자가면역항체의 양성과 연관이 있다(표 116-3).

급성 HCV감염 시 손, 손목, 어깨, 무릎 및 엉덩관절에 급성 다발관절염이 생길 수 있다. HCV감염은 한랭글로불린혈증(cryoglobulinemia)과 연관이 있고 레이노증후군, 자반증, 울혈반(livedo), 말단궤양, 괴저(gangrene) 등의 혈관염 증상을 유발할 수 있다. 진단은 간접검사와 직접검사가 있는데 항HCV항체검사는 간접검사이며, 혈청 HCV RNA 검사는 직접검사이다. 인터페론이 만성 HCV간염과 HCV연관 한랭글로불린혈증 치료에 효과적이다. 그러나 인터페론치료에 실패할 경우 한랭글로불린혈증 치료로 면역억제제가 필요하나 간기능 악화가능성이 있어서 주의가 필요하다. Rituximab은 면역억제제 치료보다 더 효과적이나 HCV제거가 없는 경우에는 자주 재발한다. 인터페론 없이 sofosbuvir과 ribavirin을 병합하여 사용하는 항바이러스제 요법은 HCV연관 한랭글로불린혈증치료에 효과적이다(87.5%에서 완전한 임상반응에 도달).

## 사람면역결핍바이러스

사람면역결핍바이러스는 후천성 면역결핍증(acquired immunodeficiency syndrome, AIDS)의 원인이다. HIV는 CD4 림프구를 감염시켜 CD4 림프구를 고갈시켜 면역결핍을 유발하여 기회감염 및 암발생을 일으킨다. 1997년에 항바이러스제 복합치료법(highly active antiretroviral therapy, HAART) 도입으로 병의 자연경과를 현저히 변화시켜 HIV감염은 치명적인 병이라기보다는 만성질환이 되었다. HAART 치료시기 이전에는 심한 반응관절염, 건선관절염이 HIV감염환자에서 관찰되었다. 또한 비정형적인 염증을 보이는 HIV연관 관절염이 보고되었다. 근염, 혈관염, 쇼그렌증후군, 루푸스 유사증후군 등이 생길 수 있다.

HAART 치료 후 수주에서 수개월 사이에 유육종증, 류마티스관절염, 전신홍반루푸스, 자가면역 갑상선질환이 생기거나 기존의 질환을 악화시킬 수 있다. 이런 면역재구성증후군(immune reconstitution syndrome)에서 미코박테리아, 바이러스, 세균, 진균, 기생충 감염도 나타날 수 있다. 대부분의 면역재구성증후군은 자연 소실되나 이를 인식하는 것이 중요하며 HAART치료를 중지하거나 끊을 필요는 없다. 염증을 조절하는 최소용량을 사용해야 하지만 면역억제치료가 필요할 수 있다.

### 📑 참고문헌

1. Calabrese LH. Infectious Disorders. B. Viral arthritis. In: Klippel JH,

표 116-3. HCV감염과 연관된 간 외 증상과 자가면역항체

| 자가면역상태 | 자가면역 항체 | 자가항체유병률(%) |
| --- | --- | --- |
| 한랭글로불린혈증 혈관염 | 류마티스인자 | 50-60 |
| 자가면역항체 생성 | 한랭글로불린 | 30-40 |
| 자가면역 혈구감소증(cytopenia) | 항핵항체 | 10-40 |
| 막증식사구체신염 | 단세포군감마글로불린병증 | 10-15 |
| 안구, 구강건조증 | 항갑상선항체 | 5-10 |
| 관절통, 관절염 | 항인지질항체 | 20 |
| | 항smooth muscle항체 | 7-20 |
| | 항중성구세포질항체(antineutrophil cytoplasmic antibody, ANCA) | 10 |

ed. Primer on the Rheumatic Diseases. 13th ed. NewYork: Springer; 2008. pp. 277-81.

2. Calabrese LH, Naides SJ. Viral arthritis. Infect Dis Clin North Am 2005;19:963-80.

3. Naides SJ. Viral arthritis. In: Hochberg MC, ed. Rheumatology. Volume 2, 4th ed. Philadelphia: Mosby; 2008. pp. 1047-54.

4. Saadoun D, Thibault V, Ahmed SNS, Alric L, Mallet M, Guillaud C, et al. Sofosbuvir plus ribavirin for hepatitis C virus-associated cryoglobulinaemia vasculitis: VASCUVALDIC study. Ann Rheum Dis 2016;75:1777-82.

5. Suhrbier A, La Linn M. Clinical and pathologic aspects of arthritis due to Ross River virus and other alphaviruses. Curr Opin Rheumatol 2004;16:374-9.

6. Varache S, Narbonne V, Jousse-Joulin S, Guennoc X, Dougados M, Daurès JP, Devauchelle-Pensec V, Saraux AJAc, research. Is routine viral screening useful in patients with recent-onset polyarthritis of a duration of at least 6 weeks? Results from a nationwide longitudinal prospective cohort study. Arthritis Care Res (Hoboken) 2011;63:1565-70.

7. Vassilopoulos D, Calabrese LH. Rheumatic aspects of human immunodeficiency virus infection and other immunodeficient states. In: Hochberg MC, ed. Rheumatology. Volume 2, 4th ed. Philadelphia: Mosby; 2008. pp. 1055-69.

# 117

# 라임병

예일의대 **강인수**

## KEY POINTS 🔒

● 라임병은 나선균의 일종인 보렐리아균주에 감염된 진드기에 물려서 발생되는 감염성 질환이다.
● 라임병은 주로 미국의 북동부와 중서부 그리고 유럽과 아시아의 일부 지역에서 발생하며 감염된 환자들에서는 전신 증상 및 피부, 근골격계, 신경계 그리고 심장질환을 포함한 다양한 병변이 발생한다.
● 라임병은 임상증상과 혈청학적 검사를 통해 진단되고 항생제로 치료가 된다.

## 서론

라임병(Lyme disease)은 나선균(spirochete)의 일종인 보렐리아균주(Borrelia species)에 감염된 익소디스(Ixodes) 진드기(tick)에 사람이 물려서 발생하는 매개체 감염질환이다. 이 질환은 1970년대에 미국 예일대학교 류마티스내과에 근무하던 Dr. Stephen Malawista와 Dr. Allen Steere에 의해, 이 질환이 다수 발생한 지역인 코네티컷(Connecticut) 주의 라임이라는 도시이름을 따서 처음 보고되었다. 라임병은 미국에서는 거의 대부분의 환자가 북동부 지역, 중대서양 지역, 미네소타주, 위스콘신주와 북캘리포니아 지역에서 발생한다. 유럽과 일본, 중국을 포함한 아시아의 일부 지역에서도 라임병이 발생한다. 한국에서는 법정 감염병으로 지정되어 있고 국내 발생과 해외유입 환자가 보고되고 있다. 라임병의 증상은 감염된 기간에 따라서 초기와 말기증상으로 나눌 수 있다. 라임병의 원인균에 감염된 환자에서는 발

열과 같은 전신 증상 및 피부, 심장 그리고 신경계통의 병변이 발생할 수 있다. 진단은 증상과 혈청학적 검사를 통해서 이루어지며 치료는 doxycycline 등의 항생제의 투여이다. 본 장은 라임병의 역학 및 병리기전, 증상, 진단 그리고 치료를 순차적으로 기술하였다.

## 역학 및 병리기전

라임병은 현재 미국과 유럽에서 가장 흔한 곤충매개질환(vector-borne disease)이다. 사람이 나선균인 보렐리아균주에 감염된 익소디스 진드기에 물렸을 때 보렐리아균이 피부로 침투하고 전신에 확산되어서 증상이 발생한다. 라임병을 유발하는 나선균은 *Borrelia burgdorferi sensu lato* (SL, 바꿔 말하면 "*Borrelia burgdorferi* in the general sense") 속(genus)에 속하며, 대부분의 라임병 환자들은 *Borrelia burgdorferi sensu stricto* (SS) (바꿔 말하면 "*B. burgdorferi* in the strict sense", 이후 본 장에서 *Borrelia burgdorferi*는 이를 지칭함), *Borrelia garinii*, *Borrelia afzelii* 세 종류의 보렐리아균주에 의해서 감염되어 발생한다. *B. burgdorferi*는 미국에서 주로 발견되며 최근에는 *B. mayonii*에 감염된 환자가 미국의 중서부 지방에서 발견되기도 했다. 특히 *B. mayonii*는 고도의 균혈증(bacteremia)을 유발하기도 한다. 유럽에서는 세 종류 모두 그리고 아시아에서는 *B. garinii*와 *B. afzelii*가 주로 발견된다. 익소디스 진드기의 유충(larva)이 이런 보렐리아균에 감염된 보유숙주(reservoir host)인 생쥐 같은 동물의 혈액을 빨아먹

을 때 균에 감염된다. 혈액을 먹은 유충은 약충(nymph)이 되고 약충은 다시 혈액을 빨아먹고 성충(adult)이 된다. 인간은 보렐리아균에 감염된 약충 또는 성충 진드기에 물렸을 때 감염이 된다. 진드기가 혈액을 흡입하는 동안 보렐리아균은 진드기의 중장(midgut)에서 침샘으로 이동을 하고 진드기의 침과 같이 혈액을 흡입당하는 개체의 피부로 들어가게 된다. 인체 내 피부에 침입한 보렐리아균은 신속히 증식을 하고 수일 내로 주위 피부 조직이나 혈액을 통해 심장과 신경계를 포함한 다른 기관으로 확산된다. 인체내 면역계는 침투한 보렐리아균에 대하여 즉각적인 선천면역과 후천면역 반응을 보이며 항체를 형성하게 된다. 보렐리아균에 감염되었으나 치료받지 않은 사람들에서 관절염, 피부 및 신경계통 질환이 발생할 수 있다.

## 임상증상

라임병의 증상은 감염된 기간에 따라 초기와 후기 병기 증상

들로 구분된다(표 117-1). 이러한 증상들은 자연적으로 소멸될 수도 있으며 초기 증상들의 인지 없이 후기 증상들이 발병하기도 한다.

## 1) 초기 제한 감염 증상

### (1) 이동홍반

라임병의 가장 특징적인 증상은 이동홍반(erythema migrans)(그림 117-1)이라는 피부 병변으로 보렐리아균에 감염된 진드기에 물린 환자의 약 80%에서 수일에서 1달 이내에(중앙값, 7-10일 정도) 발생한다. 이동홍반은 진드기에 물린 자리에 자반으로 생겨나서 수일에 걸쳐서 점진적으로 크기가 증가하여 그 지름이 70 cm 이상이 되기도 한다. 이동홍반은 그 지름이 커짐에 따라 중심부의 홍반은 소멸되는 현상이 나타나서 'bull's eye' 같은 형태로도 보인다. 드물게 진드기에 물린 자리에 괴사나 수포가 생기기도 한다. 이런 피부 병변에 수반되는 증상은 상대적으로 적고 심한 소양증이나 통증이 있는 경우는 다른 진단을 고려해야 한다.

### 표 117-1. 라임병의 임상증상과 치료*

| 임상증상 | 항생제와 용량(성인기준) | 기간(일) |
|---|---|---|
| 초기제한감염:<br>이동홍반(독감 유사증상 동반 가능) | Doxycycline (100 mg po bid) †<br>Amoxicillin (500 mg po tid)<br>Cefuroxime axetil (500 mg po bid) | 10<br>14<br>14 |
| 초기확산감염:<br>안면마비, 1차 동실차단 | 위와 동일한 약제를 14~21일간 투여 | 14~21 |
| 초기확산감염:<br>뇌수막염<br>신경계통증상(안면마비제외)<br>2, 3차 동실차단§ | Doxycycline (100 mg po bid)<br>Ceftriaxone (2 gm IV qd)<br>Cefotaxime (2 gm IV q 8 hours)<br>Penicillin G 18 to 24 million units per day divided by every 4 hours | 14~21 |
| 말기증상<br>관절염 | Doxycyline (100 mg po bid)<br>Amoxicillin (500 mg po tid)<br>Cefuroxime axetil (500 mg po bid) | 28 |
| Acrodermatitis chronica atrophicans | 위와 동일한 약제를 21~28일간 투여 | 21~28 |
| 말기증상<br>재발성 관절염#<br>신경계증상 | Ceftriaxone (2 gm IV qd)<br>Cefotaxime (2 gm IV q 8 hours)<br>Penicillin G 18 to 24 million units per day divided by every 4 hours | 14~28 |

*임신하지 않은 성인을 기준으로 한 것임. 이 표는 아래 문헌들을 참조함. 상세한 내용은 이 문헌들을 참조 바람: 참고문헌 1, 10, 11.
†Doxycycline은 8세 미만의 소아나 임산부에게는 투여하지 못함.
§심장기능 모니터링을 위해 입원한 환자는 정맥(IV) 항생제를 투여하는 것을 추천함. 이후 정맥 항생제는 경구 항생제로 대체할 수 있음.
#경구 항생제를 재투여 할수 있음.

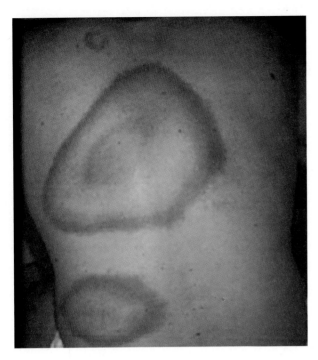

그림 117-1. 라임병에서 보이는 erythema migrans (EM)

## (2) 전신 및 기타 증상들

초기 감염 환자들에서는 독감유사(flu like) 증상들이 나타날 수 있다. 이런 증상들은 발열, 피로감, 근육통, 관절통, 두통, 경부 통증 또는 강직이며 드물게 유주성홍반 피부 병변이 없이도 나타난다. 또한 Borrelia afzelii에 감염된 유럽의 환자들에 있어서 보렐리아 임프구종(borrelial lymphocytoma)이라는 피부 병변이 드물게 나타날 수 있다. 이 병변은 청적색의 부종으로 귓볼이나 젖꼭지 근처 부위에서 소멸하거나 현존하는 이동홍반 발진 가까이에 발생한다.

## 2) 초기 확산 감염 증상

보렐리아균은 피부나 혈액을 통해 확산이 될 수 있다. 피부를 통한 경우는 이동홍반과 같은 피부 병변들이 다수 발생을 한다. 혈액을 통해서 균들은 신경계와 심장으로 가서 다양한 증상들을 발생시킨다. 환자들은 일반적으로 전신 피로감을 호소한다.

## (1) 신경계 증상

보렐리아균에 감염된 사람의 10% 미만에서 급성 신경계 증상이 나타나며 가장 흔히 발견되는 증상은 뇌신경 마비와 뇌수막염이 있다. 그 이외에도 드물게 신경뿌리병증(radiculopathy) 그리고 말초신경병증(peripheral neuropathy)이 발생할 수 있다. 뇌신경 마비 중에는 7번째 뇌신경인 안면신경 마비가 가장 흔하며 일측성 또는 양측성으로 나타난다. 뇌수막염은 일반적인 뇌수막염 증상들인 두통, 경부 강직, 눈부심(photophobia) 등의 증상을 수반하며 뇌척수액에서 바이러스성 뇌수막염 같이 임파구수와 단백질의 증가가 나타난다.

## (2) 심장 증상

임상적 증상이 있는 심장 병변은 라임병에 걸린 환자의 1% 미만에서 보여지며 종종 경증의 심근막염을 수반하는 방실차단으로 나타난다. 유럽에서는 만성 심부전증으로 진행된 임상례도 보고되었으나 미국에서는 유사한 증례는 보고된 적이 없다.

## 3) 후기 증상

치료를 받지 않은 환자들 중에서 감염된 후 수개월에서 수년 후에 후기 관절염과 신경계 및 피부 증상이 발생할 수 있다.

(1) 라임병에서의 관절염(lyme arthritis, 라임관절염)은 일반적으로 단일관절 또는 소수관절 형태로 대형 관절에서 발생한다. 무릎관절이 가장 흔히 침범되며 그 이외에도 어깨, 팔꿈치, 손목, 발목관절들 및 턱관절(temporomandibular joint)에서도 관절염은 발생할 수 있다. 활액은 호중구가 주를 이루는 염증성의 특성을 갖는다. 관절 삼출액의 양이 많은 편에 비해서 통증은 적은 편이다. 치료를 받지 않은 경우에도 자연적으로 관절염이 소멸되나 드물게 관절의 미란을 수반한 만성관절염으로 진행할 수도 있다. 적은 수의 라임관절염 환자들에서 2-3개월의 항생제 치료에도 불구하고 계속적인 관절염이 존재하는 경우가 보고되었다. 이러한 "post-antibiotic" 라임관절염의 병리학적 기전은 잘 모르지만 아마도 Borrelia 감염과 관련되어서 생겨난 조절되지 않은 염증반응으로 인할 수 있다는 가설이 있다. 이런 환자들에서 관절활액의 B. burgdorferi DNA가 중합효소연쇄반응(polymerase chain reaction, PCR)에 의해 발견되지 않는 경우에는 반복적인 항생제의 치료가 효과가 없고 오히려 항염증치료가 추천된다. 이러한 약물적 치료에 반응을 하지 않는 환자들에 있어서 관절내시경을 통한 활

막제거술을 치료 목적으로 사용할 수 있다.

(2) 후기 신경계 증상으로 뇌병증(encephalopathy), 말초신경병증 및 뇌척수염이 드물게 나타날 수 있다. 뇌병증의 증상으로 경증의 기억 및 인지장애가 발생한다. 드물게 유럽에서는 *B. garinii*에 감염된 환자에서 뇌척수염이 생기기도 한다. 후기 피부 증상으로 유럽에서는 만성 위축성 선단피부염(acrodermatitis chronica atrophicans)이라는 피부 병변이 생기기도 한다. 특히 이는 *B. afzelii*에 감염된 환자에서 가장 잘 나타나며 손등 등의 피부에 부종을 동반한 적푸른색의 발진이 발생하고 시간이 경과하면 피부 위축(atrophy)이 생긴다.

## 4) 후 라임병 증후군

소수의 라임병 환자들은 적절한 항생제 치료 후에도 주관적인 피로감, 근골격계 통증과 기억장애의 증상을 호소하기도 한다. 이러한 증상은 시간이 지나면서 대개는 완화 소멸되나 원인은 잘 알지 못한다. 하지만 임상시험들의 결과들에 의하면 장기간의 항생제의 투여에 대한 효과는 위약보다 높지 않은 것으로 보고되고 있다.

## 진단

일반적으로 라임병의 진단은 증상과 혈청학적 검사로 이루어진다. 특히 혈청학적 검사는 위양성이 있을 수 있으므로 라임병이 의심되는 환자가 라임균에 감염된 진드기에 물릴 위험을 가지고 있는지에 관해서 아는 것이 진단에 도움이 된다. 예를 들면 라임병이 거의 발견이 되지 않는 지역의 도시에 거주하며 산이나 숲에 가지 않는 사람이 라임병의 혈청학적 검사가 양성으로 나오면 위양성을 의심해야 한다. 혈청학적 검사는 2단계에 걸쳐서 보렐리아균에 대한 IgM과 IgG항체의 존재 유무를 보여주는 것이다. 일차적으로 효소면역법(enzyme-linked immuno-sorbent assay, ELISA)이나 면역형광검사(immunofluorescence test)를 시행하고 이것이 양성인 경우 이차적으로 웨스턴블롯분석(western blot analysis)을 시행한다. 최근에 미국식품의약국(US Food and Drug Administration or FDA)은 FDA에서 이차적 라임병 진단검사 목적으로 인정된 ELISA 검사는 웨스턴블롯분석 대신에 사용

할 수도 있다고 하였다. 라임 뇌수막염과 같은 신경계 증상이 있는 경우에는 척수액에서 보렐리아 항체 검사를 시행한다. 보렐리아균의 단백질인 VlsE가 고도로 보존된 부분인 C6의 펩티드를 이용한 ELISA 기법이 라임병의 진단에 사용되고 있다. 이 검사법은 초기 라임병의 진단에 있어서 일차 검사로 사용될 수도 있다. 세균배양은 일반적으로 감도가 낮아서 임상검사로는 행해지지 않는다. 중합효소연쇄반응 기법을 사용하여 보렐리아균의 DNA를 관절액이나 조직 그리고 뇌척수액에서 검출하기도 하기도 한다. 이 검사기법은 보렐리아균에 대한 노출을 아는 데는 유용하나 보렐리아균이 항생제에 의해 죽은 후에도 그 DNA는 수개월간 지속될 수 있음으로 양성의 결과가 항상 현재의 감염을 반영하는 것은 아니다. 항생제 치료 후에도 항체검사는 양성으로 나올 수 있고 치료에 대한 반응을 보기 위한 반복적 검사는 추천되지 않는다.

라임병의 진단에 있어서 유의하여야 할 점은 진드기가 보렐리아균 이외에도 다른 병원균을 전염시킬 수 있다는 것이다. 미국에서는 익소디스 진드기가 인간 과립구아나플라즈마증(human granulocytic anaplasmosis)의 원인균인 Anaplasma phagocytophilum이나 babesiosis(바베스열원충)의 원인균인 Babesia microti(쥐바베스열원충)를 인체에 감염시킬 수 있다고 알려져 있다. 라임병이 의심이 되는 환자에서는 이런 병원균의 공동감염도 고려해야 한다.

## 치료

라임병은 증상의 형태에 따라서 경구 또는 정맥 항생제를 10일에서 4주간 투여하여 치료한다(표 117-1). 상세한 치료법은 미국감염병협회, 미국신경과학회 그리고 미국류마티스학회가 공동으로 발간한 라임병에 대한 임상진료 지침에 기술되어 있다(참고문헌 1, 11). 경구 항생제인 doxycycline, amoxicillin 또는 cefuroxime axetil을 이동홍반은 10-14일, 안면마비 같은 뇌신경마비 그리고 1차 방실차단은 14-21일간 투여한다. 관절염은 같은 항생제를 4주간 투여한다. 알레르기나 부작용으로 인해 이러한 항생제의 투여가 불가능한 경우에는 azithromycin, clarithromycin 또는 erythromycin 같은 macrolides를 사용할 수도 있으나

효능이 떨어질 수 있다. 8세 미만의 소아나 임산부에서는 doxy-cycline은 사용해서는 안 된다. 뇌신경마비 이외의 신경계 증상들과 심장증상 그리고 투여에 반응하지 않거나 재발하는 관절염은 경구 항생제나 ceftriaxone, cefotaxime 또는 penicillin G 같은 정맥 항생제를 투여하며 그 기간은 경구용은 28일, 정맥용은 14-28일이다.

## 참고문헌

1. Bockenstedt L. Lyme Disease. In: Firestein, G, ed. Feinstein & Kelley's Textbook of Rheumatology. 11th ed. Elsevier; 2021. pp. 1994-2009.

2. Halperin JJ. Nervous system Lyme disease. Infect Dis Clin North Am 2008;22:261-74.

3. Hu LT. In the clinic. Lyme disease. Ann Intern Med 2012;157:ITC2-2 - ITC2-16.

4. Lantos PM, Rumbaugh J, Bockenstedt LK, et al. Clinical Practice Guidelines by the Infectious Diseases Society of America (IDSA), American Academy of Neurology (AAN), and American College of Rheumatology (ACR): 2020 Guidelines for the Prevention, Diagnosis and Treatment of Lyme Disease. Clin Infect Dis 2021;23:e1-e48.

5. Lochhead RB, Strle K, Arvikar SL, Weis JJ, Steere AC. Lyme arthritis: linking infection, inflammation and autoimmunity. Nat Rev Rheumatol 2021;17;449-61.

6. Mead P, Petersen J, Hinckley A. Updated CDC Recommendation for Serologic Diagnosis of Lyme Disease. MMWR Morb Mortal Wkly Rep 2019;68:703.

7. Piesman J, Gern L. Lyme borreliosis in Europe and North America. Parasitology 2004;129 Suppl:S191-220.

8. Recommendations for test performance and interpretation from the Second National Conference on Serologic Diagnosis of Lyme Disease. MMWR Morb Mortal Wkly Rep 1995;44:590-1.

9. Stanek G, Wormser GP, Gray J, Strle F. Lyme borreliosis. Lancet 2012;379:461-73.

10. Steere AC, Malawista SE, Snydman DR, Shope RE, et al. Lyme arthritis: an epidemic of oligoarticular arthritis in children and adults in three Connecticut communities. Arthritis Rheum 1977;20:7-17.

11. Steere AC, Sikand VK. The presenting manifestations of Lyme disease and the outcomes of treatment. N Engl J Med 2003;348:2472-4.

12. Steere AC, Strle F, Wormser GP, et al. Lyme borreliosis. Nat Rev Dis Primers 2016;2:16090

# 118

# 류마티스열

**가톨릭의대 고혁재**

## 서론

급성류마티스열은 A군사슬알균에 의한 인두염 발생 후 약 2-3주간의 잠복기 후 고열을 동반하며 전신을 침범하는 자가면역질환이다. 거의 대부분의 증상은 저절로 호전되나 심장판막침범이 있는 경우 만성경과를 보이면서 심부전 등을 유발하여 불량한 경과를 보일 수 있다.

## 역학

*Streptococcus pyogenes* 인두염 환자가 적절히 치료받지 못한 경우 급성류마티스열의 위험도는 0.3-3%로 보고되었다. 급성류마티스열은 사회 경제적 수준이 낮은 지역에서 호발한다. 20세기 초까지는 전세계적으로 비교적 흔한 질환이었으나 선진국에서 발생률이 감소하여 현재 선진국에서는 드문 질환으로 인식되고 있다. 이는 밀집환경이 줄고 위생이 개선되어서 A군사슬알균의 전파가 감소함에 기인한다. 그러나, 개발도상국에서는 급성류마티스열의 발생이 현저하게 감소되지 않았으며 이로 인한 류마티스심질환은 소아에서 아직도 가장 흔한 심질환이다. 주로 온대 및 열대 지역의 개발도상국에서 흔히 발생하며 호발연령은 5-15세이다. 초회 발작은 청소년 및 성인에서 드물다. 발생률에 성별의 차이는 없지만 류마티스심질환의 경우 여성에서 호발한다. 정확한 국내 유병률은 알려져 있지 않다.

## 발병기전

### 1) A군사슬알균의 병인으로서 역할

급성류마티스열은 A군사슬알균으로 인한 상기도 감염 후 발생함이 역학적으로 입증되었고 A군사슬알균으로 인한 인두염의 적극적인 치료가 급성류마티스열의 발생률을 현저하게 감소시킴이 알려지면서 병인으로서 역할에 이론의 여지가 없다. A군사슬알균은 세포벽에 N-acetyl-β-D-glucosamine과 rhamnose가 있음을 특징으로 하고 급성류마티스열과 류마티스심질환의 발생에 중요하다. M, T, 그리고 R 표면 단백질과 lipoteichoic acid를 가지고 있어 인후부의 상피세포에 유착한다. 특히 M 단백질이 중요항원으로 인식되어 여러 변형에 대한 연구가 진행되고 있다.

## 2) 유전적 요인

급성류마티스열은 높은 유전적 소인을 가지고 있는 질환으로 보이며 두 종류 이상의 다양한 유전자가 영향을 미치는 것으로 보인다. 쌍생아 메타 연구에서 급성류마티스열의 발생관련 일치위험도는 일란성인 경우 44%, 이란성인 경우 12%로 보고되고 있다. 몇 개의 Class II 사람백혈구항원(human leukocyte antigen, HLA) 유전자와 여러 유전자의 단일뉴클레오타이드다형성(single nucleotide polymorphism, SNP)이 급성류마티스열과 류마티스심질환 발생에 필요한 면역반응을 활성화시키는 데 관련되어 있다. 최근에는 급성류마티스열 환자의 B세포에 특정 항원(D8/17)이 발현되어 있음이 보고되었다.

## 3) 면역학적 요인

급성류마티스열이 반복적으로 발생하면 관절, 심장, 뇌 등에 조직손상을 일으킨다. *S. pyogenes* 감염 후 발생하는 자가면역 반응은 체액면역과 세포면역 모두 영향을 줄 수 있다. 급성류마티스열과 류마티스심질환에서의 자가면역반응의 발달은 면역복합체형성, 분자모방(molecular mimicry), 항원결정인자확산(epitope spreading)과 같은 다양한 생물학적 기전이 관련되어 있다. A군사슬알균은 상기도감염을 일으켜서 선천면역체계를 활성화시키고 T세포를 활성화시킨다. 면역글로불린 G와 면역글로불린 M항체의 생성을 통해 B세포와 T세포가 반응하고 CD4⁺T세포가 활성화된다. 적응면역체계의 체액면역과 세포면역이 모두 포함된 분자모방이 감수성이 있는 경우에 교차면역반응으로 일어난다고 추정된다. 이는 미생물의 항원이 구조적으로 유사한 자가항원과 교차반응하여 발생한다. 면역복합체 형성으로 인한 일시적인 관절염, 대뇌기저핵에 항체가 결합하여 발생하는 무도증, 그리고 항체결합과 T세포 침윤으로 인한 심염을 포함하는 급성류마티스열의 임상적인 특징들이 교차반응의 결과이다.

## 임상증상과 진단

급성류마티스열의 증상은 매우 다양하고 진단을 내릴 수 있는 한 가지 특징적인 소견이 없으므로 새로운 Jones 기준(2015년에 개정, 표 118-1)에 근거하여 진단한다.

**표 118-1. 미국심장학회 개정된 Jones 기준**

| 선행하는 A군사슬알균 감염의 증거가 있는 모든 환자군 대상 |
| --- |
| 최초 발생 급성류마티스열 진단: 2개의 주기준 또는 1개의 주기준 + 2개의 부기준<br>재발성 급성류마티스열 진단: 2개의 주기준 또는 1개의 주기준과 2개의 부기준 또는 3개의 부기준 |

| 주기준 |
| --- |
| **저위험 환자군*** |
| 심염: 임상적 그리고/또는 무증상† |
| 관절염: 다발관절염 단독 |
| 무도증 |
| 유연홍반 |
| 피하결절 |
| **중등도와 고위험 환자군** |
| 심염: 임상적 그리고/또는 무증상 |
| 관절염: 단관절염 또는 다발관절염, 다발관절통† |
| 무도증 |
| 유연홍반 |
| 피하결절 |

| 부기준 |
| --- |
| **저위험 환자군** |
| 다발관절통 |
| 고열(≥38.5℃) |
| ESR≥60 mm (첫 한시간 내) 그리고/또는 CRP≥3.0 mg/dL§ |
| 연령의 다양성을 계산한 PR 간격연장(심염이 주기준이 아닌 경우) |
| **중등도와 고위험 환자군** |
| 단관절통 |
| 고열(≥38℃) |
| ESR≥30 mm 그리고/또는 CRP≥3.0 mg/dL§ |
| 연령의 다양성을 계산한 PR 간격연장(심염이 주기준이 아닌 경우) |

\* 저위험 환자군: 급성류마티스열의 발생률; 학령기아동 100,000명당 ≤2 또는 류마티스심질환의 유병률; 전 연령 1,000인년당 ≤1 .

† 무증상 심염은 심초음파검사에서의 판막염을 가리킨다.

‡ 다발관절통은 다른 여러 원인을 배제한 중등도와 고위험 환자군에서 주기준으로만 고려할 수 있다. 관절증상은 주기준과 부기준 중 선택할 수 있고 같은 환자에서 모두 적용할 수 없다.

§ CRP 수치는 검사실 정상수치 상위경계보다 반드시 높아야 한다. ESR은 질병경과에 따라 변할 수 있기 때문에 가장 높은 수치를 사용해야 한다.

## 1) 관절염

관절염은 무증상 심염이 선행할 수도 있지만 가장 일찍 나타나는 증상으로 대부분 A군사슬알균 감염 3주일 이내에 나타난다. 10대와 젊은 성인(80%)에서 소아(65%)에 비해 더욱 흔하고 심하게 발생한다. 한 관절에서 다른 관절로 이동하는 다발염증 관절염이 특징적이다. 주로 무릎, 발목, 팔꿈치, 손목 등의 큰 관절을 침범하며 영구적인 관절 손상을 유발하지 않는다. 관절의 염증에 비해 통증이 심하고 일시적인 경우가 많다. 관절증상은 당질부신피질호르몬 및 비스테로이드소염제에 좋은 반응을 보이고 투약시 다른 관절로 이동하지 않는다. 비스테로이드소염제 치료 후 48시간내에 관절증상이 호전되지 않으면 급성류마티스열의 진단을 다시 고려해야 한다.

## 2) 심염

심장침범은 경한 빠른맥에서 심부전까지 다양한 형태로 나타난다. 심내막(endocardium), 심장근육(myocardium), 심외막(epicardium), 심장막(pericardium) 모두를 침범할 수 있으며 심내막을 침범하는 경우가 많고 이때 판막염의 임상소견을 보이며 특히 승모판막과 대동맥판막 침범에 의한 역류가 나타난다. 이런 소견은 A군사슬알균감염 3주 내에 대부분 나타난다. 급성기에는 판막 역류를 보이고 만성기에는 판막 반흔에 의한 협착과 역류의 복합양상을 보인다. 심장근육침범에 의하여 다양한 전도장애를 유발할 수 있다. 급성류마티스열 환자의 약 50-80%가 류마티스심질환으로 이환할 수 있다.

## 3) 무도증

무도증(chorea)은 흔하지 않으며(10-30%) 주로 여성에서 나타난다. 몸통과 사지가 갑작스럽게 불규칙적, 불수의적으로 반복적으로 움직이는 운동장애로서 근력 저하와 불안이 동반된다. 수면 중에는 무도증이 소실되고 목적이 있는 움직임 시에는 악화된다. 주 증상 중 가장 늦게(A군사슬알균감염 후 1-8개월) 나타나고 잠복기가 길다. 대부분 6주 이내에 저절로 완전히 호전된다.

## 4) 모서리홍반

드물지만 (<6%) 매우 특징적이다. 분홍색 반(macule)으로 나타나며 중앙은 병변이 없다(그림 118-1). 크기는 다양하며 주로

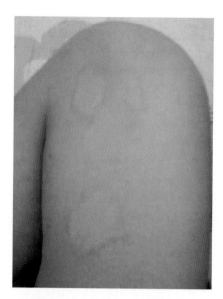

그림 118-1. 급성류마티스열로 진단된 32세 여성 환자의 우측 넓적다리에서 관찰되는 모서리홍반 (출처: 가톨릭의대)

몸통, 사지에 생기는데 얼굴은 침범되지 않는다. 가렵지 않고 경화가 없으며 압력을 가하면 소실된다.

## 5) 피하결절

피하결절은 드물고(0-10%) 심한 심염이 동반되었을 때 자주 동반된다. 딱딱하고 염증이 동반되지 않으며 아프지 않은 작은 결절이다. 뼈의 표면, 뼈 돌기, 인대 주변(신근 표면)에 주로 위치하고 대칭적이다.

## 6) 발열

거의 모든 급성류마티스열 환자에서 38.5℃ 이상의 발열이 발생한다. 보통 해열제 복용 없이 1주일 이내에 소실되지만 드물게 3-4주 이상 지속되는 경우도 있다.

# 검사소견

## 1) 인후부 배양검사와 신속 사슬알균 항원 검사

인후부 배양검사(throat culture)에서 균이 동정되는 경우는 흔하지 않다. 그러나, 모든 항생제 투여 전에 인후부 배양검사를 실시하는 것이 추천된다. 급성류마티스열의 임상증상이 나타난

후 75%에서 배양 검사는 음성이고 신속 사슬알균 항원 검사도 또한 대부분 음성이다.

## 2) 항사슬알균 항체 역가의 측정

임상적으로 유용한 것은 A군사슬알균 항체 역가를 측정하는 것이며 anti-streptolysin O (ASO) 또는 antideoxyribonuclease B (ADB)를 주로 사용한다. 연속검사에서 A군사슬알균 항체 역가가 증가하면 선행 감염되었다는 증거가 된다. 임상증상 출현시기가 항체반응이 가장 높을 때(ASO: A군사슬알균감염 3-5주 후, ADB: 6-8주 후)와 일치하므로 이때 검사를 하면 높은 항체 역가를 보인다. 가장 자주 이용되는 검사는 ASO 역가 측정이며 약 80%에서 양성률을 보인다.

## 3) 기타 검사소견

적혈구침강속도와 C반응단백질의 상승 및 심전도상 PR 간격 연장, ST-T의 변동, QT 간격 연장, 부정맥 등을 관찰할 수 있다.

# 감별진단

사슬알균감염후반응관절염(post-streptococcal reactive arthritis, PSRA)과의 감별이 필수적이다. 급성류마티스열과 사슬알균감염후반응관절염 모두 A군사슬알균감염 후에 발열, 염증성 관절염, 급성반응단백이 상승하는 등의 유사한 임상양상을 보인다. 감별점으로 사슬알균감염후반응관절염은 잠복기가 짧고 (1-2주), aspirin이나 비스테로이드소염제에 대한 반응이 떨어지며 심염이 발생하지 않고 관절염이 더욱 심하게 발생한다. 관절 외 침범소견이 흔하며 ESR, CRP상승이 급성류마티스열보다 낮다.

# 치료 및 임상경과, 예후

## 1) 4가지 치료목표
(1) 급성기 증상의 완화(관절염 등)

(2) A군사슬알균에 대한 약물치료
(3) 심질환으로 진행을 방지하기 위한 미래의 A군사슬알균감염에 대한 예방치료
(4) 환자와 보호자에 대한 교육적 지원

급성류마티스열의 치료는 항염 치료, 항생제 치료, 그리고 심부전 치료로 구성된다. 급성류마티스열이 발생한 상태에서 서서히 진행하는 판막손상에는 현재까지 치료방법이 없다. 모든 급성류마티스열 환자는 A군사슬알균의 제거를 위하여 충분한 항생제 치료를 받아야 한다. Penicillin이 효과적이며 경구용으로 적어도 10일간 사용해야 하고 순응도가 문제가 될 경우 benzathine penicillin G 120만 unit를 근육주사로 투여할 수 있다. 관절염이 발생한 경우 증상적 처치의 기본은 항염치료이며 aspirin (소아, 80-100 mg/kg/일 성인 4-8 g/일)이 전통적인 일차치료 약제이지만 최근에는 비스테로이드소염제 중에 naproxen (10-20 mg/kg/일)이 특히 많이 사용된다. 심한 심염이 동반된 경우 심부전에 대한 기본적인 치료를 해야 하고 메타분석에서 입증되지는 않았으나 당질부신피질호르몬 투여를 고려해 볼 수 있다. 치료받지 않은 급성류마티스열은 보통 12주간 지속된다. 모든 환자는 심전도 및 심장초음파를 시행하여 심염 발생여부를 주의 깊게 관찰해야 한다. 재발은 첫 2년 내에 흔하고 그 후로 점점 감소한다. 지속적인 이차 예방이 필수적이며 이 경우 임상적으로 환자의 순응도가 문제가 될 수 있다. 심염이 존재하는 경우 치과적 시술 및 수술 전에 심내막염의 예방을 위한 항생제 투여가 필요하다.

# 예방

## 1) 일차 예방

A군사슬알균에 의한 상기도 감염 증상이 나타난 후 조기에 항생제를 투여하면 급성류마티스열의 발병을 예방할 수 있으나 적어도 1/3의 급성류마티스열 발생의 경우 무증상 A군사슬알균 감염인 경우가 있고 증상이 있더라도 병원을 방문하지 않아 실제 임상에서는 항상 적용하기 힘들다.

## 2) 이차 예방

급성류마티스열과 류마티스심질환의 조절을 위하여 가장 중요한 것은 재발을 막기 위한 이차 예방이다. 급성류마티스열에 이환되었던 모든 환자들은 재발을 막기 위하여 장기간 penicillin 투여를 필요로 한다. 가장 추천되는 용법은 성인의 경우 benzathine penicillin G를 근육주사로 4주 간격으로 120만 unit를 투여하는 것이다.

## 📑 참고문헌

1.  Andrew S, Allan G. Acute rheumatic fever. Epidemiology and pathogenesis, Clinical manifestations and diagnosis, Treatment and prevention. [Available from] http://www.uptodate.com (Updated on Oct 05,2021).

2.  Carapetis JR, McDonald M, Wilson NJ. Acute rheumatic fever. Lancet 2005;366:155-68.

3.  Gewitz MH, Baltimore RS, Tani LY, et al. Revision of the Jones Criteria for the diagnosis of acute rheumatic fever in the era of Doppler echocardiography: A scientific statement from the American Heart Association. Circulation 2015;131:1806

4.  Luiza G, Pedro MA and Jorge K. 122 Rheumatic Fever and Poststreptococcal Arthritis. Firestein & Kelley's Textbook of Rheumatology. 11th ed. Philadelphia: Elsevier; 2020. pp. 2061-76.

5.  Pedro M, Azevedo and Luiza G. 117 Acute rheumatic fever. Rheumatology. 7th ed. Mosby; 2018. pp. 968-76.

6.  Van der Helm-van Mil AH. Acute rheumatic fever and poststreptococcal reactive arthritis reconsidered. Curr Opin Rheumatol 2010;22:437-42.

# 119

# 증례

중앙의대 **정진원**

## 증례 1

환자는 양쪽 무릎 골관절염으로 간헐적으로 비스테로이드소염제를 복용하던 76세 여성으로 내원 5일 전 왼쪽 무릎 부기, 통증으로 인근 개인의원에서 활액 천자(활액 검사는 시행하지 않음)를 시행하고 관절내 글루코코티코이드 주사를 맞았다. 이후 증상 더 악화되고 걷기 어려워 응급실로 내원하였다. 왼쪽 무릎과 관련한 증상 외에는 기침, 가래, 빈뇨, 배뇨통, 복통, 설사 등의 다른 증상은 없었다. 내원 당시 활력징후는 혈압은 130/90 mmHg, 맥박 87회/분, 호흡 수 20회/분, 체온 38.1℃였다. 관절 검진상 왼쪽 무릎의 부기, 압통이 있고 따뜻하게 만져졌으나 발적이 심하지는 않았다. 그 외에 다른 관절은 이상 소견이 보이지 않았고 이 외의 신체 검진상 다른 이상소견은 확인되지 않았다. 혈액검사 결과, 백혈구 14,120/mL, 헤모글로빈 14.0 g/dL, 혈소판 157,000/mL, 적혈구침강속도 54 mm/hr, C반응단백질 7.46 mg/dL (참고치 0-0.5 mg/dL)였고 내원 당시 혈액배양 검사상 동정된 균은 없었다.

### 1) 질문

(1) 가능한 감별진단은?

(2) 감별진단을 위해 필요한 검사는?

(3) 적절한 치료는?

### 2) 증례설명

상기 환자는 양쪽 무릎 골관절염을 기저질환으로 가지고 있던 환자로 본원 내원 전 왼쪽 무릎(단일관절) 부기, 통증으로 인근 의원에서 활액 천자 및 관절내 글루코코티코이드 주사를 맞았으나 증상 지속되고 악화되어 내원하였다. 단일관절에 발생한 급성 경과의 관절염 악화를 주소로 내원한 환자로 감염관절염을 고려해야 하며 이외에도 기존 골관절염의 악화, 거짓통풍의 발생도 감별해야 하는 환자이다. 본원 내원 후 시행한 환자의 활액 검사소견에서는 적혈구 16,000/mL, 백혈구 89,000/mL (다형백혈구 85%, 림프구 1%, 단핵구 14%)였으며, 편광현미경에서 크리스탈은 보이지 않았다. 활액 도말검사상에서는 그람양성알균이 관찰되었고 최종 균 동정 결과 methicillin-susceptible *Staphylococcus aureus* (MSSA)가 동정되어 최종적으로 MSSA에 의한 세균관절염으로 확진을 받은 환자이다.

## 3) 정답 및 해설

본 환자는 기저로 양쪽 무릎 골관절염을 가지고 있던 환자로 감염관절염과 이 외에도 기저 골관절염의 악화, 거짓통풍의 발생 등을 감별해야 하는 환자이다.

감별진단을 위해서는 활액 천자 및 편광현미경 검사와 활액에서의 배양검사가 필요하며 환자의 경우 배양검사 결과 MSSA가 동정되어 최종적으로 세균관절염으로 확진이 되었다.

MSSA에 의한 세균관절염의 경우 적절한 배농과 함께 적절한 항생제 투약이 필요하다. 항생제는 균혈증 동반여부, 감염심내막염 동반 여부 등에 따라 투약 기간이 결정된다. 해당 환자의 경우 MSSA에 대한 적절한 항생제가 투약되기 전 시행한 혈액배양 검사상 동정된 균이 없어서 균혈증이 동반되지 않았고 진단 즉시 관절경으로 적절한 배농이 이루어졌으며 이후 정맥주사로 cefazolin을 2주간 투약 후 2주간 경구 cefadroxil을 투약하고 호전되었다.

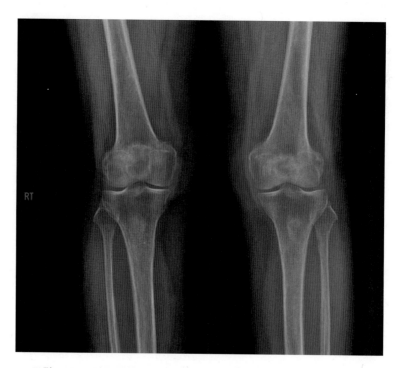

그림 119-1. **양쪽 무릎 X선 촬영** 양쪽 골관절염 소견, 좁아진 관절강 소견

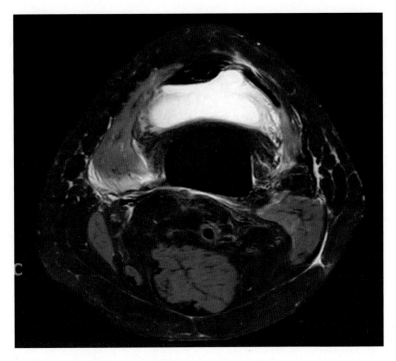

그림 119-2. **왼쪽 무릎 자기공명영상촬영** 슬개골상의 관절 삼출, 두꺼워진 활막 소견

## 증례 2

환자는 고혈압, 고지혈증으로 약제 복용 중이던 82세 여환으로 4개월 전부터 특별한 외상력 없이 오른쪽 손목의 부기, 통증이 발생하여 연고지병원에서 2개월 간격으로 세 차례 절개 및 배농을 시행하였다. 당시 배농 검체에서 시행한 세균배양검사상 특별히 동정된 균은 없었으나 4개월간 cefaclor, amoxicillin, ciprofloxacin 등의 경구 항생제를 복용했음에도 불구하고 증상이 지속적으로 악화되어 마지막 수술 시행한 지 2주 경과 후 4번째 절개 및 배농을 시행하였고 당시 활막 조직검사상 만성 육아종성 염증이 확인되었다. 이후에도 증상이 지속되고 악화되어 상기 소견으로 증상 발생 5개월째 본원에 내원하였다. 오른쪽 손목의 부기, 통증 외에는 기침, 가래 등의 다른 증상은 없었다. 내원 당시 활력징후는 혈압 135/90 mmHg, 맥박 90 회/분, 호흡 수 20 회/분, 체온 36.7℃였다. 관절 검진상 오른쪽 손목의 부기, 압통이 있었으나 열감이나 발적은 관찰되지 않았다. 그 외의 신체 검진상에서 이상 소견은 보이지 않았다. 처음 혈액검사 결과는 다음과 같았다. 백혈구 6,900/mL, 헤모글로빈 12.1g/dL, 혈소판 243,000/mL, 적혈구침강속도 75mm/hr, C반응단백질 5.12mg/dL (참고치 0-0.5 mg/dL)였다.

## 1) 질문

(1) 가능한 감별진단은?
(2) 감별진단을 위해 필요한 검사는?
(3) 적절한 치료는?

## 2) 증례 설명

이전 오른쪽 손목의 수술력 없고 외상력도 없던 환자로 5개월 동안 만성적인 경과의 단일관절을 침범한 관절염으로 내원하였다. 타원에서 동정된 세균은 없었으나 항균제를 장기간 투약했음에도 증상이 지속되고 악화되어 내원하였다. 단일관절이고 만성경과를 보였고 타원에서 마지막으로 시행했던 배농 시 조직검사상 만성 육아종성 염증이 확인되었기 때문에 세균관절염보다는 결핵, 비결핵성항산균이나 진균 등의 드문 병원균에 의한 감염관절염을 감별해야 하고 환자 고령으로 류마티스관절염 등의 비감염성 관절염 감별도 필요했던 환자이다. 본원 내원 후 다시 절개 및 배농을 시행하였고 당시 활막 조직검사상 건락성 괴사를 동반한 만성 육아종성 염증 소견이 보였고 *Mycobacterium tuberculosis* PCR이 양성이었으며 AFB 도말검사는 음성이었으나 AFB 배양검사 상에서 최종적으로 *M. tuberculosis*가 동정되어 최종적으로 결핵관절염으로 확진되었던 증례이다. 또한, 호흡기 증상은 없었으나 폐외결핵으로 폐결핵 동반여부를 확인하기 위해 시행한 흉부 CT에서 오른쪽 폐상엽에서 소엽 중심성의 결절들이 발견되었고 기관지내시경을 통한 기관지 세척액 검사상 *M. tuberculosis*가 동정되어 폐결핵 도 동반된 것으로 판단하였다.

## 3) 정답 및 해설

5개월간의 만성 경과의 단일관절을 침범한 관절염이고 5개월간의 반복적 수술, 항균제 투약에도 호전이 없어 세균관절염보다는 결핵관절염, 진균관절염 및 류마티스관절염과 같은 비감염성관절염에 대한 감별이 필요했던 환자이다.

병변 부위에 대한 조영증강 MRI 및 적절한 절개 및 배농을 통한 진단 목적의 조직검사 및 세균, 결핵, 진균에 대한 배양검사가 필요하였고 이 검사상 결핵관절염으로 진단되었다. 결핵관절염(폐외결핵)이 진단된 상태로 폐결핵 동반 여부를 확인하기 위해 흉부 CT도 시행하였고 폐결핵 의심 병변이 있어 기관지내시경을 시행하였고 폐결핵 동반 역시 확진이 되었다.

결핵관절염은 보통 진단이 늦어지는 경우가 많은데 조기에 치료할수록 관절의 기능을 보존할 수 있는 만큼 조기 진단 및 치료가 중요하다. 치료는 보통 리팜핀을 포함하여 6-9개월간의 항결핵제를 투약하는데 임상양상, 치료 반응 등에 따라 치료 기간을 결정한다. 수술은 대개 항결핵제 치료에 잘 반응하지 않거나 관절 손상이 계속 진행될 경우 시행하게 된다. 증례 환자는 손목 관절에 다발성의 농양형성이 있었고 골수염도 동반된 상태로 절개 및 배농, 변연절제 수술을 하였고 현재 2개월째 항결핵제를 복용 중이다.

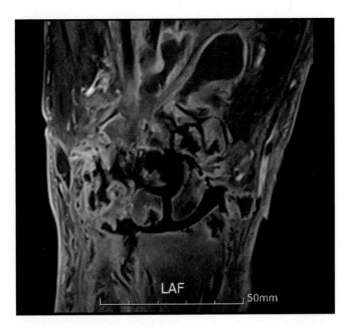

그림 119-3. **오른쪽 손목 조영증강 자기공명영상촬영** T1 FS CE, extensive abscess formation, Lt wrist

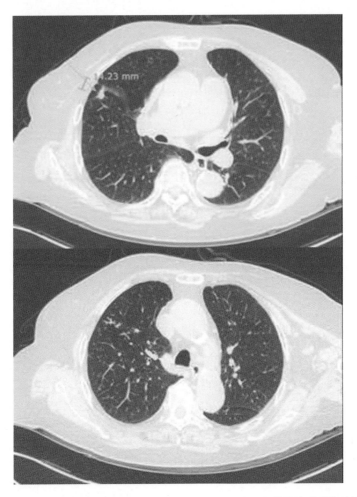

그림 119-4. 전산단층화촬영, 우상엽 소엽중심성의 폐결절, 활동성 폐결핵 의심

# 류 마 티 스 학
## Rheumatology

# PART 19 골다공증

책임편집자 **박원**(인하의대)
부편집자 **김성수**(울산의대)

# 120

# 역학과 병인

고려의대 **지종대**

## KEY POINTS 🔓

- 골다공증은 뼈강도의 약화로 골절의 위험도가 증가하는 골격계 질환이다.
- 뼈강도는 골밀도와 골질에 의해 결정된다.
- 낮은 최대골량, 과도한 뼈흡수, 부적절한 뼈형성이 골다공증 발생에 영향을 미친다.
- 골밀도 이외에도 골질의 변화가 골절의 위험도를 결정한다.
- 에스트로젠 감소는 골재형성의 증가와 함께 파골세포와 골모세포의 분화, 기능, 수명에 영향을 주어 골손실을 유도한다.

## 서론

골다공증은 뼈의 강도가 감소하여 골절의 위험도가 증가되는 질환이다. 1993년에 세계보건기구(World Health Organization, WHO)에서는 골다공증을 골밀도(bone mass)의 감소와 뼈 조직 미세구조(microarchitecture) 이상에 의해 골 취약성(bone fragility)이 증가되어 골절이 일어나기 쉬운 질환으로 정의하였고 골밀도가 젊은 성인군 평균치의 2.5 표준편차 이하를 보이는 경우 골다공증이라 하였다. 골다공증과 골다공증에 의한 골절의 병태생리학적 지식의 변화에 따라 골다공증의 정의도 변하였는데 미국국립보건원(National Institutes of Health, NIH) consensus conference에서 1984년에는 단순히 골밀도의 감소와 그에 의해 골절의 위험도가 증가하는 질환으로 정의하였으나 2001년에는 뼈강도(bone strength)의 약화로 골절의 위험도가 증가하는 골격계 질환으로 재정의하였다. 뼈강도는 골밀도와 골질(bone quality)

에 의해 결정된다. 비록 골밀도가 골절의 위험도를 결정하는 매우 중요한 요소이기는 하지만 골밀도 외에도 뼈 미세구조의 이상, 무기질화(mineralization)에 의해 영향을 받는 뼈 조직의 미소경도(microhardness)의 이상, 미세 손상(microdamage) 회복의 결함 등과 같은 골질의 변화가 골절의 위험도에 영향을 미친다. 실제로 WHO 골다공증 기준에 부합하지 않는(T-score -2.5보다 높은 골밀도를 보이는) 환자에서 뼈강도 감소에 의한 골절이 상당수 발생함이 알려져 골절 감소를 위해서는 골밀도의 개선과 함께 골질의 강화가 중요함을 시사하였다.

## 역학

우리나라는 65세 이상 고령인구의 구성비가 2000년에 7%를 넘어 고령화사회로 진입하였고 2026년에는 20%를 넘어 초고령사회에 진입할 것으로 예측된다. 골다공증 및 골절 환자가 지속적으로 증가하고 있으며 이로 인한 사회경제적 부담도 지속적으로 증가할 것으로 보인다. 그러나 골다공증은 골절이 없는 경우 특별한 증상이 나타나지 않아 아직까지 많은 사람에서 적극적인 진단과 치료가 이루어지지 않고 있으며 골다공증과 이로 인한 골절에 대한 국내 연구는 미흡하다.

### 1) 유병률

국민건강영양조사(2008-2011) 자료에 의하면 만 50세 이상 인구의 골다공증 유병률은 22.4%였고 여성에서는 37.3%, 남성에서는 7.5%로 50세 이상 여성 3명 중 1명은 골다공증을 앓고 있으며 남성에 비해 여성이 약 5배 정도 높았다. 부위별 골다공증 유병률에서는 만 50세 이상 여성의 경우 요추가 28.8%로 가장 높았고 대퇴경부 21.3%, 대퇴골 6.5%였다. 건강보험심사평가원 보험심사청구데이터에서 골다공증으로 의료이용이 있었던 50세 이상 의사진단 골다공증 환자의 규모는 2005년 107만 명, 2006년 120만 명, 2007년 133만 명, 2008년 146만 명으로 급격히 증가하고 있으며 2008년의 경우 인구 1만 명당 남성 265명, 여성 1,851명으로 여성에서 골다공증으로 인한 의료기관 이용이 남성에 비해 약 7배 높았다. 국민건강영양조사 결과로 추산된 2008년 50세 이상 국내 골다공증 환자 수는 251만 명이었고 건강보험심사청구데이터로 정의된 의사진단 골다공증 환자는 146만 명으로 골다공증 환자 중 약 58%만 의료기관 이용이 있었던 것으로 추정된다. 또한 2008-2012 건강보험공단 청구자료를 이용하여 작성한 골다공증 및 골다공증 골절 FACT SHEET 2019에서도 골다공증 환자의 의료 이용률은 2008년 55%, 2009년 59%, 2010년 61%로 꾸준히 증가하고 있으나 전체 골다공증 환자 10명중 4명은 의료서비스 이용을 안 하고 있었다. 이는 골다공증으로 치료받는 환자가 진단된 환자의 약 20%로 추산된 일본의 경우보다는 높으나 상당수의 환자가 골다공증을 자각하지 못해 의료기관 이용을 하지 않는 것으로 추측할 수 있다. 미국의 National Health and Nutrition Examination Survey (NHANES) 2005-2006 연구에서는 50세 이상 대퇴경부 골밀도를 측정하였는데 여성의 11%, 남성의 2%가 골다공증인 것으로 보고되어 한국의 2010년 국민건강영양조사 결과에 비해 골다공증의 유병률은 상대적으로 낮았다(표 120-1). NHANES III (1988-1994)와 NHANES 2005-2006 결과를 비교하면 미국에서는 NHANES III의 50세 이상 대퇴경부 골다공증 유병률은 여성이 18%, 남성이 5%로 골다공증 유병률이 과거에 비해 감소함을 보였다. 캐나다의 경우 Canadian Multicentre Osteoporosis Study (CaMos) 연구에서 50세 이상 골다공증 유병률은 여성이 21.3%, 남성이 5.5%였으며 일본의 Japanese Population-Based Osteoporosis (JPOS) 연구에서는 50-79세 여성의 골다공증 유병률이 요추 38.0%, 대퇴경부 11.6%로 보고되어 우리나라 50세 이상 인구에서 일본을 제외한 다른 국가들보다 골다공증 유병률이 높음을 알 수 있다. 2008~2011년 국민건강영양조사 자료를 이용한 김 등의 연구(2015)에서 골다공증 유병률은 남성은 50대 3.4%, 60대 7.3%, 70세 이상에서는 17.0%로 증가하고 여성은 50대 18.9%, 60대 42.5%, 70세 이상은 71.9%로 남녀 모두 연령에 비례하여 증가하였고 사회경제적 수준이 낮은 군과 저체중인 경우 유병률이 높았으며 신장이 평균 미만인 군에서 골다공증 유병률이 높아 신장이 골다공증 발생에 영향을 미침을 시사하였다.

## 2) 골절의 발생과 예후

골다공증에 의한 골절은 삶의 질 저하와 사망률 증가, 막대한 의료비지출을 야기하며 심각한 사회경제적 손실을 초래한다. 실제로 엉덩관절 골절환자의 약 50%에서는 골절 이후 일상생활에 있어 타인의 도움을 필요로 하게 되며 약 19%에서는 장기요양시설에서 생활하게 되고 엉덩관절 골절 후 1년 안에 8.4-36%에서 사망하는 것으로 알려져 있으며 엉덩관절 골절 환자를

표 120-1. 국가별 골다공증 유병률의 비교

| 저자 | 국민건강영양조사 (2008–2011) | Looker (2010) | Looker (2010) | Berger (2010) | Iki (2001) |
|---|---|---|---|---|---|
| 국가 | 한국 | 미국 | 미국 | 캐나다 | 일본 |
| 연구 | | NHANES III | NHANES 2005~2006 | CaMos | JPOS |
| 기간 | | 1988–1994 | | 2005–2006 | |
| 측정부위 | 요추, 대퇴경부, 대퇴골 | 대퇴경부, 대퇴골 | 대퇴경부, 대퇴골 | 요추, 대퇴경부, 대퇴골 | 요추, 대퇴경부, 요골 원위부 |
| 유병률 | 전체: 22.4%<br>여성: 37.3%<br>남성: 7.5% | 여성: 18.0%<br>남성: 5.0% | 여성: 11.0%<br>남성: 2.0% | 여성: 21.3%<br>남성: 5.5% | 여성<br>요추: 38.0%<br>대퇴경부: 11.6%<br>요골 원위부: 51.2% |

대상으로 한 전향적 연구에서 1년 사망률은 16.7%, 2년 사망률 25.2%, 5년 사망률 45.8%, 8년 사망률 60%로 증가함이 보고되었다. 임상증상을 보여 진단된 척추골절의 경우 척추골절이 없는 군에 비해 사망률이 8.6배 높은 것으로 나타났다. 방사선검사로 진단된 척추골절의 경우 사망률에 대해서는 크게 영향을 미치지 않았으나 요통, 우울증 등이 생기고 키가 줄어드는 등 다양한 문제를 야기한다.

2005-2008년 건강보험심사청구데이터에서 나타난 50세 이상 골다공증 골절의 발생률은 인구 1만 명당 2005년 190.90명, 2006년 189.10명, 2007년 186.26명, 2008년 185.69명으로 2005년에 비해 2008년의 골절 발생이 소폭 감소함을 보였다. 그러나 2008년부터 2012년까지 건강보험 청구자료를 이용한 2016년 하등의 연구에서 엉덩관절 골절 발생은 여성에서 2008년 209.9/100,000에서 2012년 243.1/100,000으로 남성에서는 2008년 99.6/100,000에서 110.5/100,000으로 증가함이 보고되었다. 또한, 2008-2016 건강보험공단 청구자료를 이용하여 작성한 골다공증 및 골다공증 골절 FACT SHEET 2019에서 50세 이상의 골절 발생률은 2008년 이후 증가하다가 2013년 이후 정체됨을 보였다. 2008년의 경우 발생률이 높은 골절부위는 척추(인구 1만 명당 95.6명), 손목(42.5명), 발목(19.7명), 엉덩관절(15.1명) 순이었다. 제4기 국민건강영양조사(2008년)의 골다공증 유병률에 근거하여 골다공증 골절 발생률을 산출하면 50대에는 9.9%, 60대에는 10.4%, 70대 이상에서는 9.5%로 연령에 따라서 큰 차이는 없었으나 고연령으로 갈수록 골다공증 환자에서 척추 및 엉덩관절 골절의 발생률은 증가하였고 손목, 발목, 쇄골 골절의 발생률은 감소하였다. 2008-2016년 건강보험공단 청구자료에서도 50대에는 손목 골절이 주로 발생하고 연령이 증가할수록 엉덩관절 및 척추골절의 발생률이 증가하였다. 2008년의 척추 골절 발생률을 보면 50세 이상 여성에서는 인구 1만 명당 141.9명으로 남성에서의 42.4명에 비해 높게 나타났으며 엉덩관절 골절의 경우에서도 여성에서 인구 1만 명당 19.9명으로 남성의 9.5명에 비해 높게 나타나 2007년에 조사된 일본의 엉덩관절 골절 발생률(인구 1만 명당 여자 18.1명, 남자 5.1명)과 유사한 경향을 보였다. 골다공증 골절 발생은 50세 이후에 급격히 증가하여 인구 1만 명당 50대에는 80여 명, 60대에는 180여 명, 70대에는 350여 명, 80세 이상에서는 500여 명으로 나타났다. 골다

공증에 의한 골절의 발생은 인종이나 국가, 시간에 따라 발생률에서 큰 차이를 보인다. 엉덩관절 골절 발생률의 경우 북미나 북유럽 국가에서 높고 아시아나 아프리카 국가에서 낮아 노르웨이와 중국을 비교하면 엉덩관절 골절 발생률에 있어 약 10배의 차이를 보인다. 높은 골절 발생률을 보였던 미국, 캐나다 등 북미국가나 스웨덴, 핀란드, 영국, 네덜란드 등의 북유럽 국가에서는 과거에 비해 엉덩관절 골절 발생률이 감소하는 데 반하여 일본이나 싱가폴 등의 아시아 국가에서는 여전히 증가하는 추세이다. 50세 여성이 죽을 때까지 골다공증에 의한 골절을 최소 한 번 이상 경험할 확률인 전생애 위험도(lifetime risk)는 28.97%로 남성에서의 10.7%에 비해 2.7배 높았고 미국의 경우에는 여성에서 40%, 남성에서 13%였으며 영국의 경우에서도 여성에서 53%, 남성에서 21%로, 대부분의 나라에서 여성이 남성에 비해 2~3배 높은 위험을 가지고 있었다. 2005-2008년 건강보험심사청구데이터에서 골절 후 사망률을 보면 사망과 관련성이 큰 엉덩관절 골절에서 골절 경험 후 6개월 내에 사망이 가장 많았고 1년 내 사망할 확률은 50세 이상 남성의 경우 22.6%로 여성의 17.3%에 비해 1.3배 높았다. 2013-2015 건강보험공단 청구자료를 이용하여 작성한 골다공증 및 골다공증 골절 FACT SHEET 2019에서도 엉덩관절 골절의 1년 내 치명률은 남성이 20.8%, 여성이 13.6%이었으며 척추골절의 경우는 남성이 9.2%, 여성이 4.2%로 엉덩관절 골절은 남성이 여성의 1.5배, 척추골절은 2.2배였다.

## 병리기전

골다공증의 발생은 청장년기에 낮게 형성된 최대골량(peak bone mass)과 노화나 폐경으로 인한 골재형성 속도(bone remodeling rate)의 과도한 증가에 따른 골 손실에 의해 초래된다. 최대골량은 성별, 인종, 체격이나 뼈의 부위에 따라 다양한 차이를 보이는데 대퇴골 경부는 20-29세에 최대골량에 도달하나 요추의 경우는 40-49세까지도 골량이 증가하는 것으로 알려져 있다. 최대골량은 크게 유전적 요인과 영양, 운동, 사용약물이나 질환과 같은 환경적 요인에 의해 영향을 받는데 이 중 유전적 요인이 매우 중요하여 골량의 약 50-80%를 결정한다. 골다공증 발생에 있어 유전적 영향은 단일 유전자의 변이에 의한 것보다는 다양한

유전자 다형성과 함께 환경적 요인과의 상호작용에 의한 것으로 생각되고 있다.

## 1) 골재형성

골재형성(bone remodeling)은 낡은 뼈를 새로운 뼈로 교체하거나 손상 입은 뼈를 건강한 뼈로 교체하는 기전이다. 골재형성에 관여하는 세포로는 골흡수를 담당하는 파골세포(osteoclast), 골형성을 담당하는 골모세포(osteoblast), 골조직 내에 존재하며 골재형성 신호전달에 관여하는 골세포(osteocyte)가 있다. 파골세포는 골수나 혈액 내에 존재하는 단핵구/대식세포 계열(monocyte/macrophage lineage)의 골수전구세포(myeloid precursor)에서 생성된다. 파골세포 분화와 활성은 골모세포나 골수간질세포(bone marrow stromal cell)에서 생성되는 다양한 물질에 의해 조절된다. 골수전구세포에 있는 receptor activator of nuclear factor kB (RANK) 수용체는 RANK ligand (RANKL)에 반응하여 파골세포로의 분화와 활성을 촉진시키며 대식세포집락자극인자(macrophage colony-stimulating factor, M-CSF)는 파골전구세포 표면의 M-CSF 수용체에 결합하여 RANK의 발현을 증가시키고 단핵세포에서 다핵세포로의 융합(fusion)을 유도하며 파골세포의 세포사멸을 억제한다(그림 120-1A). 또한 골수전구세포는 세포 표면에 면역수용체인 TREM-2, SIRP1β, PIR-α, OS-

CAR 등을 발현하는데 이들 수용체는 DAP12나 FcRγ 등의 신호전달 물질과 결합하여 파골세포분화에 중요한 공동자극신호(co-stimulatory signal)를 제공한다.

골모세포에 의해 골기질(bone matrix)이 생성되고 무기질화(mineralization)되면서 뼈가 형성된다. 골형성의 속도는 전구세포에서 성숙한 골모세포로의 분화, 골기질의 생성, 무기질화와 골모세포의 수명에 따라 결정된다. 골모세포는 중간엽세포(cells of mesenchymal origin)에서 분화되는데(그림 120-1B) 골모세포의 분화 및 기능에 대한 연구는 파골세포의 경우만큼 많은 연구가 되어 있지 않다. 골모세포의 분화와 기능에는 bone morphogenetic protein (BMP)나 Wnt 신호전달계와 함께 RUNX2, osterix와 같은 전사인자가 중요하며 Wnt 수용체인 lipoprotein receptor-related protein 5 (LRP5)에 결합하여 그 기능을 억제하는 dickkopf-1 (Dkk-1)나 sclerostin에 의해 골모세포 분화와 기능이 억제됨이 알려져 Dkk-1이나 sclerostin을 억제하여 골형성을 촉진하려는 연구가 시도되고 있다. 골모세포로부터 최종적으로 분화되는 골세포는 뼈 세포의 90% 이상을 차지하며 무기질화된 골기질(mineralized matrix)에 산재되어 있다. 골재형성을 유도하는 기전은 명확히 알려져 있지 않으나 물리적 자극(mechanical loading)이나 뼈의 미세손상을 골세포가 인지하여 파골세포와 골모세포를 골재형성이 필요한 부위로 유도한다고 추정된다. Bone

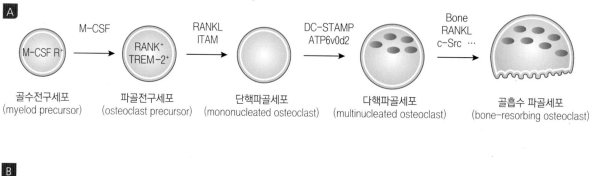

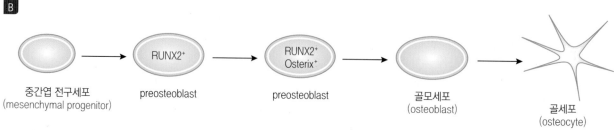

그림 120-1. **파골세포와 골모세포의 분화 (A)** 파골세포는 골수전구세포로부터 RANKL, M-CSF와 TREM-2, SIRP1β, PIR-α, OSCAR 등 co-stimulatory signal 자극에 의해 분화된다. **(B)** 골모세포는 중간엽세포에서 분화되며 RUNX2, Osterix 등이 관여한다.

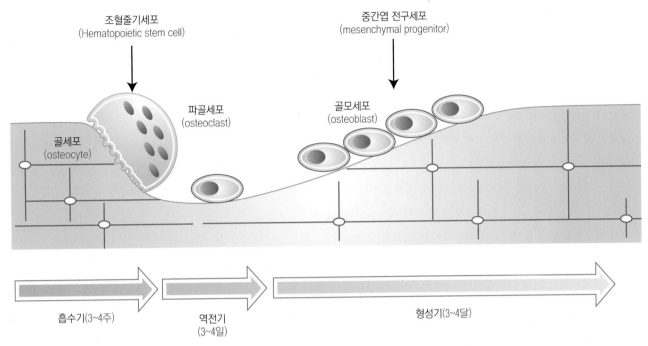

그림 120-2. **골재형성** 골재형성은 6-9개월 동안 일어나며 3-4주간의 골 흡수기, 3-4일의 역전기, 3-4개월간의 골 형성기로 이루어진다.

multicellular unit (BMU)는 파골세포와 골모세포로 구성되며 골재형성이 이루어지는 기본 단위인데 BMU에서 낡거나 손상된 뼈 조직이 파골세포에 의해 골흡수 과정을 거쳐 제거되고 골모세포가 손실된 부위로 이동하여 새롭고 건강한 뼈를 채운다(그림 120-2).

골재형성에 있어 파골세포가 골흡수를 하는 데 필요한 시간은 짧고(수주) 골모세포가 뼈를 형성하는 데 필요한 시간은 길기 때문에(수개월) 골재형성 속도의 증가는 결과적으로 골 손실을 가져온다. 골재형성 증가에 의해 미처 채워지지 않은 뼈 조직의 결손이 발생하고 미세골절이 발생한다.

## 2) 골질의 변화

골절에 대한 저항성에 영향을 주는 요인 중 뼈 조직의 intrinsic material property (microhardness)는 매우 중요한데 골다공증 환자에서 보이는 골재형성의 증가는 골량의 변화와는 독립적으로 intrinsic material property에 부정적 영향을 준다. 골재형성에서 새로 만들어진 골기질이 무기질화되는 데는 시간이 필요하며 따라서 과도하게 증가된 골재형성은 결과적으로 무기질화가 덜된 새로운 뼈의 비율을 증가시켜 골절에 취약하게 만든다. 뼈의 미세구조도 골절에 대한 뼈의 저항성을 결정하는데 골소주(trabeculae)의 수, 크기, 모양 등이 영향을 준다. 폐경기에는 골소주의 수가 감소하고 골소주의 모양이 상대적으로 튼튼한 판 모양(platelike)에서 막대형(rodlike)으로 바뀜이 알려졌으며 골재형성의 증가가 이 같은 미세구조 변화의 원인으로 생각되고 있다. 골다공증에 있어서 증가된 골재형성이 부정적인 골질 변화의 가장 중요한 요인으로 생각된다.

## 3) 에스트로젠

여성에서는 폐경 후 5-7년 내에 전체 골량의 약 12%(골밀도로 1 T-score 정도)의 손실이 있으며 폐경 초기에는 골재형성속도가 폐경 전의 2배가 되고 10-15년 후에는 3배까지 증가한다. 폐경 후 급격한 골손실은 에스트로젠 감소가 주 원인인데 에스트로젠 수용체는 골모세포, 파골세포, 골세포뿐만 아니라 골수간질세포(bone marrow stromal cell), T세포, B세포 등의 다양한 골수세포에서 발현하며 따라서 에스트로젠 감소는 이들 세포의 기능을 변화시켜 뼈에 영향을 준다. 에스트로젠 감소에 의해 새로운 골재형성 부위의 활성화와 함께 골흡수가 증가하고 골형성이 감소하는 불균형이 일어나 골손실이 일어난다. 에스트로젠의 감소는 파골세포의 활성과 수명을 증가시키고 골모세포의 세포사멸을 유도하여 수명을 단축시키며 T세포에 작용하여 골모세포와 파골세포의 분화, 기능, 수명에 영향을 주는 TNF-α, IL-1β와 같은 다양한 염증사이토카인의 생성을 유도한다. 에스트로겐의 감소에 의한 골손실은 주로 소주골(trabecular bone)에 발생하며 따라서 에스트로겐의 감소에 의한 가장 흔한 임상양상은 뼈강도에 소주골이 대부분 기여하는 척추의 골절이다. 폐경 후 여성에서 정상적인 골재형성을 유지하기 위해 필요한 에스트로겐의 농도는 유방이나 자궁을 자극하는 데 필요한 농도보다 낮은 것으로 알려져 있다. 이는 나이에 따라 에스트로겐에 대한 조직의 민감도가 차이가 나는 것에 기인하는데 3개월 된 쥐에서는 자궁이 뼈에 비해 에스트로겐에 잘 반응하지만 6개월 된 쥐에서는 반대로 뼈가 자궁에 비해 민감하게 반응한다. 에스트로겐은 여성뿐만 아니라 남성에서도 최대골량 형성 및 골흡수 억제에 중요한 역할을 하여 에스트로겐 감소는 남성 골다공증 발생과도 밀접한 연관이 있다.

## 4) 칼슘, 비타민D, 부갑상샘호르몬

불충분한 칼슘섭취, 노화나 질환에 따른 장에서의 칼슘흡수 저하, 비타민D 부족은 이차 부갑상샘기능항진증을 유도하고 골재형성 속도 상승과 골흡수와 골생성 사이의 불균형을 초래하여 결과적으로 골손실을 촉진한다. 비타민D 부족과 이차 부갑상샘기능항진증은 골손실을 촉진하는 것 외에도 신경과 근육계에 장애를 일으켜 낙상의 위험을 증가시킨다. 칼슘과 비타민D 결핍의 위험이 높은 노인을 대상으로 한 연구에서 칼슘과 비타민D 공급은 골흡수를 억제하고 골량을 증가시키며 골절률 감소와 함께 낙상의 빈도를 감소시켰다. 또한, 겨울철에 발생하는 계절적인 혈중 비타민D 감소와 부갑상샘호르몬의 증가는 낙상의 증가와는 독립적으로 골절의 증가와 연관 있음이 알려졌다.

## 5) 생활습관

영양결핍, 흡연, 과도한 음주, 활동부족, 저체중 등이 골다공증 및 골절의 발생을 증가시키며 따라서 골다공증 환자의 관리에서 생활습관의 조절은 매우 중요하다. 골격계에 대한 운동의 효과는 성장기에 가장 크며 성인에서는 성장기 청소년에 비해 효과가 상대적으로 감소하나 폐경기 여성을 대상으로 시행된 연구에서 운동이 약 2% 정도의 골밀도 증가와 낙상의 위험을 감소시킴이 보고되었다.

## 6) 질환과 약물

제1형 당뇨병, 쿠싱증후군, 갑상샘기능항진증, 부갑상샘기능항진증 등 내분비질환, 류마티스관절염, 강직척추염 등 류마티스 질환, 다발골수종, 림프종, 백혈병 등 혈액종양질환 등 다양한 질환에서 여러 기전을 통하여 골다공증이 초래된다. 또한 골다공증을 일으키는 것으로 잘 알려진 스테로이드제 외에도 사이클로스포린, 타크로리무스, 헤파린, 페니토인, aromatase 억제제 등의 다양한 약제가 골다공증을 일으킨다.

📖 **참고문헌**

1. 김윤미, 김정환, 조동숙. 골다공증 유병률, 인지율, 치료율 및 영향요인의 성별 비교: 국민건강영양조사 자료(2008~2011년) 활용. 대한간호학회지 2015;45:293-305.
2. 대한골대사학회, 국민건강보험공단. 골다공증 및 골다공증 골절 FACT SHEET 2019.
3. 장선미, 건강보험심사평가원. 골다공증질환의 의료이용 및 약 제처방 양상에 관한 연구. 건강보험심사평가원; 2010. pp. 1-116.
4. 하용찬. 한국 골다공증의 역학. J Korean Med Assoc 2016;59:836-41.
5. Armas LA, Recker RR. Pathophysiology of osteoporosis: new mechanistic insights. Endocrinol Metab Clin North Am 2012;41:475-86.
6. Becker C. Pathophysiology and clinical manifestations of osteoporosis. Clin Cornerstone 2008;9:42-7.
7. Cooper C, Cole ZA, Holroyd CR, Earl SC, Harvey NC, Dennison EM, et al. Secular trends in the incidence of hip and other osteoporotic fractures. Osteoporos Int 2011;22:1277-88.
8. Cosman F, de Beur SJ, LeBoff MS, Lewiecki EM, Tanner B, Randall S, et al. Clinician's Guide to Prevention and Treatment of Osteoporosis. Osteoporos Int 2014 25:2359-81.
9. Iki M. Epidemiology of osteoporosis in Japan. Clin Calcium 2012;22:797-803.
10. Lindsay R, Cosman F. Osteoporosis. In: Longo D, Fauci A, Kasper D, Hauser S, Jameson J, Loscalzo J, eds. Harrison's Principles of Internal Medicine. 19th ed. New York: McGraw-Hill; 2015. pp. 3120-35.

# 121

# 임상증상, 검사소견과 진단

울산의대 **김성수**

- 골다공증 골절의 위험인자를 알고 치료할 환자의 선정에 활용할 수 있어야 한다.
- 골량을 측정하는 방법과 골밀도 결과의 WHO 분류를 알아야 한다.
- 골다공증을 진료하기 위하여 필요한 실험실적 검사를 이해하고 이차성 골다공증의 원인을 열거하여야 한다.
- 생화학적 표지자를 이해하고 그 용도를 알아야 한다.

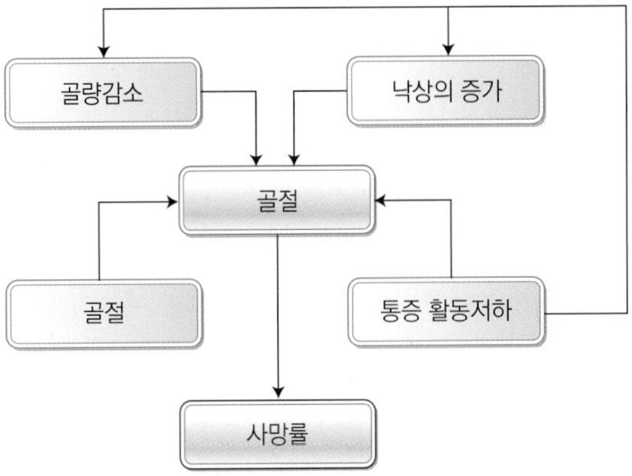

그림 121-1. 골다공증과 골절과의 악순환 고리

## 골다공증의 임상증상

골다공증은 초기에 특별한 증상이 없으므로 병의 진행을 알 수 없어 침묵의 병으로 불린다. 몇 년에 걸쳐 천천히 자신도 모르는 사이에 진행하며 다른 원인 없이 골절이 되어서야 골다공증을 알게 되는 경우가 많다. 골다공증으로 병원을 찾게 되는 가장 흔한 증상은 요통이나 이 경우는 퇴행성 변화 등과 감별이 필요하며 대부분은 증상 없이 골질환의 검사 중 발견된다. 첫 증상이 낙상에 의한 손목 관절의 골절이나, 엉덩이 골절, 척추 압박골절로 나타나는 경우가 많다. 신장의 감소(loss of height), 척추측만증(scoliosis)의 증상이 있는 경우 골다공증에 대한 자세한 검사가 꼭 필요하다. 결국 골다공증이란 골절이 발생될 위험이 크기 때문에 문제가 되는 질환이며, 골절 그 자체뿐만 아니라 골절에 의한 합병증 또한 큰 문제가 된다. 흉추 골절은 제한폐질환이나 심장질환의 원인이 되어 호흡곤란 등의 증상을 일으킬 수 있고, 요추 골절은 만성 요통이나 복부 팽만감, 변비 등의 증상을 일으킬 수 있다. 엉덩관절 골절의 경우는 처음 6개월 이내 일반 인구보다 높은 사망률을 보인다. 골다공증은 결국 골절에 의한 만성통증과 이로 인한 자신감의 상실이나 활동능력 소실, 독립심의 감소, 이와 동반된 불안이나 우울감, 사회활동의 위축으로 삶의 질을 저하시킨다(그림 121-1).

## 진단검사

일반적으로 골다공증을 진단하기 위해 시행하는 검사는 다음과 같다.

- 병력 및 위험인자에 대한 문진
- 단순X선 검사
- 골밀도검사(bone densitometry)
- 혈액검사 등 검사실 검사(laboratory test)

## 1) 병력 및 위험인자에 대한 문진

골다공증에 대한 검사는 대부분 요통이나 골절에 의한 통증이 있는 경우에 진행되나, 위험인자가 있는 경우에는 증상이 있기 전에 검사를 미리 하는 것이 좋다. 최근 이런 골절의 위험인자들이 많이 밝혀지고 있어 신체 검사 및 문진을 자세히 하여야 한다.

### (1) 조절 불가능한 인자

#### ① 골절이나 골다공증의 가족력

골다공증 발생의 중요한 요인인 최대골질량의 경우는 유전적인 요소가 많으며 연구에 따라서는 80%까지도 차이가 난다고 보고되고 있어 골다공증 발생의 가장 중요한 예측인자이다. 또한, 어머니가 골절 병력이 있는 여성의 경우 일반인에 비해 골량이 감소하고 골절의 위험이 증가한다.

#### ② 골절 병력

이전에 골절의 병력이 있을 경우 골절이 재발할 확률이 2배 이상 높으며, 2개 이상의 골절이 있었던 경우에는 10배 이상 위험이 증가한다.

#### ③ 여성

유전적으로 남성에 비해 골손실이 빠르며, 특히 폐경이 되면 에스트로겐 분비가 줄어들어 골다공증의 위험이 증가하게 된다.

#### ④ 나이

가장 직접적으로 골밀도와 관련이 높은 위험인자이며, 나이의 증가에 따라 골다공증의 위험이 급격히 증가한다.

### (2) 조절 가능한 인자

#### ① 흡연

정확한 기전은 알려져 있지 않으나 섭취하는 음식물에서의 칼슘의 흡수를 저해하는 것으로 알려져 있으며, 비흡연인에 비해 골절의 위험이 2배 이상 높다.

#### ② 저체중

저체중의 정의는 연구에 따라 조금씩 다르지만, 58 kg 이하 또는 65세 이상 여성 중 체중이 하위 25% 이하인 여성으로 정하는 것이 일반적이다. 저체중은 골량을 결정하는 가장 중요한 인자이며 저체중일수록 엉덩관절 골절의 위험도가 증가한다. 이는 여성뿐 아니라 남성에게도 같은 영향을 준다.

#### ③ 에스트로겐 결핍

45세 이전에 시작된 조기 폐경이나 난소 절제술을 받은 경우 골다공증이 증가한다. 이는 폐경 이후 골흡수를 억제하는 여성호르몬인 에스트로겐 분비가 급격히 감소하여 골흡수를 증가시키기 때문이다. 그러므로, 폐경 후 기간이 길어질수록 골다공증의 위험은 증가한다.

#### ④ 칼슘 섭취 부족

지속적으로 칼슘 섭취가 부족한 경우에는 부갑상샘호르몬 농도가 증가하여 뼈에서 칼슘을 빼내 골흡수를 증가시키게 된다. 특히 유아기와 청소년기의 칼슘 섭취가 최대골질량을 결정하는 중요한 요인으로 여성뿐 아니라 남성의 골다공증에도 큰 영향을 준다.

#### ⑤ 과도한 음주

적당한 음주는 골밀도를 증가시키는 것으로 알려져 있다. 그러나, 과도한 음주는 비타민D 부족, 낮은 칼슘 흡수와 영양결핍으로 인한 저체중, 간 손상, 낮은 에스트로겐 농도 같은 성호르몬 이상을 일으켜 골밀도가 감소하고 골절이 증가한다. 이는 남성뿐 아니라 여성에게도 동일하게 나타난다.

#### ⑥ 불충분한 활동

적당한 강도의 운동은 골모세포를 자극하여 골질량을 증가시킨다. 특히 폐경 후에는 골손실을 줄이는 데 중요하며, 뇌졸중이나 척추 손상 후 마비 등 다른 질병으로 인하여 신체 활동의 제한이 있는 경우에는 급격한 골손실이 진행되므로 골다공증에 대한 검사 및 예방이 꼭 필요하다.

### (3) 이차성 골다공증

문진상 다른 질환이 있는 경우 골다공증의 위험이 증가하는 질환인지를 판단하고 적극적인 검사를 해야 한다. 이러한 질환으로는 부갑상샘기능항진증, 갑상샘기능항진증, 당뇨, 생식샘저하증, 류마티스관절염, 강직척추염, 간기능 부전, 염증장질환, 위절제술, 혈액학적 신생물(hematologic malignancy) 등의 질환이며 이 경우 적극적인 검사와 치료가 필요하다.

### (4) 약물

환자가 복용하고 있는 약물에 대해서도 자세한 문진이 필요하다. 여러 약제들이 골다공증을 유발하나 가장 대표적인 약물은 당질부신피질호르몬이며 골다공증의 정도는 사용된 용량과 기간이 중요하다. 이 경우 글루코코티코이드유발골다공증(glucocorticoid-induced osteoporosis, GIOP)이라고 진단하며 보다 적극적인 치료를 권장하고 있다. 갑상샘자극호르몬(thyroxine), 항간질제의 장기간 복용도 골다공증을 유발하는 것으로 알려져

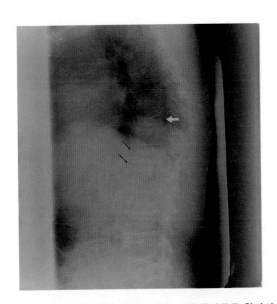

**그림 121-2. 여러 개의 압박 골절이 있는 심한 골다공증 환자의 측면 단순 방사선 소견** 심한 압박 골절로 인해 함몰되어 간격이 좁아짐(굵은 화살표), 압박 골절로 인한 쐐기 모양의 기형을 보여줌(화살표)

있다. 또한, 항응고제인 헤파린(heparin), 쿠마딘(coumardin)도 골다공증을 악화시키므로 심장질환이나 뇌졸중 같은 질환이 있는 환자의 문진 시 복용 여부를 자세히 알아보는 것이 좋다.

### 2) 단순 방사선검사

단순 방사선검사로는 골밀도가 30-40%까지 감소하여야 골다공증을 진단할 수 있어 조기진단에는 도움이 되지 않으나, 골절 동반 여부를 확인할 수 있으며 변형의 여부도 판단하기 쉽다. 또한, 압박 골절이 있는 경우에 해당 척추의 골밀도가 높게 측정되므로, 첫 진단 시 그리고 통증이 동반되는 경우에는 꼭 시행하여야 한다(그림 121-2).

### 3) 골밀도검사

골밀도검사(bone densitometry)는 골다공증의 진단과 치료 효과 평가에 있어 다른 검사에 비해 객관적으로 정량적인 정보를 주기 때문에 가장 중요한 검사이다. 그러므로 앞에서 언급한 골다공증의 위험인자가 있는 경우 골밀도 검사를 정기적으로 하도록 권장되고 있다. 그 중에서 미국 FDA가 승인한 골밀도 측정의 적응증은 다음과 같다.

(1) 골다공증의 위험이 있는 에스트로겐-결핍 여성

(2) 방사선검사에서 골다공증이 의심되는 환자(골절 및 골감소증)

(3) 프레드니손 7.5 mg 이상에 해당되는 글루코코티코이드를 3개월 이상 사용할 경우

(4) 일차부갑상샘기능항진증

(5) 골다공증 약제 투여 후 반응 추적하는 경우

(6) 골밀도검사 시행 후 23개월이 지난 경우

골밀도 검사의 종류에는 방사선흡수법(radiographic absorptiometry, RA), 이중에너지방사선흡수측정(dual energy X-ray absorptiometry, DXA), 정량컴퓨터촬영(quantitative CT, QCT), 정량골초음파 측정법(quantitative US, QUS), 정량자기공명영상(quantitative MR, QMR) 등이 있다. 여러 검사 방법 중 이중에너지방사선흡수측정이 검사시간이 짧고 방사선 피폭량이 단순 흉부촬영의 50분의 1으로 매우 적으며 골절이 많이 발생하는 척추와 대퇴골 부위를 직접 평가할 수 있고, 정확도와 정밀도가 높아 골다공증 진단에 표준 검사법으로 되었다. 검사 부위는 요추

표 121-1. 골밀도 T-score를 이용한 골감소증/골다공증의 진단(WHO classification)

| 분류 | T-score |
| --- | --- |
| 정상 | ≥- 1.0 |
| 골감소증(osteopenia) | -1.0~-2.5 |
| 골다공증(osteoporosis) | ≤-2.5 |
| 심한 골다공증(severe osteoporosis) | ≤-2.5 and fracture |

와 대퇴부로 요추는 L1-L4까지를 측정하고 대퇴골의 경우는 대퇴골 전체와 대퇴골 경부를 측정하는 것이 표준이다. 손목이나 발꿈치 등을 측정하는 것은 간단하고 비용도 저렴하지만 정확하지 않아 골다공증의 진단에 사용되지 않는다. 골밀도는 g/cm²으로 나타내는데 결과는 T-score와 Z-score로 표시된다. Z-score는 같은 성별, 연령대의 평균 골밀도에 비해 표준 편차가 얼마나 변화가 있는지를 알려주며, 소아 및 폐경 전 여성의 골다공증 진단에 사용된다. T-score는 최대골질량을 나타내는 20-30대의 연령대에서 측정된 평균 골밀도와 비교로 일반적인 골다공증 진단에 사용된다.

이 중 요추의 T-score는 압박 골절, 퇴행 변화, 대동맥의 석회화 등에 의해 오차가 발생할 수 있으므로 이 경우 해당 요추는 제외하고 판정한다(그림 121-3).

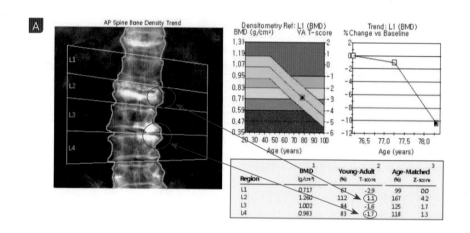

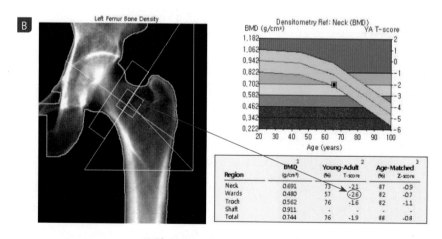

그림 121-3. 골밀도검사 결과의 예시

(A) 요추
- 2번째 요추(L2)는 골다공증에 의한 압박골절로 인해 골밀도가 높게 측정되어 주변의 골밀도와 많은 차이를 보인다.
- 3번째-4번째 요추(L3-L4)는 퇴행성 변화에 의한 골극(osteophytes)으로 인해 실제 골밀도보다 증가되어 보인다.
(B) 대퇴부에서는 해면골이 풍부한 Wards 삼각이 가장 낮은 골밀도를 보이는 경우가 많으나, 범위가 작은 탓에 정밀도가 낮아서 진단 목적으로는 사용하지 않는다.

## 4) 골밀도 측정의 발전

### (1) 소주골점수

소주골점수(trabecular bone score, TBS)는 DXA로 촬영된 2차원 영상을 분석하여 해면골의 3차원적 미세구조를 정량적으로 분석할 수 있고, 이로부터 골질과 골절의 위험도를 평가하는 방법이다. 같은 BMD 값을 보이는 환자라도 다른 TBS 결과로 나타나는 것을 알 수 있으며, 골절위험에도 차이가 있을 것을 짐작할 수 있다. TBS가 1.350 이상이면 정상이며, 1.200 이하이면 감소로 판단한다. 2019년 ISCD에서 TBS는 폐경기 여성에서 척추, 골반 및 주요 골다공증성 골절 위험과 관련이 있으며, 50세 이상 남성의 엉덩관절 골절 및 주요 골다공증성 골절 위험과 관련이 있다고 하였다. 그러나, 골다공증 치료 여부를 결정하기 위해 TBS를 단독으로 사용할 수는 없으며, 골다공증 치료의 반응 모니터링에 사용한다. 특히, osteo-anabolic therapy의 모니터링에 유용하다고 알려져 있다.

## 5) 검사실 검사

골다공증을 진단하기 위한 검사실 검사는 아직 확립된 검사 방식은 없다. 혈액검사는 전혈구 검사, 혈청 칼슘, 무작위 또는 24시간 소변 칼슘, 신기능, 간기능 검사를 한다. 또한, 이차성 골다공증을 확인하기 위해 하며 적응증이 있는 경우 갑상샘자극호르몬(TSH), 성호르몬(에스트로겐, 테스토스테론), 부갑상샘호르몬, 비타민D[혈청 25(OH)D]를 측정한다. 다른 검사실 검사로 골다공증 치료에 대한 반응을 추적할 수 있는 골대사지표가 있다 골대사지표는 골생성과 골흡수의 변화로 측정하여 특정 시기에서 골전환율을 알 수 있다. 하지만, 임상적으로 사용될 만큼 충분히 예측하지 못하는 경우가 많아 골다공증을 진단할 수는 없어서, 임상에서 많이 시행되지는 않지만 골흡수억제제 치료의 효과를 추적하는 데 주로 사용된다. 일반적으로 골흡수억제제를

표 121-2. 골대사지표

|  | 혈청검사 | 소변검사 |
|---|---|---|
| 골형성 | 뼈특이 알칼리성인산염분해효소(bone-specific alkaline phosphatase)<br>오스테오칼신(osteocalcin)<br>프로콜라겐 1형 프로펩티드(PINP) | |
| 골흡수 | 교차 연결 아미노말단텔로펩티드(N-terminal cross-linking telopeptide)<br>교차 연결 카르복시말단텔로펩티드(C-terminal cross-linking telopeptide) | 교차 연결 아미노말단텔로펩티드(N-terminal cross-linking telopeptide)<br>교차 연결 카르복시말단텔로펩티드(C-terminal cross-linking telopeptide) |

표 121-3. WHO 연구에서 골절의 절대 위험도 평가에 이용된 위험인자

| 연령, 성별, 대퇴부 경부 골밀도 외 다음 위험인자 | | | | |
|---|---|---|---|---|
| 위험인자 | 골밀도 검사 없음 | | 골밀도 검사 있음 | |
| | RR | 95% CI | RR | 95% CI |
| BMI (20 vs. 25 kg/m²) | 1.95 | 1.71~2.22 | 1.42 | 1.23~1.65 |
| (30 vs. 25 kg/m²) | 0.85 | 0.69~0.99 | 1.00 | 0.82~1.2 |
| 50세 이후 골절 병력 | 1.85 | 1.58~2.17 | 1.62 | 1.30~2.01 |
| 대퇴골 골절의 가족력 | 2.27 | 1.47~3.49 | 2.28 | 1.48~3.51 |
| 흡연 | 1.84 | 1.52~2.22 | 1.60 | 1.27~2.02 |
| 음주(>3단위/일) | 1.68 | 1.19~2.36 | 1.70 | 1.20~2.42 |
| 당질부신피질호르몬 사용 | 2.31 | 1.67~3.20 | 2.25 | 1.60~3.15 |
| 류마티스관절염 | 1.95 | 1.11~3.42 | 1.73 | 0.94~3.20 |

투여하기 전과 투여 후 4-6개월 사이에 골흡수표지자를 측정하면 골밀도 검사의 변화보다 훨씬 빨리 약제 반응을 평가할 수 있어 치료의 방향을 정하는 데 도움이 된다.

IOF (International Osteoporosis Foundation, 국제골다공증재단)에서는 표준 골형성표지자로는 N-terminal propeptide of type 1 collagen (PINP)를, 표준 골흡수표지자로는 C-terminal cross-linking telopeptide를 측정할 것을 제안하였다(표 121-2).

## 6) 세계보건기구 연구에서 골절의 절대 위험도 평가

세계보건기구(WHO)에서 골절의 절대 위험도 평가 방법을 제시하였다. WHO 연구에서 12개의 전향적 코호트(cohort) 연구 결과를 분석하여 절대 위험도를 평가하여 2007년에 보고서를 제출하였다(표 121-3).

그리고, 그 보고서를 바탕으로 FRAX® (WHO 골절 위험도 예측 프로그램)이 만들어졌다(그림 121-4). FRAX® 알고리즘을 이용하면 10년 내 대퇴골 골절 및 주요한 골다공증성 골절 위험도를 예측할 수 있다.

약물 복용 기간이나 용량 여부 등의 위험 요소가 포함되어 있지 않고, 엉덩관절 골절과 주요 골절만 평가가 가능하다는 제한점도 있지만, 골밀도 검사와 함께 상호 보완적으로 골다공증 진단 및 치료의 평가에 사용되고 있는 추세이다.

### 참고문헌

1. 대한 골대사학회 지침서편찬위원회. 골다공증 진료지침(Physician's Guide for Osteoporosis). 2020.

2. John A Kanis, WHO Fracture Risk Assessment Tool (FRAX). [Available from] http:// www.shef.ac.uk/FRAX.

3. Nancy E. Lane. Metabolic Bone Disease. In: Firestein, Gary S, eds. Kelley's Textbook of Rheumatology. 10th ed. Philadelphia: Saunders; 2017. pp. 1730-50.

4. National Osteoporosis Foundation. Clinician's guide to prevention and treatment of osteoporosis. Washington, DC: National Osteoporosis Foundation; 2008.

5. Rosen CJ. Clinical practice. Postmenopausal osteoporosis. N Engl J Med 2005;353:595-603.

6. Thomas J. Weber, Osteoporosis. In: Lee Goldman, eds. Cecil Medicine. 25th ed. Philadelphia: Saunders; 2016. pp. 1637-45.

7. U.S. Preventive Services Task Force. Screening for osteoporosis: U.S. preventive services task force recommendation statement. Ann Intern Med 2011;154:356.

8. WHO publication - Kanis JA, on behalf of the World Health Organisation Scientific Group. Assessment of osteoporosis at the primary health care level. WHO Collaborating Centre for Metabolic Bone Diseases, University of Sheffield, 2007.

그림 121-4. FRAX® (WHO 골절 위험도 예측 프로그램) 대한민국(http://www.shef.ac.uk/FRAX)

# 122

# 류마티스 질환과 골대사

인하의대 **박원**

## 류마티즘과 골대사

### 1) 류마티즘에서 골대사 이상

류마티스 환자들에서의 골다공증 진료의 원칙은 일반인구와
크게 다르지 않으나 염증에 의한 골파괴, 이차적인 골과형성, 근
골격계의 강직 및 약화로 인한 낙상 및 골절의 위험 증가, 약물에
의한 골 대사의 변화 등이 추가로 고려되어야 한다.

일반 인구 특히 폐경 후 여성에서 발생하는 골다공증은 우리
나라 보험제도에서는 경증질환으로 구분되어서 일차의료 진료
가 권장된다. 특히 2017년 미국의사회(American College of Phy-
sician, ACP)의 골다공증 지침을 보면, 일반 남녀의 경우 골다공
증의 치료는 경구 비스포스포네이트(bisphosphonate, BP)는 5년,
주사제 BP의 경우는 3년간 사용함을 권장하고 있으며, 또한 약
물치료를 하는 동안 5년간 골밀도검사 추적을 하지 않도록 하고
있다. 또한, 일단 골밀도가 정상인 여성은 대부분 15년간 골다공
증으로 진행하지 않으니 잦은 골밀도 측정을 하지 않도록 권고
하였다. 이런 최근의 경향으로 인해 일반인의 골다공증 치료는
약간 소극적으로 변하고 있는 실정이다.

이러한 사실을 고려할 때 골 및 관절의 파괴가 생기고, 불가
피한 치료제가 더욱 골대사에 불리하게 작용하거나, 골다공증뿐
아니라 낙상의 위험도 커지는 근골격질환을 앓고 있는 류마티스
질환에서 골대사의 문제는 일반인구에서와는 다르며, 류마티스
환자들에게 골다공증을 예방하고 치료하는 것이 일반인구에서
의 치료보다 점점 더 비중이 커질 수밖에 없다 하겠다.

이런 관점에서 2020년 발표된 미국의 2개 내분비학회(Amer-
ican Association of Clinical Endocrinologists, AACE/American
College of Endocrinology, ACE)의 'Clinical Practice Guidelines
for the Diagnosis and Treatment of Postmenopausal Osteoporo-
sis-2020 Update'는 오히려 류마티스 질환에서 그 의미가 더 크
다 하겠다. 주요한 새로운 내용을 살펴보면 골다공증 진단에 있
어서 그 동안의 WHO 기준에 더하여 골밀도와 무관하게 저충격
(fragility fracture, 일상 선 자세에서 넘어지는 정도 또는 정상인에
서는 골절이 생기지 않을 정도의 힘에 의한) 골절이 척추나 대퇴
에 있는 경우에 골밀도가 정상인 경우에도 골다공증이라 진단하
고, 골밀도가 -1.0과 -2.5 T값 사이에 있는 환자도 윗팔뼈, 원위부

아래팔뼈 및 골반의 골절이 있거나 FRAX 위험도가 높은 경우를 골다공증에 포함하고 있다. 다음으로 골절의 고위험군에서 특히 위험이 높은 환자들을 초고위험군으로 추가 분류하였다. 특히 류마티스관절염을 앓는 환자들은 초고위험군에 포함되는 경우가 많을 것이다. 초고위험군에서는 초기치료제의 선택이 다르고 치료의 기간도 더 길게 추천되었다. 또한 최근의 새로운 골형성 촉진 치료약제 개발에 따른 양동(dual-action)치료법과 약물의 이행(transition)치료법이 소개되었는데 상세한 내용은 아래의 골절 위험 및 치료 부분에서 상세히 설명하고자 한다.

각각의 류마티스 질환은 그 특성에 따라 골대사의 임상적 양상이 다르며, 골다공증이 심한 경우도 있지만 반대로 골다공증이 일반인에 비하여 적게 일어나는 질환도 있으며, 골다공증과 반대로 골형성이 과다하여 생기는 질환도 있다. 물론 골대사에 의미있는 영향을 끼치지 않는 질환도 있다. 그러므로 질환에 따라 또한 질환의 진행 정도에 따라 골대사 이상의 기전과 빈도와 정도 및 치료가 다를 수 있다.

류마티스관절염이나 강직척추염에서 전신적으로 골다공증과 골절이 흔하다는 것은 잘 알려져 있다. 전신홍반루푸스에서는 50세 이하의 여성에게서도 골다공증과 골절의 위험이 높으며, 루푸스나 다발근염 및 피부근염에서는 근육의 염증으로 인해 근육감소(sarcopenia)가 급격히 심하게 올 수 있어 골다공증과 낙상의 위험 모두가 가중된다. 그 외 전신경화증 등 여러 류마티스 질환에서도 골다공증 및 골절이 많이 일어나는 것으로 여겨진다. 이는 질환 자체의 문제이기도 하며 치료나 질환의 합병증에 기인하기도 한다.

한 연구에 의하면 미국의 일반인구를 대상으로 조사하여 본 결과, C반응단백질의 농도와 몸통(trunk)과 요추의 골밀도가 반비례하였으며, 이는 나이, 인종, 운동, 흡연, 음주, 호르몬치료 등과 무관하였다. 그러므로 염증은 그 자체로 전신 골밀도를 감소시키는 것으로 여겨진다.

한편 류마티즘은 골다공증이나 골절이 아니더라도 근골격계의 염증과 병적 변화(pathology)가 일어나는 질환들이 많다. 그 예로 류마티스관절염에서는, 관절 경계부위 관절미란(marginal joint erosion), 관절주위 골 감소, 골수부종(MRI에서는 부종으로 보이나 조직검사에서는 염증) 등이 있다.

특이하게 척추관절염(강직척추염, 반응관절염, 건선관절염 등)이나 퇴행관절염(골관절염, 미만특발뼈형성과다증; DISH)은 그 국소 병변에는 골형성이 과다하여 척추강직과 관절에 골극을 각각 형성하며, 척추관절염에서는 특이하게 전신적인 골다공증과 역설적인 국소 과다 골형성이 나타난다. 그러나 아직 그 차이의 기전에 대한 연구는 부족하며, 그러므로 이런 질환의 특이적 치료는 아직 많은 연구가 필요하다.

또한, 골관절염은 골다공증과 무관하고, 특이하게 혈중 요산 농도가 높으면 요추나 대퇴 및 전신골밀도가 높아 고요산혈증을 가진 이들은 골절의 위험도도 낮을 것으로 여겨진다.

## 2) 류마티즘과 골절 위험 및 골다공증의 진단

골다공증은 그 자체로 통증이나 기능장애 기형 등의 증상이 없다. 그러므로 골다공증의 진단과 치료의 목적은 골절을 예방하는 것이라는 것은 두말할 것 없다. 즉 부러진 뼈를 치료하는 것이 아니고 미래의 골절을 예방하는 것이 골다공증 치료인 것이다.

'골절 예방 치료'는 골절의 위험도를 예측하여 그 위험도가 높은 사람을 가려내어 골절의 예방적 치료를 하는 것이다. 골다공증은 그 자체 자각증상이 없이 골절이 되어야 비로소 통증 등의 증상이 생기는 것이다. 엄밀히 말하면 골다공증을 가진 사람은 환자라기보다는 '골절 환자'가 될 가능성이 높은 사람인 것이다. 이런 점에서 대부분 류마티즘을 앓고 있는 환자들은 일반 인구보다 골절의 위험도가 훨씬 높은 사람들이라고 할 수 있다.

현재까지 여러 가지 많은 골절 예측인자 중 골밀도가 가장 중요한 요인 중 하나인 것은 사실이다. 그렇지만 그런 이유로 우리나라의 의료보험 기준은 아직도 골밀도에 의해서만 골다공증을 진단하고 있고, 치료의 급여 판단에도 전적으로 골밀도에 의존하고 있으며, 기타 국제적인 공인을 받은 주요 위험요소들을 고려하고 있지 않는 것은 문제가 있다. 그러므로 최신의 국제적 동향에 뒤떨어져 있다. 스테로이드(글루코코티코이드)에 의한 골다공증 기준이 최근 추가되어 있으나 이 또한 골밀도 의존적이며 글루코코티코이드 용량을 줄일 때 급여 기준이 애매한 부분이 있어 적용이 어렵다. 또한 보험 급여되는 약제가 2021년 현재까지 알렌드로네이트, 리제드로네이트, 졸레드로네이트 등에 국한되어 있다. 사실 국제적으로 골밀도 이외에도 골강도나 골절의 위험을 예측하는 인자들이 이미 많이 알려져 있고 위에서 언급한 대로 이미 오래 전부터 골밀도 없이도 골다공증을 진단하고 치료하는 것이 국제적으로 일반적인 추세이다. 그러므로 우리나라의 골다공증 치료 기준 및 의료보험인정기준에 국제적 기준인 FRAX를 도입하는 것이 필요하다 할 것이다. 추가로 최근에는 DXA (dual energy X-ray absorptiometry) 검사를 할 때 얻어지는 소주골점수(trabecular bone score, TBS)가 독립적인 골절의 예측인자이고 이를 FRAX에 적용되는 것이 국제적인 추세이므로 우리나라도 이를 도입하는 것이 바람직하다 할 것이다. 앞에서 소개된 바 FRAX의 위험인자 중에서 글루코코티코이드를 복용하였던 경력과 류마티스관절염 및 그 외 이차 골다공증의 위험 요소 등은 대부분 류마티즘 환자들이 가지는 주요 골절 위험요소이다. 그 외에도 류마티스 환자들은 관절의 염증 및 퇴행 변화 또는 골절이나 골격의 기형 및 수술의 흔적으로 중심골밀도 측정이 용이하지 않은 경우가 많다. 이런 경우 즉, 요추나 대퇴골 경부, 전체 대퇴골에서 중심골밀도를 측정하기 어려우면 진단 및 치료 추적 검사를 위해 요골 1/3을 대신 사용하는 것이 AACE/ACE 가이드라인이며 ISCD (The International Society for Clinical Densitometry)의 오랜 입장이다. 그러나 국내에서는 아직 부득이하게 요골 1/3의 골밀도를 측정한 경우에도 6개월의 치료만 허용하고 추적 검사는 허용하지 않고 있어 치료 공백에 의한 아쉬움이 많다.

골밀도 측정 시에도 류마티스 질환자들은 엉덩관절 및 주위에 관절염이나 골절 등으로 변형, 석회화 및 수술에 의해 측정이 어려운 경우가 발생하므로 처음 골다공증을 진단할 때 양측 대퇴골을 측정해 두어야 추적 검사 시 용이하다.

또한, 2020년 AACE/ACE 가이드라인에 의하면 (1) 최근의 골절(예를 들어 12개월이내), (2) 다발골절, (3) 공인된 골다공증 치료를 하는 중에 골절, (4) 근골격에 불리한 약(글루코코티코이드 등)을 복용하는 중에 발생한 골절, (5) T-score가 -3.0보다 낮은 경우, (6) 넘어질 위험이 크거나 낙상으로 상해를 입은 기왕력이 있는 경우, (7) FRAX 10년 골절위험도가 주요 골절 위험이 30%를 초과하거나 대퇴골절 위험도가 4.5%를 초과하는 경우는 초고위험군으로 분류하였다.

또한, 저자들이 연구한 바에 의하면 국내 한 류마티즘 센터에서 234명의 폐경 이후 여성 및 50세 이상 남자 혈청양성 류마티스관절염 환자들을 대상으로 우리나라 보험급여기준(HIRA

guidelines), NOF (National Osteoporosis Foundation; 미국골다공증재단) 그리고 FRAX (WHO 골절위험도 평가)를 기준으로 하여 각각의 치료 적응증 해당 유무를 평가하였다. 그중 52%가 이 WHO 기준으로 골다공증이었다. 또 전체 환자의 골절의 10년 위험도(FRAX)는 주요골절(major osteoporotic fractures) 위험도가 평균 13%이었고 대퇴골골절 위험도는 평균 3.5%였다. 또 FRAX는 126명(54%)을, NOF guidelines은 151명(65%)을 치료 적응증에 포함하고 있었다. 우리나라 보험기준으로도 130명(56%)이 치료기준에 적합하였다. 이렇게 세가지 기준들이 유사한 정도의 치료 적응증을 보이며 혈청양성 류마티스관절염 환자들은 대개 절반 이상이 치료를 요하는 골다공증을 앓고 있음을 알 수 있었다. 더욱이 류마티스관절염 환자들은 추가적으로 골절의 위험이 크다는 것을 감안하면, 방사능 노출이 적지 않게 발생하고 고가의 장비를 요하는 골밀도 측정만 맹목적으로 매년 반복하도록 고집하지 말고 골절위험인자 평가 즉 FRAX를 먼저 측정 후 치료의 필요성이 확실치 않은 환자들에서만 골밀도 검사를 필수로 하도록 하여야 할 것이다.

그 외 류마티즘 환자들은 특수한 위험인자들을 가지고 있다. 즉 근력이 감소되는 환자나, 정상적인 거동이나 자세가 어려운 환자, 소화 흡수력이 감소된 환자, 염증성 물질 즉 C반응단백질이 높은 환자들은 그 자체로도 골절의 위험도가 높아진다. 염증 사이토카인 중 인터루킨(interleukin, IL)-6, 종양괴사인자(tumor necrosis factor, TNF), RANKL과 prostaglandin 등과 류마티스 질환 치료제로 쓰이는 면역억제제나 세포 독성물질 등도 골절의 위험을 높일 수 있다.

그 결과 류마티스관절염을 앓는 환자는 낙상을 많이 당하고 이는 흔히 골절 등 심각한 외상으로 이어진다는 보고가 있다. 한 연구는 일 년 동안 535명이 598번 낙상을 하고 이는 나이와 성별에 상관이 없었다. 삼분의 일 이상의 환자에서 엉덩관절, 무릎, 발목 등의 관절이 무너지면서 넘어지고, 넘어진 경우 반수 이상에서 중등도 이상의 외상을 입으며 이들 중에는 머리를 다치거나(527명) 골절이 되는(226명) 경우도 꽤 있다 한다.

많은 류마티스 환자들은 평소에 근육통, 요통, 관절통 등 통증을 호소하므로 낙상이나 급성의 통증시에는 영상검사를 시행하여 숨어있을 수 있는 골절을 확인하는 것이 좋다.

검사실 검사도 골다공증의 진단과 치료 및 추적관리에 중요하다. 특히 이차적인 골다공증이 많은 류마티스환자들에게는 혈청 검사로 적혈구침강속도, C반응단백질, 전체혈구계산, 칼슘 및 인, 전해질, 알칼리성인산염분해효소(alkaline phosphatase), 비타민D [25(OH)D], 갑상샘 및 부갑상샘호르몬, 신사구체여과율, 골흡수표지자(예: 혈청 CTX, C-terminal telopeptide of type I collagen)와 골형성표지자(예: 혈청 PINP, N-terminal propeptide of type 1 collagen) 중 각각 하나를 골대사표지자로 측정할 것이 권유된다.

## 3) 류마티즘 환자에서 골다공증의 치료

먼저 51세 이상 여성들에서 하루 칼슘 권장량은 1,200 mg이다. 하루 1,500 mg 이상을 보충제로 투여한 연구에서 사망률이 높게 보고되었으므로 너무 많이 투여하지 말아야 한다. 따라서 칼슘 보충제로 하루 500-1,000 mg을 보충해주는 것이 좋다. 그런데 류마티스 환자들 중 위산분비 억제제나 장기간 프로톤펌프 억제제(proton pump inhibitor)를 사용하는 환자들은 칼슘 흡수가 감소됨을 고려하여야 한다.

거동 불편 등으로 일조량이 적거나 전신홍반루푸스로 자외선을 피해야 하는 환자 및 장내 영양분 흡수가 감소되는 전신경화증, 염증장질환 환자, 고령 및 3-4기 신장기능저하자 등의 환자들에게는 비타민D도 보충하여야 하는데, 하루 700-800 IU 보충이 대퇴 및 비척추골절을 줄이는 것으로 알려져 있다. 이때 비타민D의 혈중 농도는 30-50 ng/mL 정도로 유지하는 것이 권장되며 적정 농도를 유지하기 위하여 하루 1,000-4,000 IU를 필요로 할 수도 있다. 그러나 혈중 비타민D 농도와 무관하게 고농도의 비타민D를 월별이나 일년 단위로 고용량을 공급하는 것은, 무작위배정 위약대조 임상시험(randomized controlled trial)에서 낙상이나 골절의 위험이 오히려 커지는 것으로 알려져 있으므로 단속적인 고용량의 보충보다는 꾸준히 매일 정량을 보충하는 것이 권장된다.

류마티즘을 앓고 있는 환자들에서는 일반인구에서의 치료와 조금 달리 초기 약제의 선택 및 그 치료의 기간이 다를 가능성이 크다. 혈전의 위험이 있거나 여성에서 많이 발생하는 류마티즘을 앓고 있는 환자들에게 여성호르몬제를 투여하는 것은 주의가 필요하다. 특히 류마티즘을 앓고 있는 환자들에서는 골밀도뿐 아니라 과거 골절의 병력이나 골절의 위험도를 평가하여 조기에

골다공증 치료를 추가하는 것이 좋다. 특히 2020년 AACE/ACE의 CPG (Clinical Practice Guideline)에 따른 위험도의 분류를 보면 류마티스 질환자들이 새로이 분류된 초고위험도군에 속할 가능성이 크다. 즉 이들 초고위험도군 환자들은 초기 치료제의 선택과 치료의 기간이 일반 고위험 환자들과 다르다.

일반적으로 골절 고위험군에서는 경구 BP를 5년 그리고 주사 BP는 3년을 사용하고 나면 약물휴지기를 권하지만 초고위험군에서는 각각 길게는 10년과 6년 사용을 권하고 있다. 물론 골밀도 T-score가 -2.5 이하이거나 골절이 발생한 경우는 치료를 더 계속한다. 이렇게 약물 휴지기에도 골절이 생기거나 골밀도가 의미 있게 낮아지는 경우는 다시 치료를 해야 한다. 그리고 초고위험군은 이 약물 휴지기 때 BP가 아닌 다른 약물을 사용할 수 있다.

또한, 골다공증 치료제 선택에 있어서도 기존의 류마티즘을 위해 복용하고 있는 치료약제도 많으므로 약제의 선택을 환자의 골밀도가 낮은 부위별 약제의 효능, 약물상호작용, 부작용 상승, 약물의 이행(transition therapy) 시 불리한 점, 환자의 약물순응도 등을 고려하여야 한다.

허가된 골다공증 약제 중 대퇴골, 비척추골절, 척추골절 모두의 감소효과를 보이는 약제는 알렌드로네이트(alendronate), 리제드로네이트(risedronate), 졸레드로네이트(zoledronate), denosumab 등이 있으며 이들은 일반적으로 고위험군에서 초기 치료를 시작하기에 무난한 약제들이다. 초고위험군에서는 졸레드로네이드, 데노수맙, teriparatide, romosozumab 그리고 아직 국내 소개되지 않은 abaloparatide 등이 초기 치료제로 추천된다. 그리고 주목할 점은 이반드로네이트(ibandronate)나 랄록시펜(raloxifene)은 척추 골밀도 증가에만 그 효과가 증명되었다는 점이다.

최근 골다공증 치료 임상연구의 결과를 보면, 골형성촉진제(teriparatide, abaloparatide, romosozumab) 등을 먼저 사용하고 골흡수억제제인 졸레드로네이트나 denosumab을 뒤이어 사용하면 그 반대의 순서보다 효과가 훨씬 더 좋다는 것이 잘 알려졌다. 이런 순차적인(sequential) 또는 이행(transition) 치료법은 특히 초고위험군에서 권장되고 있다. 그러나 이런 AACE/ACE 가이드라인과는 달리 우리나라 보험기준은 그 순서를 반대로 골흡수억제제를 사용한 후에 효과가 부족한 경우에만 골형성촉진제 급여를 인정한다. 그 급여기준에는 '효과가 없는 경우'란 골흡수억

제제를 1년 이상 충분한 투여에도 불구하고 새로운 골절이 발생한 경우를 의미한다고 되어 있어 아쉬운 점이다.

일반적인 주의사항으로 전신홍반루푸스 등 여성호르몬이 바람직하지 않은 질환들에서는 여성호르몬 치료는 꼭 필요한 경우로 한정해야 하며, 항인지질항체나 그 외 심혈관위험이 있는 환자, 거동이 불편하여 운동을 하지 못하는 등 혈전의 위험이 있는 환자에서 여성호르몬제나 SERM(선택에스트로겐수용체조절인자) 제제의 투여도 주의해야 한다. 와중인 환자에서의 경구 BP는 위산 역류성 부작용이 높다. 요산이 높은 통풍 환자나 골증식이 문제가 되는 척추염이나 DISH의 경우에는 부갑상샘호르몬제 등 골형성촉진제를 주의하는 것이 좋겠다.

그 외에도 류마티즘을 가진 모든 환자들은 거동이 불편하므로 운동을 하기 어려운데, 그런 여건 가운데에서도 운동 요법은 골다공증 및 골절 예방 등 여러 가지 이유로 필요하다. 걷기나 배부(back)운동, 자세(posture)운동 등 체중을 실은 운동을 하루 30-40분, 일주일에 3-4회 실시하면 골밀도도 좋아지지만, 실제로 근력을 올리고 몸의 균형을 향상시켜 낙상을 방지하는 데에도 도움이 된다. 그 외 체조, 요가, 타이지(필라테스)나 계단운동 등도 권장된다. 그렇지만 류마티스 환자들은 거동이 불편하거나 관절의 운동에 제한이 있을 수 있으므로 개인에 맞게 운동처방이 되는 것이 좋다. 또 평소 지팡이 등 보조기 및 계단 난간 손잡이 등 안전장치를 사용하거나, 본인에게 너무 무리한 작업이나 운동은 피하는 것이 좋다. 즉 허리를 심하게 앞이나 옆으로 굽히거나 비틀거나 너무 무거운 물건이나 기구를 들어 올리는 것은 척추의 부상이 있을 수 있으므로 전문가와 상의 하에 운동에 임하여야 한다. 또한 이미 심한 척추의 변형이 와 있는 경우에는 물리치료, 보조기 및 재활 치료가 낙상의 위험을 줄일 수 있다. 또 관절염이 있는 환자들은 견고하고 뒷굽이 높지 않은 신발을 신어야 한다.

## 4) 항류마티스약제와 골대사

글루코코티코이드(glucocorticoid, GC)가 류마티스 질환을 치료하기 위하여 사용하는 약물 중에 골다공증을 악화시키는 약물로 가장 문제되는 것으로 잘 알려진 약물이다.

염증이 심한 류마티스관절염에서 사용되는 소량의 속효성 글루코코티코이드 사용은 아직 그 연관성에 논란이 있다. 한 무작위배정 위약대조 연구에서, 초기 활동성 류마티스관절염 치료에서 경구 프레드니솔론(prednisolone)을 하루 7.5 mg 용량으로 2년간 투여하는 것은 질병의 관해를 증가시키고, 총샤프점수(total Sharp score)로 평가되는 관절의 파괴를 줄이며, 반면 골밀도는 악화시키지 않는다는 보고가 있는 바, 심한 염증을 치료하기 위하여 사용된 글루코코티코이드는 실제로는 심한 근골격계 염증에 의한 골소실을 방지하는 역할을 하는 것으로 보인다. 또한 전신적인 염증이 심하지 않은 질환이나, 류마티스관절염에서도 염증이 이미 낮아진 상태에서는 장기적인 글루코코티코이드의 사용이 위 경우와는 달리 오히려 전신적인 골다공증의 악화를 가져올 수 있으므로 주의하여야 한다. 그러므로 점차 이 약물이 꼭 필요한 경우 즉 전신홍반루푸스나 일부 혈관염 외에는 그 사용량을 줄이고 있는 추세라 점차 그 과용이 개선되고 있다. 특히 2021년 미국류마티스학회(ACR, American College of Rheumatology)의 류마티스관절염 가이드라인에 GC를 가능한 사용하지 않도록 권장하고 있어 점차 그 사용량과 함께 골다공증을 포함한 그 부작용도 줄어들 전망이다. GC에 의한 골다공증 문제는 다른 장(Chapter 123)에서 상세히 설명이 될 것이다.

비교적 최근에 사용되기 시작한 생물학적제제를 비롯한 항류마티스약물들은 대부분 골흡수를 줄이는 것으로 밝혀져 염증이 심한 류마티스 질환에서는 이들의 사용이 골대사도 보호한다. 그러나 그 외 오랜 기간 사용되어져 왔던 사이클로스포린(cyclosporine), 타크로리무스(tacrolimus), 사이클로포스파마이드(cyclophosphamide), 선택세로토닌재흡수억제제(selective serotonin reuptake inhibitor, SSRI) 등 류마티스환자에게 흔히 쓰이는 약물들이 골다공증 및 골절과 관련이 있는 것으로 알려져 있다. 사이클로포스파마이드는 조기 폐경을 일으킬 수 있어 그로 인한 조기 골다공증을 유발하기도 한다.

그 외 간접적이지만 종종 병합 사용되는 헤파린, 프로톤펌프억제제제, 제산제, 항경련제(페니토인, 페노바비탈), 고리작용이뇨제(loop diuretics; furosemide, torasemide) 등도 골다공증을 악화시킬 수 있는 것으로 알려져 있다. 이들 약제는 필수적인 경우가 아니면 가급적 골다공증이 심한 환자에서는 사용에 주의하여야 한다.

반면에 골흡수억제제제인 BP나 최근에는 스트론티움(strontium renelate)을 무릎의 골관절염에 사용하여 효과가 있었다는 연구 보고도 있다.

그 외 BP는 척추관절염과 SAPHO (synovitis-acne-pustulosis hyperostosis-osteitis) 증후군에서 효과가 있었다는 보고도 있다.

## 참고문헌

1. Bischoff-Ferrari HA, Dawson-Hughes B, Orav EJ, et al. Monthly High-Dose Vitamin D Treatment for the Prevention of Functional Decline: A Randomized Clinical Trial. JAMA Intern Med 2016;176:175-83.

2. Camacho PM, Petak SM, Binkley N, Diab DL, Eldeiry LS, Farooki A, et al. AMERICAN ASSOCIATION OF CLINICAL ENDOCRINOLOGISTS/AMERICAN COLLEGE OF ENDOCRINOLOGY CLINICAL PRACTICE GUIDELINES FOR THE DIAGNOSIS AND TREATMENT OF POSTMENOPAUSAL OSTEOPOROSIS-2020 UPDATE. Endocr Pract 2020;26(Suppl 1):1-46.

3. de Pablo P, Cooper MS, Buckley CD. Association between bone mineral density and C-reactive protein in a large population-based sample. Arthritis Rheum 2012;64:2624-31.

4. Fraenkel L, Bathon JM, England BR, St Clair EW, Arayssi T, Carandang K, et al. 2021 American College of Rheumatology Guideline for the Treatment of Rheumatoid Arthritis. Arthritis Care Res (Hoboken) 2021;73:924-39.

5. Hafströ I, Albertsson K, Boonen A, van der Heijde D, Landewé R, Svensson B; BARFOT Study Group. Remission achieved after 2 years treatment with low-dose prednisolone in addition to disease-modifying anti-rheumatic drugs in early rheumatoid arthritis is associated with reduced joint destruction still present after 4 years: an open 2-year continuation study. Ann Rheum Dis 2009;68:508-13.

6. Kanis JA, Johnell O, Oden A, Johansson H, McCloskey E. FRAX and the assessment of fracture probability in men and women from the UK. Osteoporos Int 2008;19:385-97.

7. Kim SY, Schneeweiss S, Liu J, Daniel GW, Chang CL, Garneau K, et al. Risk of osteoporotic fracture in a large population-based cohort of patients with rheumatoid arthritis. Arthritis Res Ther 2010;12:R154.

8. Qaseem A, Forciea MA, McLean RM, Denberg TD; Clinical Guidelines Committee of the American College of Physicians. Treatment of Low Bone Density or Osteoporosis to Prevent Fractures in Men and Women: A Clinical Practice Guideline Update From the American College of Physicians. Ann Intern Med 2017;166:818-39.

9. Sanders KM, Stuart AL, Williamson EJ, Simpson JA, Kotowicz MA, Young D, Nicholson GC. Annual high-dose oral vitamin D and falls and fractures in older women: a randomized controlled trial. JAMA 2010;303:1815-22.

10. Yoon J, Kwon SR, Lim MJ, Joo K, Moon CG, Jang J, et al. A comparison of three different guidelines for osteoporosis treatment in patients with rheumatoid arthritis in Korea. Korean J Intern Med 2010;25:436-46.

# 123

# 글루코코티코이드유발골다공증

계명의대 **손창남**

## KEY POINTS 🔒

- 글루코코티코이드는 여러 염증 질환에 효과적이지만 장기간 사용 시에 골다공증과 그로 인한 골절을 야기할 수 있다.
- 골절 위험도의 초기 평가는 글루코코티코이드 사용 시작 6개월 내에 이루어져야 하며 장기간 사용 시 12개월마다 골절 위험도를 평가한다.
- 매일 프레드니솔론 2.5 mg을 3개월 이상 복용하는 경우 적절한 칼슘과 비타민D 투여가 필요하다.
- 글루코코티코이드유발골다공증에 의해 중등도 이상의 골절 위험이 있을 경우, 비스포스포네이트, teriparatide, denosumab을 사용할 수 있다.

## 서론

글루코코티코이드는 빠른 시간에 염증을 조절하는 데 매우 유용하여 효과적인 면역억제제로 사용되고 있다. 글루코코티코이드는 다양한 질환에서 사용되며 특히 류마티스 질환에서 많이 처방된다. 비록 류마티스관절염의 치료에서 생물학적제제나 표적치료제 등의 사용이 증가하여 글루코코티코이드의 사용이 점차 감소하고 있지만, 전신홍반루푸스나 혈관염, 피부근염 등에서는 아직 그 대체 치료 약제가 확고하지 않으며 류마티스 질환 이외에도 각종 폐질환, 혈액질환, 장기이식 등 많은 염증질환에서 아직 고용량의 글루코코티코이드가 많이 쓰이고 있다. 그러나 이러한 임상적 이점에도 불구하고 글루코코티코이드의 사용은 여러 부작용과 사망률을 증가시킨다. 가장 중요한 부작용 중

하나는 글루코코티코이드유발골다공증(glucocorticoid-induced osteoporosis, GIOP)과 그에 따른 골절이다. 장기간 글루코코티코이드 치료를 받는 환자의 30-50%에서 골절이 일어나는 것으로 알려져 있어 글루코코티코이드유발골다공증은 이차 골다공증의 가장 흔한 원인이다. 많은 환자에서 글루코코티코이드에 의한 진통 효과로 골절이 일어나도 특별한 증상이 없을 수 있기 때문에 예방에 초점을 맞춘 적극적인 관리를 요한다.

## 역학

미국에서 장기적으로 글루코코티코이드를 처방받은 환자는 약 1.2% 정도로 알려져 있다. 이러한 환자의 비율은 과거 20년간 34% 이상 증가하고 있다. 국내에서도 30일 이상 장기적으로 글루코코티코이드를 처방받은 환자는 2002년 0.16%에서 2015년 0.54%로 증가하였다. 국내 23개 기관에서 구축된 한국인 류마티스관절염 환자 코호트를 분석한 연구에서 류마티스관절염 환자의 83%가 글루코코티코이드를 처방받거나 받은 적이 있었다. 아이슬란드의 역학 데이터에 따르면 6개월 이상 장기간 경구 글루코코티코이드로 치료받은 환자의 약 26%에서 골다공증이 발생했다.

글루코코티코이드 사용 자체가 골절의 독립적인 요인이 된다. 글루코코티코이드를 장기적으로 사용하는 환자의 10%에서 골절이 진단되며 30-40%의 환자에서 영상에서 확인되는 척추골절이 나타난다. 글루코코티코이드의 하루 용량 및 축적 용량이

많을수록 골절의 위험이 커진다. 글루코코티코이드 치료를 중단하면 골절 위험이 감소하지만 치료 이전으로 돌아갈지는 불분명하다. 한 연구에 따르면 골절 위험이 같은 성별, 연령대의 수치로 낮아지려면 경구 글루코코티코이드를 1년 이상 중단해야 했다. 간헐적으로 고용량의 경구 글루코코티코이드(> 프레드니솔론 등가 15 mg/day 및 누적 노출 ≤1 g)를 투여 받는 환자는 전체 골절 위험이 약간 증가했지만 엉덩관절 골절에는 영향을 미치지 않았다. 그러나 글루코코티코이드 30 mg/day 또는 누적 용량이 5 g 이상 투여한 환자에서 엉덩관절과 척추 모두 골다공증성 골절의 위험도가 증가하였다.

## 병리기전

글루코코티코이드는 여러 기전을 통해 뼈 대사에 영향을 미친다. 글루코코티코이드유발골다공증은 피질골(cortical bone)과 소주골(trabecular bone)에 모두 영향을 미치지만 골절은 척추, 그 중에서도 요추와 같이 소주골이 풍부한 부위에서 훨씬 호발한다. 글루코코티코이드 사용은 골생성을 상당히 감소시키며 그 외 골흡수 증가와 칼슘의 대사에도 이상이 생긴다(표 123-1). 소아에서는 뼈의 강도, 성장, 성인의 전체 골격 덩어리의 크기가 감소한다.

글루코코티코이드는 뼈에 두 가지 단계로 직접적인 효과를 나타낸다. 먼저 글루코코티코이드는 파골세포 생성을 증가시킨다. Receptor activator of nuclear factor kappa-B ligand (RANKL)과 대식세포집락자극인자(macrophage colony-stimulating factor)의 발현이 증가하고 osteoprotegerin은 감소하여 골흡수를 유도한다. 다음 단계로 글루코코티코이드는 골모세포를 감소시킨다. 뼈 형성의 감소는 글루코코티코이드유발골다공증에서 골밀

표 123-1. 글루코코티코이드에 의한 골소실의 기전

| 골형성의 감소 | 골흡수의 증가 |
| --- | --- |
| 골모세포의 단백생성 감소 | 부갑상샘호르몬 분비 증가 |
| 세포자멸사 증가 | 위장관 칼슘흡수 감소 |
| 골모세포 전구체 증식 감소 | 신세뇨관 칼슘 재흡수 감소 |
| 부신과 고환의 안드로젠 감소 | 파골세포 증가 |

도의 감소에 크게 기여한다. 글루코코티코이드는 세포질을 통과하여 글루코코티코이드 수용체에 결합하고 이렇게 형성된 복합체는 세포핵 안으로 들어가 특정 유전자의 전사를 조절한다. Casapase-3 경로의 활성화를 통해 골모세포의 분화 및 생존의 주요 조절자인 dickkopf-1과 sclerostin의 생산을 증가시킨다. dickkopf-1나 sclerostin에 의해 Wnt 신호전달계가 억제되어 골모세포의 생성을 감소시킨다. 또한, 글루코코티코이드는 peroxisome proliferator-activated receptor gamma (PPAR-γ)의 발현을 증가시켜 전구세포가 골모세포보다 지방세포로 더 분화하게 유도하므로 결국 골모세포의 분화 및 형성을 감소시킨다.

## 검사소견과 진단

### 1) 골밀도 검사

뼈강도(bone strength)는 골밀도와 골질(bone quality)에 의해 결정된다. 골다공증에서 가장 일반적으로 사용하는 정량적 영상검사는 이중에너지방사선흡수측정(dual energy x-ray absorptiometry, DXA)이다. 주로 요추, 엉덩관절, 팔뚝 원위부를 측정한다. 글루코코티코이드유발골다공증에서 골밀도의 가장 초기 변화는 소주골이 풍부한 요추에서 흔히 볼 수 있다. 글루코코티코이드 투여 후 첫 3-6개월간 골량의 감소가 가장 급속하게 나타나며, 투여 초기 일 년 동안 골량의 6-12%가 감소한다. 이후에도 글루코코티코이드 사용을 지속하는 경우에는 매년 3% 정도의 골량 감소가 일어난다. 그러나 골밀도 감소가 골절 위험 증가를 완전히 설명할 수 없는데 이는 글루코코티코이드가 골량뿐만 아니라 골질에도 영향을 미친다는 것을 나타낸다.

### 2) 골대사지표

글루코코티코이드 치료 시 골전환율을 나타내는 골대사지표의 변화가 발생한다. 골 형성의 다른 지표들과 유사하게 혈청 오스테오칼신(osteocalcin) 수치는 글루코코티코이드 치료 후 몇 시간 이내에 감소한다. 장기간 글루코코티코이드를 사용하면 혈청 오스테오칼신 수치가 치료 전 수치의 30%까지 낮아진다.

표 123-2. 대퇴 및 주요골절이 향후 10년간 생길 확률을 나이와 하루 프레드니솔론 용량(mg/day)에 따라 보정하는 법(Kanis, 2011)

| | 나이(년) | 40 | 50 | 60 | 70 | 80 | 90 | 전체연령 |
|---|---|---|---|---|---|---|---|---|
| 대퇴골절률 보정 (%) | 소량(<2.5 mg) | -40 | -40 | -40 | -40 | -30 | -30 | -35 |
| | 고용량(≥7.5 mg) | +25 | +25 | +25 | +20 | +10 | +10 | +20 |
| 주요 골절률 보정 (%) | 소량(<2.5 mg) | -20 | -20 | -15 | -20 | -20 | -20 | -20 |
| | 고용량(≥7.5 mg) | +20 | +20 | +15 | +15 | +10 | +10 | +15 |
| 기준용량 | 중간용량(2.5-7.5 mg) | 보정 안 함 | | | | | | |

### 3) 골절 위험도 평가

글루코코티코이드 사용이 골절의 중요한 위험 요소이지만 다른 위험 요소도 고려해야 한다. 골다공증 치료제의 사용 결정은 환자의 절대 골절 위험도에 근거해야 한다. FRAX (Fracture Risk Assessment Tool, https://www.shef.ac.uk/FRAX/tool.jsp)는 세계보건기구(WHO)에서 개발한 골절 위험도 평가도구이다. FRAX는 골밀도 검사 유무에 관계없이 여러 임상 위험요소를 사용하여 10년 골절 확률을 계산할 수 있다. 글루코코티코이드 사용은 FRAX에 임상적인 골절위험인자로 포함되어있다. 하루 프레드니솔론 중간 용량 2.5-7.5 mg를 기준으로 하며 용량이 적으면 위험률을 줄이고 용량이 많으면 위험률을 높게 산정한다(표 123-2).

2018년 발표된 대한류마티스학회와 대한골대사학회가 공동으로 개발한 한국인 글루코코티코이드유발골다공증 진료지침

에 의하면 글루코코티코이드 사용 시작 6개월 내에 골절위험도를 평가하여, 위험도에 따라서 약제를 선택하도록 권고하였다(그림 123-1). 우선 FRAX의 사용이 가능한 40세 이상 성인과 그렇지 않은 40세 미만 성인으로 나누었다. 40세 이상의 글루코코티코이드 치료 중인 환자들의 경우 글루코코티코이드 용량 보정값 FRAX 10년 내 주요 골다공증 골절 위험도 <10%와 대퇴골골절 위험도 ≤1% 경우를 낮은 위험도, 주요 골다공증 골절 위험도 10-19%와 대퇴골 골절 위험도 1% 초과, 3% 미만 사이를 중등도 위험도, 주요 골다공증 골절 위험도 ≥20%이고 대퇴골 골절 위험도 ≥3% 경우를 높은 위험도로 분류하였다. 이전 골다공증성 골절력, 50세 이상의 남성과 폐경 후 여성에서 대퇴골 또는 척추 골밀도 T 값 ≤-2.5인 경우도 높은 위험도에 포함된다. 또한, 40세 미만의 경우 글루코코티코이드 치료 외 다른 위험인자가

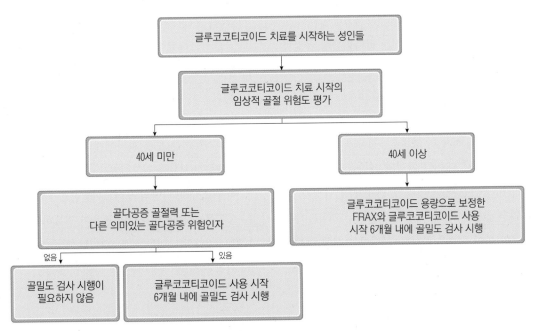

그림 123-1. 한국인 글루코코티코이드유발골다공증 진료지침에서 권고한 초기 골절 위험도 평가

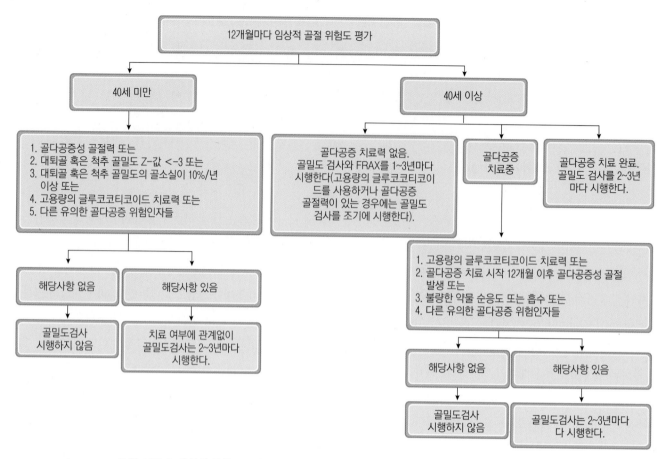

그림 123-2. 한국인 글루코코티코이드유발골다공증 진료지침에서 권고한 골절 위험도 재평가

없는 경우에는 낮은 위험도, 대퇴골 또는 척추 골밀도 Z-값 < -3.0 또는 빠른 골소실(1년 동안 대퇴골 또는 척추에서 10% 이상) 그리고 7.5 mg/일 이상의 글루코코티코이드 치료를 6개월 이상 지속하고 있는 경우에는 중등도 위험도, 이전 골다공증성 골절력이 있는 경우에는 높은 위험도로 분류하였다.

임상적 골절 위험도 평가는 글루코코티코이드 사용력(용량, 기간, 사용 패턴), 낙상, 골절, 다른 골다공증 위험인자들[영양 불량, 급격한 체중 감소 또는 저체중, 성샘기능저하증, 이차부갑상샘기능항진증, 갑상샘질환, 대퇴골 골절의 가족력, 음주량(3단위/하루) 또는 흡연], 동반질환, 그리고 키, 몸무게, 근력평가, 그리고 진단되지 않은 골절평가(예: 척추압통, 기형, 그리고 하부 갈비뼈와 상부 골반 사이의 좁은 공간)를 포함하는 신체 검진을 포함한다. 글루코코티코이드를 지속적으로 사용하는 경우에는 매 12개월마다 골절 위험도를 재평가하는 것이 필요하다(그림 123-2).

## 치료

### 1) 비약물적 치료

글루코코티코이드유발골다공증은 가역적이므로 가능한 적은 용량의 글루코코티코이드를 짧은 기간에 사용하는 것이 권장된다. 글루코코티코이드유발골다공증 환자에서 생활습관 개선의 골절 위험 감소효과는 명확하지 않다. 그러나 글루코코티코이드를 사용하는 모든 환자에게 운동, 식이 조절, 금연, 금주 등의 비약물적 치료를 권고한다.

하루 2.5 mg 이상의 프레드니솔론을 3개월 이상 복용중인 모든 성인은 칼슘과 비타민D 복용이 필요하다. 매일 칼슘 1,000-1,200 mg과 비타민D(하루 800 IU, 혈중 비타민D 농도 20 ng/mL이상 유지)를 병용하는 것이 좋다.

### 2) 약물치료

한국인 글루코코티코이드유발골다공증 진료지침에 의하면

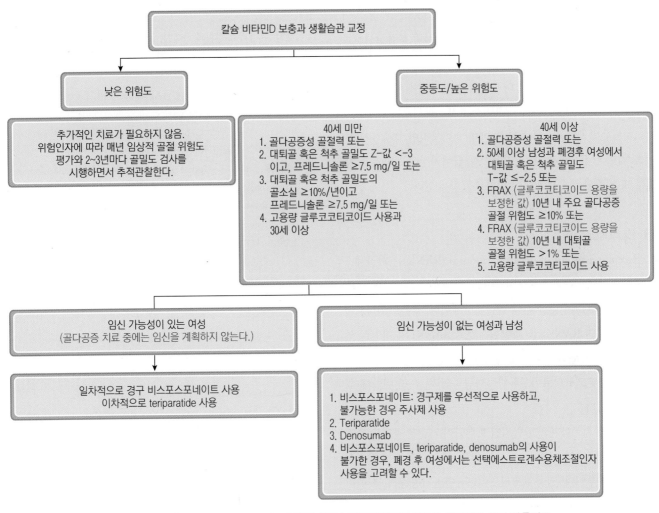

그림 123-3. 한국인 글루코코티코이드유발골다공증 진료지침에서 권고한 성인에서 초기 약물치료

40세 이상의 성인에서 중등도 이상의 골절위험이 있을 경우, 비스포스포네이트, teriparatide, denosumab 사용을 권하였다(그림 123-3). 경구 비스포스포네이트 사용을 우선하나 불가능한 경우 주사 비스포스포네이트를 사용한다. 글루코코티코이드유발골다공증 치료에 있어서 선택에스트로겐수용체조절인자의 골절 예방 효과는 근거가 충분하지 않으므로, 폐경 후 여성에서 중등도 이상의 골절 위험이 있으면서 비스포스포네이트, teriparatide, denosumab 사용이 불가능한 경우, 선택에스트로겐수용체조절인자 사용을 고려할 수 있다.

### (1) 비스포스포네이트

비스포스포네이트(bisphosphonate)는 수산화인회석(hydroxyapatite)에 결합하여 파골세포를 억제하는 효과가 있다. 비스포스포네이트가 글루코코티코이드유발골다공증에서 보호 효과를 발휘하는 기전은 아직 불분명하다. 글루코코티코이드 치료 시작 직후에 빠른 골 흡수 과정을 보인다. 이 과정을 억제하면 비스포스포네이트 시작 후 나타나는 골밀도의 조기에 호전시킬 수 있다. 비스포스포네이트는 글루코코티코이드유발골다공증의 발병기전에 중요한 인자인 골세포의 세포자멸사(apoptosis) 속도를 감소시키는 것으로 추정된다. 알렌드로네이트(alendronate), 리제드로네이트(risedronate), 졸네드로네이트(zoledronate) 모두 글루코코티코이드를 복용하는 환자에게 예방과 치료에 효과적인 비스포스포네이트이다.

### (2) Teriparatide

부갑상샘호르몬은 칼슘 대사 조절에 중요한 역할을 한다. 또한 골모세포 생성과 활성을 촉진한다. Teriparatide는 폐경기 여성의 골다공증 치료에 효과적인 1-34 재조합 사람 부갑상샘호르몬이다. 골모세포 형성의 감소와 골모세포 세포자멸사의 증가가 글루코코티코이드유발골다공증의 발병기전에 중요한 역할을 한다는 점을 감안할 때, teriparatide는 생리학적으로 글루코코티코이드유발골다공증의 치료 및 예방에 이상적인 약제가 될 수 있다. 다만 단점으로 약제가 고가인 점, 급여기준이 까다로운 점, 매주 또는 매일 주사해야 하는 번거로움 등이 있다.

## (3) Denosumab

Receptor activator of nuclear factor κ B (RANK)는 파골세포의 활성화, 분화, 수명에 중요한 역할을 한다. 데노수맙은 RANK ligand (RANKL)에 대한 사람 단클론항체이다. 글루코코티코이드를 사용하면 RANKL을 과발현시키고 RANKL의 내인성 억제제인 osteoprotegerin을 억제한다. 병리기전을 고려하면 denosumab은 글루코코티코이드유발골다공증의 치료 및 예방에 효과적일 수 있다.

골다공증 치료약제의 일반적인 보험급여 기준은 골밀도 측정 시 T-값이 -2.5 이하이거나, 방사선 촬영 시 골다공증성 골절이 확인되는 경우이다. 글루코코티코이드유발골다공증의 급여 기준은 6개월 이내에 최소 90일을 초과하여 프레드니솔론 450 mg 또는 이에 상응하는 글루코코티코이드 용량 이상 누적하여 투여하는 경우이다. 폐경 여성 및 만 50세 이상의 남성은 중심골 골밀도 T-값이 -1.5 미만, 폐경 전 여성 및 만 50세 미만 남성은 중심골 골밀도 T-값이 -3.0 미만에서 알렌드로네이트와 리제드로네이트가 처방 가능하다. 치료의 적응 기준에 차이가 있어 치료를 하지 못하고 있는 환자들이나 그 외 환자들도 칼슘과 비타민D를 복용하면서, 매년 FRAX를 평가하고 골밀도의 정도에 따라 1-3년마다 골밀도를 측정하면서 추적관찰하여야 한다.

## 참고문헌

1. 박원. 류마티스 질환과 골대사, 글루코코코이드유발골다공증. In: 대한류마티스학회. 류마티스학. 제2판. 범문에듀케이션; 2018. pp. 641-6.
2. Buckley L, Guyatt G, Fink HA, Cannon M, Grossman J, Hansen KE, et al. 2017 American College of Rheumatology Guideline for the Prevention and Treatment of Glucocorticoid-Induced Osteoporosis. Arthritis Care Res (Hoboken) 2017;69:1095-110.
3. Cho SK, Sung YK. Update on Glucocorticoid Induced Osteoporosis. Endocrinol Metab (Seoul) 2021;36:536-43.
4. Chotiyarnwong P, McCloskey EV. Pathogenesis of glucocorticoid-induced osteoporosis and options for treatment. Nat Rev Endocrinol 2020;16:437-47.
5. Lau AN, Adachi JD. Glucocorticoid-induced osteoporosis. Rheumatology. Philadelphia: Mosby/Elsevier; 2019. pp. 1683-9.
6. Lee TH, Song YJ, Kim H, Sung YK, Cho SK. Intervention Thresholds for Treatment in Patients with Glucocorticoid-Induced Osteoporosis: Systematic Review of Guidelines. J Bone Metab 2020;27:247-59.
7. Park SY, Gong HS, Kim KM, Kim D, Kim HY, Jeon CH, et al. Korean Guideline for the Prevention and Treatment of Glucocorticoid-induced Osteoporosis. J Rheum Dis 2018;25:263-95.
8. Son CN. Understanding of Glucocorticoid Induced Osteoporosis. Keimyung Med J 2021;40:69-72.
9. Suh CH. Korean Guideline of Glucocorticoid-induced Osteoporosis; Time to Prevent Fracture! J Rheum Dis 2019;26:87-9.

# 124

# 치료

**인하의대 권성렬**

## 서론

골다공증에 대한 포괄적인 관리 계획에는 골절 위험 평가, 향후 골절 위험을 줄이기 위한 방안, 급성 골절 환자 치료가 포함되어야 한다. 골절 위험 평가는 개별 환자에서 비용-효과적인 치료 결정을 내리는 데 중요하다. 4차 국민건강영양조사에 따르면 50세 이상 여성 중 골다공증을 앓고 있는 사람들은 약 35% 정도로 조사되었다. 미국에서 50세 이상 성인의 9% 이상이 대퇴 경부 또는 요추에 골다공증을 가지고 있는 것으로 추산된다. 골다공증이 있는 경우 여러 합병증이 생길 수 있는 데, 가장 심각한 합병증인 엉덩관절 골절이 발생한 경우 사망률이 2.85배 증가하는 것으로 보고되었다. 따라서 골다공증 환자를 적극적으로 찾아내고 적절한 치료를 하는 것이 중요하다.

낮은 골량은 골절 위험을 증가시킨다. 골량과 무관하게 고령의 나이와 낙상도 골절 위험에 기여한다. 골다공증의 치료에 사용되는 약물들은 칼슘과 비타민D, 에스트로겐 등의 호르몬요법, 선택에스트로겐수용체조절인자(selective estrogen receptor modulator, SERM), 비스포스포네이트, 칼시토닌(calcitonin), 부갑상샘호르몬 연관 약제, 항sclerostin약제인 romosuzumab 등 여러 종류가 있다. 본 장에서는 골다공증 치료 지침과 치료약제를 소개하고자 한다.

## 치료 적응증

미국골다공증재단(National Osteoporosis Foundation)의 골다공증 진단 및 치료 지침 2014년 개정판에 따른 골다공증 치료의 적응증은 다음과 같다.

- 엉덩이뼈 또는 척추의 (임상적 또는 무증상) 골절
- 이중에너지방사선흡수측정(DXA)으로 측정 시 대퇴골 목, 엉덩이뼈 전체(total hip) 또는 척추에서 T-값≤-2.5
- 폐경 후 여성, 50세 이상의 남성 중 DXA 측정 시 대퇴골 목, 엉덩이뼈 전체(total hip) 또는 척추에서 골감소증(-2.5≤T-값≤-1.0)이면서 WHO에서 제시한 10년 내 대퇴골 골절 위험도가 3% 이상이거나 주요한 골다공증 골절(척추, 대퇴골, 손목, 상완골 포함) 위험도가 20% 이상인 경우

이 중 골감소증(-2.5≤T-값≤-1.0)인 경우 FRAX에서 제시한 10년 내 골절 위험도를 이용하여 치료를 결정할 것을 권고하고 있다.

또한, 대한골대사학회 2020년 골다공증진단 및 치료 지침에 따른 약물치료 지침은 다음과 같다.

1) 대퇴골(넓적다리뼈, femur) 혹은 척추 골절
2) 골다공증(T-값 2.5 이하)
3) 골감소증의 경우
   (1) 과거의 기타 골절
   (2) 골절의 위험이 증가된 이차성 원인
   (3) WHO에서 제시한 10년 내 대퇴골 골절 위험도가 3% 이상이거나 주요한 골다공증 골절(척추, 대퇴골, 손목, 상완골 포함) 위험도가 20% 이상인 경우 (참고사항)

## 이차 골다공증의 확인

골다공증 관리에서 가능한 이차적 원인에 대한 주의가 필요하다. 낮은 골질량을 가진 사람들 중 골대사에 영향을 미치는 약물(표 124-1)을 복용하는 경우가 많다.

## 비약물적 접근

### 1) 물리 치료 및 균형 훈련

환자의 낙상 성향을 평가하고 위험 요소를 수정해야 한다. 물리치료 및 균형 훈련을 포함한 낙상 예방을 위한 다학제 팀 접근

**표 124-1.** 골대사에 영향을 미치는 약물

| 분류 | 약제 |
| --- | --- |
| 스테로이드 | 당질코르티코이드 |
| 내분비 또는 호르몬요법 | Depo-Provera, 생식샘자극호르몬방출호르몬 (gonadotropin-releasing hormone; GnRH) 유사체, 황체형성호르몬방출호르몬(luteinizing hormone-releasing hormone; LHRH) 유사체, 과도한 갑상샘호르몬 대체 |
| 이뇨제 | Furosemide |
| 화학요법 | Cyclosporine, methotrexate, tacrolimus |
| Aromatase 억제제 | Exemestane, anastrozole |
| 항경련제 | Phenytoin, phenobarbital |
| 항정신성 | Lithium, neuroleptics |
| 기타 | Heparin |

방식이 효과적인 것으로 나타났다. 체중부하 운동은 골질량의 증가와 함께 골강도를 증가시킨다. 폐경 후 에스트로겐 결핍이 골 흡수를 증가시킬 수 있으며 이때 운동만으로는 폐경 후 골 손실을 예방할 수 없다. 운동 프로그램과 칼슘 보충 또는 기타 치료를 병행하는 것이 골량 유지에 더 효과적이다.

### 2) 칼슘, 비타민D 보충

골다공증 예방, 치료를 위하여 다른 약제와 함께 기본적으로 투여되어야 한다. 우리나라 국민건강영양조사(2008-2010년) 결과 식이를 통한 평균 칼슘 섭취량은 500 mg 미만이었다. 칼슘 섭취량은 골밀도와 양의 상관성을 보였는데, 대퇴골 골밀도는 하루 칼슘 섭취량 1,200 mg까지 증가하는 양상을 보였다. 서양의 전향적 코호트 연구에서 칼슘 섭취량이 하루 800 mg 미만일 경우 골절의 위험도가 증가하였으며, 무작위 대조군 연구에서 3년 동안 칼슘 500 mg(총 섭취량으로 약 1,200 mg)과 비타민D 700 IU 보충 시 비척추골절의 발생이 감소하였다. 최근 칼슘의 안전성과 관련하여 칼슘 보충이 심혈관질환의 발생을 증가시킨다는 메타분석 결과가 보고되었으나, 또 다른 메타분석에서는 상반된 결과가 제시되는 등 논란 여지가 있다. 우선 최대한 안전성을 고려하여 식이를 포함한 총 1,200 mg 이상의 칼슘 섭취는 주의가 필요할 것으로 보인다. 대한골대사학회 권고안(2020)에서 하루 800-1,000 mg의 칼슘 섭취를 권장한다. 한국인의 하루 칼슘

섭취량은 권장량에 비해 부족하기 때문에 음식으로 칼슘 섭취를 증가시키는 것이 일차적으로 필요하며, 음식을 통한 칼슘 섭취가 용이하지 않은 경우에는 보충제의 사용을 권장한다.

우리나라 국민건강영양조사(2008-2009년) 결과 비타민D 수준을 평가하는 혈액 25(OH)D 농도는 골밀도 및 뼈의 기하학적 구조와 양의 상관성을 보였으며 25(OH)D 농도 20-30 ng/mL까지는 증가하는 양상을 보이지만, 20-30 ng/mL과 30 ng/mL 이상 간에는 차이가 없었다. 따라서 한국인에서 뼈 건강을 위한 적절한 혈액 25(OH)D 농도는 20-30 ng/mL 이상으로 판단되었다. 하지만 골절과 낙상의 무작위 대조 연구를 대상으로 한 메타분석에서 비타민D 보충으로 혈액 25(OH)D 농도가 30 ng/mL 이상일 때 골절과 낙상의 위험이 감소되는 것으로 보고된 바도 있다. 골절 예방을 위해 필요한 비타민D의 용량과 관련한 메타분석 결과 하루 800 IU 이상 보충 시 골절을 예방할 수 있는 것으로 보고되었다. 대한골대사학회 권고안(2020)에서 비타민D는 하루 800 IU 섭취를 권장한다.

## 3) 기타 생활방식

흡연은 뼈 세포에 직접적으로 유독하며, 흡연자는 비흡연자보다 골밀도가 낮고 연간 골 손실률이 더 크다. 현재 흡연자는 엉덩관절 골절의 위험이 증가한다. 연구 결과 골절 위험은 10년 이상 금연한 후에만 떨어졌다. 하루 3잔 이상의 알코올 섭취는 낙상 및 골절 위험 증가와 관련이 있으므로 권장하지 않는다.

## 4) 골절 예방

70세 이상 인구의 거의 1/3이 매년 낙상을 겪을 것이며 여성, 고령자 및 요양원 거주자에게서 더 많은 수가 보고된다. 낙상은 이환율과 사망률 증가의 주요 원인이며 약 5%는 골절을 초래한다. 더보 골다공증 역학 연구(Dubbo Osteoporosis Epidemiology Study)에서 15년 동안 관찰된 1,600명 이상의 비골다공성 남성과 여성에서 전년도 낙상이 엉덩관절 골절 위험과 가장 높은 상관관계를 보인 요인이었다. 낙상 위험에 대한 철저한 평가, 낙상 위험 및 골 손실을 일으킬 수 있는 약물 및 상태에 대한 신중한

### 표 124-2. 골다공증 약제의 종류 및 용법

| 종류 | | 용량 | 투여방법 | 골절 위험도 감소 | |
|---|---|---|---|---|---|
| | | | | 척추골절 | 비척추골절 |
| 비스포스포네이트 | 알렌드로네이트(alendronate) | 10 mg, 70 mg | 매일 1회 경구, 매주 1회 경구 | O | O |
| | 리제드로네이트(risedronate) | 5 mg, 35 mg, 75 mg, 150 mg | 매일 1회 경구, 매주 1회 경구, 매월 2회 경구, 매월 1회 경구 | O | O |
| | 이반드로네이트(ibandronate) | 150 mg, 3 mg | 매월 1회 경구, 매 3개월마다 1회 정주 | O | X |
| | 졸네드로네이트(zoledronate) | 5 mg | 매년 1회 정주 | O | X |
| 여성호르몬요법 | 에스트로겐 +/- 프로게스테론 | 종류에 따라 용량 차이 | 종류에 따라 용량 차이 | O | △ |
| 선택에스트로겐수용체조절인자(selective estrogen receptor modulator) | Rraloxifene | 60 mg | 매일 1회 경구 | O | O |
| | Bazedoxifene | 20 mg | 매일 1회 경구 | O | O |
| 부갑상샘호르몬 | Teriparatide | 20 mg | 매일 1회 피하주사 | O | O |
| RANKL 억제제 | Denosumab | 60 mg | 6개월 1회 피하주사 | O | O |
| Sclerostin억제제 | Romosuzumab | 210 mg | 매달 105 mg을 두 군데 피하주사 | O | O |

임상 평가를 진행하는 것이 필요하다.

# 골다공증 약제 정리

현재 국내에서 사용가능한 골다공증 약제의 종류 및 용법은 표 124-2와 같다.

## 호르몬 대체요법

### 1) 작용기전 및 약리학적 특성

여성에서 폐경 후 뼈 손실의 주요 원인은 에스트로겐 결핍이다. 폐경 후 여성의 에스트로겐 수치가 감소함에 따라 뼈 회전율이 증가하고 뼈 흡수 속도가 뼈 형성 속도를 초과하여 골량이 감소하며, 이는 부분적으로 RANKL의 수용체 활성화 수준 증가와 관련이 있다.

### 2) 골절예방

57건의 무작위 위약 대조 시험에 대한 메타 분석에서 호르몬 대체 요법을 받는 환자의 골밀도가 유의하게 증가했다. 에스트로겐 요법은 관찰 연구에서 엉덩관절 골절 위험을 25-30%, 척추 골절 위험을 약 50% 감소시켰다. 골다공증이 없는 여성을 호르몬 대체요법군, 위약군으로 나누어 무작위 배정한 Women's Health Initiative (WHI) 시험에서 위약과 비교했을 때 호르몬 대체요법군에서 전체 골절 발생률은 24% 감소했고 엉덩관절 골절은 33% 감소했다.

### 3) 부작용

WHI의 결과가 발표된 이후 에스트로겐 사용의 전 세계 패턴은 급격히 변화했다. 에스트로겐으로 인한 심혈관질환, 뇌졸중, 폐색전증 및 유방암의 위험 증가에 대한 우려가 제기되었기 때문이다. WHI 보고서에 의하면 위약대조군에 비해 에스트로겐-프로게스테론 보충요법군에서 엉치골절 및 전체골절이 감소하였다. 하지만 심근경색 등의 심혈관질환 위험도는 29%, 뇌졸중 위험도 40%, 폐색전증 위험도 100%, 유방암의 위험도 26%가

위약군에 비해 높게 보고되었다. 이후에 시행된 여러 무작위배정 대조군 연구에서 뇌졸중, 혈전색전증 등이 위험도가 높게 보고되었다. WHI 이후 연구에서 심혈관질환 위험도는 WHI 연구와 상반된 결과들이 보고되어 불분명하다. 심혈관 위험 요인에 대한 에스트로겐의 영향은 치료가 조기 폐경에 시작하면 죽상경화증을 예방해야 하지만 죽상경화반이 있는 여성에게는 해로울 수 있음을 시사한다. 관찰 연구에서 심근경색증(40%)이 감소했으며 WHI 이외의 무작위임상시험에서 초기 폐경 여성에서 심장 보호 효과(30%)가 나타났다. 그러나 에스트로겐의 위험 대비 이점 비율은 여전히 논란의 여지가 있다. 위와 같은 위험성 때문에 FDA에서는 골다공증 치료 시 여성 호르몬 요법보다 다른 치료 방법을 먼저 고려하도록 하였고, 심한 폐경 관련 증상이 함께 있을 경우 폐경 초기 여성에 있어서 최소 용량으로 최소 기간 투여하도록 권고하였다. 진단이 불명확한 질출혈, 활동성 혈전색전증, 유방암과 자궁내막암 등에서는 금기이다.

## 선택에스트로겐수용체조절인자

SERM 제제들은 에스트로겐 수용체에 결합하며, 표적장기에 따라 에스트로겐 항진 작용 또는 반대로 길항작용을 한다. 2013년 National Osteoporosis Foundation 골다공증 가이드라인에서는 SERM 제제 명칭을 에스트로겐 항진제/길항제로도 표시하였다.

SERM은 여러 에스트로겐 표적장기에 선택적으로 작용하여 에스트로겐처럼 골흡수를 억제한다. 반면 뼈 이외의 심혈관계, 유방, 자궁에 미치는 영향은 적다.

### 1) Raloxifene

Raloxifene은 폐경기 여성에서 골흡수를 막는다. Raloxifene에 대한 대규모 연구 중 Multiple Outcomes of Raloxifene Evaluation (MORE) 연구가 대표적이다. 이 연구에서 raloxifene 복용군은 척추골절 발생률이 대조군에 비해 30% 이상 낮았다. 하지만, 엉치골절을 포함한 비척추골절에서는 통계적으로 유의한 차이가 없었다. 침습유방암의 발생률이 raloxifene 복용군에서 낮아 유방조직에 좋은 효과를 나타냈다. 하지만 정맥 혈전색전증, 하지 경련통, 열성 홍조 등의 부작용도 나타났다. 4년간 진행된 MORE

연구를 다시 4년간 연장한 CORE 연구에서 침습유방암 위험률이 raloxifene 복용군에서 66% 줄었다. Tamoxifene과 raloxifene을 비교한 연구(Study of Tamoxifene and Raloxifene, STAR)를 유방암 고위험군 여성에서 시행하였을 때, 침습유방암 위험률을 감소시키는 작용은 두 군 모두 효과적으로 나타났다. 또한 자궁암 및 혈전색전증이 tamoxifene 복용군보다 raloxifene 복용군에서 훨씬 적었다.

Raloxifene의 부작용으로 열성 홍조가 나타날 수 있다. 보통 치료 후 처음 수개월 내에 나타날 수 있으므로 가급적 폐경 초기가 지난 후 사용하는 것이 좋다. 경구 피임제, 에스트로겐 복용 후 정맥혈전증의 병력이 있는 경우, 장기간 절대 안정을 요하는 경우, 수술 전후 등도 금기 사항이다.

## 2) Bazedoxifene/Lasofoxifene

3세대 에스트로겐 항진제/길항제인 basedoxifene과 lasofoxifene은 유럽 연합(2009)에서 승인되었지만 미국에서는 골절 위험이 높은 여성의 골다공증 치료에 승인되지 않았다. 이 중 bazedoxifene은 국내에서 시판 중이다. Bazedoxifene 20 mg 또는 40 mg, raloxifene 60 mg 또는 위약에 대한 3년 시험에서 bazedoxifene 20 mg 및 raloxifene에서 새로운 척추 골절이 42% 감소한 것으로 나타났다. 두 약물의 치료 효과는 골절 유무에 관계없이 유사했다. 물론 비척추골절에서도 효과가 있다는 결과도 보고되었지만, 폐경기 여성을 대상으로 7년간 무작위 배정하여 bazedoxifene을 위약대조군과 비교한 연구에서 bazedoxifene 복용군의 비척추성 골절 발생률이 위약대조군 모두에게 통계적으로 유의하게 낮지는 않았다. 2013년 미국 식품의약국(the Food and Drug Administration, FDA)은 중등도에서 중증의 혈관 운동 증상 치료 및 폐경 후 골다공증 예방을 위해 복합 에스트로겐/바제독시펜(0.45 mg/20 mg)을 승인했다. Bazedoxifene은 자궁내막 증식의 위험을 감소시키며 복합 에스트로겐/바제독시펜은 자궁적출술을 시행하지 않은 환자에게만 사용된다.

## 칼시토닌

칼시토닌(calcitonin)은 갑상샘 및 뇌하수체에서 분비되는 호르몬이다. 피하주사 또는 비강내 분무 형태로 투여하며 폐경 후 여성의 골다공증 치료제로 사용된다. 작용기전은 파골세포의 수용체에 결합하여 골흡수를 막는다. 척추골절은 감소시키나 엉치골절 및 비척추골절 감소효과는 없다. 골다공증에 의한 급성 척추골절 통증을 호전시키는 효과가 보고되어 이에 대한 치료제로 사용할 수 있다. 비스포스포네이트보다 골다공증 치료효과는 떨어진다. 골다공증 치료 시 일차 약제보다는 다수의 약제를 복용하는 노인 환자 및 골절 시 진통효과를 위해 사용 가능하다.

부작용으로는 연어 칼시토닌의 비강 분무에 의한 비염, 코피 등이 생길 수 있다. 2013년 3월 미국 FDA 자문위원회가 골다공증 치료제로써 칼시토닌의 사용금지를 권고하였다. 그 이유로는 '발암 잠재성'을 간과할 수 없기 때문이라고 밝혔다.

## 비스포스포네이트

비스포스포네이드(bisphosphonate)는 현재 골다공증의 치료를 위해 가장 많이 사용하는 약제이며 뼈바탕질(bone matrix)을 이루는 성분인 피로인산염(pyrophosphate)의 합성 유사체(analogue)이다.

### 1) 작용기전

작용기전은 뼈에 강력하게 붙어 파골세포의 기능을 억제하고 파골세포의 수를 줄이며 세포자멸사를 유도한다. 비스포스포네이트의 구조는 그림 124-1과 같다.

비스포스포네이트는 뼈에 강력하게 결합하는데 그 역가는

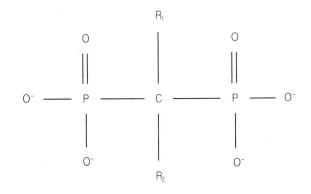

그림 124-1. 비스포스포네이트의 구조

R1 곁사슬(side chain)에 의해 결정된다. 골흡수 억제력은 R2 곁사슬 구조에 의해 결정된다. 비스포스포네이트는 R2 곁사슬에 질소를 포함하는 종류와 아닌 종류로 나눌 수 있다. 질소를 포함하는 비스포스포네이트는 farnesyl 피로인산 합성효소(synthase)를 방해한다. 그 결과 단백질 prenylation을 저지하게 되며, 이로 인해 파골세포의 분화, 형성을 방해한다.

파골세포의 억제는 골대사를 감소시켜 골 재형성 단위(bone-remodeling units)의 수와 활동을 감소시킨다. 골 재형성 부위는 미세 균열 및 골 스트레스 상승 요인이 되며, 골절을 증가시킬 수 있는 약한 부위이다. 비스포스포네이트 요법의 골흡수 감소는 치료 첫 1-2개월 동안 발생한다. 형성과 흡수의 결합으로 인해 흡수가 억제되면 골 형성이 감소한다. 비스포스포네이트 요법의 골흡수 감소는 치료 첫 1-2개월 동안 발생한다. 골형성과 골흡수의 연결(coupling)로 인해 골흡수가 억제되면 골형성이 감소한다. 골형성 전에 재흡수를 억제하면 골재형성 단위에 의해 생겨난 생성된 공간인 '리모델링 공간'이 채워져 골량이 증가한다. 골흡수 및 골형성의 분리에 의해 생성된 골량의 증가는 치료의 첫 1-2년 동안 BMD의 급격한 증가를 가져오며, 이는 3년이 되면 약 5%에서 7%가량 증가한다. 관찰된 골절 위험 감소의 약 25%는 BMD 증가와 관련이 있는 것으로 추정된다. 중요한 다른 요인으로는 골 회전율 감소, 미세 구조 변경, 무기물 침착 등이 있다.

## 2) 약리학적 특성

경구 비스포스포네이트 복용 시 혈액 내 흡수율은 0.7% 미만이다. 음식과 액체(식수 제외)는 투여 후 120분 동안 비스포스포네이트 흡수를 억제한다. 복용 2시간 전에 식사를 하는 것도 비스포스포네이트 흡수가 잘 안 되기 때문에 밤새 금식한 후에 복용하는 것이 좋다. Alendronate의 경우 용량의 약 50%가 골격에 유지되고 나머지는 변화 없이 소변으로 배설된다. 신장 기능이 손상되고 크레아티닌 청소율(<30 mL/min)이 낮은 환자는 골격에서 더 많은 양의 용량을 유지한다. 이것은 미세 손상을 복구하는 능력을 손상시킬 정도로 회전율을 감소시킬 수 있다. 경구용 비스포스포네이트는 사구체 여과율이 30 mL/min 미만인 경우 권장되지 않는다. 주사용 zoledronate는 크레아티닌 청소율이 35 mL/min 미만인 환자에게 금기이다.

비스포스포네이트를 3개월간 복용 후 골대사 측정 시 폐경 전의 중간 이하로 감소한다. 이후 계속 비스포스네이트를 복용하여도 골대사가 감소되지 않는다.

## 3) Alendronate

Alendronate에 대한 임상연구 중 3년간 진행된 Fracture Intervention Trial (FIT)에서 많은 중요한 정보가 보고되었다. FIT 연구에서 alendronate 복용군은 위약대조군에 비해 척추골절과 비척추골절이 50%가량 감소하였고, 다발척추골절은 90%가량 감소하였다. 매주 70 mg 복용군과 매일 10 mg 복용군을 비교한 연구는 골밀도 증가, 골대사 감소가 차이가 없는 것으로 나타났다.

FOSIT 연구에서 alendronate는 빠른 골절감소효과를 보여주었다. T score가 -2.0 이하인 환자에서 비척추골절은 1년 관찰 시 약 50% 감소하는 효과를 보였고, 척추골절이 있었던 환자에서 1년 후 척추골절도 매우 감소하였다. 남성에게 2년간 alendronate를 복용시켰더니 골밀도(bone mass)는 증가하였고 척추골절 발생률은 감소하였다. 남성 골다공증, GIOP 치료에도 승인되었다.

## 4) Risedronate

예전에 골절이 있던 폐경기 여성에서 3년간 시행한 VERT 연구에서 척추골절은 40% 이상 감소하였고, 비척추골절은 30% 이상 감소하였다. 다발척추골절은 70% 이상 감소하였다. 엉치골절 감소를 1차 연구목표로 시행한 임상연구에서 약 30%가량의 엉치골절 감소가 보고되었다. 이 중 70대에서 약 40%의 엉치골절 감소가 나타났다. 매주 35 mg 복용군과 매일 5 mg 복용군을 비교한 연구는 골밀도 증가, 골대사 감소가 차이가 없는 것으로 나타났다. 1년간 risedronate를 복용한 남성에서 시행한 연구에서 60%대의 척추골절 감소 효과가 보고되었다. 남성 골다공증, GIOP 예방, 치료에도 승인되었다.

## 5) Ibandronate

3년간 대규모로 시행한 BONE 연구에서 매일 2.5 mg ibandronate 복용군은 척추골절이 62% 감소하였으나 비척추골절은 감소하지 않았다. 사후분석(post hoc analysis)에서 대퇴골목(femur neck) T score -3.0 이하인 여성을 비교했을 때 60% 이상 감소하였다. 매일 2.5 mg 복용군과 매월 150 mg 복용군을 비교한 가교연구에서 매월 150 mg 복용군이 매일 2.5 mg 복용군에 비해 통계적으로 유의하게 골밀도를 증가시켰다. Dosing Intravenous Administration trial (DIVA) 연구에서 매일 2.5 mg 복용군에 비해 2 mg, 3 mg 정맥주사군에서 척추 골밀도가 매우 증가하였다 ($P<0.001$). 국내 식약청에서 허가된 용량은 경구 150 mg 매달 복용, 3개월마다 3 mg 정맥주사 투여용량이다. 폐경기 이후 골다공증에만 허용되므로 남성에게는 사용할 수 없다.

## 6) Zoledronate

3년간 7,700명 이상의 폐경기 여성을 대상으로 HORIZON 연구를 시행한 결과 zoledronate 투여군에서 골절 상대 위험률이 전체골절 70%, 비척추골절 20% 이상, 엉치골절 40%가량 감소하였다. 하지만 약 20%에서 발열, 근육통, 두통, 관절통, 오심 등이 발생하였다. 위 증상이 나타나는 환자들에게 acetaminophen 등으로 증상을 조절할 수 있다. 비타민D를 zoledronate 투여 전 보충해 주어야 한다. 남성골다공증, GIOP 치료에도 승인되었다.

## 7) 비스포스포네이트 투여 시 주의할 점

비스포스포네이트 투여 시 올바른 복용법을 교육하는 것이

중요하다. 비스포스포네이트는 공복 식사 30분에서 1시간 전에 약 150 mL 이상의 물과 함께 복용한다. 복용 이후 공복을 유지하며 눕지 않고 있어야 한다.

Alendronate의 출시 직후, 주로 식도 미란 및 협착과 같은 심각한 위장관계 부작용에 대한 수많은 보고가 발표되었다. 이후 경구약제 모양이 바뀌고 왁스 코팅이 추가되었다. 이후 임상시험에서 경구 비스포스포네이트를 적절히 투여할 경우 상부위장관 문제의 위험이 거의 증가하지 않거나 전혀 증가하지 않는 것으로 나타났다. Alendronate와 risedronate에 대한 재투여 위약 대조 연구에서는 소화기 증상의 발생에 차이가 없는 것으로 나타났다. 식도운동장애가 있는 환자는 소화기 독성의 위험이 더 크다. 2008년 미국에서 시판된 일반 alendronate는 소화기 부작용의 비율이 더 높았다.

비스포스포네이트 정맥 투여는 투여환자의 10%에서 주입후 24-48시간 동안 발열, 근육통, 관절통 및 메스꺼움을 특징으로 하는 인플루엔자 유사 증상이 발생했다. 일부 환자는 몇 주 동안 지속되는 심한 뼈 통증이 있을 수 있다. Zoledronate의 빠른 주입은 신부전을 유발하는 것으로 보고되었다.

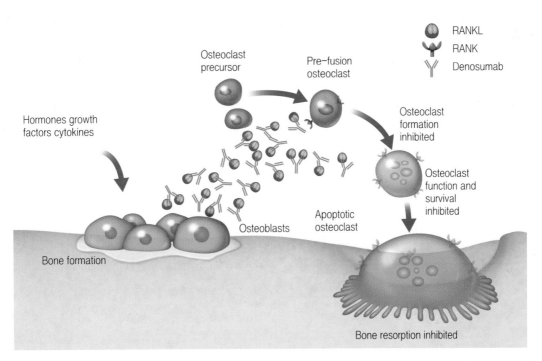

그림 124-2. **Denosumab 작용기전** Denosumab은 파골세포 활성의 핵심 매개체인 RANKL에 높은 친화력으로 결합하고 그 활성을 억제하는 완전 인간 단클론항체이다.

## Denosumab

### 1) 작용기전

Denosumab은 RANKL 사람 단클론항체이다. TNF 계열의 구성원인 RANKL은 뼈 재형성의 중요한 매개체이며 조골세포, 활액 섬유모세포 및 활성화된 T세포를 비롯한 여러 세포 유형에 의해 발현된다. RANKL은 파골세포막의 수용체인 RANK에 결합하여 파골세포의 분화, 활성화, 생존을 유도한다. RANK-RANKL 상호작용의 조절자는 osteoprotegerin (OPG)이다. OPG는 RANK에 대한 결합을 위해 경쟁하여 미끼 수용체(decoy receptor)로 기능하는 TNF 수용체 구성원이다(그림 124-2).

RANKL이 RANK에 결합하지 못하면 파골세포 전구체의 세포사멸이 발생한다. RANKL 유전자 변형 마우스, OPG 결핍 마우스는 심각한 골다공증을 가지고 있으며, OPG 투여로 예방하거나 되돌릴 수 있다.

### 2) 골절 감소

RANKL에 대한 OPG의 효과를 모방하는 완전한 사람 단클론(fully human monoclonal) IgG2항체인 데노수맙은 2010년 미국에서 사용이 승인되었다. FREEDOM 3상 시험에서 골다공증이 있는 폐경 후 여성을 무작위로 선정하여 6개월마다 데노수맙 60 mg 또는 위약을 투여받았다. 데노수맙 치료를 받은 참가자는 위약 투여자에 비해 척추 골절이 68%, 엉덩관절 골절이 40%, 비척추 골절이 20% 감소하였다. 데노수맙 투여 시 대조군에 비해 요추 골밀도는 21.6%, 엉덩관절은 9.1% 증가했다. 골량의 증가는 비스포스포네이트에서 볼 수 있는 것보다 훨씬 더 컸다. 데노수맙의 약력학은 비스포스포네이트의 약력학과 다르다. 골 회전율 표지자는 주사 후 12시간 만에 빠르게 감소하고 중단 후 더 급속히 회복하여 실제로 회전율 표지자 기준선(baseline) 수준을 초과하였다. 이로써 투여 중단 시 나타나는 급속한 골 손실을 설명할 수 있다. 폐경 후 여성의 골다공증 치료제로 미국과 유럽에서 허가를 받았다.

### 3) 투여방법

Denosumab 60 mg을 6개월 간격으로 피하주사한다.

### 4) 이상반응

장기간 치료 시 턱뼈 괴사, 비전형 대퇴골절도 보고되었으나 매우 드물게 보고되었다. 저칼슘혈증이 나타날 수 있어 칼슘, 비타민D를 보충해야 한다.

## 골흡수억제제 장기투여 시 고려할 점

### 1) 약제 관련 턱뼈 괴사

턱뼈 괴사는 비스포스포네이트 이외에 데노수맙, 혈관신생억제제제인 bevacizumab 투여 후에도 발생이 보고되어 영어명칭이 bisphosphonate related osteonecrosis of jaw (BRONJ)에서 medication related osteonecrosis of jaw (MRONJ)로 변경되었다. 비스포스포네이트에 의한 턱뼈 괴사는 2003년에 처음 보고되었으며, 처음에는 고용량의 비스포스포네이트 정맥주사로 치료받은 암 환자에게서 발생했다.

MRONJ의 정의는 (1) 턱뼈에 방사선 치료 병력이 없으면서, (2) 현재 또는 과거에 골흡수억제제나 혈관신생억제제를 사용하였고, (3) 턱뼈가 노출되어 있거나 구강 내 또는 구강 외 누공이 8주 이상 지속되는 경우이다. 하지만 뼈 노출이 없는 MRONJ가 보고되어 MRONJ의 정의를 확장시켜야 한다는 주장이 대두되고 있다.

턱뼈 괴사는 주로 정맥주사 비스포스포네이트, 전이암 또는 다발골수종에서 발생하며, 치과수술 후에 발생한다. 경구 비스포스포네이트 복용 후에 발생하는 경우도 있다. 골다공증 환자 집단에서 MRONJ의 발병률은 0.001%에서 0.01%로 추정된다. MRONJ의 위험요인은 표 124-3와 같다.

턱뼈 괴사를 예방하기 위해 치과 위생이 좋지 않은 환자나 구강 수술을 계획 중인 환자는 구강 검사를 시행하고 골흡수억제제 치료를 보류하는 것이 좋다. 치과 위생이 좋지 않은 환자들은 치과 검진을 권유한다. 턱뼈 괴사의 위험도에 따라 골흡수억제제 투여 보류에 대해서는 여러 논란이 있다. 골절위험도(FRAX 10년 > 20%)가 높고 침습적인 치과치료를 해야 한다면 골흡수억제제의 중단을 고려한다. 중단기간 동안 금기가 아니면 teriparatide 투약을 고려할 수 있으며 다른 계열의 대체약제를 투여할 수 있다. 기존 약제의 재투여는 골치유가 완성되는 2개월 후에

**표 124-3.** MRONJ의 위험요인

**가. 치과적 위험요인**

① 발치 등의 치조골을 침범하는 구강 내 수술
② 구강감염 및 동반염증
③ 치아우식
④ 틀니 사용
⑤ 외상, 손상

**나. 의학적 위험요인**

① 전신감염
② 류마티스 질환(류마티스관절염, 쇼그렌증후군 등)
③ 당뇨병
④ 혈관질환
⑤ 골흡수억제제나 혈관신생억제제의 사용기간
⑥ 스테로이드 제제의 사용

**다. 기타요인**

① 고령
② 흡연
③ 특정 유전적 인자

재개한다.

턱뼈 괴사의 내과적 관리 및 치료는 전신적 요소 파악 및 철저한 관리이며, 주된 치료는 외과적 치료이다.

## 2) 비전형 대퇴골절

비전형 대퇴골절은 비스포스포네이트를 장기간 사용한 경우 발생하며, 골 조직검사에서 골대사지표가 많이 감소되어 있어 뼈바탕질 형성이 심하게 억제되어 발생한 것으로 추정된다. 3년 이상 비스포스포네이트 제제를 복용한 환자가 내원했을 때 허벅지 외측에 통증이 있는지에 대한 확인이 필요하다. 데노수맙도 드물게 비전형 대퇴골절을 일으킨다는 보고가 있어 그 가능성에 대해 항상 주의를 기울여야 한다. 매년 DXA를 촬영할 때 조기에 대퇴골 외측 피질골에 나타나는 가골 반응을 찾아내는 경우도 있다. DXA 검사 결과지에서 T-값만 보지 말고 대퇴골 외측 피질골에 골막 반응이 있는지 확인한다.

전구 증상으로 허벅지에 통증을 호소할 때 대부분 단순 방사선사진으로 진단이 가능하다. 불확실한 경우에는 동위원소 검사(bone scan)나 MRI 검사를 실시하여 확인하는 것이 중요하다. 전구 증상이 있을 땐 일반적으로 대퇴골 외측 피질골에만 골절이

국한된 상태이며 이를 간과하는 경우에는 사소한 외상으로도 완전골절로 진행되어 수술이 어려워지고 예후도 불량해진다.

전구 증상인 통증을 호소하는 환자는 즉시 비스포스포네이트 제제를 중단하고 체중부하를 제한시키며 칼슘과 비타민D (1,000-2,000 IU)를 충분히 복용시킨다. 경제적으로 여유가 된다면 부갑상샘호르몬 제제의 투약을 권장한다.

다년간 비스포스포네이트 제제의 복용 경력이 있고 양쪽 대퇴골에 병변이 관찰되거나 통증이 동반되는 경우에는 예방적으로 금속정 삽입이 권장된다. 특히 전자하부 외측 피질골에 수평 골절선(dreadful black line)이 뚜렷이 관찰되는 경우에는 대부분 완전 골절로 진행되므로 예방적 금속정 내고정술을 시행하는 것이 바람직하다. 또한 약 28-40%에서 양측성으로 발생하기 때문에 반대측 대퇴골도 유심히 관찰하여 병변이 나타나면 조기에 치료가 가능하도록 세심한 주의를 기울여야 한다.

## 3) 약물 휴지기

비스포스포네이트는 투약 중단 후에도 잔여효과가 있어 골흡수 억제작용이 유지되기 때문에 골절 예방효과는 유지시키면서 부작용의 위험성을 감소시킬 수 있는 휴지기에 대한 개념이 대두되었다. 하지만 골다공증 약제에 대한 반응은 아시아인과 유럽인 간에는 유전적, 식이 및 환경적인 영향 때문에 차이가 있다고 알려져 있어 명확한 권고안을 제시하기는 어렵다. 대한골대

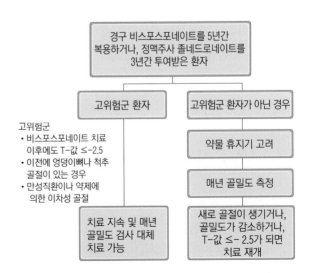

**그림 124-3.** 약물 휴지기를 가질 후보군의 선정과 모니터링 원칙에 대한 대한골대사학회의 알고리즘 제안

사학회에서 비스포스포네이트 약물 휴지기에 대한 의견서를 제시하였는데, 아직 명백한 권고안이 아니라는 의견도 함께 제시하였다(그림 124-3). 특히 류마티스관절염, 강직척추염, 전신홍반루푸스는 이차 골다공증에 해당되어 이 제안에서 고위험군에 속한다.

Denosumab은 투여 중단 후 2-10개월 내에 척추골절이 증가함을 보여 약물 휴지기를 고려하지 않는다.

## 부갑상샘호르몬

부갑상샘호르몬은 전체 아미노산이 84개이다. 전체 재조합(1-84) 사람 부갑상샘호르몬은 고칼슘혈증이 많이 보고되어 FDA에선 승인되지 못하였고 유럽에서는 승인받았다. 1-34 재조합 사람 부갑상샘호르몬(teriparatide)은 FDA 승인을 받아, 골다공증 약제 중 유일하게 FDA 승인을 받은 골형성 촉진제이다. Teriparatide는 유럽에서도 승인받았다.

### 1) 작용기전

Teriparatide는 뼈 형성과 질량을 증가시킨다. 엉덩뼈능선(iliac crest) 생검 기반 조직형태학적 분석에서 뼈 잔기둥(trabecula) 부피, 연결성 및 뼈겉질 두께가 증가하였다. 치료 중 형성된 뼈는 미네랄 함량이 낮으며 몇 개월에 걸쳐 무기질 침착이 발생한다. Teriparitide는 부갑상샘호르몬 1형 수용체에 결합하여 골모세포와 파골세포 기능에 관여하는 유전자를 활성화시킨다. 골대사지표는 치료에 따라 증가한다. Teriparitide 치료 시 골 형성 표지자는 1개월에 최고조에 달하지만 재흡수 표지자는 6개월에 최고조에 달하며 조기 골모세포 자극 및 뼈 형성, 파골 세포 및 뼈 흡수의 지연된 영향을 나타낸다. 이로 인해 teriparatide 투여 시 골막 뼈 형성 및 뼈 크기 변화가 발생한다.

### 2) 골절 감소

골다공증 골절에 대한 임상연구에서 teriparatide 20 또는 40 µg/day, 위약으로 무작위 배정하였다. 치료 기간은 세 그룹에서 평균 19개월이었다. 위약과 비교할 때 BMD는 teriparatide 20 및 40 µg 그룹에서 요추 9.7% 및 13.7%, 대퇴 경부에서 2.8% 및

5.1%만큼 유의하게 증가했다. 전체골절 발생을 60% 이상, 비척추골절 발생을 40% 이상 감소시켰다. 중등도 및 중증 척추 골절의 발생률이 90% 감소했다.

Teriparatide는 폐경 후 여성 및 남성 골다공증, GIOP에 허가를 받았다. 뼈바탕질을 증가시키는 효과가 비스포스포네이트로 치료한 경험이 있는 환자들에서 감퇴하였으며 이는 비스포스포네이트의 뼈흡수를 억제하는 효과 때문으로 생각된다.

### 3) 투여방법 및 기간

1일 1회 20 µg을 대퇴부 또는 복부에 피하주사한다. 투여기간은 국내에서 24개월까지 투여가능하다.

### 4) 이상반응

흔한 이상반응은 오심, 사지 통증, 두통 및 기립성 저혈압에 의한 어지러움증이다.

## Abaloparatide

부갑상샘호르몬과 수용체를 공유하며 미국에서 폐경 후 골다공증의 치료에 승인되었다. ACTIVE 임상시험은 18개월 진행되었고 abaloparatide, teriparatide, 위약군으로 진행하였다. Abaloparatide는 위약에 비해 척추 골절 83%, 비척추 골절을 43% 감소시켰다. 이상반응은 어지러움, 다리 경련, 저칼슘혈증, 요산 증가 등이다.

쥐(rat)를 이용한 전임상실험에서 골육종(osteosarcoma)이 발생하여 36개월 계획의 임상시험이 조기종료되었다. 15년간 55,000명 이상이 포함된 시판 후 조사에서 일반집단에 비해 골육종 발생위험이 증가하지 않았다. 하지만 골육종 발생 위험집단에서는 처방하지 않아야 한다.

## Sclerostin 억제제

Romosozumab은 Wnt를 억제하는 sclerostin 단백질에 대한 단클론항체이다. 골 형성을 활성화하고 초기에 골흡수를 억제하

는 특성을 가졌다.

## 1) 작용기전

난소절제한 rat 실험에서 항sclerostin 항체로 치료 시, 뼈 잔기둥, 골막, 피질내피 및 피질 내 표면에서 골 형성이 현저하게 증가했다. 또한 골모세포 표면과 무기질침착 표면이 증가하는 반면 파골세포 표면은 감소하여 sclerostin 항체 사용으로 골 형성이 증가하고 골 흡수가 감소함을 시사한다. 원숭이 실험에서 골흡수 표지자는 감소하여 sclerostin 항체의 특이한 작용인 '골 모델링(골 표면에서 골흡수 활성화 없이 뼈 형성의 직접 활성화)'이 나타나며, 이는 다른 골형성 촉진제인 teriparatide에서 '골 재형성(골모세포에 의한 골 형성 이후 파골세포에 의한 골흡수)'이 일어나는 것과 다른 점이다.

## 2) 골절 감소

2상 임상시험에서 골형성 지표는 치료 시작 후 1개월에 최고치에 이르렀다가 romosozumab 용량에 따라 치료 2-9개월에 기준선 아래로 떨어졌다. 골흡수 표지자는 첫 주에 가장 많이 감소했지만 차츰 증가하였고 치료 12개월까지 기준선 아래로 유지되었다.

3상 FRAME 임상시험은 7,180명의 폐경 후 골다공증 여성을 대상으로 시행하였다. 한 군은 romosozumab 1년, 이후 데노수맙 1년 투여하였고 다른 군은 위약 1년, 이후 데노수맙을 투여하였다. Romosozumab 투여군에서 척추 골절 발생률이 75% 감소했고 비척추 골절 발생률은 차이가 없었다. FRAME 연장연구에서 척추 골절, 비척추 골절 발생률이 모두 감소하였다.

다른 대규모 임상연구인 ARCH 연구는 4,093명의 취약성 골절이 있는 폐경 후 골다공증 여성을 대상으로 시행하였다. Romosozumab 또는 alendronate 투약군에 1:1로 무작위 배정하였고, 약제를 12개월 투여 후 2년째는 두 군 모두 alendronate를 투여하였다. 2년차에 척추 골절, 비척추 골절, 대퇴 골절이 romosozumab을 투여한 군에서 모두 감소하였다.

## 3) 투여방법 및 기간

1회 210 mg (105 mg을 다른 투여부위로 연속 2번)을 한 달에 한 번, 총 12회 피하 주사한다. 모든 환자는 칼슘과 비타민D 보조제를 추가적으로 복용해야 한다.

## 4) 이상반응

주사 부위 반응, 저칼슘혈증, 관절통 등이 보고되었다. ARCH 연구에서 심혈관질환이 대조군보다 통계적으로 유의하게 높게 발생하였다. 심혈관질환 병력이 있는 환자에게 romosozumab 투약 시 신중할 필요가 있다.

## 참고문헌

1. 대한골대사학회 진료지침위원회. 골다공증 진료 지침 2020. 대한골대사학회; 2015. pp. 145-60.

2. Bolland MJ, Grey A, Avenell A, Gamble GD, Reid IR. Calcium supplements with or without vitamin D and risk of cardiovascular events: reanalysis of the Women's Health Initiative limited access dataset and meta-analysis. BMJ 2011;342:d2040.

3. Cummings SR, San Martin J, McClung MR, Siris ES, Eastell R, Reid IR, et al. Denosumab for prevention of fractures in postmenopausal women with osteoporosis. N Engl J Med 2009;361:756-65.

4. Dempster DW, Zhou H, Recker RR, Brown JP, Bolognese MA, Recknor CP, et al. Skeletal histomorphometry in subjects on teriparatide or zoledronic acid therapy (SHOTZ) study: a randomized controlled trial. J Clin Endocrinol Metab. 2012;97:2799-808.

5. Gallagher JC, Genant HK, Crans GG, Vargas SJ, Krege JH. Teriparatide reduces the fracture risk associated with increasing number and severity of osteoporotic fractures. J Clin Endocrinol Metab. 2005;90:1583-7.

6. Harman SM. Menopausal hormone treatment cardiovascular disease: another look at an unresolved conundrum. Fertil Steril 2014;101:887-97.

7. Khan AA, Morrison A, Hanley DA, Felsenberg D, McCauley LK, O'Ryan F, et al. Diagnosis and management of osteonecrosis of the jaw: a systematic review and international consensus. J Bone Miner Res. 2015;30:3-23.

8. Looker AC, Borrud LG, Hughes JP, Fan B, Shepherd JA, Melton LJ, 3rd. Lumbar spine and proximal femur bone mineral density, bone mineral content, and bone area: United States, 2005-2008. Vital Health Stat 11 2012;251:1-132.

9. Nguyen ND, Eisman JA, Center JR, Nguyen TV. Risk factors for fracture in nonosteoporotic men and women. J Clin Endocrinol Metab 2007;92:955-62.

10. Ruggiero SL, Dodson TB, Fantasia J, Goodday R, Aghaloo T, Mehrotra B, et al. American Association of Oral and Maxillofacial Surgeons position paper on medication-related osteonecrosis of the jaw--

2014 update. J Oral Maxillofac Surg 2014;72:1938-56.

11. Schiodt M, Otto S, Fedele S, Bedogni A, Nicolatou-Galitis O, Guggenberger R, et al. Workshop of European task force on medication-related osteonecrosis of the jaw-Current challenges. Oral Dis 2019;25:1815-21.

12. Silverman SL, Christiansen C, Genant HK, Vukicevic S, Zanchetta JR, de Villiers TJ, et al. Efficacy of bazedoxifene in reducing new vertebral fracture risk in postmenopausal women with osteoporosis: results from a 3-year, randomized, placebo-, and active-controlled clinical trial. J Bone Miner Res 2008;23:1923-34.

13. Wan JT, Sheeley DM, Somerman MJ, Lee JS. Mitigating osteonecrosis of the jaw (ONJ) through preventive dental care and understanding of risk factors. Bone Res. 2020;8:14.

# 125

## 예후

가톨릭의대 **민준기**

### KEY POINTS 🔒

- 골다공증으로 인해 골절이 발생할 수 있고 위험도는 개인에 따라 다르다.
- 주요 골다공증 골절은 사망률 증가와 관련이 있다.
- 골다공증 골절이 발생하면 이차 골절을 예방하기 위한 적극적인 노력이 필요하다.

## 예후

골다공증으로 인해 골절이 발생할 수 있으며 위험도는 개인에 따라 다르다. 골다공증에 의한 골절의 위험도를 예측하는 방법으로 Fracture Risk Assessment Tool (FRAX®), QFracture®, Garvan Fracture Risk Calculator 등이 이용되고 있다. FRAX 알고리즘은 10년 내 주요 골다공증 골절과 대퇴골절의 위험도를 예측하여 준다. FRAX®에 사용되는 위험인자는 연령, 성별, 체중, 신장, 이전의 골절 병력, 부모님의 엉덩관절 골절, 현재 흡연, 글루코코티코이드제제 사용, 류마티스관절염, 이차 골다공증, 하루 3단위 이상의 술, 대퇴골 경부 골밀도(g/cm²)이다.

골다공증 골절에 의한 연령 표준화 사망률은 여성의 경우 근위대퇴골 2.18, 척추 1.66, 기타 주요 골절 1.92, 남성의 경우 근위대퇴골 3.17, 척추 2.38, 기타 주요 골절 2.22, 경미한 골절 1.45으로 알려져 있다. 대퇴골 골절에 의한 입원 사망률은 1-9%이고 대퇴골 골절 후 1년 이내 사망률은 30%에 달해 대퇴골 골절 후 조기 사망을 예방하기 위한 노력이 필요하다. 대퇴골 골절 후 3

개월 이내의 사망률은 대조군에 비해 남성은 5.7배, 여성은 7.9배로 높은 것으로 보고된 바 있다. 대퇴골 골절에 의한 사망 중 약 25%는 골절 자체, 감염, 혈전색전증, 수술 등과 관련되어 있으며 나머지는 동반 질환과 관련된다. 엉덩관절 골절이 신체 기능에 미치는 영향은 상당하여 엉덩관절 골절 후 1년까지 생존한 환자의 약 절반이 이전 기능을 회복하지 못하며 건강상태도 골절 이전 수준으로 회복되지 않는다. 척추 골절이 발생하면 같은 연령 군에 비해 사망률이 2배 정도 증가하고 5년까지 높은 사망률이 유지된다. 척추 골절이 여러 개 발생할수록 심혈관질환, 폐질환으로 사망률이 증가한다. 골다공증 골절이 발생하면 모든 골밀도 수준에서 이차 골절 위험이 상당히 높아진다. 이차 골절 위험도는 골절 발생 후 1년까지 5.3배, 5년까지는 2.8배 정도 증가하고 이후에는 점차적으로 감소하게 된다. 따라서 골절이 발생하면 2차 골절을 예방하기 위한 적극적인 노력이 필요하다. Fracture liaison service는 골다공증 골절로 치료받은 환자들이 이차 골절이 발생하지 않도록 하는 여러 학문분야의 종합적인 서비스로 많은 나라에서 적용되어 긍정적인 효과가 보고되고 있다.

### 📖 참고문헌

1. Center JR, Nguyen TV, Schneider D, Sambrook PN, Eisman JA. Mortality after all major types of osteoporotic fracture in men and women: an observational study. Lancet 1999;353;878-82.
2. Haentjens P, Magaziner J, Colón-Emeric CS, Vanderschueren D, Milisen K, Velkeniers B, et al. Meta-analysis: excess mortality after hip fracture among older women and men. Ann Intern Med

2010;152:380-90.

3. Haleem S, Lutchman L, Mayahi R, Grice JE, Parker MJ. Mortality following hip fracture: trends and geographical variations over the last 40 years. Injury 2008;39:1157-63.

4. Hippisley-Cox J., Coupland C. Predicting risk of osteoporotic fracture in men and women in England and Wales: prospective derivation and validation of QFractureScores. BMJ 2009; 339:b4229.

5. Kanis JA, Harvey NC, Johansson H, Oden A, Leslie WD, McCloskey EV. FRAX and fracture prediction without bone mineral density. Climacteric 2015;18 Suppl 2:S2-9.

6. Kanis JA, Johnell O, Oden A, Johansson H, McCloskey E. FRAX and the assessment of fracture probability in men and women from the UK. Osteoporos Int 2008;19:385-97.

7. Lau E, Ong K, Kurtz S, Schmier J, Edidin A. Mortality following the diagnosis of a vertebral compression fracture in the Medicare population. J Bone Joint Surg Am 2008;90:1479-86.

8. Nguyen ND., Frost SA., Center JR., Eisman JA., Nguyen TV. Development of a nomogram for individualizing hip fracture risk in men and women. Osteoporos Int 2007;18:1109-17.

9. Sernbo I, Johnell O. Consequences of a hip fracture: a prospective study over 1 year. Osteoporos Int 1993;3:148-53.

10. Van Geel TA, van Helden S, Geusens PP, Winkens B, Dinant GJ. Clinical subsequent fractures cluster in time after first fractures. Ann Rheum Dis 2009;68:99-102.

11. Wu CH, Tu ST, Chang YF, Chan DC, Chien JT, Lin CH, et al. Fracture liaison services improve outcomes of patients with osteoporosis-related fractures: A systematic literature review and meta-analysis. Bone 2018;111:92-100.

# 126

## 증례

**계명의대 손창남**

## 증례

69세 남성이 선반 위의 물건을 꺼내다 갑작스럽게 생긴 허리 통증으로 병원에 왔다. 10년간 류마티스관절염 치료를 위해 여러 종류의 항류마티스약제와 함께 최근 하루 7.5 mg의 프레드니솔론(prednisolone)을 복용하였다. 이전에 허리 수술받은 과거력은 없다. 허리 방사선사진(그림 126-1), 자기공명영상검사(그림 126-2), 이중에너지방사선흡수측정(dual-x-ray absorptiometry, DXA)(그림 126-3)을 시행하였다.

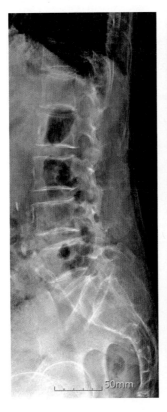 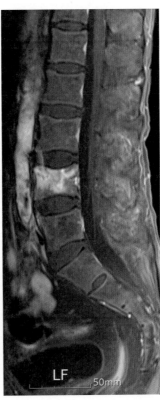

그림 126-1.              그림 126-2.

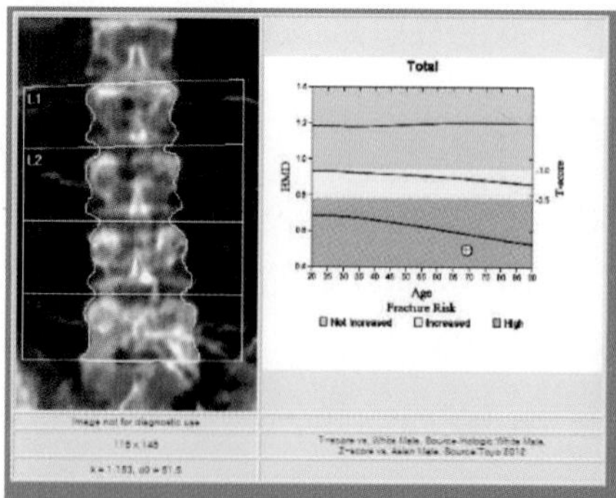


Results Summary:

| Region | Area [cm²] | BMC [(g)] | BMD [g/cm²] | T-score | PR (Peak Reference) | Z-score | AM (Age Matched) |
|---|---|---|---|---|---|---|---|
| L1 | 14.08 | 7.18 | 0.510 | -5.1 | 48 | -2.3 | 59 |
| L2 | 17.14 | 8.27 | 0.482 | -5.6 | 44 | -2.7 | 53 |
| **Total** | **31.21** | **15.45** | **0.495** | **-5.1** | **47** | **-2.5** | **56** |

Total BMD CV 1.0%, ACF = 1.024, BCF = 1.006, TH = 6.024

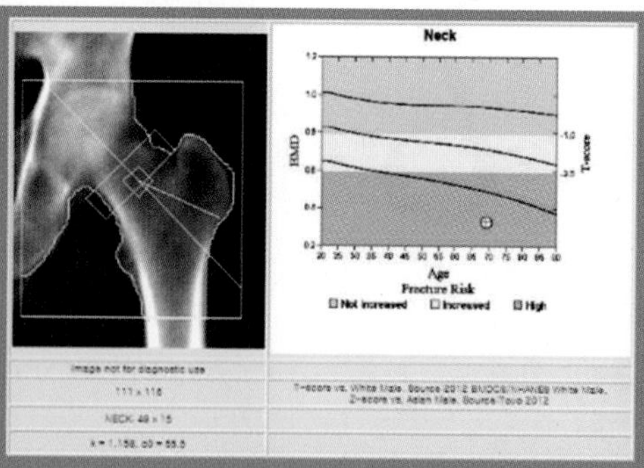


Results Summary:

| Region | Area [cm²] | BMC [(g)] | BMD [g/cm²] | T-score | PR (Peak Reference) | Z-score | AM (Age Matched) |
|---|---|---|---|---|---|---|---|
| **Neck** | **5.78** | **1.89** | **0.328** | **-4.4** | **35** | **-3.4** | **46** |
| Total | 41.62 | 18.47 | 0.444 | -3.9 | 43 | -3.0 | 53 |

Total BMD CV 1.0%, ACF = 1.024, BCF = 1.005, TH = 4.759

그림 126-3.

## 1) 질문

(1) 허리 통증의 원인은?

(2) 고려해야 할 동반질환은?

## 2) 증례 설명

골다공증의 위험인자인 류마티스관절염, 장기간의 글루코코티코이드 복용을 가진 환자로 글루코코티코이드유발골다공증에 의한 급성척추압박골절이다. 허리 방사선 사진에서는 요추 4번의 압박골절이 뚜렷하게 보이지 않으나 자기공명영상에서는 분명하게 확인할 수 있다. 대표적인 골밀도 검사인 이중에너지방사선흡수측정 결과 허리와 엉덩관절 모두 심한 골다공증을 보인다.

## 3) 정답

(1) 요추 4번 급성압박골절

(2) 글루코코티코이드유발골다공증

류 마 티 스 학
RHEUMATOLOGY

PART

# 20 섬유근통

책임편집자 **이신석**(전남의대)
부편집자 **김성호**(인제의대)

# 127

## 역학, 병인과 임상증상

인제의대 김성호

**KEY POINTS** 🔒

- 섬유근통은 전체 인구의 2-4% 정도로 흔한 질환이며, 골관절염 다음으로 흔한 류마티스 질환이다. 일반 인구집단에서 남녀 비율은 2:1 정도이다.
- 섬유근통은 유전적인 소인이 있는 사람에서 특정 환경 인자에 노출되었을 때 발병한다.
- 섬유근통의 발병기전은 중추신경계에서 통증을 조절하는 데 문제가 있어 발병한다는 가설이 가장 많은 인정을 받고 있다.
- 섬유근통의 가장 두드러진 임상증상은 전신통증이며, 두통, 피곤감, 수면 장애, 과민성대장증후군, 감각이상 등이 나타날 수 있고, 날씨 또는 스트레스 수준의 변화에 따라 증상의 굴곡이 나타날 수 있다.

## 역학

만성통증은 침범 부위에 따라 만성국소통증(chronic regional pain)과 만성전신통증(chronic widespread pain)으로 분류되는데, 만성전신통증은 신체의 좌우측 부위와 허리를 기준으로 상하 부위의 3개월 이상 지속되는 통증을 말한다. 미국과 영국의 역학조사에 의하면 전체 인구의 20-25%가 만성국소통증을 가지고 있고 10-11%는 만성전신통증을 가지고 있다. 국내의 조사에서도 14% 정도의 만성전신통증 환자가 있는 것으로 보고되고 있다. 1990년 미국류마티스학회에서 만성전신통증이 있으면서 특정 부위에 압통점이 있는 경우를 섬유근통으로 분류하였다. 사용되는 진단 기준에 따라 유병률이 2-4%로 보고되어 있고, 1990

년 기준을 사용한 국내의 조사에서도 서구와 비슷한 2.2%의 유병률이 보고된 바 있다. 일반 인구집단에서 남녀 비율은 2:1 정도이다. 섬유근통은 골관절염 다음으로 흔한 류마티스 질환이다. 영국의 경우 섬유근통은 전체 입원 환자의 5%, 내과 외래 환자의 6%, 류마티스내과 외래 환자의 20%를 차지하는 중요한 질환으로 되어 있다. 섬유근통은 어린이를 포함해 어느 나이에나 발생할 수 있다. 유병률은 국가나 문화, 민족에 따른 큰 차이는 없으며, 선진국에서 더 높다는 증거도 없다. 특정 직업군의 유병률 및 위험 요인에 대한 보고도 별로 없다.

## 병인

섬유근통에서 증상 발현에 대한 기전은 복잡하다. 섬유근통은 다른 류마티스 질환들처럼 유전적인 소인이 있는 사람들이 특정 환경인자에 노출되었을 때 발병한다. 섬유근통 및 관련된 상황에는 강한 가족적 소인이 있다. 섬유근통 환자들의 가까운 가족들에서 섬유근통이 발생할 확률이 8배 높다. 확고한 연관이 확인되진 않았지만, 세로토닌전달체 유전자(serotonin transporter gene)와 catechol-O-methyltransferase 효소에서 특이 다형현상이 섬유근통과 약하게 관련있고, 이외에도 최근 많은 후보 유전자들에 대한 발표가 있다.

섬유근통이 발생하는 사람들에서 다양한 환경적 스트레스가 이 상황을 유발할 수도 있는데, 이러한 스트레스에는 감염, 신체적 손상, 전쟁과 같은 비극적인 사건 등이 포함된다.

섬유근통의 발병기전으로는 근육 자체에 문제가 있다는 '골격근 가설', 느린눈운동수면(nonrapid eye movement, NREM 수면) 중 나타나는 비정상적인 알파파에 의해 섬유근통의 증상이 발생한다는 '수면장애 가설' 등 여러 가지 이론이 있지만 중추신경계에서 통증을 조절하는 데 문제가 있어 섬유근통이 발병한다는 가설이 가장 많은 인정을 받고 있다.

## 1) 유전적 소인

533명의 섬유근통 환자 가족과 272명의 류마티스관절염 환자 가족의 섬유근통 유병률을 조사한 연구에서 섬유근통 환자 가족의 섬유근통 유병률이 류마티스관절염 환자 가족에 비해 8.5배 높고 우울증을 비롯한 주요 기분장애의 유병률도 1.8배 높았다. 이것은 섬유근통의 발생에 유전적 소인이 관련 있음을 보여주는 소견이다.

세로토닌은 중추신경계와 척수에서 통증 조절과 관련이 있는 신경전달물질로 섬유근통 환자의 혈청에서 감소되어 있고 세로토닌의 전구물질인 트립토판 역시 혈청에서 감소되어 있으며 세로토닌의 주된 대사물질인 5-히드록시인돌아세트산이 뇌척수액에서 감소되어 있다. 혈중 세로토닌 농도의 감소가 섬유근통의 발생과 관련이 있고 세로토닌의 생성과 운반, 대사에 관여하는 유전자 이상으로 섬유근통 환자에서 혈중 세로토닌의 농도가 감소되었을 가능성이 있다. 최근 세로토닌 수용체의 유전자다형성(HTR2A)과 세로토닌 전달체 유전자다형성(5HTTLPR)이 섬유근통의 발생과 관련이 있다는 연구 결과가 있으며, 도파민수용체 유전자다형성(DRD4), catechol-O-methyltransferase의 유전자다형성, SERPINA1 유전자다형성이 섬유근통의 발생과 관련이 있다는 보고가 있다. 이러한 유전자다형성이 섬유근통의 발생과 관련이 있다고 하지만 연관성이 그다지 높지 않기 때문에 섬유근통의 직접적인 원인이라고 하기는 어렵고 더 많은 연구가 진행될 필요가 있다.

## 2) 근육과 힘줄의 미세외상

섬유근통에서 특징적인 압통점이 있는 부위들은 대부분 힘줄이 뼈에 붙는 부위이기 때문에 근육과 힘줄의 반복적인 미세외상(microtrauma)이 섬유근통의 원인일 것으로 오래 전부터 생각되어 왔다. 고장식염수(hypertonic saline)를 근육 내로 주사하게

되면 주변 신경의 반응성 변화로 통증에 대한 민감도가 증가하여 이론적으로는 섬유근통의 상태가 유도될 수 있지만 이를 뒷받침할 수 있는 근거는 미약하다.

섬유근통 환자에서 시행한 근육 조직검사소견을 보면 제2형 근육섬유의 위축, 제1형 근육섬유의 좀먹은 양상(moth-eaten appearance), 불균일적색근육섬유의 출현, 지방축적, 글리코겐축적, 밀리미터당 모세혈관 숫자의 감소 등 다양한 이상소견이 나타나고 이러한 소견은 근육손상을 의미하는 것으로 알려져 있다. 하지만 이러한 소견들은 정상인에서도 나타날 수 있기 때문에 섬유근통에 특징적인 근육 조직검사소견은 없다고 볼 수 있다. 섬유근통 환자의 근육 자기공명영상 소견은 정상이고 P-31 자기공명분광법에서도 에너지 대사에 이상이 없는 것으로 보고되고 있다. 섬유근통 환자에서 근력과 지구력이 감소되어 있다는 보고들이 있지만 근육 수축력은 정상이라는 보고도 있다.

## 3) 수면 장애

섬유근통 환자는 흔히 충분한 수면을 취함에도 불구하고 자고 일어났을 때 상쾌하지 못하고 피로가 회복되지 못한다고 한다. 깨어있는 상태나 빠른눈운동수면(REM sleep) 시에 나타나는 알파파가 NREM 수면 시에 나타나게 되면 자고 일어났을 때 상쾌하지 못하고 피곤한 증상이 나타나게 되는데 섬유근통 환자의 뇌파검사에서 이러한 소견이 관찰된다. 섬유근통 환자의 뇌파검사에서 나타나는 알파파의 침입과 섬유근통의 증상이 서로 관련이 있지만 섬유근통의 통증에 의해 이러한 뇌파의 변화가 나타나는 것인지 아니면 뇌파의 변화에 의해 섬유근통의 증상이 나타나는지 확실하지 않다. 통증과 수면장애는 서로 영향을 주고받을 수 있어서 통증이 있게 되면 우울증과 불안이 동반되고 여기에 이차적으로 수면장애가 발생할 수 있고 반대로 수면의 질이 떨어지게 되면 근골격계 통증이 발생할 수 있다. 건강한 지원자들을 대상으로 심한 통증 상태를 유발하게 되면 NREM 수면 시에 알파파의 침입이 나타나게 되고 반대로 NREM 수면을 방해하게 되면 통증의 문턱값이 낮아진다는 실험 결과가 있다. 따라서 섬유근통 환자에서 통증이 먼저인지 수면장애가 먼저인지 상호 인과관계를 밝히는 데에는 어려움이 있다.

한편, 성인에서 성장호르몬은 주로 NREM 수면 시에 분비되는데 섬유근통 환자에서 감소되어 있는 성장호르몬의 분비가

NREM 수면의 장애와 관련이 있다고 알려져 있다. 또한, 멜라토닌의 분비 역시 정상 성인에 비해 1/3 정도로 감소되어 있는데 이 역시 같은 원인으로 볼 수 있다.

## 4) 자율신경 이상

예전에는 섬유근통을 반사교감신경이상증(reflex sympathetic dystrophy)의 전신형으로 보는 견해가 있었는데 이것은 자율신경의 조절 이상으로 섬유근통이 발생한다고 생각했기 때문이다. 섬유근통 환자의 통증과 압통점이 자율신경차단술에 의해 호전된다는 보고와 노르에피네프린을 섬유근통 환자에 주사하게 되면 류마티스관절염 환자나 정상 대조군에 비해 두 배 이상 심한 통증을 호소한다는 보고를 볼 때 자율신경 기능에 이상이 있음을 짐작해 볼 수 있다. 최근 섬유근통 환자에서 출력분광분석(power spectral analysis)을 이용하여 심박변이성(heart rate variability)을 측정한 연구 결과를 보면 정상인에 비해 교감신경의 과다 활동과 부교감신경의 활동 감소가 나타난다.

## 5) 내분비 호르몬 이상

섬유근통 환자에서 스트레스에 대한 반응과 호르몬 축에 이상이 있다는 사실은 잘 알려져 있다. 기저 상태의 코르티솔이 정상의 1/3로 감소되어 있고 스트레스에 대한 시상하부-뇌하수체-부신 축의 반응이 감소되어 있으며 이러한 호르몬 변화로 아픈 감각(nociception)에 대한 반응이 항진되어 통증이 다른 부위로 확산된다고 가정해 볼 수 있다. 수면장애에서처럼 호르몬 이상에 의해 섬유근통의 통증이 나타나는 것인지 아니면 섬유근통에 이차적으로 이러한 호르몬 변화가 나타나는 것인지 분명하지 않다.

## 6) 중추신경계통의 통증 조절 이상

국소 통증이 전신 통증으로 진행하는 데에는 통증을 조절하는 중추신경계의 이상감작(central sensitization)과 관련이 있다는 것이 동물 실험을 통해 밝혀져 있다. 섬유근통 환자의 SPECT 소견을 보면 통증 조절과 관련이 있는 좌우측 시상과 꼬리 핵 부위에 뇌 혈류가 감소되어 있고 자기공명기능뇌영상(functional MRI)에서는 정상인은 통증을 느끼지 않은 자극에 대해 반대쪽 몸감각 겉질, 아래 두정소엽, 섬 겉질, 앞뒤 대상, 같은쪽 이차 몸감각 겉질, 양측 위측두이랑, 소뇌에서 신호 강도가 정상인에 비해 의미 있게 증가되어 있다. 평상시에는 통증을 억제하기 위해 뇌혈류가 감소되어 있던 부위들이 약한 통증만 있더라도 정상인에 비해 민감(sensitization)하게 반응하여 통증을 증폭시킨다는 것을 보여주는 소견이다. 또한 약물치료 전후로 뇌의 통증 관련 부위에 활성도의 변화가 뚜렷한 것 등을 고려할 때 중추신경계의 통증 조절 이상은 주된 병리기전일 것으로 생각된다. 최근에는 자기공명분광법(MR spectroscopy)을 사용하여 뇌섬과 해마의 대사 이상을 관찰할 수 있다는 보고가 있다. 특히 최근엔 자기공명분광법으로 섬유근통 환자들의 뇌에서 흥분성 기능을 하는 글루타메이트 수치가 증가되어 있다는 보고들도 있다. 또한 약물치료에 대한 반응을 평가하는 도구(biomarker)로 자기공명기능뇌영상과 자기공명분광법을 사용하는 움직임들이 있다. 최근 섬유근통 환자들의 뇌에서 아편양 수용체의 결합이 감소되어 있다는 보고들도 있어 이 환자군에서 마약성 진통제에 대한 반응이 적은 기전으로 설명되고 있다.

## 7) 정신적 및 행동적인 요인들

정신적인 고통이 만성전신통증 발생의 위험 요소라는 점은 명확하다. 하지만, 만성전신통증이 발생한 많은 사람들이 발병 이전에 높은 수준의 고통은 없었던 것으로 알려져 있다. 여러 종류의 만성 통증 환자들 대부분에서 우울증, 불안, 다른 정신과적인 질환들이 동반된다. 이런 정신과적인 증상들이 있다면 반드시 찾아 치료해야 한다. 섬유근통 및 유사한 만성통증들에서 생기는 일부 결과들은 실제 통증을 악화시키거나 지속시킬 수 있어, 훨씬 더 문제가 될 수 있다. 비활동적으로 되거나 때론 고립되어 버리는 사람들, 또는 부적응 인지가 생기는 사람들이 여기에 포함된다. 부적응 인지란 조절의 위치가 외부에 있거나(자신의 통증에 대해 아무것도 할 수 없다고 느끼는 것) 재앙화(파멸적) 사고(통증에 대해 매우 부정적이고 비관적인 시각)의 경우들이다. 이런 식으로 통증에 대한 정신적 및 행동적인 영향들이 초기의 신경생물학적인 요소들과 상호작용하여 증상들을 악화시키고 시간이 지나면서 더욱 기능 악화를 초래할 수 있다.

## 임상증상

광범위한 비관절성 근골격계 통증 및 두통, 피곤감, 수면 장애, 과민대장증후군, 감각이상 등이 나타날 수 있고, 날씨 또는 스트레스 수준의 변화에 따라 증상의 굴곡이 나타날 수 있다.

섬유근통의 가장 두드러진 임상증상은 전신 통증이다. '온 몸이 쑤시고 아프다'고 표현될 정도로 척추를 포함하여 사지의 좌우, 상하에 걸쳐 통증이 있다. 환자에 따라서는 등이나 허리, 혹은 손가락과 같은 특정 부위의 통증을 다른 곳에 비해 더 심하게 호소할 수도 있다.

한 시간 미만의 아침강직이 있을 수 있고 무릎과 발목이 시리고 저리는 증상이 동반되기도 한다. 주관적인 증상이기는 하지만 손가락과 발가락의 관절이 부어서 반지를 빼거나 신발을 신는 것이 어렵다고 호소하기도 한다. 날씨에 따라 증상이 악화되거나 호전되는데 여름철보다는 겨울철에 증상이 악화된다는 환자들도 있지만 반대로 여름철에 증상이 악화된다는 환자들도 있다.

전신통증과 같은 근골격계 증상 외에 피로, 수면장애와 같은 증상이 흔히 동반된다. 80%의 환자에서 중등도 이상의 피로를 호소하고 일부에서는 일상적인 생활을 할 수 없을 정도의 심한 피로감을 호소하기도 한다. 수면장애는 환자의 65%에서 나타나는데 잠들기가 힘들고 자주 깨며 아침에 일어날 때 개운하지 않다고 한다. 심지어는 잠을 자러 들어갈 때보다 아침에 일어날 때가 더 피곤하고 힘들다고 호소한다. 피로, 수면장애와 같은 증상보다는 적은 빈도이지만 편두통, 긴장두통, 과민대장증후군, 월경곤란, 여성 요도 증후군과 같은 증상들도 흔히 동반된다. 두통은 환자의 70%에서 나타나고 주로 긴장두통의 양상을 띠고 50%의 환자에서는 편두통이 동반된다. 과민대장증후군도 50%의 환자에서 동반되고 만성두통과 과민대장증후군이 있는 환자의 30%가 섬유근통이라는 보고도 있다. 레이노현상, 안구건조, 구강건조, 두근거림, 음식이나 약제에 대한 민감성 등이 흔히 동반된다.

### 참고문헌

1. 김성호, 배근량, 임현술. 한국의 두 지역사회에서 섬유근통 증후군과 만성 광범위 통증의 유병률과 위험요인. 대한류마티스학회지 2006;13:18-25.
2. 김성호. 섬유근통 증후군. 대한류마티스학회지 2009;16:1-15.
3. 김성호. 섬유근통. In: 대한류마티스학회. 류마티스학. 제2판. 범문에듀케이션; 2018. pp. 661-4.
4. Clauw DJ. Fibromyalgia. A Clinical Review. JAMA 2014;311:1547-55.
5. Fitzcharles MA, Cohen SP, Clauw DJ, Littlejohn G, Usui C, Häuser W. Nociplastic pain: towards an understanding of prevalent pain conditions. Lancet 2021;397:2098-110.
6. Gracely RH, Petzke F, Wolf JM, Clauw DJ. Functional magnetic resonance imaging evidence of augmented pain processing in fibromyalgia. Arthritis Rheum 2002;46:1333-43.
7. Kim SH, Lee Y, Lee S, Mun CW. Evaluation of the effectiveness of pregabalin in alleviating pain associated with fibromyalgia: using functional magnetic resonance imaging study. PLoS ONE 2013;8:e74099.
8. Schrepf A, Harper DE, Harte SE, Wang H, Ichesco E, Hampson JP, et al. Endogenous opioidergic dysregulation of pain in fibromyalgia: a PET and fMRI study. PAIN 2016;157:2217-25.
9. Talotta R, Bazzichi L, Franco MD, Casale R, Batticciotto A, Gerardi MC, et al. One year in review 2017: fibromyalgia. Clin Exp Rheumatol 2017;35:S6-S12.

# 128

# 진단과 치료

전남의대 **이신석**

## KEY POINTS 🔒

- 2016년에 개정된 섬유근통 진단기준이 다른 진단기준들에 비해 정확도가 가장 뛰어나다.
- 섬유근통 환자에서 질병활성도를 평가하기 위해 가장 널리 쓰이는 방법은 섬유근통영향척도와 같은 설문지를 사용하는 방법이다.
- 섬유근통의 증상 조절에 효과가 있는 약제들로는 아미트립틸린, 둘록세틴, 밀나시프란, 프레가발린, 트라마돌, 시클로벤자프린이 있다.
- 최선의 치료 결과를 얻기 위해서는 운동과 같은 비약물치료가 약물치료와 병행되어야 한다.

## 검사소견

신체검사와 혈액검사, 방사선촬영에서 특이 소견은 없고, 많은 환자들이 관절이 붓는다고 호소를 하지만 신체검사를 해보면 활막염의 소견은 없다. 섬유근통을 진단하기 위해 혈액검사를 할 필요는 없지만 다른 질환과 감별을 하거나 기저 질환을 찾기 위해 다음의 검사를 할 필요가 있다. 류마티스인자와 항핵항체 검사는 이들 질환이 의심되는 경우에만 할 필요가 있고 통상적으로는 할 필요는 없다.

1) 전체혈구계산(complete blood count)

2) 소변검사(urinalysis)

3) 적혈구침강속도(erythrocyte sedimentation rate)와 C반응단백질(C-reactive protein)

4) 간기능검사와 크레아티닌을 포함한 생화학검사

5) 갑상샘기능검사

6) 크레아틴키나아제(creatine kinase)

7) 혈청 칼슘과 인

섬유근통을 진단하기 위해 단순방사선촬영, 전산화단층촬영, 뼈스캔, 핵자기공명 등은 촬영할 필요가 없고 동반된 질환이 있는 경우 해당되는 검사를 해볼 수 있다. 섬유근통 환자는 호소하는 다양한 증상들로 인해 손목굴의 절개, 디스크 수술 등 불필요한 수술을 받는 경우가 많다. 따라서 애매한 증상이 있는 경우에는 가능한 질환에 대한 충분한 검사가 필요하다. 근육 생검은 염증성 혹은 대사성 근육 질환이 의심되지 않는 한 시행할 필요는 없다.

## 진단 및 감별진단

섬유근통의 진단은 1990년 미국류마티스학회에서 제시한 분류기준을 진단 근거로 사용해왔다. 1990년 분류기준에 의하면 섬유근통은 3개월 이상 지속되는 만성전신통증이 있으면서 18군 데의 압통점 가운데 11군데 이상에서 압통을 호소할 때 섬유근통으로 진단할 수 있다. 1990년 분류 기준은 섬유근통에 관한 하나의 통일된 분류기준을 제안함으로써 섬유근통에 대한 연구를 용이하게 했다는 점에서 긍정적인 의미를 부여할 수 있지만

표 128-1. 2010년 미국류마티스학회의 섬유근통 진단기준

1. 지난 한 주간 통증이 있었던 부위에 '✓' 표시하십시오.

| 번호 | 신체 부위 | 통증 여부 | 번호 | 신체 부위 | 통증 여부 |
|---|---|---|---|---|---|
| 1 | 오른쪽 턱관절 | | 11 | 오른쪽 엉덩이 | |
| 2 | 왼쪽 턱관절 | | 12 | 왼쪽 엉덩이 | |
| 3 | 가슴 | | 13 | 오른쪽 허벅지 | |
| 4 | 오른쪽 어깨 | | 14 | 왼쪽 허벅지 | |
| 5 | 왼쪽 어깨 | | 15 | 오른쪽 종아리 | |
| 6 | 오른쪽 팔 윗부분(어깨에서 팔꿈치까지) | | 16 | 왼쪽 종아리 | |
| 7 | 왼쪽 팔 윗부분(어깨에서 팔꿈치까지) | | 17 | 목 | |
| 8 | 배(복부) | | 18 | 등 | |
| 9 | 오른쪽 팔 아랫부분(팔꿈치에서 손목까지) | | 19 | 허리 | |
| 10 | 왼쪽 팔 아랫부분(팔꿈치에서 손목까지) | | | | |

2. 당신이 지난 한 주 동안 생활하면서 느꼈던 다음 증상 정도를 □에 '✓' 표시하십시오.

가. 지난 한 주간 얼마나 피곤했습니까?
□ 0. 전혀 피곤하지 않았다.
□ 1. 약간 또는 가끔씩 피곤했다.
□ 2. 상당히 또는 자주 피곤했다.
□ 3. 심각하게 지속적으로 생활이 힘들 정도로 피곤했다.

나. 지난 한 주간 아침에 잠에서 깨어날 때의 기분은 어떠했습니까?
□ 0. 상쾌했다.
□ 1. 약간 또는 가끔씩 상쾌하지 않았다.
□ 2. 상당히 또는 자주 상쾌하지 않았다.
□ 3. 심각하게 지속적으로 생활이 힘들 정도로 상쾌하지 않았다.

다. 지난 한 주간 기억력이나 집중력 정도는 어떠했습니까?
□ 0. 전혀 문제가 없었다.
□ 1. 약간 또는 가끔씩 문제가 있었다.
□ 2. 상당히 또는 자주 문제가 있었다.
□ 3. 심각하게 지속적으로 생활이 힘들 정도로 문제가 있었다.

라. 지난 한 주간 다음 신체증상의 정도는 어떠했습니까?
(보기) 근육통, 과민성 대장염, 피로감, 건망증, 근력저하, 두통, 복통, 저린 증상, 어지럼, 불면증, 우울증, 변비, 상복부 통증, 메스꺼움, 신경과민, 흉통, 흐려보임, 열감, 설사, 구강건조, 가려움, 숨쉬기가 힘들어 쌕쌕거림, 레이노현상, 두드러기, 귀 울음, 구토, 속 쓰림, 구강궤양, 입맛 변화, 발작, 안구건조, 숨가쁨, 식욕부진, 피부발진, 햇볕 민감반응, 청력저하, 쉽게 멍듦, 탈모, 빈뇨, 배뇨통, 방광 경련
□ 0. 증상이 전혀 없었다.
□ 1. 증상이 약간(몇 개 정도)은 있었다.
□ 2. 증상이 중 정도(50% 정도)로 있었다.
□ 3. 증상이 상당히 많이 있었다.

### 2010년 섬유근통 증후군 진단기준

| 1. Widespread pain index (WPI) (점수범위 0~19점) = ___ 점 | 2. Symptom severity (SS) scale (점수범위 0~12점) | |
|---|---|---|
| | 가. 피곤함 또는 피로정도= | ___ 점 |
| | 나. 아침에 잠에서 깨어날 때의 기분 = | ___ 점 |
| | 다. 인지장애 정도 = | ___ 점 |
| | 라. 신체증상 정도 = | ___ 점 |
| | 합계 (가+나+다+라) = | ___ 점 |

섬유근통의 진단은 다음 3가지 조건을 충족하여야 한다
1. WPI ≥ 7 + SS scale score ≥ 5 또는 WPI 3~6 + SS scale score ≥ 9
2. 증상이 비슷한 수준에서 최소 3개월 정도는 있어야 한다.
3. 환자의 통증을 설명할 수 있는 다른 질환은 없어야 한다.

진단기준이 아니라는 점, 만성전신통증이 있는 환자 가운데 극단적으로 심한 상태의 환자만을 섬유근통으로 분류하였다는 점, 그리고 나머지 만성전신통증 환자에 대해서는 어떻게 접근을 해야 하는지 구체적인 지침이 없다는 점에서 보완될 필요성이 있었다. 특히, 압통점 검사와 관련해서는 많은 논란이 있어 왔다. 섬유근통의 병태생리가 중추신경계에서 통증을 조절하는 데 문제가 있어 섬유근통이 발생한다는 사실이 널리 받아들여지고 있는데 압통점 검사가 자칫 근육 자체에 문제가 있어 섬유근통이 발생하는 것처럼 비쳐질 수 있다는 점에서 압통점 검사의 필요성이 의문시되어 왔다. 또한 현실적인 문제점으로 압통점 검사가 일차진료 의사들 사이에서 거의 시행되지 않고, 심지어는 많은 일차진료 의사들이 압통점 검사하는 방법을 모른다는 것이다. 한편 1990년 분류기준은 섬유근통의 통증에 초점이 맞춰져 있기 때문에 섬유근통 환자에서 흔히 동반되는 수면장애, 피로, 신체 증상과 같은 섬유근통의 주된 증상에 관한 내용이 빠져 있어 이들 증상이 진단 기준에 포함될 필요성이 제기되어 왔다. 따라서 이러한 문제점들을 개선시키기 위해 2010년 미국류마티스학회에서는 섬유근통의 새로운 진단기준을 발표하게 되었다(표 128-1). 새로운 진단기준은 압통점이 빠지게 되어 섬유근통을 좀 더 수월하게 진단할 수 있게 되었고 다양한 임상증상들을 진단기준에 포함시키게 됨에 따라 상당수의 만성전신통증 환자들을 섬유근통으로 진단할 수 있게 되었다는 점에서 의미가 있다.

미국류마티스학회의 2010년 기준은 표 128-1에서 보는 것처럼 두 가지 내용으로 구성되어 있는데 첫째는 전신통증지수(widespread pain index, 이하 WPI)이고 둘째는 증상중증도척도(symptom severity scale, 이하 SSS)이다. WPI를 평가하는 방법은 환자와 직접 면담을 하면서 19부위 가운데 통증이 있는 부위

를 한 부위씩 표시하는 방법이 가장 권장되고 여의치 않는 경우에는 환자에게 체크리스트를 주거나 마네킹 그림을 주어서 환자 스스로 표시하도록 하는 것도 가능하다. SSS는 피로, 잠에서 깨어날 때의 기분, 기억력이나 집중력 정도, 신체 증상 정도를 각각 3점 척도로 평가하도록 되어 있다. SSS는 환자 스스로 설문지를 보고 답하는 것이 아니라 검사자가 환자와 충분하게 면담을 한 다음 평가하도록 되어 있다. WPI와 SSS의 최대 점수는 각각 19점과 12점이고 섬유근통으로 진단하기 위해서는 WPI가 7점이상이면서 SSS가 5점 이상이거나 WPI가 3-6점 사이인 경우에는 SSS가 9점 이상이어야 한다.

미국류마티스학회의 2010년 기준은 환자 스스로 본인의 상태를 평가하는 것이 아니라 검사자와 면담을 하면서 평가하기 때문에 1990년 분류기준에 비해 훨씬 더 많은 시간이 소요되는 단점이 있다. 이를 개선하기 위해 2011년에 새로운 진단기준이 발표되었는데 여기에서는 2010년 기준을 그대로 사용하면서 환자 스스로 섬유근통을 진단할 수 있도록 바뀌었다. WPI의 내용은 2010년 기준과 동일하지만 환자 스스로 평가하도록 하였고 SSS의 피로, 수면장애, 인지장애는 지난 일주간의 증상 정도를 경증, 중등증, 중증의 3점 척도로 스스로 평가하도록 바뀌었으며 신체 증상의 평가 역시 두통, 복통, 우울감의 세 가지 증상 가운데 지난 6개월간 실제 발생하였던 증상의 개수로 평가하도록 하였다. 2011년 기준은 미국류마티스학회의 승인을 받지 못했지만 대규모 역학 조사와 임상연구를 가능하게 했다는 점에서 나름 의미있는 시도로 평가된다.

2010년/2011년 진단기준의 가장 큰 문제점은 근막통증증후군과 같은 만성국소통증과 섬유근통과의 감별이 어렵다는 점이다. 예를 들어, 요추 신경뿌리병증으로 인해 좌골신경통이 있는 경우 WPI가 허리, 엉덩이, 허벅지, 종아리까지 해당되기 때문에 적어도 4점이 될 수 있고 SSS에 관련 증상이 있다면 섬유근통으로 진단할 수 있기 때문에 진단기준의 개선이 필요한 실정이었다. 또한 2010년/2011년 기준은 통증을 설명할 수 있는 다른 질환이 없어야 섬유근통으로 진단할 수 있기 때문에 다른 질환, 특히 류마티스 질환에 동반된 만성전신통증은 섬유근통으로 진단할 수 없는 문제점이 있었다. 따라서 이러한 점들을 개선시키기 위해 2016년에 수정된 진단기준이 발표되었다(표 128-2).

2016년 진단기준은 2010년/2011년 기준과 같이 WPI와 SSS

표 128-2. 2016년 미국류마티스학회의 섬유근통 진단기준

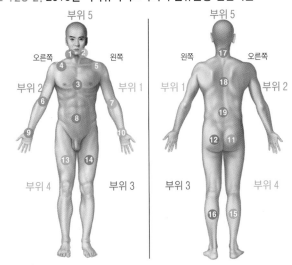

지난 한주간 통증이 있었던 부위에 'O'표시 하십시오

| 왼쪽 상부 (부위 1) | | 오른쪽 상부 (부위 2) | | 왼쪽 하부 (부위 3) | | 오른쪽 하부 (부위 4) | | 중심 부위 (부위 5) | |
|---|---|---|---|---|---|---|---|---|---|
| 신체 부위 | 통증 여부 | 신체 부위 | 통증 여부 | 신체 부위 | 통증 여부 | 신체 부위 | 통증 여부 | 신체 부위 | 통증 여부 |
| ② 왼쪽 턱 | | ① 오른쪽 턱 | | ⑫ 왼쪽 엉덩이 | | ⑪ 오른쪽 엉덩이 | | ③ 가슴 | |
| ⑤ 왼쪽 어깨 | | ④ 오른쪽 어깨 | | ⑭왼쪽 허벅지 | | ⑬오른쪽 허벅지 | | ⑧ 배 | |
| ⑦ 왼쪽 팔 윗부분 | | ⑥ 오른쪽 팔 윗부분 | | ⑯왼쪽 종아리 | | ⑮오른쪽 종아리 | | ⑰ 목 | |
| ⑩ 왼쪽 팔 아랫부분 | | ⑨ 오른쪽 팔 아랫부분 | | | | | | ⑱ 등 | |
| | | | | | | | | ⑲ 허리 | |

### 2016년 개정된 진단기준

1. Widespread pain index (WPI) (점수범위 0~19점)

2. Symptom severity (SS) scale (점수범위 0~12점)

가. 피곤함 또는 피로정도(0-3) _____ 점
나. 아침에 잠에서 깨어날 때의 기분(0-3) _____ 점
다. 인지장애 정도(0-3) _____ 점
라. 지난 6개월 동안 환자를 힘들게 했던 다음 증상 의 수
① 두통(0-1) _____ 점
② 하복부 통증 또는 경련(0-1) _____ 점
③ 우울(0-1) _____ 점

_____ 점   합계(가+나+다+라)   점

**섬유근통 중증도척도(Fibromyalgia Severity (FS) scale)**
WPI + SSS = _____ 점

환자가 다음 3가지 조건을 만족할 경우 진단한다.
1. WPI ≥ 7 and SS scale score ≥ 5 or WPI 4-6 and SS scale score ≥ 9
2. 5부위 중 적어도 4부위에서 전신통증이 반드시 있어야한다.(단, 턱, 가슴 및 복부의 통증은 전신통증은 전신통증에 포함되지 않음)
3. 일반적으로 증상이 최소 3개월 동안 존재한다.
4. 섬유근통의 진단은 다른 진단에 관계없이 유효하며 임상적으로 중요한 다른 질환의 존재를 배제하지 않는다.

로 구성되어 있다. WPI는 만성전신통증을 증명하기 위해 표 128-2에 있는 것처럼 19개의 신체 부위를 크게 5부위로 나누었고 5부위중 적어도 4부위에서 통증이 있어야 한다. SSS는 2010년/2011년 기준과 동일하게 피로, 수면장애, 인지장애, 신체증상을 각각 3점 척도로 평가한다. WPI와 SSS의 최대 점수는 각각 19점과 12점이고 섬유근통으로 진단하기 위해서는 WPI가 7점 이상이면서 SSS가 5점 이상이거나 WPI가 4-6점 사이인 경우에는 SSS가 9점 이상이어야 한다. WPI가 7점 미만인 경우 SSS가 2010년/2011년 기준과 달리 4-6점으로 변경되었는데 이는 만성국소통증과 감별하기 위해 점수가 상향 조정된 것이다. 2016년 기준은 2011년 기준에서 새로 도입된 섬유근통중증도점수(fibromyalgia severity, WPI와 SSS의 점수 합계, 이하 FS)를 좀 더 구체화하여 FS가 12점 미만인 경우 섬유근통으로 진단할 수 없고 이전에 FS가 12점 이상이었던 환자가 나중에 12점 미만으로 점수가 감소하게 되면 섬유근통의 증상이 호전되었다고 평가한다. 또한, 2016년 기준은 다른 질환의 유무에 관계없이 섬유근통을 진단할 수 있도록 진단 조건을 변경했기 때문에 류마티스 질환에 동반된 만성전신통증도 섬유근통으로 진단할 수 있게 되었다. 2016년 기준은 2010년/2011년 기준의 여러 제한점들을 개선시켰기 때문에 WHO에서 새롭게 발표한 ICD-11과 세계통증학회(International Association for the Study of Pain)에서 정의하고 있는 섬유근통의 정의에 가장 근접한 진단기준이라고 할 수 있다. 2016년 진단기준이 발표된 이후로 진단의 수월성을 위해 좀 더 간단한 형태의 진단기준들이 발표되고 있다. 2019년에는 AAPT [Analgesic, Anesthetic, and Addiction Clinical Trial Translations Innovations Opportunities and Networks (ACTTION)-American Pain Society Pain Taxonomy] 진단기준이, 2020년에는 개정된 FAS (Fibromyalgia Assessment Status) 기준이 발표되었다. 하지만, 이러한 새로운 진단기준들과 2016년 진단기준을 비교한 연구에 의하면 민감도와 특이도를 고려한 진단의 정확도는 2016년 기준이 AAPT 기준과 FAS 기준에 비해 우월한 것으로 되어 있다. 최근까지 여러 형태의 다양한 진단기준들이 발표되었지만 지금까지 발표된 연구들을 정리해보면 실제 환자 진료와 임상연구에 있어 가장 권장되는 진단기준은 2016년 기준이라고 할 수 있다.

섬유근통의 진단이 중요한 것은 진단 자체만으로도 환자의

**표 128-3. 섬유근통 환자에서 감별해야 할 주요 질환들**

| |
|---|
| 정동장애(affective disorder, dysthymia, melancholic major depression) |
| 비열대스프루(celiac sprue) |
| 늑연골염(costochondritis) |
| C형간염(hepatitis C) |
| 부갑상샘항진증(hyperparathyroidism) |
| 저인산혈증(hypophosphatemia) |
| 갑상샘저하증(hypothyroidism) |
| 허리신경뿌리압박(lumbar nerve root compression) |
| 비바이러스성 수막뇌염(nonviral meningoencephalitis) |
| 폐쇄수면무호흡증후군(obstructive sleep apnea syndrome) |
| 부신생물 질환(paraneoplastic disorders) |
| 류마티스다발근통(polymyalgia rheumatica) |
| 다발근염(polymyositis) |
| 바이러스 감염후뇌염, 수막염(postviral encephalitis and meningitis) |
| 반사교감신경이상증(reflex sympathetic dystrophy) |
| 척추관절병(spondyloarthropathy) |
| 척추관협착증(spinal stenosis) |
| 턱관절 통증(temporomandibular joint pain) |

건강 만족도를 향상시킬 수 있기 때문이다. 섬유근통 환자들은 다양한 임상증상으로 인해 삶의 질이 떨어져 있고 진단에 이르는 데 많은 시간이 소요되기 때문에 진단 자체만으로도 건강 상태에 긍정적인 효과를 가져올 수 있다. 이외에 불필요한 혈액 검사와 방사선 촬영을 줄일 수 있고 불필요한 약물 복용도 줄일 수 있으며 협진의 빈도도 줄일 수 있는 것으로 보고되고 있다.

섬유근통은 다양한 임상증상을 갖기 때문에 감별을 해야 할 질환들이 많다. 특히, 갑상샘저하증, 류마티스다발근통은 섬유근통과 유사한 증상을 보이기 때문에 감별이 필요하고 류마티스 관절염과 전신홍반루푸스의 초기 증상도 섬유근통과 혼동을 초래할 수 있기 때문에 반드시 감별해야 한다. 이러한 질환들 외에 표 128-3에 나와 있는 다른 질환과도 감별을 해야 한다. 한편, 쇼그렌증후군과 베체트병은 많게는 환자의 50%에서 섬유근통이 동반되기 때문에 이들 환자에서는 섬유근통의 동반 가능성을 염두에 둘 필요가 있다.

## 질병활성도 평가

섬유근통은 비교적 흔한 질환이지만 신체 기능과 건강 관

## 표 128-4. 한국판 섬유근통영향척도

개정판 섬유근통영향척도

1. **지난 일주일 동안** 섬유근통에 의해 발생한 '어려움의 정도'를 가장 잘 나타낸 '☐'를 선택히여 'V'표 하시오

| | | | | | | | | | | | | |
|---|---|---|---|---|---|---|---|---|---|---|---|---|
| 머리 빗기 | 전혀 어려움이 없음 | ☐0 | ☐1 | ☐2 | ☐3 | ☐4 | ☐5 | ☐6 | ☐7 | ☐8 | ☐9 | ☐10 | 매우 어려움 |
| 20분간 걷기 | 전혀 어려움이 없음 | ☐0 | ☐1 | ☐2 | ☐3 | ☐4 | ☐5 | ☐6 | ☐7 | ☐8 | ☐9 | ☐10 | 매우 어려움 |
| 식사준비 하기 | 전혀 어려움이 없음 | ☐0 | ☐1 | ☐2 | ☐3 | ☐4 | ☐5 | ☐6 | ☐7 | ☐8 | ☐9 | ☐10 | 매우 어려움 |
| 청소하기(진공청소기 혹은 걸레질) | 전혀 어려움이 없음 | ☐0 | ☐1 | ☐2 | ☐3 | ☐4 | ☐5 | ☐6 | ☐7 | ☐8 | ☐9 | ☐10 | 매우 어려움 |
| 가득 찬 장바구니 들고 가기 | 전혀 어려움이 없음 | ☐0 | ☐1 | ☐2 | ☐3 | ☐4 | ☐5 | ☐6 | ☐7 | ☐8 | ☐9 | ☐10 | 매우 어려움 |
| 한 층 정도의 계단 오르기 | 전혀 어려움이 없음 | ☐0 | ☐1 | ☐2 | ☐3 | ☐4 | ☐5 | ☐6 | ☐7 | ☐8 | ☐9 | ☐10 | 매우 어려움 |
| 침대보 혹은 요 홀이불 갈기 | 전혀 어려움이 없음 | ☐0 | ☐1 | ☐2 | ☐3 | ☐4 | ☐5 | ☐6 | ☐7 | ☐8 | ☐9 | ☐10 | 매우 어려움 |
| 의자에 45분 정도 앉아 있기 | 전혀 어려움이 없음 | ☐0 | ☐1 | ☐2 | ☐3 | ☐4 | ☐5 | ☐6 | ☐7 | ☐8 | ☐9 | ☐10 | 매우 어려움 |
| 식료품 사러 가게 가기 | 전혀 어려움이 없음 | ☐0 | ☐1 | ☐2 | ☐3 | ☐4 | ☐5 | ☐6 | ☐7 | ☐8 | ☐9 | ☐10 | 매우 어려움 |

**기능소계**

1. **지난 일주일 동안** 섬유근통에 의한 전반적인 영향 정도를 가장 잘 나타낸 '☐'를 선택히여 'V'표 하시오

| | | | | | | | | | | | | |
|---|---|---|---|---|---|---|---|---|---|---|---|---|
| 섬유근통 때문에 지난 일주일간 하고자 했던 일들을 할 수 없었다. | 전혀 그렇지 않다 | ☐0 | ☐1 | ☐2 | ☐3 | ☐4 | ☐5 | ☐6 | ☐7 | ☐8 | ☐9 | ☐10 | 항상 그렇다 |
| 섬유근통 증상 때문에 내 자신을 조절할 수 없었다. | 전혀 그렇지 않다 | ☐0 | ☐1 | ☐2 | ☐3 | ☐4 | ☐5 | ☐6 | ☐7 | ☐8 | ☐9 | ☐10 | 항상 그렇다 |

**영향 소계**

3. **지난 일주일 동안** 느꼈던 섬유근통의 증상 정도를 가장 잘 나타낸 '☐'를 선택히여 'V'표 하시오

| | | | | | | | | | | | | |
|---|---|---|---|---|---|---|---|---|---|---|---|---|
| 통증 정도 | 전혀 없음 | ☐0 | ☐1 | ☐2 | ☐3 | ☐4 | ☐5 | ☐6 | ☐7 | ☐8 | ☐9 | ☐10 | 참을수 없을정도의 통증 |
| 에너지(활력) 정도 | 힘이 넘침 | ☐0 | ☐1 | ☐2 | ☐3 | ☐4 | ☐5 | ☐6 | ☐7 | ☐8 | ☐9 | ☐10 | 힘이 없음 |
| 뻣뻣함(강직) 정도 | 전혀 뻣뻣하지 않음 | ☐0 | ☐1 | ☐2 | ☐3 | ☐4 | ☐5 | ☐6 | ☐7 | ☐8 | ☐9 | ☐10 | 매우 뻣뻣함 |
| 수면의 질 정도 | 잠에서 깰 때 상쾌함 | ☐0 | ☐1 | ☐2 | ☐3 | ☐4 | ☐5 | ☐6 | ☐7 | ☐8 | ☐9 | ☐10 | 잠에서 깰 때 피곤함 |
| 우울 정도 | 전혀 우울하지 않음 | ☐0 | ☐1 | ☐2 | ☐3 | ☐4 | ☐5 | ☐6 | ☐7 | ☐8 | ☐9 | ☐10 | 매우 우울함 |
| 기억력 정도 | 기억력이 좋음 | ☐0 | ☐1 | ☐2 | ☐3 | ☐4 | ☐5 | ☐6 | ☐7 | ☐8 | ☐9 | ☐10 | 기억력이 매우 나쁨 |
| 불안 정도 | 전혀 불안하지 않음 | ☐0 | ☐1 | ☐2 | ☐3 | ☐4 | ☐5 | ☐6 | ☐7 | ☐8 | ☐9 | ☐10 | 매우 불안함 |
| 누르거나 만졌을 때 통증의 정도 | 전혀 없음 | ☐0 | ☐1 | ☐2 | ☐3 | ☐4 | ☐5 | ☐6 | ☐7 | ☐8 | ☐9 | ☐10 | 매우 심한 통증 |
| 어지러움 정도 | 전혀 어지럽지 않음 | ☐0 | ☐1 | ☐2 | ☐3 | ☐4 | ☐5 | ☐6 | ☐7 | ☐8 | ☐9 | ☐10 | 매우 심한 어지러움 |
| 소음, 빛, 냄새, 추위에 대한 민감 정도 | 민감하지 않음 | ☐0 | ☐1 | ☐2 | ☐3 | ☐4 | ☐5 | ☐6 | ☐7 | ☐8 | ☐9 | ☐10 | 매우 민감함 |

**증상 소계**

**총계** | (기능 소계 × 1/3 + 영향 소계 + 증상 소계 × 1/2)

련 삶의 질에 대단히 큰 영향을 미친다. 섬유근통의 증상들과 이에 따른 영향은 의사와 의료 종사자들에 의해 어느 정도 효과적으로 조절될 수 있기 때문에 환자와 동반자 관계를 형성하여 치료 전략을 이해시키고 이를 실제로 실행할 수 있도록 하면서 적절한 약물치료와 비약물치료를 선택하도록 돕는 것은 치료 결과를 개선시키는 데 필수적이다. 앞서 언급한 대로 섬유근통 환자들은 일반 검사실 검사와 방사선촬영에서 정상 소견을 나타내기 때문에 환자의 현재 상태와 치료에 대한 반응을 평가할 수 있는 적절한 도구가 없는 실정이다. 현재, 섬유근통 환자에서 질병활성도를 평가하기 위해 가장 널리 쓰이는 방법은 섬유근통영향척도(Fibromyalgia Impact Questionnaire, FIQ)와 같은 설문지를 사용하는 방법이다. FIQ는 1991년 미국에서 처음 발표되었고 한국판은 2002년에 타당도가 검증되어 발표되었다. 이후 개정판이 2009년에 발표되었고 개정 한국판은 2016년에 발표되었다(표 128-4). 개정된 FIQ는 첫째, 100 mm visual analog scale 대신 10점 척도를 사용하여 계산을 수월하게 했고 둘째, 역으로 점수 계산을 해야 하는 항목을 없앴고 셋째, 소득 수준에 따라 적절치 않는 질문들을 없앴으며 넷째, 기억력, 압통의 정도, 어지러움, 소음, 빛, 냄새, 추위에 대한 민감함과 같이 환자들이 흔히 호소하는 증상들을 추가하여 질병활성도를 좀 더 민감하게 평가할 수 있도록 했다.

# 치료

섬유근통은 아직까지 발병기전과 병태생리가 완전히 밝혀지지 않아 치료는 증상을 완화시키는 것이 주가 된다. 일차적으로 섬유근통에 대한 이해가 중요한데 섬유근통은 류마티스관절염과 달리 염증성 질환이 아니기 때문에 불구가 되거나 관절이 변형되지 않는다는 사실을 알 필요가 있고 인터넷이나 소문에 근거한 잘못된 치료에 매달리지 않도록 주의를 해야 한다. 또한 정신적인 요인이 섬유근통의 발생과 관련이 있을 수 있고 만성적인 통증으로 인해 우울과 불안이 동반될 수 있지만 정신 질환은 아니라는 사실을 분명히 해 두어야 한다.

최근에는 섬유근통의 증상 조절에 효과가 있는 약제들이 개발됨에 따라 많은 임상 연구들이 진행되고 있다. 특히, 2007년 6월에 프레가발린(pregabalin)이 미국 FDA로부터 섬유근통 치료제로 처음 승인을 받았고 2008년 6월에는 둘록세틴(duloxetine)이, 2009년 1월에는 밀나시프란(milnacipran)이 미국 FDA로부터 승인을 받았으며 조만간 몇몇 약제들이 추가로 승인될 예정이다. 이들 약제에 대한 무작위대조군 연구들과 이를 근거로 한 메타분석 결과들을 보면 약제의 효과가 기대했던 것만큼 크지 않아 최선의 치료 결과를 얻기 위해서는 약물치료와 비약물치료가 반드시 병행되어야 한다. 여기에서는 섬유근통의 약물치료와 비약물치료에 대한 전반적인 내용을 기술하고자 한다.

## 1) 약물치료

섬유근통에서는 세로토닌과 세로토닌의 전구 물질인 트립토판의 혈중 농도가 감소되어 있고 뇌척수액에서는 세로토닌의 대사 물질인 5-hydroxyindoleacetic acid, 노르에피네프린(nor-epinephrine), 그리고 노르에피네프린의 대사 물질인 3-methoxy-4-hydroxyphenethylene이 감소되어 있어 중추신경계와 척수에서 통증을 억제하는 작용을 하는 신경전달물질인 세로토닌과 노르에피네프린이 감소되어 있다는 것을 알 수 있다. 반면 뇌척수액에서 substance P와 같은 통증전달물질들이 증가되어 있는데 이는 섬유근통 환자에서 중추신경계의 통증 조절에 이상이 있음을 보여주는 증거라고 할 수 있다. 약물치료도 이러한 발병기전에 맞춰 감소되어 있는 세로토닌과 노르에피네프린의 농도를 올리는 약제와 증가되어 통증전달물질을 억제시키는 약제를 사용해서 치료를 한다. 세로토닌과 노르에피네프린의 농도를 증가시키는 약제들은 일반적으로 항우울제로 알려져 있고 이 부류에 속하는 약제들로는 삼환계 약물(tricyclic agents), 선택적세로토닌재흡수억제제(selective serotonin reuptake inhibitor, 이하 SSRI), 세로토닌노르에피네프린재흡수억제제(serotonin-norepinephrine reuptake inhibitor, dual reuptake inhibitor, 이하 SNRI)가 있다. SSRI, SNRI와 달리 substance P와 같은 통증전달물질들을 억제시켜 통증을 개선시키는 약제로 프레가발린이 있다.

## (1) 삼환계 약물

삼환계 약물(tricyclic agents)로는 아미트립틸린과 같은 삼환계항우울제가 대표적이고, 섬유근통의 치료에 사용되고 있는 약제 가운데 가장 오래된 약제이다. 저용량의 삼환계항우울제는 편두통, 긴장두통, 비전형적인 흉통, 과민대장증후군 등 다양한 질환에서 통증을 개선시키는 효과가 있고 섬유근통 환자들을 대상으로 한 임상시험과 이들 임상시험을 메타분석한 결과에서도 위약과 비교하여 통증, 강직감, 피로, 환자 및 의사에 의한 전반적인 평가에서 효과가 있다. 30%의 통증을 감소시키는 위험도비(risk ratio, RR)는 1.60[95% 신뢰구간(confidence interval, CI) 1.15-2.24]이다. 섬유근통 환자에서 사용하는 삼환계항우울제의 용량은 우울증 환자에서 사용하는 용량보다 훨씬 적은 용량이고 우울증의 호전시기보다 훨씬 빠른 2주 이내에 효과가 나타나기 때문에 항우울작용 이외에 직접적인 통증 조절 작용이 있는 것으로 생각된다. 아미트립틸린은 취침 전 1-3시간 전에 복용하고 하루 5 mg으로 시작해서 2주 간격으로 5 mg씩 증량하여 25-50 mg까지 사용할 수 있다. 하지만 용량을 올려가면 구강건조, 변비, 부종, 체중 증가 등의 부작용이 심하고 굳이 우울증을 치료하는 용량까지 올릴 필요가 없기 때문에 대개는 5-10 mg 정도로 유지시킨다.

삼환계항우울제는 아니지만 이와 비슷한 구조를 가지고 있는 약제로 시클로벤자프린이 있다. 뇌간에 작용하여 골격근 이완 작용을 나타내는데 예전에 섬유근통 환자에서 근육연축(muscle spasm)이 동반된다고 하여 사용을 하기 시작하였던 약제이다. 2004년에 발표된 메타분석 결과를 보면 통증을 개선시키는 효과가 있지만 4주 이상 시간이 지날수록 효과가 떨어지는 것이 문제점으로 되어 있다. 부작용의 종류와 빈도는 아미트립틸린과 비슷한 것으로 되어 있다.

### (2) SNRI

SNRI 가운데 둘록세틴은 동물 실험에서 아미트립틸린, 파록세틴(paroxetine), 벤라팍신(venlafaxine)보다 통증을 개선시키는 데 더 효과적이었다. 30%의 통증을 감소시키는 RR은 1.38(95% CI 1.22-1.56)이었고 통증 감소 효과는 28주까지 지속된다. 하루 60 mg으로 12주 투여 시점에서 통증 감소 효과를 얻는 데 필요한 치료 환자수(number needed to benefit, NNTB)는 6(95% CI 3-12)이었다. 수면과 기능 개선 효과가 있고 피로에는 효과가 없는 것으로 보고되어 있다. 사용 용량은 하루 20-120 mg이고 20-30 mg에서는 대조군에 비해 유의한 통증 감소 효과가 없었으며 60 mg과 120 mg을 비교했을 때에는 효과 면에서 서로 차이가

없었다. 이상 반응으로는 구역, 입마름, 변비, 졸림, 불면, 식욕저하, 다한증, 떨림 등이 있다.

둘록세틴과 비슷한 SNRI로 밀나시프란이 있다. 30%의 통증을 감소시키는 RR은 1.38(95% CI 1.25-1.51)이었고 통증 감소 효과는 27주까지 지속된다. 피로와 기능 개선 효과가 있고 수면에는 효과가 없는 것으로 보고되고 있다. 사용 용량은 하루 100-200 mg이고 효과나 이상 반응 면에서 둘록세틴과 큰 차이가 없다. 밀나시프란 연구와 관련하여 한 가지 흥미로운 점은 기저질환으로 우울증이 동반된 섬유근통 환자보다 우울증이 동반되지 않은 환자에서 통증이 더 많이 개선된다는 것이다. 이것은 밀나시프란의 항우울작용에 의해 섬유근통의 통증이 개선된 것이 아니라 SNRI가 직접 통증을 개선시키는 효과가 있다는 것을 간접적으로 보여주는 결과라고 할 수 있다.

### (3) 프레가발린

프레가발린은 a2-δ ligand로 칼슘전압작동통로(voltage-gated calcium channel)의 보조 단백인 a2-δ에 결합하여 신경 말단에서 칼슘의 유입을 차단한다. 신경말단에서 칼슘의 유입이 차단되면 substance P와 글루탐산염과 같은 통증을 유발하는 신경전달물질의 분비가 억제되고 이러한 기전에 의해 진통, 항경련, 항불안작용을 나타내는 것으로 알려져 있다. 30%의 통증을 감소시키는 RR은 1.37(95% CI 1.22-1.53)이었고 통증감소 효과는 26주까지 지속된다. NNTB는 9(95% CI 7-13)로 수면과 피로 개선 효과가 있고 기능개선에는 효과가 없는 것으로 보고되고 있다. 사용 용량은 하루 150-600 mg이고 이상반응으로는 어지러움, 졸림, 체중증가, 구역 등이 있다.

### (4) 단순 진통제

단순 진통제 가운데 섬유근통에 효과적인 약제로는 트라마돌이 있다. 트라마돌은 아편유사작용제(opioid agonist)이지만 섬유근통에 효과적인 것은 세로토닌과 노르에피네프린의 재흡수를 억제하여 진통효과를 나타내기 때문이다. 트라마돌은 섬유근통 환자를 대상으로 한 이중맹검 교차시험과 무작위대조시험에서 통증을 완화시키는 효과가 있는 것으로 보고되었고 아세트아미노펜과 트라마돌의 복합 제제도 다기관 무작위대조시험에서 위약에 비해 통증을 비롯한 섬유근통의 여러 증상을 의미있게 개

선시켰다. 30%의 통증을 감소시키는 RR은 1.77(95% CI 1.26-2.48)로 보고되어 있다. 일반적으로 트라마돌은 삼환계항우울제, SNRI, 프레가발린 등에 조절되지 않는 통증이 있는 경우 이들 약제에 추가해서 사용한다.

## (5) 기타 약제

섬유근통 환자에서 통증 이외의 다른 증상들을 개선시키기 위해 여러 약제들을 추가적으로 사용해 볼 수 있다. 심한 피로를 호소하는 경우에는 모다피닐(modafinil)과 메틸페니데이트(methylphenidate)가 도움이 되고 불면증에서는 졸피뎀(zolpidem)과 조피클론(zopiclone)이, 뻣뻣함에는 시클로벤자프린과 티자니딘(tizanidine), 두근거림, 기립성저혈압과 같은 자율신경 기능장애가 있는 경우에는 저용량의 베타차단제가 효과적이다.

2017년에 발표된 유럽류마티스학회의 개정된 치료 권고안에 의하면 앞서 언급된 약제들 가운데 근거가 있고 치료에 권장될 만한 약제들로는 아미트립틸린, 둘록세틴, 밀나시프란, 프레가발린, 트라마돌, 시클로벤자프린이 있다. 특히 통증이 심한 경우에는 둘록세틴, 프레가발린, 트라마돌이 선호되고 수면장애가 심한 경우에는 저용량의 아미트립틸린, 시클로벤자프린, 취침 전 프레가발린이 선호된다. 일반적으로 약물들의 치료 효과 크기(effect size)가 크지 않으므로 한 가지 약제에 반응이 불충분한 경우에는 작용기전이 다른 약제를 병용 투여하는 것이 일반적이다. 예를 들어 둘록세틴과 프레가발린을 병용 투여하거나 밀나시프란과 프레가발린을 병용투여할 수 있다. 한편, 글루코코르티코이드와 아편유사진통제의 사용은 결코 바람직하지 않다. 성장호르몬, monoamine oxidase inhibitor, SSRI, sodium oxybate 역시 권장되지 않는다.

## 2) 비약물치료

섬유근통의 비약물적 치료로는 여러 가지가 제안된 바 있지만 효과가 입증된 것은 운동요법과 인지행동치료뿐이다. 운동에 관한 메타분석 결과를 보면 운동은 통증과 피로를 감소시키고 우울감과 삶의 질을 개선시키며 체력을 의미있게 향상시킨다. 하지만 운동을 중단하게 되면 통증 감소 효과는 바로 사라지기 때문에 운동을 지속적으로 하는 것이 중요하다. 운동은 수중운동과 육상 운동 모두 효과적이고 저강도 또는 중등도의 강도로 일주일에 2-3회 최소 4주 이상 지속해야 효과가 있다. 운동이 섬유근통의 치료에 도움이 된다고 해서 환자의 상태를 고려하지 않고 처음부터 고강도의 운동을 하도록 하는 것은 오히려 해가 될 수 있기 때문에 환자의 상태를 고려하여 통증이 심한 경우에는 약물치료로 증상을 어느 정도 호전시킨 후에 시작할 수 있도록 해야 한다.

인지행동치료는 조작 조건화와 관찰 학습을 통해 행동을 바꾸게 하는 기법으로 정신질환 외에 다양한 류마티스 질환에서 통증을 조절할 목적으로 사용되고 있다. 인지행동치료에 관한 메타분석 결과를 보면 인지행동치료는 우울감과 자기 효능감을 의미있게 개선시킨다. 하지만 통증, 피로, 수면, 삶의 질과 같은 섬유근통의 주된 증상들은 전혀 개선시키지 못하기 때문에 주된 치료 방법으로 활용하기에는 한계가 있다.

2017년에 발표된 유럽류마티스학회의 개정된 치료 권고안에 의하면 보완의학적인 치료 방법 가운데 권장될 수 있는 것들로 요가, 타이치, 기공과 같은 명상운동, 침술, 수치료, 마음챙김과 같은 심신의학, 교육과 운동을 병행하는 복합치료가 있다. 반면, 바이오피드백, 캡사이신(capsaicin), 카이로프랙틱, 최면, 마사지, S-adenosyl methionine, 동종요법 등은 권장되지 않는다.

## 참고문헌

1. Kang JH, An M, Choi SE, Xu H, Park DJ, Lee JK, et al. Performance of the revised 2016 fibromyalgia diagnostic criteria in Korean patients with fibromyalgia. Int J Rheum Dis 2019;22:1734-40.

2. Kang JH, Choi SE, Xu H, Park DJ, Lee JK, Lee SS. Comparison of the AAPT Fibromyalgia Diagnostic Criteria and Modified FAS Criteria with Existing ACR Criteria for Fibromyalgia in Korean Patients. Rheumatol Ther 2021;8:1003-14.

3. Macfarlane GJ, Kronisch C, Dean LE, Atzeni F, Hauser W, Fluss E, et al. EULAR revised recommendations for the management of fibromyalgia. Ann Rheum Dis 2017;76:318-28.

4. Mascarenhas RO, Souza MB, Oliveira MX, Lacerda AC, Mendonca VA, Henschke N, et al. Association of Therapies with Reduced Pain and Improved Quality of Life in Patients With Fibromyalgia: A Systematic Review and Meta-analysis. JAMA Intern Med 2021;181:104-12.

5. Nuesch E, Hauser W, Bernardy K, Barth J, Juni P. Comparative efficacy of pharmacological and non-pharmacological interventions in fibromyalgia syndrome: network meta-analysis. Ann Rheum Dis

2013;72:955-62.

6.  Wolfe F, Clauw DJ, Fitzcharles MA, Goldenberg DL, Hauser W, Katz RS, et al. Fibromyalgia criteria and severity scales for clinical and epidemiological studies: a modification of the ACR Preliminary Diagnostic Criteria for Fibromyalgia. J Rheumatol 2011;38:1113-22.

7.  Wolfe F, Clauw DJ, Fitzcharles MA, Goldenberg DL, Hauser W, Katz RL, et al. 2016 Revisions to the 2010/2011 fibromyalgia diagnostic criteria. Semin Arthritis Rheum 2016;46:319-29.

8.  Wolfe F, Clauw DJ, Fitzcharles MA, Goldenberg DL, Katz RS, Mease P, et al. The American College of Rheumatology preliminary diagnostic criteria for fibromyalgia and measurement of symptom severity. Arthritis Care Res (Hoboken) 2010;62:600-10.

9.  Wolfe F, Smythe HA, Yunus MB, Bennett RM, Bombardier C, Goldenberg DL, et al. The American College of Rheumatology 1990 Criteria for the Classification of Fibromyalgia. Report of the Multicenter Criteria Committee. Arthritis Rheum 1990;33:160-72.

# 129

# 증례

동국의대 **이광훈**

## 증례 1

52세 여성이 3년 전부터 발생한 전신통증으로 왔다. 5년 전부터 우울감이 있었으나 치료는 받지 않았다. 신체검사에서 특이소견은 없었으며 심한 불면증이 있었고 통증은 양팔, 양다리, 허리 등 거의 모든 신체 부위에서 호소하였다. 전신통증지수(widespread pain index, WPI)는 11점이고 증상중증도척도(symptom severity scale, SSS)는 9점이었으며 섬유근통영향척도(Fibromyalgia Impact Questionnaire, FIQ)는 75점이었다. 혈액검사에서 일반혈액검사, 간기능검사, 적혈구침강속도, 갑상샘자극호르몬, 크레아티닌키나제, 항핵항체 모두 정상이었다.

### 1) 질문

**(1) 진단은?**
**(2) 치료는?**

### 2) 증례 설명
섬유근통의 진단과 치료에 대해 알아보고자 한다.

### 3) 정답 및 해설

(1) 미국류마티스학회의 개정된 2016년 진단기준에 의하면 ① WPI≥7이면서 SSS≥5이거나 WPI가 4-6이면서 SSS≥9인 경우, ② 총 5군데의 신체 구획(왼쪽 위, 오른쪽 위, 왼쪽 아래, 오른쪽 아래, 허리) 중 4군데 이상에서 통증이 있어야 하고, ③ 3개월 이상 증상이 지속의 세 가지 항목이 충족될 때 섬유근통을 진단할 수 있다.

(2) 섬유근통의 치료 약물은 크게 항우울제와 신경통증치료제로 구분할 수 있고 많은 치료가이드라인에서 환자의 섬유근통의 주된 증상에 맞춰 약물을 선택하는 것을 권장하고 있다. 본 증례에서는 우울감, 불면증, 전신 통증이 주된 증상으로 일차 약제로 항우울제(저용량 아미트립틸린, 둘록세틴, 밀나시프란)를 고려해볼 수 있다.

## 증례 2

65세 여성이 5년 전부터 섬유근통으로 타병원에서 프레가발린과 밀나시프란을 복용하고 있었는데 최근 전신통증이 악화되어 내원하였다. WPI는 11점이고 SSS는 8점이었으며 FIQ는 75점이었다. 최근 계단 오를 때 오른 무릎이 쑤시고 아팠다고 하며 신체진찰상 오른 무릎에 부종 및 삼출이 있었고 마찰음도 관찰되었다. 혈액 검사에서는 일반혈액검사, 간기능검사, 적혈구침강속도, 갑상샘자극호르몬, 크레아티닌키나제, 항핵항체 모두 정상이었고 우측 무릎 엑스선 검사에서 무릎관절의 연골 소실 및 골극이 관찰되었다.

### 1) 질문

#### (1) 치료는?

### 2) 증례 설명

섬유근통 및 말초 부위의 통증 유발 요인(peripheral pain generator)이 있는 경우의 치료에 대해 알아보고자 한다.

### 3) 정답 및 해설

본 증례는 섬유근통 및 우측 무릎의 골관절염이 동반된 경우로 말초 부위의 병변에서 발생하는 통증이 섬유근통을 악화시킨 것으로 볼 수 있다. 이 경우 섬유근통의 약물을 변경하기 전 말초 부위의 통증 유발 요인인 무릎 골관절염의 치료를 우선 고려해볼 수 있다.

류 마 티 스 학
RHEUMATOLOGY

# PART 21 기타질환

책임편집자 **김진석**(제주의대)
부편집자 **하유정**(서울의대)

# 130

# 재발류마티즘

건국의대 **이상헌**

## KEY POINTS 🔒

- 재발류마티즘은 비교적 수시간-수일 등 짧은 기간 동안 급성 관절염 및 관절 주위에 염증이 간헐적으로 발생하는 질환이다.
- 주로 단관절침범으로 나타나며, 수부, 손목, 무릎, 어깨, 발목 관절에 나타난다.
- 치료는 주로 항말라리아제가 가장 효과적으로, 질병 진행을 지연하고 발작 빈도 감소에 도움이 된다.
- 예후는 일부에서 관해(15%)되고 대부분에서(30-50%) 관절염이 반복되고, 30-40%에서 류마티스관절염으로 진행될 수 있는데 주로 여성, 수부관절 침범, 류마티스인자 및 항CCP항체 양성에서 진행가능성이 높다.
- 감별이 필요한 질환은 간헐물관절증, 호산구활막염, RS3PE 증후군이다.

## 서론

재발류마티즘(palindromic rheumatism)이란 비교적 짧은 기간 동안 급성관절염 및 관절 주위에 염증이 불규칙적으로 반복 발생하는 질환이다. 1944년 Hench와 Rosenberg가 부종, 압통 및 발적을 동반한 관절염과 관절주위염을 처음 보고한 이후 명명되었다. 증상은 대개 수 시간에서 수일간 지속 후 완전히 사라진다. 남녀 발생 비율은 비슷하고 20대에서 50대 사이에 잘 발생하며 평균연령은 약 45세이다. 빈도는 류마티스관절염 발생의 약 1/10-1/20 정도이다. 재발류마티즘은 가족 중에 발생할 수 있지만 특별한 유전자와의 연관성은 없다.

## 임상 및 검사실 특징

재발류마티즘의 관절염은 특별한 원인 없이 발생하지만 분만, 격한 운동, 감염 후에 생기기도 한다. 관절염은 갑자기 단일 관절에 발생하며 수시간에서 수일간 지속한다. 침범된 관절은 붓고 발적 및 압통이 동반된다. 재발 간격은 불규칙적이다. 모든 관절에서 발생할 수 있지만 손허리손가락, 근위지, 손목관절에 잘 생기고 척추, 턱관절, 흉골쇄골관절에는 거의 발생하지 않는다(그림 130-1).

관절 주위에 심한 연부조직 부종과 피하결절이 간혹 발생한다. 관절 주위 연부조직 부종의 크기는 2-4 cm 정도이며 압통을 동반한다. 대부분 관절염과 동시에 발생하지만 단독으로 붓기도 한다. 피하결절은 콩알만 한 크기이며 무릎, 팔꿈치, 손, 손가락, 특히 엄지 손가락의 힘줄부위에 잘 발생한다. 이런 연부조직 부종과 피하결절은 일시적이다. 관절염 외 다른 전신 증상은 거의 없다.

혈액검사에서 비특이적 염증소견외 다른 특이 소견은 없다. 급성반응단백(적혈구침강속도, C반응단백질)은 관절염 발생 당시에 상승할 수 있다. 류마티스인자와 항CCP항체는 1/3-1/2에서 양성이며 이런 경우는 류마티스인자가 음성인 경우보다 류마티스관절염으로 진행하는 경우가 많다. 항핵항체와 보체는 정상이다. 활액검사는 비특이적 염증소견이고 활막조직소견은 활막의 비후와 비특이적 염증반응을 보이며 다수의 다형핵세포의 침착이 있다. 활막혈관 주변에 림프구, 섬유모세포의 침착 및 혈관내 세포혈전을 보인다. 피하결절은 비특이적 염증소견을 보이고

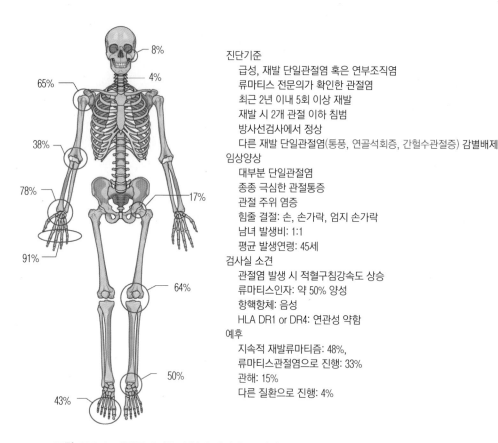

진단기준
  급성, 재발 단일관절염 혹은 연부조직염
  류마티스 전문의가 확인한 관절염
  최근 2년 이내 5회 이상 재발
  재발 시 2개 관절 이하 침범
  방사선검사에서 정상
  다른 재발 단일관절염(통풍, 연골석회증, 간헐수관절증) 감별배제
임상양상
  대부분 단일관절염
  종종 극심한 관절통증
  관절 주위 염증
  힘줄 결절: 손, 손가락, 엄지 손가락
  남녀 발생비: 1:1
  평균 발생연령: 45세
검사실 소견
  관절염 발생 시 적혈구침강속도 상승
  류마티스인자: 약 50% 양성
  항핵항체: 음성
  HLA DR1 or DR4: 연관성 약함
예후
  지속적 재발류마티즘: 48%,
  류마티스관절염으로 진행: 33%
  관해: 15%
  다른 질환으로 진행: 4%

그림 130-1. 재발류마티즘의 침범 관절빈도, 진단기준, 임상양상, 검사실 소견, 예후

류마티스관절염 결절에서 볼 수 있는 중심부 섬유소모양 괴사, 또는 울타리 형태의 단핵세포 소견은 보이지 않는다.

## 진단기준

아직 미국류마티스학회 등에서 공식적으로 제안된 기준은 없으나 다음 5가지 기준을 만족할 경우 재발류마티즘을 시사할 수 있다.

1) 6개월 이상의 짧게 자주 반복되는 급작스럽고, 재발성의 단일 혹은 다발관절염
2) 의사에 의해 최소 한 번 이상 확인된 특징적 증상 발현
3) 시기별로 다른 시점에 발생하지만 최소 3관절 이상의 침범
4) X-선에서 골미란이 없음
5) 다른 가능한 모든 관절질환이 배제된 경우

## 예후

환자의 30-50%에서 류마티스관절염과 구별하기 힘든 만성 관절염으로 진행한다. 수개월에서 30년간 추적한 연구에서 환자의 48%에서 재발류마티즘이 반복되고 33%에서 류마티스관절염으로 진행되고, 15%에서 완전 관해 되었고 4%에서 다른 질환으로 진행되었다. 아직 질환의 예후를 예측할 좋은 표지자는 없다. 하지만 항CCP항체 양성, 여성, 손목 혹은 근위지관절 등 수부관절을 침범하는 경우에는 류마티스관절염으로 진행하는 빈도가 높은 것으로 알려져 있다.

## 치료

본 질환이 드문 이유로 이중 맹검시험 등으로 확실하게 효과가 입증된 약제는 없지만 류마티스관절염과 유사하여 항류마티

표 130-1. 재발류마티즘과 감별을 요하는 질환들

| 임상양상 | 재발류마티즘 | 간헐물관절증 | 호산구활막염 | RS3PE증후군 |
|---|---|---|---|---|
| 발생 연령 | 20–50세 | 20–50세 | 20–50세 | >60세 |
| 남녀비 | 1:1 | 1:1 | 1:1 | 남>여 |
| 연관성 | 없음 | 여성에서 월경 | 알레르기, 아토피 가족력 | 고령 |
| 호발 관절 | 손 | 무릎(간혹, 엉덩관절, 발목, 팔꿈치) | 무릎, 발허리관절 | 손 및 발(간혹, 무릎) |
| 재발 간격 | 불규칙 | 규칙적, 예측가능 | 예측 불가능(외상으로 촉발) | 거의 재발 없음 |
| 검사실 소견 | | | IgE상승 | |
| 급성반응단백 | 상승 | 정상 | 정상 | 정상 |
| 활액검사 | 159–12,700 cells/μL | <5,000 cells/μL | 3,000–20,000 cells/μL (40% 호산구) | >2,000 cells/μL |

스약제가 경험적으로 시도되어 왔다. 비스테로이드항염제가 질병 경과에는 영향이 없지만 증상완화에 도움이 된다. 항말라리아제인 하이드록시클로로퀸이 류마티스관절염으로 이행을 늦추거나 증상재발빈도를 낮춘다는 보고가 있어 흔히 사용된다. 이밖에 설파살라진, 페니실라민 등 항류마티스약제도 고려할 수 있다. 자가염증질환 및 결정관절염에 효과적인 콜히친(0.6 mg 하루 2번)은 일부 환자에서 효과적 일 수 있다. 다만 글루코코티코이드, 메토트렉세이트, 생물학적제제에 대한 효과는 확실치 않다.

## 감별진단(표 130-1)

### 1) 간헐물관절증

간헐물관절증(intermittent hydrarthrosis)은 일정한 간격으로 단일 혹은 2–3개 관절 특히 무릎관절에 일시적으로 활막염이 발생하는 질환이다. 1910년 Archibald가 환자 스스로 예측할 정도로 일정한 간격으로 재발하는 관절염을 처음 보고한 후 알려졌다. 양쪽 무릎에 동시에 발생할 수도 있지만 대부분 한쪽 무릎에 발생한다. 청소년기에 흔하며 20–50세 사이에 발생한다. 남녀 발생빈도의 차이가 없고 관절염은 2–4일 지속 후 말끔히 좋아진다. 대부분 재발은 규칙적이고 예측이 가능하다. 여자인 경우 월경 시작과 더불어 발생하고 폐경과 함께 사라지기도 한다. 재발류마티즘은 재발간격이 불규칙적이고 발생 부위가 매번 변하지만 간헐물관절증은 재발이 규칙적이며 예측이 가능하고 동일한 관절에 발생하는 것이 차이점이다.

임상특징은 발적이나 열감이 없는 무릎의 심한 부종 및 통증이 3–5일간 지속된다. 엉덩관절, 발목관절에도 발생할 수 있다. 관절염 이외의 다른 전신 증상은 없다.

혈액검사에서 특이 소견은 없으며 급성반응단백도 정상이다. 활액검사에서 경미한 염증 소견(<5,000 cells/μL)이 관찰된다. 관절 단순X선 영상은 정상으로 골미란이나 연골소실과 같은 변화는 없다. 치료는 증상에 준하여 치료하지만 비스테로이드소염제, 콜히친, 글루코코티코이드 관절내 주사도 사용한다. 심한 경우 활막절제술도 도움이 된다. 저절로 호전되는 경우가 있기 때문에 특별한 치료가 필요치 않은 경우가 많다. 특별히 알려진 예방법은 없다.

### 2) 호산구활막염

호산구활막염(eosinophilic synovitis)은 알레르기나 아토피의 기왕력이 있는 환자에서 경미한 자극에 의해 급성무통단관절염이 발생하는 보기 드문 질환이다.

발생은 남녀 비율은 비슷하고 20–50세 사이에 흔하다. 피부 그림증(dermographism)과 동일한 기전이 활막에서 발생한다. 경미한 자극이 비만세포를 자극하고 호산구를 유인하여 활액 분비를 발생시킨다. 가장 잘 생기는 관절은 무릎이다. 대부분 자연 소멸되며 최대 2주 이내 호전된다.

특징적 임상소견은 매우 빠르게 진행하는 관절부종이다. 주로 12-24시간 이내에 발생하여 1-2주간 지속한다. 다량의 관절액이 생기지만 통증, 열감, 발적은 없다. 혈액검사에서 특이소견은 없으며 급성염증단백은 정상이다. 백혈구와 호산구는 정상이지만 면역글로불린 E가 상승된 경우가 있다. 활액검사에서 경미한 백혈구 상승이 있고 이중 16-52%가 호산구이다. 다양한 질환(류마티스관절염, 건선관절염, 류마티스열, 감염관절염, 과다호산구증후군)에서도 활액 호산구 증가가 있지만 호산구활막염과의 감별점은 알레르기, 아토피의 가족력이나 기왕력이 있는 환자에서 발생한 경우이다. 관절 단순X선 영상은 정상이다. 대부분 자연 호전이 되므로 증상에 준해 치료한다.

## 3) RS3PE증후군

RS3PE증후군은 remitting seronegative symmetrical synovitis with pitting edema의 첫 글자에서 명명된 질환이다. 심한 관절경직과 대칭적 다발활막염이 손발에 잘 발생한다. 돌발적 발생과 더불어 손의 심한 오목부종(pitting edema)이 발생하며 때로는 손목굴증후군이 동반되기도 한다. 무릎관절에 발생하기도 하지만 일시적이다. 발생빈도는 알려져 있지 않지만 대부분 60세이후 남성에서 잘 발생한다. 혈액검사에서 급성반응단백은 정상인 경우부터 매우 높게 증가되는 경우까지 다양하게 나타난다. 류마티스인자 혹은 항CCP항체는 정상이다. 관절액 검사에서는 비특이적 염증소견을 보인다.

활막염과 부종은 저용량 글루코코티코이드(프레드니솔론 등가로 5-15 mg/일)에 극적인 반응을 보인다. 비스테로이드항염제 사용 후 2-3개월 내에 증상이 호전된다. 하이드록시클로로퀸도 효과적이다. 발병 후 6개월 이내 치료를 시작하면 글루코코티코이드 감량 후 중단하여도 통상적으로 완전 관해에 이른다. 이 증후군은 대부분 환자가 고령에서 발생하기 때문에 글루코코티코이드 장기사용으로 인한 위험성이 있기 때문에 비스테로이드항염제와 하이드록시클로로퀸의 사용을 추천한다. 재발류마티즘과의 감별점은 치료 후에 재발이 거의 없다는 것이다.

### 참고문헌

1. Bardin T, Briere C, Vonkeman H. Palindromic rheumatism In EULAR textbook on rheumatic diseases. BMJ 2013:987-94.

2. John G. Ryan, Daniel L, Kastner. Primer on the rheumatic diseases. 13th ed. New York: Springer Press; 2008. pp. 466-8.

3. Mankia K, Emery P. Palindromic rheumatism as part of rheumatoid arthritis continuum. Nat Rev Rheumatol 2019;15:687-95.

4. Sanmarti R, Cañte JD, Salvador G. Palindromic rheumatism and other relapsing arthritis. Best Pract Res Clin Rheumatol 2004;18:647-61.

# 131

# 재발다발연골염

국민건강보험 일산병원 **이찬희**

## KEY POINTS 🔒

- 재발다발연골염은 연골의 반복적인 염증과 조직 괴사를 특징으로 하는 드문 전신 자가면역질환이다.
- 재발다발연골염 환자의 약 30%에서 류마티스 질환(전신혈관염, 류마티스관절염, 전신홍반루푸스 등)이나, 혈액질환(골수형성이상증후군 등)과 동반되기도 한다.
- 특징적인 임상 소견은 갑자기 외이가 붓고 아프면서 빨갛게 되는 귀이개 연골염이다.
- 다양한 부위의 연골이 침범되며, 침범 부위를 근거로 하여 진단하나, 초기에는 약 절반 정도의 환자에서만 증상이 발현되므로, 진단이 지연될 수 있다.
- 염증 조절을 위해 비스테로이드소염제, 글루코코티코이드를 사용하나, 심한 경우에는 면역억제제와 생물학적제제를 사용할 수 있다.
- 5년 생존율은 74-94%이며, 예후를 호전시키기 위해 조기 진단 및 적극적인 치료가 필요하고, 후두, 기관 및 기관지 연골 침범으로 인한 호흡부전이 주된 사인이다.

## 서론

재발다발연골염은 연골의 반복적인 염증과 조직 괴사를 특징으로 하는 흔하지 않은 전신 자가면역질환이다. Jaksch-Wartenhorst가 통증과 부종을 동반한 귀와 코의 변형이 있는 환자에서 연골 조직검사를 토대로 polychondropathia라 1923년 처음 명명하였으며, 이후 Pearsone 등이 질병의 경과가 주기적임을 강조하여 1960년에 재발다발연골염이라 명명하였다.

## 역학

재발다발연골염은 40-50대의 중년에 호발하나, 어느 연령에나 생길 수 있으며, 모든 인종에서 생길 수 있고, 남녀 발생비는 비슷하다. 약 30%의 환자에서 전신혈관염, 류마티스관절염, 전신홍반루푸스, 척추관절병증과 같은 자가면역질환과 동반될 수 있고, 골수형성이상증후군, 림프종과 같은 혈액질환과도 동반될 수 있다고 알려져 있다.

## 원인 및 병인 기전

정확한 원인은 아직 밝혀져 있지 않지만, 유전적 소인이 있는 환자에서 감염이 되거나, 화학독성물질에 노출되거나, 연골에 직접적인 손상을 받게 되면, 발병하는 것으로 추정하고 있다. 재발다발연골염 환자의 혈청에서 콜라겐(type II)에 대한 자가항체가 발견되고, 연골에서 T세포 등이 확인되며, 종양괴사인자-α (tumor necrosis factor-α, TNF-α) 등이 증가되어 있는 것으로 보아 체액 및 세포 면역이 모두 관여하는 자가면역질환으로 추측된다. HLA-DR4는 정상대조군에 비해 증가되어 있으나, 특이한 아형(subtype)은 아직 알려져 있지 않다.

## 임상양상

재발다발연골염의 첫 증상은 흔히 한두 부위의 연골 염증이 갑자기 나타나는 것이나, 연골의 침범 부위나 임상양상은 다양하게 나타날 수 있다. 가장 흔한 증상은 이개염(auricular inflammation)이다(표 131-1). 이개염은 갑자기 외이가 붓고 아프면서 빨갛게 되는 것이 특징적인 소견으로, 초기에는 한쪽에서부터 시작할 수 있으나, 대부분의 환자에서 양쪽에 모두 나타나게 된다. 약 80% 이상의 환자에서 이 증상을 경험하며, 연골이 없는 귓불(ear lobe)은 보존되는 것이 특징이다. 반복되는 염증으로 인해 이개 연골이 파괴되면서 이개의 위축과 변형이 올 수 있다(그림 131-1). 염증에 의한 부종으로 외이도가 좁아지면서 전도난청(conductive hearing loss)이 생길 수 있고, 중이, 내이의 침범으로 인해 전정기능의 장애, 감각신경난청이 생길 수 있다. 비연골의 침범은 약 60%의 환자에서 경험하며, 코 막힘, 콧물, 코피 등의 증상과 함께 안장코가 생길 수 있고, 이러한 경우 육아종증다발혈관염과의 감별이 필요하다.

호흡기계도 자주 침범되는데, 대개 객담을 동반하지 않는 기침이 흔하고, 천식과 유사한 호흡곤란이 발생하는 경우도 있다. 후두를 침범하면 애성 등의 증상이 나타나고, 기관 및 기관지 연골이 침범되면, 예후가 불량한 것으로 알려져 있다. 재발다발연골염 환자에서 사망의 약 50%가 폐렴이나 호흡부전 등 호흡기계 침범과 연관이 있는 것으로 알려져 있다. 대동맥류는 활동성 연골염 없이 발생할 수도 있으며, 대동맥류, 혈관염 등의 심혈관계 침범은 호흡기 침범에 이어 두 번째로 흔한 사인이다.

눈을 침범하는 경우 공막염, 상공막염, 결막염, 각막염, 포도막염, 홍채염이 나타날 수 있다. 관절염은 비대칭적 양상으로 나타나며, 미란과 변형을 동반하지 않고, 전신의 모든 관절을 다 침범할 수 있다. 전신 증상으로 발열, 체중감소, 피로감이 동반될 수 있으며, 피부증상이나, 신장침범, 혈액학적 변화(빈혈, 백혈구 증가, 골수형성이상증후군 등)가 나타날 수 있다. 하지만 질병의 초기에는 약 절반 정도의 환자에서만 증상이 발현되므로, 진단이 지연될 수 있다.

## 진단

McAdam 등이 제시한 6개의 임상적 기준(양측 귀이개 연골염, 비미란성 혈청음성다발관절염, 비연골염, 안구 염증, 후두나 기관의 연골을 포함한 호흡기계의 연골염, 달팽이관이나 전정기관의 기능장애)에 병리학적 소견과 치료에 대한 반응 항목을 포함시켜 보완된 기준을 Damiani와 Levine이 제시하였다(표 131-2). 하지만, 최근에는 조직검사를 피하기 위해 병리소견이 포함되지 않는 Michet의 기준이 주로 사용되고 있다(표 131-2).

다른 염증 질환과 같이 빈혈, 적혈구침강속도 증가 등을 보일 수 있으며, 대적혈구혈증(macrocytosis)이 나타나는 경우 골수형성이상증후군이 동반되었을 가능성을 고려해야 한다.

호흡기계의 침범이 있는 경우 심한 합병증을 유발되나, 합병증이 나타난 이후에 진단이 되는 경우도 있을 수 있으므로, 호흡기계 침범 여부의 확인을 위해 폐기능 검사와 전산화단층촬영을 시행하는 것이 좋다. 이를 통해 공기포획(air trapping), 허탈(collapse)과 같은 기능성 변화를 확인해야 하며, 기관 및 기관지의 염증성 변화와 협착, 석회화 등이 나타날 수 있다.

병리학적 소견으로는 헤마톡실린-에오신(hematoxylin-eosin) 염색에서 연골 기질의 호염기성 염색소실과 연골막과 주위 결합조직사이의 경계가 불명확해지고, 단핵구 염증세포 침윤되며, 연골세포수가 감소되는 연골 파괴 소견을 볼 수 있다(그림 131-2). 전형적인 임상소견을 보이는 경우에는 조직검사를 하지 않아도 진단할 수 있지만(조직검사 자체로 인해 해당부위의 손상을

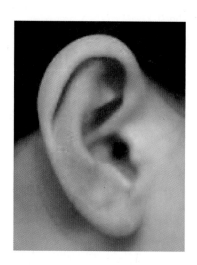

그림 131-1. **재발다발연골염 환자의 외이** 연골염을 시사하는 귀이개의 전반적인 홍반부종이 관찰된다. (출처: 성균관의대 고은미 교수)

표 131-1. 재발다발연골염의 임상양상

| 임상양상 | Park, et al n=16(%) | McAdam, et al n=159(%) | Michet, et al n=112(%) | Trentham and Le n=66(%) |
|---|---|---|---|---|
| 귀이개염 | 81 | 89 | 85 | 95 |
| 비연골염 | 69 | 72 | 54 | 48 |
| 눈 염증 | 56 | 65 | 51 | 57 |
| 호흡기계 침범 | 56 | 56 | 48 | 67 |
| 관절염 | 50 | 81 | 52 | 85 |
| 청력-전정기관이상 | 25 | 46 | 30 | 42 |
| 심혈관계 침범 | 6 | 9 | 6 | 8 |
| 피부 침범 | NR | 17 | 28 | 83 |

NR, not reported.

표 131-2. 재발다발연골염의 진단 기준

**1. Damiani and Levine의 기준**
(진단을 위해서는 다음 중 한가지를 만족해야 한다)
1) 3개 이상의 임상 기준
2) 1개 이상의 임상 기준과 해당 부위 연골 조직의 특징적인 병리소견
3) 각기 다른 부위의 연골염이 2군데 이상 있으면서 글루코코티코이드나 답손에 반응을 보이는 경우

\*\*\*임상 기준\*\*\*
1) 양측 귀이개 연골염
2) 비미란성 혈청음성염증다발관절염
3) 비연골염
4) 안구 염증(결막염, 각막염, 공막염, 포도막염)
5) 후두나 기관의 연골을 포함한 호흡기계의 연골염
6) 달팽이관이나 전정기관의 기능장애(감각신경난청, 이명, 현기증)

**2. Michet의 기준**
('주 진단기준 중 2개 이상' 혹은 '주 진단기준 1개와 부 진단기준 중 2개 이상'을 만족해야 한다)
1) 주 진단기준
    (1) 귀이개 연골염
    (2) 비연골염
    (3) 후두-기관 연골염
2) 부 진단기준
    (1) 안구 염증(결막염, 각막염, 공막염, 포도막염)
    (2) 청력손실
    (3) 전정기관 이상
    (4) 혈청음성관절염

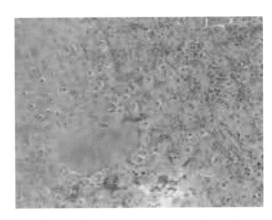

그림 131-2. **재발다발연골염 환자의 이개 연골 조직검사소견(H&E stain, ×100)**
연골막과 연골주위조직에 염증세포의 침윤이 증가되어 있고 연골세포가 감소되어 있다. (출처: Korean J Otorhinolaryngol-Head Neck Surg 2011;54:368-71.)

연골염은 세균감염, 진균감염, 매독, 나병 등에서도 올 수 있으며, 육아종증다발혈관염, 유육종증, 타카야수동맥염 등 혈관염이나, 결정관절염, 다른 자가면역질환과의 감별도 필요하다. 특히 비연골 침범으로 인해 안장코가 생기는 경우, 육아종증다발혈관염과의 감별이 필요한데, 임상소견만으로 두 질환을 감별하기 어려울 때가 많으며, 이러한 경우 혈청 항중성구세포질항체(anti-neutrophil cytoplasmic antibody, ANCA; 육아종증다발혈관염에 특이성이 높은 검사)가 두 질환의 감별에 도움이 되는 것으로 알려져 있다.

피하기 위해), 증상이 애매한 경우에는 연골의 조직검사를 통해 진단에 도움을 받을 수 있다.

## 치료

재발다발연골염은 흔하지 않은 질환으로 여러 가지 약제의 치료효과에 대한 증례보고들은 있으나, 치료에 대한 체계적인 임상 연구가 진행되지는 못하고 있다. 치료에 대한 반응여부는 임상증상의 호전과 급성반응단백의 감소로 평가한다. 관절통이나 경한 관절염에는 비스테로이드소염제를 사용하고, 경한 안질환은 국소 글루코코티코이드와 경구 비스테로이드소염제를 병용 투여한다. 귀이개염은 콜히친을 사용할 수 있으며, 다른 장기의 침범 없이 귀이개나 비연골염 혹은 말초관절염만 있는 경증의 경우에는 소량의 글루코코티코이드(예: 경구 프레드니솔론 10-20 mg/일)를 사용할 수 있다. 공막염, 신경 병변, 호흡기계, 대동맥염이나 다른 내부 장기의 손상 등 중증의 경우에는 고용량의 경구 글루코코티코이드(예: 프레드니솔론 1 mg/kg/일)나 글루코코티코이드 충격요법을 쓸 수 있고, 메토트렉세이트, 아자싸이오프린을 스테로이드 보존 약제로 사용할 수 있다. 기관 및 기관지 연골이 침범되면, 기관 허탈과 같은 심각한 합병증이 유발될 수 있어 고용량의 글루코코티코이드, 면역억제제와 함께 기관절개술과 같은 수술 방법이 시행될 수 있다. 폐, 신장, 심장의 침범이 심한 경우에는 고용량의 글루코코티코이드와 함께 사이클로포스파마이드를 경구 혹은 정맥주사할 수 있으며, 글루코코티코이드, 답손, 아자싸이오프린, 사이클로포스파마이드에 반응을 하지 않는 경우 infliximab 등과 같은 생물학적제제를 사용해 볼 수 있다.

## 임상 경과 및 예후

재발다발연골염의 임상 경과는 자연 치유에서부터 치명적인 예까지 매우 다양하며, 대부분 증상의 호전과 재발이 반복된다. 젊은 환자에서는 빈혈, 혈뇨, 상기도질환, 관절염, 안장코가 동반되는 경우 예후가 나쁘고, 고령(51세 이상)에서는 빈혈이 나쁜 예후를 시사하는 소견이다. 예후는 다양하여, 5년생존률이 45-95%로 보고되고 있으며, 이는 침범 부위나 합병증과 연관되는 것으로 알려져 있다. 기도 허탈(airway collapse)에 의한 호흡 부전이 가장 주된 사인이고, 이외에도 심혈관계 침범, 전신혈관염 등이 있다.

### 참고문헌

1. Biya J, Dury S, Perotin JM, et al. Assessment of TNF-alpha inhibitors in airway involvement of relapsing polychondritis: A systematic review. Medicine (Baltimore) 2019;98:e17768-73.
2. Chopra R, Chaudhary N, Kay J. Relapsing Polychondritis. Rheum Dis Clin North Am 2013;39:263-76.
3. Damiani JM, Levine HL. Relapsing polychondritis--report of ten cases. Laryngoscope 1979;89(6 Pt 1):929-46.
4. Hong G, Kim H. Clinical characteristics and treatment outcomes of patients with relapsing polychondritis with airway involvement. Clin Rheumatol 2013;32:1329-35.
5. Jaksch-Wartenhorst R. Polychondropathia. Wien Arch Inn Med 1923;6:93-100.
6. Kim JY, Ahn SK, Park JJ, Lee JS. A case of bilateral vocal cord immobility as a initial manifestation of relapsing polychondritis. Korean J Otorhinolaryngol-Head Neck Surg 2011;54:368-71.
7. Kim SH, Lim HY, Cho YS, et al. Three cases of relapsing polychondritis. J Korean Rheum Assoc 1998;5:89-96.
8. Longo L, Greco A, Rea A, Lo Vasco VR, De Virgilio A, De Vincentiis M. Relapsing polychondritis: A clinical update. Autoimmun Rev 2016;15:539-43.
9. Mathian A, Miyara M, Cohen-Aubart F, Haroche J, Hie M, Pha M, et al. Relapsing polychondritis: A 2016 update on clinical features, diagnostic tools, treatment and biological drug use. Best Pract Res Clin Rheumatol 2016;30:316-33.
10. McAdam LP, O'Hanlan MA, Bluestone R, Pearson CM. Relapsing polychondritis: prospective study of 23 patients and a review of the literature. Medicine 1976;55:193-215.
11. Michet CJ Jr, McKenna CH, Luthra HS, O'Fallon WM. Relapsing polychondritis. Survival and predictive role of early disease manifestations. Ann Intern Med 1986;104:74-8.
12. Park JJ, Lee JC, Kim JH, et al. Clinical analysis of relapsing polychondritis: 16 Cases in Korea. Korean Rheum Assoc 2005;12:213-21.
13. Pearson CM, Kline HM, Newcomer VD. Relapsing polychondritis. N Engl J Med 1960;263:51-8.
14. Trentham DE, Le CH. Relapsing polychondritis. Ann Intern Med 1998;129:114-22.

# 132

# 유육종증

조선의대 **김윤성**

- 유육종증은 원인을 알 수 없는 전신을 침범하는 염증질환으로 비치즈육아종 형태의 조직학적 특징을 가지고 있다.
- 병인은 아직 명확히 알려져 있지 않으나 유전적 요인과 환경 요인에 의해 발생한 항원에 대해 항원제시세포가 활성화되고 T세포가 반응하면서 육아종을 형성하는 것으로 추측하고 있다.
- 임상양상은 침범장기에 따라 다양하게 나타나는데 주로 폐, 눈, 피부, 림프절, 관절에 호발하며 심장, 소화기계, 신경계, 근골격계 및 신장을 침범하기도 한다.
- 진단은 임상증상, 영상학적 검사 및 조직검사를 통해 이루어지며 조직검사가 가장 중요하며 육아종이 동반되는 다른 질환과의 감별이 중요하다.
- 약물치료는 글루코코티코이드를 사용하며 효과가 없거나 부작용이 심한 경우 메토트렉세이트나 아자싸이오프린과 같은 면역억제제를 사용하며 침범 장기에 따라 생물학적제제를 투여하기도 한다.
- 예후는 치료 없이 자연 관해되는 경우가 많으나 주요 장기를 침범하는 경우 드물게 사망에 이르기도 한다.

## 서론

유육종증(sarcoidosis)은 조직학적으로 비치즈육아종(noncaseating granuloma)을 특징으로 전신을 침범하여 다양한 임상증상과 경과를 보이는 비교적 드문 전신 염증질환이다. 유육종증의 어원은 그리스어로 '살'을 의미하는 sarco와 '~를 닮다' 라는 의미의 edios에 '상태'를 뜻하는 osis가 합해져서 유래하였다. 1887

년 영국의 Jonathan Hutchinson이 첫번째 환자를 보고하였고 이후 노르웨이 피부과 의사인 Caesar Boeck이 육아종성 염증질환임을 밝혀냈는데 피부 병변이 육종(sarcoma)과 비슷하나 양성 형태를 보인다 하여 sarcoid라는 용어를 처음 사용하였다. 1915년에 이르러 전신을 침범하는 질환으로 인식되었다. 주로 폐와 폐문 주위를 가장 많이 침범하고 폐 외에도 눈, 피부, 림프절, 심장, 소화기계, 신경계, 근골격계 및 신장 등 전신의 모든 장기를 침범할 수 있다. 다양한 임상양상으로 인해 진단이 어려우며 환자들은 때때로 무증상이거나 비특이적인 증상을 호소한다.

## 역학

유육종증은 전 세계적으로 분포하는 질환이다. 모든 인종에서 발생할 수 있으며 포르투갈에서는 100,000명 중 0.2명, 스웨덴에서는 100,000명 중 64명으로 인종마다 다양한 유병률을 보인다. 미국에서 시행한 연구에 따르면 흑인에서 백인보다 3배 높은 유병률을 보였으며 우리와 인종적 배경이 비슷한 일본에서는 100,000명당 3.7명으로 상대적으로 드물게 나타난다. 여성에서 남성보다 더 많이 발생하며 모든 나이에서 발생할 수 있지만 70% 이상의 경우에서 20-40세 사이에 발생하고 여성에서는 50세 이후에 발생률이 다시 증가하는 양상을 보인다.

## 병인 및 발병기전

유육종증에 대한 명확한 원인은 아직 알려져 있지 않으나 유전적 감수성이 있는 환자들이 다양한 환경 요인들에 노출되면서 발생된 비정상적인 항원이 세포면역반응을 유발하여 발생된다고 추측하고 있다.

### 1) 유전적 요인

부모가 환자인 경우 자녀에서 발생한 확률은 일반 인구보다 5배 높다는 보고가 있으며 일란성쌍둥이(monozygotic twin)에서 발병률이 이란성쌍둥이(dizygotic twin)보다 10배 더 높다는 연구 결과를 통해 유육종증이 유전적 요인과 연관되어 있음을 짐작해 볼 수 있다. 또 항원 제시 역할을 하는 class I과 class II 사람백혈구항원(human leukocyte antigen, HLA) 유전자와 유육종증 발생의 연관성이 밝혀지기도 하였다. HLA-DRB1*0301, HLA-DRB1*1101, HLA-DRB1*1201 및 HLA-DRB1*1501이 유육종증과 관련된 대표적인 유전자이며 HLA-DRB1*0301/DQB1*0201은 Löfgren 증후군(Löfgren's syndrome)과 관련이 있고 예후가 좋으며 HLA-DRB1*1501/DQB1*0602는 만성으로 진행하고 좋지 않은 예후를 가지는 유전형이다. 이외에도 몇몇 사이토카인과 그들의 수용체와 관련된 특정 유전자가 유육종증과 관련이 있다는 보고가 있다.

### 2) 환경 요인

비감염성 요인으로 베릴륨, 분진, 방사선, 살충제, 흰곰팡이(mildew)가 있으며 이들 물질들을 가까이서 접하는 직업력과도

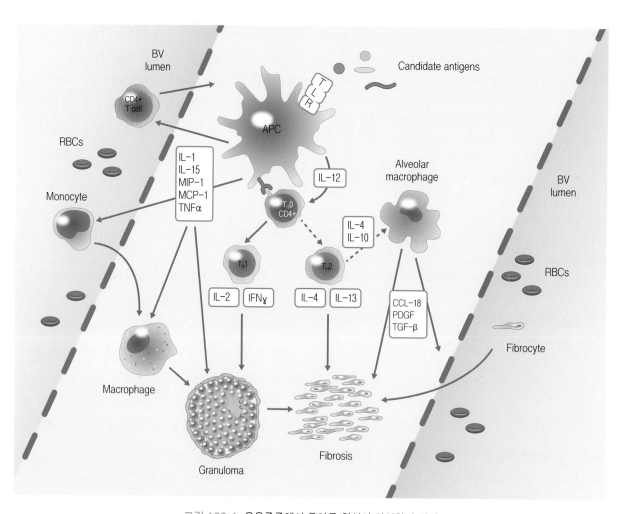

그림 132-1. 유육종증에서 육아종 형성의 면역학적 기전

RBC, red blood cell; IL, interleukin; MIP, macrophage inflammatory protein; MCP, monocyte chemoattractant protein; TNF, tumor necrosis factor; IFN, interferon; CCL, C-C motif chemokine ligand; PDGF, platelet derived growth factor; TGF, transforming growth factor.

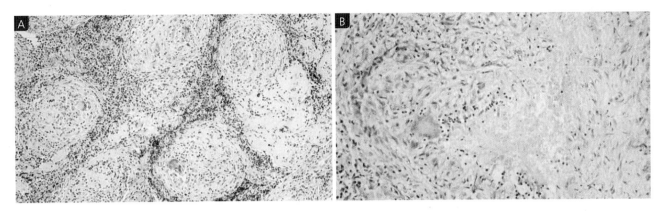

그림 132-2. **유육종증의 육아종 (A)** 림프절 조직검사(H&E stain). 비치즈상피모양세포 및 거대세포 육아종이 관찰된다. **(B)** 조직검사(H&E stain). 급성유육종증 환자의 조직검사에서 콜라겐의 호산구성 괴사를 동반한 비치즈육아종이 관찰된다.

밀접한 관련이 있다. 감염성 원인으로 마이코박테륨(*Mycobacterium*)균, 프로피오니박테륨아크네(*Propionibacterium acne*)균이 보고되었다. 그러나 유육종증이 이러한 균에 감염될 수 없는 조직에도 발생하며 항생제 치료에 반응하지 않고 면역 억제제로 호전되는 점을 미루어 보았을 때 감염이 절대적인 요인은 아니라는 것을 추측해 볼 수 있다.

### 3) 면역학적 요인

면역 반응은 (1) 여러 환경 요인들에 의해 유발된 항원에 노출, (2) 항원제시세포(antigen presenting cell, APC)의 활성화, (3) 항원 제거를 위한 T세포 반응, (4) 육아종 형성 등의 4가지의 단계로 이루어진다. 먼저 항원제시세포가 톨유사수용체(Toll-like receptor, TLR)를 통해 항원을 인지하면 IL-12를 분비하여 미감작(naïve) $CD4^+$ T세포를 도움T세포(helper T, $T_H1$) ($T_H1$)로 분화시키고 활성화시킨다. 반면 상대적으로 도움T세포2 ($T_H2$)의 작용은 억제되고 조절T세포(regulatory T cell, $T_{reg}$)의 기능도 저하되는 것으로 보인다. 분화된 $T_H1$은 IL-2와 INF-γ를 분비하는데 특히 IL-2는 대식세포에서 분비된 IL-15와 TNF-α와 함께 T세포의 증식과 분화를 자극하는 한편 IL-12, IL-18와 더불어 INF-γ의 생성을 더욱 촉진한다. 이러한 과정이 대식세포를 포함한 여러 염증세포들을 자극하고 면역반응을 증폭시켜 육아종을 형성하는 것으로 알려져 있다. 유육종증에서 육아종 형성의 면역학적 기전은 그림 132-1에 제시하였다.

## 병리

유육종증의 특징적이고 대표적인 병리 소견은 육아종을 형성한다는 것이다. 유육종증의 육아종은 대식세포, 상피모양세포(epithelioid cell)와 다핵거대세포(multinuclear giant cell)가 중심부에 밀집되어 있고 그 주변을 $CD8^+$ T세포, $CD4^+$ T세포, B세포, 단핵구, 섬유모세포(fibroblast)와 콜라겐(collagen) 띠가 둘러싸고 있는 비교적 경계가 명확한 원형의 비치즈육아종을 보인다(그림 132-2).

## 임상양상

유육종증은 신체 모든 부위를 침범할 수 있으며 침범한 장기에 따라 다양한 임상증상과 경과를 취할 수 있다. 인종, 성별, 연령 등 관찰된 연구 대상에 따라 임상양상이 다르게 보고되고 있으나 일반적으로 호흡기계 침범이 가장 많이 일어난다. 폐외 부위 침범이 동반된 경우도 50%나 된다. 폐 이외 침범부위는 눈, 피부, 림프절, 간, 관절 등이 비교적 흔하다. 폐외 침범 가능한 장기에 대해서는 표 132-1에 정리하였다.

### 1) 호흡기계

유육종증 환자 대부분은 호흡기계를 침범하는데 비강, 부비동, 후두 등 상부 기도를 포함하여 어디에나 침범할 수 있으나 폐의 침범이 가장 흔하며 95% 이상에서 발생한다. 기관지 침범은

표 132-1. 유육종증의 폐외 침범

| 기관 | 유병률 | 증상 | 검사 |
|---|---|---|---|
| 피부 | ~15% | 구진, 결절, 판, 사코이드 흉터(타투), 루프스동창, 피하 유육종증, 결절홍반 | 조직검사 |
| 림프절 | 10-20% | 경부, 빗장위, 서혜부, 액와, 턱밑 | 조직검사 |
| 눈 | 10-30% | 포도막염, 망막혈관염, 결막 결절, 눈물샘 비대 | 전반적인 안과 검사, 세극등 검사, 형광조영술 |
| 간 | 20-30% | 20-30%는 무증상, 간기능이상, 간비대, 간부전, 만성간내담즙정체, 문맥고혈압 | 간기능검사, 복부 초음파 혹은 컴퓨터단층촬영, 조직검사 |
| 비장 | ~10% | 비장비대, 범혈구감소증, 비장파열 | 초음파, 컴퓨터단층촬영 |
| 심장 | 2-5% | 방실 및 각차단, 심실빈맥 혹은 세동, 울혈심부전, 심장막염, 심장돌연사 | 심전도, 심초음파검사, 24시간 홀터검사, 자기공명영상, 관류스캔, 18F-FDG-PET |
| 신경계 | ~5% | 얼굴신경마비, 시신경염, 연수막염, 요붕증, 뇌하수체저하증, 발작, 인지장애, 수두증, 정신병, 척수질환, 다발신경병증, 소섬유신경병증 | 뇌척수액검사, 자기공명영상, 표피내 섬유 필도, 소섬유신경 선별검사 |
| 관절 | 15-25% | 급성 혹은 만성관절염, 관절주위염, 힘줄주위염, 가락염, 지관절낭 또는 육아종성 미란, Jaccoud's 변형 | X선 검사, 관절초음파, 자기공명영상 |
| 신장 | 0.5-2% | 급성신손상, 만성신부전, 고칼슘혈증, 고칼슘뇨증, 신석회증, 신결석증 | 24시간 소변 칼슘, 크레아티닌, 단백뇨(단회뇨) |
| 귀밑샘 | 4% | 대칭성 귀밑샘 비대, Heerfordt's 증후군(귀밑샘 비대와 발열, 포도막염, 얼굴신경마비와 동반) | 혈청 면역글로불린 G4, 항Ro/La항체, 조직검사 |
| 코 | 0.5-6% | 코막힘, 코출혈, 가피, 후각상실증 | 컴퓨터단층촬영, 비경술, 조직검사 |
| 후두 | 0.5-1% | 쉰목소리, 호흡곤란, 협착증, 삼킴곤란 | 후두내시경술, 조직검사 |
| 골격근 | 1-2% | 근위부 근육 쇠약, 근위축, 근육통, 근육내결절 | 크레아틴인산화효소검사, 자기공명영상, 18F-FDG-PET, 근전도 검사, 조직검사 |
| 비뇨기계 | 매우 드묾 | 자궁, 부고환, 고환을 포함한 모든 장기 | 조직검사, 영상학적 검사 |
| 소화기계 | 1% | 주로 무증상; 식도, 위, 소장, 대장 | 내시경, 조직검사 |

50% 정도 나타나며 이로 인해 기도의 협착과 천명이 발생할 수 있다. 증상은 대부분 비특이적으로 점진적인 호흡곤란, 마른 기침, 흉통을 호소한다. 섬유화와 아스페르길루스(aspergillus)에 의한 동공이 있을 경우 객혈을 보이기도 한다. 폐의 유육종증은 무증상의 폐문 림프절병증부터 폐포염을 동반한 간질폐질환까지 다양하게 나타난다. Scadding은 가슴X선 결과를 바탕으로 흉곽 내 유육종증의 영상의학적 분류를 제시하였다(표 132-2). 0기는 정상, 1기는 양측 폐문 림프절병증만 있는 경우, 2기는 양측 폐문 림프절병증에 폐침윤이 동반된 경우, 3기는 폐침윤만 있는 경우이고, 4기는 폐섬유화증으로 진행한 경우이다. 드물게 흉막을 침범하는 경우도 있고 폐섬유화에 의한 폐고혈압이나 폐동맥을 직접 침범하여 폐동맥고혈압이 발생하기도 한다. 폐기능 검사에서

대부분 제한형의 폐기능 감소 소견을 보이나 기관지나 세기관지를 침범하는 경우 폐쇄성 폐기능장애를 보이기도 한다.

## 2) 눈

환자의 25%에서 나타나며 5%의 환자에서는 첫 증상으로 나타난다. 33%에서는 무증상으로 나타날 수 있으므로 유육종증을 진단받은 모든 환자는 정기적으로 틈새등(slit lamp) 검사나 안저(funduscopic) 검사와 같은 안과 검사를 시행해야 한다. 시야흐림, 안구충혈, 광선공포증, 통증을 호소하는 전방 포도막염이 가장 흔하며 양측으로 오는 경우가 많아 HLA-B27 관련 관절병증과 감별된다. 후방포도막염, 범포도막염(panuveitis), 각막염, 공막염, 눈물샘 확장, 시신경병증 등도 동반될 수 있다. 약 20%에

**표 132-2.** 흉곽 내 유육종증의 영상의학적 분류

| 분류 | 영상의학적 특징 | 빈도 | 예후 |
|---|---|---|---|
| 0 | 특이소견 보이지 않음 | 5-10% | |
| I | 양측 폐문 림프절병증(비대) | 45-65% | 대부분 저절로 호전 |
| II | 양측 폐문 림프절병증에 폐실질 침윤이 동반 | 30-40% | 저절로 호전되는 편 |
| III | 양측 폐문 림프절병증없이 폐실질 침윤만 존재 | 10-15% | 저절로 관해는 드물다 |
| IV | 진행된 폐섬유화(벌집모양 기관지확장증 동반) | 5% | 관해 가능성은 거의 없다 |

서는 시력을 잃을 수도 있다.

### 3) 피부

피부 침범은 약 30% 환자에서 발생하며 특이적 혹은 비특이적 형태를 모두 보일 수 있다. 가장 흔한 피부 소견은 색소가 과다 침착된 반구진(maculopapular) 발진이며 주로 얼굴, 목, 그리고 피부 외상 부위에 나타난다. 루푸스동창은 유육종증에서 나타나는 특징적인 피부 병변으로 보라빛의 결절 혹은 판 양상의 융기된 발진 형태를 띄는데 코, 볼, 눈, 입술과 손가락에 나타난다. 대표적 비특이적 피부 소견은 결절홍반이며 약 10%에서 발생하고 주로 급성기때 나타났다가 저절로 없어지는 경우가 많다.

### 4) 림프절

10-20% 환자에서 발생하며 경부나 빗장위(supraclavicular) 림프절 침범이 가장 흔하게 발생하지만 신체 어느 부분에서나 발생할 수 있다. 대부분 이동성이며 통증이 없는 경우가 많다.

### 5) 심장

5%에서 심장을 침범하며 전도 장애를 포함한 다양한 부정맥, 심근병증, 울혈심부전 등이 비교적 흔하게 발생한다. 드물게 유두근 침범으로 인한 판막 기능장애, 심장막염 그리고 중증의 제한성 폐질환으로 인한 폐심장증(cor pulmonale) 등이 발생할 수 있다. 부정맥으로 인한 돌연사가 발생할 수 있으므로 모든 환자에서 진단 시부터 1년에 한 번 주기적으로 심전도, 심초음파검사를 시행해야 하며 이상소견이 관찰될 경우 심장 자기공명영상 혹은 18F-fluorodeoxyglucose-positron emission tomography (18F-FDG-PET)가 권고된다.

### 6) 소화기계

소화기내에서는 간을 가장 많이 침범하며 20-30%에서 간기능 이상을 보인다. 조직검사에서 육아종이 관찰되며 알칼리성인산염분해효소(alkaline phosphatase) 증가가 흔히 발생한다. 육아종담관염 혹은 간질 선병증(hepatic hilar adenopathy)으로 인해 담즙정체가 발생한다. 간비장비대가 5-20%에서 발생하며 문맥고혈압이 발생하는 경우도 있다. 위장관을 침범하는 경우는 매우 드물며 증상이 있는 경우 크론병(Crohn disease)이나 궤양대장염(ulcerative colitis)과 감별이 필요하다.

### 7) 신경계

폐나 다른 부위의 침범 없이 신경계에만 발생할 수 있다. 7번 혹은 2번 뇌신경 마비가 가장 흔히 발생한다. 발열, 침샘 비대, 관절염, 포도막염 그리고 얼굴신경마비가 동반되는 Heerfordt 증후군은 주로 남성에서 많이 나타나며 예후가 좋지 않다. 이 외에도 시상하부나 뇌하수체, 연수막(leptomeningeal) 침범, 척수병증, 발작, 종양, 인지장애, 정신병 등이 발생할 수 있다. 말초신경 침범의 경우 만성 감각운동 다발신경병증이 가장 흔히 나타나며 다발단일신경염, 감각신경병증, 늑간신경염, 소섬유신경병증 그리고 급성 길랑바레증후군(Guillan Barré syndrome)이 발생할 수 있다. MRI가 가장 좋은 진단 방법이며 조직검사가 필요한 경우 위치 확인을 위해 18F-FDG-PET을 시행해 볼 수 있다. 뇌척수액 검사에서 안지오텐신전환효소(angiotensin converting enzyme; ACE)가 증가된 소견이 관찰되기도 한다.

### 8) 근골격계

류마티스내과 의사들이 유육종증 환자와 대면하는 대표적인 증상이다. 관절염 및 관절주위염이 15-25%에서 나타난다. 급성,

만성 경과를 모두 취할 수 있지만 급성관절염 양상이 더 흔하고 주로 대칭적이며 다발성으로 발목, 무릎, 손목 그리고 팔꿈치 관절을 많이 침범한다. 이러한 관절염이 발열, 결절홍반 그리고 양측 폐문림프절병증과 동반되는 경우를 Löfgren 증후군이라 명명하며 급성 경과를 보이므로 '급성유육종증'이라 불리기도 한다. 드물게 만성관절염의 경과를 보이기도 하는데 유육종증에서 류마티스인자가 양성인 경우가 많으므로 류마티스관절염과 감별이 필요하다. 뼈를 침범하는 경우는 3-13% 정도되며 진단 초기보다는 질병이 경과한 후에 발생하며 주로 손가락과 발가락뼈를 침범하고 관절염보다는 관절통이 더 흔하다. 근육을 침범하는 경우도 있는데 대부분 무증상이다. 가장 흔한 근육질환은 만성 근병증으로 수 년에 걸쳐 서서히 진행하며 대칭적으로 나타나는데 근위부 근육의 쇠약과 위축을 일으키기도 한다.

### 9) 신장 및 고칼슘혈증

사구체신염, 간질신장염(interstitial nephritis), 아밀로이드증이 드물게 1% 이내에서 발생할 수 있다. 육아종내 대식세포에서는 25-dihydroxyvitamin D-1α-hydroxylase를 분비하여 25-di-hydroxyvitamin D를 활성형인 1,25-dihydroxyvitamin D로 전환시켜 장내 칼슘의 흡수를 증가시키기도 한다. 이에 의해 고칼슘혈증이 발생하며 칼슘뇨, 신결석증(nephrolithiasis), 신석회증(nephrocalcinosis)이 동반되는 경우도 있다.

### 10) 기타 증상

구강, 혀, 부비동, 비인두, 후두를 침범하여 쉰소리, 후각상실이 발생할 수 있다. 환자의 3-6%에서는 침샘염을 일으켜 쇼그렌 증후군 혹은 면역글로불린 G4 (immunoglobulinG4, IgG4) 관련 질환과 유사한 증상이 나타날 수 있다. 방광, 자궁, 고환, 부고환과 같이 비뇨생식기계를 침범하기도 하고 시상하부, 갑상샘, 췌장 등을 침범하여 내분비계 이상을 유발하기도 한다.

## 진단

유육종증은 증상이 다양하고 비특이적이며 확실한 진단기법이 없어 임상증상, 신체검사, 영상의학적 검사, 조직학적 소견을 종합적으로 고려하여야 하며 침범된 장기에서 비치즈육아종이 조직학적으로 관찰되면 진단할 수 있다. 아직 확실한 진단 기준이나 분류기준은 없으나 미국흉부학회(American Thoracic Society)와 유럽호흡기학회(European Respiratory Society)에서는 임상양상이 전형적이고 조직학적으로 비치즈육아종이 확인되며 육아종증을 일으키는 다른 질환이 배제되면 진단이 가능하다고 제시하였다.

### 1) 검사실 검사

현재까지 혈액검사나 소변검사에서 진단에 유용한 특이적인 생물표지자는 없다. 전체혈구계산에서 대부분 빈혈이나 림프구 감소가 보이고 일부에서는 호산구증가를 보일 수 있으며 비장비대가 있는 경우 드물게 혈소판이 감소되기도 한다. 생화학검사상 1/3에서 간효소의 상승을 보이고 일반 염증표지자인 적혈구 침강속도와 C반응단백질이 증가할 수 있으며 고칼슘혈증과 고칼슘뇨증을 보이기도 한다. 혈청 ACE 농도는 급성기 환자의 30-80%에서 상승한다. 그러나 양성예측도와 음성예측도가 낮으며 임상경과와 일치하지 않고 다른 질환에서도 상승하는 경우가 있어 진단에 특이적으로 사용하기에는 한계가 있다. 기타 다른 검사로 soluble interleukin-2 receptor (sIL-2R)와 neopterin은 18F-FDG-PET 섭취와 연관성이 있어 진단 및 활성도를 평가하는 데 이용될 수 있으나 실제 임상에서 아직 많이 사용되고 있지는 않다.

### 2) 영상의학적 검사

폐의 침범이 가장 흔하고 임상적으로도 중요하므로 가슴 X선 촬영을 기본적으로 시행해야 한다. 고해상컴퓨터단층촬영은 가슴 X선 촬영보다 더 진단에 민감하여 증상이 나타나지 않는 초기나 비전형적인 소견을 보이는 경우 이용되기도 한다. 자기공명영상 검사를 통해 뇌, 심장, 뼈의 침범을 확인할 수 있다. 18F-FDG-PET은 폐외 부위의 침범에 민감한 검사로서 폐외 장기침범 여부가 불명확한 경우 생검 부위를 결정하는 데 유용하게 사용된다. Gallium-67 citrate 스캔은 육아종이 있는 부위에 동위원소의 침착으로 특징적인 형태를 보이는데, 귀밑샘과 눈물샘의 흡수 증가로 인해 판다곰처럼 보이는 '판다징후'와 기관지 주위와 양측 폐문부 림프절의 흡수 증가로 람다(λ) 모양처럼 보이는

표 132-3. 유육종증과 감별해야할 육아종증을 일으키는 원인 및 질환

| 감염 | 환경 요인 | 기타 |
|---|---|---|
| 결핵균 | 베릴륨중독증(berylliosis) | 항중성구세포질항체관련혈관염 |
| 곰팡이(진균) | 경금속(hard metal) | (ANCA-associated vasculitis) |
| 마이코플라즈마 | 지르코늄(zirconum) | 괴사유육종 육아종 |
| 폐포자충 | 문신 | 림프종, 암 |
| 브루셀라증 | 과민폐렴증 | 크론병 |
| 고양이할큄열 | 약물(예: 메토트렉세이트) | 림프구사이질폐렴 |
| 비전형 마이코박테리아 | | 베체트병 |
| 톡소포자충증 | | 류마티스결절 |

'람다징후'를 보이기도 한다.

## 3) 조직검사

조직검사는 진단을 위해 필수적인 가장 중요한 검사이다. 조직검사는 비전형적인 증상을 호소하거나 치료 전 감염 혹은 악성종양을 감별하기 위해 어느 환자에게나 시행해야 한다. 생검은 기관지, 림프절 그리고 피부에서 주로 시행되며 그 이외 침범이 의심되는 어느 장기에서나 시행해 볼 수 있다. 조직검사소견은 비치즈육아종이 관찰되나 이는 특이적 소견은 아니므로 육아종이 관찰될 수 있는 다른 질환들에 대한 감별이 필요하다(표 132-3).

## 치료

유육종증은 진단 후 50-70%에서 2-3년 내에 저절로 호전되므로 치료가 필요하지 않을 수도 있다. 그러나 침범 장기에 따른 증상이 지속되거나 심한 장기 손상의 증거가 있다면 약물치료를 시작해야 하는데 특히 진행형의 폐질환이나 눈, 신경계, 심장, 간, 신장 등을 침범하는 경우, 고칼슘혈증, 비장비대에 동반된 혈소판감소증 등에는 즉시 치료를 시작해야 한다. 폐를 침범한 환자에서는 영상의학적으로 좋은 예후(표 132-2)를 보이는 경우 가슴 X선 검사와 폐기능 검사를 3-6개월 간격으로 시행하면서 경과 관찰하다 증상이 발생하거나 영상의학적으로 악화되는 소견을 보이면 치료를 고려한다. 치료 약제로는 우선적으로 글루코코티코이드가 추천되며 통상 매일 프레드니솔론(prednisolone)

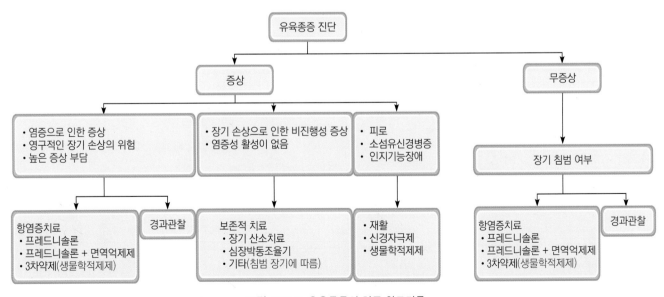

그림 132-3. 유육종증의 치료 알고리즘

20-40 mg을 1-3개월 동안 사용하고 이후 치료 반응을 보면서 하루 5-10 mg까지 서서히 감량하여 1년 동안 유지하도록 권고한다. 글루코코티코이드에 효과가 부족하거나 심각한 부작용이 있는 경우 또는 재발이 자주 발생 시에는 메토트렉세이트와 아자싸이오프린과 같은 면역억제제를 사용해 볼 수 있으며 레플루노마이드(leflunomide), 하이드록시클로로퀸(hydroxychloroquine), 마이코페놀레이트모페틸(mycophenolate mofetil), 사이클로스포린(cyclosporine), 사이클로포스파마이드(cyclophosphamide) 등도 투여해 볼 수 있다. 이들 약제에도 효과가 없는 경우 항종양괴사인자(antitumor necrosis factor)제제를 사용해 볼 수 있으며 특히 폐를 침범한 경우 infliximab과 adalimumab이 효과적이었다는 보고가 있다. 약물치료 외에도 침범된 장기의 각 증상에 따라 보존적인 치료를 병행하는 것을 권고한다. 유육종증의 치료 알고리즘에 대해 그림 132-3에 제시하였다.

## 예후

전체 환자의 2/3에서는 치료가 필요 없이 2년 내에 저절로 호전되는 경우가 많아 예후는 양호하다. 그러나 진단 당시 증상이 심하거나 여러 장기를 침범한 경우 그리고 치료에도 불구하고 만성 경과를 취하는 경우는 예후가 좋지 않다. 심한 경우 사망에도 이를 수 있으나 사망률은 5% 미만으로 낮으며 주요한 원인으로는 폐, 심장, 신경계를 침범한 경우이다.

## 참고문헌

1. Chen ES, Moller DR. Etiologic Role of Infectious Agents. Semin Resp Crit Care 2014;35:285-95.
2. Firestein GS, Budd RC, Gabriel SE, Koretzky GA, McInnes IB, O'Dell JR. Firestein & Kelley's Textbook of Rheumatology. 11th ed. Philadelphia: Elsevier; 2020. pp. 2088-104.
3. Gerke AK, Hunninghake G. The immunology of sarcoidosis. Clin Chest Med 2008;29:379-90.
4. Grunewald J, Grutters JC, Arkema EV, Saketkoo LA, Moller DR, Müller-Quernheim J. Sarcoidosis. Nat Rev Dis Primers 2019;5:45.
5. Hochberg MC. Rheumatology. 7th ed. Philadelphia: Elsevier; 2019. Ppp 1470-79.
6. Judson MA, Boan AD, Lackland DT. The clinical course of sarcoidosis: presentation, diagnosis, and treatment in a large white and black cohort in the United Stated. Sarcoidosis Vasc Diffuse Lung Dis 2012;29:119-27.
7. Rossi G, Cavazza A, Colby TV. Pathology of Sarcoidosis. Clin Rev Allerg Immu 2015;49:36-44.
8. Sharma OP. Sarcoidosis around the world. Clin Chest Med 2008;29:357-63.
9. Valeyre D, Prasse A, Nunes H, Uzunhan Y, Brillet PY, Muller-Quernheim J. Sarcoidosis. Lancet 2014;383:1155-67.
10. Zissel G. Cellular Activation in the Immune Response of Sarcoidosis. Semin Resp Crit Care 2014;35:307-15.

# 133

# 아밀로이드증

성균관의대 이유선

## KEY POINTS 🔒

- 아밀로이드증은 구조적 이상을 가진 불용성의 단백분자들이 장기나 세포 외에 축적되어 발생하는 질환이다.
- 아밀로이드증에는 일차성 AL아밀로이드증, 이차성 AA아밀로이드증, 투석관련아밀로이드증, 유전아밀로이드증, 노인전신아밀로이드증 등이 있다.
- AL형은 원발성이나 다발골수종의 일부에서 볼 수 있고, AA형은 류마티스관절염 등 만성염증질환의 합병증으로 발생한다.
- 확진은 피하지방 혹은 침범 장기에서 아밀로이드원섬유를 확인하는 것이며 H&E 염색에서 분홍빛의 아밀로이드 침윤이, Congo red 염색과 편광현미경에서 특징적인 녹색의 이중 굴절이 보인다.
- 치료는 전구물질 생성을 줄이고 아밀로이드원섬유의 세포 외 침윤을 억제시키며 침착된 아밀로이드를 제거하는 것으로 다양한 약제 및 해당 장기의 이식까지도 시도되고 있다.

## 정의와 분류

아밀로이드증(amyloidosis)은 구조 이상을 가진 불용성의 5-25 kD의 다양한 단백분자들이 장기나 세포 외에 축적되어 발생하는 질환이다. 아밀로이드라는 이름은 1854년에 Rudolf Virchow라는 병리학자가 요오드로 염색하여 마치 전분과 유사한 양상을 보이는 물질을 관찰하고 이를 아밀로이드라 하였다. 이후 최근까지 약 30가지의 단백 전구체가 아밀로이드의 전구체로 알려져 있다. 모든 아밀로이드원섬유(amyloid fibril)는 공통적으로 베타주름판 모양(β-plated sheet conformation)의 이차 구조와

단일한 미세구조를 가지고 있다. 아밀로이드원섬유 단백의 생화학적 기원과 임상양상(전신 혹은 국소, 유전 혹은 후천적)에 의해 아밀로이드증이 분류되며, 명명법은 AX로 A는 아밀로이드증을 가리키고 X는 원섬유의 단백을 의미한다. 예로, AL형은 면역글로불린 경쇄(immunoglobulin light chains)가 침착되며 일차성 전신아밀로이드증이라고도 한다. B세포 군집으로부터 유래되어 골수종과 림프종과 연관이 있어 골수종 환자의 15~20%에서 보인다. AA형은 이차성, 반응성, 또는 후천성 아밀로이드증이라고 하며 급성반응단백인 혈청 아밀로이드 A단백이 만성염증이나 감염질환의 합병증으로 발생한다. 이외의 아밀로이드원섬유 종류와 간략한 침범 부위, 임상양상은 표 133-1에 정리되어있다.

## 진단

아밀로이드증의 진단은 조직검사로 아밀로이드 축적을 확인하는 것이다. 침범된 장기에서 생검을 하는 경우 90% 이상에서 확진 할 수 있지만 아밀로이드는 신체의 어느 부위나 침착이 가능해서 피하지방 흡입생검이 안전하고 민감도가 높아 흔히 이용된다. 위, 소장과 직장조직검사도 좋은 방법으로 추천하고 있다. 일부 연구에서는 신장을 침범한 아밀로이드증을 진단하는데 위장관 내시경 조직검사와 높은 상관성을 보인다고 보고하였다. 그러므로 복부 피하지방 천자를 하여 확인을 해보고 이것이 음성이면 위장관, 신장, 심장 그리고 간 등의 침범 장기의 생검을 고려할 수 있다(표 133-2).

표 133-1. 아밀로이드원섬유에 따른 분류와 임상양상

| | 전구체(약자표기) | 침범장기 | 임상양상 |
|---|---|---|---|
| **전신아밀로이드증** | | | |
| AL | 면역글로불린 경쇄 | 모두 | 일차성 혹은 골수종 |
| AH | 면역글로불린 중쇄 | 모두 | 일차성 혹은 골수종(드묾) |
| AA | 혈청 아밀로이드 A단백(Apo) | 신장, 모두 | 이차성 혹은 반응성 |
| Aβ2M | β2마이크로글로불린 | 활막, 뼈 | 투석 |
| ATTR | 트랜스사이레틴(transthyretin) | 심장, 말초신경, 자율신경 | 가족력(돌연변이), 노인전신성(야생형, wild type) |
| AApoAI | 아포지질단백 AI | 간, 신장 | 가족력 |
| AApoAII | 아포지질단백 AII | 간, 신장 | 가족력 |
| AGel | 겔솔린 | 각막, 뇌신경, 신장 | 가족력 |
| AFib | 피브리노젠α쇄 | 신장 | 가족력 |
| ALys | 라이소자임 | 신장 | 가족력 |
| ALECT2 | 백혈구 화학주성인자2 | 신장 | 불명 |
| **국소 아밀로이드증** | | | |
| Aβ | 아밀로이드β 단백 | 중추신경 | 알츠하이머병, 다운증후군 |
| ACys | 시스타틴 C | 중추신경, 혈관 | 중추아밀로이드혈관병증 |
| APrP | 프리온 단백 | 중추신경 | 해면뇌병증 |
| AIAPP | 섬 아밀로이드 폴리펩타이드 | 췌장 | 당뇨 관련병 |
| ACal | 칼시토닌 | 갑상샘 | 갑상샘수질암 |
| AANF | 심방나트륨뇨배설인자 | 심방 | 노화 관련 |
| APro | 프로락틴 | 뇌하수체 | 내분비병증 |
| ASgl | 시메노젤린 1 | 나이 관련; 부검 또는 조직검사 | 저정낭 |

표 133-2. 생검조직에 따른 양성률

| 생검부위 | AL | AA | ATTR |
|---|---|---|---|
| 피하지방흡입 | 79% | 62% | 82% |
| 직장조직검사 | 75% | 85% | – |
| 골수조직검사 | 56% | 46% | – |
| 위, 소장조직검사 | 83% | 94% | – |
| 침샘조직검사 | 81% | 93% | – |

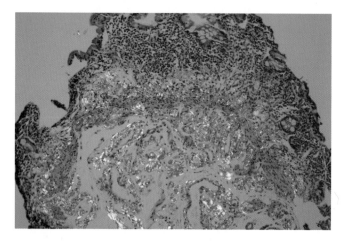

그림 133-1. 내시경적 십이지장 조직검사에서 얻은 조직 사이로 편광현미경하에서 관찰되는 아밀로이드(Congo red 염색, ×200)

아밀로이드 침착에서 보이는 규칙적인 베타주름판 모양은 Congo red 염색 후 편광현미경으로 관찰했을 때 독특한 녹색복굴절을 나타낸다(그림 133-1). 아밀로이드 침착이 발견되면 유발 단백을 결정하는 특정 전구체에 대한 면역조직화학분석을 시행한다. 부분적인 아밀로이드 침착이 있는 경우는 조직을 다루는 데 문제가 있어 위음성으로 나타날 수도 있다.

과거력, 신체검사, 임상양상, 나이, 가족력, 침범 장기의 자세한 문진이 세부 진단을 하는 중요한 단서를 제공한다. 장기 침범

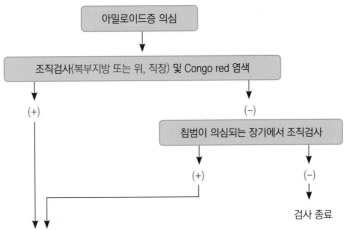

| 면역조직염색 | 감별점 | 진단 |
|---|---|---|
| κ혹은 λ<br>면역글로불린 경쇄 | 혈청 또는 뇨 단일클론단백<br>골수의 형질세포질환(plasma cell dyscrasia) | AL아밀로이드증<br>(심장, 신장, 간, 자율신경계 침범 및 factor X 결핍 확인) |
| 아밀로이드A단백 | 만성염증질환 | AA 아밀로이드증 (신장 및 간 침범 확인) |
| 트렌스사이레틴<br>(transthyretin) | 트렌스사이레틴변이 +/− 가족력<br>야생형(wild type) 트렌스사이레틴<br>(보통 65세 이상 남자, 심장 침범) | 가족성 ATTR아밀로이드증<br>(신경 및 심근 침범 확인, 가족력확인)<br>노인전신아밀로이드증 |
| 염색 음성 | 변이 Apo A, Apo AII, 섬유소원, 용균효소, 겔솔린 | 드문 가족아밀로이드증<br>(신장, 간, 소화기계 침범 확인) |

그림 133-2. 아밀로이드증 진단 알고리즘

은 컴퓨터단층촬영이나 신경전도검사, 심전도, 심장초음파검사 등을 통해 확인할 수 있다. 또한 혈액검사에서 ESR은 대부분 상승해 있으며 신장을 침범한 경우는 저알부민혈증과 심한 단백뇨가 있고, 심장을 침범한 경우에는 심근효소, 뇌나트륨배설펩타이드(brain natriuretic peptide, BNP), pro-BNP의 상승이 관찰된다. 혈청 및 뇨 단일클론면역글로불린, 혈청 자유경쇄 검사가 AL아밀로이드증의 진단에 도움이 된다(그림 133-2).

## 임상증상

전신아밀로이드증의 임상증상과 경과는 아밀로이드의 침범 부위와 정도에 따라 다양하게 나타난다.

AL형에서 아밀로이드의 활막 및 관절주위 침착은 일부에서만 나타난다. 작은 관절, 큰 관절 모두 침범할 수 있으며 양측성일 수 있다. 통증보다는 강직이 주증상이다. 활액은 비염증성이

며 원섬유가 관찰되기도 한다. 투석관련아밀로이드증은 대부분 근골격계를 침범하는 편이다. 손목인대 침범, 골낭형성, 견갑상완골 관절주위염, 손가락 통증 및 강직, 경추관절손상, 드물게 치상돌기골절 등이 있다. 경추의 침범은 골극 없이 골미란으로 나타난다. 신장이식을 하면 진행은 멈추나 증상은 지속된다. 가족성지중해열에서 발열과 함께 관절염이 같이 동반될 수 있으며 유전가족아밀로이드증에서 관절침범은 드물지만 보고되기는 하였다.

AL형과 AA형 모두에서 가장 흔히 침범하는 장기는 신장이다. 일부 ATTR돌연변이에서도 흔히 침범하고 일부 유전아밀로이드증은 신장만 침범하기도 한다. 가장 흔한 증상은 단백뇨이며 대부분의 경우 신증후군을 보인다. 신세뇨관산증도 초기엔 보일 수 있다. 효과적인 치료가 동반되지 못하면 신부전으로 진행한다.

심장 침범은 AL형에서 흔하며 20% 정도에서 초기 증상으로 부정맥과 울혈심부전을 보인다. 돌연변이 트렌스사이레틴아밀

로이드증에서도 심장 침범이 주를 이룬다. 아밀로이드가 심근에 침착하면 전구체의 종류와 무관하게 심장의 이완기장애와 울혈 심부전을 초래한다. 또한 심방세동, 완전방실차단을 포함한 다양한 부정맥을 보이며 자율신경이상 또는 심실자극으로 심정지도 생길 수 있다. 트랜스사이레틴아밀로이드증의 심장 침범은 AL형보다 느리게 진행한다. 심장삼출이 있는 경우가 많아 심전도에서는 저전위를 보이고 심초음파에서 심실중격비대와 E/A율 증가를 보인다. 아밀로이드증에서 technetium-99은 심근세포에 결합을 하는 특성이 있어 연부조직의 동위원소촬영에서 technetium-99의 심장 흡수가 있으면 아밀로이드증을 의심하고 필요하면 심내막조직검사에서 Congo red 염색으로 확인해야 한다. AA형은 약 10%에서 심장 침범을 보이며 관상동맥이나 심근혈관의 문제로 급성관상동맥증후군을 보일 수 있다.

가족아밀로이드다발근병증(familial amyloidotic polyneuropathy, FAP)뿐 아니라 가족력이 있는 트레스사이레틴형과 AL형에서 말초신경병증을 보일 수 있으며 일반적으로 신경운동장애, 무통의 궤양, 심하면 이차적으로 샤르코관절(Charcot joint)을 유발할 수 있다. 다발신경증은 아니지만 AL형, FAP 및 투석관련아밀로이드증에서 손목굴증후군이 나타날 수 있고 이는 임상에서 가장 흔한 신경증상이다. 다른 질환 없이 단독으로 손목굴증후군만 있는 환자의 드문 원인 중 하나가 아밀로이드증이며 이 경우는 ATTR단백의 침윤인 경우가 많다.

AL형과 AA형에서 간과 비장 침착이 있지만 임상증상이 나타나는 경우는 드물다. 그러나 간생검을 할 때, 간파열 또는 과다출혈이 있을 수 있어 주의를 요하며, AL형에서는 혈관벽 내에 아밀로이드가 침착되는 경우 혈관의 취약성이 보이므로 응고이상이 발생할 수 있다. 그러므로 규칙적인 응고이상에 대한 검사를 하여야 한다.

AL 아밀로이드는 내분비기관에 침착되어 갑상샘기능저하증, 부신저하증, 뇌하수체기능저하증이 나타날 수 있다. 이런 기능의 변화들이 아밀로이드증에 특징적이지는 않지만 다양한 장기 기능의 이상이 있다면 아밀로이드증으로 더욱 의심할 수 있겠다(표 133-3)

## AL아밀로이드증

AL아밀로이드증은 골수형질세포의 단일클론 면역글로불린 경쇄 성분으로 구성된 원섬유가 침착되어 생긴다. 골수형질세포의 단일클론증식으로 λ와 κ의 작은 조각 또는 면역글로불린이 생성되며 이것이 대식세포효소에 의해 비정상적인 방법으로 잘리면(misfold) 부분적인 경쇄손상이 일어나고 침착하여 AL아밀로이드증이 생긴다. AL형의 20% 정도는 골수종이 보이는데 형질세포에서 misfold현상으로 AL형이 되는지 적절한 fold로 다발골수종이 되는지는 선택적 우연을 따른다. AL형의 나머지는 단세포군감마글로불린혈증, 경쇄질환, 무감마글로불린혈증을 보인다. B세포 클론의 종류에 따라 아밀로이드를 형성하는 경쇄는 고유한 구조를 가지나 원섬유가 침착하지 않는 경우도 있다. 사람에게서 경쇄질환은 아밀로이드증 이외에 캐스터신증, 경쇄침착질환이 있으며 중쇄(AH형) 질환은 드물다.

**표 133-3. 아밀로이드의 장기 침범에 대한 진단기준**

| 장기 | 기준 |
| --- | --- |
| 심장 | 심초음파에서 심장벽의 두께가 12 mm 초과, 다른 원인이 없어야 한다. |
| 신장 | 24시간 소변검사에서 0.5 g을 초과하는 단백뇨, 주로 알부민이다. |
| 간 | 심부전이 없으면서 15 cm를 초과하는 간비대가 있거나 정상치의 1.5배를 초과하는 간기능 이상. |
| 신경 | 양측 하지의 감각 및 운동신경병증<br>위운동장애, 기능성장폐색, 배뇨장애와 같은 자율신경이상, 단 아밀로이드의 직접적인 침범은 아니어야 한다 |
| 소화기 | 증상과 함께 조직학적 증명 |
| 폐 | 증상과 함께 조직학적 증명<br>간질폐렴 |
| 연부조직 | 거대혀증, 관절병증, 파행(혈관침범 의심), 피부, 근병증, 임파절(국소침범), 손목굴증후군 |

아밀로이드 침착은 중추신경계를 제외한 어느 장기나 침범이 가능하고 경쇄는 λ아형이 더 많다. 비교적 빠른 임상 진행이 특징이나 피로와 체중감소와 같은 비특이적 증상이 흔하여 조기진단이 어렵다. 70% 정도의 환자에서 신장을 침범하며 대개 심한 저알부민증, 단백뇨, 이차고콜레스테롤혈증, 전신부종을 동반한 신증후군이 보이며 일부에서는 사구체보다 신세뇨관에 침착을 더 일으키기도 한다. 심장은 50% 정도에서 침범되며 사망의 주요 원인이 된다. 심전도 및 심초음파에서 심실비후, 이완장애 및 제한심근병증의 특징을 보이며 심장자기공명영상에서는 심실비대와 더불어 가돌리늄의 심내막 조영 증가를 보인다. 위장관 운동장애(포만감 이상, 설사, 변비 등), 말초신경병증, 자율신경병증, 기립저혈압을 보일 수 있고 특징적인 거대혀증(macroglossia)은 10%의 환자에서만 나타난다. 간, 비장 침범도 흔하며 혈관침범 및 혈액응고인자이상으로 멍이 잘 생긴다. 특히 눈 주위에 멍이 들어 너구리처럼 보이기도 하는데 드물기는 하지만 AL아밀로이드증의 특징적 소견 중 하나이다. 조갑변형, 탈모, 손목과 어깨에 관절병증이 동반되기도 한다.

## AA아밀로이드증

AA아밀로이드증은 류마티스 전문의에게 더 친숙한 아형으로 급성기반응단백인 혈청 아밀로이드 A로 구성된 원섬유의 세포 외 조직 침착이 특징적이다. 혈청 아밀로이드는 급성 Apo단백으로 간에서 합성이 되며 혈장의 고밀도지질단백-3에 의해 운반되며 감염이 아밀로이드 A의 축적을 유발시키므로 이를 만성적으로 자극하는 기저 염증질환이 수년간 지속되었던 경우 AA아밀로이드증이 발생할 수 있다. 따라서 AA아밀로이드증은 류마티스관절염, 소아만성관절염, 강직척추염, 염증장질환, 가족성지중해열, 가족성한냉자가염증증후군, 머클-웰스증후군, 면역글로불린D증후군, 만성감염, 악성종양(신세포암, 비호지킨림프종), 캐슬만병, 낭성섬유증, 약물중독 등과 같은 만성염증질환에 동반되어 이차적으로 나타난다. 염증이 진행되는 동안 인터루킨(interleukin, IL)-1, IL-6, 종양괴사인자(tumor necrosis factor, TNF)-α와 같은 염증사이토카인이 간을 자극하여 아밀로이드 A의 전구물질의 합성을 증가시킨다. 간혹 기저질환이 없이 특발

성으로 발생할 수도 있다. 항생제와 항염치료제의 발전으로 발생빈도는 미국과 유럽을 중심으로 줄고 있으나 소아에게서도 발생이 가능한 유일한 전신아밀로이드증의 아형이다. AA형은 AL형에 비해 침착되는 장기가 제한적이기는 하지만 대부분 신장에서 시작해서 간비대, 비장비대, 자율신경병증이 진행하며 나타날 수 있다. 신장 침범이 약 80%를 차지하며 주로 사구체에 아밀로이드가 침착하여 신증후군을 일으킨다, 하지만 혈관이나 신세관에 침착하여 다양한 임상상이 나타날 수 있으며 단순한 요침전물, 경도의 단백뇨일 수도 있고 신성뇨붕증과 같은 신장관형 기능장애일 수도 있으며 신부전의 형태로 올 수도 있다.

## 치료

치료의 목적은 (1) 전구물질의 생성을 감소시키고, (2) 아밀로이드원섬유의 침착을 억제하며, (3) 침착된 아밀로이드를 제거하는 것이다. 유전 또는 가족아밀로이드증은 유전상담이 치료에 중요하며 간이식을 통해 변이단백의 합성 장소를 없애는 것이 효과적인 치료 중 하나이다. 간이식은 증상이 발현되고 1년 이내에 하는 것을 추천한다. 신장 아밀로이드증은 지속적인 혈액 투석이나 신이식을 추천하기도 한다.

AL형은 광범위한 전신 침윤이 특징이므로 치료하지 않는 경우 생존 기간은 1-2년이다. 현재 치료는 다발골수종의 치료인 골수의 형질세포를 치료표적으로 하며 주기적인 melphalan과 프레드니솔론이 형질세포수를 줄여서 생존을 연장시킨다는 무작위 대조군 연구가 있으나 완전관해는 매우 적은 환자에서만 나타난다. 콜히친의 단독 혹은 병용은 효과가 증명되지는 못했고 프레드니솔론 대신 덱사메타손을 쓸 경우 완전관해율이 올라가지만 전신부종과 울혈심부전을 악화시킬 수도 있다. 자가조혈모세포 이식 후 고용량 멜팔란을 투여하는 경우 40%에서 완전관해에 도달했고 골수에서 비정상적인 형질세포가 완전 소실되는 연구 결과가 있으나 심장 침범, 영양 상태 불량, 전신 상태 불량이 동반될 경우는 다장기부전으로 사망하는 경우 또한 많았다. 현재 여러 약제들을 병합한 시도가 증례 중심으로 이루어지고 있고 새로운 항형질세포치료제들이 형질세포질환의 치료에 연구되고 있으며 탈리도마이드(thalidomide), 레날리도마이드(lenalidomide), 포말리도마이드(pomalidomide)와 같은 면역조절제들이 시도되고 있다. 프로테아솜(proteasome)을 억제하는 보르테조밉(bortezomib)이 여러 연구에서 효과가 있었다고 발표되기도 하였다. 원섬유 제거를 위한 저분자제제, 단클론항체가 연구 중에 있다.

AA형의 치료의 일차적 목표는 기저 질환의 염증 과정을 억제하는 것이다. 류마티스관절염이나 소아만성관절염에서 보다 강력한 치료를 하는 것이 신장 아밀로이드증의 발생과 진행을 늦춘다. 신부전이 좋아지지 않으면 염증 소실 후 신장이식을 하는 것이 가장 효과적인 치료법이다. 가족성지중해열에서 콜히친(1.2-1.8 mg/일)을 쓰는 것은 아밀로이드증과 급성발작을 줄일 수 있지만 AA형 등의 아밀로이드증의 치료에는 효과적이지 않다. 일부의 경우 항TNF제제나 IL-1 길항제가 도움이 되기도 하나 이차감염의 위험성이 증가하므로 잘 선별해서 사용해야 한다. 최근 아밀로이드 A단백이 조직의 글리코사미노글리칸(glycosaminoglycan)과 상호작용하는 것을 방해하여 원섬유의 형성을 방해하는 약물로 eprodisate가 개발되었다. 이 약은 AA형의 신질환의 진행을 늦추는 것으로 알려져 있다.

트랜스사이레틴아밀로이드증에서는 간이식이 주 치료법이지만 비스테로이드소염제인 디플루니살(diflunisal)이나 티록신 유사체인 타파미디스(tafamidis)가 트랜스사이레틴을 안정화시켜 치료효과를 기대해 볼 수 있다. 간이식의 경우 병의 진행을 늦추고 생존율은 향상시키지만 신경병증을 호전시키지는 못하는 것에 비해 상기 약제의 경우 임상시험에서 신경병증의 호전과 삶의 질 향상에 도움이 되었고 최근 심근병증에서의 효과도 기대되고 있다.

## 예후

일반적으로 아밀로이드증은 서서히 진행을 하지만 치료를 하지 않으면 사망에 이른다. AL형의 평균 생존 기간은 12개월 정도이며 가족아밀로이드증의 경우는 7-15년이다. 사망의 주요한 원인은 심장 질환과 신부전이다. 부정맥에 의한 급사가 있을 수 있으며 위장관 출혈, 불응성 심부전이나 감염에 의한 사망이 많다. 다발골수종에서 아밀로이드증이 발생하는 경우 예후는 더욱 불량하여 생존 기간이 6개월 미만이다.

### 참고문헌

1. David DS, Martha S. In: Longo DL, Fauci AS, Kasper DL, Hauser SL, Jameson JL, Loscalzo J, eds. Harrison's Principles of Internal Medicine. 20th ed. New York: McGraw-Hill; 2019. pp. 803-9.
2. Gatt ME, Palladini G. Light chain amyloidosis 2012: a new era. Br J Haematol 2013;160:582-98.
3. Glenner GG. Amyloid deposits and amyloidosis. The beta-fibrilloses (first of two parts). N Engl J Med 1980;302:1283-92.
4. Hawkins PN. In: Hochberg MC, Silman AJ, Smolen JS, Wein-blatt ME, Weisman MH, eds. Rheumatology. 7th ed. Philadelphia: Elsevier; 2019. pp. 1484-93.
5. Kobayashi H, Tada S, Fuchigami T, Okuda Y, Takasugi K, Matsumoto T, et al. Secondary amyloidosis in patients with rheumatoid arthritis: diagnostic and prognostic value of gastroduodenal biopsy. Br J Rheumatol 1996;35:44-9.
6. Obici L, Merlini G. Amyloidosis in autoinflammatory syndromes. Autoimmun Rev 2012;12:14-7.

# 134

# IgG4관련질환

한양의대 조수경

## KEY POINTS 🔒

- IgG4관련질환은 새로이 정립된 질병 영역으로 면역 관련 병인으로 다양한 장기를 침범하며, 주로 침샘, 눈물샘, 췌장, 안구, 담도, 후복막을 침범한다.
- 침범된 장기의 부종과 혈청 IgG4 농도 증가, 조직의 IgG4 양성 형질세포의 침윤이 특징이다. 주요 병리 소견은 IgG4 형질세포가 높은 비율로 보이는 림프형질세포 침윤, 나선형 섬유화, 폐색정맥염, 경미하거나 중등도의 호산구가 보인다. 임상 증상과 병리 소견을 종합하여 진단한다.
- 대부분의 환자가 글루코코티코이드 치료에 반응을 하지만, 장기간 유지 요법이 필요하고 간헐적으로 재투약이 필요한 경우가 있다. 저용량 글루코코티코이드를 사용 중 혹은 중단한 후 25-50% 환자에서 재발을 경험한다.

년 경화췌장염(sclerosing pancreatitis) 환자에서 혈청 IgG4 농도의 상승이 보고되었고 2003년에 여러 장기에 침범된 환자들에서 공통된 병리 소견으로 IgG4 형질세포 침윤이 발견되면서 새로운 전신 질환으로의 가능성이 제기되었고, 현재는 하나의 전신 질환 개념으로 정립되었다. 2019년에는 미국류마티스학회/유럽류마티스학회[American College of Rheumatology (ACR) and the European League Against Rheumatism (EULAR)]에서 IgG4관련질환의 분류기준을 발표하였다. IgG4관련질환은 종괴를 형성할 수 있는 다양한 질환들과 감별진단이 중요하고, 적절하게 치료를 하였을 때 일반적으로 치료 반응이 좋으므로 질환을 잘 이해하는 것이 필요하다. 그리고 쇼그렌증후군, 육아종증다발혈관염(granulomatosis with polyangiitis), 특발막신병증(idiopathic membranous nephropathy)과 같은 자가면역질환들과 구분이 어려울 수 있으므로 주의가 필요하다.

## 서론

면역글로불린 G4 (Immunoglobulin G4)관련질환(IgG4-related disease)은 전신의 다양한 장기에 형질세포가 침윤하고 섬유화를 일으켜 종괴를 형성하여 장기의 손상을 일으키는 질환으로 악성종양, 감염, 염증성 질환들로 오인될 수 있다. IgG4관련질환은 과거에는 침범된 장기에 따라 미쿨리츠병(Mikulicz's disease), 자가면역췌장염(autoimmune pancreatitis), 리델갑상샘염(Riedel thyroiditis), 후복막섬유화증(retroperitoneal fibrosis), 염증거짓종양(inflammatory pseudotumor) 등으로 진단되었다. 2001

## 역학

최근 개념이 정립된 질환으로, 세계적으로도 코호트 연구가 부족한 실정이므로 역학에 대해서는 명확히 알려져 있지 않다. 일본에서는 발병률이 0.28-1.08/100,000명, 매년 336-1,300명이 진단되는 경향이라고 발표하였다. IgG4관련질환은 처음 췌장을 침범한 질환으로 알려지기 시작하였고, 이는 1형 IgG4 관련 자가면역췌장염이라고 불렸다. 이외에도 침샘염, 다양한 형태의 안와, 안와주변부 침범(dacryoadenitis or inflammation of the extraocular muscles), 림프절병증(lymphadenopathy), IgG4관련 후복막섬유화가 주로 나타난다. 또한, 폐의 다양한 병변, 신장을 포함한 비뇨기계, 대동맥 침범 또한 보고된다. 중년 이상의 남성에서 전형적으로 발생하는 것으로 알려져 있고, 특히 췌장 침범 시 남녀의 비는 3:1 정도로 남성에서 많이 발생한다. 그러나, 두경부 침범을 할수록 여성의 빈도가 증가하여 남녀의 비가 거의 같아지는 양상을 보이는데, 그 이유에 대해서는 명확하지 않다.

## 병태 생리

많은 IgG4관련질환 환자에서 혈청 IgG4 농도가 현저한 상승을 보이며 일반적으로 다른 IgG 하위 클래스에 비해 훨씬 높다. 또한, 주로 섬유성 병변을 특징으로 하는 진행된 경우를 제외하고 IgG4+ 형질세포가 질병 부위에 많이 나타나며, IgG4+ 형질세포의 수(/hpf)와 전체 IgG 형질세포에 대한 IgG4+의 비율은 진단에 중요하다. 또한, 치료를 받지 못하는 환자에서 형질세포가 상당히 상승되어 있는 것을 확인할 수 있어 질병 활성도도 반영한다. 결과적으로 IgG 항체와 체액면역의 중요성이 강조되어 왔다. 그러나, IgG4 자체가 이러한 병태 생리를 주도할 것으로 생각되지는 않고 있다.

IgG4는 건강한 성인에서 일반적으로 IgG 하위 클래스 중 가장 적은 분포로 약 4% 정도를 차지하고 있으며, 독특한 특성을 가지고 있어 염증 반응의 중추적 역할을 하지는 못할 것으로 생각된다. 우선, IgG4는 CH2 도메인에서 주요 아미노산 차이로 인해 C1q 및 Fc-γ 수용체에 대해 결합력이 낮아 고전적 보체경로(classic complement pathway)를 활성화하고 항체의존세포매개 세포독성에 관여하는 것이 IgG1에 비해 상당이 약화되어 있다. IgG4의 또 다른 특징은 Fab 영역에서 교환이 발생하는(Fab arm exchange) 과정을 통해 'half antibody'를 형성하는 능력인데, 이 과정으로 인해 IgG 분자가 두 개의 다른 결합 특이성을 갖게 된다. IgG4의 경첩 부위(hinge region)에 아미노산 변이가 IgG4 분자의 두 반쪽을 연결하고 있는 이황결합(disulfide bonds)을 환원시키게 되고, 분리된 arms들은 무작위 형성을 통해 재조합 되어 "비대칭 항체"를 구성하게 되어 그 결과로 항원 교차결합(cross-link antigens)과 면역복합체 형성 능력이 떨어지게 된다. 그래서,

전염증(pro-inflammatory)보다는 항염증(anti-inflammatory)으로서의 역할을 할 것으로 생각된다.

일부 경우에는 IgG4의 보체 활성화 능력이 예상보다 크고 면역복합체 형성에 관여하여 조직 손상을 일으키는 것으로 보이는데, 특히 신장 침범의 경우, IgG4 침착이 발견되고 혈청 IgG4 농도가 상승되는 경우 IgG4가 포함된 면역 복합체가 특히 강하게 나타나기도 한다. 그러나, 이것이 주요 질병의 경로로 여겨지지는 않는다.

### 1) B세포

B세포 제거 치료법으로 인해 혈청 IgG4 농도가 현저히 줄어드는 현상을 보이므로, 대부분의 혈청 IgG4는 수명이 짧은 형질모세포(short-lived plasmablasts)와 형질세포에서 만드는 것으로 생각된다. 반면, B 세포 제거 치료가 혈청 IgG4 농도를 완전히 정상으로 만들지는 못한다는 사실은 이러한 면역글로불린을 만드는 수명이 긴 형질세포(long-lived plasma cell)는 여전히 존재함을 보여준다. B 세포와 그 계열 세포들이 IgG4관련질환에서 IgG4 형성 및 사이토카인 생성에 중요한 역할을 할 것으로 생각되며, 아마도 가장 중요한 역할은 T 세포에 항원 제시 역할일 것으로 보인다. IgG4관련질환에서 순환하고 있는 형질모세포들은 림프절의 종자중심(germinal center) 내 T세포와의 상호작용이 특징인 강력한 체세포 과돌연변이(somatic hypermutation)를 보인다.

### 2) T세포

활성화된 B세포가 염증이 일어난 조직으로 이동하여 CD4+ T세포에 항원을 제시하면, T세포의 증식과 $CD4^+$ 세포독성 T세포로 분화를 유도한다. IgG4관련질환 환자에서 type 2 helper T 세포 ($T_H2$) 사이토카인(IL-4, IL-5, IL-13, IL-21)과 조절T세포(regulatory T cell) 매개 사이토카인(IL-10, transforming growth factor-β1)의 증가를 보이며, 환자들의 약 3분의 1에서 천식, 알르레기비염, 아토피피부염의 병력을 보인다. 유전적 민감성을 가진 환자, 일반적으로 고령의 남성에서 일부 항원이나 미생물이 면역 관용의 붕괴를 일으키는 유발 요인이 될 것이라고 생각하고 있다. 이러한 측면에서 톨유사수용체(Toll-like receptor), 단핵구, 호염구(basophils)와 같은 선천면역(innate immunity)이 또한, 중요한 역할을 할 것으로 보인다. T follicular helper cell은 림

프절 종자중심에 증가되어 있고, 말초 혈액과 침범된 조직에 증가되어 있어, 주로 B세포의 증식과 분화를 촉진하고 T follicular regulatory cell과 함께 B cell class switching, germinal center를 형성하는 것으로 알려져 있다. CD4 세포독성 T세포는 말초혈액과 섬유성 병변에서 모두 증가되어 있고, granzymes, granulysin, perforin, signaling lymphocyte activation molecule (SLAM) family proteins 등을 형성해서 섬유화를 매개한다.

## 병리소견

IgG4관련질환의 특징적인 소견은 작은 림프구(small lymphocyte), 형질세포, 섬유화 침착이다. 대부분의 경우 IgG4+ 형질세포 비가 40% 이상이고, IgG4+ 형질세포 수(/hpf)는 침범된 장기에 따라 다르다(예를 들면, 췌장에서는 >10, 침샘과 눈물샘에서는 >100, 피부에서는 >200). 그러나 조직에서 IgG4+ 형질세포는 류마티스관절염이나 ANCA관련혈관염, 아토피피부염 등 다른 질환들에서도 증가할 수 있으므로 주의가 필요하다.

병리소견은 소용돌이섬유화(storiform or swirling fibrosis)가 중요하고, 폐색정맥염 또한 중요한 소견이다. 종종 호산구 침윤이 보일 수 있으나 호중구 침윤은 전형적 소견이 아니다(그림 134-1).

## 임상양상

여러 장기를 침범하며, 공통적 특징은 서서히 발생하고 잠복기가 길다는 점이다. 따라서 진단 시 비가역적 장기 손상이 있는 경우가 많으며, 이환 장기에 육안적 변화를 보이는 경우가 많다.

### 1) 전신 및 근골격계 증상

서서히 진행하는 양상을 보이며, 진단 전부터도 수개월에서 수 년간 증상이 있었던 경우가 많다. 체중감소가 수개월에 걸쳐 발생할 수 있지만, 전신 발열은 드물게 나타난다. 피로감은 주로 다발성 장기 침범 시에 흔히 나타난다. 많은 환자에서 관절통, 부착부염이 발생할 수 있지만, 명확한 관절염의 소견이 나타나는 경우는 흔하지 않다.

### 2) 눈 증상

눈물샘 부종이 가장 흔한 증상이며 안구돌출증(proptosis)이 생길 수도 있다. 외안근의 염증과 비후로 안구돌출이 나타날 수 있는데, 눈물샘을 침범하지 않은 거짓종양의 형태로 안구돌출이 나타나기도 한다. 공막염과 눈물샘 폐쇄(nasolacrimal gland obstruction) 증상을 일으킬 수 있다.

### 3) 신경계 증상

뇌 실질만 침범하는 경우는 매우 드물지만, 특발비후경수막염(idiopathic hypertrophic pachymeningitis)의 가장 흔한 원인이

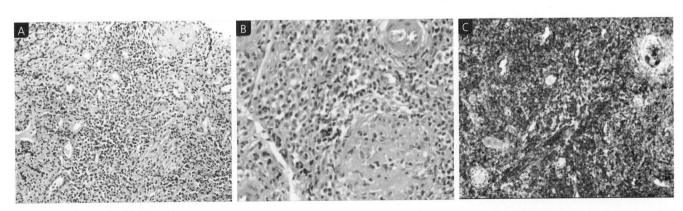

그림 134-1. **(A)** 신조직 검사에서 염증세포, 버팀질섬유화(stromal fibrosis)가 보이고 있다(H&E, X200). **(B)** 염증세포는 주로 림프구, 형질세포, 소량의 호산구가 보이고 있다(H&E, X400). **(C)** 면역화학염색에서 형질세포는 대부분 IgG4 양성을 보인다(H&E, X200) (출처: J Rheum Dis 2015;22:401-4)

된다. 또한, 뇌하수체염(hypophysitis)으로 인해서 뇌하수체기능 저하가 동반되는 경우가 있고, 자기공명영상에서 안장비대(sellar enlargement)와 뇌하수체 줄기의 비후를 보이기도 한다. 종종 안와 주변의 말초 신경, 특히 삼차신경이나 안와아래신경(infraorbital nerve) 주변의 염증을 보인다. 자기공명영상의 이상소견은 무증상일 수 있으나 악성으로 진행하는 가능성도 염두에 두어야 한다.

## 4) 침샘 증상

큰침샘과 작은침샘을 침범할 수 있는데 특히, 눈물샘염(dacryoadenitis), 설하샘(sublingual gland) 부기, 악하샘(submandibular gland) 부기를 함께 보이는 경우는 오래 전부터 Mikulicz's disease로 불려왔다. 악하샘 부종이 단독으로 나타나는 경우가 가장 흔하지만, 이하샘(parotid gland)과 설하샘도 자주 나타난다. 구강 건조가 동반이 될 수 있는데, 면역억제제 사용으로 증상이 호전된다는 것이 쇼그렌증후군과의 차이점이라고 할 수 있다. 큰침샘의 세침 검사가 암을 감별하는 데 유용하지만, IgG4관련질환 진단을 위해 일반적으로 절제 생검이 필요하다.

## 5) 눈, 코, 목 증상

알레르기비염, 비용종, 만성부비동염, 코막힘, 콧물이 흔하다. 경증 또는 중등도의 말초호산구증가와 혈청 IgE 농도 증가(때로는 정상치의 10배 이상 상승)가 흔하다. 덩이병터(mass lesion)가 부비동 내에 생길 수 있고, 중이와 얼굴뼈에 파괴병터(destructive lesion)가 생길 수 있다. 또한, 인두, 하인두, Waldeyer's ring에 미만성 염증이 생길 수 있고, 자주 덩이병터를 형성한다. 기도 염증과 성대 침범도 보고가 된다.

## 6) 감상샘

리델갑상샘염(Riedel's thyroiditis)이 관련이 있고, 섬유화 하시모토갑상샘염이 관련이 있을 것으로 생각되나 이 부분은 좀 더 연구가 필요하다.

## 7) 림프절병

전신 림프절병과 침범 장기 주변의 국소 림프절병 모두 나타날 수 있다. 림프절은 일반적으로 1-3cm 직경으로 압통을 동반

하지 않는다. 경부, 쇄골 위, 악하, 액와, 폐문부, 종격동, 대동맥 주변, 후복막, 고샅림프절(inguinal node) 침범이 보고된다. 캐슬만병(Castleman's disease)과 유사하게 나타나기도 한다. 림프절 조직 검사로 IgG4관련질환의 진단이 어려운 경우가 많은데, 이것은 다른 장기에서 발견되는 섬유화가 림프절에 나타나는 경우가 흔치 않으며, 림프절에서의 IgG4 양성 형질세포의 농도 증가가 다른 질환에서도 흔히 보일 수 있기 때문이다.

## 8) 흉부대동맥, 대동맥 가지, 관상동맥

IgG4관련대동맥염은 방사선 사진이나, 수술 시 우연히 발견되기도 한다. IgG4관련대동맥염은 흉부대동맥의 동맥류나 박리를 유발할 수 있다. 거대세포동맥염이나 타카야수동맥염에서 원발성 대동맥 가지(primary aortic branches)를 침범하는 데 반해, IgG4관련대동맥염은 이 부위가 보존되는 경향이 있다. 관상동맥에서 동맥류를 형성하는 형태로 나타나기도 한다.

## 9) 만성대동맥주위염과 후복막섬유화

특발후복막섬유증의 2/3가 IgG4관련질환으로 발생하고 위치가 모호한 등, 옆구리, 하복부, 대퇴부에 통증을 일으키고, 다리에 부종, 요관 침범으로 인한 수신증을 보일 수 있다. 이러한 발현은 일반적으로는 처음에는 감지가 힘들고, 발병 시 아급성이고 비특이적이어서 진단의 지연을 초래한다. 전형적인 방사선학적 형태는 신장 하부에서 시작하여 장골동맥까지 확장되는 형태로 대동맥을 둘러싼 병변을 확인할 수 있다. 요관은 방광으로 내려가는 경로에 하부 대동맥과 장골동맥에 가까이 있어 대동맥주위염으로 둘러싸이기도 한다.

## 10) 폐

폐침범은 임상적, 방사선학적으로 아주 다양하게 나타나는데, 기관지혈관다발(bronchovascular bundle)의 비후가 CT에서 나타나는데, 특징적으로 같은 경로에 있는 혈관과 기관지를 따라 병변이 발전하기 때문에 나타나는 소견이다. 폐결절, 간유리음영(ground-glass opacities), 흉막의 비후, 간질폐렴 양상을 보인다.

## 11) 신장

신장 침범 시에는 세관사이질신장염(tubulointerstitial nephritis) 양상을 주로 보이며, 보체 감소, 단백뇨, 서서히 진행하는 신기능 저하가 특징으로 치료가 이루어지지 않으면 말기 신장병으로 이행할 수 있다. CT 소견에서는 신장 실질의 저밀도 병변과 신장 종대 소견을 관찰할 수 있다. 단백뇨가 나타날 수 있지만 양이 많지는 않다. IgG4관련질환의 신장 침범은 치료 반응이 좋은 경우라 하더라도 신 위축으로 진행할 수 있어 주의가 필요하다.

### 12) 췌장

췌장은 혈청 IgG4 농도 증가와 관련하여 처음으로 제시된 장기로, 제1형 자가면역췌장염으로 불린다. 복통의 양상은 다양하게 나타나서 소화불량 정도나 무증상인 경우부터 심한 통증을 유발하기도 하는데 일반적으로 다른 췌장염에 비해 통증이 심하지는 않다. 췌장의 종괴로 통증을 동반하지 않은 폐쇄황달이 발생하면 췌장암으로 종종 오인할 수 있다. 급만성췌장염과 당뇨가 동반할 수 있고 CT 영상에서는 특징적인 소견으로 췌장의 전반적인 부기과 저밀도의 가장자리를 보인다.

### 13) IgG4관련경화담관염

담도계를 침범하는 경우 경화담관염의 양상으로 자가면역췌장염과 동반되는 경우가 많다. 담췌관조영술에서 간 담도와 췌장의 췌도 협착을 같이 보이고 실제로 담도와 췌장질환이 동반되어 있으면 거의 IgG4관련질환으로 진단할 수 있다. 일차경화담관염과 담도암의 감별을 위해 내시경을 통한 조직검사가 일반적으로 필요하다.

### 14) 이 외 장기 침범

장간막이나 종격동에 경화 병변이 나타날 수 있고, 섬유화성 흉격동염이 종격동 구조물을 압박할 수 있다. 피부 침범 시 구진, 판, 결절을 형성하는 피부 병변을 만들 수가 있고, 이는 주로 얼굴과 목에 나타나지만 체간이나 사지에 나타날 수도 있다.

## 진단

IgG4관련질환 진단을 위해서는 임상증상과 혈청학적 및 방사선학적 소견을 종합해서 질병의 가능성을 인지하고, 가능하다면 조직검사를 통해서 특징적 병리소견의 입증이 필요하다. 최근 발표된 2019년 미국류마티스학회와 유럽류마티스학회에서 공동으로 발표한 IgG4관련질환 분류기준의 단계를 이용하여 진단에 도움을 받을 수 있다. 이 분류 기준은 85.5%의 민감도와 99.2%의 특이도를 보인다.

2019년 발표된 ACR/EULAR 분류 기준에 따르면, 3단계의 과정을 통해 진단을 확정하게 되는데, 먼저 진입기준(entry criteria)에 포함되는 경우 진단 과정에 들어가게 된다.

첫 단계로 특징적인 임상적, 방사선학적 침범이 전형적인 장기에 나타난 경우, 또는 이러한 장기에서 림프형질세포 침윤으로 보이는 원인 불명의 염증 반응이 병리학적으로 증명된 경우 진단을 시도한다.

두 번째 단계로 제외기준을 확인한다. 총 32개의 임상적, 혈청학적, 방사선학적, 병리학적 요소들로 이루어진 제외기준에 해당되는 경우는 IgG4관련질환 분류를 시행하지 않는다. 제외기준은 임상적으로 발열, 스테로이드에 대한 무반응 등의 일반적인 IgG4관련질환에 적합하지 않은 임상상을 보이거나 혈청학적으로 다른 결체조직질환의 가능성이 높은 경우, 영상학적으로 종양이나 감염이 더 의심되는 경우, 병리적으로 종양, 다른 괴사염증질환의 소견이 보이는 경우, 또는 캐슬만병, 염증장질환, 하시모토갑상샘염 등 다른 확정된 질환이 있는 경우에 해당된다.

세 번째 단계로 병리소견, 혈청내 IgG4 농도, 장기별 특징적 소견의 범주에서 더 질병 특이적 소견이 있는 경우 가산점을 부여하여 20점이 넘는 경우 진단기준을 충족하는 것으로 판단한다 (표 134-1).

2019년 미국류마티스학회와 유럽류마티스학회에서 공동으로 발표한 IgG4관련질환 분류기준은 실제 진료현장에서 IgG4관련질환의 진단 과정이 이루어지는 방식으로 구성되어 진단에 유용하게 활용할 수 있으며, 원래 취지대로 임상 역학 연구를 위해 균일한 환자군을 분류하는 데 유용하다. 하지만, 빈도가 낮고, 비특이적인 경우의 진단을 놓칠 수 있다는 점에 유의해야한다.

## 치료

IgG4관련질환의 치료는 2015년에 전문가들의 의견 수립을

표 134-1. 2019년 미국류마티스학회와 유럽류마티스학회에서 공동으로 발표한 IgG4관련질환 분류기준 중 포함기준(inclusion criteria) 가산점 적용

| 범주와 항목 | 가중치 |
|---|---|
| **조직병리** | |
| 조직검사 정보 없음 | 0 |
| 고밀도 림프구침윤 | +4 |
| 고밀도 림프구침윤과 폐색정맥염 | +6 |
| 폐색정맥염을 동반하거나 동반하지 않는 고밀도 림프구침윤 및 소용돌이섬유증 (storiform fibrosis) | +13 |
| **면역염색 (별도 표로 설명, 표 134-2)** | |
| **혈청 IgG4 농도** | |
| 정상 또는 시행하지 않음 | 0 |
| 정상보다 상승했으나 정상 상한선의 2배 이상 상승은 아님 | +4 |
| 정상 상한선의 2-5배 상승 | +6 |
| 정상 상한선의 5배 이상 상승 | +11 |
| **양측성 샘 침범 (Bilateral lacrimal, parotid, sublingual, submandibular glands)** | |
| 샘 침범 없음 | 0 |
| 샘 한 쌍 침범 | +6 |
| 두 개 이상 쌍의 샘 침범 | +14 |
| **흉부** | |
| 확인되지 않거나 나열된 항목에 해당되지 않는 경우 | 0 |
| 기관지 혈관 및 중격 비후 | +4 |
| 흉부 척추 주위 띠 모양의 연조직 | +10 |
| **췌장과 담도** | |
| 확인되지 않거나 나열된 항목에 해당되지 않는 경우 | 0 |
| 미만췌장부기(소엽 상실) | +8 |
| 미만췌장부기과 캡슐 모양 저밀도의 가장자리 | +11 |
| 췌장(위 중 하나) 및 담도 침범 | +19 |
| **신장** | |
| 확인되지 않거나 나열된 항목에 해당되지 않는 경우 | 0 |
| 저보체혈증 | +6 |
| 신우 비후/연부조직 | +8 |
| 양측 신피질 저밀도 영역 | +10 |
| **후복막** | |
| 확인되지 않거나 나열된 항목에 해당되지 않는 경우 | 0 |
| 복부 대동맥 벽의 미만성 비후 | +4 |
| 신동맥 하부 또는 장골 동맥을 둘러싸거나 혹은 전외측의 연부조직 | +8 |

표 134-2. 2019년 미국류마티스학회와 유럽류마티스학회에서 공동으로 발표한 IgG4관련질환 분류기준 중 포함기준 가산점 적용 중 Weight Assigned for Each Combination of Immunostaining Items

| | **IgG4+ cells/HPF** | | | | |
|---|---|---|---|---|---|
| IgG4: IgG+ ratio | | 0–9 | indeterminate | 10–50 | ≥50x |
| | 0–40% | 0 | 7 | 7 | 7 |
| | indeterminate | 0 | 7 | 7 | 7 |
| | 41%–70% | 7 | 7 | 14 | 14 |
| | ≥70% | 7 | 7 | 14 | 16 |

통한 국제 컨센서스 가이드라인이 발표되었으나 여전히 약제들 간의 치료 효과 등에 대한 근거는 부족한 실정이다. 환자의 증상과 침범된 장기에 따라 치료 여부를 결정하며, 특히, 비가역적 손상을 유발할 수 있는 대동맥염, 후복막섬유화, 근위 담도 협착, 세뇨관사이질신장염, 경수막염, 심막염의 경우에는 응급한 치료가 필요하다.

글루코코티코이드는 치료받은 적이 없는 활성 질환에서 관해 유도 치료를 위해 사용되는 1차약제로 일반적으로 프레드니솔론 30-40 mg/day로 시작하는데, 체중 및 질병의 중증도에 따라 조절한다. 초기 치료는 2-4주간 유지해야 하고, 이후부터 감량해서 치료 시작 3-6개월에 중단하는 것을 권장한다. 대부분의 환자에서 글루코코티코이드에 치료 반응이 좋지만, 25-50% 환자에서 감량하거나 중단하였을 때 재발하는 것으로 알려져 있다. 대부분 중년이상에서 발병하는 연령을 고려하면, 글루코코티코이드 장기간 사용으로 인한 유해반응 우려도 크기 때문에 잦은 재발을 하거나 치료에 불응성인 경우에 글루코코티코이드 감량을 위한 약제들을 고려하게 된다. 이를 위해 아자싸이오프린(azathioprine), 미코페놀라이트 모페닐(mycophenolate mofetil), 메토트렉세이트(methotrexate)가 사용되고 있지만, 치료 효과에 대한 연구는 단편적이고 소규모 연구에 그치고 있어 효과에 대한 데이터는 매우 부족하다.

B세포를 표적으로 하는 rituximab의 사용이 글루코코티코이드 불응성 환자에서 고려될 수 있다. 새로운 치료 방법으로는 B세포를 표적으로 하는 치료제의 시도가 있으며, T세포가 활성화 T follicular helper cell로 분화하는 것을 억제하면 B세포 활성을

제한할 수 있을 것이라는 기대에서 T세포를 표적으로 하는 아바타셉트(CTLA4-Ig)가 후보 치료제로서 연구되고 있다.

## 참고문헌

1. Hamano H, Kawa S, Horiuchi A, Unno H, Furuya N, Akamatsu T, et al. High serum IgG4 concentrations in patients with sclerosing pancreatitis. N Engl J Med 2001;344:732-8.

2. Kamisawa T, Funata N, Hayashi Y, Eishi Y, Koike M, Tsuruta K, et al. A new clinicopathological entity of IgG4-related autoimmune disease. Journal of Gastroenterology 2003;38:982-4.

3. Kamisawa T, Zen Y, Pillai S, Stone JH. IgG4-related disease. The Lancet 2015;385:1460-71.

4. Kanno A, Nishimori I, Masamune A, Kikuta K, Hirota M, Kuriyama S, et al. Nationwide epidemiological survey of autoimmune pancreatitis in Japan. Pancreas 2012;41:835-9.

5. Khosroshahi A, Wallace ZS, Crowe JL, Akamizu T, Azumi A, Carruthers MN, et al. International Consensus Guidance Statement on the Management and Treatment of IgG4-Related Disease. Arthritis Rheumatol 2015;67:1688-99.

6. Umehara H, Okazaki K, Masaki Y, Kawano M, Yamamoto M, Saeki T, et al. A novel clinical entity, IgG4-related disease (IgG4RD): general concept and details. Mod Rheumatol 2012;22:1-14.

7. Wallace ZS, Naden RP, Chari S, Choi HK, Della-Torre E, Dicaire JF, et al. The 2019 American College of Rheumatology/European League Against Rheumatism classification criteria for IgG4-related disease. Ann Rheum Dis 2020;79:77-87.

8. Zen Y, Nakanuma Y. IgG4-related disease: a cross-sectional study of 114 cases. The American journal of surgical pathology. 2010;34:1812-9.

# 135

# 대사질환과 혈액 질환에 동반된 류마티스 질환

서울의대 하유정

- 다양한 근골격계 이상이 여러 대사질환과 혈액 질환에 동반되어 발생할 수 있다.
- 말단비대증에서는 골관절염, 요통, 손목굴증후군이 흔하게 동반될 수 있다.
- 당뇨 환자에서 다양한 결합조직의 문제가 빈번히 발생하며, 방아쇠손가락/굽힘근 힘줄활막염, 뒤퓌트랑구축, 뻣뻣한 손 증후군이 대표적이다.
- 갑상샘저하증에서 근육병증, 류마티스다발근육통 유사 임상상이 나타날 수 있으며, 갑상샘항진증은 경골전점액부종, 골감소증/골다공증 소견을 보일 수 있다.
- 일차부갑상샘항진증에서 종종 연골석회증, 칼슘피로인산결정침착질환이나 통풍 같은 결정관절염이 나타날 수 있다.
- 혈우병의 출혈 증상으로 혈관절증이 발생할 수 있고 반복되면 관절 손상을 일으킬 수 있다. 백혈병, 림프종, 다발골수종과 같은 악성 혈액 질환에서 관절염이 임상증상의 일환으로 발생할 수 있다.

## 서론

관절통은 관절강 내부 및 주변 구조들의 문제를 반영하는 증상이다. 관절통의 많은 원인은 앞에서 다루었던 관절 및 주변 구조들의 외상, 염증, 퇴행, 감염 등과 연관된 류마티스 혹은 정형외과적 질환이지만, 간혹 류마티스 질환이 아닌 다른 내과 질환과 연관되어 관절통, 근육통 등 근골격계 증상으로 내원하는 환자들을 마주하게 된다. 뇌하수체, 췌장, 갑상샘, 부갑상샘 등 내분비 기관의 기능 변화 및 여러 혈액 질환의 임상증상으로 근골격계 문제를 호소할 수 있다. 이에 대사질환 및 혈액 질환과 연관된 근골격계 증상의 임상양상 및 치료에 대해 정리해 보고자 한다.

## 내분비대사질환

### 1) 말단비대증

말단비대증(acromegaly)은 전뇌하수체 선종에서 성장호르몬이 과도하게 분비되어 발생하는 질환으로, 여러 근골격계 증상을 유발한다. 증가된 성장호르몬과 인슐린-유사 성장인자(insulin-like growth factor-1, IGF-1)는 연골, 관절주위연부조직, 골 등의 증식을 자극하여 골관절염, 요통, 손목굴증후군 등을 유발한다. 말단비대증의 기간과 관절병증의 심한 정도는 비례하지 않는 것으로 알려져 있다.

골관절염은 말단비대증의 70% 이상에서 흔하게 볼 수 있으며 주로 무릎, 어깨, 엉덩이 등 큰 관절을 침범한다. 관절삼출액이 차는 경우는 흔하지 않으나, 간혹 칼슘피로인산(calcium pyrophosphage dihydrate) 침착에 의한 거짓통풍이 유발되기도 한다. 신체진찰에서 골비대, 관절주변의 연부조직 증식을 관찰할 수 있고, 영상검사에서 골극 형성, 연골 비후로 인한 관절강 확장, 연골석회증, 주변 인대의 석회화 소견을 관찰할 수 있다. 요통이 흔하게 나타나며 요추 영상소견에서는 추간판 사이의 간격이 넓어지거나 전방 골극 증식, 인대 석회화 등이 나타날 수 있고, 척

표 135-1. 당뇨병의 근골격계 임상양상

| | 특징적인 임상양상 | 치료 |
|---|---|---|
| 관절운동제한 증후군<br>(뻣뻣한 손 증후군) | "기도자 징후(prayer sign)", 통증 없음<br>미세혈관 질환과 연관 | 금연, 혈당 조절, 물리치료, 비스테로이드항염제 |
| 뒤퓌트랑구축 | 수장측 근막(palmar fascia), pretendinous band의 비후<br>셋째, 넷째 손가락 침범이 흔함, 통증이 덜한 편 | 물리치료, 국소 글루코코티코이드 주사<br>심한 경우 수술적 치료 |
| 방아쇠손가락/굽힘근 힘줄활막염 | 굽힘근 힘줄집의 결절 형성<br>통증, 손가락 굽힘/신전 시 관절잠김현상(triggering)<br>여성에 호발<br>다발성/양측성, 엄지/둘째 손가락 침범이 상대적으로 적음 | 손가락 고정, 냉치료, 진통제<br>국소 글루코코티코이드 주사<br>주사치료 실패 혹은 자주 재발시 수술적 치료 |
| 유착관절낭염 | 일측성 | 관절강내 글루코코티코이드 주사, 물리치료 |
| 신경병성관절병증(샤르코관절) | 일측성 하지침범-주로 중족골<br>심한 말초신경병증과 연관<br>골흡수, 관절파괴 | 관절 안정화, 체중 부하 감소<br>수술적 치료 |
| 근육 경색 | 오랜 당뇨 유병기간과 관련<br>일측성 허벅지의 통증, 부종, 경화 | 보존적 치료, 서서히 호전 |

추 골절 발생 빈도 증가가 보고되어 있다. 연부조직 증식으로 인해 손발이 커지고 두꺼워지며 약 60%의 환자에서 정중신경의 압박으로 손목굴증후군이 나타난다. 환자의 25%에서 레이노현상이 나타난다.

## 2) 당뇨병

제 1형 및 2형 당뇨병에서 건강인과 비교하여 여러 근골격계 질환의 빈도가 증가함이 잘 알려져 있다. 특히 당뇨 이환기간이 긴 환자는 결합조직내 단백질의 당화, 혈관 및 신경의 문제, 피부와 관절주변부로 세포외기질 침착 등 당뇨와 연관된 여러 변화로 인해 광범위한 근골격계 합병증이 나타날 수 있다(표 135-1).

### (1) 손 증상

당뇨병 환자에서 손 침범은 30% 이상에서 관찰되며, 방아쇠손가락(trigger finger)/굽힘근힘줄활막염(flexor tenosynovitis), 뒤퓌트랑구축(Dupuytren's contracture), 관절운동제한증후군(limited joint mobility syndrome)이 대표적이다. 이들 증상의 발현은 당뇨병의 안과적 혹은 신장 합병증의 증가와 종종 연관된다.

방아쇠손가락은 협착(stenosing) 굽힘근힘줄활막염의 결과로 나타나게 되며 당뇨 환자의 5~36%에서 발생한다. 당뇨 유병기간이 길고 혈당 조절이 불량한 환자에서 더 호발한다. 당뇨와 연관된 굽힘근힘줄활막염은 비당뇨 환자군에 비해 여성이 많고,

양측성, 여러 손가락에 동시에 발생하는 경우가 더 흔하며 둘째 손가락과 다섯째 손가락에 비교적 덜 발생한다. 국소 글루코코티코이드 주사 치료가 정상인에 비해 덜 효과적이며, 이에 수술을 요하는 환자가 더 많다. 이와 비슷한 기전으로 드퀘르뱅힘줄활막염(de Quervain's tenosynovitis)이 나타날 수 있으며 당뇨 환자의 유병률은 17-23%로 보고되었다.

뒤퓌트랑구축은 당뇨병 환자의 15-21%에서 발생한다고 보고되었다. 수장측 근막(palmar fascia)과 굽힘근 힘줄이 만성적으로 두꺼워지고 섬유화되면서 결절이 생기고 결국에는 손과 손가락의 굴곡 구축을 유발할 수 있다. 당뇨병이 없는 환자에서는 넷째와 새끼 손가락이 가장 많이 이환되나, 당뇨병 환자에서는 주로 셋째 및 넷째 손가락에 구축이 유발되고 통증 등의 증세는 경한 것으로 알려져 있다.

'뻣뻣한 손 증후군(stiff hand syndrome)'이라고도 불려 온 관절운동제한 증후군(limited joint mobility syndrome, diabetic cheiroarthropathy)은 손가락(특히 등쪽)의 피부가 섬유화되어 밀랍처럼 서서히 두꺼워지며 딱딱해지는 현상으로, 진행하면 손허리손가락관절과 근위지관절의 구축이 발생하여 경피증과 유사한 모습을 보인다. 당뇨 유병기간이 길 때, 혈당조절이 불량할 때, 나이가 많을수록, 흡연자일수록 유병률이 증가한다. 간단한 신체진찰로 선별할 수 있는데, 손목을 펴고 기도하듯이 양측 손가락과 손바닥을 마주할 때 구축으로 틈이 생겨 완전히 편평하

그림 135-1. 당뇨병 환자에서 동반된 뻣뻣한 손 증후군(stiff hand syndrome)에서 보이는 기도자 징후(prayer sign)

게 맞닿을 수 없는데 이를 기도자 징후(prayer sign)라 칭한다(그림 135-1).

손목굴증후군은 당뇨병 환자에서 많게는 약 20%에서 발생한다. 임상양상은 비당뇨 환자에 발생한 손목굴증후군과 유사하나, 당뇨와 연관된 손목굴증후군에서 수술적 치료의 효과가 다소 떨어지는 것으로 보고되어 있다.

## (2) 어깨 증상

당뇨병에서 가장 흔한 어깨 문제는 유착관절낭염으로 당뇨병 환자의 약 10-30%에서 발생하고 일반 인구집단의 빈도(2-5%)보다 높으며 오래된 당뇨 환자에서 호발한다. 환자들은 보통 어깨의 뻣뻣함과 통증을 호소하며 능동적 및 수동적 운동범위 모두 제한을 보인다. 그 외에 어깨의 석회힘줄염이 호발하며 칼슘수산화인회석(calcium hydroxyapatite) 결정 침착이 연관이 있다.

## (3) 발 증상 - 신경병성관절병증

드물지만 당뇨병신경병증과 동반하여 관절병증이 나타날 수 있으며 샤르코관절(Charcot joint)이라고도 부른다. 오래된 1형/2형 당뇨병 환자에서 볼 수 있으며 40-60대에 발병한다. 발목, 중족지, 발목발허리 관절 순으로 하지 관절에 흔하게 침범하며 주로 급성으로 발현한다. 많은 환자에서 발병 이전에 하지의 감각 소실, 보행 패턴의 변화, 기존 신발이 잘 맞지 않았던 과거력이 있다. 대개 한 관절에서 시작해 다른 여러 관절을 침범하게 되며, 침범한 관절은 골비후와 관절 부종으로 점차 커지게 된다. 질환

이 진행하면서 관절 불안정, 아탈구, 관절마찰음 등이 나타날 수 있다. 신경병증으로 인해 관절손상의 정도에 비해 통증의 정도가 덜할 수 있다.

병인은 정확하게 밝혀져 있지는 않으나 신경혈관 및 신경외상 가설이 있다. 말초신경병증에 따르는 자율신경계의 조절장애로 인해 연골하골(subchondral bone)로 가는 혈류가 비정상적이 되며, 이는 파골세포의 활성도를 증가시켜 골흡수를 유발할 것으로 추정된다(신경혈관 가설). 또한, 급성, 아급성, 반복적인 외상들이 염증유발성 사이토카인을 활성화시키고 이에 의해 뼈와 연부조직에서 RANKL 경로를 활성화시켜 파골 과정을 유발한다(신경외상 가설).

단순X선 사진에서 국소적인 연골하골의 골감소증과 골흡수, 뼈와 연골의 분절, 진행하면 심한 골파괴, 골경화가 나타난다. 진단은 임상증상과 특징적인 영상소견을 확인하고 골수염, 골관절염, 골괴사 등 다른 질환을 감별하여 이루어진다. 특징적인 단순X선 소견을 확인하는 것이 도움이 되나 초기에는 진단의 민감도, 특이도가 모두 떨어진다. 자기공명영상은 골수 및 연부조직 부종, 누공 확인 등에 유용하며, 핵의학 검사(Indium-111 동위원소 검사 혹은 FDG-PET)와 더불어 골수염과의 감별진단에 도움이 된다.

치료의 목표는 관절을 안정화시키는 것이다. 신경병성관절병증을 조기에 발견하여 보조기나 부목 등을 이용해 관절 체중 부하를 줄여 주는 것이 관절병증의 진행을 늦출 수 있다. 비스포스포네이트 사용이 보조적 효과가 있을 수 있음이 보고되었으나, 아직 장기간 효과와 일반적 사용을 권고할 정도의 자료는 부족하다.

## (4) 미만특발뼈형성과다증

미만특발뼈형성과다증(diffuse idiopathic skeletal hyperostosis)은 척추의 전방세로인대 및 다른 외측인대가 골화되는 질환으로 1형/2형 당뇨병 환자와 비만 환자에서 모두 유병률이 증가한다. 무증상이나 사진촬영시 발견되는 경우가 많으며 말초 관절의 석회부착부위병증과 연관되어 나타나기도 한다.

## 3) 갑상샘 질환

갑상샘 기능의 불균형은 관절통, 근육통, 위약감 등 다양한 류

표 135-2. 갑상샘 질환의 류마티스 임상증상

| 임상증상 | 갑상샘저하증 | 갑상샘항진증 |
|---|---|---|
| 관절통, 근육통, 통증, 경직 | 류마티스다발근육통-유사 임상양상, 천천히 호전 | 발병 시 발생, 치료 후 호전 |
| 관절염 | 다발관절염(비염증성 활액, 손허리손가락관절, 중족지관절 침범) | 말단병증-곤봉지 |
| 피부 | 레이노현상 | 경골전점액부종 |
| 근병증 | 근위부, 천천히 호전<br>감각운동신경병, 드물게 근육의 가성비대 | 근위부, 빠르게 호전<br>감각운동신경병 |
| 손목굴증후군 | 치료 후 호전 | |
| 혈관염 | | 드물게 프로필싸이오유라실(propylthiouracil)<br>사용과 연관하여 발생 |
| 골 대사 효과 | | 골대사 및 골소실 증가 |
| 항핵항체 양성 | 종종 양성 | |

마티스 증상을 동반할 수 있다(표 135-2). 갑상샘항진증보다는 갑상샘저하증에서 근골격계 증상이 더 흔히 나타난다.

### (1) 갑상샘저하증

류마티스 질환 중 IgG4관련질환 혹은 유육종증과 같은 침윤질환과 관련되어 갑상샘저하증이 나타날 수 있다.

고령의 갑상샘저하증 환자에서 류마티스다발근육통(polymyalgia rheumatica)과 유사하게 어깨와 골반 근육의 통증과 강직 증상이 나타날 수 있다. 갑상샘저하증과 연관된 근병증도 종종 발생하며 염증근염과 감별을 요한다. 근위부 근력 저하, 피로감 등이 증상으로 나타나며, 경한 경우부터 심한 경우까지 다양하게 발현할 수 있는데, 드물게 경련, 심한 강직 소견을 보이면서 근육의 거짓비대(pseudohypertrophy), 점액부종이 동반된 경우를 호프만 증후군(Hoffman's syndrome) 이라 부른다. 대부분의 근병증 증상은 갑상샘호르몬 치료로 호전된다. 갑상샘저하증의 7% 정도에서 손목굴증후군과 같은 신경병증이 초기 증상으로 나타날 수 있으며, 그 기전은 손목굴 주변 조직의 글리코사미노글리칸(glycosaminoglycan)이 축적된 결과로 추정된다.

드물게 무릎, 손목, 중족지 및 중족골 관절을 침범하는 대칭적 다발관절염이 나타날 수 있고, 혈청음성 류마티스관절염과 증상이 유사할 수 있다. 이 때 천자된 활액은 보통 점도가 높고 비염증성인 것으로 보고되었다.

### (2) 갑상샘항진증

갑상샘항진증에서 동반되는 흔하고 중요한 근골격계 문제는 골감소증과 골다공증이다. 과량의 갑상샘호르몬으로 인해 골재형성 주기가 짧아져 골다공증의 위험이 높아진다. 적절한 치료로 갑상샘자극호르몬 수치가 회복되면 골밀도 역시 호전되는 것으로 보고되어 있다.

그레이브스병과 같은 갑상샘항진증 환자에서 경골전점액부종(pretibial myxedema)과 안병증을 동반할 수 있다. 경골전점액부종은 경골 앞쪽에 발생하는 피부병변으로 1 cm 크기부터 경골 표면을 모두 덮는 큰 크기까지 다양한 크기의 피부 결절 형태로 나타난다. 하이알유론산으로 이루어져 있으며 병변의 색깔은 분홍에서 밝은 자줏빛까지 다양하고, 통증이 없는 것이 특징이다. 또한 드물게 손발가락의 곤봉지를 특징으로 하는 갑상샘말단병증이 나타날 수 있다.

## 4) 부갑상샘질환

### (1) 부갑상샘항진증

부갑상샘호르몬은 비타민D와 칼슘 대사 항상성을 유지하는 데 중요하며 골대사와 골재형성에 관여한다. 1963년 Bywaters 등이 부갑상샘항진증과 연관되어 발생한 관절염 증세를 처음 보고한 바 있으나, 최근 혈액검사의 대중화로 쉽게 칼슘 농도를 측정하게 되면서 일차부갑상샘항진증은 증상 발현 이전에 진단되는 경우가 많아, 현대에는 부갑상샘항진증으로 인한 관절염은 흔하지 않다.

일차부갑상샘항진증에서 통풍이나 거짓통풍과 같은 결정관절염의 발생 빈도가 증가한다. 부갑상샘호르몬이 근위부 신세뇨관에서 요산 배출을 억제하여 혈중 요산을 상승시킬 수 있으며, 일차부갑상샘항진증 환자에서 부갑상샘 제거수술 후 혈중 요산 수치가 유의하게 감소됨이 보고되었다. 연골석회화는 부갑상샘항진증의 18-25%에서 관찰되며, 종종 거짓통풍 발작을 경험할 수 있다. 55세 이전의 젊은 나이에 거짓통풍 발작으로 내원한 환자에서는 부갑상샘항진증을 감별진단할 필요가 있다.

만성콩팥병 환자에서 이차부갑상샘항진증과 관련된 현상으로 골낭종, 골용해성 병변을 형성하는 낭성섬유골염(osteitis fibrosa cystica), 칼시필락시스(calciphylaxis)가 나타날 수 있다.

### (2) 부갑상샘저하증

부갑상샘저하증의 가장 흔한 원인은 부갑상샘의 수술적 절제이며, 저칼슘혈증에 의해 근위약이 나타날 수 있으나 대개 비타민D와 칼슘을 보충하면 호전된다. 가성부갑상샘저하증(pseudohypoparathyroidism)은 부갑상샘호르몬에 대한 말초기관의 저항성으로 인해, 혈중 부갑상샘호르몬 수치는 증가되어 있음에도 불구하고 저칼슘혈증과 고인산혈증이 나타난다. 가성부갑상샘저하증의 아형 중 Ia형 (Albright's hereditary osteodystrophy)은 GNAS 유전자 돌연변이로 발생하며 단신, 피하 석회화 또는 골화, 정신 지체를 보이며, 발허리뼈와 손허리뼈가 짧다.

## 혈액 질환과 관련된 류마티스 질환

여러 혈액 질환에서 다양한 근골격계 증상이 연관되어 나타날 수 있고, 때로는 발병의 첫 증상일 수 있다. 특히 혈액 악성질환과 동반되어 염증관절염 또는 자가면역질환 유사 증상이 나타날 수 있어 임상에서 주의를 요한다.

### 1) 혈우병

혈우병(hemophilia)은 혈액 응고인자의 유전적 결핍으로 야기되는 선천성 출혈질환으로, 출혈 임상증상의 하나로 혈관절증(hemarthrosis)이 발생할 수 있다. 임상적으로 급성혈관절증, 만성증식활막염, 만성혈우병관절병증 세 단계로 분류할 수 있다. 반복되면 결국 진행성 관절손상으로 이어질 수 있고, 감염관절염의 병발이 증가함이 보고되어 있다. 혈우병은 발목, 무릎, 팔꿈치 등 대관절을 잘 침범한다. 급성기 치료로 가장 중요한 처치는 부족 응고인자를 보충하는 것이고, 관절천자, 물리치료 병행이 도움이 될 수 있다.

### 2) 악성 혈액 질환

혈액 악성종양에서 근골격계 임상증상은 20% 정도에서 발생하는 것이 보고되어 있고, 진단 전에 선행하거나 발견과 동시에 발현할 수 있다.

### (1) 백혈병

백혈병(leukemia)에서 근골격계 증상은 흔히 동반되는데, 백혈병 세포들이 골수내 공간과 관절에 침윤하는 것이 주기전으로 추정된다. 이들 세포들이 골막(periosteal) 또는 피막(capsular)에 침윤해 이차적으로 활막염을 일으킬 수 있고, 관절강 및 주변부 출혈과 신생물딸림 효과(paraneoplastic effect)에 의한 골흡수와 염증이 동반될 수 있다.

드물게 백혈병에 의한 활막염도 발생할 수 있는데 모든 종류의 백혈병(급성/만성 및 림프구/단핵구)에서 보고되었다. 급성백혈병에 동반된 관절염은 성인보다는 소아에서 호발하고 질병 초기에 잘 발생하고, 만성백혈병에서는 질병 후기에 대칭적으로 잘 발생한다. 백혈병관절염은 관절 진찰 소견에 비해 통증이 심하고, 통증이 비전형적 위치[골간단(metaphyseal) 부위]에 발생하고, 야간 통증이 심한 것이 구분되는 특징이며, 전통적인 항류마티스약제에 반응이 불량하다. 기저 백혈병을 치료하면 관절염도 호전되는 것으로 알려져 있다.

### (2) 림프종

림프종(lymphoma)에서 근골격계 침범은 흔한데 가장 흔한 임상상은 골 침범이다. 림프종에 의한 관절염은 상대적으로 드물지만 비호지킨림프종에서 더 잘 나타나며 드물게 관절염이 림프종의 첫 발현 증상일 수 있다. 최근 보고들에 따르면 관절염이 동반된 비호지킨림프종 환자의 30% 정도는 류마티스관절염과 유사한 다발관절염으로 발현하였고, 35% 정도는 다른 뚜렷한 림프종 징후 없이 단일관절염 소견을 보였으며, 때로는 류마티스인자 및 항CCP 항체 양성이 보고되어 임상적으로 혼동될 수 있다. 대부분 림프종을 치료하면 근골격계 증상도 호전 또는 소실된다.

## (3) 다발골수종

다발골수종(multiple myeloma)은 형질세포의 악성증식으로 야기되는 질환으로 그 임상상이 다양하며, 고칼슘혈증과 다발골 용해병변이 특징적이다. 골용해병변은 80% 정도 환자에서 진단 시 같이 발견되며 질병 경과 중 거의 모든 환자에서 나타난다. 근 골격계 증상으로는 골용해병변과 관련된 등허리 통증이 가장 흔하며 간혹 병적 골절이 발생할 수 있다. 다발골수종과 관련된 염증 및 감염관절염 동반도 보고되었고, 아밀로이드증과 관련된 관절 증상도 드물게(0.6-6%) 보고되었다.

## 결론

여러 내분비질환과 양성/악성 혈액질환에서 질환의 경과에 따라 다양한 근골격계 문제가 발생할 수 있기에 이들 임상양상을 숙지하고 의심되는 경우 해당 질환에 대해 평가할 필요가 있다. 또한 이들 기저질환에 대한 치료가 많은 경우 근골격계 임상 증상을 호전시킬 수 있으므로 조기에 의심 및 진단하여 적절히 치료하는 것이 좋은 결과로 이어질 수 있을 것이다.

## 참고문헌

1. Bañón S, Isenberg DA. Rheumatological manifestations occurring in patients with diabetes mellitus. Scand J Rheumatol 2013;42:1-10.
2. Chakravarty SD, Markenson JA. Rheumatic manifestations of endocrine disease. Curr Opin Rheumatol 2013;25:37-43.
3. Leatherwood C, Helfgott SM. Chapter 207, Rheumatoid manifestations of endocrine and lipid disease. In: Hochberg MC, Gravallese EM, Silman AJ, Smolen JS, Weinblatt ME, Weisman MH, eds. Rheumatology. 7th ed. Elsevier; 2019. pp.1735-41.
4. Markenson JA. Rheumatic manifestations of endocrine diseases. Curr Opin Rheumatol 2010;22:64-71.
5. Morais SA, Preez HE, Akhtar MR, Cross S, Isenberg DA. Musculoskeletal complications of haematological disease. Rheumatology (Oxford) 2016;55:968-81.
6. Sattui SE, Markenson JA. Chapter 129, Arthritis accompanying endocrine and metabolic disorder. In: Firestein GS, Budd RC, Gabriel SE, McInnes IB, O'dell JR. Kelley and Firestein's Textbook of Rheumatology. 11th ed. Elsevier; 2016. pp.2149-60.
7. Singla R, Gupta Y, Kalra S. Musculoskeletal effects of diabetes mellitus. J Pak Med Assoc 2015;65:1024-7.
8. Tagoe CE. Rheumatic symptoms in autoimmune thyroiditis. Curr Rheumatol Rep 2015;17:5.
9. Wang A, Brunet CM, Zeidan AM. Rheumatologic manifestations of hematologic neoplasms. Curr Rheumatol Rev 2017;13:51-8.

# 136

# 골괴사

**동아의대 이상엽**

## KEY POINTS 🔒

● 골괴사로 인한 통증은 침범된 관절에 체중이 실리거나 움직일 때 발생한다.

● 골괴사가 가장 많이 발생하는 관절은 넓적다리뼈 머리 부분이지만 넓적다리뼈의 원위부, 발목, 어깨, 손목 그리고 팔꿈치 등에 발생할 수 있다.

● 골괴사를 유발하는 많은 요인들이 존재하지만 원인을 알 수 없는 경우가 대부분이며 알려진 주요한 원인들로는 글루코코티코이드 사용, 알코올 남용, 외상 등이 있다.

● 치료는 보존적인 치료가 우선적이지만 진행 시 수술을 고려한다.

● 자기공명영상이 가장 정확하고 빨리 골괴사를 진단할 수 있는 방법이다.

## 서론

### 1) 개요

골괴사(osteonecrosis)는 뼈에 충분한 산소가 공급되지 않는 경우 발생하는 병으로 주로 혈관 분포가 부족한 황색 골수(fatty marrow)에서 시작되어, 뼈 잔기둥(trabecular bone) 부분과 연골하 판(subchondral plate)까지 발생할 수 있다. 이러한 골괴사를 다른 용어로 허혈골괴사(ischemic necrosis), 무혈성괴사(avascular necrosis), 무균괴사(aseptic necrosis) 혹은 Kienböck병이라고도 한다. 골괴사가 가장 많이 발생하는 부분은 넓적다리뼈 머리이며, 특히 체중이 많이 실리고 기계적인 스트레스가 가해지는 넓적다리뼈 머리 부분의 전외측에 흔히 발생한다. 일단 방사선학적으로 이상이 발생하면 대부분 수주에서 수년 내에 넓적다리뼈 머리 부분의 파괴가 발생한다.

### 2) 발병기전

골괴사는 엄밀히 말하면 명확한 하나의 질병이라기보다는 뼈에 혈액 공급이 원활하지 못해서 발생하는 병적인 상태를 뜻하며, 골괴사는 작은 지질방울(lipid droplets), 낫적혈구(sickle red blood cell), 잠함병(caisson disease)에 의해 유발되는 질소(nitrogen) 방울 등이 작은 혈관의 폐색을 유발하여 직접적으로 발생할 수도 있고, 간접적으로는 외상, 혈관염, 방사선 등에 의해 작은 정맥 혹은 작은 동맥에 허혈을 유발하거나, 허혈을 발생시키는 약제에 의해서 발생할 수 있다. 그리고 몇 가지 특수한 경우에 있어서는 골수 내 지방세포 혹은 뼈세포(osteocyte)의 크기가 증가함으로 인해 뼈 속의 압력이 증가해서 골괴사가 생긴다. 이러한 여러 가지 원인들에 의해 복합적으로 혈액 공급이 뼈에 원활하게 되지 않으면 발생한다. 골괴사가 시작되는 부분은 충혈되고, 광물질제거(demineralization) 현상이 발생되고, 섬유주 세선화(trabecular thinning)가 발생하며, 이러한 자극이 심해지면 뼈의 파괴를 유발한다. 또한, 이러한 일련의 과정들은 보통 치료를 하지 않으면 3-5년 내에 관절 파괴를 유발시킨다. 하지만 나이가 많은 노인에서는 이 골괴사의 발생 빈도가 젊은 사람들에 비해 떨어지는 경우가 있는데, 이는 노인에서 골수 내의 지방 세포의 크기가 점점 작아지고, 이러한 지방 세포의 간격이 느슨한 망상조직(loose reticulum)과 점액성체액(mucoid fluid)으로 채워

표 136-1. 골괴사의 원인

| 음식, 약물, 환경적 요인 | 근골격 요인 | 대사적 요인 |
|---|---|---|
| 글루코코티코이트, 비스포스포네이트 | 외상 | 지방색전증, 췌장염, 파브리병 |
| 알코올, 흡연 | 레그-칼베-페르테스병 | 간질환, 임신, 통풍, 고지혈증, |
| 납중독, 전기 쇼크 | 선천엉덩관절탈구 | 부갑상샘질환, 당뇨, 고셔병 |
| **혈액학적 요인** | **류마티스적 요인** | **감염성 요인** |
| 낫세포빈혈 | 항인지질항체증후군 | 사람면역결핍바이러스감염 |
| 혈우병, 지중해빈혈 | 류마티스관절염 | 골수염 |
| 혈색소병증 | 염증장질환 | 수막알균혈증 |
| 파종혈관내응고 | 괴사동맥염 | 중증급성호흡기증후군 |
| 혈전성향증 | 점액피부림프절증후군 | **종양-이식 관련 요인** |
| 섬유소용해감소증 | 다발근염, 유육종증 | 장기 이식 |
| 골수침윤질환, 정맥혈전염 | 혼합결합조직병 | 방사선치료 |

져서 허혈괴사에 저항이 생기게 된다. 이러한 것을 젤라틴골수(gelatinous marrow)라고 부른다.

## 3) 발생 빈도

골괴사의 발생 빈도는 정확히 알려진 통계는 없지만 미국에서 대략 10,000에서 20,000명 정도가 매년 발생하는 것으로 알려져 있으며, 인공 엉덩관절치환술을 시행하는 원인 중 대략 10% 정도를 차지하는 것으로 알려져 있다. 대부분의 경우 골괴사는 골단(epiphysis)을 침범하는 것으로 알려져 있다. 골괴사는 주로 남성에서 많이 발생하며, 남녀비는 8대 1 정도이고, 발생되는 연령대는 다양하지만, 대부분 50대 이하 젊은 연령층에서 발생한다.

## 발생원인

골괴사는 정확한 원인은 모른다. 하지만 외상, 글루코코티코이드 사용, 알코올 남용 등의 원인이 복합적으로 작용할 것으로 추정한다(표 136-1).

### 1) 외상

넓적다리뼈 목부분 골절 혹은 탈구가 발생되어 넓적다리뼈의 머리하(subcapital) 부분에 혈액 공급이 중단되면 이로 인한 허혈로 골괴사가 발생하는 것으로 알려져 있다. 외상에 의한 골괴사는 혈액 공급이 중단된 후 대략 8시간이 지나면 발생할 수 있는 것으로 알려져 있다. 넓적다리뼈의 피막내 혈종이 발생하면 이것에 의해 피막내 압력이 증가해서 관절강의 눌림증(tamponade)을 유발한다. 전위 골절에서 발생하는 넓적다리뼈의 피막내 혈종에 의한 골괴사는 젊은 환자에서 발생하는 골괴사 원인 중 30%를 차지한다. 엉덩관절 탈구의 경우에도 인대의 혈관이 손상을 받으면서 혈액 순환 장애가 발생하는데, 관절낭의 손상은 관절낭 내 혈관 손상을 유발할 수 있다. 넓적다리뼈의 머리 하방 부분의 골절에 의한 골괴사의 경우는 골절이 일어난 이후 10년 뒤에도 발생할 수 있으며, 엉덩관절 부분의 탈구는 엉덩관절 골절보다 흔하지는 않지만 만일 6시간 이상 교정이 되지 않고 지연되면 골괴사가 발생할 수 있다. 손목 부분의 골절 시에도 골괴사의 빈도가 증가하는데, 특히 반달뼈(lunate), 손배뼈(scaphoid)의 경우 그 빈도가 높아지며, Kienböck병이라고 알려진 경우는 반달뼈(lunate)의 골절만으로도 골괴사가 발생하기도 한다.

### 2) 글루코코티코이드

글루코코티코이드 사용과 골괴사와의 연관성에 대한 많은 연구들이 있다. 특히 글루코코티코이드 사용의 총량과 기간에 비례한다는 보고가 많으며, 특히 프레드니솔론으로 계산하여 하루 20 mg 이상의 중등도 이상 용량의 글루코코티코이드를 매일 사용하는 경우 골괴사의 빈도가 증가하는 것으로 알려져 있다. 하지만, 어떤 연구에서는 프레드니솔론을 하루 15-20 mg 정도를 사용하는 환자에서 3% 미만에서 골괴사가 발생했다고 보고하여 글루코코티코이드를 투여 받는 환자의 감수성도 골괴사 발생에 영향을 미치는 것으로 보고된다. 골괴사의 발생 빈도는 글루코코티코이드 사용을 많이 한 것으로 추정되는 쿠싱양 외모(cushingoid appearance)를 가진 환자에서 증가하는 것으로 알려져 있고, 드물지만 뇌하수체 혹은 부신의 문제로 인해 쿠싱증후군이 발생한 환자에서 합병증으로 종종 보고된다. 또한 전신홍반루푸스 환자의 3-30% 정도에서 골괴사가 발생하는 것으로 알려져 있으며, 전신홍반루푸스 자체가 위험인자로서 작용할 것으로 추정하며, 특히 치료를 위해 프레드니솔론을 하루 20 mg 이상 지속적으로 사용한 환자에서 발생 빈도가 높아진다고 한다. 따라서 전신홍반루푸스 환자에서는 치료 목적으로 글루코코티코이드를 사용 후 비교적 짧은 시간 내에도 골괴사가 발생할 수 있다. 많은 보고에 의하면 글루코코티코이드 사용 후 첫해의 골밀도 감소 정도에 따라서 골괴사 발생의 위험도를 미리 예측할 수 있다고 한다. 전신홍반루푸스 환자에 있어서 골괴사 발생에 영향을 미치는 인자는 글루코코티코이드 사용 이외에도 면역억제제 사용, 흑인, 레이노현상 또는 항인지질항체 유무, 고지혈증 동반 등이 있다.

장기 이식 환자에서도 4-20% 정도에서 골괴사가 발생할 수 있으며, 장기 이식 환자에서 골괴사가 발생하는 원인은 다양하며, 글루코코티코이드 사용과 관련 없이 이식 후 발생하는 급성 거부반응, 지연거부반응 환자에서도 골괴사가 발생할 수 있다. 오히려 빠르게 글루코코티코이드를 대체해서 사용되는 사이클로스포린, 타크로리무스, 마이코페놀레이트모페틸 등의 면역억제제 사용이 골괴사 발생의 빈도를 낮춘다는 보고도 있다.

## 3) 알코올 남용

지속적으로 음주를 하는 알코올 중독 환자에서 음주하는 술의 양과 비례하여 골괴사가 발생한다고 한다. 그 이외 선천적, 혹은 혈액질환을 가지거나 유전질환을 가지는 환자에서 골괴사의 빈도가 높아진다

## 임상양상

대부분의 환자에서 통증 같은 골괴사 증상은 처음 골괴사가 발생한 후 상당한 시간이 경과한 후에 나타난다. 환자들은 골괴사가 발생한 부분에 점점 심해지는 통증과 함께 특히 활동 시에 극심한 통증을 호소한다. 경우에 따라서는 통증은 갑자기 발생할 수도 있다. 넓적다리뼈 머리 부분에 발생한 골괴사의 증상은 침범된 부분의 사타구니와 허벅지와 무릎 앞쪽에 통증이 발생하지만, 30-55%의 경우는 진단 시 이미 양측성으로 넓적다리뼈 머리 부분에 골괴사가 발생한 경우가 많다. 초기에 신체진찰에서 모호한 경우가 많으며, 넓적다리뼈 머리 부분에 발생한 골괴사의 통증으로 인해 활동 범위가 줄어드는데, 특히 넓적다리뼈의 내회전과 외전 시에 통증이 발생한다. 활발한 골재형성(bone remodeling)이 있는 소수의 환자에서는 몇 년간 운동의 장애가 있더라도 관절 기능을 유지할 수 있지만, 골괴사가 진행하면 통증은 더 심해지고, 관절에 뻣뻣함과 운동 장애가 발생한다. 후기에는 절름발이(limping) 증상이 흔히 발생한다. 처음 골괴사가 발생하여 심한 관절 장애가 발생하는 데에 걸리는 시간은 몇 달부터 몇 년까지 다양하다.

## 영상 검사

### 1) 방사선촬영술

단순 방사선 사진은 골괴사가 상당히 진행이 많이 된 경우에는 진단하는 데 어려움이 없지만 초기에는 진단에 도움이 되지 않는다. 골괴사가 의심되는 넓적다리뼈 머리 부분의 경우 전-후 방향과 개구리 다리 자세의 측면(fog-leg lateral) 방향의 사진이 필요하다. 측면 방향의 방사선 사진은 연골하 이상 소견을 관찰하기에 유리하다. 단순 방사선 사진은 증상이 발생하고 나서 몇 달 간 정상으로 보일 수 있으며, 단순 방사선 사진 초기에는 뼈의 작은 밀도 변화만 보이지만, 진행이 되는 경우 뼈의 경화와 낭종(cyst) 소견을 보이게 된다. 단순 방사선 사진상 초승달 징후(crescent sign)인 연골하 방사선 투과성 증가(subchondral radiolucency)를 보이는 경우 골괴사를 쉽게 진단할 수 있다(그림 136-1). 골괴사가 많이 진행한 경우 대퇴골두 부분의 둥근 모양의 변

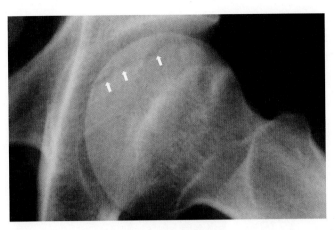

그림 136-1. 골괴사가 발생한 넓적다리뼈 머리 부분의 초승달 징후 (화살표)

형과 함몰이 발생한다. 결국은 관절강의 협착과 엉덩관절 절구 (acetabulum)의 퇴행변화를 초래한다.

### 2) 뼈스캔

Technetium 99m을 이용한 뼈스캔은 자기공명영상을 대신해서 골괴사가 의심되는 경우에 많이 이용되었다. 하지만 뼈스캔은 비특이적인 소견으로 인해 제한 사항이 많다. 뼈스캔에서 골괴사가 의심되는 경우는 도넛 모양(donut sign) 혹은 방사선 동위원소가 진하게 흡수되는 부분의 중간에 흡수가 되지 않는 부분(cold in hot sign)이 발생하는 영상을 보이게 된다.

### 3) 컴퓨터단층촬영

컴퓨터단층촬영의 초기에는 넓적다리뼈 머리 부분의 중앙에 경화 소견을 보여준다(asterisk sign). 또한 죽은 뼛조각의 범위를 알 수가 있다.

### 4) 자기공명영상

골괴사의 초기(단순방사선 촬영에서 정상 소견)에 자기공명영상은 가장 민감도(91%)가 높은 검사 방법이다. 넓적다리뼈 머리 부분의 골괴사 초기에 자기공명영상에서 대퇴골두의 연골하 부분의 안쪽 부분에 저강도의 신호가 T1 조영 증강 영상에서 관찰되며, 넓적다리뼈 머리 부분의 앞위 부분의 국소적인 결손이 흔히 관찰되는데 이 병변은 뼈몸통끝(metaphysis)까지 관찰되는 경우도 있다(96%의 골괴사에서 관찰). T2 조영 증강 영상에서

과다 혈관의 육아조직을 나타내는 높은 강도의 영상이 관찰되는데 이는 골괴사의 특징적인 영상으로 알려져 있다. 비록 자기공명영상이 임상증상이 나타나기 전단계에서 골괴사 발생 유무를 알 수 있지만, 증상이 없는 환자에서는 자기공명영상 소견만으로 치료를 시작하는 것은 과도한 치료를 할 수 있기 때문에 유의해야 한다. 자기공명영상에서 보여지는 대퇴골두 부분의 침범 정도에 따라 향후 대퇴골두 부분의 변형 및 함몰에 대한 예측이 가능하다.

## 병기

넓적다리뼈 머리의 골괴사의 병기 결정은 대체로 방사선학적 소견과 조직학적 소견에 의해 결정된다. 여러 연구에서 제시된 골괴사 병기 분류 중 Association Research Circulation Osseous (ARCO) 병기 분류가 가장 흔히 사용되지만, 단순 방사선 사진을 이용하여 골괴사의 침범 정도와 예후를 평가하는데 이용되는 변형 스타인버그 병기 분류를 소개한다 (표 136-2, 그림 136-2).

## 치료

치료의 최종 목적은 관절의 기능 유지이다. 하지만 아직까지 골괴사 치료에 대해선 논란이 많고, 특히 증상이 없는 골괴사 환

표 136-2. **변형 스타인버그 병기 분류(modified Steinberg system for osteonecrosis)**

| 병기 | 방사선 소견 | 가역 유무 |
|---|---|---|
| I | 정상 단순방사선사진, 비정상 뼈스캔, 자기공명영상 | 가능 |
| II | 방사선투과 및 뼈 경화 변화 | 가능 |
| III | 대퇴골두 부분이 납작하지 않으면서 연골밑뼈 골절 발생 | 불가능 |
| IV | 대퇴골두 부분이 납작해지면서 부분 함몰 발생과 연골밑뼈 골절발생 | 불가능 |
| V | 관절강이 좁아지고 비구면의 변화 | 불가능 |
| VI | 진행된 퇴행변화 | 불가능 |

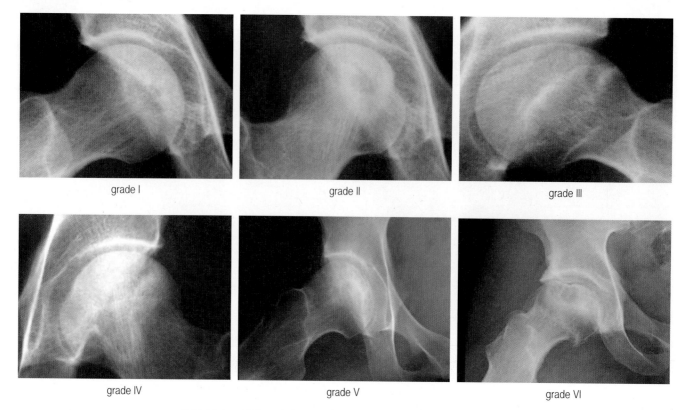

grade I      grade II      grade III

grade IV      grade V      grade VI

그림 136-2. 변형 스타인버그 병기 분류에 따른 넓적다리뼈 머리 골괴사

자에 있어 적절한 치료에 대해 구체적 기준은 없다. 몇몇의 전문가 집단은 ARCO 병기 분류에 따라서 대퇴골두 부분 부피의 15% 정도까지 골괴사가 진행할 때까지 보존적인 치료를 권고하고, 골괴사 범위가 30%를 넘어 가면 관절치환술을 한다. 대퇴골두 부분의 부피가 15-30%의 골괴사에서는 감압술 혹은 절골술을 권고하기도 하지만 15-30% 정도 골괴사가 진행된 경우의 치료법에 대해선 의견이 다양하다.

### 1) 보존 치료

침상 안정, 목발을 이용한 체중 부하, 비스테로이드소염제를 포함한 진통제 사용, 근력 강화 운동 및 근위축 예방 운동 등이 있다. 하지만 보존적 치료는 발생된 골괴사의 진행을 중단시킬 수 없다.

### 2) 관절치환술

골괴사가 발생한 환자에서 침범된 관절 부분의 통증이 심하고 기능 상실이 있는 경우에 적응이 되며, 침범된 넓적다리뼈 머리 부분의 함몰이 완전히 진행되기 전에 시행하는 것이 더 효과

적인 것으로 알려져 있다. 특히 연령에 대비해서 골괴사의 진행이 빠른 경우는 수술을 하더라도 예후가 불량한 것으로 알려져 있다. 관절치환술 후에 불량한 예후 인자는 뼈의 질(괴사의 범위, 함몰 부분의 정도), 양측 침범, 기저 질환 동반 유무 등에 의해 결정된다.

### 3) 감압술

처음에는 골수 내의 압력을 측정하거나 진단을 위한 조직을 얻기 위해 개발된 방법이지만 소수의 환자들에서 수술이나 시술 후에 발생하는 통증 경감을 위해 이 방법을 사용하기도 한다. 감압술의 원리는 뼛속 압력(intraosseous pressure)을 감소시켜 혈액 순환을 원활하게 하고, 죽은 뼈 조직을 살아 있는 뼈 조직과 접촉시켜서 죽은 조직을 재생하는 것이다.

### 4) 절골술

관절 보존을 위한 기법으로 괴사된 대퇴골두 부분을 체중이 실리는 부분으로부터 제거하고 비교적 손상이 가지 않은 부분에 체중을 분산시키는 데 목적이 있다.

# 경과

경과는 골괴사의 크기와 위치 등에 따라서 다르지만 진행된 골괴사의 자연 경과는 피질골 함몰(cortical collapse)과 관절 기능 파괴이다. 특히 대퇴골두 부분의 골괴사는 비가역적 현상으로 질병 초기에 외과, 내과 치료가 증상을 호전시킬 수는 있지만, 결국 50%에서 관절치환술을 필요로 하게 된다.

📑 참고문헌

1. Chang C, Greenspan A, Beltran J, Gershwin ME. Osteonecrosis. In: Firestein GS, Budd RC, Gabriel SE, Mcinnes IB, O'dell JR, eds. Textbook of Rheumatology. 11th ed. 2021. pp. 1852-75.

2. Timothy Mcalindon, Robert J. Ward. Osteonecrosis. In: Hochberg MC, Silman AJ, Smolen JS, Weinblatt ME, Weisman MH, eds. Rheumatology. 7th ed. Mosby; 2019. pp. :1528-35.

3. Lynne CJ, Michael AM, Simon MH, Monica RC, Kathryn AC. Clinical manifestations and diagnosis of osteonecrosis (avascular necrosis of bone). Literature review current through: Jul 2021. This topic last updated: Mar 17, 2021. UpToDate.

4. Lynne CJ, Michael AM, Simon MH, Monica RC, Kathryn AC. Treatment of nontraumatic hip osteonecrosis (avascular necrosis of the femoral head) in adults. Literature review current through: Jul 2021. This topic last updated: Jul 21, 2021. UpToDate.

# 137

# 류마티스다발근육통

계명의대 김지민

## KEY POINTS 🔒

- 류마티스다발근육통은 단독으로 또는 거대세포동맥염과 함께 발생할 수 있다.
- 류마티스다발근육통은 50세 이상에서 목, 어깨, 엉덩관절 부위에 대칭적인 통증과 아침강직이 있으며, 적혈구침강속도 또는 C반응단백질이 상승되어 있을 때 진단을 고려해 볼 수 있다.
- 류마티스다발근육통은 글루코코티코이드에 대한 반응이 좋고 예후도 좋은 편이다.

## 서론

류마티스다발근육통은 사지 근위부와 몸통 통증을 특징으로 하는 증후군이다. 질환 특이적인 진단 검사와 병리학적 소견이 없기 때문에 류마티스다발근육통은 특징적인 임상양상을 잘 알아야 한다. 류마티스다발근육통의 특징적인 임상양상은 어깨이음구조(shoulder girdle), 엉덩이이음구조(hip girdle), 목 부위의 통증과 30분 이상 아침강직, 1개월 이상의 증상 지속 기간, 50세 이상, 전신 염증을 반영하는 혈액검사소견, 글루코코티코이드(프레드니솔론 10 mg/일 정도의 용량)에 대한 신속한 반응 등이다. 거대세포동맥염을 제외한 다른 특별한 질환(예: 류마티스관절염, 만성 감염, 다발근육염, 악성종양 등)이 있을 경우에는 류마티스다발근육통을 진단할 수 없다.

## 역학

류마티스다발근육통은 거대세포동맥염보다 2-3배 이상 흔하다. 여성에서 남성보다 흔하고, 50세 이전 연령에서는 드물다. 류마티스다발근육통 환자는 전 세계적으로 골고루 보고되었는데, 특히 스칸디나비안과 북유럽인을 조상으로 한 백인에서 높은 빈도로 보고되었다. 미국에서 50세 이상에서 약 10만 명당 60명 정도의 유병률이 보고되었고, 한국에서는 50세 이상에서의 일년 발생률이 10만 명당 2.06명으로 보고되었다.

## 병인과 병리소견

류마티스다발근육통의 정확한 원인은 아직 알려지지 않았다. 대부분의 면역학적 이상 소견은 거대세포동맥염과 유사하고, 두 질환 사이에 HLA-DR4 유전자의 연관성이 보고되었다. 류마티스다발근육통과 거대세포동맥염 모두 50세 이후에서 주로 발병하기 때문에 면역체계의 노화 관련 변화가 염증반응의 발생에 관여할 것이라 추측한다. 오래전부터 감염성 원인이 의심되고 있으나, 아직 특정 감염 인자의 역할이 발견된 것은 없다. 류마티스다발근육통 환자의 측두동맥은 외관상 정상이지만, 조직검사 후 면역조직화학염색 결과 거대세포동맥염에서처럼 IL-2, IL-1β와 같은 세포 및 대식세포 유래 염증사이토카인이 발견된다. 하지만, 거대세포동맥염 없이 류마티스다발근육통만 단독으로 있는 경우 혈관 조직내 IFN-γ는 발견되지 않는다. 혈액 내 IL-1β,

IL-6 농도가 거대세포동맥염 환자에서처럼 확연히 상승되어 있고, 이는 글루코코티코이드 치료로 감소한다. 류마티스다발근육통 환자의 이환된 관절내 활막조직에 T세포, 대식세포들이 두드러지게 관찰된다. 근육조직검사는 정상이거나 비특이적 제2형 근위축이 관찰될 수 있다.

## 임상양상

류마티스다발근육통 환자의 절반 이상에서 권태, 미열, 체중감소와 같은 전신증상을 경험하고, 이러한 전신증상들이 이 질환의 첫 증상으로 나타날 수 있다. 거대세포동맥염 없이 류마티스다발근육통만 있는 경우 고열은 드물다. 관절통, 근육통이 수주에서 수개월에 걸쳐 서서히 나타날 수 있다. 보통 수개월 동안 통증, 강직, 권태, 피로, 우울감 등이 지속된 후 류마티스다발근육통을 진단받는다. 주로 어깨이음구조(shoulder girdle), 엉덩이, 목 부위 증상으로 시작하고 한쪽에만 통증이 시작할 수 있는데 수주가 지나면 대체로 양쪽 모두 증상이 발생한다. 증상은 사지 근위부, 목이나 몸통의 근조직, 힘줄 부착부위에 집중된다. 30분 이상 지속되는 아침강직이 있고, 환자들은 어깨와 엉덩관절의 강직으로 인해 활동의 어려움을 경험하는데, 브래지어를 채울 때, 셔츠나 자켓을 입을 때, 스타킹을 신을 때 어려움이 있다.

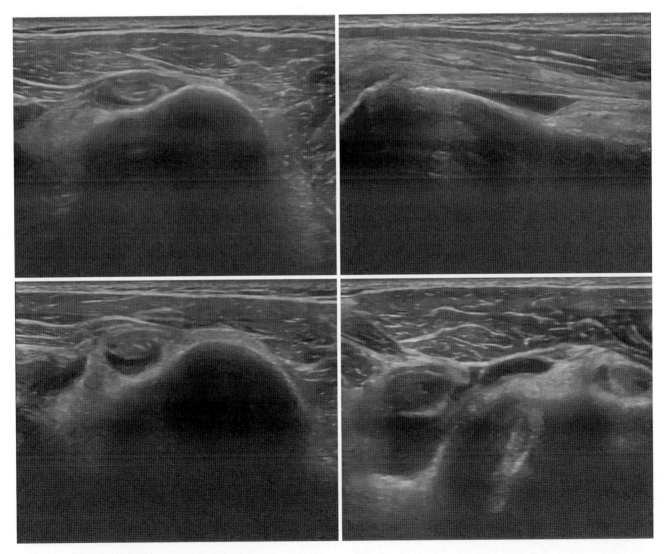

그림 137-1. **류마티스다발근육통 환자의 어깨초음파검사** 류마티스다발근육통 환자의 어깨에 위팔두갈래근 힘줄활막염과 봉우리밑윤활낭염 소견이 관찰된다.

간혹 말초관절통증과 부종이 발생하기도 하고 사지 원위부에 광범위한 함몰부종이 발생하기도 한다. 야간통증이 흔하고 자면서 뒤척이다가 통증으로 잠에서 깨기도 한다.

류마티스다발근육통 환자에서 점액낭염과 활막염이 올 수 있다(그림 137-1). 어깨, 엉덩관절, 무릎, 손목, 흉골쇄골관절 등에 일시적인 활막염이 생길 있다. 어깨와 엉덩관절의 경미한 활막염은 촉지하여 알기 어렵고, 조직검사, 활액분석, 뼈스캔, 초음파, 자기공명영상검사 등을 통해 알 수 있다. 활막염은 일반적으로 경한 증상을 보이고, 글루코코티코이드 치료에 매우 빨리 반응한다. 건활막염에 의한 손목굴증후군도 발생할 수 있다.

## 검사실검사

정상색소빈혈이 나타날 수 있고, 백혈구 수치는 보통 정상이다. 적혈구침강속도와 C반응단백질이 특징적으로 많이 상승하고, 일부에서 간수치가 약간 상승하는 경우도 있다. 신기능이나 요검사는 보통 정상이다. 근 손상을 시사하는 근육 효소 수치들은 정상이다. 활액분석 결과 경미한 염증 소견을 보일 수 있다. 드물지만, 활막조직검사를 하게 되는 경우에는 림프구 침윤 소견을 관찰할 수 있다. 혈청 IL-6 농도가 올라가 있고, Ⅷ 응고인자(factor Ⅷ)나 본빌레브란드인자(von Willebrand factor)가 상승되어 있을 수 있다.

## 감별진단

류마티스다발근육통의 진단은 특징적인 임상양상, 염증반응 지표의 상승, 글루코코티코이드에 대한 매우 좋은 반응, 증상이 유사한 질환의 배제를 통해서 이루어진다. 현재까지 몇몇의 진단기준이 발표되었고, 2012년에는 미국류마티스학회와 유럽류마티스학회 공동으로 초음파의 사용을 선택적으로 도입한 분류기준을 발표하였다(표 137-1).

류마티스다발근육통은 거대세포동맥염과 밀접히 연관되어 있다. 거대세포동맥염 환자의 30-50%에서 류마티스다발근육통이 발생하고, 임상적으로 류마티스다발근육통만 갖고 있을 것으로 추정되는 환자의 10-15% 정도에서 측두동맥조직검사 이상 소견을 보인다. 류마티스다발근육통 환자에서 저용량 글루코코티코이드에 반응하지 않거나 두통, 턱파행(jaw claudication), 눈 증상, 고열 등이 있으면 거대세포동맥염이 동반되었는지 의심해 보아야 한다.

초기 류마티스관절염과 류마티스다발근육통을 구별하는 것은 쉽지 않다. 특히 초기 류마티스관절염 환자에서 류마티스인자 음성이거나 말초 관절염 증상이 두드러지지 않은 시기에 더욱 그러하다. RS3PE증후군(remitting seronegative symmetrical synovitis with pitting edema) 또한 류마티스다발근육통과 감별하기 쉽지 않다. RS3PE증후군 환자는 손발 오목부종과 함께 말초 관절의 급성 대칭성 활막염이 나타나는 것이 특징이다. RS3PE 증후군 역시 저용량 글루코코티코이드에 잘 반응한다. 다발근염은 근육통 보다는 근력약화가 두드러지고, 근효소 수치 상승과 근전도 이상을 동반한다. 종양 환자들도 전신 근골격계 통증을 호소할 수 있는데 류마티스다발근육통과 악성 종양과는 연관성이 없다. 따라서 임상적으로 종양이 있을 것으로 의심되거나 저용량 글루코코티코이드에 반응이 없는 경우를 제외하고는 반드시 기저 종양을 찾기 위해 조사할 필요는 없다. 열이 있는 환자는 혈액 배양 검사를 해서 감염심내막염과 같은 만성 감염도 감별해야 한다. 섬유근육통 환자는 류마티스다발근육통에서 전형적인 아침강직이 없거나 검사실 검사소견이 거의 정상이다. 드물게 파킨슨병 초기에 호소하는 뻣뻣함이 류마티스다발근육통의 증상으로 오인될 수 있다.

## 치료

류마티스다발근육통은 글루코코티코이드 치료에 잘 반응한다. 치료 시작 용량은 프레드니손 기준 10-20 mg/일이 적절하며 대부분 환자에서 빠르게 반응이 나타나는 것이 전형적인 임상 경과이나 소수에서 초기 치료로 프레드니손 30 mg/일만큼의 용량이 필요할 수 있다. 만약 일주일간 프레드니손 30 mg/일 용량을 사용해도 호전이 없다면 다른 진단을 고려해보아야 한다. 환자가 치료에 잘 반응하면 글루코코티코이드의 양을 점차 줄여간다. 보통 2-3주간 치료하면 임상증상과 검사실 소견이 호전되는

표 137-1. 류마티스다발근육통 진단 및 분류기준

### 1979 Bird 진단기준

1. 양쪽 어깨 통증 또는 강직
2. 2주이내 시작
3. 적혈구침강속도 >40 mm/hr
4. 아침경직 >1시간
5. 나이 >65세
6. 우울감 또는 체중감소
7. 양쪽 상지 근위부 압통

3가지 이상 항목을 만족할 경우 진단한다.

### 1982 Chuang 진단기준

1. 50세 이상
2. 목, 몸통, 어깨, 상지 근위부, 엉덩이, 허벅지 근위부 중 2군데 이상 1개월이상 지속되는 양측성 통증과 경직
3. 적혈구침강속도 >40mm/hr
4. 거대세포동맥염을 제외한 다른 진단의 배제

모든 항목을 만족할 경우 진단한다.

### 1984 Healey 진단기준

1. 어깨, 골반이음구조 중 두군데 이상, 1개월 이상 지속되는 통증
2. 아침경직 >1시간
3. 프레드니손에 대한 신속한 반응(≤20 mg/일)
4. 근골격계 증상을 일으킬 만한 다른 질환이 없을 것
5. 나이 >50세
6. 적혈구침강속도 >40mm/hr

모든 항목을 만족할 경우 진단한다.

### 2012 미국류마티스학회/유럽류마티스학회 분류기준

| | 초음파 결과가 없는 경우 | 초음파 결과가 있는 경우 |
|---|---|---|
| 아침강직 >45분 | 2 | 2 |
| 엉덩관절 통증 또는 운동범위제한 | 1 | 1 |
| 류마티스인자 음성 또는 항CCP항체 음성 | 2 | 2 |
| 다른 관절 침범 부재 | 1 | 1 |
| 적어도 한쪽 어깨에 어깨세모근밑윤활낭염, 위팔두갈래근 힘줄활막염, 위팔어깨관절 활막염 중 하나 이상을 동반 그리고/또는 적어도 한쪽 엉덩관절에 활막염, 대퇴돌기윤활낭염 중 하나를 동반한 경우 | 적용불가 | 1 |
| 양쪽 어깨에 어깨세모근밑윤활낭염, 위팔두갈래근 힘줄활막염, 위팔어깨관절 활막염 중 하나 이상을 동반한 경우 | 적용불가 | 1 |

기본적으로 50세이상에서 양쪽 어깨 통증과 C반응단백질 또는 적혈구침강속도 상승이 있을 경우 이 분류기준을 적용할 수 있다. 초음파 결과가 없는 경우는 4점이상, 초음파 결과가 있는 경우는 5점 이상을 류마티스다발근육통으로 분류한다.

데, 이 때부터 글루코코티코이드 양을 조금씩 줄인다. 1년이내 글루코코티코이드를 중지할 수 있는 경우도 있지만, 많은 환자에서 적어도 2년간의 저용량 글루코코티코이드 치료가 필요하다.

일부 연구에서 메토트렉세이트의 사용이 글루코코티코이드의 사용 기간을 줄인다고 보고하였으나 이에 대해서는 아직 연구가 더 필요할 것으로 보인다. 거대세포동맥염에서는 토실리주맙의 사용이 승인되었으나 류마티스다발근육통만 있는 경우는

아직 승인되지 않았다. 살리실산염과 비스테로이드항염제도 소수에서 아주 경한 증상을 조절하기 위해 사용되기도 하나 전반적으로 병을 조절하는데 효과적이지는 않다. 오히려 글루코코티코이드와 함께 사용시 부작용만 더할 수 있다.

## 예후

대부분의 류마티스다발근육통 환자의 예후는 좋다. 환자들은 수개월에서 수년에 걸쳐 좋아지는 경과를 밟아 글루코코티코이드를 끊을 수 있게 된다. 류마티스다발근육통 환자에서 사망률이 증가된다는 증거는 없다. 따라서, 최소한의 글루코코티코이드 약제 사용을 통해 질병을 조절하는 노력이 중요하다. 질병 경과 중에 거대세포동맥염의 징후가 나타나는지에 대해서 지속적인 감시가 필요하다.

### 📑 참고문헌

1. Bird HA, Esselinckx W, Dixon AS, Mowat AG, Wood PH. An evaluation of criteria for polymyalgia rheumatica. Ann Rheum Dis 1979;38:434-9.

2. Chuang TY, Hunder GG, Ilstrup DM, Kurland LT. Polymyalgia rheumatica: a 10-year epidemiologic and clinical study. Ann Intern Med 1982;97:672-80.

3. Dasgupta B, Cimmino MA, Kremers HM, Schmidt WA, Schirmer M, Salvarani C, et al. 2012 Provisional classification criteria for polymyalgia rheumatica: a European League Against Rheumatism/American College of Rheumatology collaborative initiative. Arthritis Rheum 2012;64:943-54.

4. Firestein GS, Budd, Ralph C., Gabriel, Sherine E., Koretzky, Gary A., McInnes, Iain B., O'Dell, James R. Firestein & Kelly's Textbook of Rheumatology. Philadelphia: Elsevier; 2021.

5. Healey LA. Long-term follow-up of polymyalgia rheumatica: evidence for synovitis. Semin Arthritis Rheum 1984;13:322-8.

6. Hochberg MC, Silman, Alan J., Smolen, Josef S., Weinblatt, Michael E., Weisman, Michael H. Rheumatology. Philadelphia: Mosby/Elsevier; 2019.

7. Kim IY, Seo GH, Lee S, Jeong H, Kim H, Lee J, et al. Epidemiology of Polymyalgia Rheumatica in Korea. J Rheum Dis. 2014;21:297-302.

8. Salvarani C, Gabriel SE, O'Fallon WM, Hunder GG. Epidemiology of polymyalgia rheumatica in Olmsted County, Minnesota, 1970-1991. Arthritis Rheum 1995;38:369-73.

9. Weyand CM, Goronzy JJ. Immune mechanisms in medium and large-vessel vasculitis. Nat Rev Rheumatol 2013;9:731-40.

10. Weyand CM, Hunder NN, Hicok KC, Hunder GG, Goronzy JJ. HLA-DRB1 alleles in polymyalgia rheumatica, giant cell arteritis, and rheumatoid arthritis. Arthritis Rheum 1994;37:514-20.

11. Weyand CM, Tetzlaff N, Björnsson J, Brack A, Younge B, Goronzy JJ. Disease patterns and tissue cytokine profiles in giant cell arteritis. Arthritis Rheum 1997;40:19-26.

류 마 티 스 학
Rheumatology

# PART 22

# 류마티스 질환의 수술적 치료

책임편집자 **공현식**(서울의대)
부편집자 **배기정**(서울의대)

# 138

# 어깨

서울의대 **오주한**

## KEY POINTS 🔒

- 어깨관절에서 발현되는 류마티스 질환의 특징은, 다른 관절과 마찬가지로 증식된 활막에 의하여 관절연골이 침식되어 관절염이 초래되는 것 이외에도, 어깨를 안정화하는 중요한 근육인 회전근개파열이 흔히 동반되어, 수술적 치료 방침이 이 회전근개파열의 여부나 정도에 의하여도 결정된다는 것이다.
- 관절연골이 침식된 어깨관절의 류마티스관절염의 경우에는 관절와의 중심성 마모 정도나 회전근개의 상태에 따라 역행성 인공관절전치환술을 고려해야 한다.
- 어깨관절의 류마티스 질환으로 인하여 수술을 고려하는 것은, 류마티스 질환의 치료 실패가 아니라 다른 방향의 치료를 선택한다고 생각하는 것이 옳을 것이다. 수술 자체가 내과적 치료로 잘 조절되지 않는 통증과 염증을 조절하는 중요한 수단이기도 하지만, 수술적 치료 시기를 놓치지 않고 적절한 수술을 통하여 환자의 기능적 활동들을 최대로 유지하게 하며, 수술 후 효과적인 적절한 용량의 약물치료를 지속할 수 있고, 이를 통하여 연부조직과 관절연골의 추가적인 파괴를 예방할 수 있다는 것에 수술적 치료의 의미를 두어야 할 것이다.

의 다른 퇴행성 어깨관절질환과 쉽게 구분이 되지 않아, 정확한 조기 진단이 쉽지 않다.

어깨관절 류마티스관절염은 일반적인 골관절염과는 다른 양상의 방사선 소견을 보이는 경우가 많다. 골관절염이 주로 골극(osteophyte) 형성을 동반한 관절와(glenoid) 후방부의 마모(posterior erosion)를 유발하는 반면, 류마티스관절염은 골극의 형성을 동반하지 않는 관절 전반에 걸친 마모를 보이거나, 관절와의 중심부가 마모(central erosion)되는 경우가 많다. Levigne과 Fraceschi는 어깨관절 류마티스관절염을 영상학적으로 3가지 형태로 분류하였으며, 관절와의 마모 여부로 1형과 2형의 세부 분류를 시행하였다(표 138-1).

또한, 류마티스관절염에서는 전신적 혹은 국소적인 골감소증 혹은 골다공증을 동반하는 경우가 많으며, 골관절염과는 달리 증식된 활막에 의하여 회전근개파열이 동반되는 경우가 많으므로, 어깨관절에 발생하는 류마티스관절염의 수술적 치료는 이와 같은 차이점을 고려해서 시행되어야 한다.

## 서론

류마티스관절염 환자에서 어깨관절(견관절)의 이환 빈도는 문헌에 따라 다르나 최소 40% 이상으로 보고되며, 대관절 중 가장 조기에 증상이 발현하는 경우가 많다. 그러나, 어깨관절을 침범할 때의 증상은, 동결견(굳은어깨, frozen shoulder)이나 충돌증후군(impingement syndrome), 회전근개파열(rotator cuff tear) 등

## 수술적 치료

어깨관절 류마티스관절염의 일차 치료 역시 내과적 약물치료이다. 항류마티스약제(disease modifying anti-rheumatic drug, DMARD)의 도입 이후 회전근개파열과 관절염까지 동반한 중증의 류마티스관절염의 발병률은 감소하였으나, 약물치료의 효과가 없는 경우에는 다른 치료 방법을 고려해야 하며, 관절내 혹

표 138-1. 어깨관절 류마티스 관절염의 영상학적 분류(Levigne and Fraceschi)

| 형태 | 분류 기준 |
|---|---|
| Ascending form 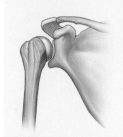 | 가장 흔함<br>상완골두(상완골머리, humeral head)의 상방전위, 상완골두의 구형 유지<br>초기: 상완골두 상방 이동 후 내측 전위<br>후기: 상완골(상완골, humerus) 경부가 관절와 하부와 충돌 |
| Centered form 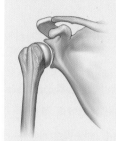 | 상방 전위의 부재: 견봉(어깨뼈봉우리, acromion)-상완골 간격 유지<br>균일한 관절와의 마모 및 상완골두의 진행성 내측 전위 |
| Destructive form 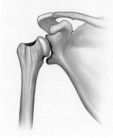 | 상완골두의 파괴 및 구형 소실<br>상완골 경부의 충돌에 따른 관절와의 파괴 |

은 견봉하 공간(봉우리밑 공간, subacromial space)에 글루코코티코이드를 주사할 수 있다. 국소 글루코코티코이드 주사요법 이후에도 통증이 지속되거나 단기간만에 재발한 경우 각종 수술적 치료를 고려할 수 있다.

하지만, 약물치료의 효과를 단순히 통증의 감소만으로 판단하여야 할지, 환자의 기능적 측면은 어느 정도 고려해야 하는지도 중요하며, 통증도 적고 기능도 어느정도 유지하고 있지만, 수술이 지체되면서 발생 가능한 추가적인 문제들(회전근개파열의 크기 증가 혹은 골파괴의 악화 등)과 그로 인한 수술적 치료의 어려움들까지도 통합적으로 고려하여 수술 여부 및 수술 시기를 결정하여야 할 것이다. 저자가 생각하는 가장 중요하고 첫 번째로 고려할 판단 기준 중 하나는 회전근개파열의 정도이다.

회전근개파열은 불가역적인 자연경과를 가지고 있고, 시간이 지날수록 증상과는 상관없이 파열의 크기가 커지며 회전근개근육의 지방변성이 심해지기 때문에, 적절한 수술 시기를 놓치면 수술을 해도 결과가 안 좋을 가능성이 매우 높은 질병이다. 따라서, 약물치료의 반응과는 상관없이 회전근개파열이 수술을 고려할 정도로 있다면(50% 이상의 부분층파열 및 전층파열), 시기를 놓치기 전에 수술하는 것을 추천하며, 파열 크기가 2.5cm가 되기 전에 그리고 가능하다면 70세 이전에 수술할 것을 권한다. 그러기 위해서는 정기적으로 회전근개파열의 크기가 증가하는지 등의 질병 악화 여부를 관찰하는 것이 중요하며, 6-12개월 간격으로 주기적인 초음파를 통한 파열 크기의 변화를 관찰하는 것이 중요하다. 반면, 회전근개파열의 정도는 심하지 않고(부분층파열 50% 미만) 골파괴 역시 미미한 정도이지만, 약물치료로 통증 조절에 실패하고 일상 생활의 영위가 힘든 상황이라면, 관절경하 활막절제술은 간단하고 의미있는 수술적 치료가 될 수 있을 것이다. 수술 자체가 통증과 염증을 조절하는 중요한 수단이기도 하지만, 이러한 수술을 통해 수술 후 적절한 용량으로 효과적인 약물치료를 지속할 수 있으며, 그를 통하여 연부조직과 관절 연골의 파괴를 예방할 수 있다는 것에 이 수술의 의미를 두어야 할 것이다. 한편, 골파괴가 진행되어 어깨관절의 인공관절을 고려하는 경우는, 통증의 정도 및 일상 생활의 불편함이 역시 수술적 치료 여부를 결정하는 주요 기준이 된다. 하지만 관절와의 골파괴가 심한 경우는 어깨관절의 인공관절을 시행하더라도 수술 후 예후가 좋지 않은 주요한 원인이 될 수 있으므로, 관절와의 골파괴가 심하지 않은 상태에서 인공관절치환술을 시행하는 것이 좋고, 당장은 수술을 연기하고 보존적인 치료를 하면서 정기적인 추시를 하고 싶다면 관절와의 골파괴를 예의 주시하며 환자를 추적관찰해야 한다. 관절와의 골파괴는 CT에서 쉽게 관찰이 가능하지만 매번 CT를 촬영할 수는 없으므로, 축상 단순 방사선 촬영(axial X ray)를 꼭 확인하여 관절와의 골파괴 상태 및 변화를 확인하는 것이 중요할 것이다.

## 1) 활막절제술

최근 관절경적 수술 기법의 발달로 활막절제술(arthroscopic synovectomy)을 보다 안전하고 용이하게 시행할 수 있게 되었다. 활막절제술을 통하여 염증조직 및 그로 인한 각종 사이토카인을

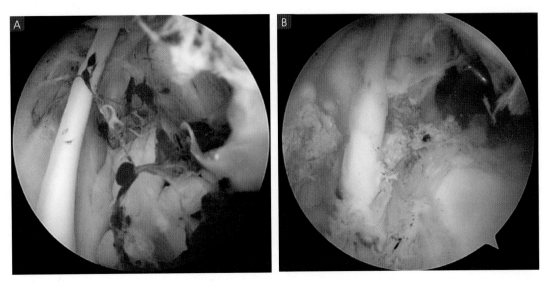

그림 138-1. 약물치료를 수년간 지속했지만, 통증 조절이 잘 되지 않아서 수술적 치료를 시행한 55세 남자 환자이다. 회전근개파열이 약 20% 정도였고 골파괴가 없는 환자였기에 관절경을 이용한 활막절제술을 시행하기로 했으며, 이러한 간단한 수술을 통해 효과적인 약물치료로 일상 생활을 편하게 영위할 수 있었고, 기존보다 낮은 용량의 약물치료로 유지가 가능하였다. **(A)** 비후된 활막염의 관절경 소견, **(B)** 동일 환자에서 관절경적 활막절제술 후 관절경 소견

감소시키고, 감각 신경의 탈신경(sensory denervation)을 통해 통증 및 관절부기를 효과적으로 조절할 수 있다. 관절연골의 손상과 회전근개파열이 심하지 않은 질병 초기에, 내과적 약물치료 및 국소 글루코코티코이드 주사요법에도 불구하고 뚜렷한 통증의 감소가 관찰되지 않을 경우 시행할 수 있는 가장 간단한 수술적 치료법의 하나로 관절경적 활막절제술의 시행을 고려한다(그림 138-1).

## 2) 회전근개봉합술

회전근개파열을 동반한 류마티스관절염 환자의 대다수는 관절연골의 파괴가 동반되어 있어 인공관절치환술(arthroplasty)을 필요로 하는 경우가 많으나, 관절연골의 파괴가 심하지 않다면 관절경적 회전근개봉합술(arthroscopic rotator cuff repair)을 시도할 수 있다(그림 138-2). Smith 등은 회전근개부분파열(partial thickness rotator cuff tear)에서 관절경적 회전근개봉합술 시행 시, 효과적인 통증의 감소 및 관절운동범위의 증가 소견을 보고

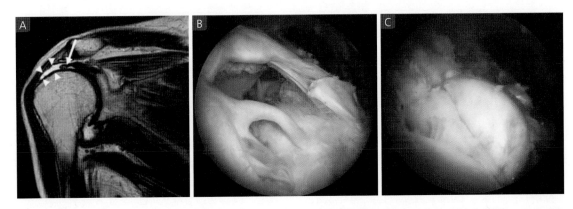

그림 138-2. 62세 류마티스관절염 환자로 1년에 걸친 어깨 통증을 주소로 내원하였고, **(A)** MRI 검사상 극상근(가시위근, supraspinatus) 힘줄의 전층파열이 관찰된다. 파열된 극상근 힘줄은 내측으로 약 2.5 cm 정도 퇴축되어 있으며(화살표), 이로 인해 힘줄이 있어야 할 공간이 비어 보인다. **(B)** 동일 환자에서 파열된 극상근 힘줄의 관절경 소견이 관찰되며, **(C)** 나사못(suture anchor)을 이용하여 관절경적 회전근개봉합술을 시행하였다.

하였다. 다만 회전근개전층파열(full thickness rotator cuff tear)에서는 통증은 효과적으로 감소시켰으나, 관절운동범위는 유의하게 증가하지 않았다고 보고하였는데, 이는 회전근개의 상태가 불량한 것에 기인하는 것으로 추정하였다. 즉, 위에서 기술한 대로 회전근개파열에 대한 봉합술이 적절한 시기를 놓치게 된다면 수술적 효과 역시 감소할 것으로 예상할 수 있으므로, 관절연골의 파괴가 심하지 않은 류마티스관절염 환자에서 회전근개파열 소견이 관찰되었다면, 너무 늦지 않은 시기에 회전근개봉합술의 시행을 고려해야 한다. 저자는 연구 결과에 따라, 파열의 크기가 2.5 cm보다 작을 때 그리고 가능하다면 환자의 연령이 70세 이전에 봉합술을 시행할 것을 추천한다.

## 3) 인공관절치환술

영상학적 소견상 관절연골의 파괴가 진행되어 관절염에 의한 증상이 지속된다면, 인공관절치환술을 고려해야 한다. 류마티스관절염은 단순히 관절연골의 문제뿐만 아니라 회전근개파열의 빈도가 높고, 전층파열이 동반되지 않더라도 류마티스 질환 자체로 인해 회전근개의 기능이 저하된 경우가 많으므로, 인공관절치환술을 고려할 때에는 자기공명영상을 통한 회전근개의 평가와 적절한 신체검사가 필수적이다.

회전근개파열이 동반되지 않고 기능도 적절하며 관절와도 관절염이 없다면, 상완골두만 인공관절로 바꾸는 반치환술(hemiarthroplasty)을 시행할 수 있지만, 대부분 관절와의 관절염이 동반되므로 관절와도 인공관절을 삽입하는 해부학적 인공관절치환술(anatomical total shoulder arthroplasty, aTSA)을 시행한다(그림 138-3). 이는 관절와의 골량(bone stock)이 충분하여 관절와에 인공관절삽입물의 고정이 가능할 경우 시행할 수 있으며, 통증 감소 및 관절운동범위의 회복에 우수한 결과를 보였다. 또한, 재치환술(revision arthroplasty)을 기준으로 10년 생존율이 92.9%로, 반치환술의 10년 생존율 87.9%보다 더 우수한 결과가 보고된 바 있다. 그러나, 류마티스관절염은 골감소증으로 인한 관절와 및 상완골의 인공관절삽입물의 이완(loosening)이 골관절염에 비해 흔히 발생하며, 인공관절전치환술 후 이차적인 회전근개파열이나 회전근개의 기능부전에 의해 상완골삽입물의 상방 전위(그림 138-3)와 같은 합병증의 발생률이 높다.

류마티스관절염과 함께 회전근개파열이 동반되었거나, 기존의 반치환술 혹은 해부학적 인공관절전치환술 후 이차적인 회전근개파열이나 기능부전에 의한 상완골 인공관절삽입물의 상방 전위가 발생한 경우, 관절와의 골 결손이 심하여 골이식 등으로도 해부학적 인공관절전치환술의 관절와 삽입물의 고정이 불충

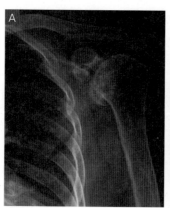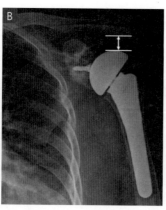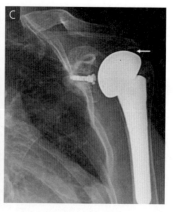

그림 138-3. (A) 63세 어깨관절 류마티스관절염에서 상완골두 및 관절와의 관절연골의 파괴 및 상완골두의 상방 전위 소견이 관찰된다. 약물치료에도 지속되는 통증과 관절운동범위의 제한으로 인하여, 수술적 치료를 고려하게 되었고, 회전근개가 적절히 기능하고 있으므로, 해부학적 인공관절전치환술을 시행하기로 하였다. (B) 동일 환자에서 해부학적 인공관절전치환술 직후 촬영한 방사선 소견으로서, 수술 당시 회전근개파열이 관찰되지 않아서 계획대로 해부학적 인공관절전치환술을 시행하였고, 건강한 회전근개로 인하여 견봉(acromion) 하면과 상완골삽입물 간 간격이 유지됨을 관찰할 수 있다(화살표). (C) 동일 환자에서, 해부학적 인공관절전치환술 3년 후 추시된 방사선 소견으로, 수술 직후와는 달리 상완골삽입물이 상방으로 전위되어 견봉 하면과 상완골삽입물의 간격이 줄어든 것을 관찰할 수 있고(화살표), 이는 류마티스 질환의 진행으로 인하여 회전근개파열이 진행하였거나 그 기능이 현저하게 저하되었음을 의미한다.

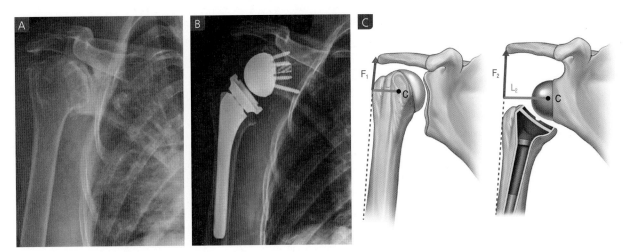

**그림 138-4. 역행성 인공관절전치환술의 방사선 소견 및 모식도 (A), (B)** 회전근개파열을 동반한 어깨관절 류마티스관절염에서 역행성 인공관절전치환술 전, 후 방사선 소견으로서, 관절와에 볼(ball), 상완골에 컵(cup) 형태의 인공관절이 삽입되었음을 알 수 있다. **(C)** 역행성 인공관절전치환술에서의 생역학적 변화에 대한 모식도로서, 어깨관절 움직임의 중심(c)이 내측, 원위부로 이동함에 따라 lever arm ($L_1 < L_2$)이 커지고 활동하는 삼각근(어깨세모근, deltoid muscle)의 근력($F_1 < F_2$)이 증가함을 알 수 있다.

분한 경우, 관절와 인공관절삽입물의 이완이 발생한 경우 등에서는 역행성 인공관절전치환술(reverse total shoulder arthroplasty, rTSA)을 시행한다. 역행성 인공관절전치환술이란, 정상 해부학과는 정반대로 관절와에 볼(ball), 상완골에 컵(cup) 형태의 인공관절을 삽입하는 것이다(그림 138-4). 광범위 회전근개파열(massive rotator cuff tear)과 동시에 관절염이 존재하는 회전근개파열병증(cuff tear arthropathy) 환자들은 관절염으로 인한 통증과 함께 회전근개결손으로 인해 팔을 능동적으로 들지 못하는 가성마비(pseudoparalysis) 증상을 호소하는 경우가 많은데, 이때 역행성 인공관절전치환술(rTSA)을 시행함으로써, 견관절 움직임의 중심(center of rotation)을 내측(medialization) 그리고 원위로 이동시켜서(distalization), 더 많은 삼각근이 활동하게 하고 삼각근의 lever arm을 길게 하여 회전근개가 없이도 팔을 들 수 있도록 생역학적인 변화를 줄 수 있다(그림 138-4). 이는 회전근개파열의 동반 비율이 높은 류마티스관절염에 있어 기존 반치환술 및 해부학적 인공관절전치환술의 단점을 극복할 수 있고, 기존의 적응증인 회전근개파열병증이나 봉합이 불가능한 광범위 회전근개파열에서 시행하는 것만큼 기능적으로 우수하며, 합병증의 발생에 있어 유의한 차이가 없다는 점에서, 보다 안전한 술식으로 대두되고 있다.

📑 **참고문헌**

1. Barlow JD, Yuan BJ, Schleck CD, Harmsen WS, Cofield RH, Sperling JW. Shoulder arthroplasty for rheumatoid arthritis: 303 consecutive cases with minimum 5-year follow-up. J Shoulder Elbow Surg 2014;23:791-9.

2. Gee EC, Hanson EK, Saithna A. Reverse Shoulder Arthroplasty in Rheumatoid Arthritis: A Systematic Review. Open Orthop J 2015;9:237-45.

3. Geervliet PC, Somford MP, Winia P, van den Bekerom MP. Long-term results of shoulder hemiarthroplasty in patients with rheumatoid arthritis. Orthopedics 2015;38:e38-42.

4. Hatzidakis AM, Norris TR, Pascal B. Reverse Shoulder Arthroplasty Indications, Technique, and Results. Tech Shoulder Elb Surg 2005;6:135-49.

5. Ji Soon Park, Hyung Jun Park, Sae Hoon Kim, Joo Han Oh. Prognostic factors affecting rotator cuff healing after arthroscopic repair in small to medium sized tear. Am J Sports Med 2015;43:2386-92.

6. Jieun Kwon, Sae Hoon Kim, Ye Hyun Lee, Tae In Kim, Joo Han Oh. The Rotator Cuff Healing Index (RoHI) - A New Scoring System to Predict Rotator Cuff Healing After Surgical Repair. Am J Sports Med 2019;47:173-80.

7. Laine VA, Vainio KJ, Pekanmaki K. Shoulder affections in rheumatoid arthritis. Ann Rheum Dis. 1954;13:157-60.

8. Léigne C, Franceschi JP. Rheumatoid Arthritis of the Shoulder: Radiological Presentation and Results of Arthroplasty. In: Walch G, Boileau P, ed. Shoulder Arthroplasty. Berlin: Springer; 1999. pp. 221-30.

9. Nakamura H, Nagashima M, Ishigami S, Wauke K, Yoshino S. The

anti-rheumatic effect of multiple synovectomy in patients with refractory rheumatoid arthritis. Int Orthop 2000;24:242-5.

10. Olofsson Y, Book C, Jacobsson LT. Shoulder joint involvement in patients with newly diagnosed rheumatoid arthritis. Prevalence and associations. Scand J Rheumatol 2003;32:25-32.

11. Petersson CJ. Painful shoulders in patients with rheumatoid arthritis. Prevalence, clinical and radiological features. Scand J Rheumatol 1986;15:275-9.

12. Smith AM, Sperling JW, O'Driscoll SW, Cofield RH. Arthroscopic shoulder synovectomy in patients with rheumatoid arthritis. Arthroscopy 2006;22:50-6.

13. Smith KL, Matsen FA. Total shoulder arthroplasty versus hemiarthroplasty. Current trends. Orthop Clin North Am 1998;29:491-506.

14. Yoon HM, Jo YH, Lee BG. Surgical Treatment for the Shoulder Joint in Rheumatoid Patients. Clin Shoulder Elbow 2016;19:179-85.

# 139

# 팔꿈치

성균관의대 **박민종**

- 관절면 손상이 25% 이하인 약물에 반응하지 않는 류마티스 관절염의 팔꿈치관절 침범은 관절경적 활막절제술로 염증 조절 효과를 기대할 수 있다.
- 40세 이상의 진행된 팔꿈치관절염 환자는 인공관절전치환술로 만족스러운 기능 향상을 기대할 수 있다.

## 서론

　팔꿈치관절(주관절)은 상지의 중간에 위치한 관절로, 손을 원하는 공간으로 이동하게 하는 중요한 역할을 담당하고 있다. 팔꿈치관절은 상완골(상완골, humerus), 척골(자뼈, ulna), 요골(노뼈, radius)이 만나 관절을 이루며, 단일 축을 중심으로 굴곡-신전 운동이 일어나는 경첩관절(hinge joint)의 구조를 가지고 있다. 류마티스관절염이 팔꿈치관절을 침범하면 활막염으로 인한 부종과 통증이 발생하며, 관절연골의 파괴와 골흡수가 진행되면서 관절의 불안정, 강직 등으로 인해 기능이 점차 저하된다. 류마티스 팔꿈치관절염은 골이 흡수되고 파괴되는 양상에 따라 진행되는 형태가 환자마다 다른데, 안정형과 불안정형으로 나누어 볼 수 있다. 안정형은 관절연골의 손상으로 관절간격이 줄어드는 반면 관절의 안정성을 유지하는 것이 특징이고, 불안정형은 인대가 심하게 이완되고 골의 파괴가 진행되어 심한 불안정과 변형이 발생하고 결국에는 관절의 형태가 거의 없어지게 된다. 류마티스 팔꿈치관절염에 대한 수술적 치료는 관절염의 진행을 예방하기 위한 목적의 활막절제술과 비가역적으로 관절이 파괴된 환자의 기능을 회복하기 위한 목적의 관절성형술이 있다.

## 활막절제술

### 1) 적응증

　류마티스관절염으로 진단을 받고 체계적인 항류마티스약제 치료를 시작한 환자에서 4-6개월 이상 경과하여도 약물에 반응을 하지 않는 경우와 약물치료로 조절이 되다가 다시 활막염이 악화되는 경우에는 활막절제술이 통증을 완화하고 관절염의 진행을 막는 데 도움이 될 수 있다. 만일 방사선 사진에서 관절 공간이 점점 좁아지는 변화가 관찰된다면 관절연골의 손상이 예상보다 빨리 진행할 수 있으므로 서둘러 시행하는 것이 바람직하다. 활막절제술의 가장 중요한 목적은 관절연골을 보존하는 것이므로 관절연골이 손상되기 전에 활막절제술을 시행하는 것이 바람직하지만 방사선 사진에서 관절 간격 감소가 관찰되더라도 관절의 변형이 없다면 활막염을 조절하는 것만으로 통증 완화뿐만 아니라 관절 기능의 향상을 기대할 수 있다. 관절면의 미란과 소실이 25% 이하인 Larsen stage 1, 2가 활막절제술의 일반적인 적응증으로 받아들여지고 있다. 팔꿈치관절은 체중 부하 관절이 아니어서 관절연골의 손상 정도에 비해 통증이 상대적으로 적고 기능이 비교적 잘 유지되는 경향이 있다는 사실을 감안한다면 관절연골 침범이 25% 이상 관찰되는 환자에서도 활막절제술을 통해 약물치료를 보상하는 치료 효과를 기대할 수 있다.

## 2) 수술 방법

과거에는 관절을 개방하여 시행하였지만 관절경 기술이 발전하면서 현재는 관절경적 활막절제술이 표준적인 방법으로 인정되고 있다. 관절경적 활막절제술은 개방적 방법에 비해 조직의 손상이 훨씬 적기 때문에 수술 후 회복이 빠르고 특히 관절 강직이 발생할 가능성이 적은 것이 큰 장점이다. 관절경으로 활막을 제거하는 수술 그 자체는 간단한 과정이지만 모든 관절 공간에 걸쳐 안전하게 활막을 제거하기 위해서는 고도의 관절경 술기를 필요로 한다. 팔꿈치관절은 특히 관절경을 하는 과정에서 주위의 주요 신경과 혈관에 손상을 줄 위험이 높으므로 충분한 경험을 갖춘 후 시행하여야 한다(그림 139-1).

## 3) 활막절제술의 결과

수술 후 1-2주가 지나면 거의 예외없이 통증이 호전되며, 통증이 좋아지면서 수술 전에 활막염으로 인해 줄어든 관절 운동범위도 늘어나는 경향이 있다. 그렇지만 시간이 지날수록 활막염이 재발하고 방사선학적으로 관절염의 진행을 보이는 환자가 나타나는 것은 피할 수 없다. 관절경적 활막절제술 후 장기 추시 결과를 보면 전체적으로 통증은 수술 전에 비해 현저하게 감소하는 반면 방사선학적으로 관절염은 진행하는 경향이 있는 것으로 보고하고 있다. 그렇지만 약물치료에 반응하지 않는 상태를 그대로 둘 경우 관절염이 빠르게 진행되어 기능을 상실할 가능성이 높다는 점을 감안하면 활막절제술의 예방적 효과를 충분히 인정할 수 있다. 환자에 따라 경과가 차이가 나기 때문에 예후를 예측하기는 어렵지만, 70%의 환자들은 성공적이거나 비교적 만족스러운 결과를 보이는 반면 30%는 활막염이 재발하는 경향을 보이며 이 중에는 관절염이 다시 심하게 진행되는 최악의 결과를 보이는 경우도 10-15% 정도 있다.

# 관절성형술

관절염이 많이 진행되어 활막절제술만으로 기능의 호전을 기대하기 어려운 경우 일상 생활에 필요한 기능을 회복하기 위한 재건술이 필요하다. 팔꿈치관절에 시행할 수 있는 관절성형술로는 삽입관절성형술(interposition arthroplasty)과 인공관절전치환술(total joint replacement arthroplasty)의 두 가지 수술 방법이 있다. 참고로 관절유합술(arthrodesis)은, 팔꿈치관절이 완전 강직될 경우 기능적인 장해가 너무 크다는 점에서 적응증이 되는 경우가 없다고 할 수 있다.

## 1) 삽입관절성형술

심하게 손상되어 보존이 불가능한 관절연골(articular cartilage)을 연골밑뼈(subchondral bone)와 함께 일정 부분 절제하고 노출된 골 표면 위를 연부조직으로 덮어주는 방법이다. 활막을 절제하고 관절면의 마찰을 줄임으로써 통증이 완화되는 효과를 기대할 수 있으나 통증 완화 정도가 환자에 따라 차이가 많고 관절운동범위가 현저하게 좋아지는 것은 아니기 때문에 수술 전에

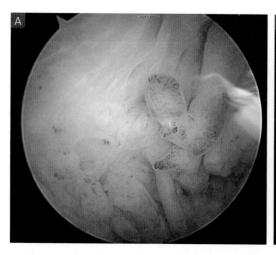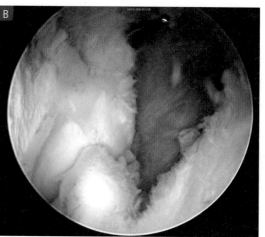

**그림 139-1.** 류마티스 팔꿈치관절염 환자에서 관절경으로 활막절제술을 시행하는 과정 (A) 심한 활막염 소견, (B) 관절경적 절제술 후 사진

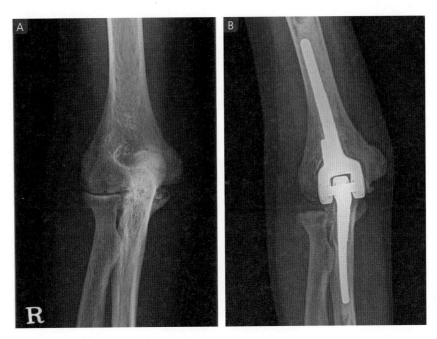

**그림 139-2.** 진행된 류마티스 팔꿈치관절염 환자에서 시행한 인공관절전치환술의 수술 전후 X선 사진 **(A)** 수술 전, **(B)** 수술 후

충분한 상담이 필요하다. 인공관절전치환술의 수술 결과가 대부분 만족스럽고 수명도 점차 길어지는 것으로 보고되고 있는 등 적응증이 넓어지는 추세이기 때문에 결과를 예측하기 어려운 삽입관절성형술은 상대적으로 치료 가치가 떨어지고 있다. 이 수술은 20-30대의 젊은 류마티스관절염 환자가 관절연골이 거의 소실되어 통증과 강직이 심할 때 일차적으로 고려해 볼 수 있는 방법이다.

### 2) 인공관절전치환술

팔꿈치관절의 인공관절 수술은 엉덩관절(고관절, hip joint)이나 무릎관절(슬관절, knee joint)보다 발전이 늦었지만 꾸준한 연구와 임상 경험을 바탕으로 신뢰할 만한 재건술로서의 위치를 확고히 하고 있다(그림 139-2). 현재 인공관절전치환술의 장기 임상 결과가 우수한 것으로 인정을 받고 있기 때문에 기능의 회복이 불가능한 관절염에서 인공관절전치환술이 최우선으로 선택할 수 있는 방법인 것은 틀림없으나, 삽입물을 항상 영구적으로 사용할 수 있는 것은 아니기 때문에 연령을 고려하지 않을 수 없다. 초기에는 60대 이상에서 시행하는 것이 바람직하다고 하였으나 장기적인 임상 경험을 토대로 현재는 적응증이 되는 연령이 50대 정도로 낮아지고 있는 추세이다. 특히 류마티스관절염

환자들은 일반적으로 활동 수준이 낮기 때문에 다른 환자들에 비해 삽입물의 평균 사용 수명이 긴 것으로 알려져 있다. 기능장애가 심하고 관절염이 많이 진행되어 활막절제술로 기능 회복이 불가능하다고 판단될 경우 40대의 환자에서도 시행할 수 있다.

팔꿈치 인공관절전치환술의 장기 임상 결과를 요약하면 약 80% 정도에서 비교적 만족스러운 결과를 기대할 수 있으며, 재치환술을 기준으로 할 때 5년 생존율이 90%, 10년 생존율이 85% 정도라고 할 수 있다. 특히 류마티스관절염 환자의 임상 결과는 다른 질환에 비해 우수한 편인데, 상대적으로 활동 수준이 높지 않아 인공관절을 오래 사용하는 경향 때문으로 여겨진다.

### 📑 참고문헌

1. Fuerst M, Fink B, Ruther W. Survival analysis and longterm results of elbow synovectomy in rheu matoid arthritis. J R heu matol 2006;33:892-6.

2. Gill DR, Morrey BF. The Coonrad-Morrey total elbow arthroplasty in patients who have rheumatoid arthritis. A ten to fifteen-year follow-up study. J Bone Joint Surg Am 1998;80:1327-35.

3. Horiuchi K, Momohara S, Tomatsu T, Inoue K, Toyama Y. Arthroscopic synovectomy of the elbow in rheumatoid arthritis. J Bone Joint Surg Am 2002;84:342-7.

4. Kang HJ, Park MJ, Ahn JH, Lee SH. Arthroscopic synovectomy for the rheumatoid elbow. Arthroscopy 2010;26:1195-202.

5. Ljung P, Jonsson K, Larsson K, Rydholm U. Interposition arthroplasty of the elbow with rheumatoid arthritis. J Shoulder Elbow Surg 1996;5:81-5.

6. Mansat P, Bonnevialle N, Rongieres M, Mansat M, Bonnevialle P. Experience with the Coonrad-Morrey total elbow arthroplasty: 78 consecutive total elbow arthroplasties reviewed with an average 5 years of follow-up. J Shoulder Elbow Surg 2013;22:1461-8.

7. Plaschke HC, Thillemann TM, Brorson S, Olsen BS. Implant survival after total elbow arthroplasty: a retrospective study of 324 procedures performed from 1980 to 2008. J Shoulder Elbow Surg 2014;23:829-36.

# 140

# 손목

가톨릭의대 송석환

- 손목관절은 어깨, 팔꿈치관절보다 손의 기능에 더 직접적인 영향을 끼친다. 손목관절에 통증이 있거나, 불안정하거나, 변형이 있으면 손의 기능이 정상이라고 하더라도 손의 사용이 제한된다. 손목관절의 변형이 지속되어 손목-손-손가락의 정렬이 회복되지 않으면 손가락변형의 교정 상태를 유지하기 어렵다.

- 손목관절의 류마티스관절염에서 약물치료 등의 보존적인 치료가 효과적이지 않고 관절의 파괴가 아직 진행되지 않았다면, 초기의 활막절제 등으로 매우 양호한 치료결과를 얻을 수 있다. 손목관절 주위를 경유하는 신근건과 굴근건의 손상 혹은 병변도 수술적인 치료가 필요하다.

- 이미 관절파괴나 건 손상이 진행된 상태에서는 관절에 대한 다양한 구제수술과 힘줄이식술로 손의 기능을 최대한 회복하여 일상생활 복귀에 도움을 줄 수 있다. 또한 손목관절의 기능은 어디까지나 손의 기능을 최대한 발휘하도록 도와주는 것이므로, 손목관절 유합으로 손목관절이 움직이지 않더라도 통증이 없으면 손-손가락의 기능이 최대한 발휘될 수 있다.

## 수술의 적응증 및 금기증

손목관절은 크게 중수근관절(손목뼈중간관절, midcarpal joint)과 요수근관절(radiocarpal joint), 원위요척관절(distal radio-ulnar joint)로 이루어져 있다(그림 140-1). 이들의 수술적인 치료는 예방적 수술과 재건술, 구제수술로 나뉜다. 예방적 수술에는 활막절제술, 손목관절 신근건(extensor tendon)의 균형수술(bal-ancing operation), 힘줄활막절제술(tenosynovectomy) 등이 있고, 재건술에는 신근건 이식술, 척골수근인대(ulnocarpal ligament)의 재건술 등이 있으며, 구제수술에는 원위 척골 절제술(distal ulnar resection), Sauvè-Kapandji 수술, 부분손목관절유합술, 전손목관절유합술, 요수근관절 관절성형술 등이 있다.

### 1) 적응증

활막절제술의 적응증은 수개월간 약물 등의 보존적 치료에 반응하지 않는 활막의 증식과 통증, 부종 등이 해당되며, 급성활동활막염은 빠른 속도로 관절을 파괴하기 때문에 보다 조기에 활막절제술을 시행할 수도 있다. 활막절제술은 비교적 간단한 수술이지만 관절연골의 손상 등 관절의 파괴를 매우 효과적으로 지연 혹은 예방할 수 있다. 또한 이미 진행된 관절염에서도 활막절제술은 통증 완화에 도움이 되며, 손목관절 구제수술의 대체수술로 사용되기도 한다.

요수근관절 유합술 혹은 관절치환술은 변형과 불안정성으로 인한 기능 장애가 있거나, 보존적인 치료에 반응하지 않는 지속적인 통증, 방사선 사진상 지속적인 관절파괴가 진행되는 경우에 적응이 된다.

### 2) 금기증

환자의 전신 상태가 불량하거나 수술 후 재활 치료에 비협조적인 경우 수술의 결과가 좋지 않을 수 있다.

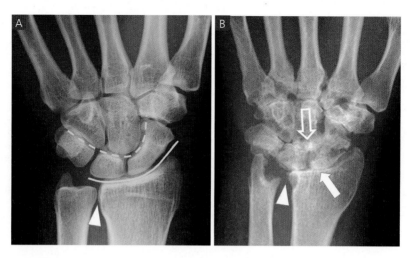

그림 140-1. **정상 손목관절(A)과 류마티스관절염이 진행된 손목관절(B)의 단순 방사선 사진 (A)** 요수근관절(실선)과 중수근관절(파선), 그리고 원위요척관절(화살표 머리)의 관절 간격과 수근골(손목뼈, carpal bone) 배열이 정상이다. **(B)** 요수근관절(화살표)과 중수근관절(빈 화살표)의 관절연골 및 골파괴가 진행되어 있으며, 관절 간격이 소실되었다. 원위요척관절(화살표 머리)은 과도한 관절연골 및 골흡수가 진행되어 관절 간격이 넓어져 있다.

## 수술법 및 병리학적 소견

### 1) 활막절제술

진행된 관절의 파괴가 없이 활막의 증식만으로 수술을 실시할 때에는 관절경을 이용한 활막절제술이 많이 이용되고 있으며, 요수근관절, 중수근관절, 그리고 원위요척관절 등을 수술할 수 있다.

### 2) 손목관절 주위 신근건 및 굴근건 힘줄활막절제술, 힘줄 봉합 혹은 이식술

힘줄의 병변 혹은 파열에 대한 수술은 개방적 수술이 적용되며, 신근건의 파열 혹은 힘줄활막염은 후방도달법을, 굴근건의 힘줄활막절제술은 전방도달법을 사용한다. 척골두증후군(caput ulnae syndrome)으로 신근건의 파열이 있고 부분적인 힘줄 손실이 있어 일차 봉합이 되지 않으면 남아있는 건강한 신근건을 이용한 힘줄전이술(tendon transfer) 혹은 장수장건(palmaris longus

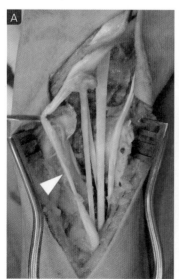
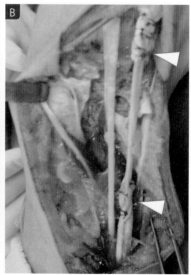

그림 140-2. **60세 여자, 류마티스관절염 환자의 우측 손목관절 수술 사진 (A)** 파열된 제5 손가락 신근건이 늘어져 있다(화살표 머리). **(B)** 파열된 제4,5 신근건을 장수장건으로 이식하여 연결하였다(화살표 머리).

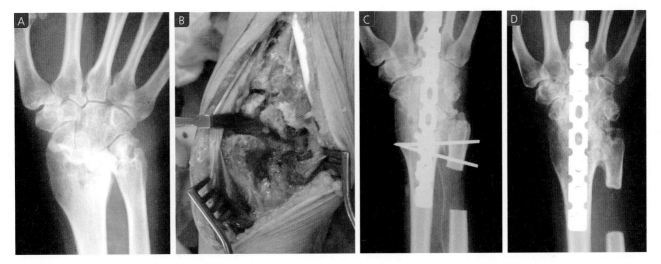

그림 140-3. **진행된 류마티스관절염의 관절유합술 및 Sauvè-Kapandji 수술 (A)** 요수근관절과 중수근관절, 원위요척관절이 파괴되어 있다. **(B)** 관절파괴가 진행된 부분을 완전하게 변연절제(debridement)한 후의 수술 소견. **(C)** 전손목관절과 원위요척관절 유합술 후 원위 척골 일부를 절제하여 전완부 회전을 보존하였다. **(D)** 관절 유합된 상태

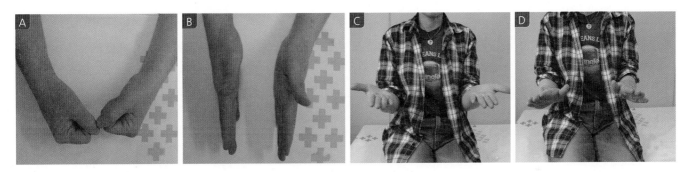

그림 140-4. **46세 여자의 양측 손목관절 유합술 후 (A), (B)** 손목관절이 유합되어 굴곡-신전은 되지 않으나 손의 기능은 정상으로 유지된다. **(C), (D)** Sauvè-Kapandji 술식으로 전완부 회전 운동범위가 정상으로 유지되어 손의 사용에 거의 불편이 없다.

tendon)을 이용한 힘줄이식술(tendon graft)을 시행한다(그림 140-2).

### 3) 관절유합술

요수근관절 혹은 중수근관절의 파괴로 이미 관절의 회복이 불가능한 경우 관절연골을 제거하고 연골밑뼈(subchondral bone)를 노출시킨 후 골이식으로 골 결손 부위를 채워주며, 금속 강선 혹은 금속판-나사로 고정한다(그림 140-3). 중수근관절의 파괴가 많이 진행되지 않았으면 요수근관절은 유합하고 중수근관절은 활막제거술만 실시하여 부분적인 손목관절의 운동범위를 보존하기도 한다.

### 4) 척골두절제 및 원위요척관절 재건술

단순한 척골두절제는 척수근관절의 소실로 수근골 및 손의 척측전위(ulnar translation)를 유발하므로 현재는 많이 사용하지 않는다. Sauvè-Kapandji 술식은 척골두를 원위요골의 S-절흔에 유합하고, 원위척골 중 척골두보다 근위 일부를 잘라내어 전완부의 회내전과 회외전을 유지하면서 척수근관절이 보존되어, 수근골의 척측전위를 방지하고 손목의 모양을 유지하므로 최근 많이 이용된다(그림 140-3, 그림 140-4).

### 5) 관절성형술

손목관절의 인공관절치환술은 유합술보다 수부 기능 회복의 차이가 크지 않으며, 인공관절에 의한 후유증이 타 관절의 인공

관절치환술보다 많이 발생하여 손목관절의 운동범위 보존이 조금이라도 필요한 경우 이외에는 선호되지 않는다. 중수근관절의 관절염이 심하지 않고 기능이 남아 있는 경우 근위수근열(proximal carpal row, proximal carpal bones) 절제술을 시행하고 원위수근열(distal carpal row, distal carpal bones)과 요골이 관절을 형성하게 하여 손목관절 운동범위를 보존하는 방법도 사용되고 있다(근위수근열절제 관절성형술).

## 예후

### 1) 활막염의 재발

수술 후 약 6개월 이상 증상의 호전이 지속되면 효과적인 수술로 판단한다.

### 2) 관절운동범위 감소

활막절제술 후 관절운동범위의 감소가 있을 수 있으나 관절 주위의 염증 및 부종이 감소하여 관절이 안정된 것으로 진정한 후유증은 아니다.

## 참고문헌

1. Anderson MC, Adams BD. Total wrist arthroplasty: Hand Clinic 2005;21:621-30.
2. Feldon P, Terrono AL, Nalebuff EA, Millender LH. Rheumatoid arthritis and other connective diseases. In: Wolfe SW, ed. Green's Operative Hand Surgery. 7th ed. Philadelphia: Elsevier; 2017. pp. 1857-68.
3. Flatt AE, ed. The Care of the Arthritic Hand. 5th ed. St Louis: Quality Medical Publishing Inc; 1995. pp. 166-88.
4. Hayden RJ, Jebson PJL. Wrist arthrodesis: Hand Clinic 2005;21:631-40.
5. Herren DB, Ishikawa H. Partial arthrodesis for the rheumatoid wrist: Hand Clinic 2005;21:545-52.
6. Macnab I and Little C. Principles of upper limb surgery. In: Watts RA, Conaghan PG, Denton C, Foster H, Isaacs J, and Müller-Ladner U, ed. Oxford Textbook of Rheumatology. 4th ed. Oxford: Oxford University Press; 2013:694-5.

# 141

# 손

**한양의대 이창훈**

## KEY POINTS 🔒

- 류마티스관절염에서는 손관절 중 활막이 큰 중수지관절에서 변형이 크게 발생하며 상대적으로 원위지관절의 변형은 적은 편이다.
- 중수지관절에서 변형이 있는 경우 인공관절치환술이나 힘줄인대 이전을 포함한 관절성형술을 고려할 수 있고, 엄지의 경우 중수지 관절고정술의 결과가 가장 좋다.
- 손가락에서 백조목변형과 단추구멍변형이 발생하면 그 진행 정도에 따라 부목을 이용한 스트레칭부터 수술까지 시행할 수 있다.
- 근위지관절에서 관절성형술은 통증 감소 및 기능 개선에는 효과적이지만 장기 추시 결과는 좋지 못한 것이 단점이다.

## 서론

류마티스관절염에 대한 약물치료가 발전함에 따라 류마티스관절염의 진행은 이전과 비교하여 그 정도가 약해졌으나 90%의 환자에서 손관절을 침범하고, 여전히 약물치료에 반응하지 않는 손의 통증과 변형을 호소하는 경우가 있어 수술적 치료에 대한 이해가 필요하다. 류마티스관절염 환자들은 질병의 만성적인 경과로 인해 심한 변형에도 적응하여 기능을 유지하는 경우가 빈번하다. 따라서 손의 수술적 치료는 약물치료에 반응하지 않는 통증이 있거나 기능 저하를 동반한 변형이 있을 때 시행한다.

손의 통증은 주로 관절내 활막염에 의해 발생하고, 드물게 관절 주변의 연부조직 부종이나 수지 굴근건(굽힘힘줄, flexor tendon)

의 힘줄윤활막염에 의해 발생하기도 한다. 손의 활막염의 치료에 있어서 한두 개의 관절만 침범하며, 약물치료에도 부기가 지속되는 경우 관절내 글루코코티코이드 주사가 효과적이다. 글루코코티코이드 주사에도 1개월 미만에서 재발되거나 호전이 현저하지 않은 경우 활막절제술(synovectomy)의 적응증이 될 수 있다.

많은 환자들은 수술을 통해 미용적 및 기능적인 면에서 호전을 기대하며, 활막절제술 외에 관절성형술(arthroplasty)과 인대재건술(ligament reconstruction)에 대해서도 궁금해한다. 그러나 이러한 수술들은 류마티스관절염의 진행 정도가 환자마다 다르기 때문에 그 결과를 예측하기 어려우며, 변형이 고정되고 심할수록 복잡한 수술 방법을 요구하기 때문에 일정한 결과를 기대하기 어렵다. 따라서 변형의 정도와 관계없이 손의 기능 저하가 발생하면 조기에 수술적 치료의 필요성에 대한 협진이 중요하다.

수지의 변형은 중수지관절에서는 수장측 아탈구(volar subluxation)와 척측 변위(ulnar deviation)가, 근위 및 원위지관절에서는 단추구멍변형(buttonhole deformity)이나 백조목변형(swan neck deformity)이 대표적이다. 변형이 진행되면 수술적 치료에도 만족스러운 결과를 얻기가 쉽지 않으므로 변형의 초기에 변형을 예방하는 것이 필요하지만, 그 예방 방법 또한 명확히 정립되어 있지 않다. 진행된 변형에 사용되는 수술방법은 변형의 양상에 따라 환자 개인별 맞춤형으로 시행해야 하므로 수술 후 만족스러운 결과를 얻으려면 변형의 진행과정과 원인을 이해하는 것이 중요하다.

## 중수지관절

중수지관절에서 변형이 발생하면 원위 및 근위지관절 기능에도 영향을 끼쳐 손가락 전체의 기능이 소실되므로 손가락에서 가장 중요한 관절이라고 할 수 있다. 중수지관절에서 류마티스관절염이 진행하면 다른 관절과 마찬가지로 활막염과 활막의 비후로 관절의 측부인대(곁인대, collageral ligament)와 수장판(volar plate)이 이완되고 관절이 수장측으로 아탈구되거나 심하면 탈구가 발생하여 수지의 척측 변위가 나타나는 것이 전형적인 변형이다. 척측 변위를 일으키는 기전은 요수근관절(radiocarpal joint), 원위요척관절(distal radioulnar joint)에서 활막 비후로 관절낭(joint capsule)의 이완이 발생하여 손목관절이 요측 변위(radial deviation)를 일으키고, 중수지관절의 신근건(폄건, extensor tendon)들이 척측으로 아탈구되며, 척측의 내재근(intrinsic muscle)들이 구축되고, 이에 따라 굴근건들도 척측으로 변위되면서 관절에 더욱 변형을 가중시키는 것으로 설명하고 있다.

중수지관절의 아탈구, 척측 변위, 악력 감소, 진행된 방사선 소견이 있음에도 통증이 없고, 손의 기능이 유지되고 있다면 수술적 치료보다 야간 부목(night splint)이 더 효과적이며 3-4개월마다 추시 관찰하는 것이 중요하다. 중수지관절의 수술적 치료는 크게 4가지로서 활막절제술, 연부조직의 재정렬(realignment of soft tissue), 관절성형술, 관절고정술이 있다. 다른 관절과 마찬가지로 활막절제술은 변형이 아직 나타나지 않은 질환의 초기에 통증과 부기를 호전시키는 데 유용하지만, 류마티스관절염이 조절되지 않으면 재발할 수 있고, 활막절제술이 병의 진행을 지연시킨다는 근거는 없다. 중수지관절에서 손가락의 척측 변위가 동반된 경우 활막절제술과 함께 연부조직의 재정렬을 시행할 수 있다. 그러나 연부조직의 재정렬이 인공삽입물관절성형술(implant arthroplasty)과 비교하여 장기 추시에서 우월하다는 보고가 없고, 손가락의의 척측 변위가 재발할 수 있으므로 최근에는 널리 시행되지 않는다. 관절성형술은 silicone 삽입물이 여전히 선호되고 있고, silicone 관절성형술을 통해 중수지관절의 아탈구와 탈구를 교정할 수 있지만, 수지의 척측 변위는 역시 재발하므로 이에 대해서는 환자에게 충분한 설명이 필요하다. 다른 수지와는 달리 엄지의 중수지관절에서 변형이 있는 경우 관절고정술은 통증 감소, 기능 호전, 미용 효과, 장기 추시 결과, 합병증 발생 위험도 모두에서 결과가 좋은 것으로 알려져 있어 류마티스관절염에 대한 수술 중 가장 추천되는 수술이고, 관절파괴가 있다면 수술을 빨리 시행하는 것이 좋다.

## 수지 변형

수지의 근위 및 원위지관절에서도 활막의 비후에 의해 관절 측부인대, 관절낭, 수장판의 이완과 함께 관절면의 파괴와 골미란, 관절을 움직이는 내재근과 외재근(extrinsic muscle)의 힘의 불균형으로 인해 변형이 발생하며, 대표적인 변형은 백조목변형과 단추구멍변형이다. 백조목변형은 일반적으로 내재근의 구축과 관련되어 있으며 단추구멍변형보다 두 배 정도 빈도가 높게 나타난다.

백조목변형은 근위지관절이 과신전되고 중수지관절과 원위지관절이 굴곡되는 형태로 세 관절 모두 변형의 원인이 되는데, 원인과는 상관없이 근위지관절에서 수장판의 감쇠(attenuation)와 원위지에서 종말건(terminal tendon)의 파열 또는 연장(elongation)이라는 공통적인 형태로 나타난다. 원위지관절에서 추지변형(mallet deformity)에 의한 굴곡, 근위지관절의 수장판파열이나 이완에 의한 과신전, 중수지관절에서 탈구와 내재근의 구축에 의한 근위지관절의 과신전에 의해 백조목 변형이 발생할 수 있다. 따라서 변형의 기원이 되는 관절에 대해 수술적 치료를 시행하는 것이 원칙이다.

단추구멍변형은 근위지관절이 굴곡되고 원위지관절이 과신전되는 변형으로 만성화되면 중수지관절은 과신전을 나타낸다. 백조목변형은 수지의 어느 관절에서도 기원할 수 있는 데 비해 단추구멍변형은 대부분 근위지관절에서 활막 비후에 의한 근위지관절의 신전운동 소실로 변형이 발생하며, 측부대(lateral band)는 수장측으로 이동하여 고정되고 경사지지띠인대(oblique retinacular ligament)는 수축하여 원위지관절이 과신전되고 굴곡운동이 제한된다. 근위지관절의 굴곡 정도가 증가하면 중수지관절의 과신전으로 보상하려는 움직임이 나타난다. 단추구멍 변형에 대한 연부 조직 수술은 만족스럽지 못한 결과를 종종 보이므로 기능적인 문제가 없다면 보존적 치료를 우선하는 것을 추천한다.

근위지관절의 파괴를 동반하는 경우 인공관절치환술을 시행할 수 있다. 뼈의 상태가 양호하고, 변형이 경미하고, 류마티스관절염이 안정화되어 있다면 표면 대체(surface replacement)를 고려할 수 있지만, silicone 인공관절치환술이 여전히 기본 수술 치료이다. 근위지관절의 인공관절치환술은 통증 감소와 기능 호전을 얻을 수 있지만 장기 추시 결과가 아직 우수하지 못한 상태이다.

## 엄지 변형

엄지의 기능은 손 전체의 기능에 약 50%를 차지하기 때문에 엄지의 변형은 손의 기능 저하에 중대한 영향을 준다. 엄지의 변형은 엄지의 관절의 운동 가능, 고정 그리고 관절파괴 여부에 따라 그 형태를 6가지로 분류한다. 그 중 제1형은 단추구멍변형이고 류마티스 엄지에서 가장 흔한 형태로 중수지관절이 굴곡되고 지간관절이 과신전되는 변형이다. 이는 중수지관절의 활막염

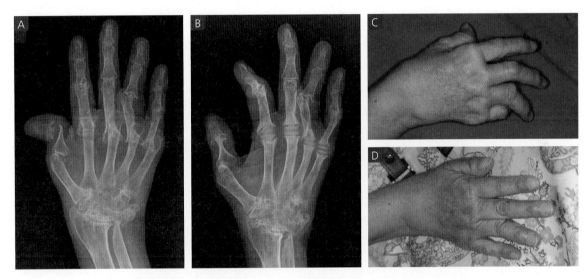

그림 141-1. **(A)** 52세 여자환자로 중수지관절의 수장측 탈구가 보이는 수술 전 방사선사진. **(B)** 엄지의 지간관절은 관절고정술을 시행하였고, 중수지관절의 탈구를 정복하고 silicone 인공관절을 삽입하였다. **(C)** 수술 전 우측 손의 모습으로 수지의 변형이 심한 상태이다. **(D)** 수술 후 5년 경과한 상태로 우측 손의 기능과 미용적인 측면에서 결과가 우수하게 유지되고 있다.

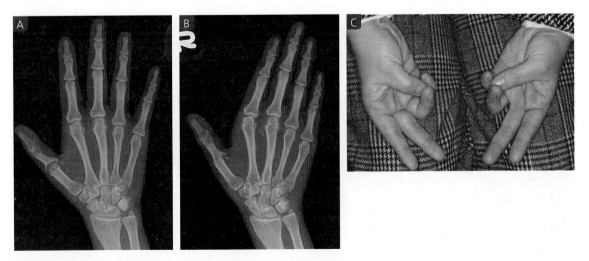

그림 141-2. **(A)** 30세 여자 환자로 부기와 통증을 호소하였고, 수술 전 방사선 사진에서 우측 엄지 중수지관절의 골미란 및 관절파괴가 관찰된다. **(B)** 중수지관절의 관절고정술을 시행한 후 관절 유합이 이루어진 상태이다. **(C)** 중수지관절의 관절고정 후에도 지간관절과 수근중수관절의 보상으로 인해 엄지 기능이 보존된다.

에서 시작되는데 활막염에 의해 관절 배측의 신전기전(extensor hood), 배측 관절낭, 단무지신근(짧은엄지폄근, extensor pollicis brevis, EPB)이 팽창되어 늘어난다. 활막염이 감소되면 신전 지연이 발생하면서 중수지관절은 굴곡되고, 장무지신근(긴엄지폄근, extensor pollicis longus, EPL)은 척측으로 이동하여 중수지관절의 굴신운동 축(axis)이 수장측으로 위치하게 된다. 이로 인해 장무지신근은 중수지관절을 굴곡시키고 지간관절을 과신전시키는 힘을 발휘하게 되는데 변형은 집기(pinch)를 할 때 더욱 가중된다.

그러나 수술적 치료 시 분류보다는 변형과 방사선검사 결과에 따라 환자의 기능을 개선하는 맞춤형 방법으로 수술 방법을 선택한다.

## 손가락 힘줄윤활막염

손가락에서의 굴근건의 힘줄윤활막염은 흔하게 볼 수 있으며 방아쇠손가락(trigger finger)으로 나타나거나 파열될 수도 있다. 힘줄활막 내 글루코코티코이드 주사가 효과적이지만, 주사 후에도 호전되지 않는 경우 힘줄활막절제술을 시행한다. 건에 결절을 형성하거나 건에 활막이 침투하는 등의 심한 병변이 있는 경우 방아쇠 현상이 A1 활차의 절개만으로 해소되지 않으므로 표

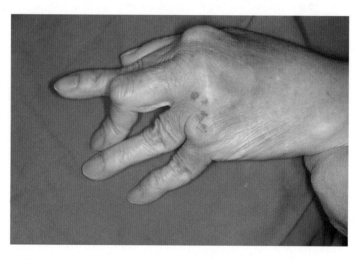

그림 141-3 한 손 안에서 중지는 단추구멍변형, 인지, 환지, 소지는 백조목변형을 나타내고 있다.

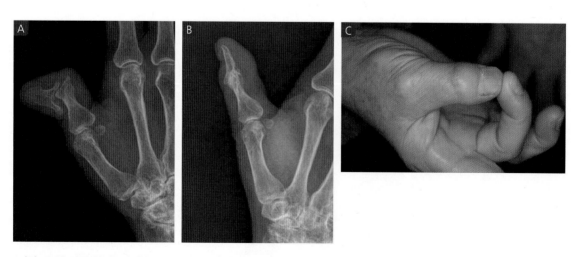

그림 141-4. (A) 68세 여자 환자로 우측 엄지의 지간관절이 탈구되어 원위지가 요측으로 변위되어 있다. 환자는 엄지의 변형으로 인해 집기 동작을 할 수 없는 불편함을 호소하였다. (B) 지간관절 고정술 후 변형이 교정된 것을 확인할 수 있다. (C) 엄지 지간관절 고정술 후 집기 동작에서 엄지 끝을 사용함으로써 정밀한 동작을 할 수 있다.

그림 141-5. 인지의 굴근건막(flexor tendon sheath) 안에 활막염으로 인한 활막의 비후로 건초가 돌출되어 있다.

재지굴근(얕은손가락굽힘근, flexor digitorum superficialis)이 둘로 갈라져 있는 부착부(insertion site)에서 척측의 건을 A1 활차의 근위부까지 절제하여 제거하기도 한다.

참고문헌

1. 이창훈, 이광현. 류마티스 관절염에서 손과 손목에 대한 수술적 치료. 대한정형외과학회지 2020;55:472-86.

2. Anderson RJ. Controversy in the surgical treatment of the rheumatoid hand. Hand Clin 2011;27:21-5.

3. Blazar PE, Gancarczyk SM, Simmons BP. Rheumatoid Hand and Wrist Surgery: Soft Tissue Principles and Management of Digital Pathology. J Am Acad Orthop Surg 2019;27:785-93.

4. Herren DB. 20 years of rheumatoid hand surgery: what did I learn? J Hand Surg Eur Vol 2018;43:237-49.

5. Kozlow JH, Chung KC. Current concepts in the surgical management of rheumatoid and osteoarthritic hands and wrists. Hand Clin 2011;27:31-41.

6. Sebastin SJ, Chung KC. Reconstruction of digital deformities in rheumatoid arthritis. Hand Clin 2011;27:87-104.

# 142

## 목뼈

연세의대 **석경수**

- 류마티스관절염에서 경추 병변은 고리중쇠아탈구, 기저부 감입, 고리중쇠박힘, 축하아탈구, 치돌기후방 가성 종양이 있다.
- 수술적 치료의 적응증은 신경학적 결손, 불안정성, 통증이다.

## 개요

류마티스관절염 환자의 40-88%에서 경부 통증이 보고되었고, 7-58%에서는 신경증상을 가진다. 축성 경부통은 일반적으로 후두부에 호발하고, 두통과 연관될 수 있다. 척수증의 증상은 조기 위약감과 자주 넘어지는 증상과 어둔함(clumsiness)을 동반하는 보행 장애를 보인다. 손 기능의 장애가 흔히 나타나며 동전구별, 단추 끼우기, 젓가락 사용의 어려움, 글씨 쓰기의 어려움을 호소하는 협조 운동장애(coordination disturbances)를 동반한다. 감각이상과 배뇨, 배변장애는 후기에 나타나는 척수증의 증상이다. 고리중쇠불안정성(atlantoaxial instability) 환자에서는 척추동맥의 꼬임으로 인한 척추 기저동맥 관류 부전으로 현기증, 이명, 시각장애를 일으켜 평형감각의 이상을 일으킨다. 류마티스관절염이 있는 환자에서 신경학적 평가에는 어려움이 있다. 이는 건파열, 심한 관절장애, 이전 수술 기왕력 등으로 신경근과 척수병증의 증상을 말초 질환 침범과 구분하기 어렵기 때문이다. 척수

증과 일치하는 소견이 있을 시 추가적인 검사로 자기공명영상(MRI) 검사를 시행해야 한다.

## 류마티스관절염에서의 경추 병변

경추 병변 발생의 위험 인자로는 노인, 활성화된 활막염, C반응단백질(C-reactive protein, CRP) 상승, 빠르게 진행하는 부식성 말초관절질환, 조기 관절 아탈구가 있다. 고리중쇠불안정성이 가장 흔하며 19-70%의 환자에서 발생하고(그림 142-1, 2) 기저부 감입(basilar impression)은 약 38%에서 발생하며(그림 142-3, 4, 5), 제2경추 이하 부위인 축하아탈구(subaxial subluxation)는 7-29%에서 발생한다(그림 142-6, 7). 또한 고리중쇠불안정성이 있는 경우 드물지 않게 치돌기후방 거짓종양(retro-odontoid pseudotumor)이 형성되며 이러한 거짓종양은 활막의 증식과 활액으로 구성되어 치돌기 후방, 즉, 척수의 전방에서 척수를 압박하게 된다(그림 142-8). 치돌기후방 거짓종양은 낭종의 형태, 연부 조직의 형태, 또는 두 가지가 혼합된 형태로 이루어질 수 있다. 치돌기후방 거짓종양은 류마티스관절염 환자에서만 발견되는 것은 아니고 고리중쇠불안정성이 있는 다른 경우에도 드물지 않게 발견된다.

류마티스관절염에 동반된 경추부 불안정성으로 인해 척수증이 발병하였음에도 치료를 하지 않을 경우 사망률은 매우 높다. 실제로 수술을 거절하였던 21명의 환자가 척수증 발병 후 7년 이

내에 모두 사망하였다. 고리중쇠불안정성과 기저부 감입이 병발한 경우 급사의 발생률은 10%에 이른다.

## 수술적 치료

수술적 치료의 적응증은 신경학적 결손, 불안정성, 통증이다. 1) 고리중쇠아탈구(atlantoaxial subluxation)와 후방 환추-치돌기 간격(posterior atlantodental interval) 14 mm 이하, 2) 5 mm 이상의 기저부 감입을 동반한 고리중쇠아탈구, 3) 척추관 전후경 14 mm 이하의 축하아탈구가 있는 환자는 유합술이 권장된다(그림 142-1, 2, 3, 4, 5, 6, 7, 8).

Boden과 Clark은 류마티스관절염 환자의 경추 병변에 대한 치료 방법 결정을 위한 흐름도를 개발하였다(그림 142-9). 통증은 대부분의 환자에서 수술 후 감소한다. Peppelman 등은 고리중쇠아탈구 환자의 95%, 고리중쇠아탈구와 기저부 감입이 동반된 환자 76%, 축하아탈구 환자의 94%에서 신경기능의 개선을 보고하였다. 수술 전 신경결손의 심한 정도 또한 결과에 영향을 미친다.

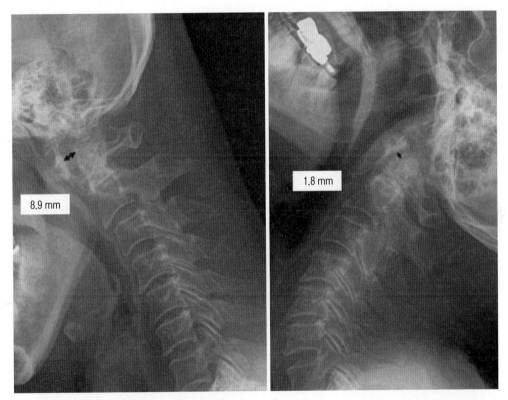

8.9 mm

1.8 mm

그림 142-1. **고리중쇠아탈구** 굴곡시 환추(고리뼈, atlas)의 전방전위가 관찰되며 전방 환추-치돌기 간격이 8.9 mm로 증가되어 있다. 전방 환추-치돌기 간격이 5 mm 이상으로 증가된 경우 수술적 치료를 권장한다.

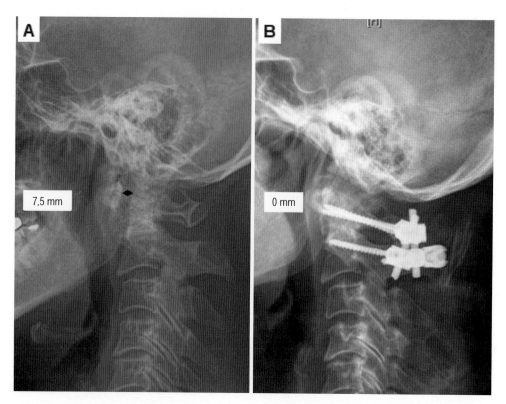

그림 142-2. **고리중쇠아탈구 후방기기고정술 및 유합술** 고리중쇠아탈구가 정복되어 전방 환추-치돌기 간격이 정상화되었다. **(A)** 수술 전, **(B)** 수술 후

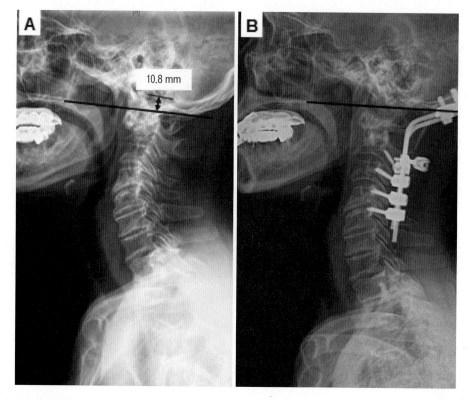

그림 142-3. **기저부 감입 수술전후 방사선검사소견** 경구개와 후두골의 외측 피질골을 연결하는 선인 맥그리거 선보다 치돌기가 상방으로 10.8 mm 전위되어 있다. 술후 치돌기의 상방전위는 정복되어 정상소견을 보인다. 맥그리거 선보다 치돌기가 상방으로 4.5 mm 이상 전위된 경우 수술적 치료를 권장한다. **(A)** 수술 전, **(B)** 수술 후

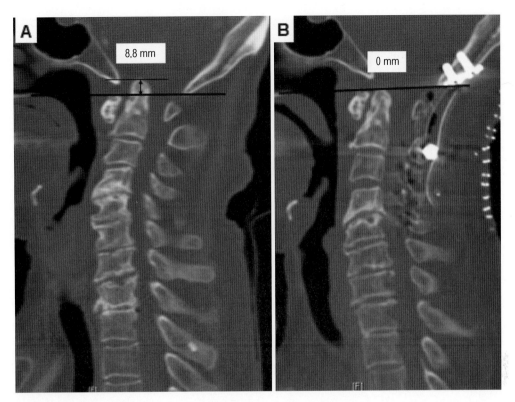

그림 142-4. **기저부감입 수술 전후 CT 소견** 수술 전 치돌기의 상방전위로 치돌기가 대후두공 상방에 위치한다. 수술 후 치돌기의 상방 전위가 정복되어 치돌기가 대후두공의 하방에 위치한다. **(A)** 수술 전, **(B)** 수술 후

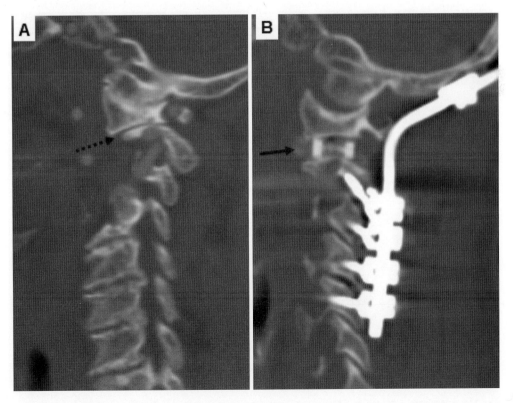

그림 142-5. **기저부감입 수술전후 CT 소견** 수술 전 고리중쇠 관절간격이 감소되어 있었으나(점선 화살표) 수술 후 고리중쇠 관절내 골 이식술로 관절간격이 증가하였다. 고리중쇠 관절간격의 증가로 상방 전위된 치돌기의 정복을 얻을 수 있었다. **(A)** 수술 전, **(B)** 수술 후

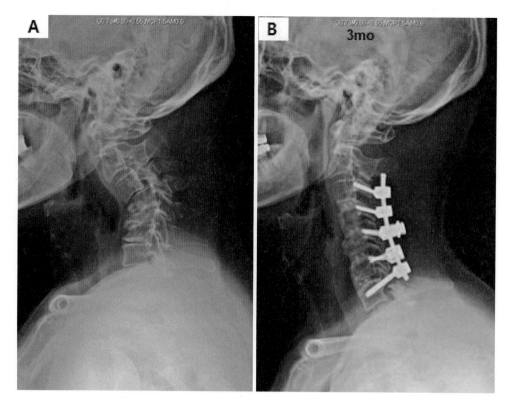

그림 142-6. **축하아탈구 수술전후 방사선검사소견** 성인형스틸병에서 발생한 축하아탈구로 인한 후만변형이 있던 환자에서 제3-7경추 간 전후방 유합술을 시행하여 정상적인 전만각을 얻을 수 있었다. **(A)** 수술 전, **(B)** 수술 후

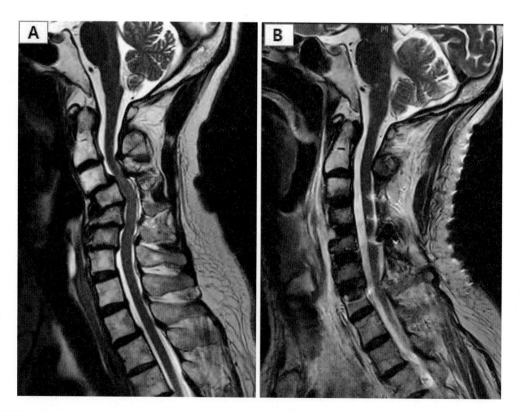

그림 142-7. **축하아탈구 수술전후 MRI 소견** 성인형스틸병에서 발생한 축하아탈구로 인한 후만변형이 있던 환자에서 제3-7경추 간 전후방 유합술을 시행하여 정상적인 전만각을 얻을 수 있었으며 척수의 감압을 얻을 수 있었다. **(A)** 수술 전, **(B)** 수술 후

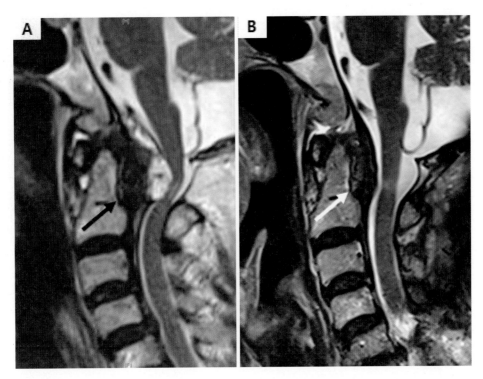

그림 142-8. **치돌기후방 거짓종양 수술 전 및 수술 후 6개월 MRI 소견** 치돌기후방 거짓종양으로 인한 심한 척수 압박소견이 있던 환자에서 제1-2경추 간 유합술 시행후 6개월에 거짓종양의 크기가 감소하며 척수압박 소견이 호전되었다. **(A)** 수술 전, **(B)** 수술 후

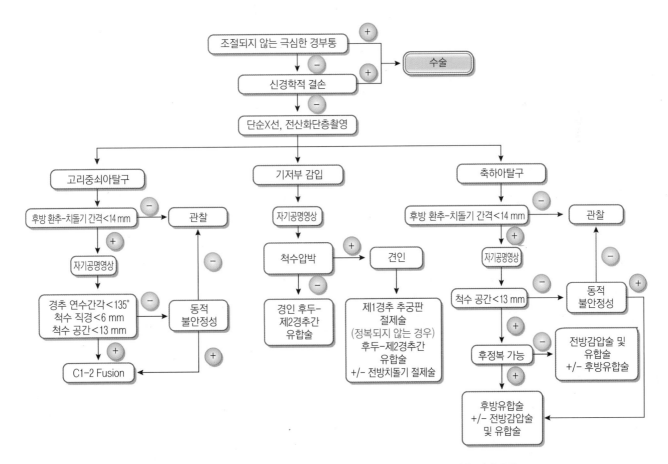

그림 142-9. 류마티스관절염 환자의 경추 병변에 대한 치료 방법 결정을 위한 흐름도

## 참고문헌

1. Casey AT, Crockard HA. Pringle J, O'Brien MF, Stevens JMl. Rheumatoid arthritis of the cervical spine: contemporary techniques for management. Orthop Clin North Am 2002;33:291-309.

2. Cha CW, Boden SD, Clark CR. Rheumatoid arthritis of the cervical spine. In: Clark CR, ed. The cervical spine. 4th ed. Philadelphia: Lippincott-Williams &Wilkins; 2005. p. 910.

3. Fujiwara K, Owaki H, Fujimoto M, Yonenobu K, Ochi T. A long term follow up study of cervical lesion in rheumatoid arthritis. J Spinal Disord 2000;13:519-26.

4. Paus AC, Steen H, Roislien J, Mowinckel P, Teigland J. High mortality rate in rheumatoid arthritis with subluxation of the cervical spine: a cohort study of operated and nonoperated patients. Spine 2000;33:2278-83.

5. Ronkainen A, Niskanen M, Auvinen A, Aalto J, Louosujarvi R. Cervical spine surgery in patients with rheumatoid arthritis: long term mortality and its determinants. J Rheumatol 2006;33:517-22.

6. Wollowick AL, Casden Am, Kuflik PL, Neuwrith MJ. Rheumatoid arthritis in the cervical spine: what you need to know. Am J Orthop 2007;36:400-6.

7. Yurube T, Sumi M, Nishida K, Takabatake M, Kohyama K, Matsubara T, et al. Progression of cervical spine instabilities in rheumatoid arthritis: a prospective cohort study of outpatients over 5 years. Spine 2011;36:647-53.

# 143

# 등뼈와 허리엉치뼈

한양의대 **박예수**

## KEY POINTS 🔒

- 류마티스 질환에서 등뼈와 허리엉치뼈의 침범은 드물게 발생하며, 침범을 하는 경우 척추 후관절의 이상, 추간판 간격의 감소, 추체 연골단판의 경화, 미란 등의 변화를 확인할 수 있다.
- 류마티스 질환의 요통은 그 빈도가 드물고, 특정 부위의 통증보다는 미만성 양상을 보이는 특성을 가지고 있다.
- 류마티스 질환에서 치료 약제의 사용으로 인해 골다공증이 악화될 수 있으며, 이로 인해 가벼운 외상에도 골절이 발생 가능하다.
- 강직척추염 환자에서는 후만변형이 발생하여 일상생활이 어려울 경우 교정술을 시행하며, Andersson 병변이 확인되는 경우 보다 적극적인 치료가 요구된다.
- 강직척추염은 전신질환으로 후만증의 교정을 위한 수술적 치료 후에도 수술 부위의 이상소견 없이 수술 상부에서 후만재발이 발생할 수 있으므로 정기적인 추시가 필수적이다.

## 수술 적응증과 치료의 일반원칙

### 1) 수술 적응증

#### (1) 강직척추염의 수술 적응증

① 후만변형(kyphosis)이 심하여 정상적인 일상생활이 어려운 경우

② 척추골절을 동반한 경우

③ 척추에 가관절(pseudoarthrosis, Andersson 병변)이 발생하여 지속적인 통증, 신경학적 이상을 초래할 경우

④ 엉덩관절 및 어깨관절 등의 강직으로 일상생활에 지장을 초래할 경우

⑤ 후만변형이 심해서 과도한 정신적인 문제가 있을 경우

#### (2) 미만특발뼈형성과다증의 수술 적응증

미만특발뼈형성과다증(diffuse idiopathic skeletal hyperostosis, DISH)에 의해 발생한 골과골(hyperostosis)로 인해 척수압박 증세를 나타내는 경우

### 2) 일반적 치료원칙

수술적 치료가 필요한 질환의 일반적인 치료원칙은 환자의 증상 및 신체검사소견, 단순 방사선 소견, 자기공명영상 소견을 기초로 치료가 결정되어야 한다는 것이다.

강직척추염 환자들의 경우 골다공증이 잘 동반되며, 강직이 진행하는 경우 척수경막(dura mater)이 추궁판(lamina)과 유착되어 있는 경우가 많고, 황색인대(ligamentum flavum)의 비후가 동반되어 척수의 압박이 동반되는 경우도 많아 수술 시 난감한 상황이 발생할 수 있으므로, 이에 대한 적절한 대처를 위해 술전 정밀검사가 요구된다.

# 수술법

## 1) 강직척추염

과도한 기형을 교정하기 위해서는 절골술을 시행한다. 절골술에는 Smith-Peterson 절골술(Smith-Petherson osteotomy, SPO)(그림 143-1), 척추경쐐기형절골술(pedicle subtraction osteotomy, PSO)(그림 143-2)을 주로 사용하며, 드물게 전척추절골술(vertebral column resection, VCR)을 시행하기도 한다. 절골술 시행 전에는 환자의 기형의 정도를 파악하고 이의 교정 정도를 결정하기 위해 전 척추 전후면, 측면 사진을 촬영하여 시상면과 관상면에서의 대상실조(decompensation) 상태를 확인하여야 한다. 대부분의 경우 등뼈에서는 SPO를, 허리엉치뼈에서는 PSO를 시행하는 것이 바람직하다고 알려져 있다(그림 143-3).

저자의 경우 컴퓨터 시뮬레이션을 이용하여 술전 가상 교정을 시도하여 교정술 후 환자들의 수술 만족도를 높이고 있다.

## 2) 미만특발뼈형성과다증

골과골에 의해 압박된 척수 부위를 감압함으로써 증상의 호전을 보인다.

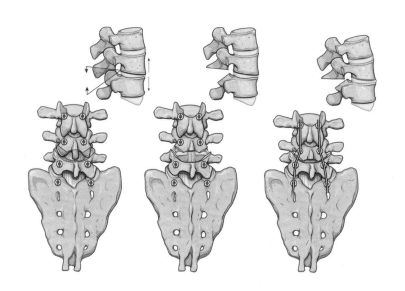

그림 143-1. Smith-Peterson 절골술의 모식도와 수술 사진

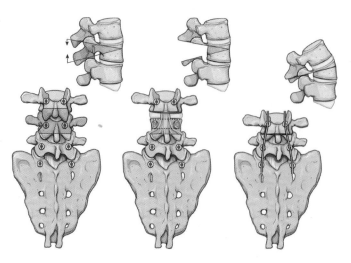

그림 143-2. 척추경쐐기형절골술의 모식도와 수술 전후 사진

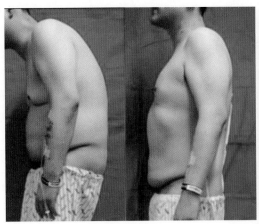
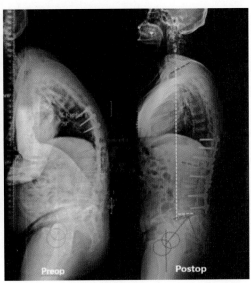

그림 143-3. 강직척추염 환자의 수술 전후 사진(실물 및 방사선 사진)

## 수술 후 예후

절골술로 교정을 시행하는 경우, 피질골에 비해 해면골은 상당히 골다공증 상태가 심한 경우가 많아 절골술은 쉽게 시행할 수 있지만 술후 골유합이나 수술부위 교정의 유지가 어려운 경우가 있기 때문에 환자의 회복에 주의를 기울여야 한다. 최근에는 이러한 수술 시의 가장 위험한 부작용인 신경 마비의 빈도를 줄이기 위해 수술 중 실시간 신경 마비를 감시하는 신경 감시 장치를 사용하여 그 빈도를 현저히 줄이고 있으며, 최근에는 수술 전 컴퓨터 시뮬레이션을 이용하여 환자의 기형 교정전후를 보여주어 환자의 만족도를 높이고 있다. 수술 후에 수술부위는 잘 유지하고 있지만 수술을 시행하지 않은 상부에서 후만재발(re-stooping) 현상이 발생하여 후만증이 재발하는 경우가 있으며, 이를 방지하기 위해서 환자는 수술 후에도 자세 유지에 주의를 기울여야 하며, 수술의사에게 정기적인 추시를 받는 것이 중요하다.

### 참고문헌

1. Anderson DG, Vaccaro AR. Decision making in spinal care. New York: Thieme medical publishers; 2007.

2. Bridwell KH. Decision making regarding Smith-Petersen vs pedicle subtraction osteotomy vs vertebral column resection for spinal defor-mity. Spine (Phila Pa 1976) 2006;31: S171-S178.

3. Bridwell KH, Lewis SJ, Edwards C, et al. Complications and out-comes of pedicle subtraction osteotomies for fixed sagittal imbalance. Spine (Phila Pa 1976) 2003;28:2093-101.

4. Kim JH, Song KJ, Kim TS, et al. Effect of the corrective osteotomy in ankylosing spondylitis to quality of life. J Korean Soc Spine Surg 2011;18:13-8.

5. Lee J, Kim H, Park YS. Clinical value of visualized prediction of cor-rective osteotomy of ankylosing spondylitis. J Korean Soc Spine Surg 2015;22:43-9.

6. Park YS, Kim HS, Baek SW, et al. Preoperative computer-based sim-ulations for the correction of kyphotic deformities in ankylosing spondylitis patients. Spine L 2014;14:2420-4.

7. Park YS, Kim HS, Baek SW. Spinal osteotomy in ankylosing spondy-litis: radiological, clinical and psychological results. Spine L 2014;14:1921-7.

8. Park YS, Kim JH, Ryu JA, et al. The Andersson lesion in ankylosing spondylitis. Distinguishing between the inflammatory and traumatic subtypes. J Bone Joint Surg Br 2011;93:961-6.

9. Park YS, Lee IH, Kim MK. A Case of Myelopathy due to the Nodular Ossification of the Ligamentum Flavum of Thoracic Spine in Diffuse Idiopathic Skeletal Hyperostosis. J Korean Rheumatism Assoc 2000;7:174-8.

10. Smith-peterson MN, Larson CB, Aufranc OE. Osteotomy of the spine for correction of flexion deformitiy in rheumatoid arthritis. J Bone Joint Surg 1945;27:1-11.

# 144

# 엉덩관절

인하의대 **문경호**

## KEY POINTS 🔒

- 류마티스관절염 환자에서 수술을 고려하기 이전에 엉덩관절의 문제점이 건구축, 인대나 관절낭구축, 뼈변형 혹은 관절면의 파괴 중 어떤 문제에서 기인한 것인지를 적절한 진단 방법을 통하여 알아내야 한다.
- 엉덩관절전치환술은 류마티스관절염, 만성소아류마티스관절염, 건선관절염, 전신홍반루푸스에서 특히 양측 엉덩관절이 모두 침범되었을 때에 통증 완화 및 관절운동범위 증가를 위하여 시행하게 된다.

내과적 치료에도 불구하고 류마티스엉덩관절(고관절, hip joint)의 류마티스관절염이 진행되어 수술을 고려할 경우에는 수술전후 환자의 상태에 맞게 적절한 관절 및 근력 운동을 유지하고 적절한 내과적 치료를 병행하여야 한다. 최근 류마티스관절염 환자의 엉덩관절 침범은 발병 5년 후 28%로 보고되고 있으며, 수술 결정은 충분하고 정확한 방사선검사와 신체검사를 통하여 이루어져야 하며 관절의 침범 및 손상 정도에 따라 적절한 방법을 선택하여야 한다. 수술적 치료의 목적은 통증을 완화하고 연골이나 관절주위 연부조직의 파괴를 방지하며 관절 기능을 향상시켜 일상으로 복귀하도록 하는 데 있다. 엉덩관절은 침범이 있다고 하더라도 관절이 깊숙이 위치하고 많은 주변 조직에 둘러싸여 있기 때문에 초기에는 증상이 명확하지 않을 수 있다. 그러나 엉덩관절 이환 시 연골이 파괴되기 시작하면 다른 관절보다 진행이 빠른 것으로 알려져 있다. 일반적으로 류마티스관절염 환자 수술 시에는 다음과 같은 사항을 고려해야 한다. 1)

류마티스관절염 환자는 골관절염환자에 비하여 연령이 낮으나 골질은 불량하고 피부는 무르고 쉽게 손상되어 수술 후 상처 치유가 지연될 수 있고 감염이 발생할 위험이 높다. 2) 질병의 특성상 동반된 활막염으로 인하여 수술 중 출혈이 많고 대부분 환자에서 만성 빈혈이 동반되어 있으므로 출혈에 대한 대비가 있어야 한다. 3) 스테로이드의 사용으로 인한 쿠싱증후군(Cushing syndrome) 등에 대한 수술 전 평가가 필요하며 수술 후 발생할 수 있는 부신피질 기능부전(adrenal insufficiency)에 대하여 대비하여야 한다. 4) 면역억제제의 장기간 사용으로 상처 치유가 지연될 수 있으므로 수술 전후 적절한 약물의 조절이 필요하다. 5) 장기간 침상 안정이나 스테로이드 사용으로 골다공증이 동반되어 있는 경우가 많으므로 수술전 골밀도 검사와 이에 대한 처치가 필요하다.

수술을 고려하기 이전에 엉덩관절의 문제점이 건구축(tendon contracture), 인대(ligament)나 관절낭구축(capsular contracture), 뼈변형(bony deformity), 혹은 관절면의 파괴 중 어떤 문제에서 기인한 것인지를 적절한 진단 방법을 통하여 알아내야 한다. 환자가 고통받는 사회적 장해들에 대한 고려도 중요하다.

엉덩관절의 수술적 방법은 크게 두 가지 범주로 나눌 수 있는데, 연부조직수술법(soft tissue procedure)과 뼈와 관절수술법(bone & joint procedure)이다.

### 1) 연부조직수술법

활막절제술(synovectomy), 피막절개술(capsulotomy), 피막절제술(capsulectomy), 건 이전술(힘줄전이술, tendon transfer) 등이

있다.

활막절제술은 염증을 감소시키고, 연골파괴의 속도를 감소시킨다. 적응증은 적절한 약물치료에 반응을 보이지 않고, 지속적인 단일관절염(monoarthritis)에 효과적이며 방사선학적으로 관절연골파괴의 증거가 없거나 경미한 경우 고려될 수 있다. 최근 관절경수술의 발전으로 작은 피부 절개만으로 시행할 수 있다. 피막절개술은 관절낭을 절개하여 관절운동범위를 증가시킨다.

## 2) 뼈와 관절수술법

관절치환술(arthroplasty), 절골술(osteotomy), 관절고정술(arthrodesis), 골극절제술(excision of osteophytes), 유리체제거술(removal of loose bodies), 관절절제술(articular resection), 연골성형술(chondroplasty biologic resurfacing using autograft or allograft cartilage) 등이 있다.

엉덩관절에서 주로 시행되는 수술적 치료는 엉덩관절전치환술(total hip arthroplasty)이다. 관절고정술의 경우 과거에는 젊은 환자에서 한쪽 엉덩관절 침범 시 시행되기도 하였으나, 최근에는 엉덩관절전치환술의 결과가 양호하여 관절고정술은 잘 시행되지 않고 있다. 최근에는 엉덩관절전치환술 실패 후에 고려될 수 있는 치료 방법이다.

엉덩관절전치환술은 류마티스관절염, 만성소아류마티스관절염, 건선관절염, 전신홍반루푸스에서 특히 양측 엉덩관절이 모두 침범되었을 때에 통증 완화 및 관절운동범위 증가를 위하여 시행하게 된다. 이런 환자들은 흔하게 전신적 장애, 피부염, 혈관염, 연약한 피부, 골감소증, 근 약화 등을 갖고 있어 주의를 요한다. 추가적으로 글루코코티코이드나 다른 면역억제제를 사용하는 경우 수술중이나 수술후 감염의 위험성이 높다. 대퇴골두(넓적다리뼈머리, femur head)는 미란이나 골괴사에 의하여 부분적으로 뼈가 없을 수 있고, 비구돌출(절구돌출, acetabular protrusion)이 있을 수 있다. 류마티스관절염 환자의 마취 시 목뼈, 상지, 턱관절(temporomandibular joint)의 운동제한 등이 문제가 되며 이러한 환자에서 기관삽관을 할 경우 광섬유 술식(fiberoptic technique)이 안전하다. 류마티스관절염 환자에서 기관삽관을 계획한다면, 수술전 경추의 굴곡, 신전 방사선 사진을 촬영하여 고리중쇠아탈구(atlantoaxial subluxation)를 감별해야 한다. 추가적으로 수술전후 스테로이드 사용을 필요로 하는 경우도 있다.

수술중 다리를 다룰 때 대퇴골이나 비구에 골절이나 피부손상이 발생하지 않도록 조심하여야 한다.

엉덩관절전치환술은 비구삽입물과 대퇴삽입물을 삽입하는 두 단계로 이루어진다.

### (1) 비구삽입물

비구부 수술시 활막은 완전히 제거되어야 한다. 비구는 연하고 확공(reaming)은 잘 되나 내측벽이 쉽게 뚫릴 수 있다. 대퇴골을 전방으로 당기기 위하여 사용되는 견인기(retractor)에 의하여 비구의 앞쪽 연(margin)이나 대퇴경부에 골절을 일으키지 않게 주의하여야 한다. 비구부가 노출되면 소파기(curret)로 남아 있는 연골이나 연부조직 및 낭종을 제거한 후 확공을 하고 골결손이 있으면 동종골이나 자가골을 이식할 수 있다. 이식골을 감입한 후에는 확공기를 가볍게 역회전하여 이식골 및 비구의 표면을 다듬어 준다. 비구컵은 확공된 비구 직경보다 2 mm 정도 큰 것을 사용하며 비구컵 내에 안정성을 얻도록 하며 금속 나사못 고정을 하기도 한다. 비구돌출은 류마티스관절염에서 이차적으로 10-20%에서 발생하며, 양측성으로 발생할 수 있다. 방사선소견 상 대퇴골두가 장좌선(ilioischial line, Kohler line)을 넘어서 내측으로 이동(migration)하는 특징적인 소견을 보인다. 골반 내로 비구돌출이 있는 경우 비구입구가 좁아 대퇴골두의 탈구가 쉽지 않고 무리하게 조작하면 대퇴골의 골절이 발생할 수 있으므로 주의를 요한다. 이러한 경우 대퇴경부를 먼저 절골한 후 대퇴골두를 제거하는 것이 대퇴골 골절 예방에 도움이 된다. 돌출 변형의 재건술의 원칙은 엉덩관절 중심(hip center)이 적절한 관절 생역학을 회복시키기 위하여 해부학적 위치에 있어야 하며, 비구의 손상되지 않은 가장자리 테두리(peripheral rim)는 비구 기구를 지지할 수 있게 사용되어야 하며, 내측벽의 남아있는 구멍(cavity)이나 분절결손(segmental defect)은 골이식(bone graft)에 의하여 재건되어야 한다. 최근에는 삽입물의 발달로 무시멘트형 삽입물이 선호되며 특히 젊고 활동적인 환자의 경우 무시멘트 고정이 널리 사용된다. 시멘트를 이용한 고정은 많이 사용되지 않으나 비구의 골질이 불량하여 적절한 고정을 얻을 수 없거나 비구부 골이식후 숙주골과의 접촉면이 적을 경우에는 비구 보강환(acetabular reinforcement ring)이나 시멘트형 폴리에틸렌컵을 사용할 수 있다.

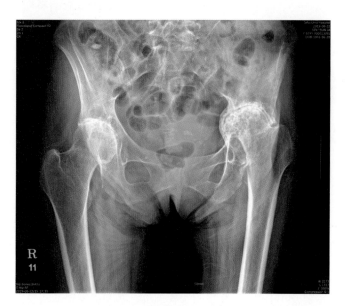

그림 144-1. **진행된 엉덩관절 류마티스관절염 환자에서 시행한 엉덩관절전치환술 수술전후 방사선** 76세 여자 환자로 양측 엉덩관절의 진행된 엉덩관절 류마티스관절염 보이며 좌측 엉덩관절은 이차적으로 발생한 비구돌출 소견을 보이고 있음.

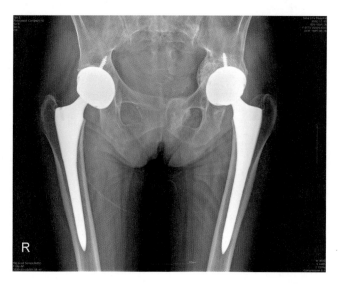

그림 144-2. **진행된 엉덩관절 류마티스관절염으로 인해 이차적으로 비구돌출이 발생한 환자에서 시행한 엉덩관절전치환술 수술 전후 방사선** 진행된 엉덩관절 류마티스관절염 환자에서 양측 엉덩관절전치환술을 시행한 방사선 사진으로 좌측 비구돌출부위 즉 골결손에 대하여 자가골이식술을 시행 후 비구치환술을 시행하였음.

## (2) 대퇴삽입물

대퇴골의 준비는 골수강이 넓기 때문에 비교적 쉬우나 피질골(cortex)이 얇아 천공(perforation)이나 골절이 잘 되므로 조심

하여야 한다. 특히 엉덩관절의 탈구나 정복시 대퇴골 간부 골절이 발생하기 쉬우므로 주의하여야 한다. 대퇴골 골절 예방을 위하여 엉덩관절의 탈구나 정복시 종축 방향의 견인만 시행하며 회전력이나 지렛대 힘이 주어지지 않도록 해야 한다. 류마티스관절염으로 골성장(bone growth)이 완전히 되지 않은 경우 작은 부품이 필요할 수 있으며, 특히 소아류마티스관절염일 경우 더 필요하다. 심한 대퇴전염(femoral anteversion)과 대퇴 근위부의 전방굽음(anterior bowing)은 소아류마티스관절염에서 흔하다. 이런 경우 일반적 대퇴 스템(stem) 외에 맞춤형(custom-made) 스템이나 조립형(modular) 스템이 필요한 경우도 있다. 극도의 대퇴골변형의 경우 대퇴절골술(femoral osteotomy)이 필요하다.

엉덩관절 및 무릎관절 모두 수술의 적응이 될 경우 어느 것을 먼저 하는 것이 좋은가를 고려하여야 한다. 엉덩관절에 심한 강직이 있는 경우 무릎관절전치환술(total knee replacement)이 기술적으로 힘든 반면 무릎에 굴곡 구축이 심한 경우 엉덩관절전치환술 시 탈구가 될 수 있다. 심한 정도가 비슷한 경우 엉덩관절치환술을 먼저 하여야 한다. 대부분의 류마티스관절염 환자에서 엉덩관절전치환술 후 통증 완화와 운동성의 증가를 보인다. 엉덩관절 점수(hip score)로 평가하는 기능적 향상은 다른 관절의 관절염 때문에 제한되어 나타난다. 이런 환자들은 대부분 비활동적이기 때문에 엉덩관절에 대한 신체적 요구가 적다. 비록 수술 후 10년에 방사선투과성(radiolucency)의 빈도가 높지만 신체적 요구가 감소되어 있기 때문에 계속적으로 기능을 잘 유지한다. 대부분의 경우 방사선투과성이나 경계구분(demarcation)이 대퇴부보다는 비구에 좀더 흔하다.

엉덩관절전치환술의 합병증으로 탈구, 인공관절 주위 감염, 인공관절 기구의 짧은 내구성 등이 있으며, 이와 같은 합병증을 예방하기 위하여 감염 위험도에 대한 철저한 수술전 평가가 필요하며, 수술시 소독제 사용 및 수술후 항생제 등의 엄격한 사용이 필요하다. 또한 수술기간 동안 표적치료제(biologic or targeted synthetic DMARDs) 투여를 중지하고 스테로이드도 가능한 적은 양을 사용하여야 한다. 합병증에 대한 환자 교육도 합병증 예방에 중요하다.

## 참고문헌

1. 김희중 외. 고관절학. 제2판. 군자출판사; 2019. pp. 215-9.

2. 석세일 외. 정형외과학. 제7판. 최신의학사; 2013. pp. 308-9.

3. Anderson RJ. Rheumatoid arthritis. In: Schumacher HR, ed. Primer on the Rheumatic Diseases. 10th ed. Atlanta: Arhritis Foundation; 1993. pp. 90-5.

4. Jana AK Engh CA, Lewandowski PJ, et al. Total hip arthor-plasty using porous coated femoral component in patients with rhemaroid arthritis. J Bone Joint Surg Br 2011;83:686-90

5. Keisu KS, Orozco F, McCallum JD, et al. Cementless femoral fixation rheumatoid patient undergoing total hip arthro-plasty: minimum 5-year results. J arthroplasty 2011;16:415.

6. Mohammad Saeed Mosleh-shirazi, et al. Review article. An insight into methods and practices in hip arthroplasty in patients with rheumatoid arthritis. Int J Rheumatol 2015;2015:140143.

7. Puett DW, Griffin MP. Published trials of nonmedicinal and non-invasive therapies for hip and knee osteoarthritis. Ann Intern Med 1994;121:133-40

8. Rosenberg WWJ, Schreurs. BW, Malefijt MCD, et al. Impacted morselized bone graft and cemented primary total hip arthro-plasty for acetabular protrusion in patients with rheumatoid arthritis. Acta Orthop Acand 2000;71:143.

# 145

# 무릎

가톨릭의대 **인용**

## KEY POINTS 🔒

- 류마티스관절염 환자에서 무릎관절 활막절제술은 무릎관절 운동범위가 양호한 경우, 관절에 변형이 없는 경우, 관절연골이 온전한 경우에 시행하면 질병 활성도 감소, 통증감소, 무릎관절 기능 회복 및 삶의 질 회복에 효과가 있다.
- 류마티스관절염 환자에서 무릎관절전치환술은 골관절염 환자에서와 달리 주로 65세 이하의 젊은 연령에서 시행하게 되며, 골관절염에서보다 수술후 감염 발생 확률이 높다. 그러나 합병증이 발생하지 않으면 골관절염에서의 무릎관절전치환술과 비슷한 장기 성공률을 보인다.

## 서론

류마티스관절염 환자의 무릎관절 활막염은 활막 조직의 비후와 삼출액의 증가로 쉽게 진단된다. 약물치료와 주사 치료에도 무릎관절 통증과 부종이 지속되는 경우, 활막절제술을 고려할 수 있다. 적절한 시기에 시행한 활막절제술은 질병 활성도를 낮추고, 무릎관절 통증을 경감시키며, 기능을 회복시켜 삶의 질을 유지하고, 병의 진행을 늦출 수 있다. 그러나 활막염이 진행되어 관절파괴가 심한 경우에는 활막절제술로 통증완화와 기능 회복을 기대할 수는 없다. 이러한 말기 무릎관절염이 동반된 류마티스관절염 환자의 통증 완화와 기능 회복을 위해서는 무릎 인공관절전치환술이 신뢰할 수 있는 수술적 치료방법이다.

## 활막절제술

류마티스관절염 환자에서 6개월 이상 보존적 치료에 불응하는 무릎관절 활막염의 경우 활막절제술을 고려할 수 있다(그림 145-1). 과거에는 관절을 절개하고 활막절제술을 시행하였으나 최근에는 관절경하 활막절제술이 표준 치료이다. Lipina 등은 138명의 류마티스관절염 환자에서 무릎관절 활막절제술을 시행하고 수술 1년에 Disease Activity Score 28 (DAS 28), pain visual analogue score (VAS), Knee Society Score, EuroQol-5D (EQ-5D), Short-Form Medical Outcomes Study (SF-36) 등으로 평가한 결과 질병 활성도, 통증, 무릎관절 기능과 삶의 질이 모두 호전되었다고 하였다. 문헌상 활막절제술로 좋은 결과를 위한 전제조건들로는 양호한 관절 운동범위, 관절변형이 없음, 온전한 관절연골 등이 있으며 이 경우 75-82%의 환자에서 성공적인 결과를 얻을 수 있었다. 체중부하 무릎관절 방사선 사진으로는 Kellgren-Lawrence (K-L) grade 0, I, II로 관절염이 없거나 조기 관절염 환자들에서 불응성 활막염이 동반된 경우 활막절제술의 적응이 된다. 이 시기에는 연골과 골에 질환의 침범이 적고 주로 활막에 국한되어 있어 최대한의 활막절제술의 효과를 기대할 수 있기 때문이다. 골과 연골의 파괴, 관절의 변형, 결절 등이 동반되는 K-L grade III의 경우에도 증상 완화 목적으로 활막절제술을 시행할 수 있으나 grade I, II에 비하면 결과가 좋지는 않고 K-L grade IV의 말기 관절염 환자에서는 활막절제술의 효과를 기대하기 어렵다. 류마티스관절염 환자에서 무릎관절 활막염에 대한 수술적 치료의 한계는 관절 전체를 침범하는 질환의 특성 때문에 골

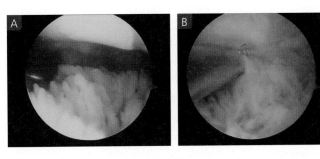

그림 145-1. 33세 여성 류마티스관절염 환자의 **(A)** 무릎관절 활막염 소견과 **(B)** 활막절제술 장면

관절염 환자에게 적용하는 관절연골 결손부위를 수복하는 수술, 관절연골 마모부위의 부하를 줄여주는 절골술과 같이 활막절제술과 인공관절치환술 사이에 시도할 만한 수술적 방법이 제한된다는 점이다. 그러므로 적절한 시기에 활막절제술을 시행하는 하는 것이 중요하다. 이 경우 대개 4년 이상 증상의 호전을 유지할 수 있다. 활막절제술은 청소년기에도 성인과 같은 적응증으로 시행하며 좋은 결과를 얻을 수 있다.

## 무릎관절전치환술

류마티스관절염에서 무릎관절염이 말기로 진행되는 경우 통증 완화와 기능 회복을 위해 말기 골관절염에서와 마찬가지로 무릎관절전치환술을 고려한다. 그러나 대퇴골(넓적다리뼈, femur)과 경골(정강뼈, tibia)의 골단을 절제하고 금속 삽입물로 대체하는 무릎관절전치환술은 골관절염 환자에서는 가급적 65세 이상의 환자에서 고려되는 수술이라는 것을 알아야 한다. 말기 류마티스관절염으로 무릎관절전치환술을 시행하는 환자들은 대부분 65세 이하이기 때문이다. 한 가지 다행스러운 사실은 최근 질환조절항류마티스약제(disease modifying antirheumatic drugs, DMARDs)의 개발과 사용에 진전이 있었다는 점이다. Nettrour 등은 미국의 자료를 이용하여 2005년부터 2014년까지 10년간 표적치료제(biologic or targeted synthetic DMARDs) 처방을 받는 류마티스관절염 환자가 20.8%에서 29.1%로 증가했다고 하였다. 저자들은 같은 기간 65세 미만의 골관절염 환자에서의 무릎관절전치환술 시행 비율이 42.9% 증가한 반면 65세 미만의 류마티스관절염 환자에서의 무릎관절전치환술 시행 비율은 10년

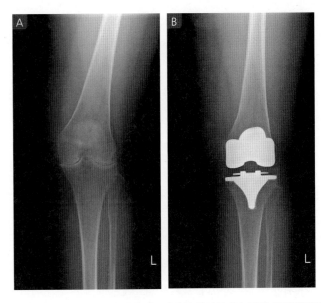

그림 145-2. 41세 여성 류마티스관절염 환자의 **(A)** 말기 무릎관절염 소견과 **(B)** 전치환술 사진

전에 비하여 차이가 없었는데, 이는 표적치료제 사용 증가에 기인한다고 하였다. 류마티스관절염 환자에서 무릎관절전치환술을 계획할 때는 수술 전 평가가 중요한데 마취 시행 전에 경추질환, 빈혈, 늑막이나 폐질환 동반 등에 대한 해부학적, 생리학적 변화에 대한 평가를 해야 한다. 류마티스관절염 환자에서 무릎관절전치환술을 시행할 때 술기상 고려할 점으로는 골파괴와 골괴사로 인한 골결손의 해결 방법, 관절의 변형과 구축 등으로 인한 추가적인 관절 이완 술기의 필요성, 골다공증 동반으로 인한 수술 중 골절의 위험도 파악 등이 있다. 외과의는 골 결손 정도에 따라 금속보강재(augments), 주대(stem)와 골이식재(bone graft) 등을 준비해야 하고, 변형과 구축의 해결을 위해서는 환자의 상황에 따른 추가 골 절제나 연부조직 이완 술기에 익숙해야 하며, 수술중 골절이 발생하기 쉽다는 것을 염두에 두어 주의하고 골절 발생 시 대처할 수 있는 사전 준비를 해 두어야 한다. 류마티스관절염 환자에서는 연부조직의 이완이 불안정성을 유발할 수 있으므로 수술 중 후방십자인대가 존재하더라도 후방십자인대 대체삽입물이 권장된다(그림 145-2). 무릎관절전치환술 후 류마티스관절염 환자는 골관절염 환자에 비해 재원 기간이 길고 회복이 더디다. 류마티스관절염 환자의 무릎관절전치환술 후에는 감염의 위험도 증가하는데 골관절염에 비하여 1.47배 높은 빈도라고 알려져 있다. 그러나 감염을 제외한 류마티스관절염 환자

에서의 무릎관절전치환술 15년 생존율은 90% 이상으로 보고되고 있어 골관절염 환자에서의 무릎관절전치환술 생존률과 큰 차이가 없다. 류마티스관절염으로 심한 관절 파괴와 변형이 온 말기 무릎관절염 환자에서도 무릎관절전치환술은 말기 골관절염 환자에서 마찬가지로 신뢰할 수 있는 수술적 치료 방법이다.

## 결론

류마티스관절염 환자에서 무릎관절 활막염 진행 시 염두에 두어야 할 것은 관절 전체를 침범하는 질환의 특성상 수술의 종류가 제한된다는 점이다. 보존적 치료에 불응하는 조기 활막염의 경우 적극적인 활막절제술이 도움이 되며, 관절파괴가 동반된 말기 무릎관절염에서는 무릎관절전치환술을 시행할 수 있다.

## 참고문헌

1. Lipina M, Makarov M, Mukhanov V, Karpashevich A, Maglevaniy S, Amirdjaпоva V, et al. Arthroscopic synovectomy of the knee joint for rheumatoid arthritis. Int Orthop 2019;43:1859-63.

2. Nettrour JF, Bailey BS, Burch MB, Clair DD, June RR, Olsen NJ, et al. Arthroplasty Rates Not Increasing in Young Patients With Rheumatoid Arthritis: A National Database Review, 2005 Versus 2014. Arthroplasty today 2021;8:118-23.

3. Purudappa PP, Ramanan SP, Tripathy SK, Varatharaj S, Mounasamy V, Sambandam SN. Intra-operative fractures in primary total knee arthroplasty - a systematic review. Knee Surg Relat Res 2020;32:40.

4. Ravi B, Croxford R, Hollands S, Paterson JM, Bogoch E, Kreder H, et al. Increased risk of complications following total joint arthroplasty in patients with rheumatoid arthritis. Arthritis Rheumatol 2014;66:254-63.

5. Triolo P, Rossi R, Rosso F, Blonna D, Castoldi F, Bonasia DE. Arthroscopic synovectomy of the knee in rheumatoid arthritis defined by the 2010 ACR/EULAR criteria. Knee 2016;23:862-6.

# 146

# 발목

건국의대 **정홍근**

## 서론

류마티스관절염은 흔히 발(족부) 및 발목(족관절)을 침범한다. 다양한 약물들의 발전에 따라 활막염이 잘 조절되고 관절손상의 빈도가 감소되었음에도 불구하고, 족부 및 발목은 체중을 지탱하는 신체부분이기에 약물치료 후에도 체중 부하 시 통증을 호소하는 경우가 적지 않다. 류마티스관절염 환자들의 전반적인 컨디션이 향상됨에 따라 활동에 대한 요구 정도도 높아져서, 약물치료 후 족부 변형의 정도는 감소하였으나 족부 및 발목 수술을 받는 환자 수는 점차 증가하는 추세이다.

족부 또는 발목에서 첫 증상이 발생하는 경우는 약 16-36% 정도로 보고되고 있다. 잘 알려져 있지는 않지만, 사실 발은 가장 흔하게 류마티스관절염이 초기에 진행되는 부위에 해당된다. 따라서 원인 미상의 족부 통증 환자를 접했을 때 류마티스관절염의 가능성을 고려해야 한다. 또한 진행된 단계의 류마티스관절염 환자 중 90% 이상에서 다양한 형태로써 족부를 침범한다고

한다.

류마티스관절염 환자의 발목 질환은 대개 후족부(hindfoot) 변형의 합병증으로 초래되는 경우가 많으며 변형이 없는 경우는 상대적으로 드물다. 발목에는 방사선학적 변화보다 임상적인 침범이 더 흔하게 나타나며, 임상적인 소견은 매우 다양하고 대표적으로 활막염, 건초염, 비골(종아리뼈, fibula) 원위부 피로골절 및 발목의 관절염 등이 있다.

류마티스관절염에서 후족부 침범은 예상보다 흔한 편인데, Vainio는 후족부 외반과 아치의 편평화는 류마티스 족부 및 발목 질환의 가장 흔한 소견이라 하였다. 류마티스 족부관절염 환자의 66.9%에서 후족부 침범이 보고되었으며, 이러한 후족부 침범의 유병률 및 침범 정도는 직접적으로 류마티스관절염의 이환 기간과 양의 상관관계를 보인다고 한다. 이러한 변형은 후경골근(뒤정강근, tibialis posterior muscle) 등의 근력 불균형보다는 관절의 염증과 인대의 스트레칭에 의해 발생된다.

내과적으로 류마티스관절염이 조절되고 있는 경우라도, 족부 관절 파괴 및 변형이 방치되었을 때는 조기에 수술적 치료를 시행한 경우와 비교했을 때 수술의 범위가 커지고 수술 결과에도 악영향을 미치고 합병증도 늘어날 수 있다. 따라서, 일정기간 약물치료에도 불구하고 발목, 족부, 후족부의 통증, 부종, 관절 파괴나 변형 소견을 보일 경우 선제적으로 수술적 치료를 염두에 두고 정형외과 족부족관절 전문의의 협진을 받는 것이 필요하다.

# 발목관절

## 1) 활막염, 힘줄윤활막염

내과적 치료 방법이 많은 발전을 이루었음에도 불구하고, 활막절제술은 아직까지 발목 관절 파괴의 진행을 막는 데 유효한 치료 방법이다. 방사선학적으로 발목의 관절 파괴가 없으면서 활막염이나 힘줄윤활막염이 심하고 약물치료에 불응할 때 활막절제술을 시행한다. 관혈적 활막절제술도 시행하나 덜 침습적인 관절경적 활막절제술을 최근 더 흔히 시행하며 재발을 피하기 위해 가능한 한 완전절제술을 시행하고자 한다. 수술 후 2주 정도 단하지부목 착용 하에 가능한 범위 내에서 체중 부하를 시행하며, 이후 2주 정도 발목보호대를 착용한다. Akagi 등은 관절경적 활막절제술의 항염효과가 장기간 지속됨을 보고하였다. 관절 내 방사선 치료도 좋은 결과를 보고하였으나 장기적 효과는 미지수이다.

## 2) 발목 관절염

발목의 류마티스관절염이 진행되면 발목-후족부의 변형을 동반하게 되며 발목은 내반변형보다는 외반변형이 3배 정도 더 흔하게 나타난다. 발목과 후족부 간 관절의 변형은 대개 체중부하 방사선사진을 통해 감별하며, 재건시에는 변형의 재정렬이 필요하다. 방사선사진에서 관절염 소견이나 심한 변형이 관찰되는 경우 수술적 치료를 고려해야 한다. 관절 파괴가 진행되고 상당한 통증이 동반된 경우에는 발목 관절유합술이나 인공관절전치환술을 시행할 수 있다.

발목 관절유합술은 골융해(osteolysis)가 있거나 부정정렬(malalignment)이 있어 발목에 심한 불안정성이 동반되는 경우 시행한다. 류마티스관절염에서 발목 관절유합술을 적절히 시행하는 경우 골유합을 통해 변형 교정과 통증 소실을 얻을 수 있으며, 장기 추시에서 만족스러운 임상적 결과가 보고되었다. 발목 관절유합술의 골성유합율은 비교적 높은 편으로 평균 85%로 보고되었다. 수술 후 약 3개월 정도 단하지석고부목을 시행하며, 첫 6주는 비체중부하로, 이후 6주는 부분체중부하를 유지한다.

관절유합술은 오랫동안 대표적인 수술적 치료법으로 여겨지고 있으나, 최근에는 발목 인공관절전치환술의 발달로 발목의 움직임을 보존하는 관절전치환술이 시행되어 만족스러운 임상결과를 보고하고 있다. 흔히 류마티스관절염에 따른 발목 관절염 환자의 경우 내원 시 후족부 또는 중족부(midfoot) 관절염을 동반하고 있기 때문에, 골 파괴 또는 변형이 심하지 않고 수술 후 활동 요구 정도가 크지 않다면 환자의 연령을 고려하여 발목 인공관절전치환술을 시행하는 것이 좋은 선택지가 될 수 있다. Buechel은 10년 추시 결과 95%의 삽입물 생존율을 보고했다. 수술 후 6주 정도 CAM (controlled ankle motion) 부츠 착용하에 가능한 범위 내에서 부분 체중 부하를 시행한다. 관절유합술이나 인공관절전치환술 모두 류마티스관절염에 따른 피하연부조직결핍 및 골다공증 등의 영향으로 창상이나 고정력의 문제점을 동반할 수 있다.

류마티스 발목관절염이 진행된 경우 주변 족근관절 특히 거골하관절(거골밑관절, subtalar joint)이나 거골-주상골 관절(talonavicular joint)이 동시에 침범된 경우가 적지 않다. 이런 경우에는 관절치환술과 거골하관절유합술을 동시에 시행하게 되며, 발목 관절유합술에 비하여 우월한 적응증이라 할 수 있다. 류마티스관절염이 심하게 진행되었어도 경미한 관절통증을 호소하는 경우도 있으며, 심지어 관절염이 자연유합(spontaneous fusion) 상태로 진행되어 통증을 호소하지 않을 수도 있다.

# 후족부

내측 아치의 편평화 및 전족부의 심한 외전, 후족부 외반을 동반한 평발 변형(편평 외반족)은 류마티스관절염에서 흔히 발생하며, Michelson은 64%로 빈도를 보고한 바 있다. 측면 족부 방사선 사진이 평발 변형의 정도를 확인하는 데 도움이 되며 후족부 방사선 사진을 통해 후족부의 변형 정도를 파악하는 것이 중요하다. 외견상 변형이 의심되거나 방사선상에서 확인되는 경우 정형외과 족부족관절 전문의에게 의뢰하는 것이 바람직하다. 초기 변형에는 깔창이나 AFO (ankle-foot orthosis) 보조기로 보존적 치료가 가능하나, 관절변형과 통증이 심해지면 변형에 대한 재건 수술을 고려해야 한다.

통증을 동반한 관절변형이나 후족부 관절염의 수술적 치료 방법으로는 연부조직 수술보다는 교정적 절골술(corrective osteotomy)이나 재정렬 관절유합술(realignment arthrodesis) 등 골성 수술이 바람직한 해결책이다. 후족부의 여러 관절들 가운데 거골-주상골 관절은 류마티스관절염에서 처음으로 퇴행성 변화가 나타나는 관절로 알려져 있다. 거골-주상골 관절에만 침범한 경우 본 관절에 제한된 관절유합술을 시행할 수 있다. 류마티스관절염 환자에서는 거골-주상골 관절, 종골-입방골 관절(calcaneo-cuboid joint), 거골하관절이 변형의 진행에 상호 영향을 주는 것으로 알려져 있어, 신속한 거골-주상골 관절유합술을 통해 이와 같은 병적 기전을 조기에 중단시킬 수 있다. Kinsfater는 95% 이상의 환자에서 통증 완화를 보였으며 불유합율도 5%에 불과했다고 보고하였다. 거골하관절에만 침범한 경우에는 거골하관절유합술을 시행할 수 있으며 좋은 결과가 보고되었다.

더 광범위하게 족근관절을 침범한 류마티스관절염의 경우에는 거골-주상골 관절, 종골-입방골 관절, 거골하관절을 재정렬하여 동시에 고정하는 삼중관절유합술(triple arthrodesis)을 시행하게 된다. Knupp은 28명의 류마티스관절염 환자에게 삼중관절유합술을 시행 후 모든 환자에서 관절 골유합을 이루었고 만족스러운 임상적 결과를 얻었다고 보고했다. 그러나 이러한 방법은 장기적으로 인접한 관절에 스트레스를 증가시켜 관절유합술을 시행하지 않은 부위의 증상을 악화시킬 가능성이 있다.

족근-중족골 관절(tarsometatarsal joint)의 심한 침범을 한 류마티스관절염은 흔하지 않으며, 발목과 후족부가 동시에 침범한 경우에는 거골주위유합술이나 삼중관절유합술 및 발목 인공관절전치환술을 동시에 시행하는 것을 고려해야 한다.

## 증례

### 1) 증례 1

60세 여성으로 3년 전부터 발생한 우측 발등의 통증으로 약국에서 진통제만 복용하며 지냈다. 걷기 힘들 정도의 통증으로 심화되어 방문한 지역병원에서 류마티스관절염 진단을 받고 수술적 치료를 위해 본원 의뢰되었다. 방사선 사진 상 거골-주상골 관절의 심한 관절 파괴 소견을 보이고 있어 이에 대해 거골-주상골 관절유합술(talo-navicular arthrodesis)을 시행하였고, 통증의 완전 소실을 얻고 기능적 상태가 현격히 향상되었다.

외상력이 없으며 뚜렷한 골극 형성 없이 거골-주상골 관절의

관절 파괴가 보이는 환자에서는 일차적으로 류마티스관절염을 의심해봐야 한다(그림 146-1).

### 2) 증례 2

52세 여성으로 류마티스관절염으로 인한 좌측 후족부의 관절 파괴 소견이 보였으며 진행된 평발 변형으로 인해 보행 시 심한 중족부의 통증과 피곤함을 호소하였다. 이에 대해 삼중관절유합술(triple arthrodesis)을 시행하여 평발 변형을 교정하였고, 족부에 있던 통증이 완전히 소실되어 환자의 기능이 현저히 호전되었다(그림 146-2).

### 3) 증례 3

50세 여성으로 6년 전 류마티스관절염 진단을 받고 약물치료 중이나 걷기 힘들 정도의 좌측 발목의 통증을 주소로 내원하였다. 단순방사선검사 상 진행된 발목 및 거골하관절의 파괴 소견을 보인다. 좌측 발목 인공관절전치환술(total ankle arthroplasty)과 거골하관절유합술(subtalar arthrodesis)을 동시에 시행한 후 뚜렷하게 발목 통증이 소실되고 기능이 향상되었다(그림 146-3).

### 4) 증례 4

63세 남성으로 특이 외상력 없이 5년 전부터 시작된 양측 발목의 통증 및 관절강직을 주소로 의뢰되었다. 류마티스관절염으로 진단을 받았으며 양측 발목의 관절 파괴와 함께 발목 완전강직으로 인한 첨족변형(발꿈치들린발, equinus deformity)을 보인다. 양측 발목 인공관절전치환술(total ankle arthroplasty)을 3개월 간격으로 시행한 후 뚜렷하게 양측 발목 통증이 소실되며 관절운동범위가 호전되었다(그림 146-4).

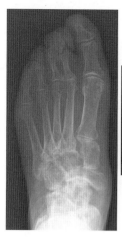
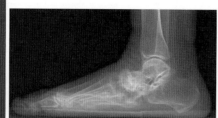
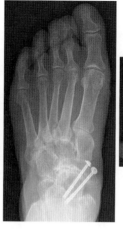
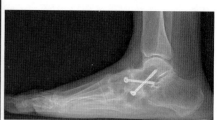

그림 146-1. 증례 1

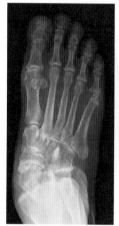
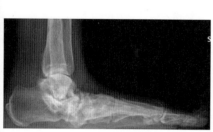
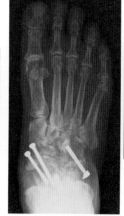
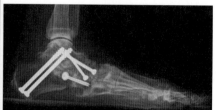

그림 146-2. 증례 2

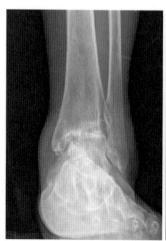
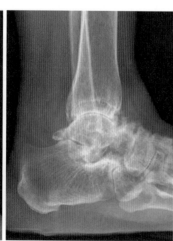
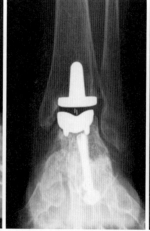
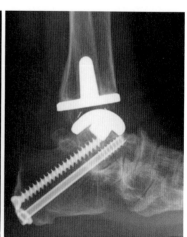

그림 146-3. 증례 3

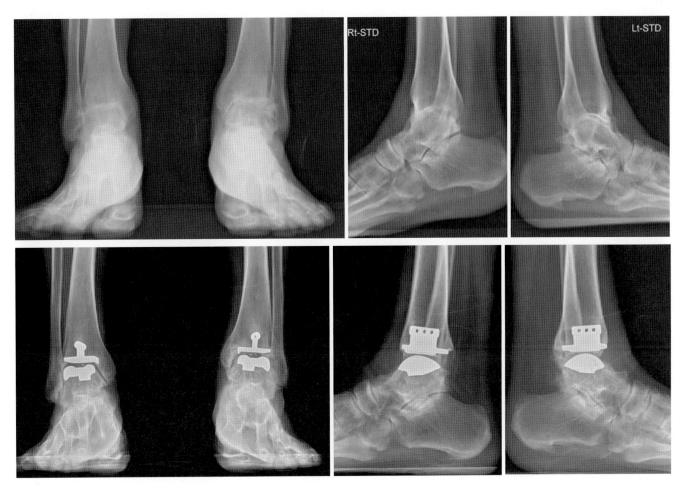

그림 146-4. 증례 4

### 참고문헌

1. Frederic MA, Canale ST, James HB. Arthritis of the Foot in "Campbell's operative orthopaedics", 14th ed, Elsevier; 2021.

2. Jason DN, Glen MW, Ernesto SH, Marc SC. The surgical reconstruction of rheumatoid midfoot and hindfoot deformities. Clin Podiatr Med Surg 2010;27:261-73.

3. Joseph RT. Surgery on the rheumatoid ankle joint: efficacy versus effectiveness. Clin Podiatr Med Surg 2010;27:275-93.

4. Jung H-G. Rheumatoid arthritis foot reconstruction: Forefoot, midfoot, and ankle hindfoot in "Foot and Ankle Disorders, An illustrated reference". Springer; 2016.

5. Loveday DT, Jackson GE, Geary NP. The rheumatoid foot and ankle: Current evidence. Foot Ankle Surg. 2012;18:94-102.

6. Michael SA, Mariam HZ. Management of hindfoot disease in rheumatoid arthritis. Foot Ankle Clin 2007;12:455-74.

7. Michelson J, Easley M, Wigley FM, Hellmann D. Foot and ankle problems in rheumatoid arthritis. Foot Ankle Int 1994;15:608-13.

8. Ouzunian T. Rheumatoid arthritis of the foot and ankle in "Foot and Ankle Disorders" by Myerson MS. Philadelphia: WB Saunders Company; 2000.

9. Sammarco VJ. Ankle arthrodesis in rheumatoid arthritis: techniques, results and complications. Foot Ankle Clin 2007;12:475-95.

10. Sean YCN, Xavier C, Mathieu A. Total ankle replacement for rheumatoid arthritis of the ankle. Foot Ankle Clin 2012;17:555-64.

11. Vainio K. The rheumatoid foot. A clinical study with pathological and roentgenological comments. 1956. Clin Orthop Relat Res 1991;265:4-8.

# 147

# 발

울산의대 **이호승**

류마티스관절염 환자의 발변형이 발생하는 기전을 요약하
면 연골 파괴 및 활막의 비후로 인하여 관절인대가 늘어나서 관
절의 불안정성이 발생하고 보행과 신발 등에 의한 반복되는 기
계적 자극으로 인하여 변형이 발생하게 된다. 중족지관절의 탈
구로 인하여 이차적으로 망치발가락(hammer toe), 갈퀴발가락
(claw toe)변형이 나타나고 이로 인하여 중족골두 부위의 족저부

와 변형된 망치족지의 배부 돌출부위의 통증 및 굳은 살이나 피
부궤양이 발생하기 쉽다. 무지외반증(hallux valgus) 또한 발생하
기 쉽다(그림 147-1).

수술의 목적은 이러한 변형을 교정하여 신발을 신고 보행이
가능한 상태로 전환하는 것이다(그림 147-2). 수술의 방법으로
는 활막절제술, 절제관절성형술, 관절유합술, 심한 경우 전족 부
절단술(forefoot amputation)도 시행할 수 있다. 류마티스관절염
의 전족부변형(forefoot deformity)에 대하여 전통적으로 시행되
는 술식은 엄지발가락은 중족지관절유합술을 시행하고 소족지/
중족지관절은 절제관절성형술을 시행하는 것이다(그림 147-3).
엄지발가락에서의 절제관절성형술은 재발 가능성이 높고, 새로
운 변형이 발생할 수 있으며 보행 시 발가락으로 차고 나가는 힘
이 떨어지므로 활동적인 환자에서는 절제관절성형술보다는 관
절유합술이 선호된다. 단, 관절유합술 후에는 보행 시 차고 나가
는 힘은 좋으나 관절의 움직임이 없어지는 단점이 있으므로 환
자가 수술 후 상태의 장단점에 대하여 충분한 이해가 있어야 한

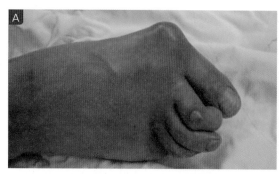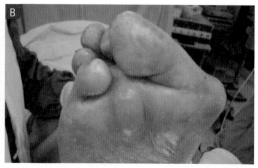

그림 147-1. **(A)** 무지외반변형 및 갈퀴발가락과 배부의 티눈, **(B)** 중족 족지관절에서 탈구된 발가락과 발바닥 굳은살

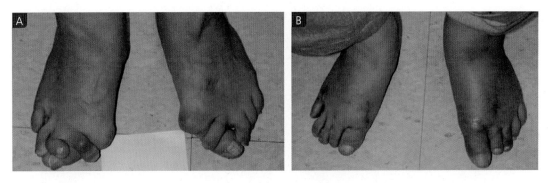

그림 147-2 **(A)** 류마티스관절염으로 인한 발변형, **(B)** 수술 후 교정된 상태

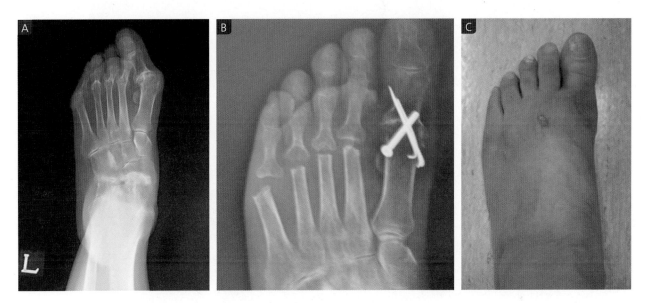

그림 147-3. **(A)** 발가락변형의 방사선 사진, **(B)** 소족지 절제관절성형술 및 무지 관절유합술이 시행된 방사선 사진, **(C)** 수술 후 교정된 상태

다. 엄지발가락의 중족지관절유합술을 시행할 경우 관절의 고정 위치가 매우 중요한데 체중 부하 상태에서 기립하였을 경우 지간관절에서 굴곡하여 발가락이 지면에 닿을 정도의 위치가 되어야 한다. 회전변형이 되지 않도록 하는 것도 중요하지만 과도한 신전이나 과도한 굴곡 위치에서의 관절 고정은 부정정렬로 인한 이차적인 병변을 초래한다. 엄지발가락의 인공관절성형술은 결과가 좋지 않아 추천되지 않는다.

소족지의 절제관절성형술을 시행할 경우에는 제2 중족골에서 제5 중족골로 점차 약간씩 짧아지는 모양을 유지하도록 절제하여야 한다. 소족지의 망치발가락변형이 고정된 경우에는 절제관절성형술과 장족지굴근건(flexor digitorum longus)절단술을 시행한다. 소족지변형이 심하지 않고 무지외반변형만 있는 경우

에는 소족지는 수술하지 않고 무지외반변형교정술만 시행할 수 있다. 또한 소족지 변형이 한두 개의 발가락에 국한된 경우에는 소족지 전체의 절제관절 성형술을 시행하기보다는 무지외반변형교정술과 이환된 소족지만 변형교정술을 시행하기도 한다(그림 22-10-4). 보행 시 발가락의 기능에 있어 엄지발가락은 50% 이상의 역할을 담당한다. 무지외반변형 특히 회전변형이 동반되어 보행 시 엄지발가락의 기능이 저하될 경우 소족지에 과도한 압력이 가해지며 이차적으로 소족지의 변형을 유발하는 원인이 될 수 있다. 따라서 류마티스관절염 환자의 경우 소족지변형이 동반되지 않은 무지외반증에 대하여 적극적인 수술적 교정이 더욱 필요할 것이다. 그러나 류마티스관절염 자체로 인하여 무지외반변형의 재발 가능성이 있다는 것을 환자에게 수술 전에 이

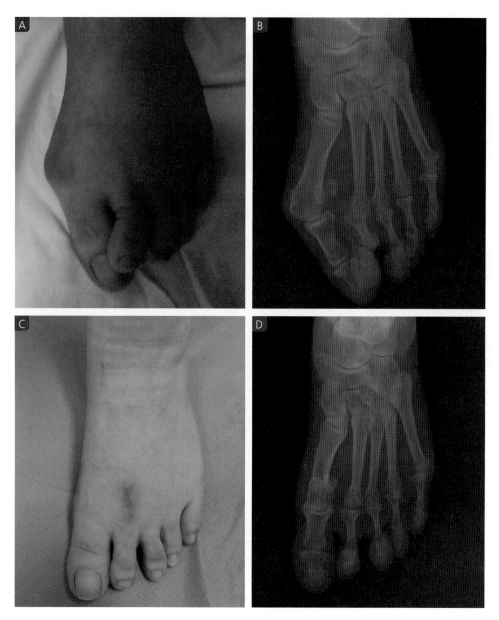

그림 147-4. **(A)** 무지외반변형과 제2발가락의 망치발가락 변형과 중족지관절이 탈구된 수술 전 사진, **(B)** 수술 전 방사선 사진, **(C)** 수술 후 교정된 상태, **(D)** 수술 후 방사선 사진

해시켜야 한다. 그 외의 다양한 족지 변형이 발생할 수 있고 일단 발생한 변형은 자연교정이 되지 않기 때문에 보행에 영향을 미치는 변형은 수술적인 교정술이 필요하다.

활막절제술은 약물치료와 함께 보조적으로 시행할 수 있지만 수술 후 관절운동제한이 나타날 수 있다. 그러나 비교적 간단하게 절제술을 시행할 수 있고 증상의 완화를 기대할 수 있으므로 중족지관절의 심한 활막염이나 류마티스결절 등에서 시행할 수 있다.

그 외에도 일반적으로 수술 시 고려할 사항으로는 류마티스 관절염에서 골다공증이 동반되는 경우가 많다는 것이다. 또한 족부변형을 확인하기 위해서는 반드시 체중 부하한 기립상태에서의 방사선 촬영이 필요하다는 것이다. 수술이 질병 자체를 치료하는 것이 아니므로 병의 경과는 계속 진행할 수 있으며 변형의 교정술은 확정 치료가 아니라 고식적 치료임을 환자들에게 인식시켜야 한다.

## 참고문헌

1. 대한족부족관절학회. 족부족관절. 제2판. 범문에듀케이션; 2019. pp. 538-50.
2. 대한정형외과학회. 정형외과학. 제8판. 최신의학사; 2020. pp. 415-8.
3. Coughlin MJ, Mann RA, Saltzman CL. Surgery of the foot and ankle. 8th ed. Philadelpia: Mosby Elsevier; 2007.
4. Kushioka J, Hirao M, Tsuboi H, Ebina K, Noguchi T, Nampei A, Tsuji S, Akita S, Hashimoto J, Yoshikawa H. Chalmers PN, Sherman SL, Raphael BS, Su EP. Modified Scarf Osteotomy with Medial Capsule Interposition for Hallux Valgus in Rheumatoid Arthritis: A Study of Cases Including Severe First Metatarsophalangeal Joint Destruction. J Bone Joint Surg Am 2018;100:765-76.

류 마 티 스 학
RHEUMATOLOGY

# PART 23

# 류마티스 질환의 특수 상황

책임편집자 **고은미** (성균관의대)
부편집자 **이연아** (경희의대)

# 148

# 류마티스 질환과 눈

**인제의대 이주현**

## 서론

류마티스 질환에서는 여러 가지 증상 중 하나로 안증상이 나

타날 수 있다. 일반적으로 류마티스관절염 환자의 약 1/5, 결체조직 및 혈관염 환자의 약 1/4-1/3에서 안구 침범을 보인다. 질병에 따라 안구 침범은 안구 표면 질환부터 시력을 위협하는 안구 내 질환까지 다양한 양상을 보인다. 류마티스 질환 발생 이전에 눈 이상 소견이 먼저 나타나는 경우도 종종 있어 류마티스 질환에 잘 동반하는 안과 증상에 대한 숙지가 필요하다. 또한 류마티스 질환의 치료제에 의해 발생하는 안질환도 있어 주의를 요한다. 따라서, 안질환을 동반한 류마티스환자의 적절한 진단 및 치료를 위해서는 안질환에 대한 충분한 이해를 바탕으로 한 다학제간 접근이 요구된다. 따라서 이번 장에서는 류마티스 질환과 연관되어 흔히 나타나는 안과적인 질병과 합병증에 대해 설명하여 보고자 한다.

표 148-1 안질환과 자주 동반되는 류마티스 질환

| 안질환 | 시력 소실 위험도 | 류마티스 질환 |
|---|---|---|
| 안구건조증 | 낮음 | 류마티스관절염, 전신홍반루푸스, 전신경화증, 쇼그렌증후군 |
| 각막염 | 중간 | 류마티스관절염, 쇼그렌증후군, 육아종증다발혈관염 |
| 공막염 | 중간 | 류마티스관절염, 육아종증다발혈관염, 재발다발연골염 |
| 포도막염 | | |
| 급성앞포도막염 | 낮음 | 혈청음성척추관절염, 베체트병 |
| 만성앞포도막염 | 중간 | 염증장질환, 유육종증 |
| 범포도막염 | 높음 | 베체트병 |
| 망막혈관염 | 높음 | 전신홍반루푸스, 결절다발동맥염, 베체트병, 육아종증다발혈관염 |
| 안와염증 | 낮음 | 결절다발동맥염, 육아종증다발혈관염 |
| 시각신경병증 | 높음 | 거대세포동맥염, 호산구육아종증다발혈관염 |

# 류마티스 질환과 연관되어 나타나는 흔한 안질환

안구 증상에 따른 류마티스 질환은 표 148-1과 같다.

## 1) 각막질환과 건성각결막염

류마티스 질환에서 흔히 나타나는 각막질환은 각막염, 건성안, 건성각결막염이 있으며, 이들 중 가장 흔한 합병증은 건성안이나 건성각결막염이다. 각막질환은 쇼그렌증후군, 류마티스관절염, 전신홍반루푸스 등에서 흔히 나타나며, 각막 침범에 따른 경미한 눈의 자극감부터 극심한 통증 및 시력저하까지 다양한 증상을 나타낸다. 환자가 만성적인 안구건조증상이나 시력기복과 같은 시각증상을 보이고 눈물막이 불안정한 소견을 보이는 경우 진단되는데, 류마티스 질환과 연관된 건성안에서는 특징적으로 각결막의 미만성 미란이 관찰되거나 눈물분비가 감소되어 나타나는 경우가 많다. 진단은 세극등 현미경 검사를 통하여 눈물층 파괴시간의 감소 및 다양한 정도로 염색되는 각막 이상 소견을 관찰할 수 있으며, 또한 Schirmer검사(Schirmer test)를 통하여 눈물층 생성의 저하를 확인할 수 있다. 건성각결막염의 치료는 질환의 중증도에 따라 단계적으로 진행된다. 안구표면의 손상이 적고 눈물막의 불안정성만 관찰되는 경우에는 인공눈물만을 사용하지만, 류마티스 질환과 연관되어 나타나는 건성안의 경우, 대부분 중등도 이상의 각결막의 손상과 함께 눈물 분비의 감소가 동반되어 있으므로, 글루코코티코이드나 사이클로스포린 안약과 같은 항염증 치료를 병행하게 된다. 안구표면손상의 치유를 위해 자가혈청안약이나 치료용 콘택트렌즈를 사용하기도 하며, 쇼그렌증후군과 같이 눈물분비가 심하게 감소된 환자에서는 안구 표면에서 비강으로 눈물이 배출되는 눈물소관을 눈물점 마개를 이용하여 임시 혹은 영구적으로 폐쇄하여 효과를 보기도 한다.

## 2) 상공막염/공막염

공막질환은 상공막염과 공막염으로 나뉜다. 표재성 염증인 상공막염은 통증보다는 불편감이 주 증상이고, 일반적으로 급성으로 발생하여 자연적인 완화를 보여 심각한 합병증 없이 치유되는 경우가 흔하고, 글루코코티코이드 안약에 잘 반응한다. 그러나 중증 혹은 재발성인 경우 염증 억제를 위해 비스테로이드소염제를 사용할 수 있다. 공막염은 상공막염과 다르게 통증, 심부 염증 및 공막 부종을 특징으로 하며, 만성 양상을 보이고 상공막과 공막에 동시에 염증을 일으켜 실명까지 유발되기도 한다. 공막염의 약 50%에서 전신염증질환 혹은 감염과 동반되는데, 공막염 환자의 40%에서 류마티스 질환과 관련이 있으며, 특히 류마티스관절염이 흔하다. 공막염은 류마티스관절염 환자의 약 1-6%에서 발생하는데, 이러한 환자들은 대체로 유병기간이 길고 질병 활성도가 높고 관절외증상이 흔한 것으로 알려져 있다. 공막염을 잘 일으키는 두 번째로 흔한 염증성 질환은 ANCA관련혈관염이고, 그 밖에 전신홍반루푸스, 염증장질환 및 재발다발연골염 등에서 나타날 수 있다. 결합조직병에 동반하는 괴사공막염은 조직 파괴를 심하게 동반하며 주위 조직으로 염증전이를 일으켜 심각한 시력 저하를 초래한다. 후공막염은 침범 위치와 범위에 따라 임상양상이 다양하며, 망막박리, 맥락막박리, 시신경 유두 및 황반부종과 동반한 시력감퇴 및 안통이 특징적이다. 공막염의 치료는 국소부위 치료뿐 아니라, 염증성 기저질환을 조절하기 위한 전신치료가 필요한 경우도 있다. 공막염 환자의 1/3에서 일차적으로는 비스테로이드소염제가 효과적이지만, 앞공막염 조절에 실패했거나, 후공막염이나 괴사공막염이 있는 경우는 고용량 글루코코티코이드 치료가 필요하다. 고용량 글루코코티코이드로 조절이 안되거나, 감량이 안될 경우는 면역억제제 치료가 필요하다. 사이클로포스파마이드, 미코페놀레이트모페틸 그리고 항TNF제제와 같은 약제들이 치료에 효과적이며, 불응 공막염의 치료에 리툭시맙과 같은 생물학적제제의 효과가 보고되고 있다.

## 3) 포도막염

포도막염은 침범 범위에 따라 앞포도막염, 중간포도막염, 후포도막염, 범포도막염으로 분류한다.

앞포도막염은 홍채염 혹은 홍채모양체염이라고 불리기도 하며, 유리체를 포함한 염증 소견이 관찰되는 경우를 중간포도막염, 망막이나 맥락막에 염증이 있는 경우를 후포도막염이라고 한다. 앞포도막염의 증상은 충혈, 통증 및 눈부심이며, 주로 한번에 한쪽 눈만 발생하고, 동시에 양눈에 발생하는 경우는 드물다. 급성 앞포도막염은 혈청음성척추관절병과 가장 흔하게 관련이 있고, 대략 인구 100,000명당 8.2건의 연간 발생률을 보인다. 이러한 환자의 약 1/2에서 HLA-B27 양성이고, 60%에서 혈청음성 척추관절병으로 진단된다. 강직척추염 환자의 25-40%에서 앞포도막염이 발생하는 것으로 보고되는데, 국내환자를 대상으로 한 연구에 따르면 포도막염으로 진단받은 환자의 47.7%에서 류마티스 질환이 동반되어 있었다. 이 중 강직척추염이 37.4%로 가장 많았고, 그 다음으로 베체트병 7명(6.5%)의 순으로 나타났다. 중간포도막염, 후포도막염, 범포도막염은 비교적 드물고, 전신질환과의 관련성이 높으며, 만성적인 경과를 보인다. 망막혈관염은 후포도막염의 징후로 정맥과 모세혈관을 침범하며 베체트병과 전신홍반루푸스에서 주로 나타난다.

앞포도막염은 글루코코티코이드 점안액과 산동제에 반응이 좋으며, 이는 염증반응의 억제와 홍채 유착과 같은 후유증을 예방하는 데 도움이 된다. 글루코코티코이드 점안액이 전방에 잘 침투하기 때문에 앞포도막염에는 매우 효과적이나, 눈의 뒤쪽까지는 침투할 수 없어 중간이나 후포도막염 치료에는 부적절하다. 안구주위와 안구내 글루코코티코이드 주사는 중간포도막염이나 낭포황반부종에 효과적이다. 국소용제에 반응이 없거나 심한 전신 염증 동반 시에 경구 글루코코티코이드 사용할 수 있으며, 불응하거나 재발하는 경우에는 면역억제제 치료가 필요하다. 대사길항물질(antimetabolites)과 calcineurine 억제제와 같은 다양한 약제들이 안구염증 치료제로 사용되고 있으며, infliximab과 adalimumab 같은 항TNF제제가 베체트병 환자의 안구증상에 일차적으로 사용할 수 있으며, 소아특발관절염과 관련된 포도막염에 이차적으로 사용할 수 있다

## 4) 안와 증상

류마티스 질환과 관련된 안와 염증은 안와조직의 염증(안와 가성종양 혹은 안와염증증후군), 외안근의 염증(안와근염), 혹은 동(sinus)으로부터 주변부 염증이 파급된 경우로 분류할 수 있다. 안와 염증 질환은 ANCA관련 육아종혈관염과 유육종증이 있는 환자에서 흔하게 동반되며, 이 경우 전방 안구 돌출이 흔히 나타난다. ANCA관련 육아종혈관염의 경우 안와 침범이 비교적 흔하며 15-50% 환자에서 발생한다. 글루코코티코이드나 면역억제제 치료를 통해 기저 질환을 조절하여 안구 돌출 감소, 안구 움직임 향상, 시력 향상 및 증상을 완화시킬 수 있으며, 심한 경우

Infliximab과 rituximab을 포함한 생물학적제제 치료가 안와 염증 질환의 조절에 효과적이다.

## 5) 망막혈관질환

망막혈관염은 망막혈관의 염증으로 인해 안구내 염증과 망막혈관폐쇄를 유발할 수 있는 질환이다. 망막혈관염은 망막 동맥, 모세혈관 및 정맥을 침범하며, 심각한 시력 손실을 일으키기도 한다. 주로 전신혈관염에서 나타나지만, 베체트병을 제외한 다른 질환에서는 흔하지 않다. 베체트병에서는 양안의 정맥과 동맥에 염증이 생기고, 이로 인하여 동맥 폐쇄 및 망막 괴사가 일어나기도 한다. 치료하지 않을 경우 대다수에서 5년 이내에 단안 혹은 양안의 실명이 유발된다. 치료는 글루코코티코이드가 질병의 악화를 지연시킬 수 있으나, 궁극적으로 질병의 결과를 변화시키지는 못하며, 따라서 베체트병의 합병증으로 발생한 망막혈관염 환자의 경우 면역억제제 치료가 필요하다. 클로람부실, 사이클로스포린, 아자싸이오프린 같은 약제의 효과가 보고되고 있으며, 여러 연구에서 infliximab, adalimumab과 같은 항TNF제제 치료가 베체트 망막혈관염에서 좋은 치료 결과를 보였다.

미세혈관 폐쇄질환은 망막혈관에 영향을 줄 수 있는데, 전신홍반루푸스의 경우, 망막 모세혈관을 침범하여 망막의 신경 다발층에 면화반(cotton wool spots)이나 미세경색을 일으킨다. 전신홍반루푸스로 치료중인 외래 환자의 약 3%, 입원환자의 28%에서 망막병을 가지고 있으며, 전신홍반루푸스뿐만 아니라 항인지질항체증후군 환자에서도 광범위한 망막혈관 폐쇄질환이 발생한다. 또한 거대세포동맥염 환자에서는 중심망막 동맥폐쇄가 동반되기도 한다.

# 류마티스 질환에 따른 안과적인 발현 양상

## 1) 류마티스관절염

다양한 범위의 각막 증상이 흔히 나타나며, 가장 흔한 안침범은 건성각결막염으로 환자의 10-35%에 이른다. 주로 각막의 하부에 발생하는 주변부 궤양각막염을 포함한 전안부의 침범이 흔하다(그림 148-1). 상공막염과 공막염이 모두 발생할 수 있으며 이는 질병활성도와 연관되어 있고, 류마티스관절염의 중요한 진

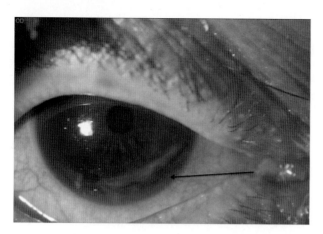

그림 148-1. 주변부 궤양을 동반한 각막염(출처: J Rheumatol 2013;40:1766-7)

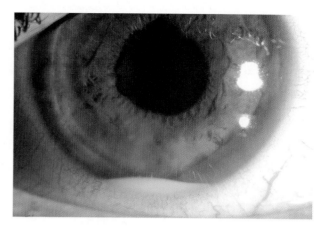

그림 148-2. 포도막염에 의한 홍채유착

단 및 예후 인자인 항CCP항체의 역가가 류마티스관절염의 안구 증상과 관련성이 있는 것으로 보고되고 있다.

## 2) 혈청음성척추관절염

급성포도막염은 강직척추염 환자에서 흔하게 발생하는데, 대개 한쪽 눈에 급성 앞포도막염이 가장 흔하며, 젊은 남성에게 흔하다. 앞포도막염 환자의 대략 1/3 정도가 강직척추염이며, 이러한 환자의 50%에서 HLA-B27 양성 소견을 보인다. 또한, 강직척추염 환자에서 앞공막염의 발생률은 4-20%에 달한다. 건선관절염 환자의 경우 약 30% 정도에서 안구 합병증을 보이며, 포도막염이 가장 흔하지만, 강직척추염만큼 흔하지는 않다. 강직척추염 관련 포도막염과 다르게, 건선관절염 환자에서 발생하는 포도막염은 천천히 진행하고, 양안을 침범하는 경우가 흔하여, 유병기간이 길거나 후방을 침범하는 경우가 비교적 흔하다.

## 3) 쇼그렌증후군

쇼그렌증후군은 외분비샘을 공격하는 비교적 천천히 진행하는 염증질환으로, 결체조직질환과 관련성이 있는 이차 쇼그렌증후군이 전체 환자의 약 60%를 차지한다. 주로 여자에서 흔하며, 40-50대에 흔히 나타난다. 안구 침범으로 인한 작열감, 이물감이 흔하고 바람이나 실내 냉난방 장치 사용 등에 의해 악화된다. 안과 검사에서 눈물 생성 분비의 저하, 점액 생산의 증가, Schirmer 검사에서 눈물분비감소, 각막생체 염색 소견을 확인할 수 있으며 심각한 눈물 기능의 저하 환자에서는 각막 융해 소견까지 관찰된다. 현재까지는 인공눈물 공급이나 눈물소관 폐쇄와 같은 고식적인 치료가 주로 이루어지고 있다.

## 4) 베체트병

안구 증상은 보통 베체트병 발병 후 2-4년이 지나서 나타난다. 일반적으로 첫 발병 시에는 앞포도막염이고 한쪽 눈 침범인 경우가 많으나, 그 후 재발하면서 점차 후포도막염이 흔하고 양안에서 발생한다. 베체트병에서는 앞포도막염이 가장 흔하고 전방축농을 동반하나 글루코코티코이드 치료 후로는 1/3 이하에서만 발견된다. 앞포도막염은 자연 소멸될 수도 있지만, 심하면 홍채유착이 일어나기도 한다(그림 148-2). 후안부에서는 망막혈관염, 신생혈관, 망막부종, 망막폐쇄 및 망막괴사가 발생할 수 있으며, 예후와 연관된 가장 중요한 병변은 폐쇄성 망막혈관염이다. 포도막염이 진행하면 안내 구조변화와 염증성 녹내장으로 결국 시신경위축과 안구위축이 발생하여 가장 심각한 합병증인 시력상실이 야기된다. 최근 항TNF제제를 사용하여 좋은 치료효과를 보이는 것으로 알려져 있다.

## 5) 유육종증

유육종증에서 안구를 침범하는 빈도는 15-25%로, 폐 외 증상으로는 가장 높은 비율을 차지한다. 가장 흔한 안구 증상은 안구 건조이나, 이는 실명의 위험성은 없다. 포도막염의 경우도 흔하게 발생하며, 눈 침범의 약 85%에서 전안부를 침범하며, 흔히 양안성으로 만성 육아종포도막염이 흔하고, 급성홍채섬모체염 또한 발생한다. 약 25%에서 후안부를 침범하며 가장 흔한 형태는 유리체염과 망막정맥주위염이다. 후안부 질환을 가지는 유육종증 환자 중 30% 정도에서 중추신경계 질환을 가지는 것이 알려져 있다. 안와에서는 눈물샘에 육아종염증을 일으키는 경우가 가장 많다. 눈 유육종증의 표준화된 치료 가이드라인은 없지만 일반적으로 글루코코티코이드를 사용하며, 용량 감량을 위해 면역억제제를 사용할 수 있다. 기존 치료에 불응하거나 재발하는 경우, adalimumab을 비롯한 항TNF제제가 치료에 효과적이다.

## 6) 전신홍반루푸스

전신홍반루푸스와 관련된 안증상은 다양하게 나타나는데, 눈꺼풀의 염증, 건성각결막염, 공막염, 망막혈관질환, 시신경 침범 및 안와 침범 등이 발생할 수 있다. 그 중 가장 흔한 안과적 소견은 건성안과 망막혈관변화이다(그림 148-3). 건성안은 전신홍반루푸스 환자의 1/3에서 발생하며, 건성안 이외에도 표층 점상각막염(superficial punctate keratitis)에서 주변부 궤양각막염(peripheral ulcerative keratitis)까지 다양한 범위의 각막 염증이 동반된다.

루푸스 망막병증의 빈도는 3.3-28.1%로 다양하고, 루푸스의 질병활성도와 관련이 있다. 루푸스 망막병증은 미세혈관병증이 나타나는 전형적인 망막병증과 망막 혈관의 폐쇄를 유발하는 혈관폐쇄성 망막병증으로 나눌 수 있는데, 망막 또는 시신경을 침범하는 혈관폐쇄성 망막병증의 경우 심한 시력 손상이 발생할 수 있으며, 이는 항인지질항체가 양성인 루푸스 환자에서 자주 발생하는 것으로 알려져 있다. 드물게, 외안근의 염증이나 염증성 가성종양이 발생하기도 한다.

## 류마티스 질환 치료에 의해 발생 가능한 안구 합병증

### 1) 약물 독성 관련 직접적인 합병증

하이드록시클로로퀸은 전신홍반루푸스 및 다른 여러 류마티스 질환에서 치료목적으로 광범위하게 사용되고 있는 약물이다. 그러나 장기간 복용 시 약물이 망막에 축적되어 부작용을 유발할 수 있는 것으로 알려져 있다. 대개는 경미한 시력 변화를 일으킬 수 있으나, 황반병증처럼 회복 불가능하며 치명적 시력저하를 유발하는 부작용을 일으키기도 한다(그림 148-4). 황반병증은 황반부의 색소침착 및 중심와 안저반사의 소실에 이어 'bull's eye' 황반병증으로 진행해서 중심 시야 상실을 유발하며 최종적으로는 망막의 전반적인 위축이 발생하고 동반되는 시신경 위축소견으로 시력 상실을 야기할 수 있다. 2016년 발표된 미국안과학회와 2020년 영국안과학회 지침에 의하면 약제를 투약하는 시점 혹은 투약 후 1년 이내에 모든 환자를 대상으로 기본검사를 실시한 후, 투약 개시 5년 시점부터 해마다 부작용 발생여부를 검사할 것을 권고하고 있으며, 고위험군의 경우[타목시펜 복용자, 신기능 저하자(eGFR<60 mL/min/1.73m$^2$), 5 mg/kg/day 이상 복용, 클로로퀸 복용] 복용 1년후에 모니터링을 시작할 것으로 권고하고 있다. 이전 안과 가이드라인과 류마티스 가이드라인에서는 5 mg/kg, 하루 400 mg(몸무게 80 kg 이하인 경우)을 초과하지 않을 것을 권고하였으나, 최근 미국 안과학회 가이드라인에서는 절대적인 최고 용량을 구체적으로 명시하지는 않았다. 고위험 환자를 포함한 약제를 복용하는 모든 환자들에게 안과적 부작용 발생의 가능성과 이에 따른 선별검사의 필요성을 설명해서 환자들이 이에 대한 주의를 갖도록 알려주는 것이 중요하다.

### 2) 약물 관련 간접적인 합병증

치료와 관련된 시력저하의 대부분은 글루코코티코이드 사용

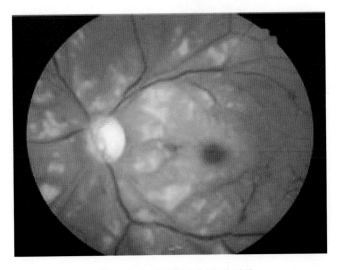

그림 148-3. 망막혈관 출혈 및 폐쇄

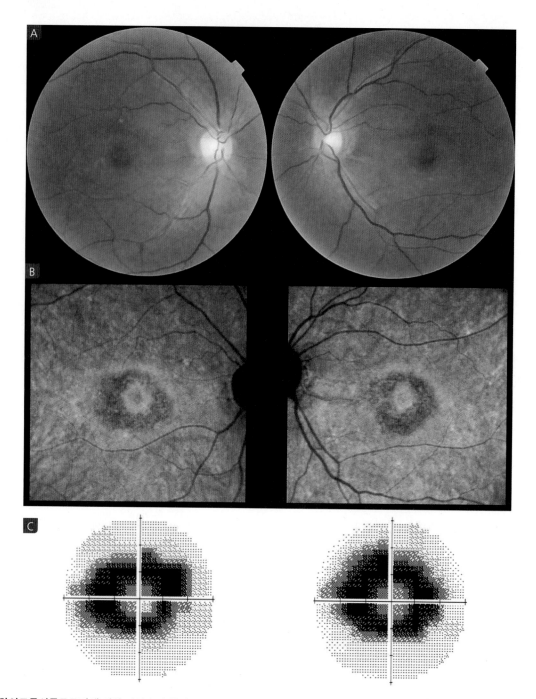

그림 148-4. **하이드록시클로로퀸에 의한 과녁모양 황반병증(bull's eye maculopathy)** **(A)** 안저사진, **(B)** 안저자가형광소견, **(C)** 중심시야 (울산 의대 안과 윤영희 교수 제공)

에 의한 것으로, 대표적인 원인으로 후낭백내장과 녹내장이 있다. 글루코코티코이드 사용으로 인한 녹내장은 점안액과 전신용제 두 가지 모두에서 발생 가능하며, 시력저하 및 시야결손이 나타난다. 또한, 안압 상승이 30%까지 보고되고 있으며, 5%에서는 심각한 안압 상승이 보고되었다. 따라서 글루코코티코이드를 장기간 사용하는 환자에서는 정기적인 안압 확인이 필요하다.

백내장의 경우도 글루코코티코이드의 일일용량, 누적용량, 치료기간, 환자의 나이 및 인종에 의해 영향을 받는다. 하루에 경구 프레드니솔론 10 mg 이상, 1년 이상 유지한 경우 백내장 발생이 시작되는 것으로 알려져 있다. 비스포스포네이트는 홍채염과 같은 안구 염증을 유발한다는 보고가 있지만 흔하지는 않다.

# 결론

류마티스 질환에서 발생하는 각종 안과 증상에 대해 자세한 병력청취와 검사를 통해 적절한 진단과 치료를 받을 수 있게 해야 한다. 질병의 경과 관찰 중 환자가 시력저하, 안구 통증, 충혈, 눈부심 등의 증상을 호소하는 경우에 안과질환 유무를 감별하는 것이 무엇보다 중요하다고 하겠다. 또한 환자에게 류마티스 질환과 관련해 안질환 발생 가능성을 주지시키고, 증상 발생시 적절한 진료를 통한 심각한 안과 합병증 예방에 힘써야 하겠다.

## 참고문헌

1. Generali E, Cantarini L, Selmi C. Ocular Involvement in Systemic Autoimmune Diseases. Clin Rev Allergy Immunol 2015;49:263-70.
2. Hyon JY. Anterior segment eye diseases associated with rheumatic diseases. J Korean Med Assoc 2016;59:45-51.
3. Khan IR, Thorne JE, Jabs DA. The eyes in rheumatic diseases. In: Silman A SJ, Weinblatt M, Weisman M, Hochberg M, Gravallese E, eds. 7th ed. Elsevier; 2018. p. 9.
4. Kim YJ, Lee JY. Eye and Rheumatic disease journal. J Rheum Dis 2013;20:149-55.
5. Marmor MF, Kellner U, Lai TY, Melles RB, Mieler WF. Recommendations on Screening for Chloroquine and Hydroxychloroquine Retinopathy (2016 Revision). Ophthalmology 2016;123:1386-94.
6. Matsou A, Tsaousis KT. Management of chronic ocular sarcoidosis: challenges and solutions. Clin Ophthalmol 2018;12:519-32.
7. Murray PI, Rauz S. The eye and inflammatory rheumatic diseases: The eye and rheumatoid arthritis, ankylosing spondylitis, psoriatic arthritis. Best Pract Res Clin Rheumatol 2016;30:802-25.
8. Promelle V, Goeb V, Gueudry J. Rheumatoid Arthritis Associated Episcleritis and Scleritis: An Update on Treatment Perspectives. J Clin Med 2021;10:2118.
9. Turk MA, Hayworth JL, Nevskaya T, Pope JE. Ocular Manifestations in Rheumatoid Arthritis, Connective Tissue Disease, and Vasculitis: A Systematic Review and Metaanalysis J Rheumatol. 2021;48:25-34.
10. Yusuf IH, Foot B, Lotery AJ. The Royal College of Ophthalmologists recommendations on monitoring for hydroxychloroquine and chloroquine users in the United Kingdom (2020 revision): executive summary. Eye (Lond) 2021;35:1532-7.

# 149

# 류마티스 질환과 피부

서울의대 강은하

## 류마티스 질환과 피부증상

여러 가지 류마티스 질환에서 피부증상은 매우 흔한 증상이다. 예를 들어 전신홍반루푸스(systemic lupus erythematosus; SLE)의 경우, 관절증상 다음으로 흔한 것이 피부증상이고, 11가지 진단기준 중 3가지(나비모양 발진, 원반모양 홍반루푸스, 광과민성)가 피부증상에 해당한다. 류마티스 질환에 나타나는 피부증상에는 질환 특이적인 피부병변과 질환 비특이적인 피부병변이 있다. 피부증상은 질환의 초기 또는 중기 이후 등 다양하게 출현하며, 한 시점에서 질환 특이적 병변과 비특이적 병변이 혼재되어 있거나, 비특이적 병변만 보이는 경우도 있다. 질환 특이적인 병변은 조직검사 시 그 질환에 특징적인 소견을 보이며, 육안 피부소견 역시 특징적인 모양이나 침범 부위를 나타내어 진단에 도움이 된다. 비특이적인 병변은 조직검사 시 다른 피부 질환에서도 보일 수 있는 일반적인 염증 소견을 보이며, 모양이나 침범 부위가 일정하지 않다. 본 장에서는 질환 특이적인 병변이 대표적으로 나타나는 SLE, 피부근염(dermatomyositis), 전신경화증(systemic sclerosis)을 각론으로 다루고, 베체트병(Behcet's disease), 성인형스틸병(adult onset Still's disease), 류마티스관절염(rheumatoid arthritis)이나 쇼그렌증후군(Sjogren's syndrome)과 같이 경과 중에 피부 증상이 나타나지만 질환 특이적이지 않거나 또는 그 빈도가 높지 않은 경우는 기타로 다루기로 한다.

## 전신홍반루푸스

류마티스 질환에서 특히 SLE는 다양한 피부 증상을 특징으로 한다. 또한, SLE의 모든 증상 가운데 관절증상 다음으로 흔한 것이 피부증상이다. SLE에서 나타나는 특이적 피부증상을 피부홍반루푸스(cutaneous lupus erythematosus, CLE)라고 하지만, 전신 침범 없이(SLE 없이) CLE만 있는 경우도 있다. 모든 CLE는 햇빛을 쬐면 악화되는 광과민성을 보일 수 있으며, 경과에 따라 급성, 아급성, 만성 병변으로 나눌 수 있다. 비특이적 발진은 전신침범이 된 SLE에서 자주 보이며, 혈관병변에 의해 생긴 경우, 그물울혈반(livedo reticularis), 레이노현상, 손톱주름모세혈관이상 등이 같이 나올 수 있다. 또한 탈모증이나 두드러기도 SLE에서 종종 발생하는 비특이적 피부병변이다.

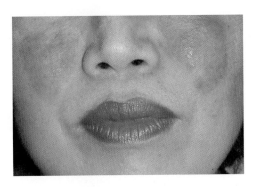

그림 149-1. 나비모양 발진

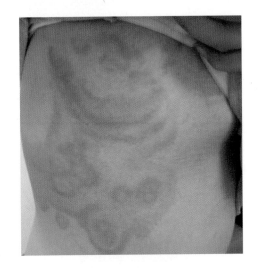

그림 149-2. 고리모양 홍반

## 1) 급성 CLE

급성 CLE는 주로 SLE 환자들, 즉 전신침범이 있는 경우에 더 잘 나타난다. 나비모양 발진(그림 149-1)과 전신홍반이 여기에 속한다. 나비모양 발진은 SLE 진단 기준 중 하나이다. 특징적으로 코입술주름은 침범하지 않는다.

## 2) 아급성 CLE

고리모양홍반(annular rash, 그림 149-2)이 대표적이다. 가운데는 정상 피부처럼 보이는 부위가 있다.

## 3) 만성 CLE

원반모양 CLE (discoid lupus erythematosus, 그림 149-3)와 심부 CLE (lupus erythematosus profundus)가 속하며, 처음에는 융기성 판 모양으로 홍반이 시작되지만, 시간이 감에 따라 가운데 부분이 위축되어 함몰하고, 탈색이 있다.

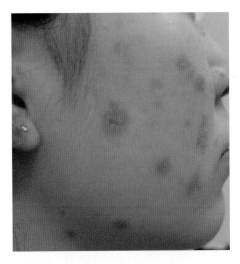

그림 149-3. 원반모양 홍반

## 피부근염

피부근염의 피부발진은 근육증상의 전후 또는 동시에 출현한다. 일부 피부근염 환자는 특징적인 피부발진만 발현하고 근육침범이 없는 경우도 있다. 피부근염의 가장 특징적인 발진은 고트론구진(Gottron's papules)과 연보라발진(heliotrope rash)을 들 수 있다. 고트론구진(그림 149-4, 149-5)은 홍반 또는 자줏빛의 색을 띠며 손허리손가락관절 및 손가락뼈사이관절의 신전근 쪽에 분포한다. 때때로 각질과 궤양을 동반할 수도 있다. 비슷한 병변이 팔꿈치나 무릎, 발목에 있는 경우 고트론징후라고 한다.

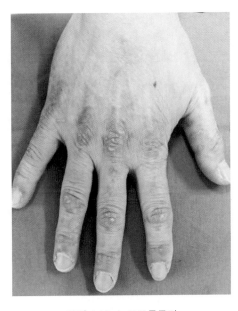

그림 149-4. 고마트론구진

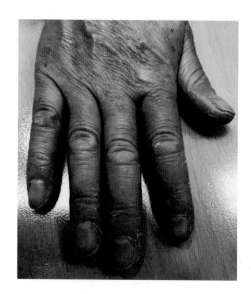

그림 149-5. 고트론구진

연보라발진(그림 149-6)은 윗눈꺼풀의 보라색 홍반이며, 종종 부종과 모세혈관확장증이 동반되어 기저 혈관병증을 엿볼 수 있게 한다. 전형적인 고트론구진 또는 연보라발진이 있는 경우 피부근염을 진단할 수 있으며, 근육증상 없이 이 두 가지 발진 중 한 가지 이상을 포함한 피부병변을 보이는 경우를 무근육병피부근염(amyopathic dermatomyositis)이라 한다. 무근육병피부근염에 동반된 간질폐렴의 경과는 매우 급진적이며 치명적인 경우가 많고, 항MDA5항체와 연관되어 있다. 연보라발진의 진하기는 개인차가 심하여 피부색이 짙은 경우, 자주빛 또는 홍반의 부종이 잘 보

이지 않는 수가 있다. 피부근염의 피부증상 중 질환 특이적이지는 않으나 자주 보이는 것은 V자목징후(V neck sign, 그림 149-7), 숄징후(shawl sign, 그림 149-8)와 기계공의 손(mechanic's hand, 그림 149-9)이 있다. 앞의 두 발진은 각각 앞목과 앞가슴을 침범한 홍반 및 숄을 둘렀을 때 가리는 부분에 생기는 홍반을 지칭한다. 기계공의 손은 손가락의 측면과 끝, 그리고 손바닥에 과각질화되고 갈라진 피부선이 생기는 것을 지칭한다. 기계공의 손은 항Jo-1항체 양성 환자에게 자주 나타난다.

피부근염 환자는 악성종양의 발생 빈도가 일반인에 비해서 높고, 이 때의 악성종양은 항TIF1γ항체와 연관되어 있다. 피부근염은 다발근염에 비하여 혈관병증이 동반되므로 손톱주름모세혈관이상, 레이노현상 등을 동반할 수 있다. 성인형 피부근염이 아닌 소아에서는 피부의 칼슘침착을 종종 볼 수 있는데, 치료에 잘 반응하지 않는다. 피부의 칼슘침착은 전신경화증이나 중복증후군에서도 볼 수 있고, 피부근염의 경우 항MJ항체와 연관되어 있다.

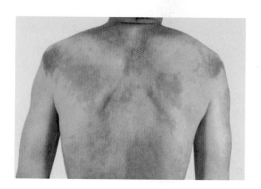

그림 149-8. 숄 징후

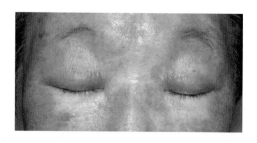

그림 149-6. 연보라발진

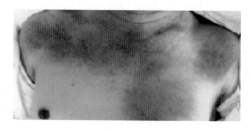

그림 149-7. V자 목징후

그림 149-9. 기계공의 손

## 전신경화증

전신경화증의 증상은 거의 모든 환자에게서 피부의 특징적인 변화로 시작된다. 90% 이상의 환자에게서 레이노현상(그림 149-10)이 피부변화에 선행한다. 초기에는 경화보다는 손을 중심으로 한 비함몰성 부종이 더 뚜렷하고(puffy finger, 그림 149-11), 피부의 가려움증이 동반된다. 시간이 가면서 부종보다는 피부의 딱딱해짐과 두꺼워짐이 뚜렷해진다. 이러한 부종 및 경화 현상은 손가락의 원위부에서 가장 먼저 시작되고 가장 심하게 나타난다. 손가락의 피부가 딱딱하게 경화된 경우를 가락피부경화증(sclerodactyly)이라고 한다. 그림 149-12는 진행된 경우의 가락피부경화증을 보여주며, 피부 및 피하조직의 경화와 수축으로 생긴 이차적인 관절 구축을 보여준다. 피부 부속기가 침범되면, 손가락 등의 털이 없어지고 왁스를 칠한 듯 번들거리며, 건조하게 된다. 피부경화증의 병태 생리에 면역 과활성화에 따른 혈관병증이 동반되기 때문에, 질환이 진행됨에 따라 혈관병증이 악화되게 되고, 이에 레이노현상이 더욱 심해지고 때에 따라서는 손가락 끝이 헐거나 궤양으로 진행, 괴사되기도 한다(그림 149-13). 그림 149-13의 경우, 건조 괴사와 함께 허혈로 인해 손끝마디의 골흡수로 인하여 손가락 마디가 짧아지는 현상이 같이 관찰된다(acro-osteolysis).

때로는 피부의 색소 침착 및 탈색이 동시에 일어나 소금과 후추를 뿌린 것 같은 모양이 관찰되기도 한다(그림 149-14). 손톱주름모세혈관 변화가 정도의 차이는 있으나 거의 모든 환자에게서 관찰된다. 피부의 딱딱해짐이 손목의 원위부, 얼굴, 목에 국한된 경우를 제한전신경화증이라 하고 이보다 근위부의 사지를 침범하거나 몸통을 침범한 경우를 미만전신경화증으로 세분한다. 미만인 경우, 질환 초기에 활동도가 높고 예후가 좋지 않아 조기 진단이 매우 중요하다.

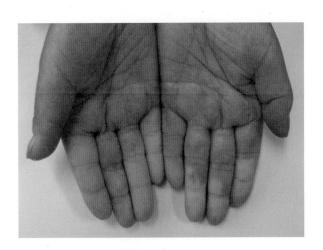

그림 149-10. 레이노 현상

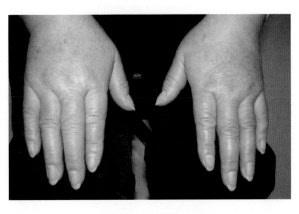

그림 149-11. 손가락 부종

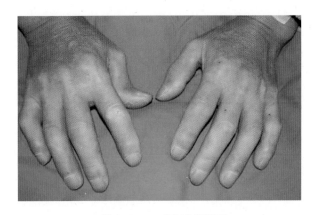

그림 149-12. 가락피부경화증

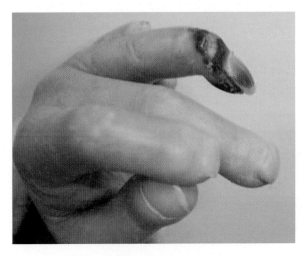

그림 149-13. 건조괴사

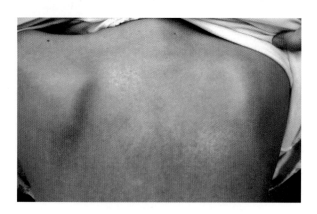

그림 149-14. 피부의 색소 침착 및 탈색

2013년에 개정된 전신경화증의 진단기준은 많은 피부 증상을 포함하므로 표 149-1에 소개하였다.

점수의 총 합이 9점 이상인 경우 전신경화증으로 진단한다.

딱딱하게 경화된 피부는 전신경화증 외에도 나타나는데, 약물이상반응, 당뇨병, 신장질환 등 다양한 원인으로 피부의 경화증이 가능하지만, 원위부 침범 없이 근위부만의 병변일 경우 전신 경화증에서 배제한다.

표 149-1. 2013년 미국 및 유럽 류마티스 학회의 전신경화증 분류 기준

| 항목 | 하부항목 | 점수 |
|---|---|---|
| 손허리손가락관절 근위부까지 침범한 손과 손가락의 피부 두꺼움 | | 9 |
| 손허리손가락관절 원위부에 국한된 손가락의 피부 두꺼움(높은 점수 하나만 선택) | 손가락 부종 | 2 |
| | 가락피부경화증 | 4 |
| 손가락 끝의 병변(높은 점수 하나만 선택) | 궤양 | 2 |
| | 함요흉터 | 3 |
| 모세혈관확장증 | | 2 |
| 손톱주름모세혈관 이상 소견 | | 2 |
| 폐동맥고혈압 또는 간질폐질환(최대 점수 3) | 폐동맥고혈압 | 2 |
| | 간질폐질환 | 2 |
| 레이노현상 | | 3 |
| 질환 특이 자가항체(최대 점수 3) | 항중심체항체 항topoisomerase I항체 항RNA polymerase III 항체 | 3 |

# 기타

## 1) 베체트병

베체트병에서 피부증상은 약 75% 이상에서 관찰되며, 진단을 위한 기준 증상/징후 5가지 중에서 2가지가 피부 증상에 해당한다[피부발진 중 일부 및 이상초과민반응검사(pathergy test) 양성]. 베체트병의 피부증상은 매우 다양하며, 여드름모양발진(그림 149-15), 가성모낭염, 농포성 발진 또는 구진, 결절홍반(그림 149-16), 표재정맥염, 괴저고름피부증(그림 149-17) 등으로 나타날 수 있다. 진단기준에 포함되는 발진은 아래 그림들에 해당된다. 이상초과민반응검사는 무균성 국소 손상에 대한 화농피부반응을 말하며, 양성반응은 20 gauge 멸균 주사기 바늘로 찌르거나 또는 생리식염수의 피하주입 48시간 이후 나타나는 구진 또는

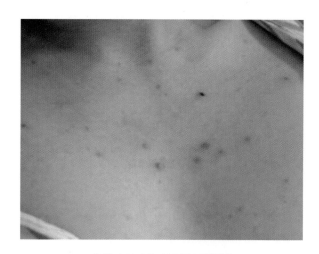

그림 149-15. 여드름모양발진

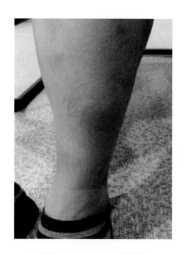

그림 149-16. 결절홍반

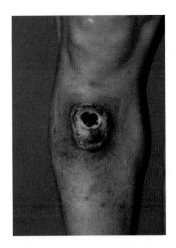

그림 149-17. 괴저고름피부증

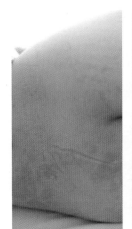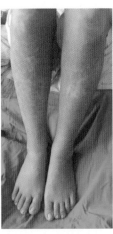

그림 149-18. 연어반점

농포로 정의된다.

## 2) 성인형스틸병

성인형스틸병의 전형적인 3가지 증상은 발열, 발진, 관절염/관절통이다. 각각은 성인형스틸병 환자의 약 75-90%에서 볼 수 있다. 가장 전형적인 발진은 연어빛깔의 반점성(그림 149-18) 또는 구진성(그림 149-19) 홍반이며, 열이 날 때 생겼다가 열이 떨어지면 없어지곤 한다. 피부에 자극을 가하면 발진이 유도되는 Koebner현상을 볼 수 있다. 조직검사소견은 비특이적이며 혈관 주변의 염증세포침윤을 흔하게 볼 수 있다.

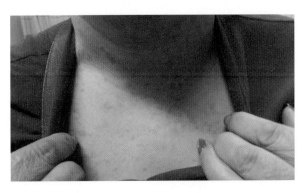

그림 149-19. 구진성 발진

## 3) 쇼그렌증후군

주요 피부 증상은 피부건조증과 가려움증, 혈관염과 동반된 자반증, 레이노현상, 원형홍반, 두드러기양 반응 등을 들 수 있다. 건조증은 땀샘이나 지방샘의 기능저하로 인한 것이라기 보다는 각질층 자체의 문제로 발생한다. 피부의 혈관염은 전체 쇼그렌증후군 환자의 약 10%에서 발생하며, 작은 혈관을 침범하여 자반증이 나타난다.

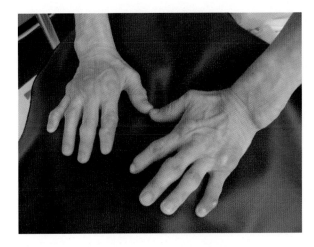

그림 149-20 류마티스결절

## 4) 류마티스관절염

류마티스관절염에서 가장 잘 알려진 피부증상은 류마티스결절(그림 149-20)이며, 개정 이전의 1987년 진단기준에 포함되어 있었으나 빈도가 높지 않아 2010년 개정판에는 제외되었다. 결절을 제외한 류마티스관절염에서 보이는 피부증상들은 대부분 질환 비특이적이며, 일반적으로 피부는 위축되고 쉽게 멍이 드

는 경향이 있으며, 때에 따라 손바닥 홍반 및 레이노현상을 보이기도 한다. 유병률은 매우 낮으나 혈관염이 동반되는 경우, 궤양, 자반증, 손톱변화 등이 올 수 있다. 결절과 혈관염의 경우, 매우 경과가 오래되고 활동성인 류마티스관절염에서 위험이 증가된

다. 류마티스관절염에서 백혈구감소증과 비장비대가 동반된 경우 펠티증후군(Felty's syndrome)이라 하는데, 오래된 활동성 류마티스관절염 환자의 1%에서 나타나며, 류마티스결절 및 다리의 궤양이 잘 동반되며, 25%의 사망률을 보인다. 이외에 괴저고름피부증이 보이기도 한다.

## 결론

류마티스 질환에서 나타나는 피부병변은 매우 다양하고 질환의 시기에 따라 변화한다. 질환을 특징짓는 발진이 조기 진단에 중요한 단서가 될 수 있으며, 어떤 발진은 질환의 기저 병태생리를 예측하게 하기도 한다. 또한 특정 발진은 환자의 내부장기침범 및 예후와 밀접한 연관성을 보이는 경우도 있으므로, 질환 특이적인 발진에 대해서 잘 알고 있어야 하며 반드시 신체검진으로 확인하는 것이 필요하다.

### 참고문헌

1. Albrecht J, Atzeni F, Baldini C, Bombardieri S, Dalakas MC, Demirkesen C, et al. Skin in-volvement and outcome measures in systemic autoimmune diseases. Clin Exp Rheumatol 2006;24(1 Suppl 40):S52-9.
2. Kittridge A, Routhouska SB, Korman NJ. Dermatologic manifesta-tions of Sjögren syndrome. J Cutan Med Surg 2011;15:8-14.
3. Sayah A, English JC 3rd. Rheumatoid arthritis: a review of the cuta-neous manifestations. J Am Acad Dermatol 2005;53:191-209.
4. Sontheimer RD, Kovalchick P. Cutaneous manifestations of rheu-matic diseases: lupus erythematosus, dermatomyositis, scleroderma. Dermatol Nurs 1998;10:81-95.
5. Sontheimer RD. Skin manifestations of systemic autoimmune con-nective tissue disease: diagnostics and therapeutics. Best Pract Res Clin Rheumatol 2004;18:429-62.

# 150

# 류마티스 질환과 폐질환

가톨릭의대 **강귀영**

## KEY POINTS 🔒

- 간질폐질환은 진행성 경과 및 나쁜 예후로 인해 류마티스 질환에서 가장 어려운 폐 합병증 중 하나이다.
- 간질폐질환이 류마티스 질환의 흔한 특징보다 선행되어 나타날 수 있다.
- 간질폐질환 패턴을 감별하는데 고해상 컴퓨터단층촬영이 도움이 되며, 수술적 생검이 요구되기도 한다.
- 급성호흡곤란증후군과 비슷한 급속히 진행하는 미만성 폐질환이 무근육병피부근염에서 발생할 수 있다.
- 약제에 의한 폐렴증이나 기회감염과 간질폐질환을 감별해야 한다.
- 간질폐질환 아형, 증상 유무, 폐기능검사에서 제한의 정도에 따라 치료를 결정해야 한다.

류마티스 질환을 가진 환자에서 폐 합병증은 흔하게 발생하며 중증 질병과 사망으로 이어질 수 있다. 류마티스 질환을 진단받은 환자에서 검사와 치료가 필요한 호흡기증상이 발생하기도 하지만, 류마티스 질환의 첫 발현이 폐 증상일 수도 있다. 폐 침범은 기도, 흉막 및 혈관을 포함하는 모든 부위에 발생할 수 있으나, 가장 흔한 형태는 간질폐질환(interstitial lung disease)이다. 이 장에서는 류마티스 질환에서 나타날 수 있는 폐 증상 중에서 간질폐질환을 집중적으로 다루고자 한다.

## 간질폐질환

간질폐질환은 진행성 경과와 치료에 대한 다양한 반응 및 나쁜 예후로 인해 류마티스 질환 치료의 주요 난제 중 하나이다. 류마티스 질환에서 관찰되는 간질폐질환의 가장 흔한 양상은 비정형간질폐렴(nonspecific interstitial pneumonia)과 통상간질폐렴(usual interstitial pneumonia)이다. 간질폐질환이 잘 동반되는 류마티스 질환은 전신경화증, 류마티스관절염, 피부근염 또는 다발근염, 혼합결합조직병이며, 전신홍반루푸스와 쇼그렌증후군에서는 드물게 발생한다. 예후는 다양하며, 개방 폐생검에서 보이는 조직병리학적 양상과 관련되어 있다. 특발간질폐렴에 비해 류마티스 질환에 동반된 간질폐질환이 예후가 더 좋은 것으로 알려져 있으나, 예외적으로 통상간질폐렴의 경우는 특발폐섬유화와 비슷한 나쁜 예후를 보인다.

### 1) 방사선 및 조직학적 특징

간질폐질환의 조직병리학적 분류를 이해하는 것을 예후와 관련되어 있어 중요하다. 류마티스 질환과 관련된 간질폐질환의 가장 흔한 아형은 비특이성간질폐렴과 통상간질폐렴이고, 다음으로 림프구간질폐렴(lymphocytic interstitial pneumonia)과 기질화폐렴(organizing pneumonia)의 순으로 관찰되며, 드물게 미만폐포손상(diffuse alveolar damage)이 나타난다.

### (1) 비정형간질폐렴

비정형간질폐렴은 류마티스 질환에서 발생하는 간질폐질환

중 가장 흔한 아형으로 염증근염 및 전신경화증에서 많이 발생한다. 류마티스 질환을 진단받은 환자에서 고해상도 컴퓨터단층 촬영(high-resolution computed tomography, HRCT)에서 간유리 음영(ground-glass opacities)을 보이고 벌집모양(honeycombing)은 동반되지 않는다(그림 150-1). 폐 조직에서 균일하고 균질한 염증 또는 섬유화를 보이며 섬유모세포 병소(fibroblastic foci)는 거의 관찰되지 않는다(그림 150-2)

## (2) 통상간질폐렴

류마티스관절염에서 가장 빈번하게 나타나며 전신경화증과 다른 류마티스 질환에서도 발생할 수 있다. HRCT에서 구조적 왜곡과 기관지확장을 동반한 벌집모양(경계가 분명한 벽 안의 낭성 공간)이 존재하는 것이 전형적인 소견이다(그림 150-3). 병리학적으로는 정상적인 폐조직들 사이로 섬유화된 부분이 있는 비균질한 양상을 보이며 섬유모세포 병소가 관찰된다. 류마티스

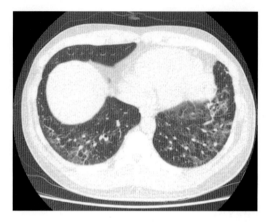

그림 150-1. **다발근육염 환자의 흉부 HRCT**  폐 하부의 간유리 음영이 보이며 벌집모양은 동반되지 않아 비정형간질폐렴의 소견을 보인다.

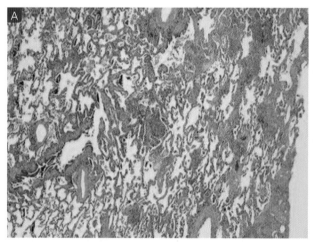
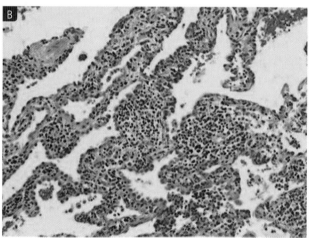

그림 150-2. **폐 조직생검**  폐 사이질의 균질한 염증과 섬유화 소견으로 비정형간질폐렴 소견을 보인다. **(A)** 40x, **(B)** 400x.

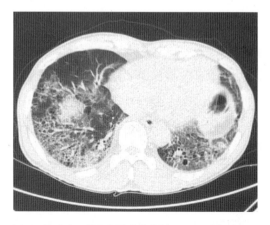
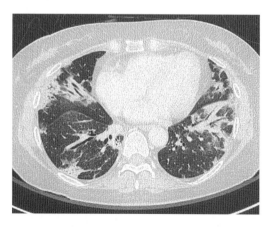

그림 150-3. **류마티스관절염 환자의 흉부 HRCT**  양측 흉막하 부위에 벌집모양을 동반한 섬유화 보이는 통상간질폐렴 소견이다.

그림 150-4. **피부근염 환자의 흉부 HRCT**  기도 주위와 흉막하 경화가 양측 폐 하엽에서 보인다.

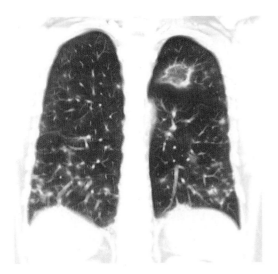

그림 150-5. **다발근염 환자의 흉부 HRCT** 가로 영상에서 양 폐엽의 결정성 침윤 및 좌측 상엽에서 간유리 음영을 경화가 둘러싸고 있는 역달무리징후가 관찰되는 기질화폐렴 소견이다.

관절염에서 통상간질폐렴이 발생한 경우 다른 간질폐렴 아형보다 예후가 불량하다.

### (3) 기질화폐렴

기질화폐렴은 간질 염증과 관련된 말단 기도내의 관내 섬유화를 특징으로 한다. 특징적인 방사선학적 특징은 경화, 결절 및 간유리 음영을 경화(consolidation)가 둘러싸고 있는 역달무리징후(reverse halo sign) 같은 형태이다. HRCT에서 폐경화가 흉막하 폐와 기저부에 분포하며 때로는 기관지 중심성 분포를 보인다(그림 150-4, 그림 150-5). 대부분의 류마티스 질환에서 나타날 수 있으며 기질화폐렴의 진단 시 기저 질환으로 전신홍반성루푸스, 류마티스관절염 및 염증근염 같은 류마티스 질환이 있는지를 평가해야 한다.

### (4) 림프구간질폐렴

림프구간질폐렴은 림프구 침윤, 결절 및 기관지 주변 림프소포(lymphoid follicle)를 특징으로 하며 쇼그렌증후군에서 주로 관찰되고 류마티스관절염, 전신경화증 및 다른 류마티스 질환에서도 발생할 수 있다. HRCT에서 폐 하부에 미만성 간유리 음영과 중심소엽 결절과 간질 비후가 흔하게 관찰된다.

### (5) 미만폐포손상

기존의 폐질환이 있던 환자에서 발생할 수 있으며 조직학적으로 유리질막(hyaline membranes)이 특징적이며 HRCT에서는 급성호흡곤란증후군(acute respiratory distress syndrome)에서 보이는 것과 비슷한 공기공간 경화를 동반하는 양측 폐의 반점형 간유리음영이 관찰된다. 다발근염, 피부근염 및 전신홍반루푸스에서 나타날 수 있으며 일반적으로 심한 호흡부전과 나쁜 예후와 관련되어 있다.

## 류마티스 질환에 간질폐질환을 동반한 환자에서의 진단적 접근

다양한 류마티스 질환에서 간질폐질환의 발생이 증가되어 있으므로, 주기적으로 호흡기 증상과 청진에서 폐하부의 수포음 여부를 확인해야 한다. 간질폐질환이 의심될 경우 신속한 추가 검사를 시행해야 한다. 간질폐질환이 기저의 결체조직질환의 첫 증상일 수 있기 때문에 새로 간질폐질환을 진단받은 경우, 결합조직병의 유무를 병력청취, 손톱주름모세관현미경을 포함하는 신체검사 및 자가항체 검사 같은 선별검사를 시행해야 한다. 폐 침범 여부에 대한 최초 평가로는 HRCT, 폐기능검사를 시행하고, 폐동맥고혈압이 의심될 경우에는 심초음파검사를 시행해야 한다.

### 1) 방사선학적 검사

흉부 방사선촬영은 초기 간질폐질환을 발견하는데 민감하지 못하지만 흉막삼출액이나 결절과 같은 다른 폐 증상이나 울혈심부전과 폐렴 같은 질환을 배제하는데 도움이 된다. 간질폐질환을 발견하기 위한 영상 검사로는 흉부 HRCT가 이용되며 무증상 환자를 발견하는데 유용하다. 흉부 HRCT에서 통상간질폐렴과 비정형간질폐렴의 방사선학적 양상과 조직병리학적 아형은 상관관계를 보인다.

### 2) 폐기능검사

간질폐질환은 폐활량검사에서 강제폐활량(forced vital capacity, FVC) 감소, 낮은 총폐용량(total lung capacity), 낮은 폐확산능

(diffusion capacity for carbon monoxide)이 특징적이다. 6분 보행검사가 감소된 경우는 간질 또는 폐혈관질환을 의심해 볼 수 있다.

### 3) 기관지내시경

간질폐질환에서 기관지내시경과 기관지폐포세척(bronchoalveolar lavage)의 주된 목적은 감염 여부를 확인하는 것이다. 경기관지폐생검 조직을 가지고 간질폐질환을 진단하기는 어렵다.

### 4) 수술적 폐생검

HRCT에서 질환의 아형이 분명하고 임상적 특징이 전형적일 때는 폐생검은 반드시 필요하지는 않다. 임상양상이 비전형적일 때, 폐생검은 치료 방침을 결정하는 데 중요한 정보를 제공할 수 있다.

## 류마티스 질환에서의 폐 침범

### 1) 전신경화증

전신경화증에서 폐질환은 이환과 사망의 주요 원인이다. 간질폐질환은 가장 흔한 폐 증상으로 조기 진단을 위한 검사가 필요하다. 임상적으로 의미있는 간질폐질환은 미만성 질환에서 더 많이 발생하며 높은 피부점수를 보이는 환자와 항Scl-70항체를 가진 환자에서 더 흔하게 동반된다. 가장 흔한 병리학적 양상은 섬유화 비정형간질폐렴이며 그 다음은 통상간질폐렴이고 기질화폐렴과 미만폐포손상은 드물게 나타난다.

HRCT가 진단을 위한 최적 검사이다. 간질폐질환의 조직학적 양상은 예후과 관련이 없으며 폐 침범 범위와 폐기능 손상 정도가 더 관련성을 보인다.

간질폐질환이 동반된 전신경화증 환자는 동반되지 않은 환자에 비해 사망률이 약 3배 정도 증가한다. 간질폐질환이 진행하는 경우라면 세포독성 또는 면역조절 치료를 고려해야 할 것이다. 전신경화증에서 발생한 간질폐질환 치료에 사이클로포스파마이드(cyclophosphamide, CYC) 투여가 효과적이다. Scleroderma Lung Study (SLS) I 연구에서 CYC 투여는 폐기능의 유의미한 개선을 보였다. 1년 동안의 경구 CYC 치료 후, FVC의 호전을 보였

으나, 2년 째에는 이러한 효과는 소멸되었다. SLS II 연구에서 2년 동안 미코페놀레이트(mycophenolate mofetil, MMF)를 투여한 경우 1년 동안 경구 CYC를 투여한 것과 폐기능에 유사한 효과를 보였으며 CYC에 비해 MMF를 투여한 경우가 독성이 덜한 것으로 나타났다. 최근에는 기존의 면역억제제뿐 아니라 토실리주맙(IL-6 수용체 억제제)과 리툭시맙(B세포 억제제)이 효과를 보인다는 연구 결과들이 나오고 있다. 전신경화증 관련 간질폐질환을 가진 환자에 tyrosine kinase 억제제인 nintedanib을 1년 동안 투여한 결과 FVC 감소를 의미있게 줄이는 것으로 나타났다. 그 외에 특발폐섬유화에서 사용되는 항섬유화 치료 및 줄기세포이식의 효과에 대한 연구들이 진행되고 있어 향후 치료에 사용이 기대된다.

흡인폐렴이나 폐동맥고혈압 같은 다른 합병증도 전신경화증 환자에서 발생할 수 있으면 즉각적으로 치료되어야 한다. 식도 운동성저하와 관련되어 흡인이 흔하게 발생하며 이것을 간질폐질환 발생 및 악화에 영향을 미칠 것으로 생각된다. 식도역류의 치료와 폐기능 변화에 대한 전향적 연구 결과는 없으나 고용량 프로톤펌프억제제를 투여하여 식도역류의 위험을 최소화하는 것이 도움이 될 것으로 여겨진다. 중증의 폐동맥고혈압과 간질폐질환은 동시에 발생할 수 있으며 예후가 매우 좋지 않다.

### 2) 류마티스관절염

항류마티스약제(disease modifying antirheumatic drug)와 생물학적제제의 사용으로 관절 증상을 효과적으로 치료하게 되면서, 폐질환은 류마티스관절염 환자에서 사망의 주된 원인 중 하나가 되었다. 가장 심각한 폐합병증은 류마티스관절염 관련 간질폐질환으로 전체 환자의 약 10%에서 발생하며 HRCT로 진단되는 무증상 환자를 포함하면 20-50%의 환자에서 발생한다. 일부에서는 간질폐질환이 관절 증상에 선행되기도 한다. 류마티스관절염 관련 간질폐질환의 60%에서 통상간질폐렴이 발생하며 생존율은 특발폐섬유화와 비슷하다. 질환의 경과는 다양하게 나타난다. 통상간질폐렴, 광범위 침범, 폐기능의 빠른 감소를 보일 경우 예후가 좋지 않다. 통상간질폐렴의 양상을 보이는 경우, 잦은 입원과 산소치료 및 폐기능의 급격한 감소가 빈발한다.

노령, 남성, 흡연 및 고역가의 류마티스인자와 항CCP항체가 간질폐질환의 위험인자이다. 위험인자를 가지고 있을 경우

HRCT로 선별검사를 시행하고, 이상이 있을 경우 3-6개월마다 폐기능 검사를 시행해야 한다. FVC가 10% 이상 감소하는 것은 사망의 위험을 높이므로 치료를 결정하는 데 도움을 줄 수 있다. 아직까지 정립된 가이드라인이 없기 때문에, 간질폐질환 아형, 증상 유무, 폐기능검사에서 제한의 정도에 따라 치료를 결정해야 한다. 통상간질폐렴 이외의 간질폐질환 아형은 면역억제 치료에 반응을 보인다. 급성악화를 보이는 경우, 글루코코티코이드 투여(경구 프레드니손 1 mg/kg)를 단독 또는 다른 면역억제제와 같이 투여한다. 일반적으로 사용되는 면역억제제제는 아자싸이오프린(azathiprine), CYC 또는 MMF이다. 생물학적제제 중에서는, 리툭시맙 투여가 간질폐질환 진행을 안정화시킨다는 보고들이 있다. 최근 INBUILD 연구에 따르면, 류마티스관절염 관련 간질폐질환을 포함한 환자들에게 tyrosine kinase억제제인 nintedanib을 1년 투여한 결과 FVC 감소를 억제시켜 미국 FDA에서 진행성 간질폐질환 치료제로 승인받았다. 통상간질폐렴에서 pirfenidone과 같은 항섬유화제의 치료효과에 대한 연구가 진행 중으로, 효과가 입증된다면 치료에 사용될 수 있을 것으로 기대된다.

기관지확장증이나 세기관지확장증이 류마티스관절염 환자의 30% 이상에서 관찰된다. 빈도는 낮지만 폐색세기관지염도 나타날 수 있으며, 효과적인 치료법이 없어 예후가 좋지 않아 폐이식이 필요하기도 한다.

류마티스관절염 폐결절은 CT에서 흔하게 관찰되며 결절이 공동화되면 객혈을 일으키거나 흉막하결절이 파열되어 기흉을 일으키기도 한다. 흉막질환도 흔하게 발생할 수 있으며 흉막염 통증이 약 20%의 환자에서 발생한다. 흉막삼출액이 흔하고 특징적으로 낮은 포도당(<60 mg/dL), pH 7.3 미만, LDH 상승이 특징적이다. 대부분의 환자는 항류마티스약제 투여 시 증상이 호전된다.

### 3) 다발근염과 피부근염

특발염증근염에서 폐 침범은 흔하게 나타난다. 근염 환자에서 이환과 사망의 많은 부분이 호흡근 기능장애, 흡인과 간질폐질환이다.

특발염증근염에서 간질폐질환의 가장 흔한 변형은 항합성효소증후군(antisynthetase syndrome)으로 Jo-1과 다른 aminoacyl tRNA 합성효소에 대한 항체가 존재하며, 근육염, 레이노현상, 관절염 및 간질폐질환을 일으킨다.

염증근염을 가진 환자에서 간질폐질환의 발생률은 5-45%로 알려져 있으며 폐 침범은 항합성효소항체를 가진 환자에서 빈발한다. 조직병리학적 아형은 비정형간질폐렴, 기질화폐렴, 통상간질폐렴 등의 형태로 나타나며 드물게 미만폐포손상이 나타난다. 비정형간질폐렴이 가장 흔하며 항Jo-1항체를 가진 환자에서는 급성 악화의 양상을 보이기도 한다. 다발근염과 피부근염 환자의 30% 이상에서 무증상 간질폐질환이 나타나며 미만폐포손상 형태의 급성진행성 형태는 간질폐질환을 가진 근염 환자의 20% 미만에서 발생한다. 무근육병피부근염 환자의 일부에서 급성 진행성 간질폐질환이 나타날 수 있으며 예후는 항MDA5항체 여부와 관련되어 있고, 치료에 잘 반응하지 않으며 높은 사망률을 보인다.

치료에 대한 반응은 조직학적 아형에 따라 다르다. 기질화폐렴은 글루코코티코이드에 잘 반응하는 반면, 미만폐포손상과 통상기질폐렴은 면역억제치료에 잘 반응하지 않는다. 비정형기질폐렴의 글루코코티코이드에 대한 반응은 염증과 섬유화 정도에 따라 다르다. 일차치료는 고용량 글루코코티코이드 치료이다. 다양한 면역억제제제를 같이 투여하게 되며 주로 사용되는 약제는 사이클로스포린, CYC 또는 MMF이다. 치료 반응이 없는 환자에서는 calcineurin억제제나 면역글로불린 치료를 고려할 수 있다. 최근 연구결과에서 리툭시맙 치료가 난치성 근염과 간질폐질환에 효과를 보였으며, 특히 항합성효소증후군과 심한 간질폐질환을 가진 환자에서 폐기능 호전을 보였다.

### 4) 전신홍반루푸스

전신홍반루푸스에서 흉통 및 흉막염이 흔하며 급성폐장염, 간질폐질환, 미만폐포출혈과 폐고혈압이 나타날 수 있다.

흉막염의 환자의 50% 이상에서 발생하며, 일부에서 흉막삼출액이 생길 수도 있다. 치료는 경증의 경우에는 항염제, 중증에서는 글루코코티코이드를 투여한다.

급성폐장염은 드물지만 중증의 합병증으로 드물게는 객혈을 동반할 수 있다. 흉부 X선 촬영에서 미만성 침윤과 흉막삼출액이 보일 수 있으며 HRCT에서 간유리 음영과 경화가 보이고 조직검사에서 미만폐포손상으로 나타나고 폐포출혈과 모세혈관염이 동반되기도 한다. 사망률이 50%에 달하며 치료는 고용량 글루코코티코이드와 추가적으로 CYC같은 면역억제제 추가를 고려한다.

미만폐포출혈은 4% 이상의 환자에서 발생할 수 있으며 전형적으로 호흡곤란, 기침과 객혈이 나타난다. 급성폐장염과의 감별은 어려우며 사망률이 높을 수 있다. 치료는 글루코코티코이드와 CYC, 혈장분리교환을 고려해야 한다.

폐고혈압도 일부 환자에서 발생할 수 있다. 항인지질항체증후군에서 반복적인 혈전색전증의 결과로 발생할 수 있다. 일부에서는 폐혈관염 때문에 발생할 수 있으며, 이런 환자에서는 CYC와 리툭시맙 투여가 도움이 된다.

간질폐질환은 드물게 발생할 수 있으며 비정형간질폐렴이 가장 흔하고 통상간질폐렴은 드물다. 증상을 동반하거나 진행성의 경우 고용량 글루코코티코이드와 아자싸이오프린, CYC, MMF 같은 면역억제제를 사용할 수 있다.

## 5) 쇼그렌증후군

쇼그렌증후군에서 폐침범은 10-20%에서 나타난다. 기도질환, 간질폐질환, 낭성 변화와 림프증식성질환 같은 다양한 폐 증상을 나타낸다. 기관지 점막의 염증으로 기도 과민이 흔하게 나타난다. 일부에서는 기관지에 국한된 림프구 침윤으로 난포성세기관지염이 나타날 수 있다. 결절성 림프구증식(거짓림프종)이 발생할 수도 있으며 림프구로 이루어진 폐결절 또는 침윤이 특징적이다. HRCT에서 림프종과의 감별이 어렵기 때문에 조직검사를 필요로 한다.

간질폐질환은 비정형간질폐렴이 가장 빈발하며 통상간질폐렴과 림프구간질폐렴도 나타날 수 있다. 쇼그렌증후군 관련 통상간질폐렴은 특발폐섬유화에 비해 면역억제 치료에 잘 반응하는 경향을 보인다. 림프구간질폐렴은 다양한 질병 경과를 보인다. 최근 연구 결과에서 리툭시맙이 증상과 CT 소견의 호전을 보이는 것으로 보고되어, 난치성 환자에서 글루코코티코이드와 면역억제제 치료에 반응하지 않을 경우 고려해 볼 수 있다.

## 6) 혈관염

모세혈관염으로 인한 미만폐포출혈이 항중성구세포질항체(anti-neutrophil cytoplasmic antibodies; ANCA) ANCA관련혈관

염, 미세다발혈관염, 전신홍반루푸스와 류마티스관절염 관련 혈관염 등의 다양한 혈관염증후군에서 나타날 수 있다. 모세혈관염은 폐에서 급성 출혈의 징후를 보이며, 호흡기 증상을 가지고 방사선에서 미만성 폐침윤, 간유리 음영이 관찰되며 폐확산능이 증가된 환자에서 의심해야만 한다. 폐생검은 ANCA관련혈관염과 전신홍반루푸스에서 나타나는 면역복합체 질환 또는 굿패스처증후군(Goodpasture syndrome)을 감별하는 데 도움이 된다.

ANCA관련 폐질환에서 만성염증으로 인한 섬유화와 기도폐쇄가 나타날 수 있다. 특히 항MPO항체 양성인 환자에서 간질폐질환이 발생할 수 있으며 예후가 좋지 못하다. ANCA관련혈관염의 치료는 고용량 글루코코티코이드와 함께 CYC을 유도치료로 사용할 수 있으며 아자싸이오프린과 MMF를 유지치료를 위해 사용할 수 있다. 생물학적제제 중에서는, 리툭시맙 투여가 유도 치료에 효과를 보인다는 연구 결과가 있다.

## 7) 약제 관련 폐 손상

류마티스 질환을 위해 사용하는 많은 약제들이 폐손상과 관련이 있으며, 특히 메토트렉세이트(methotrexate, MTX)와의 관련성이 많이 알려져 있다. 일반적으로 MTX 폐독성은 약제 시작 후 첫 1-2년 안에 나타나며, 임상양상은 기침부터 진행성 호흡곤란과 생명을 위협하는 호흡부전까지 다양하다. 방사선촬영과 HRCT에서 미만 또는 국소 침윤이 보이며, 병리학적 소견은 림프구 침윤, 급성 간질폐렴과 기질화폐렴이 나타날 수 있다. MTX를 사용하기 전에 폐기능검사와 흉부 X선 촬영을 시행하는 것이 고위험군을 선별하는 데 도움이 될 수 있다. MTX에 대한 만성 섬유화 폐 반응일 수도 있지만, 명확한 증거는 없으며, 만성 MTX 섬유화라고 간주되는 사례들 중 많은 부분은 기저 간질폐질환의 악화일 것으로 여겨진다. MTX 폐손상의 위험인자는 고령, 당뇨병, 저알부민혈증과 이전의 폐질환이다. 최근 다기관 연구 결과에서 MTX를 투여하지 않은 류마티스관절염 환자에 비해서, MTX를 투여한 환자에서 간질폐질환 위험이 증가하지 않았으며 MTX를 투여한 경우, 간질폐질환 진단이 더 늦어지는 것으로 나타났다. 이러한 결과는 MTX가 만성 섬유성 폐질환의 주목할 만한 원인은 아닐 것이며, 오히려 간질폐질환의 발현을 지연시킬 수도 있다는 것을 의미한다. 따라서, 약한 폐질환을 가진 환자에서 MTX 사용하는 것이 합리적인 것으로 여겨지나 폐독

성 여부에 대한 주의 깊은 관찰을 기울여야 한다.

폐장염은 레플루노마이드(leflunomide)를 투여한 환자의 1%에서 나타날 수 있으며 MTX를 투여한 경우보다 흔할 것으로 여겨진다. 기저 간질폐질환을 가진 환자나 MTX관련 폐독성이 있는 환자에서 발생 위험이 증가하므로 이런 환자에서는 투여를 피하는 것이 권고된다. Leflunomide와 관련된 폐장염을 대부분 치료 시작 후 20주 안에 발생한다. 의심이 되는 경우, 즉시 약제를 중지하고 콜레스티라민을 8 g/day 이상 3일 동안 투여하는 것이 약제 제거에 도움이 될 수 있다.

항TNF제제 투여가 간질폐질환에 미치는 영향에 대해서는 논란이 있다. 일부에서는 간질폐질환이 진행했다는 보고도 있으나, 다른 연구에서는 안정적이거나 호전되었다는 연구 결과도 있다. 간질폐질환이나 기관지확장증을 가진 환자에서 항TNF제제를 투여하는 것을 감염의 위험을 증가시키므로 주의를 기울여야 한다.

아자싸이오프린, 설파살라진, 미노사이클린, 비스테로이드소염제, CYC, 리툭시맙, 토실리주맙과 같은 약제들도 폐독성을 일으킬 수 있다. 약물에 의한 폐독성이 의심되는 모든 경우에 기관지내시경을 이용한 기관지폐포세척을 통해 감염을 배제하고, 경한 경우의 약제의 중단 및 심한 경우에는 글루코코르티코이드 치료를 고려해야 한다.

폐질환이 섬유화 양상을 보이는 경우 아직까지는 명확한 치료 권고안은 없으나, 항섬유화 효과를 보이는 nintedanib과 pirfenidone 같은 약제가 효과가 있을 것으로 기대된다. 글루코코르티코이드를 투여하는 환자에서 사람폐포자충(Pneumocystis jiroveci) 폐렴 예방을 고려해야만 하며, 인플루엔자와 폐렴구균 폐렴 예방 주사와 필요시 산소 치료를 적극적으로 시행해야 한다. 폐고혈압과 식도역류에 대한 치료도 고려해야만 한다. 치료에도 불구하고 진행하거나 치료 반응이 없는 환자에서는 폐이식을 고려해야 한다.

## 결론

류마티스 질환에서 간질폐질환은 중요한 예후 인자이며 심각한 이환 및 사망과 관련 있다. 조기 진단과 적합한 치료가 예후를 개선할 것으로 여겨진다. 류마티스 질환 진단 시에 손톱모세혈관 현미경 검사의 시행과 이학적 검사에서의 주의 깊은 청진, 면역학적 검사의 해석 및 HRCT검사를 시행하는 것이 조기 진단과 맞춤치료 확립에 매우 중요하다. 기존의 면역억제제 외에 새로운 표적 치료의 효과에 대한 연구들이 이루어지고 있어 향후 치료에 이용될 것으로 기대된다.

## 류마티스 질환에 동반된 간질폐질환의 치료

각각의 류마티스 질환에서 발생하는 간질폐질환의 조직병리학적 아형과 자연 경과는 다양하기 때문에, 치료는 간질폐질환의 아형과 기저 류마티스 질환에 따라 개별적으로 결정되어야 한다. 아직까지 간질폐질환 치료에 대한 무작위배정 임상연구는 전신경화증에서 CYC와 MMF의 효과에 대한 연구밖에 없다. 전신경화증의 경험에 미루어 볼 때, 임상증상을 보이며 HRCT나 폐생검에서 염증 또는 염증과 섬유화 질환이 겹쳐진 경우에는 글루코코르티코이드와 CYC, MMF, 아자싸이오프린, 리툭시맙과 같은 약제로 항염증치료를 해야만 한다. 중증의 질환에서 CYC를 6-12개월 투여한 후 MMF나 아자싸이오프린 같은 이차 약제로 바꾸어 투여하는 것이 임상적으로 합리적인 접근이다. 간질

### 참고문헌

1. Distler O, Highland KB, Gahlemann M, Azuma A, Fischer A, Mayes MD, et al. Nintedanib for Systemic Sclerosis-Associated Interstitial Lung Disease. N Engl J Med 2019;380:2518-28.

2. Doyle TJ, Dellaripa PF. Lung Manifestations in the Rheumatic Diseases. Chest 2017;152:1283-95.

3. Ha YJ, Lee YJ, Kang EH. Lung Involvements in Rheumatic Diseases: Update on the Epidemiology, Pathogenesis, Clinical Features, and Treatment. Biomed Res Int. 2018;2018:6930297.

4. Juge PA, Lee JS, Lau J, Kawano-Dourado L, Rojas Serrano J, Sebastiani M, et al. Methotrexate and rheumatoid arthritis associated interstitial lung disease. Eur Respir J 2021;57:2000337.

5. Kang EH, Song YW. Pharmacological Interventions for Pulmonary Involvement in Rheumatic Diseases. Pharmaceuticals (Basel) 2021;14:251.

6. Karakontaki FV, Panselinas ES, Polychronopoulos VS, Tzioufas AG.

Targeted therapies in interstitial lung disease secondary to systemic autoimmune rheumatic disease. Current status and future development. Autoimmun Rev 2021;20:102742.

7. Kelly C, Iqbal K, Iman-Gutierrez L, Evans P, Manchegowda K. Lung involvement in inflammatory rheumatic diseases. Best Pract Res Clin Rheumatol 2016;30:870-88.

8. Tracy J. Doyle, Ivan O. Rosas, Paul F. Dellaripa. The lungs in rheumatic disease. In: Hochberg, ed. Rheumatology. 5thh ed. Mosby; 2019. pp. 292-7.

9. Wells AU, Flaherty KR, Brown KK, Inoue Y, Devaraj A, Richeldi L, et al. Nintedanib in patients with progressive fibrosing interstitial lung diseases-subgroup analyses by interstitial lung disease diagnosis in the INBUILD trial: a randomised, double-blind, placebo-controlled, parallel-group trial. Lancet Respir Med 2020;8:453-60.

# 151

# 류마티스 질환과 임신

성균관의대 고은미

## KEY POINTS 🔒

- 류마티스 질환은 가임기 여성에서 잘 나타나므로 임신과 관련된 문제를 잘 알고 있어야 한다.
- 류마티스관절염은 임신기간 동안 호전되는 경향이 있으나 출산 후에는 악화될 수 있다.
- 전신홍반루푸스는 임신과의 연관성이 크기 때문에 반드시 질병이 조절된 상태에서 계획된 임신을 해야 한다.
- 류마티스 질환에 사용하는 각종 약제는 임신이나 수유에 영향을 줄 수 있으므로 각각의 약제에 대하여 파악하고 있어야 한다.
- 임신에 의해 류마티스 질환과 유사한 증상을 일으키는 경우가 있다.

## 서론

가임기 여성 환자가 많은 류마티스 질환 특성상 진료 시 임신과 관련된 문제들이 종종 대두된다. 류마티스 질환 환자가 임신을 원하는 경우, 임신이 질병활성도에 미치는 영향이나 약물이 산모와 태아에 미칠 수 있는 독성 등을 고려해야 한다. 임신 중에는 가능하면 산모나 태아에 영향을 미칠 수 있는 약물 사용을 피하거나 최소화하는 것이 좋지만, 부족한 치료로 질병이 악화될 수 있기 때문에 항상 질병 활성도 조절의 이점과 약물 위험성을 같이 고려해야 한다.

류마티스 질환에서 임신시 고려해야 할 사항은 첫째, 계획된 임신을 하는 것이다. 그러므로 가임기 여성 환자에게는 진단 시부터 가족계획의 중요성을 설명해야 한다. 둘째, 임신하기 위해서는 류마티스 질환이 관해상태이거나 잘 조절되고 있어야 한다. 특히 신장이 침범된 경우에는 최소한 임신 시도 6개월 전부터 관해상태이어야 한다. 셋째, 약물 사용을 최소화하거나 가능하다면 중단한다. 만일 약을 꼭 사용해야 한다면 임신 중에도 사용할 수 있는 약을 고르도록 한다. 이 경우 새로운 약제의 효과를 보기 위해 충분한 기간 동안 관찰한다.

일부 임산부에서는 임신 후에 류마티스 질환을 의심케 하는 증상이 생겨 임신에 의한 증상인지, 새로이 류마티스 질환이 생긴 것인지 혼동되는 경우도 있다. 본 장에서는 각종 류마티스 질환에서 임신과 관련된 사항, 임신 시 약물 사용 및 임신에 의해 나타날 있는 류마티스 증상에 대해서 다루고자 한다.

## 임신과 류마티스 질환

임신기간 동안 면역반응은 정상상태와 차이가 있다. 태아가 발현하는 아버지로부터 받은 항원은 산모에게는 새로운 항원이므로 임신 시 여러 가지 면역 반응이 일어날 수 있고, 이로부터 태아를 보호하기 위해 면역체계의 변화가 일어난다. 즉, 임신이 성공적이기 위해서는 산모가 반동종이식(hemi-allograft)인 태아에 대하여 관용상태여야 한다.

임신이 되면 $T_H1$, $T_H2$ 균형이 깨진다. 산모의 사이토카인 변화에 의해 CD4 세포가 $T_H2$세포로 더 많이 분화된다. 또 $T_{reg}$세포도 임신 중에 증가하는 것으로 생각된다. $T_H2$세포가 더 증가하고

$T_H1$세포가 감소하는 것은 각종 자가면역 질환에 따라 다른 결과를 일으킨다. $T_H1$세포가 주 역할을 하는 류마티스관절염, 다발경화증, 건선은 호전되는 경향이 있다. 이에 반하여 $T_H2$세포가 중요한 역할을 하는 전신홍반루푸스, 천식은 임신 시 T세포 변화에 의해서 호전될 가능성이 없다. $T_{reg}$세포 증가는 모든 자가면역 질환에서 도움이 될 수 있으나, $T_{reg}$세포가 증가해도 임신기간 중 기능을 제대로 못할 가능성에 대한 연구도 필요하다. $T_H17$세포의 역할에 대해서는 아직 확실하게 밝혀진 것이 없다.

임신 초기에는 착상을 돕기 위하여 염증 상태가 된다. $T_H1$세포의 IL-6, IL-8 분비, TNF-$\alpha$ 증가 및 자연살해세포가 국소 염증반응에 기여한다. 착상 후에는 IL-8, IL-1$\beta$가 감소했다가 분만 후에 증가한다. 제2삼분기(2nd trimester)는 태아의 성장과 발달을 돕기 위하여 비교적 염증이 없는 상태가 된다. 임신 말기가 되면 분만과 출산을 돕기 위하여 점점 염증 상태로 변하게 된다. 이러한 이유 때문에 감염이나 염증사이토카인이 유발되는 상황에서는 조산이 일어난다. 또한 임신 말기에 일어나는 염증반응이 출산 후 질병 악화와 관련되어 있다고 여겨진다.

임신 자체가 류마티스 질환 증상을 변화시킬 수도 있다. 임신에 의한 체액 증가는 기존 심장 질환이나 신기능을 악화시킬 수 있다. 또 임신 중 사구체여과율이 약 50% 증가하므로 이에 의해 안정적이던 단백뇨를 악화시킬 수 있다. 임신에 의한 과다응고(hypercoagulability) 역시 류마티스 질환과 관련된 혈전증 가능성을 높인다. 광대홍반(malar erythema), 임신기미(chloasma gravidarum), 빈혈, 적혈구침강속도 증가, 광범위한 관절통처럼 정상 임신에 동반되는 증상들이 활동성 류마티스 질환의 증상으로 오인될 수도 있다. 자간전증(preeclampsia)은 루푸스신염, 경피증신장위기, 혈관염 악화로 오인될 수도 있다.

## 1) 류마티스관절염

류마티스관절염 환자는 대조군에 비하여 자녀 수가 적은 것으로 보고되는데, 이유로는 환자의 선택, 가임 기간 동안의 약물 사용, 질병활성과의 관련성 등이 있다. 또한 임신하기까지의 기간이 류마티스관절염이 없는 경우에 비하여 긴 것으로 알려져 있으며 특히 나이가 많거나 초산인 경우, 질병활성도가 높거나 임신 전 비스테로이드소염제나 하루 7.5 mg 이상의 프레드니손을 사용한 경우이다. 유병 기간, 흡연, 류마티스인자나 항CCP항

체 양성, 설파살라진 사용이나 과거 메토트렉세이트 사용은 관련이 없었다. 남성이 류마티스관절염 약을 복용하는 것도 임신 가능성에 영향을 줄 수 있는데, 설파살라진은 가역적 정자부족증을 일으키지만 임신 가능성에 대한 영향은 제한적이다.

류마티스관절염 환자가 임신을 하면 50-70%의 환자에서 호전이 된다고 알려져 있으며 이러한 호전은 임신 초기부터 임신 기간 동안 지속된다. 류마티스인자나 항CCP항체가 음성인 경우 임신 시 호전이 잘 된다고 보고되었다. 그 외에도 산모와 태아 간의 HLA가 불일치할 경우 호전 가능성이 높다고 생각된다.

약 90%의 환자가 출산 후에 악화되며 대개 분만 후 3개월 이내에 발생한다. 또, 한 보고에 의하면 첫 출산 후 3개월 이내에 류마티스관절염 발생 위험성이 증가한다고 한다.

잘 조절된 류마티스관절염 산모에서 임신 결과는 일반 대조군과 큰 차이가 없으나, 류마티스관절염 전체로는 대조군에 비교하여 고혈압(11.1% vs. 7.8%), 자궁내성장지연(intrauterine growth retardation)(3.4% vs. 1.6%), 제왕절개(37.2% vs. 26.5%) 등의 합병증이 1.4-2.2배 증가한다.

## 2) 전신홍반루푸스

전신홍반루푸스가 있다고 임신이 잘 안 되는 것은 아니다. 그러나 루푸스신염과 같은 활동성 질병이 있거나 면역억제제를 사용하는 것은 임신에 부정적인 영향을 미치며, 사이클로포스파마이드를 사용한 경우 월경이 불규칙해지거나 조기 난소부전이 올 수 있다.

전신홍반루푸스는 진단이 되는 대로 환자와 앞으로의 임신에 대해 논의하는 것이 좋다. 반드시 계획된 임신을 해야 하고 임신 전 평가가 꼭 필요하다. 임신 자체가 산모나 태아에게 위험이 되지 않을 지, 태아에게 영향이 없는 약제로 바꾸고도 질병활성도가 잘 유지되는지를 검토해야 한다. 그 외에 질병 활성도, 주요 장기 침범, 과다응고, 임신에 영향을 줄 수 있는 다른 동반질환 여부를 확인해야 한다. 또한 임신을 위해 투약을 중단할 경우 전신홍반루푸스가 악화될 가능성이 있고 임신 합병증이 증가할 수 있음을 환자에게 알려주어야 한다.

전신홍반루푸스가 임신에 미치는 영향은 건강대조군에 비해 유산, 조산, 계획되지 않은 제왕절개수술, 태아성장지연, 자간전증, 신생아루푸스 등의 합병증이 2-4배 정도 더 잘 발생한다. 산

모에서는 혈전증, 혈소판감소증, 감염, 수혈 등이 증가하여 사망률이 증가한다. 임신 시 활동성 질환이 있으면 산모나 임신 결과에 문제가 일어날 가능성이 높다. 그 외에 산모에게 이미 장기 손상이 있는 경우(특히 신장), 과거의 혈관 질환이나 임신관련 문제, 고혈압, 항인지질항체나 항SSA/SSB항체가 존재하는 경우에 문제가 잘 발생하며, 산모가 복용하고 있는 약물도 관여한다. 이상적으로 전신홍반루푸스 환자는 임신 6개월 전부터 질환이 안정적이어야 한다. 만일 질병활성도와 장기 손상이 없으며 항인지질항체가 음성인 상태에서 임신되었다면 80% 이상에서 임신 결과에 별 문제가 없다.

전신홍반루푸스 환자의 1/3은 항SSA/SSB항체를 가지고 있는데, 항SSB항체만 양성인 경우에는 별 문제가 없지만 항SSA항체가 동시에 양성인 경우에는 위험도가 더 증가한다. 산모가 항SSA항체±항SSB항체인 경우 약 10%의 신생아에서 발진이 나타나고 20%에서는 일시적 혈구 감소, 30%에서는 경도의 일시적 간기능 수치 이상이 나타날 수 있다. 이러한 문제들은 일시적이고 신생아 체내에서 엄마의 항체가 사라지면 저절로 호전된다. 완전심장차단은 항SSA항체±항SSB항체 양성이면서 과거 신생아루푸스 출산 과거력이 없는 경우에는 약 2%, 신생아루푸스 출산력이 있는 경우에는 13-18%에서 발생할 수 있다(PART 09. 전신홍반루푸스 참조). 약 1/3의 환자는 항인지질항체를 가지고 있어 임신 시 문제가 될 수 있다(PART 10. 항인지질항체증후군 참조).

미국류마티스학회는 전신홍반루푸스 환자는 임신관련 고혈압 질환을 예방하기 위해 임신 제1삼분기부터 저용량 아스피린(81-100 mg)을 사용하는 것을 권장한다. 저용량 아스피린은 일반적으로 마취나 출산 시 문제를 일으키지 않는 것으로 되어 있으나 분만 전 아스피린을 중단하는 것은 산부인과와 마취과 의사에 의해 결정되어야 한다. 또 가능하다면 임신 중인 모든 전신홍반루푸스 환자는 하이드록시클로로퀸을 복용하는 것이 좋다. 만일 환자가 이미 복용하고 있다면 임신 중에도 계속 사용하고, 만일 사용하고 있지 않다면 금기증이 없는 경우 새로 복용하는 것을 고려해 본다. 특히 항SSA항체±항SSB항체 양성인 모든 산모는 하이드록시클로로퀸을 복용하는 것이 권장된다.

임신이 전신홍반루푸스에 미치는 영향은 확실하지 않으나 일반적으로 임신 중이나 출산 후에 전신홍반루푸스가 악화된다고

생각한다. 특히 임신 중에 전신홍반루푸스가 악화되는 경우는 임신 6개월 전에 질병활성도가 높았거나, 루푸스신염이 있었던 경우, 하이드록시클로로퀸을 중단한 경우 등이다.

## 3) 전신경화증

전신경화증 환자에서 생식 능력에 관한 연구가 매우 적어 정확한 결론을 내리기가 어렵다. 전신경화증이 있어도 임신에는 아무 문제가 없다는 연구도 있고 반대로 불임이 증가하고 임신까지의 기간도 길다는 보고도 있다. 여러 연구에서 전신경화증 진단 전에 임신하고 나중에 전신경화증 진단이 된 경우 자연 유산의 가능성이 높음이 제시되고 있다.

전신경화증이 임신 결과에 미치는 영향 역시 잘 알려져 있지 않으나 유산, 조산, 자궁내성장지연, 임신나이보다 작은 영아(small for gestational age) 등이 증가할 가능성이 있다.

임신이 전신경화증에 어떤 영향을 주는가도 잘 알려져 있지 않으나 일반적으로 임신이 전신경화증을 악화시키지 않는다고 생각한다. 전신경화증은 신장을 침범할 수 있는데 임신 중에는 신장 이상이 전신경화증에 의한 것인지 자간전증에 의한 것인지 구분이 어렵다. 임신이 신장위기를 유발하는지는 확실하지 않으나, 임신 중 신장위기가 있는 경우 치사율이 매우 높고 치료에 사용되는 안지오텐신전환효소(ACE)억제제도 태아에 대한 독성 때문에 사용하기 어려우므로 활동성 신질환이 있으면 임신을 아주 신중히 고려해야 한다. 그러나 만일 전신경화증 환자가 임신 중에 신장위기가 발생하면 ACE억제제나 안지오텐신수용체차단제(angiotensin receptor blockade)를 사용하는 것이 좋다. 왜냐하면 이러한 약제를 임신 중에 사용하는 위험도보다 치료를 안 하면 발생하는 산모 위험도나 태아사망 위험이 더 크기 때문이다. ACE억제제는 임신 제2, 3삼분기에서 양수과소증(oligohydramnios), 영구적인 태아 신손상 가능성 때문에 금기인 약제이다. 레이노현상은 임신에 따른 혈관 확장에 의해 완화되기도 한다.

## 4) 항인지질항체증후군

항인지질항체증후군의 주요 증상 중의 하나가 유산이다. 항인지질항체가 있으면 태반부전, 양수 감소, 태아성장지연, 자간전증, 태아사망의 가능성이 증가한다. 혈전증이나 산과 합병증

이 없는 항인지질항체 양성 환자는 항응고치료를 예방적으로 할 필요는 없지만 자간전증의 위험도가 높기 때문에 임신 중에 저용량 아스피린을 사용하는 것이 권장된다(PART 10. 항인지질항체증후군 참조).

## 5) 쇼그렌증후군

쇼그렌증후군 환자의 임신 결과에 대한 연구는 별로 많지 않으나 건강한 여성과 유사하다는 보고도 있고, 산모의 나이가 많거나 면역학적인 이유 때문에 자연유산의 가능성이 올라간다는 보고도 있다. 항SSA항체를 가지고 있다면 신생아루푸스 아기가 태어날 위험성이 있다. 신생아루푸스 증상은 피부 병변, 일시적인 간염, 혈소판감소증, 빈혈 등이 있으나 이 중 가장 중요한 증상은 선천성 심장차단이다(PART 09. 전신홍반루푸스 참조).

## 6) 강직척추염

강직척추염은 생식 능력, 임신 결과, 신생아 건강 등 전반적으로 임신에 나쁜 영향을 미치지 않는다. 임신 중 질병활성도 역시 호전되거나 유지되는 경우, 나빠지는 경우 등이 비슷하게 나누어진다. 약 60%의 환자에서 출산 후에 주로 말초 관절에 악화를 경험한다.

# 임신 시 약물 사용

임신 시 약물 사용(표 151-1)은 가능하면 산모나 태아의 위험을 피하기 위하여 약을 사용하지 않거나 최소한도로 사용하는 것이 좋다. 그러나 치료하지 않은 질병은 그 자체가 산모나 태아에게 위험이 될 수 있기 때문에, 질병 조절을 유지하거나 임신 중 활성화된 질환을 조절함으로써 얻는 이득과 항상 비교해서 득실을 따져야 한다.

약물이 태아에 미치는 독성에 대한 자료는 윤리적 이유로 테스트를 할 수 없어 제한적이거나 불완전할 때가 많다. 우리가 사용할 수 있는 약물이 임신에 미치는 영향에 관한 자료는 아주 많은 용량의 약제를 사용한 동물실험이나, 한 두 예의 증례 보고에 그친다. 미국 FDA의 분류(A-D, X)도 역시 제한된 자료에 기초한다.

## 1) 태아나 산모에 미치는 영향이 미미한 약제

### (1) 하이드록시클로로퀸

하이드록시클로로퀸은 전신홍반루푸스나 류마티스관절염에 많이 사용되는 항말라리아제이다. 이 약제는 태반을 통과하지만 우리가 사용하는 농도에서는 태아 독성이 없는 것으로 생각된다. 과거 미국 FDA에 의해서 임신카테고리 C로 분류되어 있으나 전신홍반루푸스 환자에서의 경험을 보면 하이드록시클로로퀸은 임신 중에 사용하여도 큰 문제가 없으며 오히려 전신홍반루푸스 활성도 조절에 도움이 될 수 있다.

하이드록시클로로퀸은 모유를 통해 약 2% 정도 분비되나 미국소아과학회에서는 수유 가능하다고 한다. 따라서 전신홍반루푸스환자에서 질병 악화 예방을 위해 하이드록시클로로퀸을 임신 기간과 수유 중에 계속 사용할 수 있다.

### (2) 설파살라진

설파살라진은 류마티스관절염이나 척추염에 사용되며, 임신 중 비교적 위험도가 낮아 염증질환에서 치료가 필요한 경우 사용할 수 있다. 이 경우 설파살라진이 엽산 부족을 일으킬 수 있기 때문에 엽산 보충이 필요하다. 설파살라진이나 그 대사 산물은 태반을 통과하지만 신생아 황달의 위험을 높이지는 않는다. 일부 보고에서 임신 초기에 복용하면 심장혈관 기형이나 구순열(cleft lip) 위험이 증가한다고 하지만 엽산을 포함한 비타민을 복용하면 이러한 위험이 감소된다. 임신 중 꼭 치료가 필요한 환자에서는 4 mg 이상의 엽산을 포함한 종합비타민을 같이 복용하며, 용량은 하루에 2 g을 넘지 않도록 한다. 만일 임신 중 산모 치료에 꼭 필요하다고 생각되지 않으면 임신 전 중단하고 월경 주기가 한번 지난 후에 임신을 시도한다. 남성의 경우 정자생산이나 정자운동능력을 저해하므로 임신을 원하는 경우 3개월간 중단한다.

설파살라진은 모유를 통해 소량 분비되며 아기에서 설사가 보고된 적도 있으나 미국소아과학회에서는 주의하면서 수유가 가능하다고 한다. 단 조산아나 고빌리루빈혈증 아기에서는 피한다.

### (3) 저용량 아스피린

항인지질항체증후군이나 전신홍반루푸스 시 사용되는 저용

량 아스피린은 태아에 별 영향을 주지 않으며 출산 시 출혈 가능성 증가와도 관련이 없다. 저용량 아스피린은 조산이나 심한 자간전증을 예방할 수 있으므로 루푸스신염이나 항인지질항체가 동반된 전신홍반루푸스 환자에서는 가능하면 임신 전에 사용을 시작하고 늦어도 임신 16주 이내에는 투여가 되어야 한다. 또한 미국소아과학회에서 저용량 아스피린 복용 시 모유수유가 가능하다고 결론을 내렸다.

## 2) 임신 중에 선택적으로 조심해서 사용해야 하는 약제

### (1) 비스테로이드소염제 및 중간 용량 이상의 아스피린

이 약제들은 임신 중 언제 사용하는가에 따라 안정성이 결정되므로 사용 시기를 잘 선택해야 한다. 아스피린의 경우 고용량을 사용하면 동물실험에서 기형을 유발한다고 알려져 있으나 사람에서는 이런 보고가 없다. 비스테로이드소염제 역시 동물실험에서 고용량을 사용하면 기형을 유발하였으나 사람에서는 그렇지 않다. 그러나 제3삼분기에 사용하면 동맥관이 조기에 폐쇄될 수 있어 임신 초기, 중기에는 사용이 가능하지만 마지막 석 달에 들어서면 중단해야 한다. 또한 고용량 아스피린을 출산 가까이 사용하면 태아나 신생아의 출혈 가능성이 높아질 수 있다. COX-2억제제에 대한 자료는 매우 제한적이다. 그러나 비스테로이드소염제와 마찬가지로 마지막 석달에 들어서면 중단한다.

비스테로이드소염제는 배란을 억제하거나 착상을 방해할 수 있으므로 임신이 잘 안되는 환자는 임신을 시도하는 기간에는 피하는 것이 좋다.

모유수유 시 비스테로이드소염제는 복용가능하나 중간 용량 이상의 아스피린은 피하는 것이 좋다. 만일 비스테로이드소염제를 사용한다면 이부프로펜이 가장 좋다. 왜냐하면 모유로 분비되는 양이 매우 적고 안정성에 대한 자료가 가장 많기 때문이다.

### (2) 글루코코티코이드

임신 중 글루코코티코이드 노출이 어떤 결과를 일으키는가는, 연구가 제한적이고 일관적인 결과가 없으며 또한 약물 노출 외에도 기저질환이나 질병활성도의 역할을 구분하기가 쉽지 않아 정확히 알기 어렵다. 일반적으로 프레드니손, 프레드니솔론 및 메틸프레드니솔론은 태반을 잘 통과하지 않기 때문에 고용

량이 아니면 비교적 안전하게 임신 중에 사용할 수 있다고 알려져 있다. 그러나 가능하면 적은 용량을 사용하고 프레드니솔론 10 mg보다 적게 사용하는 것이 권장된다. Betamethasone이나 dexamethasone의 경우 태아에 고농도로 도달하기 때문에 태아를 치료할 필요가 있을 때만 사용한다.

과거 임신 중 글루코코티코이드를 사용하면 구개열(cleft palate)이 발생한다고 알려졌으나 다른 연구에서 이러한 결과는 관찰되지 않았다. 그러나 임산부에게 글루코코티코이드를 사용할 때는 임신 초기에 사용하는 경우 구개열의 위험성이 약간 증가할 수도 있다는 것을 알려 주어야 하고, 될 수 있으면 적은 용량을 사용하거나 제1삼분기에는 가능하면 사용하지 않는다. 그 외에도 글루코코티코이드를 복용하면 조기양막파열, 자궁내성장지연, 산모에서 임신고혈압, 당뇨, 골다공증, 감염의 위험을 높인다. 만일 분만 6개월 이내에 20 mg 이상의 프레드니솔론을 3주 이상 사용한 경우, 진통과 분만 시에 스트레스 용량의 글루코코티코이드 투여가 필요하다.

글루코코티코이드는 모유 내로 소량 분비되지만 산모에게 필요하다면 계속 사용하며 수유한다. 만일 프레드니솔론을 20 mg 이상 복용한다면 복용 후 2시간에 모유 내 농도가 최고로 올라가기 때문에 약 복용 후 처음 4시간 동안의 모유는 버리도록 한다.

### (3) 아자싸이오프린

임신 중에는 아자싸이오프린이 태반에서 대사되어 thiouric acid로 비활성화된다. 미국 FDA 분류는 D로 되어 있으며 기형아는 상관이 없으나 저체중, 조산, 황달 등의 합병증이 증가한다고 되어있다. 그러나 다른 면역억제제(사이클로포스파마드, 사이클로스포린, 미코페놀레이트모페틸)에 비하여 비교적 안전하게 사용될 수 있다. 따라서 임신 중 면역억제제가 꼭 필요한 경우 사용한다.

이 약은 모유로 분비되지만 대부분의 임산부에서 모유 내 농도가 매우 낮기 때문에 모유수유는 가능한 것으로 생각되나, 모유수유의 장점과 약에 의한 위험 부담을 고려하여 결정한다.

### (4) 정맥면역글로불린주사

면역글로불린 피하주사는 임신 중에 안전하다. 정맥주사로 사용하는 경우에 대해서는 잘 알려지지 않았다. 꼭 필요한 경우

에는 자가면역 질환에서 임신 중 사용할 수 있다. 모유수유도 가능하다.

### (5) 사이클로스포린, 타크로리무스

태아 시절 사이클로스포린에 노출되었던 아기들의 장기간에 걸친 면역기능 변화는 알려지지 않았기 때문에 임신 중에 꼭 사이클로스포린을 사용해야 한다면 가능한 적은 용량을 사용하고 산모의 혈압과 신장 기능을 잘 관찰해야 한다. 모유수유는 일부 신생아에서 치료 농도의 사이클로스포린이 측정이 된 적도 있어 모유수유를 하는 경우 아기에서 혈중 농도와 크레아티닌을 측정할 것을 고려해야 한다. 타크로리무스가 임신에 미치는 영향에 대한 자료는 별로 없는데 더 강력한 면역억제가 필요한 경우 고려해 볼 수 있으며 주의 사항은 사이클로스포린과 같다.

### (6) 항TNF제제

항TNF제제는 VACTERL 증후군(Vertebral anomalies, Anal atresia, Cardiac defects, Tracheoesophageal fistula, Esophageal atresia, Renal anomalies, Limb dysplasia)과 관련이 있다고 보고된 적이 있으나 그 후 연구에서는 연관성이 확인되지 않았다. 현재 etanercept, infliximab, adalimumab은 임신 중 안전하다고 알려져 있으며 certolizumab은 임신 전기간에 걸쳐 사용 가능하다. Golimumab에 대한 자료는 거의 없다. 일반적으로 항TNF제제를 임신 중에 사용하다가 신생아의 면역 억제를 피하기 위하여 infliximab은 임신 16-24주, adalimumab은 24-32주 등, 제2삼분기 말이나 제3삼분기 초기에는 중단하는 것을 권유한다. 그러나 개개의 환자에서 질병활성도가 높아서 약을 계속 사용하는 것이 더 이득이라고 생각되면, 출산 후 신생아 체내에 상당기간 약물이 남아있을 가능성을 고려하면서 연장해서 사용 가능하다.

임신 중에 항TNF제제에 노출 되었던 신생아는 생후 6개월까지는 생백신은 피하도록 하지만 다른 비활성백신은 일정에 따라 접종한다. 모유수유에 대한 자료는 충분치 않다. 그러나 최근에는 항TNF제제는 분자량이 커서 모유 내 농도는 매우 낮아 사용해도 된다는 의견이 있다. 단 golimumab은 아직 자료가 없다.

### (7) Rituximab

Rituximab은 임신할 때까지 사용가능하며 만일 생명이 위험한 경우에는 임신 중에도 사용한다. 모유로 분비되는 양은 적으므로 모유수유가 가능하다.

## 3) 태아에게 중등도 내지 고위험 약제

### (1) 메토트렉세이트

메토트렉세이트는 유산을 유발할 뿐만 아니라 기형도 유발한다. 따라서 임신 전에 반드시 중단해야 한다. 언제부터 중단할 지에 대해서는 여러 의견이 있으나 여성은 3개월 전에 중단하는 것이 좋고 이때부터 임신 전기간을 통해 엽산을 보충한다. 모유수유도 불가능하다.

### (2) 레플루노마이드

레플루노마이드는 매우 강력하게 기형을 유발하므로 임신 중 절대 금기이다. 레플루노마이드는 반감기가 매우 길기 때문에 임신 2년 전부터, 임신기간, 수유하는 동안 모두 사용하지 않는다. 임신 2년 전 중단하는 것 이외에 다른 방법으로는 cholestyramine으로 약효세척(wash-out)을 하고 체내에 약이 남아 있지 않음을 확인해야 한다. 모유수유 역시 불가능 하다.

### (3) 미코페놀레이트모페틸

여러 가지 기형을 유발하며 경구피임약의 효과를 감소시킬 수 있기 때문에 적절하게 피임을 하고 있는 경우에만 사용한다. 이 약은 임신 시도 6주 전에 중단한다. 이 약제가 모유에서 분비되는지에 대한 자료가 없기 때문에 모유수유는 금기이다.

### (4) 사이클로포스파마이드

임신 중 사이클로포스파마이드를 투여하면 안구돌출, 구개열, 골격이상, 태아흡수, 성장지연이 일어날 수 있다. 기형을 일으킬 가능성이 높으므로 가능하면 임신 중에는 사용하지 않고 생명이 위험한 상태에서 다른 치료법이 없는 경우에만 고려한다. 모유수유도 불가능하다.

### (5) 아스피린, 비스테로이드소염제, COX-2억제제의 제3삼분기 사용

동맥관조기폐쇄 위험 때문에 제3삼분기에는 사용하면 안 된다.

표 151-1. 임신 및 수유 중의 약제 사용

| 약 | 임신 전 | 임신 중 | 수유 중 |
|---|---|---|---|
| **전통적인 약제** | | | |
| 하이드록시클로로퀸 | 사용가능 | 사용가능 | 사용가능 |
| 설파살라진 | 사용가능 | 사용가능:<br>2 g/일 이하로 사용하고 엽산 보충 필요 | 사용가능:<br>조산아, 고빌리루빈혈증인 경우 수유 금지 |
| 콜히친 | 사용가능 | 사용가능 | 사용가능 |
| 아자싸이오프린 | 사용가능 | 사용가능 | 조건부 사용가능 |
| 프레드니솔론 | 조건부 사용가능:<br>10 mg/일 이하로 사용. 불가능한 경우, 임신 시 사용 가능한 면역억제제를 추가하여 20 mg 미만으로 감량 | 조건부 사용가능:<br>10 mg/일 이하로 사용. 불가능한 경우, 임신 시 사용 가능한 면역억제제를 추가하여 20 mg 미만으로 감량 | 조건부 사용가능:<br>용량이 20 mg을 넘으면 수유를 복용 4시간 이후로 연기 |
| 사이클로스포린, 타크로리무스 | 조건부 사용가능:<br>혈압 모니터링 필요 | 조건부 사용가능:<br>꼭 필요한 경우에는 사용가능, 혈압 모니터링 필요 | 조건부 사용가능 |
| 비스테로이드소염제 | 조건부 사용가능:<br>임신이 잘 안되면 중단 | 조건부 사용가능:<br>부작용 설명 필요, 제3삼분기에서는 사용 금지 | 조건부 사용가능:<br>수유 시에는 작용시간이 짧은 약제를 선택 |
| **항TNF제제** | | | |
| Certolizumab | 사용가능 | 사용가능 | 사용가능 |
| Infliximab, Etanercept, Adalimumab Golimumab | 조건부 사용가능 | 조건부 사용가능:<br>임신 중, 후반에는 중단 권유 | 사용가능:<br>Golimumab은 자료 없음 |
| **Rituximab** | | | |
| | 조건부 사용가능:<br>임신되면 중단 | 조건부 사용가능:<br>생명이나 장기 손상의 위험성이 있는 경우에는 사용 | 사용가능 |
| **기타 생물학제제: 안전성에 대한 자료가 충분이 없음** | | | |
| Anakinra, Belimumab, Abatacept, Tocilizumab, Secukinumab, Ustekinumab | 조건부 사용가능:<br>임신되면 중단 | 조건부 사용금지:<br>임신 중 사용 중단 | 조건부 사용가능:<br>분자량이 커서 모유내 배출이 적을 것으로 예상되나 자료는 없음 |
| **임신 시 사용하면 안되는 약제** | | | |
| 메토트렉세이트 | 사용금지:<br>임신 3개월 전 중단 | 사용금지:<br>임신 되면 중단하고 엽산 5mg/일 투여 | 조건부 사용금지:<br>제한적 자료에서 모유내 분비가 적었음. |
| 레플루노마이드 | 사용금지:<br>임신 2년 전 중단 또는 콜레스테롤 약효세척 | 사용금지 | 사용금지 |
| 미코페놀레이트모페틸 | 사용금지:<br>임신 6주 전 중단하고 질병활성도 관찰 | 사용금지 | 사용금지 |
| 사이클로포스파마이드 | 사용금지:<br>임신 3개월 전 중단 | 조건부 사용가능:<br>제2, 3삼분기시 생명이나 장기손상 위험이 있는 경우 사용 | 사용금지 |

Tofacitinib, Apremilast, Baricitinib: 자료가 없어 판단하기 어려우나 적은 분자량으로 태반을 통과하거나 모유로 배출될 가능성 있음.

## 4) 잘 알려지지 않은 위험군

### (1) Anakinra, abatacept, tocilizumab, belimumab, secukinumab, ustekinumab

위의 약제들은 아직 임신에 대한 영향을 정확히 모른다. 일반적으로 임신할 때까지는 사용 가능하지만 임신이 되면 중단한다. 꼭 사용해야 한다면 산모가 가능한 위험성에 대해 충분히 알고 결정해야 한다. Belimumab은 임신 초기에 노출되어도 선천기형이 증가한다는 보고는 없어 임신될 때까지는 사용 가능하다는 의견도 있지만 임신 4개월 전에는 중단하는 것이 좋다는 의견도 있다

모유수유에 대해서는 대부분 분자량이 크기 때문에 모유 내로 분비되는 양이 많지 않을 것으로 추측되나 자료는 충분하지 않다.

### (2) Tofacitinib

Tofacitinib은 임신에 대한 안전성의 자료가 충분하지 않기 때문에 임신 중에는 사용하지 않는 것이 좋다. 유럽류마티스학회에서는 임신 시도 2개월 전에 중단할 것을 권장한다. 모유수유 역시 충분한 자료가 없어 하지 않는 것이 좋다. 왜냐하면 분자량이 작아 모유 내에 고농도로 분비될 가능성이 있다.

## 5) 남성에서의 임신 전 약물 사용

### (1) 임신 전 반드시 중단해야 하는 약제

사이클로포스파마이드는 임신 시도 3개월 전에 중단해야 하고 탈리도마이드는 임신 시도 1개월 전 중단한다.

### (2) 계속 사용해도 되는 약제

아자싸이오프린, 콜히친, 하이드록시클로로퀸 및 모든 항TNF제제는 계속 사용해도 된다.

### (3) 자료는 부족하지만 조건부로 사용하는 약제

메토트렉세이트는 일반적으로 임신 전에 중단하도록 되어 있으나 실제로 기형아 발생 보고는 없어 최근에는 중단할 필요 없다는 의견도 있다. 설파살라진은 그냥 사용하지만 정자 수나 질에 영향을 줄 수 있으므로 만일 임신이 안되면 정액 분석이 필요하다. 레플루노마이드, 미코페놀레이트모페틸, 비스테로이드소염제, rituximab, 타크로리무스도 계속 사용한다.

### (4) 자료가 없어 판단하기 힘든 약제

Abatacept, apremilast, baricitinib, belimumab, secukinumab, tocilizumab, tofacitinib, ustekinumab

# 임신 시 나타날 수 있는 근골격계 증상

임신이 되면 체중증가, 자세변화, 호르몬변화에 의해 다양한 근골격계 증상이 생길 수 있다.

## 1) 허리 통증

허리 통증은 임신 중에 흔하게 나타나는데 자세변화, 근력약화, 관절이완(joint laxity), 척추후관절(facet joint) 자극 등 기계적 요인에 의해 유발된다. 허리 통증은 임신 기간 중 언제라도 발생할 수 있으나 임신 후반기에 더 잘 나타난다. 진단을 위해 검사하는 것은 별로 도움이 되지 않으며 통증이 심하면 아세트아미노펜과 같은 약을 사용해 볼 수 있으나 가능하면 수면자세변경, 운동과 같은 비약물적 방법이 권장된다. 대부분 출산 후 호전된다.

## 2) 다리 근육경련

주로 임신 후반기에 종아리 근육경련이 밤에 잘 일어난다. 원인은 젖산이나 pyruvic acid가 축적되어 나타난다고 생각하나 정확한 원인은 아직 모른다. 치료는 다리 근육스트레칭, 걷기운동 등이 도움이 된다.

## 3) 손목터널증후군

임신할 경우 수분저류 등에 의해 손목터널증후군이 흔하게 나타날 수 있다. 한 연구에 의하면 임신한 여성의 21%에서 손목터널증후군의 증상이 있었다고 한다. 대부분의 경우 제3삼분기에 증상이 나타나기 시작하여 출산 후 호전되므로 수술이 필요한 경우는 없다.

## 4) 결절홍반

결절홍반 환자의 50%는 감염, 약물, 전신 질환과 관련이 있다. 임신과 관련된 경우 특히 제2삼분기때 잘 발생하고 다음 임신이나 경구피임약 복용 시 재발할 수 있다. 결절홍반 치료의 문제점은 결절홍반 치료에 사용되는 대부분의 약제가 임신 시 안전한지 확인이 안되었다는 점이다. 따라서 침상안정, 다리 올리기, 압박 등 비약물적 치료를 사용하는 것이 좋다.

## 5) 기타

그 외에도 다리이음뼈(pelvic girdle) 통증, 치골결합분리(separation of symphysis pubis), 대퇴골두골괴사, 일과성대퇴골두위축증(transient osteoporosis of femoral head), 드퀘르뱅힘줄활막염, 흉부벽 통증 등이 발생할 수 있다.

### 참고문헌

1. Andreoli L, Bertsias GK, Agmon-Levin N, et al. EULAR recommendations for women's health and the management of family planning, assisted reproduction, pregnancy and menopause in patients with systemic lupus erythematosus and/or antiphospholipid syndrome. Ann Rheum Dis. 2017;76:476–85

2. Bermas BL. Maternal adaptations to pregnancy: Musculoskeletal changes and pain. https://www.uptodate.com/contents/maternal-adaptations-to-pregnancy-musculoskeletal-changes-and-pain?search=musculoskeletal%20changes%20%20pregnancy& source=search_result&selectedTitle=1~150&usage_type=default&display_rank=1 (Updated on Aug. 6, 2021)

3. Bermas BL. Rheumatoid arthritis and pregnancy. https://www.uptodate.com/contents/rheumatoid-arthritis-and-pregnancy?search=rheumatoid%20arthritis%20and%20pregnancy&source=search_result&selectedTitle=1~150&usage_type=default&display_rank=1 (Updated on Aug. 6, 2021)

4. Bermas BL. Safety of rheumatic disease medication use during pregnancy and lactation. https://www.uptodate.com/contents/safety-of-rheumatic-disease-medication-use-during-pregnancy-and-lactation?search=rheumatic%20diseases%20pregnancy&source=search_result&selectedTitle=1~150&usage_type=default&display_rank=1 (Updated on Aug. 6, 2021)

5. Bermas BL, Smith NA. Pregnancy in women with systemic lupus erythematosus. https://www.uptodate.com/contents/pregnancy-in-women-with-systemic-lupus-erythematosus?search=systemic%20lupus%20erythematosus%20and%20pregnancy&source=search_result&selectedTitle=1~150&usage_type=default&display_rank=1 (Updated on Aug. 6, 2021)

6. Bermas BL. Systemic sclerosis (scleroderma) and pregnancy. https://www.uptodate.com/contents/systemic-sclerosis-scleroderma-and-pregnancy?search=systemic%20sclerosis%20and%20pregnancy&source=search_result&selectedTitle=1~150&usage_type=default&display_rank=1 (Updated on Aug. 6, 2021)

7. Bermas BL. Lactation and management of postpartum disease. Rheum Dis Clin N Am 2017;43:249-62

8. De Jong PHP, Dolhain RJEM. Fertility, pregnancy, and lactation in rheumatoid arthritis. Rheum Dis Clin N Am 2017;43:227-37.

9. Fanouriakis A, Tziolos N, Bertsias G, et al. Update on the diagnosis and management of systemic lupus erythematosus. Ann Rheum Dis 2021;80:14-25.

10. Gupta S, Gupta N. Sjögren Syndrome and Pregnancy: A Literature Review. Perm J 2017;21:16-47.

11. Lateef A, Petri M. Systemic lupus erythematosus and pregnancy. Rheum Dis Clin N Am 2017;43:215-62.

12. Piccinni MP, Lombardelli L, Logiodice F, et al. How pregnancy can affect autoimmune diseases progression? Clin Mol Allergy. 2016;14:11-20.

13. Sammaritano LR, Bermas BL, Eliza E. Chakravarty EE, et al. 2020 American College of Rheumatology Guideline for the Management of Reproductive Health in Rheumatic and Musculoskeletal Diseases. Arthritis Rheum 2020;72:529-56.

14. Skorpen CG, Hoelzenbein M, Tincani A, et al. The EULAR points to consider for use of antirheumatic drugs before pregnancy, and during pregnancy and lactation. Ann Rheum Dis 2016;75:795-810.

15. Tavakolpour S, Rahimzadeh G. New Insights into the Management of Patients with Autoimmune Diseases or Inflammatory Disorders During Pregnancy. Scand J Immunol 2016;84: 146-49.

# 152

# 류마티스 질환과 예방접종

연세의대 **박민찬**

## KEY POINTS 🔒

- 류마티스 질환자는 질병 및 치료약제로 인하여 감염의 위험이 증가하므로 국내외 권고기준에 따라 백신접종을 통해 감염을 예방하는 노력이 필요하다.
- 인플루엔자, 폐렴사슬알균, B형간염, 사람인유두종바이러스와 같은 비활성화백신의 경우 각 백신의 접종일정을 준수하여 접종하는 것이 권장된다.
- 대상포진바이러스, MMR 백신과 같은 약독화 생백신의 경우, 면역억제제 투여 중이거나 면역저하 환자에서는 금기이므로 주의가 필요하다.
- 투여 중인 약제에 따라 백신접종의 효과가 달라질 수 있으므로 치료제 투여 시 백신접종 시기에 대한 고려가 필요하다.

## 서론

류마티스 질환자는 질병의 경과에 따른 면역체계의 이상과 더불어 부신피질호르몬제, 면역억제제, 생물학적제제와 같은 약제의 사용으로 인해 감염 위험성이 증가하므로 이에 대한 예방이 중요하다. 백신접종 자체가 류마티스 질환의 경과에 악영향을 미칠 가능성은 낮은 것으로 알려져 있고 비활성화 백신(인플루엔자, 폐렴사슬알균, B형간염, 사람인유두종바이러스, 파상풍-디프테리아-백일해)의 경우 백신접종이 류마티스 질환자에서 감염증을 초래하는 경우는 드물어 일반적으로 일정을 잘 준수하여 백신을 접종하는 것이 권고된다. 약독화 생백신(대상포진, 홍역-볼거리-풍진 및 수두)의 접종은 감염증의 위험을 증가시킬 수 있

표 152-1. **치료제의 종류 및 반감기에 따른 백신접종 시기**

| 약제 종류 | 반감기 | 비활성화 백신 | 약독화 생백신 |
|---|---|---|---|
| 글루코코티코이드(프레드니솔론 ≥20 mg/일) | 3-4시간 | 제한없음 | 1개월 |
| 메토트렉세이트(≥0.4 mg/kg/주) | 3-10시간 | | 1-3개월 |
| 레플루노마이드 | 14일 | | 3-24개월 |
| 에타너셉트 | 70시간 | | 1개월 |
| 아달리무맙 | 15-19일 | | 3개월 |
| 인플릭시맙 | 14일 | | 3개월 |
| 골리무맙 | 14일 | | 3개월 |
| 아바타셉트 | 13일 | | 3개월 |
| 토실리주맙 | 13일 | | 3개월 |
| 리툭시맙 | 21일 | 6-12개월 | |

어 면역억제제나 생물학적제제 투여 중에는 금기이며 면역억제제 치료 시작 최소 4주 전에 접종을 완료하는 것이 바람직하다. 일부 약제의 경우 백신접종으로 기대할 수 있는 항체형성을 저해할 수 있으므로 생백신의 경우 약제 반감기의 5배 경과 후에 접종하는 것을 추천하며 비활성화 백신의 경우 질병의 경과가 안정적인 상태에서 접종 후 일시적으로 치료약제를 중단하는 것을 고려해볼 수 있다(표 152-1).

## 인플루엔자 백신접종

### 1) 인플루엔자바이러스 감염증

인플루엔자바이러스는 Orthomyxovirus과에 속하는 단쇄, 나선형 바이러스이다. 항원형에 따라 A, B, C형으로 분류하며 바이러스 표면의 당단백질인 적혈구응집소(hemagglutinin, HA)와 neuraminidase (NA)의 종류에 따라 HA는 H1-H16까지, NA는 N1-N9까지의 아형으로 분류한다. 한 가지 아형에서 점상돌연변이로 약간의 변화가 일어나는 항원소변이(antigenic drift)가 거의 매년 인플루엔자 A, B형에서 발생하여 계절적 유행을 일으킨다. HA나 NA가 새로운 아형으로 바뀌는 항원대변이(antigenic shift)는 인플루엔자 A형에서 주로 나타나며 전 세계적인 대규모 유행을 일으키기도 한다.

### 2) 인플루엔자백신접종 권장사항

인플루엔자바이러스의 항원이 매년 변하므로 백신의 조성은 이에 맞추어 해마다 바뀐다. 인플루엔자백신은 근육주사로 투여하는 비활성화 백신과 비강흡입형의 약독화 생백신이 있는데 면역억제제를 투여 중인 경우에는 약독화 생백신의 접종은 금기이므로 비활성화 백신을 접종하는 것을 권장한다. 우리나라의 평균적인 인플루엔자 발생시기는 대개 10월부터 다음 해 4월까지이며, 유행은 12-1월이나 늦게는 3-5월 사이에 발생하므로 매년 10-11월이 적절한 접종시기이다.

### 3) 류마티스 질환자에서 인플루엔자백신접종

류마티스 질환자의 경우 50세 이상의 성인, 생후 6-59개월 소아, 호흡기나 심혈관질환자, 만성대사성질환자 등의 고위험군과

**표 152-2. 인플루엔자백신의 권장대상과 접종시기**

| 권장 대상 | 접종 시기 |
|---|---|
| 50세 이상 성인 | 항원이 지속적으로 바뀌므로 매년 10-11월에 접종 |
| 생후 6-59개월 소아 | |
| 만성질환자(호흡기, 심혈관, 대사성) | |
| 임신부 | |
| 만성질환으로 집단시설에 요양 중인 사람 | |
| 신경계 환자(호흡기능이상 동반) | |

마찬가지로 인플루엔자백신의 접종대상자가 된다. 특히 65세 이상인 경우 폐렴 등의 합병증 발생률과 사망률이 높으므로 류마티스 질환을 가진 고령자의 경우 인플루엔자백신의 접종이 필수적이다. 매년 10-11월에 접종하는 것이 권장되며 이 기간을 놓치더라도 유행이 늦게 발생하기도 하므로 류마티스 질환자에게 인플루엔자 백신접종을 적극 권장하는 것이 바람직하다. 생물학적제제를 포함한 대부분의 류마티스치료제의 경우 치료기간 중에 백신을 접종해도 항체형성률은 큰 차이를 보이지 않지만 약제 투약 2주 전에 백신 접종을 완료해야 적절한 항체형성을 기대할 수 있다. 특히 리툭시맙 투여 시에는 항체형성률이 유의하게 감소되므로 가급적 투약 4주 전에 백신접종을 완료하는 것이 바람직하다(표 152-2).

## 폐렴사슬알균 백신

### 1) 폐렴사슬알균 감염증

폐렴사슬알균(*Pneumococcus*)은 그람양성 쌍알균으로 상기도에 있는 균주가 직접 접촉이나 비말감염으로 전파되어 폐렴, 중이염과 같은 비침습적 감염증과 뇌수막염, 균혈증과 같은 침습적 감염증을 유발할 수 있다. 폐렴사슬알균은 세균표면의 피막 다당류의 화학적 구조 차이를 기반으로 90가지 이상의 혈청형으로 분류하는데 국내에는 혈청형 4, 6, 9, 11, 14, 19, 23에 의한 감염증이 흔하다. 이들 혈청형은 현재 국내에서 사용되는 폐렴사슬알균 백신에 포함되어 있다.

## 2) 폐렴사슬알균 백신접종 권장사항

폐렴사슬알균 백신은 23가 다당류백신(23-valent pneumo-coccal polysaccharide vaccine; PPSV23)과 13가 단백결합백신(13-valent pneumococcal conjugate vaccine; PCV13)을 사용한다. PPSV23은 혈청형 1, 2, 3, 4, 5, 6B, 7F, 8, 9N, 9V, 10A, 11A, 12F, 14, 15B, 17F, 18C, 19A, 19F, 20, 22F, 23F, 33F를 포함하며 뇌수막염과 패혈증 같은 침습적 폐렴사슬알균 감염의 예방효과가 좋다. 반면 폐렴과 같은 비침습적 감염을 예방하는 효과가 약하고 효과의 지속기간이 5년 정도로 비교적 짧은 단점이 있다. 이에 비해 혈청형 1, 3, 4, 5, 6A, 6B, 7F, 9V, 14, 18C, 19A, 19F, 23F를 포함하는 PCV13은 T세포 의존성 면역 반응을 통해 면역기억반응을 유도하고 침습감염증뿐만 아니라 폐렴, 중이염과 같은 비침습감염증에 대한 예방효과가 뛰어나고 작용지속기간이 훨씬 길다. PCV13과 PPSV23을 모두 투여하는 경우 PCV13을 먼저 투여하면 면역증강효과(booster effect)가 나타나고 PPSV23을 먼저 투여하면 면역저하효과(hypo-responsiveness)가 발생하므로 PCV13을 먼저 접종하고 최소 8주의 간격을 두고 PPSV23을 이어서 접종하는 것이 바람직하다. 65세 이상의 만성질환자의 경우 다양한 혈청형에 의한 중증 감염의 위험이 더 높기 때문에 PCV13을 우선 접종하고 6-12개월 이후에 PPV23을 추가 접종하는 것을 권고한다.

## 3) 류마티스 질환자에서 폐렴사슬알균 백신

면역억제제 사용 중에라도 폐렴사슬알균 백신의 잠재적 이익과 안전성을 고려하여 백신접종하는 것을 추천한다. 미국 예방접종자문위원회는 모든 65세 이상 성인과 65세 미만의 만성질환자에게 PCV13과 PPV23을 순차적으로 접종하는 것을 권고하고 있으며 국내의 권고안도 이와 동일하다. 특히 류마티스 질환자나 면역억제제 투여 환자의 경우 65세 이하라도 PCV13과 PPSV23의 순차접종을 권고한다. 그러나 리툭시맙을 투여 중인 경우 백신접종 후 면역반응이 유의하게 감소될 수 있으므로 투약 4주 전 또는 투약을 종료한 후 6개월 이상 경과한 후에 백신접종을 시행하는 것이 바람직하다(표 152-3).

# B형간염 백신

## 1) B형간염

B형간염바이러스(HBV)는 Hepadnaviridae에 속하는 DNA 바이러스로 국내 간경화나 간암의 원인 중 약 70%를 차지하는 가장 흔하고 중요한 원인이다. HBV는 혈액이나 체액을 통한 비경구적 경로로 감염되는데 과거의 경우 수혈 등이 흔한 감염의 경로였으나 최근에는 모자간의 수직감염이 국내의 가장 흔한 감염경로이다.

## 2) B형간염 백신접종 권장사항

현재 국내에서는 모든 신생아에게 예방접종을 시행하고 있으며 성인에서도 과거 B형간염 백신접종력이 없는 경우 백신접종이 권장된다. B형간염 보유자의 가족, 만성 신질환이나 간질환이 동반된 경우 등의 고위험군에서 항체가 없거나 과거 접종을 받

**표 152-3. 폐렴사슬알균 백신의 권장대상과 접종시기**

| 권장 대상 | 백신의 종류와 접종시기 |
|---|---|
| 65세 이상 만성질환자 | |
| 과거 접종받지 않은 경우 | PCV13 접종하고 6-12개월 후 PPSV23 접종 |
| 과거 PCV13 접종받은 경우 | PPSV23을 1회에 한하여 추가 접종 |
| 65세 이전에 PPSV2 접종받은 경우 | 1년 이상 간격을 두고 PCV13 접종한 후 6-12개월 후 PPSV23 접종(PPSV23간 간격은 5년 이상) |
| 65세 이후에 PPSV23 접종받은 경우 | 1년 이상 간격을 두고 PCV13 접종 |
| 65세 미만 만성질환자 | |
| 과거 접종받지 않은 경우 | PCV13 접종하고 최소 8주 후 PPSV23 접종 |
| 과거 PPSV23 접종받은 경우 | 1년 이상 간격을 두고 PCV13 접종한 후 최소 8주 후 PPSV23 접종(PPSV23간 간격은 5년 이상) |

지 않은 경우 B형간염 백신접종이 반드시 필요하다. B형간염 백신은 0, 1, 6개월에 3회 접종하며 접종 후 항체검사를 시행하여 음성인 경우 다시 0, 1, 6개월에 3회 재접종이 권고된다.

### 3) 류마티스 질환자에서 B형간염 백신접종

면역저하 환자에서는 급성 B형간염바이러스에 감염된 후 만성보균자로 진행할 위험성이 높다. 류마티스 질환자에서 면역억제제나 생물학적제제의 사용 중 또는 사용 후에 B형간염바이러스의 활성화될 수 있으므로 혈청검사상 항체가 없거나 과거 접종력이 없는 경우 B형간염 백신을 접종하는 것을 권장한다. B형간염 백신은 유전자재조합 비활성화 백신이므로 류마티스 질환자에서도 안전하게 사용할 수 있다.

## 사람유두종바이러스 백신

### 1) 사람유두종바이러스 감염증

사람유두종바이러스(human papilloma virus, HPV)는 Papillomaviridae과에 속하는 원형의 이중나선형 DNA 바이러스로 흔한 성매개전파 바이러스이다. HPV는 성접촉을 통해 항문이나 생식기 주위에 감염되며 감염 후 바이러스는 소실되지만 발암성 고위험 바이러스로 분류되는 HPV16과 18은 여성에서 발생하는 자궁경부암의 주요 원인이 되며 남성에서 음경암, 구강암, 구인두암, 및 항문암을 발생시킬 수 있다.

### 2) 사람유두종바이러스 백신접종 권장사항

HPV백신은 다른 감염예방 백신과는 달리 암 예방을 목적으로 사용되며 발암성 고위험 HPV16, 18에 대한 2가 비활성화 백신, 4가지 주요 혈청형(HPV6, 11, 16, 18)에 대한 4가 비활성화 백신, 그리고 기존 4가 백신에서 항원량을 늘리고 HPV32, 33, 34, 52, 58에 대한 항원을 추가한 9가 비활성화 백신이 있다. 우리나라는 기초 HPV백신접종으로 11-12세 여아에게 2가 혹은 4가백신으로 국가예방접종을 시행하고 있다. 따라잡기 예방접종으로 4가, 9가 백신은 13-26세 여성, 2가백신은 13-25세 여성에게 권장된다. 남성에서는 4가 HPV백신이 HPV16과 18에 의해 유발되는 음경암, 구강암, 구인두암, 항문암과 HPV6과 11이 유발하는 생식기 사마귀와 재발성 호흡기 유두종의 발생을 예방할 수 있어 11-12세 남아에게 접종이 권장되며 13-26세에서 따라잡기 접종을 할 수 있다. HPV백신은 총 3회 접종하며 4가백신은 0, 2, 6개월에, 2가백신은 0, 1, 6개월에 근육주사로 접종한다.

### 3) 류마티스 질환자에서 사람유두종바이러스 백신접종

전신홍반루푸스 환자에서 HPV 감염빈도는 정상인에 비해 높으며 자연적으로 소실될 확률도 낮아서 HPV 감염으로 인한 암발생의 위험성이 높다. 특히 면역억제제를 사용하는 경우 HPV 감염의 위험도가 더욱 증가하는 것으로 보고되어 류마티스 질환자에서 HPV 백신접종의 적응증이 된다면 일반적인 권고기준에 따라 적극적으로 접종하는 것이 권장된다. 면역억제제 투여 중에도 HPV 백신은 안전하게 접종가능하나 질병활성도가 안정적으로 관리되는 시점에 접종하는 것이 바람직하다.

## 대상포진백신

### 1) 대상포진감염증

대상포진은 Herpesviridae과에 속하는 이중가닥 DNA 바이러스인 수두대상포진바이러스(varicella-zoster virus, VZV) 초감염 후 후근신경결절에 잠복해있던 바이러스가 재활성화되어 발생한다. 대상포진은 주로 50세 이상에서 흔하고 연령이 증가할수록 발생률이 증가하는데 만성질환, 부신피질호르몬제와 같은 면역억제제의 투여 등이 발병의 중요한 위험요인이 된다.

### 2) 대상포진 백신접종 권장사항

현재 국내에서 허가받은 대상포진백신은 Zostervax®가 유일하며 대상포진의 과거력과 무관하게 60세 이상의 성인에게 1회 근육주사로 접종하는 것이 권고된다. 최근에는 50-59세 사이의 성인에서도 대상포진 예방효과가 있는 것으로 보고되어 국내외의 접종허가연령이 50세로 낮아졌다. 대상포진백신은 약독화된 생백신이므로 면역기능이 심하게 저하된 경우나 면역억제제를 투약 중인 경우에는 금기이다.

### 3) 류마티스 질환자에서 대상포진백신접종

류마티스 질환 자체가 대상포진의 위험인자가 될 수 있고 치료약제에 의해 면역기능이상이 초래될 가능성이 높으므로 50세 이상의 류마티스 질환자에게는 대상포진백신접종을 고려하는 것이 권장된다. 대상포진백신은 생백신이므로 면역저하를 유발하지 않을 정도의 저용량 글루코코티코이드(프레드니솔론 20 mg/일 미만, 2주 이내 시용)를 투약 중이거나 저용량의 면역억제제(메소트렉세이트 0.4 mg/kg/주, 아자싸이오프린 3.0 mg/kg/일, 6-머캅토퓨린 1.5 mg/kg/일 미만)를 투여받는 경우에는 대상포진 백신접종이 가능하다. 그 이상의 면역억제제나 생물학적제제 투여 중에는 금기이며 치료 종료 후 3개월 이상 경과한 후에는 접종을 고려할 수 있다.

## COVID-19 백신

### 1) COVID-19 감염과 백신접종

현재 사용되는 COVID-19 백신은 바이러스벡터백신(아스트라제네카, 얀센백신)과 mRNA 백신(화이자, 모더나)이 있다. 코미나티주(화이자)는 3주 간격 2회, 모더나코비드-19백신주(모더나)는 4주 간격 2회, 아스트라제네카 코비드-19백신주는 8-12주 간격 2회 접종하며 COVID-19얀센주는 1회 근육주사한다. 코미나티주의 경우 국내에서 만 12세 이상 투약 가능하며 나머지 백신들은 18세 이상에서 사용이 허가되었다. COVID-19 백신 임상시험 결과 만성질환자에서도 기저질환 없는 사람과 비슷한 면역반응 및 효과가 있는 것으로 보고되어 접종을 권고하고 있으며 면역저하자에 대한 근거는 아직 제한적이나 생백신이 아니므로 면역저하자에서도 접종이 권장된다. 면역억제제 투약 2주 전까지 백신접종을 완료하는 것이 바람직하나 만약 이것이 어려운 경우 면역억제제를 투약 중인 환자에서도 백신접종이 가능하다.

### 2) 류마티스 질환자에서 COVID-19 백신접종

COVID-19 백신은 모두 비활성화 백신이므로 류마티스 질환자에서도 일반적인 권고기준과 동일하게 접종이 권장된다. 류마티스 질환의 치료제가 COVID-19 백신접종에 따른 항체형성에 미치는 영향에 대한 근거는 부족하지만 백신접종의 효과 최적화를 위해 최근 미국류마티스학회에서는 백신접종에 따른 치료약제의 투약일정 조정을 계속 갱신하고 있으므로 이에 대한

표 152-4. COVID-19 백신접종에 따른 2021년 미국류마티스학회의 류마티스치료제 투여 시기 조정 권고사항, version 3

| 약제의 종류 | 약제 투약 조정* |
|---|---|
| 하이드록시클로로퀸; 아프레미라스트; 경정맥면역글불린; 저용량 글루코코티코이드(프레드니솔론 <20 mg/일) | 휴약 불필요 |
| 설파살라진; 레플루노마이드; 아자싸이오프린; 경구 사이클로포스파마이드; 항TNF제; 인터루킨-6 억제제; 인터루킨-17 억제제; 인터루킨-12/23 억제제; 벨리무맙; 칼시뉴린 억제제; 고용량 글루코코티코이드(프레드니솔론≥20 mg/day) | 휴약 불필요 |
| 미코페놀레이트 | 각 접종 후 1주일간 휴약 |
| 메토트렉세이트 | mRNA 백신 2회 접종 시 각 접종 후 1주일간 휴약<br>1회성 백신 접종 시 접종 후 2주 휴약 |
| JAK억제제 | 각 접종 후 1주일간 휴약 |
| 아바타셉트 피하주사 | 첫 접종 전후 1주일씩 휴약, 2차 접종 시 휴약 불필요 |
| 아바타셉트 정맥주사 | 첫 접종 전 4주-접종 후 1주 사이 투약되지 않도록 조정, 2차 접종시 조정 불필요 |
| 사이클로포스파마이드 정맥주사 | 각 접종 1주 이후에 투약되도록 조정 |
| 아세타미노펜, 비스테로이드소염제 | 접종 전 24시간 휴약 |
| 리툭시맙 | 접종이 약제 투약 4주 전 완료되도록 조정, 접종 후에는 2-4주간 휴약 |

* 질병의 활성도가 잘 조절되는 경우에 치료제 일정을 조정함.

고려와 추적이 필요하겠다(표 152-4).

# 기타 백신

## 1) 파상풍-디프테리아-백일해 백신

파상풍-디프테리아(Td) 백신은 성인에서 10년마다 추가접종하는 것을 권장한다. 류마티스 질환자에서 백신의 효과는 정상인과 비슷하며 면역억제제를 사용중인 경우에도 안전하게 사용할 수 있다. 파상풍-디프테리아-백일해(Tdap) 백신 역시 류마티스 질환자에서 안전하게 사용할 수 있다. 류마티스 질환자에서 rituximab을 투여하고 6개월 이내에 Td백신을 접종했다면 효과적인 항체형성률을 기대하기 어려우므로 파상풍의 발생 위험이 있는 상처를 입은 경우 파상풍 면역글로불린을 투여하는 것을 권장한다.

## 2) 홍역-볼거리-풍진, 수두백신

홍역-볼거리-풍진(MMR) 및 수두(varicella)백신은 약독화된 생백신이므로 면역억제제를 사용하는 환자에서 금기이다. 접종이 꼭 필요한 경우라면 면역억제제 투약 시작 4주 전에 접종하거나 투약 종료 후 3개월 이상 경과한 후로 접종을 늦추는 것이 바람직하다.

## 참고문헌

1. 박선희, 위성헌. 면역억제제제 사용. In 대한감염학회. 성인예방접종. 제2판. pp. 389-96.
2. 질병관리청. 코로나19 예방접종 실시기준. [Available from] https://ncv.kdca.go.kr/board.es?mid=a12101000000&bid=0031#content (Accessed 01 Sept 2021).
3. National Center for Immunization and Respiratory Diseases. General recommendations on immunization: recommendations of the Advisory Committee on Immunization Practices (ACIP). MMWR Recomm Rep 2011;60:1-64.
4. Kim DK, Bridges CB, Harriman KH. Advisory Committee on Immunization Practices recommended immunization schedule for adults aged 19 years or older: United States, 2015. Ann Intern Med 2015;162:214-23.
5. Singh JA, Saag KG, Bridges SL Jr, et al. 2015 American College of Rheumatology guideline for the treatment of rheumatoid arthritis. Arthritis Care Res 2016;68:1-25.
6. Seo YB, Moon SJ, Jeon CH, et al. The practice guideline for vaccinating Korean patients with autoimmune inflammatory rheumatic disease. J Rheum Dis 2020;27:182-202.
6. Curtis JR, Johnson SR, Anthony DD, et al. American College of Rheumatology guidance for COVID-19 vaccination in patients with rheumatic and musculoskeletal diseases: Version 3. Arthritis Rheum 2021;73:e60-e75.

# 153

# 류마티스 질환과 악성종양

**건양의대 권미혜**

## KEY POINTS 🔒

- 자가면역 류마티스 질환에서 림프구증식 악성종양을 포함한 악성종양의 위험도가 높아진다.
- 류마티스 질환에서 악성종양이 발생하는 경우 환자들의 삶의 질과 기대 여명에 부정적인 영향이 있다.
- 악성종양의 병태 생리와 관련된 위험 요인으로는 류마티스 질환의 염증 부하, Bcl-2 종양유전자의 과발현과 같은 면역 결손과 함께 전통적인 위험 요인인 흡연, 바이러스 감염 등이 있다.
- 항암제를 포함하여 자가면역질환에서 사용되는 면역조절치료제가 악성종양의 위험도의 증가와 관련성이 있다.
- 자가면역질환 환자에서 치료제를 선택할 때에 악성종양과 관련된 숙주 및 환경 요인에 대한 고려가 필요하며, 악성종양 발생에 대한 효과적인 스크리닝과 모니터링이 필요하다.

## 서론

여러 류마티스 질환에서 림프구증식질환을 포함한 악성종양의 발생 위험도가 증가하는 것으로 알려져 있으며, 특히 류마티스 질환 초기에 악성종양이 주로 진단된다. 반면 일부 류마티스 질환에서는 특정 악성종양의 발병 위험도가 낮게 보고되기도 한다. 류마티스 질환과 악성종양과의 연관성의 원인으로 악성종양에 대한 기저의 자가면역질환의 면역학적 효과와 류마티스 질환을 치료하기 위한 약제의 영향을 들 수 있다.

류마티스 질환 환자에서 악성종양의 발생 위험도는 일반 인구에서의 발생과 비교하여 평가하는 것이 중요하다. 또한 인종과 민족에 따른 차이가 나타나는데 본 장에서는 북미와 유럽의 연구 결과들 위주로 기술하였으며, 국내의 연구결과도 포함하였다.

류마티스 질환 환자들은 통증과 전신 쇠약감, 질병 고유의 여러 증상 및 약물 부작용 등의 어려움이 있으며 이에 악성종양이 병발되는 경우 삶의 질이 현저히 저하되고 여명이 감소된다. 또한 담당의가 류마티스 질환 환자를 진료 시 치료 약제를 선택하는 데에도 큰 영향을 미치므로 악성종양의 발생에 대한 적절한 스크리닝과 모니터링의 시행이 필요하다.

## 류마티스 질환에서의 악성종양의 위험도

대표적인 류마티스 질환과 악성종양과의 연관성은 표 153-1에 정리하였으며, 각 질환과 관련된 위험도에 대하여 알아보겠다.

### 1) 류마티스관절염

류마티스관절염 환자에서 악성종양의 발생 위험에 대한 연구들이 수행되었으며, 한 연구에서 전체 악성종양에 대한 표준화발생비(standardized incidence ratio, SIR)가 1.09로 일반 인구에 비하여 9% 위험도가 더 높았다. 가장 많은 악성종양인 림프종의 발생 위험도는 덴마크 연구에서 SIR 2.4로 일반 인구에 비해 2배 이상 높게 보고되었다. 고형암의 위험도는 다양하게 나

**표 153-1. 대표적 류마티스 질환과 연관된 악성종양**

| 류마티스 질환 | 관련 악성종양 | 위험 요인 | 임상적 주의점 |
|---|---|---|---|
| 피부근염 | 림프구증식성질환; 서구에서 난소암, 폐암, 위암; 아시아인에서 비인두암 | 고령, 정상 크레아티닌 수치, 피부혈관염, 항-TIF1γ 및 항 NMP-2 항체 | 환자의 나이, 증상, 증후에 따라 악성종양에 대한 평가를 시행 |
| 류마티스관절염 | 림프구증식성 질환, 폐암 | 파라단백혈증, 류마티스 질환의 높은 중증도 및 긴 유병 기간, 면역억제제, 펠티증후군 | 급격히 진행하거나 치료에 불응성인 경우, 유병기간이 긴 류마티스 질환은 악성종양의 발생을 시사할 수 있음 |
| 혈청음성척추관절병 | 대부분의 연구에서 악성종양과의 관련성이 없으나, 대만의 한 연구에서 림프구증식질환 위험도 증가를 보고함 | 질병 초기 3년 내 최대 위험도(대만) | |
| 전신홍반루푸스 | 림프구증식질환, 갑상선, 신장, 피부 포함한 고형암 | | 전신홍반루푸스 환자에서 림프절병이나 덩이가 발생 시 비호지킨림프종을 고려해야 함; 비장의 림프종은 전신홍반루푸스에서 비장 팽대의 한 원인임. |
| 전신경화증 | 폐포세포암, 비흑색종피부암, 식도 선암 | 폐섬유증, 간질폐질환, 피부경화증, 바레트 화생, 항RNA polymerase III 항체 | 폐섬유증 확인 후 매년 가슴 X-선 시행, 피부 양상 변화 혹은 치유 병변 평가, 적응증 해당시 식도내시경과 원위 식도 위축 병변의 생검 시행 |
| ANCA-연관혈관염 | 림프구증식질환, 방광암, 간암, 폐암 | | 혈뇨 혹은 객혈이 활동성 질환 혹은 악성종양으로 기인할 수 있음(특히, 사이클로포스파마이드) |

TIF, transcription intermediary factor; NMP, nuclear matrix protein; ANCA, antineutrophil cytoplasmic antibody.

타났는데, 폐암과 흑색종의 위험도는 높았고, 결장직장암과 남녀 비뇨기암은 낮았다. 1990년-2007년의 21개 연구에 대한 메타분석과 2008년-2014년의 9개 연구의 결과를 종합하였을 때, 림프종의 위험도는 2-12배까지 증가하였으며 특히 호지킨림프종(Hodgkin's disease, HD)과 비호지킨림프종(Non-Hodgkin's lymphoma, NHL)의 위험도가 높았다. 폐암과 흑색종의 위험도는 각각 SIR 1.64와 1.23으로 비슷하였고, 결장직장암과 유방암은 SIR 각각 0.78, 0.86으로 낮았으며, 비스테로이드소염제의 장기적 사용은 결장직장암의 위험도를 낮출 가능성이 있다.

악성종양은 류마티스관절염 초기에 주로 나타나는 것으로 알려졌으며, 발병 위험인자로 지속적으로 높은 질병활동도, 높은 누적 질병활동도, 중증 질환, 류마티스인자 양성이 꼽힌다. 또한 펠티증후군, 쇼그렌증후군(Sjogren's syndrome, SS)과 같은 관절외 증상이 비호지킨림프종의 위험도를 더욱 증가시켰다.

국내 단일기관에서 수행된 한 연구에서 전체 악성종양에 대한 SIR이 0.86(95% CI, 0.58-1.23)으로 증가하지 않았으며, 다른 연구에서는 남성에서 폐암, 백혈병, 여성에서 갑상선암, 자궁경부암 비호지킨림프종, 담낭암에 대한 SIR이 증가하였다.

## 2) 전신홍반루푸스

전신홍반루푸스에서는 여러 암종에서 일반 인구 대비 약 15%의 발생 위험도가 높았다. 혈액암은 SIR 3.02 (95% CI, 2.48-3.63)로 가장 높았는데, 특히 비호지킨림프종, 백혈병이 가장 높았고, 비호지킨림프종 중 광범위큰B세포림프종(Diffuse large B cell lymphoma, DLBL)의 위험도가 가장 높았다. 그 외에 외음부암, 폐암, 갑상선암의 발생 위험도가 높았고, 유방암, 자궁내막암은 낮았다.

대부분의 코호트 연구에서 코호트의 크기가 작고 추적관찰 기간이 짧아 통계적으로 의미 있는 위험인자가 명확하지 않으나, 면역억제제나 세포독성약제의 사용과는 무관한 것으로 보인다. 인종과 민족은 주요 인자로 확인되지 않으며, 항말라리아제의 사용도 영향을 미치지 않았다. 또한 전신홍반루푸스 환자에서 폐암의 발병 위험도가 높은 것은 것으로 보이며, 전신홍반루푸스 및 폐암의 발병에 함께 흡연이 영향을 미쳐, 질병 감수성 인자의 복잡한 상호작용을 시사한다.

국내 연구로 2005년에 보고된 단일기관의 후향적 코호트연구에서 악성종양의 조발생률(crude incidence rate)과 SIR에서 일반 인구와 차이가 없었고, 국민건강보험공단(National Health Insurance service, NHIS) 데이터 연구에서는 대조군(2.5%)에 비하여 전신홍반루푸스 환자(3.63%)에서 전체 악성종양의 발생이 많았고, 보정 후 오즈비가 1.44(95% CI, 1.327-1.559)였으며, 자궁경부암, 갑상선암, 난소암, 구강암, 림프종, 백혈병, 다발골수종의 오즈비가 높았다.

## 3) 전신경화증

전신경화증에서는 전체 악성종양에 대한 SIR이 1.41(95% CI, 1.18-1.68)로 증가되었고, 제한피부전신경화증(limited cutaneous systemic sclerosis)과 광범위피부전신경화증(diffuse cutaneous systemic sclerosis) 간 악성종양 발생의 차이는 없었다. 가장 높은 SIR을 보인 암종은 폐암(7.8)과 비호지킨림프종(incidence rate ratio, IRR, 9.6)이다. 다른 연구에서 폐암, 피부암, 간암, 혈액암, 구강인두암(oropharyngeal cancer), 식도암의 위험도가 높았는데, 식도암의 경우 전신경화증에서 바레트식도 발생이 증가하는 것과 관련될 가능성이 있다. 폐암은 전체 악성종양의 30% 차지하며, 섬유화와 연관성이 있을 것으로 보이고, 흡연과의 연관성은 불확실하다.

전신경화증 환자에서 악성종양의 발병기전에 대하여는 연구가 부족하며, 위험인자로 침범된 기관의 염증과 섬유화가 추정된다. 다른 류마티스 질환과 유사하게 위험도는 전신경화증 질병 초기에 높고, 진단 당시 고령인 경우에 높다. 전신경화증 진단 시 항RNA polymerase III 항체가 양성이면 항중심체항체보다 2배의 위험도와 연관이 있고, POLR3A 유전자가 인코딩하는 RNA polymerase subunit인 RPC1에 대한 자가항체를 보유한 경우 악성종양과 전신경화증을 모두 일으킬 수 있다. 반면, 국소피부경화증(morphea), 선피부경화증(Linear scleroderma)을 포함한 국한피부경화증(Localized scleroderma)은 악성종양의 위험과 관련이 없다.

국내 11개 기관이 참여한 다기관연구에서 751명의 전신경화증 환자 중 46명(6.1%)에서 악성종양이 발생하였고, 폐암(23.9%), 위암(13%), 유방암(13%) 순이었다.

## 4) 특발염증근병증

특발염증근병증(idiopathic inflammatory myopathy, IIM)은

일반 인구의 약 5-7배의 악성종양 위험도를 가져 류마티스 질환들 중 가장 높다. 피부근염(dermatomyositis, DM)에서 다발근육염(polymyositis, PM)과 봉입소체근(inclusion body myositis, IBM)에 비하여 위험도가 가장 높으며, 피부근염 발병 시 종종 악성종양이 진단된다. 20개의 관찰 연구에 대한 메타분석에서 다발근육염에서의 악성종양에 대한 pooled RR는 1.62(95% CI, 1.19-2.04), 피부근염은 5.50(95% CI, 4.31-6.70)이었다. 북유럽계 환자에서 선암(adenocarcinoma)이 가장 흔하며, 자궁경부, 폐, 난소, 췌장, 방광, 위장에 발생하는데 전체 암의 2/3를 차지한다. 동남아시아 환자에서는 코인두(nasopharyngeal)와 폐암이 많았다.

피부근염이 있는 악성종양 환자의 80% 이상에서 근염특이자가항체(myositis specific autoantibody) 중 항 NXP-2 (nuclear matrix protein) 항체나 항 TIF1γ (transcription intermediary factor) 항체 양성이며, 27배의 위험도를 수반한다. 악성종양은 특발염증근병증 진단 2년 전후로 발현하며, 이전 진단된 암의 재발과 함께 특발염증근병증이 발생하기도 하고, 이전에 진단된 특발염증근병증이 암의 발병과 함께 악화되기도 하여 염증성 질환에서 자가항원의 역할에 대한 가설을 지지한다.

위험 인자로 높은 근육, 피부의 질병활동도, 정상 크레아티닌산화효소(creatine kinase, CK), 50세 이상, 손톱주변홍반, 원위부 사지 약화, 인두 및 횡경막 침범, 백혈구파괴혈관염(leukocytoclastic vasculitis), 진단 시 보체(complement factor) C4 감소 등이 있다. 반면, 진단 시 낮은 림프구 수는 악성종양에 대한 보호적 요인이었다(HR, 0.33; 95% CI, 0.14-0.80).

국내의 단일기관연구에서 피부근염 환자 98명 중 23명(23.5%), 다발근육염 환자 53명 중 2명(3.85%)에서 각각 악성종양이 발생하였으며, 폐암(8명)이 가장 많았다. 피부근염에서 SIR은 14.2(95% CI, 9-21.3)였으며, 다변량분석에서 고령(10년마다, OR 2.3; 95% CI, 1.6-3.5), 피부근염(OR 5.9; 95% CI, 1.3-26.2), 연하곤란(OR 2.6; 95% CI, 1.2-6.6), 간질폐질환의 부재(OR 0.1; 95% CI, 0.01-0.9)가 연관이 있었다.

## 5) 쇼그렌증후군

쇼그렌증후군 환자에서 림프구증식질환 발생이 증가한다는 것은 익히 잘 알려져 있다. 쇼그렌증후군 환자 14,523명을

포함한 14개 연구에 대한 체계적 고찰에서 악성종양 전체에 대한 pooled RR은 1.53이었고, 비호지킨림프종, 갑상선암의 통합 pooled RR은 각각 13.76, 2.58이었다. 비호지킨림프종 외의 다른 림프구증식성 질환으로 저등급B세포림프종(Low-grade B cell lymphoma), DLBL 등이 있다.

쇼그렌증후군 환자에서 림프구증식질환이 발생하는 기전은 명확하지 않으나, 특징적인 B세포 활성화가 하나의 선행 요인일 수 있다. 대부분의 림프종은 림프상피세포의 침샘염이나 양성의 림프상피세포 병변에서부터 기인하며, *p53* mutation과 연관되어 보인다. 또한 C형간염바이러스와 엡스타인-바바이러스 등의 감염과의 연관성도 의심되며, 점막관련림프조직(Mucosa-associated lymphoid tissue) 림프종에서 위나선균(*Helicobactor pylori*)과의 연관성이 알려져 있다.

국내의 한 NHIS 데이터 연구에서는 국내 쇼그렌증후군 환자에서 비호지킨림프종과 갑상선암의 SIR을 각각 6.32(95% CI, 4.09-9.38), 1.23(95% CI, 0.88-1.68)로 보고하였다.

## 6) 혈관염

악성종양 8% 환자에서 신생물딸림증후군(paraneoplastic syndrome)으로서 혈관염이 발생하는 것으로 알려져 있으나, 혈관염 환자에서 원발성 악성종양의 위험도가 어떠한지는 잘 연구되어 있지 않다. 혈관염에서 발생된 악성종양은 대부분 치료제와 연관된 것으로 보이며 다만, 덴마크의 암 레지스트리 연구에서 ANCA관련혈관염 진단 2년 내 비흑색종 발생 위험도가 증가되는 것을 보고하였다(OR, 4.0; 95% CI, 1.4-12). 현재까지의 연구에서 약제의 효과를 제외하였을 때 ANCA관련혈관염과 악성종양과의 연관성은 알려져 있지 않다.

## 7) 혈청음성척추관절병

현재까지의 척추관절병 환자에서의 악성종양의 발생에 대한 연구는 류마티스관절염 등의 타 질환에 비해 잘 이루어지지 못하였으며, 전체 악성종양의 위험도는 높아지지 않는 것으로 알려져 있다.

# 류마티스 치료제와 악성종양의 위험도

류마티스 치료제 투여가 악성종양의 발생에 미치는 영향과 기저 질환에서의 악성종양 발생 위험도를 구분하는 것은 상당히 어렵다. 약제 중 비스테로이드소염제와 글루코코티코이드는 악성종양 발생 위험도의 증가와 연관성이 없는 반면, 화학요법제(chemotherapeutic agents)에 더욱 노출된 환자에서 악성종양의 위험도가 높은 것으로 알려져 있다. 또한 류마티스 질환의 만성 활동성 염증이 악성종양의 발생을 높이므로, 효과적인 치료를 통하여 이러한 위험도를 낮출 수 있다는 측면이 있다.

## 1) 고식적 합성 항류마티스약제

고식적 합성 항류마티스약제(conventional synthetic disease modifying antirheumatic drugs, csDMARDs)인 설파살라진, 하이드록시클로로퀸, 페니실라민은 악성종양의 위험도를 증가시키지 않는 것으로 알려져 있다. 레플루노마이드 또한 장기간 데이터가 많지 않으나 악성종양을 증가시키지 않는 것으로 보고되었다. 모든 대사길항제(anti-metabolite)는 종양생성(tumorigenic) 잠재성을 가지고 있다고 알려져 있으며, 실제로 류마티스 환자에서 악성종양의 위험도를 높인다.

### (1) 메토트렉세이트

림프종의 위험도를 높일 수 있다는 보고들이 있으며 전체 악성종양의 위험도를 높이지는 않는 것으로 보여진다. 주로 B세포 림프종에 대한 보고가 많으며 41%에서는 엡스타인-바바이러스 양성이었다. 메토트렉세이트가 지속적인 면역학적 자극을 주고, 클론 선택(clonal selection), 직접적 종양발생(oncogenic) 활동을 통한 B세포의 악성 변환, 감염된 B 세포의 세포자멸사(apoptosis)의 감소 및 자연살해세포(natural killer cell)의 활동도 감소와 연관된 것으로 추정된다.

### (2) 아자싸이오프린

림프구증식성 질환의 위험도 증가와 연관이 있을 수 있으며, 캐나다의 아자싸이오프린 레지스트리 연구에서는 SIR이 8.05이었다. 위험도는 300 mg/day의 고용량 복용 시 가장 높았다.

### (3) 사이클로스포린

류마티스 환자에서 사이클로스포린 사용을 장기간 관찰한 연구가 적어 악성종양의 위험도를 평가하기가 어렵다. 메토트렉세이트와 유사하게 엡스타인-바바이러스 관련 림프종이 발생한 경우가 있었으며, 1,000명 이상의 임상연구 대하여 후향적 연구를 시행하였을 때 다른 류마티스 치료제보다 악성종양의 위험도를 높이지 않았다.

### (4) 알킬화약물

류마티스관절염, 전신홍반루푸스, 혈관염 환자에서 알킬화약물의 사용이 비호지킨림프종, 백혈병, 피부암, 방광암 등의 악성종양의 발생을 높인다. 사이클로포스파마이드의 사용은 대조군과 비교하여 악성종양의 발생 위험도를 1.5-4.1배 높인다. ANCA관련혈관염(특히, 육아종증다발혈관염)에서 방광암(SIR, 4.8), 백혈병(SIR, 5.7), 림프종(SIR, 4.2) 등에서 위험도가 높았다. 방광암은 사이클로포스파마이드를 높은 용량으로 장기간 치료한 환자 및 흡연을 하는 환자에서 높으며, 특히 사용 1년 내부터 중단 15년째까지도 방광암이 나타날 수 있어 주의를 요한다.

## 2) 생물학적제제

생물학적제제는 류마티스관절염, 척추관절병 등의 질환에서 해당 질병의 병태생리에 연관된 특정 경로에 대한 표적치료제이며, 이 작용기전을 통해 부작용이 나타날 가능성이 있다. 특히 생물학적제제가 악성종양의 위험도를 높이는지에 대하여 관심이 높으며, 아바타셉트, 아달리무맙, 아나킨라, 서톨리주맙, 이타너셉트, 골리무맙, 인플릭시맙, 리툭시맙 및 토실리주맙을 사용한 29,423환자를 포함한 63개 임상연구에 대한 메타분석에서 악성종양의 위험도는 높지 않았다. 다만, 임상연구에서는 무작위배정의 이점이 있으나 연구기간이 짧고, 제외기준으로 악성종양의 과거력을 포함하였음을 고려할 필요가 있다. 국내 건강보험심사평가원(Health Insurance Review & Assessment Service, HIRA) 데이터 연구에서는 류마티스관절염 환자에서 전체 악성종양에 대한 SIR은 오히려 생물학적제제 사용 환자에서 낮았으며, 혈액암에 대한 SIR은 높았다.

### (1) 항TNF제제

항TNF제제가 csDMARDs와 비교하여 림프종을 포함한 악성 종양의 발생을 높이지 않았으며, 비흑색종의 발생에 대하여는 상반된 결과들이 있고, 흑색종은 좀 더 흔하게 나타났다. 임상시험을 대상으로 한 메타분석 결과에서 항TNF제제 투여 초기에 악성종양의 위험이 높아진다는 결과가 있었으나, 다른 대부분의 임상시험 대상 메타분석이나 레지스트리 관찰연구 결과에서는 그렇지 않았다. 다만, 악성종양 과거력이 있는 환자들은 임상시험에서 제외되고, 실제 진료 현장에서도 처방률이 낮을 수 있어 채널링(channeling) 비뚤림을 야기할 수 있다. 국내 단일기관 연구에서는 악성종양이 완치된 환자들에서 약제 투여 시 추적관찰 기간 동안 악성종양의 재발이 없었다. HIRA데이터를 활용한 연구에서는 류마티스관절염 환자를 대상으로 한 연구에서 항TNF제제를 사용하였을 때 csDMARDs를 사용하는 환자에 비하여 전체 및 각 악성종양이 증가하지 않았다.

### (2) 리툭시맙

B세포가 항종양반응에도 참여하는 반면, 발암(carcinogenesis)과 종양 성장 등을 촉진하는 염증 상태의 유지에도 역할을 한다. 리툭시맙 치료로 인한 B세포의 고갈은 악성종양의 위험을 높이는데 영향은 없는 것으로 보인다.

### (3) 아바타셉트

인간 세포독성T세포연관항원-4(cytotoxic T lymphocyte-associated antigen-4, CTLA-4)의 세포 밖 도메인으로 구성된 퓨전단백질인 아바타셉트의 사용과 관련하여 현재까지 연구에서는 폐암을 포함한 악성종양의 위험도 증가와는 연관이 없다.

### (4) 토실리주맙

류마티스관절염 환자에서의 연구 결과에서 악성종양의 발생을 높이는 결과는 없었다.

### (5) 세포내 신호전달 JAK억제제

가장 최근 시판되어 사용된 약물로 데이터 및 연구가 많지 않으며, 토파시티닙, 바리시티닙, 유파다시티닙에 대하여 현재까지 악성종양의 발생을 높이는 결과는 없었다.

# 결론

류마티스 질환 및 치료제에 따라 다양한 악성종양 발생과의 연관성이 있음을 알아보았다. 향후 더욱 명확한 연관성에 대한 연구들이 필요하며, 의료진은 류마티스 질환 환자들을 진료하는 데 있어 악성종양의 발생과 관련하여 적절한 스크리닝과 모니터링을 시행해야 하겠다.

## 참고문헌

1. Bernatsky S, Ramsey-Goldman R, Labrecque J, Joseph L, Boivin J-F, Petri M, et al. Cancer risk in systemic lupus: An updated international multi-centre cohort study. J Autoimmun 2013;42:130-5.

2. Georgescu L, Quinn GC, Schwartzman S, Paget SA. Lymphoma in patients with rheumatoid arthritis: association with the disease state or methotrexate treatment. Semin Arthritis Rheum 1997;26:794-804.

3. Liang Y, Yang Z, Qin B, Zhong R. Primary Sjogren's syndrome and malignancy risk: a systematic review and meta-analysis. Ann Rheum Dis 2014;73:1151-6.

4. Lopez-Olivo MA, Tayar JH, Martinez-Lopez JA, Pollono EN, Cueto JP, Gonzales-Crespo MR, et al. Risk of malignancies in patients with rheumatoid arthritis treated with biologic therapy: a meta-analysis. JAMA 2012;308:898-908.

5. Onishi A, Sugiyama D, Kumagai S, Morinobu A. Cancer Incidence in Systemic Sclerosis: Meta-Analysis of Population-Based Cohort Studies. Arthritis Rheum 2013;65:1913-21.

6. Radis CD, Kahl LE, Baker GL, Wasko MCM, Cash JM, Gallatin A, et al. Effects of cyclophosphamide on the development of malignancy and on long-term survival of patients with rheumatoid arthritis a 20-year followup study. Arthritis Rheuma 1995;38:1120-7.

7. Simon TA, Thompson A, Gandhi KK, Hochberg MC, Suissa S. Incidence of malignancy in adult patients with rheumatoid arthritis: a meta-analysis. Arthritis Res Ther 2015;17:212.

8. Wang F, Sun L, Wang S, Davis JM 3rd, Matteson EL, Murad MH, et al. Efficacy and safety of tofacitinib, baricitinib, and upadacitinib for rheumatoid arthritis: A systematic review and meta-analysis. Mayo Clin Proc 2020;95:1404-19.

9. Yang Z, Lin F, Qin B, Liang Y, Zhong R. Polymyositis/dermatomyositis and Malignancy Risk: A Metaanalysis Study. J Rheumatol 2015;42:282-91.

# 154

# 류마티스 질환의 수술 전후 관리

**경희의대 이연아**

## 서론

류마티스관절염, 척추관절염, 소아특발관절염 등 다양한 류마티스질환에서 항류마티스약제와 생물학적제제를 널리 사용하게 되면서 환자들의 삶의 질은 크게 개선되었으나 이들의 엉덩관절 및 무릎관절 수술률은 여전히 일반인에 비해 2배 정도로 높으며, 수술 연령도 증가 추세이다. 류마티스질환 환자들은 수술 후 감염, 정맥혈전색전증, 급성 신손상 및 심혈관 합병증 위험도 일반인보다 높아 이에 대한 고려가 필요하다.

항류마티스약제와 코르티코스테로이드는 모두 수술 후 감염을 증가시키거나 상처 치유를 지연시킬 수 있다. 그러나 복용하던 약제를 중단하는 경우 기저 질환의 악화 가능성 또한 고려해야 한다. 수술을 앞두고 환자가 장기간 복용해오던 약물을 적절하게 조절하는 것은 약물의 갑작스런 중단으로 초래될 수 있는 문제점들을 예방하고 좋은 수술 결과를 얻는 데 필수적이다.

## 수술 전 고려 사항

### 1) 전신마취와 경추 침범

류마티스관절염과 강직척추염 환자에서 경추 침범이 동반된 경우 전신마취를 위한 기관 삽관이 어렵거나 불가능할 수 있다. 유병기간이 길고 골파괴가 진행한 중증 류마티스관절염은 경추 불안정성이나 부분 탈구를 동반할 수 있으며 무증상인 경우도 드물지 않아 주의를 요한다. 경추 침범을 인지하지 못하고 무리하게 기관 삽관을 시도하면 척수신경 손상이 발생하거나 심하면 호흡부전으로 인한 사망도 가능하여 전신마취 하에 수술을 계획하고 있다면 반드시 경추 침범 여부를 확인해야 한다. 척수증의 신경학적 증상으로서 바빈스키 징후 양성, 반사 항진, 손의 소근육 운동성 감소 등이 있는지를 확인해야 하며, 경추의 측면 신전/굴곡 X-선 사진을 촬영하여 환추-치돌기 간격(atlantoaxial interval, ADI)을 측정한다. ADI가 3 mm 이상이면 환축추 불안정성(atlantoaxial instability)을 의미하며, 5 mm 이상이면 척수신경 압박 가능성이 높다고 판정한다. 또한, 류마티스관절염 환자에서 측두하악관절(temporomandibular joint)을 침범한 경우 개구장애로 인해 삽관이 어려울 수 있으며, 강직척추염 환자에서 경추의 골유합이 일어난 경우 삽관 과정에서 경추골절이 있을 수 있어 이에 대한 확인도 필요하다.

### 2) 심혈관질환

류마티스질환은 만성염증으로 인해 동맥경화가 가속화되어 심혈관질환 위험이 일반인보다 높다고 알려져 있다. 류마티스질환 환자의 인공관절 수술 후 심근경색 발생률은 0.6%로 보고되었으며, 허혈성심질환 위험인자를 갖고 있는 경우에는 6.4%에 달한다. 따라서 류마티스 질환 환자가 인공관절 수술을 받는 경우 수술 후 심혈관질환 발생 가능성에 주의를 기울여야 한다. 류마티스관절염이나 척추관절염 환자의 인공관절 수술 후 심혈관 합병증 발생률은 골관절염 환자와 비교했을 때 큰 차이가 없거나 엇갈린 결과를 보이나 전신홍반루푸스 환자는 수술 후 입원 중 사망률이 2-7배 높았다. 전신홍반루푸스 환자는 특히 수술 후 심부정맥혈전증이나 폐색전증과 같은 정맥혈전증(venous thromboembolism, VTE) 발생 위험이 높게 나타나므로 항인지질항체를 동반하는 경우에는 이전의 혈전 병력이 없다 하더라도 VTE에 대한 고위험군으로 간주해야 한다.

### 3) 수술 후 감염

일반적으로 류마티스관절염 환자의 인공관절 감염이나 수술부위 감염위험이 골관절염에 비해 높지는 않다. 그러나, 전신홍반루푸스 환자의 엉덩관절전치환술 후 합병증 발생률은 일반인보다 높은데, 수술부위 감염보다는 폐렴이나 패혈증 발생률이 높은 것으로 나타난다.

## 수술 전후 약제 조절

### 1) 비스테로이드소염제

비스테로이드소염제(nonsteroidal anti-inflammatory drugs, NSAIDs)는 소염, 진통, 해열 효과를 갖는 약물이다. NSAIDs는 류마티스관절염, 강직척추염, 통풍관절염과 같은 염증성 관절염에서 널리 사용될 뿐 아니라, 염증을 동반하거나 단순 진통제로 조절되지 않는 골관절염에서도 광범위하게 사용되고 있다.

### (1) NSAIDs의 혈소판 응집 방해

이 약물들은 혈소판 응집작용을 방해하여 출혈시간(bleeding time)을 지연시킬 수 있다. 큰 수술에서는 출혈량을 증가시킬 수 있고, 특히 노인들에게는 수술 후 위장관 출혈이나 신기능과 간기능 저하, 심혈관계 안정성 등이 문제될 수 있다.

대부분의 NSAIDs는 cyclooxygenase (COX)-1과 COX-2 모두를 다양한 정도로 억제하므로 위장관 부작용과 신기능 저하, 혈소판 억제 등의 부작용이 있을 수 있다. 반면, 위장관 합병증을 낮추기 위해 개발된 COX-2선택억제제는 COX-2만을 억제하므로 혈소판 응집에 대한 영향이 없다(그림 154-1). 위장관 궤양의 과거력이 있는 경우, 고령, 코르티코스테로이드 혹은 항응고제가 같이 투여되는 경우 등에서는 COX-2선택억제제가 우선적으로 고려된다. 심혈관질환을 예방하기 위해 항혈소판제로 사

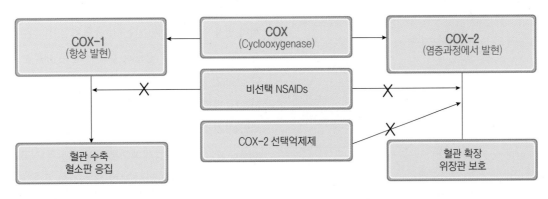

그림 154-1. NSAIDs의 COX 억제 기전

용되는 아스피린은 혈소판을 비가역적으로 억제하며, 새로운 혈소판으로 대체되기까지 7-12일 정도가 소요된다. 반면 비선택 NSAIDs는 혈중에 존재하는 동안에만 가역적으로 COX-1을 억제하여 혈소판 응집을 방해한다. NSAIDs는 프로스타글란딘E2를 억제하므로 골유합이 필요한 수술에서 초기 골형성 과정을 억제할 것으로 생각되나, 척추수술 후 NSAIDs를 사용한 환자들을 대상으로 한 연구에서 불유합(nonunion)이 증가된다는 증거는 없었다.

## (2) 수술 전 NSAIDs 중단 기간

일반적으로 아스피린은 수술 7-10일 전 중단하고, NSAIDs는 반감기의 3-5배 기간 동안 중단하는 것을 권장한다. 다음(표 154-1)은 흔히 사용되는 NSAIDs의 반감기를 나타낸 것으로 비교적 짧은 반감기를 가진 ibuprofen, diclofenac 등은 수술 1-2일 전에 중단하고, 좀 더 긴 반감기를 가진 naproxen이나 piroxicam 등은 수술 4-6일 전에 중단하는 것이 좋다. 수술 전 항염작용이 필요한 환자라면, 짧은 반감기를 가진 NSAIDs로 대체할 수 있고, COX-2선택억제제는 혈소판에 대한 영향이 없으므로 수술 시 과다 출혈을 예방하기 위해 굳이 중단할 필요는 없다. 그러나, 수술 후 상처 치유를 지연시킬 수 있고 신기능 등에 영향을 미칠 수 있으므로 수술 전후 주의 깊게 사용해야 한다.

## 2) 항혈소판제 및 항응고제

심혈관질환의 유병 인구가 증가함에 따라 항혈소판제나 항응고제를 복용하는 환자들이 수술을 받는 경우가 증가하고 있다.

#### 표 154-1. NSAIDs의 반감기

| NSAIDs 종류 | 반감기(시간) |
| --- | --- |
| Ibuprofen | 1.6-1.9 |
| Diclofenac | 2 |
| Indomethacin | 4.5 |
| Etodolac | 6-7 |
| Celecoxib | 11 |
| Naproxen | 15 |
| Nabumetone | 24-29 |
| Piroxicam | 30 |

이들 약제의 복용을 지속하면 수술에 따른 출혈 위험을 증가시키는 반면, 항응고요법을 갑자기 중단하게 되면 반동적으로 응고 경향이 증가하게 되어 혈전색전증의 위험을 증가시킬 수 있다. 따라서, 이들의 중단 여부는 적응 질환과 수술 범위에 따라 결정해야 한다.

## (1) 항혈소판제의 수술 전후 관리

관상동맥질환의 가장 중요한 치료법인 약물용출스텐트를 이용한 관상동맥 중재시술은 후기 스텐트 혈전증이라는 치명적인 합병증이 문제이다. 약물용출스텐트 시술을 받은 환자에서 스텐트 혈전증 발생 시 대부분 급성심근경색증으로 발현하고 사망률이 높기 때문에 이를 예방하기 위해 아스피린과 클로피도그렐(clopidogrel)을 함께 사용하는 이제 항혈소판제(dual antiplatelet therapy) 치료를 반드시 시술 후 최소 1년 동안 유지해야 한다. 이러한 환자들의 경우 항혈소판제를 유지하며 수술하는 것을 권고하고 있으며, 이런 경우 출혈의 위험 역시 증가하나, 수술중 출혈 증가는 수술 결과 및 사망률과 직접 관련이 없기 때문에 수술중 지속적인 항혈소판제 치료를 권장하고 있다. 특히 항혈소판제 중단의 가장 많은 원인이 되고 있는 내시경이나 발치를 위해 항혈소판제를 중단하는 경우는 없어야 하며, 두개내 수술 등 고위험 수술을 제외한 모든 수술에서 가능한 항혈소판제를 유지해야 한다.

## (2) 항응고제의 수술 전후 관리

항응고제의 잘 알려진 적응증으로는 심방세동, 정맥 혹은 폐동맥 혈전색전증, 기계판막을 갖고 있는 경우와 항인지질항체증후군 등이 있다. 항응고요법을 받는 환자의 수술 시 출혈위험은 환자의 나이, 수술 종류(표 154-2), 항응고요법의 강도, 다른 약제의 병용 등에 영향을 받는다. 출혈위험이 낮은 관절천자, 백내장 수술, 관상동맥 조영술과 같은 시술은 대부분 항응고제의 중단 없이 안전하게 시행할 수 있다. 발치 등의 치과 치료 또한 INR이 치료범위(therapeutic range)를 넘어서지 않는다면 대개 큰 문제없이 시행할 수 있으며, 발치 후 tranexamic acid 혹은 aminocaproic acid 등의 구강세척제를 사용하는 것도 국소 지혈에 도움이 된다. 피부 절개나 창상 봉합 등 피부과 혹은 성형외과 영역의 소수술(minor surgery)에서 INR 2.5-3.0 정도는 수술 시행에 문

표 154-2. 시술 및 수술 종류에 따른 출혈 위험

| 출혈 위험도 | 시술 및 수술 종류 |
|---|---|
| 경미한 위험 | 치과시술<br>– 발치<br>– 치주수술<br>– 농양절개<br>– 임플란트 위치선정(positioning)<br>백내장 혹은 녹내장 수술<br>시술 없는 내시경 |
| 낮은 위험 | 임플란트 식립(placement)<br>생검을 동반한 내시경<br>전립선/방광 생검<br>비관상동맥 혈관조영술<br>심장전기생리학검사(EPS) 혹은 전극도자절제술<br>심박동기 혹은 삽입형 제세동기 시술(ICD) |
| 높은 위험 | 개복/개흉 수술<br>주요 정형외과 수술<br>간/신장 생검<br>복잡 내시경시술<br>체외충격파쇄석술(ESWL)<br>요도를 통한 전립선 생검<br>척추 혹은 경막 외 마취 |

제가 되지 않는다. 그러나, 좀 더 복잡한 수술에서는 와파린 중단이 필요하며, 중단기간 동안 헤파린으로 전환하여 투여하는 것이 필요하다. 새로운 경구용 항응고제(novel or non-vitamin K antagonist oral anticoagulant, NOAC)의 경우에는 크레아티닌 청소율에 따라 중단시기를 고려해야 한다(표 154-3). NOAC을 사용하고 있다면 약제를 중단하지 않아도 되는 수술의 경우에는

약제의 혈중 농도가 최저치(trough level)일 때 시행하는 것이 좋다. 이러한 조치는 환자의 항응고제 중단기간을 줄이며, 혈전색전증의 위험을 최소화하는 의의가 있다.

## 3) 코르티코스테로이드

장기간 코르티코스테로이드를 사용해온 경우 수술 전후 코르티코스테로이드 사용과 관련한 두 가지 주요 고려사항은 부신기능저하로 인한 혈역학적 불안정과 수술 후 감염에 대한 우려일 것이다. 과량의 코르티코스테로이드는 면역억제를 가져올 수 있으며, IGF-1과 TGF-α 생성을 억제하고 단백질 분해를 촉진함으로써 골유합과 상처치유를 방해할 수 있다. 반면, 코르티코스테로이드 용량이 부족해지면 질병의 급성악화 또는 드물게 부신피질 기능저하로 인해 다양한 부작용을 경험할 수 있다.

### (1) 스트레스 상황에서 코티솔 분비

부신피질호르몬인 코티솔의 분비량은 일상에서 하루 10-12 mg 정도이고, 중등도 스트레스 상황에서는 하루 25-50 mg, 큰 수술과 같이 심한 스트레스 상황에서는 하루 75-150 mg으로 증가하며, 스트레스 후 24-48 시간 내에 기저수준으로 회복된다.

### (2) 코르티코스테로이드제 사용이 부신기능에 미치는 영향

하루 5 mg 미만의 프레드니손을 아침에 복용하거나, 이와 같은 용량을 격일로 복용하는 경우에는 시상하부-뇌하수체-부신축(hypothalamic-pituitary-adrenal axis, HPA axis)의 억제 가능성이 낮다. 반대로, 하루 20 mg 이상의 프레드니손과 동일 용량을

표 154-3. NOACs의 중단

| NOAC | 출혈위험 낮은 시술 | 출혈위험 높은 시술 | 크레아티닌 제거율(mL/min) |
|---|---|---|---|
| Dabigatran | ≥24h | ≥48h | ≥80 |
| | ≥36h | ≥72h | 50–80 |
| | ≥48h | ≥96h | 30–50 |
| | Not indicated | Not indicated | 15–30 |
| | Not indicated | | <15 |
| Apixaban<br>/Rivaroxaban<br>/Edoxaban | ≥24h | ≥48h | >30 |
| | ≥36h | ≥48h | 15–30 |
| | Not indicated | | <15 |

3주 이상 투여 받았거나, 임상적으로 쿠싱증후군의 특징을 보이면 HPA axis 억제 가능성이 높다고 생각할 수 있다. 외인성 코르티코스테로이드에 의한 부신피질 기능저하가 완전히 회복되기까지는 1년 정도가 소요된다고 알려져 있다.

### (3) 수술 전 스트레스 용량의 코르티코스테로이드 투여가 필요한가?

코르티코스테로이드를 장기간 복용해 온 환자가 수술을 받게 될 경우 수술의 종류와 소요 시간에 따른 스트레스 수준을 고려하여 수술 전 보충하는 코르티코스테로이드 투여량을 결정하고 이를 투여해왔다. 그러나, 최근 수년간 수술 전후 스트레스 용량(stress dose or supra physiologic dose)의 코르티코스테로이드 없이 평소 용량만을 유지해도 부신 기능저하 증상은 거의 나타나지 않는다는 연구결과가 많이 보고되어 왔다. 또한 HPA axis 상태가 불분명한 환자에서 부신피질 기능을 평가하기 위해 시행하던 수술 전 신속 ACTH 자극시험(rapid ACTH stimulation test)도 부신피질 기능저하를 실제보다 과다하게 진단한다는 지적이 있어 반드시 추천되는 것은 아니며, 해석에 주의를 요한다. 따라서, 류마티스 질환 치료를 위해 하루 16 mg 이하의 프레드니손 또는 이와 상응하는 용량의 코르티코스테로이드를 투여 받은 성인 환자라면 수술 전 스트레스 용량의 코르티코스테로이드를 투여하기보다 평소 사용하던 용량만을 유지하는 것이 추천된다. 한편 하루 10mg 이하의 코르티코스테로이드 용량 사용도 이를 사용하지 않는 환자에 비해 인공관절 감염 등 수술 후 감염 위험이 증가한다. 따라서 만성적으로 코르티코스테로이드를 복용하고 있던 환자의 경우 수술 전에는 면역억제를 최소화할 수 있도록 가능한 효과가 유지되는 최소 용량(<20 mg/day)만을 사용하도록 조절이 필요하다.

## 4) 비생물학적 질환조절항류마티스약제

류마티스 질환에서는 여러 항류마티스약제(disease modifying antirheumatic drugs, DMARDs)를 병합 사용하고 있는 경우가 많다. 이들 약물들은 약한 면역억제 효과를 지니지만, 수술 전후 감염을 증가시킨다는 뚜렷한 증거가 없어 대부분 중단 없이 사용할 수 있다.

### (1) 메토트렉세이트, 레플루노마이드, 하이드록시클로로퀸, 설파살라진

류마티스관절염, 척추관절염, 소아특발관절염, 전신홍반루푸스 환자가 예정된 무릎 혹은 엉덩관절 수술을 받는 경우 비생물학적 항류마티스약제는 수술 전후 중단 없이 유지한다. 메토트렉세이트(methotrexate, MTX)로 관절염이 잘 조절되던 환자가 메토트렉세이트를 중단하게 되면, 대부분 4주 이내에 증상 악화를 경험하게 된다. 이것은 수술 후 관절 통증과 부종, 경직으로 이어지고, 재활 훈련을 어렵게 하는 결과를 낳을 수 있다. 무작위 배정연구 등을 포함한 체계적 문헌 고찰에서는 이들 항류마티스약제를 유지하는 경우가 중단한 경우보다 오히려 정형외과 수술 후 감염 위험이 낮은 결과를 보였다(RR 0.39, 95% CI 0.17-0.91).

### (2) JAK 억제제

토파시티닙(tofacitinib), 바리시티닙(baricitinib), 우파다시티닙(upadacitinib)이 류마티스관절염 치료제로 사용되고 있으며, 이들은 반감기가 매우 짧다. 그러나 체계적 고찰 및 메타분석에서 토파시티닙 복용 환자의 중증 감염 발생률이 2.91(95% CI 2.27–3.74)배로 증가한다는 보고가 있어 미국류마티스학회에서는 예정된 수술 전 3일동안은 JAK 억제제 복용 중단을 권고하고 있다.

### (3) 미코페놀레이트모페틸, 아자싸이오프린, 사이클로스포린, 타크로리무스

전신홍반루푸스 환자에서 수술 전후 이들 약제 사용에 대한 연구가 적은 실정이다. 그러나, 장기이식 직후에도 이들 약제는 투여를 지속하므로 중증 전신홍반루푸스 환자에서는 수술 전후 중단 없이 사용을 지속하는 것이 권장된다. 만약 중증이 아닌 안정적인 상태의 전신홍반루푸스인 경우에는 수술 1주 전 이 약제들의 중단을 고려한다.

## 5) 생물학적제제

### (1) 상처치유 및 골유합에 대한 영향

TNF-α는 섬유모세포 증식, 프로스타글란딘 생성, 콜라겐분해효소 유전자 발현을 촉진시키는 역할을 하므로 상처치유를 위해서는 적절한 농도로 유지되어야 한다. 한편 B세포는 피부 섬유화에 관여하므로 이론적으로는 이들을 억제하는 생물학적제제를 사용하면 상처치유가 지연될 것이라는 가설이 성립하나 실제 이들을 사용했던 환자에서 감염 없이 수술 후 상처치유가 지연된 보고는 많지 않다. TNF-α는 골절치유 과정에서 혈관신생과 중간엽줄기세포의 골세포로의 분화를 촉진하므로 이를 억제하는 약제를 사용하게 되면 골유합이 지연될 것이라는 가설이 성립한다. 그러나, 실제 류마티스관절염 동물 모델에서는 항TNF제제 사용으로 염증을 줄이면 골유합에 도움이 되는 결과를 보였다.

## (2) 수술 전후 중단과 재사용에 대한 권고

생물학적제제 사용은 일반적으로 감염에 대한 위험을 높이지만 수술 후 감염에 대해서는 무작위 배정 연구가 없고 제한적이다. 체계적 고찰 및 메타분석에서 생물학적제제를 사용하는 경우 중증 감염의 위험이 1.5배 정도(most odds/hazards/risk ratios ~1.5, range 0.61-8.87) 상승한다고 보고된 바 있으나 이는 생물학적제제를 필요로 하게 된 류마티스관절염 자체의 중증도와 관련 있을 가능성이 높다고 보고 있다. 이후 연구에서는 생물학적제제 사용과 정형외과 수술 후 감염 증가에 대한 관련성은 코르티코스테로이드와 달리 뚜렷하지 않다고 보고된 바 있다. 이상의 제한된 보고들을 토대로 현재 사용중인 모든 종류의 생물학적제제는 수술 전후 일정기간 중단할 것을 권고하지만, 2022년 미국 류마티스학회의 권고안은 사용 중단 기간을 최소화시키는 방향으로 개정되었다. 대부분의 생물학적제제의 경우 마지막 투여 1주 뒤로 수술을 계획하며, 수술 후 감염의 증거가 없고 상처 치유가 정상적이라면 생물학적제제 사용을 재개할 것을 권고하고 있다. 한편, 중증 전신홍반루푸스 환자의 경우 응급이 아닌 수술은 질병활성도가 충분히 조절된 다음으로 연기하는 것을 추천하며, 응급 수술의 경우에는 항류마티스약제를 중단할 경우 질병악화로 인한 위험성이 수술 후 감염 위험을 상회하므로 이들을 유지

표 154-4. 항류마티스약제 및 생물학적제제의 투여간격 및 수술 전후 사용에 대한 권고

| 수술 전후 유지하는 약물 | | |
|---|---|---|
| **질환조절항류마티스약제(DMARDs): 모든 환자에서 수술 기간 중 유지** | **투여 간격** | **마지막 투여일로부터 수술가능 시기** |
| 메토트렉세이트(Methotrexate) | Weekly | Anytime |
| 설파살라진(Sulfasalazine) | Once or twice daily | Anytime |
| 하이드록시클로로퀸(Hydroxychloroquine) | Once or twice daily | Anytime |
| 레플루노마이드(Leflunomide) | Daily | Anytime |
| 독시사이클린(Doxycycline) | Daily | Anytime |
| 아프레밀라스트(Apremilast) | Twice daily | Anytime |
| **중증 전신홍반루푸스* 치료제: 류마티스내과 전문의와 상의하여 유지 가능** | **투여 간격** | **마지막 투여일로부터 수술가능 시기** |
| 미코페놀레이트 모페틸(Mycophenolate mofetil) | Twice daily | Anytime |
| 아자싸이오프린(Azathioprine) | Daily or twice daily | Anytime |
| 사이클로스포린(Cyclosporine) | Twice daily | Anytime |
| 타크로리무스(Tacrolimus) | Twice daily | Anytime |
| 리툭시맙(Rituximab) | IV Every 4-6 months | Month 4-6 |
| 벨리무맙 IV(Belimumab) | Monthly IV | Week 4 |
| 벨리무맙 SQ(Belimumab) | Weekly SQ | Anytime |
| 아니프로루맙(Anifrolumab) | IV Every 4 weeks | Week 4 |
| 보클로스포린(Voclosporin) | Twice daily | Anytime |

| 수술 전에 중단해야 하는 약물 | | |
|---|---|---|
| **생물학적제제(Biologics): 수술 기간 중 일시중단**\*\* | **투여 간격** | **마지막 투여일로부터 수술가능 시기** |
| 인플릭시맙(Infliximab) | Every 4, 6, or 8 weeks | Week 5, 7, or 9 |
| 아달리무맙(Adalimumab) | Every 2 weeks | Week 3 |
| 에타너셉트(Etanercept) | Every week | Week 2 |
| 아바타셉트(Abatacept) | Monthly (IV) or weekly (SQ) | Week 5 or Week 2 |
| 리툭시맙(Rituximab) | 2 doses 2 weeks apart every 4-6 months | Month 7 |
| 토실리주맙(Tocilizumab) | Every 2 weeks (SQ) or Every 4 weeks (IV) | Week 3 Week 5 |
| 아나킨라(Anakinra) | Daily | Day 2 |
| 세쿠키누맙(Secukinumab) | Every 4 weeks | Week 5 |
| 익세키주맙(Ixekizumab) | Every 4 weeks | Week 5 |
| 우스테키누맙(Ustekinumab) | Every 12 weeks | Week 13 |
| 구셀쿠맙(Guselkumab) | Every 8 weeks | Week 9 |
| **JAK 억제제: 수술 3일 전 중단** | **투여 간격** | **마지막 투여일로부터 수술가능 시기** |
| 토파시티닙(Tofacitinib) | Daily or twice daily | Day 4 |
| 바리시티닙(Baricitinib) | Daily | Day 4 |
| 우파다시티닙(Upadacitinib) | Daily | Day 4 |
| **안정적 상태의 전신홍반루푸스: 수술 1주 전 중단** | **투여 간격** | **마지막 투여일로부터 수술가능 시기** |
| 미코페놀레이트 모페틸(Mycophenolate mofetil) | Twice daily | 1 week after last dose |
| 아자싸이오프린(Azathioprine) | Daily or twice daily | 1 week after last dose |
| 사이클로스포린(Cyclosporine) | Twice daily | 1 week after last dose |
| 타크로리무스(Tacrolimus) | Twice daily | 1 week after last dose |
| 리툭시맙(Rituximab) | Every 4-6 months | Month 7 |
| 벨리무맙 IV(Belimumab) | Monthly | Week 5 |
| 벨리무맙 SC(Belimumab) | Weekly | Week 2 |

DMARDs = disease-modifying antirheumatic drugs; SQ = subcutaneous; IV = intravenous; SLE = systemic lupus erythematosus.

\* 증증 전신홍반루푸스는 장기를 위협하는 상태를 의미

\*\* 관절치환술 전에 항류마티스약제를 일시 중지한 경우 수술상처 치유에 문제가 없으며 봉합이나 스테이플(staple)이 제거되고 부종, 홍반, 분비물 등 수술부위 감염 증거가 없다면 보통 14일 지나면 재시작함

하면서 수술을 진행하도록 한다. 다만, 안정적인 전신홍반루푸스의 경우에는 수술 1주 전 모든 항류마티스약제를 중단하고, 벨리무맙 정맥주사의 경우 마지막 투여 5주째에 수술하도록 한다. 6개월 간격으로 투여하는 리툭시맙의 경우에는 마지막 투여일로부터 7개월째에 수술을 계획한다. 수술을 앞두고 중단된 생물학적제제의 재사용은 수술 후 최소 10-14일이 경과하고, 봉합사나 스테이플(staple)이 모두 제거되었으며, 상처가 깨끗이 회복되면 재개한다.

표 154-4는 다양한 항류마티스약제 및 생물학적제제들의 수술 전후 관리에 대해 정리한 것이다.

# 결론

수술을 앞둔 류마티스질환 환자가 오랜 기간 꾸준히 복용해오던 약물을 적절하게 조절하는 것은 수술 결과를 최적화하는 데 필수적이다. 이를 위하여 수술을 맡은 외과의사와 류마티스 내과의사의 수술 전 상호 의견 교환과 자문이 매우 중요하다. 대부분의 경우 수술 전 스트레스 용량의 추가적 코르티코스테로이드 투여는 더 이상 권장되지 않으며 평소 사용량을 유지하도록 한다. 항류마티스약제 조절은 수술 후 질병의 급성 악화를 예방하면서도 감염율을 낮추고 상처 치유를 최적화할 수 있도록 이루어져야 한다. 비생물학적 항류마티스약제 대부분은 수술 전후 중단 없는 사용을 권장한다. 생물학적제제의 경우 마지막 투여 후 수술까지 1주 간격을 두도록 계획하고, JAK 억제제는 수술 전 3일간 중단하도록 수술 전 계획에 반드시 포함시켜야 한다.

## 참고문헌

1. Ding T, Ledingham J, Luqmani R, Westlake S, Hyrich K, Lunt M, et al. BSR and BHPR rheumatoid arthritis guidelines on safety of anti-TNF therapies. Rheumatology (Oxford) 2010;49:2217-9.

2. Giles JT, Bartlett SJ, Gelber AC, Nanda S, Fontaine K, Ruffing V, et al. Tumor necrosis factor inhibitor therapy and risk of serious postoperative orthopedic infection in rheumatoid arthritis. Arthritis Rheum 2006;55:333-7.

3. Goodman SM, Springer B, Guyatt G, Abdel MP, Dasa V, George M, et al. 2017 American College of Rheumatology/American Association of Hip and Knee Surgeons Guideline for the Perioperative Management of Antirheumatic Medication in Patients with Rheumatic Diseases Undergoing Elective Total Hip or Total Knee Arthroplasty. Arthritis Rheumatol 2017;69:1538-51.

4. Goodman SM. Rheumatoid arthritis: Perioperative management of biologics and DMARDs. Semin Arthritis Rheum 2015;44:627-32.

5. Ito H, Kojima M, Nishida K, Matsushita I, Kojima T, Nakayama T, et al. Postoperative complications in patients with rheumatoid arthritis using a biological agent: a systematic review and meta-analysis. Mod Rheumatol 2015;25:672-8.

6. Kelly KN, Domajnko B. Perioperative stress-dose steroids. Clin Colon Rectal Surg 2013;26:163-7.

7. Lopez-Olivo MA, Siddhanamatha HR, Shea B, Tugwell P, Wells GA, Suarez-Almazor ME. Methotrexate for treating rheumatoid arthritis. Cochrane Database Syst Rev 2014;6:CD000957.

8. Malaviya AP, Ledingham J, Bloxham J, Bosworth A, Buch M, Choy E, et al. The 2013 BSR and BHPR guideline for the use of intravenous tocilizumab in the treatment of adult patients with rheumatoid arthritis. Rheumatology (Oxford) 2014;53:1344-6.

9. Marik PE, Varon J. Requirement of perioperative stress doses of corticosteroids: a systematic review of the literature. Arch Surg 2008;143:1222-6.

10. Oh SK. Management of Perioperative Antiplatelet Therapy. Korean J Med 2013;85:22-8.

11. Richter MD, Crowson CS, Matteson EL, Makol A. Orthopedic Surgery Among Patients with Rheumatoid Arthritis: A Population-Based Study to Identify Risk Factors, Sex Differences, and Time Trends. Arthritis Care Res (Hoboken) 2018;70:1546-50.

12. Singh JA, Cameron C, Noorbaloochi S, Cullis T, Tucker M, Christensen R, et al. Risk of serious infection in biological treatment of patients with rheumatoid arthritis: a systematic review and meta-analysis. Lancet 2015;386:258-65.

13. Strand V, Ahadieh S, French J, Geier J, Krishnaswami S, Menon S, et al. Systematic review and meta-analysis of serious infections with tofacitinib and biologic disease modifying antirheumatic drug treatment in rheumatoid arthritis clinical trials. Arthritis Res Ther 2015;17:362.

14. Zisa D, Goodman SM. Perioperative Management of Rheumatic Disease and Therapies. Med Clin North Am 2021;105:273-84.

15. 2022 ACR/AAHKS Guidelines for Management of Antirheumatic Medications Among Patients Undergoing Total Joint Arthroplasty. https://www.rheumatology.org/Portals/0/Files/Perioperative-Management-Guideline-Summary.pdf.

# 155

# 류마티스 질환과 감염

한양의대 **박소연**

## KEY POINTS 🔒

- 류마티스 질환자는 질병 활성 자체와 면역조절요법과 관련하여 감염 위험이 증가하며, 활동성 중증 감염이 있는 경우 항류마티스약제를 일시적으로 중단하는 것이 좋다.
- 글루코코티코이드는 다른 면역조절 치료제보다 감염의 위험을 증가시키며, 특히 고용량을 사용할 경우 중증 감염과 기회감염의 위험도가 크게 올라간다.
- 생물학적제제 및 새로운 표적치료제가 널리 사용되면서 기존의 항류마티스약제보다 중증 감염 및 새로운 기회감염의 위험이 증가하고 있다.
- 생물학적제제나 표적 항류마티스약제(JAK억제제)를 투여 받는 모든 환자에서 잠복결핵에 대한 선별검사가 필요하고, 잠복결핵이 진단된 경우 약물을 시작하기 최소 3주전에 치료를 시작해야 한다.
- 사이클로포스파마이드와 고용량 글루코코티코이드를 병용하는 환자의 경우 사람폐포자충 폐렴에 대한 예방치료를 적극 고려한다.
- 류마티스 질환자는 일반적인 감염뿐 아니라 기회감염과 바이러스 재활성화, 대상포진 등의 특수한 감염의 위험도가 올라가므로, 이에 대한 이해 및 고려가 반드시 필요하다.

## 서론

류마티스 질환자는 상대적으로 감염성 질환의 이환율 및 이로 인한 사망률이 높다. 이는 질병 자체의 발병기전으로 정상적인 면역반응이 소실된 데 기인하나, 다양한 류마티스 치료과정에서 글루코코티코이드와 면역억제제의 사용과 같은 약제 관련

요인도 크다.

최근 생물학적제제(biologic DMARDs) 등 새로운 류마티스 표적치료제가 개발되어 널리 사용되면서 새로운 기회감염 및 바이러스 재활성화 발생 가능성도 높아지고 있다. 이번 장에서는 류마티스 치료 약제에 따른 감염 위험성과 치료 과정에서 주의가 필요한 기회감염(opportunistic infection) 및 이를 예방하기 위한 선별검사 등에 대해서 살펴보겠다.

## 류마티스 치료제와 감염의 위험도

대표적인 류마티스 치료약제와 감염과의 연관성은 표 155-1에 정리하였다.

### 1) 글루코코티코이드

글루코코티코이드의 감염 위험은 복용량과 사용 기간에 따라 달라지며, 하루 10 mg 이상의 프레드니솔론을 장기간 사용하면 중증 감염 위험이 두 배 이상 증가한다. 하루 5 mg 이하의 저용량 프레드니솔론 사용은 감염의 위험과 관련이 없거나 약간 증가시킨다. 반면, 65세 이상의 류마티스관절염 환자에서 저용량 글루코코티코이드를 만성적으로 사용할 경우 중증 감염 위험이 1.2-1.3배 증가함이 확인되었고, 복용량에 따라 위험이 증가하였다. 따라서 고령의 환자에서는 저용량의 글루코코티코이드를 사용하더라도 감염에 대한 주의가 필요하다.

글루코코티코이드 용량 외에도 감염 위험에 영향을 미치는

표 155-1. 류마티스 약제별 중증 감염 위험도 및 임상적 주의점

| 류마티스 약제 | 감염 위험도 | 임상적 주의점 |
|---|---|---|
| 고식적인 합성 항류마티스약제 | 중증 감염 위험도를 약간 올림 | |
| 항TNF제제 | 추가적인 중증 감염1-2 /100인년 | 잠복결핵, 대상포진 |
| 아바타셉트 | 항TNF제제에 비해 위험성이 약간 낮다. | 대상포진 |
| IL-6억제제 | 항TNF제제와 유사하거나 약간 높은 정도의 위험 | 대상포진 |
| JAK억제제 | 항TNF제제와 유사한 정도의 위험 | 대상포진 (글루코코티코이드와 사용 시) |
| 적은 용량의 글루코코티코이드 (프레드니솔론<10 mg/day) | 추가적인 중증 감염1-2 /100인년 | 대상포진 (JAK억제제와 사용시) |
| 고용량 글루코코티코이드 (프레드니솔론>10 mg/day) | 감염 위험이 2배 정도 증가 | B형간염 재활성화, Pneumocystis jiroveci 폐렴, 대상포진 |
| 리툭시맙 | 항TNF제제와 유사한 정도의 위험 | B형간염 재활성화, Pneumocystis jiroveci 폐렴 PML* |

*PML, Progressive Multifocal Leukoencephalopathy (진행성다병소성백질뇌증)

요인으로는 기저 질환, 면역억제제 병용요법, 입원, 림프구감소증, 당뇨병 등이 있다. 또한, 글루코코티코이드를 복용하는 환자는 사이토카인 방출의 억제 및 염증 및 발열 반응의 감소로 인해 감염 징후 및 증상이 명확하게 나타나지 않을 수 있다. 이것은 감염을 조기에 발견하지 못하게 하므로 감염에 대해 좀 더 세심한 접근이 필요하다.

글루코코티코이드의 격일 요법은 감염 위험을 감소시킬 수 있으며, 흡입 및 국소 글루코코티코이드는 일반적으로 전신 감염의 위험이 증가되지 않는다.

## 2) 고식적 항류마티스약제

고식적 항류마티스약제(conventional synthetic DMARDs, csDMARDs)인 메토트렉세이트, 레플루노마이드, 하이드록시클로로퀸, 설파살라진은 비 중증 감염이 약간 증가할 수 있지만 중증 감염의 위험 증가는 미미한 것으로 알려져 있다. 하이드록시클로로퀸, 설파살라진이 감염에 좀더 안전하며, 메토트렉세이트와 레플루노마이드는 비 중증 감염 위험을 약간 높인다. 또한, 생물학적제제와의 병용 요법은 생물학적 단독 요법에 비해 추가적인 중증 감염 위험을 높인다.

## 3) 생물학적제제

### (1) 항TNF제제

TNF는 염증의 주요 매개체로, 항TNF제제의 사용은 감염과 중증 감염의 위험을 높이며 호흡기, 요로 감염이 가장 흔하다. 여러 관찰 연구 및 메타연구에서 고식적인 항류마티스약제를 사용한 환자에 비해 중증 감염 위험이 1.1-1.8배 증가했으며 치료 시작 첫 6개월 이내가 위험도가 가장 높았다. 이는 1년동안 치료받은 환자 100명당 약 1-2명의 중증 감염 증가에 해당한다.

또한, TNF는 육아종(granuloma) 형성에 중요한 역할을 하기 때문에 항TNF제제를 사용하면 마이코박테리아 감염에 대한 적절한 방어를 하지 못 해서 결핵이 발생할 수 있다. 특히, 인플릭시맙, 아달리무맙 사용 시 에타너셉트, 골리무맙, 써톨리주맙 페골보다 결핵 발병률이 더 높다. 모든 항TNF제제 사용전 잠복결핵 스크리닝이 요구된다. 그 밖에 B형간염 보균자라면 B형간염 바이러스 재활성화를 막기 위해서 항TNF제제 치료 이전에 반드시 예방적 항바이러스 치료를 시작해야 한다. 모든 백신은 항TNF제제 투여 전에 맞는 것이 좋으며 항TNF제제 투여 중 생백신 투여는 피해야 한다.

### (2) IL-6억제제

토실리주맙과 사릴루맙은 강력한 IL-6 수용체 억제제이다.

심각한 엡스테인-바(Epstein-Barr) 바이러스 재활성화, 대상포진 및 사지 농양 사례가 보고된 바 있다. 토실리주맙은 심각한 세균 감염, 게실염, 피부 및 연조직 감염을 포함한 복합 감염이 항TNF제제와 비교하여 약간의 차이를 보였고(HR 1.19, 95% CI 1.07-1.33) 아바타셉트와 비교하여 좀 더 큰 차이(1.40, 95% CI 1.2-1.63)를 보였다. 전체 중증 감염 발생률은 100인년당 3.67-4.5이다.

전반적으로 IL-6 억제제 감염 위험은 다른 생물학적제제들과 비슷하거나 약간 더 큰 것으로 보인다. 상기도 감염, 인후염이 제일 흔하고, 기회감염은 드물다. 투여 전 결핵이나 다른 감염 유무에 대한 검사가 필요하고, 투여 중 생백신 투여는 피해야 한다.

### (3) IL-17억제제

세쿠키누맙과 익세키주맙과 같은 IL-17억제제의 감염 위험도는 다른 생물학적제제와 유사하다. 국소적인 칸디다증(candidiasis)이 보고된 바 있고, 잠복결핵의 재활성화 위험을 높인다는 근거는 현재까지 명확하지 않으나, 국내에서 약제 사용 전 잠복결핵 스크리닝이 요구된다.

### (4) 아바타셉트

아바타셉트는 생물학적제제들 중에서 중증 감염률이 가장 적다. 중증 감염의 위험은 메타분석에서 통계적으로 의미 없었고(OR 1.82-3.32, 95 % CI 1.00), 전향적 코호트 연구에서 아바타셉트은 100인년당 13.1, 에타너셉트 100인년당 15.9(조정된 HR 1.24, 95% CI 1.07-1.45), 인플리시맙 100인년당 17.0(조정된 HR 1.39, 95% CI 1.21-1.60)으로 가장 낮았다. 감염으로 입원한 경우는 폐렴, 기관지염, 봉와직염, 요로감염이 가장 많았고, 기회감염은 거의 관찰되지 않았다.

### (5) 리툭시맙

리툭시맙의 중증 감염 위험은 다른 생물학적제제와 크게 다르지 않다. 감염은 주로 상기도 감염이며, 중증 감염이나 기회감염, 범발성 진균감염, 결핵은 드물고, 대상포진이 생길 수 있다. 코호트 및 무작위 연구에서 전체 감염과 중증 감염 모두에서 리툭시맙과 다른 치료 그룹 간에 유의미한 차이가 없었다(4.1% vs 4.6%; OR 1.05; 95% CI 0.84-1.31). Cochrane 연구에서도 메토

트렉세이트 단독과 비교하여 류마티스관절염에 대한 리툭시맙과 메토트렉세이트의 병용은 모든 감염[상대 위험도(RR) 1.1, 95% CI 0.95-1.30] 또는 중증 감염(RR 0.68, 95% CI 0.42-1.10)의 위험에서 유의한 차이를 보이지 않았다.

리툭시맙 요법은 B형간염바이러스 재활성화 위험을 크게 높이므로 모든 환자는 치료를 시작하기 전에 HBsAg 및 항-HBc에 대해 선별검사를 받아야 한다. 이전에 B형간염 감염의 증거가 있는 환자는 치료 중 및 치료 완료 후 12개월 동안 재활성화에 대해 모니터링해야 한다. 또한, 아주 드물지만 루푸스 및 류마티스관절염 환자에서 John Cunningham (JC) virus 재활성화에 의한 진행다병소백질뇌증(progressive multifocal leukoencephalopathy, PML)이 발생할 수 있다. 일부 백신에 대한 반응이 리툭시맙으로 치료받은 환자에서 감소할 수 있으며, 가장 현저하게는 리툭시맙 투여후 처음 4-8주에 감소할 수 있으므로 예방접종 시 주의가 필요하다.

## 4) JAK억제제

토파시티닙, 바리시티닙 및 우파다시티닙을 포함한 JAK억제제는 상대적으로 데이터가 많지 않지만, 감염률은 전반적으로 다른 생물학적제제와 유사하게 보고되고 있다. 토파시티닙의 중증 감염 위험은 항TNF제제 및 아바타셉트와 유사했다. 다만, 대상 포진 비율이 더 높았고 특히 글루코코티코이드 병용 사용 시 위험이 증가했다. 추후 더 많은 경험과 보고가 필요하겠다.

## 5) 사이클로포스파마이드

사이클로포스파마이드는 골수 억제를 유도하여 호중구 감소증 및 림프구 감소증을 유발하고, 수 감소가 없더라도 정상인인 호중구 및 림프구 기능을 방해함으로서 세균, 바이러스 및 기회 감염 위험을 증가시킨다. 경구 투여가 정주 요법보다 감염 위험이 더 높고, 장기간 지속적으로 정맥 주입하는 것보다는 정주 주기요법이 감염률을 좀더 낮출 수 있다.

여러 류마티스 질환에서 사이클로포스파마이드와 글루코코티코이드를 사용한 환자의 감염 위험은 20-40%였고, 요로 감염 및 폐렴이 흔하다. 대표적인 기회감염인 사람폐포자충폐렴(Pneumoncystis jiroveci pneumonia, PJP)이 호발하므로 trimethoprim/sulfamethoxazole (TMP-SMX) 등의 적극적인 예방적

치료를 고려해야 한다. 사이클로포스파마이드는 대상포진 감염의 위험도를 상당히 높인다. 혈관염과 루푸스에 대한 여러 연구에서 대상포진의 발생률은 8-33%로, 사이클로포스파마이드 투여전 대상포진 예방을 위한 백신 접종이 권유된다. 대부분의 대상포진 감염은 집중적인 면역억제 기간 동안 발생하지 않고 환자가 사이클로포스파마이드와 글루코코티코이드를 중단한 후에 발생하여 면역 재구성 증후군의 가능성을 시사한다.

### 6) 미코페놀레이트

미코페놀레이트(mycophenolate mofetil, MMF)는 사이클로포스파마이드보다 중증 감염의 비율이 낮다. MMF와 글루코코티코이드로 치료받은 특발성 피부근염 환자 10명 중 3명에서 치

명적인 감염을 포함한 기회감염이 보고된 바 있다,

## 주요 기회감염 및 바이러스 재활성화

류마티스 질환과 연관된 주요 기회감염의 원인균, 바이러스는 표 155-2에 정리하였으며, 그 중 대표적인 기회감염에 대해 알아보겠다.

### 1) 사람폐포자충폐렴

PJP는 진행성 사람면역결핍바이러스(human immunodeficiency virus, HIV) 환자에서 흔히 볼 수 있는 기회감염으로 면역

**표 155-2 류마티스 질환과 연관된 주요 기회감염**

| 박테리아 | 바이러스 | 곰팡이균 | 프로토조아 |
|---|---|---|---|
| 결핵 | 파종성 대상포진 | Pneumocystis jiroveci 폐렴(PJP) | 크립토스포리디움 |
| 비전형성결핵 | 거대세포바이러스(CMV) | 크립토코시스 | 톡소플라즈모시스 |
| 리스테리아 | 침습적인 단순포진 바이러스 | 파종성 히스토플라즈모시스 | 레이쉬마니아시스 |
| 침습적인 레지오넬라 | JC 바이러스* (PML) | 아스퍼질루스 | |
| | BK 바이러스 | 콕시디오마이코시스 | |
| | 엡스테인바 바이러스 | 캔디다 | |

*JC, John Cunningham virus.

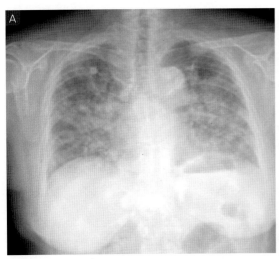
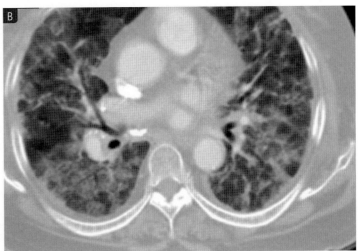

**그림 155-1. 사람폐포자충폐렴(Pneumocysitis jiroveci pneumonia) (A)** 흉부 X선, 양측성 미만성 침윤 **(B)** 흉부 HRCT, 간유리음영(Ground-glass opacity) (참고문헌 3)

억제 환자에서 주로 나타난다. 류마티스 질환자와 같이 면역억제 요법을 받는 환자는 HIV 환자의 경우보다 예후가 불량하고 진단 민감도가 더 낮다. 특히 미열, 건성 기침 등 초기의 미만성 폐렴 소견은 증상은 매우 비특이적이어서 PJP를 의심하는 것이 진단 및 예후에 가장 중요하다.

리툭시맙, 사이클로포스파마이드를 글루코코티코이드와 함께 사용할 때 PJP 발병 위험이 특히 높다. 그외, 메토트렉세이트, 항TNF제제 등도 관련이 있다. 잠재적 위험 요인으로는 고령, 기존의 폐질환, 글루코코티코이드 용량, 림프구감소증, 신장질환, 높은 질병활성도, 낮은 혈청 알부민 및 면역글로불린g 수치가 있다. 진단은 객담, 유도객담, 폐포세척액에서 중합효소연쇄반응(PCR) 검사로 시행하며, 진균 세포벽의 일반적인 구성 요소인 β-D-글루칸의 혈청 수치 상승이 도움이 될 수 있다. 흉부 X선사진은 특징적으로 양측성 미만성 침윤 소견을 보이며, HRCT 스캔에서는 간유리음영(ground glass opacity)을 보인다(그림 155-1). 치료는 trimethoprim/sulfamethoxazole (TMP/SMX)가 1차 약제이며, pentamidine, isethionate를 사용할 수 있다. 고용량 글루코코티코이드는 중증 PJP가 있는 HIV 환자의 치료에서 일반적으로 보조 요법으로 사용되지만 면역억제 요법을 받는 환자에서는 잘 연구되지 않았다. PJP 예방을 위하여 자가면역질환 환자를 대상으로 한 명확한 합의는 없다. 그러나, 혈관염 치료 지침에서 고용량 글루코코티코이드와 사이클로포스파마이드 또는 리툭시맙을 병용하여 사용하는 환자의 경우 PJP 예방치료를 권고하고 있다. PJP 예방 요법은 TMP/SMX 80/400 mg 매일 또는 두배 용량인 160/800 mg를 주 2회 사용한다. 루푸스 환자의 경우 TMP/SMX 등 설파 계열 항생제가 루푸스를 악화시키거나 알러지 반응을 유발할 수 있다는 보고가 있어 환자별로 접근하는 게 좋겠다.

PJP 이외에도 콕시디오이데스 감염, 파종성 히스토플라스마증, 아스퍼질루스, 캔디다에 대한 진균 감염 보고가 있으나, 진균 감염에 대한 예방 치료에 대한 일관된 표준이나 권장 사항이 없고, 유용한 선별 검사가 없기 때문에 감염에 대한 조기 의심 및 인식이 중요하다.

## 2) 잠복결핵감염

결핵균에 감염되어 체내에 소수의 살아있는 균이 존재하나 외부로 배출되지 않아 타인에게 전파되지 않으며, 증상이 없고, 항산균 검사와 흉부 X선 검사에서 정상인 경우를 잠복결핵감염(latent tuberculosis infection, LTBI)이라고 한다. 류마티스 질환의 치료제로 많이 사용되는 생물학적제제는 LTBI 환자에서 결핵 발생의 위험을 높이며, 특히 폐외(extrapulmonary) 결핵이나 범발성(disseminated) 결핵과 같은 중증의 결핵을 일으키는 경우가 많

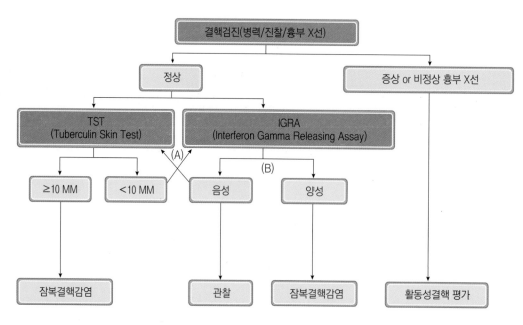

그림 155-2. **성인 면역저하자에서 잠복결핵감염의 진단** TST/IGRA 병합검사**(A)** 또는 IGRA 단독검사**(B)** 중 상황에 따라 적절한 방법을 선택할 수 있다.

다. 특히, TNF-α는 항결핵 방어기전에서 육아종(granuloma) 형성에 중요한 역할을 하기 때문에 항TNF제제는 결핵의 발병 위험이 높다.

결핵은 생물학적제제 치료 환경에서 가장 명확하게 예방할 수 있는 기회감염 중 하나로, 항TNF제제로 치료받은 류마티스관절염 환자에서 선별검사지침을 사용한 후 활동성 결핵 발병률이 83% 감소함이 보고된 바 있다. 기저 검사로 과거 결핵치료력, 결핵 환자 접촉력, 현재 결핵 의심증상 여부를 확인하고 흉부X선을 촬영하며, 활동성 결핵이 의심되는 경우 적절한 검사를 시행한다. LTBI의 진단은 IGRA (interferon gamma release assay) 단독 검사 혹은 IGRA와 TST(tuberculin skin test) 병합검사를 사용할 수 있다(그림 155-2). 병합검사를 사용 시 두 검사 중 하나라도 양성일 때 결핵감염으로 판정하며, TST 양성 기준은 경결의 크기 10 mm 이상이다. IGRA는 T-SPOT.TB 와 QuantiFERON 중 어느 검사 방법을 사용해도 무방하다. 과거 결핵 치료력 없이 자연 치유된 결핵병변이 존재하면 활동성 결핵을 배제한 후 결핵감염 검사 없이 LTBI로 간주하고 치료한다.

LTBI 감염이 진단된 경우는 치료 시작 3주 후부터 항TNF제제 치료 시작을 권고하나, 경우에 따라 LTBI 치료 시작과 동시에 시작하는 것을 고려할 수 있다. 과거에 적절하게 항결핵치료가 완료된 경우에는 새로운 결핵감염이 의심되지 않는 한 LTBI 치료는 시행하지 않는다. LTBI 표준치료는 이소니아지드(5 mg/kg/일, 최대 300 mg/일) 9개월 요법(9H)을 권고하나, 리팜핀 4개월 요법(4R), 3개월 이소니아지드/리팜핀 요법(3HR)도 선택적으로 고려할 수 있다.

항TNF제제 사용 중에도 결핵 발병 여부를 세심히 관찰하여야 하며, 결핵이 발병하면 항TNF제제를 중지한다. 결핵균 양성이면 반드시 약제감수성검사를 시행하고, 성공적 결핵치료 종료 후 항TNF제제를 다시 사용하는 것을 고려한다. 결핵 치료 반응이 양호하거나 약제감수성임이 확인되면 집중 치료기 이후부터 항TNF제제를 재사용할 수 있다.

항TNF제제 이외에도 IL-6억제제, 아바타셉트, 토파시티닙, 바리시티닙과 같은 항류마티스 약제를 사용할 경우, LTBI에 관한 스크리닝 검사 및 적절한 예방 조치가 필요하다.

## 3) B형간염바이러스 재활성화

생물학적제제의 사용 중 또는 사용 후에 HBV가 재활성화될 수 있으므로 약제를 시작하기 전에 B형간염 바이러스 감염 여부를 선별해야 하며, B형간염 바이러스 감염이 확인되면 항바이러스 치료를 고려해야 한다. 한국은 만성 HBV 감염률이 높은 지역으로 분류되며, HBV 감염 유병률은 감소되고 있지만 HBV 표면항원(HBs Ag)의 양성률은 남성의 경우 3.4%, 여성의 경우 2.6%로 여전히 높다.

리툭시맙과 항TNF제제는 HBV의 재활성화 위험을 증가시킨다. HBV 재활성화율은 항TNF 제제를 투여받는 HBsAg 양성인 환자에서12.3-39%로 보고되었다. 리툭시맙이 포함된 치료을 받은 림프종 환자에서 HBV 감염의 재활성화 비율은 24-67%로 보고되었다. 또한, HBV 감염이 해결된 환자(HBsAg음성/HBcAb양성)에서 HBV 재활성화 비율도 리툭시맙 및 항TNF제제 치료 후에 증가했다.

HBV 재활성화에 대한 다른 생물학적제제의 효과는 거의 알려져 있지 않았으나, 생물학적 치료에 관계없이 류마티스관절염 환자는 HBV 재활성화 위험이 증가하므로 생물학적제제를 받는 모든 환자에서 HBV 감염을 선별해야 한다. 예방적 항바이러스 요법은 리툭시맙이 포함된 화학요법을 받고 있는 HBsAg(+) 류마티스관절염 환자에서 HBV 재활성화 위험을 상당히 감소시켰다. 따라서 생물학적 치료 전에 HBV 감염에 대한 스크리닝을 수행해야 하고 생물학적 치료를 받는 환자에서 예방적 항바이러스 치료를 고려해야 한다. 항바이러스 예방요법은 면역억제제 시작하기 최소 7일 전에 시작해야 하고 면역억제 치료 완료 후에도 최소 6개월(리툭시맙의 경우 12개월) 동안 유지해야 한다. 또한, 항체가 없거나 과거 접종력이 없는 경우 B형간염 예방백신을 고려한다.

## 4) 진행다병소백질뇌증

PML은 John Cunningham (JC) 바이러스의 재활성화로 인해 발생하는 중추신경계 감염으로 진행성 희귀난치질환이다. 전통적으로 진행성 HIV와 관련이 있으며 다발성 경화증과 연관된 백혈구 부착 억제제의 합병증으로 보고되었다. 리툽시맙을 투여받는 전신홍반루푸스 환자와 최근에는 류마티스관절염 환자에서도 PML 케이스가 보고되었다. 리툭시맙을 투여받는 류마티스관절염 환자 100,000명당 PML의 누적 보고율은 2.2건으로 비교적 드물며, 리툭시맙으로 치료된 만성 림프구성 백혈병 또는 비호지킨 림프종 환자의 비율보다 낮다(환자 100,000명당 약 10명).

## 5) 대상포진

대상포진은 herpes viridae과에 속하는 이중가닥 DNA 바이러스인 수두대상포진바이러스(varicella-zoster virus, VZV) 초감염 후 근신경절에 잠복해있던 바이러스가 재활성화되어 발생한다. 여러 연구에서 생물학적 치료를 받는 환자들 사이에서 대상포진의 위험이 약 2배가 되며 생물학적제제 종류에 따른 차이는 크지 않다. 비생물학적 항류마티스약제 중에서 JAK억제제는 대상포진의 위험과 가장 크게 관련이 있으며, 특히 JAK억제제와 글루코코티코이드를 함께 투여 받는 환자들 사이에서 더 자주 발생한다.

대상포진은 면역억제 치료를 받은 환자에서 백신으로 예방 가능한 질병 중 하나이며, 수년 동안 대상포진에 대한 전반적인 위험을 67%까지 감소시켰다. 그럼에도 류마티스 질환자의 대상포진 예방 접종 비율은 여전히 낮으므로 좀더 적극적으로 백신 접종을 고려해야 한다. 생백신이므로 생물학적제제 및 강력한 면역억제제 사용 중에는 금기이며, 가능한 치료 전에 접종한다.

## 결론

감염은 자가면역질환 및 염증성 류마티스 질환을 앓고 있는 환자에서 특히 이환율이 높고, 사망의 주요 원인이다. 활동성 중증 감염이 있는 환자의 경우 감염이 소실되고 항균 요법이 완료될 때까지 면역조절제를 일시적으로 중단하고, 감염에 대한 우려가 높은 환자에서는 반감기가 짧은 약물을 선호하는 등 적극적인 대처가 필요하다.

생물학적제제 및 새로운 항류마티스약제의 보편적인 사용으로 치료 선택의 폭이 넓어지고 있으나, 중증 감염 및 새로운 기회 감염의 위험은 증가하고 있다. 의료진은 류마티스 질환을 진료하는 데 있어 약제의 효과와 함께 감염의 위험성을 잘 인지하여 치료 결정을 내리고 예방접종 및 선별검사를 통한 적극적인 예방을 해야 하며, 치료 중에도 충분한 모니터링을 시행해야 한다.

또한, 감염위험을 포함한 약물 안정성에 대한 지속적이고 명확한 연구들이 필요하겠다.

## 참고문헌

1. 대한결핵 및 호흡기학회. 결핵 진료지침. 제4판. 2020.
2. E-J Park, H Kim, S Jung, Y-K Sung, H Baek, J Lee. The use of biological disease-modifying antirhematic drugs for inflammatory arthritis in Korea: Results of a Korean expert consensus Korean J Intern Med 2020;35:41-59.
3. Choi EY, Kim JO, Kim YS, Yoon HJ, Jun JB, Sung YK. A Case of Pneumocystis Jirovecii Pneumonia in a Patient with Rheumatoid Arthritis. Korean J Intern Med 2012;19:359-363.
4. Ghembaza A, Vautier M, Cacoub P, Pourcher V, Saadoun D. Risk factors and prevention of Pneumocystis jiroveci pneumonia in Patients With Autoimmune and Inf lammatory Diseases Chest 2020;158:2323-32.
5. Mccarthy K, Kavanaugh A, Ritchlin CT. Anti-cytokine therapies (Chapter 66). Firestein & Kelley's Textbook of Rheumatology. 11th ed. Elsvier; 2021. 1046-64.
6. Riley TR, George MD. Risk for infections with glucocorticoids and DMARDs in patients with rheumatoid arthritis RMD Open 2021;7:e001235.
7. Sepriano A, Kerschbaumer A, Smolen JS. Safety of synthetic and biological DMARDs: a systematic literature review informing the 2019 update of the EULAR recommendations for the management of rheumatoid arthritis. Ann Rheum Dis 2020;79:760-70.
8. Taylor PC. Cell-targeted biologics and emerging targets (Chapter 67). Firestein & Kelley's Textbook of Rheumatology. 11th ed. Elsvier; 2021:1068-87.
9. Winthrop KL. Infections and biologic therapy in rheumatoid arthritis. 7th ed. Elsvier; 2019. pp. 607-14.

# Index

## ㅇ

## ㅈ

# 영문 찾아보기

## A

# B

## D

# W

# Y

# Z

# 기타